되는 일이기는 하지만, 반드시 사전에 미친 사전광(辭典狂)이 나와야 한다. 스페인어 사전에 평생을 바칠 멋진 후학이 기다려진다.

이 사전을 쓰는 동안 자료 수집은 물론이고, 컴퓨터에 관계된 일이며, 원고 복사며 바쁜 중에도 아낌없는 도움을 주어 충실한 내용의 사전이 되도록 애쓴 한국외국어대학교 대학원 서반아어과 박사 과정을 수료한 조경호 동문, 해외에 나갈 때마다 어느 나라에 가건 그 나라말로 쓰인 스페인어 사전이나 자료를 구해 와 많은 참고가 되게 해 준 한국외국어대학교 대학원 서반아어과에서 스페인어 석사 과정을 이수하고 있는 김민정 동문, 이 두 후배에게 각별히 감사한다. 또 어려운 중에도 사전 출판을 흔쾌히 해 주신 민중서림 관계자들에게도 감사드린다. 이 사전이 후학들의 스페인어 연구에 작은 보탬이 되길 바란다.

2005년 4월

김 충 식

A a

a[1] *f.* [*pl.* aes] 아 (스페인어 자모의 첫째 문자).
a[2] *prep.* ① [사람 · 동물이 직접 목적어] …를[을]: visitar *a* mi maestro 내 스승을 방문하다. ② …에[로]: ir *a* España 스페인에 가다. ③ …에게: escribir la carta *a* Kim 김에게 편지를 쓰다. ④ [시간 · 공간] …에(서): *a* las dos de la tarde 오후 두 시에. ⑤ [분리 · 탈취] …한테서: comprar la flor *a* una chica 소녀한테서 꽃을 사다. ⑥ [방향 · 위치] …에[쪽으로]: *a* la izquierda 왼쪽에[으로]. ⑦ [동작 동사 뒤에서] …하러[하기 위해]: ir *a* ver a María 마리아를 만나러 가다. ⑧ [a+*inf.*] …하자: *A* dormir! 잡시다. ⑨ …까지: llegar *a* la rodilla 무릎까지 차다. ¶*A buena hambre no hay pan duro* (속담) 시장이 반찬, 기자감식.
a- *pref.* [비(非), 무(無), 부(不)] *a*teísmo 무신론.
aarónico, ca *adj.* =**aaronita.**
aaronita *adj.* 아론(Aarón)의. —*mf.* 아론의 자손.
ab. abad 수도원장. abril 4월.
ab- *pref.* [분리 · 부정 · 과도] *ab*sorber 흡수하다. *ab*usar 남용하다.
aba *interj.* 조심해라!
ababá *f.* ① [식물] 개양귀비. ② 바보, 얼간이, 천치.
ababillarse *r. Chile.* (동물이) 무릎 근육이 아프다.
ababol *m.* ① [식물] =**amapola.** ② 바보, 멍청이.
ab absurdo *adv. lat.* 불합리하게.
abacería *f.* 식료품점.
abacero, ra *mf.* 식료품점 주인.
abacial *adj.* 수도원장의, 신부의.
ábaco *m.* 주판, 점수판, 계산기.
abad *m* 수도원장, 신부; 주지.
abada *f.* [동물] 무소, 코뿔소.
abadanamiento *m.* (가죽) 무두질.
abadanar *tr.* 무두질한 가죽으로 만들다.
abadejo *m.* ① [어류] 대구, 명태. ② (조류) 상모솔새. ③ (곤충) 가뢰.
abadengo, ga *adj.* 수도원장[신부]의; 사원의. —*m.* 수도원의 관구[재산]; 수도원의 관구장.
abadernar *tr.* 밧줄로 조여 매다.
abadesa *f.* 여자 수도원장.
abadesco, ca *adj.* 수도원(장)의.
abadesil *adj.* =**abadesco.**
abadía *f.* 수도원장의 직; 수도원.
abadiado *m.* =abadía.
abadiato *m.* =abadía.
ab aeterno *adv. lat.* 태고적부터.
abajo *adv.* 아래에; 아래쪽으로; 아래층에: echar ~ 무너뜨리다, 넘어뜨리다. venirse ~ 무너지다. estar ~ 아래층에 있다. —*interj.* 꿰져라!
abaldonar *tr.* 모욕하다.
abalizar (9) *tr.* (항구에) 표지(標識)를 달다.
abalorio *m.* 유리 구슬, 유리알.
abaluartar *tr.* (…에) 보루[장벽]를 설치하다.
abanar *tr.* (부채로) 부치다.
abandalizar (9) *tr.* =**abanderizar.**
abanderado *m.* 기수(旗手).
abanderamiento *m.* (외국 선박의) 선적 등록[증명].
abanderar *tr.* (외국 선박의) 선적 등록을 하다, 선적 증명을 하다.
abanderizamiento *m. Perú.* 당파[파당] 만들기.
abanderizar (9) *tr.* 당파[파당]를 만들다, 분열시키다. **~se** 당파를 만들다, 당파로 나뉘다, 한패가 되다.
abandonado, da *adj.* 버려진, 고독한, 의지할 곳 없는.
abandonar *tr.* 버리다; 단념하다, 포기하다; 등한시하다, 무시하다. **~se** 자포자기하다; 몸을 맡기다.
abandonismo *m.* 포기주의.
abandonista *adj.* 포기주의의. —*mf.* 포기주의자.
abandono *m.* 포기; 자포자기, 방종; 유기; 위부(委付).
abanicamiento *m.* 부채질; 벌; 학대.
abanicar (7) *tr.* 부채질하다; 학대하다; 벌하다, 혼내주다. **~se** (자신이) 부채질하다.
abanicazo *m.* 부채로 때리기[치기].
abanico *m.* 부채, 선풍기; 부채 모양.
abaniquear *tr.* 부채로 부치다.
abaniqueo *m.* 부채질.
abaniquería *f.* 부채 공장[가게].
abaniquero, ra *mf.* 부채 제조자[장수]. —*m.* 부채 놓는 곳.
abano *m.* 천정에 매다는 부채; 풀무.
abantar *tr.* (물이) 끓어 넘치다; 오만[자만]하다. **~se** 오만[불손]해지다.
abanto *m.* [새] 콘도르. —*adj.* 멍청한, 둔한; 잘 놀라는.
abaos *interj.* 저리 비켜!
abaratable *adj.* 값을 인하할 수 있는, 흥정할 수 있는.
abaratamiento *m.* 가격 인하.
abaratar *tr.* 물가[가격]를 인하하다; 할인하다, 에누리하다.
abarca *f.* (가죽) 샌들; 나막신.
abarcado, da *adj.* 샌들을 신은.
abarcador, ra *adj.* 껴안은, 짊어진, 포함시키는; 독점[매점]하는. —*m.* 독점자, 전매자, 일수 판매인.
abarcadura *f.* 포함; 포옹.
abarcamiento *m.* =abarcadura.
abarcar (7) *tr.* 품다, 껴안다; (한꺼번

에) 짊어지다; 포함시키다; 에워싸다; 바라보다; *Amér.* (새가 알을) 품다; *Méj.* 독점[매점]하다. ~**se** 한눈에 바라보이다. ¶*Quien mucho abarca poco aprieta* (속담) 토끼 둘 잡으려다 하나도 못 잡는다.

abarcía *f.* 심한 허기(hambre canina).

abarcón *m.* 쇠로 만든 테.

A

abaritonado, da *adj.* 바리톤 가수의 목소리를 닮은 (목소리).

abarloar *tr.* (배를) 대다.

abarquería *f.* 샌들 공장[가게].

abarquero, ra *m.f.* 샌들 제조자[장수].

abarquillado, da *adj.* 깔때기 모양의.

abarquillador, ra *adj.* 깔때기 모양의; 뒤틀린.

abarquilladura *f.* 깔때기 모양 만들기; 뒤틀림.

abarquillamiento *m.* 뒤틀리게 하기.

abarquillar *tr.* 깔때기 모양으로 만들다; 뒤틀리게 하다. ~**se** 뒤틀리다, 뒤틀리기 쉽다.

abarra *f.* 가늘고 긴 가지.

abarracado, da *adj.* 바라크 형의.

abarracador, ra *adj.* 숙영하는.

abarracamiento *m.* 숙영(宿營).

abarracar(se) (7) *intr.(r.)* 숙영하다.

abarrado, da *adj.* 짜면서 홈이 생긴.

abarraganadamente *adv.* 이중 생활로, 첩살림으로.

abarraganado, da[1] *adj.* 불륜의.

abarraganado, da[2] *adj.* 방수 비옷의 천 비슷한.

abarraganamiento *m.* 이중 생활, 첩살림.

abarraganar *tr.* 천에 방수 처리하다.

abarraganarse *r.* 첩을 두다, 이중 생활을 하다.

abarrajado, da *adj. Chile.* 뻔뻔스런.

abarrajamiento *m. Perú.* 짓밟기.

abarrajar *tr.* 짓밟다; *Amér.* 던지다; *Arg.* 막아내다, 공중에서 받다. ~**se** 걸려 넘어지다; *Perú.* 타락하다.

abarrajo *m. Perú.* 넘어짐, 부딪침.

abarramiento *m.* 던지기, 흔들기.

abarrancadero *m.* 험한 길, 함정.

abarrancadura *f.* =abarrancamiento.

abarrancamiento *m.* 진퇴양난, 좌초.

abarrancar (7) *tr.* 골짜기[황무지]로 만들다; 궁지(窮地)에 빠뜨리다. —*intr.* =abarrancarse. ~**se** 좌초하다; 진퇴양난[궁지]에 빠지다.

abarrar *tr.* 내던지다; 흔들다; 뿌리치다.

abarrenador, ra *adj.* 구멍을 뚫는.

abarrilado, da *adj.* 가슴과 배가 좁은 (말).

abarrisco *adv.* 함께, 몽땅, 쓸어잡아.

abarrotadamente *adv.* 쌓여서.

abarrotado, da *adj.* 잠궈진, 조여진; 만재된; 매점된.

abarrotar *tr.* 잠그다, 조이다; 가득 넣다. ~**se** *Amér.* (상품의 과잉으로) 값이 떨어지다.

abarrote *m.* ① 소하물, 짐. ② *pl. Amér.* 식료품(점): tienda de ~*s* 식료품점.

abarrotería *f. Guat.* 식료품점, 잡화점; *AmérC.* 철물점.

abarrotero, ra *m.f. Amér.* 식료품점 주인.

abarse *r.* 없애다, 지우다, 비키다, 물러서다: *¡Abate!, ¡Abaos!* 저리 비켜!

abastadamente *adv.* 풍부[충분]하게.

abastado, da *adj.* 준비된, 갖추어진.

abastamiento *m.* 보급(품), 공급(품).

abastanza *f.* 풍부함, 많음.

abastar *tr.* 공급하다. ~**se** 만족하다.

abastardar *intr.* 퇴화하다.

abastecedor, ra *adj.* 공급[제공]하는. —*m.f.* 공급[보급]자, 어용 상인.

abastecer (31) *tr.* (…에 식료품[필수품]을) 보급[공급]하다. ~**se** [+de] (…을) 준비[조달]하다, 비축하다.

abastecido, da *adj.* =provisto.

abastecimiento *m.* ① 보급, 공급, 조달: ~ de combustibles [energía] 연료[에너지] 공급. ② 양식.

abastero *m. Amér.* (야채나 과일의) 중개 상인; *Chile.* 푸주한.

abastionado, da *adj.* 능보(bastión) 같은; 능보로 방어된.

abastionar *tr.* (성벽 등에) 능보[보루] 시설을 하다.

abasto *m.* 필수[필요]품; [주로 *pl.*] 식량, 식료품; 공급.

abatanado, da *adj.* 숙련된, 경험 많은.

abatanar *tr.* 두들겨 패다.

ábate *interj.* (저리) 비켜!

abatí *m. Arg, Par.* 옥수수(술).

abatible *adj.* 쓰러뜨릴 수 있는.

abatidamente *adv.* 풀이 죽어, 맥빠져.

abatidero *m.* 배수구, 하수구, 수렁.

abatido, da *adj.* 비굴한; 맥빠진, 기력이 없는; 인기[가격]가 떨어진; 상한 (과일); *Amér.* 떨이의 (값·물건).

abatidor, ra *adj.* 쓰러뜨리는, 넘어뜨리는, 자빠뜨리는.

abatimiento *m.* 쇠약, 쇠함; 낙담, 풀이 죽음; 표류.

abatir *tr.* 쓰러뜨리다, 넘어뜨리다; 내리다; (줄을) 긋다; 접어서 겹치다; 굴복시키다; 실망[낙담]시키다; 에누리하다, 할인하다; 늦추다. —*intr.* (비행기 등이 진로에서) 벗어나다. ~**se** 쓰러지다, 넘어지다; 쇠약해지다, 기운이 빠지다; 풀이 죽다.

abatismo *m.* 승려의 권력; 승려들.

abayado, da *adj.* 장과(漿果) 모양의.

abazón *m.* (박쥐 등의 볼 안에 있는) 주머니.

Abdías *m.* [성경] 오바댜서(書).

abdicación *f.* 퇴위, 양위; (주의·주장 등의) 포기.

abdicar (7) *tr.* 퇴위하다, 양위하다; (주의·주장을) 포기하다, 버리다. —*intr.* [+de] (…을) 버리다.

abdicativamente *adv.* 위임(委任)으로, 대표로.

abdicativo, va *adj.* 퇴위[양위]의; 포기하는.

abditorio *m.* =retiro, soledad.
abdomen *m.* 배, 복부; 툭 튀어나온 배.
abdominal *adj.* 배[복부]의: cavidad ~ 복강(腹腔). dolor ~ 복통.
abducción *f.* ① (주로 여자 · 어린이의) 유괴. ② [생리] 외전(外轉).
abductor *adj.* 외전의. —*m.* 외전근.
abecé *m.* ① 알파벳, 자모(표). ② 초보(의 지식). ¶*no saber el* ~ 낫 놓고 기역자도 모르다.
abecedario *m.* 자모(표), 초보.
abedul *m.* [식물] 자작나무 (목재).
abedular *m.* 자작나무 숲.
abedulillo *m.* [식물] 각목(角木).
abeja *f.* ① [곤충] 벌: miel de ~*s* 벌꿀. ② 부지런한 사람.
abejar *m.* 벌집통.
abejareño, ña *adj.* 벌통의.
abejarrón *m.* [곤충] 땅벌, 호박벌.
abejaruco *m.* ① [새] 벌잡이새. ② 남의 말하기 좋아하는 사람.
abejear *intr.* 벌처럼 날다.
abejeo *m.* 술렁거림, (벌의) 윙윙거림, 소란.
abejera *f.* 벌집통.
abejero, ra *m.f.* 양봉가(養蜂家). —*m.* ① [동물] 개미핥기. ② *AmérC.* 꿀벌 떼. —*adj.* 벌의.
abejón *m.* 수펄, 왕호박벌.
abejonear *intr. Amér.* 윙윙거리다, 수군거리다.
abejorreo *m.* ① 꿀벌의 윙윙거리는 소리. ② 술렁거리는 소리.
abejorro *m.* [곤충] 땅벌.
abejuela *f.* 작은 벌.
abejuno, na *adj.* 꿀벌의[에 관한].
Abel *m.* [성경] 아벨 ((아담의 둘째 아들)).
abellacado, da *adj.* =bellaco, ruin.
abellacarse (7) *r.* 비열한 짓을 하다, 바보가 되다.
abellota *f.* [고어 · 속어] 도토리.
abellotado, da *adj.* 도토리 모양의.
abellotar *tr.* 도토리 모양을 만들다.
abelmosco *m.* [식물] 사향아욱.
abemoladamente *adv.* 달콤하게, 속삭이듯이.
abemolar *tr.* ① (음성을) 부드럽게 하다. ② [음악] 변조(變調)로 반음을 내리다.
aberenjenado, da *adj.* 가지 색의, 가지 모양의.
abernardarse *r.* 성내다, 노하다.
aberración *f.* ① 착각, 착오, 도착(倒錯), (정신) 착란: ~ mental 정신 착란, 정신 이상. ② [광학] (렌즈의) 수차(收差). ③ 광행차(光行差).
aberrante *adj.* 길을 잃은, 길을 잘못 든; 이상(異常)의.
aberrar *intr.* 길을 잃다[잘못 들다]; 방황하다.
abertal *adj.* 갈라지기 쉬운 (땅), 버려진 (땅).
abertura *f.* ① 구멍, 입; 공기 구멍; 틈새, 균열, 갈라진 금. ② (가위 등의) 벌어짐. ③ 후미. ④ (산간의) 앞이 트인 땅. ⑤ (유서 등의) 개봉. ⑥ 솔직함, 숨김이 없음.
abesana *f.* 밭이랑.
abestiado, da *adj.* 야수[짐승] 같은.
abestializado, da *adj.* =abestiado.
abestiarse (11) *r.* 야수[짐승]처럼 되다, 난폭해지다, 사나워지다.
abéstola *f.* (가래의) 보습.
abesugado, da *adj.* 도미 비슷한.
abetal *m.* 왜전나무 숲.
abetar *m.* =abetal.
abético, ca *adj.* 왜전나무의.
abeto *m.* [식물] 왜전나무.
abetunado, da *adj.* 역청처럼 생긴; 구두약 같은.
abedunar *tr.* 구두약을 바르다.
abicharse *r. Arg.* (과일 등에) 구더기가 끓다; (상처 등에) 구더기가 생기다.
abiertamente *adv.* 공개적으로, 솔직히, 터놓고, 숨김없이.
abierto, ta *adj.* ① 열린, 벌어진: La ventana está ~*ta* 창문이 열려 있다. ② 널찍한, 탁 트인. ③ 개방적인, 자유로운: puerto ~ 자유항. ④ 무방비의. ⑤ 뚜껑이 없는, 무개의. ⑥ 솔직한, 터놓은. ⑦ (활자 등이) 굵은. —*adv.* 솔직히, 숨김없이.
abieto *m.* =abeto.
abigarradamente *adv.* 현란하게.
abigarrado, da *adj.* ① 여러 색깔[그림]이 들어 있는. ② 칙칙한, 배색이 잘못된. ③ 뒤범벅이 된, 두서 없는. ④ 그림 같은.
abigarramiento *m.* 색의 혼합.
abigarrar *tr.* (색을) 더덕더덕 칠하다.
abigeato *m.* 가축 절도[도둑질].
abigeo *m.* 가축 도둑.
abigotado, da *adj.* 수염을 기른, 수염이 긴.
ab initio *adv. lat.* 처음부터.
a intestato *adv. lat.* 유언없이: morir ~ 유언없이 죽다.
abiogenesia *f.* 원생(原生).
abiogénesis *f.* 자연 발생(설), 원생.
abiología *f.* 무생물학.
abioquímica *f.* 무기 화학.
abiosis *f.* 생명력 결여, 무생 상태.
ab irato *adv. lat.* 홧김에, 앞뒤 생각없이.
abirritación *f.* 자기 완화, 긴장 저하.
abirritado, da *adj.* 자극을 완화시키는 (기관).
abirritante *adj.* 자극을 줄이는. —*m.* 자극 완화제.
abirritar *tr.* 자극을 완화시키다.
abisagrado, da *adj.* 경첩 모양의.
abisagrar *tr.* 경첩을 달다.
abisal *adj.* 심해(深海)의: fauna ~ 심해 동물.
abiselado, da *adj.* 비스듬히 잘린.
abiselar *tr.* 기세를 꺾다; 비스듬이 자르다.
abismado, da *adj.* ① 생각에 잠긴, 골

몰한. ② =abatido, hundito. ③ = callado, reservado.
abismal *adj.* 심연[심해]의: fauna[flora] ~ 심해 동물.
abismar *tr.* 가라앉히다; 깊이 하다; 애먹이다, 현혹시키다. ~**se** 골몰하다, 생각에 잠기다, 곰곰이 생각하다; 난처해 하다.

A

abismático, ca *adj.* 심해[심연]의; 헤아릴 수 없는.
abismo *m.* 심연, 심해; 헤아릴 수 없이 심오함.
abitaque *m.* 각재(角材).
abizcochado, da *adj.* 카스텔라 같은.
abizcolar *tr.* (물건에) 카스텔라로 모양[빛깔]을 넣다.
abjurable *adj.* 버릴 수 있는.
abjuración *f.* 서약을 어김, 주의[주장]의 포기.
abjurar *tr.* (신앙을) 버리다, (주의를) 포기하다. —*intr.* 헤어지다; [+de] (…을) 버리다.
abjuratorio, ria *adj.* 신앙[주의]을 포기하는.
abl., Abl. abril 4월.
ablación *f.* 제거, 절단; 근절.
ablactación *f.* 이유(離乳), 젖을 뗌.
ablactante *adj.* 이유하는, 젖을 뗀.
ablactar *tr.* 이유하다, 젖을 떼다.
ablandabrevas *m.f.sing.pl.* 허수아비, 쓸모없는 인간.
ablandadizo, za *adj.* 쉬 부드러워지는.
ablandador, ra *adj.* 완화시키는, 연하게[부드럽게] 하는.
ablandadura *f.* =ablandamiento.
ablandahigos *m.f.* =ablandabrevas.
ablandamiento *m.* 연화(軟化), 완화.
ablandante *adj.* 완화[부드럽게] 하는.
ablandar *tr.* 연하게[부드럽게] 하다; 느슨하게 하다; 설사를 하게 하다; 달래다. —*intr.,* ~**se** 부드러워지다, 연해지다; (날씨가) 풀리다; 약해지다.
ablandativo, va *adj.* 완화하는, 부드럽게 하는.
ablandecer (31) *tr.* 연하게 하다, 부드럽게 하다.
ablandor, ra *adj.* 완화[경감]하는, 부드럽게 하는.
ablativo *m.* [문법] 탈격.
-able *suf.* …할 수 있는, …하기에 적당한.
ablepsia *f.* [의학] 실명.
ablución *f.* 멱, 목욕; 목욕 재계; [종교] 세정(식).
abluente *adj., m.* 세척의; 세(척)제.
abluir *tr.* (서류 등을) 지우다.
ablusado, da *adj.* 블라우스 형이 여유 있는 (조끼).
abnegación *f.* 헌신, 자기 포기, 희생; 자제, 인내.
abnegadamente *adv.* 헌신적으로; 인내로.
abnegado, da *adj.* 헌신적인; 인내하는.
abnegarse (19) (8) *r.* [+por] (…을 위해) 몸을 던지다, 희생하다; 헌신하다, 봉사하다.
ab°. abonado.
abobadamente *adv.* 바보[얼간이]처럼, 멍청히.
abobado, da *adj.* 바보 같은, 어수룩한: cara ~*da* 바보 같은 얼굴.
abobamiento *m.* 우둔함, 무딤, 멍청함 (tontería).
abobar *tr.* 바보로 만들다, 우매하게 만들다. ~**se** 바보가 되다, 우둔해지다.
abocadear *tr.* 물어뜯다, (이로) 갉다.
abocado, da *adj.* 감칠 맛이 있는, 순한 (술): vino ~ 감칠 맛 있는 술.
abocamiento *m.* 입에 물기.
abocanar *intr.* 비가 멎다.
abocar (7) *tr.* 입에 물다; 가까이 하다. —*intr.* (배가 좁은 곳으로) 들어가다. ~**se** 다가가다; 담합하다.
abocardado, da *adj.* (나팔 등의) 구경이 넓은; 나팔 모양의.
abocardar *tr.* (구멍 등을) 넓히다.
abocardo *m.* [광산] 천공기.
abocatero *m.* [식물] =aguacate.
abocelado, da *adj.* 둥근 레일 모양의.
abocelar *tr.* 엎어뜨리다, 쓰러뜨리다. —*intr.* 엎어지다, 쓰러지다.
abocetado, da *adj.* 소묘적인, 스케치적인 (그림).
abocetar *tr.* 소묘하다, 스케치하다.
abochornadamente *adv.* 무안하게, 부끄러워, 창피해서.
abochornado, da *adj.* 달아오른, 무안해 하는.
abochornamiento *m.* 무안, 창피, 부끄러움.
abochornar *tr.* 달아오르게 하다, 부끄럽게 하다, 창피를 주다. ~**se** ① 무안해하다, 창피해 하다, 부끄러워하다. ② *Arg.* (식물이) 시들다.
abocinado, da *adj.* 나팔 모양의, 앞으로 구부린 (말).
abocinamiento *m.* 나팔 모양.
abocinar *tr.* 나팔 모양으로 하다[만들다]. —*intr.* 앞으로 쓰러지다.
abodocarse *r. Méj.* 혹[응어리]이 생기다.
abofarse *r. Cuba.* 부풀다, 붓다.
abofeteador, ra *adj., m.f.* 손바닥을 때리는 (사람), 빰을 [주먹으로] 때리는 (사람).
abofeteamiento *m.* 손바닥으로 때리기, 빰을 때리는 일, 주먹으로 치기.
abofetear *tr.* ① (연속적으로) 손바닥을 치다 [빰을 때리다]. ② *Chile.* 주먹으로 때리다.
abogacía *f.* 변호사의 직: estudiar ~ 법률을 전공[공부]하다.
abogación *f.* [속어] =abogacía.
abogada *f.* 여변호사; 변호사의 아내; 주책없는 여자, 남의 일에 잘 끼어드는 여자.
abogadear *intr.* 주책없이 말참견을 하다.
abogaderas *f.pl.* =abogaderías.
abogaderías *f.pl. Amér.* 궤변, 허튼 소

리, 당치 않은 말.
abogadesco, ca *adj.* [경멸] =abogadil.
abogadil *adj.* 변호사 같은, 임기응변의, 이리저리 둘러붙이는.
abogadillo *m.* [경멸] =abogado.
abogadismo *m.* 변호사의 월권, 주착없는 일.
abogado *m.* 변호사, 고문 변호사; 중개자; 대리인, 대변자; 주책바가지: ~ de pobres 관선 변호사, 가짜[엉터리] 변호사.
abogalla *f.* (나무의) 혹.
abogar (8) *intr.* [+por] (…을 위해) 변호하다; 대변하다.
abohetado, da *adj.* =hinchado.
abolengo *m.* 선조, 조상; 문벌, 혈통; 세습 재산.
abolible *adj.* 폐지[철폐]될 수 있는.
abolición *f.* (법령 등의) 폐지, 철폐.
abolicionismo *m.* 폐지론, 철폐론; (영국의) 노예 폐지(론).
abolicionista *adj.* 폐지론의, 철폐론의. —*mf.* 폐지론자, 철폐론자.
abolir *tr.* 폐지[철폐]하다.
abolitivo, va *adj.* 폐지를 결정한.
abollado, da *adj.* 표면이 패인.
abolladura *f.* 홈, 패임; 금속에 부조 세공.
abollar *tr.* 패이게 하다. ~**se** 패이다, 쭈그러지다, 들어가다.
abollón *m.* ① (머리의) 혹. ② [방언] 새싹.
abollonadura *f.* 징을 박는 일.
abollonamiento *m.* *Ar.* (식물, 특히 포도나무의) 싹의 발육.
abollonar *tr.* 징을 박다. —*intr.* *Ar.* 싹트다.
abolorio *m.* =abolengo.
abolsado da *adj.* 자루 모양의, 자루가 된.
abolsadura *f.* 자루 모양으로 부풀어 오름.
abolsarse *r.* 자루가[처럼] 되다.
abomaso *m.* 반추 동물의 네 번째 위.
abombado, da *adj.* ① 볼록한. ② 부푼. ③ 약간 비싼. ④ *Amér.* 좀 모자란. ⑤ *Amér.* 술취한.
abombar *tr.* 볼록하다; 부풀게 하다; 둔하게[멍청하게] 하다. ~**se** ① 멍하다, (정신이) 혼미하다. ② *Amér.* 썩어들어가다, 냄새가 나다, 냄새가 고약하다. ③ *Arg., Chile.* 술취하다.
abominable *adj.* 증오[밉살]스러운, 얄미운; 아주 고약한.
abominablemente *adv.* 밉살스레, 아주 고약스레, 아주 서툴게.
abominación *f.* ① 증오, 혐오. ② 못된 짓, 추행.
abominar *tr.* 증오[혐오]하다, 몹시 싫어하다. —*intr.* [+de] (…을) 증오하다.
abonable *adj.* 믿을 수 있는; 납입을 끝낼 수 있는.
abonadamente *adv.* 신용으로; 안전하게, 확실히.
abonadero *m.* *Cuba.* 거름 두는 곳.
abonado, da *adj.* ① 신용할 수 있는, 믿을 수 있는. ② 불입이 끝난. —*mf.* 구독자(購讀者); 가입자, 예약자, 신청인. —*m.* 시비(施肥).
abonador, ra *mf.* 불입 보증인. —*m.* 큰 송곳.
abonamiento *m.* =abono.
abonanza *f.* =bonanza.
abonanzar (9) *intr.* (날씨가) 잠잠해지다, (바람이) 자다.
abonar *tr.* ① (대금을) (분할) 불입[납입]하다, 입급하다. ② [부기] 대변에 기입하다. ③ (예약금을) 지불하다. ④ 보증[신용]하다, 보증인이 되다. ⑤ 개선[개량]하다. ⑥ *Arg.* (토지를) 기름지게 하다, 비료를 주다, 시비하다: ~ la tierra 토지에 비료를 주다. —*intr.* (바람이) 자다. ~**se** [+a] (…에) 가입[예약]하다, 예매표(豫賣票)를 사다, 구독 신청을 하다: ~*se a* un diario 신문 구독 신청을 하다.
abonaré *m.* 약속 어음.
abono *m.* 신청, 예약; 선금 불입; 구독료, 불입[납입]금; 비료: ~ químico 화학 비료.
aboquillado, da *adj.* 구멍이 있는, 구멍 모양의.
aboquillar *tr.* (그릇에) 구멍을 내다, 구멍을 넓히다.
abordable *adj.* 친근감이 가는, 친숙해지기 쉬운: persona poca ~ 별로 친근감이 가지 않는 사람.
abordador, ra *adj.* 부딪치는, 엄습하는.
abordaje *m.* 뱃머리를 대고 싸우는 일, 적선으로 쳐들어가는 일, (불시의) 접안(接岸).
abordar *tr.* ① (배를) 부딪치다. ② 엄습하다. ③ 기도[획책]하다, 꾀하다. ④ 접근하다. —*intr.* ① 배를 대다, 접안하다. ② 충돌하다. ③ 적선으로 쳐들어가다. ④ 접근하다. ⑤ 어려운 일을 착수하다.
aborodo *m.* ① =abordaje. ② =acometida, ataque, choque.
abordonar *intr.* 지팡이에 의지하다.
aborigen *adj.* 토착의. —*m.pl.* 원주민, 토착민.
ab origine *adv.* *lat.* 처음부터.
aborio *m.* [식물] 양딸기.
aborrachado, da *adj.* 새빨간.
aborrascarse *r.* (날씨·기운·형세 등이) 사나워지다, 성질이 포악해지다.
aborrecedor, ra *adj., mf.* 얄미운 (사람).
aborrecer (31) *tr.* 멀리하다, 증오하다, 싫어하다; 싫증나게 하다; (새가 둥지·알·새끼를) 버리다. ~**se** 싫어지다, 싫증나다, 물리다, 넌더리나다.
aborrecible *adj.* 얄미운, 증오스런.
aborreciblemente *adv.* 얄밉게; 증오로, 반감으로.
aborrecidamente *adv.* 얄밉게.
aborrecido, da *adj.* =aburrido.
aborrecimiento *m.* 얄미움, 증오, 혐오.

A

A

aborregado, da *adj.* 양털 같은, 폭신폭신한; 비늘구름의.
aborregar (8) *tr. Méj.* (벤 밀을) 포개 놓다. ~**se** 약간 흐려지다; 희미해지다.
abortamiento *m.* =aborto.
abortar *tr.* 조산[유산]시키다. —*intr.* ① 조산[유산]하다. ② 실패하다. ③ [식물] 발육 부전으로 끝나다. ④ (병이) 악화되지 않다.
abortivo, va *adj.* 유산[조산]의, 낙태의. —*m.* 낙태용 약(제).
aborto *m.* 유산; 조산아; 망나니.
abortón *m.* (동물의) 조산된 새끼; 조산된 양의 가죽.
aborujar *tr.* (…에) 기댈 곳을 만들다. ~**se** 기댈 만한 곳이 생기다, 몸을 감싸다.
abostezar (9) *intr. Chile.* 하품하다.
abotagado, da *adj.* =hinchado.
abotagamiento *m.* 붓는 일, 부풀음.
abotagarse (8) *r.* 붓다, 부풀다.
abotinado, da *adj.* 단추걸이의, 각반(식)의.
abotonador, ra *adj.* 단추를 잠그는. —*m.* 단추걸이.
abotonar *tr.* ① 단추를 잠그다. ② *Méj.* (수도관을) 막다. —*intr.* 싹이 트다, 발아하다. ~**se** (자기 옷의) 단추를 잠그다.
abovedado, da *adj.* =corvo, combado.
abovedamiento *m.* 아치형으로 만듦.
abovedar *tr.* 원형 천정을 만들다, 아치형으로 하다, 둥그렇게 덮다.
ab ovo *adv. lat.* 최초부터, 태초부터, 태고적부터.
aboyado, da *adj.* 밭갈이 소를 낀 (소작지).
aboyar *tr.* 부표(浮漂)로 표지하다, (…에) 부표를 달다. —*intr.* 뜨다, 떠돌다.
abozalar *tr.* 부리망을 씌우다.
abozar *tr.* 밧줄로 단단히 매다.
abr. abreviatura 약어. abril 4월.
abra *f.* ① 강어귀, 작은 만(灣). ② (땅의) 균열, 갈라짐. ③ *Arg.* 골짜기. ④ *Col.* 문짝. ⑤ 개활지(開豁地).
abracadabra *f.* 질병을 피하기 위한 주문의 일종.
abracapalo *m.* [식물] (아메리카의) 난초.
abracar *tr. Amér.* 껴안다, 품다.
abracijarse *r.* 포옹하다.
Abraham *m.* [성경] [인명] 아브라함.
abrahámico, ca *adj.* 아브라함에 관한, 아브라함의.
Abrahán *m.* =Abraham.
abrahonar *tr.* 꼭 끌어안다.
abranquio, quia *adj.* 아가미가 없는. —*m.pl.* 환형 동물.
abraquio, quia *adj.* 팔이 없는.
abrasadamente *adv.* 열렬하게.
abrasado, da *adj.* 불에 탄; 창피해 하는; 잔뜩 화가 난.
abrasador, ra *adj.* ① 타는, 굽는. ② 타는 듯한: pasión ~*ra* 타는 듯한 열정.
abrasamiento *m.* ① 연소. ② 창피, 무안.
abrasante *adj.* =abrasador.
abrasar *tr.* ① 불에 태우다. ② 남김없이 써 버리다. ③ *Arg.* (식물이 더위나 추위로) 마르다. ④ 창피[무안]를 주다. —*intr.*, ~**se** ① 불에 타다[타오르다]. ② 몸부림치다. ③ 애간장이 녹다.
abrasilado, da *adj.* 검은 빛을 띤 홍색의, 붉은.
abrasilar *tr.* 검은 빛을 띤 홍색으로 물들이다.
abrasión *f.* ① (피부의) 쓸림, 박리(剝離), 찰과상; 마멸, 마손. ② [지질] 마모, 풍식(風蝕).
abasivo, va *adj.* 연마하는. —*m.* 연마제, 연마분, 금강사.
abrazadera *f.* 쇠로 만든 테; (총의) 멜빵; 큰 쇠망치; 연쇄 부호.
abrazador, ra *adj.* 포옹하는.
abrazamiento *m.* 포옹.
abazante *adj.* =abrazador.
abrazar (9) *tr.* ① (껴)안다, 포옹하다. ② 포함하다, 함유하다. ③ 용인하다. ~**se** 안기다; 붙들고 늘어지다; 엉기다, 엉겨붙다; 서로 얼싸안다.
abrazo *m.* 포옹: dar un ~ 포옹하다.
abreboca *m.f. Arg.* 얼간이, 바보, 천치. —*m. Amér.* 아페리티프.
abrebotellas *m.sing.pl.* 병따개.
abrecartas *m.sing.pl.* 봉투 자르는 칼.
abrecoches *m.sing.pl.* (호텔 등의) 문 열어 주는 사람, 문지기.
ábrego *m.* 남서풍.
abrelatas *m.sing.pl.* 깡통따개.
abrenuncio *interj.* 안돼!
abreostras *m.sing.pl.* 굴 까는 칼.
abretonar *tr.* 포를 뱃전에 장치하다.
abrevadero *m.* 가축의 물 마시는 곳.
abrevador *m.* =abrevadero.
abrevar *tr.* ① 물을 먹이다. ② (땅에) 물을 주다, 뿌리다. ③ 적시다, 축이다. ~**se** 마시다.
abreviación *f.* 생략, 요약, 단축, 약자.
abreviadamente *adv.* 요약해서, 약자[약호]를 써서.
abreviado, da *adj.* 요약[생략]한, 간추린.
abreviador, ra *adj.* 요약[간략]하게 하는. —*m.f.* 요약자.
abreviamiento *m.* =abreviación.
abreviar *tr.* ① 약하다, 줄이다, 단축하다, 요약하다. ② 촉진시키다, 빨리 하다.
abreviatura *f.* 약어; 요약.
abribonado, da *adj.* 불한당[무뢰한] 기질이 있는.
abribonarse *r.* 불한당[무뢰한]이 되다.
abridero, ra *adj.* 쉽게 열리는 (복숭아·살구 등의 과실).
abridor, ra *adj.* 열리는. —*m.* ① 쉽게 열리는 복숭아의 일종. ② 접목용 칼. ③ 얼레빗. ④ 귀고리. ⑤ 깡통따개.

abrigada *f.* 바람막이; (선박의) 대피소.
abrigadero *m.* (선박의) 대피소.
abrigado, da *adj.* =abrigador.
abrigador, ra *adj.* *Amér.* 포근하게 몸을 싸는. —*mf.* *Méj.* (죄·죄인을) 감싸는 사람, 은닉자.
abrigaño *m.* =abrigada, abrigadero.
abrigar (8) *tr.* ① 감싸다, 두둔하다. ② 돕다. ③ (사상 · 감정 · 생각 등을) 품다, 품고 있다. ~**se** ① 몸을 싸다[지키다]. ② [+de] (…을) 피하다: ~*se del* aguacero 소나기를 피하다.
abrigo *m.* ① 외투, 오버(코트). ② 보호, 원조. ③ 은둔처, 풍파 대피소. ④ 바람막이.
ábrigo *m.* 남서풍.
abril *m.* ① 4월. ② 청춘: el ~ de la vida 인생의 청춘.
abrileño, ña *adj.* 4월의, 4월다운.
abrillantador *m.* 다이아몬드 연마사; 탁마기(琢磨器).
abrillantamiento *m.* 광[윤]을 내기.
abrillantar *tr.* 닦다, 광[윤]을 내다, 윤[광]나게 하다.
abrimiento *m.* =abertura.
abrir *tr.* ① 열다, (접은 것을) 펴다, 뜨다: ~ una puerta 문을 열다. ~ un paraguas 우산을 펴다. ~ los ojos 눈을 뜨다. ② 개시하다, 개설하다, 시작하다: ~ la carta de crédito 신용장을 개설하다. ③ 서두[처음]에 있다. ④ 선두에 서다. ⑤ 파헤치다. ⑥ 넓히다; 쪼개다. ⑦ 파다, 새기다. ⑧ *Amér.* (숲을) 개간하다. ⑨ *Arg.* (약속을) 어기다. —*intr.* 열리다, 여닫을 수 있다; (꽃이) 피다. ~**se** ① 열리다, 펴지다. ② 입을 벌리다. ③ 시작되다, 개시하다, 개회하다. ④ 쪼개지다, 균열이 생기다. ⑤ 흉금을 털어놓다, (흉금을) 털어놓고 말하다. ⑥ (날씨가) 개다, 바람이 자다. ⑦ (꽃이) 피다. ⑧ 찢어지다. ⑨ 산개(散開)하다. ⑩ 약해지다. ¶*en un ~ (y cerrar) de ojos* 눈 깜박할 사이에, 순식간에.
abrocalado, da *adj.* 방패 모양의.
abrocalar *tr.* 방패 무늬를 넣다.
abrocar *tr.* 방추를 뽑다.
abrocatelado, da *adj.* 능직 무늬의.
abrochador, ra *adj.* 단추[훅]을 잠근. —*m.* ① 단추걸이. ② *AmérC.* 호치키스.
abrochadura *f.* =abrochamiento.
abrochar *tr.* 단추[훅]을 잠그다. ~**se** (자기 옷의) 단추[훅]을 잠그다.
abrogable *adj.* 폐기할 수 있는.
abrogación *f.* (법령의) 폐기, 폐지; 월권 행위.
abrogar (8) *tr.* 폐기[취소]하다, 무효로 하다: ~ la ley 법률을 폐기하다.
abrogativo, va *adj.* =abrogatorio.
abrogatorio, ria *adj.* 폐기한.
abrojal *m.* 엉겅퀴 숲[들].
abrojín *m.* [조개] 보라고둥.
abrojo *m.* ① [식물] 엉겅퀴(의 열매). ② 마름쇠. ③ *pl.* 암초; 고뇌, 슬픔.
abromado, da *adj.* 희뿌연, 안개 낀; 선식충이 꼬인.
abromarse *r.* 선식충이 가득하다.
abroncar (7) *tr.* 넌더리나게 만들다, 화나게 만들다.
abroquelado, da *tr.* 방패 모양의.
abroquelarse *r.* ① (방패로) 몸을 보호하다. ② 방패로 삼다. ③ 이용[남용]하다: ~ de [con] *su* inocencia (누구의) 무지를 이용하다.
abrótano *m.* [식물] 쑥의 일종.
abrotanoideo, a *adj.* abrótano 닮은.
abrotonar *intr.* 싹트다(brotar).
abrotónito *m.* ① [의학] abrótano를 넣어 달인 약. ② (고대 로마에서) abrótano를 섞은 향기 나는 술.
abrumado, da *adj.* ① 짓눌린. ② 진절머리나는.
abrumador, ra *adj.* ① 압도적인. ② 진절머리나게 하는.
abrumadoramente *adv.* 압도적으로; 진절머리나게.
abrumar *tr.* 억누르다, 압도하다; 진절머리나게 하다; 짓눌러 버리다. ~**se** 가물거리다.
abruptadamente *adv.* 깎아지른 듯이; 격하게, 성급하게.
abrupto, ta *adj.* ① 깎아지른 (듯한), 험준한, 가파른. ② 성급한.
abrutado, da *adj.* 난폭한, 사나운.
abrutar *tr.* =entorpecer.
abs- *pref.* 「분리」의 뜻: *abs*traer 뽑아내다.
absceso *m.* [의학] 종양, 종기.
abscisa *f.* [수학] 횡선, 횡좌표.
abscisión *f.* ① 절제(切除), 절취(截取), 잘라 냄. ② 중단, 용두사미.
absenta *f.* ① 압상트 ((프랑스산 독한 술)). ② [식물] (맛이) 쓴 쑥.
abséntico, ca *adj.* 쑥의; 맛이 쓴.
absentina *f.* 쑥의 고미제(苦味劑).
absentismo *m.* 지주의 부재, 부재 지주제; (상습적 · 무단의) 결근, 결석.
absentista *adj.* 부재 지주의. —*mf.* 부재 지주.
ábsida *f.* =ábside.
absidal *adj.* 후진이 있는.
ábside *m.* [건축] (교회의) 후진(後陣).
absidial *adj.* 후진의.
absidiola *f.* 향쑥의 쓴 요소.
absíntico, ca *adj.* 향쑥에서 추출한.
absintina *f.* 향쑥의 쓴 독소.
absintio *m.* [식물] 향쑥.
absolución *f.* 사면, 면죄; 석방, 면제; 전제(專制): ~ libre 무죄 석방.
absoluta *f.* ① [논리] 전칭 명제. ② [군사] 제대.
absolutamente *adv.* 절대로, 순전히, 무조건으로; 완전히, 전혀.
absolutidad *f.* 절대성.
absolutismo *m.* 전제주의, 전제 정치.
absolutista *adj.* 전제주의의. —*mf.* 전제주의자.
absolutividad *f.* =absolutidad.
absoluto, ta *adj.* ① 절대의, 절대적인.

② 전제(專制)의, 전횡하는. ③ 무조건의. ④ 순수한. ¶*en* ~ 절대로, 무조건으로; 완전히. *lo* ~ 절대성, 절대적인 것, 신(神).
absolutorio, ria *adj*. 사면한, 면제한.
absolvedor, ra *adj*. 용서[사면]하는; 석방하는.
absolvente *adj*. =absolvedor.
absolver *tr*. 용서[사면]하다; 석방하다. ~**se** 졸업하다.
absorbencia *f*. 흡수(성).
absorbente *adj*. 흡수하는, 흡수성의. —*m*. 흡수제, 탈지면.
absorber *tr*. ① 빨다, 들이마시다, 흡수[섭취]하다. ② (주의를) 끌다. ③ 몰두하다. ④ (공채 등을) 소화하다. ~**se** 전념[몰두]하다, 열중하다; 동화되다.
absorbible *adj*. 흡수될 수 있는, 섭취가 잘 되는.
absorbimiento *m*. =absorción.
absorción *f*. 흡수 (작용), 섭취; 전심.
absortar *tr*. 어리둥절하게 만들다.
absortividad *f*. 흡수력.
absorto, ta *adj*. 어리둥절한, 멍한, 몰두한.
abstemio, mia *adj*. 금주(禁酒)의, 절대 금주의. —*mf*. (절대) 금주가.
abstención *f*. 자중, 신중; 절식(節食), 금욕; 기권.
abstencionismo *m*. 불개입; (투표의) 기피, 기권.
abstencionista *adj*. 불투표[불개입]주의의. —*mf*. 불개입[불투표]주의자.
abstenerse (59) *r*. ① [+de] (…하는 것을) 기권[삼가]하다: ~ *de* fumar 흡연을 삼가다. ② 금욕하다.
abstergente *adj*. [의학] 세척하는, 깨끗이 씻는. —*m*. 세척제, 세제.
absterger (3) *tr*. [의학] 깨끗이 씻다.
abstersión *f*. 세척, 세정.
abstersivo, va *adj*. 세척[세정]의.
abstinencia *f*. 절제, 금욕, 금기; 단식.
abstinente *adj*. 절제의, 금욕의, 금기하는. —*mf*. 금욕주의자, 절제가.
abstinentemente *adj*. 절제하여.
abstracción *f*. ① 추출, 발췌. ② 추상(작용), 추상적 개념; 전심, 전력. ③ 방심.
abstractamente *adv*. 추상적으로, 방심하여.
abstractivamente *adv*. 추상하여, 추상적으로.
abstractivo, va *adj*. 추상의, 추상적.
abstracto, ta *adj*. ① 추상의, 추상적인. ② 관념상의, 무형의, 순수한: ciencia ~*ta* 순수 과학, 형이상학. ③ 고매한, 난해한. ¶*en* ~ 추상적으로.
abstractor, ra *adj*. 추상적인. —*mf*. 추상주의자.
abstraer *tr*. 뽑아내다, 추출하다; 추상하다. —*intr*. [+de] (…을) 버리다, 잊어버리다. ~**se** ① [+de] (…을) 잊어버리다. ② [+en] (…에) 몰두하다, 전념하다. ③ 생각에 잠기다, 방심하다.
abstraído, da *adj*. 초월한, 속세에서 벗어난; 마음이 들뜬, 무관심한, 방심한.
abstruso, sa *adj*. 난해한, 이해하기 어려운.
absuelto, ta *adj*. 사면된, 용서받은.
absurdamente *adv*. 불합리하게, 바보스레.
absurdidad *f*. =absurdo.
absurdo, da *adj*. 불합리한, 우스운, 이치에 맞지 않는; 어리석은, 바보스런. —*m*. 불합리(함), 어리석은 일, 부조리.
abubarse *r*. 가래톳투성이가 되다.
abubilla *f*. [새] 대성조.
abubo *m*. 바보, 천치, 멍청이.
abuchear *tr*. 야유하다, 남을 빈정거리다, 욕을 퍼붓다.
abucheo *m*. 야유, 빈정거림, 욕지거리.
abuela *f*. 할머니; 노파.
abuelastro, tra *mf*. 의붓할아버지, 의붓할머니.
abuelita *f*. ① [애칭] 할머니. ② *Col*. 요람. ③ *Chile*. 어린이 모자.
abuelito, ta *mf*. abuelo, abuela의 축소사.
abuelo *m*. ① 할아버지. ② 노인. ③ [은어] 우두머리, 왕초. —*m.pl*. ① 조부모. ② 조상, 선조.
abuhado, da *adj*. 부은, 부푼.
abuhardillado, da *adj*. 다락방 모양의.
abulense *adj*., *mf*. 아빌라의 (사람).
abulia *f*. 의욕[기력] 상실, 무의지증(無意志症); 무위(無爲).
abúlico, ca *adj*. 의욕이 없는. —*mf*. 무의지증 환자; 의욕 상실자.
abultadamente *adv*. 부피가 크게.
abultado, da *adj*. 부피가 큰.
abultamiento *m*. 부피가 큼, 부풀어 오름; 퇴적.
abultar *tr*. ① 부피를 크게 하다. ② (모양으로) 새기다, 양각으로 새기다. ③ [미술] (조소(彫塑)의) 원형을 만들다. ④ 과장하다. —*intr*. 부피가 커지다; 덩치가 크다.
abundado, da *adj*. =rico, abundante.
abundamiento *m*. =abundancia.
abundancia *f*. 풍부(함), 풍족(함), 다수, 다량, 많음; 부유(함), 유복(함). ¶*en* ~ 실컷; 풍부[풍족]하게, 유복하게.
abundancial *adj*. 많이 있는, 다수성의.
abundante *adj*. 풍족[풍부]한, 풍요로운; 많은, 푸짐한.
abundantemente *adv*. 풍부[풍족]하게, 풍요로이, 푸짐하게, 많이.
abundar *intr*. ① (…이) 많다, 풍족하다. ② 고집하다.
abundosamente *adv*. 풍부[풍족]하게, 푸짐하게.
abundoso, sa *adj*. 풍부[풍족]한, 푸짐한.
abuñolado, da *adj*. 크로켓 모양의.
abuñolar (16) *tr*. (달걀을) 크로켓으로 튀김하다.
abuñuelado, da *adj*. =abuñolado.
abuñuelar *tr*. =abuñolar.
abur *interj*. 안녕!

A

aburar *tr.* 굽다; 태우다, 불사르다.
aburelado, da *adj.* =burielado.
aburelar *tr.* (…에) 검붉은 색을 칠하다.
aburguesamiento *m.* 부르주아 행위.
aburguesarse *r.* 부르주아가 되다, 부르주아처럼 되다.
aburilar *tr.* 끌로 열다.
aburrado, da *adj.* 나귀 같은; 버릇 없는; *Méj.* 나귀[노새]를 낳는 (암말).
aburrar *tr.* *Méj.* 다발로 만들다. ~**se** 난잡해지다, 조잡해지다.
aburrición *f.* ① [속어] 따분함, 지루함. ② *Amér.* 증오, 싫어함.
aburridamente *adv.* 따분하게.
aburrido, da *adj.* 따분한, 지루한.
aburridor, ra *adj.* =aburrido.
aburrimiento *m.* 권태, 싫증, 따분함, 지루함.
aburrir *tr.* ① 지루하게[따분하게] 하다. ② 낭비하다. ③ 버리다. ~**se** [+con · de · en · por] …에 싫증을 내다, 따분해 하다.
aburujar *tr.* =aborujar.
aburujonar *tr.* =aburujar.
abusador, ra *adj., m.f.* *Chile.* =abusón.
abusante *adj.* 남용[악용]하는.
abusar *intr.* [+de] (…을) 악용[남용]하다: ~ *de su* autoridad 권력을 남용하다.
abusión *f.* 남용; 불합리(한 일).
abusionero, ra *adj.* 미신적인.
abusivamente *adv.* 함부로, 마구, 부당하게.
abusivo, va *adj.* ① 부당한, 함부로 하는. ② 악랄한. ③ *Amér.* 낯가죽이 두꺼운, 뻔뻔스런, 파렴치한.
abuso *m.* ① 남용, 월권. ② 폐단, 폐해. ③ *pl.* 악습.
abusón, na *adj.* 남의 약점만 노리는, 권력을 남용하는. —*m.f.* 권력[직권] 남용자.
abyección *f.* 비열함, 천박스러움; 굴욕.
abyecto, ta *adj.* 천박스런, 비천한; 나약한, 대가 차지 못한.
aC antes de Cristo 기원전.
A.C. Año de Cristo 서력 기원.
acá *adv.* 이리, 이쪽으로; 우리쪽, 이쪽: Ven ~ 이리 오너라. Venga ~ 이리 오세요. ¶ ~ ***y allá*** 여기저기에.
acabable *adj.* 끝낼 수 있는, 종말이 있는.
acabadamente *adv.* 완전히, 나무랄 데 없이(perfectamente).
acabado, da *adj.* ① 완성된, 완전한. ② 나무랄 데 없는, 완전한. ③ 끝이 난, 일을 마친. ④ 낡은, 부서진, 못쓰게 된. —*m.* 마무리, 완성(完成).
acabador, ra *adj.* 끝난. —*m.f.* 완성자.
acabalar *tr.* 완전하게 하다.
acaballadero *m.* (말의) 종축장; 교미기(交尾期).
acaballar *tr.* 암컷에게 덤비다.
acaballerado, da *adj.* 점잖은, 신사 같은; 신사인 척하는, 허세를 부리는.
acaballerar *tr.* 신사답게 만들다.
acaballonar *tr.* 땅에 밭이랑을 만들다.
acabamiento *m.* 완성, 완료, 종말, 끝; 죽음, 사멸(死滅).
acabañar *intr.* (목동들이) 목장에 오두막을 짓다.
acabar *tr.* ① 끝내다, 마치다. ② 완성[완료]하다, 완수하다, 마무리를 짓다. ③ 소모하다, 다 써버리다. ④ 죽이다, 살해하다. ⑤ 끝내 …시키다[하게 하다]. ⑥ *Amér.* 욕설을 퍼붓다. —*intr.* ① 끝나다. ② 다하다. ③ 죽다. ④ [+con · en · por] …에서 끝나 있다, 최후가 …이 되다. ⑤ [+*inf.*] 방금 …했다: *Acabo de* terminar mi trabajo 내 일을 방금 끝냈다. ⑥ [+por+*inf.*] 드디어[마침내] …하게 되다. ~**se** 모두 마치다. ¶*Se acabó* 만사가 끝났다.
acabellado, da *adj.* 밝은 밤색의.
acabestrado, da *adj.* 고삐 비슷한.
acabestrar *tr.* (소를) 길들이다.
acabestrillar *intr.* 소의 고삐로 사냥하다.
acabijo *m.* 끝, 최후, 마지막.
acabildar *tr.* 규합하다, 끌어[긁어] 모으다.
acabose *ser el* ~ 만사가 끝장이 나 버리다.
acabronado, da *adj.* 산양 같은.
acacharse *r.* 허리를 구부리다, 웅크리다.
acachetar *tr.* 자귀로 죽이다.
acachetear *tr.* 때리다, 자귀질하다.
acacia *f.* [식물] 아카시아.
acacina *f.* 아라비아 고무.
acacoyol *m.* [식물] *Méj.* 율무.
acad. académico 학회원.
academia *f.* ① (플라톤의) 아카데미 학파. ② 아카데미. ③ 학회; 학사원, 한림원, 예술원; 학교, 학원, 대학. ④ (미술의) 나체[나상]의 습작.
académicamente *adv.* 아카데믹하게, 학구적으로.
academicismo *m.* 전통[형식] 존중; 관학풍(官學風), 플라톤 학파.
académico, ca *adj.* 학회의, 한림원[예술원]의; 대학[학교]의; 학구적인; 고풍의, 전통적인; 학자티를 내는. —*m.f.* 학회원; 한림원 회원, 예술원 회원.
academismo *m.* 아카데미식(式).
academista *m.f.* =académico.
academizar (9) *tr.* 아카데미식(式)으로 하다.
acádico, ca *adj.* 원시 설형문자의.
acaecedero, ra *adj.* 일어날 법한, 있을 법한.
acaecer (31) *intr.* (일이) 일어나다.
acaecimiento *m.* 사건, 일어난 일.
acafresna *f.* [식물] 마가목.
acalabazado, da *adj.* 호박 비슷한.
acalabazarse *r.* =embrutecerse.
acalabrotar *tr.* 세 가닥으로 꼬다.
acalaca(s) *f.* (아프리카산의) 큰 개미.
acalambrarse *r.* 쥐가 나다, 경련이 일어나다.

A

A

ACALC *f.* Asociación *Ca*ribe de *L*ibre *C*omercio 카리브해 자유 무역 협회.
acaldar *tr.* ① 진정하다, 정돈하다. ② 뒤엎다. ③ *Perú* 괴롭히다.
acalefo *m.* [동물] 해파리. —*m.pl.* 해파리속.
acalenturado, da *adj.* 발열한, 열 낸.
acalenturarse *r.* 발열하다, 열을 내다.
acalia *f.* [식물] 아욱의 일종.
acalicino, na *adj.* 꽃받침이 없는.
acalla *f.* =acalia.
acallador, ra *adj.* 침묵시키는, 조용하게 하는, 달래는.
acallantar *tr.* =acallar.
acallar *tr.* 침묵시키다; 달래다, 가라앉히다.
acamaleonado, da *adj.* 카멜레온 같은.
acamaleonarse *r.* 카멜레온처럼 되다.
acamar *tr.* (비바람이 작물을) 쓰러뜨리다, 넘어뜨리다.
ACAMAR *f.* Asociación Centroamericana de Armadores 중앙 아메리카 선주 협회.
acamastonado, da *adj.* 줏대없이 구는, 게을러 빠진.
acamastronarse *r.* *Perú* 교활하게 낌새를 살피다, 줏대없이 굴다.
acamaya *f.* [새] 잉꼬의 일종.
acambrayado, da *adj.* 옥양목 같은.
acamellado, da *adj.* 낙타 같은.
acamellonar *tr.* *AmérC., Méj.* 경지(耕地)로 만들다.
acampada *f.* 캠핑, 야영.
acampador, ra *m.f.* 야영하는 사람.
acampamento *m.* 야영, 캠핑, 진영.
acampamiento *m.* =acampamento.
acampanado, da *adj.* 종 모양의.
acampanar *tr.* 종 모양으로 만들다.
acampar *tr.* 야영하게[캠핑하게] 하다. —*intr.*, ~**se** 야영하다, 캠핑하다.
acampo *m.* 방목장(放牧場).
acanalado, da *adj.* 도랑을 지닌; 도랑 모양의; 도랑[개울]을 판.
acanalador *m.* 개탕대패.
acanaladura *f.* 도랑, 홈.
acanalar *tr.* (…에) 도랑[홈]을 파다; 홈 모양으로 하다; 운하를 내다.
acanallado, da *adj.* 불량배 같은.
acanallar *tr.* =encanallar.
acancerarse *r.* 쇠약해지다; 굳어지다, 딱딱해지다.
acanchar *tr.* 배에 식료품[필수품]을 공급하다.
acandilado, da *adj.* =encendido.
acandilar *tr.* 샹들리에 모양을 만들다.
acanelado, da *adj.* 육계 빛깔의; 육계의 향기와 맛을 지닌.
acanelonar *tr.* 채찍으로 때리다.
acanillado, da *adj.* 줄무늬 직(織)의, 줄무늬가 생긴.
acanilladura *f.* 줄무늬 직물의 흠집.
acantarar *tr.* 물항아리로 재다.
acantear *tr.* (…에게) 돌팔매질하다.
acantidos *m.pl.* [동물] 반치류과.
acantilado, da *adj.* 경사(傾斜)가 급한. —*m.* 벼랑, 절벽, 단애(斷崖).
acantilar *tr.* (강바닥 등을) 치다, 준설하다. ~**se** (배가) 얕은 여울에 얹히다.
acantino, na *adj.* =espinoso.
acantio *m.* [식물] 엉겅퀴의 일종.
acantiuro, ra *adj.* [동물] 뼈가 있는 꼬리를 가진.
acanto *m.* ① [식물] 아칸서스. ② [건축] 아칸서스 잎 장식.
acantocarpo, pa *adj.* [식물] 열매에 가시가 덮인.
acantonamiento *m.* 분영(分營), (군대의) 배치; 틀어박히는 곳.
acantonar *tr.* ① (군대를) 분영[배치]하다. ② 틀어박히게 하다. ~**se** ① 틀어박히다. ② 농성하다.
acañaverear *tr.* 죽창 (같은 것)으로 찌르다.
acañonear *tr.* 포격하다.
acapalce *m.* *Méj.* [식물] 약용 갈대.
acaparador, ra *adj.* 독점하는, 매점하는. —*m.f.* 독점자, 매점자, 전매자.
acaparamiento *m.* 독점, 매점, 독과점.
acaparar *tr.* 독점[매점]하다.
acaparrarse *r.* [드묾] 일치되다.
acaparrosado, da *adj.* 녹청색의.
acaponado, da *adj.* 가냘픈, 연약한.
acapuchinado, da *adj.* [식물] 두건 모양의.
acapuchonado, da *adj.* [식물] 두건 달린 외투 모양의.
acapullarse *r.* 꽃봉오리 모양을 하다.
acaracolado, da *adj.* 달팽이 모양의.
acaramelado, da *adj.* 캐러멜로 싼, 캐러멜을 입힌, 캐러멜 빛깔의; 달콤한.
acaramelar *tr.* 캐러멜을 입히다[바르다]. ~**se** 정다운 척하다.
acarar *tr.* 대질시키다; 대조하다, 대비하다, 조회하다.
acardenalado, da *adj.* 푸른 멍이 든.
acardenillarse *r.* 녹청색으로 덮히다.
acareamiento *m.* 대질; 대조, 조회.
acarear *tr.* 대질하다; 얼굴을 돌리다.
acariasis *f.* [의학] =sarna.
acariciador, ra *adj.* 애무하는 (듯한), 쓰다듬는. —*m.f.* 귀여워하는 사람.
acariciante *adj.* =acariciador.
acariciar *tr.* ① 애무하다, 쓰다듬다. ② 귀여워하다. ③ 즐겁게 생각하다. ④ (마음·생각을) 품다.
acáridos *m.pl.* [동물] 진드기속(屬).
acarminado, da *adj.* 심홍색의.
acarnerado, da *adj.* 양처럼 굽은 머리를 가진 말의; 힘이 없는.
ácaro *m.* [동물] 진드기. —*m.pl.* 진드기속(屬).
acaroideo, a *adj.* 진드기 모양의.
acarpo, pa *adj.* [식물] 열매를 맺지 않는.
acarralar *tr.* (직물·편물의) 실을 뽑다. ~**se** 실[올]이 빠지다; (포도) 송이가 떨어지다.
acarrarse *r.* (양 등이) 그늘로 가다.
acarrascado, da *adj.* 떡갈나무 비슷한.

acarreadizo, za *adj.* 운반할 수 있는.
acarreador, ra *adj.* 운반하는. —*m.* 운반자, 운송자, 운송 업자; 운반 기계(설비).
acarreamiento *m.* =acarreo.
acarrear *tr.* ① (차로) 운반하다. ② 실어 오다[가다], 옮기다. ③ (불행·손해·재해를) 가져오게 하다, 야기시키다.
acarreo *m.* 운반, 운수, 운송(비): ~ por mar [tierra] 해상[육상] 운송.
acarreto *m.* =acarreo.
acartonado, da *adj.* 판지(板紙) 모양의.
acartonamiento *m.* ① 판지(板紙) 모양으로 만드는 일. ② 미이라화(化).
acartonar *tr.* 판지(板紙) 모양으로 만들다. **~se** 여위다, 살이 빠지다.
acasamatado, da *adj.* 궁륭형(穹窿形)의, 궁륭을 댄.
acaserarse *r.* *Amér.* 친해지다; 단골 손님이 되다.
acaso *m.* 우연. —*adv.* 아마, 혹시, 우연히. ¶***al*** ~ 닥치는 대로. ***por si*** ~ 만일을 위해, …일지도 모른다는 생각에서. ***si*** ~ 만일 …이면.
acastañado, da *adj.* 밤 빛깔[밤색]의.
acastillado, da *adj.* 성 모양의[같은].
acastillaje *m.* [선박] 건현(乾舷).
acastillar *tr.* 배에 건현을 놓다.
acastorado, da *adj.* 해리[비버]의 가죽 같은; 반드러운, 매끄러운.
acatable *adj.* 존경할 만한.
acatadamente *adv.* 정중히, 황공하여.
acatador, ra *adj.* 존경하는, 공경하는. —*mf.* 존경하는 사람.
acataléctico, ca *adj., m.* 음절 수가 완전한 (시의 구절).
acatalecto *adj., m.* =acataléctico.
acatalepsia *f.* [철학] 불가지론, 개연론.
acataléptico, ca *adj.* 불가지론의, 개연론의. —*mf.* 불가지론자.
acatamiento *m.* 존경, 경의; 경례.
acatante *adj.* 존경[공경]하는.
acatar *tr.* ① 공경하다, 존경하다. ② *Amér.* 맛보다.
acatarrar *tr.* ① 감기 걸리게 하다. ② *Méj.* 애먹이다, 곤란하게 만들다. **~se** ① 감기에 걸리다. ② *Perú* 거나하게 취하다(achisparse).
acates *m.* 충실한 동료.
acatio *m.* ① 소형 돛단배. ② 곤도라 모양의 잔.
acato *m.* 공경, 존경.
acatólico, ca *adj.* 반가톨릭의[적인].
acaudado, da *adj.* 꼬리가 없는.
acaudaladamente *adv.* 풍족하게.
acaudalador, ra *adj., mf.* 축재[축적]하는 (사람), (덕을) 쌓는 (사람).
acaudalar *tr., intr.* 축적[축재]하다, (돈을) 모으다; (학덕 등을) 쌓다.
acaudeo, a *adj.* =acaudado.
acaudillador, ra *adj.* 지휘하는, 두목이 되는.
acaudillamiento *m.* 지휘, 조정.
acaudillar *tr.* 지휘하다, 두목이 되다; 마음대로 부리다[조정하다]. **~se** (누구를) 두목[우두머리]으로 삼다.
acaule *adj.* [식물] 줄기가 없는.
acautelarse *r.* 주의[경계]하다.
accedente *adj.* 동의[승낙]하는.
acceder *intr.* 동의[승낙]하다, 허용하다; 접근하다.
accesibilidad *f.* 사근사근함, 선량함; 친근감; 접근하기 쉬움; 접촉성.
accesible *adj.* 가까이 할 수 있는; 친근(親近)한; 손이 닿는[닿을 수 있는].
accesiblemente *adv.* 가까이, 친근히.
accesión *f.* ① 동의, 승인. ② 부속(물). ③ [의학] 발열의 발작. ④ 성교, 교미. ⑤ 가입, 가맹. ⑥ 부가적 취득(물).
accesional *adj.* ① 갑자기 나타났다 사라졌다 하는. ② [의학] 발열(發熱)이 발작하는.
accésit *m.sing.pl.* 준우승, 차점상.
acceso *m.* ① 접근, 들어감. ② 통로, 통행: ~ prohibido 통행 금지. ③ 교제. ④ 발작. ⑤ 교접. ⑥ 입장, 가입.
accesoria *f.* ① [주로 *pl.*] 부속 건물, 별동. ② [동일 건물 안에서 출입구가 따로 있는] 일층·지하실; (농장의) 오두막, 움막.
accesoriamente *adv.* 덧붙여, 첨가하여; 부속되어.
accesorio, ria *adj.* 부속의, 부차적인: cláusula ~*ria* 부속 조항. —*m.* 액세서리, 부속품; 도구: ~*s* de automóvil 자동차 부속품. ~*s* de pesca 낚시 도구.
accidentadamente *adv.* 기절하여; 기복이 있어; 다난하게.
accidentado, da *adj.* 기절한; 기복이 있는; 다난한: vida ~*da* 다난한 생활. —*mf.* (사건의) 희생자.
accidental *adj.* ① 우연한, 우발적인: muerte ~ 사고사, 변사. ② 의외의. ③ 임시의: presidente ~ 임시 회장. —*m.* [음악] 임시 기호.
accidentalidad *f.* 우연(성).
accidentalmente *adv.* 우연히, 문득.
accidentar *tr.* 사고를 일으키다. **~se** 돌발하다; 기절[졸도]하다, (발작이) 일어나다.
accidentario, ria *adj.* =accidental.
accidente *m.* ① (우발적) 사건, 사고, 고장: ~ automovilístico 자동차 사고. ~ de trabajo 산업 재해. ~ marítimo 해난 사고[재해]. ② 우연: por ~ 우연히. ③ 실신. ④ 변화. ⑤ (토지의) 기복. ⑥ [문법] 어미 변화. ⑦ [철학] 우유성(偶有性). ⑧ [음악] 임시 기호.
acción *f.* ① 움직임, 활동, 실행(實行): hombre de ~ 활동가. ② 행위, 행동: radio de ~ 행동 반경. ③ 작용: ~ química 화학 작용. ④ 몸짓, 연기, 거동. ⑤ (각본 등의) 줄거리의 전개. ⑥ 전투, 작전. ⑦ 소송. ⑧ [상업] 주식, 주권: ~ de primera 우량주. *acciones* preferentes 우선주. ¶***en*** ~ 활동[행동] 중인, 운전 중인.
accionar *intr.* 몸짓[동작]을 하다, 행동하다, 작용하다. —*tr.* 움직이게 하다, 운전시키다.

A

A

accionista *mf.* 주주: ~ mayoritario 대주주(大株主). ~ minoritario 소주주. asamblea general de ~*s* 주주 총회. lista de ~*s* 주주 명부.
accípitre *m.* [새] 새매, 맹조(猛潮).
accipitrino, na *adj.* 새매 비슷한.
acebadarse *r.* (가축이) 과식하다.
acebado *m.* 호랑가시나무 숲.
acebal *m.* =acebedo.
acebeda *f.* =acebedo.
acebedo *m.* 호랑가시나무 숲.
acebedul *m.* ① =matorral. ② 호랑가시나무가 자란 곳. ③ 숲의 끝.
acebibe *m.* 건포도.
acebo *m.* [식물] 호랑가시나무.
acebollado, da *adj.* (양파처럼) 잘 벗겨지는.
acebolladura *f.* 나무의 벗겨진 상처, 박리(剝離), 벗김.
acebrado, da *adj.* 줄무늬 모양의.
acebuchado, da *adj.* 야생 올리브가 있는.
acebuchal *m.* 야생 올리브 숲.
acebuche *m.* [식물] 야생 올리브.
acebucheno *m.* [식물] =acebuche.
acebuchina *f.* 야생 올리브 열매.
acechadera *f.* 숨어서 기다리는 곳, 잠복 장소.
acechadero *m.* =acechadera.
acechador, ra *adj.* 숨어서 기다리는. —*mf.* 숨어서 기다리는 사람.
acechamiento *m.* =acecho.
acechanza *f.* =acecho.
acechar *tr.* 잠복하다, 숨어서 기다리다, 정탐하다(espiar).
aceche *m.* [화학] 유산동, 황산동.
acecho *m.* 매복[잠복] 장소.
acechón, na *adj. desp.* 줄곧 무엇인가를 노리고 있는, 사냥개 같은.
acechona *f.* =acecho.
acecido *m.* =jadeo.
acecinadamente *adv.* 육포로, 소금에 절여.
acecinado, da *adj.* 육포처럼 말린.
acecinador, ra *adj., mf.* 육포를 만드는 (사람).
acecinadura *f.* 소금에 절이기.
acecinar *tr.* (고기를) 소금에 절이고 연기와 바람에 말리다. **~se** 여위다, 바짝 마르다.
acedable *adj.* 시어질 수 있는.
acedamente *adv.* =desabridamente.
acedar *tr.* ① 시게 하다[만들다]. ② 가슴이 답답하게 만들다. ③ 불쾌하게 만들다. **~se** ① 시어지다: ~ el vino 술[포도주]이 시어지다. ② (식물이) 누렇게 되다.
acedera *f.* [식물] 수영.
acederaque *m.* [식물] =cinamomo.
acederilla *f.* [식물] =aleluya.
acederones *m.pl.* [식물] 수영 닮은 작장초.
acederosa *f.* [식물] 모시풀과에 속한 다년초.
acedia *f. Chile.* =acedía.
acedía *f.* ① 신맛. ② 쓴맛. ③ 불쾌(함). ④ 퉁명스러움. ⑤ [어류] 넙치.
acedo, da *adj.* ① 신, 떫은. ② 무뚝뚝한, 퉁명스러운. —*m.* 신맛, (식)초.
acedumbre *f.* =acedía, dolencia.
acefalía *f.* 머리가 없는 것.
acefálico, ca *adj.* 머리가 없는.
acefalismo *m.* 무두(無頭), 무두 종파(無頭宗派).
acéfalo, la *adj.* ① [동물] 머리가 없는, 무두의. ② 수장(首長)을 인정하지 않는, 무두 종파의. —*m.pl.* (연체 동물의) 무두류(無頭類).
aceguero *m.* 마른 가지 줍는 일[사람].
aceitada *f.* 엎질러진 기름; 기름으로 반죽한 빵.
aceitado *m.* 기름칠.
aceitar *tr.* ① 주유(注油)하다. ② (…에) 기름을 바르다[칠하다]: ~ la máquina 기계에 기름을 바르다.
aceitazo *m.* =aceitón.
aceite *m.* ① 기름: ~ de ballena 고래기름. ~ lubricante 윤활유. ② 석유. ③ 향유, 올리브 기름. ¶*echar ~ en el fuego* 불난 집에 부채질하다.
aceitera *f.* ① 기름 파는 여자. ② 기름통, 기름 치는 기구. ③ [곤충] 가뢰, 반묘(斑猫). ④ *pl.* (식탁의) 양념통 놓는 대(臺).
aceitería *f.* 기름집, 기름 가게.
aceitero, ra *adj.* 기름의, 제유(製油)의. —*mf.* 기름 상인.
aceitón *m.* ① 폐유, 기름 찌꺼기. ② 올리브나무의 병(病).
aceitoso, sa *adj.* 기름 같은, 기름투성이의, 기름진.
aceituna *f.* 올리브 열매(oliva).
aceitunada *f.* 올리브 열매의 수확.
aceitunado, da *adj.* 올리브 색의.
aceitunero, ra *mf.* 올리브 장수[상인]. —*m.* 올리브 저장소. —*f.* 올리브 따는 시기.
aceitunil *adj.* =aceitunado.
aceituno *m.* [식물] 올리브나무, 감람나무. —*adj.* 올리브 색의.
acelajado, da *adj.* 엷은 구름이 낀.
acelajarse *r.* 엷은 구름이 끼다.
aceleración *f.* ① 급속(함), 신속(함), 서두름. ② 촉진. ③ [물리] 가속도: poder de ~ 가속력.
acelerada *f.* 엔진 속력의 갑작스런 가속.
aceleradamente *adv.* 급히, 서둘러, 가속도로, 급템포로.
acelerado, da *adj.* 빠른; 서두른; 촉진하는, 가속화하는.
acelerador, ra *adj.* 가속의, 빠르게 하는; 촉진하는: movimiento ~ 가속 운동. —*m.* ① (자동차의) 가속 장치, 액셀러레이터: pisar el ~ 액셀러레이터를 밟다. ② [화학] (반응) 촉진제. ③ [물리] 입자 가속기.
aceleramiento *m.* =aceleración.
acelerar *tr.* ① (속도・시기를) 빨리하다, 서두르게 하다: ~ el paso 발걸음

을 빨리하다. ② 급속도로 하다; 촉진하다. ~**se** 서두르다, 가속화하다.
aceleratriz *adj.* 속도(速度)를 더 내는: fuerza ~ 가속력.
acelerógrafo *m.* 강진계(强震計).
acelerómetro *m.* 가속도계(加速度計).
acelga *f.* [식물] 근대.
acélifo, fa *adj.* 껍질이 없는.
acema *f. Col.* =acemita.
acémila *f.* ① (짐을 나르는) 노새. ② 바보, 멍청이, 얼간이, 천치.
acemilado, da *adj.* 노새 비슷한; 멍청한, 우둔한, 바보스런.
acemilar *adj.* 노새의; 노새 몰이꾼의.
acemilería *f.* 노새의 마구간.
acemilero, ra *adj.* 노새의. —*m.* 노새 몰이꾼.
acemita *f.* 밀겨로 만든 빵.
acemite *m.* 밀겨; 밀기울 수프.
acendradamente *adv.* 청순하게, 티없이.
acendrado, da *adj.* 청순한; 티없는, 결점이 없는.
acendramiento *m.* =purificación.
acendrar *tr.* 정련[정제]하다, 정화[순화]하다.
acenefar *tr.* 테로 장식하다.
acenoria *f.* [식물] [방언] 인삼, 당근.
acensar *tr.* (토지에) 과세하다.
acensurado, da *adj.* 과세된.
acensuador *m.* =censualista.
acensuar *tr.* =acensar.
acento *m.* ① 강조, 악센트. ② 강조[악센트] 부호. ③ 말투, 말씨, 어조. ④ 사투리: con ~ andaluz 안달루시아 사투리로. ⑤ [시어] 시구(詩句).
acentuable *adj.* 강조[역설]하는.
acentuación *f.* 강조, 악센트 붙이기.
acentuadamente *adv.* ① 강조하여. ② 현저하게. ③ 요란하게, 거칠게.
acentuado, da *adj.* 강조하는.
acentual *adj.* 악센트의, 강조[강세]의.
acentuar *tr.* ① 악센트 (부호)를 붙이다. ② 강조[역설]하다, 힘을 주다; 두드러지게 하다. ~**se** 두드러지다, 한결 강해지다.
aceña *f.* 물레방아(간).
aceñal *m.* 물레방아 집결지.
aceñero *m.* 물레방아간 주인.
acep. aceptación 인수, 인수 어음.
acepar *intr.* (식물이) 뿌리박다, 뻗다.
acepción *f.* ① 의미, 말뜻. ② 편듦.
acepillador, ra *adj., m.f.* 대패질[손질]하는 (사람).
acepilladora *f.* 대패.
acepilladura *f.* 대패질; 대팻밥.
acepillar *tr.* ① 대패질[솔질]하다. ② 문지르다, 닦다. ③ *AmérC.* 놀리다.
aceptabilidad *f.* 수용성(受容性).
aceptable *adj.* 수락[승낙]할 만한, 인수[허가]해도 좋은, 받아도 되는.
aceptablemente *adv.* 수락[승낙]하여.
aceptación *f.* ① 수락, 승낙, 응낙, 받아들임. ② 환영. ③ (환어음 등의) 인수, 인수 어음: ~ condicional 조건부 인수. ~ bancaria 은행 인수 어음.
aceptadamente *adv.* 수락[승낙]하여, 환영으로.
aceptador, ra *adj.* 수락[승낙]하는, 받아들이는, 인수하는. —*m.f.* ① 수락[승낙]자. ② 어음 인수자. ③ 편애자.
aceptante *adj.* 수락[승낙]하는. —*m.f.* [상업] 어음 인수자, 어음 업자.
aceptar *tr.* ① 받다: ~ un regalo 선물을 받다. ② 수락[승낙]하다, 받아들이다, 시인하다. ③ (도전을) 받아들이다: ~ el desafío 도전을 받아들이다. ④ (어음을) 인수하다.
aceptatorio, ria *adj.* 수락[승낙]하는, 받아들이는.
aceptilar *tr.* (…에서) 면제하다.
acepto, ta *adj.* 기분이 좋은, 흐뭇한, 흐뭇해 하는, …이 마음에 드는: ~ a *su* madre 어머니의 마음에 드는.
aceptor *m.* =aceptador.
acequia *f.* ① 도랑, 하수도, 관개 수로. ② *AmérM.* 개천, 개울.
acequiador, ra *adj.* 용수로를 만드는.
acequiaje *m. Mur.* 용수세(用水稅).
acequiar *intr., tr.* 용수로를 만들다.
acequiero *m.* 용수로 관리인.
acequión *m. Amér.* 실개천, 개울, 내.
acera *f.* ① 인도, 보도. ② [건축] 벽면. ③ 늘어선 집들. ④ *Arg.* 다져진 노면.
aceráceo, a *adj.* 단풍(과)의. —*f.pl.* 단풍과 식물.
aceración *f.* 제강(製鋼), 강철화(化).
acerado, da *adj.* ① 무쇠[강철]의, 강철로 만든. ② 강철을 함유한. ③ 강철 같은, 단단한, 강인한. ④ 날카로운. ⑤ [식물] 침엽의. —*m.* =aceración.
aceramiento *m.* 무쇠로 만들기, 강철화(化), 담금질; 단단하게[강인하게] 함.
acerar *tr.* ① 무쇠로 만들다, 강철화하다, 담금질하다. ② 무쇠를 대다, 날을 벼리다. ③ 단단하게[강인하게] 만들다. ④ (길에) 인도[보도]를 내다. ~**se** 강해지다, 강인해지다, 담금질되다.
aceratosia *f.* 소에 뿔이 없음.
acerbamente *adv.* 심하게, 야멸치게, 잔인하게.
acerbidad *f.* =asperaza, severidad.
acerbísimamente *adv.* 매우 잔인하게[가혹하게].
acerbísimo, ma *adj.* 매우 잔인한, 매우 가혹한.
acerbo, ba *adj.* ① 떫은. ② 잔인한, 가혹한, 심한, 신랄한.
acerca *adv.* [고어] 가까이. ¶ ~ *de* …에 관해[대해].
acercador, ra *adj.* 가까운, 접근하는.
acercamiento *m.* 접근, 가까이 함.
acercar (7) *tr.* 가까이 하다, 접근[근접]시키다. ~**se** [+a] (…에) 가까이 가다, 접근하다.
ácere *m.* [식물] 단풍나무.
acerería *f.* 제강소(製鋼所).
acería *f.* 제강소(製鋼所).
acerico *m.* ① 작은 베개. ② 바늘꽂이, 바늘겨레, 바늘방석.

A

acerillo *m.* =acerico.
acerineo, a *adj., f.pl.* =aceráceo.
acerino, na *adj.* [시어] =acerado.
acero *m.* ① 강철. ② 무쇠. ③ 강재(鋼材). ④ 검, 칼. ⑤ 담금질. ⑥ 원기, 타고난 기운. ⑦ 용기. ⑧ 철광천(鐵鑛泉). ⑨ 식욕, 공복. ¶~ *inoxidable* 스테인리스 강.
A
acerola *f.* 단상사나무의 열매.
acerolado, da *adj.* 단상사나무의 열매 같은.
acerolar *m.* 단상사나무 숲.
acerolero, ra *mf.* acerola 장수. —*m.* =acerolo.
acerolo *m.* [식물] 단상사나무.
aceroterio *m.* [고생대] 코뿔소.
acerollo *m.* [식물] 마가나무.
aceroso, sa *adj.* 강철[무쇠] 같은, 단단한; 가혹한, 지독한.
acerrar *tr.* [은어] 붙잡다, 체포하다.
acérrimamente *adv.* 완고[강경]하게.
acérrimo, ma *adj.* 완고[강경]한.
acerrojar *tr.* (…에) 빗장을 걸다.
acertadamente *adv.* 적확히, 정확히, 확실히, 어김없이.
acertado, da *adj.* 적확한, 정확한, 확실한, 어김없는, 적중한; 교묘한.
acertador, ra *adj.* 적중시키는 (사람).
acertamiento *m.* =acierto.
acertante *mf.* 정해자(正解者).
acertar (19) *tr.* ① 적중시키다, (표적을) 맞추다. ② 알아내다, 바로 맞추다, 찾아내다. ③ 어김없이 해내다. ④ [재단] 단을 맞추다. —*intr.* ① 마주치다, 발견하다. ② 뿌리가 나오다. ③ [+a] 잘 …할 수 있다, 우연히 …이 되다.
acertijo *m.* 수수께끼.
aceruelo *m.* 안장; 바늘겨레.
acerval *adj.* 노적 같은, 더미의.
acervo *m.* ① (농작물의) 노적, 더미. ② (공동) 자산.
acescencia *f.* 신맛, 초맛.
acescente *adj.* 시어지기 시작한.
acetabular *adj.* 비구(髀臼)의.
acetábulo *m.* ① [동물] 구와(球窩). ② (동물의) 흡반, 빨판.
acetato *m.* ① [화학] 초산염. ② 아세테이트 인견.
acético, ca *adj.* 초산의: ácido ~ 초산. ácido ~ glacial 빙초산.
acetificación *f.* 산화(酸化).
acetificar *tr.* ① 시게 하다, 식초를 변화시키다. ② [화학] 산화(酸化)하다.
acetilénico, ca *adj.* 아세틸렌의.
acetileno *m.* [화학] 아세틸렌.
acetílico, ca *adj.* 아세틸의.
acetilo *m.* [화학] 아세틸.
acetimetría *f.* [화학] 초산 비중 작용.
acetímetro *m.* 초산계, 초산 비중계.
acetín *m.* (익기 전에) 떨어진 올리브, 익지 않은 포도.
acetocelulosa *f.* 플라스틱 물질.
acetol *m.* 증류된 식초.
acetomiel *m.* 초산 시럽 ((물약)).
acetona *f.* 아세톤.
acetonemia *f.* 피에 아세톤이 과다함.
acetonuria *f.* 오줌에 아세톤이 검출됨.
acetosa *f.* [식물] 수영.
acetosidad *f.* 신맛, 식초 맛.
acetosilla *f.* =acederilla.
acetoso, sa *adj.* 산의, 식초의; 신맛이 나는.
acetre *m.* 두레박; 성수병(聖水甁).
acetrinar *tr.* 레몬 색[빛깔]으로 만들다. **~se** 레몬 색이 되다.
acezante *adj.* 숨이 차는, 숨을 헐떡거리는.
acezar *intr.* ① 숨을 헐떡거리다. ② 간원[간청]하다.
acezo *m.* 천식(喘息).
acezoso, sa *adj.* 숨을 헐떡거리는.
achabacanamiento *m.* 천박스러움.
achabacanar *tr.* 천박스레 굴다.
achacable *adj.* …의 탓[잘못]으로 볼 수 있는.
achacar (7) *tr.* …에게 뒤집어씌우다, 전가하다.
achacosamente *adj.* 병약하게.
achacosidad *f.* 병약함.
achacoso, sa *adj.* ① 병약한, 지병(持病)의. ② 상처투성이의.
achaflanado, da *adj.* 단면[모서리]이 있는.
achaflanar *tr.* 단면을 만들다, 모서리[가장자리]를 치다.
achagual *m.* ① [어류] 청어[정어리]의 일종. ② *Méj.* 웅덩이 지대.
achampanado, da *adj.* =achampañado.
achampañado, da *adj.* 샴페인 같은.
achantarse *r.* ① 웅크리다; 숨다, 잠복하다. ② 위축되다. ③ 참다. ④ *Amér.* 머물다, 체류하다.
achaparrado, da *adj.* ① 울창한. ② 땅딸막한.
achaparrarse *r.* 울창해지다; 땅딸막해지다.
achaque *m.* ① 지병, 숙환. ② 월경; 임신. ③ 구실, 핑계. ④ 소문; 험담; 고자질. ⑤ 동기, 계기. ⑥ 나쁜 버릇, 악습. ⑦ 일. ⑧ [고어] 벌금.
achaquiento, ta *adj.* =achacoso.
acharar *interj.* 안됐군요!
acharolado, da *adj.* 에나멜 같은, 에나멜을 칠한[바른].
achalorador, ra *adj.* 에나멜을 칠하는. —*mf.* 에나멜 칠을 하는 사람.
acharranarse *r.* 엉큼하다, 교활하다.
achatado, da *adj.* 납작한: nariz ~*da* 납작코.
achatamiento *m.* 납작함.
achatar *tr.* 납작하게 하다; 짓누르다. **~se** *Arg., Chile.* 오므라들다; 주눅들다, 풀이 죽다.
achicado, da *adj.* ① 어린애 같은: rostro ~ 동안(童顔). ② 겁이 많은.
achicador *m.* (배의) 밑바닥에 괸 물을 푸는 나무 주걱.
achicadura *f.* 작게 함.
achicamiento *m.* =achicadura.

A

achicar (7) *tr.* ① 작게[적게] 하다. ② (배에서) 물을 퍼내다; (광산에서) 배수하다. ③ *Amér.* 죽이다. ④ 겁을 주다, 굴복시키다. ⑤ *AmérC.* 묶어 놓다. ⑥ *Chile.* (소 등을) 외양간에 몰아넣다. ~**se** 겁내다, 무서워하다.
achichar *intr. Col.* 풍부[풍족]하다.
achicharradero *m.* 더운 곳.
achicharrador, ra *adj., m.f.* 애간장을 태우는 (사람).
achicharramiento *m.* 굽는 일.
achicharrar *tr.* ① 너무 굽다[태우다·눌리다]. ② 너무 덥게 하다. ③ 애간장을 타게 하다. ④ *Amér.* 짓누르다. —*intr.* (햇빛이) 이글거리다. ~**se** 너무 타다[굽히다], 눋다.
achicoria *f.* [식물] 배추.
achicorial *m.* 배추 밭.
achicoriero, ra *m.f.* 배추 장수.
achilenado, da *adj., m.f.* 칠레 사람 같은 (사람).
achinado, da *adj.* ① *AmérM.* (백인과 토착인과의) 혼혈의, 토착인의 피가 많이 섞인. ② *RDom.* 몽고족과의 혼혈의. ③ 천박한.
achinelado, da *adj.* 덧신 모양의.
achinelar *tr.* 덧신 모양을 만들다.
achiquillado, da *adj.* =aniñado.
achiquitar *tr. Amér.* =achicar.
achis *interj.* 에취 ((재채기의 소리흉내말)).
achispar(se) *tr.*(*r.*) 얼근히 취하다.
achocadura *f.* 벽에 내던지는 일.
achocar (7) *tr.* 벽에 내던지다; 상처를 입히다, 후려치다; (돈을) 많이 모으다.
achocazo *m.* 머리를 때리기[치기].
achocharse *r.* 망령들다, 흐려지기 시작하다.
achocolatado, da *adj.* 초콜릿 색의.
achorizado, da *adj.* (맛이나 모양이) 순대 비슷한.
achubascarse (7) *r.* 비구름으로 어두워지다[하늘이 흐려지다].
achuchador, ra *adj.* 짓누르는, 밀어붙이는, 꾀는, 교사하는 (사람).
achuchadura *f.* 짓누르는 일; 교사.
achuchamiento *m.* =achuchadura.
achuchar *tr.* 짓누르다; 밀다, 밀어붙이다; 꾀다, 교사하다.
achuchón *m.* ① 짓누름. ② [투우] =revolcón. ③ =empujón. ④ 가벼운 병(病).
achulado, da *adj.* 뻔뻔스런, 낯가죽이 두꺼운, 철면피한; 건달패 같은.
achulapado, da *adj.* =achulado.
achulaparse *r.* =achularse.
achularse *r.* 타락하다, 건달이 되다.
aciago, ga *adj.* 불행[불길]한: día ~ 흉일(凶日).
acial *m.* (소의) 코뚜레; 채찍.
acialazo *m.* 채찍으로 때리기.
aciano *m.* [식물] 수레국화.
acíbar *m.* ① [식물] =áloe. ② 쓴맛. ③ 불쾌(함).
acibarar *tr.* ① (…에) 쓴맛을 넣다, 쓰게 하다. ② 언짢게[불쾌하게] 만들다.
acibarrrar *tr.* 힘껏 (내)던지다.
aciberar *tr.* 빻다, 가루로 만들다.
acicalado, da *adj.* 매우 깨끗한. —*m.* 무기 닦기.
acicalador, ra *adj., m.f.* 닦는[가는] (사람). —*m.* (칼 등을) 가는 연장, 숫돌.
acicaladura *f.* 닦는 일, 광을 냄; 치장, 장식.
acicalamiento *m.* =acicaladura.
acicalar *tr.* ① 닦다, 문지르다, 갈다, 광내다: ~ la espada 칼에 광을 내다. ② (신경을) 곤두서게[날카롭게] 하다, 건드리다. ③ 장식[치장]하다. ④ (벽에) 칠을 하다. ~**se** 화려한 옷차림을 하다, 장식[화장]하다.
acicate *m.* ① 뾰족한 박차. ② 자극.
acicatear *tr. Amér.* 박차를 가하다; 자극하다.
aciculado, da *adj.* =acicular.
acicular *adj.* [식물] 바늘 모양의, 끝이 뾰족한: hoja ~ 침엽(針葉).
acidalio, lia *adj.* (여신) 비너스의.
ácidamente *adv.* (맛을) 시게.
acidez *f.* 신맛, 산성(도).
acidia *f.* =acedia, pereza.
acidífero, ra *adj.* 신맛이 나는; 산성의.
acidificable *adj.* 산성을 만들 수 있는.
acidificante *adj.* 신맛이 나는.
acidificar (7) *tr.* 시게 하다, 산성으로 만들다. ~**se** 시어지다.
acidimetría *f.* 산(酸)의 측정.
acidimétrico, ca *adj.* 산을 측정하는.
acidímetro *m.* 산비중계(酸比重計).
acidioso, sa *adj.* 게으른, 나태한.
acidismo *m.* [의학] 산성증(酸性症).
ácido, da *adj.* ① (맛이) 신(agrio). ② 산(성)의. ③ *AmérC.* 귀찮은. —*m.* [화학] 산(酸): ~ acético 초산.
acidógeno, na *adj.* 산을 생산하는.
acidosis *f.* (혈액에) 산성의 과다함.
acidulado, da *adj.* 신, 신맛이 나는.
acidular *tr.* 시게 만들다[하다].
acídulo, la *adj.* 약간 신맛이 나는.
acierto *m.* ① 적중. ② 신중함. ③ 수완, 손재주. ¶*con* ~ 교묘하게.
aciesia *f.* [의학] 불임증.
aciforme *adj.* [식물] 바늘 모양의.
acigarrado, da *adj. Chile.* 담배 냄새가 나는.
aciguatado, da *adj.* ① 황달에 걸린. ② 누런. ③ 창백한.
aciguatar *tr. And.* 엿보다, 노리다. ~**se** ① *Amér.* 물고기에 중독되다; 빈혈이 되다; 황달에 걸리다. ② *Méj., AmérC.* 바보가 되다.
acijado, da *adj.* 연두색의, 황녹색의.
acije *m.* [화학] 황산동.
acijoso, sa *adj.* 황산동을 함유한.
acimboga *f.* [식물] 왕귤나무.
ácimo *m.* 효모를 사용하지 않은 빵.
acimut *m.* ① [천문] 방위각. ② 방위.
acimutal *adj.* 방위의. —*m.* 선박용 나침반.
acinaciforme *adj.* [식물] 초승달 모양

의.
acinario, ria *adj.* 포도알 같은.
acinesia *f.* ① 움직이지 않음. ② [의학] 움직이지 않는 병.
acinésico, ca *adj.* 움직이지 않는 병에 걸린.
aciniforme *adj.* [식물] 포도 모양의, 입상과(粒狀果)의.
ácino *m.* [식물] 포도처럼 알이 작고 즙과 살이 많은 열매.
acinoso, sa *adj.* 포도알처럼 둥근.
acintado, da *adj.* 몸이 매우 길고 좁은.
ación *f.* 가죽 등자.
acionera *f. Arg., Chile* 등자 가죽끈.
acionero, ra *mf.* 가죽 등자 제조자.
acipado, da *adj.* 피륙의 단을 꿰매 붙인.
aciprés *m.* =ciprés.
acirate *m.* 정원 가운뎃길, 경작지 경계의 두렁.
aciscado, da *adj.* =medroso.
acistia *f.* 방광 결핍.
acístico, ca *adj.* 방광 결핍의.
acitara *f.* 칸막이 벽, 판자 칸막이, 다리의 난간.
acitrón *m.* 설탕 절임 시트론.
aclamación *f.* 환호, 박수 갈채. ¶*por ~* 이구동성으로, 전원 일치로.
aclamador, ra *adj., mf.* 환호하는 (사람), 갈채를 보내는 (사람).
aclamar *tr.* 갈채를 보내다, 환호[박수]로 맞이하다; 추대하다; (새를) 부르다.
aclarable *adj.* 밝아질[맑아질] 수 있는, 해명될 수 있는.
aclaración *f.* ① (액체를) 맑게 함. ② 해명, 설명.
aclarador, ra *adj., mf.* 분명히 하는, 밝히는, 해명하는 (사람).
aclarar *tr.* ① 밝게[맑게] 하다; 엷게 하다; 듬성듬성하게 하다, 솎아내다. ② 해명하다, 분명하게 밝히다. ③ 헹구다, 물에 씻다. *—intr.* 맑아지다; 밝아지다. ~**se** ① (액체가) 맑아지다. ② 밝아지다. ③ 비밀을 털어놓다.
aclaratorio, ria *adj.* 해명의, 설명의: notas *~rias* 주석(註釋).
aclarecer (31) *tr.* =aclarar.
aclavelado, da *adj.* 카네이션 비슷한.
aclavelarse *r.* 카네이션 모양이 되다.
aclimatable *adj.* (풍토에) 적응[순응]할 수 있는.
aclimatación *f.* 순응, 순화, 적응.
aclimatar *tr.* 풍토에 적응[순화]시키다. ~**se** 순응[순화]하다, 동화하다.
aclis *f.* [신화] 어둠의 여신.
aclísido, da *adj.* [동물] 쇄골이 없는.
aclocar(se) (24) (7) *intr.(r.)* 보금자리에 들다[틀어박히다].
acmé *m.* (질병의) 절정, 위기.
acné *m.* 여드름, 부스럼.
ACNUR *m.* Alto Comisariado *m* de las Naciones Unidas para los Refugiados. 국제 연합 난민 고등 판무관 사무소.
acobardamiento *m.* =cobardía.
acobardar *tr.* 겁을 주다, 기를 꺾다, 주춤하게 하다. *—intr.* 겁내다, 주춤하다, 두려워하다. ~**se** [+en · de] (…에게) 겁을 내다[기가 죽다], 주춤하다.
acobijar *tr.* (…에) 흙을 돋우다.
acobijo *m.* 흙을 돋움; 돋우는 흙.
acobrado, da *adj.* 구릿빛의.
acocarse (7) *r.* (야채 등에) 벌레가 붙다.
acoceador, ra *adj.* 들볶는, 못살게 구는; 걷어차는.
acoceamiento *m.* 들볶는 일, 못살게 구는 일; 걷어차기.
acocear *tr.* ① 들볶다, 못살게 굴다. ② (마구) 걷어차다.
acocharse *r.* 웅크리다, 쭈그리고 앉다.
acochinado, da *adj.* =sucio.
acochinar *tr.* ① 꼼짝달싹 못하게 하다, 진퇴양난으로 만들다. ② 지레 죽이다. ~**se** 더러워지다.
acodado, da *adj.* 팔꿈치 받침을 댄; 팔꿈치 모양의. *—m.* 크랭크.
acodador, ra *adj.* 팔꿈치를 고이는; 휘묻이하는; 까치발을 대는.
acodadura *f.* 팔꿈치를 고이는 일; 휘묻이; 까치발을 댐.
acodalamiento *m.* 까치발을 받침.
acodalar *tr.* 까치발로 대다[받치다].
acodamiento *m.* =acodadura.
acodar *tr.* ① 팔꿈치를 고이다. ② 꺾다, 휘묻이하다. ③ (…에) 까치발을 대다. ~**se** 팔꿈치를 고이다.
acoderamiento *m.* 배를 밧줄로 매기.
acoderar *tr.* 배를 밧줄로 매다, 배를 매두다.
acodiciar (11) *tr.* 탐나게 하다. ~**se** 탐내다, 욕심을 내다.
acodillar *tr.* 휘어 꺾다. *—intr.* (말 등이) 앞 무릎을 꿇다.
acodo *m.* [원예] 휘묻이.
acofrar *tr.* 밭이랑을 만들다.
acogedizo, za *adj.* 기꺼이 받아들이는, 상냥스러운, 정다운.
acogedor, ra *adj.* =acogedizo.
acoger (3) *tr.* 맞아들이다, 받아들이다; 감싸다, 두둔하다, 비호하다; 수용(受容)하다; [상업] (어음을) 인수하다, (기일에) 지불하다. ~**se** 도망치다; 핑계대다, 구실을 찾다; 의지하다, 하소연하다.
acogida *f.* ① 맞아들임, 받아들임. ② 보호, 수용 (시설), 보호소. ③ 환대. ④ [상업] 어음 인수: dar ~ a una letra 어음을 인수하다.
acogido, da *mf.* 피수용자.
acogimiento *m.* =acogida.
acogollar *tr.* (식물에) 서리 방지를 하다. *—intr.,* ~**se** 어린 싹이 나오다; 속이 들다.
acogombradura *f.* 흙을 돋아주는 일.
acogombrar *tr.* =acohombrar.
acogotador, ra *adj.* 뒤통수를 쳐서 죽이는; 굴종시키는.
acogotar *tr.* ① 뒤통수를 쳐 죽이다. ② 목덜미를 잡고 쓰러뜨리다. ③ 굴종시키다.

acogullado, da *adj.* 두건이 달린 망토 모양의.

acohombrar *tr. Arg.* =aporcar.

acojinamiento *m.* (피스톤의) 공기 완충 (장치).

acojinar *tr.* =acolchar.

acolada *f.* =corchete.

acolado, da *adj.* 맞춰진, 배합된.

acolar *tr.* [문장] 맞추다, 배합시키다.

acolchado, da *adj.* 솜을 넣은.

acolchar *tr.* ① (…에) 솜을 넣다. ② [선박] (밧줄 등을) 매다.

acolchonado, da *adj.* =acholchado.

acolchonar *tr. Amér.* =acolchar.

acólito *m.* ① 견습 사제, 미사 시종, 복사(服事). ② [속어] 날치기, 추종자.

acollador *m.* [선박] 앞잡이줄.

acolladura *f.* 흙을 북돋우어 줌.

acollar *tr.* ① (식물에) 흙을 북돋우어 주다. ② 틈을 메우다. ③ 줄을 조이다.

acollarado, da *adj.* (털색으로) 목에 테가 있는.

acollarar *tr.* ① (…에) 목걸이를 하다. ② (동물을) 목걸이로 매다. ③ *Arg., Chile.* (두 사람·둘로 된 것을) 짝지우다; (말을) 이두 마차로 하다. **~se** ① 목덜미에 매달리다. ② *AmérM.* 동거하다; 결혼하다. ③ *Arg., Chile.* 한패가 되다, 담합하다.

acollanamiento *m.* 겁을 줌.

acollanar *tr.* =acobardar.

acolmillado, da *adj.* 송곳니 모양의.

acolocharse *r. AmérC.* 고수머리가 되다.

acología *f.* 치료학(terapéutica).

acólogo, ga *mf.* 치료 학자.

acombar *tr.* =combar.

acomedirse (42) *r. Amér.* 시중들다, 돌보다.

acometedor, ra *adj.* 습격하는, 공격적인. —*mf.* 습격자.

acometer *tr.* ① 습격하다, 공격하다. ② 꾀하다. ③ (수도 꼭지 등을) 대다.

acometida *f.* ① 습격, 공격. ② (수도·가스관의) 지관(支管). ③ [전기] 연결부, 탭.

acometiente *adj.* 습격[공격]하는.

acometimiento *m.* ① 습격. ② (수도의) 지관(支管).

acometividad *f.* 공격성, 습격성.

acomodable *adj.* 견딜 만한, 적응할 수 있는.

acomodación *f.* 적응; 조절 (기능); 화해; 편의; 설비.

acomodadamente *adv.* 적당히; 유복하게; 쾌적하게; 안일하게; 기분좋게.

acomodadizo, za *adj.* 융통성 있는, 타협적인: hombre ~ 융통성 있는 남자.

acomodado, da *adj.* ① 적당한. ② 유복한, 부유한. ③ 쾌적한. ④ 편한, 기분좋은. ⑤ 아주 싼: precio ~ 아주 싼 값.

acomodador, ra *mf.* (극장의) 안내인.

acomodamiento *m.* 조절; 타협, 화해; 편의; 쾌적(함).

acomodar *tr.* ① (적재 적소에) 놓다, (제자리에) 앉히다. ② 마음을 가라앉히다. ③ 적응[순응]하다, 적용하다, 맞추다. ④ 조정하다, 화해[타협]시키다. ⑤ (기준을) 맞추다, 조화시키다. ⑥ (필요한 것을) 마련하다. —*intr.* 꼭 들어맞다, 어울리다, 조화되다, 순응하다. **~se** ① 정착하다, 자리잡다, 직책에 부임하다. ② *Méj.* (인부 등이) 일자리를 얻다. ③ 서로 양보하다, 타협하다, 참다. ④ 따르다, 좇다. ⑤ [+de] (…을) 가지고 있다. ⑥ [+en] (…에) 숙박하다. ⑦ *Arg., Chile.* 화장하다, 단장하다; 차려 입다.

acomodaticio, cia *adj.* 융통성 있는, 타협적인; 신축성[탄력성] 있는.

acomodo *m.* ① 직(職), 직업, 일, 자리, 지위. ② *Chile.* 화장, 몸단장.

acompañadamente *adv.* 함께, 동반해.

acompañado, da *adj.* ① 인파가 많은. ② 고문역의. ③ [+de] …을 따라서, 함께, 곁들여. ④ 동봉하여. —*mf.* 동반자, 고문역, 보좌원.

acompañador, ra *adj.* 동반하는; 동봉한. —*mf.* ① 동반자, 수행원. ② [음악] 반주자.

acompañamiento *m.* ① [집합] 동반(자), 동행(자), 수행(원). ② [음악] 반주(단). ③ (편지 등의) 동봉, 첨부.

acompañanta *f.* 동반하는 여자; 보모; 반려자.

acompañante *adj.* =acompañador.

acompañar *tr.* ① 함께[같이] 가다, 동반[동행]하다. ② 동봉하다: ~ una copia de la carta 편지의 사본을 동봉하다. ③ [+de·con] …에 곁들이다, 첨부하다. ④ (애환을) 같이[함께]하다. ⑤ 반주하다. **~se** ① [+con·de] …와 함께 가다, 동반하다. ② 반주하다. ③ 상담[협의]하다.

acompasadamente *adv.* 차분하게; 율동적으로; 천천히.

acompasado, da *adj.* (마음이) 차분한; 늦은.

acompasar *tr.* ① 컴퍼스로 재다. ② 박자를 맞추며 하다. ③ 천천히 이야기하다.

acomplejado, da *adj.* 열등감을 가진.

acomplejar *tr.* 열등감을 갖게 하다; 당혹하게 하다. —*intr.*, **~se** 열등감을 가지다; 당혹하다.

acomplexionado, da *adj.* bien ~ 체격이 좋은. mal ~ 체격이 나쁜.

acomunarse *r.* 마음을 함께[같이]하다; 동지가 되다.

aconchabamiento *m.* 적소(適所)에 자리잡음.

aconchabarse *r.* 한패가 되다, 한통속이 되다.

aconchar *tr.* ① (구석에 밀어넣어) 숨기다. ② (배를) 떠내려 보내다. ③ *Méj.* 조개 모양이 되다.

acondicionable *adj.* 처리[조절]할 수 있는.

A

A

acondicionablemente *adv.* 처리[조절]할 수 있게.
acondicionado, da *adj.* ① 조건에 부합된. ② 조절한: con aire ~ 냉난방 장치가 된. ③ 적당한.
acondicionador *m.* 온도 조절기, 에어컨디셔너.
acondicionamiento *m.* (공기) 조절: ~ de aire 공기 조절.
acondicionar *tr.* 처리[조절]하다, 정비하다: ~ (el aire de) la habitación 방의 온도를 에어컨으로 조절하다.
aconejado, da *adj.* 토끼 비슷한.
acongojadamente *adv.* 슬픔에 잠겨, 비탄에 젖어(con angustia).
acongojado, da *adj.* 슬픔에 잠긴, 비탄에 젖은.
acongojador, ra *adj.* 슬픈; 고통스런.
acongojante *adj.* 슬픈; 고통스런.
acongojar *tr.* 슬프게 하다, 서글프게 하다, 슬픔을 주다. ~**se** 슬픔에 젖다, 슬퍼하다, 고통스러워하다, 고민하다.
aconitina *f.* 바곳의 독(毒).
acónito *m.* [식물] 바곳.
aconsejable *adj.* 충고[조언·권고]할 수 있는.
aconsejadamente *adv.* (다른 사람의) 충고로, 사려 깊게, 생각이 깊게.
aconsejado, da *adj.* 속[사려]이 깊은, 생각이 깊은.
aconsejador, ra *adj., m.f.* 충고[조언]하는 (사람).
aconsejante *adj.* =aconsejador.
aconsejar *tr.* 충고[조언]하다, 권고하다: ~ a *su* hijo 아들에게 충고하다. ~**se** 조언[의견]을 구하다, 상담하다: ~*se* de abogado 변호사와 상담하다. ¶ ~***se mejor*** 숙고하다. ~***se con la almohada*** 심사숙고하다, 곰똘히 생각하다.
aconsonantar *tr.* [시학] 동운(同韻)으로 하다, 동운을 사용하다. —*intr.* 운이 맞다, 운이 같은 말을 사용하다.
acontecedero, ra *adj.* 있을 법한, 그럴싸한.
acontecer (31) *intr.* (일이) 생기다, 일어나다.
acontecido, da *adj.* 슬픈, 슬픔에 잠긴.
acontecimiento *m.* 사건, 사고; 사변.
acóntido, da *adj.* 파충류의. —*m.pl.* 파충류.
acopado, da *adj.* 우산처럼 무성한, 우산처럼 퍼진, 수관(樹冠) 모양의.
acopador *m.* 망치의 일종.
acopadura *f.* 우산 모양으로 만듦.
acopar *tr.* (무엇을) 우산 모양으로 만들다. —*intr.* 우산 모양으로 무성하다.
acopetado, da *adj.* 관모(冠毛) 모양의.
acopetar *tr.* (새의) 관모를 만들다.
acopiador, ra *adj.* 모으는. —*m.f.* 수집자; 매점 매석자.
acopiamiento *m.* =acopio, reunión.
acopiar *tr.* ① 모으다. ② [상업] 매점하다.
acópico, ca *adj.* [의학] 피로를 가라앉히는. —*m.* 피로 진정제.
acopio *m.* ① 모으는 일. ② 저장, 비축. ③ [상업] 매점.
acoplador *m.* 연결기, 연결 장치, 접속기, 접속 장치.
acopladura *f.* 접합; 조합.
acoplamiento *m.* ① 쌍을 이루게 함. ② 접착, 접합, 연결, 맞춤. ③ [전기] 접속.
acoplar *tr.* 짝[쌍]을 이루게 하다; 맞추다; 연결하다; 화해시키다; 교미시키다. ~**se** 짝이 되다; 화해하다; 친해지다; 교미하다.
acoplo *m.* 접합.
acoquinamiento *m.* 기가 꺾임, 주눅이 듦.
acoquinar *tr.* 기를 꺾다, 기를 펴지 못하게 하다, 주눅이 들게 하다. ~**se** 기가 꺾이다, 주눅이 들다.
acoralado, da *adj.* 산호 같은.
acorar *tr.* 슬픔[괴로움]을 주다. ~**se** 슬퍼하다, 비탄에 잠기다; (식물이) 더 위로 타다.
acorazado, da *adj.* 장갑의: vehículo ~ 장갑차. —*m.* 장갑함, 전함(戰艦).
acorazamiento *m.* 장갑(하는 일).
acorazar (9) *tr.* 장갑하다. ~**se** 방비하다, 갑옷을 입다.
acorazonado, da *adj.* 심장 모양의, 하트 형의.
acorazonar *tr.* 심장 모양을 만들다.
acorchado, da *adj.* ① 푹신푹신한, 코르크 같은, 솜 같은. ② 마비된.
acorchamiento *m.* 푹신푹신함.
acorcharse *r.* ① 푹신푹신해지다. ② 마비되다.
acordadamente *adv.* ① 일치하여. ② 신중히.
acordado, da *adj.* 일치한, 결의한; 숙고를 거듭한 끝의.
acordanza *f.* 기억; 협정; 일치된 의견; 조화.
acordar (24) *tr.* ① (일치로) 정하다, 의결하다. ② 결심하다. ③ 일치[동화·협조]시키다. ④ 조정하다. ⑤ 조화시키다, 맞추다, 조화시키다. ⑥ *Amér.* 부여[허용]하다. —*intr.* ① 타협[동조]하다, 조화하다. ② 납득하다. ~**se** ① 결의[결정]되다, 일치하다. ② 마음[의견]을 같이 하다. ③ [+de] (…을) 생각해 내다, 상기하다.
acorde *adj.* 의견이 일치된[하여], 조화를 이룬. —*m.* [음악] 화음(和音).
acordeladura *f.* =acordelamiento.
acordelamiento *m.* 줄로 측량하기; 구획(區劃).
acordelar *tr.* 줄(cuerda)로 측량하다; 구획하다.
acordemente *adv.* (의견이) 일치되어, 의기 투합하여.
acordeón *m.* 아코디언, 손풍금.
acordeona *f.* *Ur.* 아코디언.
acordeonista *m.f.* 아코디언 연주자.
acordonable *adj.* 노끈으로 묶을 수 있는.

acordonado, da *adj*. (새끼)줄 모양의.
acordonador, ra *adj*. 줄[노끈]로 묶는 (사람). —*m*. 돈을 묶는 기계.
acordonamiento *m*. 줄[노끈]로 묶음[감음]; 비상선을 치는 일.
acordonar *tr*. ① 노끈으로 묶다, 노끈[줄]을 (칭칭) 감다; (출입하지 못하도록) 새끼줄을 치다, 비상선을 치다. ② (화폐의 둘레 같은데) 우둘투둘한 새끼줄 무늬를 넣다.
acores *m.pl*. [의학] 태독, 소아 습진.
acoria *f*. 심한 허기.
acornar *tr*. =acornear.
acorneador, ra *adj*. 뿔로 받는, 뿔로 찌르는.
acornear *tr*. 뿔로 받다[찌르다].
ácoro *m*. [식물] 창포.
acoroideo, a *adj*. 창포 같은. —*f.pl*. 창포류.
acorralamiento *m*. 우리에 넣는 일, 가두는 일.
acorralar *tr*. ① (짐승을) 우리에 넣다, 가두어 넣다. ② 몰아넣다, 감금하다. ③ 족치다, 아무 소리 못하게 하다, 주춤하게 만들다.
acorrucarse (7) *r*. 웅크리다.
acortamiento *m*. ① 단축. ② 절감.
acortar *tr*., *intr*. ① 단축하다, 짧게 하다. ② 감소(減少)하다. ③ 지름길을 가다. ~**se** ① (말 따위를) 단축하다. ② 오므라들다, 어물거리다, 사양하다. ③ (말이나 소가) 걸음을 멈추다.
acorvar *tr*. 구부리다.
acosadamente *adv*. 몰아세워, 추구하여, 귀찮게 매달려.
acosado, da *adj*. 끈질기게 쫓는.
acosador, ra *adj*. 추구하는. —*mf*. 추구자.
acosamiento *m*. 추구, 추궁, 힐난, 논박.
acosar *tr*. 추궁하다, 몰아세우다, 귀찮게 매달리다; (말을) 몰아내다.
acosmismo *m*. 무우주론.
acoso *m*. =acosamiento.
acosón *m*. =ataque.
acostada *f*. 취침, 가로 누움.
acostado, da *adj*. 누운, 누운 모양의.
acostadura *f*. 취침.
acostamiento *m*. ① 취침. ② 보호.
acostar *tr*. ① 눕히다. ② 기대다. ③ (배를) 옆으로 대다. —*intr*. ① (건물이) 기울다, 기울어 있다. ② (배안으로) 가까이 가다. ~**se** ① 가로 놓이다. ② 눕다. ③ 접근하다.
acostumbradamente *adv*. 습관대로, 여느 때처럼, 보통 때처럼, 평상시처럼.
acostumbrado, da *adj*. 길든, 길들여진, 버릇된. —*adv*. 습관대로, 버릇된 그대로, 여느 때처럼.
acostumbrar *tr*. 길들이다, 버릇들게 하다. —*intr*., ~**se** ① [+a] …에 길들다. ② [+a+*inf*.] …하는 것이 버릇이 되어 있다, 언제나 …하다: *Me acostumbro a* decir la verdad 나는 언제나 진실을 말한다.
acotación *f*. ① 방주(傍註). ② (지도의) 표고. ③ 비호(庇護), 방호(防護).
acotada *f*. 울타리를 친 묘목 밭.
acotamiento *m*. =acotación.
acotar *tr*. ① 각주(脚註)를 붙이다. ② 가려내다, 추려내다. ③ 수락하다, 받아들이다. ④ [+con] …을 증거[근거]로 삼다, 참고로 내세우다. ⑤ (지)정하다. ⑥ 출입 금지시키다, 경계 표지를 달다. ⑦ (지도에) 표고[기호]를 붙이다. ⑧ (나무의) 가지를 치다. ~**se** (안전지역으로) 피신하다; 근거지로 삼다.
acotiledón, na *adj*. [식물] =acotiledóneo. —*m*. 무자엽 식물.
acotiledóneo, a *adj*. [식물] 무자엽의. —*f.pl*. 무자엽류, 은화 식물.
acotillo *m*. (대장간의) 큰 망치.
acoyundar *tr*. 소에 고삐를 매다.
acoyuntar *tr*. 한 마리씩 서로 가져와 한 짝으로 하다.
acoyuntero *m*. 한 마리씩 가져와 한 짝으로 하는 농부.
ACPAF *f*. Asociación del Congreso Panamericano de Ferrocarriles 범미 철도 회의 연합.
acracia *f*. ① [의학] 쇠약. ② 무정부주의(anarquismo).
ácrata *adj*. 무정부주의의. —*mf*. 무정부주의자.
acrático, ca *adj*. 무정부주의의.
acre *adj*. 신; 쓴; 무뚝뚝한; 까다로운, 신랄한. —*m*. 에이커 ((면적의 단위)).
acrecencia *f*. 증가, 증대; 부가 재산.
acrecentador, ra *adj*. 증가하는, 증대하는.
acrecentamiento *m*. 증가, 증대; 생장; 발달; 부가 가치.
acrecentante *adj*. =acrecentador.
acrecentar (19) *tr*. 불리다, 증가시키다; 증대시키다, 증진시키다; 승진시키다. ~**se** 불어나다, 증가[증대]하다.
acrecer (31) *tr*. =acrecentar. —*intr*. 몫이 불어나다. ~**se** 불어나다.
acrecimiento *m*. 증가, 증대; 승진.
acreción *f*. =acrecimiento.
acreditación *f*. 신용, 신임; 보증.
acreditado, da *adj*. ① 믿어지는, 신용 있는. ② 보증되는. ③ 자격이 있는, 정식의.
acreditador, ra *adj*., *mf*. 신용[신임]하는 (사람), 보증하는 (사람).
acreditar *tr*. ① 신용[신임]하다, 믿을 수 있는 것으로 만들다. ② 보증하다. ③ [상업] 대변에 기입하다. ④ (…에) 신용장[신임장]을 주다, (외교관을) 파견하다. ⑤ 유명하게 만들다: Este libro le *acreditó* mucho 이 책은 그를 무척 유명하게 만들었다. ~**se** 신용[평판]을 얻다.
acreedor, ra *mf*. ① 채권자, 저당권자. ② [속어] 영국인. —*adj*. ① …을 얻을 가치가 있는. ② [상업] 대변(貸邊)의. —*m.pl*. 지불 계정; 미불금, 지불금, 외상 매입금.
acreencia *f*. *Amér*. [상업] 채권, 자산;

A

신용.
acremente *adv.* 신랄하게, 혹독하게, 가혹하게.
acrianzado, da *adj.* =criado, educado.
acrianzar *tr.* 양육[사육]하다.
acribador, ra *adj., m.f.* 체로 치는.
acribadura *f.* 체로 침. —*f.pl.* 체로 친 찌꺼기.
acribar *tr.* ① 체로 치다. ② 구멍투성이로 만들다, 상처투성이로 만들다. ③ 관통하다, 꿰뚫다, 통관하다.
acribillar *tr.* ① 칼로 찔러 벌집을 만들다. ② 난도질하다, 상처투성이로 만들다. ③ 추궁하다.
acribología *f.* (말의 사용에서) 정확(성).
acrílico, ca *adj., m.* 아크릴 제품(의).
acrilina *f.* 무색 합성 수지.
acriminación *f.* 고발, 고소.
acriminador, ra *adj.* 고소[고발]하는. —*m.f.* 고소인, 고발인.
acriminar *tr.* ① 고발[고소]하다. ② 탓으로 돌리다. ③ (과실 등을) 과장하여 큰 죄로 몰다.
acrimonia *f.* ① (상처의) 욱신거림. ② 신랄함, 호됨. ③ 비꼼, 독설.
acrimoniosamente *adv.* 신랄하게, 호되게, 매섭게.
acrimonioso, sa *adj.* 신랄한, 혹독한, 매서운: carácter ~ 매서운 성격.
acriollado, da *adj.* 자국인 같은.
acriollarse *r. AmérM.* 아메리카 태생처럼 되다; (어떤 고장에) 익숙해지다, 친해지다.
acrisis *f.* 병의 과정에서 위기의 결여.
acrisolación *f.* 정련(精錬), 정화.
acrisoladamente *adv.* 정련하여, 정화하여.
acrisolador, ra *adj.* 정련[정화]하는.
acrisolar *tr.* ① 정련[정화]하다, 순수하게[청신하게] 하다. ② 명백하게[확실히] 입증하다: ~ la verdad 진실을 명백하게 입증하다.
acristianado, da *adj.* 기독교화된.
acristianar *tr.* ① 기독교도로 만들다. ② 세례를 주다.
acrítico, ca *adj.* 병에서 위기가 없는.
acritud *f.* 엄함, 가혹함; 신랄함.
acroamático, ca *adj.* 구술된, 구전의.
acroático, ca *adj.* =acroamático.
acrobacia *f.* ① 곡예: ~ aérea 공중 곡예. ② 어려운 곡예[훈련].
acróbata *m.f.* 곡예사.
acrobático, ca *adj.* 곡예의.
acrobatismo *m.* 곡예; 곡예사의 직.
acrobistitis *f.* [의학] 포피염.
acrobraquicefalia *f.* [의학] 첨두(尖頭).
acrocárpeo, a *adj.* [식물] 은화 식물의.
acrocefalia *f.* acrocéfalo의 변칙.
acrocefálico, ca *adj.* 첨두의.
acrocéfalo, la *adj.* ① [의학] 첨두를 가진. ② [새] 치취류새.
acrocórdido, da *adj.* [동물] 뱀무리의. —*m.pl.* 파충류.
acroe *m.* =acroy.
acrofobia *f.* 고소 공포(증).
acrografía *f.* 산을 이용한 부조 조각술.
acrología *f.* 절대성 연구.
acromacia *f.* 색의 혼란.
acromasia *f.* 병약하여 창백함.
acromático, ca *adj.* 무색의, 색이 없는; 색을 없앤: color ~ 무채색.
acromatismo *m.* 무색(無色); 색소성.
acromatización *f.* 무색으로 함.
acromatizar (9) *tr.* 색을 없애다, 무색으로 하다.
acromatopsia *f.* [의학] 색맹(色盲).
acromía *f.* 살갗의 퇴색.
acromial *adj.* 어깻죽지의.
acromiano, na *adj.* =acromial.
acrómico, ca *adj.* 색이 없는 (몸).
acromio *m.* [해부] 어깻죽지.
acromión *m.* =acromio.
acrómico, ca *adj.* 일몰에 나오는, 해거름의.
acrónimo *m.* 준말, 약칭.
acrono, na *adj.* 시간이 없는.
acrópolis *f.sing.pl.* ① 아크로폴리스((아테네의 성채)). ② (고대 그리스 도시의) 성채.
acropostitis *f.* [의학] 포피염.
acrosofía *f.* 신에 속한 지식.
acrósporo *m.* (화본과 식물의 잎에 있는) 기생균류.
acrostolio *m.* (옛날의) 호안벽.
acrotera *f.* [건축] 노반.
acroteria *f.* =acrotera.
acroterio *m.* =ático.
acrotismo *m.* 첫 원인 연구.
acroy *m.* (스페인 보르고냐 왕가의) 시종관.
acruñar *r.* [은어] 덮다, 씌우다.
acta *f.* [단수 관사: el, un(a)] ① 기록: redactar el ~ 기록을 작성하다. ② 의사록. ③ (공정) 증서, 당선증. ④ 결의서. —*f.pl.* 순교자 언행록.
actea *f.* [식물] 말오줌나무.
actinia *f.* [동물] 말미잘.
actínico, ca *adj.* 화학 (방사)[자외선]의: rayo ~ 화학선.
actínido, da *adj., m.* 악티늄 계열(의).
actinio *m.* [화학] 악티늄.
actinismo *m.* 화학선 작용.
actinodermatitis *f.* [의학] 광선 피부염.
actinografía *f.* 엑스선을 통해 얻어진 사진 (예술).
actinógrafo *m.* 기록[검사] 화학 광량계.
actinometría *f.* 화학 광량 측정.
actinómetro *m.* 화학 광량계.
actinomices *m.* [의학] 방선 균증이 낳은 기생 버섯.
actinomiceto *m.* [의학] =actinomices.
actinomicosis *f.* 방선 균증.
actinota *f.* [광물] 녹색 각섬석.
actinoterapia *f.* 방사선 치료, 광선 요법.
actinotropismo *m.* [식물] (물기가 태

양 쪽으로 구부러지게 하는) 식물에 대한 태양 광선의 작용.
actitud *f.* ① 태도: cambiar de ~ 태도를 바꾸다. ② 자세, 자태.
activación *f.* 추진, 촉진, 장려.
activador *m.* [화학] 활성제.
activamente *adv.* ① 활동적으로, 활발하게, 적극적으로. ② [문법] 능동적으로.
activar *tr.* ① 격려하다, 기운 나게 하다, 활발하게 하다, 성하게 하다. ② 촉진[추진]하다. ③ [물리] 방사능을 주다.
actividad *f.* ① 활발, 활기. ② 기민함, 신속함. ③ 활동: ~ económica 경제 활동. ④ 호경기. ⑤ *pl.* 활동 (범위); 사업, 업무. ¶*en* ~ ㉮ 활동중인, 운전중인: volcán *en* ~ 활화산. ㉯ 현역의, 현직의.
activo, va *adj.* ① 능동적인. ② 활발한, 활동적인, 활동하는, 일하는: hombre ~ 활동적인 사람. ③ 기민[민첩]한. ④ 현직에 있는: en ~ 현직[현역]의. atleta en ~ 현역 선수. soldado en ~ 현역 군인. ⑤ [문법] 능동의: voz ~*va* 능동태. —*m.* ① [상업] 자산; 채권; 재산: ~ (en) efectivo 현금 자산. ~ líquido 유동 자산. ② 방사(放射).
acto *m.* ① 행동, 행위: ~ heroico 영웅적 행위. ② 행사, 의식; (학교에서) 연습. ③ (희곡의) 막, 장. ④ 교미, 성교. ¶*en el* ~ 당장에, 즉석에서.
actor *m.* ① 배우: ~ de caráter 성격 배우. ② [법률] 원고(原告).
actora *adj.* 원고측의: parte ~ 원고(측). —*f.* [법률] 여자 원고(측).
actriz *f.* 여자 배우: primera ~ 주연 여자 배우.
actuación *f.* 움직임, 활동; 거동; 작용, 동작; 연기; 역할. —*pl.* 소송 절차[행위].
actuado, da *adj.* 숙련된, 익숙한.
actual *adj.* ① 현재의. ② 현실의: valor ~ 시가(時價).
actualidad *f.* ① 현실, 현상. ② 현재, 현시(現時). ③ 시사: cuestión de ~ 시사 문제.
actualista *adj.* 근시안적인; 현실주의의.
actualización *f.* 현실화.
actualizado, da *adj.* 최근[최신]의; 첨단적인.
actualizador, ra *adj.* 현실화하는.
actualizar (9) *tr.* 현실화하다; 실현하다, 실제화하다.
actualmente *adv.* 현재, 목하, 지금; 실제로, 현실로.
actuante *adj.* 작용하는; (토론에서) 찬성하는 측의.
actuar (15) *tr.* 움직이다, 일하게 하다; 섭취[흡수]하다. —*intr.* (기능적으로) 일하다, 작용하다; (약이) 효험을 내다; 집무하다, 활동하다; 소임을 다하다; (토론에서) 찬성자 쪽에 서다; 소송 절차를 밟다. ~**se** [+en] (…을) 통달하다, 잘 알다.
actuarial *adj.* 보험 회사의.
actuario *m.* 법원 서기; 보험 회사 통계원.
actuosidad *f.* 근면함; 민첩함.
actuoso, sa *adj.* 근면한, 민첩한.
acuadrillar *tr.* 규합하다; (부대를) 지휘하다.
acuafortista *mf.* =aguafuertista.
acuanauta *mf.* 잠수 유영가.
acuantiar (12) *tr.* (…의) 양을 정하다[재다].
acuaplano *m.* 수상 스키.
acuarela *f.* 수채화.
acuarelista *mf.* 수채화가.
acuarelístico, ca *adj.* 수채화의.
acuario *m.* ① 어항, 수족관. ② [천문] 보병궁(寶甁宮).
acuartelado, da *adj.* 십자형의.
acuartelamiento *m.* 사영(舍營); 사영지; 병영 수용.
acuartelar *tr.* 군대를 병사에 넣다; (군인을) 금족[대기]시키다; 배치하다; (토지의) 구획 정리하다; 돛을 펴다. ~**se** 주둔하다.
acuartillar *intr.* (마소가) 다리를 구부려 걷다.
acuate *m.* *Méj.* [동물] 물뱀.
acuático, ca *adj.* ① 물의: deporte ~ 수중[수상] 스포츠. vía ~*ca* 수로(水路). ② 물에서 사는: animal ~ 수중 동물. planta ~*ca* 물풀.
acuátil *adj.* =acuático.
acuatinta *f.* 아쿠아틴트 판화.
acuatintista *mf.* acuatinta 화가.
acuatizaje *m.* [항공] (수상기 등의) 착수(着水), 착수장.
acuatizar (9) *intr.* (수상기·우주선 등이) 착수하다, 물에 앉다.
acuatubular *adj.* 수관식의 (보일러).
acubado, da *adj.* 통 모양의.
acubar *tr.* 통 모양을 만들다. ~**se** 취하다.
acucharado, da *adj.* 숟가락 모양의.
acucharar *tr.* *Chile.* ① 짓누르다. ② 숟가락을 쓰다, 숟가락 모양이 되게 하다.
acuchilladizo *m.* 검객, 검술사.
acuchillado, da *adj.* ① 난도질당한. ② 혼이 난. ③ 신중한 것이 버릇된. ④ (속옷을 보이기 위해) 단을 터 놓은 (옷).
acuchillador, ra *adj.* 칼로 싸우는, 칼질을 하는; 싸움 잘 하는. —*mf.* 검객, 검사, 검술사.
acuchillamiento *m.* 칼질, 칼로 찌르기[죽이기].
acuchillar *tr.* ① 칼로 베다[찌르다]. ② 칼로 죽이다. ③ (…에) 벌집처럼 구멍을 내다. ④ 갈라진 무늬를 넣다. ~**se** 서로 칼싸움을 하다.
acuchillear *tr.* *Chile.* =acuchillar.
acucia *f.* ① 부지런함, 근면함, 열심. ② 초조, 갈망. ③ 급함, 서두름, 조바심.
acuciadamente *adv.* 서둘러, 부랴부랴;

A

당황하여; 열심히, 정신없이.
acuciador, ra *adj.* 독촉하는, 서두르는; 열망하는, 갈망하는.
acuciamiento *m.* 갈망, 열망; 신속, 급속; 격려.
acuciante *adj.* 독촉하는, 서두르는; 열망하는; 절실한.
acuciar (11) *tr.* 독촉하다, 서두르다; 열망하다; 격려하다, 북돋우다.
acuciosamente *adv.* 부지런히, 열심히.
acuciosidad *f.* 조바심, 재촉, 독촉; 열망, 열심; 근면함, 부지런함.
acucioso, sa *adj.* 부지런한, 열심인; 기를 쓰고 하는.
acuclillarse *r.* 웅크리고[쭈그리고] 앉다, 책상다리를 하고 앉다.
acudimiento *m.* 좇아감, 달려감; 구원.
acudir *intr.* ① 좇아가다, 구출하러 가다. ② (누구에게) 가다, 다니다. ③ 구원을 청하다. ④ 호소하다, 이용하다. ⑤ (바로) 응하다, 답하다. ⑥ 대접하다. ⑦ (말이) 말을 잘 듣다. ⑧ (땅이) 수익을 올리다.
acueducto *m.* ① 수로(水路), 수도(水道), 수도교(水道橋). ② [해부] 도관.
ácueo, a *adj.* 물의, 물 같은.
acuerdo *m.* ① (의견의) 일치. ② 동의. ③ 협조. ④ 협정, 협약: ~ aduanero 관세 협정. ⑤ 결의, 결정. ⑥ 결심. ⑦ 색채의 조화. ⑧ 생각, 기억.
acúfono *m.* (전기) 보청기.
acuidad *f.* 예민성, 민감; 혜안(慧眼).
acuífero, ra *adj.* 물을 함유한.
acuígeno, na *adj.* 물에 생기는.
acuilmarse *r.* *AmérC., Méj.* 한탄[탄식]하다.
acuitadamente *adv.* 슬픔[비탄]에 젖어.
acuitado, da *adj.* 슬픔에 잠긴[젖은].
acuitar *tr.* 난처하게 하다; 괴롭히다. ~**se** 한탄[탄식]하다, 슬퍼하다, 괴로워하다.
aculado, da *adj.* 궁둥이를 땅에 붙인 말의 (문장).
aculamiento *m.* 궁둥이[뒷부분]를 붙임; 엉덩방아; 뒷걸음질.
acular *tr.* ① 궁둥이[뒷부분]를 붙이다. ② 궁지에 몰아넣다; 한쪽 귀퉁이에 대다. —*intr.* ① 엉덩방아를 찧다. ② 귀퉁이로 몰리다. ③ 뒷걸음질치다. ④ 배의 뒷부분이 얕은 물에 얹히다.
aculeado, da *adj.* ① 침[가시·바늘]이 있는. ② [곤충] 막시류의.
aculebrinado, da *adj.* 뱀 모양을 한.
aculebrinamiento *m.* 뱀 모양 만듦.
aculebrinar *tr.* *Neol.* (대포를 주조할 때) 뱀 모양을 만들다.
aculeiforme *adj.* 침[바늘] 모양의.
acúleo *m.* (벌 등의) 침, 바늘.
aculillar *tr.* *AmérC.* 질리게[겁내게] 하다. ~**se** 질겁하다, 겁을 내다.
acullá *adv.* 저쪽에: aquí y ~ 여기저기에, 이곳 저곳에.
acumetría *f.* 청각 측정법.
acúmetro *m.* 청각 측정기.
acuminado, da *adj.* 끝이 가느다란.
acumíneo, a *adj.* =acuminado.
acuminoso, sa *adj.* =agudo, ácido.
acumuchar *tr.* *Chile.* 모으다, 쌓다, 축적하다. ~**se** *Chile.* 무리를 짓다, 떼를 이루다, 모이다, 쌓이다.
acumulable *adj.* 축적할 수 있는, 모을 수 있는.
acumulación *f.* ① 축적, 누적. ② 집합. ③ 축전(蓄電). ④ 죄의 전가. ⑤ [상업] 누가(累加).
acumuladamente *adv.* 축적하여, 차곡차곡 쌓아.
acumulado, da *adj.* 축적된, 쌓인.
acumulador, ra *adj.* 차곡차곡 쌓는, 축적하는, 모으는; 축전하는; (죄를) 전가시키는. —*m.* 축전기, 배터리, 충전기.
acumulamiento *m.* =acumulación.
acumular *tr.* ① 축적하다, 모으다, 차곡차곡 쌓다: ~ dinero 돈을 모으다. ② 축전하다. ③ (죄를) 전가시키다. ④ 누가(累加)하다.
acumulativamente *adv.* 누적하여, 쌓아서, 누가적으로.
acumulativo, va *adj.* 누적한, 쌓아 놓은; 예방적인.
acúmulo *m.* =acumulación.
acunar *tr.* ① 요람에 넣다, 요람에 넣어 흔들어 주다. ② 키우다, 크게 하다.
acuñable *adj.* 주조할 수 있는, 쐐기를 박을 수 있는.
acuñación *f.* 주조(鑄造).
acuñador, ra *adj.* 주조하는. —*mf.* 주조자(鑄造者).
acuñar *tr.* ① 주조(鑄造)하다: ~ la moneda 화폐를 주조하다. ② (…에) 쐐기를 박다. ③ 추천하다.
acuosidad *f.* 수분 과다.
acuoso, sa *adj.* ① 물기[수분]가 많은, 물기가 있는: fruta ~*sa* 수분이 많은 과실. ② 물의, 물 같은.
acupe *m.* *Ven.* 옥수수 술.
acupuntor, ra *mf.* 침술사, 침의(鍼醫).
acupuntura *f.* 침(술), 침요법, 침술 치료: hacer la ~ 침을 놓다.
acupunturar *intr.* 침을 놓다.
acupunturero, ra *mf.* 침술사, 침의.
acupunturista *mf.* 침술사, 침의.
acurchurcarse (7) *r.* *AmérC.* 곱사[곱사등이]가 되다.
acure *m.* *Col., Ven.* =agutí.
acurí *m.* *Col., Ven.* =agutí.
acurrucado *m.* *AmérC.* 밀주.
acurrucarse (7) *r.* ① 웅크리다, 움츠리다, 쭈그리다. ② *AmérC.* 책상다리를 하다.
acurrujarse *r.* *Col.* 웅크리다.
acusable *adj.* 비난할 만한, 혐의 있는.
acusación *f.* ① 고소, 고발. ② 비난(하는 일). ③ 혐의.
acusado, da *adj.* 비난[혐의]를 받은. —*mf.* 피의자, 용의자, 피고.
acusador, ra *adj.* 나무라는[비난하는] (듯한), 고발하는. —*mf.* 고발자, 고소인, 원고; 비난자; 검찰관.
acusante *adj.* =acusador.

acusar *tr.* ① 비난[책망]하다. ② [+de] (…의 죄로) 고발[고소·기소]하다. ③ (도착·수령을) 알리다, 통보[통고·통지]하다. ④ (카드 놀이에서 패를) 보이다. ~**se** [+de] (…을) 고백하다, 죄를 자인하다.
acusativo, va *adj.* [문법] 대격(對格)의: caso ~ 대격. —*m.* [문법] 대격.
acusatoriamente *adv.* 고발하여, 기소하여.
acusatorio, ria *adj.* 고발[기소]하는, 고자질하는; 비난하는, 따져 묻는 투의.
acuse *m.* ① 알림, (수령) 통지. ② (카드 놀이에서) 패를 보이기, 보여 주는 패.
acusector *m.* 전기침(電氣針).
acusección *f.* 전기침 절개.
acusica *mf.* =acusón.
acusique *mf.* =acusón.
acusón, na *adj.* 고자질하는, 남의 잘못을 몰래 일러 바치는. —*mf.* 고자질쟁이.
acústica *f.* 음향학, 음향 효과.
acústico, ca *adj.* ① 청각[청력]의, 귀의: nervio ~ 청신경. trompetilla ~*ca* 보청기. ② 전성(傳聲)의: tubo ~ 전성관(傳聲管). ③ 음향학의.
acutangular *adj.* 예각의.
acutángulo, la *adj.* 예각의: triángulo ~ 예각 삼각형. —*m.* [수학] 예각.
acutí *m. Amér.* =agutí.
acuticaude *adj.* [동물] 끝이 뾰족한 꼬리의.
acutifloro *adj.* [식물] 화관의 소엽이 뾰족한.
acutirrostro, tra *adj.* 얼굴이 뾰족한.
Ad. Aduana 세관.
adacilla *f.* [식물] 작은 옥수수.
adáctilo, la *adj.* 손가락이 없는.
adagial *adj.* 격언의[같은](proverbial).
adagio *m.* ① 격언, 속담, 잠언. ② [음악] 아다지오, 완서곡. —*adv.* 천천히, 느리게.
adaguar (10) *intr.* (동물이) 물을 먹다.
adala *f.* (배의) 배수관, 배수 구멍.
adalid *m.* ① 지도자, 리더. ② (중세의) 수령, 추장.
adamadamente *adv.* 유약하게, 여자같이; 화사하게, 우아하게.
adamado, da *adj.* ① 여자 같은, 유약한. ② 마님 같은, 마님 티를 내는. ③ 화사한, 우아한(elegante).
adamantino, na *adj.* [시어] 다이아몬드의, 금강석의; 금강석 같은, 단단한.
adamarse *r.* 수줍어하다, 여자 같아지다, 화사해지다.
adamascado, da *adj.* 금실[은실]로 무늬 놓은 비단 같은.
adamascar (7) *tr.* 무늬 있는 비단을 만들다.
adamasquería *f.* 비단천 제조처.
adamasquinar *tr.* =damasquinar.
adámico, ca *adj.* ① 아담(Adán)의. ② 개펄의.
adamismo *m.* (나체로 제사를 지내는) 아담교.
adamita *adj.* 아담교(敎)의. —*mf.* 아담교도(敎徒).
adán[1] *m.* ① 추잡한 남자. ② 게으름뱅이. ③ 마음 약한 사람.
Adán[2] *m.* [성경] 아담, 인간의 시조.
adánico, ca *adj.* 아담의, 아담 같은.
adanida *f.* 아담의 후손; 사람, 인간.
adanismo *m.* =adamismo.
adaptabilidad *f.* 적응성, 융통성.
adaptable *adj.* ① 적응[응용]할 수 있는. ② 채용할 수 있는. ③ 융통성이 있는.
adaptación *f.* ① 적응, 적합. ② 개작, 번안, 각색. ③ 편곡. ④ *pl.* 설치비.
adaptadamente *adv.* 꼭 맞게, 알맞게, 적합하게.
adaptado, da *adj.* =adecuado.
adaptador, ra *adj.* 적응하는; 번안[각색·편곡]하는. —*mf.* 번안자, 각색자, 편곡자. —*m.* [기계] 감속 장치.
adaptante *adj.* 적합한, 순응하는.
adaptar *tr.* ① 꼭 끼우다. ② 개작 [번안·각색·편곡]하다. ~**se** 적합[순응]하다, 따르다: ~*se* al uso 관례에 따르다.
adaraja *f.* [건축] 연결 돌[벽돌].
adarce *m.* (해안의 바위에 붙은) 소금의 앙금.
adardear *tr.* 투창으로 찌르다.
adarga *f.* (원형·심장 모양의) 방패.
adargar (8) *tr.* 방패로 막다; 수호[옹호]하다, 막다, 지키다.
adarguero *m.* ① 방패 제조자. ② 방패 든 병사.
adarme *m.* ① 근소한 것. ② 아다르메 ((중량의 단위: 1.79 그램)).
adarvar *tr.* 질겁하게[놀라게] 하다; 실신시키다.
adarve *m.* (성벽 위의) 순찰로(巡察路); 성벽.
addenda *m. lat.* (서류 따위의) 추가, 보충.
Addis Abeba *f.* [지명] 아디스 아베바 ((이집트의 수도)).
a. de C. antes de Cristo 기원전.
A. de C. Año de Cristo 서력 기원.
adecenamiento *m.* 열씩 나누는 일.
adecenar *tr.* 열씩 다발짓다 [나누다].
adecentar *tr.* ① 아담하게[품위있게] 치장하다. ② 옷치장을 시키다. ~**se** 품위 있게 옷치장을 하다.
adecuación *f.* 적절(함), 적당(함).
adecuadamente *adv.* 적절[적당]하게.
adecuado, da *adj.* 적당[적합]한, 꼭 들어맞은(conveniente).
adecuar (14) *tr.* 알맞게 하다, 적응시키다. ~**se** 적응[적합]하다, 해당되다.
adefagía *f.* =voracidad, glotonería.
adefágico, ca *adj.* 게걸스런, 돼지처럼 먹는, 많이 먹는.
adéfago, ga *adj.* =voraz.
adefesiro, ra *adj. AmérM.* 어리석은, 터무니없는.
adefesio *m.* ① 엉터리, 어리석은 일. ② 우스꽝스런 의상[치장]. ③ 괴짜.

adehala *f* 경품, 회사금; 임시 급여.
adehesamiento *m.* 초원(草原)[황야]으로 만듦.
adehesar *tr.* 초원[황야]으로 만들다.
a. de J.C. antes de Jesucristo 기원전.
adelantadamente *adv.* 미리, 앞질러, 먼저(anticipadamente).
adelantado, da *adj.* ① 조숙한. ② 진보한, 앞선: país ~ 선진국. ③ 앞지른, 빠른. ④ 앞뒤를 가리지 않은. *—m.* ① (식민지 시대의) 총독, 태수. ② 전도금, 선불금.
adelantamiento *m.* ① 전진, 진보. ② (자동차의) 추월. ③ 총독의 직.
adelantar *tr.* ① 앞으로[먼저] 내다. ② 진행시키다, 진출[전진]하다. ③ (시계 바늘을) 앞으로 돌리다. ④ 서두르다, 재촉하다: ~ el paso 걸음 재촉하다. ⑤ 미리 주다, 선금을 지불하다. ⑥ 증진[개량]하다, 진보시키다. ⑦ 먼저 보내다, 앞으로 나오다. *—intr.* 나아가다, 진보[향상]하다; 앞서다; (시계가) 더 가다. ~**se** 진출하다, 전진하다; 앞으로 나서다[가다].
adelante *adv.* 앞에[으로], 전방에, 저쪽에. *—interj.* 들어오세요!, 전진!, 계속하라! ¶*de aquí (en)* ~ 금후, 이후; 이상; 여기서 앞으로. *de hoy [ahora] en* ~ 오늘 이후.
adelanto *m.* ① 대출금, 전도(금). ② 전진, 진출. ③ 진보(進步), 향상.
adelfa *f.* ① [식물] 협죽도. ② 협죽도의 꽃.
adelfal *m.* 협죽도 밭[숲].
adélfico, ca *adj.* 협죽도의.
adelfino, na *adj.* [식물] 협죽도 같은.
adelgazador, ra *adj.* 가는, 여윈.
adelgazamiento *m.* 여윔; 가늘게 함.
adelgazar (9) *tr.* 가늘게 하다; 엷게 하다. *—intr.*, ~**se** 여위다, 가냘퍼지다, 체중이 내려가다[빠지다].
A. del S. América del Sur 남(南)아메리카.
adema *f.* =ademe.
ademán *m.* ① 몸짓, 몸매, 얼굴 생김새 모양. ② *pl.* 거동, 몸가짐, 태도.
además *adv.* 더욱이, 게다가, 그 밖에: ~ *de* …이외에.
ademe *m.* [광산] 갱목, 받침 기둥, (갱도의) 지주(支柱).
adenalgia *f.* [의학] 선통(腺痛).
adenda *f.* (권말의) 부록.
adenina *f.* [생화학] 아데닌.
adenitis *f.* [의학] 선염(腺炎).
adenocarcinoma *f.* 선암(腺癌).
adenoidectomía *f.* 아데노이드 절제.
adenoideo, a *adj.* 아데노이드의.
adenoides *f.pl.* 아데노이드.
adenología *f.* 선학(腺學).
adenoma *m.* [의학] 선종(腺腫).
adenopatía *f.* [의학] 선병(腺病), 선질환(腺疾患).
adenosina *f.* [생화학] 아데노진.
adenosis *f.* 만성 선염(腺炎).
adenoso, sa *adj.* =glanduloso.
adenota *f.* [동물] 영양속 반추 동물.
adenotomía *f.* 분비선 해부.
adensar *tr.* 짙게[빽빽하게] 하다, 밀도를 높게 하다; 심각하게 하다. ~**se** 짙다, 빽빽하다.
adentelladura *f.* 잇자국을 냄.
adentellar *tr.* 잇자국을 내다.
adentrar *intr.* 안으로 들어가다, 안을 지나다. ~**se** 안으로 들어가다, 틀어박히다.
adentro *adv.* 안으로, 속으로, 안쪽에. *—m.pl.* 내심, 마음속, 본심. *—interj.* 들어오세요(¡Adelante!).
adepto, ta *adj.* 귀의한, 가맹 [입회 · 가입]한. *—m.f.* ① 귀의자, 가맹자, 입회자, 가입자. ② 제자, 학파의 사람. ③ 신앙자, 추종자, 신봉자.
aderezar (9) *tr.* ① 채비를 차리다, 정리하다. ② 옷치장을 시키다, 차려 입히다. ③ 장식하다, 치장하다. ④ 양념하다, 조미하다(guisar). ⑤ 조합[조제]하다, 처리하다. ⑥ 수선하다. ⑦ (천에) 고무를 입히다. ⑧ 안내하다, 이끌다. ~**se** ① 몸단장하다, 화장하다. ② 향해 가다, 부임하다.
aderezo *m.* ① 채비, 정리. ② 겉치장, 몸단장, 몸치장; 장신구 일체 ((브로치, 귀고리, 팔찌, 목걸이 등)). ③ (천에) 고무를 입힘. ④ 조제, 조미, 조리. ⑤ 마구(馬具).
adestrado, da *adj.* 오른쪽으로 기운[치우친].
adestrador, ra *adj.* =adiestrador.
adestramiento *m.* =adiestramiento.
adestrar (19) *tr.* 훈련시키다, 길들이다, 조련하다, 단련시키다, 익히게 하다.
adeudado, da *adj.* 빚이 있는.
adeudar *tr.* ① 빚지다, 빚이 있다. ② (세금 · 관세가) 부과되다; 과세하다. ③ 차변에 기입하다. ~**se** 빚을 내다, 돈을 꾸다.
adeudo *m.* ① 빚, 부채. ② [상업] 차변 기입. ③ 관세, 통관세.
Adex, **ADEX** *f.* Asociación de Exportadores. 수출 업자 협회.
adherencia *f.* ① 부착, 교착. ② 집착, 고집. ③ 부착물. ④ 가입, 가맹; 결합. ⑤ 친척 관계. ⑥ [의학] 유착(성).
adherente *adj.* 붙은, 부속의, 밀착의. *—m.pl.* ① 자기편, 동지. ② 부속물. ③ 필요 조건.
adherir(se) (54) *intr.(r.)* ① 붙다. ② 편들다, 찬동하다, 가입하다.
adhesión *f.* ① 부착, 점착, 교착. ② 가맹. ③ 찬동, 지지, 조약 가입. ④ [의학] 유착(증).
adhesividad *f.* 부착성, 점착성, 접착성.
adhesivo, va *adj.* 부착[점착]성의, 접착성이 있는. *—m.* 부착물, 접착물.
ad hoc *adv.* *lat.* 특별히 이[그]를 위하여, 임시 변통[임기응변]으로, 유별나게, 특별히. *—adj.* 임시 변통[임기응변]의, 특별한: comité ~ 특별 위원회.
adhóminem *adj.*, *adv.* *lat.* 대인적(對人的)인[으로]; (이성보다) 감정[편견]에

호소하는[하여]; 인신 공격적인[으로]; 사람 나름으로, 사람에 따라.
ad honorem *adv. lat.* 명예(만)의.
adhortar *tr.* =exhortar.
ADI *f.* Agencia *f* para el Desarrollo Internacional 국제 개발처.
adiabático, ca *adj.* [물리] 단열의.
adiado, da *adj.* 지정된 (날짜).
adiafa *f.* (입항 때 선원에게 지불하는) 입항 수당.
adiáfano, na *adj.* 불투명한.
adiaforesis *f.* [의학] 무한증(無汗症).
adiaforético, ca *adj.* 메틸의: alcohol ~ 메틸 알코올.
adiaforia *f.* =indiferencia.
adiáforo, ra *adj.* =indiferente.
adiamantado, da *adj.* 다이아몬드 같은, 딱딱한, 단단한.
adiamantar *tr.* 다이아몬드로 장식하다.
adiano, na *adj.* 강한, 늠름한, 씩씩한.
adianto *m.* [식물] 약초의 일종.
adiar (12) *tr.* 기일을 정하다[지정하다].
adicción *f.* 탐닉, 중독.
adición *f.* ① 부가, 추가, 첨가, 부록. ② [수학] 덧셈.
adicionable *adj.* 더할 수 있는.
adicionador, ra *adj., mf.* 부가하는 (사람). —*m.* 더하는 기계.
adicional *adj.* ① 부가[추가]의. ② 부가적인. ③ 가산의, 덤의. —*m.* 부가세.
adicionar *tr.* 더하다, 보태다, 첨가하다.
adictivo, va *adj.* 중독을 가져온.
adicto, ta *adj.* ① [+a] (…에) 전념하는, 몰두하는, 집착한, 신봉한, 심취한; 소속된, 가맹한, 일당의. ② [의학] (마약·알코올 등에) 중독된: ser ~ *a* las drogas 마약에 중독되다. —*mf.* 신봉자; 중독자.
adiestrable *adj.* 훈련시킬 수 있는, 길들일 수 있는.
adiestrado, da *adj.* 훈련(訓練)된, 조련된. —*mf. AmérC.* 연수생.
adiestrador, ra *adj.* 훈련시키는, 길들이는, 조련하는. —*mf.* 조련사.
adiestramiento *m.* 훈련, 조련, 수련.
adiestrar *tr.* ① 훈련하다, 길들이다, 조련하다, 가르치다, 교육하다. ② 이끌다, 안내하다. ~**se** 수련하다, 익히다.
adietar *tr.* (환자에게) 제한식을 주다. ~**se** 절식[감식]하다.
adinamia *f.* 쇠약, 허탈; 약골; 무력증.
adinámico, ca *adj.* 쇠약[허약]한; 무력증의.
adinerado, da *adj.* =rico.
adinerarse *r.* 부자가 되다.
ad infinítum *adv. lat.* 무한히, 영구히.
ad ínterim *adv., adj. lat.* 중간에[의], 그 동안에[의], 임시로[의].
adiós *interj.* 안녕! —*m.* 작별, 이별, 헤어짐: decir ~ 작별을 고하다.
adipal *adj.* 기름진, 살찐.
adipocira *f.* 사체 지방(死體脂肪).
adipógeno, na *adj.* 지방을 내는.
adipómetro *m.* 지방계(脂肪計).
adiposidad *f.* 지방 (과다)증.
adiposis *f.* 비대, 비계덩이.
adiposo, sa *adj.* 지방이 많은; 지방(성)의: tejido ~ 지방 조직.
adipsia *f.* [의학] 갈증 결핍[결여].
adir *tr.* (유산을) 상속받다.
aditamento *m.* 부가, 추가, 첨가물.
aditicio, cia *adj.* =añadido.
aditivo, va *adj.* ① 첨가[부가]의. ② [수학] 부가적인. —*m.* 첨가물, 혼합제.
adiva *f.* =adive. —*pl.* 말의 이하선염.
adive *m.* [동물] 자칼.
adivina *f.* 수수께끼.
adivinable *adj.* 짐작이 가는, 추측할 수 있는.
adivinación *f.* 추량, 추측; 점: ~ del pensamiento 독심술.
adivinador, ra *adj.* 짐작[추측]하는, 속을 들여다 보는. —*mf.* 추측하는 사람; 점쟁이.
adivinaja *f.* [속어] 수수께끼.
adivinalla *f.* =adivinaja.
adivinamiento *m.* =adivinación.
adivinante *adj.* 점치는, 짐작하는.
adivinanza *f.* 추측, 점; 알아맞히기, 수수께끼.
adivinar *tr.* ① 점치다, 알아내다, 알아맞히다. ② 바로 대다. ③ 짐작하다, 추측하다. ④ (수수께끼를) 풀다.
adivinatorio, ria *adj.* ① 점(占)의. ② 점치는 것 같은, 추측적인.
adivino, na *mf.* 예언자, 점쟁이, 관상쟁이, 점성술사.
adj. adjetivo 형용사.
adjetivación *f.* 형용; (말에) 형용사를 붙임, 형용사로 사용; (명사 등의) 형용사화.
adjetival *adj.* 형용사의, 형용사 같은.
adjetivar *tr.* 형용하다; (말에) 형용사를 붙이다. ~**se** 형용사화하다.
adjetivo, va *adj.* ① 부수적인. ② 형용사의. —*m.* [문법] 형용사.
adjudicación *f.* ① 낙찰, 경매. ② 재정(裁定), 판결. ③ 수여.
adjudicado, da *adj.* 낙찰된; 수여된.
adjudicador, ra *adj.* ① 낙찰하는, 경매에 붙이는. ② 재정하는.
adjudicar (7) *tr.* ① 낙찰시키다. ② 재정하다. ③ (상 등을) 주다, 수여하다. ④ (심사·선발되어) 결정(決定)하다. ~**se** 낙찰되다; 취득[획득]하다.
adjudicativo, va *adj.* 낙찰할 수 있는; 재정할 수 있는.
adjudicatario, ria *mf.* 낙찰자; 취득자; 수상자.
adjunción *f.* 합병; 동봉, 첨부.
adjuntar *tr.* 동봉하다: ~ una copia del informe 보고서 한 통을 동봉하다.
adjuntía *f.* 전임 강사의 직[지위].
adjunto, ta *adj.* ① 결합된. ② 동봉한, 부속한: remitir ~*ta* una muestra 견본을 동봉해 보내다. ③ 보좌하는: secretario ~ 차관보. —*m.* ① 동봉물, 첨가물. ② 보조자, 조수, 부관. ③ (대학의) 전임 강사 ((스페인은 폐지됨)). —*adv.* (주로 상업 통신문이나 공용 문

서에서) 동봉하여: *Adjunto* le enviamos una muestra 귀하께 견본을 동봉하여 보냅니다.
adlátere *m.* 측근(자), 아첨배, 추종자. —*mf.* 군식구.
ad líb. ad líbitum.
ad líbitum *adv. lat.* 진심으로, 기꺼이.
ad litteram *adv. lat.* 문자 그대로.
adminicular *tr.* 보조하다, 후원하다, 원조하다.
adminículo *m.* ① 보조물, 부속물; 예비물. ② 보충 증거. ③ *pl.* 집에 부설해 놓은 가구나 비품 등.
administrable *adj.* (물 · 약 따위를) 마실 수 있는.
administración *f.* ① 관리, 운영, 경영: ~ de personal 인력[노무] 관리. ~ del presupuesto 예산 관리. ② 통치, 행정 (기관). ③ 관청. ④ 관리부, 서무과. ⑤ 행정부, 정부. ⑥ [집합적] 문관, 행정관. ⑦ 중역 회의. ⑧ 수여. ⑨ 투약, 복용. ⑩ (서반아의) 복권 발매소.
administrado, da *adj.* 피관리자.
administrador, ra *adj.* 관리[경영 · 지배]하는. —*mf.* 관리자, 경영자, 이사, 행정관: ~ de aduanas 세관장. ~ de Correos 우체국장.
administrar *tr.* ① 관리[경영]하다: ~ bienes 재산을 관리하다. ② 통치하다, 다스리다. ③ 공급하다. ④ (성체 등을) 수여하다, 베풀다. ⑤ (약을) 주다, 투약하다, 복용하다: ~ calmantes 진정제를 투여하다. ⑥ (직무를) 수행하다. ⑦ 가감[조절]하다. ⑧ [속어] (몽둥이 등으로) 후려치다. ~**se** ① 약을 마시다. ② 자신을 제어하다, 검약하다.
administrativamente *adv.* 관리상으로, 행정적으로.
administrativista *mf.* 행정법 학자.
administrativo, va *adj.* 관리[경영]의; 행정의: autoridad ~*va* 행정 당국.
administratorio, ria *adj.* 행정의, 관리[경영]의, 통치의.
admirable *adj.* 감탄[탄복]할 만한, 칭찬할 만한; 완전한, 나무랄 데 없는, 훌륭한; 희한한; 기특한.
admirablemente *adv.* 희한하게; 훌륭하게; 완전히, 나무랄 데 없이.
admiración *f.* ① 감탄, 탄복, 칭찬; 기특함; 희한한 일[물건]. ② [문법] 감탄부호.
admirado, da *adj.* 놀란, 감탄[탄복]한.
admirador, ra *adj.* 감탄[탄복]하는, 칭찬하는.
admirante *adj.* 감탄[칭찬]하는. —*mf.* 감탄자, 칭찬자.
admirar *tr.* ① 감심[감탄]하게 하다, 탄복하게 하다, 놀라게 하다: Su talento *admiró* a todos 그의 재능에 모두가 감탄했다. ② 바라보다. ③ 찬미[찬양]하다. ~**se** [+de] (…에) 감탄[탄복 · 감격]하다.
admirativamente *adv.* 감탄하여.
admirativo, va *adj.* 감탄[감격]한; 경이[감탄]을 표하는; 놀란.
admisibilidad *f.* 수용성.
admisible *adj.* 수용할 수 있는, 받아들일 수 있는; 시인[용인]할 수 있는.
admisión *f.* ① 받아들임, 용인(함): examen de ~ 입학 시험. ② (입학 · 입장 등의) 허가.
admitancia *f.* [전기] 어드미턴스.
admitir *tr.* ① 시인[승낙 · 수락 · 용인]하다, 받아들이다. ② 들어가다, 가입하다, 넣(어 주)다: ~ en cuenta 계산에 넣다. ③ 용서하다; 허용하다: No *se admiten* propinas 팁 사절!
admixtión *f.* 혼합(mezcla).
admón. administración …부, …국.
admonición *f.* 훈계, 설교.
admonitor, ra *mf.* (수도원 등의) 감독, 교훈승(敎訓僧); 훈계자, 설교자.
adm.[or] administrador 관리자, 경영자.
admor. administrador 관리자, 경영자.
adnata *f.* [해부] 결막.
adnato, ta *adj.* [생물] 측생(側生)의.
ad nútum *adv. lat.* 기호에 맞게.
adobado, da *adj.* 소금에 절인; 무두질한; 요리된; 수선된, 고쳐진.
adobador, ra *adj., mf.* 무두질하는 (사람).
adobadura *f.* 무두질하기.
adobar *tr.* ① 고치다, 수선하다. ② 요리하다. ③ 처리하다, 가지런히 하다. ④ 소금에 절이다. ⑤ (가죽을) 무두질하다. ⑥ (술을) 익히다. ⑦ (굽쇠를) 두들겨 휘게 하다.
adobasillas *m.sing.pl.* 의자 수리공.
adobe[1] *m.* ① 볕에 말린 벽돌. ② *Arg.* 큰 벽돌.
adobe[2] *m.* ① (옛날 죄인의 발에 끼웠던) 족쇄. ② *Arg., Ur.* 커다란 발.
adobera *f.* 벽돌틀; 벽돌 공장.
adobería *f.* 블록[벽돌] 공장.
adobero *m. Arg.* adobe[1] 기술자.
adobo *m.* ① 수리; 조리; 처리. ② 소스; 살코기의 양념 국물. ③ 피혁 처리액, (천의) 처리액. ④ *Méj., Ven.* 소금 절임 살코기[돼지고기]. ⑤ 화장(품).
adocenadamente *adv.* 평범하게.
adocenado, da *adj.* ① 평범한; 허섭스레기의. ② 타[다스]로 나눈.
adocenamiento *m.* 타로 나누기[세기].
adocenar *tr.* ① 타로 나누다[세다]. ② 여러 가지를 한데 뭉치다. ~**se** 속인 속에 묻히다.
adocilar *tr.* (논밭을) 갈다.
adoctrinamiento *m.* 지도, 교육, 훈육.
adoctrinar *tr.* [+en] (…을) 지도[교육]하다: ~ a una niña *en* piano 여아에게 피아노를 지도하다.
adolecente *adj., mf.* =adoleciente.
adolecer (31) *intr.* ① [+de] (…의) 병에 걸리다, 앓다; 고민하다. ② (결점 · 나쁜 버릇을) 가지다.
adoleciente *adj.* …으로 앓는, 고민하는. —*mf.* 환자.
adolescencia *f.* 청소년기, 사춘기.
adolescente *adj.* 청소년기의, 청소년기에 있는, 어린. —*mf.* (주로 18세까지

의) 청소년, 젊은이, 미성년자.
adolorado, da *adj.* =adolorido.
adonde *adv.* [장소의 관계 부사] …하는 곳[장소]에[로].
adónde *adv.* [장소의 의문 부사로 a dónde로도 표기함] 어디에[로]. ① [+이동의 동사] *¿Adónde* va? 어디 가십니까? ② [구어] [+비이동의 동사] *¿Adónde* estamos? 여기는 어디입니까? ③ [전치사적] …의 장소에: Voy ~ María 나는 마리아의 집에 가고 있습니다.
adondequiera *adv.* 어디든지, 어느 곳에나. ((서반아에서는 주로 고어적으로 쓰임)).
adonis *m.* ① [구어] 미소년, 호남. ② [식물] 복수초.
Adonis *m.* [희랍 신화] 아도니스.
adopción *f.* 채용; 양자 결연.
adoptable *adj.* 양자로 삼을 수 있는; 채용[채택]할 수 있는.
adoptado, da *adj.* 받아들인, 수용된, 양자로 들여진. —*mf.* 양자, 양녀.
adoptador, ra *adj.* 양자로 삼는; 채용[채택]하는. —*mf.* 양자로 삼는 사람; 채용자, 채택자.
adoptante *adj., mf.* 양자로 삼는 (사람); 채택하는 (사람).
adoptar *tr.* ① 양자로 삼다. ② 채용[채택]하다. ③ 받아들이다, 맞아들이다, 용인[승인]하다.
adoptario *m.* 양자 입적.
adoptivamente *adv.* 양자 결연으로.
adoptivo, va *adj.* 양자 관계의: hijo ~ 양자. hija ~*va* 양녀.
adoquín *m.* ① 포석(鋪石). ② 세상 물정에 어두운 남자.
adoquinado, da *adj.* 포장된. —*m.* 포장 (도로).
adoquinar *tr.* (adoquín으로) 포장하다.
adorable *adj.* 숭배[공경]할 만한, 찬미할 만한, 희한한.
adorablemente *adv.* 숭배[공경]하여, 희한하게.
adoración *f.* ① 숭배, 예배. ② 예찬. ③ 열애, 동경의 대상.
adorador, ra *adj.* 숭배[예찬]하는, 사모[사랑]하는. —*mf.* 숭배자, 예찬자, 사모하는 사람.
adorante *adj.* 숭배[예배・예찬]하는.
adorar *tr.* ① 예배[숭배]하다. ② 배례하다. ③ 예찬하다. ④ 열애(熱愛)하다. —*intr.* ① 기도하다. ② 소중히 여기다, 경복하다.
adoratorio *m.* 사당, 우상을 모시는 곳, 감실(龕室).
adormecedor, ra *adj.* 최면의; 팔다리를 저리게 하는.
adormecer (31) *tr.* ① 잠들게 하다, 최면하다. ② 가라앉히다; 진정[마취]시키다. ~**se** ① 잠들다. ② 마비되다. ③ 가라앉다, 진정되다. ④ [+en] …에 빠지다, 탐닉하다.
adormeciente *adj.* 잠든, 최면하는; 진정[마취]시키는.
adormecimiento *m.* 선잠, 꾸벅꾸벅 조는 잠; 심한 졸음; 탐닉.
adormidera [식물] 양귀비.
adormilarse *r.* =adormitarse.
adormir (57) *intr.* ① 꾸벅꾸벅 졸다, 깜박 졸다, 잠들다. ② 마비되다.
adormitarse *r.* ① 졸리다. ② 꾸벅꾸벅 졸다.
adornado *m.* =adornamiento.
adornador, ra *adj.* 장식[치장]하는, 꾸미는, 아름답게 하는. —*mf.* 장식가.
adornante *adj.* 꾸미는, 장식하는.
adornar *tr.* 꾸미다, 장식하다, 치장하다, 아름답게 하다. ~**se** 장식되다, 꾸며지다; 몸치장을 하다, 차려 입다, 멋을 부리다.
adornista *mf.* [건축] 장식가.
adorno *m.* 장식(품), 복식품. —*pl.* [식물] 봉선화.
adosado, da *adj.* 기댄, 등끼리 맞대 놓인.
adosar *tr.* 기대다; 등끼리 맞대 놓다.
adovelado, da *adj.* 홍예석으로 건축된.
ad pédem littere *adv. lat.* 적힌 대로, 문자대로.
adquirente *adj.* 구입하는, 취득하는, 획득하는.
adquirible *adj.* 구입[입수]할 수 있는, 획득 가능한.
adquirido, da *adj.* 손에 넣은, 획득한.
adquiridor, ra *adj.* =adquirente.
adquiriente *adj.* =adquirente.
adquirir (23) *tr.* ① 얻다, 취득[획득]하다. ② 사들이다, 입수하다. ③ 달성하다, 성취하다.
adquisición *f.* ① 취득, 획득. ② 입수, 매입. ③ 취득물; 입수품, 구입품. ④ 달성.
adquisidor, ra *adj., mf.* =adquiridor.
adquisitivo, va *adj.* 입수[취득]할 수 있는, 구매력이 있는: poder ~ 구매력. prescripción ~*va* 취득 시효.
adquisito, ta *adj.* 얻은, 취득한.
adquisitorio, ria *adj.* 취득의, 획득의.
adquisividad *f.* 취득 본능; 욕심, 탐욕.
adra *f.* ① 순번, 차례. ② (읍・면의) 구, 부락.
adrede *adv.* 일부러, 고의로.
adredemente *adv.* =adrede.
ad referéndum *adv., adj. lat.* 좀 더 고려[검토]해야 할, 잠정적인[으로], 가(假)(계약).
adrenalina *f.* [화학] 아드레날린.
adrián *m.* ① 엄지발가락의 튀어나온 뼈. ② 까치집, 까치둥지.
adriático, ca *adj., mf.* 아드리아 해(海) (Mar Adriático)의 (사람).
adrizamiento *m.* 바로 세우는 일.
adrizar (9) *tr.* (기운 배 등을) 바로 세우다; 고쳐 세우다.
adrolla *f.* (거래상의) 속임수, 사기, 사취(詐取).
adrollero, ra *mf.* 야바위 장사꾼.
adscribir *tr.* 지정하다, 임명하다.

adscripción *f.* 지정, 임명.
adscripto, ta *adj.* 지정된, 임명된.
adscrito, ta *adj.* =adscripto.
adsorbente *adj.* 흡착하는.
adsorber *tr.* 흡착하다.
adsorción *f.* 흡착.
adstricción *f.* =astricción.
adstringente *adj.* =astringente.
adstringir *tr.* =astringir.
aduana *f.* ① 세관: derechos de ~ 관세. ② [은어] 장물 은닉처.
aduanable *adj.* 관세가 부과되는.
aduanal *adj. Venez.* 세관의.
aduanar *tr.* (세관에서) 검사하다; 관세를 물다.
aduanero, ra *adj.* 세관의: barrera ~*ra* 관세 장벽. tarifa ~*ra* 관세율. —*m.f.* 세관원; 밀수 감시인.
aduar *m.* (방랑 민족 등의) 부락, 텐트촌.
adúcar *m.* 올이 성긴 비단[천].
aducción *f.* 내전(內轉).
aducir (71) *tr.* ① 인용[입증]하다, 증거로 제시하다, (사실·예를) 지적하다. ② 첨가하다, 덧붙이다.
aductor *adj.* [해부] 내전의: músculo ~ 내전근(內轉筋). —*m.* ① 내전근. ② 지하의 수도관[도관].
aduendado, da *adj.* 악마 같은.
adueñarse *r.* [+de] (…을) 자기 것으로 삼다, 주인[임자]이 되다.
adufe *m.* ① 탬버린. ② 바보, 얼간이.
adufero, ra *m.f.* adufe 연주자.
adufre *m.* =adufe.
aduja *f.* (밧줄의) 한 타래.
adujar *tr.* 칭칭 감다[말다], 둘둘 말다. ~**se** (좁은 곳에) 웅크리고 들어가다, 아무 데나 눕다.
adulación *f.* 아첨, 아부, 추종.
adulador, ra *adj.* 아첨[아부]하는.
adulancia *f.* =adulación.
adulante *adj.* 아부[아첨]하는.
adular *tr.* ① 아부[아첨]하다. ② 기쁘게 하다.
adulatorio, ria *adj.* 아부[아첨]하는; 기쁘게 하는 (듯한).
adulero *m.* 공동 목장의 목동.
adulón, na *adj.* 알랑거리는, 아첨[아부]하는. —*m.f.* 아부자, 아첨쟁이, 알랑쇠.
adulterable *adj.* ① 위조할 수 있는. ② 간통할 수 있는.
adulteración *f.* ① 위조. ② 간통.
adultrador, ra *adj.* 위조하는; 간통하는. —*m.f.* ① 위조자. ② 간통자.
adulterante *adj.* ① 위조하는. ② 간통하는. ③ 못쓰게 하는.
adulterar *tr.* ① 못쓰게[나쁘게] 하다, 손상하다, 망가지다, 상하게 하다. ② 위조하다. —*intr.* 간통하다.
adulterinamente *adv.* 불의로, 간통하여; 위조로, 가짜로.
adulterinidad *f.* 간통, 부정; 위조.
adulterino, na *adj.* ① 간통[불의]의, 부정한: hijo ~ 간통으로 낳은 아들. ② 위조의, 날조한, 가짜의.
adulterio *m.* ① 간통(죄), 통정, 불의. ② 위조.
adúltero, ra *adj.* ① 간통[부정]한; 타락한. ② 불순한. ③ 사투리의. —*m.f.* 간통자, 통정자(通情者).
adulto, ta *adj.* ① 성년이 된, 청년기에 이른. ② 성장한, 성숙한. —*m.f.* 성인, 어른: escuela para ~*s* 성인 학교.
adulzamiento *m.* 무르게 하는 일[것].
adulzar (9) *tr.* ① (금속을) 무르게 하다. ② 달게 하다. ③ 묽게 하다.
adulzorar *tr.* ① 무르게[부드럽게] 하다, 촉감을 좋게 하다. ② 달게 하다, 감미롭게 하다.
adumbración *f.* (그림 등의) 음영, 그늘 부분.
adumbrar *tr.* =sombrear.
adunación *f.* 통합, 통일.
adunar *tr.* ① 합하다, 모으다. ② 하나로 하다, 통일하다(unificar).
adunco, ca *adj.* 굽은, 휜.
adundarse *r. AmérC.* 멍해지다, 아둔해지다, 멍청해지다.
adunia *adv.* 풍부하게, 풍족하게.
adustez *f.* 냉담; 무관심.
adustión *f.* ① 연소. ② (그림의) 구워 붙임.
adusto, ta *adj.* ① 작열하는. ② 엄한, 엄격한. ③ 암울한, 우울한, 쓸쓸한.
adv. adverbio 부사.
ad val. ad valórem.
ad valórem *adv. lat.* [상업] 값에 따라 (종가세 등).
advenedizo, za *adj.* 이방(異邦)의, 외국의. —*m.f.* ① 외지 사람. ② 흘러들어온 사람. ③ 벼락 출세한 사람.
advenidero, ra *adj.* =venidero.
advenimiento *m.* ① 도착, 도래, 강림: ~ de Cristo 그리스도의 강림. ② 즉위, 등극: ~ del rey 왕의 즉위.
advenir (60) *intr.* (외부에서·우연히) 오다, 도착하다.
adventicio, cia *adj.* ① 외래의. ② 우발적인. ③ [식물·동물] 우생(偶生)의.
adventismo *m.* 그리스도의 재림설.
adventista *adj.* 그리스도의 재림설의. —*m.f.* 재림론자, 재림파.
adventual *m.* 강림절의.
adveración *f.* 확증, 인증.
adverado, da *adj.* 정식으로 인증된.
adverar *tr.* (서류를) 확증[인증]하다.
adverbial *adj.* 부사의, 부사적인.
adverbialidad *f.* 부사적 성질.
adverbializar (9) *tr.* 부사로 사용하다.
adverbialmente *adv.* 부사적으로.
adverbiar *tr.* 부사로 사용하다. ~**se** 부사로 사용되다.
adverbio *m.* [문법] 부사(副詞).
adversamente *adv.* ① 반대로, 역으로. ② 불운하게, 불리하게.
adversario, ria *m.f.* 경쟁자, 적수, 상대, 적: ~ temible 강적. —*m.pl.* 각서.
adversativo, va *adj.* 반의(反意)의, 배반의: conjunción ~*va* 배반 접속사.
adversidad *f.* 역경, 불운, 불행.

~se 마음을 움직이다, 감동되다, 숙연해지다.
afectabilidad *f.* 애정, 감정; 감수성.
afectísimo, ma *adj.* 친애하는.
afectividad *f.* 정, 정감, 감정; 감수성.
afectivo, va *adj.* 애정의; 정서적인, 감정의; 감수성이 예민한.
afecto, ta *adj.* ① 그리운, 귀여운, 친애하는. ② …에 따르기 마련인, …에 딸려 있는. ③ (…에게) 하게 한, 맡겨진. —*m.* ① 사랑, 애정. ② 우정, 우의. ③ 호감. ④ 질환, 질병.
afectuosamente *adv.* 정성껏, 사랑을 다해.
afectuosidad *f.* 애정, 온정.
afectuoso, sa *adj.* ① 친애하는, 사랑하는, 사랑에 넘치는, 애정에 찬, 사랑스런, 다정한, 마음씨 고운. ② 발랄한, 표현적인, 과시적인, 표정적인.
afeitada *f. Amér.* 면도.
afeitadamente *adv.* 치장으로.
afeitado, da *adj.* 면도한. —*m.* ① 면도질. ② [투우] (위험을 줄이기 위해) 황소 뿔의 끝 절단.
afeitadora *f.* 면도기.
afeitadura *f.* 면도질, 면도 방법.
afeitar *tr.* ① 면도해 주다, 수염을 깎아주다. ② 화장하다; 미화(美化)시키다. ③ (갈기·꼬리를) 가지런히 깎다. ④ (정원수 등을) 손질하다. ⑤ [투우] 황소의 뿔의 끝을 자르다. —*intr.* (더 벌기 위해 물건의 치수나 양을) 줄이다. **~se** ① (자기의) 수염을 깎다, 면도하다: *Aféitate* 면도를 해라. ② 화장하다, 모양을 내다. ③ 진절머리가 나다.
afeite *m.* [고어] 화장, 치장; 화장품.
afelino *m.* [곤충] 막시류(膜翅類).
afelio *m.* [천문] 원일점(遠日點).
afelpado, da *adj.* 우단 같은.
afelpar *tr.* ① 우단처럼 만들다. ② (돛을) 보강하다.
afeltrar *tr.* 양모를 펠트 모자로 바꾸다.
afeminación *f.* 나약, 유약(함); 여성화.
afeminadamente *adv.* 여자처럼.
afeminado, da *adj.* 여자 같은; 유약한: voz *~da* 야자 같은 목소리.
afeminamiento *m.* =afeminación.
afeminar *tr.* 여성화하다. **~se** 여성화되다, 여성적으로 되다, 연약해지다.
aferente *adj.* [생리] 수입(輸入)의, 구심성(求心性)의.
aféresis *f.sing.pl.* 어두 탈락형.
aferradamente *adv.* 끈질기게, 집요하게, 완고하게.
aferrado, da *adj.* ① 완고한, 고집 센, 고집 불통의. ② 매달린.
aferrador, ra *adj.* 붙잡는; 움직이지 못하는.
aferramiento *m.* ① (단단히) 달라붙음. ② 고집 (불통).
aferrar *tr.* ① 단단히 붙잡다. ② 단단히 잠그다. ③ (갈고랑이 같은 것으로) 움직이지 못하게 하다. ④ (돛이나 기를) 말다. —*intr.* 붙잡다; 고집하다; 닻을 내리다. **~se** ① 붙잡다, 매달리다. ② 엉겨 붙다. ③ 맹신하다. ④ [+a·con·de] (…을) 고집하다.
aferruzado, da *adj.* 화난, 별로 신명이 나지 않는.
afervorar *tr.* =afervorizar.
afervorizar (9) *tr.* 힘[기운]을 북돋우다, 격려하다.
afestonado, da *adj.* 꽃무늬 같은[장식을 한], 파도 무늬를 수놓은.
afestonar *tr.* 꽃무늬 장식을 하다.
afeudarse *r.* 친해지다.
affaire *m. fr.* 정사(情事).
affiche *m.* =anuncio, cartel.
affidávit *m. lat.* =afidávit.
afgni *m.* 아프가니스탄의 화폐 단위.
Afganistán, el [국명] 아프가니스탄.
afgano, na *adj.* 아프가니스탄의[에 관한]. —*m.f.* 아프가니스탄 사람.
afianzador, ra *adj.* 보증하는.
afianzamiento *m.* ① 보증. ② 고정, 고착. ③ 확립.
afianzar (9) *tr.* ① 보증하다. ② (…의) 보증인이 되다. ③ 단단히 고정시키다, (못 같은 것으로) 박다. ④ 붙잡다, 단단히 받치다. ⑤ 확립하다. **~se** 꿋꿋이 서다; 단단히 들러붙다; 몸을 지탱하다.
afiche *m.* 게시, 벽보; 보고, 알림.
afición *f.* ① 애호: tener ~ a la música 음악을 좋아하다. ② 취미, 도락, 오락: tocar la guitarra por ~ 취미로 기타를 치다. ③ 열중, 열심. ④ 관중, 청중. ⑤ [집합] 팬: La ~ está entusiasmada de la victoria 팬들은 승리에 열광하고 있다.
aficionadamente *adv.* 열중하여, 열광적으로; 취미 삼아.
aficionado, da *adj.* ① …을 좋아하는: ser ~ *a* la lectura 독서를 좋아하다. Soy muy ~ *a* pasear 나는 산책을 무척 좋아한다. ② 열중하는; 아마추어의. —*m.f.* 애호가, 팬, 아마추어.
aficionador, ra *adj.* 호감이 가는.
aficionar *tr.* 호감이 가도록[마음에 들게] 하다; 열중하게 하다. **~se** [+a·de] …이 좋아지다, 열중하다.
aficionismo *m.* 아마추어리즘.
afidvit *m.sing.pl.* 선서 구술서[진술서].
afídidos *m.pl.* [곤충] 반치류.
áfidos *m.pl.* [곤충] =afídidos.
afiebrado, da *adj.* =calenturiento.
afiebrarse *r. Chile.* 열이 나다, 열병을 앓다.
afielar *tr.* (저울을) 균형 잡히게 하다, 눈금을 맞추다, 정확성을 기하다.
afijación *f.* 접두어나 접미어를 붙이기.
afijo, ja *adj.* 부속의. —*m.* 접사(接辭) ((접두어와 접미어)).
afiladera *f.* 숫돌.
afilado, da *adj.* 예리한, 날이 선.
afiladura *f.* 날을 가는[세우는] 일.
afilalápices *m.sing.pl.* 연필깎이.
afilamiento *m.* 여윔, (살이) 빠짐.
afilar *tr.* ① 끝을 뾰족하게 하다, (…에) 날을 세우다. ② 날을 갈다. ③ 깎다.

④ *Arg.* 반하게 하다, 구슬리다. ⑤ 아부[아첨]하다. ~**se** ① 홀쭉해지다. ② *Méj.* (…하려고) 노심초사하다.
afile *m. Arg.* 반하는 일; 구슬림.
afiliación *f.* 입회, 가맹, 입당; 단체.
afiliado, da *adj.* 가맹[입회]한. —*mf.* 가맹자, 입회자, 입당자.
afiliarse *r.* 가맹[입회 · 가입]하다.
afiligranado, da *adj.* 금은선 세공(金銀線細工)의[같은]; 화사한.
afiligranar *tr.* (금은실로) 세공하다.
áfilo, la *adj.* [식물] 무엽(無葉)의.
afilón *m.* 면도날 가는 가죽; (푸줏간의) 줄, 둥근 줄.
afilorar *tr. AmérC.* 장식하다, 꾸미다.
afilosofado, da *adj.* 철학자인 척하는.
afín *adj.* ① 인접한. ② 근사[유사]한, 관계가 가까운. —*mf.* 친척, 일가.
afinable *adj.* 완전[완성]할 수 있는.
afinación *f.* 끝마무리, 예의 바름; 정련, 정제; 세련, 정교함; 조율.
afinadamente *adv.* 세련되게, 미묘하게, 정교하게, 세밀하게, 교묘하게.
afinado, da *adj.* 가늘게[예리하게] 된; 정제[정련]된.
afinador, ra *adj.* 예리한; 품위 있는; 정제[정련]하는; 조율하는. —*mf.* 조율사. —*m.* 조율용 망치; 조율 키.
afinadura *f.* =afinación.
afinamiento *m.* 세련.
afinar *tr.* ① 가늘게[예리하게] 하다. ② 세련되게 하다. ③ 정제[정련]하다. ④ 조율하다: ~ un piano 피아노를 조율하다. ⑤ *Chile.* 완료하다, 끝마치다. —*intr.* 노래하다, 가락을 구성지게 켜다. ~**se** 완전해지다; 완성되다; 세련되다, 품위 있게 되다; 맑아지다, 순수해지다; 정련되다; 조율되다.
afincado, da *adj.* =ahincado. —*mf. Arg.* 농장주, 지주.
afincamiento *m.* 정착, 정주.
afincar (7) *tr. Cuba.* 농지를 담보로 돈을 빌려 주다. —*intr.* 정착[정주]하다; 농지를 사다.
afine *adj.* =afín.
afinidad *f.* ① 근사(성), 유사; 인척 관계. ② 친화성, 친화력; 궁합이 맞음. ③ [화학] 화합성.
afino *m.* (금속의) 정련.
afióstomo, ma *adj.* [어류] 주둥이가 길고 입이 작은 (물고기).
afirmación *f.* ① 긍정. ② 단어, 언명. ③ 고정.
afirmadamente *adv.* 긍정하여; 단호히.
afirmado *m.* (차도의) 노면.
afirmador, ra *adj.* 긍정[단언]하는; 보증하는; 장치하는.
afirmante *adj.* =afirmador.
afirmar *tr.* ① 긍정[단언]하다, 확언하다, 보증하다. ② 단단히 굳히다[세우다], 고정시키다. ~**se** 단언[확언]하다; 꿋꿋이 서다; 끝까지 우기다.
afirmativa *f.* 긍정 명제.
afirmativamente *adv.* 긍정적으로, 긍정하여.
afirmativo, va *adj.* 긍정적인, 긍정의.
aflamencado, da *adj.* 플라멩코 형의[같은].
aflatarse *r. AmérC.* 슬퍼하다, 음울하게 되다.
aflato *m.* ① 일진의 바람. ② 영감.
aflautado, da *adj.* ① 높은 (소리): voz ~*da* 높은 소리. ② 피리 소리 같은.
aflautar *tr. Amér.* 최고의 소리로 올리다.
aflechado, da *adj.* 화살 모양의.
aflegmasia *f.* 담 결핍증.
afleo, a *adj.* [식물] 피층 결핍의 (식물).
aflicción *f.* 슬픔, 탄식, 비탄, 고뇌; 고통; 걱정, 염려.
aflictivo, va *adj.* 슬픈, 괴로운, 비참(悲慘)한, 안스러운, 가슴 아픈.
aflicto, ta *adj.* 슬픔에 잠긴.
afligente *adj.* 슬픈, 괴로운.
afligidamente *adv.* 슬픔에 잠겨.
afligido, da *adj.* 슬픔에 잠긴, 슬픔에 겨운, 괴로워하는.
afligimiento *m.* =aflicción.
afligir (4) *tr.* ① 슬프게 하다, 괴롭히다. ② *Méj.* 때리다, 참호에서 저격하다. ~**se** [+con · de · por] (… 때문에) 비탄에 잠기다, 슬퍼하다.
aflojamiento *m.* 완화; 이완; 저조; 느슨해짐, 풀어짐.
aflojar *tr.* ① 늦추다, 완화하다: ~ una cuerda 줄을 늦추다. ② 감압(減壓)하다. ③ 놓아주다. —*intr.*, ~**se** ① (자신의 …을) 늦추다, 느슨히 하다: ~se la corbata [el cinturón] 넥타이[혁대]를 늦추다. ② 내려가다, 낮아지다, 약해지다. ③ 저조해지다, 맥이 빠지다, 신명이 나지 않다.
aflorado, da *adj.* 꽃이 핀; 꽃 모양의; 아름다운, 고운, 화려한; 우미한.
afloramiento *m.* 노출(광).
aflorar *intr.* (광물이) 노출되다; 떠오르다. —*tr.* (가루를) 체로 치다.
afluencia *f.* ① 주입, 유입: ~ de divisas 외화의 유입. ② 쇄도. ③ 유창함, 달변, 다변. ④ 풍부함, 많음.
afluente *adj.* 흘러드는; 흐르는 듯한, 유창한, 달변(達辯)의, 다변의. —*m.* 지류(支流).
afluentemente *adv.* 흐르듯이, 유창하게, 술술, 막힘 없이.
afluir (77) *intr.* ① [+a] (…에) 몰려[밀려]들다. ② (강물이) 흘러들다.
aflujo *m.* 충만(함).
aflús *adv. Amér.* 아무 것도 없이; 한푼도 없이, 빈털터리로.
afluxionarse *r.* ① *Amér.* 감기에 걸리다. ② *AmérC.* 붓다, 부풀다.
afmo(s). afectísimo(s) 친애하는.
afodinos *m.pl.* [곤충] 편각류.
afoetar *tr. Amér.* 회초리로 때리다.
afofado, da *adj.* =fofo.
afofarse *r.* 물씬[푸근푸근]해지다.
afogarar *tr.* 태우다, 눌리다. ~**se** 타다, 눋다.

afoliado, da *adj.* [식물] 잎이 없는.
afollador, ra *m.f.* *Méj.* 풀무질하는 사람.
afolladura *f.* 풀무질하기.
afollar[1] *tr.* 풀무질하다; (겹겹이) 접다. ~**se** 접히다; (벽의) 속이 비다.
afollar[2] *tr.* [고어] =afligir, maltratar.
afondable *adj.* =fondeable.
afondar *tr.* 침몰시키다. —*intr.*, ~**se** 침몰하다(hundirse).
afonía *f.* [의학] 실성증(失聲症).
afónico, ca *adj.* 실성증의.
áfono, na *adj.* =afónico.
aforable *adj.* 평가[사정]할 수 있는.
aforación *f.* 평가, 사정; 계량.
aforado, da *adj., m.f.* 특권이 있는 (사람).
aforador, ra *adj.* 계량하는, 검량하는. —*m.f.* 검사관, 사정관.
aforamiento *m.* =aforación.
aforar *tr.* ① (과세를 부과하기 위해 상품을) 평가[사정]하다. ② 계량하다; (유수량이나 용량을) 재다. ③ 복권으로 부여하다[받다]; 특권을 부여하다. —*intr.* 무대에 막을 치다.
aforisma *f.* [수의학] 동맥류(動脈瘤).
aforismo *m.* 금언, 격언, 경구, 잠언.
aforístico, ca *adj.* 금언[격언 · 경구 · 잠언]의; 경구 비슷한.
aforo *m.* ① (상품의) 평가, 사정. ② 관세. ③ 수량의 계량. ④ (극장 등의) 수용 인원. ⑤ [상업] 종량세.
aforrador, ra *adj.* ① 안감을 대다. ② 보강(補强)하다. ~**se** ① 껴입다. ② 실컷 먹고 마시다. ③ 넌더리를 내다.
aforro *m.* (옷의) 안을 댐, 덧대는 헝겊; 단단히 하려고 감아두는 밧줄.
a fortiori *adv.* *lat.* 한층 유력한 이유로, 더욱 더.
afortunadamente *adv.* 다행히, 운좋게, 운수 좋게.
afortunado, da *adj.* ① 행운의; 행복한. ② 돈이 있는, 자산이 있는. ③ 날씨가 궂어질 듯한. —*m.f.* 자산가.
afortunar *tr.* 행복하게 하다, 팔자가 늘어지게 하다.
afosarse *r.* 참호에 의지하다.
afrailado, da *adj.* 승려[수도사] 같은.
afrailamiento *m.* 전정, 가지치기.
afrailar *tr.* (나무의) 가지를 치다, 전정(剪定)하다.
afrancesado, da *adj.* 친불란서의, 프랑스 사람 흉내를 낸, 친불파의. —*m.f.* 친불파 인사.
afrancesamiento *m.* 프랑스화.
afrancesar *tr.* 프랑스풍(風)으로 하다. ~**se** 친불파가 되다.
afranelado, da *adj.* 플란넬과 같은, 부드러운.
afranjado, da *adj.* 장식[술]이 있는.
afrecharse *r.* *Chile.* (마소가) 밀기울을 먹다.
afrecho *m.* 밀기울.
afrenillar *tr.* [선박] 밧줄로 묶다[매다]
afrenta *f.* 모욕, 치욕, 불명예.
afrentado, da *adj.* ① 모욕당한, 망신을 당한. ② *PRico.* 뻔뻔스러운, 철면피한, 낯가죽이 두꺼운.
afrentador, ra *adj., m.f.* 모욕하는 (사람).
afrentar *tr.* 모욕하다, 망신을 주다, 능욕하다, 부끄럽게 하다. ~**se** [+de] … 을 부끄러워하다, 수치스러워하다.
afrentosamente *adv.* 모욕적으로, 꼴사납게, 언어 도단으로.
afrentoso, sa *adj.* 모욕하는, 모욕적인; 난폭한, 지독한, 언어 도단의.
afresado, da *adj.* =afretado.
afretado, da[1] *adj.* 줄무늬 모양의.
afretado, da[2] *adj.* =limpio, fregado.
afretar *tr.* (선체를, 특히 선충을) 청소하다.
Africa *f.* [지명] 아프리카(주).
africado, da *adj.* [언어] 파열적인. —*f.* [언어] 파열음; 파열 문자 ((ch)).
africana *f.* [식물] (꾸바산의) 선인장의 일종.
africander *m.* ① 네덜란드 태생의 남아프리카 흑인. ② 네덜란드어와 호렌토트어의 혼합어.
africanismo *m.* 아프리카화; 아프리카 기원의 스페인어; 아프리카 언어[풍습]의 영향.
africanista *adj.* 아프리카의, 아프리카 연구의. —*m.f.* 아프리카 학자[연구자].
africanización *f.* 아프리카화.
africanizar (9) *tr.* 아프리카화하다, 아프리카풍으로 하다. ~**se** 아프리카화 되다.
africano, na *adj.* 아프리카의. —*m.f.* 아프리카 사람.
afrikaans *m.* 아프리칸스어 ((남아프리카의 공용 네덜란드어)).
afrikaner *adj.* 보아의. —*m.f.* 보아인.
áfrico, ca *adj.* =africano. —*m.* 남서풍, 남풍.
afro– *pref.*「아프리카」의 뜻.
afroamericano, na *adj.* 아프리카계 아메리카 태생의. —*m.f.* 아메리카 흑인.
afroasiático, ca *adj.* 아시아 및 아프리카 (제국)의.
afrocubano, na *adj.* 아프리카계 꾸바(인)의. —*m.f.* 아프리카계 꾸바인.
afrodescina *f.* [화학] (인도의 밤나무 잎에 있는) 배당체.
afrodisia *f.* 성욕 촉진.
afrodisiaco, ca *adj.* =afrodisíaco.
afrodisíaco, ca *adj.* 최음의, 음란한, 흥분시키는. —*m.* 최음제, 흥분제.
Afrodita *f.* [희랍 신화] 사랑의 여신.
afroeuropeo, a *adj.* 아프리카 및 유럽의[적인].
afróforo, ra *adj.* 거품을 내는.
afronitro *m.* 초산 칼륨의 찌끼.
afrontamiento *m.* 대질, 얼굴을 마주봄; 대면, 직면, 맞닥뜨림.
afrontar *tr.* ① 대질시키다, 마주보게 하다. ② 대면하다, 직면[대립]하다. ③ *Ven.* 돈을 바로 치르다. —*intr.*, ~**se**

[+con] (…과) 서로 보다.
afrontillar *tr. Méj.* 쇠뿔을 꽁꽁 묶다.
afta *f.* [의학] 아구창, 아감창.
afto. afecto 친애하는.
af.[to] afecto 친애하는.
aftoso, sa *adj.* 아구창[아감창]의.
afuera *adv.* 밖에, 바깥에서, 밖으로, 바깥으로. *—m.pl.* ① 교외. ② (요새 등의) 외곽 지대. *—interj.* 비켜!, 밖으로 나가!; 불찬성입니다!
afuereño, ña *adj. Amér.* 딴 데서 온.
afuerino, na *adj. Chile.* 딴 곳에서 온, 이방의; 임시 고용의.
afuetear *tr. Amér.* 마구 때리다.
afufa *f.* 도망, 도주, 패주.
afufar(se) *intr.(r.)* 도망치다, 도주하다, 탈출하다: *afufarlas* 달아나다, 도주하다. *Afufólas* 달아나 버렸다.
afufón *m.* =afufa.
afuncharse *r. Col.* (식품이) 변질되다, 상하기 시작하다.
afusilamiento *m.* =fusilamiento.
afusilar *tr.* 총살하다(fusilar).
afusión *f.* (의료적인) 온천 샤워.
afuste *m.* [군사] 포가(砲架).
afutrarse *r. Chile.* 치장하다, 멋부리다.
ag. agosto 8월.
AGAAC *m.* Acuerdo General sobre Aranceles Aduaneros y Comercio 관세 및 무역에 관한 일반 협정, 가트 (GATT).
agabacharse *r.* 프랑스풍이 되다.
agabanado, da *adj.* 외투 모양의.
agachada *f.* 속임수, 책략, 간책.
agachadiza *f.* [새] 도요.
agachado, da *adj.* ① *Amér.* 천박한, 비천한, 야비한. ② *AmérC.* 능청스런. *—m. Méj.* 엄처 시하의 남편.
agachar *tr.* 웅크리다, 숙이다, 낮게 하다: *Agacha* la cabeza 머리를 숙여라. **~se** ① 머리를 숙이다: *~se* para pasar la puerta 문을 지나기 위해 머리를 숙이다. ② (몸을) 웅크리다, 쭈그리다; 숨다. ③ *Amér.* 굴복하다. ④ *Arg.* …할 준비를 하다.
agache *m. Col.* 속임수.
agachón, na *adj. Méj.* 속이 넓은.
agachona *f.* =agachadiza.
agalactación *f.* 우유의 중단.
agalambado, da *adj. Méj.* =bobo.
agalaxia *f.* 우유의 결핍.
agalbanado, da *adj.* 게으른, 나태한.
agalerar *tr.* (천막 등을 물을 빼기 위해) 기울이다.
agalgado, da *adj.* 그레이하운드 비슷한.
agalla *f.* ① (식물의 잎이나 줄기에 생기는) 마디, 혹, 벌레혹. ② [해부] [주로 *pl.*] 편도선(염). ③ (물고기의) 아가미. ④ *Ecuad.* 갈고랑이.
agalladero, ra *adj. Cuba.* 엄청난, 호들갑스런, 약간 과장된.
agallado, da *adj. Chile.* 화려한, 산뜻한, 시원스런.
agalladura *f.* =galladura.
agallarse *r.* ① *PRico.* 허세를 부리다, 젠체하다. ② *Ven.* [+con] (…을) 가로채다.
agallegado, da *adj.* 갈리시아풍의.
agállico, ca *adj.* [화학] 식물의 잎이나 줄기에서 생기는 마디의.
agallo *m.* =gallón, adorno.
agallón *m.* 목걸이에 달린 은구슬; 염주.
agallonado, da *adj.* 달걀 모양으로 판.
agalludo, da *adj. Amér.* ① 탐욕의, 욕심 많은. ② 용감한, 대담한. ③ 낯가죽이 두꺼운, 철면피한, 뻔뻔스런, 염치없는. ④ 교활한, 여우 같은.
agalluela *f.* 작은 마디.
agáloco *m.* [식물] 대극과 식물.
ágama *f.* [동물] 식충류 도마뱀 무리.
Agamenón *m.* [그리스 신화] 아가멤논 ((트로이 전쟁 때 그리스군 총사령관)).
agamí *m* [새] 들기러기.
agámidos *m.pl.* [동물] 도마뱀 무리.
agamitar *intr.* 사슴의 소리를 흉내내다.
agammaglobulinemia *f.* 무(無)감마 글로불린 혈증(血症).
ágamo, ma *adj.* [생물] 무성 (생식)의.
agamuzado, da *adj.* =gamuzado.
agamuzar (9) *tr.* 사슴 가죽처럼 하다.
agangrenarse *r.* =gangrenarse.
agapanto *m.* [식물] (꾸바산의) 백합.
ágape *m.* [그리스도교] 사랑, 아가페 ((인간에 대한 신의 사랑)); 애찬(愛餐) ((초기 기독교도의 회식)).
agarabatado, da *adj.* 갈고리 모양의.
agar-agar *m.* 한천, 우뭇가사리 무리.
agarbado, da *adj.* =garboso.
agarbanzado, da *adj.* 담황색의; 평범한.
agarbanzar *intr.* 싹이 트다.
agarbar *tr.* 다발로 만들다. **~se** 웅크리다, 쭈그리다, 구부리다.
agarbillar *tr.* (보리 등을) 다발로 만들다[묶다].
agarbizonar *tr.* =garbillar.
agareno, na *adj., m.f.* (특히 중세 스페인을 점령한) 이슬람교도(의).
agaricáceas *f.pl* [식물] =agaricáceos.
agaricáceos *m.pl.* [식물] 버섯과 식물.
agaricina *f.* [화학] 아가리신.
agaricíneas *f.pl.* [식물] 느타리버섯류.
agárico *m.* [식물] 느타리버섯.
agarrada *f.* =altercado.
agarradera *f. Amér.* 손잡이. *—f.pl.* 단서, 연줄; 세력.
agarradero *m.* ① 손잡이, 자루, 핸들. ② 연줄, 단서. ③ 비호, 두둔. ④ 닻을 내리는 곳.
agarrado, da *adj.* ① 인색한; 야비한, 비굴한, (비)천한. ② 몸을 서로 대는.
agarrador, ra *adj.* 붙잡는. *—m.* ① (뜨거운 것을 잡을 때 사용하는) 집게. ② 포졸, 경찰관. ③ *AmérM.* 독주.
agarrafador, ra *adj.* 움켜잡은.
agarrafarse *r.* 서로 움켜잡다.
agarrafeo *m. Col.* 못뽑이; 대장장이.

agarrama *f.* =garrama.
agarrante *adj.* 붙잡는, 꽉 잡는.
agarrar *tr.* ① 꽉 잡다, 꼭 붙잡다[붙들다], 움켜잡다. ② 얻다, 획득하다, 붙잡다. ③ (기계나 도구가) 단단히 물다, 붙잡다. —*intr.* (꺾꽂이 등에서) 뿌리가 생기다. ~**se** ① 늘어붙다; 맞붙잡다. ② (병에) 걸리다: ~*se* la tos 감기에 걸리다. ③ 뿌리가 내리다. ④ [명령형에서] 놀라다, 경악하다.
agarro *m.* 꽉 붙잡는 일.
agarrochador, ra *adj.* 작대기로 찌르는 (사람).
agarrochar *tr.* 투우를 작대기로 찌르다.
agarrón *m.* ① *Amér.* 꽉 붙잡는 일. ② *Chile.* 싸움, 논쟁, 말다툼.
agarroso, sa *adj. AmérC.* 떫은, 신.
agarrotado, da *adj.* 팽팽한, 꽉 조인.
agarrotamiento *m.* 조임; 압박; 교살.
agarrotar *tr.* ① 조이다. ② 압박하다. ③ (교수대에서) 교살하다. ~**se** 뻣뻣해지다.
agasajable *adj.* =halagueño.
agasajador, ra *adj., mf.* 환대하는 (사람), 접대하는 (사람).
agasajar *tr.* ① 환대하다 ② 숙박시키다, 묵게 하다.
agasajo *m.* ① 환대. ② 선물, 증여물.
ágata *f.* [광물] 마노.
agatídeo, a *adj.* =agatino.
agatino, na *adj.* 마노 같은.
agatizarse (9) *r.* 빛나기 시작하다.
agauchado, da *adj. Arg., Chile.* 가우초(gaucho)풍의.
agaucharse *r. AmérM.* 가우초풍이 되다.
agavanza *f.* 찔레나무의 열매.
agavanzo *m.* [식물] 찔레나무의 일종; 찔레나무의 열매.
agave *f.* [식물] 용설란(pita).
agavillador, ra *adj.* 통솔하는. —*mf.* 통솔자.
agavillar *tr.* ① 묶다. ② 통솔(統率)하다. ~**se** 도당[패거리]을 이루다.
agazapar *tr.* 붙잡다; 체포하다; 포박하다, 묶다(agarrar). ~**se** ① *Arg.* 웅크리다, 쭈그리다. ② 숨다.
agencia *f.* ① 대리점. ② (은행 등의) 지점, 출장소, 영업소. ③ 기구, 기관: *Agencia* Internacional de Energía Atómica 국제 원자력 기구.
agenciar *tr.* 노력하다; 입수[구입]하다; 성취하다. —*intr.*, ~**se** ① 노력하다, 분주하다, 공작하다, 둘러대다, 융통하다. ② 절차를 밟다.
agenciero, ra *adj. AmérC.* 성실하게 일하는. —*mf.* 대리업자; 복권 판매 상인; 전당포 주인.
agencioso, sa *adj.* 건실한, 근면한, 부지런한, 활동적인.
agenda *f.* ① 수첩, 메모장, 비망록: ~ electrónica 전자 수첩. ② 의제(議題), 협의 사항; 예정표, 계획표.
agenesia *f.* [의학] 음위(陰痿).
agenésico, ca *adj.* 음위의, 성불능의.
agente *adj.* ① 요인[동인]의. ② [문법] 행위자의. —*mf.* ① 대리업자. ② 사무관: ~ ejecutivo 집행관. ~ fiscal 세무관. ③ 형사, 경관(~ de policía): ~ de tráfico 교통 경찰관. ④ 비밀 정보부원(~ secreto). —*m.* ① 요인; 작용물, 약제. ② [문법] 행위자, 동작주.
agigantado, da *adj.* 거대한, 방대한; 팽대한: cantidad ~*da* 거액.
agigantar *tr.* 거대하게 하다, 크게 하다: ~ el problema 문제를 크게 하다.
ágil *adj.* 민첩한, 날쌘, 날렵한, 잽싼.
agilidad *f.* 민첩함, 날쌔고 빠름.
agilitar *tr.* =agilizar.
agilización *f.* 신속화, 촉진.
agilizar *tr.* 신속화하다, 촉진하다.
ágilmente *adv.* 날쌔게, 날렵하게, 민첩하게, 경쾌하게, 사뿐사뿐, 재빨리.
agino, na *adj.* [식물] 암술이 없는.
agio *m.* 프리미엄; 이익금; (약속 어음·환어음의 할인, 환전 등의) 수수료; 환어음 차익.
agiotador, ra *mf.* =agiotista.
agiotaje *m.* (주로 부정한 유가 증권의) 투기 판매; 현물 투기[거래]; 주식 매매, 상장.
agiotista *mf.* 투기자, 상장사; [고어] 환전상.
agitable *adj.* 동요되기 쉬운.
agitación *f.* ① 흔들림, 진동. ② (정신적·정치적인) 동요, 불안.
agitado, da *adj.* 불안정한.
agitador, ra *adj.* 선동하는. —*mf.* 선동자. —*m.* 콘크리트 믹서 차; 각반기(脚絆器); 젓는 막대, 공이.
agitanado, da *adj.* 집시 같은, 매혹하는.
agitanarse *r.* 집시 행동을 하다.
agitar *tr.* ① 젓다, 흔들다, 휘젓다, 뒤흔들다: ~ el pañuelo 손수건을 흔들다. ② (마음을) 동요시키다, 불안하게 하다. ③ 선동하다. ~**se** 동요하다; 웅성거리다; 흥분하다.
aglomeración *f.* ① 덩어리, 퇴적. ② 집단, 군중, 집중, 군집(群集).
aglomeradamente *adj.* 쌓여서.
aglomerado *m.* ① [건축] 블록, 인조건재(建材). ② 탄(炭).
aglomerador, ra *adj.* 축적[산적]하는, 쌓아올리는.
aglomerante *m.* [건축] 결합재.
aglomerar *tr.* ① 덩어리지게 하다. ② 축적[산적]하다, 쌓아올리다; 끌어 모으다. ~**se** 모이다, 쌓이다, 축적되다.
agloso, sa *adj.* 혀가 없는.
aglutición *f.* 삼킬 수 없음.
aglutinación *f.* 접착, 점착, 유착, 결집; [의학] (세균 등의) 응집; [언어] 교착.
aglutinador, ra *adj.* 접착[결집]하는.
aglutinante *adj.* 접착하는, 접착력이 있는: lengua ~ [언어] 교착어(膠着語). —*m.* 결합제, 반창고; 교착어.
aglutinar *tr.* ① 접착하다; (상처 등을) 아물게 하다. ② 결집시키다.

aglutinativo, va *adj.* 교착[유착]하는, 엉겨붙은.
agmatología *f.* [의학] 골절학.
agnación *f.* 내척, 아버지쪽 일가 친척.
agnado, da *adj.* 내척의, 아버지쪽 친척의. —*mf.* 내척(內戚).
agnaticio, cia *adj.* 내척 관계의.
agnato, ta *adj.* 턱이 없는.
agnición *f.* [시어] =reconocimiento.
agnosia *f.* [의학] 실인(失認)(증): ~ acústica [auditoria] 청각 실인증.
agnosticismo *m.* [철학] 불가지론.
agnóstico, ca *adj.* 불가지론(不可知論)의. —*mf.* 불가지론자.
agnus(déi) *f.* ① 하나님의 어린 양, 그리스도. ② 하나님의 어린 양의 상. ③ [천주교] 신양송(神羊誦). ④ 고대 가스띠야의 은화.
ago. agosto 8월.
agobiado, da *adj.* 등이 구부정해진; 기진맥진한.
agobiador, ra *adj.* =agobiante.
agobiante *adj.* ① 구부정한. ② 따분한, 괴로운.
agobiar (11) *tr.* ① (무거운 것이 덮쳐) 몸을 굽히게 하다. ② 지치게[따분하게] 만들다, 괴롭히다. ~**se** ① 몸을 구부리다. ② 꺾이다, 굴복하다. ③ 기진맥진하다, 지치다. ④ [+con · de · por] …의 무게를 이겨내지 못하다.
agobio *m.* ① 가슴이 답답함. ② 고뇌, 고민. ③ 지쳐 쓰러짐.
agolpamiento *m.* 돌진, 매진, 쇄도; 군중.
agolparse *r.* 별안간[갑자기] 몰려오다, 우르르 몰려오다.
agonal *adj.* 경기의, 경주의.
agonía *f.* ① 단말마(의 고뇌), 임종, 종언(終焉). ② 고뇌, 고민; 절망.
agónico, ca *adj.* 단말마의, 임종의, 빈사의, 최후의.
agónido, da *adj.* [동물] 가시지느러미의. —*m.pl.* 가시지느러미류.
agonioso, sa *adj.* =ansioso.
agonista *mf.* [문어] 투사, 투기자.
agonística *f.* 투기술.
agonístico, ca *adj.* =agonal.
agonizadamente *adv.* 번민하여.
agonizante *adj.* 빈사의, 임종의, 죽어가는, 빈사 상태의. —*mf.* ① 빈사 상태의 사람. ② 임종 입회 승려.
agonizar (9) *tr.* ① 임종에 입회하다. ② 괴롭히다, 못살게 굴다. —*intr.* ① 빈사 상태에 빠지다. ② 고민[번민]하다. ③ 꺼져 가다.
ágora *f.* 고대 그리스의 광장[집회장].
agorafobia *f.* 광장 공포증.
agoráfobo, ba *adj., mf.* 광장 공포증에 걸린 (사람).
agorar *tr.* (미신적으로, 주로 재난을) 예언하다(augurar).
agorería *f.* =agüero.
agorero, ra *adj.* 전조의; 불길한, 흉조의. —*mf.* 점쟁이, 예언자.
agorgojarse *r.* 바구미가 들끓다.
agorofobia *f.* =agorafobia.
agorzomar *tr.* *Méj.* 질책하다, 질타하다, 괴롭히다. ~**se** *Méj.* 한탄하다, 슬퍼하다.
agostadero *m.* 여름 목장; 여름철, 여름 경기.
agostamiento *m.* 여름 타기[불경기]; 깡마름.
agostar *tr.* 여름을 타게 하다, 8월에 밭갈이하다. —*intr.* (가축이) 여름을 지내다. ~**se** 여름을 타다, 여름을 이겨내지 못하다.
agosteño, ña *adj.* 여름의, 8월의, 8월 태생의.
agostero, ra *mf.* 수확기의 임시 고용 농부.
agostizo, za *adj.* 8월의, 8월다운; 여름의; 8월 태생의.
agosto *m.* 8월; 수확(기).
agostón, na *adj.* 8월생의 (돼지).
agotable *adj.* 없어질 가능성이 있는, 머지않아 없어져 버릴; 힘이 빠지는.
agotado, da *adj.* 바닥난; 절판의.
agotador, ra *adj.* 바닥난, 동이 난, 고갈시키는, 피로하게 하는.
agotamiento *m.* 고갈; 품절, 매진, 절판; 피로, 쇠약, 궁핍.
agotar *tr.* ① 바닥을 내다, 퍼내 버리다. ② 탕진하다, 써서 없애다. ~**se** 고갈되다, 바닥이 나다, 빈털터리가 되다; 품절[매진]되다, 절판되다; 기진맥진하다, 기력을 잃다.
ago.to agosto 8월.
agr. agricultura 농업.
agraceja *f.* 테레빈의 열매.
agracejina *f.* 테레빈의 열매.
agracejo *m.* ① [식물] 테레빈. ② (익기 전에) 떨어진 올리브 과일; 익지 않은 과실.
agraceño, ña *adj.* 맛이 쓴[신].
agracera *f.* 포도즙 담는 그릇.
agracero, ra *adj.* 아직 열매가 아물지 않은.
agraciadamente *adv.* 우아하게, 예쁘게, 아름답게; 애교 있게.
agraciado, da *adj.* ① 우아한, 예쁜, 아름다운; 애교 있는. ② [+con · de] …을 받은.
agraciar *tr.* ① 호감을 주다; 귀엽게 하다; 체재를 잘 가다듬다. ② 은혜[은덕]를 베풀다.
agracillo *m.* =agracejo.
agradabilidad *f.* 즐거움, 기쁨, 유쾌함.
agradabilísimo, ma *adj.* 매우 즐거운[기분좋은], 매우 유쾌한.
agradable *adj.* 즐거운, 기분좋은, 유쾌한, 흐뭇한.
agradablemente *adv.* 즐겁게, 기분좋게, 유쾌하게, 흐뭇하게.
agradador, ra *adj.* 기쁜, 즐거운, 마음에 드는.
agradamiento *m.* =agrado.
agradar *intr.* 좋아하다, 마음에 들다; (…이) 즐겁다, 기쁘다. ~**se** [+de] (…을) 기뻐하다, 좋아하다, 즐기다.

agradecer (31) *tr.* 감사하다, 감사를 느끼다, 사의를 표하다, 호의에 감사하다: Le *agradezco* su pronta respuesta 귀하의 조속한 답장에 감사드립니다.
agradecidamente *adv.* 고맙게, 감사하게(도).
agradecido, da *adj.* 감사하는: Estoy muy ~ 대단히 감사합니다.
agradecimiento *m.* 사의, 감사, 고마움: carta de ~ 감사장.
agrado *m.* ① 부드러움, 상냥함, 정다움, 다정함. ② 반가움, 유쾌함, 즐거움, 쾌락. ③ 정, 애정, 호의.
agrafia *f.* [의학] 실서증(失書症).
ágrafo, fa *adj.* ① 실서증의. ② 문자가 없는.
agramadera *f.* 삼 타는 기계.
agramar *tr.* ① 삼을 타다. ② =**golpear.**
agramatical *adj.* [언어] 비문법적인.
agramiza *f.* 삼의 껍질.
agrandamiento *m.* 확대, 확장.
agrandar *tr.* 확대[확장]하다.
agranitado, da *adj.* 화강암 같은.
agranujado, da *adj.* 입상(粒狀)의; 난알 모양의.
agrario, ria *adj.* 농지의, 농업의
agrarismo *m. Méj.* 농지 개혁 운동.
agrarista *m.f. Méj.* 농지 개혁 찬성자.
agravación *f.* =agravamiento.
agravado, da *adj.* 중대한, 큰.
agravador, ra *adj.* 가중하는.
agravamiento *m.* 악화; 가중; 증가; 중세(重稅), 중과(重課).
agravante *adj.* 악화시킨 (것).
agravantemente *adv.* 가중하여; 증가하여.
agravar *tr.* ① 악화시키다: ~ la enfermedad 병을 악화시키다. ② 중과세하다. ~**se** 악화되다; (책임 등이) 무겁게 되다.
agraviar *tr.* 모욕하다, 욕을 보이다. ~**se** ① 화내다, 성내다, 노하다. ② (병이) 심해지다.
agravio *m.* ① 모욕, 무례. ② 손해, (권리의) 침해: trabajar en ~ de *su* salud 건강을 해치면서 일하다. ~ *comparativo* 불공평, 차별.
agraz *m.* ① 익지 않은 포도. ② 쓴 맛; 맛이 없음; 불쾌함. ③ [식물] 기생 식물.
agrazón *m.* ① 익지 않은 포도. ② 노여움, 화남. ③ 불쾌함. ④ [식물] 야생포도.
agredido, da *adj.* 침략당한, 피해당한. —*m.f.* 피침략자, 피해자. —*m.* 피침략국.
agredir *tr.* 습격[공격]하다; 모욕하다.
agregable *adj.* 부가[첨가]할 수 있는.
agregación *f.* ① 부가, 첨가, 가입, 병합, 합병, 혼합. ② [생물] 집합 생활.
agregado, da *adj.* 첨가된, 합병(合倂)된. —*m.* ① 덩어리, 일단. ② 부속물, 부가물. ③ (떨어진) 부락. ④ (외교단의) 일원. ⑤ (스페인의) 조교수(profesor ~) ((스페인에서 현재는 없어졌음)). ⑥ *Amér.* 소작인. ⑦ [건축] 골재.
agregaduría *f.* ① [외교] agregado의 직[집무실]. ② 조교수의 직[지위].
agregar (8) *tr.* ① 덧붙이다, 첨가하다, 첨언(添言)하다. ② 모으다, 합병하다. ③ 수행원[보좌관]으로 임명하다. ~**se** 하나가 되다, 합류하다, 어울리다, 가담하다.
agremiación *f.* 조합에 가입(함).
agremiar (11) *tr.* 조합에 가입시키다. ~**se** 조합에 가입하다, 조합을 만들다.
agresión *f.* 공격, 습격; 침략; 침해: pacto de no ~ 불가침 조약. guerra de ~ 침략 전쟁.
agresivamente *adv.* 공격적[도전적]으로, 침략적으로.
agresividad *f.* 공격성, 침략성, 공격 정신, 공격적 성격.
agresivo, va *adj.* ① 공격적인, 침략적인. ② 결단력이 있는, 적극적인.
agresor, ra *adj.* 습격하는, 침략하는: país ~ 침략국. —*m.f.* 습격자, 침략자.
agresorio, ria *adj.* 공격의, 침략의.
agreste *adj.* 전원(田園)의, 들의, 시골의; 미개척의; 야생의; 거친, 황량한.
agriamente *adv.* 사무치게; 심하게; 무뚝뚝하게, 못마땅하게.
agriar (11) *tr.* 시게 하다; 화나게 하다; 초조하게 하다. ~**se** ① 시어지다; 씁쓸해지다. ② 화내다, 노하다, 성내다.
agric. agricultura 농업.
agrícola *adj.* 농업의. —*m.f.* 농부.
agricultor, ra *m.f.* 농민, 농부, 농사꾼.
agricultura *f.* 농업; 농경(農耕); 농학.
agridulce *adj.* 시큼털털한, 시큼달콤한.
agridulcemente *adv.* 시큼털털하게.
agrietamiento *m.* =grieta.
agrietarse *r.* 얼이 가다, 금이 생기다, 트이다.
agrifolio *m.* [식물] 호랑가시나무.
agrilo *m.* [곤충] 갑충류.
agrilla *f.* [식물] 수영.
agrillado, da *adj.* 귀뚜라미 같은.
agrillarse *r.* (양파 등의) 줄기가 자라다(grillarse).
agrimensor *m.* 측량 기사.
agrimensura *f.* ① 측량: ~ marítima 해양 측량. ② 측량학.
agrimonia *f.* [식물] 짚신나물.
agrimoña *f.* =agrimonia.
agringarse *r. Chile.* 외간 남자[미국인] 같아지다.
agrio, gria *adj.* ① (맛이) 신. ② 떫은, 쓴. ③ 사나운. ④ 바위투성이의. ⑤ 매서운; 무뚝뚝한: genio ~ 무뚝뚝한 성미. ⑥ 무른, 단단하지 못한, 깨지기 쉬운. ⑦ 신랄한, 엄한: crítica *agria* 신랄한 비평. ⑧조화되지 못한, 칙칙한. —*m.* ① 신맛, 신맛의 즙. ② *pl.* 신 과일류, 밀감류.
agripalma *f.* [식물] 익모초.
agrisado, da *adj.* 회색의, 회색이 도는, 희끄무레한, 희뿌연.

agrisar *tr.* 회색으로 하다.
agrisetado, da *adj.* 꽃무늬의; 비단 같은.
agrisetar *tr.* 비단 같은 천을 만들다.
agro *m.* 농지, 농업 용지.
agro- *pref.* 「농(農)」, 「토(土)」의 뜻.
agroalimentario, ria *adj.* 식량과 농업의[에 관한].
agrobiología *f.* 농업 과학.
agrología *f.* 토양학.
agrológico, ca *adj.* 토양학의.
agromanía *f.* 전원 예찬.
agrómano, na *m.f.* 전원 예찬자.
agrometría *f.* 농업 측량.
agrometro *m.* 농업 측량 기구.
agrónico, ca *adj.* 컴퓨터화 농업 기술자(農業技術者).
agronomía *f.* 농학.
agronómico, ca *adj.* 농학의.
agrónomo, ma *m.f.* 농학자; 농업 기사.
agropecuario, ria *adj.* 농업과 목축의, 농목(農牧)의, 농축산(農畜産)의.
agroquímica *f.* 농예 화학, 농화학.
agror *m.* =agrura.
agrostología *f.* 화본과 식물학.
agrotis *m.* [곤충] 도둑 나방.
agrumarse *r.* 응결하다, 엉기다.
agrupable *adj.* 한 패가 될 수 있는, 모일 수 있는.
agrupación *f.* ① 집합. ② 단체, 모임: ~ de jóvenes 청년회. ③ [군사] (임시로 편성된) 혼성 부대.
agrupado, da *adj.* 한패가 된, 집결된.
agrupador, ra *adj.* 모이는.
agrupamiento *m.* =agrupación.
agrupar *tr.* (그룹별로) 모으다, 분류하다; 집합시키다; 결합시키다. ~**se** 모으다, 짝이 되다, 그룹으로 하다, 한패가 되다.
agua *f.* [단수 관사: el · un(a)] ① 물: ~ fría 찬 물. ② 비: Hoy ha caído mucha ~ 오늘은 비가 많이 내렸다. Empezaron a caer grandes gotas de ~ 큰 빗방울이 떨어지기 시작했다. ③ (보석의) 투명도. ④ (지붕 등의) 경사(면), 사면(斜面), 물매, 낙수통. ⑤ 해역: ~*s* jurisdiccionales [territoriales] 영해. ~*s* internacionales 공해(公海). doscientas millas de ~*s* económicas 200해리 경제 수역. ⑥ 해적(海跡): seguir las ~*s* de un buque 선박의 행방을 추적하다. ⑦ 온천, 광천. ⑧ 소변: hacer ~*s* (menores) 소변을 보다. hacer ~*s* mayores 대변을 보다. ⑨ (명주 등의) 광택이 있는 파형(波形) 모양. ⑩ (배의) 물 새는 곳: abrirse una ~ 물이 새다. ⑪ (밀물과 썰물의) 간만(干滿). ⑫ 눈물. ⑬ *Amér.* 소다수. ⑭ *Perú.* 돈. ¶ ~ ***lluvia*** 빗물.
aguacal *m.* 석회 도료.
aguacatal *m.* ① aguacate 밭[농장]. ② *AmérC.* 바보, 얼간이, 천치.
aguacate *m.* ① [식물] 아구아까떼 ((남미의 과실로 주로 후식으로 먹음)). ② 배 모양의 에메랄드. —*adj.* 등신[얼간이] 같은.
aguacatero *m.* [식물] =aguacate.
aguacero *m.* 소나기, 스콜; 폭풍우.
aguacha *f.* 썩은 물.
aguachacha *f.* *AmérC.* 싸구려 술.
aguachar[1] *m.* 웅덩이.
aguachar[2] *tr.* ① 물바다로 만들다, 침수시키다. ② *Chile.* 길들이다, 온순하게 하다. ③ *Arg.* 어미를 떼다.
aguacharnar *tr.* 물을 잠기게 하다.
aguachento, ta *adj.* 물기가 많은.
aguachinar *tr.* =enaguazar.
aguachirle *f.* ① 술 이름이 붙은 착색수. ② 싸구려 술. ③ 실질[실속]이 없는 것.
aguada *f.* ① 음료수의 보급. ② 물 마시는 곳, 급수장. ③ 그림 물감, 수채화. ④ 광갱(鑛坑)의 침수, 출수(出水). ⑤ *Chile.* 물 먹이는 곳.
aguaderas *f.pl.* 물항아리 운반용 안장.
aguadero *m.* ① (가축의) 물 마시는[먹이는] 곳. ② (벌채한 재목을) 물에 넣어 두는 곳.
aguadero, ra *adj.* 방수한, 비옷의.
aguado, da *adj.* ① 물을 탄. ② 흥이 깨진. ③ 금주(禁酒)의. ④ *AmérC.* 나약한, 쇠약한, 기운이 없는. ⑤ *Ven.* 겁이 많은, 의기 소침(意氣銷沈)한. —*m.* 물 탄 소주.
aguador, ra *m.f.* ① 물장수. ② 수로.
aguaducho *m.* ① (물 등) 음료 파는 곳. ② 홍수.
aguafiestas *m.f.sing.pl.* 흥을 깨는 사람, 훼방꾼.
aguafuerte *f.*(*m.*) 부각(浮刻), 판화.
aguaitamiento *m.* 잠복.
aguaitar *tr.* 잠복하다.
aguaje *m.* ① 밀물, 조류(潮流); 심한 조수의 흐름. ② 선적(船積). ③ 음료수. ④ 물 마시는 곳. ⑤ 늪. ⑥ *Amér.* 소나기. ⑦ *AmérC.* 질책, 질타.
aguajinoso, sa *adj.* =aguanoso.
aguajoso, sa *adj.* =aguanoso.
agualluvia *f.* 빗물.
aguamala *f.* 해파리.
aguamanil *m.* (화장이나 세면용) 물항아리; 세면기; 세면장.
aguamanos *m.sing.pl.* =aguamanil.
aguamar *m.* =aguamala.
aguamarina *f.* [광물] 감록석(藍綠石).
aguamelado, da *adj.* 꿀물을 바른, 꿀물에 담근.
aguamelar (19) *tr.* …에 꿀물을 바르다, 꿀물에 담그다.
aguamiel *f.* ① 꿀물. ② 용설란수.
aguanieve *f.* [기상] 진눈깨비.
aguanieves *f.* [새] 까치.
aguanosiarse *r.* ① *Col.* 물을 많이 타서 맛이 싱거워지다. ② (계획이) 실패로 돌아가다.
aguanosidad *f.* 습윤, 물기가 많음; 체내에 고인 물.
aguanoso, sa *adj.* ① 습윤한, 물기가 많은. ② 싱거운, 맛없는 (과실).
aguantable *adj.* 참을[견딜] 수 있는, 견

딜 만한, 용서할 수 있는.

aguantaderas *f.pl.* =aguante.

aguantar *tr.* ① 견디다, 감내하다, 인내하다, 참다. ② 받치다. ③ 찌르는 투우사가 투우에게 저항하다. —*intr.* 참다. ~**se** 꾹 참다, 잠자코 있다.

aguante *m.* 인내, 참을성.

aguapié *m.* 물감들인 술; 싸구려 술; 흐르는 물.

aguar (10) *tr.* ① …에 물을 타다[넣다]. ② 중단시키다, 저지하다, 방해하다, 훼방을 놓다, 흥이 깨지게 하다. ③ 완화하다. ④ *Amér.* (동물에) 물을 먹이다. ⑤ 물을 붓다. ~**se** ① 물에 질펀히 잠기다. ② 일이 틀어지다, 흥이 깨지다. ③ (사람이) 싱거워지다.

aguaraibá *m. Amér.* [식물] 테레빈.

aguardada *f.* 기다림, 유예.

aguardadero *m.* (사냥꾼이) 기다리는 길목.

aguardador, ra *adj., m.f.* 기다리는 (사람).

aguardamiento *m.* 기다림, 유예, 고대.

aguardar *tr.* ① 기다리다, 고대하다. ② 유예하다. ③ [+a] …하기를 기다리다: ~ a morir 죽기를 기다리다.

aguardentazo *m.* 독하고 나쁜 소주.

aguardentera *f.* aguardiente 병.

aguardentería *f.* aguardiente 주점.

aguardentero, ra *m.f.* aguardiente 파는 사람.

aguardentoso, sa *adj.* ① 증류주의, 소주가 들어 있는: bebida ~*sa* 알코올 도수가 높은 증류주. ② 소주 같은. ③ 목이 쉰, 걸걸한: voz ~*sa* 쉰 목소리.

aguardiente *m.* 아구아르디엔떼 ((과즙으로 빚은 알코올 도수가 높은 증류주)); 소주: ~ de cañas 럼주.

aguardillado, da *adj.* 다락방 모양의.

aguardo *m.* (포수가) 매복하고 있는 장소; 기다림.

aguarear *intr. Méj.* 그치지 않고 조금씩 비가 내리다.

aguarería *f. AmérM.* 흉조.

aguaribay *m. AmérM.* [식물] 테레빈.

aguarrada *f.* 소나기.

aguarrás *m.* 테레빈유; 송진.

aguasarse *r. AmérM.* 시골뜨기 같다.

aguatero, ra *m.f. Amér.* =aguador. —*m.* 물 운반차.

aguatinta *f.* [미술] 동판 조각.

aguatocha *f.* 양수 펌프.

aguaturma *f.* [식물] 뚱딴지, 돼지감자.

aguaverde *m.* [동물] 녹색 해파리.

aguaviva *f. Amér.* =medusa.

aguazal *m.* 빗물이 고인 땅.

aguazarse *r.* 물웅덩이가 되다.

agudamente *adv.* 예리하게, 날카롭게, 신랄하게.

agudeza *f.* 예리함; 기민함, 기지; 예리한[신랄한] 말씨: tener mucha ~ 기지가 뛰어나다.

agudizar (9) *tr.* 예리하게[뾰족하게] 하다; 악화시키다. ~**se** ① 뾰족하게 되다. ② (병 등이) 악화되다, 중태에 빠지다.

agudo, da *adj.* ① 예리한, 날카로운, 뾰족한: filo ~ 예리한 칼날. ② 재치 있는, 예민한, 총명한, 명석한, 머리가 좋은; 기민한: dicho ~ 기지가 넘치는 말, 경구. ③ 활달한, 발랄한, 빈틈없는: persona ~*da* 활달한 사람. ④ 긴급한. ⑤ [의학] 급성(急性)의: apendicitis ~*da* 급성 맹장염. enfermedad ~*da* 급성 질환. ⑥ [음악] 높은, 고음(高音)의. ⑦ [언어] 마지막 음절에 악센트가 있는. ⑧ [수학] 예각의. ⑨ 찌르는 듯한, 꿰뚫는: vista ~*da* 예리한 관찰력. ⑩ 강조하는: sílaba ~*da* 강조하는 음절. ⑪ 통증이 심한.

agüera *f.* 용수구.

agüería *f. Amér.* =agüero.

agüero *m.* 징조, 예감, 예언, 점술.

aguerrido, da *adj.* 전쟁에 익숙한.

aguerrir *tr.* 전쟁[괴로움]에 익숙하다.

aguijada *f.* (쇠가 끝에 붙은) 소몰이 회초리.

aguijadera *f.* =aguijada.

aguijador, ra *adj., m.f.* 소몰이 회초리로 찌르는 (사람).

aguijadura *f.* 소몰이 회초리로 찌르는 일; 독촉.

aguijamiento *m.* =aguijadura.

aguijante *adj.* 찌르는; 독촉하는.

aguijar *tr.* ① (소몰이 회초리로) 찌르다; 몰아세우다, 독촉하다. ② 재촉하다. ③ 자극하다, 흥분시키다. —*intr.* 서둘다, 걸음을 재촉하다.

aguijón *m.* ① (벌레 등의) 침, 바늘. ② 가시. ③ 자극(물); 충동.

aguijonada *f.* =aguijonazo.

aguijonamiento *m.* 찌르기; 자극.

aguijonar *tr.* =aguijonear.

aguijonazo *m.* 침[가시]으로 찌르는 일; 자상(刺傷).

aguijoneador, ra *adj.* 자극하는.

aguijonear *tr.* ① 찌르다; 자극하다. ② 침으로 찌르다. ③ =inquietar.

águila *f.* [단수 관사: el · un(a)] ① [새] 독수리. ② (기 · 문장 등에 그려진) 독수리, 독수리 기[기장]. ③ 아길라 ((금화 이름)). ④ *Chile.* 종이연. ⑤ 훈장(勳章). ⑥ 빈틈 없는 사람. —*m.f.* 협박자, 사기꾼. —*m.* ① [어류] 메가오리. ② 시가의 일종.

Aguila (el) *f.* [천문] 독수리자리.

aguileña *f.* [식물] 메발톱꽃.

aguileño, ña *adj.* ① 독수리의[같은]. ② 얼굴이 갸름한. ③ 매부리코의.

aguilera *f.* 독수리 둥지, 독수리가 있는 바위.

aguilón *m.* ① 기중기의 팔. ② [건축] 박공. ③ [문장학] 부리와 다리가 없는 독수리.

aguilote *m.* ① *Méj.* (뿌리에 독이 있는) 토마토. ② *Ven.* [새] 맹금.

aguilucho *m.* [새] 새끼 독수리, 알에서 갓 낳은 독수리.

aguinaldo *m.* ① 크리스마스[새해] 선물[팁] ((어린아이나 우편배달부 등에게 주는 소액)). ② 특별 수당. ③ 크리스마스 캐럴.
agüista *m.f.* ① (광천수를 마시는) 탕치객(湯治客). ② 욕객(浴客).
aguja *f.* ① (재봉·계기 등의) 바늘: ~ de coser 재봉용 바늘. ~ de inyectar 주사 바늘. ② 자석(~ de marcar). ③ [복식] 장식 핀, 브로치. ④ [식물] 침엽. ⑤ [어류] 공미리. ⑥ [건축] 탑. ⑦ [철도] 전철기(轉轍機). ⑧ 나침반.
agujerar *tr.* =agujerear.
agujereamiento *m.* 구멍 뚫기.
agujerear *tr.* ① …에 구멍을 뚫다. ② 후비다; 벌집으로 만들다. ~**se** 구멍이 있다.
agujería *f.* 바늘 가게[공장].
agujero *m.* ① 구멍: abrir [hacer] un ~ en la pared 벽에 구멍을 뚫다[내다]. ② (정당화할 수 없는) 결손. ③ 바늘 장수[제조자]. ④ 바늘통.
agujeta *f.* ①노끈: desatar las ~*s* 노끈을 풀다. ② *pl.* (운동 등으로 인한) 몸의 통증, 뻐근함, 결림.
agujón *m.* ① 큰 바늘. ② 모자 핀. ③ [어류] 침어(針魚).
aguosidad *f.* (물 모양의) 액.
aguoso, sa *adj.* 물이 흥건한; 수분 과다의, 수분[물기]이 많은.
agur *interj.* =abur.
agusanado, da *adj.* 구더기가 생긴.
agusanamiento *m.* 구더기가 생김.
agusanarse *r.* 구더기가 생기다.
agustino, na *adj.* [종교] 성 아우구스틴회(orden de San Agustín)의 (수도사·수도녀).
agutí *m.* [동물] 아구띠 (모르모트 비슷하고 토끼만함).
aguzable *adj.* 날카롭게[뾰족하게] 할 수 있는.
aguzadera *f.* 숫돌.
aguzadero, ra *adj.* 날을 세우기 위한: piedra ~*ra* 숫돌. —*m.* 멧돼지 어금니 가는 곳.
aguzado, da *adj.* =afilado, agudo.
aguzadura *f.* 날을 갊, 뾰족하게 함.
aguzamiento *m.* =aguzadura.
aguzanieves *f.sing.pl.* [새] 할미새.
aguzar (9) *tr.* ① 날을 갈다[세우다]: ~ el cuchillo 칼을 갈다. ② 끝을 날카롭게[뾰족하게] 하다: ~ el lápiz 연필을 깎다. ③ 자극하다. ④ 선동하다. ⑤ 예민하게 하다, 눈여겨 보다, (귀를) 기울이다.
aguzonazo *m.* 몽둥이로 때리기.
A.H. amperio hora 암페어시(時).
ah *interj.* ① 아아! ② *Amér.* 무어? ((되물음)).
ahebrado, da *adj.* 섬유 모양의.
ahechadero *m.* 체로 치는 곳.
ahechador, ra *adj.* 체로 치는; 식별하는.
ahechaduras *f.pl.* 체로 친 찌꺼기.
ahechar *tr.* ① 체로 치다. ② 식별[선별]하다, 가려내다. ③ 날개치다.
ahelear *tr.* 씁쓸하게 하다. —*intr.* 맛이 씁쓸하다.
ahembrado, da *adj.* =afeminado.
aherrojamiento *m.* 억압, 압박.
aherrojar *tr.* ① 투옥하다. ② 억압[압박]하다.
aherrumbrar *tr.* (…에) 철분(鐵粉)을 넣다. ~**se** 철분이 나오다; 녹슬다.
ahervorarse *r.* (곡식이) 영글다.
ahí *adv.* ① 거기, 그 쪽에. ② 그 점에. ③ [드묾] 저기, 저쪽에. ((아메리카 대륙에서는 allí 대신에 많이 사용되기도 함)).
ahidalgado, da *adj.* 양반[신사]다운; 기특한.
ahigadado, da *adj.* ① 간장(hígado) 색깔의. ② 용감한.
ahigado, da *adj.* 무화과 같은.
ahijado, da *adj.* 양자[양녀]가 된; 사육된, 키운. —*m.f.* ① 세례자, 후견을 받은 자. ② 부하.
ahijador, ra *m.f.* 동물 사육사.
ahijar (16) *tr.* ① 양자[양녀]로 삼다. ② (양 등이 다른 새끼를) 자기의 젖으로 키우다. ③ (죄를) 전가시키다. —*intr.* ① 새끼를 낳다. ② (식물이) 움트다.
ahijuna *interj.* *AmérM.* 감탄·놀람·모욕·노여움을 나타내는 감탄사.
ahilado, da *adj.* 부드럽고 계속적인 (바람).
ahilamiento *m.* 열[행렬]을 지음; 실을 뽑음.
ahilarse (16-1) *tr.* 열[줄·행렬]을 짓다. —*intr.* ① 줄을 지어가다. ② 달리다, 도망치다. ~**se** ① 실을 뽑다. ② (병으로) 여위다, 깡마르다; (밀생한 식물 등이) 콩나물처럼 홀쭉하게 자라다. ③ 배가 고파 현기증이 나다. ④ *Cuba.* 떠나다, 가버리다.
ahincadamente *adv.* 열심히, 열렬히.
ahincado, da *adj.* 열심히 하는, 열렬한, 맹렬한, 열의가 있는, 진지한, 진심의, 열망한.
ahincar (7) (16-1) *intr.* 몰아내다, 재촉하다, 보채다, 간청하다; 괴롭히다. ~**se** 갈망하다; 서두르다.
ahínco *m.* 열심, 열의, 열렬(함): con ~ 열심히.
ahitamiento *m.* 과식, 배탈, 소화 불량.
ahitar (16) *tr.* 과식하게 하다, 배탈이 나게 하다. —*intr.* 배탈이 나다, 소화 불량을 일으키다. ~**se** 과식하다, 과식으로 위를 해치다.
ahitera *f.* 심한 소화 불량증.
ahíto, ta *adj.* 소화 불량의; 싫증이 난. —*m.* 소화 불량.
aho *interj.* 여보세요 ((멀리서 부르는 소리)).
ahobachonado, da *adj.* 게으른.
ahobachonarse *r.* 게을러지다.
ahogadamente *adv.* 질식으로, 숨막힐 듯이.
ahogadero *m.* ① 밀집 장소. ② (마구의) 목 끈. ③ 목걸이의 일종. —*adj.* 숨막힐 듯이 더운.

ahogadizo, za *adj.* ① 목이 막히는 듯한. ② 떫어서 쉬 삼킬 수 없는[먹을 수 없는]. ③ 무거운, 물을 잘 키는, 물을 먹은, 무거워 물에 가라앉는 (나무).
ahogado, da *adj.* 질식한, 숨막힐 듯한. —*m.f.* 질식자, 익사자.
ahogador, ra *adj.* 질식시키는, 숨이 막힐 듯한, 익사의; 답답한.
ahogamiento *m.* ① 질식(사), 익사. ② 압박.
ahogar (8) *tr.* ① 질식(사)시키다, 교살(絞殺)시키다, 숨막히게 하다, 익사시키다. ② (감정 등을) 억누르다; 압박[진압]하다. ~**se** ① 숨[목]이 막히다. ② 질식(사)[익사]하다; 물에 빠지다; 꺼지다. ③ 가라앉다. ④ 말라 죽다. ⑤ 가슴을 태우다, 애간장을 녹이다.
ahogo *m.* ① 호흡 곤란, 질식, 익사. ② 고뇌, 곤궁, 걱정, 근심. ③ 질타, 질책.
ahombrado, da *adj.* =hombruno.
ahombrarse *r.* (여자가) 남자 같다.
ahondamiento *m.* 깊이 팜.
ahondar *tr.* ① 깊이 하다[파다], 깊이 파들어가다. ② 깊숙이 넣다: *Ahondó* las raíces 뿌리를 깊이 뻗었다. —*intr.*, ~**se** ① 깊이 들어가다. ② 조사하다, 깊이 캐다, 연구를 깊이 하다.
ahora *adv.* ① 지금, 현재: *Ahora* me voy 지금 갑니다. ② 조금 전(前): *Ahora* lo he visto 조금 전 나는 그것을 보았다. ③ 곧: *Ahora* escribiré 곧 편지하겠다. ④ 그런데, 그렇다 치고. ¶~ ***mismo*** 지금 곧[당장]. ***por*** ~ 지금으로서는, 우선은, 지금 당장에.
ahorcado, da *adj.*, *m.f.* 교수형으로 처형된 (사람).
ahorcadura *f.* 교살[교수형]에 처하는 일.
ahorcajarse *r.* 걸터앉다.
ahorcamiento *m.* 교수형.
ahorcar (7) *tr.* ① 교살하다, 교수형에 처하다. ② 버리다, 포기하다. ③ 방치하다, 놓아두다. ~**se** 목을 매다, 목매달아 죽다.
ahorita *adv.* 지금 곧: Hasta ~ 금방 만납시다, 금방 돌아오겠습니다.
ahormar *tr.* ① 틀에 넣다[맞추다]. ② (옷이나 신발을) 길들이다. ③ 이치를 깨우쳐 주다, 말귀를 알아듣게 하다.
ahornado, da *adj.* =descado.
ahornagamiento *m.* (식물이) 더위로 탐.
ahornagarse (8) *r.* (땅이나 식물이) 더워서 타다.
ahornar *tr.* 솥에 넣다. ~**se** 겉껍질만 타다.
ahorquillado, da *adj.* 머리핀 모양의.
ahorquillar *tr.* 머리핀을 꽂다; 갈퀴질하다; 체로 받치다; Y자 모양으로 만들다[하다]. ~**se** Y자 모양이 되다.
ahorrable *adj.* 저축할 수 있는.
ahorradamente *adv.* 자유로이, 마음대로, 멋대로.
ahorrado, da *adj.* ① 자유로운, 마음이 내키는. ② 절약하는.
ahorrador, ra *adj.*, *m.f.* 저축[절약]하는 (사람).
ahorramiento *m.* 저축; 절약.
ahorrar *tr.* ① 저축하다. ② 절약[검약]하다, 아끼다: ~ energía 에너지를 절약하다. ~**se** …을 절약하다.
ahorrativo, va *adj.* 절약하는.
ahorro *m.* ① 저축, 저금: ~ postal 우편 저금. ~ nacional 국민 저축. caja de ~*s* 저축 은행, 신용 금고. cuenta de ~(*s*) 저축 개좌, 보통 예금. ② 절약, 검약: ~ de tiempo 시간의 절약.
ahoyadura *f.* 구멍(을 파는 일).
ahoyamiento *m.* =ahoyadura.
ahoyar *intr.* 구멍을 파다. —*tr.* (…에) 구멍을 파다.
ahuasarse *r.* =aguasarse.
ahuchador, ra *adj.* 챙겨 넣는. —*m.f.* 수전노, 구두쇠.
ahuchar *tr.* ① (돈을) 저금통에 넣다. ② 챙겨 넣다, 은폐하다.
ahuecamiento *m.* ① 팽창, 부풀림. ② 허세, 으스대기.
ahuecar (7) *tr.* ① 부풀리다; 속이 비게 하다. ② (음성을) 굵게 하다. –*intr.* 자리를 뜨다, 떠나다. ~**se** ① 부풀다, 부풀어 오르다. ② 허세를 부리다, 우쭐거리다, 거드름을 피우다, 으스대다, 젠체하다. ③ 떠나다, 자리를 뜨다.
ahuehué *m.* [식물] 노간주나무의 일종.
ahuehuete *m.* [식물] =ahuehué.
ahuehuetle *m.* [식물] =ahuehué.
ahuesado, da *adj.* ① 못쓰게 된. ② 여윈, 뼈 같은; 끄무레한; 단단한.
ahuesarse *r.* ① *AmérC.* 여위다, 수척해 보이다. ② *AmérM.* 못쓰게 되다.
ahuevado, da *adj.* 달걀 모양의. —*m.* 달걀 모양의 장식(품).
ahuevar *tr.* ① 달걀 모양으로 만들다. ② *Méj.* 알을 낳다.
ahulado, da *adj.* 방수(防水)의. —*m.* 오버슈즈(chanclo), 방수포.
ahumado, da *adj.* ① 불에 그을린, 훈제(燻製)의. ② 윤기를 없앤: cristal ~ 젖빛 유리. ③ 어두운 빛깔의: cuarzo ~ 연수정. —*m.f.* =borracho, cha. —*m.* ① 훈제. ② *pl.* 훈제 고기[생선].
ahumador, ra *adj.* 그을린, 연기를 피우는.
ahumadura *f.* 그을림, 연기를 피움.
ahumamiento *m.* 그을리는 일, 훈제.
ahumar (18-1) *tr.* ① 그을리다: ~ un jamón 햄을 그을리다. ② 연기로 채우다, 연기를 피우다, 연기를 피워 몰아내다: ~ una colmena 벌집에 연기를 피워 몰아내다. —*intr.* 연기를 피우다[내다]. ~**se** ① 연기가 자욱해지다, 매캐해지다; 그을리다. ② 성내다, 화내다, 노하다. ③ 취하다.
ahusado, da *adj.* 방추형(方錐形)의.
ahusamiento *m.* 방추형으로 만듦.
ahusarse *r.* 방추 모양이 되다, 방추 모양으로 길쭉하게 하다.
ahuyama *f.* =auyama.
ahuyentador, ra *adj.* 추방(追放)하는.

—*mf.* 파수꾼, 문지기. —*m.* 허수아비.
ahuyentar *tr.* 추방하다, 쫓아버리다, 해산시키다, 면직하다, 해고하다, 파면시키다, 목을 자르다. ~**se** *Arg.* 도망치다, 달아나다.
AID *f.* Asociación Internacional de Desarrollo. 국제 개발 협회.
AIEA *f.* Agencia Internacional de Energía Atómica 국제 원자력 기구.
AIF *f.* Asociación Internacional de Fomento 국제 개발 협회, 제이 세계 은행.
aijuna *interj.* =ahijuna.
aikido *m.* 합기도(合氣道).
AILA *f* Asociación de Industriales Latinoamericanas 라틴 아메리카 실업자 협회.
ailanto *m.* [식물] 박태기나무.
aíllo *m.* ① *AmérM.* 일족(一族), 혈족, 같은 겨레붙이, 혈통(血統). ② *Perú* =boleadoras.
aimara *adj., mf.* 아이마라족(의) ((남미의 띠띠까까 호수 주변에 사는 인디오)). —*m.* 아이마라 말.
aimará *adj., mf.* =aimara.
aindiado, da *adj., mf. Amér.* (안색이나 피부의 색이) 인디오 같은 (사람).
airadamente *adv.* 노해서, 성이 나서, 화가 나서, 약이 올라.
airado, da *adj.* ① 화난, 노한, 약이 오른. ② 깡패 같은. ③ 무질서한.
airamiento *m.* 노함, 화남, 격앙.
airar *tr.* 화나게[노하게] 하다, 성나게 하다, 부아를 돋우다. ~**se** 노하다, 화내다, 성내다, 격앙하다.
airbag *m.* [*pl.* ~s] *ing.* 에어백.
aire *m.* ① 공기: contagio por el ~ 공기(에 의한) 감염. respirar el ~ 공기를 마시다. ② 대기, 바람: ~ de mar 해풍. Sopla un ~ fresco 시원한 바람이 분다. ③ [때때로 *pl.*] 공중, 하늘, 항공: viaje por ~ 항공 여행. ejército del ~ 공군. volar por el [por los ~*s*] 공중을 날다. ④ 모양, 외견, 외모, 풍채; 우아한 모양. ⑤ 유사. ⑥ 양식, 류(流). ⑦ 근거[내용]이 없는 것. ⑧ [음악] 노래, 선율, 곡조: ~ popular 민요, 팝송, 민중 음악. ⑨ (심장이나 뇌 등의) 발작. ⑩ [플라멩코] 분위기. ⑪ =aerofagia.
aireación *f.* 통풍, 환기.
aireado, da *adj.* ① 환기시킨. ② 신, 씁쓸한: vino ~ 씁쓸한 포도주.
aire-aire *adj.* 공대공(空對空)의.
aireamiento *m.* =aireo.
airear *tr.* 환기시키다, 바람 쏘이다.~**se** ① 바깥 [신선한] 공기를 마시다, 산책 나가다. ② 감기에 걸리다.
aireo *m.* 환기, 바람에 쏘이는 것.
aire-tierra *adj.* 공대지(空對地)의.
airón *m.* ① [새] 왜가리. ② 관모(冠毛), 깃털; (모자 등의) 깃털 장식. ③ 깊은 우물.
airosamente *adv.* 날렵하게, 의기 양양하게.
airosidad *f.* 우아함; 날렵함, 화려함, 자랑스러움.
airoso, sa *adj.* ① 통풍이 잘 되는, 바람이 많은. ② 날렵한, 늠름한, 훌륭한, 자랑스러워[화려해] 보이는.
aislable *adj.* 인연을 끊을 수 있는, 떼어놓을 수 있는.
aislación *f.* 절연, 격리.
aislacionismo *m.* 고립[불간섭]주의, 고립 정책.
aislacionista *adj.* 고립주의의, 고립 정책의. —*mf.* 고립주의자.
aisladamente *adv.* 고립되어, 떨어져, 격리되어.
aislado, da *adj.* ① 고립된, 격리된: isla ~*da* 고도(孤島). vivir ~ 고독한 생활을 보내다. ② 특이한, 예외적인. ③ [전기] 절연된. ④ 인연을 끊은.
aislador, ra *adj.* ① [전기] 절연하는. ② 고립된: lengua ~ 고립어. —*m.* ① 절연체, 절연기, 안전 기구, 애자(碍子). ② 투표소 내의 칸막이한 기표소. ③ [언어] 고립어.
aislamiento *m.* 고립(화), 격리, 절연.
aislante *adj.* 단열[절연]하는.
aislar *tr.* ① 고립시키다; 격리하다. ② 단열하다; [전기] 절연하다. ③ (미생물 등을) 분리하다. ④ [화학] 유리시키다. ~**se** 격리되다, 고립되다, 절연되다, 고독하게 되다, 따돌림을 받다, 왕따당하다: ~*se* de los compañeros 동료들과 교제를 끊다.
aislatorio, ria *adj.* 고립 (상태)의.
aizcolari *m. vasco.* 통나무를 도끼로 자르는 경기의 선수.
ajá *interj.* ① 맞았어! 아무렴, 그렇고말고! ((맞장구, 기쁨)). ② 아하하! ((웃음)). ③ *Amér.* 에끼! ((남의 눈을 피해 하는 일을 놀라게 해 줄 때)).
ajabardar *tr.* 떼를 이루다.
ajadizo, za *adj.* 쉽게 다루어지는.
ajado, da *adj.* =mustio, marchito, lacio. —*f.* [요리] 마늘 소스.
ajajá *interj.* =ajá.
ajamonarse *r.* ① 중년 부인이 되다. ② *Chile.* (여자가) 뚱뚱해지다.
ajaquecarse (7) *r.* 골치가 아프다.
ajar[1] *tr.* 학대하다, 함부로 다루다, 엉망으로 만들다; 면목 없게 하다, 욕지거리를 하다. ~**se** 망쳐 버리다; 체면을 잃다.
ajar[2] *m.* 마늘밭.
ajardinar *tr.* 정원화하다, 조원(造園)하다, 녹화하다; 녹색을 중시한 도시 개발을 하다.
ajea *f.* [식물] 쑥의 일종.
ajear *intr.* 자고새가 울다.
ajebe *m.* 명반(明礬).
ajedrea *f.* [식물] 박하의 일종.
ajedrecista *mf.* 장기[체스] 기사.
ajedrecístico, ca *adj.* 장기[체스]의.
ajedrez *m.* 장기: jugar al ~ 장기를 두다.
ajedrezado, da *adj.* 장기판 모양의.
ajedrezar *tr.* 여러 색깔을 조합하다.

ajedrista *mf.* =ajedrecista.
ajenabe *m.* [식물] 겨자.
ajenabo *m.* [식물] =ajenabe.
ajenar *tr.* =enajenar.
ajengibre *m.* 생강.
ajeniarse (11) *r. AmérM.* [+con] (남의 것을) 가로채다, 제 것으로 하다.
ajenjo *m.* ① [식물] 향쑥. ② 압생트((알코올이 독한 초록색의 양주)).
ajeno, na *adj.* ① 타인의, 다른 사람의, 남의, 외간의. ② 관계가 없는: Este asunto me es ~ 이 일은 나와는 관계가 없다. ③ 다른. ④ [+de] …이 없는: ~ de prejuicio 편견 없는.
ajerezado, da *adj.* 헤레스(jerez) 포도주 같은.
ajero, ra *mf.* 마늘 장수.
ajete *m.* 어린 마늘, 야생 부추; 마늘 소스.
ajetreado, da *adj.* 안달하는.
ajetrearse *r.* 안달하고 다니다, 지치다.
ajetreo *m.* 분주함, 몹시 바쁨.
ají *m.* [*pl.* ~(e)s] ① *AmérM.* [식물] 고추(guindilla). ② =**ajiaco.** ③ *Cuba* =**tumulto, jaleo.**
ajiaceite *m.* =**ajoaceite.**
ajiaco *m.* ① 고추 소스. ② 고추 넣고 삶은 고기 요리. ③ 꽤 까다로운 일.
ajicero, ra *adj.* 고추의. —*mf.* 고추 장수. —*m.* 고추 단지.
ajicola *f.* (마늘을 넣어 요리한) 새끼 양의 꼬리.
ajicomino *m.* 고추와 아놀드(comino) 소스.
ajicón *m. Cuba* [식물] 가지의 일종.
ajilimoje *m.* =ajilimójili.
ajilimójili *m.* ① 마늘이 들어 있는 고추 소스. ② 뒤섞임, 뒤범벅, 뒤죽박죽, 잡다(함). ③ *pl.* 부속물.
ajillo *m.* ① 마늘(과 붉은 피망) 소스. ② (라만차 지방의) 감자 요리.
ajiménez *m.* =**solana.**
ajimez *m. ár.* [건축] 아치형의 쌍둥이 창문.
ajinar *tr.* 분배하다, 절반씩 나누다
ajipuerro *m.* [식물] (야생의) 파.
ajironar *tr.* 가느다란 덧천을 대다; 갈갈이 찢다.
ajiseco *m. Perú* (양념으로 사용하는) 마른 고추. —*adj.* ajiseco 색의.
ajito *m.* [은어] LSD제(劑).
ajizal *m.* 고추밭.
ajo[1] *m.* ① [식물] 마늘. ② 마늘 소스. ③ 연지, 화장품. ④ 악담, 욕설: soltar ~*s* y cebollas 욕설을 퍼붓다.
ajo[2] *interj.* =**ajó.**
ajó *interj.* 어린애를 달래는 말.
-ajo *suf.* 「축소·경멸」의 뜻: hierb*ajo* 잡초. termin*ajo* 저급한 말.
ajoaceite *m.* 마늘 소스(alioli).
ajobar *tr.* 업다, 등에 지다.
ajobero, ra *adj., mf.* 짐을 진 (사람).
ajobilla *f.* 바지락조개의 일종.
ajobo *m.* ① 업는 일, 등에 지는 일, 등짐; 부담. ② 골치 아픈 일. ③ 중요성.
ajochar *tr.* ① *AmérM.* 부추기다, 꼬드기다, 사주하다. ② *Perú* 조르다.
ajofaina *f.* 세면기.
ajolín *m.* 빈대의 일종.
ajolio *m. Arg.* =**ajiaceite.**
ajolote *m.* [동물] (멕시코산) 도롱뇽.
ajomate *m.* (아름다운 녹색의) 담수 해초(淡水海草).
ajonje *m.* ① 끈끈이. ② [식물] 노란 꽃이 피는 엉겅퀴.
ajonjear *tr. AmérM.* 애무하다, 쓰다듬다, 귀여워하다, 응석을 받아주다.
ajonjeo *m. Col.* =**mimo, halago.**
ajonjera *f.* [식물] 엉겅퀴의 일종.
ajonjero *m.* =**ajonjera.**
ajonjero, ra *adj.* 끈끈이의.
ajonjo *m.* =**ajonje.**
ajonjolí *m.* [*pl.* ~(e)s] [식물] 깨, 참깨(alegría); (참)깨의 씨.
ajonuez *m.* 마늘과 호두 소스.
ajoqueso *m.* 마늘과 치즈 소스.
ajorar *tr.* ① 강제로 끌고 가다. ② *AmérC.* 애먹이다.
ajorca *f.* 팔찌(brazarete).
ajordar *intr.* 소리를 지르다.
ajornalar *tr.* 날품으로 하다, 일급(日給)으로 고용하다. ~**se** 날품[일급]으로 고용되다.
ajorrar *tr.* (재목을 산에서) 끌어내리다.
ajorro *m.* 재목을 끌어내림. —*adv.* 잡아 끌어.
ajotar *tr.* ① *AmérC., PRico.* =**azuzar, hostigar.** ② *Cuba* 경멸하다, 업신여기다. ~**se** ① *AmérC, Ant.* 화끈거리다, 벌겋게 달아오르다; 취하다. ② *Méj.* 여성다워지다.
ajote *m.* [식물] =**escordio.**
ajotollo *m. Perú* 상어 요리.
ajuanetado, da *adj.* 광대뼈 모양의.
ajuanetar *tr.* 광대뼈 모양을 만들다.
ajuaneteado, da *adj.* 광대뼈가 튀어나온: rostro ~ 광대뼈가 튀어나온 얼굴.
ajuar *m.* ① (집의) 가구, 의류, 집기. ② 혼수 도구.
ajuarar *tr.* (가구·집기를) 설비하다; 정리[준비]하다, 갖추다.
ajubonar *tr.* 조끼 모양을 만들다.
ajudiado, da *adj.* 유태인 같은[다운].
ajudiarse *r.* 유태인같이 되다.
ajuglarado, da *adj.* 광대 같은.
ajuglarar *tr.* 광대처럼 행동하다, 광대의 행동을 하다. ~**se** 광대처럼 되다.
ajuiciado, da *adj.* =**juicioso.**
ajuiciamiento *m.* 철이 듦, 사리 분별이 생김.
ajuiciar (11) *intr.* 철이 들다, 사리 분별이 생기다.
ajumar *tr.* 취하게 하다. ~**se** 취하다.
ajuno, na *adj.* 마늘의.
ajuntar *tr.* ① (아이들이) 동무로 삼다. ② 동반하다.
Ajuria Enea *f.* (바스크 자치주 정부의) 수상 관저; 바스크 자치주 정부.
ajustadamente *adv.* 정확하게, 꼭 들어맞게.

ajustado, da *adj.* 옳은, 공정한, 정확한: precio ~ 공정한 가격.
ajustador, ra *adj.* 꼭 맞는; 끼워넣는; 조정하는. —*m.* ① 꼭 맞는 조끼. ② [인쇄] 정판공.
ajustamiento *m.* =**ajuste.**
ajustar *tr.* ① 꼭 맞추다. ② 끼워넣다, 대다. ③ 조정하다. ④ 주선하다. ⑤ 결정하다. ⑥ [인쇄] 정판하다. ⑦ 결제[청산]하다. ⑧ (값을) 정하다, 맞추다. ⑨ (몽둥이를) 안기다, 때리다. ⑩ (병·아픔을) 느끼다. —*intr.* (…에 맞게) 조절하다, 꼭 들어맞다. ~**se** 꼭 들어맞다, 맞아 들다; 마음을 합하다, 동조[동의]하다; 타협[타결]하다.
ajuste *m.* ① 장치함. ② 결정; 조정: ~ de los (tipos de) derechos 관세율 조정. ③ 균형. ④ 타협. ⑤ 고용. ⑥ 결제, 청산. ⑦ [인쇄] 정판(精版). ⑧ *AmérC.* 우수리, 덤.
ajusticiado da *m.f.* 사형수.
ajusticiador *m.* =**verdugo.**
ajusticiamiento *m.* 사형 집행, 처형.
ajusticiar *tr.* 사형에 처하다, 처형하다: ~ al asesino 살인범을 처형하다.
al [전치사 a와 정관사 el의 결합형] *al+inf.* ① …할 때 ((동사 원형의 주어와 주동사의 주어는 원칙적으로 같다)): ~ amanecer 동틀녘에. ② [이유·원인] …해서, …이므로: Yo me sorprendí *al* verla caminar deprisa 나는 그녀가 급히 걷는 것을 보고 놀랐다. ③ [주로 중남미에서, 조건] …하면.
-al *suf.* [명사+] ① [품질 형용사화] nacion*al* 국가의. region*al* 지방의. ② [명사화, 재배지] arroz*al* 논. trig*al* 밀밭. tabac*al* 담배밭.
ala *f.* [단수 관사: el·un(a)] ① (새·곤충의) 날개, 깃: batir las ~*s* 날개를 펄럭이다. ② [날개 모양의 것] ㉮ (비행기의) 주익(主翼): ~ delta 행글라이더. ㉯ (건물의) 추녀; (처마의) 차양. ㉰ (모자의) 차양. ㉱ [군사·정치] ~ derecha 우익(右翼). ~ moderada 온건파. ③ [운동] 날개, 윙 ((위치)): ~ derecha 라이트윙. ~ izquierda 레프트윙. ④ 콧날개, 콧방울. ⑤ (건물의) 곁채. ⑥ [축성] 막벽(幕壁). ⑦ (군대의) 날개: ~ del ejército 군대의 날개. ⑧ [식물] 금불초. —*pl.* ① 보호, 비호. ② 활력, 원기, 씩씩함, 위세; [경멸적] 용감함, 뻔뻔스러움, 넉살이 좋음. —*interj.* 잘해라!, 야아야아! (hala).
Alá *m.* [이슬람교] 알라(신).
alabable *adj.* 칭찬할 만한.
alabado *m.* ① 성찬 찬미가. ② *Chile.* 새벽 찬송가. ③ *Méj.* 일의 시작[종업]의 노래; 장송가.
alabador, ra *adj.* 찬양하는. —*m.f.* 찬양자.
alabamiento *m.* =**alabanza.**
alabancero, ra *adj.* 아첨하는.
alabancia *f.* 자부, 자만.
alabancioso, sa *adj.* 자부[자만]하는.
alabandina *f.* [광물] 홍첨정석.
alabanense *adj., m.f.* 알라바(Alaba, 스페인의 옛 도시; 현재의 알바세떼(Albacete))의 (사람).
alabanza *f.* 상찬, 칭찬; 찬사.
alabar *tr.* 칭찬하다(elogiar). —*intr.* alabado를 노래하다. ~**se** ① [+de] …라고 좋아하다, 만족하다. ② …을 자만[자부]하다, 으스대다, 자랑하다, 우쭐하다. ③ 칭찬하다.
alabarda *f.* (반달 모양의 칼이 달린) 긴 창.
alabardado, da *adj.* 긴 창 모양의.
alabardazo *m.* 긴 창으로 때리기.
alabardería *f* alabardero 부대.
alabardero, ra *m.f.* (관중 속의) 박수부대(의 동원자). —*m.* alabarda로 무장한 병사.
alabardiforme *adj.* 긴 창 모양의.
alabastrado, da *adj.* ① 설화 석고 같은. ② 흰, 하얀.
alabastrina *f.* 설화 석고판.
alabastrino, na *adj.* ① 설화 석고의. ② 눈처럼 흰.
alabastro *m.* ① [광물] 설화 석고. ② =**blancura.**
alabastroso, sa *adj.* 설화 석고의.
álabe *m.* ① 땅에 쳐진 가지. ② 차양에 얹힌 기와. ③ (물레방아의) 물받이. ④ (톱니바퀴의) 이.
alabeado, da *adj.* 뒤틀려진, 꼬인, 휜, 구부러진(curvado).
alabear *tr.* 꼬이다, 뒤틀게 하다, 휘게 하다. ~**se** 꼬다, 뒤틀다, 휘다.
alábega *f.* [식물] =**albahaca.**
alabeo *m.* 꼬임, 휨, 뒤틀림.
alabesa *f.* 단창(alavesa).
alabiado, da *adj.* 가장자리가 있는 (동전·메달).
alacena *f.* (벽의 움푹 패인 곳에 만든) 식료(식기) 선반.
alaciarse (11) *r.* 맥이 풀리다.
alacrán *m.* ① [동물] 전갈. ② 단추[훅]의 고리. ③ *Arg.* 험담가(險談家).
alacranado, da *adj.* ① 전갈에 물린. ② 못된 버릇에 젖은. ③ 평생 못 고칠 병에 걸린.
alacranídeo, a *adj.* 전갈 같은.
alacránido, da *adj.* =**alacranídeo.**
alacraniforme *adj.* 전갈 모양의.
alacranino, na *adj.* 전갈의.
alacridad *f.* =**vivacidad.**
alacha *f.* =**alache.**
alache *m.* [어류] 정어리의 일종.
alada *f.* 날개짓, 펄럭거림.
aladares *m.pl.* 관자놀이로 내려뜨린 말린 머리카락.
ALADI *f.* Asociación Latinoamericana de Integración 라틴아메리카통합연합.
aladica *f.* [곤충] 날개미(aluda).
aladierna *f.* [식물] 쐐기풀.
aladierno *m.* =**aladierna.**
Aladino *m.* 알라딘 ((천일 야화 중의 한 이야기의 주인공)).
alado, da *adj.* ① 날개가 있는. ② [식물] 날개 모양의. ③ 날쌘, 잽싼, 날렵

한, 경쾌한(veloz).
aladrada *f.* (쟁기질로 생긴) 고랑.
aladrar *tr.* 쟁기질하다.
aladro *m.* 쟁기.
ALAF *f.* Asociación Latinoamericana de Ferrocarriles 라틴 아메리카 철도 협회.
alagar (8) *tr.* 물바다로 만들다. ~**se** 물바다가 되다; 배에 물이 들어오다.
alagartado, da *adj.* ① 도마뱀 같은, 여러 가지 색깔의. ② *AmérC.* 인색한, 욕심 많은, 탐욕스러운.
alagartarse *r.* ① *Méj.* 납작 엎어지다. ② *AmérC.* 인색해지다.
alajú *m.* [요리] 렌즈콩 · 호두 · 벌꿀을 넣어 만든 과자.
alalá *m.* 알랄라 ((갈리시아 지방의 민요의 일종)).
ALALC *f.* Asociación Latinoamericana de Libre Comercio 라틴 아메리카 자유 무역 연합.
alalia *f.* [의학] 실성증(失聲症).
alamar *m.* [복식] 장식 끈.
ALAMAR *f.* Asociación Latinoamericana de Armadores 라틴 아메리카 선주 협회.
alambicadamente *adv.* 세련되어.
alambicado, da *adj.* ① 세련된. ② 찔끔찔끔 내는.
alambicador, ra *adj.* ① 증류하는. ② (원고를) 탈고하는.
alambicamiento *m.* 증류(蒸溜); 탈고; 세련.
alambicar *tr.* ① 증류하다. ② 탈고하다. ③ 최하선까지 값이 내리다.
alambique *m.* 증류기.
alambrada *f.* [군사] 철조망.
alambrado, da *adj.* ① 철조망을 친. ② *Cuba.* 황금색의. —*m.* 철사 치기; 쇠그물, 철망.
alambraje *m.* 배선(配線).
alambrar *tr.* (…에) 전선 [철망 · 철조망]을 치다.
alambre *m.* 철사; (가축에게 달아준 많은) 방울: ~ eléctrico 전선. ~ fusible 퓨즈.
alambrera *f.* =**alambrada.**
alambrista *mf.* ① 철사를 건너는 곡예사. ② (멕시코에서 미국으로) 불법 이민자.
alameda *f.* 포플라 가로수; 가로수길.
álamo *m.* [식물] 포플라, 백양나무; 백양재(白楊材).
alampar *intr.* (음식이) 혀를 (톡) 쏘다. ~**se** [+por] …을 몹시 탐내다.
alamud *m.* 빗장.
alanceado, da *adj.* ① 창에 찔린. ② [식물] 창 끝[바늘] 모양의.
alanceador, ra *adj., mf.* 찌르는 (사람).
alanceamiento *m.* 찌르기.
alancear *tr.* ① 창으로 찌르다[쑤시다]. ② 풍자하다, 빈정대다, 빗대다.
alano *m.* 알라노 개; 불독; 수렵견; 파수견.
alano, na *adj., mf.* [역사] 아라노족(의) ((5세기 벽두 스페인에 침입했던 게르만 민족의 일부)).
alanzar (9) *tr.* ① 창으로 찌르다. ② 던지다, 투척하다(lanzar).
alaqueca *f.* [광물] 홍마노.
alar *m.* [건축] =**alero.**
alarde *m.* ① 과시, 허세, 우쭐거림, 자랑해 보임. ② (군인 · 무기의) 검열, 점호. ③ 군인 명부. ④ (죄수의) 검열.
alardear *intr.* [+de] (…을) 과시하다, 자랑해 보이다, 으스대다.
alardeo *m.* =alarde ②.
alargadera *f.* [화학] (증류기의) 유도관.
alargado, da *adj.* 가늘고 긴. pasillo ~ 좁고 긴 복도[통로].
alargador, ra *adj.* 늘리는, 연장하는.
alargamiento *m.* 길게 하는 것, 늘임, 연장, 연기; 신장(伸張).
alargar (8) *tr.* ① (시간적 · 공간적으로) 길게 하다, 늘이다, 연장하다, 연기하다; 확장하다: ~ las mangas 소매를 길게 하다[내다]. ~ un cable 줄을 늘이다. ~ *su* territorio 영토를 확장하다. ~ las vacaciones 휴가를 연장하다. ② (손 등을) 늘이다, 뻗다; (떨어진 곳의 물건을) 집다, 건네주다, 내밀다. ③ (임금 · 식사량 등을) 늘리다, 올리다. ~**se** ① 길어지다. ② 길게 끌다. ③ 떨어지다, 나누어지다, 분리되다. ④ 떠나다, 달아나다.
alarguez *m.* [식물] 들장미.
alaria *f.* (도공의) 쇠주걱.
alarida *f.* 절규, 외침, 부르짖음, 아우성, 소리침.
alaridar *intr.* 외치다, 소리지르다, 악을 쓰다, 비명을 지르다.
alarido *m.* ① 비명: dar ~*s* 비명을 지르다. ② (아라비아 사람들의) 함성.
alarifazgo *m.* 건축가[기사]의 직.
alarife *m.* ① 건축 기사. ② 미장이. ③ *Arg.* 빈틈없는 남자.
alarma *f.* ① 경보, 경계 태세; 경보 장치: ~ aérea 공습(空襲) 경보. ~ contra incendios 화재 경보기. ② 불안, 걱정, 두려움, 우려: vivir en ~ 불안하게 살다.
alarmador, ra *adj.* =**alarmante.** —*m.* 경보기: ~ de fuego 화재 경보기.
alarmante *adj.* 불안한, 걱정스런, 우려할 만한, 심상치 않은, 뒤숭숭한
alarmar *tr.* 경계시키다, …에게 위험을 알리다; 겁내어 떨게 만들다; 불안을 주다. ~**se** 경계하다, 흠칫 겁내다, 염려하다, 걱정하다, 마음을 조이다.
alarmismo *m.* 기우(杞憂); 사람에게 무용(無用)한 불안을 주는 것.
alarmista *mf.* 사서 걱정을 하는 사람; 유언비어를 퍼뜨리는 사람.
alauí *adj., mf.* [이슬람교] 알라우이파(의); (모로코의) 알라우이조(朝)(의).
alavense *adj., mf.* 알라바(Alava, 바스크 지방의 주)의 (사람).
alavés, sa *adj., mf.* =**alavense.**
alazán, na *adj.* (말이) 밤색 (털)의.

alazana *f.* (올리브의) 착유장.
alazano, na *adj.* =alazán.
alazo *m.* (새가) 홰를 침, 날개 치기, 날개 치는 소리.
alazor *m.* [식물] 잡종 사프란.
alba *f.* [단수 관사: el · un(a)] ① 서광, 여명, 어둑새벽, 갓밝이. ② (성직자의) 흰 옷. ¶*al* ~ 동틀녘에. ***romper el*** ~ 날이 새기 시작하다.
albaca *f.* =albahaca.
albacea *m.f.* [법률] 유언 집행인.
albaceazgo *m.* 유언 집행인의 직.
albacetense *adj., m.f.* =albaceteño.
albaceteño, ña *adj., m.f.* 알바세떼(Albacete, 까스띠야의 라만차 지방의 주 및 주도)의 (사람).
albacora *f.* ① [어류] 가다랭이. ② [식물] 무화과의 일종.
albada *f.* ① 새벽; 여명의 노래. ② [식물] 비누풀.
albahaca *f* [식물] 박하 비슷한 향기 높은 식물.
albanega *f.* ① 머리 그물. ② (토끼를 잡기 위한) 원추형 그물.
albanés, sa *adj.* 알바니아의[에 관한]. —*m.f.* 알바니아 사람. —*m.* 알바니아 말.
Albania *f.* [국명] 알바니아.
albano, na *adj., m.f.* =albanés.
albañal *m.* 하수구, 배수구; 더럽지 않은 장소.
albañar *m.* =albañal.
albañil *m.* 석공, 기와[타일] 제조자.
albañilería *f.* albañil의 직[공사].
albar *adj.* 흰: conejo ~ 흰 토끼.
albarán *m.* 화물 인도 통지서.
albarazado, da *adj.* 백나병의.
albarazo *m.* [의학] 백나병(白癩病).
albarca *f.* =abarca.
albarda *f.* ① 길마, 안장. ② *AmérC.* 생가죽 구두.
albardado, da *adj.* 등의 털색이 다른.
albardán *m.* 어릿광대.
albardanería *f.* =bufonada.
albardar *tr.* (말에) 안장을 얹다, 길마를 놓다.
albardear *intr. AmérC.* 애먹이다, 귀찮게 굴다.
albardela *f.* (조랑말을 길들이기 위한) 안장.
albardilla *f.* =albardela.
albardón *m.* ① 큰 안장. ② *AmérM.* 소택지의 구릉, 언덕. ③ *AmérC.* = albardilla.
albaricoque *m.* 살구.
albaricoquero *m.* [식물] 살구나무.
albariño *m.* 갈리시아 산의 포도주.
albariza *f.* 염수호.
albarizo, za *adj.* 흰빛을 띤. —*m.* 흰빛이 도는 땅.
albarrana *f.* ① [식물] 백합과 식물. ② 성벽 밖으로 돌출한 탑, 망루, 망대.
albatros *m.sing.pl.* [새] 신천옹.
albayaldado, da *adj.* 분을 바른, 분칠한; 하얀.
albayaldar *tr.* 분을 바르다.
albayalde *m.* ① 백연, 납가루, 탄산화연. ② 화장분: dar de ~ 분을 바르다.
albazano, na *adj.* 짙은 밤색의.
albazo *m.* =alborada.
albear *intr.* ① 밝아 오다. ② *Arg.* 일찍 일어나다. ③ 하얗게 되다.
albedo *m.* [천문] 반사 계수.
albedrío *m.* 의지: libre ~ 자유 의지.
albéitar *m.* 수의사(veterinario).
albeitería *f.* 수의학(獸醫學).
alberca *f.* ① (인공의) 용수지(用水池), 저수지. ② *AmérC.* 풀(장), 수영장(piscina). ③ (우물의) 물통.
albérchiga *f.* ① 복숭아. ② (지방에 따라) 살구.
albérchigo *m.* 복숭아.
alberchigal *m.* 복숭아밭.
alberchiguero *m.* [식물] 복숭아나무.
albergada *f.* 엄호물.
albergador, ra *adj.* 숙박시키는, 재워주는. —*m.f.* 여관[하숙집] 주인.
albergadura *f.* =albergue.
albergar (8) *tr.* 숙박시키다, 재워 주다. ~**se** [+de] …에 묵다; 피난하다.
albergue *m.* ① 숙박: tomar ~ 숙박하다. ② 작은 호텔: ~ juvenil [de (la) juventud] 유스호스텔. ③ 피난처, 도망 장소. ④ 숙박소, 숙박지. ⑤ (맹수들이 사는) 동굴. ⑥ (고속 도로변에 설치된 국영) 모텔.
albero, ra *adj.* 하얀, 흰빛의, 흰빛을 띈. —*m.* ① 흰빛이 도는 땅. ② 행주.
alberque *m.* =alberca.
albi- *pref.* 「흰(blanco)」의 뜻: *albí*colo 목이 흰.
albibarbo, ba *adj.* [동물] 주둥이가 흰.
albicaudo, da *adj.* [동물] 꼬리가 흰.
albicaulo, la *adj.* [식물] 줄기가 흰.
albíceps *adj.* [동물] 머리가 흰.
albicie *f.* =blancura.
albícolo, la *adj.* [동물] 목이 흰.
albifloro, ra *adj.* 흰꽃을 가진 (식물).
albilabro, bra *adj.* 입술이 흰.
albilla *f.* [식물 · 과실] 백포도의 일종; abilla로 빚은 포도주.
albillo, lla *adj.* 백포도의, 백포도주의.
albina *f.* 개펄; 개펄에 생긴 천연병.
albinervio, via *adj.* 신경이 흰.
albinismo *m.* [의학] 백피질, 백화 현상.
albino, na *adj.* 흰 피부의; 백변종의; 흰색의. —*m.f.* ① 살빛이 하얀 사람. ② *Méj.* 유럽인과 혼혈아 사이에서 난 혼혈아.
albión[1] *m.* [동물] 환형 동물류.
Albión[2] *f.* [시어] 영국(Inglaterra).
albiónido, da *adj.* 환형 동물의.
albípedo, da *adj.* 발이 흰 (동물).
albipenne *adj.* 깃이 흰.
albirrostro, ra *adj.* 주둥이가 흰.
albita *f.* [광물] 흰색의 장석(長石).
albitana *f.* ① (심은 나무에 대는) 받침목. ② =contrarroda.
albitarso, sa *adj.* 발목이 흰.

albo, ba *adj.* [시어] 흰, 하얀.
albóndiga *f.* [요리] 알본디가 ((고기 단자, 고기소)).
albondguilla *f.* =albóndiga.
albor *m.* ① 새벽. ② [주로 *pl.*] 초기, 서광, 여명기. ③ [문어] 하양, 순백.
alborada *f.* 새벽, 여명; 새벽 전투; 기상 나팔; 새벽 음악.
alborear *intr.* ① 날이 새다. ② 유망하다, 장래성이 있다. ③ 징조가 나타나다: *Alboreaba* la paz 평화의 서광이 비치기 시작했다.
alboreo *m.* 날이 샘.
alborga *f.* 짚신.
albornoz *m.* (아라비아풍의) 망토(천).
alborotadamente *adv.* 시끄럽게, 왁자지껄하게, 어수선하게.
alborotadizo, za *adj.* 떠들어대는, 시끄러운, 소란스러운.
alborotado, da *adj.* ① 소란을 피우는, 법석을 떠는; 당황한, ② 파란의, 다사다난한.
alborotador, ra *adj.* 소란스러운, 시끄러운. —*m.f.* 소란을 피우는 사람, 말썽꾼, 선동자, 파괴 분자.
alborotapueblos *m.f.sing.pl.* 불온 분자, 소란을 피우는 사람; (행사에서) 분위기를 돋우는 사람.
alborotar *tr.* 혼란하게[소란하게] 만들다, 온통 휘젓다, 떠들어대다; 선동하다. —*intr.* 소동[난동]을 벌이다. ~**se** 분규[소동]를 일으키다; 혼란이 일어나다; 반란을 일으키다; (바다의) 풍랑이 심해지다.
alboroto *m.* ① 소동, 폭동; 반란, 난리. ② *AmérC.* 꿀을 묻혀 튀긴 옥수수. ③ *Méj.* 기뻐 날뜀.
alborotoso, sa *adj., m.f.* =alborotador.
alborozadamente *adv.* 즐겁게.
alborozado, da *adj.* 환희에 찬, 즐거운 (regocijado).
alborozador, ra *adj., m.f.* 미쳐 날뛴 (사람).
alborozar (9) *tr.* 미쳐 날뛰게 하다[만들다]. —*intr.* 미쳐 날뛰다.
alborozo *m.* 기쁨, 희열, 쾌락, 즐거움.
albotín *m.* [식물] 테레빈나무.
albricias *f.pl.* ① 길보를 전해 준 데 대한 답례, 축의(금). ② *Méj.* (주형의) 배기 구멍. —*interj.* 축하합니다!
albufera *f.* 늪, 호수.
albugíneo, a *adj.* 새하얀, 백색의.
albuginitis *f.* [의학] 섬유 조직염.
albuginoso, sa *adj.* =albugíneo.
albugo *m.* [의학] 각막[손톱] 백반.
albuhera *f.* 늪; 저수지.
album *m.* [*pl.* ~(e)s] ① 사진첩, 앨범, 우표첩, 사인북, 스크랩북: pegar las fotos en el ~ 사진을 앨범에 붙이다. ② (레코드 등의) 앨범.
albumen *m.* ① [생물] 난백(卵白). ② [식물] 배유(胚乳).
albúmina *f.* [생화학] 알부민.
albuminado, da *adj.* 알부민의.
albuninar *tr.* (인화지 등에) 단백을 바르다, 단백으로 처리하다.
albuminímetro *m.* 단백 계량기.
albuminoide *m.* [생화학] 알부미노이드, 유단백질(乳蛋白質).
albuminómetro *m.* 단백 계량기.
albuminoso, sa *adj.* 단백질의; 배유(胚乳)가 있는.
albuminuria *f.* [의학] 단백뇨.
albur *m.* ① 우연성, 운. ② 위험. ③ [어류] 황어, 철갑상어. ④ *pl.* 카드 놀이. ¶*al* ~ 닥치는 대로, 함부로, 마구.
albura *f.* ① [시어] 하양, 순백. ② 흰자위(clara). ③ (목재의) 백목질.
alburente *adj.* 백목질이 많은.
alburno *m.* ① (재목의) 백목질. ② [어류] 잉어의 일종.
alburoso, sa *adj.* 백목질이 많은.
alca *f.* [단수 관사: el · un(a)] [새] 바다쇠오리 무리; 제비갈매기.
alcabala *f.* ① [역사] 매상세(賣上稅) ((14세기 알폰소 11세에 의해 만들어져 1845년 소멸)). ② *AmérM.* 경찰의 검문소.
alcachofa *f.* [식물] 야생 엉겅퀴, 야생 엉겅퀴의 꽃봉오리, 야생 엉겅퀴꽃.
alcachofado, da *adj.* 화관형(花冠形)의. —*m.* 엉겅퀴 요리.
alcachofal *m.* 엉겅퀴밭.
alcachofar *m.* =alcachofal.
alcahaz *m.* 새장(jaula).
alcahuete, ta *m.f.* ① 포주, 뚜쟁이, 성매매 중개자. ② [주로 *AmérM.*] 감언이설을 좋아하는 사람.
alcahuetear *intr.* 포주[뚜쟁이] 노릇을 하다, 성매매를 중개하다.
alcahuetería *f.* ① 포주[뚜쟁이] 노릇, 성매매의 중개. ② 감언이설.
alcaicería *f.* (이슬람 통치 시대의) 비단 (도매) 상가(商街).
alcaide *m.* ① [고어] 성주. ② *Amér.* 간수장.
alcaidía *f.* 성주[간수장]의 직[주택].
alcaldada *f.* 권력[직권] 남용, 전횡(專橫), 횡포.
alcalde *m.* 시장, 읍장, 면장, 이장.
alcaldesa *f.* ① 여자 시[읍 · 면 · 이]장. ② alcalde의 아내.
alcaldía *f.* 시[읍 · 면 · 이]장의 직[주택 · 사무소].
alcalí *m.* [화학] 알칼리.
alcalimetría *f.* 알칼리 비중 측정, 알칼리 적정(滴定) [적량(適量)].
alcalímetro *m.* 알칼리 비중 측정.
alcalinidad *f.* 알칼리성, 알칼리도(度).
alcalinizar *tr.* 알칼리화하다.
alcalino, na *adj.* 알칼리(성)의.
alcalinotérreo, a *adj., m.* 알칼리성 토류(土類) 금속(의).
alcalización *f.* 알칼리성화.
alcalizar *tr.* 알칼리성으로 만들다.
alcaloide *m.* ① [화학] 알칼로이드. ② [문어] 코카인.
alcaloideo, a *adj.* 알칼로이드(성)의.
alcaloífero, ra *adj.* 알칼로이드를 함유

한 (식물).

alcalosis *f.sing.pl.* [의학] 알칼로시스.

alcance *m.* ① 거리, 범위(範圍): al ~ de la mano 손이 닿는 거리에. ② 중요성: noticia de gran ~ 매우 중대한 뉴스. ③ [주로 부정으로] 지성, 능력: de cortos ~*s*, corto de ~*s* 그다지 총명하지 않은. de pocos [no muchos] ~*s* 재능이 별로 없는. ④ [군사] 사정거리: cañón de largo ~ 장거리 포. ⑤ [권투・펜싱] 리치. ⑥ [상업] (금액 등의) 수준; 결손, 적자. ⑦ [신문] 최근 뉴스(란). ⑧ [인쇄] 분할 원고. ⑨ 특별 송달 우편. ⑩ (말 등의) 다리의 타박상.

alcancía *f. Amér.* 저금통; (교회의) 헌금함.

alcanfor *m.* ① 장뇌(樟腦). ② [식물] 녹나무, 장목. ③ *AmérC.* =alcahuete.

alcanforado, da *adj.* 장뇌의, 장목의.

alcanforar *tr.* ① 장뇌(樟腦)와 섞다. ② …에 장뇌를 넣다. ~**se** *Amér.* 없어지다, 증발하다, 사라져 없어지다.

alcanforero *m.* [식물] 녹나무, 장목.

alcanfórico, ca *adj.* ① 장뇌의, 장뇌 같은. ② [화학] =canfórico.

alcantarilla *f.* 하수도, 암거(暗渠), 땅속으로 낸 도랑; 작은 다리.

alcantarillado *m.* 하수(도) 설비.

alcantarillar *tr.* …에 하수도를 부설[설비]하다.

alcanzable *adj.* 손이 닿을 수 있는, 도달할 수 있는.

alcanzadizo, za *adj.* 손에 넣기 쉬운, 입수가 용이한.

alcanzado, da *adj.* 부채가 있는, 궁박한, 궁색한, 빈궁한.

alcanzar (9) *tr.* ① (…에) 닿다, 따라잡다. ② (…에) 닿다, 도달하다: ~ al techo 천정에 닿다. ~ el blanco 과녁에 맞다. ③ 손을 뻗쳐 잡다, 손이 닿다. ④ 끝내 입수하다, 드디어 손에 넣다, 획득하다. ⑤ 이해[양해]하다, 이해가 가다. ⑥ (오관으로) 보이다, 들리다; 냄새를 맡을 수 있다. ⑦ 채권자가 되다. ⑧ *Arg.* 계출하다, 인계하다, 건네주다. —*intr.* ① 차지가 되다, 두루 몫이 돌아가다, 충분하다. ② [+a+*inf.*] (…하기에) 이르다. ③ *Chile.* 남의 말에 꼬리를 달다. ~**se** ① 따라붙어 같아지다. ② [+a+사람] 이해할 수 있다: No *se* me *alcanza* por qué él lo hizo 왜 그가 그런 일을 했는지 이해할 수 없다.

alcaparra *f.* ① [식물] 황조목 속의 관목; 그 꽃봉오리. ② *Ecuad.* 용설란의 꽃봉오리.

alcaparrón *m.* alcaparra의 열매.

alcaravea *f.* [식물] 미나리과 식물.

alcarria *f.* (불모의) 고지(高地), 고원.

alcatraz *m.* ① [새] 사다새, 펠리컨. ② [식물] =aro. ③ 삼각 주머니.

alcaucí *m.* =alcachofa.

alcaucil *m.* =alcachofa.

alcaudón *m.* [새] 때까치, 물까치.

alcayata *f.* 구부러진 못, 갈고리 못.

alcazaba *f.* (성곽 도시 안의) 성채, 성곽.

alcázar *m.* ① 성(城). ② (아라비아풍의) 왕궁. ③ [선박] 선미루(船尾樓).

alce *m.* [동물] 큰 사슴.

alción *f.* [새] 물총새.

alcionio *m.* [동물] 산호류, 해면류.

alcionito *m.* 산호군(珊瑚群).

alcista *mf.* 투기사. —*adj.* 강세의, 증권 시세가 오르는 기미가 있는: factor ~ 강재료.

alcoba *f.* ① 침실. ② 침실의 가구.

alcohol *m.* 알코올; 주류(酒類).

alcoholato *m.* [화학] 방향 알코올.

alcoholaturo *m.* 알코올제의 일종.

alcoholemia *f.* 혈중(血中) 알코올 농도.

alcohólico, ca *adj.* ① 알코올의, 알코올을 함유한. ② 알코올 중독의. —*mf.* 알코올 중독 환자.

alcoholificación *f.* 알코올로 변화.

alcoholimetría *f.* 주정도 검사[검량].

alcoholímetro *m.* 알코올계 ((음주 운전 적발용)), 주정 비중계.

alcoholismo *m.* 알코올 중독(증).

alcoholista *mf.* 알코올 중독 환자.

alcoholización *f.* 알코올 첨가 [포화・정유].

alcoholizado, da *adj.* 알코올 중독의. —*mf.* 알코올 중독 환자.

alcoholizar (9) *tr.* ① …에 알코올을 첨가하다[넣다]; 알코올화하다. ② 주정을 빼다. ~**se** 알코올 중독이 되다.

alcoholoscopio *m.* 알코올 비중계.

alcor *m.* [문어] 언덕, 야산, 비탈.

alcorán *m.* [이슬람교] 코란, 회교 경전.

alcoránico, ca *adj.* 코란[회교 경전]의.

alcornocal *m.* alcornoque 숲.

alcornoque *m.* ① [식물] 코르크나무, 떡갈나무. ② 얼간이, 바보, 천치.

alcorza *f.* ① 당의(糖衣), 설탕 입힌 과자. ② *Arg.* 미묘한 것.

alcorzado, da *adj.* 당의[설탕]를 입힌.

alcorzar (9) *tr.* ① 설탕을 입히다. ② 장식하다, 아름답게 하다.

alcotán *m.* [새] 매의 일종.

alcotana *f.* (석공용의) 도끼 모양의 곡괭이.

alcubilla *f.* 수조(水槽), 물탱크, 물통.

alcurnia *f.* (고귀한) 혈통, 가계(家系).

alcurniado, da *adj.* 명문(名門)의.

alcuza *f.* ① 조금씩 나오는 기름병. ② 식탁에 놓은 양념병. ③ 소주병.

aldaba *f.* ① (문의) 노커. ② 고리 (anillo). ③ 빗장.

aldabada *f.* ① 노커 소리. ② 놀람.

aldabazo *m.* 노커를 세게 두들기는 일[소리].

aldabear *intr.* 노커를 두들기다.

aldabilla *f.* (창문・문의) 걸쇠.

aldabón *m.* 대형 노커.

aldabonazo *m.* ① (노커로) 문을 두드리는 일[소리]. ② 통지, 경고, 경종.

aldea *f.* 마을, 작은 촌, 촌락.

aldeanismo *m.* ① 사투리, 시골 말씨.

② 지방 사람들의 편협.
aldeano, na *adj.* ① 시골[촌·마을]의. ② 투박한, 거친, 촌스러운, 교양이 없는. —*mf.* 시골 사람; 촌사람.
aldehídico, ca *adj.* 알데히드의.
aldehído *m.* [화학] 알데히드.
aldehuela *f.* 작은 마을.
al dente *adj. fr.* [요리] (야채 따위를) 굳어지도록 삶은[데친]; 씹을 때 단단한 느낌이 나는. —*adv. fr.* [요리] 알텐테로.
aldeorr(i)o *m.* 한촌(寒村).
ale *interj.* =hala.
aleación *f.* 합금: ~ ligera 경합금.
aleador, ra *adj.* 합금으로 만든.
alear *tr.* 합금(合金)으로 하다[만들다]. —*intr.* ① 원기를 회복하다. ② 날개를 치다. ③ 활개를 치다.
aleatoriamente *adv.* 우연히; 요행히.
aleatorio, ria *adj.* ① 도박의, 위태위태한; 사행적인. ② 우연히 맞춘.
aleccionador, ra *adj., mf.* 교육적인, 가르치는 (사람).
aleccionamiento *m.* 훈련, 교습; 교훈.
aleccionar *tr.* 훈련[교육]하다, 가르치다, 익히게 하다.
aledaño, ña *adj.* 인접한. —*m.* 인접지.
alegable *adj.* 진술의; 변명할 수 있는.
alegación *f.* ① 신청, 진술: ~ falsa 허위 진술. ② 변론, 변증.
alegador, ra *adj., mf.* 신청[주장]하는; 진술하는 (사람).
alegar (8) *tr.* ① 신청하다, 주장하다. ② 증거를 대고 진술하다. ③ 증거로 삼다, 근거로 제출하다. ④ (변호사가) 변론하다. —*intr. Amér.* 싸우다, 입씨름하다, 언쟁하다(disputar).
alegato *m.* ① (변호사의) 변론(서). ② *Amér.* 싸움, 입씨름, 말다툼, 언쟁, 말다툼. ③ *AmérC.* 속임수.
alegatorio, ria *adj.* 신청하는; 변론의, 진술하는.
alegoría *f.* 우의(寓意), 우화; 상징.
alegóricamente *adv.* 우의적으로; 비유적으로.
alegórico, ca *adj.* 우의적인, 우의의; 비유적인.
alegorización *f.* 우의화(寓意化), 비유, 우의적 표현.
alegorizar (9) *tr.* 우의적으로 표현하다.
alegrar *tr.* ① 기쁘게 하다, 기쁨을 주다. ② 싱싱하게 만들다. ③ (불을) 타오르게 하다. ④ 밝게 하다; 아름답게 하다, 미화하다. ⑤ (밧줄을) 늦추다. ⑥ (짐을 버려 배를) 가볍게 하다. ⑦ (투우를) 흥분시키다(exitar el toro). **~se** [+de·por·con] …을 기뻐하다, 좋아하다, 기쁘다: *~se por [de·con]* una noticia 소식을 듣고 기뻐하다. *Me alegro de* verle 뵙게 되어 기쁩니다. *Me alegro* mucho *de* que haya vuelto nuestro maestro 우리 선생님이 돌아오셨다니 무척 기쁩니다.
alegre *adj.* ① 기쁜, 기쁨에 찬. ② 즐거운, 명랑한, 쾌활한, 기쁜 듯한: cara ~ 쾌활한 얼굴. ③ 기쁘게 하는: noticia ~ 기쁘게 하는 소식. ④ 밝은: color ~ 밝은 색. ⑤ 날쌘, 날렵한, 기민한. ⑥ 난잡한.
alegremente *adv.* 기쁘게, 즐거이, 유쾌하게, 명랑하게, 마음이 들떠서.
alegreto *adv.* [음악] 조금 빨리. —*m.* [음악] 알레그레토.
alegría *f.* ① 환희, 기쁨, 즐거움. ② [식물] 깨, 참깨. ③ 참깨 가루. ④ 참깨를 넣은 호두 과자. —*pl.* 알레그리아스 (안달루시아의 민요·춤).
alegro *adv.* [음악] 빠르게. —*m.* [음악] 알레그로.
alegrón *m.* ① 뜻밖의 기쁨. ② 타오르는 불꽃. —*adv.* ① 매우 기쁜. ② 얼근히 취한.
alejado, da *adj.* [+de] …에서 먼: Mi casa está *~da de* la suya 내 집은 그의 집에서 멀다. Estoy ~ *de* la política 나는 정치에 무관심하다.
alejamiento *m.* ① 멀리하는 것, 멀어지는 것. ② 거리, 간격.
alejandrino, na *adj., mf.* ① 알렉산드리아(Alejandría)의 (사람). ② 알렉산더 대왕(Alejandro Magno)의. —*adj., m.* 알렉산더 (14음절) 시구(의).
Alejandro *m.* [남자 이름] 알렉산더: ~ Magno 알렉산더 대왕.
alejar *tr.* 멀리 하다: ~ un peligro 위험을 멀리 하다. **~se** ① [+de] (…에서) 멀리하다: *Aléjese del* fuego 화기 엄금. *Me alejé de* mis amigos 나는 친구들과 소원해졌다. ② [+de] (…에서) 멀리 가다, 떠나다: *~se de su* casa 집에서 멀리 가다, 집을 떠나다. ③ 물러가다.
alelado, da *adj.* =lelo, pasmado.
alelar *tr.* 어리석게 하다. **~se** 어리석어지다, 망령부리다.
alelí *f.* [식물] 비단향꽃무.
alelia *f.* [생물] 대립 유전자.
aleluya *interj.* [환희·찬미·감사] 할렐루야! —*m.(f.)* 할렐루야 (하나님을 찬미하다), 하나님을 찬미하는 노래[찬송가]. —*m.* 부활절 무렵. —*f.* ① 성 일요일에 군중이나 행렬을 향해 던지는 성화(聖畵); 서툰 그림[시]. ② 말라깽이. ③ 기쁨, 즐거움. ④ 부활절에 신도에게 주는 과자. ⑤ [식물] 괭이밥.
alemán, mana *adj., mf.* 독일의[에 관한]. —*mf.* 독일 사람. —*m.* 독일어.
Alemania *f.* [지명] 독일.
alentado, da *adj.* ① 씩씩한, 활기찬, 위세 있는. ② 거만한. ③ 늠름한. ④ *AmérM.* 건강한. —*f.* 단숨: de [en] una ~ 단숨에.
alentador, ra *adj.* 믿음직한, 힘이 나온 (듯한).
alentar (19) *intr.* 호흡하다. —*tr.* ① 용기를 북돋우다, 기운을 돋아주다, 격려하다. ② *AmérM.* 박수[갈채]를 보내다, 응원하다. **~se** ① [+con] …으로 기운[힘]을 내다, 기운을 차리다. ② *AmérC.* 새끼를 낳다.

aleonado, da *adj.* 황갈색의, 사자털 빛깔의.
alerce *m.* [식물] 낙엽송.
alérgeno, na *adj.* 알레르기의 원인이 되는. —*m.* 알레르겐.
alergia *f.* [의학] 알레르기(증), 이상 민감증: ~ alimenticia 식물성 알레르기.
alérgico, ca *adj.* 알레르기(성)의, 알레르기 체질의, 이상 민감증의.
alergólogo, ga *mf.* 알레르기 전문의.
alergista *mf.* =alergólogo.
alero *m.* ① 추녀, 처마. ② (차의) 흙받이. ③ [동물] 어린 사슴.
alerón *m.* [항공] 보조익(補助翼).
alerta *f.*(*m.*) 경계(심), 경계 태세, 경보, 주의: ~ aérea 공습 경보; [군사] 공중 대기. dar la [el] ~ 경계 경보를 발하다. estar en estado de ~ 경계 태세에 있다. —*adv.* 경계하며, 조심해서, 방심하지 않고: estar ~ 경계하고 있다. —*interj.* 주의[경계]하라! ((보초 등의 호령)).
alertar *tr.* [+de] (…에 대해) 경계시키다, 경고하다.
alerzal *m.* 낙엽송 숲.
alesna *f.* 송곳.
alesnado, da *adj.* ① 끝이 뾰족한. ② *Ven.* 씩씩한, 당찬, 위세가 당당한.
alesnar *tr.* 끝이 뾰족하게 하다.
aleta *f.* ① [어류] 지느러미. ② 지느러미같이 생긴 것. ③ 돌기물, 돌출부.
aletada *f.* 날개[지느러미]를 펄럭임.
aletargado, da *adj.* 혼수 상태의; 정신을 잃은, 무감각의; 동면 상태에 있는.
aletargamiento *m.* 혼수 (상태); 동면.
aletargar (8) *tr.* 혼수 상태에 빠지게 하다. ~**se** ① 혼수 상태에 빠지다. ② 동면하다. ③ 기면병(嗜眠病)에 걸리다.
aletazo *m.* ① 날개짓; 홰를 침. ② 지느러미로 휘젓기. ③ *Cuba*, *Chile*. 손바닥으로 때리기, 따귀 때리기. ④ 훔쳐내기.
aletear *intr.* ① 날개를 펄럭이다. ② 지느러미로 휘젓다. ③ 활개를 치다. ④ *Cuba*. 구차하게 살다.
aleteo *m.* ① 날개짓. ② 지느러미 움직이기. ③ 가슴이 심하게 두근거림.
aleto *m.* [새] 물수리.
aleudar *tr.* 발효시키다.
aleutiano, na *adj.*, *mf.* 알루샨 열도 (las islas Aleutianas)의 (사람).
alevín *m.* ① (양식의) 작은 물고기. ② 초심자. ③ [운동] benjamín과 infantil 사이의 연령별 선수 등급.
alevosamente *adj.* 배신하여.
alevosía *f.* (범죄의) 계획성; 배신, 배반, 불신: con ~ 계획적으로.
alevoso, sa *adj.* 배신[배반]의.
alexia *f.* [의학] 실독증(失讀症).
alexifármaco, ca *adj.* 항독(抗毒)의. —*m.* 해독제(contraveneno).
alexitéreo, a *adj.* =alexifármaco.
alfa *f.* [단수 관사: el · un(a)] ① (그리스 문자) 알파: partícula ~ 알파 입자. rayos ~ 알파선. ② 알파성(星). ¶ ~ *y omega* 시작과 끝; 전체.
alfabéticamente *adv.* 알파벳순으로.
alfabético, ca *adj.* 알파벳(순)의, 자모(字母)의: por [en] orden ~ 알파벳[ABC] 순으로.
alfabetización *f.* ① 알파벳순의 정리[배열]. ② 독서 교육[보급]; 문맹 교육.
alfabetizar (9) *tr.* ① 알파벳순으로 배열하다. ② 독서를 가르치다.
alfabeto *m.* 알파벳, 자모(字母).
alfaguara *f.* (기운차게 솟아나는) 샘, 솟아나오는 물.
alfajor *m.* ① [과자] 아몬드 · 봉밀(蜂蜜) 등으로 만든 케이크. ② *Arg.* 팥빵. ③ 비수, 단도.
alfalfa *f.* [식물] 알팔파, 자주개자리.
alfalfal *m.* 알팔파 목초지, 자주개자리 밭.
alfalfar[1] *m.* =alfalfal.
alfalfar[2] *tr.* *Chile.* …에 자주개자리를 심다.
alfandoque *m.* 대나무통.
alfanje *m.* ① 신월도(新月刀). ② [어류] 황새기.
alfanumérico, ca *adj.* 알파벳과 숫자로 이루어진.
alfaque *m.* 모래톱.
alfar *m.* 제도(製陶) 공장; 도토(陶土).
alfarería *f.* 제도(製陶) 공장; 도기점(陶器店), 도자기점; 도자기업.
alfarero, ra *mf.* 도공(陶工).
alfarje *m.* ① [건축] (올리브유의) 착유기, 착유장. ② [건축] 우물 반자.
alféizar[1] (9) *intr.* (창문에) 물매를 내다.
alféizar[2] *m.* [건축] (창문의) 물매.
alfañique *m.* ① 꽈배기 과자. ② 맵시(부리기). ③ 맵시꾼, 풍류객.
alfarecía *f.* ① 기수의 역할. ② (병의) 경련, 경기(驚氣).
alférez *m.* ① [육군 · 공군] 소위. ② [해군] ~ de fragata 소위. ~ de navío 중위. ③ *AmérM.* 제사 비용의 부담자.
alfil *m.* [장기] 말.
alfiler *m.* 핀, 브로치(broche).
alfilerar *tr.* 핀을 꽂다.
alfilerazo *m.* (핀 · 칼 같은 것으로) 찌르는 일.
alfilerero *m.* 바늘통, 핀통.
alfiletero *m.* =alfilerero.
alfombra *f.* 융단, 양탄자, 카펫.
alfombrado *m.* [집합] 양탄자, 융단류.
alfombrado, da *adj.* ① 융단이 깔린. ② 융단과 같은 그림이 그려진.
alfombrar *tr.* ① …에 융단[양탄자]을 깔다. ② 덮다.
alfombrero, ra *mf.* 양탄자 제조자.
alfombrilla *f.* ① 목욕실 깔개. ② (자동차의) 깔개. ③ [의학] 풍진(風疹).
alfombrista *mf.* 양탄자 상인[제조자].
alfóncigo *m.* [식물] 옻나무의 일종.
alfondoque *m.* =alfandoque.
alfonsí *adj.* [*pl.* ~(e)s] =alfonsino.
alfonsino, na *adj.* 알폰소(Alfonso) 왕

[파]의.

alforfón *m.* [식물] 메밀.

alforjas *f.pl.* 어깨 앞뒤로 늘어뜨려서 걸쳐 메는 여행용 부대, 안장 좌우로 늘어뜨리게 된 자루; 여행용 식량.

alforza *f.* 가로 주름; (옷의) 단.

alforzar (9) *tr.* (옷에) 단을 대다.

alfoz *m.* [역사] (도시의) 주변 지역.

alga *f.* [단수 관사: el · un(a)] [식물] 해초(海草), 바닷말. —*f.pl.* ① 조류(藻類). ② [요리] 해태, 김.

algalia *f.* ① 사향(麝香). ② [외과] 도뇨관. —*m.* =**civeta**.

algara *f.* (중세 · 적지에 침입 · 약탈한) 기병대, 그 기병대의 약탈행.

algarabía *f.* ① 아라비아 말. ② 영문 모를 일, 헛소리, 넋두리, 뜻이 분명치 않은 말[문장]. ③ 아우성, 왁자지껄, 소란. ④ [식물] 송이풀.

algarada *f.* ① 소동. ② =**algara**.

algavaro *m.* [곤충] 하늘소.

algazara *f.* 환성, 환호성, 아우성.

álgebra *f.* [단수 관사: el · un(a)] ① 대수(학). ② 접골술(接骨術).

algebraico, ca *adj.* 대수(학)의.

algébrico, ca *adj.* =**algebraico**.

algebrista *m.f.* ① 대수학자. ② 접골술 의사. ③ 뚜쟁이.

álgido, da *adj.* ① 최고조의, 한창인: punto ~ 최고조, 정점. ② 으시시[무척] 추운, 오한이 나는.

algina *f.* [화학] 알긴.

alginato *m.* 알긴 산염(酸鹽).

algo *pron.* ① 어떤 것, 무엇인가, 무엇이라도, 다소, 얼마간: Tengo ~ que hacer 나는 할 일이 조금 있다. ② [+de] (…의) 얼마간: tener ~ *de* buen sentido 얼마간의 양식이 있다. —*adv.* 약간, 얼마간: Entiendo ~ el latín 나는 라틴어를 약간 알고 있다.

algodón *m.* ① 무명, 솜, 면(綿), 목면(木棉); 면사(綿絲), 면포(綿布): ~ en rama 원면(原綿). ~ hidrófilo 탈지면. ~ pólvora [fulminante] 면화약(綿火藥). camiseta de ~ 면 셔츠. ② [식물] 목화, 면화(棉花).

algodonal *m.* 목화밭.

algodonar[1] *m.* =**algodonal**.

algodonar[2] *tr.* …에 솜을 넣다.

algodonero, ra *adj.* 솜의, 무명의, 면의: industria ~*ra* 면방직 공업. —*m.f.* 면화 제배자; 면방직공; 면방직 상인. —*m.* [식물] 목화.

algodonoso, sa *adj.* 솜[면(綿)] 같은; 면으로 덮인.

algoritmo *m.* [수학] 산술.

algorítmico, ca *adj.* 산술의.

alguacil, la *m.f.* (법원 · 시청의) 집행관, 집달관; (법원 · 시청의) 하급 관리. —*m.* ① 경찰관, 순경. ② 시청 직원. ③ =**alguacilillo**. ④ [동물] 파리잡이 물매암이. ⑤ 자물쇠 여는 기구. ⑥ [투우] 외양간의 열쇠 담당자.

alguacilillo *m.* [투우] 투우장의 두 선도자.

alguicida *m.* 살조제(殺藻劑).

alguien *pron.* ① 누가, 누구인지: si pasa ~ 누군가 지나가면. ② 인물, 사람 됨됨이.

algún *adj.* ☞alguno. ¶~ *tanto* 조금: Si estudias ~ *tanto* más, pasarás los exámenes 네가 공부를 조금 더 하면 시험에 합격할 것이다.

alguno, na *adj.* [남성 단수 명사 앞에서 algún이 됨] ① 어느, 어떤, 얼마간의: ~*nas* casas 집 몇 채. ~*s* libros 책 몇 권. *algún* día 언젠가. por *algún* motivo 어떤 동기로. ② 상당한. ③ …같은 것. ④ [부정 어구에서는 명사 뒤에 온다] sin duda ~*na* 아무런 의심도 없이. —*pron.* 누구인가; 어떤 것(들): ~ de nosotros 우리들 중의 누구인가.

alhaja *f.* ① [주로 *pl.*] 보석(joya). ② 가치가 있는 것, 장신구, 보물.

alhajar *tr.* ① 보석[장신구]으로 장식하다. ② 가구로 꾸미다, 세간을 들여놓다.

alhajera *f.* *Amér.* 보석함, 보석 상자.

alhajero *m.* *Amér.* =**alhajera**.

alharaca *f.* [주로 *pl.*] 아주 호들갑스러운 표정[몸짓].

alharma *f.* [식물] 운향, 헨루다.

alhelí *m.* [식물] 비단향꽃무.

alheña *f.* [식물] 쥐똥나무.

alhóndiga *f.* 곡물 시장; 곡물 저장소.

alhucema *f.* [고어] =**espliego**.

aliáceo, a *adj.* (냄새 · 맛이) 마늘 같은: sabor ~ 마늘 같은 맛.

aliado, da *adj.* 동맹(同盟)한: fuerzas ~*das* 연합군. naciones ~*das* 연합국. —*m.f.* 제휴자, 맹우(盟友), 지지자.

aliaga *f.* [식물] 바늘금작화.

aliagar *m.* 바늘금작화 밭[들].

alianza *f.* ① 동맹, 제휴: ~ militar 군사 동맹. ~ electoral 선거 제휴[협정]. ② 결합: ~ de dos factores 두 요소의 결합. ③ 결혼 반지. ④ 혼인, 인척 관계. ⑤ [종교] (신과 선민과의) 계약.

aliar *tr.* 동맹[연합 · 제휴]시키다. ~**se** ① [서로/+con] (…과) 동맹을 맺다, 제휴[연합]하다. ② [+a] …에 가맹하다.

aliara *f.* 뿔로 만든 술잔.

alias *adv.* 별명으로(는), 다른 이름으로(는). —*m.* 별명.

álibi *m.* 알리바이, 부재 증명.

alicaído, da *adj.* ① 날개를 늘어뜨린, 꽁지 깃이 처진. ② (육체적 · 정신적으로) 약한, 힘이 없는, 풀이 죽은.

alicante *m.* [동물] 독사의 일종.

alicantino, na *adj.*, *m.f.* 알리깐떼(Alicante, 발렌시아 지방의 주 · 주도)의 (사람).

alicatado *m.* 아라비아식 당초 무늬의 타일 공사.

alicatar *tr.* …에 타일을 붙이다.

alicates *m.pl.* 펜치, 장도리, 집게.

aliciente *m.* ① 매력: ~ de Córdoba 꼬르도바의 매력. ② [+para] 매력, 자극, 흥미, 유인: ~ *para* invertir 투자

유인.

alicuanta *adj.* [수학] 나눌 수 없는.

alícuota *adj.* ① [수학] 나눌 수 있는. ② 비례한, 균형을 이룬(proporcional).

alienable *adj.* 양도할 수 있는.

alienación *f.* ① (인간) 소외; 정신 착란, 발광, 광란. ② 양도. ③ 발주.

alienado, da *adj.* ① 소외된 (사람): sentirse ~ 소외감을 가지다. ② 정신 이상의, 미친, 광기의, 발광의.

alienante *adj.* 소외하는.

alienar *tr.* ① 양도하다. ② 발광시키다, 미치게 하다.

alienígena *adj.* 외계의; 외래의, 외국의. —*mf.* 외계[지구외] 생물; 외국인.

alienismo *m.* 정신병학.

alienista *adj.* 정신병의. —*mf.* 정신병 학자, 정신과 의사.

aliento *m.* ① 호흡, 숨, 날숨: de un ~ 단숨에, 쉬지 않고, 계속해서, 잇달아. ② 기력, 힘, 원기. ③ 격려.

alifafe *m.* (가벼운) 지병(持病), 만성병; (말의) 종양.

alifático, ca *adj.* [화학] 지방족의.

alífero, ra *adj.* ① 날개짓하는. ② 날개가 있는.

aliforme *adj.* 날개 모양의.

aligación *f.* ① 혼합. ② 합금. ③ 결합.

aligamiento *m.* =**aligación**.

aligar (8) *tr.* 결합하다; 합금하다.

aligátor *m.* [동물] 아메리카 악어, 큰 악어.

aligeramiento *m.* 경감(輕減).

aligerar *tr.* 가볍게 하다, 경감하다: ~ el dolor 고통을 덜다. ~ el paso 발걸음을 빨리하다, 서두르다. —*intr.* 서두르다. ~**se** 가벼워지다, 완화되다, 가라앉다; (하늘이) 개일 듯해지다.

aligustre *m.* [식물] 쥐똥나무.

alijar[1] *tr.* ① (배의 화물을) 내리다; (밀수품을) 양륙하다. ② 샌드페이퍼로 닦다. ③ 목화씨를 빼다.

alijar[2] *m.* 미개척지; 아라비아 타일.

alijo *m.* (짐의) 경감, 짐풀기; [집합] 밀수품.

alimaña *f.* (해로운) 짐승, 유해 동물.

alimentación *f.* ① 식물(食物)[영양]의 섭취[보급]: ~ equilibrada 균형 잡힌 식사. tienda de ~ 식료품점. ② (기계에 전력・연료 등의) 공급; 급식, 급유, 급수, 급전; 전원(電源).

alimentador, ra *adj.* 공급[보급]의[하는]. —*m.* ① 공급자, 보급자. ② [기계] 원료 공급 장치.

alimentar *tr.* ① …에게 식물(食物)[영양]을 공급하다; 부양하다, 기르다: ~ a *su* familia 가족을 부양하다. ~ al ganado 가축을 기르다. ② [+de] …을 …에 공급[보급]하다. ③ 배양하다, 길러내다: El dinero *alimenta* el ocio 돈은 나태심을 길러낸다. —*intr.* 영양(분)이 되다. ~**se** [+de・con] …을 먹다, …으로 영양을 섭취하다.

alimentario, ria *adj.* 식물(食物)의, 식품의: industria ~*ria* 식품 공업.

alimenticio, cia *adj.* 영양이 있는; 식물(食物)의, 먹을거리의.

alimento *m.* ① 먹을거리, 음식, 식물(食物), 식품: ~ natural 자연 식품. ~ del espíritu 마음의 양식. ② 영양: de mucho [poco] ~ 영양가가 높은[낮은]. ③ *pl.* 부양료(扶養料).

alimentoso, sa *adj.* 영양이 풍부한.

alimoche *m.* [새] 콘도르의 일종.

alimón *al* ~ 두 사람이(서), (투우사가) 두 사람이 하나의 가빠로 놀려서: escribir un libro *al* ~ 책을 공동 집필하다.

alindar *tr.* ① (소유지의) 경계선을 표시하다, (경계를) 정하다. ② 말끔하게 [깨끗하게] 하다, 예쁘게 하다. —*intr.* [서로/+con] (…과) 인접하다.

alineación *f.* ① 정렬, 일렬로 세움: ¡~, derecha! 우로 나란히! ② [정치] 연합: política de no ~ 비동맹 정책.

alineado, da *adj.* [estar+, con+] …을 지지[찬성]하는 (사람).

alineamiento *m.* ① 정렬. ② [고고학] 멘히르[선돌]의 열(列).

alinear *tr.* (일직선으로) 정렬하다, 놓다: árboles *alineados* 일직선으로 정렬된 나무. ~**se** ① 정렬하다. ② [정치] 협동 보조를 취하다, 진영에 들어가다: ~*se con* los países del bloque occidental 서방 진영과 협동 보조를 취하다. ③ [운동] [+en] (팀에) 들어가다[가입하다].

aliñar *tr.* ① 조리하다. ② 꾸미다. ③ *Chile.* 접골하다. ~**se** 화장하다, 옷치장을 하다.

aliño *m.* ① 장식, 치장. ② 장신구, 화장품. ③ 조미료. ④ *pl.* 안장.

aliñoso, sa *adj.* ① 장식한, 화장한, 차려 입은. ② 부지런한, 근면한.

alioli *m.* [요리] =**ajiaceite**.

alionín *m.* [새] 박새.

aliquebrado, da *adj.* 꽁지[깃]가 부러진; 날개가 처진; 풀이 죽은.

alirrojo, ja *adj.* 날개가 적색인.

alisado *m.* 반질반질하게 함; 빗질, 다리미질.

alisador, ra *adj.* 반질반질한, 대패질하는 (사람). —*m.* ① 롤러. ② *Ven.* 빗. —*f.* 평삭반(平削盤).

alisadura *f.* ①윤이 나게 함, 반질반질하게 함. ② *pl.* 대패밥.

alisar[1] *tr.* ① 반질반질하게 하다; 대패로 밀다. ② 빗으로 빗다, 빗질하다; 다리미질하다.

alisar[2] *m.* 오리나무 숲.

aliseda *f.* 오리나무 숲.

alisios *m.pl.* [기상] 무역풍. —*adj.* 무역풍의.

aliso *m.* [식물] 오리나무.

alistamiento *m.* ① (병적) 등록; 모병(募兵), 징모(徵募): ~ voluntario 병력 지원. ② [집합] (매년의) 병적 등록자.

alistar *tr.* ① 명부에 등록하다. ② 병적에 편입하다; 모병하다. ~**se** (병역에) 지원(支援)하다, 입대하다.

alita *f.* (수영 연습용의) 부낭(浮囊), 부대(浮袋).

aliteración *f.* ① [시] 두운법(頭韻法). ② 익살, 신소리.

aliviadero *m.* (댐 등의) 방수구.

aliviador, ra *adj., m.f.* 경감하는 (사람).

aliviar *tr.* ① 가볍게 하다, 경감하다, 줄이다, 덜다, 완화하다: ~ la carga 짐을 줄이다. ② [+de] …의 …을 덜어주다: ~ a María *de* un peso 마리아의 부담을 덜어 주다. ③ 편하게 하다[해주다], 돕다, 도와주다, 살려 주다: ~ el marido en [de] los trabajos 남편의 일을 돕다. ④ 구조하다. ⑤ (질병을 호전시키다. ⑥ (걸음을) 빨리하다, 재촉하다, 서둘러 하다. **~se** ① (고통 따위를) 덜다, 줄이다, 완화하다, 누그러지다. ② (질병 따위가) 호전되다, 회복되다. ③ 안심하다.

alivio *m.* ① 경감, 줄어듦. ② 쾌차, 경쾌. ③ 안도(安堵). ④ [은어] 변호사.

alizarina *f.* [화학] 알리자린.

aljaba *f.* 화살통, 전통.

aljama *f.* ① 모로인이나 유대인의 회합. ② 이슬람 사원. ③ 유대교 교회.

aljamía *f.* 아라비아 문자로 쓰인 스페인어; 그 문자[문학].

aljamiado, da *adj.* aljamía를 말한[로 쓰여진]: documento ~ aljamía로 쓰여진 서류.

aljibe *m.* ① =cisterna. ② [선박] 탱커. ③ (배의) 물탱크. ④ 샘.

aljófar *m.* ① 모양이 불규칙한 진주. ② 진주 같은 것.

aljofarar *tr.* ① 알이 작은 진주로 꾸미다. ② 진주 같은 것을 꾸미다.

allá *adv.* ① 저쪽으로, 저곳에, 그 부근에서: ~ en México 저 먼 멕시코에서. ② 아득히 먼, 옛날에.

allanador, ra *adj., m.f.* 땅을 고르는 (사람). *—m.* 롤러.

allanamiento *m.* ① 땅 고르기. ② 복죄(服罪). ③ 스스럼없음.

allanar *tr.* ① 편평하게 하다, 고르다: ~ el suelo 땅을 고르다. ② (장애물을) 치우다, 무너뜨리다, (어려운 일을) 해결[극복]하다: ~ los obstáculos 장애물을 치우다. ③ 진정하다. ④ 사양하지 않고 들어오게 하다, 해방하다. ⑤ 가택을 침입하다. *—intr.* 편평해지다, 반반해지다. **~se** ① 편평하게 되다. ② 무너지다. ③ 달게 받다, 복종하다, 따르다. ④ 평민[평회원]이 되다.

allegado, da *adj.* ① 가까운, 근접한. ② 가까워진, 연고자의. *—m.f.* ① 친족, 친척, 혈연자. ② 측근; 친한 친구. ③ 동조자, 지지자.

allegar (8) *tr.* ① 끌어들이다, 줍다, 모으다, 채집하다. ② 접근시키다. ③ 부과하다. *—intr.*, **~se** 가까이 오다, 가까워지다, 한통속이 되다.

allende *adv.* ① 저 너머 (멀리): de ~ los mares 바다 저 너머. ② 그 위에.

allí *adv.* ① 저기, 저 곳에서, 저 곳에, 저 곳으로: aquí y ~ 여기저기. *Allí* estuve 나는 저 곳에 있었다. ② 그 때, 그럴 즈음에.

alma *f.* [단수 관사: el·un(a)] ① 혼, 영혼; 마음, 정신; 사람, 인간: No hay un ~ 한 사람이 없다. ② 중심 인물, 주모자. ③ 진수, 핵심.

almacén *m.* ① 창고: ~ aduanero 보세 창고. ② 가게, 상점; *AmérM.* 식료품점. ③ *pl.* 백화점. ④ (배의) 물탱크, 빗물통. ⑤ (총의) 탄창. ⑥ *AmérM.* 식료품점.

almacenaje *m.* 저장, 창고 보관; 창고 사용료[보관료].

almacenamiento *m.* 입고; 저장; 보관; [컴퓨터] 기억; [집합] 저장물.

almacenar *tr.* ① (창고에) 보관시키다, 보세 창고에 예치시키다. ② 저장하다; 보관하다; 모으다.

almacenero, ra *m.f.* ① 창고지기, 창고 관리인, 창고 업자. ② *AmérM.* 식료품점 주인[점원].

almacenista *m.f.* 도매업자; 창고업자; 백화점 점원.

almáciga *f.* ① 묘상, 못자리. ② 유향.

almácigo *m.* ① [식물] 유향수. ② 묘상(苗床), 못자리.

almádana *f.* =almádena.

almádena *f.* 작은 쇠망치.

almadía *f.* 뗏목, 통나무배.

almadraba *f.* 다랑어; 다랑어 낚시[어장·그물].

almagrar *tr.* ① (…에) 자토를 칠하다. ② (…에) 표시하다. ③ 피를 흘리게 하다.

almagre *m.* 자토(赭土), 석간주.

alma-máter *f. lat.* 추진력, 활력.

almanaque *m.* 역(曆), 달력; (탁상용의) 달력, 캘린더; 연감.

almario *m.* =armario.

almarjo *m.* [식물] 퉁퉁마디.

almazara *f.* 올리브유 공장; 유착기.

almeja *f.* [동물] 바지락조개.

almena *f.* [축성] (옛 성의) 총안을 낸 돌출부.

almenar[1] *tr.* (옛 성에) 총안 사이의 볼록한 벽을 만들다.

almenar[2] *m.* 화톳불 받침(의 다리).

almenara *f.* 봉화, 신호등; 촛대.

almendra *f.* 편도 열매.

almendrado, da *adj.* 편도(扁桃) 모양의. *—m.* 편도 과자.

almendral *m.* ① 편도[아몬드] 밭. ② =almendro.

almendrilla *f.* 자갈, 잔돌.

almendro *m.* [식물] 편도나무, 아몬드(나무).

almendruco *m.* 풋 편도.

almeriense *adj., m.f.* 알메리아(Almería, 안달루시아 지방의 주·주도)의[에 관한] (사람).

almete *m.* [군사] 투구, 철모.

almez *m.* [식물] (아메리카 산의) 팽나무의 일종; 팽나무 열매[재목].

almiar *m.* 보릿단, 보릿가리, 볏가리.

almíbar *m.* ① 시럽, 당밀. ② 연하고

달콤한 과일즙.

almibarado, da *adj.* ① 달콤한, 부드러운. ② 알랑거리는.

almibarar *tr.* ① 당밀로 싸다. ② 구슬리다, 사탕 발림 소리를 하다.

almidón *m.* ① 녹말, 전분(澱粉). ② 전분으로 만든) 풀, 세탁풀.

almidonado, da *adj.* ① 풀을 먹인. ② 깔끔한. —*m.* 풀을 먹임, 풀칠하기.

almidonar *tr.* …에 풀을 먹이다.

almimbar *m.* (이슬람 사원의) 설교단.

alminar *m.* (이슬람 사원의) 탑.

almirante *m.* 해군 대장, 제독: ~ de la flota 해군 원수. —*f.* 기함(旗艦).

almirantazgo *m.* 해군 대장의 지위[관구]; (옛날의) 해사 재판소.

almirez *m.* 절구통.

almizclado, da *adj.* 사향이 뿌려진.

almizcle *m.* 사향(麝香).

almizcleño, ña *adj.* 사향 냄새가 나는.

almizclero, ra *adj.* =almizcleño. —*m.* [동물] 사향노루. —*f.* [식물] 사향 냄새가 나는 여러 가지 식물.

almocafre *m.* 호미의 일종.

almodóvar *f.* [군사] 진지, 요새.

almófar *m.* 투구 안에 쓰는 두건.

almogávar *m.* (국토 회복 시대에 적지에 원정한) 선발병.

almohada *f.* ① 베개; 베갯잇. ② (의자용의) 쿠션. ¶*consultar con la* ~ 심사 숙고하다, 깊이 생각하다.

almohadilla *f.* ① 바늘겨레, 바늘방석; 안장 방석. ② *Chile.* (뜨거운 것을 집는) 집게. ③ [건축] 주두(柱頭)의 반침. ¶ ~ ***higiénica*** 월경대.

almohadillado *m.* 부조(浮彫).

almohadillar *tr.* [건축] 주두의 받침에 사각석(四角石)을 세공하다.

almohadón *m.* 긴 방석, 쿠션.

almojaya *f.* [건축] 비계, 발판(용의 통나무).

almóndiga *f.* =albóndiga.

almoneda *f.* ① (주로 고물의) 경매; 경매장. ② 바겐세일.

almonedear *tr.* 경매에 붙이다; 헐값으로 팔다.

almorrana *f.* [주로 *pl.*] 치질.

almorta *f.* [식물] 흰 완두.

almorzar (9) (24) *intr.* 점심을 먹다. —*tr.* 점심에 …을 먹다: ~ pescado 점심에 생선을 먹다.

almuecín *m.* (사원의 탑에서 기도 시간을 알리는) 회교승.

almuédano *m.* =almuecín.

almuerzo *m.* [주로 *Amér.*] 점심; (일부 농촌에서) 아침밥; (원래는) 아침밥(desayuno)과 점심(comida) 사이에 먹는 간식: tomar el ~ 점심을 먹다.

aló *interj.* (주로 중남미에서 전화를 거는 측이) 여보세요(Oiga).

alocado, da *adj.* 미친 사람 같은.

alocarse *r.* 실성하다.

alocución *f.* (중요 인물의) 짧은 연설, 담화; 훈시.

alodial *adj.* 면제된, 자유 지역의.

alodio *m.* 비과세 부동산; 자유 지역.

aloe *m.* =áloe.

áloe *m.* [식물] 알로에, 노회; 노회즙.

alófono *m.* [언어] 이음(異音).

aloja *f.* 벌꿀술.

alojamiento *m.* ① 숙박; 숙소: buscar ~ 숙소를 찾다. ② 숙영(지).

alojar *tr.* ① 숙박시키다. ② 숙영시키다. ③ 끼우다. —*intr.*, ~**se** 묵다, 숙박하다, 숙영하다.

alomorfo *m.* [언어] 이형태(異形態).

alón *m.* 날갯죽지 부분.

alondra *f.* [새] 종달새, 종다리.

alopata *adj.* 대중 요법(大衆療法)을 쓰는. —*mf.* 대중 요법 의사.

alopatía *f.* 대중 요법.

alopáticamente *adv.* 대중 요법으로.

alopático, ca *adj.* 대중 요법의.

alopecia *f.* [의학] 탈모증(脫毛症).

alopécico, ca *adj.* 탈모증의.

aloque *adj.* 연분홍색의. —*m.* 연분홍색 포도주.

alosoma *f.* 이질 염색질.

alotropía *f.* [화학] 동소(체), 동질 이체, 동질 이형, 동질(성).

alotrópico, ca *adj.* 동소(체)의, 동질 이형[이체]의.

alpaca *f.* ① [동물] 알파카; 알파카 털(의 직물). ② (광택이 있는) 면포(綿布). ③ [금속] 양은(洋銀).

alpargata *f.* 샌들.

alpargatado, da *adj.* ① 샌들을 신은. ② 샌들 모양의.

alpargatar *tr.* 샌들을 만들다.

alpargatería *f.* 샌들 공장[상점].

alpargatero, ra *mf.* 샌들 장수[제조자].

alpechín *m.* (올리브의) 떫은 즙.

alpestre *adj.* ① 알프스산의. ② 험준한; 산악의, 고산의: flora ~ 고산 식물. —*mf.* 등산가.

alphorn *m.* [음악] 알프호른.

alpinismo *m.* 등산.

alpinista *mf.* (전문적인) 등산가; 산악회원: botas de ~ 등산화.

alpino, na *adj.* ① 알프스(los Alpes)의: Cordillera *Alpina* 알프스 산맥. ② 산악의, 고산의: batallón ~ 산악 부대. deporte ~ 산악 스포츠. ③ 알프스 조산(造山) 운동의. —*mf.* 등산가; 산악 부대원.

alpistera *f.* 밀가루·달걀·참깨로 만든 전병 (과자).

alpistela *f.* =alpistera.

ALPRO *f.* Alianza para el Progreso 진보를 위한 동맹.

alpujarreño, ña *adj.*, *mf.* 알뿌하라스(las Alpujarras; 그라나다에서 알메리아에 걸친 산악 지대)의 (사람).

alquequenje *m.* [식물] 꽈리.

alquería *f.* 농가, 농장.

alquilar *tr.* ① 임대하다: ~ una casa 집을 임대하다. ② 임차하다. ~**se** ① 임대하다: *Se alquila* piso [게시] 아파트 임대함. ② 삯일을 하다.

alquiler *m.* ① 임대(차), 리스: casa de

~ 셋집. coche de ~ 렌터카, 임대 자동차. dar [tomar] en ~ 임대하다, 빌리다. ② 임대료, 임차료: ~ de casa 집세.
alquimia *f.* 연금술(鍊金術).
alquímico, ca *adj.* 연금술의[같은].
alquimista *m.f.* 연금술사.
alquitara *f.* 증류기(alambique).
alquitrán *m.* 타르, 역청.
alquitranado *m.* 타르 포장.
alquitranar *tr.* …에 타르를 바르다.
alrededor *adv.* ① 주위에. ② 약, 대략, …가량, …정도: ~ *de* las tres de la tarde 오후 세 시경에. —*m.* ① 주위. ② *pl.* 교외: los ~*es* de Seúl 서울의 교외.
alsaciano, na *adj., m.f.* 알사스(Alsacia)의 (사람).
álsine *f.* [식물] 별꽃.
also *m. AmérC.* 절도; (싸움의) 승리.
alta *f.* [단수 관사: el · un(a)] ① (단체 등에) 가입. ② (세무서에) 소득 신고. ③ (병원의) 퇴원 허가, 완쾌 증명서. ④ [기상] 고기압.
altaico, ca *adj.* 알타이(Altai) [산맥 · 어족]의. —*m.f.* 알타이족의 사람. —*m.* 알타이어.
Altaír *m.* [천문] 견우성.
altamente *adv.* 높게; 비상히, 극도로.
Altamira (Cueva de) 알타미라 동굴.
altaneramente *adv.* 오만(傲慢)하게, 교만하게, 거만하게.
altanería *f.* ① 매사냥. ② 오만, 교만, 거만(함). ③ (새가) 높이 나는 일. ④ (대기의) 성층권.
altanero, ra *adj.* ① (새가) 높이 나는. ② 오만한, 교만한, 거만한, 건방진.
altar *m.* 제단(祭壇), 성찬대.
altaricón, na *adj.* 거한(巨漢)의, 장승 같은.
altavoz *m.* 확성기.
alterabilidad *f.* 가변성(可變性), 변하기[상하기] 쉬움.
alterable *adj.* 가변성의, 바꿀 수 있는; 불안정한.
alteración *f.* ① 변화, 변경, 변질: ~ del horario 시간표의 변경. ~ de la leche 우유의 변질. ② 개작(改作). ③ 혼란, 동요. ④ 다툼, 싸움, 분쟁.
alteradizo, za *adj.* 변질하기[되기] 쉬운; 마음이 잘 변하는.
alterado, da *adj.* ① 형태가 바뀐. ② 정신 착란의, 불안한.
alterador, ra *adj.* 바꾸는, 변질시키는; 동요하는; 당황하는.
alterante *adj.* 변질의. —*m.* 변질약; 변색제.
alterar *tr.* ① (구성 · 형성 등을) 바꾸다, 변경하다: ~ un texto 문장의 자구를 고치다. ~ la verdad 진실을 왜곡하다. ② (질서 등을) 혼란하게 하다, 교란시키다: ~ la paz 평화를 교란시키다. ③ (사람을) 동요시키다, 불안하게 하다. ④ 변질[악화]시키다, 상하게 하다, 해치다: ~ la salud 건강을 해치다. ~**se** ① 변하다, 변질하다. ② 동요하다; 놀라 당황하다.
altercación *f.* 말다툼, 언쟁; 논쟁.
altercado *m.* 언쟁, 논쟁.
altercador, ra *adj.* 싸움[논쟁]을 좋아하는. —*m.f.* 말썽꾼, 말썽꾸러기.
altercar (7) *intr.* 입씨름하다, 말다툼하다, 언쟁하다, 논쟁하다.
álter ego *m. lat.* 제이의 자아(自我), 다른 자기.
alternable *adj.* 교대[교체]하기 쉬운.
alternadamente *adv.* =alternativamente.
alternado, da *adj.* =alternativo.
alternador, ra *adj.* 교대하는. —*m.* 교류 발전기.
alternadora *f. AmérM.* (주점의) 종업원, 호스티스.
alternante *adj.* 교대하는, 상호(相互)의.
alternancia *f.* 교대, 교체.
alternar *intr.* ① [+con] (…과) 교대하다, 번갈아 하다. ② (주로 사회적 지위가 높은 사람과) 교제하다. ③ (바 등에서 호스티스가) 접객하다. —*tr.* 교대로 하다[행하다], 서로 번갈아 하다: ~ el trabajo con el estudio 일과 공부를 교대로 하다. ~**se** 교대하다.
alternativa *f.* ① 교대, 교체; (여러 가지 중의 하나의) 안(案), 대안(代案): ~ de proyectos 대체 프로젝트. ~ democrática 민주적 정권 교체. ② 양자 택일. ③ *pl.* 영고 성쇠(榮枯盛衰); (병상의) 일진 일퇴. ④ [투우] 견습에서 마따도르(matador)로 되는 의식 ((물레따 (muleta)와 칼을 줌)).
alternativamente *adv.* 번갈아, 엇갈려서: mover ~ los brazos 팔을 번갈아 움직이다.
alternativo, va *adj.* 교호(交互)의.
alterne *m.* (바 등의) 접객.
alterno, na *adj.* ① 엇갈린, 엇바뀐, 교착한, 교호의. ② 호생(互生)의. ③ 교류(交流)의.
alteza *f.* ① [칭호] 전하(殿下). ② (사상 등의) 높음; 고결함, 숭고함.
altibajo *m.* ① (고대의) 우단(羽緞), 벨베틴. ② 칼로 내려침. ③ *pl.* (토지의) 고저(高低), 기복(起伏), 요철; 인생의 기복[부침].
altica *f.* [곤충] 풍이.
altillano *m.* 고원(altiplanicie).
altillanura *f.* =altillano.
altillo *m.* ① 언덕. ② *Arg., Ecuad.* (옥내의) 다락방. ③ *Perú* =entresuelo. ④ *AmérM.* 다락방.
altilocuencia *f.* 대웅변.
altilocuente *adj.* =grandilocuente.
altimetría *f.* 고도[앙각] 측량(법 · 학), 측고법.
altimétrico, ca *adj.* 측고의, 측고법에 의한(altímetro).
altímetro, tra *adj.* 측고의, 측고법에 의한. —*m.* 고도계.
altipampa *f. AmérM.* =altiplanicie.
altiplanicie *f.* 고원, 대지(臺地).

altiplano *m. AmérM.* =altiplanicie.
altipuerto *m.* 고지 비행장.
Altísimo[1] *m.* 신(神): rogar al ~ 신에게 빌다.
altísimo[2], **ma** *adj.* 지고(至高)한, 지극히 높으신.
altisonancia *f.* 음향[가락]이 높은 일.
altisonante *adj.* 잘 울리는, 가락이 높은, 고조의.
altisonantemente *adv.* 음향이 높게, 가락이 높게.
altitonante *adj.* [시어] 높은 곳에서 울려 오는.
altitud *f.* ① 고도, 표고. ② 높이.
altivamente *adv.* 거만하게, 오만하게, 으스대며, 뻐기고, 거들먹거리며.
altivarse *r.* =altivecerse.
altivecerse (31) *r.* 거만스럽다, 오만스럽다, 으스대다.
altivez *f.* 거만(함), 오만(함), 불손, 자존심: con ~ 거만하게, 오만하게.
altiveza *f.* =**altivez.**
altivo, va *adj.* 거만한, 오만한, 거드름 피우는, 자존심 많은, 젠체하는.
alto, ta *adj.* ① 높은, 고도(高度)의: ~ funcionario 고급 공무원. casa *~ta* 높은 집. edificio ~ 높은 건물. precio ~ 높은[비싼] 값. en voz *~ta* 높은[큰] 소리로. ② 키가 큰: árbol ~ 키가 큰 나무. muchacho ~ 키가 큰 소년. ③ 위에 있는, 높은 데 있는: clases *~tas* 상류 계급. piso ~ (1층에 대해) 2층이나 3층. ④ 고도의, 지독한. ⑤ 높아진: río ~ 물이 불어난 강. ⑥ (나무·작물이) 크게 자란. ⑦ 시각[시기]이 늦어진: a las *~tas* horas de la noche 깊은 밤에. —*m.* ① 높이(altura): dos metros y medio de ~ 높이 2미터 반. ② 고도, 언덕, 고원. ③ 바다에서 가장 먼 나라. ④ (하층에 대해) 위층, 상층. ⑤ 중지, 정지, 휴지(休止): hacer ~ 서다, 멈추다, 정지하다; 깊이 생각하다. ⑥ [음악] 중음부, 알토. ⑦ *Amér.* 산적(山積), 더미; 대량: un ~ de libros 책 더미. —*adv.* ① 위에, 높은 곳에, 높이: volar ~ 높이 날다. ② 큰 소리로, 높은 소리로: hablar ~ 큰 소리로 말하다. —*interj.* 정지!, 중지!, 서라! ¡*Alto* ahí! 거기 서라!, 게 섰거라! ¶***de ~ a bajo*** 위에서 아래로. ***echar por ~*** 경시하다; 낭비하다. ***pasar por ~*** ㉮ 묵인하다. ㉯ 무시하다: *pasar por ~* las realidades 현실을 무시하다.
altocúmulo *m.* [기상] 고적운(高積雲), 높쌘구름, 양떼구름.
altoestrato *m.* [기상] 고층운(高層雲), 높층구름.
altoparlante *m.* 확성기, 라우드 스피커.
altorrelieve *m.* [조각] 고부조(高浮彫), 높은 돋을 새김.
altostrato *m.* [기상] =altoestrato.
Alto Volta *m.* [국명] 오트볼타.
altozano *m.* ① *Amér.* 작은 언덕, 높은 지대. ② (교회·성당의) 앞복도.
altruismo *m.* 이타(심), 애타 (정신), 이타[애타]주의.
altruista *adj.* 이타적인, 애타주의적인. —*mf.* 이타[애타]주의자.
altura *f.* ① 높이, 고도; 해발; 신장. ② 탁월(함), 우수(함); 고결함, 숭고함: programa de ~ 근사한[멋진] 프로그램. ③ 고소(高所), 높은 곳: a gran ~ 높은 곳에. ④ [문어] 층(piso). ⑤ [음악] 음의 높이. ⑥ [천문] 고도(高度). —*pl.* ① 산꼭대기, 산정(山頂), 고공(高空), 높은 공중, 하늘: Dios en las *~s* 하늘에 계신 하느님. volar por las *~s* 높은 공중을 날다. ② 상사(上司), 상관, 간부(幹部).
alúa *f. AmérM.* [곤충] 개똥벌레.
alubia *f.* 강낭콩(judía).
alucinación *f.* ① 환상: ~ auditiva 환청. ② 도취, 매료.
alucinador, ra *adj.* ① 환상을 일으키는: efecto ~ 환상 효과. ② 도취시키는, 매혹[매료]시키는: ojos *~es* 사람을 매료시키는 것 같은 눈.
alucinamiento *m.* =**alucinación.**
alucinante *adj.* ① =**alucinador.** ② [구어] 강렬한 인상의.
alucinar *tr.* ① 환상[환각]을 일으키다. ② [구어] 도취시키다, 매료[매혹]하다; 경탄케 하다. **~se** ① 환상을 경험하다. ② [+de·con] (…에) 도취하다, 환각[환상]에 빠지다.
alucine *m.* 놀람, 경탄.
alucinógeno, na *adj.* 환각을 일으키는. —*m.* 환각제.
alud *m.* 눈사태, 설붕(雪崩).
aludir *intr.* ① [+a] (…에) 넌지시 빗대어 말하다, 은연중에 시사하다. ② 인유(引喩)하다.
alumbrado, da *adj.* ① 조명하는, 불을 켠; 밝은. ② 얼근하게 취한. ③ 명반이 함유된. ④ [종교] 광명종의. —*m.* ① 조명 (장치·설비): ~ artificial 인공 조명. ② 명반 가공. ③ 광명종에 속한 사람.
alumbramiento *m.* ① 조명. ② 출산; [의학] 산후(産後): buen ~ 순산, 안산(安産). tener un feliz ~ 순산하다.
alumbrar *tr.* ① 비추다, 조명하다: ~ por la escalera 층계를 비추다. ② (…에) 조명 (장치)를 하다, 밝히다: ~ el salón 홀을 밝히다. ③ 등불[촛불]을 밝혀 들고 따르다. ④ (맹인을) 눈뜨게 하다, (…에) 빛[광명]을 주다. ⑤ 계발[계몽]하다. ⑥ (타격을) 가하다. ⑦ (지하수를) 퍼올리다. ⑧ 명반액에 적시다, (물을) 명반으로 맑게 하다. ⑨ *Amér.* (가진 돈을) 보이다. ⑩ *Amér.* (알을) 햇빛에 비쳐 검사하다. —*intr.* ① 비치다. ② 출산하다, 낳다(parir). **~se** 얼근하게 취하다.
alumbre *m.* [화학] 명반(明礬).
alumina *f.* [화학] 알루미나, 산화 알루미늄.
aluminio *m.* 알루미늄.
aluminosis *f.* [의학] 알루미늄 진폐증.

aluminoso, sa *adj.* 알루미나를 함유한.
aluminotermia *f.* [야금] 알루마이트법.
alumita *f.* 알루마이트 ((합금)).
alumnado *m.* [집합] (한 학교의) 학생 전체.
alumno, na *m.f.* (선생이 보는) 학생, 생도: ~ de la universidad 대학생.
alunado, da *adj., m.f.* =lunático.
alunarse *r.* ① 염증이 생기다. ② (말이) 안장에 쓸린 상처가 생기다. ③ 썩다, 부패하다.
alunífero, ra *adj.* 명반을 함유한.
alunizaje *m.* 달착륙, 월면 착륙.
alunizar (9) *intr.* 달[월면]에 착륙하다, 월면에 착지하다.
alusión *f.* 시사, 암시, 빗댐, 인용, 언급; 인유(引喩): ~ personal 개인적 언급. hacer ~ a *algo* …을 넌지시 말하다.
alusivamente *adv.* 넌지시, 빗대어.
alusivo, va *adj.* 암시적인, 넌지시[빗대어] 말하는; 인용하는.
aluvial *adj.* [지질] 충적토의.
aluvión *m.* ① 홍수, 범람. ② [지질] 충적토, 충적층. ③ 다량의 유입(流入): ~ de trabajadores extranjeros 외국인 노동자의 대량 유입.
aluzar (9) *tr. AmérC.* =alumbrar.
álveo *m.* 하상(河床), 개울 바닥.
alveolar *adj.* ① 잇몸의. ② [해부] 치조(齒槽)의; 폐포(肺胞)의: arco ~ 치조궁. ③ [언어] consonante ~ 치경음.
alveolitis *f.sing.pl.* [의학] 치조염.
alveolo *m.* =alvéolo.
alvéolo *m.* ① 작은 구멍. ② [해부] 잇몸, 치조, 치조 돌기: ~ dental 치조.
alza *f.* [단수 관사: el · un(a)] ① (가격 · 온도 등의) 상승, 등귀: ~ del precio 가격 등귀. ② (총의) 가늠자, 조척(照尺). ③ 밑받침. ④ (구두의) 깔창. ⑤ *AmérM.* (소맥의) 수확. ⑥ *AmérM.* 알사 ((에꾸아도르의 민속 무용)).
alzacuello *m.* (성직자 · 법관 등의) 정장용 가슴 장식품.
alzado, da *adj.* ① 높이 올린. ② 청부맡은. ③ 위장 파산하는. ④ 암내가 난. —*m.* ① 청부액. ② 위장 파산. ③ (건축의) 정면도. ④ (건축 · 기계의) 설계도. ⑤ 뱃전의 높이. —*f.* ① 말의 키[높이]. ② [법률] 공소, 상고.
alzamiento *m.* ① 상승, 높이 올리기. ② 반란, 봉기. ③ [경매] 서로 값을 끌어올림. ④ 위장 파산.
alzapaño *m.* (커튼의) 주름술; 주름술을 거는 철제 걸이.
alzaprima *f.* ① 지레(palanca); 받침 쐐기. ② (현악기의) 줄받침. ③ *AmérM.* 목재 운반용의 트롤리 차[이륜차].
alzapuertas *m.sing.pl.* [연극] 단역.
alzar (9) *tr.* ① 올리다, 높이다: ~ la mano 손을 올리다. ② 받들다, 추대하다: ~ por presidente 사장으로 추대하다. ③ (돛을) 올리다. ④ 가져가[치워] 버리다: ~ los manteles 식탁보를 치우다. ⑤ 챙겨 넣다, 빼앗아 버리다, 감추다, 숨기다. ⑥ 상고하다. ~**se** ① 피하다. ② 위장[사기] 파산을 하다. ③ 우쭐거리다. ④ 봉기하다, 반란을 일으키다. ⑤ [+con] (…을 가지고) 도망하다, 횡령[착복]하다. ⑥ *Amér.* (가축이) 산으로 달아나다. ⑦ *Col.* 술에 취하다.
a.m. *lat.* ante meridiem 오전(의).
ama *f.* [단수 관사: el · un(a)] ① ☞ amo: ~ de casa 주부. ② (주로 성직자의 집의) 가정부. ③ 유모(乳母).
amabilidad *f.* 친절: Estoy agradecido por su ~ 귀하의 친절에 감사하고 있습니다.
amabilísimo *adj.* 매우 친절한.
amable *adj.* ① 친절한: Es usted muy ~ 친절에 감사드립니다. ② 다정한, 사랑스런, 상냥한.
amacayo *m. Amér.* 백합꽃.
amachinarse *r. Amér.* =amancebarse.
amado, da *adj.* 사랑하는: mi hijo ~ 내 사랑하는 아들. —*m.f.* 애인, 연인: mi ~*da* 나의 사랑하는 사람.
amadrinamiento *m.* 대모(代母)가 되기.
amadrinar *tr.* ① …의 대모가 되다. ② 둘을 붙들어 매다.
amaestrador, ra *adj.* 훈련하는, 가르치는. —*m.f.* 조련사.
amaestramiento *m.* 훈련, 조련, 조교.
amaestrar *tr.* (주로 동물을) 훈련[조련 · 조교]하다.
amagar (8) *intr.* ① 꾸미다, 거동하다, 티를 내다, 척하다. ② (무슨 일이) 일어날[있을] 것 같다. —*intr.* ① 있을 것 같다. ② [+a] …할 듯이 보이다. ③ 질병의 징조가 보이다: ~ el accidente 발작이 일어날 것 같다.
amago *m.* ① 징후. ② [군사] 양동 작전(~ de ataque). ③ 위협, 협박.
amainar *intr.* ① 기운이 죽다. ② 가라앉다. ③ 견디다, 참다. —*tr.* ① (돛을) 내리다. ② (갱내에서) 철수하다, 나오다. ③ 기운을 죽이다, 부드러워지게 하다, 달래다.
amalgama *f.* ① [화학] 아말감; 아말감광(鑛). ② (잡다한 것의) 혼합.
amalgamación *f.* 혼합; (회사 등의) 합병(合倂).
amalgamamiento *m.* =amalgamación.
amalgamar *tr.* ① (수은과) 섞다. ② 뒤섞다, 혼합하다. ③ 합병하다, 합동하다. ~**se** 섞이다, 합병되다.
amamantamiento *m.* 수유(授乳); 양육.
amamantar *tr.* ① …에게 수유하다, 젖을 먹이다. ② 기르다, 양육하다.
amancay *m.* [식물] 황수선의 일종.
amancebamiento *m.* [고어] 동거, 내연 관계, 불의, 정교(情交).
amancebarse *r.* 동거하다, 내연 관계에 있다, 불륜의 관계[정교]를 맺다.
amanecer (31) *intr.* ① [단인칭] 날이 새다, 동이 트다. ② (어떤 장소 · 상태에서) 아침을 맞이하다. ③ 새롭게 시작하다, 출현하다. —*m.* 여명, 동틀녘.

amanecida *f.* 여명, 동틀녘.
amaneradamente *adv.* 거드름부리며, 틀에 박힌 듯이.
amanerado, da *adj.* ① 교양이 있는. ② 거드름피우는. ③ 틀에 박힌.
amaneramiento *m.* 거드름피우기; 매너리즘, 틀에 박혀 묘미가 없는 일.
amanerarse *r.* ① 싫어지다, 얄미워지다. ② 매너리즘에 빠지다, 틀에 박히다.
amanita *f.* [식물] 버섯의 일종.
amansador, ra *adj.* 길들이는. —*m.f.* *Amér.* (말의) 조련사.
amansamiento *m.* 조련, 길들이기.
amansar *tr.* 길들이다, 조련하다.
amante *adj.* [+de] (…을) 사랑하는: ser ~ *de* la paz 평화를 사랑하다. —*m.f.* ① 애인, 연인, 정부(情夫), 정부(情婦). ② 애호가.
amanuense *m.f.* ① 구술 필기자. ② 비서. ③ 필사생; 필경(筆耕).
amanzanar *tr.* *Amér.* (토지를) 구획(manzana)으로 나누다, 구획 정리하다.
amañado, da *adj.* ① 노련한, 숙련된. ② 가짜의, 거짓의.
amañar *tr.* 교묘하게 만들다, 위조하다. ~**se** 숙달되다, 솜씨를 보이다.
amaño *m.* 손재주, 재치.
amapola *f.* [식물] 양귀비.
amapolarse *r.* 얼굴을 붉히다.
amar *tr.* 사랑하다, 좋아하다, 연모하다 (querer): ~ a Dios 하나님을 사랑하다. ~ a la patria 조국을 사랑하다. *Amarás* a tu prójimo como ti mismo 네 이웃을 네 몸과 같이 사랑하라.
amaraje *m.* [항공] 착수(着水).
amaranto *m.* [식물] 색비름.
amarar *intr.* (수상기 등이) 착수하다.
amargado, da *adj.* 씁쓰레해진.
amargar (8) *intr.* ① 씁쓰레하다. ② 마음 아프다, 가슴 쓰리다. —*tr.* 고통을 주다, 쓰게 하다, 고통스럽게 하다.
amargamente *adv.* 냉혹하게, 모질게.
amargo, ga *adj.* ① 맛이 쓴, 쓴맛의. ② 고통스러운, 슬픈; 불유쾌한, 무뚝뚝한. —*m.* 쓴맛, 쓴 것: A mi madre gustó lo ~ 내 어머님께서는 쓴 것을 좋아하셨다.
amargor *m.* ① 쓴맛. ② 슬픔, 언짢음.
amarguera *f.* 미나리과 식물.
amarguillo *m.* 씁쓸한 과자.
amargura *f.* ① 맛의 씀(amargor). ② 쓴맛(sabor amargo). ③ 비통, 고통.
amariconado, da *adj.* 여자 같은 (남자), 동성애의 (남자).
amariconarse *r.* 여성적으로 되다.
amalisis *f.sing.pl.* [식물] 아마릴리스.
amarillear *intr.* 황색으로 보이다, 누르스름하다.
amarillecer (31) *intr.* 누르스름해지다.
amarillento, ta *adj.* 누르스름한.
amarillismo *m.* [경멸] (신문의) 센세이셔널리즘, 어용 조합주의.
amarillista *adj.* 센세이셔널리즘의, 어용 조합적인.
amarillo, lla *adj.* 노란, 황색의, 황색 인종의: raza ~*lla* mongólica 황색 인종. —*m.* ① 노랑, 황색. ② 황색 인종. ③ (신호의) 노랑. ④ 누에의 이상면(異常眠).
amariposado, da *adj.* 나비 모양의; 여성적인.
amarizaje *m.* =amaraje.
amarizar (9) *intr.* =amarar.
amaro *m.* [식물] 샐비어.
amarra *f.* ① [선박] 밧줄. ② [마구] 가슴걸이. ③ *pl.* 비호(庇護), 지원(자), 후원(자).
amarraco *m.* [트럼프] 5점 (득점).
amarradero *m.* 밧줄을 매는 말뚝; 이음 고리; 말을 매두는 곳.
amarradura *f.* 붙잡아 맴; 계류(繫留).
amarraje *m.* 입항료, 정박료(碇泊料).
amarrar *tr.* ① (선박 등을) 계류시키다. ② [+a] (…에) 매다, 묶다, 잡아매다, 붙잡아 매다; 속박하다. ③ (부정한 방법으로 카드를) 가지다. —*intr.* 부지런히 힘쓰다. ¶***amarrársela*** 술에 취하다, 취해서 정신을 잃다.
amarre *m.* =amarradura, atado.
amarrete, ta *adj.*, *m.f.* *Amér.* 인색한, 욕심이 많은 (사람).
amarteladamente *adv.* 반해서, 혹해서, 애정을 느껴서.
amartelado, da *adj.* 애정을 느낀, 반한, (…에) 치우친.
amartelar *tr.* ① 혹하게 하다, 애정을 느끼게 하다, 사랑하게 하다. ② (…에) 치우치다. (…에) 혹해서 빠지다. ~**se** 반하다, (이성에게) 홀딱 반하다, (남녀가) 찰딱 달라붙다, 새롱거리다.
amartillar *tr.* ① 망치로 두들기다. ② 총의 격철을 세우다. ③ 확인하다.
amasadera *f.* ① 밀가루 반죽통. ② *Murc.* (미장이의) 반죽 상자.
amasadora *f.* 전동식 빵 반죽기.
amasadura *f.* =amasamiento.
amasamiento *m.* ① 반죽. ② 안마 치료, 마사지(masaje).
amasar *tr.* ① (밀가루를) 반죽하다. ② 슬그머니 준비하다, 조작[공작]하다. ③ 마사지하다. ④ 쌓다, 비축하다.
amasijar *tr.* 호되게[매섭게] 때리다; 참살하다.
amasijo *m.* ① 빵의 반죽덩이. ② 일. ③ 착잡함, 어수선함. ④ 좋지 못한 상담. ⑤ *Ven.* (일반적으로) 빵.
amate *m.* [식물] 무화과 비슷한 열매가 열리는 나무.
amateur *adj.*, *m.f.* [*pl.* ~s] 아마추어(의), 비전문가(의): jugador ~ 아마추어 선수. pintor ~ 아마추어 화가.
amateurismo *m.* ① 아마추어 자격[규정]; 아마추어리즘. ② 아마추어 솜씨; 도락(道樂).
amatista *f.* [광물] 자수정.
amatorio, ria *adj.* ① 연애(戀愛)의: poesía ~*ria* 연애시. carta ~*ria* 연애 편지. ② 에로틱한, 색골의, 애욕적인.
amaurosis *f.sing.pl.* [의학] 흑내장.

amauta *m.* (잉카의) 현자(賢者).
amazacotado, da *adj.* ① 무거운. ② 답답한, 갑갑한, 진저리나게 하는.
amazona *f.* ① [신화] 아마존; 여전사(女戰士), 여걸. ② 여자 기수; 부인용의 승마복. ③ 모자에 꽂는 타조의 깃털. ④ [새] 잉꼬의 일종.
Amazonas (el) [지명] 아마존 강.
amazónico, ca *adj.* ① 여전사의[같은]. ② 용맹한. ③ 아마존 강[유역]의.
ambages *m.pl.* 빙빙 돌려서 말하기.
ámbar *m.* ① 호박(琥珀): ~ negro 흑옥. ② 용연향(龍涎香). ③ (신호의) 노랑, 황색. —*adj.* 호박색의.
ambarino, na *adj.* 호박의, 호박 같은, 호박색의.
ambición *f.* 야심, 야망; 의욕: ~ de fama 명예심. ~ de poder 권력욕.
ambicionar *tr.* ① 갈망[열망]하다. ② …에 야심이 있다, …에 야심을 품다.
ambicioso, sa *adj.* ① (사람이) ㉮ [+de] …에 야심이 있는: estar ~ de riqueza 부를 강하게 바라고 있다. ㉯ 의욕적인. ② (일이) 야심적인. —*m.f.* 야심가.
ambidextro, tra *adj.* =ambiestro.
ambientación *f.* ① [연극] 무대 장치, 배경. ② [방송] 음향 효과. ③ 환경의 순화.
ambientador *m.* 방향(芳香) 스프레이.
ambiental *adj.* 환경의, 대기(大氣)의: música ~ (영화・공공 시설 등의) 백그라운드 뮤직, 환경[배경] 음악.
ambientar *tr.* ① (환경・상황을) 설정하다, 분위기를 만들다. ② (사람을) 주위의 환경에 친숙하게 하다. ~**se** (환경에) 익숙해지다; 좋은 분위기가 되다: El *se ambientó* a la vida de Corea 그는 한국 생활에 익숙해졌다.
ambiente *m.* ① (사회적・문화적) 환경; 자연 환경(medio ~); (한정적 장소의) 공기: ~ familiar 가정 환경. contaminar el ~ 공기[환경]를 오염시키다. vivir en buen ~ 좋은 환경에서 생활하다. ② 분위기; 활기: ~ de fiesta 축제 분위기. ③ 그룹, 사회 계층: ~*s* intelectuales 지식인 계층. ④ *AmérM.* 방. —*adj.* 주위[주변]의.
ambiestro, tra *adj.* 양손잡이의.
ambigú *m.* [*pl.* ~(e)s] (극장 등의) 가벼운 야식(夜食).
ambiguamente *adv.* 애매 모호하게.
ambigüedad *f.* 두 가지 뜻, 애매 모호, 엇갈리기 쉬움.
ambiguo, gua *adj.* ① (의미가) 애매모호한, 두 가지 뜻의, 분명치 못한, 불명확한. ② [문법] 양성(兩性)의. ③ (남자가) 여성화된.
ámbito *m.* ① (내부의) 구역, 구내: en el ~ de la universidad 대학교 구내에서. ② 분야, 영역(領域): ~ de su especialidad 그의 전문 분야. ③ 그룹: ~*s* de la oposición 반대파.
ambivalencia *f.* 양면성.
ambivalente *adj.* 양면성이 있는.
amblar *intr.* [마술] 말이 한 쪽의 앞뒤 발을 동시에 들어 걷다.
ambligonio, nia *m.* =obtusángulo.
ambliopía *f.* [의학] 약시(弱視).
ambo *m. AmérM.* 배광(背光).
ambón *m.* (교회의) 설교단(說敎壇).
ambos, bas *adj.* 양쪽의: a ~ lados del camino 길 양쪽에. —*pron.pl.* 양쪽, 양자(兩者), 두 사람: Vinieron ~ 두 사람이 왔다.
ambrosía *f.* ① 신들의 음식 ((불로 불사의 영약)). ② 진미(珍味). ③ *Arg.* 우유와 계란을 넣은 과자. ④ [식물] 쑥의 일종.
ambulacro *m.* 가로수길; 유원지.
ambulancia *f.* 구급차, 앰뷸런스; 이동 야전 병원.
ambulanciero, ra *m.f.* 구급 대원.
ambulante *adj.* 이동하는, 순회하는: circo ~ 순회 서커스. vendedor ~ 행상인. —*m.* [철도] 우편차 승무원.
ambulatorio, ria *adj.* 입원할 필요가 없는: tratamiento ~ 통원 치료. —*m.* 외래 환자 전문 병원, 진료소; (병원의) 외래 진료소.
ameba *f.* [동물] 아메바.
amebiasis *f.sing.pl.* [의학] 아메바증.
amedrantar *tr.* =amedrentar.
amedrentar *tr.* 겁을 주다. ~**se** 깜짝 놀라다.
amelcochado, da *adj. Amér.* 황금색의; (꿀 같은) 끈기가 있는, 되직한.
amelcochar *tr.* …에 당밀[꿀]을 가하다[넣다].
amelga *f.* 이랑, 논두렁.
amén *interj.* 아멘. —*adv.* ① [+de] …을 제외하고. ② … 이외에, …의 위에.
amenaza *f.* 위협, 협박, 나쁜 징후.
amenazador, ra *adj.* 협박적인: carta ~*ra* 협박장. llamada ~*ra* 협박 전화.
amenazar (9) *tr.* ① [+con・de] …하겠다고 협박[위협]하다. ② …의 위험[우려]이 있다, …할 듯하다: *Amenaza* lluvia 비가 올 듯하다. —*intr.* (단인칭으로 con+*inf.* 나쁜 일이) 일어날 듯하다: (El tiempo) *Amenaza* con llover 비가 내릴 듯하다.
amenguar (13) *tr.* =menguar.
ameno, na *adj.* ① (장소가) 쾌적한: pueblo ~ para las vacaciones 휴가를 보내기에 쾌적한 마을. ② 즐거운, 유쾌한, 재미 있는, 흥미 있는.
amenidad *f.* 선량함, 마음 좋음, 즐거움, 흐뭇함, 기분 좋음, 기쁨, 유쾌함, 기분 전환, 쾌적함, 아늑함.
amenizar (9) *tr.* 미화(美化)하다, 쾌적하게 하다, 흥을 돋구다.
ameno, na *adj.* 기분 좋은, 즐거운, 흐뭇한, 유쾌한, 기쁜.
amenorrea *f.* [의학] 무월경(無月經), (병적인) 월경 불순.
amento *m.* [식물] 미상 화서(尾狀花序).
Amér. América 아메리카.
amerengado, da *adj.* [과자] 달걀 흰자위로 만든 과자 같은; 달콤한; (사람이) 감상적인.
América *f.* [지명] ① 아메리카(주): ~ del Norte [Central · del Sur] 북[중앙 · 남]아메리카. ② *Esp.* 중남미, 라틴아메리카; 미국: las ~*s* 남북 아메리카.
americana *f* ① (남성용의) 웃옷, 상의, 자켓. ② 사륜 마차의 일종.
americanismo *m.* ① 라틴 아메리카 특유의 언어, 중남미어; 중남미 현지어에서 차용어 ((maíz, tabaco 등)). ② 아메리카학. ③ 미국풍[식]; 미국 숭배.
americanista *adj.* 아메리카학(學)의. —*mf.* 아메리카학 연구자[학자].
americanización *f.* 아메리카화.
americanizar *tr.* 아메리카화하다, 아메리카풍으로 하다.
americano, na *adj.* ① 아메리카의[에 관한]. ② 중남미의[에 관한]. ③ 미국의[에 관한]. —*mf.* ① 아메리카 사람. ② 중남미 사람. ③ 미국 사람.
americio *m.* [화학] 아메리시움.
amerindio, dia *adj., mf.* 아메리카 인디언(의); 인디오(의).
ameritar *intr., tr. Amér.* =merecer.
amerizaje *m.* 착수(着水): realizar un ~ de emergencia 해상에 불시착하다.
amerizar (9) *intr.* (수상기 등이) 착수(着水)하다.
amestizado, da *adj., mf.* 메스띠소(mestizo)와 같은 (사람).
ametrallador, ra *adj.* 연발식의, 속사형의: fusil ~ 자동 소총.
ametralladora *f.* 기관총.
ametrallamiento *m.* 기총 소사.
ametrallar *tr.* ① 기관총으로 쏘다, 기총 소사하다; 산탄(散彈)으로 공격하다. ② [비유] 연발하다.
ametropía *f.* [의학] 부정시(不正視), 굴절 이상.
amianto *m.* [광물] 질이 높은 석면.
amiba *f.* =ameba.
amicísimo, ma *adj.* amigo의 절대 최상급.
amida *f.* [화학] 아미드(기).
amigabilidad *f* 우정, 우의, 다정함, 친근성.
amigable *adj.* 우정 있는, 우호적인, 정다운; 가까운: relación ~ 친한 관계, 우인(友人) 관계.
amigablemente *adv.* 친하게, 호의적으로, 의좋게, 정답게.
amigacho, cha *mf.* ① [경멸] 악우(惡友). ② 친구(amigo).
amigarse (8) *r.* [고어] 동거하다.
amígdala *f.* [해부] [주로 *pl.*] 편도(선).
amigdalalotomía *f.* 편도 적출(술).
amigdalitis *f.sing.pl.* [의학] 편도선염.
amigdaloide *adj.* 편도 모양의, 살구 모양의: fosa ~ 편도선와.
amigo, ga *mf.* ① 친구, 우인(友人): Ella es mi mejor ~*ga* 그녀는 나의 제일 친한 친구이다. Querido ~, Mi estimado ~ 근계(謹啓) ((편지에서 친구에게)). ② 연인, 애인. ③ 우리편. ④ [상업] 거래처. —*adj.* ① 사이좋은, 우정이 있는, 친한, 친밀한. ② [+de] …을 좋아하는, …이 좋은. ③ 우호적인, 우리편의: país ~ 우호국(가). tropa ~*ga* 우군. viento ~ 순풍. ¶ ***Amigo de mesa, poca firmeza*** (속담) 술친구는 별로 좋은 친구가 못된다. ***Amigo en la adversidad es ~ de verdad*** (속담) 빈천지교(貧賤之交)가 진정한 친구다. ***Amigo y vino, el más antiguo*** (속담) 친구와 술은 묵을수록 좋다.
amigote, ta *mf.* 악우(惡友); 친구.
amiláceo, a *adj.* 전분(질)의, 전분을 함유한.
amilanamiento *m.* 겁을 주기, 공포감을 주기.
amilanar *tr.* 겁을 주다, 공포감을 주다, 떨게 하다. ~**se** 겁내다; 풀이 죽다.
amilasa *f.* [화학] 아미라제.
amillaramiento *m.* (세금의) 부가, 사정(표), 할당.
amillarar *tr.* 할당하다, (징세하기 위해 주민의 재산을) 사정(查定)하다.
amílico *m.* 아밀 알코올(alcohol ~).
amilo *m.* [화학] 아밀.
amina *f.* [화학] 아민.
amínico, ca *adj.* 아민의.
amino *m.* 아미노기(基).
aminoácido *m.* 아미노산: ~ esencial 필수 아미노산.
aminoración *f.* 감소, 축소.
aminorar *tr.* 적게 하다, 축소하다, 감(소)하다, 늦추다: ~ la marcha 속도를 낮추다. ~**se** 감소하다.
amistad *f.* ① 우정, 우애: romper la(s) ~(*es*) 절교하다. ② 우호 관계. ③ *pl.* 친구들, 연고, 연줄, 관계 ¶***En la necesidad se conoce la ~*** (속담) 어려울 때 친구가 진정한 친구다, 어려울 때 우정을 알 수 있다.
amistar *tr.* 화해시키다. ~**se** ① 친해지다, 사이가 좋아지다. ② 화해하다.
amistosamente *adv.* 사이좋게, 우호적으로, 의좋게.
amistoso, sa *adj.* 의좋은, 사이좋은, 우호적인: partido ~ 친선 시합.
amito *m.* (십자가 모양의) 가사 ((카톨릭에서 주교가 미사 때 alba 밑에 착용하는 것)).
amitosis *f.sing.pl.* [생물] 무계 분열.
amnesia *f.* [의학] 기억 상실, 건망증.
amnésico, ca *adj.* 기억 상실(記憶喪失)의. —*mf.* 기억 상실증 환자.
amniocentesis *f.sing.pl.* [의학] 양수천자(羊水穿刺).
amnios *m.sing.pl.* [해부] 양막(羊膜).
amnioscopio *m.* 양수경(羊水鏡).
amniótico, ca *adj.* 양막의: líquido ~, aguas ~*cas* [생리] 양수 양막액.
amnistía *f.* 은사(恩赦); 대사(大赦), 특사: conceder una ~ 은사를 주다.
Amnistía Internacional *f.* 국제 사면 위원회, 국제 엠네스티.
amnistiar (12) *tr.* …에게 은사[특사]를

베풀다.
amo, ma *m.f.* 주인, 고용주: ~ de una fábrica [una finca] 공장[농장]주. —*m.* (현장) 감독.
amoblar (24) *tr.* =amueblar.
amodorramiento *m.* 졸림, 잠이 듦.
amodorrar *tr.* 졸리게 하다, 잠들게 하다. ~**se** 꾸벅꾸벅 졸다, 졸리다.
amohinar (16) *tr.* 약을 올리다, 화나게 하다. ~**se** 약오르다, 보채다.
amojamar *tr.* 말리다, 마른 것으로 하다. ~**se** 말라 버리다[비틀어지다].
amojonamiento *m.* 경계표를 세움, 경계를 정함.
amojonar *tr.* (토지에) 경계표를 세우다, 경계를 정하다.
amojosarse *r.* =enmohecerse.
amolado *m.* 연마(硏磨).
amolar (24) *tr.* ① 갈다. ② 골탕을 먹이다, 난처하게 하다.
amoldable *adj.* 주조 가능한; 적합할 수 있는.
amoldamiento *m.* 주조(鑄造).
amoldar *tr.* 본뜨다, 틀에 맞추다; 탈취하게 하다. ~**se** ① 모양을 만들다; 재다; 틀에 박히다. ② [+a] (환경 등에) 적응하다.
amollar *intr.* 양보하다, 물러주다.
amonal *m.* [화학] 아모날 ((폭약의 일종)).
amonarse *r.* =embriagarse.
amonedar *tr.* (금속을) 화폐로 주조(鑄造)하다.
amonestación *f.* ① 훈계, 충고. ② (교회가 하는) 결혼의 공시. ③ [법률·운동] 경고.
amonestar *tr.* ① 타이르다, 훈계하다, 충고하다. ② (교회가 신도의) 결혼을 공시(公示)하다. ③ 경고하다. ~**se** 자계(自戒)하다; (교회에서 자신의) 결혼을 공시하다.
amoniaco, ca *adj.* =amoníaco.
amoníaco, ca *adj.* [화학] 암모니아의: gas ~ 암모니아 가스. —*m.* 암모니아.
amonical *adj.* =amónico.
amónico, ca *adj.* 암모니아(성)의.
amonio *m.* [화학] 암모늄.
amonita *f.* [고생물] 암몬 조개.
amontillado *m.* montilla 풍의 포도주 ((셰리주의 일종)).
amontonamiento *m.* 산적[축적](함).
amontonar *tr.* ① 축적하다, 쌓다. ② 닥치는 대로 끌어 모으다. ③ 쌓아 올리다. ~**se** ① 축적되다, 겹겹이 포개어지다, 너저분하게[떼지어] 모이다, 법석을 이루다. ② 사납게 울부짖다. ③ (남녀가) 꼭 붙다. ④ (사건 등이) 집중적으로 일어나다. ⑤ 동거하다.
amor *m.* ① [+a·por] (…에의) 사랑, 애정; 연애: ~ *a* [*por*] los hijos 자식들에게 베푼 사랑. ~ de madre 모정, 어머니의 사랑. carta de ~ 연애 편지, 러브레터. poesía de ~ 연애시. primer ~ 첫사랑. ② 애인; 연인: ¡*Amor* (mío)! 내 사랑이여! Ella fue el gran ~ de mi vida 그녀는 내 생애 최고의 여성이었다. ③ 성교. ④ *pl.* 연애 관계, 정사(情事); 애무. ¶*Amor grande vence mil dificultades* (속담) 사랑은 만난을 극복한다. *El amor lo vence todo* (속담) 사랑은 하늘도 감동시킨다.
amoral *adj.* 도덕 관념이 없는.
amoralidad *f.* 도덕 관념의 결여.
amoralismo *m.* 무도덕주의.
amoratarse *r.* 보랏빛이[검붉게] 되다.
amorcillado, da *adj.* 소시지 같은 형[모양]의.
amorcillo *m.* 사랑의 신, 큐핏; 큐핏의 인형.
amordazamiento *m.* 함구령, 언론 통제.
amordazar (9) *tr.* ① (…에) 자갈을 물리다. ② 언론을 통제하다, 언론의 자유를 박탈하다.
amorfo, fa *adj.* ① [생물·화학] 무정형(無定形)의, 비결정(非結晶)의. ② 특징이 없는, 막연한.
amorío *m.* [주로 *pl.*] 연애 사건, 정사.
amoroso, sa *adj.* ① 애정(愛情)의: relaciones ~*sas* 연애 관계. ② 애정 깊은: carta ~ 연애 편지. ③ (기후가) 쾌적한. ④ (토지가) 경작하기 쉬운. ⑤ *Amér.* 매력적인.
amorrar *intr.* ① 머리[고개]를 수그리다. ② 틀어지다, 비꼬이다. ③ 뱃머리가 아래로 기울다.
amortajador, ra *m.f.* 장의사.
amortajar *tr.* ① (시체에) 수의를 입히다. ② 두둔하다; 숨기다, 덮다.
amortecer (31) *tr.* (강도 등을) 완화시키다, 약하게 하다, 경감시키다.
amortecimiento *m.* 완화, 경감.
amortiguación *f.* ① 완화, 감쇄. ② 완충, 제동.
amortiguador, ra *adj.* 완화하는, 약하게 하는. —*m.* ① 완충기, 완충 장치; 방진(防振) 장치. ② 소음 장치. ③ (자동차 등의) 범퍼. ④ [전기] 제동자.
amortiguamiento *m.* =amortiguación.
amortiguar (10) *tr.* ① (충격 등을) 완화시키다, 약하게 하다: ~ el golpe [las oscilaciones] 충격[진동]을 완화시키다. ② (통증을) 완화시키다. ~**se** 완화되다, 부드러워지다.
amortizable *adj.* 상환[상각]할 수 있는: activo ~ 감가 상각 자산.
amortización *f.* 상환, 반제(返濟); (감가) 상각: caja [fondo] de ~ 감채 기금, 부채 상각 적립금.
amortizar (9) *tr.* ① (부채를) 상환하다; (채무를) 반제(返濟)하다. ② (감가) 상각하다; 사용하다: ~ una máquina 기계를 감가 상각하다. ③ (직을) 잃게 하다, 없애다, 폐지하다.
amoscarse (7) *r.* ① 귀찮아하다. ② 화내다, 발끈하다; 부루퉁하다. ③ 원망하다. ④ *Amér.* 수치스러워하다.
amostachado, da *adj.* =bigotudo.
amostazamiento *m.* 화냄, 성냄, 노함; 초조.

amostazar (9) *tr.* 노하게[성나게] 하다. ~**se** 성내다, 노하다.
amotinado, da *adj., m.f.* 반란에 가담한 (사람): tropa ~*da* 반란군.
amotinador, ra *adj.* 선동하는. —*m.f.* 선동자.
amotinamiento *m.* 선동; 반란, 폭동.
amotinar *tr.* 선동하다. ~**se** 반란[폭동]을 일으키다, 반항하다.
amover (25) *tr.* 해임하다, 전임[이동]시키다, 면직[파면]시키다.
amovilidad *f.* 파면[해임·면직] 가능한 일 [시킬 수 있음].
amovible *adj.* ① 해임[전임·면직]시킬 수 있는. ② 교환 가능한: pieza ~ 교환 가능한 부품.
ampalagua *f.* =lampalagua.
amparar *tr.* 감싸다, 비호하다, 보호하다: ~ al débil 약자를 감싸다. ~**se** ① 호의를 달게 받다, 은혜를 입다, 신세를 지다. ② 은신하다, 피난하다.
amparo *m.* ① 비호, 보호; 옹호자; 피난소[처]. ② *Amér.* 광산 개발권. ¶***ni (para) un*** ~ 조금도 … 아니다: No tengo *ni un* ~ de dinero [dinero *ni para un* ~] 나는 한 푼도 없다.
amperaje *m.* 암페어수(數).
ampere *m.* =amperio.
amperímetro *m.* 전류계(電流計).
amperio *m.* [전기] 암페어.
ampliable *adj.* 확대할 수 있는.
ampliación *f.* 확대, 확장, 증축.
ampliador, ra *adj.* 확대하는. —*f.* [사진] 확대기(~*ra* fotográfica).
ampliamente *adv.* 광범위하게.
ampliar (11) *tr.* ① 넓히다, 확대하다, 확장하다; (수를) 늘리다: ~ la tienda [el negocio] 상점[사업]을 확장하다. ② (소리를) 크게 하다. ③ (지식을) 넓히다. ④ 부연(敷衍)하다.
amplificación *f.* 증폭.
amplificador, ra *adj.* 증폭시키는, 높이는. —*m.* [전기] 증폭기, 앰프.
amplificar (7) *tr.* ① (주로 소리를) 크게 하다, 높이다: ~ el volumen de la radio 라디오의 음량을 높이다. ② [전기] 증폭하다.
amplio, plia *adj.* ① (폭이) 넓은: calle ~*plia* 넓은 거리. valle ~ 넓은 계곡. ② 낙낙한, 헐거운: chaqueta ~*plia* 낙낙한[헐거운] 웃옷. ③ 애매 모호한, 막연한. ④ [+명사, 범위가] 비상히 넓은, 광범위한: ~*plias* facultades 광범위한 권한. ⑤ [+명사, 승리·우위가] 여유(가) 있는: ~*plia* victoria 압승.
amplitud *f.* ① 넓음, 넓이, 폭: tener mucha [poca] ~ 넓다[좁다]. ② [물리] 진폭. ③ [수학] (복소수의) 편각.
ampo *m.* 순백(純白).
ampolla *f.* ① (손에 생긴) 물집. ② 거품, 기포. ③ (주사액 등의) 앰플. ④ 물주전자, 술주전자. ⑤ 전구.
ampolleta *f. AmérM.* 전구(bombilla).
ampulosidad *f.* 과장, 과대; 화려함.
ampuloso, sa *adj.* 화려한; 과장해서 말하는.
ampurdanés, sa *adj., m.f.* 암뿌르단(Ampurdán, 까딸루냐 지방 북부의 지역)의[에 관한] (사람).
amputación *f.* 절단 (수술); 삭제.
amputar *tr.* ① (수술로) 절단하다, 자르다. ② (필요한 것을) 삭제하다.
amuchachado, da *adj.* ① 소년[어린애] 같은. ② 소년[어린애] 닮은.
amueblado, da *adj.* 가구(muebles)가 비치된. —*f.* 러브 호텔.
amueblar *tr.* [집·방에, +con] (가구를) 들여놓다, 비치하다: ~ la sala con una alfombra 방에 융단을 깔다.
amugronar *tr.* (포도)나무를 꺾꽂이하다.
amujerado, da *adj.* 여자 같은.
amulatado, da *adj., m.f.* (얼굴·피부색이) 물라또(mulato) 같은 (사람).
amuleto *m.* 부적.
amura *f.* [선박] 뱃머리의 측면.
amurallar *tr.* 성벽으로 둘러싸다.
an- *pref.* [비(非)·무(無)]의 뜻: *an*alfabeto 문맹의, 무학의.
-án *suf.* ① [품질 형용사화] holga*zán* 게으른, 나태한. ② [지명 형용사화] catal*án* 까딸루냐의.
ana *f.* 길이의 단위 ((약 1미터)).
anabaptismo *m.* [종교] 아나밥티즘 ((재세례파의 종말 사상)).
anabaptista *adj., m.f.* 아나밥티스트파[재세례파]의 (교도).
anabólico, ca *adj.* =anabolizante.
anabolismo *m.* [생물] 동화 (작용).
anabolizante *adj.* 동화를 촉진하는.
anacarado, da *adj.* 진주 같은 광택의.
anacardo *m.* [식물] 화서(花序)나무; 화서나무 열매.
anacoluto *m.* [언어] 파격 구문.
anaconda *f.* [동물] 아나콘다 ((아마존에 사는 왕뱀의 일종)).
anacoreta *f.* [기독교] 은자(隱者).
anacorético, ca *adj.* 은자의[같은].
ancreóntico, ca *adj.* [시법] 아나크레온(Anacreonte, 그리스의 시인) 풍의.
anacrónico, ca *adj.* 시대 착오의, 시대에 뒤떨어진.
anacronismo *m.* ① 시대 착오, 시대 착오적인 것[일]. ② 연대[시대 고증]의 착오.
ánade *m.(f.)* [새] 거위, 오리(pato).
anadear *intr.* 엉덩이를 흔들면서 오리걸음으로 걷다(nadear).
anadón *m.* 오리 새끼.
anadiplosis *f.sing.pl.* [수사] 전사 반복(前辭反復).
anaerobio, bia *adj.* [생물] 혐기성의.
anafe *m.* 탁상[휴대]용 풍로.
anafilaxia *f.* [의학] 과민증.
anáfora *f.* ① [수사학] =repetición. ② (그리스 정교의) 성찬식.
anafórico, ca *adj.* ① anáfora의. ② [의학] =emético.
anafrodisia *f.* [의학] 무성욕증, 냉감증(冷感症), 생식 기능 결핍.

anafrodisíaco, ca *adj.* 생식 기능 결핍증의. —*m.* 성욕 억제약. —*m.f.* 생식 기능 결핍증 환자.
anagogía *f.* ① 법열(法悅), 망아(忘我). ② (성서의) 신비적 해석.
anagrama *m.* 어구의 철자 바꾸어 쓰기 ((amor →Roma)).
anal *adj.* 항문(ano)의.
analectas *f.pl.* 선집(選集), 명언집, 어록: Las ~ de Confusio 논어.
anales *m.pl.* ① 연대기, 편년사, 연보; (일반적으로) 과거의 기록, 역사. ② (학술적인) 정기 간행물.
analfabético, ca *adj.* 무학의, 문맹의.
analfabetismo *m.* 문맹.
analfabeto, ta *adj.* ① 문맹의. ② 무지한, 무학의. —*m.f.* 문맹자, 무학자.
analgesia *f.* [의학] 무통각(증).
analgésico, ca *adj.* 무통(無痛)의. —*m.* 진통제.
análisis *m.sing.pl.* ① 분석(分析). ② [의학] 검사: ~ clínico 임상 검사. ~ de sangre 혈액 검사. ③ [수학] 해석. ④ [언어] 분석.
analista *m.f.* ① 분석가. ② [신문 · 방송] 해설자. ③ 연대기 편자.
analítico, ca *adj* 분석의, 분석적인. —*f.* [의학] 검사.
analizable *adj.* 분석 가능한.
analizador, ra *adj.* 분석하는. —*m.* 분석기, 성분계.
analizar (9) *tr.* 분석하다; (분석적으로) 조사하다.
analogía *f.* ① 유사(성). ② [논리 · 언어] 유추. ③ [생물] 상사(相似).
analógico, ca *adj.* ① 유사의; 유추에 의한. ② 아날로그의: señal ~*ca* 아날로그 신호.
análogo, ga *adj.* 유사한. —*m.* ① 유사물. ② [생물] 유사체.
anamnesis *f.sing.pl.* [의학] 기왕증(旣往症), 병력(病歷).
anamorfosis *f.sing.pl.* ① [미술] 일그러 보이는 상(像). ② [식물] (잎 · 꽃 등의) 기형(奇形), 변체(變體).
ananá *m.* [주로 *AmérM.*] [식물 · 과실] 파인애플.
ananás *m.sing.pl.* =ananá.
anaplasia *f.* [의학] 퇴형성(退形成).
anaquel *m.* 선반의 널.
anaquelería *f.* [집합] 선반.
anaranjado, da *adj., m.* 오렌지색(의).
anarco, ca *adj.* =anarquista.
anarcosindicalismo *m.* 무정부주의적 조합주의.
anarquía *f.* 무정부 상태, 무정부주의; 무질서, 혼란.
anárquico, ca *adj.* 무정부 상태의, 무질서의, 질서가 없는.
anarquismo *m.* 무정부주의.
anarquista *adj.* 무정부주의의. —*m.f.* 무정부주의자.
anarquizar (9) *tr.* 무정부(주의)화하다.
anascote *m.* 서지 비슷한 양모천.
anastigmático, ca *adj.* [광학] 비점수차를 보정한.
anastomosis *f.sing.pl.* [의학] 문합(吻合)(술).
anata *f.* 연수(年收).
anatema *m.* ① [종교] 파문 제재. ② 저주. ③ (도덕적 관점에서) 비난.
anatematizar (9) *tr.* 파문 제재를 하다. —*intr.* [+contra] (…를) 비난하다.
anatomía *f.* ① 해부(解剖), 해부학. ② (해부학적) 구조, 조직.
anatómico, ca *adj.* 해부의, 해부학의.
anatomista *m.f.* 해부학자.
anatomizar (9) *tr.* 해부하다.
anatomopatología *f.* 해부 병리학.
anatoxina *f.* [생물] 아나톡신.
anca *f.* [단수 관사: el · un(a)] ① (짐승의) 궁둥이, 둔부. ② 넓적다리, 사타구니. ③ [회언] (사람의) 궁둥이.
ancestral *adj.* 선조의, 선조 전래의.
ancestro *m.* [주로 *Amér.*] 선조.
ancho, cha *adj.* ① 넓은: piso ~ 넓은 맨션[아파트]. ② (의복이) 낙낙한, 느긋한, 헐거운: camisa ~*cha* 그 셔츠는 헐거운 와이셔츠. ③ 여유 있는. ④ 자부하다, 우쭐하다 —*m.* ① 폭, 넓이. ② [복식] 폭: tres ~*s* de tela 3폭의 천. ③ [철도] 궤간(軌間)(~ de vía).
anchoa *f.* [요리] [주로 *pl.*] 소금에 간한 멸치.
anchoeta *f.* =anchoveta.
anchova *f.* 멸치.
anchoveta *f.* (페루 해역산의) 멸치.
anchura *f.* ① 폭, 횡폭(橫幅): ~ de pecho 가슴둘레, 바스트. ~ del río 강폭. ② (자유) 분방.
anchuroso, sa *adj.* 넓은, 넓고 큰, 광대한.
ancianidad *f.* 노년(기).
ancianito, ta *m.f.* 할아버지, 할머니; 영감님.
anciano, na *adj.* 연로한, 늙은. —*m.f.* 노인; 장로, 고참자.
ancla *f.* [단수 관사: el · un(a)] 닻.
ancladero *m.* 닻을 내리는 곳, 정박항.
anclaje *m.* ① 투묘(投錨), 정박; 정박료. ② 고정.
anclar *tr.* 투묘하다, 정박하다.
ancón *m.* ① 만(灣). ② *Col.* 골짜기. ③ *Méj.* 구석.
áncora *f.* [단수 관사 el · un(a)] ① 닻 (ancla). ② (시계의) 앵커. ③ T자형의 누름쇠. ④ 의지할[기댈] 곳.
anda *interj.* ① [놀람] 어머!, 어머나! ② [재촉 · 독촉] 자, 빨리!; 자, 어서!
andada *f.* ① 단단하고 납작한 빵. ② [수렵] 족적, 발자국. ③ *AmérM.* 소풍.
andadero, ra *adj.* (도로 등이) 걷기 쉬운, 통행 가능한. —*f.pl.* (유아용의) 보행 (연습)기.
andado, da *adj.* [+poco] 인적이 드문; [+más] 많이 다니는.
andador, ra *adj.* 건각의; 걷기를 좋아하는. —*m.* 보행기(andaderas).
andadura *f.* 보행.
Andalucía *f.* [지명] 안달루시아 ((스페

인 남부의 자치주)).
andalucismo *m.* 안달루시아 방언; 안달루시아의 지방주의.
andalucista *adj.* 안달루시아 지방주의의. —*m.f.* 안달루시아 지방주의자.
andalusí *adj.* [*pl.* ~(e)s] (스페인의) 이슬람교(도)의.
andaluz, za *adj., m.f.* 안달루시아의[에 관한] (사람). —*m.* 안달루시아 방언.
andaluzada *f.* (안달루시아 사람 같은) 과장, 허풍: decir ~*s* 허풍을 떨다, 과장해서 말하다.
andamio *m.* ① (건축장의) 발판. ② (임시의) 관람대.
andana *f.* 열(列), 층(層).
andanada *f.* ① 탄막(彈幕). ② 엄한 질책, 호통: soltar una ~ a *alguien* (…에게) 엄한 질책을 퍼붓다. ③ (투우장의) 지붕밑 좌석. ④ =andana.
andante *adj.* 걷는. —*m., adv.* [음악] 안단테.
andantino *m., adv.* [음악] 안단티노.
andanza *f.* ① (주로 여행 중의) 모험. ② 짧은 여행.
andar (41) *intr.* ① 걷다(caminar); [주로 *Amér.*] 가다: ~ a caballo 말을 타고 가다. ~ en bicicleta 자전거를 타다[타고 가다]. Yo fui *andando* a la estación 나는 역에 걸어갔다. *Anda* a la farmacia 약국에 가거라. ② 운행하다. ③ (시계・기계가) 움직이다, 운전하다. ¶ ***Quien mal anda mal acaba*** (속담) 인과응보, 자업자득.
andariego, ga *adj.* 걷기 좋아하는; 방랑의. —*m.f.* 걷기 좋아하는 사람, 건각; 방랑자.
andarín, na *adj.* 걷기를 좋아하는; 건각(健脚)의.
andarivel *m.* ① 나룻배의 줄; (난간 대신에 쓰는) 난간줄; 배의 구명줄. ② *AmérM.* 차선(車線); (풀장의) 코스.
andas *f.pl.* 널, 관; 문짝, 판자.
andén *m.* ① (역의) 승강장, 플랫폼. ② (다리 등의) 보행자용 도로. ③ *Amér.* 보도(步道).
Andes (los) [지명] 안데스 산맥.
andesina *f.* [광물] 중성 장석.
andesita *f.* [광물] 안산암(安山巖).
andinismo *m. AmérM.* 등산.
andinista *m.f. AmérM.* 등산가.
andino, na *adj.* 안데스 산맥의.
-ando *suf.* [-ar 동사의 현재 분사형] am*ando*.
andoba *m.f.* [집시어, 경멸] 사람, 놈, 녀석, 자식.
andóbal *m.f.* =andoba.
andorga *f.* 배, 복부(vientre).
Andorra *f.* [국명] 안도라 ((공식 명칭 Principado de ~ 안도라 공국)).
andorrano, na *adj.* 안도라의[에 관한]. —*m.f.* 안도라 사람.
andorrear *intr.* 분주하게 여기저기 돌아다니다, 쏘다니다.
andorrero, ra *adj.* (여자가) 여기저기 어정거리기 좋아하는.
andrajero, ra *m.f.* 넝마주이.
andrajo *m.* 넝마.
andrajoso, sa *adj.* 누덕누덕한, 누더기를 걸친(lleno de andrajos).
androceo *m.* [식물] 수술.
androfobia *f.* (여성의) 남성 공포증.
andrófobo, ba *adj.* (여성이) 남성 공포증에 걸린.
andrógeno *adj.* 남성의: hormón ~ 남성 호르몬. —*m.* [생화학] 안드로겐, 남성 호르몬 (물질).
andrógino, na *adj.* ① 남녀 양성 (공유)의. ② [식물] 암술과 수술 고루 갖춘. —*m.f.* 남녀 양성 공유자.
androide *m.f.* 인조 인간, 로봇.
andrólogo, ga *adj.* [의학] 남성병학(男性病學)의.
andrómina *f.* [주로 *pl.*] 거짓말, 터무니없는 말.
andropausia *f.* [의학] 남자 갱년기.
andurrial *m.* 샛길, 길이 없는 곳.
anea *f.* [식물] 큰 부들, 향포.
anécdota *f.* ① 일화(逸話); (역사상의) 비화(秘話); 삽화. ② 사소한 일, 이차적인 것.
anecdotario *m.* ① 일화집(逸話集). ② [집합] 일화.
anecdótico, ca *adj.* 일화의, 삽화적인; 사소한.
anegación *f.* 범람, 홍수.
anegadizo, za *adj.* 범람하기 쉬운, 물난리가 잘 나는.
anegamiento *m.* =anegación.
anegar (8) *tr.* ① 범람시키다. ② (물에) 빠지게 하다. ③ (적은) 물로 괴롭히다. ④ 빼앗다, 몽땅 없애다: ~ la libertad 자유를 빼앗다. —*intr.* 침수하다. ~**se** ① 물에 빠지다; 범람하다, 수몰하다; 넘쳐 흐르다. ② 난파하다.
anejar *tr.* =anexionar.
anejo, ja *adj., m.* =anexo.
anélidos *m.pl.* 환형 동물.
anemia *f.* [의학] 빈혈(증).
anémico, ca *adj.* 빈혈증의[에 관한]. —*m.f.* 빈혈증이 있는 사람.
anemófilo, la *adj., m.* [식물] 풍매(風媒)(의).
anemometría *f.* 풍속 측정.
anemómetro *m.* 풍속계(風速計).
anémona *f.* =amémone.
anémone *f.* [식물] 아네모네. ¶ ~ ***de mar*** 말미잘.
anergia *f.* [의학] 아네르기.
aneroide *adj.* 무액의: barómetro ~ 무액 기압계.
aneroticismo *m.* 성욕 감퇴.
anerosia *f.* 성욕 결핍.
anestesia *f.* [의학] ① 마취(법): ~ local 국소 마취. ~ general 전신 마취. ② 지각 마비, 무감각증.
anestesiar *tr.* …에게 마취를 걸다.
anestésico, ca *adj.* 마취의, 감각을 마취시키는. —*m.* 마취제.
anestesiología *f.* 마취학.
anestesista *m.f.* 마취 (담당) 의사.

anestesiólogo, ga *m.f.* =anestesista.
aneurisma *m.(f).* 동맥류(動脈瘤), 심장 이상 비대.
anexar *tr.* [주로 *Amér.*] =anexionar.
anexión *f.* 병합, 합병.
anexionar *tr.* (영토 등을) 병합하다.
anexionismo *m.* 병합주의.
anexionista *adj.* 병합주의의. —*m.f.* 병합주의자.
anexo, xa *adj.* [+a] (…에) 부속의: artículo ~ 부대 조항. documento ~ 부속 자료. edificio ~ 부속 건물, 별관. —*m.* ① 부속 건물, 별관; 부속 문서, 첨부 서류; (편지의) 동봉물. ② [해부] 부속기(附屬器).
anfeta *f.* ① [은어] =anfetamina. ② 각성제.
anfetamina *f.* [약학] 안페타민.
anfi- *pref.* 「양(兩)·주위(周圍)」의 뜻: *anfi*bios 양생류. *anfi*teatro 원형 극장.
anfibio, bia *adj.* ① [생물] 수륙 양생의. ② 수륙 양용의; 육해군 합동의: tanque ~ 수륙 양용 전차. —*m.pl.* [동물] 양생류(兩生類).
anfíbol *m.* [광물] 각섬석(角閃石).
anfibología *f.* 두 가지 뜻이 있는 어구, 뜻이 애매 모호한 어구.
anfibológico, ca *adj.* 두 가지 뜻이 있는, 애매 모호한.
anfisbena *f.* [동물] 머리가 두 개인 도마뱀, (남미산의) 구렁이.
anfiteatro *m.* ① 원형 경기장, 원형 극장; 계단 교실. ② 반원 극장, 반원형 분지.
anfitrión, na *m.f.* (식사를 접대하는) 접대자, 주인역: país ~ 주최국.
ánfora *f.* [단수 관사: el·un(a)] ① 손잡이가 양쪽에 달린 항아리; 성유(聖油)를 담은 단지. ② *Amér.* 투표 함[상자].
anfótero, ra *adj.* [화학] 양성(兩性)의.
anfractuosidad *f.* 요철, 울퉁불퉁(함); 곡절(曲折).
anfractuoso, sa *adj.* (토지 등이) 울퉁불퉁한.
angarillas *f.pl.* ① (짐을 운반하는) 가마; 담가. ② =aguaderas.
ángel *m.* ① 천사. ② 천사 같은 사람.
angélica *f.* 구리 때.
angelical *adj.* 천사의, 천사 같은.
angélico, ca *adj.* =angelical.
angelito *m.* ① 유아. ② 어린 천사.
angelote *m.* ① (그림·조각 등의) 천사상. ② 유아. ③ 선인(善人). ④ [어류] 엔젤피시.
ángelus *m.sing.pl.* ① 가톨릭 교회에서의 기도. ② 기도 시간을 알리는 종.
angina *f.* ① [의학] 앙기나 ((후두염, 편도염, 협심증 등)). ② *pl.* 편도선염.
angioma *m.* [의학] 혈관종(血管腫).
angiospermas *f.pl.* 피자식물, 속씨식물.
anglicanismo *m.* 영국 국교.
anglicano, na *adj.* 영국 국교의. —*m.f.* 영국 국교 신자.
anglicismo *m.* 영어의 차용어, 영어 용법; 영어식 말씨[어투]; 영국 사투리.
anglicista *adj.* 영어 용법의; 영국 것을 좋아하는.
anglo, gla *adj., m.f.* =anglosajón.
angloamericano, na *adj.* 영미(英美)의, 영국계 미국인의. —*m.f.* 영미인; 영국계 미국인.
anglófilo, la *adj.* 친영국의, 영국을 좋아하는. —*m.f.* 친영파 사람.
anglófobo, ba *adj.* 영국을 싫어하는. —*m.f.* 영국을 싫어하는 사람.
anglófono, na *adj.* 영어권의. —*m.f.* 영어권의 사람.
anglonormando, da *adj., m.f.* (앵글로) 노르망 사람(의).
anglosajón, na *adj.* 앵글로색슨인의, 영국의. —*m.f.* 앵글로색슨인, 영국인.
Angola *f.* [국명] 앙고라.
angolano, na *adj., m.f.* =angoleño.
angoleño, ña *adj., m.f.* 앙고라의[에 관한] (사람).
angolés, sa *adj., m.f.* =angoleño.
angora *adj., f.* 앙고라종(의): cabra [conejo·gato] de ~ 앙고라 염소[토끼·고양이].
angorina *f.* 앙고라의 이미테이션.
angosto, ta *adj.* 좁은: calle ~*ta* 좁은 거리.
angostura *f.* ① 협소, 편협, 좁은 곳, 좁은 길. ② [식물] 앙고스뚜라 ((남미산 귤의 일종)). ③ 앙고스뚜라의 껍질 ((해열제로 쓰임)).
ángstrom *m.* [물리] 옹스트롬 ((1억분의 1센티; 단파장의 측정 단위)).
angstromio *m.* =ángstrom.
anguila *f.* [어류] 뱀장어: ~ de mar 붕장어. ~ eléctrica 전기 뱀장어.
angula *f.* 뱀장어 새끼.
angular *adj.* 각의, 각도의.
ángulo *m.* ① 각, 각도: inclinado a un ~ de veinte grados 20도 기운. ② 구석, 코너, 모서리, 모퉁이: en un ~ de la habitación 방구석에(서). ③ 관점(觀點): mirar desde un ~ diferente 다른 관점[각도]에서 보다.
anguloso, sa *adj.* 울퉁불퉁한, 각이 진, 모가 난: rostro ~ 모난 얼굴.
angurria *f.* ① 지독한 공복, 극도의 불안: comer con ~*s* 걸신들린 듯 먹다. ② [의학] 배뇨 곤란; 요도 협착. ③ *Amér.* 욕심, 이기주의, 에고이즘.
angurriento, ta *adj.* *Amér.* 욕심(이) 많은.
angustia *f.* ① (강도의) 불안; 고뇌, 고민. ② 욕지기, 토기(吐氣).
angustiado, da *adj.* ① 슬퍼 몸부림치는, 괴로워하는. ② 인색한. ③ *Méj.* 답답한, 옹색한.
angustiar (11) *tr.* 괴롭히다, 걱정시키다. **~se** 번민하다.
angustioso, sa *adj.* 고뇌에 가득찬, 걱정하는, 괴로운: pasar días ~*s* 고뇌의 나날을 보내다.
anhelante *adj.* ① 원하는, 갈망하는, 열망하는, 열망적인. ② 헐떡이는.
anhelar *intr.* ① 헐떡이다. ② [+por]

(…을) 간절히 원하다, (…을) 동경하다. —*tr.* ① 갈망하다, 열망하다, 탐내다. ② 토하다, 게우다.
anhelo *m.* 절망, 열망, 동경, 그리움.
anheloso, sa *adj.* ① 절절한, 갈망하는, 열망하는, 사무치는. ② 헐떡이는.
anhídrido *m.* [화학] 무수물(無水物).
anhidro, dra *adj.* 무수의.
anhidrosis *f.* [의학] 무한증(無汗症).
anidar *intr.* ① (새가) 둥지[보금자리]를 만들다, 앉다. ② 살다, 거주하다. ③ (감정 등이 사람에게) 머물다, 품다.
anilina *f.* [화학] 아닐린.
anilla *f.* 커튼의 고리, 작은 쇠고리.
anillado *m.* 환형 동물.
anillar *tr.* ① 원형으로 하다. ② 원형으로 늘어 세우다. ③ 고리를 채우다. ④ (새에) 다리 고리를 채우다.
anillo *m.* ① 고리, 바퀴. ② 반지: ~ de boda 결혼 반지. ~ de pedida [de compromiso] 약혼 반지. ponerse un ~ 반지를 끼다. quitarse el ~ 반지를 빼다. ③ (기계 부품의) 링. ④ [식물] 나이테. ⑤ [동물] 환절(環節). ⑥ [천문] (토성 등의) 환(環).
ánima *f.* [단수 관사: el · un(a)] ① (죽은 사람의) 영혼; (특히 연옥에 있는) 영혼. ② (철포의) 내강(內腔). ③ *pl.* 만종(晩鐘)(의 시각).
animación *f.* ① 활기: ~ cultural 문화 진흥. ② 번화함, 흥청거림. ③ [영화] 동화(動畫), 만화 영화, 애니메이션.
animado, da *adj.* ① 생명이 있는. ② 활기 찬[있는]: persona muy *~da* 원기 왕성한 사람. calle *~da* 번화한[북적거리는] 거리. ¶***dibujos*** *~s* 동화(動畫), 만화 영화, 애니메이션.
animador, ra *adj.* 활기를 띠게 하는, 분위기를 돋우는, 신바람 나게 하는. —*mf.* (쇼·프로그램의) 사회자; 호스트, 호스티스; (흥을 돋우는) 연예인, 엔터테이너; [운동] 치어리더, 응원단.
animadversión *f.* 반감, 적의; 비난.
animal *m.* 동물, 짐승: ~ doméstico 가축. ~ de carga 하역용 가축. El hombre es un ~ racional 인간은 이성적인 동물이다. —*adj.* ① 동물(성)의: proteína ~ 동물성 단백질. ② 우둔한, 난폭한; 몰인정한. —*mf.* 몰인정한[매정한] 사람, 사람답지 못한 사람; 몸집이 큰 사람.
animalada *f.* 지식이나 생각이 얕은 행동[천박한 언행], 치사한 짓.
animalidad *f.* 동물성, 수성(獸性).
animalización *f.* (식품의) 동물질화.
animalizar (9) *tr.* ① (식품을) 동물질로 변하게 하다. ② 동화하다. ③ 짐승처럼 굴다.
animalucho *m.* 괴수(怪獸).
animar *tr.* ① 생기[활기·원기]를 돋우다, 고무하다. ② (신이) …에(게) 생명을 부여하다; (예술 작품에) 혼을 불어넣다. ③ 살리다. ④ (선수 등을) 응원하다: ~ a los beisbolistas 야구 선수들을 응원하다. ⑤ 떠들썩하게 하다, 분위기를 돋우다, 흥청거리게 하다, 활기 띠게 하다. ~**se** 활기를 띠우다.
anímico, ca *adj.* 영혼의, 심령(心靈)의.
animismo *m.* [철학·심리] ① 물활론(物活論) ((목석 등도 생물처럼 영혼이 있다고 믿음)). ② 정령(精靈) 신앙, 정령설 ((사람이나 사물의 활동은 모두 영(靈)의 힘에 의한다는 것)).
animista *adj.* 물활론적인. —*mf.* ① 물활론자. ② 정령 신앙자.
ánimo *m.* ① 힘, 원기, 활력, 활기. ② (…할) 마음, 생각, 작정. —*interj.* 힘내라!, 기운 내라!, 잘해라! ¶***caer(se) de*** ~ 의기 소침하다, 낙담하다.
animosidad *f.* 용기, 기력.
animoso, sa *adj.* [+en · para] (…에) 용감한, 기력이 있는.
aniñado, da *adj.* 어린애 같은, 유치한: rostro ~ 동안(童顔). expresión *~da* 유치한 표현.
aniñarse *r.* (어른이) 어린애같이 되다, 어린애같아지다.
anión *m.* [물리] 음이온.
aniquilación *f.* 전멸, 절멸, 소멸, 궤멸.
aniquilador, ra *adj.* 궤멸시키는, 전멸시키는.
aniquilamiento *m.* =aniquilación.
aniquilar *tr.* ① 소멸[전멸·괴멸]시키다. ② 악화시키다: ~ la salud 건강을 악화시키다. ~**se** 소멸하다; 악화되다.
anís *m.* [*pl.* anises] ① [식물] 아니스. ② 아니스 열매. ③ 아니스주(酒); 아니스 술병. ④ [주로 *pl.*] 아니스 캔디.
anisado *m.* 아니스주(酒); 아니스 캔디.
anisar[1] *tr.* …에 아니스 (향)을 넣다.
anisar[2] *m.* 아니스 밭.
anisete *m.* 아니스주(酒).
anisotropía *f.* [물리] 이방성(異方性).
aniversario *m.* ① 기념일, 기념제: ~ de la independencia 독립 기념일. fiesta ~ de boda 결혼 기념 파티. ② 탄생일; 기일(忌日).
ano *m.* [해부] 항문(肛門)
-ano *suf.* ① [지명 형용사화] boliv*iano* 볼리비아의. ② [품질 형용사화] urb*ano* 도시의.
anoche *adv.* 어젯밤(에), 간밤에, 지난밤에: antes de ~ 그제 밤(anteanoche).
anochecedor, ra *adj.* 밤새하는, 밤잠이 없는. —*mf.* 밤잠이 없는 사람.
anochecer (31) *intr.* ① 날이 저물다, 해가 지다, 밤이 되다, 어두워지다. ② 밤을 맞이하다[보내다]. —*m.* 해질녘, 일몰, 석양: al ~ 석양에, 해질녘에.
anochecida *f.* =anochecer.
anochecido *m.* [문어] 밤(noche).
anodino, na *adj.* ① 무통(無痛)의, 아픔을 멈추게 하는. ② 소용없는, 쓸모없는, 무의미한. ③ [약학] 진통(陣痛)의. —*m.* 진통제.
ánodo *m.* [물리] 양극(陽極).
anofeles *m.sing.pl.* [곤충] 말라리아를 옮기는 모기.
anomalía *f.* ① 변칙, 파격. ② 이상(異常), 이례(異例), 변태. ③ [천문] 근일

점 거리각.
anómalo, la *adj.* 변칙적인, 불규칙한.
anonadación *f.* =anonadamiento.
anonadamiento *m.* ① 전멸, 섬멸. ② 의기 소침, 낙담.
anonadar *tr.* ① 전멸[섬멸]시키다. ② 의기 소침하게 하다. ~**se** 완전히 없어지다; 풀이 죽다, 의기 소침해지다.
anónimamente *adv.* 익명으로.
anonimato *m.* 익명: conservar el ~ 이름을 숨기다.
anonimia *f.* 익명성(匿名性).
anónimo, ma *adj.* ① 익명의, 서명 없는; 작자 미상의: carta [llamada] *~ma* 익명의 편지[전화]. ② 무명의, 유명하지 않은. —*m.* 익명(의 문서·작품).
anorak *m.* [*pl.* ~s] 아노락 ((에스키모인들이 입는 후드 달린 모피 재킷)).
anorexia *f.* [의학] 식욕 부진(증), 거식증(拒食症).
anoréxico, ca *adj.* 식욕 부진증[거식증]의. —*m.f.* 거식증 환자. —*m.* [약학] 식욕 억제제.
anorexígeno *m.* 식욕 억제제.
anorgasmia *f.* [의학] 오르가즘을 얻지 못하는 일.
anormal *adj.* ① 이상(異常)한, 변칙적인: frío ~ 이상 한파. psicología ~ 이상 심리. ② [의학] 발육에 결함이 있는. —*m.f.* (육체적·정신적) 이상자.
anormalidad *f.* ① 이상(異常). ② 비상사태.
anortita *f.* [광물] 회장석(灰長石).
anosmático, ca *adj.* 후각 마비의.
anosmia *f.* [의학] 무후각(증).
anotación *f.* 기록, 기장, 등록; 주석; 득점, 스코어: ~ preventiva 등록 상표.
anotador, ra *m.f.* 주석자; 기록자; 득점 기록자; [영화] 스크립터.
anotar *tr.* ① 기록[기재]하다. ② 주석[주기]하다. ③ 주의[지적]하다. ④ 등기[등록]하다. ⑤ [부기] 기장하다.
anovelado, da *adj.* 소설풍의.
anovulación *f.* [의학] 무배란(無排卵).
anovulatorio, ria *adj.* 무배란성의, 무배란 월경의. —*m.* [약학] 배란 억제제.
anoxemia *f.* 무산소 혈증 ((고산병)).
anoxia *f.* [의학] 산소 결핍증.
anquilosamiento *m.* ① 강직. ② 둔화, 경직화.
anquilosar *tr.* (관절을) 강직(强直)시키다. ~**se** 강직하다, 굳어지다; (활동·반응 등이) 둔해지다, 경직되다.
aniquilosis *f.sing.pl.* [의학] 관절 경직, 관절 경직증.
aniquilostoma *m.* [동물] 십이지장충.
ansar *m.* [새] 거위; 잿빛 기러기.
ansarino *m.* 거위 새끼.
anseático, ca *adj.* =hanseático.
ansia *f.* [단수 관사: el·un(a)] ① (강한) 욕구, 희구(希求). ② 고뇌, 고통. ③ 초췌. ④ *pl.* 토기(吐氣), 욕지기.
ansiar (12) *tr.* 열망[절망]하다: ~ la paz 평화를 열망하다.
ansiedad *f.* ① 불안, 초조, 안달, 조바심. ② [의학] 불안.
ansiolítico *m.* [의학] 항불안약(抗不安藥).
ansiosamente *adv.* 조마조마하여, 불안해 하며.
ansioso, sa *adj.* ① 불안에 사로잡힌. ② [+de] (…을) 바라는, 욕심을 내는: Estoy ~ *de* ver la película española 나는 스페인 영화를 보고 싶다.
ant. anterior 전의, 앞의.
anta[1] *f.* [단수 관사: el·un(a)] [동물] =alce.
anta[2] *f.* [단수 관사: el·un(a)] ① [고고학] =menhir. ② [건축] =**pilastra**.
antagónico, ca *adj.* 적대[대립]하는.
antagonismo *m.* ① 적대(敵對), 대립: ~ entre patrones y obreros 노사 대립. ~ de opiniones 의견의 대립. ② [생리] 길항(拮抗) 작용[현상].
antagonista *m.f.* ① 반대자, 적대자. ② [연극] 적역(敵役). —*m.* ① [의학] 길항제. ② [생리] 길항근.
antaño *adv.* 지난해; 옛날에.
antañón, na *adj.* 아주 오래된.
antártico, ca *adj.* 남극 (지방)의.
Antártida (la) *f.* 남극 대륙.
ante[1] *prep.* ① …의 앞에, …을 앞으로, 앞에 나와. ② …을 보고, …을 생각하면: No puedo opinar ~ este asunto 이 사건을 보니 나는 할 말이 없다. ¶ ~ *todo* 무엇보다 먼저, 우선.
ante[2] *m.* [동물] 큰 사슴(alce).
ante- *pref.* 「앞·전」의 뜻: *ante*ayer 그저께. *ante*poner 앞에 놓다.
-ante *suf.* [ar 동사+] ① [품질 형용사화] ambul*ante* 이동하는. ② [명사화, 행위자] estudi*ante* 학생.
antealtar *m.* 제단의 앞; 내진(內陣).
anteanoche *adv.* 그제 밤(에).
anteayer *adv.* 그저께.
antebrazo *m.* 앞팔; (말 등의) 앞다리의 윗부분.
anteburro *m.* [동물] (멕시코의) 맥.
antecámara *f.* 대기실, 홀; 삼등 선실.
antecedente *adj.* 앞선, 앞서 간, 선행의: unas semanas *~s a* la boda 결혼식 전의 수 주간. —*m.* [주로 *pl.*] ① 전례(前例); 전력(前歷): *~s* penales 전과(前科). aclarar los *~s* de un asunto 사건의 경위를 명확히 하다. ② [의학] 병력(病歷), 기왕증(旣往症). ③ [문법] 선행사. ④ [수학] (비례의) 전항. ⑤ [논리] 전건(前件).
anteceder *intr.* 선행하다, 앞서 가다: La práctica *antecede a* la teoría 실천은 이론에 앞선다.
antecesor, ra *adj.* 선행하는. —*m.f.* 전임자, 선임자. —*m.pl.* 선조(先祖).
antecocina *f.* (주방 앞에 있는) 식기실.
antecoger (3) *tr.* 앞에서 붙잡다; 익기 전에 따다.
antedatar *tr.* (실제보다) 앞당긴 날로 하다.
antedicho, cha *adj., m.f.* 전기(前記)[상기]의 (사람), 전술(前述)한 (사람).

antediluviano, na *adj.* 노아의 홍수 이전의.
antefirma *f.* (편지의 끝에 쓰는) 의례적인 문구 ((예: suyo afectísimo)); (서명자의) 직함이나 관직명.
antelación *f.* (시간적인) 선행: Venta de entrada con diez días de ~ [게시] 입장권은 10일 전부터 발매함.
antemano *de* ~ 미리, 사전에: sacar la entrada *de* ~ 전매권(專賣權)을 사다. Tenían preparada la comida *de* ~ 식사는 사전에 준비되어 있었다.
ante meridiem *lat.* [중남미에서 주로 사용] 오전: Son las ocho y media ~ 오전 8시 반이다.
antemural *m.* (정신적인) 방벽(放壁).
antena *f.* ① 안테나: ~ interior 실내 안테나. ~ receptora 수신용 안테나. ② [동물] 촉각. ③ [구어] 귀, 청각.
antenatal *adj.* 출생 전의(prenatal).
anteojera *f.* ① 안경집. ② *pl.* (말의) 차안대(遮眼帶).
anteojo *m.* ① 망원경. ② *pl.* [주로 *Amér.*] 안경; 코안경; 쌍안경: ~*s* de teatro [de puño] 오페라 글라스.
antepalco *m.* (극장의) 대합실.
antepasado, da *adj.* [+a] (…보다) 전의, 앞의. —*m.pl.* 선조(先祖).
antepecho *m.* ① 흉벽. ② 난간. ③ (마구의) 가슴걸이.
antepenúltimo, ma *adj.* 끝에서 세 번째의.
anteponer (61) *tr.* ① [+a] (…의) 앞에 놓다. ② [+a] (…보다) 우선시키다, 중시하다: ~ el deber *a*l interés 이익보다 의무를 우선시키다.
anteportada *f.* 책의 면지 ((책의 앞뒤의 겉장과 안 겉장 사이의 지면)).
anteposición *f.* 전치(前置); 우선.
anteproyecto *m.* 계획안, 기본 구상.
antepuerto *m.* 외항(外港).
antera *f.* [식물] (꽃의) 꽃밥침.
anterior *adj.* ① [+a] (…보다) 앞의: parte ~ del coche 자동차의 앞 부분. ② [언어] 전설(前舌)의: vocal ~ 전설 모음(前舌母音).
anterioridad *f.* 선행(先行): con ~ a la verbena 전야제에 선행해서.
anteriormente *adv.* 전에(는), 옛날에(는)(antes): Esto no ha pasado ~ 이런 일은 전에는 일어나지 않았다.
antes *adv.* ① [시간] 전에, 이전에, 옛날은, 조금 전에: *Antes* las mujeres no tenían derecho a votar 전에는 여자들은 투표권이 없었다. Un hombre te ha llamado ~ 조금 전에 한 남자가 너에게 전화했다. ② [순서] 먼저: ¿Quién llegó ~ a la meta? 누가 먼저 골인했습니까? ③ 오히려, 역으로, 반대로: Yo no temo la pena, ~ la deseo 나는 고통을 두려워하지 않고 오히려 그것을 바라고 있다. ¶ ~ *bien* 오히려, 그렇기는커녕 (오히려): El no se alegró; ~ *bien*, se puso triste 그는 기쁘기는커녕 오히려 슬펐다. ~ *de* … 전에: Venga usted ~ *de* las once 11시 전에 오십시오. ~ *que* ㉮ …보다 먼저: ~ *que* nadie 누구보다도 먼저: Ella había llegado ~ *que* yo 그녀는 나보다 먼저 도착했다. ㉯ …라기 보다는 오히려, 차라리 …하는 것이 낫다: Quiero morir ~ *que* retroceder 나는 후퇴하느니 죽는 쪽을 택하겠다.
antesala *f.* ① (병원 등의) 대합실. ② 전조(前兆).
anteúltimo, ma *adj.* 끝에서 두 번째의.
antever (38) *tr.* 예견하다, 예측하다.
antevíspera *f.* (어떤 날의) 전전날.
anti- *pref.* 「반(反)・반대(opuesto)」의 뜻: *anti*socialismo 반사회주의.
antiabortista *adj.* 중절(中絶) 반대의. —*m.f.* 중절 반대론자.
antiácido, da *adj.* 제산(制酸)의. —*m.* 제산제(制酸劑).
antiadherente *adj.* (프라이팬 등이) 더러운 것이 들러붙지 않은.
antiaéreo, a *adj.* 방공(防空)의, 대공(對空)의: cañón ~ 고사포.
antiafrodisiaco, ca *adj.* 성욕 감퇴제의. —*m.* [약학] 성욕 감퇴제.
antialcohólico, ca *adj.* 금주(주의)의: liga ~*ca* 금주 연맹(禁酒聯盟).
antialcoholismo *m.* 금주주의[운동].
antialérgico, ca *adj.* 항알레르기성의.
antiarrugas *adj.* (피부의) 노화 방지(老化防止)의.
antiatómico, ca *adj.* 방사능을 막는; 반핵병기의.
antibalas *adj.* 방탄의: chaleco ~ 방탄조끼.
antibelicista *adj.* 반전주의(反戰主義)의. —*m.f.* 반전주의자.
antibélico, ca *adj.* 전쟁을 싫어하는, 반전주의의.
antibiótico, ca *adj.* 항생 (작용)의, 항생 물질의. —*m.* 항생 물질.
antibloqueo *adj.* [자동차] (브레이크가) 잠금 방지식[안티록 식]의.
anticanceroso, sa *adj.* 항암성의, 암치료의: medicina ~*sa* 항암제.
anticarro *m.* 대전차포(cañón ~).
anticatalizador, ra *adj.* [화학] 부(負)[항(抗)]촉매.
anticátodo *m.* [물리] 대음극(對陰極).
anticiclón *m.* [기상] 고기압.
anticiclónico, ca *adj.* 고기압의.
anticipación *f.* ① 미리 하는 일, 앞당김: con ~ 미리. ② 선불(先拂).
anticipado, da *adj.* 예정보다 빠른, 기한 전의: pago ~ 선불.
anticipar *tr.* ① 미리 하다, 앞당겨 하다: ~ una visita 미리 방문하다. ② (기일 등을) 앞당기다, 빨리 하다. ③ 선불하다, 가불해 주다. ④ 우선시키다. ~**se** ① 앞지르다, 선수를 치다. ② (예정・예측보다) 빨라지다.
anticipio *m.* ① 선불(금): ~ de los derechos de autor 인세의 선불금. ② 전조(前兆).
anticlerical *adj.* 반교권주의의. —*m.f.*

반교권주의자.
anticlericalismo *m.* 반교권주의.
anticlímax *m.* ① [수사학] 점강법(漸降法). ② [문학·영화] 안티 클라이막스.
anticlinal *adj.* [지질] 배사(背斜)의.
anticoagulante *adj.* [약학] 항응혈성의. —*m.* 항응고제.
anticolonialismo *m.* 반식민주의.
anticomunismo *m.* 반공(산)주의.
anticomunista *adj.* 반공주의의, 반공산주의의. —*m.f.* 반공주의자.
anticoncepción *f.* 피임(避妊).
anticoncepcional *adj.* 피임의.
anticonceptivo, va *adj.* 피임용(避妊用)의. —*m.* 피임약, 피임구(具).
anticongelante *adj.* 동결(凍結)을 막는. —*m.* 동결 방지제, 부동액(不凍液).
anticonstitucional *adj.* 헌법 위반의, 위헌(違憲)의.
anticonstitucionalidad *f* 위헌성.
anticorrosivo, va *adj.* 방식(防蝕)의. —*m.* 방식제(防蝕劑).
anticresis *f.sing.pl.* [법률] 부동산 담보 계약.
anticristiano, na *adj.* 반 기독교의.
anticristo *m.* 반(反) 그리스도, 그리스도의 적(敵).
anticuado, da *adj.* 케케묵은, 오래된, 낡은, 한물 지난, 쓰이지 않은, 소용이 없는, 유행[시대]에 뒤떨어진: palabra ~*da* 고어(古語), 사어(死語).
anticuar (15) *tr.* 폐어(廢語)로 만들다. ~**se** 쓰이지 않게 되다, 소용이 없다, 폐물이 되다, 유행에 뒤떨어지다; 폐어가 되어 가다.
anticuario, ria *m.f.* 고미술상, 고미술 수집가. —*m.* 고미술품점.
anticucho *m. Amér.* [요리] 소의 심장구이 (꼬치).
anticuerpo *m.* [의학] (혈액 중의) 항체, 항독소, 면역체.
antidemocrático, ca *adj.* 비민주적인, 반민주주의의.
antideportivo, va *adj.* 스포츠맨 같지 않은, 스포츠맨십에 반한.
antidepresivo, va *adj.* [약학] 항울약(抗鬱藥)의.
antideslizante *adj.* 미끄럼 방지의.
antidetonante *adj.* 제폭성(除爆性)의. —*m.* 제폭제.
antidisturbios *adj., m.* 분쟁 처리(의), 폭동 진압(의): policía [unidad] ~, los ~ 기동대.
antidoping *adj., m.* 도핑(의): control ~ 도핑 테스트.
antídoto *m.* ① 해독제. ② (악습 등에) 대항하는 수단.
antidroga *adj.* 반(反) 마약의, 마약 일제 단속의: redada ~ 마약 일제 단속.
antieconómico, ca *adj.* 불(不)경제의.
antiemético, ca *adj.* 제토(制吐) 작용의. —*m.* 제토약, 진토제(鎭吐劑).
antienvejecimiento *m.* 노화 방지.
antiescorbútico, ca *adj.* [약학] 항괴혈병의.
antiespasmódico, ca *adj.* [약학] 항경련성의. —*m.* 진경제(鎭痙劑).
antiestático, ca *adj.* 정전기 방지의.
antiestético, ca *adj.* 보기에 거북한, 보기 흉한, 비미학적인.
antifascismo *m.* 반파시즘.
antifascista *adj.* 반파시즘의. —*m.f.* 반파시스트.
antifaz *m.* [*pl.* antifaces] 복면, (눈의 주위를 가리는) 가면.
antifeminista *adj.* 여성 해방[남녀 동등]에 반대하는. —*m.f.* 여성 해방[남녀 동등] 반대자.
antífona *f.* [종교] 교창 시편(交唱詩篇).
antifonario *m.* 교창시가집(libro ~).
antifranquismo *m.* 반프랑코(Franco)주의[체제].
antifranquista *adj.* 반프랑코파[주의]의. —*m.f.* 반프랑코파[주의자].
antífrasis *f.* [수사학] 반어(反語).
antifricción *f.* (기계 굴대받이의) 마찰 방지, 감마제(減磨劑), 윤활제.
antigás *adj.* 방독(防毒) 가스의.
antígeno, na *adj.* 항원의. —*m.* 항원.
antiglipal *adj.* 인플루엔자 예방용의, 감기 치료용의. —*m.* 감기약.
Antigua y Barbuda *f.* [국명] 앤티가 바부다 ((카리브해 동부의 독립국; 수도 Saint John's)).
antigualla *f.* 고물, 시대에 뒤떨어진 것.
antiguamente *adv.* 옛날에는, 오래 전에는(en lo antiguo).
antiguar (10) *intr.* 고참이 되다, 장로가 되다. ~**se** =anticuarse.
antigubernamental *adj.* ① 반정부의. ② 야당의.
antigüedad *f.* ① 연대가 오래된 것, 오래됨. ② 옛날, 고대: en la ~ 옛날에는. ③ 연공(年功), 근속 연수: tener mucha ~ 근속이 길다, 고참이다. ④ [주로 *pl.*] 골동(품), 고미술품, 앤티크; (고대의) 유물, 유적: tienda de ~*es* 골동품점. ~*es* de Roma 고대 로마의 유적. ⑤ [집합] 옛날 사람, 고대인.
antiguo, gua *adj.* ① 오랜, 낡은; 옛날의, 고대의: amigo ~ 구우(舊友), 사귄지 오랜 친구 ((참고: amigo viejo는 나이 많은 친구)). mueble ~ 고가구. civilización ~*gua* 고대 문명. ② [+명사] 첫, 구(舊): ~ primer ministro 첫 수상. ~*gua* capital 옛 수도, 구도(舊都). asociación de ~*s* alumnos 동창회. ③ 시대에 뒤떨어진(anticuado): traje ~ 유행에 뒤떨어진 옷. —*m.f.* 선배, 상급생. —*m.* ① 고대 미술(의 양식). ② 옛날 사람, 고대인; 그리스·로마 시대의 사람. ¶***a la ~gua*** 고풍으로. ***de* [*desde*] ~** 옛날부터. ***desde muy ~*** 옛날 옛적부터, 오랜 옛날부터. ***en lo ~*** 옛날에는.
antihelmíntico, ca *adj.* 구충(驅蟲)의. —*m.* 구충제.
antihéroe *m.* 적역(敵役).
antihigiénico, ca *adj.* 비위생적인.
antihistamínico, ca *adj.* 항히스타민의.

—*m.* 항히스타민제.
antihumano, na *adj.* 인간성에 반하는, 비인간적인.
antiimperialismo *m.* 반제국주의.
antiincendios *adj.* 소방(消防)의.
antiinfeccioso, sa *adj.* 항감염성(抗感染性)의. —*m.* 항감염약.
antiinflacionario, ria *adj.* 인플레이션 억제의.
antiinflamatorio, ria *adj.* 염증 억제의. —*m.* 염증 억제제.
antilegal *adj.* 법률에 반하는.
antillano, na *adj., m.f.* 서인도 제도(las Antillas)의[에 관한] (사람).
antilogaritmo *m.* [수학] 진수(眞數).
antilogía *f.* 모순(矛盾).
antilógico, ca *adj.* 모순된, 비논리적인.
antílope *m.* [동물] 영양(羚羊).
antimagnético, ca *adj.* 항[내(耐)]자성(磁性)의.
antimanchas *adj.* 오염 방지의.
antimateria *f.* [물리] 반물질(反物質).
antimetropía *f.* 좌우 이종 부동시(左右異種不同視).
antimicótico, ca *adj.* [약학] 항진균약.
antimilitarismo *m.* 반제국주의.
antimisil *adj.* 반 미사일의.
antimonárquico, ca *adj.* 반군주제의.
antimonio *m.* [화학] 안티몬.
antimonita *f.* [광물] 휘안광(輝安鑛).
antimonopolista *adj.* 독점 금지의.
antimoral *adj.* 반도덕적.
antinacional *adj.* 반국가적.
antinatural *adj.* 자연에 반하는.
antineoplástico, ca *adj.* 항신생물성의.
antineurálgico, ca *adj.* 항신경통성의. —*m.* 항신경통약.
antineutrino *m.* [물리] 반뉴트리노.
antineutrón *m.* [물리] 반중성자.
antiniebla *adj.* 농무(濃霧) 대책의.
antinomia *f.* 모순; [철학] 이율 배반.
antinómico, ca *adj.* 모순의.
antinuclear *adj.* 반핵의, 비핵의; 대(對)핵폭발[핵전쟁]용의.
antioxidante *adj.* 산화 방지의. —*m.* 산화 방지제.
antipalúdico, ca *adj.* 항말라리아의.
antipapa *f.* 대립[참칭적] 교황.
antipara *f.* (방의) 칸막이, 가리개.
antiparasitario, ria *adj.* ① 기생충에 대해 작용하는. ② =antiparásito. —*m.* 구충제, 구충약.
antiparásito, ta *adj.* 소음(騷音) 방지의. —*m.* 소음 방지 장치.
antiparlamentario, ria *adj.* 반의회주의의. —*m.f.* 반의회주의자.
antiparlamentarismo *m.* 반의회주의.
antiparras *f.pl.* 안경.
antipartícula *f.* [물리] 반입자.
antipasto *m.* *AmérM.* [요리] 전채(前菜).
antipatía *f.* 반감, 혐오.
antipático, ca *adj.* 반감을 품은.
antipatriota *m.* 비애국자, 비국민.
antipatriótico, ca *adj.* 애국심이 없는.
antipendio *m.* [미술] 제단 앞 장식.
antiperistáltico, ca *adj.* [의학] 역연동(逆蠕動)의.
antipersonal *adj.* 대인용(對人用)의.
antiperspirante *adj.* 발한(發汗) 억제의. —*m.* 발한 억제제.
antipirético, ca *adj.* 해열성의. —*m.* 해열제.
antipirina *f.* [약학] 안티피린.
antípoda *adj.* ① 대차(對蹠)의. ② 정반대의.
antiquísimo, ma *adj.* 매우 오래된.
antirrábico, ca *adj.* 광견병 예방의.
antirracista *adj.* 인종 차별 반대의.
antirradar *adj.* 대(對)레이다 (방해)의.
antirreflector, ra *adj.* 반사 방지의.
antirreglamentario, ria *adj.* ① 규칙에 반하는. ② [운동] 반칙(反則)의.
antirreligioso, sa *adj.* 반종교적인.
antirreumático, ca *adj.* 항류머티즘성의. —*m.* 항류머티즘약.
antirrevolucionario, ria *adj.* 반혁명의. —*m.f.* 반혁명가.
antirrobo *adj.* 도난 방지용의: alarma ~ 도난 방지 경보기. —*m.* 도난 방지 장치.
antisemita *adj.* 반유대의, 유대인 배척의. —*m.* 반유대주의자.
antisemítico, ca *adj., m.f.* =antisemita.
antisemitismo *m.* 반유대주의, 유대인 배척 운동.
antisepsia *f.* 방부(防腐), 방부법; 살균, 소독(법).
antiséptico, ca *adj.* ① 방부성의. ② 살균의, 소독의. —*m.* 방부제; 살균약, 소독약.
antisiquiatría *f.* 반정신 의학.
antisísmico, ca *adj.* 내진(耐震)의.
antisocial *adj.* 반사회적인, 사회 질서를 문란하게 하는.
antisubmarino, na *adj.* 대잠수함의.
antitabaco *adj.* 흡연 방지의.
antitanque *adj.* 대전차용의: cañón ~ 대전차포.
antitérmico, ca *adj.* =antipirético.
antiterrorista *adj.* 테러 활동에 반대하는, 테러 방지용의.
antítesis *f.* ① 정반대; 대조. ② [수사학] 대구, 대조법. ③ [철학] 반정립.
antitetánico, ca *adj.* 파상풍 예방의. —*m.* 파상풍 예방 (주사).
antitético, ca *adj.* 정반대의, 대조적인.
antitoxina *f.* [의학] 항독소(抗毒素).
antitóxico, ca *adj.* 항독성의. —*m.* 항독소(抗毒素).
antituberculoso, sa *adj.* 결핵 치료[예방]의.
antitusígeno, na *adj.* 진해(鎭咳)의, 진해성(鎭咳性)의. —*m.* 진해약, 감기약.
antiulceroso, sa *adj.* 항궤양성의.
antivaho *adj.* 김[증기] 방지의.
antivariólico, ca *adj.* 천연두 치료[예방]의. —*f.* 천연두 치료 왁친.
antiviviseccionista *adj.* 생체 해부[동

물 실험]에 반대하는. —*mf.* 생체 해부 [동물 실험] 반대자.
antojadizo, za *adj.* 제멋대로의, 변덕스러운, 변덕이 죽 끓듯하는.
antojarse *r.* 가지고 싶어지다, …을 하고 싶어지다; 마음[생각]이 들다.
antojo *m.* 간절히 가지고 싶어하는 마음; 변덕스러운 마음.
antología *f.* 선집(選集), 사화집.
antológico, ca *adj.* ① 선집의. ② 멋진, 훌륭한, 굉장한.
antonimia *f.* 반의(성).
antónimo *m.* 반대말, 반의어.
antonomasia *f.* [수사학] 환칭(換稱) ((예: el Salvador →Jesucristo)).
antor. anterior 전(前)의, 앞의.
antorcha *f.* 횃불, 봉화: ~ olímpica 올림픽 성화대.
antraceno *m.* [화학] 안트라센.
antracita *f.* 무연탄.
antraquinona *f.* [화학] 안트라키논.
antracosis *f.* [의학] 탄분증(炭粉症).
antranosis *f.* [의학] 탄저병.
antrax *m.* [의학] 탄저(炭疽).
antro *m.* 동굴, 암굴.
antropocéntrico, ca *adj.* 인간 중심설[주의]의.
antropocentrismo *m.* [철학] 인간 중심설, 인간 중심주의.
antropofagia *f.* 사람을 먹는 풍습.
antropófago, ga *adj.* 인육(人肉)을 먹는. —*mf.* 식인종.
antropografía *f.* 기술적 인류학.
antropoide *adj., mf.* 유인원(의).
antropología *f.* 인류학: ~ cultural 문화 인류학.
antropológico, ca *adj.* 인류학의.
antropólogo, ga *mf.* 인류학자.
antropometría *f.* [인류학] 인체 측정, 인체 측정법.
antropométrico, ca *adj.* 인체 측정의: ficha ~*ca* (범죄자의) 식별 카드.
antropomórfico, ca *adj.* 의인화한, 신인(神人) 동형론적인.
antropomorfismo *m.* ① 의인관(擬人觀), 신인 동형론(神人同形論). ② [해부] 인체 형태.
antropomorfo, fa *adj.* 유인원(類人猿)의, 인간 모양을 한. —*mf.* 유인원(類人猿).
antroponimia *f.* 인명 연구(人名硏究).
antropónimo *m.* 인명(人名).
antropopiteco *m.* 원인(猿人).
antropozoico, ca *adj., m.* [지질] 인류 출현기(의).
antruejo *m.* [문어] 카니발(carnaval).
anual *adj.* 매년의, 1년간의, 한 해의: presupuesto ~ 연간 예산. —*m.* 일년생 식물(planta ~).
anualmente *adv.* 매년, 해마다.
anualidad *f.* ① 매년. ② 매년의 지불[수취]금, 연회비. ③ 연금: ~ vitalicia 종신 연금.
anuario *m.* 연감, 연보.
anubarrado, da *adj.* (하늘이) 흐린.
anublar *tr.* ① 구름으로 덮다, 흐리게 하다. ② 그늘지게 하다. ③ (식물을) 시들게 하다. ~**se** 구름이 끼다, 흐려지다; 없어지다.
anudadura *f.* =anudamiento.
anudamiento *m.* 묶는 일; 매듭, 마디.
anudar *tr.* ① 매듭을 만들다[맺다], 잇다. ② 계속시키다, 재개하다: ~ la conversación 대화를 재개하다. ~**se** ① (넥타이・리본 등을) 매다, 묶다. ② 마디가 생기다. ③ 성장이 멈추다. ④ (혀가) 굳어지다.
anuencia *f.* [문어] (주로 개인적인) 승낙, 동의.
anuente *adj.* 승낙의, 동의의.
anulable *adj.* 무효로 할 수 있는, 폐기할 수 있는.
anulación *f.* 취소, 해소; 파기.
anular *tr.* ① 취소하다; [법률] 무효로 하다, 파기하다: ~ el viaje 여행을 취소하다. ② (인격을) 지배하다, 압도하다. ③ [수학] (공통항 등을) 나누다. ~**se** ① 무효가 되다, 소멸하다. ② 상쇄하다. ③ [야구] 아웃이 되다. —*adj.* 윤형(輪形)의, 환상(環狀)의: eclipse ~ [천문] 금환식. —*m.* 넷째손가락, 약지(藥指), 약손가락, 무명지(dedo ~).
anunciación *f.* 고시(告示).
Anunciación (la) *f.* (대천사 가브리엘에 의한 성모 마리아의) 수태 고지; 수태 고지절 ((3월 25일)).
anunciador, ra *adj., mf.* =anunciante.
anunciante *adj.* 광고의: entidad ~ 광고 회사. —*mf.* 광고주, 스폰서.
anunciar (11) *tr.* ① 알리다, 통지하다: *Han anunciado* un accidente de avión en [por] televisión 텔레비전으로 비행기 사고가 알려졌다. ② (방문을) 알리다: La secretaria le *anunció* mi visita 비서가 내 방문을 그에게 알렸다. ③ …의 전조(前兆)가 되다. ④ 광고하다: *Han anunciado* mucho este producto 이 제품은 많이 광고되었다. ~**se** 알려지다, 광고되다.
anuncio *m.* ① 알림, 통지: ~ oficial 공고(公告). tablón [tablero] de ~ 게시판. ② 광고: ~ por palabras 삼행광고. ~*s* breves [clasificados] (구인・셋집 등의) 항목별 작은 광고. hombre ~ 샌드위치맨. ③ 광고지, 입간판: Prohibido fijar ~*s* [게시] 광고 첨부 금지. ④ 전조(前兆), 조짐: ~ de la tormenta 태풍의 전조.
anuria *f.* [의학] 무뇨(증).
anuro, ra *adj.* [동물] 꼬리가 없는.
anverso *m.* (종이・동전 등의) 표면; (책의) 오른쪽 페이지, 겉페이지.
-anza *suf.* [ar동사+, 명사화. 동작・결과] mat*anza* 살륙. confi*anza* 신뢰.
anzuelo *m.* 낚싯바늘.
añada *f.* [농업] 1년간; 윤작지.
añadido *m.* ① 부가: hacer un ~ a un texto 원문에 가필하다. ② =**postizo.**
añadidura *f.* 부가; 덤, 경품; 서비스. ¶ *por ~, de ~* 그 위에, 게다가: Ella

es guapa y, *por* ~, inteligente 그녀는 미인인데다가 머리가 좋다.
añadir *tr.* ① [+a] (…에) 첨가하다, 보태다, 치다, 넣다: ~ sal *a* la sopa 국에 소금을 치다. ~ el interés *al* capital 원금에 이자를 보태다. ② 증보하다. ③ 부언하다.
añagaza *f.* (새를 잡을 때의) 미끼 새.
añal *adj.* (소·산양이) 한 살의.
añalejo *m.* (연간의) 성무(聖務) 안내; 교회력(敎會曆).
añejamiento *m.* 숙성(熟成).
añejar *tr.* 묵히다, 석이다, 묵은 티가 나게 하다. **~se** 낡아지다, 케케묵다, 신선미가 없다; 숙성하다, 석다.
añejo, ja *adj.* ① 오랜; (술 등이) 1년 이상 묵은, 숙성된: vicio ~ 오래된 악습. vino ~ 숙성된 포도주. ② 케케묵은, 신선미가 없는: noticia *~ja* 케케묵은[신선미가 없는] 소식.
añicos *m.pl.* (작은) 파편, 단편(斷片), 깨진 조각.
añil *m.* ① [식물] 남(藍), 인도쪽. ② 남색(藍色). *—adj.* 남색의.
año *m.* ① 연(年), 1년간: el ~ que viene, el ~ entrante 내년. dentro de dos *~s* 내후년, 2년 후에. el ~ pasado 작년. hace dos *~s* 재작년, 2년 전에. hace *~s* 수년 전에. cada ~, todos los *~s* 매년, 해마다. cada dos *~s* 2년에 한 번, 1년 걸러. una vez al [por] ~ 1년에 한 번. ② 연도(年度): ~ escolar 학년도. ~ académico [lectivo] (주로 대학의) 학년도. ~ fiscal [económico] 회계연도. ③ 역년(曆年): ~ bisiesto 윤년. ~ lunar 태음년. ~ solar 태양력. ④ (기원) …년: en el ~ 2004, 2004년에. ⑤ 나이, …살[세]: ¿Cuántos *~s* tiene usted? — Tengo sesenta y un *~s* (cumplidos) 연세가 어떻게 되십니까? — (만) 61세입니다. ⑥ 학년. ¶ ~ **(de)** ***luz*** 광년(光年). ***Año Nuevo*** 신년: día de *Año Nuevo* 설날, 1월 1일. ¡Feliz *Año Nuevo!* Nuevo 근하신년.
Año Internacional de la Mujer *m* 세계 여성의 해.
añojo, ja *m.f.* 한 살 된 송아지.
añoranza *f.* 사무침, 없는 사람에 대한 그리움.
añorar *tr., intr.* (잃은 물건을) 아쉬워하다, 그리워하다.
añoso, sa *adj.* (주로 수목이) 오랜 해가 경과한.
añublar *tr.* =anublar.
añublo *m.* 노균병균.
añusgarse (8) *r.* 화내다, 성내다.
AOD *f.* Asistencia Oficial para el Desarrollo 정부 개발 원조.
aojadura *f.* =aojo.
aojamiento *m.* =aojo.
aojar *tr.* 눈으로 저주하다.
aojo *m.* (저주의) 눈빛.
aorta *f.* [해부] 대동맥.
aórtico, ca *adj.* 대동맥의.
aortitis *f.sing.pl.* [의학] 대동맥염.
aovado, da *adj.* (잎이) 난형(卵形)의.
aovar *intr.* (곤충·새·물고기가) 알을 낳다, 산란하다.
aovillarse *r.* (고양이 등이) 몸을 둥글게 하다.
ap. aparte 별편(別便)으로.
AP ① Alianza Popular 국민 동맹 ((스페인의 정당)). ② Acción Popular 인민 행동당 ((뻬루의 정당)).
APA *f.* Asociación *f* de Padres de Alumnos 사친회(師親會).
apabullamiento *m.* 의기 소침.
apabullante *adj.* 압도적인.
apabullar *tr.* 찌그러뜨리다; 난처하게 하다.
apacentamiento *m.* 방목(放牧).
apacentar (19) *tr.* ① 방목하다, 사육하다, 목초를 먹이다. ② …에게 마음의 양식을 주다. ③ (감정 등을) 자극하다. **~se** ① 풀을 먹다. ② [+de · con] (…으로) 마음이 충족되다.
apache *adj., m.f.* ① (북미 인디언의) 아파치족(의). ② (대도시의) 파락호, 불량배, 강도.
apacheta *f.* (고대 뻬루의) 돌 제단.
apacibilidad *f.* 평온함, 온화함.
apacible *adj.* 얌전한, 온화한, 평온한.
apaciguador, ra *adj.* 가라앉은, 평온한.
apaciguamiento *m.* 평온, 평정; 진정.
apaciguar (10) *tr.* ① 달래다, 평온하게 하다. ② (통증·고통 등을) 진정시키다, 가라앉히다: ~ el dolor 고통을 가라앉히다. **~se** 가라앉다, 진정되다, 잠잠해지다, 자다, 멎다: *Se apaciguó* la tempestad 태풍이 멎었다.
apadrinamiento *m.* 대부(代父)가 되는 일; 비호(庇護).
apadrinar *tr.* ① 영세에 대부로 데리고 가다. ② 후견[후원]하다.
apagadizo, za *adj.* 연소하기 어려운, 잘 꺼지는.
apagado, da *adj.* ① 한가로운, 태평스러운. ② 활기[생기]가 없는: voz *~da* 착 가라앉은 목소리. ③ 저조한.
apagador *m.* ① =**apagavelas.** ② [음악] 지음기(止音器).
apagar (8) *tr.* ① (불 등을) 끄다; (장치를) 정지하다; 진압(鎭壓)하다: ~ el incendio 화재를 진압하다. ~ la radio 라디오를 끄다. ~ una revuelta 반란을 진압하다. ② (욕구 등을) 가라앉히다, 조용하게 하다, 진정시키다: ~ el dolor 통증을 가라앉히다. ③ (색·음을) 약하게 하다. **~se** ① 꺼지다: Con el aire *se apagó* la vela 바람으로 촛불이 꺼졌다. *Se apagó* su ira 그의 분노가 가라앉았다. ② (평온하게) 죽다, 호상이다: Mi madre *se apagó* a los 79 años 내 어머님은 일흔 아홉으로 호상이었다.
apagavelas *m.sing.pl.* 촛불 끄는 기구.
apagón *m.* 정전(停電).
apaisado, da *adj.* 장방형의.
apalabrar *tr.* 구두 약속하다.

apalancar (7) *tr.* 지렛대로 움직이다.
apaleamiento *m.* 몽둥이로 때리기.
apalear *tr.* 때리다, 치다.
apaleo *m.* (곡물의) 티 고르기.
apandar *tr.* ① 붙잡다. ② 훔치다.
apañado, da *adj.* 천 같은, 매끄러운.
apañar *tr.* ① 챙겨 넣다. ② 붙잡다. ③ 훔치다. ④ 옷을 입히다. ⑤ 수선하다. ~**se** 숙달[숙련]하다.
apaño *m.* ① 수선. ② 숙련, 숙달.
apapachar *tr. Méj.* 애무하다.
aparador *m.* ① 식기 찬장; (가게의) 진열 선반. ② 일터, 작업장.
aparar *tr.* ① 갖추다, 채비를 하다, 준비하다. ② (밭 등의) 김을 매다. ③ (과일 등의) 껍질을 벗기다.
aparato *m.* ① 기구(器具), 장치: ~ eléctrico 전기 도구. ② (라디오의) 수신기. ③ (텔레비전의) 수상기. ④ [연극] 소도구. ⑤ [체조] [주로 *pl.*] 기계(器械), 용구. ⑥ [컴퓨터] 장치. ⑦ 보청기. ⑧ [주로 *pl.*] 치열 교정기(齒列矯正器). ⑨ [el+] [전화] ¡Al ~! (전화를 받은 측이) 안녕하세요, 접니다. ⑩ [문어] 비행기. ⑪ [집합] (신체의) 기관: ~ digestivo 소화기(消化器). ⑫ [정치] (지배·규제하는) 기관, 기구; 집행부: ~ del estado 국가 기구.
aparatosidad *f.* 화려함, 장려함.
aparatoso, sa *adj.* 화려한, 장려한.
aparcamiento *m.* 주차(장).
aparcar (7) *tr.* ① 주차하다: ~ *su* coche 자동차를 주차하다. ② (군수품 등을) 집결시키다. —*intr.* 주차하다: Prohibido ~ [게시] 주차 금지.
aparcería *f.* (농장·목장의) 공동 경영: cultivo en ~ 소작(小作).
aparcero, ra *mf.* 공동 경영자; 소작인.
apareamiento *m.* 짝이 되기, 맞추기.
aparear *tr.* ① 맞추다: ~ tablas 판자를 같은 모양으로 맞추다. ② 짝이 되게 하다.
aparecer (31) *intr.* ① 나타나다, (자태·모습을) 보이다, 얼굴을 내밀다: El *aparece* de vez en cuando por la tertulia 그는 때때로 모임에 얼굴을 내민다. ② (새로) 출현하다; (책·잡지 등이) 간행되다: *Ha aparecido* una nueva revista 새 잡지가 발간되었다. ~**se** ① 나타나다. ② 보이다, 있다.
aparecido *m.* 혼령, 망령.
aparejado, da *adj.* 적당한, 알맞은, 어울린.
aparejador, ra *mf.* 보조 건축사.
aparejar *tr.* ① 준비하다; (말에게) 마구를 얹다; (배를) 의장(艤裝)하다. ② 쌍으로 하다. ~**se** [+a·para] (…의) 준비[채비]를 갖추다.
aparejo *m.* ① 준비, 채비. ② 도구: ~ de pesca 낚시 도구. ③ 마구(馬具). ④ 활차, 고패.
aparentar *tr.* ① 짐짓 보이다, 꾸며대다. ② (겉보기에, 어떤) 나이로 보이다: El tiene sesenta años, pero *aparenta* diez menos 그는 예순 살이지만 열 살 더 젊어 보인다.
aparente *adj.* ① 외견상의, 겉으로만 번드르한. ② 안성마춤의, 그럴싸한. ③ 현저한, 눈에 보이는.
aparentemente *adv.* 외견상, 겉으로 보기에.
aparición *f.* ① 출현: ~ del nuevo artículo 신제품의 출현. libro de próxima ~ 근간서(近刊書). hacer *su* ~ 출현하다, 등장하다. ② 환영, 혼령.
apariencia *f.* 외관, 외견; 기색. —*pl.* ① 징후. ② 무대 장치.
apartadero *m.* ① (도로·터널 등의) 대피소; (열차의) 대피선. ② [투우] 소를 서로 갈라놓아 가두는 곳.
apartadijo *m.* 갈라 놓음, 작게 나눔.
apartadizo, za *adj.* 떨어지기 쉬운.
apartado[1] *m.* ① (문장의) 단락; (법률 등의) 조항. ② (문제 등의) 측면, 부분: ~ físico 육체적인 면. ③ (우편) 사서함(~ postal, ~ de correos). ④ 별실. ⑤ (금의) 정련(精錬).
apartado[2]**, da** *adj.* ① 외떨어진, 외진, 벽촌의. ② 별개의, 다른.
apartador, ra *adj.* 선별자; 선별공.
apartamento *m.* ① 맨션, 아파트 ((주로 piso보다 협소한 개개의 주거)). ② 별장(別莊).
apartamiento *m.* ① 분리; 떨어진 장소. ② [법률] (권리·주장의) 취하, 방기(放棄). ③ 분실. ④ *Amér.* 아파트.
apartar *tr.* ① 나누다, 가르다, 분리하다, 떼어놓다. ② 치우다, 챙기다. ③ 선별하다. ④ [문어] 해임하다. ⑤ [철도] 조차(操車)하다. ~**se** ① 갈라지다, 분리되다. ② 이혼하다. ③ 들어박히다. ④ [법률] 청구를 취하하다.
aparte *adv.* ① 따로, 별도로: Pon estos libros ~ 이 책들은 따로 놓아라. ② 그 위에, 더욱 더, 그 외에: He pesado un kilo de azúcar, y ~, medio kilo más 나는 설탕 1 킬로그램을 달고 거기에다 또 반 킬로그램을 달았다. ③ 별행으로: hacer párrafo ~ 단락을 첨가하다. ④ [연극] 방백으로. —*m.* ① 단락(段落). ② 별책(別冊). ③ [연극] 방백(傍白): en un ~ 방백으로.
apartheid *m.* (흑인에 대한) 인종 차별[격리] 정책.
apartotel *m.* 장기 체재용 아파트, 임대 아파트식 호텔(hotel apartamento).
aparvar *tr.* ① (밀을) 모으다. ② 쌓아 올리다.
apasionado, da *adj.* 정열적인, 열렬한: árbitro ~ 감정적인 심판. discusión ~*da* 격론(激論). —*m.* 열광적인 팬.
apasionamiento *m.* 열중, 열심: con ~ 열심히.
apasionante *adj.* 열중하는, 감격하는.
apasionar *tr.* 열중하게 하다. ~**se** ① [+por·con] …에 열중하다: ~*se por* el juego 도박에 빠져 있다. ② [경멸] 편견을 가지다.
apatía *f.* 무관심, 무기력; 무감동.
apático, ca *adj., mf.* 무관심한 (사람),

무기력한 (사람).
apatito *m.* [광물] 인회석(燐灰石).
apátrida *adj.* 무국적의. —*m.f.* 무국적자(無國籍者).
apble(s). apreciable(s) 존중할 만한.
apda(s). apreciada(s) 존경하는.
apdo. apartado (de correos) 사서함.
apeadero *m.* ① (길가의) 휴게소. ② (기차의) 임시 정거장.
apear *tr.* ① 내리다, 내려놓다. ② (높은 데서) 내리다, 강등시키다. ③ 떼어놓다, 쓰러뜨리다. ④ (생각을) 달리하게 하다, 단념시키다. ⑤ 극복하다. ⑥ 경계를 정하다. ⑦ [건축] (지지재(支持材)로) 보강하다, 임시로 받치다. ~**se** ① 내리다: ~*se del* tren en marcha 달리는 열차에서 내리다. ② 점점 의견을 바꾸다[자신의 잘못을 인정하다].
apechar *intr.* =apechugar.
apechugar (8) *intr.* ① 가슴으로 짓누르다, 가슴으로 밀다. ② [+con] (…을) 받아들이다.
apedazar (9) *tr.* 조각조각으로[가루로] 만들다.
apedreado, da *adj.* 돌세례를 받은.
apedreamiento *m.* 투석(投石).
apedrear *tr.* ① …에 투석하다. ② 돌을 던져 죽이다. —*intr.* 우박이 쏟아지다. ~**se** 우박의 피해를 입다.
apedreo *m.* =apedreamiento.
apegado, da *adj.* [+a] …에 집착한.
apegarse (8) *r.* [+a] …에 애착을 품다, 집착하다, 연연해하다.
apego *m.* [+a · por] (…에) 집착, 애착: tomar [cobrar] ~ a *algo* …에 애착을 품다. tener ~ *a* los estudios 면학에 힘쓰다.
apelación *f.* ① [법률] 상소, 상고, 항소. ② 호소, 어필.
apelambrar *tr.* (탈모를 위해 피혁을) 석회수에 묻히다.
apelante *m.f.* 상소인, 상고인.
apelar *intr.* ① [법률] 상소[상고]하다. ② [+a] (수단 등에) 호소하다: ~ *a* la justicia [la violencia] 법률[폭력]에 호소하다. ③ [+a] …에게 증언을 부탁하다[의뢰하다]. ④ …에 다른 이름을 붙이다.
apelativo, va *adj.* 호명(呼名)의, 통칭의. —*m.* ① 다른 이름, 별명(別名). ② *Amér.* 성(姓)(apellido).
apellidar *tr.* ① 이름을 붙이다; [+de] …라 형용하다. ② …라는 다른 이름으로 부르다.
apellido *m.* ① 성(姓)(~ familiar): ~ materno 어머니(쪽)의 성. ~ paterno 아버지(쪽)의 성. nombre y ~ 성명. ¿Cómo te llamas de ~? 성이 뭐니? Su ~ es Kim / Se llama Kim de ~ 그의 성은 김이다. ② 다른 이름. ¶ *con nombre y* ~ 상세히.
apelmazado, da *adj.* ① 장황한, 성가신. ② 차진: arroz ~ 찹쌀.
apelmazar (9) *tr.* ① 꽉 조이다. ② 빈틈없이 하다.
apelotonar *tr.* ① 소대를 편성하다, 조[반]를 짜다. ② 구슬을[같이] 만들다. ~**se** ① 둥글어지다, 둥글게 오므라들다. ② 떼[무리]를 짓다.
apenar *tr.* 괴롭히다, 슬프게 하다, 탄식하게 하다. ~**se** ① (무척) 슬퍼하다, 괴로워하다: El *se apenó* ante la noticia 그는 그 소식에 무척 심통했다. ② *AmérC.* 부끄러워하다, 수줍어하다, 허둥지둥하다, 갈팡질팡하다.
apenas *adv.* ① 거의 …않다: No se oye ~ el ruido 소리가 거의 들리지 않는다. ② 간신히, 겨우. ③ 고작: Tardará dos meses ~ 고작 2개월이 걸릴 것이다. ④ …하자마자.
apencar (7) *intr.* =apechugar.
apéndice *m.* ① (권말의) 부록, 보충; 부속 가옥. ② [해부] 부속체; 충수(虫垂); (체절 동물의) 부속지(附屬肢). ③ [비유] 항상 그림자처럼 붙어 다니는 사람.
apendicectomía *f.* [의학] 충수 절제.
apendicitis *f.sing.pl.* [의학] 충수염, 맹장염.
apeo *m.* ① 벌채; 경계표의 설치. ② 하차(下車), 하마(下馬). ③ [건축] 받침목, 지지재(支持材).
apeonar *intr.* (새가) 지면을 달리다.
apepsia *f.* [의학] 소화 불량.
apercibimiento *m.* 주의, 준비; 경고; 지각(知覺).
apercibir *tr.* ① [+de · por · con] (…을) …에 경고하다. ② 준비하다: ~ la cama 침대를 준비하다. ~**se** ① [+de] (…을) 준비하다: ~*se de* ropa 옷을 준비하다. ② [+a · para] (…의) 준비를 하다: ~*se para* la cena 저녁밥을 준비하다.
apergaminado, da *adj.* 양피지 같은; 구겨진, 고기작고기작한, 쭈글쭈글한, 우글쭈글한; 진부한.
apergaminarse *r.* =acartonarse.
aperiódico, ca *adj.* ① 비주기적인. ② [물리] 비진동성의.
aperitivo, va *adj.* 식욕 증진의. —*m.* ① 식전 술, 아페리티프. ② [요리] 전채(前菜).
apero *m.* [주로 *pl.*] 농기구; 도구류; *Amér.* 마구(馬具).
aperreado, da *adj.* ① 무척 바쁜: He tenido un día ~ 무척 바쁜 하루였다. ② 비참한: vida ~*da* 비참한 생활.
aperrear *tr.* ① (…에게) 개를 부추기다, 꼬드기다. ② 넌더리나게 하다, 괴롭히다. ~**se** ① 넌더리나다. ② 끈질기게 버티다, 고집하다.
aperreo *m.* ① 괴롭힘, 성가심, 귀찮음. ② 피로 곤비(疲勞困憊).
apersonado, da *adj.* 풍채가 좋은(bien ~): mal ~ 풍채가 좋지 않은.
apertura *f.* ① 개시, 개막, 개설; 개막식전: ~ de los cursos 개강(식). ~ de un crédito 신용장의 개설. ② 개방(성): ~ del gobierno 개방 정부. ~ del mercado 시장 개방. ③ 유언장의

개봉. ④ 기부(寄附). ⑤ [장기] 첫 수. ⑥ [광학] 구경(口徑). ⑦ [해부] 개구(開口), 공(孔).

aperturismo *m.* 문호 개방주의, 진보주의(進步主義).

aperturista *adj.* 문호 개방주의의, 진보적인. *—m.f.* 문호 개방주의자, 진보주의자.

apesadumbrar *tr.* 슬프게 하다.

apesarar *tr.* =apesadumbrar.

apestado, da *adj.* 흑사병[페스트]에 걸린. *—m.f.* 흑사병[페스트] 환자.

apestar *tr.* ① 썩히다. ② 해치다, 타락시키다. ③ 구역질나게 하다. ④ 페스트에 걸리게 하다, 페스트에 감염시키다. ⑤ (악취를) 풍기다. ⑥ 가득차게 하다, …투성이로 만들다. *—intr.* ① [+a] (…의) 악취를 풍기다. ② [+de] …투성이가 되다. ~**se** ① *AmérM.* 감기가 들다. ② *Amér.* (사람・동식물이) 전염병에 걸리다. ③ 페스트에 걸리다.

apestoso, sa *adj.* ① 구린, 악취가 나는, 고약한 냄새가 나는: olor ~악취. ② 진절머리가 나는.

apétalo, la *adj.* [식물] 화판이 없는.

apetecer (31) *tr.* 탐나게 하다. *—intr.* 탐을 내다, 가지고 싶어하다.

apetecible *adj.* 바람직한, 탐나는, 바라는, 가지고 싶은.

apetencia *f.* ① [문어] 식욕. ② 욕망.

apetitivo, va *adj.* ① 욕구의, 욕망의. ② 식욕을 돋우는.

apetito *m.* ① 식욕: abrir el ~ 식욕을 돋우다. tener mucho ~ 식욕이 왕성하다. comer con mucho [poco] ~ 게걸스레[깨지락깨지락] 먹다. perder el ~ 식욕을 잃다. ② [문어] [주로 *pl.*] 욕망: ~ sexual 성욕(性慾). tener ~ de [por] *algo* …에 대한 욕망이 있다. ¶ ***¡Buen ~!*** [주로 까딸루냐 지방에서] 많이 드십시오(¡Que aproveche!).

apetitoso, sa *adj.* 맛있는; 정욕을 돋우는: empleo ~ 매력 있는 일. plato ~ 맛있는 요리.

ápex *m.* [천문] (태양의) 향점(向點); 정점.

apiadar *tr.* 동정하게 하다, 가엾이 여기게 하다. ~**se** [+de] (…을) 동정하다.

apiario *m.* 양봉장(colmenar).

apical *adj., f.* 혀 끝(의), 설첨(舌尖)(의); 혀끝음(의), 설첨음(舌尖音)(의).

apicararse *r.* 건달이 되다.

ápice *m.* ① 상단(上端), 정점. ② 미진(微塵). ③ 문장의 상단에 붙이는 부호. ④ (문제의) 핵심.

apicoalveolar *adj., f.* 설첨치경음(舌尖齒莖音)(의).

apicodental *adj., f.* 설첨치음(舌尖齒音)(의).

apícola *adj.* [남녀 동형] 양봉(養蜂)의.

apicultor, ra *m.f.* 양봉(養蜂)가.

apicultura *f.* 양봉(養蜂).

apilamiento *m.* 노적(露積), 퇴적. 더미.

apilar *tr.* 쌓아 올리다.

apimplarse *r.* [구어] 많이 취하다.

apiñamiento *m.* 채워 넣음.

apiñar *tr.* 채워 넣다. ~**se** 가득 차다.

apiñonado, da *adj.* =moreno.

apiolar *tr.* 죽이다.

apiparse *r.* [+de] (…을) 실컷 먹다[마시다].

apirético, ca *adj.* 열이 없는, 무열성(無熱性)의.

apirexia *f.* [의학] 무열(無熱), 발열간결기(發熱間缺期).

apisonadora *f.* 롤러 차, 땅을 다지는 기계.

apisonar *tr.* (밟아서) 땅을 다지다, 롤러로 다지다.

apitonar *intr.* ① 뿔이 나기 시작하다. ② 싹트다. ~**se** 노하다, 성내다.

aplacamiento *m.* 진정(鎭靜), 완화.

aplacar (7) *tr.* 달래다, 진정시키다.

aplanadera *f.* [건축] 롤러, 땅 고르는 기계.

aplanadora *f. Amér.* =apisonadora.

aplanamiento *m.* ① 땅 다지기, 땅 고르기. ② [구어] 의기 소침.

aplanar *tr.* ① (땅을) 고르다, 반반하게 하다. ② (장애를) 극복하다. ③ 질겁하게 하다. ~**se** 반반해지다; 의기 소침하다; 쇠약하다.

aplasia *f.* [의학] 형성 부전(증).

aplastamiento *m.* 진압, 제압.

aplastante *adj.* ① 납작하게 하는, 압연하는. ② 압도적인: triunfo ~ 압승.

aplastar *tr.* ① 납작하게 하다, 압연하다. ② (적을) 타파하다, 압도하다. ③ 당황하게 하다, 쩔쩔매게 만들다. ~**se** 엎드리다: *~se contra* el suelo 지면(地面)에 엎드리다.

aplatanamiento *m.* ① 환경에 익숙해짐. ② 태만.

aplatanarse *r.* ① (외국인이) 한 고장의 환경에 익숙해지다. ② 태만해지다.

aplaudir *tr.* ① …에 박수 (갈채)를 보내다: El público *aplaudió* frenéticamente al cantante 청중은 가수에게 열렬한 박수를 보냈다. ② 칭찬하다, 칭송하다, 상찬(賞讚)하다, 찬동하다: Todos *aplaudieron* su decisión 모두가 그의 결단을 칭송했다.

aplauso *m.* ① 박수 (갈채): Vamos a dar un gran ~ a los ponentes 발표자들에게 열렬한 박수 갈채를 보냅시다. ② 칭찬, 상찬, 찬동: ser digno de ~, merecer ~ 칭찬할 만하다.

aplazamiento *m.* 연기: ~ de un mes de una reunión 회의의 한 달 연기.

aplazar (9) *tr.* 연기하다, 지연시키다.

aplazo *m. Amér.* 낙제(落第).

aplebeyar *tr.* 속되게 만들다. ~**se** 천박해지다.

aplicable *adj.* [+a] …에 적용될 수 있는: Esta ley es ~ *a* los extranjeros 이 법률은 외국인에게 적용된다.

aplicación *f.* ① 첨부. ② 적용, 응용; 용도: campo de ~ 적용 [응용] 범위. ③ [+a] (…에의) 전심, 근면: ~ *al* estudio 공부에 전심. ④ [수학] 사상

(寫像). ⑤ 수속, 절차, 신청(서), 출원: ~ de solicitud 원서, 신청서. ⑥ *pl.* [수예] 아플리케, 꿰매 붙인 장식, 박아 넣은 장식.

aplicado, da *adj.* ① 근면한, 부지런한: alumno ~ 근면한 학생. ② 응용의: matemáticas *~das* 응용 수학.

aplicar (7) *tr.* ① 붙이다, 바르다, 첨부하다: ~ cartel *a* la pared 벽에 포스터를 붙이다. ② 적용하다, 응용하다; 충당하다, 이용하다: ~ una teoría *a* la realidad 이론을 현실에 적용하다[맞추다]. ~ una tarifa elevada *a* las mercancías 상품에 높은 세율을 적용하다. ③ (이름 등을) 부여하다. ④ [문법] 놓다, 붙이다: ~ un acento *a* la última sílaba 최후의 음절에 악센트를 놓다. ~ un artículo *a* un nombre 명사에 관사를 붙이다. **~se** ① 자신의 몸에 …을 바르다: *Aplíquese* esta pomada a la herida 이 연고를 상처에 바르십시오. ② 적용[응용]하다: Estas normas *se aplican* a todos los conductores 이 규칙들은 모든 운전자들에게 적용된다. ③ [+en · a] (…에) 전념[전심]하다: *~se en [a]* los estudios 연구에 전념하다.

aplique *m.* ① (벽에 장치하는) 촛대. ② [연극] 대도구(大道具). ③ [수예] 아플리케.

aplomado, da *adj.* ① 수직의. ② 침착한. ③ 연색(鉛色)의(plomizo).

aplomar *tr.* ① 추를 늘어뜨리다. ② 수직이 되게 하다. **~se** 쓰러지다, 허물어지다.

aplomo *m.* ① 수직. ② 침착, 냉정: perder el ~ 평정을 잃다.

apnea *f.* [의학] 무호흡, 호흡 정지.

apocado, da *adj.* ① 무기력한, 빌빌거리는. ② 비천한.

apocalipsis *m.sing.pl.* 대참사.

Apocalipsis *m.sing.pl.* [성경] 묵시록.

apocalíptico, ca *adj.* ① 묵시록의. ② 종말 같은. ③ 비참한. *—m.f.* 종말이 가깝다고 주장하는 사람.

apocamiento *m.* ① 허약함, 나약함, 무기력함. ② 움츠림. ③ 낙담. ④ 비굴.

apocar (7) *tr.* ① 적게 하다, 줄이다, 덜다. ② 짧게 하다. ③ 낙심시키다, 낙심하게 만들다. **~se** ① 적어지다. ② 주눅들다, 풀이 죽다. ③ 비굴해지다.

apocopar *tr.* (단어의) 어미(語尾)를 탈락시키다.

apócope *f.* [문법] 어미의 탈락, 탈락형 ((예: algún ←alguno, gran ← grande, cien ←ciento)).

apócrifo, fa *adj.* ① [성경] 외전(外典)의: textos *~s* 경외 성서(經外聖書). ② 출처가 의심스러운: documento ~ 괴문서. ③ 위작(僞作)의, 거짓의: obra *~fa* 위작.

apodar *tr.* (…에) 별명을 붙이다, (…라고) 별명하다.

apoderado, da *m.f.* ① 대리인. ② [운동] 에이전트, 매니저.

apoderar *tr.* …에 대리권을 주다, 위임하다. **~se** ① [+de] (…을) 자신의 것으로 하다: *~se del* poder 권력을 탈취하다. ② [문어] 지배하다.

apodíctico, ca *adj.* [논리] 필연적인.

apodo *m.* 별명.

ápodo, da *adj.* [동물] 다리가 없는, 무지(無肢)의. *—m.pl.* 무족류(無足類).

apódosis *f.sing.pl.* [문법] (조건문의) 귀결절, 결구(結句).

apófisis *f.sing.pl.* [해부] 골돌기.

apofonía *f.* [문법] (활용 · 파생의) 모음 전환 ((hice ←hacer, imberbe ←barba)).

apogamia *f.* [식물] 무배 생식.

apogeo *m.* ① 절정. ② [천문] 원지점.

apógrafo *m.* 사본(寫本).

apolillado, da *adj.* ① 벌레 먹은, 좀먹은. ② 시대에 뒤떨어진, 고리타분한.

apolilladura *f.* 좀먹기; 벌레 먹은 구멍.

apolillar *tr.* (의류 · 나무 등을 벌레가) 좀먹다, 구멍을 내다. **~se** ① 벌레가 좀먹다. ② 시대에 뒤떨어지다.

apolíneo, a *adj.* ① 아폴로(Apolo)의. ② 미남자의.

apoliticismo *m.* 비정치성.

apolítico, ca *adj.* 비정치적인, 정치에 무관심[무관계]한.

apolo[1] *m.* 미남자.

Apolo[2] *m.* [그리스 신화] 아폴로.

apologético, ca *adj.* ① 변명의. ② 옹호의. ③ 호교(護敎)의. *—f.* (기독교의) 호교론, 호교학.

apología *f.* ① 변명, 옹호. ② 칭찬.

apologista *m.f.* 변명자; 옹호자.

apólogo *m.* 교훈적인 우화(寓話).

apoltronamiento *m.* 태만.

apoltronarse *r.* ① 게을러지다, 태만해지다. ② (의자에) 편히 앉다. ③ (지위에) 매달리다.

aponeuosis *f.sing.pl.* [해부] 건막.

apoplejía *f.* [의학] 졸중(卒中), 일혈(溢血), 출혈(出血): ~ cerebral 뇌졸중.

apopléjico, ca *adj.* 졸중(卒症)(성)의. *—m.f.* 졸중 환자.

apoquinar *intr., tr.* 선불하다.

aporcar (7) *tr.* (콩나물 · 숙주나물을) 싹트게 하다; 흙을 돋워 주다.

aporreado, da *adj.* 가난한, 한푼 없는.

aporreamiento *m.* 구타.

aporreo *m.* =aporreamiento.

aporrear *tr.* (곤봉 등으로) 때리다. **~se** 열을 내다, 부지런히 일하다.

aportación *f.* ① 기여, 공헌: ~ a la sociedad 사회에 공헌. ② 제출. ③ 출자(금), 지참금.

aportante *adj.* 출자하는: país ~ 공여국(供與國).

aportar *tr.* ① 가져가다. ② [상업] 출자하다, 불입하다. *—intr.* ① 입항하다. ② (안전한 장소에) 고생해 가며 간신히 도착하다. ③ 종종 가다[오다].

aporte *m.* =aportación.

aportillar *tr.* (벽 등에) 구멍을 뚫다, 부수다. **~se** (벽 등의 일부가) 부서지

다, 무너지다.
aposentamiento *m.* 숙박(하는 방).
aposentar *tr.* 숙박[숙영]시키다. ~**se** 묵다, 숙박하다.
aposento *m.* ① 방, 거실. ② 숙박.
aposición *f.* [문법] 동격(同格).
apositivo, va *adj.* [문법] 동격의.
apósito *m.* [의학] (상처의) 치료약; 구급구 ((붕대, 탈지면, 반창고 등)).
aposta *adv.* 일부러, 고의로.
apostar[1] *tr.* 내기를 걸다. —*intr.* 내기를 하다.
apostar[2] *tr.* (감시·공격 등을 위해) 배치하다, 세우다: ~ a un centinela 보초를 세우다. ~**se** 서로 겨루다.
apostasía *f.* 배교(背教).
apostata *m.f.* ① 배교자. ② [경멸] 변절자, 전향자; 탈당자.
apostatar *intr.* ① [종교] 배교하다; (성직자가) 수도회를 나가다. ② [+de] (사상 등을) 버리다; 탈당하다.
a posteriori *adv., adj. lat.* 후천적으로[인], 귀납적으로[인].
apostilla *f.* 주(註), 주석(註釋).
apostillar *tr.* …에 주를 달다.
apóstol *m.* ① [종교] 사도(使徒): doce ~*es* 12사도. ② 포교자, 전도자.
apostolado *m.* ① 사도 직, 사도의 임무. ② 포교, 전도; 포교[전도] 기간. ③ [집합] 12사도.
apostólico, ca *adj.* ① 사도(使徒)의. ② 로마 교황의.
apostolizar (9) *tr.* (가톨릭으로) 개종시키다.
apostrofar *tr.* 매도하다, 모욕하다, 욕을 퍼붓다.
apóstrofe *m.(f.)* ① [수사] 돈호(頓呼). ② 아담, 욕지거리, 상소리.
apóstrofo *m.* [문법] 생략 부호, 어포스트로피 ((')).
apostura *f.* 우아함, 기품; 태도: de buena ~ 당당한 풍채의.
apotegma *m.* 명언, 명구; 경구.
apotema *f.* [수학] 변심거리.
apoteósico, ca *adj.* 열광적인, 열렬한: recibimiento ~ 열렬한 환영.
apoteosis *f.sing.pl.* ① 신격화; 찬미, 숭배; 열광. ② 예찬, 찬미. ③ [연극] 최후의 막, 피날레.
apoyabrazos *m.sing.pl.* (의자) 팔걸이.
apoyacabezas *m.sing.pl.* 머리받침 ((치과 의자·자동차 좌석 등의)).
apoyalibros *m.sing.pl.* 책버팀 ((책이 쓰러지지 않게 양 끝에 세우는 것)).
apoyapiés *m.sing.pl.* (이발용 의자 등의) 발판, 발걸이.
apoyar *tr.* ① 기대다, 기대어 놓다. ② 쉬게 하다. ③ 지지[지원]하다. ~**se** [+en] (…에) 의지하다, 기대다.
apoyatura *f.* ① =apoyo. ② [음악] 전타음(前打音).
apoyo *m.* ① 받침, 받치는 것[물건]: pared de ~ 옹벽(擁壁). punto de ~ 지점(支點), 거점; 근거. ② 지지, 지원: precio de ~ (정부에 의한) 최저 보장 가격.
APRA *f.* Alianza Popular Revolucionario Americana 아메리카 혁명 인민 동맹, APRA당 ((뻬루의 정당)).
apraxia *f.* [의학] 선행(증), 행동 불능증.
apreciable *adj.* 평가할 수 있는, 가치 있는, 고마운, 존중할 만한.
apreciación *f.* ① 평가, 가치의 인식; 감정: Su ~ es exagerada 그의 평가는 과대하다. ② (예술의) 감상. ③ 감지(感知). ④ (평가액 등의) 상승: ~ de la moneda 화폐 가치의 등귀.
apeciar *tr.* ① (높이) 평가하다, 가치를 인정하다; 감정하다: Le *apecio* mucho 나는 그를 높이 평가한다. ② 감상하다. ③ (사람에게) 친함을 느끼다. ④ 감지하다.
apreciativo, va *adj.* ① 평가의: valor ~ 평가액. ② 감식안이 있는, 평가하는 힘이 있는. ③ 가치를 인정하는.
aprecio *m.* [+de·por] (…에의) 평가; 애호: Siento gran ~ *por* su padre 나는 그의 아버지를 존경하고 있다.
aprehender *tr.* ① 잡다, 체포하다; 압수하다. ② 감지하다, 이해하다.
aprehensible *adj.* ① 체포할 수 있는. ② 감지[이해]할 수 있는.
aprehensión *f.* 체포; 감지; 이해.
apremiante *adj.* 긴급을 요하는, 절박한: tarea ~ 절박한 일.
apremiador, ra *adj.* =apremiante.
apemiar (11) *tr.* 독촉하다, 강요하다; 억지로 시키다, 강제하다. —*intr.* 긴급을 요하다.
apemio *m.* ① 결여, 핍박(逼迫): ~ económico 경제적 핍박. ② 재촉, 독촉, 납세 연체금. ③ (법적인) 강제, 영상: cobro por vía de ~ 강제 수용.
aprender *tr.* ① 배우다, 습득하다, 학습하다: ~ español 스페인어를 배우다. En mis viajes *he aprendido* muchas cosas 나는 여행을 통해 많은 것을 배운다. ② 기억하다, 외우다, 알다: ~ de memoria 암기하다. —*intr.* [+a+*inf.*] …하는 것을 배우다: ~ *a* trabajar 일을 배우다. ~**se** …을 암기하다: ~*se* los gentilicios 지명을 암기하다. ¶ ***Aprender llorando; reirás ganando*** (속담) 울면서 배워라 그러면 웃으면서 얻을 것이다. ***No se aprende de machucho, sino de muchacho*** (속담) 늙어지면 못 배우니 젊을 때 배워라. ***Para ~ es menester padecer*** (속담) 배움에는 왕도가 없다. ***Para ~ nunca es tarde*** (속담) 배움은 나이에 관계없다.
aprendiz, za *m.f.* 견습생, 실습생; 도제(徒弟); 초심자, 초보자, 햇병아리
aprendizaje *m.* ① 견습 (기간). ② [심리] 학습.
aprensión *f.* ① 체포, 압수. ② [주로 *pl.*] 두려움, 공포, 우려; 망상(妄想).
aprensivo, va *adj.* 소심한, 걱정이 팔자인: persona ~*va* 소심한 사람.

apresador, ra *adj.* 붙잡는, 체포하는. —*m.f.* 잡는 사람, 체포자.
apresamiento *m.* 체포, 포획, 나포.
apresar *tr.* (붙)잡다, 체포[포획]하다.
aprestar *tr.* ① 준비하다, 챙기다. ② (천을) 처리하다. ~**se** [+a+*inf.*/+para] 준비를 하다.
apresto *m.* ① 준비, 챙김. ② (피륙의) 처리용 재표 ((풀, 아교, 고무 등)).
apresuradamente *adv.* 조급하게, 서둘러, 성급히.
apresuración *f.* 독촉, 서두르는 일.
apresuramiento *m.* =apresuración.
apresurado, da *adj.* 서두르는, 조급한, 성급한: viaje ~ 서두르는 여행.
apresurar *tr.* ① 독촉하다, 성화를 부리다, 재촉하다, 서둘게 하다: No me *apresures* 나한테 재촉하지 마라. ② 서두르다(dar prisa); (예정보다) 빠르다: ~ el paso 걸음을 서두르다. ~ el trabajo 급히 일하다. ~**se** 서두르다; [+a+*inf.*] 급히 …하다, 서둘러 …하다.
apretadamente *adv.* ① 단단히, 꽉, 굳게. ② 끈질기게, 열심히. ¶*ganar* ~ 신승(辛勝)하다.
apretado, da *adj.* ① 단단히 맨, 꽉 조여진. ② 빈곤한. ③ 인색한.
apretar (19) *tr.* ① 조이다, 조여 매다. ② 누르다, 짓누르다, 압박하다. ③ 채워[챙겨] 넣다. ④ 들볶다. ⑤ (옷·구두가 꽉 끼여) 거북하다. ~**se** 조이다; 답답해지다; 거북해지다; 줄어들다, 오므러들다.
apretón *m.* ① 꽉 조임. ② [구어] 포옹(abrazo). ③ [구어] 촉진. ④ 궁지.
apretujamiento *m.* 짓누름.
apretujar *tr.* 짓누르다; 꽉 쥐다. ~**se** (비좁은 곳에서) 서로 밀치다.
apretujón *m.* 압착; 잡아 조임; 밀치기.
apretura *f.* ① (사람이) 입추의 여지가 없음. ② =aprieto.
aprieto *m.* ① 조르기, 조이기. ② 곤경, 궁지. ③ 곤궁, 곤란; 곤혹.
a priori *adv. lat.* 선험적으로.
apriorismo *m.* 선험주의, 선험적 논법.
apriorístico, ca *adj.* 선험적인.
aprisa *adv.* 속히, 빨리, 급하게, 서둘러.
aprisco *m.* 우리(corte).
aprisionamiento *m.* 구금, 포로.
aprisionar *tr.* 투옥[수감 · 구류]하다.
aprista *adj.* APRA(당)(아메리카 혁명 인민 동맹)의. —*m.f.* APRA 당원.
aproar *intr.* 뱃머리를 돌리다.
aprobación *f.* ① (주로 개인적인) 승인, 찬성. ② 합격.
aprobado, da *adj.* [+de] (…의) 자격을 얻은. —*m.* 합격(점). —*m.f.* 합격자.
aprobar (24) *tr.* ① (공적으로) 승인하다, 인가하다. ② 동의하다, 찬성하다: No *apruebo* tu decisión 네 결정에는 찬성할 수 없다. ③ (시험에) 합격하다: *He aprobado* todas las asignaturas 나는 전과목을 합격했다. ④ (선생이 학생을) 합격시키다. —*intr.* 합격하다.
aprobatorio, ria *adj.* 찬성의.
aprontar *tr.* 서둘러 준비하다.
apropiación *f.* 적합; 취득, 소유.
apropiado, da *adj.* [+para] (…에) 적합한, 어울리는.
apropiar (11) *tr.* ① 적합하게 하다, 적응시키다, 적절하게 맞추다. ② 어울리게 하다. ~**se** [때때로, +de] (…을) 자기의 것으로 만들다[하다], 손에 넣다: ~*se* (*de*) los bienes ajenos 다른 사람의 재산을 횡령하다.
apropincuarse (14) *r.* ① 접근하다, 가까이 가다. ② [+de] (…을) 손에 넣다.
apropósito *m.* 촌극.
aprovechable *adj.* 이용 가능한.
aprovechado, da *adj.* (주로 학생이) 근면한, 공부 잘하는.
aprovechamiento *m.* ① 이용(利用): ~ de la energía solar 태양열의 이용. ② 진보. ③ *pl.* 자원 개발(資源開發): ~*s* forestales 삼림 개발.
aprovechar *tr.* 이용하다: *Aprovecho* los ratos libres cuidando el jardín 나는 한가한 시간을 이용해 정원을 손질한다. —*intr.* ① 도움이 되다, 이익을 주다. ② 향상되다, 진보되다, 나아지다: *¡Que aproveche!* (차린 것은 없지만) 많이 드십시오! ~**se** ① (주로 나쁜 의미로, +de] (…을) 이용하다; (사람의 약점 등에) …을 기회로 삼다, 허점을 이용하다, 틈타다, 기회를 타다: El *se aprovechó de* mi debilidad 그는 내 약점을 이용했다. ② [구어] 치한(癡漢) 행위를 하다.
aprovisionamiento *m.* 보급, 공급.
aprovisionar *tr.* [+de] (식량 등을) …에 보급[공급]하다. ~**se** 보급을 받다.
aproximación *f.* ① 접근(接近). ② 근사치, 개산(概算). ③ (복권의) 전후상(前後賞). ④ (문제에) 접근; (항공기의 비행장에) 접근.
aproximadamente *adv.* 대강, 대개, 대부분, 개산으로.
aproximado, da *adj.* 대강의, 근사(近似)의: presupuesto ~ 대강의 견적. valor ~ 근사치(近似値).
aproximar *tr.* 접근시키다. ~**se** [+a] (…에) 접근하다, 가까이 가다.
aproximativo, va *adj.* 대강의, 근사(近似)의: cálculo ~ 개산(概算).
áptero, ra *adj.* 날개 없는.
aptitud *f.* 적성; [주로 *pl.*] (일을 하는) 능력, 천분: prueba [examen] de ~ 적성 검사. ~*es* físicas 육체적 능력.
apto, ta *adj.* 적성[소질] 있는, 유능한: El es ~ *para* maestro 그는 교사 소질이 있다. —*m.* [시험의 결과] 합격, 가(可): no ~ 불합격.
apuesta *f.* 내기, 거는 돈. —*f.pl.* 스포츠 추첨[제비](~*s* deportivas).
apuesto, ta *adj.* (사람이) 수려한.
apunarse *r. AmérM.* 고산병(puna)에 걸리다.
apuntación *f.* ① 기장, 주(註). ② [음악] 기보(記譜)(법).
apuntado, da *adj.* 끝이 날카로운, 뾰쪽

한.
apuntador, ra *adj.* 겨냥하는. *—m.f.* [연극] 프롬프터, 무대 감독.
apuntalamiento *m.* 지지, 보강.
apuntalar *tr.* …에 지주(puntal)를 세우다; 받치다, 보강하다: ~ la plantilla 선수를 보강하다.
apuntar *tr.* ① 겨냥하다, 조준하다. ② 지적하다, 가리키다. ③ (서적 등에) 표를 하다. ④ 기장하다, 적다, 메모하다. ⑤ 소묘하다, 데생하다. ⑥ [제본] 철하다. ⑦ (프롬프터가) 대사를 부르다. ⑧ 넌지시 암시하다. *—intr.* 나타나기[드러나기] 시작하다: *Apuntó* el alba 날이 새기 시작했다.
apunte *m.* ① 각서(覺書), 메모: libro de ~(*s*) 메모장. ② [상업] 기장(記帳), 기입. ③ [미술] 소묘, 스케치. ④ [연극] 프롬프터. *—pl.* ① 노트: tomar [sacar] ~*s* 메모하다, 노트하다. ② (회의·교실 등에서 배포하는) 프린트.
apuntillar *tr.* ① [투우] (단검으로 소의) 숨통을 끊다. ② 결정적 타격을 주다.
apuñalamiento *m.* 찌르는 일.
apuñalar *tr.* (단도로) 찌르다.
apuñar *tr.* 쥐다, 붙잡다.
apuradamente *adv.* ① 정확히, 어김없이. ② 우연히.
apurado, da *adj.* ① 가난한, 빈곤한. ② 어려운. ③ 위험한. ④ 괴로운, 곤란한. ⑤ 정확한, 꼭 맞는.
apuramiento *m.* ① 고갈. ② 철저한 구명(究明).
apurar *tr.* ① 순화하다; 깨끗이 하다. ② 정제[정련]하다. ③ 진상을 조사하다. ④ 끝나게 하다. ⑤ =**agotar, acabar.** ⑥ 성화를 부리다, 재촉하다. ⑦ 괴롭히다. ~**se** ① 다 되다, 다하다, 전부 없어지다. ② 서둘다, 허둥대다. ③ 몸부림치다, 슬퍼하다.
apuro *m.* [광물] 정련; 광재(鑛滓).
aquejar *tr.* =**acongojar, afligir.**
aquel, lla *adj.* 저, 그: *aquella* casa 저 집. *aquel* día 그 날. *—m.* 매력.
aquél, lla *pron.* ① 저 것, 저 사람: *Aquél* es mi maestro 저 분이 내 스승이십니다. ② 전자(前者).
aquelarre *m.* 마녀의 집회.
aquello *pron.* [중성 지시 대명사] ① 저것, 저 일: ¿Qué es ~? 저것은 무엇입니까? ② 그곳: *Aquello* es muy cálido 그곳은 무척 덥다.
aquende *adv.* 이쪽에서: de ~ los Andes 안데스 산맥 이쪽에서.
aquerenciarse (11) *r.* ① 본능으로 돌아가다. ② 반하다, 친해지다.
aquí *adv.* ① 여기, 이곳, 이곳에, 이곳으로, 이리: *Aquí* está su libro 당신의 책은 여기 있다. Ven ~ 이리 오너라. ② 지금, 현재: Hasta ~ no me ha pasado nada 지금까지 나는 아무 일도 일어나지 않았다. ③ 그때(entonces): *Aquí* es cuando empezaron a disputar 그때 토론이 시작되었다. ④ [사람] 저, 이(쪽) 사람; 이 분: Oiga, ~ Kim 여보세요, 저는 김이라고 합니다. ¶ ~ *y allá* 여기저기에.
aquiescente *adj.* 동의하는.
aquiescencia *f.* [문어] 동의, 승낙.
aquietar *tr.* =**sosegar, apaciguar.**
aquilatamiento *m.* 평가; (금속의) 캐럿 감정.
aquilatar *tr.* ① (보석·귀금속의) 캐럿을 감정하다. ② 평가하다. ③ 순화하다; 정제하다.
aquileño, ña *adj.* [시어] =**aguileño.**
aquilino, na *adj.* [시어] =**aguileño.**
aquilón *m.* [시어] 북풍(北風).
ar *interj.* [호령] 바로!
A.R. Alteza Real 전하(殿下).
ara *f.* [단수 관사: el·un(a)] ① 제단, 성단(聖壇). ② [고고학] (이베리아 반도에 있는 기독교 이전의) 돌 유적.
árabe *adj.* ① 아라비아(Arabia)[아랍] 태생의. ② 아라비아의[에 관한], 아랍의[에 관한]. *—m.f.* 아라비아 사람, 아랍 사람. *—m.* 아라비아 말, 아랍 말.
arabesco, ca *adj.* 아라베스크 양식[모양]의. *—m.* 아라베스크 양식[모양].
Arabia *f.* [지명] 아라비아.
Arabia Saudí (la) [국명] 사우디아라비아 ((중앙 아라비아의 왕국)).
Arabia Saudita (la) [국명] 사우디아라비아.
arábigo, ga *adj., m.f.* =**árabe**: Mar *Arábigo* 아라비아 해(海). Península *Arábiga* 아라비아 반도.
arabismo *m.* ① 아라비아 특유의 말투(의 사용법). ② 아랍어로부터 차용어 ((alcalde, jarabe 등)).
arabista *m.f.* 아랍 말[문학·문화] 연구자, 아랍학자.
arabización *f.* 아랍화, 아라비아화.
arabizar (9) *tr.* 아랍풍[식]으로 하다.
arácnido, da *adj.* [동물] 거미류의, 거미 같은. *—m.pl.* 거미류 절족 동물.
aracnoides *f.sing.pl.* [해부] 지주막(蜘蛛膜) ((뇌를 싸는 막의 하나)).
arada *f.* 경작; 경지(耕地).
arado *m.* ① 쟁기. ② 쟁기질.
arador, ra *adj.* 경작하는, 가는. *—m.f.* 경작자.
Aragón *m.* [지명] 아라곤 ((스페인 북동부의 자치주)).
aragonés, sa *adj.* ① 아라곤 태생의. ② 아라곤의[에 관한]. *—m.f.* 아라곤 사람. *—m.* 아라곤 방언.
aragonesismo *m.* ① 아라곤 방언. ② 아라곤 지방 (자치)주의.
araguato *m.* [동물] 수염원숭이.
arameo, a *adj., m.f.* [역사] 아람인(의). *—m.* 아람 말.
arancel *m.* ① 관세: ~ externo común 대외 공통 관세. ② 관세율, 관세표. ③ (철도의) 운임표, 요금표. ④ *AmérM.* 수업료.
arancelario, ria *adj.* 관세의, 관세율의: derechos ~*s* 관세(關稅). restricción no ~*ria* 비관세 장벽.

arándano *m.* [식물] 들쑥나무.
arandela *f.* ① 촛불받이. ② 탁상 촛대. ③ (칼의) 콧등.
arandillo *m.* [새] 할미새.
araña *f.* ① [동물] 거미: tela [red] de ~ 거미줄. ② 샹데리아. ③ 새잡는 그물. ④ [식물] 나쁜 말. ⑤ [식물] *Amér.* 거미나무.
arañar *tr.* ① (손톱 따위로) 세게 긁다, 할퀴다. ② (벽 등에) 긁은 자국을 내다. ③ (조금씩) 긁어 모으다.
arañazo *m.* 긁힌[할퀸 · 손톱] 자국.
arañuela *f.* 작은 거미.
arañuelo *m.* ① 송충이, 구더기. ② (양의) 진드기. ③ 새 그물.
arar *tr.* 밭을 갈다.
araucano, na *adj.* 아라우꼬(Arauco) 족의. —*mf.* 아라우꼬 족 ((칠레 · 아르헨띠나에 사는 인디오)). —*m.* 아라우꼬 말.
arawak *adj.* 아라왁 족의. —*mf.* 아라왁 족 ((카리브 해에 사는 인디오)). —*m.* 아라왁 말.
arbitraje *m.* ① [법률] 중재, 조정. ② (심판원의) 판정. ③ 방책. ④ [상업] 차익금을 바라고 하는 상거래.
arbitral *adj.* ① 중재[조정]에 의한. ② 심판의: decisión ~ 판정.
arbitrar *intr.* [+de] (…의) 중재[조정]를 하다: ~ en un conflicto laboral 노동 쟁의의 조정을 하다. —*tr.* ① [운동] …의 심판을 하다[보다]: ~ un partido de tenis 테니스 시합의 심판을 보다. ② [문어] (방책을) 생각[구상]하다.
arbitrariedad *f.* ① 전단(專斷), 전횡(專橫). ② 자유 재량, 자의성.
arbitrario, ria *adj.* ① 횡포한, 부당한. ② 자유 재량에 의한, 자의적인.
arbitrio *m.* ① 의지, 자유 의지. ② 조정, 재정(裁定): ~ de juez, ~ judicial [법률] 판결. ③ 방책. ④ 지방세: ~*s* municipales 시세(市稅).
arbitrista *mf.* (특히 17-18세기 스페인의, 몽상적인) 사회 개혁가.
árbitro, tra *mf.* ① [운동] 심판원, 레퍼리: ~ auxiliar 부심(副審). actuar de ~ 심판을 맡다. ② 조정자, 중재자. ③ 자신의 자유 의지로 행동할 수 있는 사람; 지배자.
árbol *m.* ① 나무, 수목(樹木): ~ de la ciencia [del bien y del mal] [성경] 선악의 나무. ② 수상(樹狀) 모양의 것: ~ respiratorio 호흡 기관. ③ [기계] (회전)축: ~ de la hélice 프로펠러 축. ④ 돛대, 범주(帆柱)(palo): ~ mayor 메인 마스트, 주 돛대. ⑤ [건축] (나선 계단의) 심주(心柱). ⑥ 수형도(樹型圖): ~ genealógico. ㉮ 가계도(家系圖). ㉯ [언어] 계통수(系統樹). ¶*Los ~es dejan ver el bosque* (속담) 나무는 보고 숲을 보지 못한다. *Por el fruto se conoce el* ~ (속담) 열매를 보면 나무를 안다, 사람은 그 행동으로 판단한다.
arbolado, da *adj.* 나무가 무성한, 숲이 우거진. —*m.* [집합] 삼림(森林).
arboladura *f.* [집합] 돛대, 범주(帆柱).
arbolar *tr.* ① (배에) 돛대를 세우다. ② (기 등을) 게양하다.
arboleda *f.* 숲, 식림(植林).
arbolista *mf.* 원예가, 정원사.
arbóreo, a *adj.* 수목(樹木)의, 수목(樹木) 같은.
arborescente *adj.* 수목(樹木) 같은.
arborícola *adj.* 수목[나무]에 기생하는 [사는].
arboricultor, ra *mf.* 수목 재배자, 조림가(造林家).
arboricultura *f.* 수목 재배.
arboriforme *adj.* 수목형(樹木形)의.
arborista *mf.* =arbolista.
arborizar (9) *tr.* …에 나무를 심다.
arbotante *m.* [건축] 이중 아치.
arbustivo, va *adj.* 관목(灌木)의.
arbusto *m.* 관목(灌木).
arca *f.* [단수 관사: el · un(a)] ① (뚜껑이 있는) 큰 상자: ~ de agua 수조(水槽), 양수 탱크. ② 금고. ③ *pl.* 재원(財源): ~*s* fiscales 국고. ¶ ~ ***de Noé*** ㉮ 노아의 방주. ㉯ 혼잡한 장소.
arcabucero *m.* (화승총) 사수(射手).
arcabuz *m.* [*pl.* arcabuces] 화승총.
arcabuzazo *m.* 화승총 발포, 사격.
arcada *f.* ① [건축] 아케이드; (다리의) 아치. ② *pl.* 메슥거림, 욕지기, 구토, 외욕질, 토기(吐氣)(náuseas).
arcaduz *m.* 수도관(水道管).
arcaico, ca *adj.* ① 고풍스런, 고풍의, 의고적(擬古的)인. ② 고대(古代)의.
arcaísmo *m.* 고풍, 의고주의(擬古主義); 고어(古語).
arcaizante *adj.* ① 의고적인. ② 회고적인: gusto ~ 회고 취미.
arcaizar (9) *intr.* 고어(古語)를 사용하다. —*tr.* (고어를 사용해) 고풍스럽게 하다.
arcángel *m.* [종교] 대천사.
arcano, na *adj.* [문어] 비밀의, 신비의 (recóndito). —*m.* 신비, 불가사의.
arce *m.* [식물] 단풍나무.
arcediano *m.* [천주교] 부사제.
arcén *m.* (도로의) 가, 대피선.
archi- *pref.* 「우월」의 뜻: *archi*duque 대공(大公).
archicofradía *f.* 단체, 조합, 결사.
archiconocido, da *adj.* 비상히 잘 알려진[유명한].
archidiácono *m.* =arcediano.
archidiócesis *f.sing.pl.* [천주교] 대주교구(大主教區).
archiducado *m.* 대공령(大公領), 대공국(大公國).
archiduque *m.* 대공(大公).
archiduquesa *f.* 대공비(大公妃).
archifonema *m.* [언어] 원음소(原音素).
archimandrita *f.* [그리스 정교] 수도원장, 대승원장(大僧院長).
archipiélago[1] *m.* 군도(群島), 열도(列島): ~ de las Filipinas 필리핀 군도.
Archipiélago[2] *m.* 다도해.
archisabido, da *adj.* 비상히[대단히]

잘 알려진.
archivador, ra *adj.* 문서(文書) 보관용의. —*m.* 문서 보관함; 파일(carpeta).
archivar *tr.* ① (문서 등을) 보관[정리]하다, 철하다. ② 기억하다.
archivero, ra *mf.* 고문서 보관자.
archivo *m.* ① 고문서 보관소, 사료관, 자료관: *Archivo* Histórico Nacional (마드리드의) 국립 역사 자료관. ② [집합] 고문서, (옛) 기록; 사료집. ③ 파일. ④ 모범, 전형(典型). ⑤ [컴퓨터] 파일: nombre de ~ 파일 이름. ~ maestro 마스터 파일.
archivología *f.* 고문서학.
archivolta *f.* =arquivolta.
arci- *pref.* 「우월」의 뜻: *arci*preste 수석 사제.
arcilla *f.* 점토(粘土).
arcilloso, sa *adj.* 점토(질)의.
arcipreste *m.* [천주교] (주교구 사제회의) 수석 사제.
arco *m.* ① [건축] 아치: ~ triunfal [de triunfo] 개선문. ② 아치형의 것: ~ iris [de San Martín · del cielo] 무지개. describir [trazar] un ~ 아치를 그리다. ③ 활: tirar con ~ 활을 쏘다. ④ (현악기의) 활. ⑤ [수학] 호(弧): ~ de círculo 원호(圓弧). ⑥ [해부] 궁(弓). ⑦ (축구 등의) 골. ⑧ [전기] 아크: lámpara de ~ 아크 등.
arcón *m.* [arco의 증대사] 큰 궤.
arconte *m.* (고대 아테네의) 집정관.
arder *intr.* ① 불타다: ~ *en* [*de*] amor [ira · odio] 사랑[분노 · 증오]에 불타다. ② 끓다. ③ [시어] 빛나다. —*tr.* 태우다, 굽다. **~se** ① 불타다: *~se de* cólera 분노에 타오르다. ② 두엄이 썩다, 말라 비틀어지다.
ardid *m.* 책략, 계략.
ardiente *adj.* ① 타는 듯한: calor ~ 초열(焦熱), 타는 듯한 더위. ② 타오르는, 뜨거운, 심한, 격렬한: fiebre ~ 심한 열(병). ③ 열렬한: ~ defensor 열렬한 옹호자. ④ 새빨간, 진홍(眞紅)의.
ardientemente *adv.* 열렬히.
ardilla *f.* [동물] 다람쥐.
ardite *m.* 아르디떼 ((옛날 스페인의 소액 화폐 단위)): No vale un ~ 일전 한 푼 가치도 없다.
ardor *m.* ① (타는 듯한) 열, 더위: ~ del verano 혹서. 타는 듯한 여름. ② 정열, 열렬함: ~ en el trabajo 일에 쏟는 정열. con ~ 열심히, 의욕적으로; 용감히.
arduo, dua *adj.* (일 등이) 곤란한.
área *f.* ① 구역: ~ urbana (시의) 중심부. ~ militar 군사 지역. ~ de castigo 페널티 구역. ~ de gol, ~ chica [pequeña] 골 에리어. ② 분야: ~ lingüística 언어학 분야. ③ 면적, 건평. ④ [면적의 단위] 아르. ⑤ [해부] 령(領): ~ sensorial 감각령.
areca *f.* ① [식물] 종려나무(의 일종). ② areca의 열매.
arena *f.* ① 모래: ~ de mina [cantera] 산모래. ~ fluvial 강모래. *~s* de oro 사금; 금분(金粉). ② 모래사장. ③ (원형) 경기장; (투우장의) 모래사장. ④ *pl.* [의학] 방광의 결석. ¶*edificar sobre* ~ 사상 누각을 짓다.
arenal *m.* 모래밭, 모래땅.
arenga *f.* 열변(의 연설).
arengar (8) *tr.* …에 열변을 토하다, 격려 연설을 하다.
arenilla *f.* ① 가는 모래. ② 잉크 빨아들이는 가루. ③ 초석 가루. ④ 방광 결석.
arenisco, ca *adj.* 모래가 섞인. —*f.* 사암(砂巖)(roca ~*ca*).
arenoso, sa *adj.* 모래의, 모래 모양의.
arenque *m.* [어류] 청어.
aréola *f.* ① [해부] 젖꽃판, 유륜(乳輪). ② [의학] (염증의) 홍륜(紅輪).
areolar *adj.* ① 젖꽃판의, 유륜(乳輪)의. ② 홍륜의.
areolitis *f.* [의학] 젖꽃판염, 유륜염.
areómetro *m.* 액체 비중계.
areópago *m.* (옛 아테네의) 최고 법원.
arepa *f. Amér.* 옥수수빵.
arestín *m.* [식물] 산형과의 화초.
arete *m.* ① 바퀴 모양의 귀걸이. ② *Amér.* 귀고리.
argallera *f.* 대패, 끌.
argamandel *m.* 누더기, 넝마.
argamandijo *m.* 소도구.
argamasa *f.* [건축] 모르타르, 회반죽.
Argelia *f.* [국명] 알제리아.
argelino, na *adj.* ① 알제리아 태생의. ② 아르젤 태생의. ③ 알제리아의[에 관한]. ④ 아르젤의[에 관한]. —*mf.* ① 알제리아 사람. ② 아르젤 사람.
argemone *f.* [식물] 가시가 많은 양귀비꽃 같은 식물.
argentado, da *adj.* 은도금의.
argénteo, a *adj.* 은의, 은 같은; 은색의; 은도금의.
argentífero, ra *adj.* 은(銀)을 함유한: mina *~ra* 은광(銀鑛).
Argentina *f.* [국명] 아르헨띠나 ((남아메리카의 공화국; 수도 Buenos Aires).
argentinidad *f.* 아르헨띠나의 국민성[정신 · 문화].
argentinismo *m.* 아르헨띠나 사투리[말씨].
argentino, na *adj.* ① 아르헨띠나 태생의. ② 아르헨띠나의[에 관한]: la República *Argentina* 아르헨띠나 공화국. ③ 은(색)의. —*mf.* 아르헨띠나 사람. —*m.* 아르헨띠노 ((아르헨띠나의 5빼소 금화)).
argentita *f.* [광물] 휘은광(輝銀鑛).
argento *m.* [시어] 은(銀)(plata).
argentoso, sa *adj.* 은을 함유한.
arginina *f.* [생화학] 아르기닌.
argolla *f.* ① 두꺼운 (금속의) 고리. ② *Amér.* 결혼 반지, 약혼 반지. ③ *Arg.* 보지, 음문(陰門).
argón *m.* [화학] 아르곤.
argonauta *m.* ① [신화] Argos 호를 타고 금의 양털을 찾아간 사람. ② [동

물] 홍어.
argos[1] *m.* ① 엄중한 감시인. ② [조류] (인도·말레이 지방의) 꿩 비슷한 새. ③ [천문] 아르고자리.
Argos[2] *m.* [신화] 눈이 백 개 달린 거인.
argot *m.* [*pl.* ~s] (어떤 집단 특유의) 말, 은어(隱語); 전문 용어.
argótico, ca *adj.* 은어의.
argucia *f.* ① 공리 공론(空理空論). ② 간계, 더러운 수단.
argüir (77) *tr.* ① 추론하다, 결론지우다; (명백히) 입증하다. ② (찬성·반대를) 주장하다. —*intr.* 주장하다.
argumental *adj.* 대강[개요·줄거리]의: línea ~ 대강, 개요, 줄거리.
argumentación *f.* ① 입론, 논증, 논거. ② 주장.
argumentar *tr.* ① 추론[입증]하다. ② 주장하다.
argumento *m.* ① 논거, 논증, 논법; 주장. ② (희곡·소설의) 대충의 줄거리, 대강, 개요, 구상. ③ [수학] (독립 변수의) 인수; (복소수의) 편각.
aria *f.* [단수 관사: el·un(a)] [음악] 아리아, 영창(詠唱).
aridez *f.* ① 건조; 불모: índice de ~ 건조 지수. ② 황량함, 무미 건조.
árido, da *adj.* ① (토지 등이) 건조한; 불모의: terreno ~ 건조지, 불모지. ② 무미 건조한. —*m.pl.* ① 곡류와 콩류. ② [건축] 골재(骨材).
Aries *m.* [천문] 목양자리, 백양궁.
ariete *m.* ① 파성추(破城鎚) ((옛날 성문을 쳐부수는 무기)). ② [운동] 스트라이커.
ario, ria *adj.* 아리아인의, 아리아 민족 지상주의의. —*mf.* 아리아인, 아리아 민족 지상주의자.
-ario *suf.* ① [동사·명사+, 명사화. 행위자] botic*ario* 약제사, funcion*ario* 공무원. ② [명사+, 집합 명사화] voca-bul*ario* 어휘, epistol*ario* 서간집(書簡集). ③ [명사+, 장소] campan*ario* 종루, acu*ario* 수족관. ④ [명사+, 품질 형용사화] fraccion*ario* 분수(分數)의.
arísaro *m.* [식물] =candil.
arisco, ca *adj.* ① 퉁명스러운, 무뚝뚝한, 다루기 힘든, 성미가 고약한; 붙임성이 없는. ② *Amér.* 무서워서 떠는, 기겁하는(miedoso).
arisquear *intr.* *AmérM.* 무뚝뚝하다, 퉁명스럽다.
arista *f.* ① [식물] 포(苞), 까끄라기. ② 삼 껍질. ③ 각, 모퉁이. ④ [등산] 능선(稜線).
aristocracia *f.* ① [집합] 귀족; 특권 계급: ~ intelectual 지적 엘리트. ② 귀족 정치[사회].
aristócrata *mf.* ① 귀족. ② 특권 계급의 사람.
aristocrático, ca *adj.* 귀족의, 귀족 계급의; 귀족 정치의: sociedad ~*ca* 귀족 사회.
aristoloquia *f.* [식물] 마령초.
aristón *m.* (건축의) 각, 모서리.
aristotélico, ca *adj.* 아리스토텔레스(Aristóteles) (학파)의[에 관한]. —*mf.* 아리스토텔레스 학파의 사람.
aristotelismo *m.* 아리스토텔레스 철학.
aritmética *f.* 산수.
aritmético, ca *adj.* 산수(算數)의[에 관한]. —*mf.* 산술가.
arlequín *m.* ① 경박한 사람. ② 흑백색의 바둑 무늬 옷을 입은 어릿광대. ③ 해괴 망측한 차림을 한 사람. ④ 2색 아이스크림.
arma *f.* [단수 관사: el·un(a)] ① 무기: ~ asesina 흉기. ~ blanca 백병전용 무기 ((칼, 창)). ~ de fuego 화기(火器). ~ de mano 휴대 무기 ((칼, 권총 등)). ~ ligera 경화기. ~ negra 연습용 칼. ~ pesada 중화기. ② 부대; 병과(兵科). ③ [호령] ¡Presenten, ~*s*! 받들어총! ¡Descansen, ~*s*! 세워총! ¡Sobre el hombro, ~! / ¡Arma al hombro! 어깨총! ¡A las ~*s*! 전투 준비!, 무기 들어! —*f.pl.* ① 병기(兵器): ~*s* cortas 소화기. ~*s* ofensivas 공격용 병기. ② 군대: ~*s* de España 스페인군. ~*s* aliadas 연합군. ③ 군무(軍務). ④ 갑옷. ⑤ 문장(紋章). ¶ ***tomar (las) ~s*** 무기를 들다; 전비를 정돈하다.
armada *f.* ① 해군. ② 함대: *Armada* Báltica 발틱 함대.
armadía *f.* =almadía.
armadillo *m.* [동물] 아르마디요.
armado, da *adj.* ① 무장(武裝)한: sublevación ~*da* 무장 봉기. ② (철골 등으로) 보강된. ③ *AmérC.* 완고한. —*m.* ① (성주간의 행렬에서) 로마 병사의 분장을 한 사람. ② *AmérM.* 무구(武具).
armador, ra *mf.* ① 선주(船主). ② 의장 업자(艤裝業者). ③ 조립공. —*adj.* 의장업의.
armadura *f.* ① 갑옷: vestirse de ~ 갑옷을 입다. llevar ~ 갑옷을 입고 있다. ② 골격; [건축·기계] 골조, 철골, 보강재. ③ (안경의) 테. ④ (사슴 등의) 뿔. ⑤ [전기] 전기자. ⑥ [음악] 조호(調號), 조표(調標).
armamentismo *m.* 군국주의, 군비 확장 노선.
armamentista *adj.* ① 군비 산업의, 군비 확장 노선의. ② *AmérC.* 군국주의의. —*mf.* 군비 확산 노선 주장자; 군국주의자.
armamento *m.* ① 무장(武裝), 군비(軍備); 전쟁 준비: ~ completo 완전 무장. ~ mental [espiritual] 정신 무장. ~ nuclear 핵무장. aumento [reducción] de ~*s* 군비 확장[축소]. industria de ~ 군비 산업. ② [집합] 병기; 의장.
armar *tr.* ① [+con·de] (…로) 무장시키다. ② 조립하다; …의 작동 준비를 하다. ③ 배를 의장하다. ④ (금은 세공으로 금속을) 씌우다. ⑤ 소동을 일으키다. —*intr.* ① 맞다, 일치되다. ②

[광산] (바위 사이에 광상이) 끼어 있다. ~**se** ① 무장하다: Ella *se armó de* inocencia 그녀는 순진함을 무기로 했다. ② …을 준비하다: El *se armó de* unas buenas botas para la excursión 그는 소풍에 적당한 구두를 준비했다. ③ (소란 등이) 일어나다: *Se* está *armando* un alboroto 소동이 일어나려 하고 있다. ④ 마음 가짐을 단단히 하다.

armario *m.* 옷장, 책장, 선반, 찬장.

armatoste *m.* ① 자질구레한 가구[기계]. ② 체구만 크고 재주 없는[쓸모없는] 사람. ③ 올가미, 덫.

armazón *f.* ① (건축 등의) 골조. ② (문학 작품의) 골격. ③ *AmérM.* (안경의) 테(armadura). —*m.* 기반(基盤).

armella *f.* ① 고리 달린 나사(못). ② [등산] 하켄.

armería *f.* ① 총기점, 병기 판매소. ② 무기[전쟁] 박물관, 병기 저장소[보관소]. ③ 무기 제조법[기술]. ④ 문장학(紋章學)(heráldica). ⑤ 총걸이.

armero *m.* ① 무기[병기]의 제조[판매] 업자. ② (군대의) 병기 담당자. ③ 왕립 무기 박물관장. ④ 총가(銃架).

armiño *m.* [동물] 산족제비, (흰)담비.

armiticio *m.* 휴전, 정전: firmar un ~ 휴전 협정을 맺다.

armón *m.* ① 탄약고. ② (포차의) 전차(前車).

armonía *f.* ① 조화: ~ de colorido 색채의 조화. ② 쾌조, 하모니. ③ [음악] 화성(학). ④ 협조.

armónica *f.* [악기] 하모니카: tocar la ~ 하모니카를 불다.

armónico, ca *adj.* ① 쾌조의, 화성(和成)의: música ~*ca* 성악. ② 조화의: colores ~*s* 잘 조화된 색채. —*m.* [음악] 배음(倍音)(sonido ~).

armonio *m.* [악기] 오르간(harmonio).

armonioso, sa *adj.* ① 귀에 듣기 좋은: música ~*sa* 듣기 좋은 음악. ② 조화된.

armonium *m.* =armonio.

armonización *f.* 조화, 협조; 화성을 붙이는 것: ~ vocal [언어] 모음 조화.

armonizar (9) *intr.* [+con] (…과) 조화를 이루다. —*tr.* ① 조화[협조]시키다. ② [음악] (선율·주제에) 화성을 붙이다.

ARN *m.* ácido *m* ribonucleico 리보 핵산, RNA.

arnés *m.* ① 갑옷(armadura). ② *pl.* 마구(馬具), 용구 한 벌.

árnica *f.* [단수 관사: el · un(a)] ① [식물] 아르니카 ((약용 식물)). ② [비유] 특효약.

aro *m.* ① 바퀴(anillo), (통 등의) 테; [기계] 링; 수레바퀴의 둥근 테; (자전거의) 림: ~*s* olímpicos 올림픽의 오륜 마크. jugar al ~ 테를 가지고 놀다. ② [식물] 타로토란. ③ *Amér.* 귀고리; 반지. ④ =**servilletero**.

aroma *m.* 향(기), 방향(芳香); 향료(香料). —*f.* 아로모(aromo) 꽃.

aromático, ca *adj.* 방향이 있는, 향이 좋은: planta ~*ca* 향초(香草). café muy ~ 향이 높은 커피.

aromatizador *m.* 방향제, 소취제.

aromatizante *m.* (식품 첨가물의) 향료.

aromatizar (9) *tr.* ① …에 방향을 첨가하다, 방향제를 뿌리다. ② (식품·요리에) 향료[향초]를 넣다. ③ [화학] 방향족화하다.

aromo *m.* [식물] 아로모 ((아카시아의 일종; 꽃이 향기로움)).

arpa *f.* [단수 관사: el · un(a)] [악기] ① 하프, 수금(竪琴). ② *Amér.* 아르빠, 인디오의 하프: tañer [tocar] el ~ 하프를 켜다.

arpado[1]**, da** *adj.* 톱니 모양의.

arpado[2]**, da** *adj.* [시어] 지저귀는 소리가 아름다운: el ~ ruiseñor 우는 소리가 아름다운 나이팅게일.

arpegio *m.* [음악] 아르페지오 ((화음을 빨리 연속적으로 연주하기)).

arpía *f.* ① [신화] 얼굴은 여자, 몸은 새인 우화적인 새. ② 추녀(醜女). ③ [새] 독수리의 일종.

arpillera *f.* (포장용의) 마포(麻布).

arpista *mf.* 하프 연주자.

arpón *m.* 작살: ~ submarino 수중총.

arponear *tr.* …에 작살을 던지다.

arponero, ra *mf.* 작살을 던지는 사람.

arqueado, da *adj.* 만곡된, 활모양으로 굽은: piernas ~*das* 안짱다리.

arquear *tr.* ① 활모양으로 굽히다. ② (장부·금고의) 금액을 조사하다; (배의) 적재량을 재다. —*intr.* 욕지기[토기]가 있다. ~**se** 만곡(彎曲)하다, 활모양으로 굽다, 활처럼 휘다.

arqueo *m.* ① 만곡(彎曲). ② [선박] 적재량 (검사). ③ 회계 검사. ④ 토기(吐氣), 욕지기.

arqueolítico, ca *adj.* 석기 시대의.

arqueología *f.* 고고학.

arqueológico, ca *adj.* 고고학의[에 관한]: excavación ~*ca* 고고학적 발굴. museo ~ 고고학 박물관.

arqueólogo, ga *mf.* 고고학자.

arqueópteris *m.sing.pl.* [고생물] 시조조(始祖鳥).

arquería *f.* [건축] 건물의 아치.

arquero, ra *mf.* ① 현금 출납 담당자, 회계 담당자. ② *Amér.* 골키퍼. —*m.* 활을 쏘는 사람, 사수(射手).

arqueta *f.* 작은 상자.

arquitípico, ca *adj.* 원형(原型)의.

arquetipo *m.* ① 원형(原型). ② 이상형(理想型). ③ [심리] 고태형(古態型).

arquitecto, ta *mf.* 건축가.

arquitectónico, ca *adj.* 건축술의, 건축학의, 건축상의: estilo ~ 건축 양식.

arquitectura *f.* ① 건축, 건축술, 건축학; 건축 양식: ~ gótica 고딕 건축. estudio de ~ 건축 설계 사무소. ② 구조, 구성. ③ [컴퓨터] 아키텍처.

arquitrabe *m.* [건축] 추녀 끝.

arquivolta *f.* [건축] 아치 조형(繰形).

arrabal *m.* ① *Amér.* 슬럼가. ② *pl.*

(도시의) 교외, 주변 지역: vivir en los *~es* 교외에서 살다.
arrabalero, ra *adj.* 교외구의, 마을 밖의. *—m.f.* 교외의 주민.
arrabio *m.* [금속] 선철(銑鐵).
arracacha *f. Amér.* =apio.
arracimarse *r.* 송이를 이루다, 주렁주렁 열리다.
arraclán *m.* ① [식물] 오리나무의 일종. ② [동물] 전갈.
arraigadamente *adv.* 끈질기게; 뿌리 깊게, 단단히.
arraigado, da *adj.* 깊게 뿌리 내린.
arraigamiento *m.* 식물의 뿌리박음.
arraigar (8) *tr.* 심다, 정착(定着)시키다. *—intr.,* ~**se** ① (식물이) 뿌리를 내리다[뻗다·박다]: No *se arraigó* el rosal 장미는 뿌리를 내리지 않았다. ② [+en] ㉮ (…에) 정착하다: Los Kim *se arraigaron en* Madrid 김 씨 일가는 마드리드에 정착했다. ㉯ (마음에) 깊게 뿌리를 내리다: El mal *se arraigó en* su corazón 악이 그의 마음속에 뿌리를 내렸다.
arraigo *m.* 뿌리를 내리는 일; 정착, 정주(定住): con mucho ~ 깊게 뿌리 내린. tener ~ en *un sitio* …에 정착하고 있다; 신망[세력]이 있다.
arramblar *tr.* ① 토사(土砂)로 매몰하다, 토사투성이로 만들다. ② 석권하다. *—intr.* [+con] (…을) 날치기하다.
arramplar *tr.* [구어] =arramblar ②.
arrancaclavos *m.sing.pl.* 못뽑이.
arrancada *f.* ① 급히 달려 나가기, 급발진(急發進), 급가속. ② 습격.
arrancador *m.* [기계] 스타터, 시동기.
arrancar *tr.* ① 뿌리째 뽑다. ② 뽑다: ~ una muela 어금니를 뽑다. ③ 따다, 떼어내다. ④ 빼앗다. ⑤ (엔진을) 시동 걸다: ~ el coche 자동차의 엔진을 시동 걸다. *—intr.* ① (기계가) 시동을 걸다, 발진하다, 출발하다: El tren *arrancó* a la hora 열차는 정각에 발차했다. ② [+de] (…에서) 시작하다, 유래하다: La carretera *arranca de* Mokpo 이 도로의 기점은 목포이다. ③ [+a+*inf.*] 갑자기[돌연] …하기 시작하다. ④ (사람에게) 덤비다, 돌진하다: El toro *ha arrancado* contra el torero 황소가 투우사를 향해 돌진했다. ~**se** ① *Méj.* 파산하다. ② 급히 돌진하다; [+con·현재 분사] 불의에 …하다. ③ 죽다.
arranchada *f. Amér.* 홍수로 흘러감.
arranchar *tr. Amér.* =arrebatar.
arranque *m.* ① 시동; 발진, 출발: ~ de la enfermedad 발병. ~ de la era moderna 근대의 개막. punto de ~ 출발점, 기점. ② (감정의) 돌발, 충동; 광기(狂氣); [때때로 *pl.*] 기력, 판단력. ③ [건축] 기부(基部). ④ 잡아뽑기. ⑤ 격노, 발작.
arrapiezo *m.* ① 넝마. ② 빈민(貧民).
arras *f.pl.* ① 착수금, 보증금. ② 약혼 선물로 주는 돈.
arrasamiento *m.* 괴멸, 완전 파괴.
arrasar *tr.* ① 완파하다, 괴멸시키다: ~ el edificio 건물을 완파하다. ② (표면을) 반반하게 하다. ③ (그릇을) 가득 채우다. *—intr.* (경기 등에서) 압승하다. ~**se** (하늘이) 활짝 개다.
arrascar (7) *tr.* [구어] =rascar.
arrastradero *m.* (목재 등을) 끌어내리는 길.
arrastrado, da *adj.* ① 쓰라린, 고통스런, 괴로운, 비참한: llevar una vida *~da* 비참한 인생을 보내다. ② 변변치 않은. *—m.* 부랑배, 깡패, 건달.
arrastrar *tr.* ① 끌다. ② 질질 끌고 가다. ③ 끌어들이다, 끌어넣다. *—intr.,* ~**se** ① 기다, 기어가다. ② 땅에 끌다[끌리다]. ③ 치렁거리다, 질질 끌다. ④ 비굴해지다. ⑤ 덧없는 목숨을 이어 나가다.
arrastre *m.* ① 끄는 일; (벌채한 나무 등의) 반출. ② [어업] (무엇에 매어) 끄는 줄; 저인망: pesca de ~ 저인망 어업. ③ [투우] 죽은 소의 꺼내가기. ¶~ *de espaldas* [운동] 배영(背泳). *tierras de* ~ [지질] 충적층.
arrayán *m.* [식물] 마삭나무, 마삭줄.
arre *interj.* 이랴! ((마소 등을 몰 때 지르는 소리).
arreado, da *adj.* ① 나태한, 게으른. ② 빈한한, 곤궁한. ③ 몰락한. *—f. Amér.* 가축 도둑질.
arreador *m. AmérM.* (마소를 쫓는) 채찍.
arrear *tr.* ① (마소를) 몰다. ② (타격을) 가하다: ~ una bofetada 따귀를 때리다. ③ 장식하다, 치장하다. ④ *Amér.* (가축을) 훔치다. *—intr.* 서두르다: ¡Arrea! 빨리빨리! ~**se** (어려운 일 등을) 잘 해내다, 해치우다.
arrebañaduras *f.pl.* 먹다 남은 것[찌꺼기], 남은 밥.
arrebañar *tr.* 모조리 주워 모으다; 깨끗이 먹어 치우다.
arrebatadizo, za *adj.* 흥분 잘 하는.
arrebatado, da *adj.* ① 부산한, 떠들썩한. ② 새빨간. ③ 격렬한.
arrebatador, ra *adj.* 사람을 매료하는: sonrisa *~ra* 매혹적인 미소.
arrebatamiento *m.* 탈취; 망아(忘我); 황홀(恍惚); 격노(激怒).
arrebatar *tr.* ① 잡아 빼앗다, 강제로 빼앗다, 강탈하다, 탈취하다: ~ la vida 생명을 빼앗다. ② 매료하다, 빼앗다: ~ los corazones de los oyentes 청중의 마음을 매료하다[빼앗다]. ~**se** ① 격분하다, 노하다, 격앙하다, 흥분하다. ② 열중하다, 정신을 못 차리다. ③ (음식이) 눋다, 타다. ④ (농작물이) 바싹 마르다.
arrebatiña *f.* 서로 빼앗기.
arrebato *m.* ① (감정의) 격발; 격노: en un ~ 발작적으로. en un ~ de cólera 분노가 폭발하여. ② [종교] 망아(忘我).
arrebol *m.* ① 저녁 놀, 아침 놀. ② 연

분홍, 연지.

arrebolada *f.* [집합] 아침[저녁] 노을에 비친 구름.

arrebolar *tr.* 빨갛게 칠하다, 진홍으로 물들이다. **~se** ① 연지를 바르다. ② 새빨개지다. ③ 진홍빛이 되다. ④ *Ven.* 치장하다.

arrebozarse (9) *r.* =embozarse.

arrebujar *tr.* 꼬깃꼬깃 뭉치다. **~se** ① 몸을 잘 감싸다, 외투의 깃을 세우다. ② 잠자리에 파고들다.

arrechar *tr. Amér.* ① 격노하게 하다. ② (성적으로) 흥분시키다. **~se** 격노하다; (성적으로) 흥분하다.

arrechera *f.* 격노; 성적 흥분.

arrechucho *m.* ① 발작, 몸의 부조(不調). ② (감정의) 폭발, 격발(激發).

arreciar (11) *intr.* ① 강해지다, 격렬해지다. ② 추위로 손이 곱아지다. ③ (열이) 오르다. ④ 힘이 생기다, 단단해지다.

arrecife *m.* 암초: ~ coralino 산호초.

arrecirse *r.* [+de] (추위로) 무감각하게 되다, 추워서 손발이 곱다.

arredrar *tr.* ① 나누다. ② 물러가게 하다, 되돌아가게 하다. ③ 주춤하게 하다, 겁을 주다. **~se** 물러가다, 되돌아가다; 겁내다, 주춤하다.

arreglado, da *adj.* ① 정돈된, 청결한, 깨끗한, 규칙 바른: cuarto muy ~ 매우 깨끗한 방. traje mal ~ 몸에 맞지 않은 옷. vida *~da* 규칙 바른 생활. ② 유능한. ③ 타당한, 알맞은, 합리적인, 적당한: precio ~ 적정 가격.

arreglador, ra *adj.* 조정하는, 정리하는. —*mf.* 조정자.

arreglar *tr.* ① 정리[정돈]하다; 준비하다: ~ la mesa 책상을 정리하다. ~ la habitación 방을 정돈[청소]하다. ② 고치다, 정정하다, 조정하다, 수리하다: ~ un reloj 시계를 수리하다. ~ un traje 옷을 수리하다. ~ el estómago 위를 수술하다. ③ 편곡하다, 각색하다. ④ (분쟁 등을) 해결하다. ⑤ 지불하다, 청산하다. ⑥ 치장하다, 꾸미다: ~ un piso 아파트를 치장하다. ⑦ 수정하다. **~se** ① 정리[정돈]하다, 가지런히 하다: ~se el pelo 머리를 단정히 빗다. ② 고르게 하다. ③ 조정하다, 서로 의논하다. ④ 애인 관계가 되다.

arreglista *mf.* 편곡자.

arreglo *m.* ① 정리; 정돈, 수리: ~s flores 꽃꽂이. ② 합의, 화해: llegar a un ~ 합의에 달하다. ③ 애인 관계: tener un ~ 애인 관계다. ④ 편곡. ⑤ [요리] 맛의 조정.

arrejuntarse *r.* [+con] (…와) 동거하다.

arrellanarse *r.* 유유자적하다, 편안히 지내다[쉬다]; (자신의 직업·지위에) 만족하고 있다, 안주하고 있다.

arremangar (8) *tr.* (소매·속치마를) 걷어 올리다, 걷어붙이다. **~se** ① 팔을 걷어붙이다. ② 단호히 결심하다.

arremeter *intr.* 잽싸게 덤비다[덮치다]. —*tr.* ① 습격하다. ② (말을) 갑자기 몰다.

arremetida *f.* 습격.

arremolinarse *r.* (군중이) 서로 밀치다, 밀치며 웅성거리다.

arrempujar *tr., intr.* =empujar.

arrempujón *m.* =empujón.

arrendadero *m.* (말의) 고삐.

arrendador, ra *adj., m.f.* 임대인(의).

arrendajo *m.* ① [새] 어치. ② 남의 흉내만 내는 사람.

arrendamiento *m.* ① 임대, 임차, 리스: tomar *algo* en ~ (…을) 임차하다. ② 임대료.

arrendar (19) *tr.* ① 임대[임차]하다: ~ tierras 토지를 임대하다. ② (말을) 매다, 묶어 놓다.

arrendatario, ria *adj., m.f.* 임차인(의); 소작인(의).

arreo *m.* ① 장신구. ② (말 등에 부착하는) 장식품, 마구(馬具); 부속품. ③ *AmérM.* 가축 도둑.

arrepanchigarse (8) *r.* (의자 등에) 편히 앉다.

arrepentido, da *adj.* 후회하는, 회개하는, 통회(痛悔)하는. —*m.f.* 개심한 테러리스트[범죄자].

arrepentimiento *m.* ① 후회; 통회, 회개: sentir [tener] ~ 후회하다; 통회하다, 회개하다. ② (그림의) 보필(補筆).

arrepentirse (53) *r.* ① [+de] (…을) 후회하다; [종교] 통회하다, 회개하다: *~se de sus* pecados 죄를 회개하다. ② 약속을 어기다, 번의(翻意)하다.

arrequesonarse *r.* (우유가) 응고하다, 굳어지다.

arrestado, da *adj.* ① 체포된. ② 대담한, 통이 큰.

arrestar *tr.* 체포[검거]하다, 붙잡다: ~ a un ladrón 도둑을 붙잡다. **~se** [+a] (…에) 돌진하다: *~se a*l peligro 위험에 돌진하다.

arresto *m.* ① 체포, 검거; 구류(拘留): encontrarse bajo ~ domiciliario (자택에) 연금되어 있다. ② [군사] 금고, 영창에 넣음. ③ 용기, 대담함; 결의.

arrezagar (8) *tr.* =arremangar.

arrianismo *m.* [종교] 아리우스교.

arriano, na *adj., m.f.* (그리스도의 신성을 부정하는) 아리우스 교도(의).

arriar (12) *tr.* ① (돛·기를) 내리다. ② (밧줄을) 늦추다, 풀다. ③ 물에 잠기게 하다. **~se** 침수되다, 물에 잠기다, 범람하다(inundarse).

arriate *m.* ① 화단(花壇). ② 돌을 깐 길. ③ (포도 등의) 시렁.

arriba *adv.* ① 위로: cuesta ~ 비탈길 위로. ② 위에, 높은 곳에: allá ~ 저 높은 곳에. ③ 위에, 앞에: ~ mencionado 위에서 언급한[말한]. ④ [+de+숫자+~] (…보다) 이상: Ella tiene de veinte años 그녀는 스무 살 이상이다. ¶ ~ *y abajo* 위아래로: mover la cabeza ~ *y abajo* 머리를 위아래로 흔들다. —*interj.* ① …을 들어(라)!: ¡*Arriba* las manos! / ¡Manos

~! 손 들어! ② 기립!, 일어나세요!; 기상! ③ 건배! ④ 만세!
arribada *f.* 입항; 도착.
arribar *intr.* ① [+a] (…에) 입항하다; [문어] 도착하다: ~ a buen puerto 무사 도착하다. ② 달하다: ~ a la conclusión 결론에 달하다. ③ 표류하다. ④ 입항 피난하다.
arribazón *m.* 물고기 떼가 몰려옴.
arribeño, ña *adj., m.f. Amér.* 고지(高地) 지방의 (사람).
arribismo *m.* 출세주의.
arribista *adj.* 출세주의의. —*m.f.* 출세주의자.
arribo *m.* (선하 등의) 도착.
arriendo *m.* =arrendamiento: tomar un piso en ~ 맨션을 빌리다.
arriero *m.* ① 마부. ② 개미의 일종.
arriesgado, da *adj.* 위험한; 대담한.
arriesgar (8) *tr.* 위험을 무릅쓰다. **~se** 모험하다, 위험을 무릅쓰다, 위험한 일을 하다.
arrimadero *m.* 발판, 발디딤.
arrimar *tr.* ① 가까이 하다, 접근하다. ② 기대어 놓다: ~ la escalera a la pared 사다리를 벽에 기대어 놓다. ③ 치워 놓다; 챙기다. ④ 버리다, 포기하다. ⑤ 때리다, 차다: ~ palos 몽둥이로 때리다. **~se** ① 가까이 가다. ② 기대다, 의지하다.
arrimo *m.* ① 접근. ② 의지, 기댐. ③ 후원, 두둔함.
arrimón *m.* 길에서 기대어 남을 기다리는 남자.
arrinconar *tr.* ① 구석에 놓다. ② 궁지에 몰아넣다. ③ 저버리다. **~se** 은둔하다.
arriñonado, da *adj.* 신장(腎臟) 형[모양]을 한.
arriscado, da *adj.* ① 대담한. ② 날쌘, 민첩한. ③ 풍채가 좋은.
arriscar (7) *tr.* ① 위험을 무릅쓰다. ② *Amér.* =arremangar. ③ (금액에) 달하다. **~se** ① 모험을 하다. ② 노하다, 성내다.
arritmia *f.* [의학] 부정맥(不整脈).
arrítmico, ca *adj.* [의학] 부정맥의.
arritranco *m. AmérC.* 잡동사니, 허드레 물건.
arroba *f.* ① [용량·중량의 단위] 아로바 ((약 11,5 kg. 포도주는 16,1 리터, 올리브는 12,5 리터)). ② [컴퓨터] = @. ¶***por ~s*** 대량으로, 산더미처럼. ***echar por ~s*** 과장하다.
arrobador, ra *adj.* 넋을 잃은.
arrobamiento *m.* =arrobo.
arrobar *tr.* 매료하다. **~se** [+ante] (…에게) 넋을 잃다.
arrobo *m.* 황홀, 몽중(夢中).
arrocero, ra *adj.* 쌀의: zona *~ra* 벼농사 지대. —*m.f.* 벼농사 농민.
arrodajarse *r. AmérC.* 책상다리를 하고 앉다.
arrodillar *tr.* (누구를) 무릎을 꿇리다. —*intr.*, **~se** 무릎을 꿇다.
arrogación *f.* ① 양자 입적. ② (권리의) 침해; 횡포.
arrogancia *f.* 거만함, 오만함.
arrogante *adj.* (태도가) 거만한, 오만한, 당당한.
arrogar (8) *tr.* (고아 등을) 양자로 하다. **~se** (타인의 권리를) 침해하다, 횡령하다, 착복하다.
arrojadizo, za *adj.* 던지기 쉬운, 던질 수 있는.
arrojado, da *adj.* 용감한: soldado ~ 용감한 군인.
arrojar *tr.* ① 던지다, 내버리다, 내던지다: ~ piedras 돌을 던지다. ~ flores 꽃을 내버리다. ~ las armas 무기를 버리다, 항복하다. ② (사람을) 내쫓다, 추방하다. ③ 분출하다, 내뿜다, 토해내다: ~ lava 용암을 분출하다. ~ humo 연기를 내뿜다. ④ (결과를) 낳다. ⑤ [상업] 내다: ~ un saldo positivo [negativo] 흑자[적자]를 내다. **~se** ① [+a] (…에) 뛰어들다, 몸을 던지다, 투신하다: *~se a* la piscina 풀에 뛰어들다. *~se* por la ventana 창문에서 몸을 던지다. ② [+sobre·contra] (…에게) 대들다, 덤벼들다. ③ [+a+*inf.*] 감행하다; *~se a* pelear 감연히 싸우다.
arrojo *m.* 용감함, 대담함, 용기.
arrollado *m. AmérM.* [요리] 쇠고기의 야채 말이.
arrollador, ra *adj.* 압도적인; 일소(一掃)하는: éxito ~ 대성공.
arrollamiento *m.* ① (둘둘) 마는 일. ② 소용돌이침. ③ 석권.
arrollar *tr.* ① 말다, 둘둘 감아 싸다: ~ el mapa 지도를 말다. ② 소용돌이치다. ③ 석권하다.
-arrón *suf.* 「경멸」의 뜻: voz*arrón* 큰 목소리.
arropamiento *m.* ① 옷을 입히는 일. ② (포도주에) 시럽을 넣는 일.
arropar *tr.* ① (옷·모포 등으로 사람을) 감싸다, 휩싸다, 둘러싸다: ~ a un niño 아이를 감싸다. ② 보호하다. **~se** [+con] (…로) 몸을 감싸다, 뒤집어쓰다.
arrope *m.* 시럽; 바짝 졺인 포도즙.
arrorró *m.* [주로 *Amér.*] 자장가.
arrostrar *tr.* ① (…에) 맞서다. ② 저항하다. ③ 참다, 견디다. ④ 직면하다. ⑤ 향하고 있다, 향해 가다. —*intr.* [+con·por] (…과) 맞서다. **~se** 정면으로 부딪치다.
arroyada *f.* ① 작은 계곡. ② 증수(增水), 홍수.
arroyar *tr.* (비가) 급류를 만들다.
arroyo *m.* ① 내, 개울. ② (도로 옆의) 배수구. ③ 차도, 길 한가운데. ④ 처참한 상황.
arroyuelo *m.* 작은 내, (실)개천.
arroz *m.* [*pl.* arroces] ① [식물] 벼: ~ de secano 밭벼, 육도(陸稻). ② 쌀: ~ blanco 쌀밥; 백미(白米). ~ con leche 우유로 지은 달콤한 밥. ~ descasca-

rillado 탈곡한 쌀. ~ en blanco 쌀밥. ~ integral 현미(玄米). ~ picón 싸라기. ~ pulido 백미(白米). ~ quemado [pegado] 누룽지.
arrozal *m.* 논: ~ de secano 밭벼 논.
arruga *f.* (피부·옷 등의) 주름: tener ~*s* en la frente 이마에 주름이 있다. sin una arruga en el traje 옷에 주름 하나 없이.
arrugamiento *m.* 주름을 모으는 일.
arrugar (8) *tr.* …에 주름을 만들다, 우글쭈글[쭈글쭈글]하게 하다: ~ un vestido 드레스에 주름을 만들다. ~ el entrecejo 미간에 주름을 모으다. ~**se** ① 주름을 모으다. ② 구겨지다; 오므라들다. ③ 빵소니치다.
arruinar *tr.* 파산시키다; (건강·평판 등을) 해치다; (파괴적인) 손해[타격]을 주다; 건강을 해치다. ~**se** 파산[도산]하다; 피해를 받다.
arrullador, ra *adj.* 자장가로 아기를 재우는 (사람); 달콤한 말로 구슬리는 (사람).
arrullar *tr.* ① 비둘기가 울다. ② 자장가로 아기를 재우다. ③ 달콤한 말로 구슬리다.
arrullo *m.* ① 비둘기의 우는 소리. ② (남녀의) 사랑의 속삭임. ③ 자장가. ④ (갓난아기의) 포대기.
arrumaco *m.* ① [주로 *pl.*] 아양, 어리광; 알랑거림, 아첨: hacer ~*s* 아양을 떨다, 어리광을 부리다; 알랑거리다, 아첨하다. ② [주로 *pl.*] 애무, (남녀의) 사랑의 속삭임. ③ *pl.* 기묘한 장식[장신구].
arrumaje *m.* ① 선적. ② 하적료.
arrumar *m.* ① (배에 짐을) 차곡차곡 싣다. ② *Chile.* 쌓아 올리다. ~**se** 수평선에 구름이 일다.
arrumbar *tr.* ① 구석으로 몰다. ② 무시하다, 저버리다. ③ 말로 해내다. ④ 침로(針路)로 향하다. —*intr.* 침로를 정하다. ~**se** 배멀미하다.
arrurruz *m.* [식물] 갈분.
arsa *interj.* 정신 차려라, 기운을 내라, 힘내라, 분발해라! ((플라멩코에서는 jaleo의 일종)).
arsenal *m.* ① 해군 공창. ② 조병창(造兵廠), 병기 공장. ③ (지식·정보 등의) 축적 장소, 보고(寶庫).
arsénico *m.* [화학] 비소(砒素).
arseniato *m.* 비산염(砒酸鹽).
arsenito *m.* 아비산염(亞砒酸鹽).
arseniuro *m.* 비화물(砒化物).
art. artículo …항, …조; 상품.
arta *f.* [식물] 질경이, 차전초.
artanica *f.* [식물] 시클라멘.
artanita *f.* [식물] =artanica.
arte *m.(f.)* [여성 단수 관사: el·un(a)] ① 예술; 미술: ~ cinematográfico 영화 예술. ~ dramático 무대 예술. bellas ~*s* 예술. academia de ~ 미술 학교. ② 기술, 기능, 법: ~ culinario 요리법. ~ de vivir 처세술. ~ poética 시법(詩法). ③ 인공, 인위(人爲): la naturaleza y el ~ 자연과 인공. ④ [주로 *pl.*] [경멸] 꾀부림, 교활함. ⑤ [플라멩코] 세련되고 운치와 매력이 있음, 풍류에 통달함.
artefacto *m.* ① 장치, 기계: ~*s* bélicos 병기, 무기. ~*s* eléctricos para uso doméstico 가정용 전기 제품. ② (유원지 등의) 탈 것. ③ [고고학] (자연의 유물에 대하여) 인공 유물, 문화 유물. ④ [생물] 인위 구조, 인공 산물. ⑤ =armatoste.
artejo *m.* 손가락 관절; (절족 동물의) 부속지(附屬肢).
artemisa *f.* [식물] 쑥.
arteria *f.* ① [해부] 동맥. ② (교통 등의) 간선, 간선 도로.
artería *f.* [경멸] 교활함, 꾀를 부림.
arterial *adj.* 동맥의: inyección ~ 동맥 주사.
arterioesclerosis *f.sing.pl.* [의학] 동맥 경화(증).
arteriografía *f.* [의학] 동맥 조영[촬영].
arteriola *f.* 소동맥.
arterioscleróśico, ca *adj.* =arteriosclerótico.
arteriosclerótico, ca *adj.* 동맥 경화의.
arterioso, sa *adj.* =arterial.
arteriotomía *f.* 동맥 절개(切開).
arteritis *f.sing.pl.* [의학] 동맥염.
arterosclerosis *f.sing.pl.* =arterioesclerosis.
artero, ra *adj.* 교활한, 꾀를 부리는.
artesa *f.* ① (빵가루의) 반죽 상자. ② [지리] U자 곡(谷).
artesanado *m.* [집합] 직인 (계급); 수공업, 수공예.
artesanal *adj.* 직인의; 수공업의.
artesanía *f.* ① 수공업, 수공예(품). ② [집합] 직인(職人).
artesano, na *m.f.* 직인(職人), 수공업자; 공예가: obra de ~ 수작업.
artesiano, na *adj.* 저절로 물이 솟는.
artesón *m.* (부엌의) 개수통.
artesonado, da *adj.* 격천장의.
artesonar *tr.* (…에) 격천장을 치다.
ártico, ca *adj.* 북극 (지방)의. —*m.* 북극 지방; 북극해.
articulación *f.* ① 연결. ② [해부] 관절: ~ del codo 팔꿈치의 관절. ③ [기계] 연결부. ④ 명료한 발음; 조음(調音): punto de ~ 조음점. ~ artificial 지화술(指話術). ⑤ [언어] 분절(分節).
articuladamente *adv.* (한마디 한마디) 똑똑히, 확실히.
articulado, da *adj.* ① 연결된: tren ~ 연결식 열차. ② [언어] 분절의, 유절(有節)의: lenguaje ~ 유절 언어. ③ [동물] 관절이 있는, 체절 동물의. —*m.* ① [집합] 조항. ② 진술. ③ *pl.* 체절[환절] 동물.
articular *tr.* ① 연결하다; 관련짓다: ~ las piezas 부품을 연결하다. ② 똑똑히 발음하다. ③ [언어] 조음하다. ④ (법률·계약 등을) 조목조목 쓰다. ⑤ [법률] 진술하다. —*adj.* [해부] 관절의:

reúma ~ 관절 류머티즘.
articulatorio, ria *adj.* [언어] 조음(調音)의: movimiento ~ 조음 운동.
articulista *m.f.* (해설) 기자, 논설 위원; 칼럼니스트.
artículo *m.* ① (신문・잡지의) 기사, 논설; 논문: ~ de fondo 사설. ② 항목, 사항; (법률・계약 등의) 조항, 조목: ~ por ~ 조목조목으로. el artículo primero de la Constitución 헌법 제1조. ③ 물품, 상품: ~*s* alimenticios 식료품. ~*s* de caballero 신사 용품. ~ de consumo 소비재. ④ [문법] 관사: ~ determinado [definido] 정관사. ~ indeterminado [indefinido] 부정 관사. ⑤ [해부] 관절. ⑥ [동물] 체절(體節).
artífice *m.f.* ① 예술가, 공예가; 직인(職人). ② 만든 사람: ~ de su fortuna 자수 성가한 사람. *Artífice* Supremo 조물주. ③ 수완가, 민완가, 책략가.
artificial *adj.* ① 인공의, 인위적인; 모조의: diente ~ 의치(義齒). flor ~ 조화(造花). mano ~ 의수(義手). ② 부자연스런.
artificialmente *adv.* 인공적으로, 부자연스레.
artificiero, ra *m.f.* 폭발물 전문가, 폭탄 처리 전문가.
artificio *m.* ① 장치. ② 기교; (나쁜 의미로) 술책, 수법, 농간: emplear ~s 농간을 부리다. ③ 부자연스러움.
artificiosidad *f.* ① 기교, 술책, 수법, 농간. ② 부자연스러움.
artificioso, sa *adj.* ① 기만적인. ② 부자연스런, 기교를 부리는.
artillar *tr.* …에 대포(大砲)를 설치하다.
artillería *f.* ① [집합] 포, 대포; 미사일 발사대: ~ ligera 경포. ~ pesada 중포. montar la ~ 포를 포가(砲架)에 설치하다. ② 포병대(砲兵隊).
artillero, ra *adj.* 대포의. —*m.f.* ① 포병, 포수. ② [운동] 스트라이커.
artilugio *m.* ① 약간 복잡한 장치. ② (주로 못된) 계획, 기도, 흉계, 책략. ③ (일 등에 필요한) 장비, 설비.
artimaña *f.* 계략, 함정, 술책.
artiodáctilos *m.pl.* [동물] 우제류(偶蹄類), 소목(目).
artista *m.f.* ① 예술가, 화가. ② 연주가, 가수; 배우; 연예인: ~ de cine 영화 배우. ~ de teatro 무대 배우. ③ 명인(名人), 달인(達人).
artístico, ca *adj.* 예술의, 예술적인.
arto *m.* [식물] 구기자나무.
artolas *f.pl.* 2인승용 안장.
artralgia *f.* [의학] 관절통.
artrítico, ca *adj.* 관절염의. —*m.f.* 관절염 환자.
artritis *f.sing.pl.* [의학] 관절염.
artritismo *m.* 관절병 체질, 류머티즘 소질.
artrópodos *m.pl.* [동물] 절족 동물류.
artrosis *f.sing.pl.* [의학] 관절증; 관절염(artritis).
artúrico, ca *adj.* (영국 전설상의) 아더왕(el rey Arturo)의.
aruco *m.* [새] 뿔까치.
arúspice *m.* (고대 로마 시대의) 내장 점쟁이.
arveja *f.* [식물] 참새완두.
arz- *pref.* 「우월」의 뜻: *arz*obispo 대주교.
Arz. Arzobispo 대주교(직・구).
arzobispado *m.* 대주교위(位)(구・관).
arzobispal *adj.* 대주교의.
arzobispo *m.* [천주교] 대주교; [개신교] 대감독; [그리스 정교・영국 국교] 대주교.
arzón *m.* 안장 틀.
as *m.* ① [트럼프] 에이스; (주사위의) 1의 눈: un ~ de espadas [트럼프] 스페이드의 에이스. ② 제일인자. ③ 아스 ((고대 로마의 청동화)). ④ [테니스] 서비스 에이스.
asa *f.* [단수 관사: el・un(a)] ① 손잡이, 자루. ② 수단, 연줄, 연고. ③ [식물] 즙, 액: ~ dulce 안식향(安息香).
asadero, ra adj. 불을 쬐어 굽는. —*m.* ① 매우 더운 곳. ② 바비큐를 하는 조리대.
asado, da *adj.* 구운: carne ~*da* 불고기. carne poco ~*da* 설구워진 고기. castañas ~*das* 군밤. —*m.* ① 불고기, 아사도. ② 바비큐; 바비큐 파티.
asador, a *m.f.* 굽는 사람. —*m.* 쇠꼬챙이, 적쇠, 로스터; 불고기 전문 식당.
asadura *f.* [요리] [주로 *pl.*] (동물의) 창자.
asaetear *tr.* ① (화살로) 쏘다; 사살하다. ② 귀찮게 굴다.
asainetado, da *adj.* 소극(笑劇)의, 소극 같은.
asalariado, da *adj.* 임금[월급]을 받는. —*m.f.* 월급쟁이, 셀러리맨, 임금 노동[생활]자.
asalariar *tr.* …에게 임금을 지불하다.
asalmonado, da *adj.* (색・맛이) 연어 비슷한.
asaltante *adj.* 습격[공격]하는. —*m.f.* 강도; 습격자, 폭한.
asaltar *tr.* ① 강도질을 하다; (사람・진지 등을) 공격하다. ② 엄습하다. ③ (생각이) 별안간 떠오르다. ④ (병이) 별안간 생기다.
asalto *m.* ① 강도; 습격, 급습: tropa de ~ 공격대, 돌격대. ② [권투] 회(回), 라운드: combate a cuatro ~*s* 4회전. derribar en el primer ~ 1라운드에서 다운되다. ③ [펜싱] 시합.
asamblea *f.* 집회, 회의; 의회(議會): ~ constituyente 제헌 의회. *Asamblea* Nacional 국회. celebrar una ~ 집회를 열다.
asambleísta *m.f.* ① 집회 참가자. ② 의원(議員).
asana *m.* [힌두교] [요가의 자세] 좌(座).
asar *tr.* ① [요리] (불・오븐에) 굽다: ~ a la lumbre 불에 굽다. ② 괴롭히다. ~**se** (사람이) 몹시 덥다.

asarina *f.* [식물] (피레네 산맥의) 고산 식물의 일종.
ásaro *m.* [식물] 두형나무.
asaz *adv.* [문어] =**bastante, muy.**
asbesto *m.* [광물] 석면(石綿).
asbestosis *f.sing.pl.* [의학] 석면증.
ascáride *f.* [동물] 회충.
ascendencia *f.* ① [집합] 선조; 혈통. ② 영향력.
ascendente *adj.* 상승(上乘)하는, 오르는. —*m.* [점성학] 운세(運勢).
ascender (20) *intr.* ① 오르다, 상승하다; [+a] (…에) 달하다: *Asciende* el globo por los aires 풍선이 공중으로 올라간다. ② 승진하다, 출세하다: ~ *a* coronel 대령으로 승진하다.
ascendiente *m.f.* (부모·조부모를 포함해, 직계의) 선조, 존속(尊屬). —*adj.* =ascendente. —*m.* [문어] (정신적인) 영향력, 지배력.
ascensión[1] *f.* ① 오르기, 상승: ~ a la cumbre 등정(登頂). ② 승진, 승격.
Ascensión[2] *f.* ① 그리스도의 승천. ② 승천제 ((부활절로부터 40일째)).
ascensional *adj.* 오르는, 상승하는.
ascenso *m.* ① 승진, 출세: conseguir ~ 승진하다. ~ a capitán 대위로 승진하다. ② 상승. ③ 오르막(길).
ascensor *m.* 승강기, 엘리베이터, 화물용 리프트.
ascensorista *adj.* 승강기의, 엘리베이터의. —*m.f.* 엘리베이터 보이[걸].
ascesis *f.sing.pl.* 고행 생활.
asceta *m.f.* 금욕자, 고행자.
ascética *f.* 금욕 생활, 고행.
ascético, ca *adj.* 금욕 생활의, 고행의.
ascetismo *m.* 금욕주의, 금욕 생활; 고행; 절제, 단련.
ascidia *f.* [동물] 멍게.
ascitis *f.sing.pl.* [의학] 복수(腹水).
asco *m.* 구역질, 메스꺼움, 혐오, 공포. ¶*dar* ~ 토하게 하다, 구역질이 나다. *ser un* ~ 아무런 가치도 없다.
ascua *f.* [단수 관사: el·un(a)] 벌겋게 불에 탄 것; 이글거리는 불, 불덩이.
aseado, da *adj.* 깨끗한, 청결한, 단정한, 산뜻한.
asear *tr.* 깨끗하게 하다, 정결[말끔]하게 하다, 청소하다, 소제하다, (방 따위를) 치우다. ~**se** 몸단장하다.
asechanza *f.* [주로 *pl.*] 잠복; 함정, 계략, 속임수.
asediar (11) *tr.* (성 등을) 포위하다:
asedio *m.* 포위.
asegurable *adj.* 보험부의.
asegurado, da *adj.* ① 확실한, 확고한: vejez ~*da* 안정된 노후. ② 보험에 든: cantidad ~*da* 보험금. —*m.f.* 보험 가입자, 피보험자.
asegurador, ra *adj.* 보험자의: compañía ~*ra* 보험 회사. —*m.f.* 보험자. —*m.* 보험 업자.
aseguradora *f.* 보험 회사.
asegurar *tr.* ① 확보하다. ② 고정시키다: ~ una cuerda [un clavo] 줄[못]을 고정시키다. ③ [+que+*ind.*] 확언하다, 보증하다. ④ [+contra] …에 …의 보험을 들다. ~**se** ① [+de que+*ind.*·*subj.*] …을 확실히[분명히] 하다, 확인하다: *Asegúrate de* que la puerta está cerrada 문이 닫혀져 있는 지 확인해라. ② [자신용으로] …을 확보하다: ~*se* la colaboración 협력을 얻다. ③ 회복되다, 안정되다: *Se aseguró* el día 날씨가 회복되었다. ④ 보험에 가입하다: ~*se contra* robos 도난 보험에 가입하다.
aseidad *f.* [철학] 자존성(自存性).
asemántico, ca *adj.* [언어] 무의미한.
asemejar *tr.* ① [+a] …에 비슷하게 하다; …처럼 보이게 하다. ② [+a] …에 비유하다. —*intr.*, ~**se** [+en·por] …이 닮다: Este niño *se asemeja* a su madre *en* [*por*] la cara 이 아이는 얼굴이 어머니 닮았다.
asendereado, da *adj.* ① 사람의 왕래가 잦은. ② 해쓱해진. ③ 손에 익은, 숙련된.
asenderear *tr.* ①…에 샛길을 만들다. ② 추적하다.
asenso *m.* [문어] =**asentimiento.**
asentaderas *f.pl.* =**nalgas.**
asentado, da *adj.* ① [estar+] …에 있는, 정착한. ② [ser+] 분별력이 있는, 현명한.
asentador, ra *m.f.* ① (식료품의) 도매상. ② 설치하는 사람.
asentamiento *m.* ① 설치, 부설. ② 진정, 안정. ③ 정착, 정주. ④ [상업] 기장(記帳). ⑤ 정착지, 정주지, 입식지.
asentar (19) *tr.* ① 설치하다: ~ el campamento base 베이스 캠프를 설치하다. ② (구타를) 명중시키다. ③ 가라앉히다, 안정시키다. ④ 합의하다, 협정하다. ⑤ (주름 등을) 펴다. ⑥ (성직 등을) 수여하다, 임명하다. ⑦ [상업] 기장하다, 기입하다. —*intr.* (토대 위에) 앉다, 안정하다. ~**se** ① [+en] …에 자리잡고 앉다, 정착[정주]하다; 위치하고 있다, 있다: ~*se en* la capital 서울[수도]에 정착하다. ~*se en* el Ministerio 정부에 자리를 얻다. ② (먹은 것이) 잘 삭지 않고 위에 남다, 트릿하다. ③ (눈·먼지가) 쌓이다. ④ (성격적으로) 차분해지다, 안정하다.
asentimiento *m.* 동의, 찬의(贊意); 승인: dar *su* ~ a *algo* …에 동의하다.
asentir (53) *intr.* [+a·en] …에 동의[찬성]하다; 승인(承認)하다: ~ a una propuesta 제안에 찬성하다. ~ con la cabeza (수긍하는 뜻으로) 고개를 끄덕이다.
asentista *m.* 어용 상인.
aseo *m.* ① 청결, 몸차림, 소제, 세면. ② [때때로 *pl.*] 세면소, 화장실.
asépalo, la *adj.* [식물] 꽃받침이 없는.
asepsia *f.* ① [의학] 무균(법). ② 냉담.
aséptico, ca *adj.* ① 무균(법)의. ② 냉담한.
asequible *adj.* 손이 미치는, 손에 넣을

수 있는.

aserción *f.* [문어] 단언, 확언.

aserradero *m.* 제재소.

aserrado, da *adj.* 톱니 모양의. —*m.* 톱으로 자르기.

aserradura *f.* ① 톱으로 자르기. ② 톱니 모양의 단면. ③ 톱밥.

aserrar *tr.* 톱으로 자르다(serrar).

aserrín *m.* 톱밥(serrín).

aserruchar *tr. Amér.* =aserrar.

asertivo, va *adj.* 단정(斷定)의.

aserto *m.* 단언, 확신.

asertórico, ca *adj.* =asertorio.

asertorio, ria *adj.* [철학] 실연적(實然的)인: juicio ~ 실연적 판단.

asesinar *tr.* ① 살해하다, 암살하다. ② (작품 등을) 엉망으로 만들다.

asesinato *m.* 살인, 살해; 암살.

asesino, na *adj.* ① 살인하는. ② 짓궂은. ③ 적의가 있는. —*mf.* 살인자; 암살자.

asesor, ra *adj.* 조언하는, 고문(顧問)의. —*mf.* ① 조언자, 고문, 상담역, 컨설턴트: ~ jurídico 법률 고문. ~ técnico 기술 고문. ② 지도 교관. ③ [투우] 주재자(presidente)의 상담역.

asesoramiento *m.* 조언 전문적 의견.

asesorar *tr.* …에게 조언하다; (연구·논문의) 지도를 하다.

asesoría *f.* 고문직[사무소·보수].

asestar *tr.* ① (총 등을) 향하다, 돌리다. ② [+a] (…에게 향하여) 쏘다, 발사하다. ③ [+a] (…에게) (타격을) 가하다.

aseveración *f.* 확언, 단언.

aseverar *tr.* 확언[단언]하다, 긍정하다.

aseverativo, va *adj.* ① 확언적인. ② [언어] =enunciativo.

asexuado, da *adj.* =asexual.

asexual *adj.* ① 성별이 없는, 중성의. ② [생물] 무성(無性)의.

asfaltado *m.* 아스팔트 포장.

asfaltadora *f.* 아스팔트 포장 도로.

asfaltar *tr.* 아스팔트로 포장하다.

asfáltico, ca *adj.* 아스팔트성의.

asfalto *m.* ① [광물] 아스팔트. ② (아스팔트) 포도(鋪道), 포장 도로, 가로(街路).

asfixia *f.* 질식, 호흡 곤란; 가사(假死): muerte por ~ 질식사.

asfixiante *adj.* 질식시키는; 질식할 것 같은: gas ~ 질식성 가스.

asfixiar *tr.* 질식(사)시키다. **~se** 질식하다.

asfódelo *m.* [식물] 수선화.

así *adv.* ① ㉮ 그렇게: No corras ~ tan deprisa 그렇게 빨리 달리지 마라. ㉯ [como와 함께] ¿Es ~ *como* te llamas? 그것이 네 이름이냐? ㉰ [como·según·cual·tal como·tal cual과 함께] …하는 것처럼, …에 따라: *Como* lo trates, ~ te tratarán 네가 그 사람을 취급한 것처럼 너도 그렇게 취급받을 것이다. ② [형용사적] 그러한: *Así* es la vida 인생이란 그런 것이다. ③ [정도] 그런 정도, 그렇게: No podremos descontarlo ~ 그렇게는 할인해 드릴 수가 없습니다. ④ [+*ind.*, 결과] 그래서: Hubo un accidente, ~ el tren llegó con retraso 사고가 있어서 열차가 연착했다. ⑤ [+*subj.*, 양보] 설령 …하더라도: Saldré a la calle, ~ llueva 설령 비가 내리더라도, 나는 거리에 나가겠다. ⑥ [문장 앞에서, +*subj.*, 원망] ¡*Así* te mueras! 제발 좀 죽었으면 좋겠다! ¶***así así*** 그저 그렇다, 그럭저럭: ¿Cómo está usted! — Estoy *así así* 어떻게 지내십니까? — 그저 그렇습니다. ¿Le ha gustado la película? — *Así, así* 영화가 마음에 들었습니까? — 그저 그랬습니다.

Asia *f.* 아시아: ~ Menor 소아시아.

asiático, ca *adj.* 아시아의[에 관한]: el Continente *Asiático* 아시아 대륙(大陸). —*mf.* 아시아 사람.

asibilar *tr.* [언어] 치찰음화하다.

asidero *m.* ① 자루, 손잡이. ② 구실, 동기, 계기. ③ 연고(緣故).

asiduamente *adv.* 열심히, 부지런히.

asiduidad *f.* 빈번(함): con ~ 열심히, 부지런히.

asiduo, dua *adj.* (방문 등이) 빈번한. —*mf.* [+de] (…의) 애호가, 팬: ~ *del* café 커피 애호가.

asiento *m.* ① 의자, 좌석; (의자의) 앉는 부분: ~ del acompañante 조수석. ~ del conductor 운전석. ② [열차·극장 등의] 지정석(~ reservado). ③ (법정·위원회의) 자리. ④ (그릇 등의) 밑바닥. ⑤ 침전(물), 앙금(poso). ⑥ 체재, 정주(定住), 정착. ⑦ 기입; [상업] 기장: ~ en el diario 일기장에 기입. libro de ~ 장부(帳簿). ⑧ 계약(의 조항); (16세기에 큰 상인과 국가가 맺은) 융자 계약. ⑨ 토대, 지주, 받침. ⑩ [건축] (건축물의) 침하. ¶***tomar ~*** 앉다, 착석하다; 정주하다: *Tome ~*, por favor 앉으세요.

asignable *adj.* 지정할 수 있는.

asignación *f.* 할당; 수당, 급료.

asignatario, ria *mf. Amér.* 유산 수취인(遺産受取人).

asignar *tr.* 할당하다, 지정하다

asignatura *f.* 학과목, 과목, 교과.

asilado, da *mf.* 피수용자, 피난민; 정치 망명자(~ político).

asilar *tr.* (보호 시설에) 수용하다; 비호하다: ~ a un condenado político 정치범을 숨겨두다[은닉하다]. **~se** 피난하다.

asilo *m.* ① 보호 시설, 수용소; (정치범 등의) 피난 장소; 성역(聖域): ~ de la paz 천국. ~ de sus penas 마음의 위안. meter en el ~ de ancianos 노인 보호 시설에 수용하다. ② 보호, 수용.

asilvestrado, da *adj.* 야생화한 (식물).

asimetría *f.* 불균형.

asimétrico, ca *adj.* 불균형의, 좌우가 고르지 못한, 제각각의.

asimilable *adj.* 동화할 수 있는.

asimilación *f.* 동화, 흡수.
asimilar *tr.* ① [+a] (…과) 동일시하다, 동격으로 취급하다; 유사하게 하다: La embriaguez *asimila* el hombre *a* la bestia 사람이 취하면 짐승이 된다, 술은 사람을 짐승으로 만든다. ② (음식물 · 지식 등을) 동화하다, 흡수하다: El *asimila* fácilmente lo que estudia 그는 이해가 빠르다, 그는 배운 것을 쉽게 소화시킨다. ③ [언어] (음성을) 동화하다. ~**se** 닮다, 비슷하다; 동화하다: Esto *se asimila a* mi obra 이것은 내 작품과 비슷하다.
asimilativo, va *adj.* 동화력(同化力)[작용]이 있는.
asimina *f. Amér.* ① [식물] 포도나무. ② 포도나무의 열매.
asimismo *adv.* ① 역시, 또한, …도. ② 게다가, 더욱이. ③ 같게, 마찬가지로.
asincrónico, ca *adj.* =asíncrono.
asíncrono, na *adj.* ① 비동시성의. ② [전기] 비동기(非同期)의.
asíndeton *m.* [수사] 연결사 생략 ((접속사의 생략: (예) Vine, vi, conquisté 왔다, 보았다, 이겼다 (시저))).
asintomático, ca *adj.* [의학] 무증후성(無症候性)의
asíntota *f.* [수학] 점근선(漸近線).
asir (36) *tr.* (강하게) 잡다, 쥐다, 붙잡다: Ella me *asió* por la solapa 그녀는 내 옷깃을 붙잡았다. ~**se** ① 붙들고 늘어지다, 붙잡히다: *~se a* [*en · de*] una cuerda 밧줄을 붙잡고 늘어지다. ② (무엇을) 구실로 삼다. ③ 맞붙잡고 싸우다.
asirio, ria *adj.* 아시리아(Asiria)의[에 관한]. *—m.f.* 아시리아 사람. *—m.* 아시리아 말.
asímico, ca *adj.* 내진(耐震)의.
asistencia *f.* ① 출석, 참가. ② [집합] 출석자(수). ③ 원조, 구제; 간호: ~ en carretera 구난(救難) 서비스. ~ letrada 사법 보호. ~ social 사회 복지. ~ técnica 애프터 서비스. ④ [축구 · 농구] 어시스트. ⑤ *AmérC.* 작은 응접실.
asistencial *adj.* ① 원조의: programa ~ 원조 프로그램. ② 사회 복지의.
asistenta *f.* (통근하는) 가정부, 식모.
asistente *adj.* 입회의, 참석하는; 보조[보좌]의. *—m.f.* ① 참석자, 참례자; 관중, 청중. ② 조수, 보좌(관)(ayudante). ③ [군사] 당번병.
asistir *intr.* ① [+a] (…에) 참가하다, 출석하다: ~ a la boda 결혼식에 참석하다. ② 입회하다. *—tr.* ① …에 수행[수반]하다: ~ al presidente en *su* viaje por el extranjero 대통령의 외유에 수행하다. ② 원조하다; (환자를) 치료[간호]하다; (임시로) 도움을 주다: ~ a los pobres 빈자를 구제하다.
asma *f.* [단수 관사: el · un(a)] [의학] 천식(喘息): ~ bronquial 기관지 천식.
asmático, ca *adj.* 천식의. *—m.f.* 천식 환자.
asnada *f.* [속어] =necedad.
asnal *adj.* ① 나귀의. ② 어리석은, 우둔한. ③ 짐승 같은.
asnillo *m.* [곤충] 반날개.
asno *m.* ① [동물] 당나귀 ((회화에서는 borrico, burro를 더 많이 사용함)). ② 바보. ¶***Al ~ muerto, la cebada al rabo*** (속담) 사후 약방문.
asociación *f.* ① 참가: libertad de ~ 결사의 자유. ② 협력, 제휴: ~ de ideas 연상(聯想). ③ 협회, 회; 연합: ~ cultural 문화 협회. ④ [생물] 군집.
asociacionismo *m.* [철학] 관념 연합론(觀念聯合論).
asociado, da *adj.* 참가[참석]한, 협력한. *—m.f.* ① 참가자, 협력자; 출자자. ② (비상근) 강사(profesor ~).
asocial *adj.* 반사회적인.
asociar (11) *tr.* ① [+a] (…에) 참가[참여 · 관여]시키다. ② [+con] (…과) 결합시키다. ~**se** ① (일원으로) 참가하다; (감정 등을) 함께 하다. ② (심리적으로) 결부되다, 함께 되다; 밀접한 관계를 갖다.
asociativo, va *adj.* 연합의; 연상의.
asocio *m. Amér.* =**asociación**: en ~ [+de · con] (…과) 협동으로, 함께.
asolación *f.* =**asolamiento.**
asolador, ra *adj.* 파괴적인.
asolamiento *m.* 파괴, 황폐.
asolar (24) *tr.* [자연 현상이 주어] 철저히 파괴하다, 황폐시키다: El huracán *asoló* la costa 허리케인은 해안 지대를 황폐시켰다. ~**se** 황폐하다.
asoleada *f.* 일사병(insolación).
asolear *tr.* 볕에 쪼이다. ~**se** ① 볕에 쪼여 더워지다; 볕에 그을리다; 일광욕을 하다. ② *Amér.* 일사병에 걸리다. ③ *Amér.* 일하다, 노력하다.
asomar *intr.* 엿보다, 보이기[나타나기] 시작하다. *—tr.* ① 들여다 보게 하다, 들여다 보이다, 내밀다. ② 나타내다. ~**se** ① 들여다 보다, 나타나다: *~se a* la ventana 창문으로 나타나다. ② 취기가 돌기 시작하다.
asombrar *tr.* ① 그늘지게 하다, 어둡게 하다: ~ el rostro 얼굴을 가리다. ② 놀라게[감탄하게] 하다. ~**se** [+con · de] …에 놀라다; 감탄[감심]하다.
asombro *m.* ① 놀람. ② 감탄, 감심. ③ [속어] 도깨비.
asombrosamente *adv.* 놀랍게도, 놀랄 만큼.
asombroso, sa *adj.* 놀라운, 놀라게 하는, 놀랄 만큼의.
asomo *m.* 들여다 봄; 조짐, 전조; 의혹, 의문. ¶***ni por ~*** 조금도, 손톱만큼도, 전혀.
asonada *f.* 반란, 봉기(motín).
asonancia *f.* ① 동류음, 동류음의 중복. ② 일치, 동조, 조화: tener ~ con *algo* …과 앞뒤가 맞다, …과 일치하다.
asonantar *intr.* 어조가 맞다. *—tr.* 동운[동류음]으로 하다.
asonante *adj.* 동류음의[으로 된].

asonar (24) *intr.* 동류음(同類音)이다; 일치하다.
asordar *tr.* =ensordecer.
asorocharse *r.* *AmérM.* ① 고산병에 걸리다. ② 얼굴을 붉히다.
aspa *f.* [단수 관사: el · un(a)] ① X자형(의 십자가). ② (풍차의) 날개. ③ 실패. ④ *AmérM.* 뿔.
aspar *tr.* ① 십자가에 못박다. ② (실을) 실패에 감다. ③ 괴롭히다, 족쳐대다. ~**se** ① 비명을 지르다. ② 격앙하다. ③ 열심히 하다.
aspaventar *tr.* =espantar.
aspaventero, ra *adj.* 표정이 호들갑스러운.
aspaviento *m.* 호들갑스런 감정 표시: hacer muchos ~*s* 호들갑을 떨다.
aspecto *m.* ① 외관, 외양, 모양. ② 모습, 용모, 자태. ③ (문제 등의) 측면, 양상, 관점: bajo este ~ 이 관점에서 (볼 때). en ciertos ~*s* 어떤 (관)점에서는.④ [언어] (동사의) 상(相). ⑤ [점성] (별의) 상(相).
aspereza *f.* 떫음; 땅이 울퉁불퉁함; 무뚝뚝함; 사나움; 가혹.
asperger (3) *tr., intr.* =asperjar.
asperjar *tr.* =rociar. —*intr.* [종교] 관수식[례]을 하다.
áspero, ra *adj.* ① 떫은, 까칠까칠한, 감촉이 까끄러운. ② 무서운, 사나운; 가혹한, 심한.
asperón *m.* (점토질의) 사암(砂巖).
aspersión *f.* ① =rociadura: riego por ~ 살수(撒水). ② [종교] 관수(灌水).
aspersor *m.* 살수 장치.
aspersorio *m.* 관수기(灌水器).
áspid *m.* [동물] 이집트 코브라, 독사.
aspidistra *f.* [식물] 대왕풀.
aspillera *f.* (성벽의) 총안(銃眼).
aspiración *f.* ① 빨아들이기, 흡입: bomba de ~흡입 펌프. ② [+a] (…에의) 동경, 열망: tener ~ al bien 행복에의 열망. ~ *a* ocupar cargos 권좌에의 동경. ③ [언어] 기식음(氣息音). ④ *pl.* 야심, 야망: *aspiraciones* políticas 정치적 야심.
aspirado, da *adj.* [언어] 대기음의.
aspirador, ra *adj.* 빨아들이는, 흡입하는. —*m.* ① [의학] 흡입기. ② [기계] 흡입 장치. —*f.*(*m.*) 전기 소제기.
aspirante *adj.* 빨아들이는, 흡입하는: bomba ~ 흡입 펌프. —*mf.* [+a] (지위 · 영예를) 열망하는 사람, 지원자, 지망자: ~*s* al puesto 그 직의 지원자.
aspirar *tr.* ① 들이마시다, 빨아들이다, 흡입하다: ~ el aire fresco 신선한 공기를 들이마시다. ② [언어] (h를) 기식음으로 발음하다. —*intr.* [+a] (…을) 열망[절망]하다.
aspirina *f.* [약학] 아스피린.
asqueado, da *adj.* [estar+, +de] (…에) 싫어진, 싫증난, 물린, 구역질이 난.
asquear *tr.* …에 구역질[욕지기 · 토기]을 느끼다; 불쾌감[혐오감]을 느끼다. —*intr.* 구역질[욕지기 · 토기]이 나다, 토할 것 같다. ~**se** [+de] (…이) 싫어지다, 싫증나다, 물리다: ~*se de* la vida 사는 게 싫어지다.
asquenazi *adj., mf.* 동(東)유럽계 유대인(의).
asquerosidad *f.* 언짢음.
asqueroso, sa *adj.* =repugnante.
asta *f.* [단수 관사: el · un(a)] ① 깃대. ② (창의) 자루, 손잡이. ③ (고대 로마의) 창, 투창. ④ (펜 · 붓 · 솔 등의) 대. ⑤ *pl.* (동물의) 뿔. ¶*a media* ~ 반기(半旗)의.
astado, da *adj.* 자루[손잡이]가 달린; 뿔이 있는. —*m.* (주로 투우의) 소.
ástaco *m.* [동물] 민물게.
astasia *f.* [의학] 무정위증(無定位症), 기립 불능증.
astatina *f.* =ástato.
astatio *m.* =ástato.
ástato *m.* [화학] 아스타틴.
astenia *f.* [의학] 무력(증).
asténico, ca *adj.* 무력증의. —*mf.* 무력증 환자.
astenopía *f.* [의학] 안정(眼精) 피로.
astenosfera *f.* [지질] 암류권(巖流圈).
aster *m.* [식물] 왜쑥부쟁이.
asterisco *m.* [인쇄] 별표.
asterismo *m.* [천문] 성군(星群).
asteroide *adj.* 별모양의, 성형(星形)의. —*m.* [천문] 소혹성.
astifino *adj.* [투우] (소의) 뿔(cuerno)이 날카로운.
astigmático, ca *adj.* 난시(亂視)의[에 관한]: vista ~*ca* 난시. —*mf.* 난시인 사람.
astigmatismo *m.* ① [의학] 난시. ② [광학] 비점수차(非點收差).
astil *m.* ① (농기구의) 손잡이. ② 통, 화살촉. ③ (저울의) 대, 깃털의 축.
astilla *f.* (나무나 돌의) 부스러기. ¶*De tal palo, tal* ~ (속담) 부전자전.
astillar *tr.* 산산조각을 내다. ~**se** 산산조각이 나다.
astillero *m.* [주로 *pl.*] 조선소(造船所).
astilloso, sa *adj.* ① 부스러기가 되기 쉬운. ② 까칠까칠한.
astracán *m.* 아스트라칸 가죽[직(織)].
astracanada *f.* 소극(笑劇).
astrágalo *m.* [해부] 거골(距骨).
astral *adj.* [점성] 별의: influencia ~ 별의 감응력. cuerpos ~*es* 영체(靈體).
astringencia *f.* 수렴성(收斂性).
astringente *adj.* [의학] 수렴성(收斂性)이 있는. —*m.* 수렴제(收斂劑).
astringir (4) *tr.* (피부 등을) 수렴하다.
astro *m.* ① 천체, 별: ~ rey [del día] 태양. ② 배우, 스타: ~ del cine [de la pantalla] 영화 배우[스타].
astrocito *m.* [해부] 성상(星狀) 세포.
astrofísico, ca *adj.* 우주 물리학(宇宙物理學)의. —*mf.* 우주 물리학자. —*f.* 우주 물리학.
astrolabio *m.* (옛날의) 천체 관측기.
astrología *f.* 점성술.
astrológico, ca *adj.* 점성술의.

astrólogo, ga *m.f.* 점성술사.
astronauta *m.f.* 우주 비행사.
astronáutico, ca *adj.* 우주 항행학의. —*f.* 우주 항행학.
astronave *f.* 우주선.
astronomía *f.* 천문학.
astronómico, ca *adj.* ① 천문학의: día ~ 천문일(天文日). ② 천문학적인: cifras ~*cas* 천문학적인 숫자. precio ~ 엄청난 값.
astrónomo, ma *m.f.* 천문학자.
astrosfera *f.* [생물] 성상구(星狀球).
astroso, sa *adj.* ① (사람의 외견이) 불결한, 더러운. ② 불행한.
astucia *f.* 간사함, 교활함, 간계(奸計).
astur *adj., m.f.* ① 아스투르 사람(의) ((아스뚜리아 지방에 살았던 켈트족)). ② =asturiano.
asturcón, na *adj., m.f.* 아스뚜리아 산의 작은 말(의).
asturianada *f.* 아스뚜리아나다 ((아스뚜리아스 지방의 민요의 일종)).
asturiano, na *adj.* ① 아스뚜리아스(Asturias) 태생의. ② 아스뚜리아스의[에 관한]. —*m.f.* 아스뚜리아스 사람.
Asturias *f.pl.* 아스뚜리아스 ((스페인 북부의 자치주; 정식 명칭은 Principado de ~)).
asturleonés *m.* 아스뚜리아스와 레온의 지방어.
astur-leonés *m.* =asturleonés.
astuto, ta *adj.* 교활한, 간사한, 영악한: abogado ~ 교활한 변호사.
asueto *m.* (학생 등의, 반일・하루의) 휴가; 휴식.
asumir *tr.* ① (책임・임무 등을) 지다, 맡다, 떠맡다: ~ la responsabilidad 책임을 떠맡다. ② 획득하다. ③ 추정하다: *Asumo* que él es el jefe 나는 그 사람이 보스라고 생각한다.
asunceno, na *adj.* ① 아순시온 태생의. ② 아순시온의[에 관한]. —*m.f.* 아순시온 사람.
asunción *f.* ① 취임. ② 상정(想定).
Asunción[1] *f.* (성모의) 피승천(被昇天); 피승천 축일 ((8월 15일)).
Asunción[2] *f.* [지명] 아순시온 ((빠라구아이의 수도)).
asunto *m.* ① 일, 것, 문제: Eso es otro ~ 그것은 별문제다. No se meta usted en mis ~*s* 내 일에 간섭하지 마세요. Esto no es ~ tuyo 이것은 네가 관여할 일이 아니다. ② 건, 사건, 분쟁: Este ~ es difícil de resolver 이 건은 해결하기가 어렵다. ③ 정사(情事), 추문: El tiene un ~ con María 그는 마리아와 관계가 있다. ④ (작품의) 주제, 테마, 줄거리: cuadro de ~ religioso 종교화. ¿Cuál es el ~ de esa comedia? 그 연속극[연극]의 줄거리는 어떻습니까? ⑤ 용건, 일. ⑥ *pl.* 업무. 일.
asustadizo, za *adj.* 겁이 많은, 잘 놀라는.
asustar *tr.* (흠칫) 놀라게 하다. ~**se** [+con・de・por] (…에) 놀라다.
A.T. Antiguo Testamento 구약 성서.
atabal *m.* =timbal.
atabalear *intr.* ① (말이) 발버둥치다. ② (테이블을) 가볍게 톡톡 치다.
atacado, da *adj.* 우유부단한; 쩨쩨한.
atacador *m.* (포의) 꼬질대.
atacante *adj.* 공격하는. —*m.f.* 공격자, 습격자.
atacar (7) *tr.* ① 공격하다, 습격하다, 덮치다. ② (곤란 등에) 도전하다; 착수하다, 시작하다: ~ la cara norte 북벽(北壁)에 도전하다. ③ 고통을 주다, 다치다, 상하다; 흠내다, 파손하다, 손상하다, 상하게 하다. ④ …에 억지로 밀어[틀어]넣다: ~ un cajón 서랍에 물건을 밀어넣다. ⑤ (의복의) 단추를 채우다[잠그다], 벨트를 죄다[졸라 매다]: ~ su chaqueta 웃옷의 단추를 끼우다[채우다].
atadero *m.* 묶는 것, 끈, 밧줄: *no tener* ~ 지리멸렬하다.
atadijo *m.* (작은・난잡한) 꾸러미, 봉지, 보따리, 보퉁이, 싼 물건.
atado, da *adj.* ① 묶여진. ② 어물거리는, 주저주저하는. —*m.* 다발, 뭉텅이, 묶는 것.
atadura *f.* ① 묶는 것, 묶는 물건. ② [주로 *pl.*] 속박.
atafagar (8) *tr.* ① (강렬한 냄새로) 코를 찌르다, 숨막히게 하다. ② 괴롭히다, 성가시게 굴다.
ataguía *f.* (공사중 물을 막는) 둑, 제방.
ataharre *m.* [마술] 밀치끈, 껑거리끈.
atajada *f.* *Chile.* 둑, 보.
atajar *intr.* ① 지름길로 가다. ② 시간을 절약하다. —*tr.* ① (장애물 등으로 진로를) 방해하다, (가로)막다, 차단하다; 저지하다, 중지시키다. ② 끊다, 자르다. ~**se** ① 안절부절못하다, 겁에 질리다. ② (술에) 취하다.
atajo *m.* ① 지름길, 가까운 길: tomar [tirar] por el ~ 지름길을 가다, 쉬운 해결책을 취하다. ② (사람・물건의) 떼, 무리, 동아리, 집단. ③ (중상 모략 등의) 연발. ¶***No hay ~ sin trabajo*** (속담) 노력 없는 지름길은 없다, 학문에는 왕도가 없다, 부뚜막의 소금도 집어 넣어야 짜다.
atalaje *m.* [집합] 마구(馬具) 일체.
atalaya *f.* ① 망루, 조망대, 감시탑. ② (평가・판단하기에 적당한) 위치, 입장. —*m.* ① 감시병. ② 호기심이 강한 사람. ③ [은어] 도둑(ladrón).
atalayar *tr.* ① (망루에서) 감시하다. ② 엿보다.
atañer (51) *intr.* 속하다, 관련이 있다.
atapuzar (7) *tr.* 힐책하다, 따지다.
ataque *m.* ① ㉮ 공격, 습격: ~ general 총공격. ~ aéreo 공습. ㉯ [운동] 공격. ② 발작: ~ cardíaco [de corazón] 심장 발작. ~ de nervios 신경성의 발작, 히스테리. ③ [화학・물리] 파괴적 작용.
atar *tr.* ① 묶다, 동여매다: ~ un pa-

quete 소포를 묶다. ~ los papeles 종이를 묶다. ~ un caballo a un árbol 말을 나무에 묶다. ② 속박하다. ③ 관련시키다. ~**se** ① 자신의 …을 묶다: ~*se* los zapatos 구두끈을 묶다. ② 고경(苦境)에 빠지다. ③ [+a] …에 고집하다.

atarantarse *r. Amér.* 급하다, 급히 가다.

ataraxia *f.* [철학] 마음을 푹 놓음.

atarazana *f.* 조선소(astilleros).

atardecer (31) *intr.* 해가 지다, 날이 저물다.

atareado, da *adj.* (사람이) 바쁜, 분주한, 다망(多忙)한.

atarear *tr.* (…에) 업무를 배당하다. ~**se** 바쁘게 일하다, 일에 몰두하다[전념하다].

atarragarse *r. Amér.* 포식하다.

atarugar (8) *tr.* ① (…에) 마개를 끼워두다. ② 말문이 막히게 하다. ~**se** 대답을 못하게 되다; 포식하다.

atascadero *m.* ① 진창, 깊은 수렁. ② 장해.

atascar (7) *tr.* 틈새에 우겨 넣다; 방해하다. ~**se** (관 등이) 막히다; 움직이지 않게 되다; 말문이 막히다.

atasco *m.* ① 교통 체증. ② 장해, 방해, 방해물.

ataúd *m.* 관(棺).

ataurique *m.* (아랍풍 건축 특유의) 잎과 꽃의 장식 모양.

ataviar (12) *tr.* 성장(盛裝)시키다, 장식하다, 입히다. ~**se** 몸치장하다, 옷을 걸치다.

atávico, ca *adj.* 격세 유전의.

atavío *m.* 아름답게 장식하는 것; (특히) 의상(衣裳).

atavismo *m.* ① 격세 유전(隔世遺傳). ② 회고 취미.

ataxia *f.* [의학] 운동 실조(증).

ateísmo *m.* 무신론.

atelaje *m.* [집합] 마구(馬具).

ateles *m.* [동물] 거미원숭이.

atelocardia *f.* [의학] 심장 발육 부전.

atemático, ca *adj.* [언어] 간모음(幹母音)이 없는.

atemorizar (9) *tr.* 겁을 주다, 벌벌 떨게 만들다, 무섭게 하다, 설설 기게 하다. ~**se** [+de · por] (…을) 무서워하다.

atemperación *f.* ① 억제, 절제. ② 조화, 적응.

atemperar *tr.* ① (감정을) 억제하다: ~ *su* gula 감정을 억제하다. ② [+a] (…에) 조화시키다, 맞추다. ~**se** [+a] (…에) 적응하다.

atenazar (9) *tr.* ① 쥐어뜯다. ② 짓누르다. ③ 족치다.

atención *f.* ① 주목: escuchar con ~ 주의해서 듣다. ② (손님의) 접대, 응대: horario de ~ al público 영업 시간. ③ 용건(用件), 용무(用務), 일. ④ 배려. —*interj.* ① 정신 차려! ② 위험해! ③ (기내 방송 등에서) 알려드립니다! ¶*llamar la ~ de* alguien (누구의) 주의를 끌다, 호기심을 불러일으키다. ***prestar ~ a*** alguien (누구에게)주목하다, 주의를 기울이다.

atender (20) *intr.* ① [+a] …에 주의를 기울이다, 유의[고려]하다, 마음을 쓰다, 조심하다: Nadie me *atiende* 아무도 내 말에 귀를 기울이지 않는다. ② 대접하다. ③ 돌보다. ④ (누구의) 용건을 듣다.

ateneísta *mf.* ateneo 회원.

ateneo *m.* (마드리드 · 바르셀로나의, 19세기부터 계속) 문예 그룹 ((조직 · 건물)).

atenerse (59) *r.* ① [+a] (규칙 · 지시 등에) 따르다, 좇다, 고수하다: *Atente a* las órdenes 명령에 따라라. ② (결과의) 책임을 지다[맡다].

ateniense *adj., mf.* 아테네(Atenas)의 (사람).

atentado *m.* [+contra · a] (…에의) 습격; 가해, 침해; 테러 행위.

atentamente *adv.* ① 주의깊게, 열심히, 정중히. ② [편지] 경구(敬具).

atentar *intr.* [+a · contra] (요인에게) 위해를 가하려 하다, 습격하다; 침해하다: ~ *contra* el Papa 교황을 습격하다. ~ *a* las buenas costumbres 미풍양속에 반(反)하다.

atentatorio, ria *adj.* [+a] (…을) 침해(侵害)하는.

atento, ta *adj.* ① [+a] (…에) 주의하고 있는; 주의 깊은. ② [+con] (…에) 친절한; 예의 바른: Ella es ~*ta con* todos 그녀는 누구에게나 친절하다. ③ [주로 상업문에서] Quedamos [Somos] de ustedes ~*s* y seguros servidores 경구(敬具).

atenuación *f.* 완화, 경감.

atenuador *m.* 흡수체, 흡수재.

atenuante *adj.* 완화시키는, 진정시키는, 경감하는. —*m.* 희석제. —*f.*(*m.*) [주로 *pl.*] 정상 참작.

atenuar (15) *tr.* 부드럽게 하다, 진정시키다, 완화시키다; 경감하다.

ateo, a *adj.* 무신론의. —*mf.* 무신론자.

aterciopelado, da *adj.* 우단[비로드] 같은, 유연한, 부드러운, 몰랑몰랑한, 매끈매끈한.

aterimiento *m.* 어는 일[것].

aterir *tr.* 얼리다, 얼게 하다. ~**se** 얼다: ~*se* de frío 추위로 얼다.

atérmano, na *adj.* [물리] 불투열(不透熱)(성)의.

ateroesclerosis *f.sing.pl.* 아테롬성(性) 동맥 경화증.

ateroma *m.* [의학] (피부에 생기는) 분류(粉瘤), 동맥 아테롬.

aterrador, ra *adj.* 겁내는, 놀라는, 무서운, 불안한.

aterrar *tr.* 무섭게 하다, 놀라게 하다, 불안하게 하다. ~**se** [+de · por] (…에) 겁내다, 놀라다, 무섭다.

aterrizaje *m.* 착륙: ~ forzado 불시착.

aterrizar (9) *intr.* ① 착륙하다: ~ en

el aeropuerto 공항에 착륙하다. ② 쓰러지다, 넘어지다, 자빠지다; 불의에 나타나다; 미지의 장소에 찾아오다.

aterronar *tr.* (흙 등을) 덩어리로 만들다, 뭉치다. ~**se** 덩어리가 되다, 뭉쳐지다.

aterrorizador, ra *adj.* 겁나는, 두려운, 무서운.

aterrorizar (9) *tr.* 공포로 만들다, 질겁하게 하다, 떨게 만들다, 전율하게 하다. ~**se** [+de · por] (…에) 질리다, 기가 꺾이다.

atesoramiento *m.* 퇴장(退藏); 축재.

atesorar *tr.* ① (재산을) 모아서 저축하다; (문화재 등을) 보존[보관]하다. ② (재능 · 성질을) 지니다, 가지다, 소유하다: ~ bondad en su corazón 선의(善意)가 있다.

atestación *f.* 증언(證言).

atestado *m.* 조서(調書), 공술서: hacer un ~ 조서를 꾸미다[작성하다].

atestado, da *adj.* ① [+de] (…로) 입추의 여지가 없는, 만원의, 가득 찬. ② 완고한.

atestar (19) *tr.* ① 가득 채우다, 다져 넣다, 쑤셔 넣다, 박아 넣다, 끼우다. ② 포식하다. ③ 증언[증명]하다. ~**se** ① 가득 차다. ② 포식하다.

atestiguar (10) *tr.* 입증하다, 증명하다; 증언하다: ~ ante el juez 판사의 앞에서 증언하다.

atezado, da *adj.* 볕에 탄, 검은.

atezarse (9) *r.* 볕에 타다.

atiborramiento *m.* 꽉꽉 눌러 넣음.

atiborrar *tr.* [+de] (…을) …에 가득 채워 넣다, 다져 넣다. ~**se** [+de] (…로) 포식하다, 배불리 먹다: *~se de* dulces 과자를 실컷 먹다.

aticismo *m.* (아테네풍의) 우아함, 화려함.

aticista *mf.* 고대 아테네풍의 우아한 작품을 쓰는 작가.

ático, ca *adj.* 우아한. —*m.* [건축] 다락방. 지붕 밑의 방.

atiesar *tr.* ① 굳히다, 다지다, 단단히 하다. ② 긴장시키다. ~**se** ① 단단해지다, 굳어지다. ② 긴장하다.

atigrado, da *adj.* 호랑이 털의[같은].

atildado, da *adj.* =pulcro, aseado.

atildadura *f.* 모양 내기, 맵시 부리기.

atildamiento *m.* =atildadura.

atildar *tr.* ① 장식하다, 꾸미다. ② 비판하다(censurar). ③ 띨데(tilde: 악센트 기호)를 붙이다. ~**se** 화장을 하고 모양을 내다, 맵시를 내다.

atinado, da *adj.* ① 현명한. ② 적절한.

atinar *intr.* ① [+a · con · en] (…에) 제대로 할 수 있다, 제대로 맞아들다. ② [+a · en] (과녁에) 명중하다.

atingencia *f. Amér.* 관계, 관련.

atípico, ca *adj.* 비전형적인, 이상한.

atiplado, da *adj.* 소리가 쩌렁쩌렁한.

atiplar *tr.* (악기 · 목소리의) 음을 높게 하다. ~**se** 음이 높게 되다.

atirantar *tr.* ① 끈으로 매달다. ② (관계를) 긴장시키다.

atisbar *tr.* 잘 관찰하다, 살피다; 슬쩍 엿보다.

atisbo *m.* ① 엿보기. ② 징후.

-ativo *suf.* [동사+, 품질 형용사화] llam*ativo* 사람의 눈을 끄는.

atizador, ra *adj., mf.* 몽둥이로 때리는 (사람).

atizar (9) *tr.* ① (불을) 휘저어서 일으키다. ② (몽둥이로) 때리다. ③ [운동] (상대를) 무찌르다, 패배시키다.

atlante *m.* [건축] 남상주(男像柱).

Atlántico *m.* 대서양 (Océano ~): ~ Norte [Sur] 북[남]대서양.

atlántico, ca *adj.* 대서양(Atlántico)의.

atlas *m.sing.pl.* ① 지도(책). ② 도감, 도표집. ③ [해부] 제1 경추.

Atlas *m.* ① [신화] 아틀라스. ② [el · los] 아틀라스 산맥.

atleta *mf.* ① (주로 육상 경기의) 운동 선수, 경기자. ② 기골이 장대한 사람.

atlético, ca *adj.* ① 운동[육상] 경기의. ② 기골이 장대한.

atletismo *m.* 운동 경기, 체육; [특히] 육상 경기 ((경주, 도약, 투척)).

atmósfera *f.* ① 대기, 공기: contaminación de la ~ 대기 오염. ② 분위기. ③ 기압 ((단위)).

atmosférico, ca *adj.* 대기의, 공기의.

atn. atención.

-ato *suf.*「새끼」의 뜻: lebr*ato* 토끼 새끼.

atocha *f.* [식물] =**esparto.**

atocinarse *r.* 안절부절 못하다; 여자에게 빠지다.

atole *m. Amér.* ① 옥수수 가루와 우유로 만든 음료. ② 춤의 일종.

atolladero *m.* 진수렁, 흙탕.

atollarse *r.* 몸이 놀릴 수 없게 되다.

atolón *m.* 환초(環礁).

atolondrado, da *adj.* ① [estar+] 곤혹스런. ② [ser+] 경솔한, 부주의한.

atolondramiento *m.* 곤혹; 경솔, 부주의(不注意).

atolondrar *tr.* 망연자실(茫然自失)케 하다. ~**se** 망연자실하다.

atomicidad *f.* 원자수(原子數).

atómico, ca *adj.* 원자의: armas *~cas* 핵무기. física *~ca* 원자 물리학.

atomismo *m.* [철학] 원자론.

atomización *f.* 미립자화(微粒子化).

atomizador *m.* 분무기.

atomizar (9) *tr.* ① 원자[미립자]로 만들다. ② 분열[분쇄]시키다.

átomo *m.* ① [물리 · 화학] 원자: ~de hidrógeno 수소 원자. ② 미량(微量). ③ [불교] 극미(極微).

atonal *adj.* [음악] 무조(無調)의.

atonalidad *f.* 무조성(無調性).

atonía *f.* ① 무기력, 활발치 못함. ② [의학] 무긴장(증), 이완증; 무기력.

atónito, ta *adj.* 아연 실색하는, 망연자실하는, 어리둥절하는.

átono, na *adj.* [문법] 강세가 없는; 힘이 없는.

atontado, da *adj.* 멍청한, 얼이 빠진.
atontamiento *m.* 망연자실.
atontar *tr.* 바보로[멍청하게] 만들다: El choque le *atontó* 그는 충격으로 바보가 되었다. ~**se** 바보가 되다.
atontolinado, da *adj.* =atontado.
atontolinar *tr.* =atontar.
atopia *f.* [의학] 아토피성 (체질) ((선천성 과민성)).
atópico, ca *adj.* 아토피성의: dermatitis ~*ca* 아토피성 피부염.
atoramiento *m.* 진퇴유곡(進退維谷).
atorar *tr.* ① 막다, 저지하다. ② 장작을 패다. —*intr.* 막히다. ~**se** 옴쭉달싹 못하게 되다, 진퇴유곡에 빠지다.
-atorio *suf.* [동사+] ① [품질 형용사화] compens*atorio* 보상하는, 배상의. ② [명사화, 장소] san*atorio* (정신병자들의) 요양원.
atormentador, ra *adj.* 고민하는, 괴로워하는, 시달리는.
atormentar *tr.* ① 고문하다. ② 괴롭히다, 성가시게 굴다, 시달리게 하다, 고통을 주다: El ruido del tráfico les *atormenta* 그들은 자동차의 소음에 시달리고 있다. ~**se** [+con · de · por] (…에) 시달리다, 고민하다, 번민하다, 괴로워하다.
atornasolado, da *adj.* =tornasolado.
atornillador *m.* 나사돌리개, 드라이버.
atornillar *intr.* ① 나사로 조이다; 틀어넣다. ② *Amér.* 괴롭히다.
atorón *m.* *AmérC.* 교통 체증.
atorrante *m.* *AmérM.* 부랑자(浮浪者).
atortolar *tr.* 혼란시키다, 어지럽히다, 당황하게 만들다, 겁을 주다. ~**se** 허둥대다.
atosigador, ra *adj.* 독을 넣은; 재촉하는 (사람).
atosigamiento *m.* ① 독을 넣기. ② 재촉, 초조해함.
atosigar (8) *tr.* ① (…에) 독을 넣다. ② 재촉하다. ~**se** 서두르다.
atrabiliario, ria *adj., m.f.* [의학] 우울증의; 울적한 (사람).
atracada *f.* ① 접현. ② *AmérC.* 포식.
atracadero *m.* 잔교(棧橋).
atracador, ra *m.f.* 강도, 산적(山賊).
atracar (7) *tr.* ① (훔치기 위해) 습격하다. ② 포식시키다. ③ [배를] [+a · en] (…에) 접현[접안]시키다. —*intr.* [배가, +en · a] (…에) 접현[접안]하다. ~**se** ① 잔뜩 다져 넣다. ② 싸우다, 치고 받다, 입씨름하다. ③ *Amér.* 고집하다.
atracción *f.* ① 끌어당김, 인력, 유인; 끄는 것, 매력: ~ sexual 성적 매력. ② [물리] 인력: ley de ~ universal 만유 인력의 법칙. —*pl.* 오락.
atraco *m.* 강도, 강탈: cometer un ~ 강도질하다.
atracón *m.* ① 포식. ② *AmérC.* 싸움, 다툼, 분쟁.
atractivo *m.* 매력.
atractivo, va *adj.* 매력적(魅力的)인, 끄는: hombre ~ 매력적인 남자.
atraer (72) *tr.* [+a · en] (…에) 끌어당기다, 끌어들이다.
atrafagarse (8) *r.* 고심하다.
atragantarse *r.* 목이[말이] 막히다.
atraillar *tr.* ① 굵은 밧줄로 매다. ② 속박하다.
atrancar (7) *tr.* 빗장을 걸다. —*intr.* ① 성큼성큼 걷다. ② 대충대충 읽다. ~**se** ① 빗장을 걸고 틀어박히다. ② 고장을 일으키다. ③ *Méj.* (자기 주장을) 고집하다.
atranco *m.* 장해; 고장.
atrapamoscas *m.* [식물] 파리풀.
atrapar *tr.* ① 잡다: ~ una mariposa [a un ladrón] 나비[도둑]를 잡다. ② 획득하다: ~ un premio 상을 받다. ③ 속이다.
atraque *m.* ① 접현, 도킹. ② 잔교(棧橋), 부두(muelle).
atrás *adv.* ① 뒤에, 뒤로: parte de ~ 뒷부분, 후부(後部). puerta de ~ 뒷문. asientos de ~ 뒷좌석, 뒷자리. volver la cara ~ 얼굴을 뒤로 돌리다. Siéntate ~ 뒤에 앉아라. ② [+de] …의 뒤에(detrás de). ③ [시간] …전(前)에: una semana ~ 1주일 전에. ④ [순서] contar hacia ~ 거꾸로[역으로] 세다.
atrasado, da *adj.* ① 늦은: pago ~ 체납, 미납. país ~ 후진국. ② 시대(時代)에 뒤진: moda ~*da* 뒤떨어진 유행. Tú andas [estás] ~ 너는 시대에 뒤떨어져 있다. ③ 지능이 뒤진. —*m.f.* 지능이 뒤진 아이, 지진아(遲進兒).
atrasar *tr.* 늦게 하다, 연기하다: ~ la boda un mes 결혼식을 1개월 연기하다. —*intr.* ① (시계가) 늦다: Mi reloj *atrasa* tres minutos 내 시계는 3분 늦다. ② (순위 등이) 후퇴하다. ~**se** 늦다, 지각(遲刻)하다.
atraso *m.* ① 늦음, 지연(遲延): ~ cultural 문화적 후진성. ~ del avión 비행기의 연착. ~ mental 지진아(遲進兒). ② (지역 등의) 후진성. ③ 체납금, 미납금: cobrar los ~s 미납금[체납금]을 받다.
atravesado, da *adj.* ① [+en] 꿰뚫린; 횡단된: mirar ~ 사시(斜視)다. ② 악의가 있는: persona ~*da* 악의가 있는 사람. palabras ~*das* 악의에 찬 말. ③ *Amér.* =mulato, mestizo.
atravesar (19) *tr.* ① 관통하다, 건너다, 횡단하다, 가로지르다: ~ la calle 길을 건너다. ~ el Han 한강을 건너다. ② 관통하다; 찌르다: ~ la tela con un alfiler 천에 핀을 꽂다. ③ (시기에) 직면하다: ④ 걸치다, 놓다. ⑤ 가는 길을 막다, 통행 금지를 하다. ⑥ (도박으로 돈을) 걸다, 대다. ~**se** ① [+en] (…의) 통행을 방해하다. ② 마음에 들지 않다. ③ (자신의 몸에) 관통하다: *Se* me *atravesó* una espiga *en* la garganta 나는 가시에 목이 찔렸다.
atrayente *adj.* 매력적인(atractivo).

atreverse *r.* [+a · con] 감히[굳이] …하다; 주제넘게도 …하다; 누구[모두]에게 (나) 불손하다; 과감히 …하다: No *me atrevo* con mi jefe 나는 상관을 거스를 용기가 없다.
atrevido, da *adj., m.f.* ① 대담한 (사람); 불손한 (사람): palabras *~das* 건방진[주제넘은] 말. política *~da* 대담한 정책. ② 위험한.
atrevimiento *m.* 대담함; 불손; 무모.
atrezo *m.* [집합] [영화 · 연극] 대도구, 소도구.
atribución *f.* (원인 등으로) 돌아가는 일; 부여, 귀속(歸屬); [주로 *pl.*] 권한: Esto excede mis *atribuciones* 이것은 내 권한 밖이다.
atribuir (77) *tr.* ① [성격 · 원인 등이, +a] (…로) 돌리다, 탓으로 돌리다: ~ la muerte a un infarto 사망 원인을 심근 경색증으로 돌리다. ② (권위 등을) 부여하다: ~ la misión a uno …에게 임무를 주다. **~se** ① 자기 것으로 하다: *~se* los poderes 권력을 한 사람이 독점하다. ② (책임 · 의무를) 지다, 도맡다.
atribulación *f.* =tribulación.
atribuladamente *adv.* 슬픔에 젖어, 비탄에 쌓여.
atribulado, da *adj.* 슬픔에 젖은, 비탄에 쌓인.
atribular *tr.* 슬픔에 젖게 하다. **~se** 슬픔에 젖다.
atributivo, va *adj.* ① 귀속의, 속성을 나타내는. ② [문법] 속사적인; 한정적인: adjetivo ~ 한정 형용사.
atributo *m.* ① 속성, 특질; 상징, 표장(標章). ② [문법] 속사(屬辭).
atrición *f.* [종교] 불완전 통회(痛悔).
atril *m.* 성서대(聖書臺); 독서대; 악보대(樂譜臺).
atrincheramiento *m.* 참호, 진지.
atrincherar *tr.* 참호로 방어하다.
atrio *m.* ① 앞 복도; 현관. ② (사원의) 안마당, (교회의) 앞마당. ③ [해부] 심방(心房).
atrocidad *f.* ① 잔학함; 잔학 행위: hacer [cometer] *~es* 잔학 행위를 하다. ② 지나치게 나쁜 일; 폭언, 엉터리, 함부로 함: No digas *~es* 함부로 말하지 마라. ③ [una+, 부사구] 대단히, 몹시, 심히, 굉장히, 매우.
atrofia *f.* [의학] 위축(증); 감퇴, 쇠퇴.
atrofiar (11) *tr.* 위축시키다, 쇠퇴시키다. **~se** 위축[쇠퇴]하다.
atrojarse *r. AmérC.* =aturdirse.
atronado, da *adj.* 경솔한, 사려 분별이 없는.
atronador, ra *adj.* 귀머거리 같은.
atronar (24) *tr.* ① 귀머거리로 만들다. ② 넋을 잃게 하다. ③ (소를) 때려 죽이다.
atropelladamente *adv.* 성급히, 허겁지겁, 조급하게; 꾸역꾸역.
atropellado, da *adj.* 성급한, 허겁지겁하는.
atropellador, ra *adj.* 성급한; 충동적인.
atropellamiento *m.* =atropello.
atropellar *tr.* ① 밟다, 짓밟다. ② 밀쳐 넘어뜨리다, 나동그라지게 하다, 밀치다. ③ 욕을 퍼붓다. ④ (법을) 무시하다, 범하다. ⑤ 당황해 하다. **~se** 허둥지둥하다.
atropello *m.* ① 익사 (사고). ② 짓밟음, 유린. ③ 허둥지둥함. ④ 쓰러뜨림.
atropina *f.* [화학] 아트로핀.
atroz *adj.* [*pl.* atroces] ① (통증 · 날씨 등이] 지독한, 엄청난, 가혹한, 호된, 지독히 나쁜: comida ~ 형편 없는 식사. dolor ~ 격통(激痛). ② 굉장한, 지독한: edificio de dimensiones *atroces* 굉장히 큰 건물. ③ 잔학한, 잔혹한, 무자비한, 끔찍한.
atrozmente *adv.* 지독히, 엄청나게, 호되게: doler ~ 지독히 아프다.
ATS. Ayudante Técnico Sanitario 간호사.
atta. atenta: su ~ 귀한(貴翰).
attaché *m.* (대사 · 공사의) 수행원, 대사[공사]관원, 외교관 시보.
atte. atentamente 정중히, 경구(敬具).
atto. atento 정중한.
attrezzo *m. it.* [연극] 소도구.
atuendo *m.* [문어] 옷, 복장(服裝).
atufar *tr.* (악취로 사람을) 불쾌하게 하다; 노하게 하다. *—intr.* 악취를 풍기다. **~se** ① (가스로) 질식하다. ② [+con · de] (…로) 노하다, 성내다, 안달복달하다.
atufo *m.* 노함, 성냄.
atún *m.* [어류] 다랑어, 참치.
atunero, ra *adj.* 다랑어[참치]의. *—m.f.* 다랑어[참치] 어사(漁師)[판매 업자 · 장수]. *—m.* 참치 어선.
aturdido, da *adj.* 넋을 잃은, 멍청해진; 덜렁대는.
aturdimiento *m.* ① 망연자실, 곤혹. ② 경솔함.
aturdir *tr.* 정신을 잃게 하다, 놀라 자빠지게 하다. **~se** 정신을 잃다, 기겁하다.
aturrullar *tr.* 혼동하다, …의 머리를 혼란시키다.
aturullar *tr.* =aturrullar.
atusar *tr.* (식물을) 전정(剪定)하다; (머리를) 매만지다. **~se** ① 맵시를 내다. ② *PRico.* 화내다, 성내다.
AU *f.* Unidad Astronométrica 천체 측정 단위 ((1 AU는 일억 오천만 킬로미터에 상당함)).
audacia *f.* ① 대담(함). ② 대담한 시도. ③ 철면피, 뻔뻔스러움.
audaz *adj.* ① 대담한; 참신한: proyecto ~ 참신한 계획. ② 뻔뻔스러운, 철면피한, 낯가죽이 두꺼운.
audible *adj.* 들을 수 있는, 들리는.
audición *f.* ① 청취; 청각, 청력. ② 콘서트, 리사이틀. ③ (가수 · 배우 등의) 오디션.
audiencia *f.* ① 알현(謁見), 회견. ② (법정의) 심문(審問); 법정, 재판소: ~

pública 공판(公判). ③ [역사] (까스띠야 왕국의) 대심원; (식민지의) 사법·행정의 왕실 기관. ④ 경청, 지지. ⑤ [집합] 청중, 시청자. ⑥ 시청률(índice de ~): de mucha [poca] ~ 시청률이 높은 [낮은].

audífono *m.* ① 보청기. ② *AmérM.* 이어폰(auricular).

audio *adj.* 음(音)의 송수신의, 음성 재생의.

audiometría *f.* 청력 측정[검사].

audiómetro *m.* 청력계.

audiovisual *adj.* 시청각(視聽覺)의.

auditar *tr.* …의 회계 감사[재무 보고]를 하다.

auditivo, va *adj.* 청력의, 청각의, 귀의

auditor, ra *m.f.* (군사·종교 재판의) 사법관; (기업 등의) (회계) 감사역.

auditoría *f.* ① 사법관의 직. ② 법정. ③ 회계 검사 사무소. ④ (회계) 감사, 재무 보고서.

auditorio *m.* ① [집합] 청중; 팬. ② 강당; 공회당, 홀.

auditorium *m.* 공회당(auditorio).

auge *m.* ① 절정; 번영, 붐: en el ~ de la fama 인기 절정기에. ② [천문] 원지점(遠地點). ¶*en* ~ 절정의: *en* pleno ~ 최절정기에.

augita *f.* [광물] 휘석(輝石).

augur *m.* (고대 로마의) 복점관(卜占官).

augurar *tr.* (미신적으로) 예언하다.

augurio *m.* 전조(前兆).

augusto, ta *adj.* ① 고귀한, 존귀한. ② 장엄한. —*m.* [역사] 로마 황제의 존칭.

aula *f.* [단수 관사: el · un(a)] 교실, 강의실: ~ magna 강당.

aulaga *f.* [식물] 바늘금작화.

áulico, ca *adj.* 궁정(宮廷)의.

aullador, ra *adj.* 슬프게 울부짖는, 짖는. —*m.* (남미산) 짖는 원숭이.

aullante *adj.* 울부짖는.

aullar (17) *intr.* ① (개·원숭이가 슬프게) 울부짖다, 슬픈 소리를 내다. ② (바람이) 윙윙 소리를 내다.

aullido *m.* ① (개·원숭이의) 울부짖음. ② (바람의) 윙윙 거리는 소리.

aúllo *m.* =**aullido.**

aumentar *intr.* 늘다, 불다, 증가하다, 증대하다: ~ de precio 물가가 오르다. —*tr.* ① 늘리다, 불리다, 증가[증대]시키다: ~ el número de trabajadores 노동자의 수를 늘리다. ② [광학] 확대하다. ~**se** 오르다: *Se aumenta* el sueldo desde el mes que viene 다음 달부터 임금이 오른다.

aumentativo, va *adj.* 증대하는, 증가의: sufijo ~ 증대사. —*m.* [문법] 증대어[사].

aumento *m.* ① 증대, 증가: ~ de población 인구 증가. ~ de precios 값의 등귀. ② [광학] 확대: lente de ~ 확대 렌즈.

aun *adv.* ① …(일지)라도: Va sin sombrero ~ en pleno verano 한여름이라도 모자를 쓰지 마라[쓰지 말고 가거라]. Sé amable, ~ con los que no lo son 상대방이 친절하지 않더라도 친절해라. ② [+현재[과거] 분사] …하(였)는데도: *Aun* siendo joven él sabe mucho 그는 젊은데도 많이 안다. ③ [ni+, 부정] …조차 아니다, (아무리) …일지라도 아니다: *Ni* ~ mi maestro lo puede 내 스승조차도 그 일을 할 수 없다.

aún *adv.* ① [주로 부정] 아직 (…아니다) (todavía): ¿Entiendes? — *Aún* no. 이해하겠느냐? — 아직 못하겠습니다. El no ha llegado ~ 그는 아직 도착하지 않았습니다. ② [비교급과 함께, 비교급 강조] 더욱더, 좀더, 한층: El avanzó ~ más en la investigación 그는 연구를 더욱 향상시켰다.

aunar *tr.* ① 하나로 하다, 합치다(unir). ② 통일하다(unificar). ~**se** 결합하다, 합동하다.

aunque *conj.* ① ㉮ [+*ind.*, 사실의 양보] …이지만: *Aunque* ella es joven, lo sabe todo 그녀는 젊지만 무엇이든지 알고 있다. ㉯ [+형용사 등] …이지만: *Aunque* tonto, no lo es tanto que no comprenda la broma 그는 바보지만 농담을 이해하지 못할 만큼은 아니다. ㉰ [+*subj.*, 화자의 의견과 함께 하는 양보] *Aunque* él sea joven, lo sabe todo 확실히 그는 젊지만 무엇이든지 알고 있다. ② ㉮ [+*subj.*, 가정적 양보] (설령) …일지라도: Me casaré con ella ~ se opongan mis padres 부모님이 반대하시더라도 나는 그녀와 결혼하겠다. ㉯ [+ni, 부정의 양보] Ni ~ me invitara, lo aceptaría 설령 그가 나를 초대하지 않을지라도 나는 응하겠다. ③ [+직설법, 배반] 그러나, 그렇다고는 하지만, 하긴, 다만: Yo vivía cerca de su casa, ~ nunca lo supe 나는 그의 집 가까이 살았지만 결코 그것을 알지 못했다.

aúpa *interj.* 어영차! ((무거운 것을 들 때 내는 소리)).

au pair *m.f.* [*pl.* ~s] 오페어 ((외국 가정에 입주하여 집안 일을 거들며 언어를 배우는 사람)).

aupar (17) *tr.* 일으키다, 높이 올리다, 추켜 올리다. ~**se** 오르다(subirse).

aura *f.* [단수 관사: el · un(a)] ① [시어] 미풍(微風). ② 영기(靈氣). ③ [새] 작은 콘도르.

áureo, a *adj.* [시어] 황금의, 금색의: edad ~*a* 황금 시대. —*m.* 로마 시대의 금화(金貨).

aureola *f.* =**auréola.**

auréola *f.* ① (성인상(聖人像) 등의) 후광, 광륜(光輪). ② (달 등의) 무리, 광환(光環). ③ 영예, 명성. ④ 분위기.

aureolar *tr.* 후광[영광]으로 붙이다.

aureomicina *f.* [약학] 오레오마이신.

áurico, ca *adj.* =**áureo.**

aurícula *f.* ① [해부] ㉮ (심장의) 심이(心耳). ㉯ 귓바퀴, 귓불. ② [식물] (노

랑꽃이 피는) 앵초(櫻草)의 일종.
auricular *adj.* 청각의; 심이의.
auriense *adj., mf.* 아우리아(Auria)의 (사람), 아레히아(Aregia)의 (사람) ((현재의 오렌세 (Orense))).
aurífero, ra *adj.* 금을 함유한, 금이 나는: arena *~ra* 사금(砂金).
auriga *m.* (고대 로마의 경주용 이륜 마차의) 마부.
aurora *f.* ① 여명(의 빛), 서광(曙光). ② 초기, 여명기(黎明期): ~ de la civilización 문명의 여명기. ③ 극광, 오로라: ~ boreal [austral] 북[남]극광.
auscultación *f.* [의학] 청진(聽診).
auscultar *tr.* [의학] 청진하다.
ausencia *f.* ① 부재(不在); 결석, 결근. ② 결여(缺如): ~ de sentido común 상식의 결여. ③ 방심(放心): El tiene *~s* 그는 건성이다. ④ [의학] 결신(缺神) ((가벼운 간질 발작의 하나)); 일시적인 기억력 [사고력]의 결락(缺落). ⑤ [법류] 실종, 생사 불명.
ausentarse *r.* [+de] (…를) 일시 떠나다, 부재중이다: *~se de* los suyos 가족[고향]에게서 떠나다. *~se de* la clase [la oficina] 결석[결근]하다.
ausente *adj.* ① 부재의. ② 결석[결근]의. ③ 방심한. ④ [법률] 실종된, 생사 불명의. *—mf.* ① 부재자. ② 결석자, 결근자. ③ 실종자.
ausentismo *m.* =absentismo.
auspiciar (11) *tr.* ① 후원하다. ② 예언하다, 점치다.
auspicio *m.* ① 전조(前兆): mal ~ 흉조. ② [때때로 *pl.*] 후원, 찬조: bajo el ~ [los *~s*] de *alguien* (…의) 후원으로, 주최로. ③ 예언.
auspicioso, sa *adj.* 징조가 좋은.
austeridad *f.* 엄격함; 간소함.
austero, ra *adj.* ① 엄한, 엄격한, 엄정한: maestro ~ 엄(격)한 선생님. magistrado ~ 엄정한 사법관. ② 간소한; 금욕적인: llevar una vida *~ra* 꾸밈이 없고 수수한[금욕적인] 생활을 보내다.
austral *adj.* 남(쪽)의.
Australia *f.* [국명] 오스트레일리아.
australiano, na *adj.* ① 호주[오스트레일리아] 태생의. ② 호주[오스트레일리아]의[에 관한]. *—mf.* 호주 사람.
australopiteco *m.* [인류학] 오스트랄로피테쿠스류(類) ((100만-400만년 전에 아프리카에 살았던 뇌가 작고 이가 큰 영장류)).
Austria *f.* [국명] 오스트리아.
austriaco, ca *adj.* ① 오스트리아 태생의. ② 오스트리아의[에 관한]. *—mf.* 오스트리아 사람.
austríaco, ca *adj., mf.* =austriaco.
austro *m.* [문어] 남풍(南風); 남(南).
austro-húngro *adj.* [역사] 오스트리아-헝가리의.
autarcía *f.* 자급 자족.
autarquía *f.* ① (한 나라의) 자급 자족 경제 체제, 경제적 자립. ② 독재 정치.
autárquico, ca *adj.* ① 자급 자족의, 경제적 자립의. ② 독재 정치의.
autenticar (7) *tr.* =autentificar.
autenticidad *f.* 진정함; 진실성, 신빙성: carecer de ~ 신빙성이 없다.
auténtico, ca *adj.* ① 진정한, 진짜의: firma *~ca* 본인 자필의 서명. ② 진실의. ③ 훌륭한, 멋진, 근사한, 굉장한. *—f.* ① 인증(認證). ② 등본(謄本).
autentificar (7) *tr.* ① 인증(認證)하다: ~ un documento 서류를 인증하다. ② …에 신용[명성]을 주다.
autentizar (9) *tr.* =autentificar.
autillo *m.* ① [새] 솔부엉이. ② (이단 심문소의) 판결.
autismo *m.* [의학] 자폐증(自閉症).
autista *adj.* [의학] 자폐증의. *—mf.* 자폐증 환자.
auto *m.* ① [주로 *Amér.*] 자동차(自動車) ((automóvil의 생략어)). ② [법률] (재판소에서 내린) 판결, 판정; [*pl.*] 소송 기록.
auto- *pref.* 「자(自)」의 뜻: *auto*móvil 자동차. *auto*nomía 자치(自治).
autoabastecerse (31) *r.* [+de · en] (…을) 자급 자족하다.
autoabastecimiento *m.* 자급 자족.
autoadhesivo, va *adj.* 저절로 붙는. *—m.* 접착 테이프, 풀이 묻은 실.
autoayuda *f.* 자조(自助)(노력).
autobiografía *f.* 자서전.
autobiográfico, ca *adj.* 자서전의, 자서전풍의.
autobombo *m.* 자화 자찬, 자만: darse [hacerse] ~ 자화 자찬하다.
autobús *m.* [*pl.* autobuses] 버스 ((스페인에서 주로 시내를 다니는 노선 버스)): ~ de línea (장거리의) 노선 버스. tomar un ~ 버스를 타다. ir en ~ 버스로 가다.
autocalificarse (7) *r.* 자기 평가하다.
autocañón *m.* [군사] 자주포, 포전차.
autocar *m.* 관광 버스, 장거리 버스.
autocaravana *f.* 캠핑카.
autocarril *m. Amér.* =autovía.
autocartera *f.* 사내주(社內株), 자기 주식(株式).
autocensura *f.* 자기 검열.
autocine *m.* 드라이브인 극장.
autoclave *m.* 고압 소독기 ((의료 기구)); 고압솥; 열소독기.
autocontrol *m.* 자기 제어, 자제(自制); 자기 평가.
autoconsciente *adj.* 자기를 의식(意識)하는.
autoconsistencia *f.* 수미일관.
autocorrección *f.* 자동 수정[제어].
autocracia *f.* 전제 정치, 독재.
autócrata *mf.* 전제 군주; 독재자.
autocrático, ca *adj.* 전제(專制)의, 독재적인.
autocrítica *f.* 자기 비판; 자성(自省), 자계(自戒).
autocrítico, ca *adj.* 자성적(自省的)인.
autóctono, na *adj.* 토착의, 그 토지 고

유의. —*mf.* 토착민, 원주민.
autocuración *f.* 자연 치유.
autodefensa *f.* 자위(自衛), 자기 방어, 호신(護身).
autodefinirse *r.* 자기 규정하다.
autodegradación *f.* 비하(卑下), 겸손.
autodestrucción *f.* 자괴(自壞), 자멸.
autodeterminación *f.* 민족 자결.
autodidacta *adj.* 독학의. —*mf.* 독학자.
autodirigido, da *adj.* (미사일 등이) 자동 유도의.
autodisciplina *f.* 자제(自制); 자기 훈련, 수양.
autodisparador *m.* [사진] 셀프 타이머.
autodominio *m.* 자기 제어(自己制御), 자제(自制).
autódromo *m.* (자동차 등의) 경주용 환상(環狀) 도로.
autoedición *f.* [컴퓨터] 전자[탁상] 출판((컴퓨터를 이용한 출판)).
autoempleo *m.* 자영(自營).
autoencendido *m.* 자연 발화.
autoengaño *m.* 자기 기만.
autoerotismo *m.* [심리] 자기 성애(自己性愛), 자위(自慰).
autoescuela *f.* 자동차 학원[교습소].
autoestima *m.* 자존심, 자부.
autoestimulación *f.* 자위(自慰).
autoestop *m.* =**autostop.**
autoestopista *mf.* =**autostopista.**
autoevaluación *f.* 자기 평가.
autoexpreso *m.* [철도] 마이카 플레이트.
autofecundación *f.* [생물] 자가 수정.
autofinanciación *f.* 자기 자본 도입.
autofoco *m.* [사진] 자동 초점 기능[장치].
autogamia *f.* [식물] 자가 수분.
autógeno, na *adj.* 자연 발생의, 자생(自生)의: soldadura *~na* 가스 용접; [의학] (골절 부분 등의) 자연 접합.
autogestión *f.* 자주 관리.
autogiro *m.* [항공] 오토자이로 ((헬리콥터의 전신)).
autogobernarse (19) *r.* 자주 관리하다; (기계가) 자동 제어하다.
autogobierno *m.* 자주 관리.
autogol *m.* 자책 골: marcar [meter] un ~ 자책 골을 넣다.
autogolpe *m.* 친위 쿠데타 ((군부와 협력한 위에서부터의 쿠데타)).
autografía *f.* [미술] 자화 석판.
autografiar (12) *tr.* 자화 석판으로 제작하다.
autógrafo *m.* (유명인의) 서명, 사인; 자필 원고: firmar un ~ 서명을 하다.
autógrafo, fa *adj.* 자필의: carta *~fa* 자필 편지.
autohipnosis *f.sing.pl.* 자기 최면.
autoimagen *f.* 자상(自像).
autoimponerse (61) *r.* 자신에 과하다.
autoinculpación *f.* 자신을 유죄로 유도함.
autoinfección *f.* [의학] 자기 감염.
autoinmunidad *f.* [의학] 자기 면역.
autointoxicación *f.* [의학] 자가 중독.
autolavado *m.* 세차기(洗車機).
autolegionarse *r.* 자신을 손상하다.
automación *f.* 자동 조작, 오토메이션.
automarginación *f.* (회사 등의) 탈락.
autómata *m.* ① 로봇, 자동 기계[장치]. ② 기계적으로 행동하는 사람.
automáticamente *adv.* 자동(적)으로.
automaticidad *f.* 자동성(自動性).
automático, ca *adj.* ① 자동(식)의, 자동적인: arma *~ca* 자동 화기(火器). puerta *~ca* 자동문. totalmente ~ 완전 자동의. ② 무의식적인; 기계적인: reacciones *~cas* 무의식 반응.
automatismo *m.* ① (기계의) 자동성, 자동 작용. ② 기계적 행동, 무의식 행위. ③ [심리] 자동증(自動症).
automatización *f.* 오토메이션(화).
automatizar (9) *tr.* 자동화하다, 오토메이션화하다; 기계적으로 하다.
automedicarse (7) *r.* [의사의 처방에 의해, +con] (약을) 자기 진단으로 복용하다.
automercado *m.* *AmérM.* 슈퍼마켓.
automoción *f.* =**automovilismo.**
automotor, ra *adj.* 자동 추진하는.
automotriz *adj.* 자동 추진하는.
automóvil *adj.* 자동 (추진)의. —*m.* 자동차(coche, auto).
automovilismo *m.* 자동차 운전[여행]; 자동차 레이스(~ deportivo).
automovilista *mf.* 자동차 운전자, 드라이버; 레이서.
automovilístico, ca *adj.* 자동차 (여행・레이스)의: industria *~ca* 자동차 산업.
autonomía *f.* ① 자치(권); 자치주(自治洲); 자치체: ~ regional 지방 자치. ② 자립: ~ económica de una mujer 여성의 경제적 자립. ③ (배・비행기의) 항속 거리[시간]. ④ (배터리의) 지속[구동(驅動)] 시간. ⑤ 자급 자족.
autonómico, ca *adj.* ① 자치(自治)의: gobierno ~ 자치 정부. poderes *~s* 자치권. ② 자치주(自治洲)의.
autonomista *adj., mf.* 자치를 추진[주장]하는 (사람).
autonomizar (9) *tr.* 자립(自立)시키다. ~**se** 자립하다.
autónomo, ma *adj.* ① 자치권이 있는, 자립한: entidad *~ma* 자치 단체, 독립 단체. ② 자율적인: nervios *~s* 자율 신경. ③ 자영업의: traductor ~ 프리 번역가. —*mf.* 자영업자; 프리랜서, 자유 계약 작가.
autopista *f.* 고속 도로.
autoplastia *f.* [의학] 자가 이식.
autopropulsarse *r.* 자동 추진하다.
autopropulsor, ra *adj.* 자동 추진하는. —*m.* 자동 추진 장치.
autopropulsión *f.* 자기 추진.
autoprotección *f.* 자기 방어.
autopsia *f.* ① 검시(檢屍), 사체 해부(死體解剖). ② 정밀한 분석[검토].
autor, ra *mf.* ① (책의) 저자, 작가;

(예술 작품의) 제작자: ~ anónimo 작자 불명. ② 범인(犯人)(~ del crimen): ~ del robo 절도범. ③ 창시자, 창조자; 발명자, 발견자: ~ de una empresa 회사의 창설자. ~ de la penicilina 페니실린 발견자.

autoría *f.* ① 원작자[발견자] 기질. ② 범행의 책임.

autoridad *f.* ① 권한; 권력 ② 당국, 권력 기관: ~ gubernativa [judicial · militar] 정부[사법 · 군] 당국. ③ (특히) 경찰. ④ 권위(자). ⑤ *pl.* 전거(典據), 권위서(權威書).

autoritariamente *adv.* 독재적으로; 우격다짐으로.

autoritario, ria *adj.* 권위주의의; 독재적인, 횡포한: gobierno ~ 독재 정부. régimen ~ 독재 체제. —*m.f.* 권위가 있는 사람; 독재적인 사람.

autoritarismo *m.* 권력주의, 권위주의, 횡포.

autorización *f.* (주로 공적 기관 · 상사 · 선생 등의) 허가, 인가; 허가서: pedir [conceder] ~ para *algo* …의 허가를 요청하다[주다]. Prohibida la entrada sin ~ [게시] 허가 없이 출입 금지.

autorizadamente *adv.* 허가를 받아; 권위를 가지고.

autorizado, da *adj.* ① 허가를 받은: precio ~ 공정 가격. ② 권위 있는: noticia de fuente ~*da* 권위 있는 출처로부터 나온 소식. ③ (영화 등이) 성인 지정이 아닌.

autorizar (9) *tr.* ① (주로 공적 기관 · 상사 · 선생 등이) 허가하다, 인가하다: ~ una construcción 건설을 인가하다. ② (서류 등을) 공증하다. ③ (용어 등을) 정당하게 인정하다. ④ 권위[중요성]를 부여하다[주다].

autorradio *m.* 카 라디오((자동차에 설치한)).

autorregulación *f.* 자동 제어.

autorretrato *m.* 자화상.

autorriel *m.* 기동차(automotor).

autosatisfacción *f.* 독선(獨善),

autoservicio *m.* 셀프 서비스(의 식당); 슈퍼마켓.

autostop *m. ing.* 히치하이크 ((자동차 편승 여행)): hacer ~ 히치하이크하다, 지나가는 자동차에 편승하며 도보 여행하다. ir en ~ 히치하이크로 가다.

autostopista *m.f.* 히치하이커 ((자동차 편승 여행자)).

autosuficiencia *f.* ① 자급 자족. ② 독선(獨善).

autosuficiente *adj.* ① 자급 자족의. ② 독선적인.

autosugestión *f.* 자기 암시.

autosugestionarse *r.* 자기 암시(自己暗示)를 걸다.

autótrofo, fa *adj.* [생물] 독립 영양의. —*m.* 독립 영양체.

autovacuna *f.* [의학] 자기[자가] 백신.

autovía *m.* 기동차(automotor). —*f.* (유료가 아닌) 자동차 전용 도로.

autumnal *adj.* [문어] 가을의(otoñal).

auxiliador, ra *adj., m.f.* 돕는 (사람), 보좌하는 (사람), 구제하는 (사람), 부조하는 (사람).

auxiliar (11) *tr.* ① 돕다, 보좌하다, 구제(救濟)하다, 부조(扶助)하다: ~ a los débiles 약자들을 돕다. ② (사제가) …의 죽음을 시중들다. —*adj.* ① 보조의, 보좌(補佐)의: silla ~ 보조 의자. profesor ~ 조교수. verbo ~ 조동사. ② [컴퓨터] 주변 (기기)의. —*m.f.* 보좌관, 조수; (관공서의) 하급 사무관. —*m.* 조동사(verbo ~).

auxilio *m.* 원조, 부조(扶助), 도움; 보좌: ~ en carretera (고속 도로 등의) 수리 서비스 (센터). —*interj.* 도와 주세요!

auyama *f. Amér.* 호박의 일종.

Av. Avenida 큰 길, …가(街), …로(路).

a/v a la vista 일람불로.

ava. avería 해손(海損).

aval *m.* 보증, 보증서: ~ bancario 은행 보증. sin ~ 보증 없이.

avalador, ra *adj.* 보증하는. —*m.f.* 보증인(保證人).

avalancha *f.* ① 눈사태, 설붕(雪崩). ② 쇄도(殺到): Tenemos una ~ de pedidos 폐사는 주문이 쇄도하고 있다.

avalar *tr.* ① 보증인이 되다. ② [+que+*subj.*] (…하는 것을) 보증하다.

avalista *m.f.* 보증인.

avalorar *tr.* ① …에[보다 높이] 가치[평가]를 주다[인정하다]. ② 격려하다.

avaluar (15) *tr.* 평가하다.

avance *m.* ① 전진; 진보, 진척: ~ de las tropas 진군(進軍). ~ del desierto 사막화. ② [운동] 공격. ③ 암시; 예보. ④ 예산; 선불(先拂). ⑤ *Amér.* 약탈. ⑥ *AmérC.* 구토.

avante *adv.* 전방(前方)에.

avanzadilla *f.* 전초(前哨), 전초 기지.

avanzado, da *adj.* 앞에 나온, 전진한, 진전된, 진보적인: curso ~ 고급 강좌, 고급반. idea ~*da* 혁신 사상. país ~ 선진국. —*m.f.* 진보적인 사람. —*f.* [군사] 전위(前衛), 전초(前哨).

avanzar (9) *intr.* ① 전진하다, (앞으로) 나아가다; (시간 · 때가) 지나다: El otoño *avanzaba* 가을이 깊어졌다. Los años *avanzan* de prisa 세월은 빠르다. ② [+en] …이 진보하다; 진전되다, (잘) 진척되다: ~ mucho en los estudios 공부가 많이 진척되다. ~ en edad 나이를 먹다. —*tr.* ① 전진시키다, 앞으로 내다: ~ una silla 의자를 앞으로 내다. ~ un pie 한 발 앞으로 내디디다. ② (시간 · 진행을) 예정보다 이르게 하다, 앞당기다: ~ la hora de salir 출발 시간을 앞당기다. ③ 예측하다. ④ *AmérC.* 훔치다, 도둑질하다.

avaricia *f.* ① 탐욕, 욕심. ② 인색함, 다라움, 째째함. ¶***La ~ es la raíz de todos los males*** (속담) 탐욕은 모든 악의 근원(根源)이다. ***La pobreza carece de muchas cosas; la ~ de***

todas (속담) 욕심은 한이 없다, 가난은 많은 것이 부족하지만 탐욕은 모든 것이 부족하다.
avaricioso, sa *adj.* =avaro.
avariento, ta *adj.* =avaro.
avaro, ra *adj.* ① 탐욕스런, 욕심 많은; 인색한. ② [+de] (…을) 아끼는: ~ de palabras 말수가 적은, 말을 아끼는. trabajar ~ de *su* tiempo 시간을 아껴서 일하다.
avasallador, ra *adj.* 위압하는, 압도적인: fuerza ~*ra* 위압적인 힘. triunfo ~ 압도적인 승리. —*mf.* 오만한 사람.
avasallamiento *m.* 위압, 압도(壓倒).
avasallar *tr.* 복종시키다; 위압하다, 압도하다.
avatar *m.* ① [주로 *pl.*] 변화, 유위전변(有爲轉變). ② [힌두교] 신(神)의 화신(化身).
Avda. Avenida …가(街), …로(路).
ave *f.* [단수 관사: el · un(a)] 새. —*pl.* 조류(鳥類). ¶*ser un* ~ (사람이) 날쌔다, 민첩하다, 재빠르다.
AVE Alta Velocidad Española (스페인의) 고속선.
avechucho *m.* 볼품[멋] 없이 생긴 새; 싫은 사람.
avecilla *f.* 작은 새.
avecinar *tr.* 가깝게 하다. ~**se** ① (일이) 가깝다. ② 정주(定住)하다.
avecindamiento *m.* 거주(지).
avecindar *tr.* 거주시키다. ~**se** [+en] (…에) 정주하다, 거주하다.
avefría *f.* [새] 댕기물떼새.
avejentar *tr.* 늙게 하다; 늙어 보이다. ~**se** 늙어빠지다.
avellana *f.* 개암.
avellanador *m.* 송곳.
avellanal *m.* 개암나무 숲.
avellanar[1] *tr.* (구멍을) 넓히다, 도려 파다. ~**se** 시들다, 쭈그리다.
avellanar[2] *m.* 개암나무 숲.
avellaneda *f.* 개암나무 숲.
avellanedo *m.* 개암나무 재목.
avellano *m.* [식물] 개암나무.
avemaría *f.* [단수: el · un(a)] ① 천사 축사 ((아베마리아의 기도)): decir una ~ 천사 축사를 한 번 하다. ② (로사리오의) 아베마리아의 구슬.
Ave María *interj.* [놀람 · 불쾌] ¡~ (Purísima)!저런 저런!, 어렵소!; (방문 때의) 실례합니다!
avena *f.* [식물] 귀리.
avenar *tr.* 배수하다.
avenencia *f.* 협정, 화해: en buena ~ 조화된, 일치된.
avenido, da *f.* ① (가로수가 있는) 대로, 큰길, 가로수길, …가, …로(路): *Avenida* José Antonio 호세 안또니오가. ② 홍수, 범람; 많은 사람[물건]: ~ de turistas 몰려 드는[밀어닥치는] 관광객(觀光客). ③ *AmérC.* 알림, 소식, 뉴스. ¶*bien* ~ con alguien · algo (…와) 사이가 좋은, …에 만족하는. *mal* ~ con alguien · algo (…와) 사이가 나쁜, (…에) 만족하지 못하는.
avenir (60) *tr.* 화해시키다. —*intr.* (일이) 일어나다. ~**se** ① 화해하다, 협정을 맺다; 사이가 좋다; 조화하다. ② [+a] (…에) 적응하다. ③ [+a] (…에) 납득하다.
aventador, ra *adj.* (바람 · 빗자루로) 갈라놓은, 풍구질하는. —*m.* (건초용의) 풍구, 부채; (펌프의) 밸브.
aventajado, da *adj.* ① 남보다 뛰어난, 보통 것보다 훌륭한. ② 유리한.
aventajar *tr.* ① [+a] (…보다) 우선시키다. ② 유리하게 해주다, 이득을 보게 하다. ~**se** [+a] (…보다) 뛰어나다, 빼어나다, 훌륭하다; 지위가 오르다.
aventamiento *m.* 송풍, 통풍; 풍구질, 키질, 까붐질.
aventar (19) *tr.* ① (…에) 바람을 보내다, 통풍하다, 바람에 쏘이다; (곡식을) 풍구질하다, 키질하다. ② (남을) 쫓아내다, 몰아내다. ③ 습격하다, 위협하다. ~**se** ① 바람을 받다. ② 부풀다. ③ 달아나다.
aventura *f.* ① 모험, 진기한 체험; 위험: novela de ~*s* 모험 소설. correr una ~ 모험을 시도하다. meterse en ~*s* 위험한 일을 하다. ② 색사(色事), 정사. ¶***Los que buscan aventuras, por una que hallan blanda, hallan nueve duras*** (속담) 모험은 모험가들을 위해 있다, 모험을 알지 못하는 사람들한테는 모험은 늘 위험하기 짝이 없는 것이다.
aventurado, da *adj.* 모험적인, 위험한; (의견 등이) 근거가 희박한.
aventurar *tr.* ① 위험에 직면하다: ~ la vida 목숨을 걸다. ② (가설 등을) 대담하게 제기하다. ~**se** ① [+por] (…에) 모험을 무릅쓰다, 모험을 하다. ② [+a+*inf.*] 감히 …하다. ¶***Quien no se aventura no pasa la mar*** / ***Quien no se aventuró, ni perdió ni ganó*** (속담) 범굴에 들어가야 범을 잡는다.
aventurero, ra *adj.* ① 모험을 좋아하는: espíritu ~ 모험심. vida ~*ra* 파란 만장한 생애. ② *Amér.* 제철이 지난 (과일 등). —*mf.* 모험가.
aventurismo *m.* 모험주의.
average *m. ing.* [운동] 평균, 애버리지, 율(率).
avergonzar (28) (9) *tr.* …에 수치를 느끼다, 부끄러이 여기다. ~**se** [+de · por] …을 부끄럽게 생각하다, 수치스럽게 여기다, …이 부끄럽다, 수치스럽다: *Me avergüenzo de* lo que he hecho 내가 했던 일이 부끄럽다.
avería *f.* ① (기계 등의) 고장, 파손: tener una ~ en el motor 모터가 고장나 있다. ② (상품의) 손상, 손해: sufrir ~*s* 손해를 입다. ③ [상업] 해손(海損).
averiar (12) *tr.* 고장내다; 손상[손해]을 입히다. ~**se** 고장나다: *Se averiaron* los frenos 브레이크가 고장났다.

averiado, da *adj.* 고장난, 손상을 입은: El coche está ~ 자동차는 고장나 있다. *Averiado* [게시] 고장중.
averiguación *f.* 확인, 조사, 수사: ~ policial 경찰의 수사.
averiguar (10) *tr.* 조사하다, 캐다, 연구하다, 탐구하다; (그 결과·진실을) 알다; 확인하다, 확실히[분명히] 하다: ~ la causa 원인을 조사하다. ~ la verdad de un asunto 사건의 진상을 확인하다.
averío *m.* [집합] 가금(家禽).
averno *m.* [문어] 지옥(infierno); 황천(黃泉)(의 나라).
averroísmo *m.* 아베로스(Averros) 철학[주의].
aversión *f.* 혐오, 반감.
Avesta *m.* 아베스타 ((조로아스터교의 경전)).
avéstico, ca *adj.* 아베스타 (경전·말)의[에 관한]. —*m.* 아베스타 말.
avestruz *m.* [*pl.* avestruces] [새] 타조.
avetoro *m.* [새] 섭금류의 새.
avezado, da *adj.* [+a·en] (…에) 경험이 풍부한: ~ *a* la lucha 백전 연마의.
avezar (9) *tr.* [+a] (…에) 익숙하게 하다, 단련하다. **~se** 익숙해지다: ~*se a* trabajar 일에 익숙해지다.
aviación *f.* ① 항공, 비행: ~ civil 민간 항공; 민간 (항공)기. ~ militar 공군; 군용기(軍用機). compañía de ~ 항공 회사. ② 공군. ③ [집합] 항공기, 비행기: accidente de ~ 비행기 사고.
aviado, da *adj.* 여행 준비를 한, 제공[공급]하는.
aviador, ra *m.f.* 비행사(piloto).
aviar (12) *tr.* ① 정리[준비]하다. ② [+de] (…을) …에게 조달하다. —*intr.* 서두르다, 재촉하다. **~se** 채비를 차리다, 준비하다, 마련하다, 대비하다.
aviario, ria *adj.* 새의, 조류의. —*m.* 조류의 수집.
avícola *adj.* 조류 사육의, 양계(養鷄)의: granja ~ 양계장.
avicultor, ra *m.f.* 조류 사육자, 양계가.
avicultura *f.* 조류 사육; 양계.
avidez *f.* 강한 욕망, 열심: con ~ 탐욕으로, 탐을 내어.
ávido, da *adj.* [+de] (…을) 갈망하는, 열심인, 굶주린.
aviejarse *r.* 노인스러워지다, 겉늙다.
avieso, sa *adj.* 악의가 있는.
avilés, lesa *adj.* ① 아빌라(Avila, 까스띠야-레온의 주·주도) 태생의. ② 아빌라의[에 관한]. —*m.f.* 아빌라 사람.
avinagrado, da *adj.* ① (맛이) 신; 떫은; 시큰둥한; 떨떠름한. ② 퉁명스런, 무뚝뚝한: gesto ~ 퉁명스런 행동.
avinagrar *tr.* 신맛이 나게 하다. **~se** 신맛이 나다: El vino *se ha avinagrado* 포도주가 시어졌다.
avío *m.* ① 준비; 정리. ② (휴대하는) 식량. ③ 이익, 유용성. ④ *pl.* 도구, 용구: ~*s* de costura 재봉 용구.
avión *m.* ① 비행기: tomar el ~ para Incheon 인천행 비행기를 타다. subir al [descender del] ~ 비행기에 오르다[에서 내리다]. ir en ~ 비행기로 가다. enviar por ~ 항공편으로 보내다. Por ~ [표시] 항공편. ② [조류] 바위제비의 일종.
avioncito *m.* 종이비행기.
avioneta *f.* 소형 비행기, 경비행기.
aviónica *f.* 항공·우주 관련 전자 공학.
avisado, da *adj.* ① [estar+] 경고를 받은. ② [ser+] 현명한.
avisar *tr.* ① 알리다, 통지[통보]하다. ② 경고하다. ③ 부르다: ~ al médico 의사를 부르다.
aviso *m.* ① 통지, 통보, 알림: ~ del traslado. 이전 통지[통보]. ~ para embarcar 승선[탑승] 안내. conferencia con ~ [전화] 퍼스널 통신, 지명 통화. ② 경고, 경보: ~ de tempetad 폭풍우 경보. ③ 호위함(護衛艦). ④ [투우] 파에나(faena)가 길 때 주재자가 투우사에게 내리는 경고. ⑤ [주로 *Amér.*] 광고(廣告). ¶***sin previo*** ~ 예고 없이. ***dar*** ~ 통지[통보]하다.
avispa *f.* [곤충] 말벌.
avispado, da *adj.* 예민한; 현명한.
avispar *tr.* ① (말을) 채찍질하다, (…에) 기운을 불어넣다. ② [속어] 겁을 주다, 무섭게 하다. **~se** 조바심하다.
avispero *m.* ① 장수말벌의 집, 벌집. ② [집합] 장수말벌. ③ 몹시 귀찮은 일. ④ [의학] 종기, 부스럼.
avispón *m.* [곤충] 말벌류.
avistar *tr.* (멀리서) 바라보다: ~ el horizonte 멀리서 지평선을 바라보다. **~se** 회담하다, 만나서 이야기하다.
avitaminosis *f.sing.pl.* [의학] 비타민 결핍증.
avituallamiento *m.* 보급.
avituallar *tr.* …에 식량을 보급하다.
avivar *tr.* ① 격려하다, 생기를 불어넣다, (불을) 타오르게 하다. ② (색채를) 두드러지게 하다. ③ 눈을 번득이다. —*intr.*, **~se** 튼튼해지다, 기운이 나다.
avizor *m.* 노리는[정찰하는] 사람.
avizorar *tr.* 노리다, 엿보다.
avocar (7) *tr.* 이송하다, 송치하다.
avoceta *f.* [새] 뒷부리장다리떼새.
avulsión *f.* [의학] 적출(摘出).
avutarda *f.* [새] (아프리카 산의) 비둘기, 들기러기.
axial *adj.* 축(軸)의.
axil *adj.* =axial.
axila *f.* ① 겨드랑이: olor de la ~ 겨드랑이 냄새. ② (나무의) 갈래. ③ [식물] 엽액(葉腋).
axilar *adj.* ① 겨드랑이의. ② 엽액의.
axiología *f.* [철학] 가치론(價値論).
axioma *m.* ① 원리(原理). ② [논리·수학] 공리(公理).
axiomático, ca *adj.* 자명(自明)의; 공리적인. —*f.* 공리성(公理性).
axis *m.sing.pl.* [해부] 제이 경추.
axón *m.* [해부] 축색(軸索).
ay *interj.* [비탄·고통·놀람 등] 아아!:

¡Ay! Se me ha roto el reloj 아아! 시계가 부서졌다. *¡Ay!* Me he pillado el dedo 아야! 손가락을 다쳤다. —*m.* 한탄, 비명. ¶*dar un* ~ 비명을 지르다.
ayacuá *f. AmérM.* [신화] (눈에 보이지 않는) 작은 악마.
ayate *m. AmérC.* (용설란으로 만든) 거친 피륙, 조포(粗布).
ayatolá *m.* 아야톨라 ((이슬람교 시아파의 위대한 종교 지도자에게 주는 존칭)).
ayeaye *m.* [동물] 아이아이, 다람쥐원숭이 ((마다가스카르(Madagascar)산(産))).
ayer *adv.* ① 어제: antes de ~ 그저께. anteante [trasante] ~ 그끄저께. ~ por la mañana [la tarde · la noche] 어제 오전[오후 · 밤](에). ② [문어] 과거에, 옛날에. ③ 최근. —*m.* 과거, 옛날: el Madrid de ~ 옛날의 마드리드. ¶*de ~ acá [a hoy]* ㉮ 단시간에: La electrónica se ha desarrollado *de ~ a hoy* 전자 공학은 단시간에 발전했다. ㉯ 최근: *De ~ acá* los niños dejan de jugar fuera 최근 아이들은 밖에서 놀지 않는다.
ayo, ya *mf.* [*f.*의 단수 관사: el · un(a)] 양육 담당자; 가정 교사.
ayocote *m.* [식물] (멕시코산(産)의) 큰 강낭콩.
ayote *m. AmérC.* 호박(calabaza).
ayotera *f. AmérC.* [식물] 호박.
ayuda *f.* ① 원조, 조력(助力), 도움, 협조: centro de ~ (이재민 · 이민 등의) 협력 센터. ~ estatal 국고 보조. ② 원조 물자, 보시, 시혜물. ③ 수당: ~ familiar 가족 수당. ④ =enema. ⑤ [컴퓨터] 서포트, 헬프: ~ técnica 테크닉 서포트. ⑥ [감탄사적] 도와 주세요! ⑦ *pl.* 후원자, 옹호자.
ayudante *adj.* 돕는, 조수의: profesor ~ 조교수; (대학의) 강사. —*mf.* 돕는 사람, 조수: ~ de campo 부관(副官). ~ de dirección 조감독.
ayudantía *f.* 조수의 직; 부관의 지위.
ayudar *tr.* 돕다, (경제적으로) 원조하다: ~ a los necesitados 곤궁한 사람들을 돕다. **~se** 서로 협력하다[돕다]; [+de · con] (…의) 도움[힘 · 손]을 빌리다: El *se ayudó* de los amigos 그는 친구의 힘을 빌렸다. ¶***Ayúdate y ~ te he [y Dios te ayudará · y el cielo te ayudará] / A quien se ayuda, Dios le ayuda*** (속담) 하늘은 스스로 돕는 자를 돕는다.
ayunar *intr.* 단식하다, 절식하다; [종교] 금식하다.
ayuno, na *adj.* 아무 것도 먹지 않은; 알지 못하는. —*m.* 단식, 절식; [종교] 금식: guardar el ~, hacer ~ 단식을 하다; 금식을 하다.
ayuntamiento *m.* ① 시청, 시청사, 시의회. ② [고어] 결합. ③ [고어] 성교.
ayuntar *tr.* =juntar. **~se** ① [고어] 결합. ② [고어] 성교를 하다.
ayustar *tr.* 이어 맞추다, 잇다.
azabache *m.* ① [광물] 흑옥(黑玉). ② [새] 곤줄박이.
azabachero, ra *mf.* 흑옥 세공사.
azacán, na *adj.* 잔심부름하는. —*mf.* 잔심부름꾼; 인부.
azada *f.* 괭이, 곡괭이.
azadón *m.* 큰 괭이.
azafata *f.* ① 스튜어디스. ② (텔레비전 프로그램 등의) 여성 어시스턴트. ③ (왕비의) 시녀.
azafate *m. AmérM.* =**bandeja.**
azafato *m.* (비행기의) 승무원, 스튜어드.
azafrán *m.* [식물] 사프란: de color ~ 사프란 색의.
azafranar *tr.* 사프란 색으로 물들이다; (…에) 사프란을 넣다[섞다].
azagaya *f.* 짧은 투창.
azahar *m.* (약용 · 향료용의) 오렌지[레몬 등]의 꽃.
azalea *f.* 철쭉, 진달래.
azar *m.* ① 운, 우연(성); 재난, 불운. ② 영고 성쇠, 부침.
azaramiento *m.* =**azoramiento.**
azarar *tr.* =**azorar. ~se** ① 평정[냉정]을 잃다. ② (일이) 뒤틀리다. ③ Amér. 얼굴을 붉히다.
azarearse *r.* =**azararse.**
azarosamente *adv.* 위험을 무릅쓰고; 불행하게.
azaroso, sa *adj.* 위험이 많은, 파란 만장한; 불운한: vida ~*sa* 파란 만장한 인생.
Azerbaiján *m.* [지명] 아제르바이잔.
azerbaijanés, sa *adj., mf.* =**azerí.**
azerbaiyaní *adj., mf.* =**azerí.**
azerbaiyano, na *adj., mf.* =**azerí.**
azerí *adj.* ① 아제르바이잔 태생의. ② 아제르바이잔의[에 관한]. —*mf.* 아제르바이잔 사람. —*m.* 아제르바이잔 말.
azimo, ma *adj.* 무효소의.
azimut *m.* =acimut.
-azo *suf.* ① [동사 · 명사+, 명사화. 타격] cod*azo* 팔꿈치로 찌르기. bomb*azo* 폭격. ② [크기] boy*azo* 큰 황소.
azoar *tr.* …에 질소를 가하다.
ázoe *m.* 질소 ((nitrógeno의 옛 명칭)).
azofaifa *f.* 대추.
azofaifo *m.* [식물] 대추나무.
azogado, da *adj.* 수은을 칠한; 수은에 중독된. —*m.* 수은 바르기.
azogar *tr.* (유리 등에) 수은을 바르다. **~se** 수은 중독이 되다.
azogue *m.* 수은 (mercurio).
azoico, ca *adj.* ① [화학] 아조기(基)를 함유한. ② [지질] 무세대(無世代)의.
azoospermia *f.* [의학] 무정자증.
azor *m.* [조류] 새매류.
azoramiento *m.* 곤혹.
azorar *tr.* 공포로 떨게 만들다, 난처하게 만들다. **~se** 난처해지다, 당황하다, 겁을 내 떨다.
azoro *m. Amér.* 곤혹.
azorrarse *r.* 졸다; 머리가 아찔해지다.
azotacalles *mf.* 거리를 쏘다니는 건달.
azotaina *f.* 매질.

azotar *tr.* ① 매질하다. ② 피해를 주다: Una ola de frío *azotó* España 한파가 스페인을 덮쳤다.
azote *m.* ① (형구로서의) 채찍, 회초리; (보통의) 매; 매질. ② (바람 · 파도가) 몰아침. ③ 재해, 재난, 천재지변(天災地變). ④ *pl.* 태형(笞刑).
azotea *f.* 옥상, 평평한 지붕, 발코니.
azteca *adj., m.f.* 아스떼까족(의) ((멕시코의 선주민)). —*m.* 아스떼까 말.
azúcar *m.* [때때로 *f.*, 복수일 때는 항상 *m.*] ① 설탕: ~ blanco 백설탕. ~ blanquillo (반정제 상태의) 백설탕. ~ moreno 흑설탕. ② [화학 · 생리] 당(糖), 당분. ③ 혈당(~ sanguíneo): nivel de ~ (en la sangre) 혈당치.
azucarado, da *adj.* ① (맛이) 단; 설탕이 들어 있는. ② 다정다감한: palabras ~*das* 다정다감한 말.
azucarar *tr.* …에 설탕을 넣다. ~**se** (깡통에 든) 꿀이 엉기다.
azucarero, ra *adj.* 설탕의: industria ~*ra* 제당업. —*m.* ① [새] 설탕새. ② 설탕 그릇. —*f.* 제당 공장; 설탕 그릇.
azucarería *f.* 설탕 가게.
azucarillo *m.* 캐러멜 비슷한 과자.
azucena *f.* [식물] 흰백합, 나리.
azud *m.* (관개용의) 수차(水車); (저수용의) 댐.
azuela *f.* 큰 자귀.
azufaifa *f.* 대추.
azufaifo *m.* [식물] 대추나무.
azufrar *tr.* …에 유황을 살포하다.
azufre *m.* 유황.
azufrera *f.* 유황갱.
azufroso, sa *adj.* 유황을 함유한.
azul *adj.* 푸른, 청색의: cielo ~ 푸른 하늘. días ~*es* (스페인 국철의) 할인날. enfermedad ~ 청색병 ((선천성 심장 질환)). zona ~ 주차기가 있는 주차 구역. —*m.* 청색: ~ añil 남색(藍色).
azulado, da *adj.* 푸르스름한.
azular *tr.* 푸르게 하다[칠하다].
azulear *intr.* 푸르스름해지다, 푸르스름하다.
azulejar *tr.* (…에) 타일을 붙이다[깔다].
azulejería *f.* 타일 붙이기, 타일 붙이는 직업.
azulejero, ra *m.f.* 타일 제조자[판매자].
azulejo *m.* ① [건축] 화장 타일. ② [새] 수레국화. ③ [동물] 개미핥기.
azulenco, ca *adj.* 푸른 빛을 띤.
azulete *m.* 푸르스름한 광택.
azulino, na *adj.* 푸른 빛을 띤.
azulón, na *adj.* 산뜻한 푸른 빛을 띤.
azuloso, sa *adj.* =azulado.
azumagarse (8) *r. Chile.* (금속이) 녹슬다.
azumar *tr.* (모직을) 물들이다.
azúmbar *m.* [식물] 안식향(安息香).
azumbre *m.(f.)* 용량의 단위.
azur *m., adj.* [문장학] 감색(紺色)(의).
azurina *f.* [화학] 아주린.
azurita *f.* [광물] 감동광(紺銅鑛).
azuzador, ra *adj., m.f.* (개를) 부추기는 (사람).
azuzamiento *m.* (개를) 부추김.
azuzar (9) *tr.* 꼬드기다, 부추기다
azuzón, na *adj.* 꼬드기는, 부추기는; 선동하는, 선동적인. —*m.f.* 선동가.

B b

b *f.* 베 (스페인어 알파벳의 두 번째 문자).
b/; **B/** botella 병; bulto 하물.
BA Buenos Aires 부에노스아이레스.
Baal *m.* 바알신(神) ((셈계 민족의 주신(主神))).
baba *f.* ① 침; 군침: echar ~ 군침을 흘리다. ② 점액(粘液); 수액(樹液). ③ [동물] 악어의 일종. ¶*mala* ~ ㉮ 시샘, 질투, 시기(심). ㉯ 악의(惡意). *cambiar* ~*s* 입맞추다.
babaza *f.* =baba, babosa.
babear *intr.* ① 군침을 흘리다; 점액을 내다. ② (듣고 · 보고) 대만족을 하다. ~**se** *AmérC.* [+por] (…을) 갈망하다.
babeo *m.* 군침 흘리기; 점액 내기.
babel *m.* 혼란, 혼잡; 소연한[떠들썩한] 장소.
Babel *m.* ① [성경] 바벨 ((바빌로니아의 옛 도읍)). ② 바벨탑.
babélico, ca *adj.* 혼란한, 소연한, 떠들썩한.
babera *f.* ① (투구의) 턱받이. ② (갓난아이의) 턱받이.
babero *m.* ① (갓난아이의) 턱받이. ② (식사용의) 에이프런. ③ (초등 학생의) 덧옷, 겉옷.
babi *m.* 롬퍼스 ((어린이의 놀이옷)).
Babia *f.* 스페인 레온 주의 산악 지대. ¶*estar en* ~ 들떠 있다.
babieca *adj., m.f.* 우둔한 자(의).
babilla *f.* ① (식용 짐승의) 넓적다리 부분. ② *AmérC.* 상처에서 나오는 분비액.
Babilonia *f.* [지명] 바빌로니아.
babilónico, ca *adj.* ① 바빌로니아의. ② 호화스런, 굉장한.
babilonio, nia *adj.* 바빌로니아의[에 관한]. —*m.f.* 바빌로니아 사람.
bable *m.* 아스뚜리아스 방언.
babor *m.* [선박] 좌현(左舷).
babosa *f.* [동물] 괄태충. 활유(蛞蝓).
babosada *f.* 우직함, 우둔한 행동.
babosear *tr.* ① 침으로 더럽히다. ② *Amér.* 조롱하다, 놀리다, 조소하다. ③ 몹시 고집하다. —*intr.* (여성에게) 홀딱 반하다.

baboso, sa *adj.* 군침 흘리는. —*m.f.* 무용지물, 아무 곳에도 쓸모가 없는 사람. —*m.* [어류] 놀래기.
babucha *f.* ① (아랍풍의) 슬리퍼. ② *AmérM.* (끈으로 묶는) 장화.
babuino, na *m.f.* [동물] 비비.
baby *m.* =**babi.**
baca *f.* 루프랙 ((자동차 지붕 위의 짐 싣는 곳)).
bacalada *f.* 절인 대구.
bacaladero, ra *adj.* 대구의. —*m.* 대구 어선(漁船).
bacaladilla *f.* (작은) 대구의 일종.
bacalao *m.* ① [어류] 대구; (특히) 건대구. ② [음악] 강렬한 박자의 곡. ¶*cortar el* ~ 주도권을 장악하(고 있)다.
bacán, na *adj., m.* ① *Arg.* =**ga-lanteador.** ② *Arg.* 부자 차림의 남자. ③ *Cuba.* =**tamal.**
bacanal *adj.* 주신(酒神) 바커스(Baco)의. —*f.* ① 야단법석. ② *pl.* 바커스제(祭), 주신제(酒神祭).
bacante *f.* 바커스 신의 무녀(巫女).
bacará *m.* 배커라 ((카드 놀이의 일종)). ¶*hacer* ~ 모든 시험에 낙방하다.
bacarrá *m.* =**bacará.**
bache *m.* ① (도로의) 구덩이, 물 괸 곳. ② [항공] 에어포켓. ③ (자동차·비행기의) 요동, 흔들림. ④ (정신 상태·매상 등의) 떨어짐, 부진. ⑤ 일시적 중단.
bachear *tr.* (도로의) 구덩이[물 괸 곳]를 메우다.
bachicha *m.f.* 이탈리아계(系) 이민자. —*f.pl. AmérC.* (컵에 남은) 더러운 것, 찌꺼기.
bachiller, ra *m.f.* ① 중등 교육 수료자 ((우리 나라의 고등학교 졸업자에 해당함)). ② [고어] 학사(學士). —*adj.* 수다스러운. —*m.f.* 수다쟁이.
bachillerato *m.* ① 중등 교육 ((우리 나라의 중고등 학교에 해당)). ② 중등 교육 수료 자격 [졸업 시험].
bacía *f.* ① 납작한 그릇, 수반, 대야. ② (옛날 이발사가 사용했던) 반원형의 접시.
bacilar *adj.* 바실루스의; 세균성의.
bacilo *m.* 바실루스[바칠루스], 막대박테리아, 간균(桿菌).
bacín *m.* (옛날의) 요강, 실내용 변기.
backgammon *m. ing.* 서양 주사위 놀이의 일종.
Baco *m.* [신화] 바커스, 주신(酒神).
bacón *m. ing.* 베이컨.
bacteria *f.* 박테리아, 세균.
bacteriano, na *adj.* 박테리아의, 세균(細菌)의.
bactericida *adj.* 살균성의. —*f.* 살균성 물질.
bacteriófago *m.* [세균] 살균 바이러스 박테리오파지.
bacteriolisis *f.sing.pl.* 용균(溶菌), 용균 반응.
bacteriología *f.* 세균학.
bacteriológico, ca *adj.* 세균학의; 세균을 사용하는.
bacteriólogo, ga *m.f.* 세균학자.
báculo *m.* ① (권위의 상징으로서의) 지팡이, 홀(笏). ② (정신적·경제적) 지주, 기둥, 버팀, 의지.
badajear *intr.* 수다를 떨다, 지껄여대다, 마냥 노닥거리다.
badajo *m.* ① (종의) 추. ② 수다쟁이, 다변가(多辯家).
badajocense *adj., m.f.* =**pacense.**
badajoceño, ña *adj., m.f.* =**pacen-se.**
badana *f.* 양의 무두질한 가죽.
badanas *m.f.sing.pl.* 게으름뱅이.
badea *f.* ① 맛없는 수박[참외·오이·호박]. ② 게으름뱅이.
baden *m. Chile.* 과속 방지턱.
badén *m.* ① [지질] 빗물이 흐르는 길. ② (도로의) 배수구. ③ =**vado.** ④ (도로 등의) 구덩이, 요철(凹凸), 울퉁불퉁함. ⑤ 과속 방지턱.
badil *m.* (난로 등의) 부삽.
badila *f.* =**badil.**
bádminton *m.* [운동] 배드민턴.
badulaque *m.f.* 경망스런 사람, 변덕스런 사람, 속임수가 많은 사람.
bafle *m. ing.* (스피커의) 배플, 하이파이 스피커.
baga *f.* [식물] 아마의 꼬투리.
bagaje *m.* ① [집합] (주로 군용의) 하물(荷物), 짐; (하물을 운반하는) 동물, 수레, 차. ② (축적된) 지식.
bagatela *f.* 잡동사니, 싸구려 물건.
bagazo *m.* (올리브 등의) 짜고 남은 껍질.
bagual, la *adj., m.f. AmérM.* 사나운 (말). —*f.* 바구알라 ((아르헨띠나의 민요)).
bah *interj.* ① [불신·경멸 등] 흥!, 어렵소!, 바보 같으니(라구)!. ② [체념] 할 수 없다!, 어쩔 도리가 없군!
Bahamas (las) [국명] 바하마.
bahamés, sa *adj.* 바하마(Bahamas)의[에 관한]. —*m.f.* 바하마 사람.
bahareque *m.* =**bajareque.**
baharí *m.* [새] 매의 일종.
bahía *f.* 만(灣).
Bahrein [국명] 바레인.
bahreiní *adj.* ① 바레인 태생의. ② 바레인의. —*m.f.* 바레인 사람.
bailable *m.* 댄스 음악(música ~).
bailador, ra *adj.* 무용을 좋아하는. —*m.f.* ① 무용을 좋아하는 사람. ② 무용수.
bailar *intr.* ① 춤추다. ② 요동하다, 헐렁헐렁하다, 흔들흔들하다, 근덕근덕거리다. ③ (팽이가) 돌다. ④ (문자·숫자의) 번호를 틀리다. —*tr.* ① (…을) 추다. ② (팽이를) 돌리다.
bailarín, na *adj.* 춤추는, 춤을 좋아하는. —*m.f.* 춤추는 사람, 춤을 좋아하는 사람; 무용가, 댄서, 발레리나.
baile *m.* ① 춤, 무용(舞踊), 댄스: ~

clásico 고전 무용. ② 무도회, 댄스 파티: ~ de sociedad 사교 무도회. ③ [고어] 댄스홀. ④ (문자·숫자의) 오기(誤記). ⑤ (테니스 등에서) 상대를 우롱하는 듯한 공을 보내는 것. ⑥ (사고(思考)의 혼란; (지식의) 결여. ⑦ (선거에서) 별로 당선이 확실하지 못한 일.

bailón, na *adj., m.f.* 춤을 잘 추는 (사람), 춤을 무척 좋아하는 (사람).

bailongo, ga *adj.* 춤을 유인하는[자극하는]. —*m.f.* 춤을 좋아하는 사람. —*m.* 저급한 춤.

bailotear *intr.* ① 제멋대로 춤을 추다. ② 흔들흔들 흔들리다.

bailoteo *m.* 제멋대로 추는 춤.

baivel *m.* (석수장이가 쓰는) 각도자.

baja *f.* ① (가격·온도 등의) 하락(下落). ② 영락(零落), 도산(倒産). ③ 결원(缺員), 탈퇴자. ④ 휴직, 병결(病缺). ⑤ 진단서. ⑥ 퇴직. ⑦ [군사] 제대; (병원(兵員)·무기의) 손해. ⑧ [표시] 한 계단.

bajá *m.* 파샤 ((오스만 터키 제국의 고관의 칭호)).

bajacaliforniano, na *adj.* (멕시코의) 바하깔리포르니아(Baja California)의. —*m.f.* 바하깔리포르니아 사람.

bajada *f.* ① 하강; 하락, 저하. ② 내리막길, 경사(傾斜): ~ de aguas [건축] 홈통.

bajamar *m.* 간조(干潮), 간조시(時).

bajante *f.(m.)* ① 하수도. ② *Amér.* 수위(水位)의 저하(低下).

bajar *intr.* ① (사람이) 내리다, 내려가다, 내려오다. ② (물건이) 내리다. ③ [+de+숫자] (…을) 하회(下廻)하다, 밑돌다. ④ (남쪽으로) 내려가다. —*tr.* ① 내리다, 낮게 하다. ② 내려가다: ~ el río [la cuesta] 강[언덕]을 내려가다. ~**se** ① 내리다: *Me bajé del* autobús 나는 버스에서 내렸다. ② 몸을 구부리다[굽히다]. ③ (바지·치마 등을) 내리다.

bajareque *m.* ① *AmérC.* 흙과 갈대로 만든 벽. ② *Cuba.* =**bohío.**

bajel *m.* [문어] 배, 선박(barco).

bajero, ra *adj.* ① 아래의, 아래에 입은. ② 낮은, 아래에 있는. —*f.* ① *Arg.* (마소의 안장 아래 닿는) 등, 등심살. ② *Amér.* 별로 가치가 없는 물건[사람].

bajeza *f.* 천함, 비열함.

bajial *m. Amér.* (겨울의 우기의) 저지(低地).

bajines, bajini, bajinis *por (lo)* ~ ㉮ 작은 소리로. ㉯ 가만히, 살짝.

bajío *m.* ① 얕은 여울. ② *Amér.* 저지(低地).

bajista *adj.* (주식 시세가) 하향 경향의. —*m.f.* ① 마음이 약한 사람. ② 주식[증권]을 조금씩 팔아버리는 사람. ③ [음악] 저음부의 주자(奏者)[가수].

bajo *prep.* ① …아래: andar ~ la lluvia 우중(雨中)을 걷다. ② …밑에, …아래, …하(下)에: sufrir ~ la tiranía 압정으로 고생하다.

bajo, ja *adj.* ① ㉮ [ser+, 키가/estar+, 위치가] 낮은, 키가 작은; 아래의: hombre ~ (de estatura) 키가 작은 남자. mesa *baja* 낮은 테이블. mujer *baja* (de estatura) 키가 작은 여자. ㉯ (가격·온도·지위 등이) 낮은, 나쁜. ㉰ [+en·de] (…가) 적은: cigarrillos ~*s* en nicotina 니코틴이 적은 담배. ② (소리·목소리가) 낮은, 작은: en voz baja 낮은[작은] 목소리로. ③ (시대가) 후기(後期)의: *Baja* Edad Media 중세 후기. ④ (색이) 연한, 진하지 않은: azul ~ 담청색(淡青色). ⑤ 천박한, 비열한: vocabulario ~ 비어(卑語). —*adv.* ① 낮게. ② 작은 [낮은] 소리로. —*m.* ① [주로 *pl.*] 낮은 땅, 낮은 곳, 아랫부분. ② 저지(低地), 얕은 여울. ③ [음악] ㉮ 저음부(低音部). ㉯ [가수] 베이스, 저음, 저음 가수. —*m.pl.* ① (말의) 굽쇠. ② [자동차] 상판(床板)의 외측(外側).

bajón *m.* ① (현저한) 하락, 쇠퇴. ② [악기] 바순, 파고토 ((저음 목관 악기)).

bajonazo *m.* [투우] =**estocada.**

bajorrelieve *m.* [건축] 부조(浮彫).

bajuno, na *adj.* 천한, 비열한.

bakalao *m.* =**bacalao.**

bala *f.* ① 총알, 탄알, 탄환. ② (면 등을 묶는) 짐; 다발. *ni a ~ Amér.* 결코 (…이 아니다).

balaca *f. AmérM.* 허세.

balacear *tr. AmérC.* 총격하다.

balacera *f.* 총격(trioteo).

balada *f.* [시법 · 음악] 발라드.

baladí *adj.* [*pl.* ~es] 쓸모없는, 하찮은: un asunto ~ 하찮은 일.

baladre *m.* [식물] 협죽도.

baladronada *f.* 호언장담, 대언장담.

baladrón, na *adj., m.f.* 허풍선이(의), 떠버리(의).

baladronear *intr.* 허풍을 떨다.

bálago *m.* ① (긴) 지푸라기. ② (비누의) 가는 거품.

balalaica *f.* [악기] 발랄라이카 ((기타 비슷한 러시아 악기)).

balance *m.* ① (이해득실 등의) 비교 검토; (행위 등의 성부(成否)의) 결과, 평가. ② [경제] 결산, 수지 (계정), 잔고; 대차 대조표: ~ anual 연차 대차 대조표. ~ comercial 무역 수지. ~ de pagos 국제 수지. ~ superavitario [deficitario] 흑자 [적자] 수지. ③ (배·몸의) 요동, 흔들림, 불안정한 상태.

balancear *tr.* ① 요동하다, 흔들다: ~ la cuna 요람을 흔들다. ② 균형을 맞추다, 손익을 결산하다; 청산[결산]하다: ~ el presupuesto 예산의 균형을 맞추다. —*intr.* (배 등이) 요동치다, 흔들리다. ~**se** ① 몸을 전후[좌우]로 흔들다, 흔들리다. ② 균형이 맞다; 청산[결산]되다.
balanceo *m.* 요동, 흔들림.
balancín *m.* ① 흔들의자, 매단 의자. ② 시소. ③ [기계] 빔, 레버. ④ 곡예사의 막대기. ⑤ 가로대, 가름대.
balandra *f.* 돛대 하나인 소형 범선.
balandrán *m.* 성직자가 입는 모자 달린 코트.
balandrismo *m.* 요트 놀이, 요트 경주[레이스].
balandrista *m.f.* 요트 선수.
balandro *m.* 요트, 돛대 하나인 소형 범선.
balano *m.* [해부] =**bálano.**
bálano *m.* [해부] 귀두(龜頭)(glande).
balanza *f.* ① 저울, 천칭(天秤) ② [경제] 수지: ~ comercial 무역 수지. ~ de pagos 국제 수지.
balaquear *intr.* *AmérM.* =baladronear.
balar *intr.* (사슴・산양 등이) 울다.
balarrasa *f.* ① (강한) 안주. ② 분별력이 없는 사람, 상식 밖의 사람.
balasto *m.* (철도・도로 건설용) 자갈.
balastro *m.* =**balasto.**
balaustrada *f.* [건축] 난간.
balaustre *m.* 손잡이.
balaústre *m.* =**balaustre.**
balay *m.* *Amér.* 광주리, 망태기.
balazo *m.* ① 명중탄. ② 총상.
balboa *m.* 발보아 ((파나마의 화폐 단위; 1발보아 =100 센띠모)).
balbucear *intr.* 말을 더듬다.
balbuceo *m.* ① 말더듬. ② 초기 단계, 요람기.
balbucir *intr.* =**balbucear.**
Balcanes (los) *m.pl.* [지명] 발칸 제국[반도].
balcánico, ca *adj.* 발칸 반도[제국]의. —*m.f.* 발칸 반도[제국] 사람.
balcanización *f.* =**fragmentación.**
balcanizar *tr.* =**fragmentar.**
balcón *m.* ① 발코니: salir al ~ 발코니에 나오다. ② 발코니의 손잡이. ③ 전망대(展望臺).
balconada *f.* 긴 발코니.
balconaje *m.* 발코니의 돌출창의 열.
balconcillo *m.* [투우] 투우장에 투우를 두는 장소의 윗좌석.
balda *f.* =anaquel.
baldado, da *adj.* =tullido.
baldadura *f.* =baldamiento.
baldamiento *m.* 운동 불수.
baldaquín *m.* =baldaquino.
baldaquino *m.* (침대・옥좌・제단의) 천개(天蓋), 관의 뚜껑.
baldar *tr.* 불수로 만들다. ~**se** 불수가 되다.
balde *m.* [선박] 물통(cubo). ¶*de* ~ 무료로, 공짜로, 거저.
baldear *tr.* ① (갑판 등에) 물통으로 물을 끼얹다. ② (도랑 등에서) 물통으로 물을 퍼내다.
baldeo *m.* ① 물통으로 물을 끼얹는 일. ② 물통으로 물을 퍼내는 일.
baldíamente *adv.* 헛되이.
baldío, a *adj.* ① (토지가) 불모의. ② 헛된. ③ (사람이) 빈둥빈둥거리는.
baldón *m.* 오점, 치욕, 모욕, 수치.
baldonar *tr.* =**baldonear.**
baldonear *tr.* 모욕하다.
baldosa *f.* 타일, 판석(板石).
baldosín *m.* 작은 타일.
baldragas *m.sing.pl.* [속어] 겁쟁이.
balduque *m.* (관료식) 번잡한 수속.
balear[1] *adj.* 발레아레스 제도의. —*m.f.* 발레아레스 제도 사람.
balear[2] *tr.* ① *AmérM.* 총격하다. ② *AmérC.* 사취하다.
Baleares (las Islas) [지명] 발레아레스 제도.
baleo *m.* ① 끈으로 둥그렇게 짠 방석. ② (불을 부치는) 부채.
balero *m.* *AmérC.* 볼베어링.
balido *m.* (사슴・산양・양의) 울음소리: dar ~*s* (사슴 등이) 울다.
balín *m.* 소구경의 총탄, 공기총의 탄알.
balística *f.* 탄도학(彈道學).
balístico, ca *adj.* 탄도(彈道)의.
baliza *f.* ① 항로 [항공] 표시. ② (철도・도로의) 위험 표시. ③ (도로 한가운데의) 차량 진입 방지 기둥[봉].
balizaje *m.* 활주로의 조명(照明).
balizamiento *m.* =**balizaje.**
balizar (8) *tr.* 항로 표지를 표시하다.
ballena *f.* ① [동물] 고래. ② 고래 수염. ③ (코르셋 등에 넣는) 철사.
ballenato *m.* 고래 새끼.
ballenero, ra *adj.* 고래의. —*m.f.* 포경 선원, 고래잡이 어부. —*m.* 포경선(捕鯨船).
ballesta *f.* ① (옛날의) 큰 활. ② (차량의) 용수철, 스프링.
ballestería *f.* 대궁술.
ballestero *m.* ① 대궁수. ② 왕실의 수렵 담당자.
ballestrinque *m.* [선박] 매듭의 일종.
ballet *m.* [*pl.* ~s] ① 발레. ② 무용극. ③ 발레단.
ballico *m.* [식물] 다년생 독보리.
ballueca *f.* [식물] 야생 귀리.
balneario, ria *adj.* 온천의. —*m.* 온천장(溫泉場).
balneoterapia *f.* 온천 요법.
balompédico, ca *adj.* 축구의.
balompié *m.* 축구(fútbol).
balón *m.* ① 공 ((축구・농구 등 큰 공; 펠로타(pelota)는 테니스・야구 등 작은 공; 골프나 하키 등에서는 볼라(bola)도 사용함)): ~ de rugby 럭비공. ② 풍선; 기구(氣球). ③ 공 모양의 그릇[용기(容器)]; 공 모양의 프라스코.
balonazo *m.* 공으로 치기.
baloncestista *m.f.* 농구 선수.
baloncestístico, ca *adj.* 농구의.
baloncesto *m.* [운동] 농구.
balonmano *m.* [운동] 핸드볼.

balonvolea *f.* =voleibol.
balota *f.* 투표용의 작은 공.
balsa *f.* ① (주로 강을 건너는) 뗏목, 고무 보트. ② 물웅덩이; (관개용의) 연못. ③ [식물] 발사; 발사재(材).
balsamero *m.* [식물] 향유(bálsamo)를 짜는 나무.
balsámico, ca *adj.* 향액의, 향유질의: líquido ~ 향유.
balsamina *f.* [식물] 봉선화.
balsamizar (9) *tr.* 통증을 진정시키다; 위로하다, 달래다.
bálsamo *m.* ① [화학] 향액. ② 발삼, 방향성 수지. ③ 방향유, 진통제. ④ 위로(물), 위안.
balsear *tr.* (강을) 뗏목으로 건너다.
balsero, ra *m.f.* 뗏목[고무 보트]을 조종하는 사람.
balso *m.* ① (배에 있는) 감아올리는 밧줄. ② *Col.* [식물] 발소.
báltico, ca *adj., m.f.* 발틱 해(Mar Báltico) 연안[제국]의 (사람).
baluarte *m.* ① 성벽 외곽에 삼각형의 축성, 능보. ② 의지하는 곳, 거점, 수호. ③ *Amér.* 낚시 도구.
balumba *f.* ① (잡다한 대량의) 더미. ② *Amér.* 소동.
bamba *f.* ① 밤바 ((멕시코의 민속 무용의 하나)). ② 우연히 들어맞음, 요행수. ③ [요리] 단 빵; 크림 빵(~ de nata). ④ *pl.* =zapatillas.
bambalina *f.* [연극] 위에서 걸어 내리는 무대의 배경화.
bambolear *intr.*, ~**se** (배·차·나무 등이) 흔들리다; (테이블이) 흔들흔들하다, 근들근들하다; (걸을 때) 비슬비슬하다.
bamboleo *m.* 흔들거림.
bambolla *f.* ① 번쩍거림, 화사함; 사치. ② *Amér.* 수다, 재잘거림. ③ 허세, 허영, 겉치레.
bambú *m.* [*pl.* ~(e)s] [식물] 대나무.
bambuco *m.* 밤부꼬 ((꼴롬비아의 민속 무용)).
bambula *f.* 면[합성 섬유]의 가벼운 직물.
banal *adj.* 평범한, 진부(陳腐)한.
banalidad *f.* 평범함, 진부함.
banana *f.* *Amér.* [식물·과실] 바나나 ((참고: 스페인에서는 일반적으로 plátano)).
bananal *m.* 바나나밭[농장].
bananar *m.* =bananal.
bananero *m.* ① [식물] 바나나나무. ② 바나나 수송선. ③ 바나나밭.
bananero, ra *adj.* 바나나 (밭·농장)의: compañía ~*ra* 바나나 회사.
banano *m.* [식물] 바나나(나무).
banasta *f.* 큰 바구니.
banasto *m.* 깊고 둥근 바구니.
banca *f.* ① [집합] 은행; 은행업. ② [집합] 은행가. ③ 도박장. ④ 벤치(banqueta). ⑤ *AmérM.* 의석(수).
bancada *f.* ① 돌로 만든 걸상. ② [집합] 의석(議席).
bancal *m.* ① (한 구획의) 밭. ② *pl.* 계단밭. ③ 사주(砂洲), 둑 모양의 모래톱.
bancar (7) *tr.* *Arg.* =financiar. ~**se** 참다, 견디다, 억누르다.
bancario, ria *adj.* 은행의: cheque ~ 은행 수표. préstamo ~ 은행 차관.
bancarrota *f.* ① 파산, 도산: hacer [estar en] ~ 파산하다[하고 있다]. ② [조직·이론 등의] 파탄, 파멸: ir a la ~ 파멸로 가다[향하다].
banco *m.* ① 은행: ~ central 중앙은행. ~ de crédito 신용 은행. *Banco* de Corea 한국 은행. ~ de datos [컴퓨터] 데이터뱅크. ② 벤치, 긴의자: ~ azul (국회의) 장관석. ③ 작업대. ④ 얕은 여울; (두꺼운) 층. ⑤ 어군(魚群): ~ de atunes 참치 떼.
banda *f.* ① 어깨띠. ② 리본. ③ (범죄자·새 등의) 일단, 떼. ④ 악단, 밴드: ~ militar 군악대. ⑤ 측면. ⑥ (일련의 수의 사이의) 폭(幅), 대역(帶域). ⑦ [영화] 트랙: ~ sonora [de sonido] 사운드 트랙; 영화 음악. ⑧ [운동] 사이드라인, 터치라인. ⑨ [선박] 현측(舷側).
bandada *f.* ① (새·고기의) 떼, 무리. ② (떠들어대는) 무리, 그룹.
bandazo *m.* ① (배의 갑작스런) 큰 흔들림, 급경사; (자동차의) 심한 지그재그; (사람의) 허든거림, 비실거림 ② (의견 등의) 급변.
bandear *tr.* ① 심하게 좌우로 흔들다. ② *Amér.* 가로지르다, 관통하다. ③ *AmérC.* 추적하다. ~**se** 심하게 좌우로 흔들리다.
bandeja *f.* ① 쟁반. ② *AmérC.* 주발, 사발.
bandera *f.* ① 기(旗): ~ marrón 반기(半旗), 조기(弔旗). ~ nacional 국기. ② (같은 깃발 아래의) 한 떼, 한 무리. ③ 가장 유력한 것: compañía ~ 최대 기업. mujer ~ 굉장한 미인. ④ [컴퓨터] 플래그; 표시 문자.
banderazo *m.* ① 기로 하는 신호. ② (경주의) 출발 신호기.
banderilla *f.* ① [투우] 반데릴라 ((작은 깃발이 달린 작살)). ② 빈정거림, 신랄한 말. ③ (각종 야채 절임 등을 여러 모양으로 꽂은) 간단한 안주.
banderillazo *m.* =petardo.
banderillear *tr.* [투우] 반데릴라(banderilla)를 꽂다.
banderillero, ra *m.f.* [투우] 반데리예로 ((반데릴라(banderilla)를 투우 등에 꽂는 투우사)).
banderín *m.* ① 작은 깃발; 페넌트. ② [군사] 기수, 향도병(嚮導兵). ③ [군사] 모병소, 지원병 모집소.
banderita *f.* 작은 기.
banderola *f.* 작은 깃발; 페넌트.
bandidaje *m.* =bandolerismo.
bandido, da *m.f.* ① (옛날의) 지명수배자. ② 산적, 도적(bandolero). ③

B

부랑배, 깡패, 무뢰한. —*adj.* 부랑배의, 깡패의.
bando *m.* ① 공시(公示), 고시(告示); 지명 수배서. ② 당파, 도당(徒黨). ③ (새·물고기의) 떼.
bandolera *f.* 멜빵.
bandolerismo *m.* 산적 행위.
bandolero, ra *m.f.* 노상 강도, 산적.
bandolina *f.* [악기] 만돌린의 일종.
bandoneón *m.* [악기] 반도네온.
bandurria *f.* [악기] 반두리아 ((12현의 만돌린의 일종)).
BANESTO *m.* Banco Español de Crédito 스페인 신용 은행.
bangaña *f.* *AmérC.* (운반용의) 표주박, 호리병박.
Bangladesh *m.* [국명] 방글라데시.
bangladesí *adj.* 방글라데시의. —*m.f.* 방글라데시 사람.
banjo *m.* [악기] 밴조.
banquero, ra *m.f.* ① 은행가. ② (카드 놀이에서) 패를 돌리는 사람.
banqueta *f.* ① (등받이가 없는) 걸상. ② 발판. ③ *AmérC.* 보도(步道).
banquete *m.* 연회, 향연, 축하연, 피로연; 손님을 향응함: ~ de bodas 결혼 피로연.
banquetear *tr.* 향응하다, 연회를 베풀다. —*intr.*, ~**se** 연회를 베풀다; 연회에 가다.
banquillo *m.* ① [법률] 피고석. ② [운동] 벤치: ~ de castigo [아이스하키] 페널티 박스, 반칙자 대기석.
banquina *f.* *AmérM.* (도로의) 가.
banquisa *f.* 부빙괴(浮氷塊), 빙반(氷盤), 유빙(流氷), 성엣장.
bantú *m.f.* (남·중부 아프리카의) 반투족 (사람). —*m.* 반투 말. —*adj.* 반투족[말]의.
banyi *m.* 번지 점프.
banyo *m.* =banjo.
bañadera *f.* *Amér.* 욕조(浴槽).
bañadero *m.* (야생 동물의) 목욕하는 물웅덩이.
bañado, da *adj.* ① 흠뻑 [홍건히] 젖은. ② [요리] (크림·설탕·소금 등을) 입힌, 바른: pastel ~ con azúcar 당의를 입힌 케이크. —*m.* *AmérM.* 소지(沼地), 늪이 많은 땅.
bañador *m.* 해수욕복(traje de baño).
bañar *tr.* ① 목욕시키다: ~ a *su* hijo 아들을 목욕시키다[욕조에 넣다]. ② 담그다. ③ 물을 끼얹다, 적시다. ④ 담그다, 적시다, 칠하다, 덧칠하다, 도금하다, 바르다, (크림·설탕 등을) 입히다, 코팅하다. ⑤ (광선을) 비추다, 쪼이다. ⑥ (바다·강이 육지에) 접하다. ~**se** 목욕하다; 목욕탕에 들어가다, 멱감다: ~*se* en el mar 해수욕하다. ~*se* al sol 일광욕하다.
bañera *f.* 욕조(浴槽).
bañero, ra *m.f.* [주로 *Amér.*] (해안·풀의) 감시원; 목욕탕 종업원.
bañista *m.f.* 해수욕객, 욕객(浴客).
baño *m.* ① 목욕: ~ de asiento 좌욕(坐浴). ~ de espuma 거품 목욕. ~ de pies 족탕(足湯). ~ de vapor 증기탕. ~ turco [ruso] 사우나탕. ~*s* públicos 대중탕. tomar [darse] un ~ 목욕하다, 욕조에 들어가다. ② 욕실; 욕조; [주로 *Amér.*] 세면소, 토일릿. ③ *pl.* 온천; 온천장. ④ [주로 *pl.*] 멱감기: ~*s* de mar 해수욕. ~*s* ultravioletas 자외선욕. pantalones de ~ 수영 팬티. tomar ~*s* de sol 일광욕을 하다. ⑤ (페인트 등의) 칠함, 덧칠, 코팅, 도금; 금속의 용액. ⑥ 당의(糖衣).
bao *m.* [선박] 도리.
baobab *m.* [식물] 바오밥.
baptismo *m.* 침례주의.
baptista *adj., m.f.* 침례주의파(의).
baptisterio *m.* [기독교] 세례당(洗禮堂), 세례반(洗禮盤), 세례용 물통.
baqueano, na *adj., m.f.* =**baquiano.**
baquelita *f.* 베이크라이트 ((합성 수지)).
baqueta *f.* ① (총의) 꼬질대. ② 작대기, 채찍, 회초리. ③ *pl.* 북채. ④ [투우] (삐까도르 (picador)가 말을 다루기 위한) 막대기.
baquetazo *m.* ① (막대기로) 구타. ② 전도(顚倒), 충격.
baqueteado, da *adj.* ① 경험이 풍부한. ② 고통스런, 난처한.
baquetear *tr.* ① (벌로) 채찍으로 때리다. ② 괴롭히다. ③ *AmérC.* (마림바 (marimba) 북을) 치다.
baqueteo *m.* 매질, 채찍질; 태형.
baquía *f.* ① 지리에 밝음. ② 숙련.
baquiano, na *adj., m.f.* 환한 (사람), 정통한 (사람).
báquico ca *adj.* ① 바커스(Baco)의, 주신(酒神)의. ② 술취한.
báquira *f.* [동물] 멧돼지, 산돼지.
bar *m.* ① 바, 주점: ir de ~*s* 마시러 가다. ② [기압의 옛 단위] 바.
barahúnda *f.* 소음, 큰 소동, 대혼란.
baraja *f.* ① (한 벌의) 트럼프. ② 가능성, 해결법. ③ [주로 *pl.*] 싸움, 말다툼, 언쟁, 입씨름.
barajada *f.* 카드의 패를 떼는 일.
barajadura *f.* =**barajada.**
barajar *tr.* ① (카드의) 패를 뒤섞다. ② (물건이나 사람을) 뒤섞다. ③ 방해하다, 훼방놓다. ④ *Chile.* =**parar, detener.** —*intr.* [+con] (…와) 싸우다, 적대하다. ~**se** ① 섞이다, 뒤범벅이 되다. ②오르다, 거론되다, 추천되다.
baranda *f.* ① (계단 따위의) 손잡이. ② (당구대의) 쿠션.
barandal *m.* (난간의) 손잡이 (횡목); 손잡이.
barandilla *f.* =**baranda** ①.
barata *f.* ① *AmérM.* =**cucaracha.** ② *AmérC.* 싼값, 헐값(barato).
baratear *tr.* 싸게 팔다.
baratería *f.* [법률] 사기, (재판관의)

수뢰죄(收賂罪).
baratija *f.* [주로 *pl.*] 싸구려 물건, 자질구레한 물건.
baratillo *m.* [집합] 싸구려 물건; 싸구려 물건을 파는 가게.
barato, ta *adj.* ① (값이) 싼: cosméticos ~*s* 싼 화장품. perfume ~ 싼 향수. ② 저급한: novela ~*ta* 저급한 소설. ③ 쉬운, 용이한. —*adv.* 싸게: comprar [vender] ~ 싸게 사다 [팔다]. —*m.* ① 염가 판매(점). ② (도박에서 딴 사람이 내는) 개평. ¶*a la ~ta* 무질서하게. *de* ~ 무상으로, 무이자로. *Lo ~ sale caro* (속담) 싼 것이 비지떡.
baratura *f.* 염가, 싼값, 헐값.
baraúnda *f.* =barahúnda.
barba *f.* ① (턱과 뺨의) 수염. ② (염소 등의) 턱수염. ③ 턱. —*pl.* ① (개·고양이·고래·물고기의) 수염. ② (식물의) 수염뿌리. ③ (종이 등의) 가장자리에 톱니 모양이 들쭉날쭉 연속적으로 있는 모양.
barbacana *f.* ① 총안(銃眼). ② (성문을 지키는) 망루, 성루. ③ (사원의) 바깥의 낮은 담.
barbacoa *f.* ① 바비큐(용의 석쇠·풍로): hacer una ~ en el jardín 정원에서 바비큐를 굽다. ② 바비큐용 석쇠로 구운 고기. ③ *Amér.* (가마니를 깐) 침대. ④ *Amér.* (물위·나무위의) 집. ⑤ *AmérM.* 지붕 밑 방.
barbadense *adj.* 바르바도스(Barbados)의. —*m.f.* 바르바도스 사람.
barbado, da *adj., m.f.* ① 수염을 기른 (사람). ② =barbadense. —*m.* 뿌리 달린 식물. —*f.* (말의) 아랫턱.
barbar *intr.* ① 수염을 기르다. ② 뿌리박다.
barbárico, ca *adj.* =bárbaro.
barbaridad *f.* ① 야만, 잔학; 거칠음; 무모. ② 엉터리, 틀린 데가 많음 ③ [una+] 대량: una ~ de gente 많은 사람. una ~ de trabajo 많은 일. comer [beber] una ~ 엄청나게 먹다[마시다]. ¶*¡Qué ~!* [놀람·불만] 지독하군요!, 우아!
barbarie *f.* ① 야만, 미개. ② 거칠음; 잔학(함).
barbarismo *m.* (발음·어구·구문상의) 파격 용법; 외국어에서 차용.
barbarizar (9) *tr.* ① (사람을) 잔학하게 하다. ② (외국어에서 차용해 와서 국어를) 거칠게 하다. —*intr.* 난폭한 말을 하다.
bárbaro, ra *adj., m.f.* ① (고대 희랍·로마 시대에, 희랍 사람·로마 사람·기독교도가 아닌) 이방인(의). ② 야만인(의), 야만스런 (사람), 난폭자(의); 거친 (사람); 용감한 (사람). ③ 굉장한, 지독한, 대단한, 엄청난: hacer un frío ~ 지독한 추위다, 지독히 춥다. ④ 멋진, 굉장한.
barbechar *tr.* (토지를) 쉬게 하다.
barbecho *m.* 휴한(休閑), 휴경(지).
barbería *f.* 이발소(peluquería).
barbero, ra *m.f.* ① 이발사(peluquero): El ~ de Sevilla 세비야의 이발사. ② *AmérC.* 아첨꾼. —*m.* [어류] =acanturo. —*adj.* 이발 용구의, (특히) 면도의.
barbián, na *adj., m.f.* [주로 *m.*] 쾌활한 (사람), 명랑한 (사람).
barbilampiño, ña *adj.* 수염이 적은; 수염이 없는[나지 않은]. —*m.f.* 풋내기, 경험이 없는 사람.
barbilindo, da *adj., m.f.* 말쑥한 (사람).
barbilla *f.* ① 턱끝. ② (잉어 등의) 수염. ③ [목공] 작은 염주[구슬].
barbiquejo *m.* =barboquejo.
barbital *m.* [약학] 바르비탈 ((진정제, 수면제)).
barbitúrico, ca *adj.* [화학] 바르비투르산의: ácido ~ 바르비투르산(酸). —*m.* 바르비투르산계(系) 최면약.
barbo *m.* [어류] 누치, 뱅어.
barboquejo *m.* (모자·헬멧의) 턱끈.
barbotar *tr., intr.* =barbotear.
barbotear *tr., intr.* (노해서) 투덜거리다.
barboteo *m.* 투덜거림.
barbudo, da *adj.* 수염이 긴[많은].
barbullar *intr.* (입 속에서) 우물우물 말하다, 입안의 소리를 하다.
barbuquejo *m.* =barboquejo.
barca *f.* 작은 배, 보트: ~ pescadora 낚싯배, 어선. ~ de pasaje 나룻배.
barcaje *m.* 건너는 삯, 도선료.
barcarola *f.* 뱃노래.
barcaza *f.* 바지선, 거룻배, 전마선, 큰 보트.
Barcelona *f.* [지명] 바르셀로나 ((스페인 까딸루냐 지방의 주·주도)).
barcelonés, sa *adj.* ① 바르셀로나 태생의. ② 바르셀로나의[에 관한]. —*m.f.* 바르셀로나 사람.
barcena *f.* (광대한) 경사지(傾斜地).
barceo *m.* [식물] 골풀.
barcino, na *adj.* (동물의 털이) 연한 붉은 다색(茶色)의.
barco *m.* ① 배, 선박 ((참고: barco는 일반적인 배, buque는 갑판이 있는 대형 선박)): ~ bomba 소방정(消防艇). ~ de guerra 군선(軍船). ~ de vapor 기선(汽船). ~ de vela 범선(帆船). ~ de recreo 유람선. ② (우주선의) 캡슐, 선실.
barda *f.* ① (말의) 갑옷. ② (흙이나 짚으로 얹는) 흙 지붕. ③ 나무 울타리. ④ (수평선의) 비구름.
bardal *m.* ① 지붕을 얹힌 담장. ② 토담 위의 기와[가시]. ③ 가시 울타리. ④ [식물] 가시나무.
bardana *f.* [식물] 우엉.
bardo *m.* ① (켈트족의) 음창(吟唱) 시인. ② (일반적으로) 시인.
baremo *m.* ① 계산표, 환산표. ② 요금표. ③ (평가 등의) 기준표.
barestesia *f.* [의학] 압각(壓覺).

B

bargueño *m.* (서랍이 많은) 다리가 달린 장식 선반, 작은 물건 넣는 것.
baria *f.* [기압의 단위] 바로미터.
baricentro *m.* [수학] 중심(重心).
barimetría *f.* 중력 측정.
bario *m.* [화학] 바륨.
barisfera *f.* (지구의) 중권(重圈).
barita *f.* [화학] (수)산화바륨.
baritina *f.* ① [광물] 중정석(重晶石). ② [화학] 유산 바륨.
barítono *m.* [음악] 바리톤 (가수).
barloventear *intr.* ① (배가) 바람 부는 대로 나아가다. ② 방랑하다.
barlovento *m.* 바람 부는 쪽.
barman *m. ing.* [*pl.* ~s, bármanes] 바텐더.
Barn. Barcelona 바르셀로나.
barnabita *adj.* 바르나바회(會)의[에 관한]. —*m.* 바르나바회 수도사.
barniz *m.* ① 옻, 칠, 니스; (제도(製陶)의) 유약(釉藥), 잿물. ② 광택성[지방석] 도료. ③ 미안료. ④ 얇은 막[가죽]. ⑤ 인쇄 잉크.
barnizado *m.* 옻칠 [니스] 칠하기, 유약 바르기.
barnizador, ra *m.f.* 옻칠 [니스] 칠하는 사람, 유약 바르는 사람.
barógrafo *m.* 자기 기압계[고도계].
barométrico, ca *adj.* 기압(계)의.
barómetro *m.* 기압계, 바로미터.
barón *m.* ① 남작(男爵). ② (정계 · 재계 등의) 실력자.
baronesa *f.* 남작 부인; 여자 남작.
baronía *f.* 남작의 직; 남작령(領).
baroscopio *m.* (간단한) 기압계, 청우계(晴雨計).
barotrauma *m.* [의학] 기압 장애.
barquero, ra *m.f.* 뱃사공.
barquilla *f.* ① (과자 등을 넣는) 원추형의 그릇. ② (기구의) 바구니. ③ 곤돌라. ④ [선박] 속도의 측정기.
barquillero, ra *m.f.* ① 두루마리 군과자 장수[만드는 사람]. ② 두루마리 군과자 만드는 틀. —*f.* barquillo 넣는 그릇.
barquillo *m.* 두루마리 군과자.
barquín *m.* (커다란) 풀무.
barquinazo *m.* ① (탈것의) 크게 흔들림. ② 전복(顚覆).
barra *f.* ① 몽둥이, 막대기, 봉(棒), 바: ~ de oro 금봉(金棒). ② (술집 등의) 카운터. ③ 막대[몽둥이] (형) 빵. ④ (법정의) 증인대, 증인석. ⑤ *AmérC.* 방청인. ⑥ 분할 기호 (/). ⑦ (하구의) 사주(砂洲). ⑧ [운동] 봉, 대: ~ de discos 바벨. ~ de equilibrio 평균대. ~ fija 철봉. ~*s* pararelas 평행봉. ~*s* asimétricas 단이 다른 평행봉. ⑨ [컴퓨터] 바: ~ espaciadora 스페이스바. ⑩ [집합] *Amér.* 참석자. ⑪ *AmérM.* 친구, 친구 그룹; 응원단. ⑫ *AmérM.* 도리깨, 우리.
barrabás *m.* 사악한 사람, 짓궂은 사람 ((주로 아이)).
barrabasada *f.* 못된 짓, 망나니 노릇.
barraca *f.* ① 바라크, 움집; 낡아빠진 집. ② [군사] 병사(兵舍). ③ (발렌시아 지방의 독특한) 띠를 이은 농가. ④ *AmérM.* 상품 창고[하치장].
barracón *m.* 병사(兵舍).
barracuda *f.* [어류] =baracuda.
barrado, da *adj.* =cerrado.
barragana *f.* (특히 성직자의) 첩.
barraganería *f.* 내연 관계.
barranca *f.* =barranco.
barranco *m.* ① 단애(斷崖), 절벽. ② [지질] 우열(雨裂). ③ 궁지, 고경(苦境): salir del ~ 궁지에서 벗어나다.
barraquismo *m.* (도시의) 슬럼화(化).
barredera *f.* ① 도로 청소차. ② *pl.* 잡동사니, 허드레 물건.
barredero, ra *adj.* ① 질질 끄는: red ~*ra* 예망(曳網), 끌그물, 트롤망. ② 청소하는, 쓰는. —*m.* (빵 굽는 가마용의) 비.
barredor, ra *m.f.* 도로 청소부.
barredura *f.* 청소. —*pl.* 쓰레기, 먼지.
barreminas *m.sing.pl.* 소해정(掃海艇).
barrena *f.* ① 송곳, 드릴. ② [항공] 스핀, 나선 회전 (강하).
barrenar *tr.* ① (송곳 · 착암기로) 구멍을 파다. ② (악의로 계획을) 미수로 끝내다. ③ (법률 · 습관 등을) 무시하다.
barrendero, ra *m.f.* 도로 청소부.
barrenero *m.* 발파 작업원.
barreno *m.* ① 착암기, 드릴. ② 착암기[드릴]로 판 구멍. ③ 발파공(發破孔). ④ 발파 ((폭약)).
barreño *m.* 대야, 씻는 그릇[통].
barrer *tr.* ① 소제하다, 청소하다, 쓸다. ② 제거하다, 일소하다, 소탕하다; 쳐내다, 준설하다. ③ (빛 등이) 비쳐 가다; (레이더가) 주사(走査)하다. ④ (가볍게) 닿다, 스치다, (땅에) 질질 끌다. ⑤ [주로 운동] 압도적으로 (쳐서) 이기다. —*intr.* ① [+con] (경쟁 상대를) 일소하다. ② [+con] (…을) 한 사람이 독점(獨占)하다.
barrera *f.* ① 목책(木柵), 울짱. ② (건널목의) 차단기. ③ 장해, 장벽: ~ aduanera [arancelaria] 관세 장벽. ~ comercial 무역 장벽. ④ [운동] 디펜스의 벽. ⑤ [투우] 모래사장을 두른 목책. ⑥ 최전열의 자리.
barretina *f.* 까딸루냐 지방의 모자.
barriada *f.* ① (주로 도시의 가난한 노동자가 사는) 지구, 땅의 경계 ((barrio의 일부)). ② *AmérM.* 빈민가, 슬럼.
barrial *m. Amér.* =barrizal.
barrica *f.* (중간 크기의) 통; (특히) 술통.
barricada *f.* 바리케이드, 방책(防柵).
barrida *f.* (경찰의) 단속, (범인 검거를 위해) 현장을 덮침.
barrido *m.* ① 청소, 소제. ② 재검토. ③ [물리] 주사(走査).
barriga *f.* ① 배, 복부. ② (비만 · 임

신에 의한) 돌출한[튀어나온] 배. ③ (그릇 등의) 튀어나온 곳. ¶*tener mucha* ~ 배가 남산만하다.
barrigón, na *adj., m.f.* =barrigudo. —*m.* 남산만한 [큰 북만한] 배.
barrigudo, da *adj., m.f.* 배가 나온 (사람), 배가 큰 (사람).
barril *m.* ① 통; (주둥이가 가는) 물 항아리. ② [석유의 용량의 단위] 배럴(~ de petróleo). ¶*comer del* ~ *AmérM.* 변변치 못한 것을 먹다.
barrilete *m.* ① 작은 통. ② (연발 권총의) 탄창.
barrilla *f.* [식물] 수송나물, 뚱뚱마디.
barrillo *m.* [주로 *pl.*] 여드름(grano).
barrio *m.* ① (도시의) 구(區), 지구: ~ bajo 빈민가, 슬럼. ~ comercial 상업 지역. ~ obrero 노동자 지구. ~ residencial 주택 지구[지역]. ② 주변 지역, 근교.
barriobajero, ra *adj., m.f.* 슬럼가의 (사람); 저질의[거친] (사람).
barrita *f.* 입술 연지. ¶ ~ ***de pan*** 막대기 모양의 빵.
barritar *intr.* (코끼리 등이) 울다.
barrito *m.* (코끼리 등의) 울음 소리.
barrizal *m.* 진창, 수렁.
barro *m.* ① 진흙, 흙탕(물). ② 도토(陶土), 점토(粘土). ③ (맥주의) 조끼. ④ 가치가 없는 것. ⑤ [주로 *pl.*] 여드름. ⑥ *AmérM.* (부주의에 의한) 큰 실패. ¶***vender por*** ~ ***y tierra*** 염가 판매하다, 아주 싸게 팔다.
barroco, ca *adj., m.* ① 바로크 양식(의). ② 허식적인, 장식이 지나친. ③ 엉뚱한, 유별난.
barroquismo *m.* ① 바로크주의, 바로크 조(調). ② 허식적임.
barrón *m.* [식물] 벼과의 잡초.
barroso, sa *adj.* ① 진흙 [진창·흙탕]의. ② 진흙색의.
barrote *m.* ① 두꺼운 몽둥이. ② [주로 *pl.*] 지주(支柱), 목책; 횡목(橫木).
barrumbada *f.* ① 큰소리, 허풍. ② 초과 낭비.
barruntar *tr.* …의 예감이 있다.
barrunto *m.* 징후; 추측; 예감.
bartola *a la* ~ 조심성 없이.
bartolillo *m.* [과자] 크림 바른 도넛.
bartolina *f. AmérC.* (좁고 어두운) 독방, 지하방.
bartulear *intr. AmérM.* 숙고하다.
bártulos *m.pl.* (여러 잡다한) 용구, 도구: ~ de pesca 낚시 도구.
barullo *m.* 소음; 혼란, 분규, 분쟁, 혼란한 일: armar mucho ~ 시끄럽다.
basa *f.* ① 주춧돌, 초석. ② (동상(銅像)의) 대좌(臺座).
basada *f.* [조선] 선가(船架), 진수가(進水架).
basal *adj.* [생리] 기초의.
basáltico, ca *adj.* 현무암의.
basalto *m.* [지질] 현무암.
basamento *m.* ① [건축] 기초. ② (기둥의) 대좌(臺座).
basar *tr.* …의 기초를 놓다. ~**se** 근거를 두다.
basca *f.* ① [주로 *pl.*] 구역질, 욕지기, 메슥거림. ② [주로 동물의] 격노, 성냄. ③ 정신 착란.
bascosidad *f.* 더러운 것[말]; 혐오감.
báscula *f.* 계량대(計量臺), 앉은뱅이 저울; 체중계.
basculante *adj.* 상하[좌우]로 움직이는: puente ~ 도개교(跳開橋).
bascular *intr.* ① (지점의 중심에서) 상하로 움직이다. ② 머리가 움직이다. ③ [운동] 좌우로 움직이다.
base *f.* ① 기초, 기반, 토대(土臺); 기본(선): ~ del éxito 성공의 토대. ~ de un estado ~ de salarios 임금의 기본. ② [형용사적] 기본의, 기준의: alimento ~ 주식. campamento (de) ~ 베이스 캠프. precio ~ 기준 가격. sueldo [salario] ~ 기본급. ③ 근거, 이유: carecer de ~ 근거가 없다. ④ [주로 *pl.*, 정당 등의] 하부(下部) (조직), 지지 모체. ⑤ 기지: ~ aérea 공군 기지. ~ naval 해군 기지. ⑥ [수학] 밑변, 밑면. ⑦ [측량] 기선(基線). ⑧ [화학] 염기(鹽基). ⑨ [컴퓨터] ~ de datos 데이터베이스. ⑩ [운동] 게임 메이커. ⑪ [야구] 루(壘), 베이스: ~ meta 본루(本壘). primera [segunda · tercera] ~ 1 [2 · 3]루. ⑫ 기초 화장, 파운데이션. —*m.* [농구] 가드. ¶***a*** ~ ***de*** algo ㉮ … 덕택에, 덕분에: *a* ~ *de* diccionarios 사전의 도움을 빌어. vivir *a* ~ *de* inyecciones 주사로 생명을 보전하다. ㉯ …을 주로 해서, …을 기초[근거]로 하여: bebida *a* ~ *de* ginebra 진을 기초로 한 음료.
básica *f.* 초등 교육.
básico, ca *adj.* ① 기초의, 기본의, 초보의. ② [화학] 염기성(鹽基性)의.
basílica *f.* 바실리카 ((고대 로마의 재판소 등의 건물; 초기 기독교의 교회당; 특히 중요한 교회의 존칭)).
basilisco *m.* ① [신화 · 동물] 바실리스크 ((아프리카 사막에 살며 사람을 입김이나 시선으로 죽인다는 전설상의 파충 동물)). ② 심술궂고 모난 사람, 표독스런 사람.
basket *m.* [주로 *Amér.*] 농구.
basketball *m.* =basket.
básquet *m.* =basket.
basoto, ta *adj., m.f.* [국명] 레소토(Lesoto)의[에 관한] (사람).
basset *m.* [*pl.* ~s] 바셋견 ((다리가 짧은 프랑스산(産)의 사냥개)).
basta *f.* [재봉] 시침실.
bastante *adj.* ① 어지간한, 상당한, 제법: Hoy hace ~ calor 오늘은 제법 덥다. ② [+para] (…에) 충분한: Tengo ~ fuerza *para* vencerlo 나는 그를 이길 힘이 충분히 있다. ③ 과다한. —*adv.* 제법, 어지간히, 상당히, 꽤: Ella es ~ alta 그는 제법 키가 크다. Estas corbatas son ~

más caras que ésa 이 넥타이들은 그것보다 꽤 더 비싸다. —*pron.* 상당한[어지간한·충분한] 사람[물건]: Han recaudado ~ 상당한 액이 징수되었다.

bastanteo *m.* [법률] 법적 유효성의 선언[인증].

bastar *intr.* 충분하다, 족하다: Me *basta con* quinientos euros 나는 오백 유로로 충분하다. *Basta,* por favor 많이 좀 주십시오!, 많이[충분히] 부탁합니다! ~**se** 충분한 힘[역량]이 있다. ¶ ***¡Basta!*** 이제 그만!, 됐습니다!

B

bastardear *tr.* 위조하다, 가짜를 만들다. —*intr.*, ~**se** 퇴화[악화]하다.

bastardilla *f.* 이탤릭체(letra ~): en ~ 이탤릭체로.

bastardía *f.* ① 사생(私生), 서출(庶出). ② 비열한 언동[언행].

bastardo, da *adj.* ① 사생(私生)의, 서출의. ② (의도 등이) 비열한; 타락한. ¶ *letra* ~ =**bastardilla.**

bastedad *f.* 조잡함, 거칠고 엉성함.

basteza *f.* 조잡함, 난잡함.

bastidor *m.* ① 테, 틀, 프레임: ~ de ventana 창유리를 끼우는 틀. ~ de bordar 자수대(刺繡臺). ② (자동차의) 차대, 프레임, 새시: número de ~ 차대 번호. ③ 무대의 배경화. ④ *Chile, Col.* 격자창.

bastilla *f.* ① 천의 테두리. ② (풀어지지 않게) 단을 휘감침.

bastimento *m.* ① 배, 선박(船舶). ② *pl.* (도시·군대 등의) 양식.

bastión *m.* 능보(稜堡).

basto, ta *adj.* ① 성긴: tela ~*ta* 성긴 천. ② 끝손질이 덜 된. ③ 조잡한, 거친, 투박한. —*m.* 곤봉.

bastón *m.* ① 단장, 지팡이. ② (직권을 나타내는) 지휘봉. ③ [스키] 스톡, 스키용 지팡이. ④ [골프] 클럽, 골프채: ~ de madera 우드, 끝을 나무로 만든 클럽. ~ metálico 아이언, 끝이 쇠로 된 클럽. ¶ ~ *de mando* 지휘봉: llevar el ~ *de mando* 지휘를 하다, 책임을 인수하다.

bastonazo *m.* 지팡이로 치기, 몽둥이 찜질, 작대기 찜질.

bastoncillo *m.* ① 솜방망이(~ de algodón). ② [생물] 간상체(桿狀體).

bastonero, ra *m.f.* 지팡이 제조자[판매자]. —*f.* 지팡이 꽂는 통.

basura *f.* ① 쓰레기, 오물, 먼지: ~ radioactiva 방사성 폐기물. tirar ~ 쓰레기를 버리다. ② 쓰레기통, 쓰레기 버리는 곳. ③ 조악(粗惡)한[거칠고 나쁜] 물건. ④ 말똥, 마분(馬糞).

basural *m.* *AmérM.* 쓰레기 버리는 곳, 쓰레기통.

basurear *tr.* *AmérM.* (사람을) 멸시하다, 쓰레기 취급하다.

basurero, ra *m.f.* 환경 미화원, 쓰레기 청소부: coche [camión] ~ 쓰레기 수거차. —*m.* ① 쓰레기 버리는 곳. ② 쓰레기 처리장[처분장]. ③ *AmérM.* 쓰레기 용기(容器).

basuto, ta *adj., m.f.* =**basoto.**

bata *f.* ① [복식] ㉮ 집안에서 입는 헐거운 옷, 가운. ㉯ (병원·미장원 등의) 흰옷. ② *AmérM.* 야구. ③ *AmérM.* 배트(bate). ④ *AmérM.* 세탁물을 두드리는 막대기.

batacazo *m.* ① 꽈당 ((넘어질 때의 소리)). ② 실패, 기대외: darse un ~ (사업 등에서) 실패하다.

bataclana *f.* 스트리퍼.

batahola *f.* 소음, 소동.

batalla *f.* ① 싸움, 전쟁; [특히] 회전(會戰): ~ de Lepanto 레판토해전(海戰) ((1571년)). ~ naval 해전. ② 언쟁, 말다툼, 싸움. ③ (심중의) 갈등. ④ [자동차] 축거(軸距).

batallador, ra *adj.* 전투적인. —*m.f.* 전투적인 사람; 전사(戰士).

batallar *intr.* ① [+con] (…와) 싸우다, 말다툼하다, 언쟁하다: ~ *con* la enfermedad 병과 싸우다. ② [+por] (…을 얻기 위해) 노력하다.

batallón[1] *m.* ① [군사] 대대: ~ de infantería 보병 대대. ② 다대수, 많은 사람, 대세(大勢).

batallón[2]**, na** *adj.* 논쟁이 끊이지 않은, 싸움을 일으키는; (사람이) 의론(議論)하기를 좋아하는.

batán *m.* [섬유] 축융기(縮絨機).

batanar *tr.* 축융(縮絨)하다(abatanar).

batanear *tr.* (계속해서) 딱딱 때리다.

bataola *f.* =**batahola.**

batata *f.* [식물] 고구마.

batatal *m.* 고구마밭.

batatar *m.* =**batatal.**

bate *m.* [야구] 배트.

batea *f.* ① 쟁반(bandeja). ② 밑바닥이 평평한 작은 배. ③ (굴조개 등의) 양식장. ④ [철도] 무개 화차. ⑤ *Amér.* 씻는 통, 대야, 세면기.

bateador, ra *m.f.* [야구] 타자, 배터.

batear *tr., intr.* (배트로) 때리다.

bateo *m.* 배팅.

batel *m.* 보트, 작은 배(bote).

batelero, ra *m.f.* 뱃사공, 보트를 젓는 사람.

batería *f.* ① (축)전지(電池), 배터리. ② 한 벌의 기구, 취사 용구 일체. ③ [연극] 조명 [투광] 장치. ④ [군사] 포열(砲列), 포대(砲臺). ⑤ [군사] 포병 중대. ⑥ [음악] [집합] 타악기. ⑦ (지능·적성 등의) 종합 테스트. —*m.f.* [음악] 드러머, 북잡이, 드럼[타악기] 연주자.

baterista *m.f.* 드러머, 고수(鼓手).

batiborrillo *m.* =**batiburrillo.**

batiburrillo *m.* 난잡, 뒤섞임, 뒤범벅, 뒤죽박죽: ~ de papeles 서류 더미.

baticola *f.* ① [마술] 껑거리끈, 밀치끈. ② *And.* 팬츠.

batida *f.* ① (사냥에서의) 몰이, 사냥, 수렵; (범인 등의) 수색. ② (화폐의) 주조(鑄造). ③ [운동] (도약 경기에서) 지면을 세게 굴러 그 반동으로 뜀, 도약(跳躍).
batido, da *adj.* ① 잘 짜인 (비단). ② 사람의 내왕이 잦은. —*m.* ① 각반(脚絆). ② 반죽 공이.
batidora *f.* [요리] 스테이크 믹서.
batidor, ra *m.f.* ① 때리는[치는] 사람: ~ de oro 금박사(金箔師). ② [군사] 척후. ③ *AmérM.* 밀고자.
batiente *m.* ① 갯가, 물가. ② (피아노의) 지음 장치. ③ [건축] (문의) 판자.
batifondo *m. AmérM.* 소란, 소동.
batímetro *m.* 수심계(水深計).
batín *m.* 짧은 가운, 스모킹 재킷.
batintín *m.* 징(gong).
batir *tr.* ① 치다, 때리다, 두들기다. ② 때려 부수다. ③ 팔락거리다. ④ 휘저어 뒤섞다: ~ huevos 달걀을 휘저어 뒤섞다. ⑤ (쳐서)이기다. ⑥ (적·잡은 동물을) 이 잡듯이 뒤지다. ⑦ (텐트 등을) 접다; (기를) 내리다. ⑧ [미용] 머리를 빗으로 빗어 올리다. ⑨ (화폐를) 주조하다. ⑩ *AmérM.* (세탁물을) 씻다. —*intr.* (도약 경기에서) 도약하다. ~**se** [서로/+con+사람] (…와) 싸우다.
batiscafo *m.* 심해(深海) 잠수정.
batista *f.(m.)* 얇은 평직의 삼베[무명].
batracios *m.pl.* [동물] 양생류.
batuda *f.* (트램폴린 위에서) 복수 선수의 도약.
batuecas *estar en las Batuecas* 건성이다.
baturrillo *m.* =**batiborrillo.**
baturro, rra *adj., m.f.* ① 아라곤의 (사람). ② 완고한 (사람). —*m.pl.* 아라곤 사람.
batuta *f.* 지휘봉.
batzoki *m. vasco.* 정당의 본부.
baudio *m.* 정보 전달의 속도 단위.
baúl *m.* ① (여행용의) 트렁크: ~ mundo 대형 트렁크. ② *Amér.* (차의) 트렁크. ③ 옷고리짝, 옷농.
bauprés *m.* [선박] 뱃머리에 수평으로 놓여진 커다란 통나무.
bautismal *adj.* 세례(洗禮)의.
bautismo *m.* [종교] 세례: nombre de ~ 세례명. administrar el ~ a *alguien* …에게 세례를 주다.
bautista *m.* ① 세례를 베푸는 사람. ② 뱁티스트, 침례교인. ③ San Juan *Bautista*, el *Bautista* 세례자 요한.
bautizar (9) *tr.* ① …에게 세례를 주다. ② (…에게) 이름을 붙이다, (…으로) 이름을 짓다, 명명(命名)하다. ③ (포도주 등에) 물을 타서 묽게 하다. ④ (사람에게) 물을 끼얹다. ~**se** 세례를 받다.
bautizo *m.* 세례식.
bauxita *f.* [광물] 보크사이트.
baya *f.* [식물] 장과(漿果).
bayadera *f.* 인도의 무희[가수].
bayeta *f.* [섬유] 잡포(雜布).
bayo, ya *adj.* 엷은 노란색을 띤. —*m.* ① 누에의 나방. ② [속어] 관.
bayonesa *f.* [속어] =**mayonesa.**
bayoneta *f.* 총검(cuchillo ~).
bayonetazo *m.* 총검으로 찌르기; 총검으로 찔린 상처.
bayunco, ca *adj. AmérC.* 시골의, 촌스럽고 천한.
baza *f.* ① [카드] 속임수를 쓰는 사람. ② 이점, 장점. ③ 이익.
bazar *m.* ① (중근동의) 시장. ② 잡화점. ③ 백화점.
bazo[1] *m.* [해부] 비장(脾臟).
bazo[2]**, za** *adj.* 황갈색의.
bazoca *f.* =**bazuka.**
bazofia *f.* 찌꺼기, 형편없는 것.
bazooka *m.* (*ing.*) 바주카포.
bazuka *m.* =**bazooka.**
BCG *m. ing.* 비시지(BCG).
Bco. Banco 은행.
be *f.* 문자 b의 명칭. ¶***be por be*** 상세히, 아주 자세히. ***tener las tres bes*** 우수하다, 품질 (bueno), 외견 (bonito), 값 (barato)의 삼박자를 이루고 있다.
beatería *f.* 맹신(盲信).
beatificación *f.* 시복(諡福), 시복식.
beatífico, ca *adj.* (태도가) 온건한.
beatificar (7) *tr.* ① [천주교] 시복(諡福)하다. ② 행복하게 하다.
beatitud *f.* ① [천주교] 지복(至福). ② 마음의 평정(平靜), 만족, 행복.
beatlemanía *f.* 비틀즈 마니아.
beatnik *m.f.* [*pl.* ~s] 비트족 사람.
beato, ta *adj., m.f.* ① [천주교] 복자(의). ② 성인 같은 (사람), 신앙심이 두터운 (사람). ③ 행복한. —*m.* (4-6 세기, 모사라베 (mozárabe)를 그린) 세밀화(細密畫).
bebe, ba *m.f.* ① *AmérM.* 갓난아이. ② 어린이.
bebé *m.* (주로 한 살 미만의) 갓난아이. ¶~ ***foca*** 바다표범 새끼.
bebedero, ra *adj.* 음료의, 마실 수 있는, 마시기 좋은. —*m.* ① (주로, 새의) 물그릇, 물 마시는 곳. ② (그릇의) 입 대는 곳. ③ *Amér.* 술집.
bebedizo, za *adj.* 음료의, 마시기에 적당한. —*m.* ① 미약(媚藥). ② 물약. ③ 독이 들어있는 마실 것.
bebedor, ra *adj.* 술을 좋아하는[잘 마시는]. —*m.f.* 주호(酒豪), 술을 잘 마시는 사람.
beber[1] *tr.* ① 마시다: No bebo alcohol 나는 술을 마시지 않는다. ((참고: beber는 물·우유·주스·술 등을 마시다; tomar는 커피·홍차·수프·약 등을 마시다)). ② (사상·정보 등을) 얻다, 받아들이다, 흡수하다. —*intr.* ① 마시다, 술을 마시다: No me gusta ~ 나는 술을 좋아하지 않는다. ② [+por · a] (…을 위해) 건배하다, 축배를 들다: *Bebamos por* tu triunfo 네 성공을 축하하며 건배하자. ~**se** 다 마셔 버리다.

B

beber^2 *m.* ① 음료, 마실 것, 술. ② 마시기, 음주: el buen ~ y el buen comer 맛좋은 술과 요리.
bebercio *m.* =**bebida.**
bebestible *adj.* 마시기에 적당한, 마실 만한. —*m.* 마실 것, 음료.
bebible *adj.* 마실 만한, 마실 수 있을 만한.
bebida *f.* ① 마실 것; (특히) 알코올 음료, 주류: ¿Qué toma de ~? 마실 것은 무얼로 하시겠습니까? ② 마시기; 음주(의 습관): dejar la ~ 술을 끊다.
bebido, da *adj.* (술에) 취한.
bebistrajo *m.* 맛이 없는 음료, 맛이 변한 음료.
beca *f.* 장학금, 급비(給費): disfrutar de ~ 장학금을 받다. ir a España con una ~ 장학금으로 스페인에 가다.
becada *f.* [새] 누른도요.
becar (7) *tr.* 장학금을 주다.
becario, ria *m.f.* 장학생, 급비생.
becerrada *f.* 송아지로 하는 투우.
becerrillo *m.* 송아지 가죽.
becerro, rra *m.f.* (두 살 미만의) 송아지. —*m.* 송아지 가죽.
bechamel *m.* 베샤멜 소스 ((희고 진한 소스)).
becuadro *m.* [음악] 본위 기호.
bedel, la *m.f.* (학교 등의) 수위.
bedelía *f.* 수위직.
beduino, na *adj., m.f.* 베두인족(의).
beee *m.* 매 ((양의 울음 소리)).
befa *f.* 악담, 욕지거리, 조롱.
befarse *r.* [+de] (…를) 비웃다, 조소하다.
befo, fa *adj.* ① =**belfo.** ② 아랫입술이 두툼한. ③ O자형의 (다리). —*m.* [동물] 긴꼬리원숭이.
begonia *f.* [식물] 베고니아.
behaviorismo *m.* [심리] 행동주의.
behetría *f.* [역사] 자유 농민.
beicon *m.* 베이컨.
beige *adj., m.* 베이지색(의).
beis *adj., m.* =**beige.**
béisbol *m.* 야구.
beisbolero, ra *m.f.* 야구 선수.
beisbolista *m.f.* 야구 선수.
bejín *m.* [식물] 밀불버섯.
bejuco *m.* 덩굴풀, 등나무.
belcebú *m.* 악마(diablo).
beldad *f.* ① [시어] (주로 여성의) 아름다움, 미. ② 미인, 미녀.
belén^1 *m.* ① 성탄 인형. ② 뒤범벅, 혼란, 혼잡.
Belén^2 [지명] 베들레헴.
beleño *m.* [식물] 싸리풀.
belesa *f.* [식물] 좀질경이속 식물.
belfo, fa *adj., m.f.* 아래턱이 튀어나온 (사람). —*m.* (말 등의) 입술.
belga *adj.* ① 벨기에 태생의. ② 벨기에의[에 관한]. −*m.f.* 벨기에 사람.
Bélgica *f.* [국명] 벨기에.
Belice *m.* [국명] 벨리스.
beliceño, ña *adj.* ① 벨리스 태생의. ②벨리스의[에 관한]. —*m.f.* 벨리스 사람.
belicismo *m.* 주전론(主戰論), 호전적인 태도.
belicista *adj.* 주전론의. —*m.f.* 주전론자(主戰論者).
bélico, ca *adj.* 전쟁의.
belicosidad *f.* 호전성(好戰性).
belicoso, sa *adj.* 호전적인, 공격적인: tribu ~*sa* 호전적인 부족.
beligerancia *f.* 호전 상태; 종군.
beligerante *adj.* ① 교전중의, 종군중인. ② 호전적인, 공격적인. —*m.f.* 전투원. —*m.* 교전국(país ~).
belinún, na *m.f.* 어중이떠중이, 장삼이사(張三李四).
belio *m.* [물리] 벨 ((소리의 강도의 단위)).
bellaco, ca *adj.* 마음씨가 나쁜, 불량한, 사기꾼의. —*m.f.* 능구렁이 (같은 사람); 사기꾼.
belladona *f.* [식물] 베야도나 ((열매에 독이 있음)).
bellaquería *f.* 사기꾼 같은 언동, 비열한 행위.
belleza *f.* ① 미(美), 아름다움: salón de ~ 미장원, 미용원. ② [집합] 미인(美人), 미녀(美女): concurso de ~ 미인 (선발) 대회.
bello, lla *adj.* ① 아름다운(hermoso): ojos ~*s* 아름다운 눈[눈동자]. ② 아주 좋은: *bella* persona 좋은 사람.
bellota *f.* 도토리.
bellotear *intr.* (가축이) 도토리를 먹다.
bemba *f. Amér.* (흑인의) 두툼한 입술.
bembo *m.* (특히 흑인의) 두툼한 아랫입술.
bemol *m.* [음악] 내림표, 변기호, 플랫: doble ~ 더블 플랫. —*adj.* [음악] 내림표의.
ben *m.* ① [식물] 산규나무. ② 산규나무의 기름. ③ 벤젠유.
benceno *m.* [화학] 벤젠.
bencilo *m.* [화학] 벤진기(基).
bencina *f.* [화학] 벤진, 석유 벤진.
bendecir (70) *tr.* ① 칭찬[칭송]하다, 감사하다: ~ a *su* maestro 선생님께 감사하다. ② [기독교] 축복하다, 하느님의 가호(加護)를 축복하다, 하느님의 은총(恩寵)이 있기를 기원하다. ¶ ***¡Que Dios bendiga** a alguien!* (…에게) 하나님의 은총이 있기를!
bendición *f.* ① [기독교] 축복. ② *pl.* 축복식: ~ de la mesa 식전[식후]의 기도. *bendiciones* nupciales (교회에서 하는) 결혼식. ③ 천혜(天惠).
bendito, ta *adj.* ① 축복 받은, 시복(諡福) 받은; 성자(聖者)의, 성(聖): el ~ San Antonio 성 안토니오. ② [감탄문에서, 찬탄 · 감사] 고마운, 감사한: ¡*Bendito* sea el dinero que me prestaste! 나에게 돈을 빌려 주어 고

맙네! ③ 행복한, 행운의. ④ 우직스러운, 우둔한. —*m.f.* 우직스러운 사람. ¶*dormir como un* ~ 푹 자다.
benedictino, na *adj., m.f.* 베네딕트회(orden de San Benito)의 (수도사·수도녀). —*m.* 베네딕트 주(酒).
benefactor, ra *adj.* 자선을 베푸는. —*m.f.* 자선가, 은인.
beneficencia *f.* ① 자선: concierto de ~ 자선 콘서트. ② [집합] 자선 사업[단체]: casa de ~ 아동 복지 시설. ③ 복지 사무소(~ pública).
beneficiado, da *adj., m.f.* 수록(受祿)[수급(受給)] 성직자(의), 성직록(聖職祿) 소유자(의).
beneficiar (11) *tr.* ① …에게 은혜[이익]를 주다: ~ a la humanidad 인류에 공헌하다. ② (주식·채권을) 통상 가격보다 싸게 매각하다. ③ (지위·직을) 돈으로 사다. ④ [광물] 채굴하다. ⑤ [광물] 정제(精製)하다. ⑥ *Amér.* (소·돼지를) 해체해서 소매하다. ~**se** 은혜를 입다, 이득을 보다.
beneficiario, ria *adj.* 은혜[이익]를 받은. —*m.f.* 은혜[이익]를 받은 사람; 수익자(受益者).
beneficio *m.* ① 은혜, 선행. ② [주로 *pl.*] 이익(ganancia); 소득. ③ 자선 흥행. ④ [기독교] 성직록, 교회록. ⑤ [광물] 채굴(採掘). ⑥ *AmérC.* 농지 개발. ⑦ *Amér.* 축살(畜殺).
beneficioso, sa *adj.* 소득이 있는, 득이 되는: ~ *para* la salud 건강에 좋은.
benéfico, ca *adj.* ① 자선(慈善)의. ② (주로 다른 사람에게) 은혜를 베푸는: lluvia ~*ca* 자우(慈雨).
benemérito, ta *adj.* 공적이 있는, 감심한: ~ maestro 훌륭한 선생.
beneplácito *m.* ① 승낙, 허가, 승인. ② [외교] 아그레망.
benevolencia *f.* 호의; 친절: con ~ 호의적으로.
benevolente *adj.* =**benévolo.**
benévolo, la *adj.* 친절한, 마음씨가 따뜻한, 정이 두터운, 엄하지 않은, 이해력이 있는.
bengala *f.* ① 신호탄. ② 벵골의 불꽃. ③ 인도산의 등(나무).
Bengala *f.* [지명] 벵골.
bengalí *adj.* ① 벵골 태생의. ② 벵골의. —*m.f.* 벵골 사람. —*m.* 벵골어.
benignidad *f.* 인자함, 다정함.
benigno, na *adj.* ① 인자한, 다정한, 친절한, 호의적인. ② (기후가) 온화한(templado): estación ~*na* 온화한 계절. ③ [의학] 양성(陽性)의. ④ 경미한, 가벼운 (병): fiebre ~*na* 경미한 열. gripe ~*na* 가벼운 감기.
benimerines *m.pl.* 베니메린 왕조 ((13-15 세기, 모로코를 지배했던 베르베르족의 왕조)).
Benin *m.* [국명] 베닌.
beninés, nesa *adj.* ① 베닌 태생의. ② 베닌의. —*m.f.* 베닌 사람.
benjamín *m.* (약 1/4 리터의) 작은 병(瓶).
benjamín, na *m.f.* ① 막내. ② 최연소자. ③ [운동] (alevín 보다 어린) 최연소의 선수 클래스.
benjuí *m.* 안식향(安息香).
béntico, ca *adj.* bentos의.
bentónico, ca *adj.* =**béntico.**
bentonita *f.* [광물] 벤토나이트 ((화산재의 풍화로 된 점토의 일종)).
bentos *m.sing.pl.* [생물] 저생(底生) 생물.
benzoato *m.* 안식향산염(酸鹽).
benzoico, ca *adj.* [화학] 안식향의.
benzol *m.* [상표] =**benceno.**
beodo, da *adj.* 술 취한.
beorí *m.* [동물] 아메리카 맥.
berberecho *m.* [조개] 스페인 북부산 조개.
berberisco, ca *adj., m.f.* ① 베르베르인(의)(beréber). ② 이슬람교(의).
beréber *adj.* 베르베르의. —*m.f.* 베르베르 사람. —*m.* 베르베르 말.
berebere *adj., m.f.* =**beréber.**
berenjena *f.* ① [식물] 가지. ② [열매] 가지(의 열매).
berenjenal *m.* 가지밭.
bergamota *f.* ① [식물] 불수감나무 ((배의 일종)). ② [과실] 베르가모트 ((향료를 만드는 오렌지의 일종; 서양 배의 일종)).
bergante, ta *m.f.* 망나니, 불량배.
bergantín *m.* 베르간틴선(船) ((쌍돛대 범선)).
beriberi *m.* [의학] 각기(脚氣).
berilio *m.* [화학] 베릴륨.
berilo *m.* [광물] 녹주석(綠柱石).
berkelio *m.* [화학] 버클륨.
berlanga *f.* 같은 카드 세 장을 모으면 이기는 카드 놀이.
berlina *f.* [자동차] 네 문짝 세단.
berlinés, sa *adj.* ① 베를린(Berlín) 태생의. ② 베를린의[에 관한] —*m.f.* 베를린 사람.
berma *f.* ① (성벽의) 벼랑길. ② 둑의 물매턱. ③ *Amér.* 포장 안된 길섶.
bermejizo, za *adj.* 주홍색을 띤.
bermejo, ja *adj.* 선홍색(鮮紅色)의; (주로 머리카락·피부의 색이) 붉은.
bermejuela *f.* [어류] 작은 관상용의 잉어.
bermellón *m.* ① 주사(朱砂), 진사(辰砂). ② 선홍색(鮮紅色)(rojo ~).
bernardo, da *adj. m.f.* [종교] 베르나르도회(會)(orden de Císter)의 (수도사·수도녀).
berquelio *m.* =**berkelio.**
berrea *f.* (주로, 발정기의 동물의) 우는 소리.
berrear *intr.* ① (송아지·사슴·코끼리 등이) 울다. ② (아이가) 울부짖다, 울어대다.
berrendo, da *adj.* [+en] (색의) 반점

B

이 있는. —*m.* (멕시코산의) 사슴.
berreo *m.* =berrido.
berrera *f.* [식물] 육아 당근.
berreta *adj.* 질이 나쁜.
berretín *m. AmérM.* 완고(함), 집착; 강한 애정.
berrido *m.* ① 동물의 우는 소리. ② 화냄, 성냄. ③ 어이없는 말.
berrinche *m.* [속어] =enojo.
berro *m.* [식물] 네덜란드 겨자.
berrocal *m.* 화강암의 바위산 지대.
berroqueño, ña *adj.* ① 화강암의. ② 견고한, 강한.

B

berrueco *m.* 화강암의 바위산.
berza *f.* [식물] 양배추, 캐비지.
berzal *m.* 양배추밭.
berzotas *m.f.sing.pl.* =zoquete.
besalamano *m.* (약어 B.L.M.로 시작하는) 무서명 통지장[초대장].
besamanos *m.sing.pl.* (국왕 등에 의한 공식적인) 접견; (국왕·여성 등에게 하는) 손에 입맞춤.
besamel(a) *f.* =bechamel.
besana *f.* ① 경운(耕耘). ② (경작할 때의) 최초의 밭이랑의 도랑.
besar *tr.* ① 입맞추다. ② [편지의 끝맺는 말] Su seguro servidor que *besa* su mano 경구(敬具). *Beso* a usted la mano (여성이 사용하는) 경구. ③ (물건에) 접촉하다. ~**se** ① 서로 입맞추다. ② (만나자마자) 맞부딪치다.
besazo *m.* Un ~ [편지의 끝맺는 말, 이별의 인사] 안녕!
beso *m.* ① 입맞춤: ~ de paz 화해의 입맞춤. ~ de Judas, ~ de la muerte 거짓 우정. ② 접촉. ③ [편지의 끝맺는 말] *Besos* a todos 모두에게 안부 전해 주십시오.
bestia *f.* (주로, 짐나르는) 가축, 짐승. —*adj. m.f.* ① 짐승 같은 (사람); 사나운 (사람); 거칠은 (사람). ② 훌륭한 (사람), 근사한 (사람), 멋진 (사람).
bestiada *f.* 어리석은[난폭한] 언동.
bestial *adj.* ① 짐승 같은, 어리석은: instinto ~ 짐승 같은 본능. ② 거대한; 훌륭한, 멋진, 굉장한: idea ~ 매우 좋은 생각. tener una sed ~ 몹시 갈증이 나다, 몹시 목이 마르다.
bestialidad *f.* ① 수성(獸性), 잔혹함. ② 어리석음. ③ 대량(大量), 많음: divertirse una ~ 무척 기쁘다. ④ 수간(獸姦).
bestialismo *m.* 수간(獸姦).
bestiario *m.* ① (고대 로마의) 맹수 격투 노예, 격투사. ② (중세의) 동물 우화집.
best seller *m. ing.* 베스트 셀러.
besucón, na *adj., m.f.* 입맞춤[포옹]을 좋아하는 (사람).
besuguero, ra *m.f.* 도미 장수. —*f.* 도미 찌개.
besugo *m.* ① [어류] 도미. ② 바보, 얼간이, 멍청이.
besuquear *tr.* 계속 입맞추다.
besuqueo *m.* 계속하는 입맞춤.
beta *f.* 베타 ((희랍 문자; B, β)): rayos ~ [물리] 베타선.
betabel *m. Méj.* [식물] 사탕무.
betacaroteno *m.* [생화학] 베타카로틴((체내에서 비타민 A로 전환됨)).
betarraga *f.* =betabel.
betatrón *m.* [물리] 베타트론.
betel *m.* [식물] 구장 ((후추나무과)).
bético, ca *adj., m.f.* 베띠까(Bética, 안달루시아의 로마 시대의 옛 이름)의 (사람).
betónica *f.* [식물] 곽향.
betuláceas *f.pl.* [식물] 자작나무과 식물.
betuminoso, sa *adj.* =bituminoso.
betún *m.* ① [광물] 타르, 역청. ② 구두약: poner ~ a los zapatos 구두에 구두약을 바르다. ③ 수도관 등의 막힘. ④ *Chile.* 과자에 바르는 크림.
betunero, ra *m.f.* 구두닦이.
bezo *m.* 두터운 아랫입술.
bezudo, da *adj., m.f.* 입술이 두터운 (사람).
bezoar *m.* (반추 동물의) 위석(胃石).
bi- *pref.* 「이(二)·중(重)·쌍」의 뜻: *bi*cicleta 자전거.
biabia *f. AmérM.* (벌의) 구타.
bianual *adj.* 연 2회의.
biatlón *m.* [운동] 바이애슬론.
biáxico, ca *adj.* [물리] 두 축(軸)의.
Bib. biblioteca 도서관, 장서(藏書).
bibelot *m.* [*pl.* ~s] (책상 위에 장식으로 놓은) 인형[물건].
biberón *m.* 젖병.
biblia *f. AmérM.* 지혜, 재치, 재간. ¶***saber la ~ en verso, saber más que la ~*** 뭐든지 잘 알고 있다, 모르는 것이 없다. ***ser la ~ (en pasta · en verso)*** (물건이) 보통 이상으로 좋다.
Biblia *f.* 성서(la Santa Biblia).
bíblico, ca *adj.* 성서(풍)의, 성서에 관한: cita ~*ca* 성서에서 인용.
bibliobús *m.* 이동 도서관(의 버스).
bibliofilia *f.* 서적 애호.
bibliófilo, la *m.f.* 애서가, 장서가.
bibliografía *f.* ① 참고 도서 목록 일람, 문헌 목록. ② 도서 목록, 출판 목록. ③ 저서 목록. ④ 서지학.
bibliográfico, ca *adj.* 문헌 목록(文獻目錄)의: índice ~ 문헌 색인.
bibliógrafo, fa *m.f.* 서지학자.
bibliología *f.* 서지학(書誌學).
bibliólogo, ga *m.f.* 서지학자.
bibliomanía *f.* 애서광, 장서광.
bibliómano, na *adj.* 애서광의. —*m.f.* 애서광, 장서광.
bibliorato *m. AmérM.* 파일.
biblioteca *f.* ① 도서관: Ella es una ~ ambulante [viviente] 그녀는 살아있는 사전이다. ② 장서(藏書). ③ 총서(叢書). ④ 서고(書庫), 책장.
bibliotecario, ria *m.f.* 사서(司書), 도

서관원.
bibliotecología *f.* 도서관학.
biblioteconomía *f.* 도서관 경영학.
bibliótica *f.* 필법 분석학.
B.I.C. Brigada de Investigación Criminal 범죄 수사국.
bical *m.* [어류] 연어.
bicameral *adj.* [정치] 이원제(二院制)의: sistema ~ 이원제.
bicameralismo *m.* 이원제.
bicampeón, ona *m.f.* 2회 우승자.
bicarbonato *m.* [화학] 중탄산염; (특히) 중조(重曹), 중탄산 나트륨.
bicéfalo, la *adj.* 쌍두(雙頭)의.
bicentenario, ria *adj.* 200년 기념의. —*m.* 200년제.
bíceps *m.sing.pl.* [해부] 이두근.
bicerra *f.* [동물] (스페인의) 야생 양.
bicha *f.* ① 뱀(culebra). ② 장식 조각한 공상적 동물 ((인어 등)).
bichar *tr.* *AmérM.* 탐정[정탐]하다.
bicharraco, ca *m.f.* 못생긴 사람, 손발이 이상하게 긴 사람.
bichero *m.* [선박] (배의) 상앗대.
bicho *m.* ① 벌레, 뱀. ② (애완용의) 작은 동물. ③ 나쁜 놈; 기묘한 사람. ④ (투우의) 소. ⑤ *AmérC.* 음경. ¶ ***Bicho malo nunca muere*** (속담) 악은 결코 뿌리 뽑히지 않는다.
bichoco, ca *adj.* *AmérM.* (주로 동물이) 늙어 빠진.
bici *f.* 자전거 ((bicicleta의 생략어)).
bici- *pref.* 「자전거」의 뜻: *bici*taxi 인력거 택시.
bicicleta *f.* 자전거: ~ de montaña 산악 자전거. ir en ~ 자전거로 가다. saber montar en ~ 자전거를 탈 줄 알다.
biciclo *m.* =**velocípedo.**
bicicross *m.* 바이시클 모터크로스.
bicitaxi *m.* *Cuba.* 인력거 택시.
bicloruro *m.* [화학] 이염화물.
bicoca *f.* 하찮은[보잘 것 없는] 물건.
bicolor *adj.* 이색(二色)의.
bicóncavo, va *adj.* (렌즈가) 양요(兩凹)의, 양쪽이 움푹 패인.
biconvexo, xa *adj.* (렌즈가) 양철(兩凸)의, 양쪽이 볼록한.
bicoque *m.* *AmérM.* (철골에 의한 머리의) 구타.
bicornio *m.* [복식] 이각(二角) 모자.
bicromato *m.* [화학] 중크롬산염.
bicromanía *f.* [인쇄] 이색쇄(二色刷).
bicúspide *adj., f.* ① 이첨(二尖)(의). ② (심장의) 이첨판(二尖瓣).
BID *m.* Banco Interamericano de Desarrollo 미주 개발 은행.
bidé *m.* 비데 ((여성용 국부 세척기)).
bidet *m.* [*pl.* ~*s*] =**bidé.**
bidimensional *adj.* ① 이차원의. ② 평면적인.
bidireccional *adj.* 두 방향의, 쌍방향의: ~ simultáneo [통신] 전이중.
bidón *m.* (주로 금속제·원통형의) 큰 그릇, 대형 용기; 드럼통.
biela *f.* ① [기계] 연결봉. ② [자전거] 크랭크.
bielda *f.* [농업] =**bieldo.**
bieldo *m.* [농업] (건초용) 갈퀴.
Bielorrusia *f.* [국명] 벨로루시.
bielorruso, sa *adj.* ① 벨로루시 태생의. ② 벨로루시의[에 관한]. —*m.f.* 벨로루시 사람. —*m.* 벨로루시 말.
bien *adv.* ① 잘: jugar ~ 경기를 잘하다. Esa película está muy ~ 그 영화는 굉장히 좋다. ② 옳은, 바른, 맞은, 정확한: El reloj anda ~ 그 시계는 정확하다. ③ 잘, 유창히, 능숙하게, 능란하게: El habla ~ el español 그는 스페인어를 잘 한다. ④ 행복하게, 잘: vivir ~ 행복하게 살다. Te está ~ el vestido 드레스는 너한테 잘 맞는다. La salsa está ~ de sal 소스에 소금을 치는 것은 잘 했다. ⑤ 잘, 좋다, 건강하게: La rosa huele ~ 장미는 냄새가 좋다. No me siento ~ 나는 기분이 좋지 않다. ⑥ 잘, 충분히: Anoche dormí ~ 나는 간밤에 잘 잤다. No te oigo ~ 네 말이 잘 들리지 않는다. ⑦ [주로 문장 앞에서] ㉮ [강조] 대단히, 몹시, 아주, 잘: *Bien* se conoce que es incapaz 그가 무능한 것은 잘 알려져 있다. ㉯ 대략, 대강, 대충, 정도, 쯤; [추측] 대개, 아마: *Bien* nos gastamos cien mil wones aquella noche 우리는 그 날 밤 십만 원쯤 썼다. ㉰ 기꺼이: *Bien* le ayudaría … 기꺼이 도와드리고 싶습니다만 …. —*m.* ① 선(善): hombre de ~ 성실한 사람. sumo ~ [종교] 최고선(最高善). discernir entre el bien y el mal 선악을 분별하다. ② 행복, 이익: familia de ~ 행복한 가정. ③ (평점에서) 미. ④ *pl.* 재산, 부(富). ¶***El ~ no es conocido hasta que es perdido*** (속담) 샘이 말라야 비로소 물이 귀한 것을 안다. ***No hay ~ ni mal que cien años dure*** (속담) 양지가 음지 되고 음지가 양지 된다, 쥐구멍에도 볕들 날이 있다.
bienal *adj.* 2년마다 일어나는, 2년 걸리는, 2년간의. —*f.* [미술] 비엔날레.
bienaventurado, da *adj.* ① [기독교] 지복의. ② 행복한, 행운의. —*m.f.* ① [기독교] 천국의 정복자(淨福者). ② 행운이 있는 사람.
bienaventuranza *f.* ① [기독교] 지복직관(至福直觀), 천국의 지복. ② 행복, 번영. ③ *pl.* 진복 팔단.
bienestar *m.* ① 복지: ~ público [social] 공공 [사회] 복지. estado de ~ 복지 국가. ② (물질적인) 풍요로움: ~ económico 경제적인 풍요로움. ③ 마음의 평정, 만족.
bienhablado, da *adj.* 말씨가 고운.
bienhechor, ra *adj.* 자선을 행하는, 착한 일을 하는. —*m.f.* 자선을 행하는 사람, 은인.

B

B

bienintencionado, da *adj.* 선의(善意)의, 호의적인.
bienio *m.* 2년간; 2년마다 승급.
bienquistar *tr.* 화해시키다.
bienquisto, ta *adj.* [+de · por] (…에) 평판이 좋은.
bienavenida *f.* 환영(의 말): saludo de ~ 환영의 인사. dar la ~ 환영하다, 환영의 인사를 하다.
bienvenido, da *adj.* [감탄사적] 잘 오셨습니다!, 환영!: ¡*Bienvenido a* Corea! 한국에 잘 오셨습니다!
bies *m.* ① 비스듬함, 비탈, 경사. ② 비스듬히 자름. ¶*al* ~ 비스듬히.
bifásico, ca *adj.* [전기] 2상(식)의.
bife *m.* ① 비프스테이크(bistec). ② 따귀 때리기(bofetón).
bífido, da *adj.* [생물] 2열(裂)의, 두 갈래의.
bifocal *adj.* 2초점의. —*m.(f.)sing.pl.* 원근 양용 안경.
bifronte *adj.* 얼굴이 두 개인.
bifurcación *f.* 분기(점), 기로(岐路).
bifurcarse (7) *r.* 분기(分岐)하다, 두 갈래로 나누다.
bigamia *f.* 이중 결혼, 중혼(죄).
bígamo, ma *adj.* 이중 결혼의. —*m.f.* 이중 결혼자.
bigardo, da *adj.* 태만한, 나태한, 게으른. —*m.f.* 게으름뱅이.
big bang *m. ing.* [천문] 빅뱅.
bigornia *f.* (양끝이 뾰족한) 모루.
bigote *m.* [주로 *pl.*] ① 콧수염: ~ con guías 카이젤수염. ② (고양이 · 쥐 등의) 수염. ③ (새우 등의) 촉발(觸發). ④ [전기] 침전극(針電極); 반도체의 선(線).
bigotera *f.* ① (잘 때의) 수염 받이 커버. ② (입가에 묻은) 음식 찌꺼기. ③ (탈것의) 보조의자. ④ [제도] 스프링 컴퍼스.
bigotudo, da *adj.* 콧수염의 숱이 많은, 콧수염이 짙은.
bigudí *m.* [*pl.* ~(e)s] [화장] 컬러, 컬클립 ((파마할 때 머리를 감아 올리는 데 쓰는 기구)).
bija *f.* [식물] 잇꽃나무.
bikini *m.* 비키니(형의 수영복 · 팬티).
bilabial *adj., f.* 양순음(兩脣音)(의).
bilateral *adj.* ① 양자의: contrato ~ 쌍무 계약. ② 양측음(兩側音)의. —*f.* [언어] 양측음(兩側音).
bilbaíno, na *adj.* ① 빌바오 태생의. ② 빌바오의. —*m.f.* 빌바오 사람.
Bilbao [지명] 빌바오 ((바스꼬 지방 비스카야(Viscaya) 주의 주도)).
bilharzia *f.* ① [동물] 빌하르츠 주혈흡충(住血吸蟲) ((이집트에 많음)). ② [의학] 주혈흡충병.
bilharziosis *f.sing.pl.* [의학] 빌하르츠 주혈흡충증(住血吸蟲症).
biliar *adj.* 담즙(膽汁)의.
biliario, ria *adj.* =biliar.
bilingüe *adj., m.f.* 두 언어 (병용)의 (사람): diccionario ~ 2개 국어 사전.
bilingüismo *m.* 2개 국어 병용.
bilioso, sa *adj.* ① 담즙의, 담즙이 많은. ② 걸핏하면 화를 내는, 화를 잘 내는.
bilis *f.sing.pl.* ① 담즙. ② 불안.
biliverdina *f.* [의학] 담록소(膽綠素).
billar *m.* 당구, 당구대: jugar al ~ 당구를 치다. —*m.* 당구장.
billetaje *m.* ① [집합] 표. ② (극장 · 탈것의) 정원.
billete *m.* ① 표, 승차권, 탑승권 ((참고: 중남미에서는 boleto)); 입장권: ~ abierto (por 30 días) (30일간의) 오픈 티켓. ~ de andén (역의) 입장권. ~ de avión 항공권. ~ de favor 우대권, 초대권. ~ sencillo, ~ de ida 편도 승차권, 편도표. ~ de ida y vuelta 왕복 승차권, 왕복표. ~ kilométrico 일정한 킬로미터 내에서 제한 없이 타는 표. medio ~, ~ a mitad de precio (어린이용의) 반액표. sacar un ~ 표를 사다. No hay ~*s* [게시] 만원 (사례). ② 지폐, 은행권. ③ 추첨권. ④ [고어] 짧은 편지; 통지장. ⑤ [상업] 어음(letra).
billetera *f.* (billete용) 지갑.
billetero *m.* (billete용) 지갑.
billetero, ra *m.f.* *AmérC.* 복권 판매원[판매자].
billón *m.* 1조.
bimembre *adj.* (구성이) 두 사람의; 두 개의.
bimensual *adj.* 월 두 번의; 2개월마다의.
bimestral *adj.* 2개월마다[간]의.
bimestre *adj., m.* 2개월(마다의), 격월(隔月)(의).
bimetálico, ca *adj.* 복본위제의.
bimetalismo *m.* (금은) 복본위제.
bimilenario, ria *adj.* 2천 년의. —*m.* 2천년 기념제.
bimotor *m.* 쌍발기(avón ~).
binar *tr.* [농업] 사이갈이하다, 중경(中耕)하다. —*intr.* [종교] 1일 두 번 미사를 보다.
binadera *f.* (제초용의) 괭이.
binario, ria *adj.* 2단위의, 둘로 된.
bincha *f.* *AmérM.* =vincha.
bingo *m.* ① 빙고 (게임). ② 빙고의 1등 상금. ③ 빙고장, 빙고 유희장. —*interj.* 맞았다!, 당첨됐다!
binguero, ra *m.f.* 빙고 참가자.
binocular *adj.* [광학] 양안(兩眼)(용)의. —*m.* [주로 *pl.*] 쌍안경.
binóculo *m.* (옛날의) 쌍안경.
binomial *adj.* [수학] 2항(식)의.
binomio, mia *adj.* [수학] 2항식의. —*m.* [수학] 2항식.
binza *f.* (달걀 · 양파 등의) 얇은 껍질.
bio- *pref.* 「생(生)」의 뜻: *bio*logía 생물학.
bioactivo, va *adj.* 생물[생체]에 영향을 미치는.
biocenosis *f.sing.pl.* [생물] 생물 공

동체.
biodegradable *adj.* (폐기물이) 생물 분해성의.
biodegradarse *r.* 생물 분해하다.
biodinámica *f.* 생물 동력학.
biodiversidad *f.* 생물학적 다양성.
bioelemento *m.* [생물] 생체 원소.
bioética *f.* 생명 윤리.
biofísico, ca *adj., f.* 생물 물리학(의).
biogénesis *f.sing.pl.* [생물] 생물 발생설(生物發生說).
biogenética *f.* 유전자 공학.
biogeografía *f.* 생물 지리학.
biografía *f.* 전기(傳記).
biografiar *tr.* …의 전기를 쓰다.
biográfico, ca *adj.* 전기(풍)의: diccionario ~ 인명 사전.
biógrafo[1] *m. AmérM.* 영화관(cine).
biógrafo[2]**, fa** *m.f.* 전기 작가.
bioingeniería *f.* 생물 공학.
biología *f.* 생물학.
biológico, ca *adj.* 생물학의: ciencias *~cas* 생명 과학. guerra *~ca* 세균 전쟁. química *~ca* 생화학.
biólogo, ga *m.f.* 생물 학자.
bioluminiscencia *f.* 생물 발광.
biomasa *f.* [생물] 생물(체)량.
biombo *m.* 병풍, 칸막이.
biomecánica *f.* 생물 역학.
biomédica *f.* 생물 의학.
biomédico, ca *adj.* 생물 의학의.
biometría *f.* 생물 통계학[측정학].
biónica *f.* 생물 공학.
biopsia *f.* [의학] 생검(生檢).
bioquímica *f.* 생화학.
bioquímico, ca *adj.* 생화학의[에 관한]. —*m.f.* 생화학자.
biorritmo *m.* 바이오 리듬.
bioscopia *f.* [의학] 생사 감정.
biosensor *m.* [전기] 바이오 센서.
biosfera *f.* [생물] 생물권, 생활권.
biosíntesis *f.sing.pl.* [생물] 생합성.
biosintético, ca *adj.* 생합성의.
biotecnología *f.* 생물 공학, 바이오 테크놀러지.
biotipo *m.* [생물] 생물형(生物型).
biotipología *f.* 유형학(類型學).
biotipológico, ca *adj.* 유형학의.
biotita *f.* [광물] 흑운모(黑雲母).
biotopo *m.* [생물] 소(小)생활권.
bióxido *m.* [화학] 이산화물.
bip *m.* 삐 ((신호음)).
bipartición *f.* 이분화(二分化), 이분열.
bipartidismo *m.* 양대(兩大) 정당제
bipartidista *adj.* 양대 정당의.
bipartito, ta *adj.* 두 부분으로 구성된: acuerdo ~ 양당간의 협정(協定).
bípedo, da *adj.* 발이 둘인. —*m.* 이족(二足) 동물.
bipinnado, da *adj.* [식물] (잎이) 2회 익상(翼狀)의.
biplano *m.* [항공] 복엽기(avión ~).
biplaza *adj.* 복좌식(復座式)의, 이인승의. —*m.* [항공] 복좌기(複座機).
bipolar *adj.* ① [물리·수학·전기] 두 극이 있는, 양극의, 이극(二極)의. ② [정치] 양극화된.
bipolaridad *f.* 양극성.
biquini *m.* =**bikini.**
birdie *m.* [골프] 버디.
BIRF *m.* Banco Internacional de Reconstrucción y Fomento 국제 부흥 개발 은행, 세계 은행.
birlar *tr.* ① (구기에서) 공을 두 번 던지다. ② 한 번 쳐서 쓰러뜨리다. ③ 사취하다. ④ 죽이다.
Birmania *f.* [국명] 버마 ((미얀마 (Myanmar) 의 옛 이름)).
birmano, na *adj.* ① 미얀마 태생의. ② 미얀마의[에 관한]. —*m.f.* 버마 사람, 미얀마 사람.
birome *f. AmérM.* 볼펜(bolígrafo).
birra *f.* 맥주(cerveza).
birreactor *m.* 쌍발 제트기.
birrefrigencia *f.* [광학] 복굴절.
birreta *f.* (성직자의) 사각 모자.
birrete *m.* ① =**birreta**: ~ cardenalicio 추기경 모자. ② (대학 교수·재판관 등의) 각모. ③ =**gorro.**
birria *f.* ① 추악한 사람. ② 가치 없는 것[사람]. ③ *AmérC.* [요리] 비리아 ((고추 소스를 친 구운 고기)).
birroso, sa *adj.* 질이 나쁜.
biruje *m.* =**biruji.**
biruji *m.* 한풍(寒風), 추위.
bis *adv.* ① [동일 번호 안의 구별] …의 2: El vive en el número 150 ~ 그는 150번지의 2에 살고 있다. ② [음악] 반복하여. —*m.* 앙코르, 재창: *¡Bis!* 재창!, 앙코르!
bis- *pref.* 「둘·쌍·복(復)·(重)」의 뜻: *bis*abuelo 증조할아버지. *bis*nieto 증손자.
bisabuelo, la *m.f.* 증조부, 증조모; 증조할아버지, 증조할머니.
bisagra *f.* 경첩.
bisar *tr.* (관객의 요청에 응한 곡·연기 등을) 거듭해서 두 번 하다.
bisbís *m.* (옛날의) 룰렛 비슷한 게임.
bisbisar *tr.* 투덜거리다, 불평하다, 잔소리하다.
bisbisear *tr.* =**bisbisar.**
bisbiseo *m.* 투덜거림, 잔소리.
biscote *m.* [요리] (장기 보존용의) 파삭파삭하게 구운 토스트 빵.
biscuit *m.* 유약을 바르지 않은 도기.
bisecar (7) *tr.* [수학] 이등분하다.
bisección *f.* 이등분.
bisector *adj., m.* 이등분면(의).
bisectriz *adj., f.* 이등분선(의).
bisel *m.* 사단면(斜斷面): tallar en ~ 비스듬히 자르다.
biselar *tr.* 비스듬히 자르다.
bisemanal *adj.* 주(週) 2회의.
bisexual *adj.* ① [생물] 양성(兩性)의, 자웅 동체(雌雄同體)의. ② (남녀) 양성에 마음이 끌리는.
bisexualidad *f.* 양성, 자웅 동체.
bisiesto *adj.* 윤년의: año ~ 윤년.
bisilábico, ca *adj.* =**bisílabo.**

bisílabo, ba *adj.* [언어] 2음절의.
bismuto *m.* [화학] 창연(蒼鉛).
bisnes *m.sing.pl.* 비즈니스.
bisnieto, ta *m.f.* 증손자, 증손녀.
bisojo, ja *adj., m.f.* =bizco.
bisonte *m.* [동물] 들소, 야우(野牛).
bisoñé *m.* (앞머리용의) 가발.
bisoño, ña *adj., m.f.* ① 신병(新兵)(의). ② 신인(新人)(의). ③ 신미(新米)(의).
bisté *m.* =bistec.
bistec *m.* [*pl.* ~s] [요리] 비프스테이크: ~ ruso 햄버거(hamburguesa).
bistorta *f.* [식물] 범꼬리.
bisturí *m.* [*pl.* ~(e)s] (수술용의) 메스: meter el ~ a *algo* …에 메스를 넣다.
bisulfato *m.* [화학] 유산 수소염.
bisulfito *m.* [화학] 아유산 수소염.
bisutería *f.* ① [집합] 모조 보석. ② [집합] 싼 장신구: collar de ~ 모조 목걸이. ③ 장신구점.
bisutero, ra *adj., m.f.* 짤랑거리는 액세서리를 몸에 걸치기 좋아하는 (사람); 장신구 판매자.
bit *m.* [컴퓨터] 비트.
bita *f.* [선박] (돛줄을) 매는 기둥.
bitácora *f.* [선박] 나침반 상자: cuaderno de ~ 항해 일지.
bíter *m.sing.pl.* [*al.* bitter] [*pl.* ~s] 비터 ((쓴 음료)).
bitoque *m.* (통의) 마개.
bituminoso, sa *adj.* 역청(질)의.
biunívoco, ca *adj.* [수학] (대응이) 1대 1의.
bivalente *adj.* ① [화학] 2가(價)의. ② 상반(相反)하는.
bivalvo, va *adj.* 쌍각(雙殼)의.
biz- *pref.* 「둘·쌍·복(復)·(重)」의 뜻: *biz*nieto 증손자.
bizantinismo *m.* 하찮한 일을 크게 문제 삼는 의론[벽].
bizantino, na *adj.* ① 비잔틴의: estilo ~ 비잔틴 양식. ② (미로처럼) 복잡한, 권모술수의; 보잘 것 없는, 무익한.
bizarría *f.* 용감함; 관대함.
bizarro, rra *adj.* ① 용감한: militar ~ 용감한 군인. ② 관대한. ③ 대범한, 속이 트인.
bizcar (7) *intr.* 눈을 찡그리다, 곁눈질하다.
bizco, ca *adj.* ① 사팔눈의, 사시(斜視)의. ② 얼토당토 않은. ③ (소가) 한쪽 뿔이 짧은. —*m.f.* 사팔뜨기.
bizcochada *f.* 단단한 빵에 넣은 크림 수프.
bizcochar *tr.* 단단한 빵을 만들다.
bizcocho *m.* ① 카스텔라. ② (보존용의) 단단한 빵. ③ 유약을 바르지 않은 도기(陶器).
bizcochuelo *m.* *AmérM.* 스펀지 케이크.
bizcotela *f.* [과자] 카스텔라의 일종.
biznaga *f.* [식물] 야생 당근.
biznieto, ta *m.f.* 증손자, 증손녀.
bizquear *intr.* 곁눈질하다, 흘겨보다.
bizquera *f.* 사시(斜視)(estrabismo).
blanca *f.* ① [음악] 이분 음부. ② 블랑까 ((스페인의 옛날 화폐)). ¶*no tener ~, estar sin ~* 무일푼이다.
blanco, ca *adj.* ① 흰, 하얀: nubes ~*cas* 하얀 구름. La nieve es ~*ca* 눈은 하얗다. ② 공백의: página ~*ca* 아무 것도 쓰이지 않은 페이지. ③ 백인의. ④ 눈의: deporte ~ 설상(雪上) 스포츠. —*m.f.* 백인. —*m.* ① 하양, 백색, 흰색; 흰 것[부분]: ~ de la uña 속손톱, 반달. televisión en ~ y negro 흑백 텔레비전. ② 공백, 여백; 공석. ③ 표적; 목표. ¶*dar en el ~* 표적에 명중하다. *firmar* algo *en ~* (수표를) 백지 위임(白紙委任)하다. *hacer ~* =dar en el ~. *no distinguir lo ~ de lo negro* (어리석어·무지해서) 흑백을 가리지 못하다. *ser el ~ de* alguien …의 대상이다: El *es el ~de* todas las miradas 그는 모두의 주목의 대상이다. *tener la mente en ~* 마음을 비우다.
blancor *m.* 하양(blancura).
blancura *f.* 하양: ~ del ojo [의학] (각막의) 백반(白斑).
blancuzco, ca *adj.* ① 희뿌연. ② (얼굴이) 창백한.
blandear *tr.* 설득하다. —*intr.*, ~**se** 부드러워지다, 연해지다.
blandengue *adj.* 유약한, 무기력한.
blandir *tr.* 휘두르다: ~ la espada 칼을 휘두르다.
blandamente *adv.* 부드럽게, 온화하게, 연하게.
blando, da *adj.* ① 부드러운, 연한: carne ~*da* 연한 고기. ② 유화한, 부드럽고 온화한; 섬세한: clima ~ 온화한 기후. ③ 유약한, 무른. ④ (생활 등이) 안락한. —*adv.* 온화하게, 온건하게: dormir ~ 숙면하다.
blandón *m.* 커다란 촛대.
blanducho, cha *adj.* =blandujo.
blandujo, ja *adj.* 약간 부드러운.
blandura *f.* ① 부드러움, 연함. ② 추위가 풀림. ③ 고름을 빨아내는 고약. ④ 분. ⑤ 호사, 사치. ⑥ 감언.
blanqueado *m.* *Amér.* =blanqueo.
blanqueador, ra *adj., m.f.* 희게 하는 (사람).
blanquear *tr.* ① 희게 하다, 표백하다. ② (불법으로 얻은 돈을) 세탁하다. —*intr.* 희게 되다; 희게 보이다; 흰 빛을 띠다: Ya me *blanquea* el cabello 이제 나도 머리가 하얘졌다.
blanquecer (31) *tr.* ① (금·은 등을) 갈다, 닦다, 연마하다, 광택을 내다. ② 하얗게 하다, 희게 하다.
blanquecino, na *adj.* 희뿌연.
blanqueo *m.* ① 하얗게 하기, 표백. ② (검은 돈의) 세탁.
blanquete *m.* [화장] (옛날의) 분(粉).

blanquillo, lla *adj.* (설탕 등이) 흰, 하얀, 백색의, 정백(精白)된. —*m.* ① *AmérC.* 달걀. ② *AmérM.* 백도(白桃). ③ [어류] *AmérM.* 옥돔.
blas *Habló* [*Lo dijo*] *Blas, punto redondo* 괜한 참견 말고, 잠자코 있어.
blasfemador, ra *adj., m.f.* =**blasfemo.**
blasfemar *intr.* [+contra · de] (…를) 모독하다, 욕을 퍼부으며 떠들다, 매도하다.
blasfemia *f.* 모독하는 말, 폭언.
blasfemo, ma *adj.* 모독적인. —*m.f.* 모독적인 말을 하는 사람.
blasón *m.* ① 문장(紋章), 기장(記章). ② 문장학(紋章學). ③ 명예, 영광. ④ *pl.* 명문; 집안, 가문; 문벌(門閥).
blasonar *tr.* ① …에 문장(紋章)을 달다. ② 극구 칭찬하다. —*intr.* [+de] (…을) 자만하다, 과시하다.
blastodermo *m.* [생물] 포배엽.
blástula *f.* [생물] 포배(胞胚).
blazer *m. ing.* [*pl.* ~s] [복식] 블레이저 (코트).
bledo *m.* [식물] 당비름.
blefarismo *m.* [의학] 눈꺼풀 경련.
blefaritis *f.sing.pl.* [의학] 안검염.
blenda *f.* [광물] 섬아연광(閃亞鉛鑛).
blenorragia *f.* [의학] 임질.
blenorrea *f.* =**blenorragia.**
blindado *m.* 기갑 부대.
blindaje *m.* 장갑(裝甲).
blindar *tr.* ① (배 · 차량 등을) 장갑(裝甲)하다, 철판으로 덮다: coche [*Amér.* carro] *blindado* 장갑차. ② [전기] 차폐(遮蔽)하다.
B.L.M. Besalamano 간단한 통지장[초청장].
bloc *m.* [*pl.* ~s] 철(綴), 편전(便箋).
blocao *m.* [군사] 방색(防塞), 토치카.
blocar (7) *tr.* 몸으로 막으며 양손으로 공을 잡다.
blof *m. Amér.* =**bluff.**
blondo, da *adj.* 금발(金髮)의(rubo). —*f.* ① [수예] 실크 레이스. ② 지제(紙製) 테이블 센터 ((종이 제품 테이블 중앙에 까는 식탁보))
bloque *m.* ① 덩어리, 괴(塊); (콘크리트) 블록: ~ de hielo 빙괴(氷塊), 얼음덩이. ② (거리의) 블록. ③ (아파트의) 동(棟), 집합 주택: ~ de pisos 맨션 ((건물 전체)). vivir en el tercer ~ 3호동에 살다. ④ (정치 · 경제상의) 연합체, 권(圈): ~ de izquierdas 좌익 연합. ~ occidental 서방 블록. ~ monetario (동일) 통화권. ⑤ 중심 부분, 본대(本隊): ~ de expedición 원정대의 본대. ⑥ [컴퓨터] 블록. ⑦ [자동차] 실린더 블록 (~ de cilindros): ~ del motor 엔진 블록. ¶*en* ~ 일괄하여, 일치 단결하여, 대거: acudir *en* ~ 대거 몰려가다[우르르 몰려가다].
bloquear *tr.* ① (교통 · 진행을) 막다, 방해하다, 지장을 주다, 봉쇄하다. ② (기계를) 움직이지 못하게 하다, (통신을) 방해하다. ③ [경제] 봉쇄하다. ④ [구기] =**blocar.** ~**se** (고장 등으로) 움직이지 않다.
bloqueo *m.* 차단, 봉쇄: ~ cardíaco [의학] 심장 차단. ~ económico 경제 봉쇄. ~ nervioso 신경 블록.
blues *m.sing.pl.* [음악 · 무용] 블루스.
bluff *m.* [*pl.* ~s] 허세.
blusa *f.* [복식] 블라우스; 작업복.
blusón *m.* [복식] 작업복.
BN *f.* Biblioteca Nacional 국립 도서관.
boa *f.* [동물] 보아. —*m.* [복식] 보아.
boardilla *f.* =**buhardilla.**
boato *m.* (부 · 권력의) 과시; 화려함.
bobada *f.* 우둔한 언동, 시시한[하찮은 · 가치 없는] 것[일].
bobales *m.sing.pl.* 바보, 멍청이.
bobalicón, na *adj., m.f.* 어리석기 짝이 없는 (사람).
bobamente *adv.* 멍청하게, 우둔하게, 바보스레.
bobear *intr.* 우둔한 짓을 하다.
bobería *f.* 우둔한 언동.
bóbilis *de* ~ 무료로, 공짜로, 거저.
bobina *f.* ① (방직용) 실패, 보빈. ② 코일: ~ inductiva 유도 코일.
bobinadora *f.* 실패를 감는 기계.
bobinar *tr.* (실 · 줄을) 감다.
bobo, ba *adj., m.f.* ① 우둔한, 멍청한, 바보스런 (사람), 바보, 멍청이. ② 단순한, 간단한. —*m.* ① [연극] 어릿광대역. ② [식물] 수양버들.
bobsleigh *m.* [운동] 봅슬레이.
boca *f.* ① 입; 입가, 입언저리; 입술: ~ de oro 웅변가. dar un beso en la ~ 입술에 입맞추다. ② 출입구: ~ de una calle 거리의 입구. ③ *pl.* 하구(河口). ④ 부양 가족수. ⑤ 입맛, 구미, 감칠맛: Este vino tiene buena ~ 이 포도주는 감칠맛이 있다. ⑥ (새우 · 게의) 집게발. ⑦ (펜치의) 머리, 집는 부분. ¶~ *abajo* 엎드려. ~ ***arriba*** 위를 향해, 하늘을 쳐다보고, 하늘을 보고. ***a*** ~ 구두로. ***con la ~ abierta*** 아연 (실색)하여. ***de ~ en ~*** 입에서 입으로, 구전으로. ***abrir la ~*** 입을 열다, 말하다. ***callar(se) la ~*** 침묵하다. ***Cállate la ~!*** 입닥쳐라! ***llenar la ~ (al nombrar)*** 자만하다. ***Del plato a la ~ se enfría la sopa*** (속담) 입에 든 떡도 넘어가야 제 것이다. ***En ~ cerrada no entran moscas*** (속담) 말은 적을수록 좋다.
bocabajo *adv.* 엎드려(boca abajo).
bocacalle *f.* 거리의 입구.
bocadillo *m.* ① 샌드위치. ② (아침과 점심 사이에 먹는) 가벼운 식사: tomar un ~ 가벼운 식사를 하다. ③ 난석류나 코코넛으로 만든 과자.

B

B

bocadito *m.* 소형 슈크림.
bocado *m.* ① 한 입, 한 모금: un ~ de pan 한 입 분량의 빵. ② 한 입 거리. ③ (말의) 재갈. ④ 물어뜯기; 물어뜯은 흔적, 물린 상처: dar un ~ a *alguien* …를 물어뜯다. ¶ ~ *de Adán* 결후(結喉). *no probar* ~ 아무 것도 먹지 않다.
bocajarro *a* ~ ㉮ 지근 거리에서. ㉯ 갑자기, 돌연, 느닷없이.
bocal *m.* ① (주둥이가 넓은) 병. ② (항행 가능한) 좁은 수로(水路).
bocamanga *f.* [복식] 소맷부리.
bocamina *f.* 광산의 입구, 갱구(坑口).
bocana *f.* ① (항구・만 등의) 입구. ② *Amér.* 하구(河口).
bocanada *f.* ① (술 등의) 한 모금. ② (바람・연기 등의) 한 모금, 한 바탕 부는 것, 분출(噴出): una ~ de viento [de aire] 일진 광풍.
bocarte *m.* 정어리 새끼.
bocata *m.* =**bocadillo.** —*f.* 공복, 배고픔.
bocazas *f.sing.pl.* 큰 입. —*m.f.* 입이 가벼운 사람, 수다쟁이.
bocel *m.* ① [건축] 둥근 기둥의 홈. ② 홈 파는 끌.
bocera *f.* [주로 *pl.*] ① (식후에) 입에 남아 있는 찌꺼기. ② [의학] 구각염.
boceras *m.f.sing.pl.* =**bocazas.**
boceto *m.* ① [미술] 스케치, 데생, 소묘: hacer el ~ 스케치[데생]하다. ② 초안(草案), 초고(草稿).
bocha *f.* ① 나무공. ② 나무공 놀이.
boche *m.* ① (공기 놀이용의) 땅바닥의 작은 구멍. ② *AmérM.* 모욕: dar ~ 모욕하다. ③ *AmérM.* 싸움, 말다툼. ④ *AmérM.* =**bochinche.**
bochinche *m.* [주로 *Amér.*] 야단법석, 난장판, 혼란(jaleo).
bocho, cha *adj. AmérM.* 머리가 좋은, 두뇌가 명석한.
bochorno *m.* ① (여름에 부는) 열풍; (열풍에 의한) 푹푹 찌는 더위, 무더위. ② (치욕 등으로) 얼굴이 화끈거리거나 빨개지는 일, 무안(無顔). ③ [생리] (폐경기의) 일과성 열감.
bochornoso, sa *adj.* ① 무더운, 푹푹 찌는. ② 부끄러운, 무안한.
bocina *f.* ① (자동차의) 경적, 클랙슨(claxon): tocar la ~ 경적[클랙슨]을 울리다. ② 메가폰; (나팔형의) 스피커. ③ [악기] 호른. ④ *AmérM.* 나팔형 보청기(trompetilla).
bocinazo *m.* 경적[클랙슨] 소리.
bocio *m.* [의학] 갑상선종(甲狀腺腫).
bock *m. al.* (4분의 1리터 들이의) 작은 조끼; 한 조끼 분의 맥주.
bocón, na *m.f. Amér.* 수다쟁이, 몹시 수다스런 사람. —*m.* [어류] (입이 큰) 정어리의 일종.
bocoy *m.* (포도주 운반용의) 큰 통.
boda *f.* ① [때때로 *pl.*] 결혼식, 결혼 피로연: ~*s* de plata[oro・diamante] 은[금・다이아몬드] 혼식. pastel de ~ 결혼 케이크. celebrar la ~ 결혼식을 거행하다. ② 결혼(casamiento).
bodega *f.* ① (지하의) 술창고, ② 양조장, 주점. ③ *AmérC.* 술집, 음식점, 식료품점. ④ 선창(船倉). ⑤ [항공] 화물실. ⑥ (항구의) 창고.
bodegaje *m.* [상업] 창고료, 보관료.
bodegón *m.* ① [미술] 정물(화). ② 싼 식당, 싼 주점.
bodeguero, ra *m.f.* 양조장[주점] 주인; 술창고 담당자.
bodijo *m.* 어울리지 않는 결혼; 빈약한 결혼식.
bodonal *m.* 진[곤죽처럼 질퍽한] 땅.
bodoque *m.* ① (옛날 돌을 쏘는 활에 먹이는) 흙덩어리. ② 덩어리. ③ 바보, 얼간이, 천치. ④ *Méj.* 혹.
bodorrio *m.* =**bodijo.**
bodrio *m.* ① 실패작. ② (수도원에서 걸인들에게 주는) 남은 밥으로 만든 수프.
body *m. ing.* [*pl.* bod*ies*] 보디수트.
BOE *m.* Boletín Oficial del Estado 관보, 정부 공보.
bóer *adj.* (남아프리카의) 보아의[에 관한]. —*m.f.* 보아 사람.
bofe *m.* [주로 *pl.*] (식용 짐승의) 폐장(肺臟).
bófeta *f.* [섬유] 얇은 무명천.
bofetada *f.* ① 따귀 때리기, 뺨 때리기. ② 타격, 충격. ③ 모욕.
bofetán *m.* =**bófeta.**
bofetón *m.* 세게 뺨을 때림.
bofia *f.* [은어] 경찰(policía).
boga *f.* ① 노를 젓는 일. ② 유행, 인기: estar en ~ 유행 중이다, 인기가 있다. ③ [어류] (대서양・지중해의) 농어. ④ (스페인의) 황어 비슷한 천어(川魚).
bogar (8) *intr.* ① 노를 젓다(remar). ② 항행하다(nevagar).
bogavante *m.* [동물] 가재.
Bogotá *m.* 보고타, 보고따 ((꼴롬비아의 수도)).
bogotano, na *adj.* ① 보고타 태생의. ② 보고타의[에 관한]. —*m.f.* 보고타 사람.
bohardilla *f.* =**buhardilla.**
bohemio, mia *adj.* ① 보헤미아(Bohemia)의. ② 보헤미안(적인), 자유분방한. —*m.f.* ① 보헤미아 사람. ② 자유 분방한 사람. ③ 집시(gitano). —*f.* 보헤미안; 자유 분방한 생활.
bohío *m.* 보이오 ((남미의 갈대로 만든 오두막)).
boicot *m.* [*pl.* ~s] 보이콧.
boicotear *tr.* 보이콧하다.
boicoteo *m.* 보이콧.
boina *f.* 베레모: ~ verde 그린베레. ¶*pasar la* ~ 돈을 모으다.
boite *f. fr.* 나이트클럽, 카바레.
boj *m.* [식물] 회양목.
bojar *tr.* ① (섬 등의) 주위의 길이를 재다. ② (배로) 일주하다.
bojear *tr.* =**bojar.**

bojote *m. Amér.* 꾸러미, 묶음; 하물(荷物), 짐.
bol *m.* ① [요리] 손잡이 없는 둥그런 잔. ② 투망(redada).
bola *f.* ① 구슬, 공, 볼: ~ de billar 당구공. ② 구두약: dar ~ a los zapatos 구두를 닦다. ③ 개를 죽이기 위한 독약. ④ 거짓말: contar [meter] *~s* 거짓말을 하다. ⑤ *pl.* [속어] 고환, 불알. ⑥ *pl.* [기계] 볼 베어링. ⑦ *AmérC.* 싸움, 소동. ⑧ [은어] 시장(市場). ⑨ 반란, 폭동. ⑩ *Chile.* 둥그런 연.
bolada *f. Amér.* ① 호기(好機). ② 거짓말.
bolado *m.* ① [과자] =**azucarillo.** ② *AmérC.* 일; 정사(情事), 색사(色事).
bolardo *m.* [선박] (갑판의 밧줄 매는) 기둥.
bolazo *m.* ① 공으로 치기[때리기]. ② *AmérM.* 엉터리, 함부로 함.
bolchevique *adj.* 공산주의의. *—m.f.* 볼셰비키, 공산주의자.
bolcheviquismo *m.* 볼셰비키의 정책[사상]; 과격주의.
bolchevismo *m.* =**bolcheviquismo.**
bolear *tr.* ① (공 등을) 던지다. ② *Amér.* 시험에 낙제시키다; 부결하다, 반대표를 던지다. ③ *Amér.* 볼레아도라스(boleadoras)를 던지다. ④ *AmérC.* 구두약을 바르다. **~se** ① [야구] 공을 던지고 받는 연습을 하다. ② *Amér.* (말이) 뒷발로 서다.
bolea *f.* [테니스] 공이 땅에 닿기 전에 되받아 치는 일.
boleadoras *f.pl. Amér.* 볼레아도라스 ((줄에 두세 개의 쇠공을 달아 gaucho가 소 등을 잡기 위해 사용함)).
boleo *m.* ① 던지기. ② =**bolea.**
bolera *f.* ① 볼링장. ② 볼레라 ((베네수엘라의 춤·노래)).
bolero *m.* ① [음악·무용·복식] 볼레로. ② *AmérC.* =**chistera.**
bolero, ra *adj.* ① 태만한. ② 거짓말 잘 하는. *—m.f.* ① 볼레로를 추는 사람. ② 허풍선이. ③ 교활한 사람.
boleta *f.* ① *Amér.* 입장권, 표; 영수증; 투표 용지. ② 인환권; 증명서; 허가서. ¶***dar (la)*** ~ 해고하다; (사람과) 관계를 끊다.
boletería *f. Amér.* 입장권[표] 판매소.
boletero, ra *m.f. AmérM.* ① (차내의) 검표원. ② 거짓말쟁이.
boletín *m.* ① 정기 간행물; 학술 보고: ~ anual 연보. ~ mensual 월보. ~ semanal 주보. ② (공적인) 보고(서): *Boletín* Oficial del Estado 관보(官報). ③ 증명서; (학교의) 성적표(~ de calificación·de notas). ④ 신청서; 주문서(~ de pedido).
boleto *m.* ① *Amér.* (탈것·극장 등의) 표(billete). ② (제비·도박 등의) 표, 추첨권.
boli *m.* 볼펜 ((bolígrafo의 생략어)).
boliche *m.* ① 볼링공. ② 일종의 공굴리기. ③ (가구의 주두(柱頭)의) 둥그런 장식. ④ 작은 물고기. ⑤ *AmérM.* 노점.
bolichear *intr. AmérM.* 소매로 팔다.
bólido *m.* ① 고속차, 경주용 자동차. ② 재빠른 사람. ③ [천문] 화구(火球); 운석(隕石).
bolígrafo *m.* 볼펜.
bolilla *f. AmérM.* ① 제비 뽑는 구슬. ② (수업 프로그램에 포함된) 테마, 주제.
bolillo *m.* ① 뜨개질바늘, 뜨개바늘. ② *AmérC.* 볼리요 ((빵의 일종)).
bolina *f.* ① 돛의 양끝을 탱탱하게 당기는 밧줄. ② 해먹의 로프.
bolinche *m.* =boliche ③.
bolindre *m.* =boliche ③.
bolinga *adj.* 술 취한.
bolita *f.* ① *Amér.* [동물] 아르마디요(armadillo). ② *Chile.* 투표 구슬. ③ *pl.* 유리 구슬.
bolívar *m.* 볼리바르 ((베네수엘라의 화폐 단위·우루구아이의 금화)).
bolivariano, na *adj.* 볼리바르의.
Bolivia *f.* [국명] 볼리비아 ((남아메리카의 공화국; 수도 라파스(La Paz))).
boliviano, na *adj.* ① 볼리비아 태생의. ② 볼리비아의[에 관한]. *—m.f.* 볼리비아 사람. *—m.* 볼리비아노 ((볼리비아의 화폐 단위)).
bollar *tr.* (천에) 연인(鉛印)[제조인]을 누르다; …에 무늬를 양각하다.
bollera *f.* 레스비언.
bollería *f.* ① bollo 제조소[판매점]. ② [집합] (각종의) 빵.
bollero, ra *m.f.* bollo 제조자[판매원].
bollo *m.* ① [요리] 롤빵; 식빵, 케이크. ② (표면의) 움푹한 곳, 울퉁불퉁함, 요철(凹凸). ③ 혹. ④ 싸움, 분쟁, 소란, 혼란.
bollón *m.* ① (대가리가 큰) 장식 못. ② (단순한) 구슬 모양의 귀고리.
bolo *m.* ① [운동] ㉮ (볼링의) 핀. ㉯ *pl.* 볼링: jugar a los *~s* 볼링을 하다. ㉰ *pl.* 볼링 놀이 ((핀 아홉 개의 볼링)). ② (장식용의) 구슬. ③ (극단의) 지방 순회: hacer ~s (지방을) 순회하다. ④ 거짓말(mentira).
bolo, la *adj. AmérC.* 술취한. *—m.f.* 술취한 사람, 주정뱅이.
bolón *m.* ① *AmérM.* [건축] 자갈. ② *AmérC.* 군집(群集).
boloñés, sa *adj.* 볼로니아(Bolonia)의. *—m.f.* 볼로니아 사람.
bolsa *f.* ① 주머니, 지갑, 쌈지, 봉지, 전대, 가방, 핸드백: ~ de aseo 세면도구 주머니, 화장(품) 그릇. ~ de basura 쓰레기 봉지. ~ de deportes 운동 가방, 스포츠 백. ~ de dormir *AmérM.* 침낭. ~ de hielo 얼음주머니. ~ de la compra 장바구니. ~ de papel 종이 포대, 종이주머니. ~ de viaje 보스턴 백. ~ de plástica [de plástico] 비닐 봉지. ② 호주머니 사정; 가지고 있는 돈. ③ [때때로

B

B~] [증권] 거래소; 거래소에서의 거래; (전체로서의) 상장: ~ de valores 증권 거래소, 주식 시장[상장]. ~ negra *AmérM*. 암시장; 암거래. jugar a la ~ 주식[투자]을 하다. ④ 보조금, 조성금; 장학금. ⑤ (피부·의복 등의) 느슨함, 늘어짐, 구김살, 주름. ⑥ [해부] 낭(囊); *pl*. 음낭. ⑦ [광산] 광맥류(鑛脈瘤). ⑧ [군사] 전선의 돌출부. ⑨ *Amér*. 호주머니.

bolsear *tr*. ① *AmérC*. (호주머니에서) 훔치다. ② *Amér*. 속이다.

bolsillo *m*. ① 호주머니: ~ de pecho 가슴 주머니. ~ interior 속주머니. ~ sobrepuesto 바깥 주머니. reloj de ~ 회중시계. ② 호주머니 사정, 가지고 있는 돈. ¶*de* ~ 소형의, 포켓 사이즈의: calculadora *de* ~ 소형 계산기. libro *de* ~ 문고판, 포켓북. submarino *de* ~ 소형 잠수함. ***no echarse la mano al*** ~ 일전 한 푼도 쓰지 않다. ***tener un agujero en el*** ~ 호주머니에 구멍이 뚫려 있다, 물쓰듯하다, 낭비벽이 심하다.

bolsín *m*. 주식 암거래(소).

bolsiquear *tr*. *AmérM*. =**bolsear.**

bolsista *m.f*. ① 주식 중개인; 투기가, 상장사. ② *Amér*. 소매치기.

bolsita *f*. ① 작은 주머니[지갑]. ② 차(茶) 주머니.

bolso *m*. ① 핸드백. ② 가방(bolsa); 학생용 가방: ~ de mano 손가방, 수하물. ③ (주머니 모양의) 돈주머니. ④ 호주머니(bolsillo).

bolsón *m*. ① 큰 주머니, 큰 봉지, 큰 자루. ② *AmérC*. 태만한 사람. ③ *AmérC*. 늪. ④ *AmérM*. 핸드백(bolso). ⑤ *AmérM*. 우둔한 사람.

boludo, da *adj*. *AmérM*. =**huevón.**

bomba *f*. ① 펌프: ~ de aceite (엔진의) 오일 펌프. ~ de agua 양수(揚水) 펌프. ~ de aire 공기 펌프. ~ de engrase 윤활유 주입기. ~ de gasolina 급유 펌프. ~ de incendios 소방 펌프, 소방차. ② 폭탄, 포탄: ~ atómica 원자 폭탄. ~ de mano 수류탄. ~ de tiempo, ~ de acción retardada [de efectos retardados] 시한 폭탄. ~ H [de hidrógeno] 수소 폭탄. ~ Molotov 화염병. ③ (전등의) 갓, 등피. ④ 놀랄 만한 것, 돌발사. ⑤ (파티 등에서의) 즉흥시. ⑥ [의학] ~ corazón-pulmón 인공 심폐(人工心肺). ⑦ *Amér*. ㉮ 명정(酩酊), 대취(大醉). ㉯ 거짓말, 의심스런 뉴스: pegarse [agarrar] una ~ 몹시 취하다. ⑧ *AmérC*. 실크 해트, 실크 모자. ⑨ *AmérC*. (유까딴 반도의) 익살맞은 유행가. ⑩ *AmérM*. 전구(電球).

bombaceas *f.pl*. [식물] 판야과 식물 ((바오밥 등)).

bombacha *f*. [특히 *pl*.] ① *Amér*. (농민용) 폭이 넓은 바지. ② *Amér*. 여성용 팬츠. ③ *AmérM*. 팬츠.

bombacho *m*. [복식] [특히 *pl*.] 니커보커스(pantalón ~).

bombarda *f*. ① (중세의) 사석포(射石砲), 돌을 쏘는 포. ② (파이프 오르간의) 저음전(低音栓).

bombardear *tr*. ① 포격하다, 폭격하다. ② [물리] (원자를 소립자로) 충격을 주다.

bombardeo *m*. 포격, 폭격: ~ aéreo 폭격, 공습. ~ por [de] saturación 융단 폭격. avión de ~ 폭격기.

bombardero, ra *adj*. 포격[폭격]하는. —*m*. 폭격기: ~ pesado 중폭격기.

bombardino *m*. [악기] 저음 나팔.

bombasí *m*. [섬유] 솜 우단.

bombazo *m*. (폭탄의) 파열, 작열(灼熱); 충격적인 일[소식].

bombear *tr*. ① 펌프로 보내다[빨아올리다]. ② 추켜 세우다: ~ el pecho 뽐내다, 거만하게 굴다. ③ [운동] (공을) 높이 올리다. ④ 포격하다. ⑤ …에게 찬사(讚辭)를 보내다. ⑥ *AmérM*. (적·동물 등의 움직임을) 주의깊게 관찰하다; 추방하다, 내쫓다. ⑦ *AmérC*. 훔치다, 빼앗다. ~**se** 비뚤어지다, 일그러지다.

bombeo *m*. (렌즈의) 볼록면.

bombero, ra *m.f*. ① 소방사. ② *pl*. 소방대: coche [camión] de ~*s* 소방차. ③ 펌프 담당자. ④ *AmérM*. 척후병; 스파이.

bombilla *f*. ① 전구(~ eléctrica). ② [선박] 현등(舷燈). ③ *AmérM*. 마테차를 빨아마시는 관[빨대].

bombillo *m* *Amér*. 전구(電球).

bombín *m*. =**sombrero de hongo.**

bombo *m*. ① [악기] 큰 북. ② (제비뽑기의) 추첨기. ③ (세탁기의) 회전 수조(水槽). ④ 동부(胴部).

bombón *m*. 초콜릿 봉봉.

bombona *f*. ① 봄베: ~ de butano 부탄 가스 봄베. ~ de camping 캠핑용 소형 가스 봄베. ② (주둥이가 좁은) 큰 유리병.

bombonaje *m*. *Amér*. 모자용 짚.

bombonera *f*. ① 초콜릿 봉봉 그릇. ② 조촐한 집.

bombonería *f*. 고급 초콜릿 가게.

bonachón, na *adj*., *m.f*. 호인(의).

bonaerense *adj*. ① 부에노스아이레스(Buenos Aires, 아르헨띠나의 수도)의. ② 부에노스아이레스 주(州)의 [에 관한·에 속한]. —*m.f*. 부에노스아이레스 사람.

bonal *m*. =**bodonal.**

bonancible *adj*. 온화한.

bonanza *f*. ① (바다·기후의) 잔잔함: mar en ~ 잔잔한 바다. ② 번영, 갑작 경기. ③ [광물] 부광대(富鑛帶), 광맥이 풍부한 지대.

bonapartista *adj*., *m.f*. 나폴레옹 1세 지지자(의).

bondad *f*. ① 선량함, 선(善): la ~ suma 지고(至高)한 선. ② 이점: ~ del negocio 거래의 이점. ③ [주로

pl.] 친절, 친절한 마음, 호의(好意). ¶*tener la ~ de + inf.* …해 주시다: *Tenga la ~ de* prestarme la revista 잡지를 좀 빌려 주십시오.
bondadosamente *adv.* 선량하게, 친절하게.
bondadoso, sa *adj.* 선량한, 마음이 선한, 친절한.
bonete *m.* ① (옛날, 성직자·학생 등이 썼던 사각의) 테 없는 모자. ② =**gorro.** ③ 교구 성직자. ④ (옛날 남성의 실내용) 테 없는 모자.
bongo *m.* 통나무배, 카누.
bongó *m.* [*pl.* ~(e)s] [악기] 봉고.
boniato *m.* =**batata.**
bonico *a ~* ㉮ *Mur., Ter.* 낮은[작은] 소리로(en voz baja). ㉯ *Mur., Ter.* 조용히, 말없이(en silencio).
bonificación *f.* ① 개선, 개량: ~ del suelo 토지 개량. ② [상업] 환불, 리베이트, 에누리, 할인. ③ 보너스. ④ [운동] 보너스 포인트.
bonificar (7) *tr.* ① 환불하다, 에누리하다, 할인하다. ② 개량[개선]하다. ③ [운동] 보너스 포인트를 주다.
bonísimo, ma [bueno의 절대 최상급] *adj.* 매우 좋은(muy bueno).
bonitamente *adv.* 예쁘게, 멋들어지게, 매우 간단히: escaparse ~ 감쪽같이 도망치다.
bonitero, ra *adj.* 가다랑어 잡이의: barco ~ 가다랑어 어선. —*m.f.* 가다랑어잡이 어부.
bonito, ta *adj.* ① [주로 *Amér.*] 귀여운, 예쁜, 고운, 아름다운: casa *~ta* 근사한[멋진] 집. chica *~ta* 예쁜 소녀. ② [+명사] 상당한, 어지간한: una *~ta* cantidad de dinero 상당한 금액의 돈. ③ [친한 사람·어린이를 부를 때] Mira, *~ta* 이봐, 예쁜아! —*adv.* 훌륭하게, 귀엽게, 예쁘게, 곱게, 아름답게, 멋지게; 몹시, 매우, 대단히, 굉장히. —*m.* 가다랑어 ((참고: atún(다랑어, 참치)과 혼동하지 말 것)). ¶ *¡Muy ~!* [힐책] 지독하군!
bono *m.* ① 인환권; 회수권. ② 증서, 채권, 공채: ~ convertible 전환 사채. ~ del Tesoro, ~ del Estado 국채(國債).
bonobús *m. Esp.* 버스 회수권.
bonoloto *m. Esp.* 국영 복권.
bonometro *m. Esp.* 지하철 회수권.
bonsái *m. jap.* [*pl.* ~s] 분재(盆栽). ¶*niñas ~* 여자 체조 선수.
bonzo *m. jap.* 승려: monasterio de ~*s* 절, 사찰. suicidarse a lo ~ 분신 자살하다.
boñiga *f.* 소똥, 말똥.
boñigo *m.* =**boñiga.**
boom *m. ing.* 붐, 번영.
boomerang *m. ing.* [*pl.* ~s] 부메랑: efecto ~ [경제] 부메랑 효과.
boqueada *f.* [주로 *pl.*] 입을 빠끔빠끔 벌림; 헐떡임, 단말마의 몸부림: la última ~ 종말, 말기.
boquear *intr.* ① 입을 빠끔빠끔 벌리다; 헐떡이다, 숨차하다. ② 임종하다, 숨이 끊어지다; 종말이 되다.
boquera *f.* (용수로의) 방수구.
boquerón *m.* [어류] 멸치의 일종.
boquete *m.* ① 좁은 입구. ② 갈라진 틈, 균열.
boquiabierto, ta *adj.* (멍청하게) 입을 벌린, 아연 실색한: quedarse ~ 아연 실색하다.
boquilla *f.* ① [악기] 입에 대는 부분, 주둥이. ② (담배·담뱃대의) 입에 무는 부분, 물부리, 마구리. ③ (전화기의) 송화구. ④ (수도의) 꼭지. ⑤ [권투] 마우스피스. ⑥ [목공] 연결 구멍. ⑦ (가스 따위의) 불이 나오는 구멍, 화구(火口); 버너. ⑧ 물 넣는 구멍. ⑨ (바지의) 자락. ⑩ [기계] 노즐. ¶*de ~* 말만으로, 입으로만.
boquillero, ra *adj.* 수다스런, 말이 많은. —*m.f.* 수다쟁이.
boquinegro *m.* [동물] (스페인산의) 달팽이.
bora *f.* 보라 ((아드리아 해의 북쪽 또는 북동쪽에서 불어오는 건조한 찬 바람)).
borato *m.* [화학] 붕산염.
bórax *m.sing.pl.* 붕사(硼砂).
borbolla *f.* =**burbuja, borbollón.**
borbollar *intr.* =**borbotar.**
borbollear *intr.* =**borbollar.**
borbollón *m.* [*pl.* borbollones] 들끓음, 끓는 일. ¶*a borbollones* 우르르, 허겁지겁, 허둥대며; 철철, 콸콸; 띄엄띄엄: salir *a borbollones* 우르르 나오다. hablar *a borbollones* 띄엄띄엄 말하다.
borbónico, ca *adj.* 부르봉 왕가의, 부르봉 왕가 지지파의. —*m.f.* 부르봉 왕가 지지파[자].
borborigmo *m.* [의학] [주로 *pl.*] 복명(腹鳴).
borbotar *intr.* =**borbotear.**
borbotear *intr.* 부글부글 끓다; 콸콸 솟아나다.
borboteo *m.* 분출, 부글부글 끓음; 콸콸 솟아남.
borbotón *m.* =**borbollón.**
borceguí *m.* [*pl.* ~(e)s] 편상화.
borda *f.* ① 현측(舷側), 뱃전: caerse por la ~ 뱃전에서 떨어지다. ② 주범(主帆), 메인마스트에 다는 큰 돛.
bordada *f.* [선박] 같은 구간을 왔다 갔다 하기: dar ~*s* 왔다갔다 하다.
bordado, da *adj.* ① 자수(刺繡)를 놓은. ② [+estar] 완전한, 완벽한. —*m.* ① 자수(刺繡), 수를 놓음: aguja [hilo] de ~ 자수 바늘[실]. ② =**bordada.**
bordador, ra *m.f.* 자수가(刺繡家).
bordadura *f.* 자수(刺繡) ((작품)).
bordalesa *f.* *AmérM.* 포도주의 큰 통.
bordar *tr.* ① 수를 놓다, 자수하다: ~ una flor *sobre* un pañuelo 손수건에 꽃을 수놓다. ② (완벽하게) 잘

해내다[해치우다].

borde *m.* 가장자리, 가, 언저리, 테두리, 모서리, 끝: pasear [dar un paseo] por el ~ de un río 강가를 산책하다. parar *su* coche en el ~ de una carretera 도로 가에 차를 세우다. ¶*al ~ de* un sitio ㉮ …의 끝에: vivir *al ~ del* mar 해변에 살다. ㉯ 막 …하려는 찰나의, …하기 직전의: estar *al ~ de* la locura 미치기 일보 직전이다. —*adj.* ① 자생(自生)의: limonero ~ 자생 레몬나무. ② 사생(私生)의, 첩에게서 난. ③ 아둔한, 바보스런. —*m.f.* ① 사생아(hijo ~). ② 아둔패기, 바보.

bordear *tr.* ① …의 가를 따라가다. ② …에 끝을 붙이다[대다], 테두리[가·선]를 두르다[붙이다]. ③ …하려는 찰나에 있다, …하기 (일보) 직전에 있다. ④ *Amér.* 가깝다, 도착하다. —*intr.* =**dar bordadas.**

bordillo *m.* (보도의) 연석(緣石) ((차도와 보도, 또는 가로수 사이의 경계가 되는 돌)), 모서리 돌; (약간 높게 된) 차선 경계선.

bordo *m.* ① [선박] 현측(舷側), 뱃전. ② *AmérC.* (논의 주위를 도는) 저수구(貯水溝). ¶*a ~* 배[비행기]로[의]; 선내[기내]에(서): estar *a ~* 승선[탑승]해 있다. ir *a ~* 배로 가다. subir *a ~* 승선[탑승]하다. *de a ~* 탑승한; 탑재된: hombres de *a ~* 승무원 segundo *de a ~* 일등 항해사. *de alto ~* (배가) 대형의; (사람이 몸집이) 큰.

bordón *m.* ① (순례 등의) 긴 지팡이. ② (노래의) 후렴. ③ 말버릇. ④ [음악] 최저현. ⑤ *Amér.* 막내.

bordona *f. AmérM.* (기타의) 최저현.

bordear *intr.* ① (벌레가) 낮은 소리로 윙윙거리다. ② 지팡이로 때리다. ③ 지팡이로 더듬으며 걷다. ④(기타의) 최저현을 켜다.

boreal *adj.* ①북(쪽)의. ② 북풍의.

bóreas *m.sing.pl.* 북풍(北風).

borgoña *m.* 부르고뉴(Borgoña, 프랑스의 한 지방) 와인.

boricado, da *adj.* 붕산(硼酸)을 함유한: agua *~da* 붕산수.

bórico, ca *adj.* [화학] 붕소(硼素)의.

borinqueño, ña *adj., m.f.* =**portorriqueño.**

borla *f.* ① 술(장식) ((대학 졸업생의 모자에 부착함)): tomar la ~ 대학을 졸업하다. ② (화장용의) 분첩(~ para polvos). —*pl.* [식물] 색비름.

borne *m.* [전기] 단자(端子).

bornear *tr.* ① 꼬다, 비틀다. ② (기둥의 주위에) 세공하다. —*intr.* ① (매어둔 배가) 빙글빙글 돌다. ② (춤출 때 발로) 빙그르 돌다. ~**se** 휘다, 뒤틀리다, 구부러지다.

borní *m.* [새] 물수리.

boro *m.* [화학] 붕소.

borona *f.* ① [식물] 기장. ② [식물] 옥수수. ③ [방언] 옥수수빵.

borra *f.* ① 한 살짜리 새끼 양. ② (양털의) 찌꺼기. ③ 속을 채워 넣기 위한 양털. ④ 침전물, 앙금. ⑤ 소맷자락에 묻은 때.

borracha *f.* (가죽 제품의) 술부대.

borrachera *f.* ① 취함, 취기, 명정(酩酊), 대취(大醉): ~ conduciendo 취중 운전. ② 도취.

borrachín, na *adj.* 몹시 취한, 곤드레만드레가 된. —*m.f.* 모주꾼, 술부대, 주정뱅이.

borracho, cha *adj.* ① [estar+, +de] 술에 취한: Ella está *~cha* de [con] cerveza 그녀는 맥주에 취해 있다. ② [+estar, +de] (…에) 도취된, 흥분된: estar ~ de su triunfo 승리에 취해 있다[도취되어 있다]. ③ [+ser] 술을 무척 좋아하는, 모주꾼의. ④ 적흑(赤黑)의, 검붉은 빛의, 붉은빛이 도는 검은빛의. ⑤ (과일이) 너무 익은. —*m.f.* 주정뱅이.

borrador *m.* ① 초고(草稿), 원고: hacer un ~ 초고를 쓰다. ② [미술] 거친 스케치. ③ 흑판 지우개. ④ *Amér.* 고무 지우개. ⑤ 메모장, 메모용지. ⑥ [상업] 당좌 수표장.

borraja *f.* [식물] 서양 지치.

borrajear *tr.* 갈겨 쓰다, 장난으로 그리다.

borrar *tr.* ① 지우다; (선을 그어) 말소하다. ② [+de] (…에서) 제외하다. ③ [컴퓨터] 소거(消去)하다, 지워 없애다. ~**se** ① 지워지다, 사라지다: *Se* me *ha borrado* su cara 나는 그의 얼굴을 잊었다. ② (회 등을) 그만두다.

borrasca *f.* ① [기상] 저기압; (천둥을 동반한, 주로 바다의) 폭풍우. ② 위험. ③ 말다툼, 싸움.

borrascoso, sa *adj.* 폭풍우의[같은], 거친, 사나운: viento ~ 폭풍.

borrego, ga *adj.* 무지 몽매한. —*m.f.* ① (한 살이나 두 살의) 새끼양. ② 무지 몽매한 사람. —*m.* 날조, 조작, 허보(虛報). —*m.pl.* 조개구름, 권적운(卷積雲), 비늘구름; 잔물결.

borreguero, ra *adj.* 새끼양(용)의.

borreguil *adj.* ① 새끼양의. ② (사람이) 온순한, 얌전한, 다루기 쉬운.

borricada *f.* 어리석은 언동.

borrico, ca *m.f.* ① 당나귀. ② 얼간이, 멍텅구리; 완고한 사람. —*adj.* 어리석은, 멍청한, 바보스런; 완고한. —*m.* =**borriquete.**

borriquero, ra *adj.* 당나귀의.

borriqueta *f.* =**borriquete.**

borriquete *m.* (목수의) 가대(架臺).

borrón *m.* ① (잉크의) 얼룩. ② 결점; (경력의) 오점. ③ [미술] 소묘.

borronear *tr.* =**borrajear.**

borrosidad *f.* 불선명(不鮮明).

borroso, sa *adj.* ① 선명하지 못한. ② (커피 등이) 앙금[침전물]이 많은.

borujo *m.* =**burujo.**

boscaje *m.* ① 덤불, 숲, 수풀. ② [미술] 나무와 동물을 그린 풍경화.
boscoso, sa *adj.* (토지가) 수풀[나무]이 많은.
bosniaco, ca *adj.* =bosnio.
Bosnia Herzegovina *f.* [국명] 보스니아-헤르체고비나.
bosnio, nia *adj.* 보스니아-헤르체고비나의; 보스니아(Bosnia)의. *—m.f.* 보스니아 사람.
bosque *m.* ① 수풀, 숲; 삼림: ~ del Estado 국유림. ~ ecuatorial 열대우림. ② 텁수룩한 수염.
bosquecillo *m.* 작은 숲.
bosquejar *tr.* ① [미술] 소묘하다, 데생하다, 스케치하다: ~ un retrato 초상화의 밑그림을 그리다. ② 초안[계략]을 만들다.
bosquejo *m.* 소묘, 스케치, 데생; 초안: ~ de una novela 소설의 초고.
bosta *f. AmérM.* (가축의) 똥.
bostezar (9) *intr.* 하품하다.
bostezo *m.* 하품.
bota *f.* ① (가죽 제품의) 술부대. ② [주로 *pl.*] 장화, 부츠: ~*s* altas [de montar] 승마화. ~*s* de agua [de lluvia · de goma] 우화(雨靴), 고무장화. ③ 축구화. ④ (플라멩코의) 남성 무용수용 구두. *—adj.* 바보의, 얼간이의. *—m.f.* 바보, 얼간이, 얼뜨기.
botador *m.* [목공] 지레식 못뽑이.
botadura *f.* (배의) 진수(進水).
botafumeiro *m.* ① (교회의) 향로. ② 아부, 아첨.
botalón *m.* ① [선박] 활죽. ② 톱마스트(mastelero).
botamanga *f. AmérM.* =bocamanga.
botana *f.* ① (가죽 부대의) 이음. ② (술통의) 나무 마개. ③ (연와(煉瓦)의 틈 사이를 메우는) 시멘트. ④ *AmérC.* [요리] 식전에 먹는 간단한 입매, 전채(前菜).
botánica *f.* 식물학.
botánico, ca *adj.* 식물학의: jardín ~ 식물원. *—m.f.* 식물학자.
botar *tr.* ① 내던지다, 던지다. ② [+de] (…에서) 몰아내다, 내쫓다. ③ (배를) 진수시키다. ④ (공을) 튀어오르게 하다. ⑤ *Amér.* 낭비하다; 잃다. *—intr.* ① (공이) 튀어오르다, 바운드하다. ② (사람 · 말이) 뛰어오르다: Yo *boté de* alegría 나는 기뻐 펄쩍펄쩍 뛰었다.
botarate *m.f.* ① 바보, 멍청이. ② 분별 없는 사람. ③ *Amér.* 낭비자.
botavara *f.* [선박] 활대.
bote *m.* ① 도약: dar ~*s* 튀어오르다. saltar la valla de un ~ 한 번 뛰어 허들을 넘다. ② (보조용의 주로 원통형의 그릇) 주둥이가 넓은 병, 깡통: un ~ de mermelada [de yogur] 잼[요구르트] 한 병. ~ de azúcar 설탕 그릇. ③ 보트, 돛단배: ~ de salvamento, ~ salvavidas 구명 보트. ~ de pesca 낚싯배. ¶*de ~ en ~* 발 디딜 틈이 없는, 초만원의: El cine está (lleno) *de ~ en ~* 극장이 초만원이다. .
botella *f.* ① 병: cerveza de [en] ~ 병맥주. ② 봄베.
botellazo *m.* 병으로 구타[때리기].
botellero, ra *m.f.* 병 제조업자[판매업자]. *—m.* 병을 넣는 상자, 병 진열장, 병 선반.
botellín *m.* 작은 병.
botepronto *m* [럭비] 드롭킥.
botero *m.* 술부대[가죽 부대] 제조자.
botica *f.* ① 약국, 약방(farmacia). ② [집합] 약: pagar médico y ~ 진찰료와 약값을 지불하다. ③ [고어] 가게(tienda).
boticario, ria *m.f.* 약제사.
botija *f.* ① 단지, 항아리. ② *Amér.* 배, 복부. ③ *AmérC.* 묻혀 있는 보물. *—m.f. AmérM.* 소년, 소녀.
botijo *m.* 물항아리, 물통.
botillería *f. Amér.* 술집, 주점.
botín *m.* ① 반장화: *botines* de fútbol 축구화. ② 전리품(~ de guerra). ③ *AmérM.* 양말(calcetín).
botina *f.* 반장화.
botiquín *m.* ① 약상자, 구급약 상자. ② (구급용의) 약 (전부). ③ (욕실의) 약 선반. ④ 약품실.
botivoleo *m.* [운동] 바운드된 공을 치는 일, 공놀이.
boto *m.* ① 작은 술부대. ② (승마용의) 장화.
botón *m.* ① (의복의) 단추: ~ automático 똑딱단추. poner [pegar · coser] un ~ a la camisa 와이셔츠에 단추를 달다. ② (식물의) 싹, 순: brotar *botones* nuevos 새싹이 트다. ③ 꽃봉오리: echar *botones* 꽃봉오리가 나오다. ④ (기구의) 버튼, 단추, 스위치, 손잡이: ~ de contacto [de presión] 누름단추. tocar ~, dar al ~ 버튼[스위치]을 누르다. ⑤ (취주악기의) 건(鍵); (펜싱의 칼 끝에 다는) 구슬.
botonadura *f.* [집합] (한 벌의) 단추.
botonazo *m.* [펜싱] 구슬이 달린 칼로 찌르기.
botones *m.sing.pl.* (호텔의) 벨보이; (회사의) 메신저 보이.
Botsuana *f.* [국명] 보츠와나.
botsuano, na *adj., m.f.* 보츠와나의[에 관한] (사람).
botulínico, ca *adj.* 보툴리누스의: bacilo ~ 보툴리누스 균.
botulismo *m.* [의학] 보툴리누스 중독 ((썩은 소시지 · 통조림 고기의 독소로 인한 식중독)).
bou *m.* (연안의) 저인망 어로, 트롤어선.
bouquet *m. fr.* [*pl.* ~s] ① (포도주의) 향, 향기, 방향. ② 꽃다발, 부케.
bourbon *m. ing.* 버번위스키.
boutique *f. fr.* 고급 양장점, 부티크.

bóveda *f.* ① [건축] 궁륭(穹窿), 둥근 천정, 둥근 지붕 ② 지하 성당, 지하 납골당. ¶ ~ *palatina* 구개, 입천장.
bovedilla *f.* 작은 궁륭.
bóvidos *m.pl.* [동물] 소과(科).
bovino, na *adj.* 소의. —*m.pl.* 소아과(亞科).
bowling *m. ing.* [운동] 볼링(장).
box *m. ing.* [*pl.* ~es] [주로 *pl.*] ① (경마 마구간의) 마방. ② *Amér.* 우편함, 우체통(buzón). ③ =**boxeo.**
boxcalf *m. ing.* [피혁] 박스 가죽.
boxeador, ra *m.f.* 권투 선수, 복서.
boxear *intr.* 권투 (시합)를 하다.
boxeo *m.* 권투, 복싱.
bóxer *m.* [*pl.* ~s] [개] 복서.
boya *f.* ① 부표(浮漂). ② (낚시의) 찌.
boyada *f.* 소떼.
boyante *adj.* ① 떠 있는. ② 융성한. ③ [투우] (소를) 다루기 쉬운.
boyar *intr.* ① (배가) 재취항하다. ② (배가) 떠 있다.
boyardo, da *m.f.* [역사] (러시아의) 대귀족.
boyera *f.* =**boyeriza.**
boyeriza *f.* 외양간.
boyero, ra *m.f.* 소몰이, 소를 치는 사람.
boy scout *m. ing.* 보이스카우트.
bozal *m.* ① (짐승의) 입마개. ② 재갈 끈.
bozo *m.* 드문드문 자란 수염.
bracamarte *m.* [고어] 단검.
braceada *f.* =**brazada.**
braceaje *m.* 수심(水深).
bracear *intr.* ① 팔을 흔들다. ② 손을 번갈아 앞으로 내뻗으며 헤엄치다. ③ 노력하다.
braceo *m.* 팔을 휘저음.
bracero, ra *m.f.* ① 농장 노동자, 소지주; 인부. ② 일을 거들어 주는 사람. ¶*de* ~ 서로 팔짱을 끼고.
bracete *de* ~ 서로 팔짱을 끼고.
braco *m.* [개] 포인터(perro ~).
bráctea *f.* [식물] 꽃대, 화포(花苞).
bradicardia *f.* [의학] 서맥(徐脈).
braga *f.* ① [복식] [주로 *pl.*] 팬티; (어린이용의) 팬츠. ② (갓난애의) 기저귀(pañal). ③ 밧줄.
braga-faja *f.* 팬티 거들.
bragado, da *adj.* ① 안쪽 허벅지의 털빛이 변한. ② 힘있는.
bragadura *f.* 안쪽 허벅지, 늑간.
bragapañal *m.* 종이 기저귀.
bragzas *m.sing.pl.* 공처가.
braguero *m.* 탈장대(脫腸帶).
braqueta *f.* (바지・팬츠의) 앞이 터진 곳. ¶*oír por la* ~ 귀가 먹다.
braguetazo *dar* ~ un hombre (남자가) 재물 때문에 부유한 여자와 결혼하다.
braguita *f.* [주로 *pl.*] [복식] 팬티.
brahmán *m.* (인도의) 브라만.
brahmanismo *m.* 브라만교.
braille *m.* 점자(點字), 점자법.
brama *f.* (사슴 등의) 발정(기).
bramante *m.* 삼끈.
bramar *intr.* ① (소 등이) 울다. ② (바람・바다가) 윙윙 소리를 내다.
bramido *m.* 윙윙거리는 소리, 노호(怒號): dar ~*s* 으르렁거리다.
brandy *m. ing.* [*pl.* ~s, brand*ies*] 브랜디.
branquia *f.* [동물] 아가미.
branquial *adj.* 아가미의: respiración ~ 아가미 호흡.
braña *f.* 여름용 목장.
braquial *adj.* [해부] 상완(上腕)의, 상박(上膊)의: bíceps ~ 상완 이두근.
braquicéfalo, la *adj.* [인류학] 단두(短頭)의. —*m.f.* 단두의 사람.
braquiocefálico, ca *adj.* [해부] 상완(上腕)과 머리의.
brasa *f.* 잉걸불, 빨갛게 핀 숯불: a la ~ 숯불구이로.
brasear *tr.* 숯불로 굽다, 숯불구이를 하다.
brasero *m.* 화로 (모양의 난방 기구).
brasil *m.* ① [식물] 다목. ② 다목재.
Brasil *m.* [국명] 브라질.
brasileño, ña *adj.* ① 브라질 태생의. ② 브라질의. —*m.f.* 브라질 사람.
brasilero, ra *adj. m.f. Amér.* =**brasileño.**
bravata *f.* 허세, 허장 성세(虛張聲勢), 엄포: decir [echar] ~*s* 엄포를 놓다.
braveza *f.* ① 용감함, 사나움, 영악, 영맹. ② 대자연의 맹위(猛威): ~ del mar 거친[사나운] 바다.
bravío, a *adj.* ① (동물이) 사나운, 거친, 사람에게 길들여지지 않은. ② (식물이) 야생의. ③ (사람이) 조야(粗野)한, 됨됨이가 촌스럽고 천한, 조포(粗暴)한, 거동이 몹시 거친 듯한, 반항적인. ④ (바다가) 거친, 사나운: mar ~ 거친[사나운] 바다. —*m.* (특히 소가) 사나움.
bravamente *adv.* ① 용감히, 용맹하게, 우락부락하게. ② 사납게, 거칠게. ③ 몹시, 대단히, 굉장히, 멋지게.
bravo, va *adj.* ① (사람이) 용감한, 용맹한; 성질이 거친, 우락부락한, 험악한, 험상궂은, 노하기 잘 하는; 적극적인: soldado ~ 용감한 군인[병사]. mujer ~*va* 방자하고 다루기 곤란한 여자. ② [ser+] (동물이) 사나운, 거친, 사람에게 길들여지지 않은: toro ~ 사나운 투우소. ③ [estar+] (바다가) 거친, 사나운: mar ~ 거친[사나운] 바다. ④ (토지가) 황량한, 험한: paisaje ~ 황량한 풍경. ⑤ 대단한, 굉장한, 멋진. —*adv.* 의연하게. —*interj.* 잘했어!, 만세! ((환희・갈채・승인)).
bravucón, na *adj., m.f.* 허세를 부리는 (사람).
bravuconada *f.* 허세, 허장성세.
bravuconería *f.* =**bravuconada.**
bravura *f.* ① (주로 투우의 소가) 용맹한. ② (사람의) 허세, 허장성세.

braza *f.* ① [길이의 단위] 브라사 ((6 피트; 약 167cm; 영국과 미국에서는 183cm.)). ② *Esp.* 평영(平泳)(~ de pecho): ~ de espalda 배영(背泳). ~ mariposa 버터플라이, 접영(蝶泳). ③ [선박] 돛을 조이는 밧줄.

brazada *f.* ① [수영] 손발을 한 번 놀리기. ② [보트] 한 번 젓기. ③ 한 아름(의 양): una ~ de flores 꽃 한 아름. ④ *AmérM.* =braza.

brazado *m.* =brazada ②.

brazaje *m.* =braceaje.

brazal *m.* ① 완장(腕章): ~ de luto 상장(喪章). llevar un ~ 완장을 차다. ② (갑옷의) 팔받이. ③ 용수로.

brazalete *m.* ① 팔찌: ponerse un ~ 팔찌를 하다. ② 완장(brazal): ~ de capitán [축구] 주장이 다는 완장. ③ (갑옷의) 팔받이.

brazo *m.* ① (신체의) 팔. ② (동물의) 앞다리, 촉수. ③ (나무의) 가지. ④ (기구의) 팔, 완목(腕木); 손잡이. ⑤ (의자의) 팔걸이. ⑥ 저울대. ⑦ 힘, 권력, 세력. ⑧ 사람 수, 노동력: Aquí hacen falta ~*s* 이곳에서는 노동력이 부족하다. ¶ ~ *derecho* 오른팔 ((비유적으로도 쓰임)): El es el ~ derecho del presidente 그는 대통령의 오른팔이다. *niño de ~s* 미숙한 사람. *a ~* 손으로, 수제(手製)로, 인력으로: chocolate elaborado *a ~* 손으로 만든 초콜릿. *a ~ partido* ㉮ 완력으로, 맨손으로: pelear *a ~ partido* 맨손으로 싸우다. ㉯ 필사적으로. *con los ~s abiertos* 양팔을 벌리고; 마음에서, 우호적으로. *con los ~s cruzados* 팔짱을 끼고, 아무 것도 하지 않고. *de ~s cruzados* =con los ~s cruzados. *del ~* 서로의 팔을 끼고. *cruzarse de ~s* 팔짱을 끼고 있다, 아무 것도 하지 않고 있다.

brazuelo *m.* (동물의) 앞다리의 무릎에서 위.

brea *f.* 타르, 역청; (타르를 바른) 방수포: ~ mineral 콜타르.

brear *tr.* 학대하다.

brebaje *m.* 맛없는 음료수.

breca *f.* [어류] =albur.

brecha *f.* ① (벽 등의) 갈라진 틈, 균열, 금, 구멍. ② (머리 부분의) 상처, 열상(裂傷). ③ (공격의) 돌파구. ④ (의견 등의) 상위(相違), 간격, 격차, 차이: ~ generacional 세대의 차이. ⑤ [지질] 각력암(角礫岩).

brécol *m.* [식물] 모란채.

brega *f.* 격무(激務); 싸움. ¶*andar a la ~* 열심히 일하다.

bregar (8) *intr.* ① 열심히 일하다. ② [+con] (…곤란 등과) 싸우다; 말다툼하다, 싸우다.

breña *f.* [주로 *pl.*] (암산 사이의) 험난한 황무지.

breñal *m.* 험난한 황무지.

bresca *f.* 꿀벌의 집, 꿀집.

brescar (7) *tr.* (벌집에서) 꿀집을 꺼내다.

Bretaña *f.* [국명] Gran ~ 영국 ((정식 명칭 Reino Unido de Gran ~ e Irlanda del Norte)).

brete *m.* ① 쇠족쇄. ② 고경(苦境), 괴로운 지경.

bretel *m.* *AmérM.* [복식] 멜빵, (가방 등의) 가죽끈.

breva *f.* ① 무화과의 첫 열매. ② 순한 궐련. ③ 이득. ④ *Amér.* 씹는 담배.

breve *adj.* ① 짧은 단시간의: Fue un ~ encuentro 그것은 짧은 만남이었다. ② 간결한, 간단한: explicar en ~*s* palabras 간단히 설명하다. No es ~ de contar 그것은 말하기가 간단하지 않다. ③ [언어] (모음이) 단음의, (음절이) 짧은. ¶*en ~* ㉮ 곧, 바로, 즉시: Saldré *en ~* 즉시 나가겠습니다. ㉯ 간단히 말하면, 요약하면. *El arte es largo, la vida ~* (속담) 예술은 길고 인생은 짧다. —*m.* ① (로마 교황의) 소칙서. ② *pl.* (신문의) 짧은 뉴스. —*f.* ① [음악] 2전음부. ② [언어] 단모음, 단음절.

brevedad *f.* ① (시간의) 짧음. ② 간결함, 간단함: ~ del estilo 문체의 간결함. con ~ 간결히, 간단히. para mayor ~ 간단히 말하면, 요약하면.

brevemente *adv.* 간단히; 요약하면.

breviario *m.* ① [천주교] 성무 일과서(聖務日課書)(의 기도서). ② 적요(摘要), 개설(概說).

brezal *m.* (히스가 무성한) 황무지.

brezo *m.* [식물] 히스 ((황야에 자생하는 관목)).

briba *f.* 건달 생활.

bribón, na *m.f.* ① 건달, 악당, 부랑자(浮浪者). ② 장난꾸러기.

brida *f.* ① 고삐. ② 말굴레. ③ 조임쇠. ④ 레일의 이음쇠. ¶*a toda ~, a ~ suelta* 전속력으로. *andar a la ~* 기회를 노리다.

brigada *f.* ① [군사] 여단(旅團): ~ paracaísta 공정 부대. ② (경찰 등의) 반, 계: ~ de estupefacientes 마약 수사반. —*m.* [육군·공군] 원사.

brigadier *m.* [고어] 여단장, 준장; [해군] 대장, 전투 사령관.

brigadista *m.f.* brigada의 멤버.

brillante *adj.* ① 빛나는, 번쩍이는: estrella ~ 번쩍이는 별. luz ~ 번쩍이는 빛. zapatos ~*s* 번쩍번쩍 광이 나는 구두. ② 훌륭한, 빛나는, 근사한, 멋진; 탁월한: discurso ~ 멋진 연설. fiesta ~ 화려한 제전. —*m.* (브릴리언트 컷의) 다이아몬드.

brillantez *f.* 빛남, 번쩍임; 대성공.

brillantina *f.* (두발용) 화장품, 포마드.

brillar *intr.* ① (눈부시게) 빛나다, 번쩍번쩍 빛나다, 빛을 내다[발하다], 번쩍[번뜩]이다. ② [+por] (…로) 눈에 띄다, 두드러지다, 뛰어나다.

brillo *m.* ① 빛남, 광채, 광택; 영광. ② [광학] 휘도(輝度).

brincar (7) *intr.* ① 껑충껑충 뛰다, 도약하다. ② 격노(激怒)하다.

brinco *m.* 도약(跳躍).

brindar *intr.* [+por] (…때문에) 건배(의 인사를) 하다, 축배를 들다. —*tr.* ① (matador가 투우를 귀인들에게) 바치다. ② (무상으로) 제공하다; (기회를) 주다. ~**se** [+a+*inf.*] (…하는 제공을) 신청[신고]하다, 말하다.

brindis *m.sing.pl.* ① 축배(의 말): echar un ~ 건배하다. *¡Brindis!* 건배! ② 투우를 바치는 인사, 헌사.

brío *m.* ① [때때로 *pl.*] 활력, 원기, 활기. ② 기품(氣品), 늠름함: hombre de ~*s* 늠름한 남자.

brioche *m. fr.* 과자빵.

briofitas *f.pl.* [식물] 선태류(蘚苔類).

brioso, sa *adj.* ① 활력이 있는, 원기 왕성한. ② 씩씩한, 늠름한.

briqueta *f.* 연탄.

brisa *f.* ① 미풍(微風); 북동풍(北東風). ② *Amér.* 무역풍.

brisca *f.* 카드 놀이의 일종.

británico, ca *adj.* ① 영국 태생의. ② 영국의[에 관한]. —*m.f.* 영국 사람(inglés).

brizna *f.* ① (주로 풀의) 한 단, 한 편. ② 줄기. ③ 소량 ((주로 부정문에서 사용함)): El no tiene ni una ~ de humor 그는 유머라고는 손톱만큼도 없다.

broa *f.* (얕은) 만(灣).

broca *f.* (방직기의) 방추.

brocado *m.* 금은 무늬의 가죽.

brocal *m.* ① (방패의) 가장자리. ② (술자루의) 마시는 부분.

brocatel *m.* [섬유] 비단천.

brocearse *r.* (광맥·장사가) 시들해지다.

brocha *f.* 솔, 귀얄, 브러시. ¶*de ~ gorda* ㉮ (화가·그림이) 시원찮은, 예술성이 없는: pintor *de ~ gorda* 페인트공; 시원찮은 화가. ㉯ (농담 등이) 우습지 않은.

brochada *f.* =**brochazo.**

brochazo *m.* ① (솔로) 한 번 칠하기. ② 솔로 때리기. ¶*de un ~* 간단하게, 깨끗이, 일거에.

broche *m.* ① [복식] 브로치. ② [복식] 갈고랑이 호크, 똑딱단추. ③ 잠금쇠. ④ *AmérM.* (종이용) 클립, 종이끼우개.

brocheta *f.* =**broqueta.**

brócoli *m.* =**brécol.**

bróculi *m.* =**brécol.**

broker *m.f. ing.* [*pl.* ~s] 브로커, 중매인(仲買人).

broma *f.* ① (짓궂은) 장난, 못된 장난, 조롱, 놀림. ② 농담, 신소리, 익살: ser amigo de ~*s* 농담을 잘하다. ③ 하찮은 것, 시시한 것. ④ [조개] 배좀벌레조개, 좀조개.

bromatología *f.* 영양학.

bromazo *m.* 심한 농담, 못된 장난.

bromearse *r.* 농담을 하다, 신소리를 하다.

bromeliáceas *f.pl.* [식물] 아나나스과, 파인애플과.

bromista *adj.* 농담을 좋아하는, 익살스런. —*m.f.* 농담꾼, 농담을 좋아하는 사람, 익살스런 사람.

bromate *m.* [화학] 취소산염.

bromo *m.* [화학] 취소(臭素).

bromoformo *m.* [화학] 브로모포름.

bromuro *m.* [화학] 취화물: ~ de plata 취화은. ~ potásico 취화 칼륨.

bronca *f.* ① 싸움, 난투: armar una ~ 싸우다. buscar ~ 싸움을 걸다. ② (엄한) 질책: echar a *uno* una ~ …를 호되게 질책하다. ③ 소동, 혼잡, 야단 법석. ④ (주로 투우에서 관중의) 항의. ⑤ *AmérM.* 노함, 성냄.

broncazo *m.* 엄한 질책.

bronce *m.* 청동(青銅), 브론즈; 동상(銅像); 동화(銅貨), 동메달.

bronceado, da *adj.* 구릿빛의, 청동색의; 햇볕에 그을린.

bronceador, dora *adj.* 햇볕에 탄[그을린]. —*m.* 선 오일, 햇볕용 로션.

broncear *tr.* ① 청동색으로 만들다. ② 햇볕에 피부를 태우다. ~**se** 햇볕에 피부가 타다.

broncíneo, a *adj.* 청동의, 청동 같은.

bronco, ca *adj.* ① (소리가) 불쾌한, 잠긴: voz ~*ca* 잠긴 목소리. tos ~*ca* 심한 기침. ② (사람이) 난폭한.

broncodilatador *m.* 기관지 확장제.

bronconeumonía *f.* [의학] 기관지 폐렴(氣管支肺炎).

broncopulmonar *adj.* 기관지 폐의.

bronquial *adj.* 기관지의.

bronquio *m.* [해부] 기관지.

bronquiolo *m.* 세(細) 기관지.

bronquíolo *m.* =**bronquiolo.**

bronquítico, ca *adj.* 기관지염(氣管支炎)의. —*m.f.* 기관지염 환자.

bronquitis *f.sing.pl.* [의학] 기관지염.

brontosaurio *m,* [고생물] 브론토사우루스, 뇌룡(雷龍) ((공룡의 일종)).

broquel *m.* ① (소형으로) 원형 방패. ② 방어(防禦).

broquelar *tr.* =**abronquelar.**

broqueta *f.* ① 꼬챙이. ② [요리] 꼬치구이.

brotar *intr.* ① 발아하다, 움트다, 새순이 나오다, 새싹이 돋다; (잎 등이) 나오다. ② [+de] (물 등이 …에서) 펑펑 나오다.

brote *m.* ① 싹, 꽃봉오리; 발아(發芽): ~*s* de soja 콩나물. patata con ~*s* 싹이 난 감자. echar ~*s* 싹트다. ② 출현.

broza *f.* ① 낙엽. ② 쓰레기, 찌꺼기, 부스러기, 지스러기. ③ 잡초; 잡목. ④ =**bruza.**

brucelosis *f.sing.pl.* 지중해열(熱).

bruces *de ~* 엎드려, 엎어져, 거꾸로: caerse *de ~* 거꾸로 떨어지다.

dormir *de* ~ 엎어져 자다.

bruja *f.* ① 마녀(魔女): tren de la ~ 유령 열차. ② 못생긴 노파(老婆). ③ *AmérC.* 논다니, 노는 계집, 유녀(遊女). —*pl.* 마녀 사냥(caza de ~*s*).

brujería *f.* 마법, 마술: hacer ~*s* 마법을 사용하다.

brujesco, ca *adj.* 마법의, 마법사의.

brujo, ja *m.f.* 마법사, 마술사; 주술사. —*adj.* ① 매혹적인: ojos ~s 매혹적인 눈. ② *AmérC.* [estar+] 가난한, 빈곤한.

brújula *f.* 컴퍼스, 자석(磁石); 나침반. ¶*perder la* ~ 방향을 잃다.

brujulear *tr.* (트럼프의) 수를 읽다, 미리 알다. —*intr.* 헤매다, 방황하다, 유랑하다.

brulote *m.* ① 화선(火船). ② *Amér.* (야비한) 욕, 모욕.

bruma *f.* ① 안개, 연무: Hay una ~ 안개가 끼어 있다. ② *pl.* 혼란, 곤혹.

brumoso, sa *adj.* ① 안개가 자욱한. ② 분명치 못한, 막연한.

Brunei *m.* [국명] 브루나이.

bruneyense *adj.* 브루나이의. —*m.f.* 브루나이 사람.

bruno, na *adj.* 거무잡잡한, 암색(暗色)의. —*m.* [식물·과실] (작고 검은) 오얏.

bruñido *m.* =**bruñidura.**

bruñidura *f.* 광내기; 광택.

bruñir (52) *tr.* (금속·돌 등을) 광내다, 문지르다, 닦다.

bruño *m.* [식물] =**bruno.**

bruscamente *adv.* ① 돌연, 불의에. ② 무뚝뚝하게, 난폭하게.

brusco, ca *adj.* ① 불의의, 돌연의. ② 무뚝뚝한, 불통스런, 난폭한.

bruselense *adj.* 브뤼셀(Bruselas, 벨기에의 수도, EC의 본부가 있음)의. —*m.f.* 브뤼셀 사람.

brusquedad *f.* 무뚝뚝함, 당돌함: con 무뚝뚝하게; 불의에, 돌연.

brut *m.* (*fr.*) (포도주·샴페인 등이) 단맛이 없는(muy seco).

brutal *adj.* ① 짐승 같은, 잔혹한; 난폭한. ② 굉장한, 지독한, 무서운: a una velocidad ~ 굉장한[무서운] 속도[속력]로. ③ 돌연의: cambio ~ 급변(急變).

brutalidad *f.* ① 수성(獸性), 잔인성; 난폭(함). ② 우둔한[멍청한] 짓. ③ 굉장함, 지독함.

bruto, ta *adj.* ① 멍청한, 바보 같은, 우둔한; 난폭한. ② 가공[정제]하지 않은: petróleo ~ 원유(原油). piedra ~*ta* 원석(原石). ③ [경제] 총계의: ganancia ~*ta* 총이익. ④ [상업] 포장을 포함한: peso ~ 총중량. ¶*en* ~ ㉮ 총계의; 포장을 포함한: peso *en* ~ 총중량. ㉯ 미가공의: azúcar *en* ~ 막설탕, 조당(粗糖). diamante *en* ~ 다이아몬드 원석. madera *en* ~ 원목(原木). —*m.f.* 짐승 같은 사람, 잔인한 사람; 멍청한[우둔한] 사람, 바보. —*m.* 짐승, 축생(畜生) ((주로 말 등)): noble ~ [문어] 말(馬).

bruza *f.* (말·활자용) 솔.

bruzar (9) *tr.* (활자에) 솔질하다.

Bs.As. Buenos Aires 부에노스아이레스.

bto. bruto 포장 포함해서.

bu *m.* [*pl.* búes] [유아어] 귀신, 도깨비, 무서운 것.

búa *f.* =**buba.**

buba *f.* [의학] 농포(膿疱).

búbalo, la *m.f.* [동물] (아프리카산의) 영양(羚羊).

bubón *m.* [의학] (서혜) 림프 절종(瘤腫). —*pl.* 가래톳.

bubónico, ca *adj.* (서혜) 림프 절종(瘤腫)의.

bucal *adj.* 입의, 구강(口腔)의.

bucanero *m.* (17-18세기의 카리브해의) 해적.

búcaro *m.* 방향 점토; 방향 점토로 만든 도기(陶器); (특히) 꽃병, 화병.

buccinador *m.* [해부] 협근(頰筋), 뺨 근육.

buccino *m.* [조개] 쇠고둥 무리 ((염료로 쓰이는 조가비)).

buceador, ra *m.f.* 잠수부, 다이버.

bucear *intr.* ① 잠수하다(~ en el agua). ② [+en] (…을) 조사하다.

buceo *m.* 잠수: ~ de altura 심해(深海) 잠수.

bucéfalo[1] *m.* 우둔한 사람.

Bucéfalo[2] *m.* 알렉산더 대왕의 애마(愛馬).

buchada *f.* =**bocanada.**

buche *m.* ① (새의) 모이주머니; (동물의) 위주머니. ② (음료수의) 한 입, 입에 머금은 물[액체]: beber a ~*s* 조금씩 마시다, 홀짝홀짝 마시다. ¶*llenar el* ~ 실컷 먹다.

buchinche *m.* 누추한 조그만한 집[방].

buchón *m.* [식물] 물옥잠.

bucle *m.* ① 말린 머리카락. ② [컴퓨터·교통] 루프.

bucofaríngeo, a *adj.* 구강(口腔)과 인두(咽頭)의.

bucólica *f.* 목가(牧歌).

bucólico, ca *adj.* 목가의, 목가적인, 전원시풍의; 전원(田園)의. —*m.f.* 전원 시인.

bucolismo *m.* 목가체; 전원 취미.

buda[1] *m.* ① 불상(佛像). ② 득도[깨달음]의 경지에 달한 사람.

buda[2] *f.* [식물] 부들.

Buda *m.* 불타(佛陀), 부처, 석가여래.

budín *m. ing.* ① [요리] (과실·생선 등의) 푸딩. ② *AmérM.* 케이크.

budinera *f.* 푸딩 형(型).

budión *m.* [어류] 놀래기.

budismo *m.* 불교, 부처님의 가르침.

budista *adj.* 불교의, 불교도의. —*m.f.* 불교도, 불교 신자.

buen *adj.* [bueno의 남성 단수 명사 앞에서 o 탈락형] 좋은. ☞**bueno.**

buenamente *adv.* ① 가능한 범위내에서, 무리하지 않고. ② 쉽게, 시원시원하게. ③ 자진해서, 솔선 수범해서, 기꺼이.
buenaventura *f.* ① 행운. ② (집시의) 점: echar la ~ 점을 치다.
buenazo, za *adj., m.f.* 친절한 (사람).
buenecito, ta *adj.* [주로 tan · muy+] 순종한, 말을 잘 듣는.
bueno, na *adj.* [남성 단수 명사 앞에서 buen] ① 좋은, 양호한: *buen* amigo 좋은 친구. ② 적절한, 적당한: Este pescado no es ~ de comer 이 생선은 먹기에 적절치 못하다. Esta maleta está todavía *~na* 이 가방은 아직 쓸 만하다. ③ 품질이 좋은, 양질의, 상품의; 우수한, 두드러진, 뛰어난: *buen* vestido 품질이 좋은 옷. *~na* película 양질의 영화. ④ 선량한. ⑤ 친절한. ⑥ 예의 바른. ⑦ (아이들이) 얌전한, 온순한. ⑧ [+명사] 과분하게 선량한. ⑨ 유쾌한, 즐거운. ⑩ [estar+] ㉮ 건강한: Mis padres están *~s* 내 부모님은 건강하시다. ㉯ (성격이) 매력이 있는. ⑪ 맛있는, 맛좋은: El vino tinto es ~ 이 적포도주는 맛이 좋다. ⑫ [+명사] 어지간한, 상당한; 충분한: una *~na* cantidad 상당한 양[액수]. ⑬ [인사] *Buenos* días 안녕하세요 ((점심 식사 때까지)); 안녕히 가세요[계세요]. *Buenas* tardes 안녕하세요 ((점심 후부터 해질녘까지)); 안녕히 가세요[계세요]. *Buenas* noches 안녕하세요 ((해가 진 뒤)); 안녕히 주무세요; 안녕히 가십시오[계십시오]. ¶ ***Lo ~ es difícil*** (속담) 좋은 것은 얻기가 쉽지 않다. ***Todo lo ~ se acaba*** (속담) 아무리 좋은 것이라도 끝이 있는 법이다. —*m.f.* 선한 사람, 착한 사람. —*m.* (성적 평가에서) 미(美). —*interj.* ① [시인] 좋다!, 됐습니다!, 알았습니다! ② [문제 전환] 자, 그러면: *Bueno*, vamos a dejar 자, 끝냅시다. ③ [놀람 · 실망] 아니, 어머나, 이런, 저런, 아이구 맙소사, 아이쿠.
Buenos Aires [지명] 부에노스아이레스 ((아르헨띠나의 주 · 수도)).
buey *m.* ① (거세된) 수소, 황소: a paso de ~ 느릿느릿, 꾸물꾸물. ② (배 안으로) 밀려 들어오는 물. ***El ruin ~ holgando se descuerna*** (속담) 일하지 않는 자는 쉬 늙는다.
buf *interj.* [한숨] 후유.
bufa *f.* ① 조롱, 놀림. ② 취함, 취기.
bufador *m.* [지질]
búfalo, la *m.f.* [동물] 물소.
bufanda *f.* ① 머플러, 목도리. ② *Esp* 보너스.
bufar *intr.* ① (소 · 말 등이 성이 나서) 씩씩거리다. ② (사람이) 노하다, 성내다: ~ de rabia 격분하다, 격노하다.
bufé *m. fr.* ① (점심 식사 · 가벼운 음식 등을 두는) 카운터, 테이블. ② (파티의) 서서 먹는 테이블. ③ 간이 식당; (열차 역내의) 식당, (학교 등의) 식당(cantina); 뷔페(식 식당). ④ *AmérM.* (서랍 달린) 찬장, 식기 선반(aparador).
bufet *m.* =**bufé.**
bufete *m.* ① 변호사의 사무소, 변호사의 고객: abrir ~ 변호사의 사무실을 열다. hacerse un ~ 고객을 만들다. ② 사무용 책상. ③ =**bufé** ②.
buffer *m.* [*pl.* ~*s*] [컴퓨터] 버퍼, 완충 (기억).
bufido *m.* ① (소 등의) 씩씩거리는 소리. ② 성난 목소리, 노성(怒聲).
bufo, fa *m.f.* 익살스런, 농담을 잘하는, 광대 같은; 진묘한: actor ~ 어릿광대, 광대, 익살꾼. —*m.f.* (이탈리아 오페라의) 어릿광대, 광대, 익살꾼. —*m.* [속어] 호모, 동성애자.
bufón, na *adj.* 우스운, 익살스런, 풍자의. —*m.f.* (궁중의) (어릿)광대.
bufonada *f.* 익살(스런 언동), 농담.
bufonearse *r.* [+de] (…을) 조롱하다, 놀리다.
bufonesco, ca *adj.* 우스운, 익살스런, 풍자의.
buga *m.* 자동차(coche).
bugalla *f.* 몰식자(沒食子).
buganvilia *f. Chile.* =**buganvilla.**
buganvilla *f.* [식물] 부겐빌레아.
bugle *m. fr.* (군악대용) 트럼펫.
buglosa *f.* =**lengua de buey.**
bugui *m.* [음악] 부기.
bugui-bugui *m.* [음악] 부기우기.
buharda *f.* =**buhardilla.**
buhardilla *f.* ① 다락방(desván). ② (다락방의) 지붕 창(문).
buharro *m.* [새] 올빼미 비슷한 새.
búho *m.* ① [새] 큰 부엉이, 수리부엉이. ② 사람을 싫어하는 사람. ③ 밀고자. ¶ ***tren ~*** 야행(夜行) 열차.
buhonería *f.* [집합] [때때로 *pl.*] (행상 · 노점에서 파는) 싸구려 물건.
buhonero, ra *m.f.* [고어] (싸구려 물건의) 행상인.
buido, da *adj.* 예리한.
buitre *m.* [새] 큰 독수리.
buitrera *f.* 큰 독수리 둥지.
buitrón *m.* [어업] 자루 그물.
bujarrón *adj., m.* 호모(의), 남자 동성애자(의).
buje *m.* [기계] 굴대받이.
bujería *f.* ① (유리 · 철제 등의) 싸구려 상품. ② [복식] 작은 물건 · 액세서리 류; 보석의 모조품.
bujía *f.* ① (엔진의) 점화 플러그. ② [고어] 초(vela); 촛대. ¶ ~ ***nueva*** [광도의 단위] 촉광.
bula *f.* (로마 교황의) 대칙서(大勅書), 교서; 로마 교황의 납인.
bulbar *adj.* 연수(延髓)의.
bulbo *m.* ① [식물] 알뿌리, 구근(球根). ② [해부] 뿌리.
bulboso, sa *adj.* 알뿌리가 있는, 구

근(球根)의.
bulerías *f.pl.* 불레리아스 ((플라멩꼬의 한 형식)).
bulevar *m. fr.* 넓은 가로수길; 큰 길, 대로(大路).
Bulgaria *f.* [국명] 불가리아.
búlgaro, ra *adj.* ① 불가리아 태생의. ② 불가리아의. —*m.f.* 불가리아 사람. —*m.* 불가리아 말.
bulimia *f.* [의학] 다식증, 과식증.
bulín *m. AmérM.* 독신자 아파트.
bulla *f.* ① [주로 *Amér.*] 소동, 소란: armar [meter] ~ 소란을 피우다. ② 인파. ③ 아주 급함.
bullabesa *f.* [요리] 부야베사 ((생선이 들어 있는 프랑스 수프)).
bullanga *f.* 소동, 소란.
bullanguero, ra *adj., m.f.* 소란을 피우기 좋아하는 (사람).
bulldog *m. ing.* [*pl.* ~s] [개] 불독: poner cara de ~ 성난 얼굴을 하다.
bulldozer *m.* (*ing.*) [*pl.* ~s] 불도저.
bullicio *m.* 웅성거림, 술렁거림, 큰 소란, 야단법석, 떠들썩함: ~ de la ciudad 도시의 떠들썩함. armar ~ 떠들썩하다, 소란스럽다.
bullicioso, sa *adj.* 떠들썩한, 소란스런, 시끄러운.
bullir (50) *intr.* ① 비등(沸騰)하다, 끓어오르다. ② 꿈실거리다, 꿈틀거리다, 준동하다, 우글우글하다, 득시글득시글하다.
bulo *m.* 낭설, 유언비어.
bulto *m.* ① 혹, 종기. ② [주로 *pl.*] 수화물, 꾸러미, 짐. ③ 또렷하지 않는 것, 사람 그림자. ④ 큰 것, 크기, 부피, 분량. ⑤ 본제(本題), 중심. ⑥ [미술] 흉상, 조상(彫像): ~ redondo 둥근 조각. ⑦ *Amér.* 서류 가방. ¶ *de* ~ ㉮ 커진, 큰. ㉯ (실패 등이) 중대한: error *de* ~ 큰 실수. error *de* poco ~ 하찮은 실수.
bum *interj.* 쿵.
bumerán *m. ing.* 부메랑: efecto ~ 부메랑 효과.
bungaló *m.* =bungalow.
bungalow *m. ing.* [*pl.* ~s] 방갈로.
buniato *m.* =boniato.
búnker *m.* (*alem.*) [*pl.* ~s] ① 벙커, 엄폐호(掩蔽壕); 방공호. ② *Esp* 수구파, 극우파. ③ [골프] 벙커.
bunkeriano, na adj. ① 토치카 [방공호] 같은. ② *Esp* 반동적인.
buñolería *f.* buñuelo 과자점.
buñolero, ra *m.f.* buñuelo 판매자.
buñuelo *m.* ① [요리] 튀김 과자, 고로케: ~ de viento (만성절에 먹는) 튀긴 슈크림. ② 태작(馱作), 졸렬한 작품, 보잘 것 없는 작품.
BUP *m. Esp* Bachillerato Unificado Polivalente 종합 중등 교육.
buque *m.* 배, 선박(船舶)(barco): ~ carguero 화물선. ~ cisterna 벙커. ~ de carga 화물선. ~ de guerra 군함, 전함. ~ de pasajeros 객선(客船). ~ hospital 병원선. ~ nuclear 원자력선. ~ tanque 벙커.
buqué *m.* =bouquet.
burbuja *f.* 거품. ¶ ***niño*** ~ (보육기에 들어갈 필요가 있는) 미숙아.
burbujear *intr.* 거품이 일다, 거품을 내다; 비등하다.
burbujero *m.* 거품이 일어남, 기포(起泡); 부글부글하는 소리.
burdégano *m.* [동물] 수말과 암나귀 사이에서 태어난 동물.
burdel *m.* 사창굴.
burdeos *adj.* 적자색(赤紫色)의, 붉은 빛깔이 나는 자줏빛. —*m.sing.pl.* ① 보르도(Burdeos) 산 적포도주. ② 적자색(赤紫色).
burdo, da *adj.* ① 조잡한. ② 명백한, 분명한, 노골적인.
bureo *m.* 야단법석: estar [irse] de ~ 야단법석을 떨다.
bureta *f.* [화학] 뷰렛.
burga *f.* 온천(溫泉).
burgado *m.* [동물] 식용 달팽이의 일종.
burgalés, sa *adj.* 부르고스의. —*m.f.* 부르고스 사람.
burger *m.* [*pl.* ~s] 햄버거점.
burgo *m.* 작은 촌, 촌락, 부락.
burgomaestre *m.* (독일·스위스·네덜란드·벨기에의) 시장(市長).
burgos *m.sing.pl.* 부르고스산의 양유(羊乳) 치즈.
Burgos [지명] 부르고스 ((스페인 까스띠야-레온 자치 공동체의 주)).
burgués, sa *adj.* 중산 계급의, 유산 계급의, 부르주아 근성의, 자본주의의; 속물적인: clase ~*sa* 부르주아 계급. revolución ~*sa* 부르주아 혁명. —*m.f.* ① 부르주아, 중산 계급의 시민, 유산자, 자본가; 속물. ② [역사] burgo의 주민.
burguesía *f.* [집합] 부르주아 계급, 중산 계급.
buriel *adj.* 갈색의, 검붉은: paño ~ 조포(粗布).
buril *m.* (주로 동판용) 조각도.
Burkina Faso [국명] 부르키나파소.
burla *f.* ① 우롱, 조소, 야유, 조롱. ② *pl.* 농담: de ~*s* 농담으로. decir *de* ~*s* 농담으로 말하다. ③ 기만(欺瞞), 속임수, 사기.
burladero *m.* ① (투우장의) 대피소. ② (보행자용의) 안전 지대.
burlador *m.* [고어] 난봉꾼, 방탕아, 오입쟁이, 바람둥이.
burlar *tr.* ① (교묘히) 회피하다. ② 우롱하다, 조롱하다, 놀리다. ③ 속이다. ~**se** [+de] (…을) 비웃다, 조소하다, 조롱하다, 놀리다.
burlesco, ca *adj.* 익살스러운, 우스운, 호들갑스런, 농으로 한: tono ~ 익살스런 어조.
burlesque *m.* 소극(笑劇).
burlete *m.* (창문이나 문틈의) 사이를 막는 천.

burlón, na *adj., m.f.* ① 장난기가 많은 (사람), 놀리는 듯한 (사람), 비웃는 (사람), 조소하는 (사람): ② 조소하는 것 같은: risa ~*lona* 냉소, 조소.
buró *m. fr.* ① 사무용 책상. ② (정당의) 사무국: ~ político 정치국. ③ *AmérC.* 침상 ((죽은 사람의 머리맡에 차린 상)).
burocracia *f.* 관료 제도[정치 · 주의].
burócrata *m.f.* ① 관료, 관리. ② 형식주의자.
burocrático, ca *adj.* 관료적인.
burocratismo *m.* 관료주의.
burocratización *f.* 관료화.
burocratizar *tr.* 관료화하다.
burrada *f.* ① 당나귀떼. ② 어리석은 일: decir ~*s* 허튼[잠꼬대 같은] 소리를 하다. ③ *Esp* 다수(多數), 다량(多量): Hay una ~ de gente 다수의 사람이 있다.
burrajo *m.* 마른 말똥.
burro, rra *m.f.* ① [동물] 당나귀. ② 바보, 멍청이, 우둔한 사람. ③ 촌스럽고 천한 사람. ④ 부지런한 사람. —*adj.* ① 우매한. ② 매우 완고한. —*m.* 재목을 톱질해 자른 나무 받침.
burruño *m.* =**gurruño.**
bursátil *adj.* 증권 거래의, 주식 시장의: operaciones ~*es* 증권 거래.
bursitis *f.sing.pl.* [의학] 활액포염.
burujo *m.* ① 응어리. ② 올리브 기름의 찌꺼기.
burundés, sa *adj.* 부룬디(Burundi)의. —*m.f.* 부룬디 사람.
Burundi *m.* [국명] 부룬디.
burundiano, na *adj., m.f.* =**burundés.**
bus *m.* ① 버스 (autobús의 생략어). ② [컴퓨터] 버스, 모선: ~ de datos 데이터 버스. ~ de direcciones 어드레스 버스.
busardo *m.* [새] 매의 일종.
busca *f.* 수색, 수사; 탐구; 추구(追求). —*m.* ① 휴대용 초(超)소형 무선 호출기, 삐삐 ((buscapersonas의 생략형)). ② 구난 신호 발신 장치.
buscador, ra *adj., m.f.* 찾는 (사람): ~ de oro 금광을 찾는 사람. —*m.* (망원경의) 파인더.
buscaempleos *m.sing.pl.* 엽관 운동.
buscapersonas *m.sing.pl.* 휴대용 초소형 무선 호출기.
buscapiés *m.sing.pl.* (길 위에 길게 깔린) 뱀꽃불.
buscapleitos *m.sing.pl.* ① 다투기 좋아하는 사람. ② 엉터리 변호사.
buscapretendiente *m.f.* 엽관 운동자.
buscar (7) *tr.* ① 찾다, 구하다, 찾아내다, 수색하다: ~ una llave 열쇠를 찾다. ② 맞으러 가다[오다], 얻으러 가다[오다]: Venga a ~me a casa 집까지 마중을 와 주십시오. ③ 도발하다, 싸움을 걸다. ~**se** 구하다: *Se buscan* dependientes 점원을 구함.
buscarruidos *m.f.sing.pl.* 싸움을 좋아하는 사람.
buscavidas *m.f.sing.pl.* ① 팔방미인. ② 냄새를 맡고 다시는 사람, 고자질쟁이.
buscón, na *m.f.* [고어] 사기꾼. —*f.* =**prostituta.**
busilis *m.sing.pl. Esp* 곤란한 점: dar en el ~ 난관에 봉착하다. tener mucho ~ 어려운 점이 많다.
búsqueda *f.* (주로 경찰의) 수색, 탐구, 추구: ~ de desaparecidos 행방불명자의 수색. ~ del tesoro 보물찾기. ~ de la verdad 진리의 탐구. ~ de la felicidad 행복의 추구.
busquillo *m. AmérM.* 생활력이 있는 사람.
bustier *m. fr.* [복식] 뷔스티에.
busto *m.* ① 상반신; (특히 여성의) 가슴, 바스트, 흉위(胸圍): con el ~ desnudo 상반신을 벗고. ② [미술] 흉상(胸像), 반신상(半身像).
butaca *f.* ① [주로 *Esp*] 안락의자; (비행기의) 좌석. ② (극장 · 영화관의) 좌석, 관람석: 좌석[관람석]표.
Bután *m.* [국명] 부탄.
butanero, ra *m.f.* 부탄 가스 봄베 배달원. —*m. Esp* 부탄 가스 수송선.
butanés, sa *adj.* 부탄(Bután)의. —*m.f.* 부탄 사람.
butano *m.* [화학] 부탄 (가스)(gas ~). —*adj. Esp* (부탄 가스 봄베의) 밝은 오렌지색.
butanol *m.* [화학] 부틸알코올.
butaque *m Amér.* 좌석.
buten *de* ~ *Esp* [속어] 최고의, 매우 멋진[훌륭한].
buteno *m.* [화학] 부틸렌.
butifarra *f.* [요리] ① (까딸루냐 지방 등의) 소시지: ~ negra [blanca] 검은[흰] 소시지. ② *Perú.* 햄 · 샐러드 · 치즈가 들어 있는 샌드위치.
butilo *m.* [화학] 부틸기(基).
butiato *m.* [화학] 낙산염(酪酸塩).
butírico, ca *adj.* 낙산(酪酸)의.
butrón *m.* ① 도둑이 침입용으로 파는 굴. ② =**buitrón.**
buxáxeas *f.pl.* [식물] 회양목속(屬).
buzo *m.* ① 다이버, 잠수원, 잠수부. ② [복식] ㉮ (전신을 덮는) 어린이용 오버코트. ㉯ 멜빵과 가슴받이가 달린 작업 바지(mono). ㉰ *AmérM.* 육상 선수의 보온복. ㉱ *AmérM.* 스웨터.
buzón *m.* ① 우체통: echar una carta al [en el] ~ 편지를 우체통에 넣다. ② (각 가정의) 우편함. ③ (우체통 등의) 투입구. ④ 배수구(排水溝); 배수구의 개폐 장치. ⑤ 큰 입. ¶ ~ ***de sugerencia*** 투서함, 제안함.
buzonear *intr.* (각 가정의 우편함에) 광고지를 넣다.
buzoneo *m.* 광고지를 넣는 일.
buzonero *m.* (우편물을 모으는) 우편집배원.
byte *m. ing.* 바이트(octeto).

C c

c[1] *f.* 세 ((스페인어 알파벳의 세 번째 문자)).
c[2] centígrado 섭씨.
c/ caja(s) 상자; calle …가(街), …로(路); capítulo …장; cargo 적하(積荷), 차변(借邊), 부담, 화물; contra …에 대하여; copia 복사; cuenta 계정.
ca *interj.* [불신·부정 등] 설마, 아무리 그렇다고 하더라도, 글쎄: ¿Ya habrá llegado él? — *Ca!* 그는 벌써 도착했을까요? —설마! ¿Te ha gustado la corrida de toros? — *Ca!* 투우는 마음에 들었니? —글쎄!
c[a]**.** compañía 회사.
ca. compañía 회사.
C.A. Centro América 중앙 아메리카; Compañía Anónima 주식 회사(株式會社); corriente alterna 교류(交流); Comunidad Autónoma 자치주; Club Atlético 체육 클럽.
c/a. cuenta abierta 오픈 계정.
cabal *adj.* ① (사람이) 완벽한, 결점이 없는: hombre ~ 모범적인 사람. ② (계량 등이) 정확한; 완전한: cuenta ~ 정확한 계산. ③ 전부 갖추어진, 완전한: fracaso ~ 완전한 실패. ④ [감탄사적] 사실이 그렇다!
cábala *f.* ① [유대교] 신비적인 성서 해석. ② 마법, 마술. ③ *pl.* 억측; 음모.
cabalgada *f.* ① 승마. ② [역사] (적지에 진입한) 기마대(騎馬隊).
cabalgador, ra *mf.* 말 탄 사람, 승마자(乘馬者).
cabalgadura *f.* 승용[하역용] 동물.
cabalgamiento *m.* 말타기, 승마.
cabalgante *adj.* ① 말을 타는[타고 가는]. ② 수컷이 암컷을 덮치는.
cabalgar (8) *intr.* ① [+en] (말 등에) 타다, 오르다; 말에 오르다, 말로[을 타고] 가다. ② [+sobre] (… 위에) 올라타다: ~ *sobre* la tapia 담에 올라 타다. —*tr.* ① (말 등에) 타다, 오르다. ② (수컷이 암컷과) 교미하다, 덮치다.
cabalgata *f.* ① 탈것의 행렬. ② *Esp* 승마.
cabalista *mf.* cábala 학자.
cabalístico, ca *adj.* ① cábala의. ② 신비적인, 비밀에 쌓인, 이해할 수 없는, 불가해한.
caballa *f.* [어류] 고등어.
caballada *f. Amér.* 엉터리, 터무니 없음; 우직한 행동.
caballar *adj.* ① 말의[에 관한]. ② 말 같은.
caballerescamente *adv.* 기사(騎士)처럼; 훌륭하게.
caballeresco, ca *adj.* 기사(도)의; 신사적인: literatura *~ca* 기사도 문학.
caballerete *m.* 잔뜩 멋을 낸 청년.
caballería *f.* ① 기병대; 기계화 부대: ~ ligera 경기병대. ② 승용 동물: ~ mayor 말, 노새. ~ menor 당나귀. ③ 기사단. ④ [감탄사적] 짐승만도 못한 인간 같으니라구! ⑤ *AmérC.* [토지의 면적의 단위] 까바예리아 ((약 13.5 헥타르)). ¶~ ***andante*** 기사의 편력, 기사 수행; [집합] 편력 기사. ***libro de ~(s)*** 기사도 이야기. ***andarse en ~s*** 지나치게 형식을 차리다. ***meterse en libros de ~s*** 다른 사람의 일에 말참견하다.
caballeriza *f.* ① 마구간. ② [집합] 마구간의 말(과 마부) 전체.
caballerizo, za *mf.* 마부. —*m.* 마부의 우두머리.
caballero[1] *m.* ① (중세의) 기사(騎士): ~ andante 편력 기사. ~ andante y aventurero 편력과 모험의 기사. ~*s* de la Mesa [la Tabla] 원탁 기사. *Caballero* de la Triste Figura 슬픈 얼굴의 기사. ② 신사: pacto de [entre] ~*s* 신사 협정. ③ ㉮ 남자: *Caballeros* [화장실의 표시] 남성용. ㉯ [부를 때] 선생(señor): ¿Se le ofrece algo, ~? 선생님, 무엇을 드릴까요? ④ [군사] 기병. ¶***de*** ~ 남성용의: ropa *de* ~ 남성복. sección *de* ~ 신사복 (용품) 매장. zapatos *de* ~ 신사화. ¶~ ***de industria*** (보기에 신사 같은) 야바위꾼, 사기꾼. ***armar*** ~ 기사로 임명하다. ***El dinero hace*** ~ (속담) 돈은 신사를 만든다. ***Poderoso ~ es don Dinero*** (속담) 돈만 있으면 귀신도 부릴 수 있다.
caballero[2]**, ra** *adj.* ① [+en] (…에) 탄, 말을 탄. ② [+en] (…에) 집착한, 고집한: ~ en *su* opinión 자신의 의견에 집착한.
caballerosidad *f.* 신사[기사]다움.
caballeroso, sa *adj.* 관용의, 기사다운, 신사다운, 신사적인.
caballete *m.* ① 화가(畫架), 이젤; 가대(架臺): ~ de aserrar 톱질대. ② 콧마루, 비량(鼻粱). ③ [건축] 동(棟).
caballista *mf.* ① 명기수(名騎手). ② (서커스의) 곡마사(曲馬師).
caballito *m.* ① (어린이용의 흔드는) 목마(木馬); 막대기의 끝이 말의 머리인 인형. ② *pl.* 목마, 메리고라운드. ¶~ ***del diablo*** [곤충] 잠자리.
caballo *m.* ① [동물] 말(馬); 수말 ((참고: 암말 yegua)): ~ de carga 짐말. ~ de monta [de silla] 승용마. ~ de Troya 트로이의 목마. ~ del diablo [곤충] 잠자리. ~ ligero 경기병. ~ padre [semental]. caerse [bajarse] de un ~ 낙마하다, 말에서 내리다. montar [subir] a ~ 말을 타다. hacer correr a un ~ 말을 달리게 하다. ②

C

[장기·트럼프] 말(馬). ③ 마력. ④ [체조] (도마·안마의) 말: ~ con arcos 안마 ((종목)). ⑤ *Amér.* 멍청이, 바보. ⑥ [의학] 가래톳. ⑦ [속어] 헤로인. ¶*a* ~ ㉮ 말을 타고: guardia *a* ~ 기마 경찰관. ir *a* ~ 말을 타고 가다. ㉯ [+entre+사물] (…의) 사이에. *de* ~ 많은: dosis *de* ~ 많은[대량의] 약. *A* ~ *regalado no le mires el diente* / *A* ~ *regalado no se le miran los dientes* / *A* ~ *regalado no hay que mirarle el diente* (속담) 배고픈 호랑이 중이나 개를 가리지 않는다.

caballón *m.* [농업] 이랑.

caballuno, na *adj.* (여성의 얼굴·걸음걸이 등이) 말 같은: cara ~*na* 말상.

C

cabalmente *adv.* ① 정확히; 당연히, 마땅히. ② [감탄사적] 사실이 그렇다!

cabaña *f.* ① (나무·짚의) 오두막(집), 날림집: ~ alpina 산간 오두막. ~ de madera 통나무 오두막집. ② (가축의) 떼, 무리. ③ *AmérM.* 혈통이 좋은 가축을 사육하는 목장.

cabañuelas *f.pl.* (1월 1일부터 12일까지 날씨를 기본으로 한) 연간 일기 예보.

cabaré *m. fr.* [*pl.* ~s] 카바레, 나이트클럽.

cabaret *m. fr.* [*pl.* ~s] =**cabaré.**

cabaretero, ra *adj.* 카바레의. —*mf.* 카바레 종업원[호스티스], 카바레 출연 가수[댄서].

cabás *m. fr.* 어린이 가방.

cabe *prep.* [시어] … 가까이에, 근처에. —*m.* [축구] 머리받기, 헤딩(cabezazo).

cabecear *intr.* ① 머리를 (위아래·좌우로) 흔들다 ② (졸면서) 꾸벅꾸벅하다. ③ (부정해서) 머리를 옆으로 흔들다. ④ (차 등이) 많이 흔들리다, 덜컹거리다. ⑤ (배가) 앞뒤로 흔들리다. ⑥ 기울다, 한쪽으로 쏠리다. —*tr.* ① [재봉] 테두리를 두르다. ② [축구] 머리로 받다, 헤딩하다.

cabeceo *m.* ① 꾸벅거림. ② (선풍기의) 흔들림. ③ (자동차의) 큰 흔들림. ④ (배의) 앞뒤로 흔들리는 일.

cabecera *f.* ① 베개. ② (침대의) 머리맡. ③ (식탁 등의) 윗자리, 상석(上席), 상좌(上座). ④ (지면 등의) 상단, 위쪽, 제자(題字). ⑤ (강의) 수원지, 상류. ⑥ (노선 등의) 기점(起點). ⑦ (지역의) 행정 중심지. ⑧ (집단의) 중심 인물: ~ de reparto 주역. ¶ ~ ***de puente*** [군사] 교두보. ***médico de*** ~ (전문의에 대해, 전과를 진료하는) 일반의.

cabecero *m.* (침대의) 머리맡.

cabecilla *f.* (반란 등의) 주모자.

cabellera *f.* ① [집합] (길고 많은) 두발(頭髮), 머리털, 다리, 월자(月子). ② 혜성의 꼬리.

cabello *m.* ① (사람의) 머리털, 두발 ((참고: 구어에서는 pelo가 더 많이 사용됨)); (한 가닥의) 모발(毛髮): caída de ~ 빠진 머리털. ~*s* postizos 가발. ② *pl.* 옥수수 수염. ¶***en*** ~ 머리를 풀고. ***cortar un*** ~ ***en el aire*** 하나를 들으면 열을 안다. ***estar en*** ~***s*** 모자를 쓰지 않다.

cabelludo, da *adj.* ① 머리숱이 많은. ② 털[수염]이 많은.

caber (65) *intr.* ① [+en] (수용 능력·용량이 …에) 들어갈 수 있다, 수용하다. ② [가능성] [+que+*subj.*/+*inf.*] …할 수 있다, …할 지 모른다: *Cabe que* llueva 비가 올 지도 모르겠다. ¶***si cabe*** 가능하면. ***no*** ~ ***en sí*** 무척 만족하고 있다. ***(que) no cabe más*** 최고다: Ella es bonita *que no cabe más* 그녀는 굉장한 미녀다.

cabero, ra *adj. AmérC.* 최후[최근]의.

cabestrante *m.* =**cabrestante.**

cabestrillo *m.* (팔을 매는) 붕대.

cabestro *m.* ① 고삐. ② 투우의 소를 선도하는 거세한 소. ③ 바보, 멍청이, 머리가 나쁜 사람.

cabeza *f.* ① 머리(頭): ponerse el sombrero en la ~ 머리에 모자를 쓰다. Me duele la ~ 나는 머리가 아프다. ② 두뇌, 지력; 사고(思考): tener (mucha·buena) ~ 머리[기억력]가 좋다. tener poca ~ 머리가 나쁘다. ③ 한 사람; 한 마리: mil y una ~*s* de ganado 가축 천 한 마리. ④ 선두, 수위: vagón de ~ 선두 차량. ⑤ (물건의) 머리 부분, 두부(頭部), 끝. ⑥ 머리 하나의 길이. ⑦ *AmérC.* 수원(지). —*mf.* ① …한 머리의 사람: ~ rapada 머리가 짧은 사람. ② 선두[수위]의 사람; 지도자, 책임자: ~ de lista 후보자 명단의 필두. ¶ ~ ***abajo*** ㉮ 상하를 거꾸로: colgar el cuadro ~ *abajo* 그림을 거꾸로 걸다. ㉯ 무질서하게. ~ ***arriba*** 상하를 바르게, 머리를 위로. ~ ***dura*** ㉮ 완고한 사람, 석두(石頭): Ella tiene una ~ *dura* 그녀는 석두다. ㉯ (이해력이 부족한) 바보, 멍청이. ***a la*** ~ 선두에(서): ir [ponerse] *a la* ~ *de* todos 모두의 선두에 서다. estar *a la* ~ *de* una clase [una empresa] 반의 수석[회사의 톱]이다. ***por*** ~ 1인당, 한 사람당: Pagué cien mil wones *por* ~ 나는 1인당 10만 원을 지불했다. ***alzar (la)*** ~ ㉮ 머리[얼굴]를 들다, 가슴을 펴다; 의연하다, 악의가 없다. ㉯ (어려움에서) 일어서다; (병이) 나아가다. ***bajar la*** ~ 머리를 숙이다, 얼굴을 숙이다, 부끄러이 여기다; 굴종하다; 사죄하다, 사과하다: Ante todo él *bajó la* ~ 그는 모두의 앞에서 머리를 숙였다. ***doblar la*** ~ ㉮ =bajar la ~. ㉯ 죽다. ***perder la*** ~ 분별(력)을 잃다, 발끈하다. ***tener mala*** ~ 머리[기억력]가 나쁘다; 상궤를 벗어나고 있다.

cabezada *f.* ① 머리를 부딪침, 머리의 구타. ② [인사·긍정] 머리를 끄덕임. ③ (졸면서) 꾸벅거림: dar ~s 꾸벅꾸벅 졸다; (배가) 앞뒤로 흔들리다. ④ (배의) 앞뒤로 흔들림. ⑤ (말의) 굴레,

장식 띠. ⑥ (서적의) 제본할 때 접지 한 책을 실로 꿰매기. ⑦ *AmérC.* 샘, 수원지.

cabezal *m.* ① (기구의) 머리 부분 ② 긴 베개. ③ *Amér.* (갱도 등의) 횡목.

cabezazo *m.* ① 머리 부딪치기. ② [축구·권투] 머리받기, 헤딩.

cabezo *m.* 산봉우리; 작은 산, 언덕.

cabezón, na *adj.* ① 머리가 큰. ② 고집 센. ③ (술이) 독한. ④ 두통을 일으키는. —*m.f.* ① 머리가 큰 사람. ② 고집 센 사람. —*m.* ① 큰 머리. ② = **renacuajo.**

cabezonada *f.* 고집이 셈, 완고함.

cabezonería *f.* =cabezonada.

cabezorro, rra *adj., m.f.* =**cabezota.**

cabezota *adj., m.f.* 완고한[융통성이 없는] (사람).

cabezudo, da *adj., m.f.* ① 머리가 큰 (사람). ② =**cabezota.** —*m.* ① (가장 행렬의) 머리가 큰 쓰개[가면]. ② [어류] 숭어.

cabezuela *f.* ① 두 번째 빻은 가루. ② [식물] 두상화(頭狀花).

cabida *f.* ① 용량; 수용 능력. ② (토지의) 면적. ③ [상업] 선복, 등록 톤수.

cabila *f.* 베드윈 [베르베르 인]의 종족.

cabildada *f.* 권력의 남용.

cabildante *m.f.* *Amér.* 시의회[구의회] 의원.

cabildear *intr.* 암약하다.

cabildeo *m.* 암약, 이면 공작.

cabildo *m.* ① 교회 참사회, 성당 참사회. ② 시의회 (기관, 건물).

cabilla *f.* [선박] (밧줄을 매는) 쇠못.

cabillo *m.* (꽃·잎의) 자루.

cabina *f.* ① 작은 방: ~ de playa 해변의 탈의소. ~ de prensa 기자실. ~ de teléfono(s), ~ telefónica 공중 전화 박스. ~ electoral 기표소. ② (트럭·크레인 등의) 운전석. ③ (비행기의) 조종실. ④ (열차·배·비행기의) 객실. ⑤ (엘리베이터·케이블카 등의) 박스.

cabinero, ra *m.f.* *AmérM.* [항공] 객실 승무원.

cabio *m.* [건축] 서까래.

cabizbajo, ja *adj.* 풀이 죽은, 맥이 없는, 고개를 떨군.

cable *m.* ① 굵은 밧줄, 로프; 케이블: ~ eléctrico 전선. ~ telefónico 전화선. ② 해저 전신, 외신 ((cablegrama의 생략어)): por ~ 외신으로. ③ [선박] [거리의 단위] 케이블 ((약 185 미터)).

cableado *m.* [전기] [집합] 배선(配線).

cablear *tr.* [전기] 배선하다.

cablegrafiar (11) *tr.* (해저 케이블로) …에게 타전(打電)하다.

cablegrama *m.* [고어] 해저 전신, 외신.

cablevisión *f.* [주로 *Amér.*] 케이블 텔레비전, 유선 텔레비전.

cabo *m.* ① 끝, 선단(先端), 가장자리, 남은 끝, 나머지. ② 갑(岬), 곶: ~ de Buena Esperanza 희망봉. ③ [군사] 하사. ④ (보트의) 조정수. ⑤ (배의) 밧줄, 강선(鋼線). ¶*al* ~ 드디어, 마침내(al fin). *al* ~ *de* … ㉮ …의 후에: Salí *al* ~ *de* treinta minutos 나는 30분 후에 출발했다. ㉯ …의 끝에, 마지막에, 끝에: *al* ~ *del* mundo 세계의 끝에. *al* ~ *de sus* años (…의) 만년에. ***de*** ~ ***a rabo, de*** ~ ***a*** ~ 처음부터 끝까지. ***dar*** ~ ***a*** algo (…을) 완성하다. ***llevar a*** ~ algo (…을) 실현[실행]하다, 완수하다, 이룩하다.

cabotaje *m.* 연안 항해, 연안 무역.

cabra *f.* ① [동물] 염소, 산양, 암양: ~ almizcle 사향 염소[산양]. ② 조개의 일종. ③ *pl.* (열에 의한 피부의) 홍반(紅斑), 붉은 빛깔의 얼룩 무늬. ④ *Amér.* 교활한 방법. ⑤ *Amér.* 이륜 짐수레. ¶*La* ~ *siempre tira al monte* (속담) 세 살 버릇 여든까지 간다, 본성은 고치지 못한다.

cabracho *m.* [어류] =**escorpina.**

cabrada *f.* 염소[산양] 떼.

cabrales *m.sing.pl.* 소·양·염소의 젖을 섞어 만든 치즈.

cabrear *tr.* 성나게[화나게] 하다, 노하게 하다. —*intr.* ① *Chile.* 펄쩍펄쩍 뛰다. ② *Perú.* (뒤쫓는 사람을) 따돌리고 도망하다. ~**se** ① 걱정하다, 근심하다, 우려하다. ② *Chile.* 지치다; 싫증나다, 물리다.

cabreo *m.* ① 걱정. 괴로움: coger [pillar · agarrar] un ~ 노하다, 성내다. ② [역사] 교회[수도원]가 특권을 인정한 서류; 이 서류를 모은 책.

cabrerizo, za *m.f.* =**cabrero.**

cabrero, ra *m.f.* 염소[산양] 사육자, (산)양치기.

cabrestante *m.* ① 윈치, 자아틀. ② [선박] 캡스턴 ((닻·무거운 짐 등을 감아 올리는 장치)).

cabria *f.* 기중기, 크레인.

cabrilla *f.* ① [어류] 보리새우. ② (다리 셋인) 나무 베는 틀. ③ *pl.* (불을 오래 쬐어 생기는) 홍반. ④ 일렁이는 파도.

cabrillear *intr.* ① 하얀 물결이 일다. ② 반짝반짝 빛나다.

cabrio *m.* [건축] 써가래.

cabrío, a *adj.* 염소[산양]의: macho ~ ㉮ 수산양, 씨 산양. ㉯ 정력이 강한 남자, 호색한. —*m.* 염소[산양] 떼.

cabriola *f.* ① [발레] 카브리올 ((도약 중에 수평으로 올린 한쪽 발을 다른 발로 치기)): hacer ~*s* 카브리올을 하다. ② (정치가 등의) 표변(豹變). ③ 도약; 공중 제비를 넘음.

cabriolé *m.* *fr.* ① 말 한 필이 끄는 2륜 유개(有蓋) 마차. ② (접는 포장이 달린) 쿠페형 자동차.

cabritas *f.pl.* *AmérM.* 팝콘.

cabritilla *f.* (주로 새끼 염소의) 무두질한 가죽.

cabrito *m.* ① 새끼 염소. ② *Esp* 놈, 녀석. ③ *pl.* *AmérM.* 팝콘(rosetas).

cabro, bra *adj.* *AmérM.* 어린이.

cabrón¹ *m.* ① 수염소, 수산양. ② 아내

에게 매춘 행위를 시키는 남편.
cabrón[2], na *adj.* 비열한. —*mf.* ① 놈, 녀석. ② [감탄사적] 이 놈아!
cabronada *f.* [속어] 비열한 행위.
cabronicie *f.* [속어] =cabronada.
cabruno, na *adj.* 염소[산양]의[같은].
cabuchón *m.* 부인용 모자에 다는 보석; (특히) 흑요석(黑曜石).
cabujón *m.* =cabuchón.
cábula *mf.* *AmérC.* 악당.
cabulear *tr.* 괴롭히다, 들볶다, 구박하다, 학대하다, 못살게 굴다.
cabuya *f.* [식물] =pita.
caca *f.* ① [유아어] 똥; 더러운 것: hacerse [tener] ~ 똥을 누다. ② [감탄사적] 더럽다! ③ 값어치가 없는 것.

C

cacahual *m.* 코코아밭.
cacahuate *m.* =cacahuete.
cacahué *m.* *AmérC.* =cacahuete.
cacahuete *m.* *Esp* 땅콩, 낙화생.
cacalote *m.* *Amér.C.* =cuervo.
cacao *m.* ① [식물·과실] 코코아. ② (분말의) 코코아 ((참고: 먹는 것은 chocolate)). ③ 소란, 소동. ④ *Esp* [화장] (코코아 버터에서 만들어진) 입술 크림. ⑤ [술] 크림 드 카카오.
cacaotal *m.* 코코아 농장[농원].
cacaotero, ra *mf.* ① 코코아 재배자. ② 코코아 장수.
cacarear *intr.* 닭이 크게 울다. —*tr.* 허풍을 떨다; 소란을 피우다; 자화 자찬하다.
cacareo *m.* ① 닭의 큰 울음 소리. ② 허풍 떨며 소문을 냄.
cacarizo, za *adj.* *AmérC.* 마마 자국이 있는.
cacaste *m.* =cacaxtle.
cacatúa *f.* [새] 앵무새의 일종.
cacaxtle *m.* *AmérC.* (과일이나 야채를 운반하기 위해 사용하는) 등에 지는 광주리, 망태기.
cacera *f.* 관개용 수로(水路).
cacereño, ña *adj.* 까세레스(Cáceres, 에스뜨레마두라 지방의 주·주도)의. —*mf.* 까세레스 사람.
cacería *f.* ① 수렵(대): ir de ~ 사냥하러 가다. ② 사냥에서 잡은 것.
cacerola *f.* (얇은) 손잡이 달린 냄비: carne a la ~ 전골, 냄비에 끓인 고기.
cacerolada *f.* ① 냄비를 두들기며 행하는 항의 데모. ② 한 냄비(의 분량).
cacha *f.* ① (나이프 등의) 손잡이, 자루; 손잡이의 한 쪽. ② *Esp* [속어] [주로 *pl.*] 넓적다리, 궁둥이. ③ *Amér.* 뿔. ④ *Amér.* 사기, 속임수. ⑤ (투계에 끼우는) 며느리발톱.
cachaco, ca *adj.* *Col.* 멋을 부리는, 멋 내는. —*mf.* ① *Col.* 교육을 잘 받은 사람. ② *PRico.* 경제적으로 윤택한[좋은 위치에 있는] 스페인 사람. —*m.* ① *Perú.* 경찰관. ② *Perú.* =militar.
cachada *f.* ① *Amér.* 뿔로 찌르기. ② *AmérM.* 농담. ③ *AmérM.* 짓궂은 장난, 못된 장난.
cachafaz, za *adj., mf.* *Amér.* =pícaro, descarado.
cachalote *m.* [동물] 향유고래.
cachapa *f.* (베네수엘라의) 옥수수빵.
cachaplincos *m.pl.* =cataplismos.
cachar *tr.* ① 빻다. ② (나무를) 세로로 쪼개다. ③ *Amér.* 놀리다, 조롱하다. ④ *Amér.* 훔치다, 도둑질하다. ⑤ *Amér.* (현장에서) 덮치다, 붙잡다. ⑥ *Amér.* 속이다. ⑦ 뿔로 찌르다. —*intr.* *AmérM.* 성교하다.
cacharpari *f.* =cacharpaya.
cacharpas *f.pl.* *AmérM.* 잡동사니, 허드레 물건(trastos).
cacharpaya *f.* *AmérM.* 송별회; 송별회 음악[춤].
cacharrazo *m.* ① 강타(强打), 격돌. ② *AmérC.* 한 모금의 술.
cacharrería *f.* 사기점.
cacharrero, ra *mf.* 사기점 주인, 사기장수.
cacharro *m.* ① 싼 그릇, 사기 그릇. ② 싼 그릇[사기 그릇]의 파편[조각]. ③ (냄비 등) 조리 기구. ④ 잡동사니, 허드레 물건. ⑤ 몹시 낡아 있음, 매우 남루함.
cachas *adj., mf.sing.pl.* *Esp* 힘이 센 (사람); (육체적으로) 매력적인 (사람).
cachava *f.* ① 베이비 골프 (클럽). ② 목동의 지팡이(cayado).
cachaza *f.* ① 한가로움, 고요함, 평온함, 태평함. ② 사탕수수 증류주.
cachazudo, da *adj.* 한가로운, 유유자적하는.
caché *m.* [*pl.* ~s] ① 기품, 세련; (다른 것과 비교해) 우수성. ② (연예인의) 출연료.
cachear *tr.* (흉기 등을 소지하고 있지나 않은가) …의 신체 검사를 하다, 소지품 검사를 하다.
cachelos *m.pl.* [요리] 까첼로스 ((갈리시아 지방의 고기나 생선 조각과 감자 및 후추로 만든 요리))
cachemir *m.* [섬유] 캐시미어 직(織).
cachemira *f.* =cachemir.
cacheo *m.* 소지품 검사, 신체 검사.
cachería *f.* *Amér.* 작은 가게, 소매점.
cachet *m.* =caché.
cachetada *f.* =cachete.
cachete *m.* ① [주로 *Esp*] 구타, 손을 펴서 때리기. ② [주로 *Amér.*] 불룩한 뺨. ③ [주로 *Amér.*] 궁둥이, 엉덩이.
cachetero *m.* ① (동물의 숨통을 찌르는) 단검(短劍). ② 단검을 사용하여 넘어진 소의 숨통을 끊는 투우사.
cachetón, na *adj.* ① *Amér.* =cachetudo. ② *AmérC.* 뻔뻔스런, 낯가죽이 두꺼운. ③ *AmérM.* 허영심이 강한.
cachetudo, da *adj.* 볼[뺨]이 포동포동한(carrilludo).
cachicamo *m.* *Amér.* =armadillo.
cachicán *m.* (농장의) 감독.
cachicuerno, na *adj.* 칼자루가 가죽 제품의.
cachifo, fa *mf.* *AmérM.* 어린이.
cachifollar *tr.* ① 체면을 잃게 하다, 망

신을 주다, 조롱하다. ② =estropear.

cachimba *f.* ① 물부리, 파이프(pipa). ② *AmérM.* 샘, 우물.

cachimbo, ba *m.f. AmérM.* 일년생, 신입생. —*m.* =cachimba ②.

cachipolla *f.* [곤충] 하루살이.

cachiporra *f.* (끝이 두꺼운) 곤봉, 경찰봉. —*adj. AmérM.* 허영심이 많은.

cachiporrazo *m.* 곤봉으로 때리기.

cachiporrearse *r. AmérM.* 자만하다.

cachirul *m. AmérC.* 허위, 기만, 술책.

cachirulo, la *adj.* 멍청한. —*m.f.* 바보, 멍청이. —*m.* ① (아라곤 지방의 남성의 민족 의상으로) 머리에 두르는 스카프. ② 고물 자동차.

cachivache *m.* ① 잡동사니, 자질구레한 물건. ② 보잘 것 없는 사람.

cacho *m.* ① 조각, 쪼가리, 부스러기. ② 카드 놀이의 이름. ③ [어류] 노랑촉수. ④ *Amér.* 뿔. ⑤ *Amér.* 뿔로 만든 술잔[그릇]. ⑥ *Amér.* 바나나 송이.

cacho, cha *adj.* =gacho.

cachondearse *r.* =burlarse.

cachondeo *m.* 조롱, 놀림, 농담.

cachondez *f.* 성적 흥분; 유쾌함.

cachondo, da *adj. Esp* ① [+estar] (특히 암캐가) 발정기의; (사람이) 성적으로 흥분한. ② 호색(好色)의. ③ (사람이) 유쾌한.

cachorrillo *m.* 소형 피스톨.

cachorro, rra *m.f.* ① (동물의) 새끼. ② (특히) 강아지. —*adj. Amér.* ① 고집 불통의. ② 심술궂은, 막돼먹은, 버릇이 없는. —*m.* =cachorrillo.

cachucha *f.* ① 까추차 ((안달루시아의 민속 무용[음악]의 일종)). ② *AmérM.* 손바닥으로 때리기. ③ *AmérM.* 럼주의 일종. ④ *AmérM.* 차양 있는 모자.

cachucho *m.* ① 기름의 분량 ((1/4 파운드)). ② 탄약통. ③ 바늘겨레. ④ 보트. ⑤ [은어] 황금, 금화. ⑥ [어류] 까추초 ((동대서양의 물고기)).

cachudo, da *adj.* ① *Amér.* (동물이) 큰 뿔의. ② *AmérM.* 교활한, 간악한, 잔꾀가 많은. ③ *AmérM.* 돈많은.

cachuela *f.* ① [요리] 에스뜨레마두라에서 만들어진 돼지구이 요리. ② 토끼 내장 요리. ③ =molleja.

cachuelo *m.* ① [어류] 가시지느러미과 물고기. ② *Perú* 임금이 적은 임시직.

cachumbo *m. Col.* 말린 머리털.

cachupín, na *m.f.* =gachupín.

cachurear *intr. AmérM.* 잡동사니를 찾아다니다.

cacillo *m.* 작은 나무 국자.

cacique *m.* ① (인디오의) 족장, 추장. ② (지방 정계·경제계 등의) 보스, 영수(領袖), 거물.

caciquil *adj.* cacique의.

caciquismo *m.* 보스 정치, 지방의 호족 세력.

caco *m.* ① 도둑, 소매치기(ratero). ② 대가 약한 사람.

cacofonía *f.* ① [언어] 부조화음, 불쾌음조. ② 귀에 거슬린 음.

cacofónico, ca *adj.* 부조화음의; 귀에 거슬리는.

cacografía *f.* 부정확한 철자.

cacología *f.* (문법적으로 틀린 곳이 없으나) 관용적[논리적]으로 틀린 표현.

cactáceo, a *adj.* [식물] 선인장과의.

cactáceas *f.pl.* 선인장과 식물.

cácteo, a *adj.* =cactáceo.

cacto *m.* [식물] 선인장.

cactus *m.sing.pl.* =cacto.

cacuí *m.* [새] (아르헨띠나의) 구슬피 우는 새.

cacumen *m.* 예민함, 날카로움.

cada *adj.* ① [+단수 명사] 각각의: *Cada* familia tiene sus problemas 각 가정은 문제가 있다. *Cada* cosa a su tiempo 매사는 때가 있다. ② [+수사] …마다: ~ dos días 하루 걸러, 이틀마다. ③ 너무나, 지나치게. ¶ ~ ***cual*** 각자, 각인, 제각기, 각기: *Cada cual* vive por sí y para sí 각인은 자신 때문에 자신을 위하여 살고 있다. ~ ***uno*** 각인, 각자, 한 사람씩: *Cada uno* dijo cada cosa 각자는 서로 다른 것을 말했다. ***a ~ cual lo suyo*** 각인 각색이다.

cadalso *m.* 식단(式壇); (특히) 교수대, 처형대.

cadáver *m.* (주로 사람의) 사체(死體), 시체, 주검, 송장.

cadavérico, ca *adj.* 시체의, 시체 같은.

cadena *f.* ① 쇠사슬, 사슬 줄: atar a un perro con ~ 개를 줄로 묶다. ② 일련, 연쇄, 연속. ③ (수세식 변소의) 잡아당기는 줄. ④ 사슬 목걸이. ⑤ 시스템 캄보 ((소편성의 재즈 악단)). ⑥ [방송] 채널: la primera ~ 제일 채널. ⑦ 산맥. ⑧ [식물] 식물 연쇄. ⑨ [화학] (원자의) 연쇄. ⑩ [법률] ~ perpetua 무기 징역. ⑪ [컴퓨터] ~ de caracteres 문자열(文字列). ⑫ [언어] ~ fónica [hablada] 음(성) 연쇄. ⑬ *pl.* (타이어의) 스노우 체인, 미끄럼 방지 쇠사슬. ⑭ *pl.* (죄인을 묶는) 오랏줄, 포승; 죄수를 호박 덩굴처럼 묶는 일. ⑮ *pl.* 속박. ¶***en*** ~ 연쇄적인: choque *en* ~ 연쇄적 충돌. difusión *en* ~ 다원 방송. reacción *en* ~ 연쇄반응. trabajo *en* ~ 컨베이어 시스템, 전송대(傳送帶) 작업.

cadencia *f.* ① 박자, 리듬. ② *pl.* 선율, 곡. ③ [음악] 종지(형·법)

cadencioso, sa *adj.* 율동적인, 조화된.

cadeneta *f.* ① [복식] 쇠사슬 (모양의) 편물. ② (색종이 등의) 종이 사슬.

cadera *f.* ① (사람의) 허리 ((참고: cintura 아래의 허리 각면; *pl.*는 허리 전체)). ② *pl.* 히프, 둔부(臀部), 엉덩이: mover las ~s al andar 걸을 때 히프를 흔들다, 히프를 흔들며 걷다. ser ancho de ~s 히프가 크다. ③ [요리] 허리 고기.

cadete *m.f.* ① 사관 생도; 사관 후보생; 견습 사관: ~ de marina 해군 사관학교 생도. ② 견습생. —*m.* [운동]

C

infantil과 juvenil 간의 연령층의 선수 클래스. ¶*enamorarse como un* ~ (분별을 잃고) 사랑에 빠지다, 반하다.
cadi *m. ing.* [골프] 캐디.
cadí *m.* (이슬람교 나라의) 민사 재판관(民事裁判官).
cadillo *m.* [식물] 도꼬마리 비슷한 파슬리.
cadmio *m.* [화학] 카드뮴.
caducar (7) *intr.* ① 실효(失效)하다, 유효 기간이 끝나다. ② 노쇠하다, (감각 · 의식 등이) 흐려지다. ③ 소용없게 되다, 무용지물이 되다.
caduceo *m.* [신화] 신의 사도 Mercurio의 지팡이.
caducidad *f.* 실효; 소멸; 노쇠.
caducifolio, lia *adj.* [식물] 낙엽수의.
caduco, ca *adj.* ① 노쇠한, 늙은. ② (감정 · 의식이) 흐려진. ③ 허망한, 허무한, 덧없는, 무상한: moda ~ca 일시적인 유행. ④ [생물] 탈락성(脫落性)의. ⑤ 실효한, 무효가 된, 유효 기간이 끝난. ⑥ [의학] mal ~ 간질.
C.A.E. cóbrese al entregar 착불(着拂), 인도시 지불.
caedizo, za *adj.* 떨어지기 쉬운, 넘어지기 쉬운, 넘어질 듯한.
caer (73) *intr.* ① 떨어지다, 낙하하다, 추락하다: La fruta madura (*se*) *cae* de los árboles 익은 과실은 나무에서 떨어진다. *Cae* lluvia[nieve] 비[눈]가 내렸다. ② 쓰러지다, 자빠지다, 넘어지다. ③ 아래로 늘어지다[드리워지다], 처지다; 기울다, 한쪽으로 쏠리다, 기울다, 비스듬해지다. ④ 하락하다, 감소하다. ⑤ 끝이 가깝다; (해가) 지다: al ~ el verano 여름이 끝날 때. *Cae* el sol [la tarde] 해가 진다. ⑥ 실각하다, 실패하다; 지다, 패하다. ⑦ 멸망하다, 소멸(消滅)하다; 함락되다; (전투 등에서) 죽다: ~ por la libertad de la patria 조국의 자유를 위해 죽다. ⑧ [+en] (…에) 빠지다, 빠져들다, 헤어나지 못하게 되다. ⑨ [+주격 보어] …의 상태가 되다: ~ enfermo 아프다. ⑩ [+bien · mal, (옷 등이); +a+사람, …에게] 잘 맞다[맞지 않다]; 적합하다[적합하지 않다]: Este vestido te *cae* bien 이 드레스는 너한테 잘 맞는다. ⑪ [+a+사람] (…에게 예상 · 꿈 · 제비뽑기 등이) 들어맞다. ⑫ ㉮ [+sobre] (…을) 덮치다, 습격하다; 불의에 일어나다: Las desgracias *cayeron sobre* la familia 불행이 일가를 덮쳤다. ㉯ [+en · por] (…에) 불의에 모습이 나타나다. ⑬ *Esp* …에 있다, 위치하다: La oficina *cae* cerca de aquí 사무실은 이 근처에 있다. ⑭ (경축일 등의 날짜가 …에) 들어맞다. ⑮ [+en] (…을) 잘 이해하다, 알게 되다: ¡Ah, ya *caigo*! 아, 이제 알았다! **~se** ① 떨어지다, 넘어지다, 자빠지다, 추락하다. ② [+a+사람] …가 떨어지다, …에서 탈락하다. ¶ *~se muerto de risa* 자지러지게 웃다. *dejar* ~ 떨어뜨리다. *Caen las hojas y caerán los árboles* (속담) 무엇이든지 끝이 없는 것은 없다.
CAF *f.* Corporación Andina de Fomento 안데스 개발 공사.
caf. =C&F.
C&F costo y flete 운임 포함 가격.
CAFADE *f.* Comisión Nacional de Administración del Fondo del Apoyo al Desarrollo Económico *Arg.* 국가 경제 개발 원조 자금 행정 위원회.
café *m.* ① 커피: ~ a la crema 크림탄 커피. ~ americano 아메리칸 커피. ~ colombiano 꼴롬비아 커피. ~ con leche 밀크 커피. ~ solo [negro] 블랙 커피. ~ vienés 비엔나 커피. preparar ~ 커피를 달이다, 커피를 내다. ② 커피콩. ③ [식물] 커피나무. ④ 카페, 카페테리아, 커피숍, 다방. ⑤ 차 마시는 시간, 휴식 시간. ⑥ 호모, 동성애자. ⑦ 커피색, 암갈색(暗褐色). ⑧ *AmérC.* 차색(茶色)(marrón). ⑨ *Arg., Chile., Urug.* 질책, 꾸중, 나무람. *—adj.* 차색[커피색]의: cinta ~ 차색 리본.
cafeína *f.* [화학] 카페인.
cafetal *m.* (대규모의) 커피 농장[농원].
cafetalero, ra *adj.* 커피 농장을 소유한. *—mf.* 커피 농장주.
cafetera *f.* 커피 포트, 커피 끓이는 기구: ~ filtradora 필터식 커피 포트.
cafetería *f.* 카페테리아, 카페, 커피숍.
cafetero, ra *adj.* ① 커피의. ② 커피를 좋아하는, 커피 통의. *—mf.* 커피 농장주; 커피콩 판매 업자.
cafetín *m.* 싼 카페.
cafeto *m.* [식물] 커피나무.
caficultor, ra *mf.* 커피 재배자, 커피 농장주.
caficultura *f.* 커피 재배업(자).
cafiolo *m.* 매춘부의 정부[기둥서방].
cafre *adj.* ① (남아프리카의) 카프레리아(인)의. ② 야만적인, 난폭한. *—mf.* ① 카프레리아 사람. ② 야만인, 난폭한 사람.
caftán *m.* [복식] 카프탄 ((터키인이나 아라비아인의 수놓은 옷)).
cafúa *f. AmérM.* 감옥.
cagaaceite *m.* [새] 연작(連雀).
cagaceite *m.* [새] =**cagaaceite.**
cagada *f.* ① [속어] 똥. ② 실수, 실패.
cagadero *m.* 대소변.
cagado, da *adj.* ① 똥을 싼. ② = **cobarde, apocado.**
cagafierro *m.* 광재(鑛滓).
cagajón *m.* 말똥.
cagalera *f.* ① 설사. ② 공포, 무서움.
cagaleta *f.* =**cagalera.**
cagaprisas *mf.sing.pl.* 언제나 급한 사람, 언제나 남을 재촉하는 사람.
cagar (8) *intr.* 똥을 누다. *—tr.* ① 똥을 뉘다. ② 더럽히다. ③ 못쓰게 만들다, 망가뜨리다. **~se** ① 똥을 누다. ② 겁나다, 무서운 생각이 나다. ③ [+en] (…를) 나쁘게 말하다, 헐뜯다, 비방하다, 욕하다. ¶ *~la* 똥을 싸다.
cagarruta *f.* ① (양 · 사슴 · 토끼 등의)

똥. ② *Arg.* 무기력한 사람.
cagantina *f. Amér.* 설사.
cagatinta(s) *m.f.sing.pl.* 사무원, 하급 관리, 말단 공무원.
cagón, na *adj.* 무기력한. —*m.f.* ① 똥 싸개. ② 무기력한 사람.
caguama *f. Cuba.* [동물] 자라의 일종.
cague *m.* ① =malson. ② *Hond.* = equivocación.
cagueta *adj., m.f.* =pusilánime.
cahíz *m.* 곡식량의 단위.
cahuín *m. Chile.* 음주 대회.
caí 나는 떨어졌다 ((caer 동사의 직설법 부정 과거 1인칭 단수)).
caíd *m.* (이슬람교를 믿는 나라의 재판이나 통치권을 가진) 판관.
caída *f.* ① 낙하; 탈락: ~ de color 탈색. ~ de dientes 이가 빠짐. a la ~ del sol [de la tarde] 해가 질 때, 일몰에. ② 넘어짐, 쓰러짐, 자빠짐; 붕괴, 몰락, 실각: ~ del gobierno 내각의 붕괴. ③ (온도·가격 등의) 저하, 하락: ~ de temperatura 기온의 저하. ~ del dólar [del euro] 달러[유로화]의 하락. ④ (토지·지붕 등의) 경사. ⑤ 폭포. ⑥ 실패; 타락, 과오. ⑦ [주로 *pl.*] 기지가 풍부한 말. ⑧ [복식] 천이 우아하게 드리워진 모양; 자연스레 잡히도록 한 주름; (소맷부리 등의) 접어올린 부분: falda de tres ~*s* 세 폭 스커트. ⑨ [운동] (도약의) 착지(着地).
caído, da *adj.* ① 넘어진, 자빠진, 떨어진: árbol ~ 넘어진[쓰러진] 나무. ② 맥[기운]이 빠진. ③ 전사한, 이상[주의, 주장]을 위해 죽은. ④ 기한이 다 된. —*m.f.* 전사자, 전몰자: el Valle de los *Caídos* 전사자의 계곡.
caigo 나는 떨어졌다 ((caer 동사의 직설법 현재 1인칭 단수)).
caimán *m.* 카이만 ((남미산 악어)).
caimito *m.* ① [식물] 난과수. ② 난과수 열매.
caín[1] *adj., m.* 사악한 (남자).
Caín[2] *m.* [성경] [인명] 카인. ¶***las de ~*** 악의(惡意). ***pasar las de ~*** 모진 고생을 하다, 온갖 고난을 다 겪다.
cairel *m.* ① [복식] [주로 *pl.*] (옷의) 술기 장식. ② (샹들리에 등 조명 기구의) 장식(품).
cairota *adj.* ① 카이로(Cairo) 태생의. ② 카이로의[에 관한]. —*m.f.* 카이로 사람.
caja *f.* ① ㉮ 상자, 박스, 케이스: ~ de cartón 마분지 상자. ~ de colores 화구(畵具) 상자. una ~ de uvas 포도 한 상자. ㉯ [기계] ~ de cambios [de velocidad] 기어 박스, 변속 장치. ~ negra 블랙박스, 비행 기록 장치. ㉰ [전기] ~ de fusible 퓨즈 박스. ㉱ [컴퓨터] 본체. ② 금고; 장부; 출납과, 회계과; 현금, 자금: ~ chica 소액 현금. ~ de ahorros 저축 금고. ~ de crédito 신용 금고. ~ postal 우편 저금. ③ (차량의) 차체(車體). ④ (시계의) 딱지. ⑤ 관(棺), 널. ⑥ [음악] (기타 등의) 몸통, 공명 상자. ⑦ [악기] 큰 북(tambor). ⑧ [해부] ~ craneana [ósea] 두개(頭蓋). ⑨ [건축] 장부 구멍. ⑩ [군사] ~ de reclutamiento [de reclutas] 징병 사무소. entrar en ~ 징병되다. ⑪ [인쇄] letra de ~ alta [baja] 대[소]문자. ⑫ [식물] 삭과(蒴果). ¶***~ boba, ~ tonta*** 텔레비전 ((수상기)). ***hacer ~*** 매상 금액을 기장하다: Hoy *hemos hecho* buena ~ 오늘은 매상이 대단했다.
cajero, ra *m.f.* 현금 출납 담당자; (상점의) 출납 담당자; (은행의) 창구[출납] 담당자. ¶***~ automático*** 자동 현금 지급기.
cajetilla *f.* ① 담배갑. ② 성냥갑.
cajetín *m.* ① 작은 상자. ② (공중 전화 등의) 코인을 넣는 레일.
cajista *m.f.* [인쇄] 식자공(植字工).
cajo *m.* [제본] (책의) 겹홀치기.
cajón *m.* ① 서랍. ② (주로 목재의) 큰 상자. ③ *Amér.* 식료품점. ④ (경마의) 출주문(出走門). ⑤ (앞뒤로 올리는 빗장이 달린) 투우 수송용 방. ⑥ *AmérM.* 긴 협곡. ⑦ *AmérM.* 관, 널.
cajonera *f.* ① (교과서 등을 넣는 교실의) 서랍 ② 서랍장: ~ móvil (con tres cajones) (서랍 세 개 달린) 이동식 서랍장. ~ fija 고정 서랍장.
cajuela *f. Amér.* (자동차의) 트렁크.
cal *f.* 석회. ¶***de ~ y canto*** 단단한, 강한. ***Entre santa y santo, pared de ~ y canto*** (속담) 이하부정관(李下不整冠), 남에게 의심받을 만한 일은 아예 하지 말라.
cal. caloría 칼로리.
cala *f.* ① 작은 만(灣). ② (과실을) 잘게 자른 것; (시식용의) 한 조각. ③ 시굴(試掘)(의 구멍), 볼링. ④ (주로 필기의) 작은 시험. ⑤ [선박] 선창(船倉). ⑥ [의학] 좌약. ⑦ [식물] 토란의 일종. ⑧ *Esp* 뻬세따(peseta).
calabacear *tr.* ① (이성을) 퇴짜 놓다. ② 낙제시키다.
calabacera *f.* ① [식물] 호리병박. ② [식물] 호박.
calabacín *m.* ① [식물] 호박의 일종. ② 머리 회전이 둔한 사람.
calabacita *f.* =calabacín.
calabaza *f.* ① [식물] 호박(씨 · 열매). ② [식물] 호리병박 (열매). ③ 박: ~ seca empleada como vasija 표주박. ④ 바보, 멍청이, 얼간이. ⑤ 머리. ⑥ [주로 *pl.*] 불가(不可), 낙제. —*adj., m.* 밝은 오렌지색(의). ¶***dar ~s a*** alguien ㉮ (누구를) 퇴짜 놓다, 딱지 놓다, 뿌리치다, 거절하다. ㉯ (…를) 낙제시키다. ***recibir ~s, llevarse ~s*** ㉮ (이성에게) 퇴짜 맞다. ㉯ 낙제하다.
calabazada *f.* 박치기, 머리받기.
calabazar *m.* 호박 밭.
calabazazo *m.* =calabazada.
calabobos *m.sing.pl.* 이슬비, 가랑비, 보슬비: Cae un ~ 이슬비가 내린다.
calabozo *m.* ① 독방, 유치장. ② [역

C

사] 감옥, 지하 감옥.
calada *f.* ① 물에 적심[가라앉음], 흠뻑 젖음. ② (자동차의) 엔진 고장. ③ (맹금(猛禽)의) 재빠른 비상(飛翔). ④ *Esp* (담배의) 한 번 빨기. ⑤ [어업] 투망. ¶*dar una* ~ 심하게 나무라다[꾸짖다].
caladero *m.* 어장(漁場), 어망을 넣기에 적당한 장소.
calado *m.* ① [수예] 컷워크 ((무늬 테두리를 떠서 무늬 사이를 잘라냄)). ② [미술] 투각(透刻), 섭새김, 투조(透彫) ((종이에 빛을 비출 때 보이는 무늬[글자] (지폐에 넣은 은화(隱畵) 등))). ③ [선박] 흘수(吃水); 수심(水心). ④ 엔진 고장(calada).
calado, da *adj.* 흠뻑 젖은; 실을 뽑은.
calador *m.* ① [의학] 소식자(消息子), 존데. ② *Amér.* (화물의 내용을 검사하는) 꼬챙이. ③ *Amér.* (곡물의) 내용물 검사.
caladura *f.* ① (액체가) 배는[번지는] 일. ② 과실의 시식용 조각.
calafate *m.* =**calafateador.**
calafateado *m.* =**calafateo.**
calafateador *m.* ① 뱃밥으로 틀어막는 사람. ② (옛날의) 배 목수.
calafateadura *f.* =**calafateo.**
calafatear *tr.* [선박] …에 뱃밥을 틀어막다; 벌어진 틈을 막다.
calafateo *m.* 뱃밥으로 틀어막기.
calamaco *m.* ① mezcal과 증류주를 혼합한 술. ② 엷은 모직물.
calamar *m.* [동물] 오징어: sandwich de ~ 오징어 샌드위치.
calambre *m.* [때때로 *pl.*] ① 경련, 쥐: ~ de estómago 위경련. ② (가벼운) 감전(感電).
calambuco *m.* [식물] (서인도산의) 단풍나무.
calambur *m.* 신소리, 말장난.
calamento *m.* [식물] 탑꽃.
calamidad *f.* ① (큰) 재해, 재난, 참화, 천재지변, 불행: ~ natural 천재(天災). ~ de la guerra 전화(戰禍). ② 불운한 사람. ③ 만듦새가 형편 없는 것.
calamina *f.* ① [광물] 이극광(異極鑛). ② [약학] 칼라민 ((피부 소염제)).
calamita *f.* 천연 자석.
calamite *m.* [동물] 청개구리.
calamitosamente *adv.* 처참하게, 불쌍하게.
calamitoso, sa *adj.* 재해를 일으키는; 비참한: hombre ~ 귀찮은 사람.
cálamo *m.* ① [음악] (옛날의) 통소. ② (파이프 오르간의) 설관(舌管). ③ [시어] 깃펜. ④ [식물] (갈대 등의) 줄기. ¶ ~ ***aromático*** [식물] 창포.
calamoco *m.* 고드름(carámbano).
calamón *m.* ① [새] 쇠물닭. ② (밑에 깐 것을 고정시키는) 정.
calandraco, ca *adj., m.f.* 경솔한 (사람).
calandrado *m.* 광택 내기.
calandrar *tr.* (종이·천을) 광택기에 넣다, 광을 내다.
calandria *f.* ① [새] 종달새. ② 광택기. ③ 꾀병.
calaña *f.* ① (주로 나쁜) 성질. ② 견본.
calañés, sa *adj.* 깔라냐스(Calañas, 스페인 Huelva 주의 한 지방)의. —*m.f.* 깔라냐스 사람. —*m.* 깔라냐스 모자.
calar[1] *tr.* ① (속속들이) 스며들다, 깊이 배어들다 ② 꿰뚫다. ③ (천에다) 실뽑기를 하다; (종이·널빤지 같은 데) 투시 구멍을 뚫다. ④ 간파하다; (사람의 성질 등을) 알아채다: ~ a fondo 속속들이 다 알다. ⑤ (수박 등을) 자르다. ⑥ 덮어씌우다. ⑦ (구멍 같은 곳에) 끼워 맞추다. ⑧ 숨어들다, 침입하다. ⑨ 물에 넣다[담그다]. ⑩ (칼 같은 것의) 자국을 내다. ⑪ [은어] (남의 호주머니에) 손을 넣다. ⑫ 발췌 검사를 하다, 내용물을 검사하다. ~**se** ① 물에 흠뻑 젖다. ② (모자를) 눌러 쓰다. ③ (안경을) 단단히 끼다. ④ 들이닥치다. ⑤ (새가) 먹이를 잡으려고 덤벼들다. ⑥ (모터가 헛돌아 차가) 움직이지 않다.
calar[2] *adj.* 석회질(石灰質)의. —*m.* 석회석 채굴장.
calasancio, cia *adj.* =**escolapio.**
calato, ta *adj.* *AmérM.* ① 벌거벗은, 나체의. ② 무일푼의, 한 푼 없는.
calavera *f.* ① 두개골, 해골바가지. ② [곤충] 나비의 일종. ③ *AmérC.* (차의) 후미등.
calaverada *f.* 방자함, 난행; 무분별.
calaverear *intr.* 망나니[못된] 짓을 하다, 난봉을 부리다.
calcado, da *adj.* ① [estar+] 투사된. ② [ser+, +a] (…에) 꼭 닮은. —*m.* ① 투사(透寫). ② 모방.
calcamonía *f.* =**calcomanía.**
calcáneo *m.* [해부] 발뒤꿈치뼈.
calcañal *m.* =**calcañar.**
calcañar *m.* 발뒤꿈치.
calcaño *m.* =**calcañar.**
calcar *tr.* ① 투사하다. ② 베끼다, 모방하다. ③ [드뭄] 짓밟다, 유린하다.
calcáreo, a *adj.* 석회질의.
calce *m.* ① (차의) 쇠바퀴; 쐐기. ② *AmérC.* (서류의) 아래 부분.
calcedonia *f.* [광물] 옥수(玉髓).
calceta *f.* ① 스타킹, 긴 양말(media). ② 족쇄 ((형구)).
calcetín *m.* [주로 *pl.*] (남자용) 양말: un par de *calcetines* 양말 한 켤레. ponerse [calzarse] los *calcetines* 양말을 신다. quitarse los *calcetines* 양말을 벗다.
cálcico, ca *adj.* [화학] 칼슘의.
calcificación *f.* 석탄화; 골화(骨化).
calcificar (7) *tr.* 석탄화시키다. ~**se** 석탄화되다.
calcinación *f.* ① 굽는[태우는] 일. ② [화학] 배소(焙燒).
calcinamiento *m.* =**calcinación.**
calcinar *tr.* ① 태워서 석회로 만들다. ② [금속] 배소(焙燒)하다, 고열 처리하다. ③ 태우다, 달구다, 굽다. ~**se** 전소(全燒)하다.
calcio *m.* [화학] 칼슘.
calcita *f.* [광물] 방해석(方解石).
calco *m.* ① 투사(透寫), 트레싱 페이퍼. ② 모방. ③ [언어] 직역 차용(어).
calcocita *f.* [광물] 휘동광(輝銅鑛).
calcografía *f.* 동판 인쇄(술·화·소), 동판 조각(술).
calcografiar (12) *tr.* 동판 인쇄하다.
calcográfico, ca *adj.* 동판 인쇄의.
calcógrafo, fa *m.f.* 동판 조각사.
calcolítico, ca *adj., m.* [고고학] 동석기(銅石器) 시대(의).
calcomanía *f.* 전사, 전사지(轉寫紙).
calcopirita *f.* [광물] 황동광(黃銅鑛).
calculable *adj.* 계산[예측]할 수 있는, 헤아릴 수 있는, 상상할 수 있는.
calculadora *f.* 계산기(máquina ~): ~ electrónica 전자 계산기.
calculador, ra *adj., m.f.* ① 계산하는 (사람); 선견지명이 있는 (사람). ② 타산적인 (사람), 이기적인 (사람).
calcular *tr., intr.* ① 계산하다, 셈하다: ~ mentalmente 암산하다. ② 예측하다, 추측하다.
cálculo *m.* ① 계산: ~ de costes 원가 계산. ② 예측, 견적. ③ [의학] [때때로 *pl.*] 결석(結石): ~*s* biliares 담석(膽石). ~*s* renales 신결석(腎結石).
calda *f.* ① *pl.* 온천. ② 가열(加熱); 연료를 지피는 일.
caldaico, ca *adj.* =**caldeo.**
caldeamiento *m.* ① 난방. ② 덥히기.
caldear *tr.* ① 따뜻하게[덥게] 하다: ~ la habitación 방을 따뜻하게 하다. ② 흥분시키다, 부추기다, 선동(煽動)하다.
caldeo *m.* =**caldeamiento, calda.**
caldeo, a *adj.* 깔데아(Caldea, 바빌로니아 남부의 옛 지방)의. —*m.f.* 깔데아 사람. —*m.* 깔데아 말.
caldera *f.* ① 보일러, 기관(汽罐). ② 가마솥, 큰 솥. ③ [지질] 칼데라. ④ *AmérM.* 항아리, 단지, 주전자.
calderada *f.* ① 가마솥[큰 솥] 하나의 분량. ② (먹거리의) 대량(大量).
calderería *f.* ① 보일러 제조업[공장·판매점]. ② (제철소의) 단조(鍛造)[가공] 부문.
calderero, ra *m.f.* ① 보일러 제조[수리·판매] 업자. ② 단조 부문의 공원.
caldereta *f.* ① 작은 솥. ② 성수 그릇. ③ [요리] (생선의) 수프. ④ [요리] (양 등의) 스튜. ⑤ *AmérM.* (3월과 10월에 부는) 뜨거운 바닷바람[해풍].
calderilla *f.* ① [*sing.*] (1 뻬세따 이하의) 동전. ② 성수 그릇.
caldero *m.* ① 작은 솥: un ~ de agua 물 한 솥. ② 솥 하나의 분량.
calderón *m.* [음악] 끊는 부호.
calderoniano, na *adj.* 깔데론(Calderón de la Barca, 스페인의 극작가, 1600-81)의[에 관한], 깔데론 작품의.
caldillo *m.* ① [요리] 스튜의 소스. ② *Chile.* 생선·조개·감자 따위로 만든 수프.
caldo *m.* ① [요리] 수프, 육즙: ~ de carne 콘소메 ((묽은 수프의 일종)). ② =**aliño.** ③ *pl.* (포도주·식초·기름 등을 만든) 과즙; (특급의) 와인, 포도주. ¶ ~ ***de cultivo*** 온상(溫床).
caldoso, sa *adj.* 수프[즙]가 많은, 물기가 많은.
calducho *m.* 맛이 없는 수프.
calé *adj., m.f.* 집시(의)(gitano).
caledoniano, na *adj.* [지질] 칼레도니아 조산(造山) 운동의.
calefacción *f.* ① 난방: ~ central 중앙난방. encender [apagar] la ~ 난방을 켜다[끄다]. ② [집합] 난방 기구[설비]: habitación con ~ 난방 설비가 된 방.
calefactor, ra *adj.* 난방하는. —*m.f.* 난방 기구[설치·수리] 업자. —*m.* 난방 기구; 온풍 히터(~ de aire caliente).
calefón *m. AmérM.* =**calentador.**
caleidoscópico, ca *adj.* 만화경의[같은], 눈이 도는.
caleidoscopio *m.* 만화경.
calendario *m.* ① 달력, 캘린더; 역(曆); 역법(曆法). ② 예정표: ~ escolar 학교 행사 예정표.
calendas *f.pl.* ① (고대 로마의) 1일. ② (먼 과거의) 시대.
caléndula *f.* [식물] 금잔화.
calentador, ra *adj.* 뜨거운, 따뜻한, 더운. —*m.* ① 급탕기(~ de agua); 난방기, 히터, 스토브. ② 방열기, 보온기.
calentamiento *m.* ① 따뜻하게 하는 것, 가열: ~ global [de planeta] 지구 온난화. ② 워밍업(ejercicios de ~).
calentar (19) *tr.* ① 데우다, 덥히다, 뜨겁게 하다, 가열하다, 따뜻하게 하다: ~ el agua 물을 데우다. ~ la sopa 국을 덥히다. ~ la habitación 방을 따뜻하게 하다. ② 활기를 띠다. ③ [속어] 성욕을 자극하다. ④ 때리다, 구타하다. ⑤ [운동] 워밍업을 하다. —*intr.* 열을 내다. ~**se** ① 따뜻하다, 뜨거워지다; 몸을 따뜻하게 하다. ② (의론·시합 등이) 열을 띠다. ③ [속어] 성적으로 흥분하다. ④ *Amér.* 성내다, 노하다, 화내다. ¶ ~ ***la silla*** [***el asiento***] 궁둥이가 무겁다, 밑이 질기다.
calentísimo, ma *adj.* 매우 뜨거운.
calentito, ta *adj.* ① (의복이) 따뜻한. ② 최근의, 최신의.
calentón, na *adj.* ① 호색(好色)의. ② *AmérM.* 화를 잘 내는. —*m.* 급히[일시적으로] 뜨겁게 하기, 과열: darse un ~ (엔진이) 과열하다.
calentura *f.* ① (병에 의한) 열(fiebre). ② (열로) 입술에 생기는 농포(膿疱). ③ [속어] 성적 흥분. ④ *AmérM.* 발작적인 노함. ⑤ *AmérC.* 담배의 발효.
calenturiento, ta *adj.* ① [estar+] 열이 있는, 발열한, 달아오른. ② 열광한, 흥분한. —*m.f. AmérM.* 결핵 환자.
calenturón *m.* (병으로 인한 일시적인) 고열(高熱).
calero, ra *adj.* 석탄의. —*m.f.* 석탄 업

자. —*m.* 석회암 채굴장.
calesa *f.* 이륜 마차, 사륜 마차.
calesero, ra *mf.* 이륜[사륜] 마차의 마부. —*f.* ① (안달루시아의 calesa 마부풍의 모양이 부착된) 웃옷. ② 깔레세라 ((안달루시아의 민요의 하나)).
calesita *f. Amér.* 회전 목마(tiovivo).
caleta[1] *f. Amér.* 연안 항행선.
caleta[2] *m.* 구멍을 파는 도둑.
caletre *m.* 분별, 양식; 재능.
calibración *f.* 구경(口徑)의 측정.
calibrado *m.* =calibración.
calibrador *m.* 측경기, 내경 측정기.
calibrar *tr.* ① (능력·중요성·영향 등을) 판단하다. ② …의 구경(口徑)을 측정하다, 구경[직경·두께]을 재다.
calibre *m.* ① 내경(內徑), 구경(口徑): de ~ 22, 22구경의. ② 중대함, 중요함. ③ (구경) 측정기.
calicanto *m.* 돌[벽돌]을 쌓는 건축[공사].
calicata *f.* 채광(採鑛), 광맥 탐사.
caliche *m.* ① 도토에 섞인 작은 돌멩이. ② 벽에서 벗겨 떨어지는 석회. ③ (과실의) 상함, 상처. ④ *AmérM.* 칠레 초석.
caliciforme *adj.* [식물] 꽃받침 모양의.
calidad *f.* ① (사람·물건의) 질, 품질; 성능. ② 장점; 중요성, 중대성: asunto de ~ 중대한 일. ③ (사회적인) 신분, 자격. ¶***a ~ de que + subj.*** …라는 조건으로. ***de ~*** ㉮ 양질의: vino *de* ~ 양질의 포도주. ㉯ (사람의) 평가가 높은: profesor *de* ~ 판단이 좋은 선생. ***de primera ~*** 일급품의, 품질이 우수한. ***en ~ de*** alguien …의 자격으로, …로: asistir *en* ~ *de* moderador 조정역으로 출석하다. Me mandaron *en* ~ *de* representante 나는 대표의 자격으로 파견되었다.
cálido[1]**, da** *adj.* ① 뜨거운, 더운: clima ~ 더운 기후. país ~ 더운 나라. viento ~ 더운 바람, 열풍. ② 열렬한; 마음이 따뜻한: ~*s* aplausos 열렬한 박수 갈채. ~*da* amistad 따뜻한[돈독한] 우정. ③ 부드러운, 따뜻한 감이 있는, 난색의: voz ~*da* 부드러운 목소리.
cálido[2]**, da** *adj.* [고어] =astuto.
calidoscópico, ca *adj.* =caleidoscópico.
calidoscopio *m.* =caleidoscopio.
calientabraquetas *f.sing.pl.* 성적 매력이 있는 여자, 섹시한 여자.
calientapiernas *m.sing.pl.* 레그 워머 ((발목에서 무릎까지 싸는 뜨개질한 방한구)).
calientapiés *m.sing.pl.* 휴대용 화로; 족온기(足溫器).
calientaplatos *m.sing.pl.* 요리 보온기.
calientapollas *f.sing.pl.* 섹시한 여자.
calientasillas *adj., mf.sing.pl.* 궁둥이가 질긴 (사람); 대합실에서 끝까지 기다리는 (사람).
caliente *adj.* ① 더운, 뜨거운; 따뜻한: mano ~ 따뜻한 손. sopa ~ 뜨거운 국[수프]. ② 열기가 있는, 격한. ③ [속어] (성적으로) 흥분한, 암내가 난: línea ~ 전화 섹스. ④ 난색(暖色)의. ⑤ *AmérM.* 성난, 노한. ⑥ [감탄사적] 가깝다!, 애석하다!, 아깝다! —*mf.* [속어] (성적으로) 쉬 흥분하는 사람.
califa *m.* 칼리프 ((회교국의 왕; 마호메트의 후계자)).
califal *adj.* 칼리프 통치 시대의[에 관한].
califato *m.* 칼리프의 지위[재위 기간·영토].
calificable *adj.* 형용할 수 있는.
calificación *f.* ① 형용(함); 수식(함). ② (시험에 의한) 평가(評價), 성적. ③ (노동자의) 능력, 숙련도.
calificado, da *adj.* ① 권위 있는, 저명한: marca ~*da* 일류 브랜드. médico ~ 저명한 의사. ② [주로 *Amér.*] 필요한 자격을 갖춘(cualificado).
calificador, ra *adj.* ① 심사[판정]하는. ② 자격[능력]이 있는. —*mf.* 적격자, 심사자.
calificar (7) *tr.* ① [+de·como] (…로) 형용하다, 간주하다, 보다. ② (시험에서) 평점[평가]을 주다. ③ [문법] 수식하다: El adjetivo *califica* al nombre 형용사는 명사를 수식한다.
calificativo, va *adj.* 형용하는, 수식하는. —*mf.* 형용어, (명사·동사의) 수식어.
cálifont *m.* [*pl.* ~s] 급탕기.
californiano, na *adj.* 캘리포니아(California)의. —*mf.* 캘리포니아 사람.
californio *m.* [화학] 칼리포르늄.
cáliga *f.* (옛 로마의 샌들 모양의) 군화.
calígine *f.* ① [시어] =**niebla.** ② 어둠(oscuridad). ③ [구어] 푹푹 찌는 더위.
caliginoso, sa *adj.* 안개 낀, 어두운.
caligrafía *f.* 서도, 습자; 필적(筆跡).
caligrafiar (12) *tr.* 서법에 의해 쓰다, 아름다운 서체로 쓰다.
caligráfico, ca *adj.* ① caligrafía의[에 관한]. ② 달필의.
calígrafo, fa *mf.* 서예가, 달필가.
calilla *f.* ① *Amér.* =**molestia, pejiguera.** ② *Chile.* =**deuda.** ③ *Col.* =**cigarro puro largo y delgado.** ④ *Guat., Hond.* 골칫거리, 귀찮은 사람.
calima *f.* =**calina.**
calimaco *m.* =**calamaco.**
calimba *f. Cuba.* (가축에게 누르는) 소인(燒印).
calimbar *tr. Cuba.* 소인으로 누르다.
calimocho *m.* 적포도주와 콜라를 섞은 음료.
calimoso, sa *adj.* 안개 낀, 안개 짙은.
calina *f.* =**calima.**
calinoso, sa *adj.* =**calimoso.**
calipso *m.* 칼립소 ((트리니다드 섬의 민속 무용·음악)).
cáliz *m.* ① [천주교] 성배, 성찬배(聖餐杯). ② [문어] 배(杯), 술잔. ③ 고난.
calizo, za *adj.* 석회질의: espato ~ 방해석(方解石). —*f.* 석회암.
callada *f.* 무언, 침묵. ¶***dar la ~ por***

respuesta 아무 대답도 없다.

calladamente *adv.* 말없이, 조용히, 살며시, 비밀리에(con secreto).

callado, da *adj.* [estar+] 침묵의, 조용한, 말이 없는: quedarse ~ 침묵을 지키다, 아무 말도 없다, 잠자코 있다.

callador, ra *adj.* =**callado.**

callamiento *m.* 침묵(하는 일).

callampa *f.* ① *Bol., Chile, Ecuad., Perú.* 버섯(seta, hongo). ② *Chile, Ecuad.* =**chabola.** ③ *Chile.* [속어] =**glande.** ④ *Ecuad.* [구어] 모자.

callandico *adv.* 조용히, 살그머니.

callandito *adv.* =**callandico.**

callar *intr.* 입을 다물다, 잠자코 있다, 말을 하지 않다, 조용히 하다: hacer ~ 조용히 하게 하다. —*tr.* ① 말하지 않다, 침묵을 지키다. ② 말하지 않고 두다. ③ 할 말을 잊다[빠뜨리다]. ④ (바람·바다·화산 따위가) 소리를 중지하다. ~**se** ① 입을 다물다, 말을 하지 않다, 잠자코 있다, 가만히 있다: *Cállate* 조용히 해라, 입 닥쳐라. ② 조용해지다, 평온해지다, 멈추다. ③ 표명하지 않다, 밝히지 않다: ~*se* un secreto 비밀을 지키다. ¶***Más vale ~ que mal hablar*** (속담) 말은 은(銀)이요, 침묵은 금(金)이다. ***Quien calla, otorga*** (속담) 침묵은 동의하는 것이다.

calle *f.* ① 거리, 가로(街路); 가(街): ~ mayor [principal] 메인 스트리트, 큰 거리, 대로. ~ peatonal 보도(步道). andar por las ~*s* 거리를 걷다. doblar la ~ 거리를 굽어지다. ② (옥내에 대해) 옥외, 바깥. ③ 보통 사람, 일반 대중. ④ (자동차 도로의) 차선(車線): autopista de ocho ~*s* 8차선 고속 도로. ⑤ [운동] 코스, 주로(走路). ⑥ [골프] 페어웨이 ((티와 푸팅 그린 사이의 잔디밭)). ¶***de*** ~ ㉮ 외출용의: traje *de* ~ 외출복. estar [ir] vestido *de* ~ 외출복을 입고 있다. ㉯ 간단히, 쉽게: ganar *de* ~ 낙승하다. ***en la*** ~ ① 외출중의. ② 실업중의. ③ 째지게 가난한. ④ 석방된. ***salir a la*** ~ 거리에 나가다, 외출하다.

calleja *f.* =**callejuela.** ¶***No hay ~ sin revuelta*** (속담) 구부러지지 않는 길은 없다, 참고 기다리면 좋은 일도 생긴다, 쥐구멍에도 볕들 날이 있다.

callejear *intr.* 길을 어정거리다.

callejeo *m.* 길을 어정거림, 만보, 산책.

callejero, ra *adj.* ① 거리의, 가두(街頭)의: combate ~ 시가전. manifestación ~*ra* 가두 데모. venta ~*ra* 가두 판매. ② 슬슬 거니는, 어정거리는. —*m. Esp* (설명이 들어 있는) 시가 지도; 거리별 전화번호부.

callejón *m.* ① 좁은 통로, 소로 ((참고: callejuela보다 길다)). ② (투우장의) 펜스와 관객석 사이의 통로. ¶ ~ ***sin salida*** 막다른 길; 난국(難局).

callejuela *f.* 좁은 뒷골목, 소로(小路).

callicida *m.* 티눈 치료약.

callista *m.f.* 티눈 치료 의사, 피부병 치료 의사.

callo *m.* ① (손에 생기는) 못, 티눈. ② [의학] 부서진 뼈조각을 결합한 자국. ③ *pl.* [요리] 까요 ((소·송아지·양의 곱창전골)). ④ 추녀. ⑤ 편자의 양끝 중의 하나.

callosidad *f.* 피부가 살이 쪄서 두툼함; 피부의 굳은 살, 못.

calloso, sa *adj.* 비후(肥厚)한, 살이 쪄서 두툼한; 못 모양의; (손 같은 데) 못이 잔뜩 박힌.

calma *f.* ① 평온(함), 잔잔함, 고요함: ~ en el dolor 통증이 누그러짐. El mar está en ~ 바다가 잔잔하다. ② 냉정, 침착, 차분함: mantener [perder] la ~ 평정을 유지하다[잃다]. ③ 바다의 잔잔함, 무풍 상태: ~ chica 무풍 상태. ~*s* ecuatoriales 적도 무풍대. ④ (활동이) 활발치 못함. ⑤ (병의) 소강 (상태). ⑥ (상장의) 한산(기). ⑦ [감탄사적] 침착해라!, 냉정해라!

calmante *adj.* 진통의. —*m.* 진통제.

calmar *tr.* 가라앉히다, 평정하다, 진정시키다, 완화시키다, 부드럽게 하다. ~**se** 가라앉다, 안정되다, 평정되다, 침착하다: *Cálmate* 침착해라.

calmo, ma *adj.* ① 나무도 숲도 없는. ② =**calmado, tranquilo.**

caló *m.* (스페인의) 집시어.

calomel *m.* [화학] 감홍(甘汞).

calomelanos *m.pl.* [화학] =**calomel.**

calor *m.* ① 열(熱); 뜨거움, 따뜻함: ~ animal 체온. asarse de ~ 열기(熱氣)로 무척 덥다. ② 뜨거움, 더움: Hace ~ en verano 여름은 덥다[뜨겁다]. En esta sala hace mucho ~ 이 홀은 대단히 덥다. Tengo [Siento] mucho ~ 나는 무척 덥다. ¡Qué ~! 아이구 더워!, 정말 덥다! ③ 열심, 열렬함; (가정 등이) 따뜻함, 훈훈함. ¶***entrar en*** ~ ㉮ 따뜻해지다, 훈훈해지다. ㉯ [운동] 워밍업을 하다. ㉰ (의론 등이) 매우 열띤 상태로 진전되다.

caloría *f.* 칼로리.

calórico, ca *adj.* 열의, 칼로리의.

calorífero, ra *adj.* ① 전열(傳熱)의. ② 난방의. —*m.* 난방 장치[기구].

calorífico, ca *adj.* 열을 내는[발하는], 열의: energía ~*ca* 열에너지.

calorífugo, ga *adj.* 단열(斷熱)하는, 보온하는, 불연성(不燃性)의.

calorimetría *f.* 열량 측정(법).

calorímetro *m.* 열량계.

calorina *f.* 푹푹 찌는 더위.

calostro *m.* (분만 후의) 초유(初乳).

calote *m. AmérM.* 사기(詐欺).

calotear *tr.* 속이다.

calpamulo, la *adj., m.f. AmérC.* 중국계 주민(albarazado)과 흑인과의 혼혈의. —*m.f.* 중국계 주민과 흑인과의 혼혈인.

caluga *f. Chile.* 직사각형의 물렁물렁한 캐러멜. —*m.f.* 지나치게 애정 표시를 하는 사람.

C

calumnia *f.* 중상, 모략, 비방.
calumniador, ra *adj.* 중상[모략]하는. —*mf.* 중상자, 모략자.
calumniar (11) *tr.* 중상하다, 비방하다, 나쁘게 말하다, 누명을 씌우다.
calumnioso, sa *adj.* 중상[모략]의, 중상적인.
caluroso, sa *adj.* ① 뜨거운, 따뜻한, 무더운: día ~ 무더운 날. ② 열정적인, 열렬한; 애정어린: ~ recibimiento 열렬한 환영.
calva *f.* 대머리가 된 부분; 대머리.
calvario *m.* ①십자가의 길. ② 수난, 고뇌.
calvero *m.* ① 삼림 지대의 공지[빈터]. ② 점토상의 토지.
calvicie *f.* 대머리, 탈모(증).
calvinismo *m.* 캘빈(Calvino) 주의; 캘빈파 교회.
calvinista *adj.* 캘빈파의. —*mf.* 캘빈주의자.
calvo, va *adj.* 대머리의, 머리가 빠진: cabeza ~*va* 대머리. tierras ~*vas* 풀 한 포기 없는 토지 quedarse ~ 머리가 벗어지다. —*mf.* 대머리, 머리가 빠진 사람.
calza *f.* ① (물건 아래・수레바퀴를 지탱하기 위한) 버팀[쐐기]. ② *pl.* (긴)양말: medias ~*s* 양말. ③ *pl.* 통이 좁은 바지 모양의 (남자용) 의복.
calzada *f.* ① 차도(車道). ② (돌을 깐) 길, 포도(鋪道).
calzado, da *adj.* ① 신발[구두]을 신은. ② (새가) 발에 털이 돋은. ③ (말이) 다리 아랫도리의 털 빛깔만 다른. —*m.* [총칭] 신발, 구두.
calzador *m.* 구두 주걱.
calzar (9) *tr.* ① (구두 등을) 신다; (장갑 등을) 끼다; (사람에게) 신기다. ② (신발을 누구에게) 제공하다. ③ (차바퀴 아래에) 고정 장치를 대다. ④ 손에 넣다, 자기 것으로 만들다. —*intr.* 구두를 신다: ¿Qué número calza usted? 사이즈 몇을 신으십니까? ~**se** ① (구두를) 신다. ② (지력・영향력에서) …를 상회하다. ③ …을 획득하다, 손에 넣다.
calzo *m.* ① 쐐기. ② (지렛대의) 버팀점.
calzón *m.* [*pl.* calzones] ① [때때로 *pl.*] 트렁크스 ((남자의 권투용・수영용의 팬티)). ② [주로 *pl.*] (옛날의) 반바지. ③ *pl.* =**bragas.** ¶***calzarse*** una mujer ***los calzones*** 엄처시하에 살다. ***llevar los calzones bien puestos*** (남편이) 위엄을 갖추고 있다. ***ponerse*** una mujer ***los calzones*** =calzarse una mujer **los calzones.**
calzonazos *m.sing.pl.* 공처가.
calzoncillos *m.pl.* =calzón ②
calzonudo, da *adj.* *AmérM.* ① 우둔한. ② 엄처시하의.
cama *f.* ① 침대: ~ de primera (철도의) 일등 침대. ~ turista (철도의) 이등 침대. meterse en la ~ 침대에 들어가다, 자다. meter al niño en la ~ 아이를 침대에 재우다. destapar la ~ (취침 전에) 침대를 준비하다, 이부자리를 깔다. echarse en la ~ (자려고) 침대에 들어눕다. estar en la ~ 침대에 들어가 있다, 자고 있다. levantar la ~ (일어난 후에) 침구를 올리다, 이부자리를 접다. levantarse de la ~ 기상하다; (환자가) 병상에서 일어나다. saltar de la ~ 침대에서 날래게 일어나다. ② (가축의) 잠자리. ③ (야생 동물의) 자는 장소. ④ 층(層): ~ de tierra 지층. ⑤ (동물의) 한 배 새끼. ⑥ (삽・가래의) 굴대. ¶~ ***de matrimonio,*** ~ ***doble*** 더블 (침대). ~ ***de soltero,*** ~***individual*** 싱글 (침대). ~***s separadas,*** ~***s gemelas*** 트윈 침대. ***caer en (la)*** ~ 아파서 들어눕다, 병에 걸리다, 아프다. ***estar en*** ~***, guardar (la)*** ~***, hacer*** ~ 필요로 침대에 있다, 병상에 있다, 아파 누워 있다. ***hacer la*** ~ 잠자리를 만들다, 이부자리를 펴다. ***irse a la*** ~ (자고 쉬기 위해 침대에) 눕다, 잠자리에 들다. ***tender la*** ~ *Arg., Col., CRica., Méj., Perú, Urg., Ven.* =hacer la cama.
camachuelo *m.* [새] 홍방울새.
camada *f.* ① 한배 새끼. ② 한 다발(로 된 것), 한 줄로 늘어놓음, 늘어놓은 것: una ~ de ladrillos 벽돌 한 단. ③ (도둑・악당 등의) 무리, 떼.
camafeo *m.* 얕게 조각한 보석, 카메오 세공, 조각한 보석.
camal *m.* ① 말고삐. ② *AmérM.* 도살장, 도축장.
camaleón *m.* ① [동물] 카멜레온. ② 줏대[지조]가 없는 사람. ③ *Bol.* 갈기도마뱀. ④ [천문] 카멜레온자리.
camaleónico, ca *adj.* ① 카멜레온의[같은]. ② 줏대 없는, 무정견한, 변덕스러운.
camama *f.* [속어] 거짓말, 속임수.
camambú *m.* [식물] 가지과 식물.
camamila *f.* =**camomila.**
camanchaca *f.* *AmérM.* 아타까바 사막의 농무(濃霧).
camándula *f.* 위선, 음험.
camandulero, ra *adj.* 위선적인; 음험한. —*mf.* 위선자, 음험한 사람.
cámara *f.* ① 카메라, 사진기: ~ de televisión 텔레비전 카메라. ② 회의소: ~ de comercio 상업 회의소. ③ 의회: ~ alta 상원(上院). ~ baja 하원(下院). ④ (국왕 등의) 사실(私室), 침실: ~ de audiencia (궁중의) 알현실. médico de ~ 시의(侍醫). pintor de ~ 궁중 화가. música de ~ 실내악. ⑤ [선박] 선실, (군함의) 사관실, 고급 선원실; (비행기의) 좌석실. ⑥ (각종 용도의) 방, 실: ~ nupcial 신혼부부의 방. ⑦ (타이어의) 튜브. ⑧ 냉장실. ⑨ (총포의) 약실(藥室). ⑩ *pl.* 설사. —*mf.* *Esp* ① [영화・텔레비전] 촬영 기사. ② 사진 기자.

camarada *f.* ① 친구, 동료: ~ de colegio 학우. ~ de trabajo 직장 동료. ② (공산당 등의) 동지(同志). ③ 전우.
camaradería *f.* 친구[동료] 관계[의식].
camaranchón *m.* (주로 물건 보관용) 지붕 밑 방, 다락방.
camarero, ra *m.f.* ① [주로 *Esp*] 종업원. ② (호텔 · 여객선의) 객실 담당 종업원. ③ (국왕 · 왕비의) 시종, 여관(女官). —*f.* (요리 이외의 가사를 돌보는) 가정부.
camarilla *f.* [집합] (정치를 좌지우지하는) 흑막, 파벌.
camarín *m.* ① (제단 뒤의) 작은 성당; 성상(聖像)의 의류나 보석류의 보관실. ② (극장의) 탈의실, 분장실, 별실, 작업실.
camarlengo *m.* 교황청 재정 관리 추기경.
camarógrafo, fa *m.f.* *AmérM.* [영화 · 텔레비전] 촬영 기사.
camarón *m.* ① (식용의) 작은 새우: arroz con [de] camarones 새우 덮밥. ② *Amér.* 새우(gamba). ③ 팁. ④ 속임, 속임수, 사기.
camaronear *tr.* *Amér.* 새우를 잡다. —*intr.* *Perú.* 배반하다, 배신하다.
camaronera *f.* 새우잡이 그물.
camaronero, ra *m.f.* ① 새우잡이 어부. ② 새우 장수. —*m.* *Perú.* [새] 물총새.
camarote *m.* 선실(船室), 캐빈: ~ de primera [segunda · tercera] clase 일등[이등 · 삼등] 선실.
camastro *m.* 간이 [엉성한] 침대.
camastrón, na *adj.* 교활한, 뱃속이 검은, 기회주의의. —*m.f.* 교활한 사람, 뱃속이 검은 사람, 기회주의자.
cambalache *m.* ① (싼 물건의) 물물 교환. ② *AmérC.* 중고품점.
cambalachear *intr.* 물물 교환을 하다, 거래하다.
cambar *tr.* *AmérM.* =**combar.**
cámbaro *m.* [동물] (식용의) 게.
cambiable *adj.* 변하기 쉬운, 교환할 수 있는, 가변성의.
cambiadizo, za *adj.* 변하기 쉬운.
cambiador *m.* 교환하는 사람, 환전상.
cambiante *adj.* 변하는. —*m.f.* 환전상.
cambiar *tr.* ① ㉮ [+por] (…과) 바꾸다, 갈다, 교체하다, 서로 바꾸다: ~ una bombilla 전구를 갈다. ~ *su* coche viejo *por* un nuevo 헌 차를 새 차와 바꾸다. ㉯ [환전] [+en] (…로) 바꾸다: ~ wones *en* dólares [euros] 원화를 달러[유로화]로 바꾸다. ㉰ [+de] (…의 위치를) 바꾸다: ~ los muebles *de* lugar 가구의 배치를 바꾸다. ② [+con+사람] (…와) 교환하다, 바꾸다. ③ 변하다, 변경하다, 바꾸다, 변화시키다: ~ un plan 계획을 변경하다. —*intr.* ① [+de+무관사 명사] (…을) 바꾸다, 갈다: ~ *de* autobús 버스를 갈아타다. ~ *de* casa 집을 바꾸다. ② 달라지다. ~**se** ① [+en] (…으로) 변하다, 달라지다. ② [+de] (…을) 갈다, 바꾸다: ~se de medias [calcetines] 스타킹[양말]을 갈아 신다. ③ 이사하다, 집을 옮기다: ~*se* a las afueras 교외로 이사하다. ④ [+por+사람] (…와) 교체하다.
cambiario, ria *adj.* 돈을 환전하는: mercado ~ 환전 시장.
cambiavía *m.* *AmérC.* 전철수.
cambiazo *m.* 바꿔치기, 속이기.
cambio *m.* ① 변화, 변경, 변동: ~ climático 기후 변화. ~ de horario 시간표의 변경. ~ de sexo 성전환. ② 교환: ~ de aceite 오일 교환. ③ 교체, 교대: ~ de guardia 위병 교체. ~ de gobierno 정부의 교대. ④ 거스름돈, 잔돈. ⑤ 환전; 환시세, 외환: casa de ~ 환전소. tipo de ~ 환율. ⑥ (자동차 · 자전거의) 변속 장치. ⑦ [철도] 전철기. ⑧ [운동] 선수 교체, 멤버 체인지; 작전 변경: efectuar [realizar] dos ~*s* 선수를 두 명 교체하다.
cambista *m.f.* 환전상(換錢商).
camboyano, na *adj.* 캄보디아(Camboya)(인)의. —*m.f* 캄보디아 사람.
cambriano, na *adj., m.* [지질] 캄브리아기[계](의): período ~ 캄브리아기.
cámbrico, ca *adj., m.* =**cambriano.**
cambrón *m.* [식물] 쐐기풀의 무리.
cambronera *f.* [식물] 구기자.
cambucho *m.* *Chile.* 원추형의 종이 봉지; 휴지통; 세탁물 바구니; (술병 등의) 짚 덮개.
cambullón *m.* ① *Amér.* 책략, 속임수. ② *Amér.* 부정 거래.
cambur *m.* *AmérM.* 바나나(plátano).
camelar *tr.* ① …에게 알랑거리다, 아첨하다; 사랑을 호소하다. ② (여자에게) 친절을 보이다, 살살거리다. ③ 유혹하다. ~**se** [+a] (…에게) 알랑거리다, 아첨하다.
camelia *f.* [식물] 동백나무; 동백꽃.
camélidos *m.pl.* 낙타과.
camelista *adj.* 아첨꾼의; 자칭(自稱)의. —*m.f.* 아첨꾼.
camellero, ra *m.f.* 낙타 몰이꾼.
camello *m.f.* [속어] 마약 판매자.
camello, lla *m.f.* 낙타.
camellón *m.* *AmérC.* (도로의) 중앙 분리대.
camelo *m.* ① 거짓말. ② (의도적인) 무의미한 말; 허보(虛報). ③ 농담, 조롱, 놀림. ④ 알랑거림, 사랑의 호소. ***de*** ~ ㉮ 자칭의. ㉯ 가짜의, 모조의.
camelote *m.* [섬유] 굵고 툭툭한 피륙, 낙타 모직물.
camembert *m.* *fr.* 카망베르 ((노르망디 산(産) 치즈)).
cameraman *m.* *ing.* 카메라맨.
camerino *m.* [연극] 분장실.
camero, ra *adj.* 침대용의: colchón ~ 침대용 요[방석]. cama ~*ra* 1인용 침대, 대형 침대. —*m.f.* ① 침대[침구] 직공. ② 침대 대여자.
Camerún *m.* [국명] 카메룬.
camerunés, sa *adj.* 카메룬(Camerún)

의. —*mf.* 카메룬 사람.
camilla *f.* ① 들것, 담가(擔架): llevar en ~ 들것[담가]으로 운반하다. ② 이동용 침대. ③ (자동차 수리용의) 침대. ④ (옛날, 아래 화분을 놓는) 둥근 탁자(mesa ~).
camillero, ra *mf.* 담가 운반자[운반병].
camilucho, cha *adj., mf. Amér.* 농장의 인디오 일용 노동자(의).
caminador, ra *adj., mf.* 다리의 힘이 좋은, 건각(健脚)의, 걸음걸이가 빠른.
caminante *mf.* 보행자; 여행자.
caminar *intr.* ① 걷다(andar); (걸어서) 가다: ~ despacho 천천히 걷다. ② (천체가) 운행하다. ③ (냇물이) 흐르다. —*tr.* (거리를) 나아가다.
caminata *f.* (장거리를) 걷는 일; (도보의) 소풍, 원족.
caminero, ra *adj.* 도로의. —*m. Urg.* 현관·복도·계단에 까는 길고 좁은 융단. —*mf.* [고어] =caminante.
camino *m.* ① (일반적으로) 길: ~ carretero [de ruedas] 자동차가 다니는 길. ~ real (옛날의) 국도. cerrar el ~ 길을 폐쇄하다. perderse en el ~ 길을 잃다. ② 도정(道程), 행정(行程), 거리. ③ 수단, 방법, 길. ④ 여행: traje de ~ 여행복. prepararse para el ~ 여행 준비를 하다. ⑤ *Salv.* 가르마(raya). ¶*a medio* ~ 도중에서. *de* ~ 도중에(서): estar *de* ~ 도중에 있다. *en el* ~ 도중에(서), 계획의 도중에: *en el* ~ de casa a la escuela 집에서 학교에 가는 도중에. dejar *en el* ~ 도중에서 그만두다. *abrir* ~ 길을 열다; 선례가 되다. *hacerse su* ~ 출세가도를 가다; (일이) 진전(進展)되다. *ponerse en* ~ 출발하다; 길을 나서다. *Camino comenzado, medio andado* (속담) 어떤 일이건 중요한 것은 그 일을 시작하는 것이다, 시작이 반이다. *El mejor ~, el recto* (속담) 정직은 최선의 정책이다.
camión *m.* ① 트럭: transportar en ~ 트럭으로 운송하다. ② *AmérC.* 버스.
camionaje *m.* 트럭 운송(료).
camionero, ra *mf.* 트럭 운전수.
camioneta *f.* ① 소형 트럭, 밴. ② *Esp* 장거리 버스.
camisa *f.* ① 셔츠, 와이셔츠: ~ de deporte 스포츠 셔츠. ② 덮개, 씌우개, 커버: ~ de la lámpara 전등 씌우개. ③ 폴더, 서류 끼우는 것. ④ (뱀의) 허물. ⑤ 표지를 씌우는 책가, 표지 커버. ⑥ 짐의 포장지. —*mf.* [+형용사 여성형] 사람, 당원(黨員): ~ azul 팔랑헤당원. ~ negra 이탈리아 파시스트. ~ parda 나치스. ¶*meterse en* ~ *de once varas* 남의 일에 간섭하다.
camisería *f.* 와이셔츠 제조소; 와이셔츠 가게; 신사 양복점.
camisero, ra *adj.* 와이셔츠의. —*mf.* 와이셔츠 제조[판매] 업자. —*m.* 셔츠 블라우스(blusa ~*ra*, vestido ~).
camiseta *f.* 셔츠, 티셔츠, 속셔츠, 내의: ~ de tirantes, ~ sin mangas 러닝셔츠, 탱크 톱. ¶*sudar la* ~ 격렬한 시합을 하다; 맹연습을 하다.
camisola *f. fr.* ① 캐미솔. ② 소매 없는 여자용 속옷. ③ [운동] (유니폼의) 셔츠. ④ 와이셔츠형 네글리제.
camisolín *m.* [복식] 가슴받이.
camisón *m.* [복식] 네글리제.
camita *adj., mf.* 함족(族)(의).
camomila *f.* [식물] =manzanilla.
camón *m.* ① 유리를 낀 칸막이 문. ② 베란다.
camorra *f.* 싸움, 입씨름, 논쟁.
camorrear *intr.* 싸우다.
camorrero, ra *adj., mf.* 싸움을 좋아하는 (사람), 싸움꾼.
camorrista *adj., mf.* =camorrero.
camote *m.* ① *Amér.* 고구마. ② 사랑하기, 연인. ③ 거짓말. ④ 바보짓.
camotillo *m. Perú.* 고구마 과자.
camp *adj., ing.* (예술 등에서) 옛것을 재평가하는: cantante ~ 흘러간 옛 노래의 가수.
campa *adj. f.* 나무가 자라고 있지 않는 (토지).
campal *adj.* ① 평야의: batalla ~ 야전(野戰); 격한 입씨름[논쟁]. ② 야외의, 집 밖의: misa ~ 야외 미사.
campamento *m.* ① (등산객·군대 등의) 캠프(지), 야영(지). ② [집합] 야영하는 사람들. ③ [집합] 설비. ④ (신병의) 훈련 기간.
campana *f.* ① 종(鐘): tañer [tocar] las ~*s* 종을 치다[울리다]. ② 종 모양의 덮개. ③ (치즈·시계 등의) 유리 뚜껑[덮개]. ④ [악기] 튜브 벨. ⑤ [악기] 종, 글라스 하모니카.
campanada *f.* ① 종소리. ② (시계의) 시보(時報). ③ 소동, 큰 사건, 스캔들.
campanario *m.* 종루(鐘樓).
campanear *intr.* ① 종을 마구 치다. ② [속어] *Amér.* 노리다, 스파이 노릇하다. ~**se** (여자가) 궁둥이를 흔들며 걷다.
campaneo *m.* ① 종소리. ② 궁둥이를 흔들며 걷기.
campanero, ra *mf.* 종 제조자.
campaniforme *adj.* 종 모양의.
campanil *adj.* 종의, 종 만드는 데 사용하는: metal ~ 종 만드는 데 사용하는 청동(青銅).
campanilla *f.* ① 방울, 초인종, 벨: tocar la ~ 방울을 울리다. ② [해부] 목젖. ③ 거품. ④ [식물] 풍경초.
campanillear *intr.* 벨을 길게 울리다.
campanilleo *m.* 벨소리.
campanillero, ra *mf.* ① (신호의) 벨[종]을 울리는 사람. ② (안달루시아 지방에서) 종·기타 등으로 반주하는 성가대(聖歌隊).
campanólogo, ga *mf.* [음악] 종[글라스 하모니카] 연주자.
campante *adj.* ① 뛰어난, 훌륭한. ② 만족스런(ufano, satisfecho).
campanudo, da *adj.* ① 종 모양의. ②

큰 소리를 내는, 크게 울리는.
campánula *f.* [식물] 풍경초(farolillo).
campanuláceas *f.pl.* [식물] 도라지속.
campaña *f.* ① (군대의) 원정, 군사 행동: traje [uniforme] de ~ 전투복. ② [집합] (정치적·사회적인) 운동, 캠페인: ~ de venta 판매전. ~ electoral 선거전, 선거 운동. ~ publicitaria 선전 캠페인. lanzar una ~ 캠페인을 벌이다. ③ *Amér.* =**campo.**
campañol *m.* [동물] 들쥐.
campar *intr.* ① 낫다, 뛰어나다. ② 헤매다, 방황하다. ③ 야영하다.
campeador, ra *adj.* 뛰어난, 발군의 전공을 세운. —*m.* 뛰어난 전공자: Cid *Campeador* 영웅 시드.
campear *intr.* ① 보이다. ② (동물이) 들[밖]로 나가다. ③ (가축이 초원에서) 풀을 먹다. ④ (밭이) 푸르다. ⑤ *AmérM.* 초원을 수색하다.
campechanería *f.* 소탈함, 싹싹함.
campechanía *f.* =**campechanería.**
campechano, na *adj.* 소탈한, 싹싹한. —*mf.* 소탈한[싹싹한] 사람.
campeche *m.* 깜뻬체 목재 ((멕시코 Campeche에서 수출하는 콩과 식물의 재목)).
campeón, ona *mf.* ① 선수권 보유자, 챔피언: ~ del mundo 세계 챔피언. ② (주의 등의) 옹호자. ③ 무서운[대단한] 사람. ④ (중세의 마상(馬上) 창시합 등의) 전사(戰士).
campeonato *m.* 선수권 (시합), 우승: ~ de liga 리그 우승. ~ de natación [esgrima] 수영[펜싱] 선수권. ganar el ~ de tenis 테니스 선수권을 획득하다. ¶***de*** ~ 무서운, 끔찍한, 굉장한, 지독한: tonto *de* ~ 지독한 바보.
campera *f.* ① *AmérM.* 카디건. ② *pl.* *Esp* 장화(長靴).
campero, ra *adj.* 시골의: fiesta ~*ra* 시골의 축제. —*m.* [자동차] 지프.
campesinado *m.* [집합] 농민(층).
campesino, na *adj.* 시골의; 밭의: fiesta ~*na* 시골의 축제. vida ~*na* 전원 생활. —*mf.* 농민, 시골 사람. —*m.* *AmérM.* [자동차] 지프.
campestre *adj.* 들(판)의, 전원(田園)의: flores ~*s* 들꽃.
camping *m. ing.* [*pl.* ~s] 캠핑(장): hacer ~ 캠핑하다.
campiña *f.* 밭, 평원.
campista *mf.* 캠핑을 하는 사람, 캠핑 참가자.
campo *m.* ① 시골, 전원(田園). ② 초원(草原): día de ~ 교외 산보, 소풍, 행락, 원족, 피크닉. montañas y ~*s* 야산(野山). ③ 밭: ~ de cebada 보리밭. ④ 장소, …장(場): ~ de aterrizaje 이착륙장. ~ de aviación 비행장. ~ de batalla 전장. ~ de prueba 실험장, 시험장. ~ de tiro 사격장; 사정(射程), 착탄 범위. ~ santo 묘지. ⑤ 진지(陣地), 진영: ~ conservador 보수 진영. ~ enemigo 적진, 적진영. ⑥ (행동 등의) 범위, 영역: ~ de actividad 활동 범위. ~ de la medicina 의학 분야. ~ visual 시계, 시야. ~*s* sociales 사회적 영역. ⑦ [운동] 운동장, 그라운드 (~ de juego · de deportes); (축구 등의) 필드; (테니스 등의) 코트; 골프 코스; [야구] 내야: medio ~ 필드 중앙, 미들 필드. ~ a través 크로스 컨트리. ⑧ [광학] 시계(視界). ⑨ [물리] 계, 권: ~ eléctrico 전계(電界). ~ gravitatorio [de gravidad] 중력권. ⑩ [컴퓨터] 필드. ¶***hacer*** ~ (활동의) 장소를 준비하다, 스페이스를 만들다. ***levantar el*** ~ 캠프를 걷다, 야영을 끝내다; 중지하다, 단념하다. ***quedar en el*** ~ 전장에서 산화하다[죽다]; 결투에서 죽다.
camposanto *m.* [천주교] 묘지(墓地).
campus *m.sing.pl. ing.* (대학의) 캠퍼스, 구내(構內).
camuesa *f.* [과실] 사과의 일종.
camueso *m.* [식물] camuesa 나무.
camuflaje *m.* 카무플라주, 위장.
camuflar *tr. fr.* 카무플라주하다, 위장하다.
camuñas *f.pl.* (소맥·대맥·라이맥 이외의) 잡곡류.
can *m.* ① [시어] 개(perro). ② [건축] 까치발. ③ =**gatillo.** ¶***Quien bien quiere a Beltrán, bien quiere a su*** ~ (속담) 아내가 귀여우면 처갓집 말뚝 보고도 절한다.
cana *f.* ① [주로 *pl.*] 백발, 흰머리. ② *AmérM.* 교도소, 감옥. ③ *AmérM.* 경찰. ¶***echar una*** ~ ***al aire*** 기분풀이를 하다, 즐기다. ***peinar*** ~***s*** (실은) 상당한 나이이다.
Canaán [지명] [성경] 가나안: Tierra de ~ 가나안 땅.
Canadá (el) *m.* [국명] 캐나다.
canadiense *adj.* ① 캐나다 태생의. ② 캐나다의[에 관한]. —*mf.* 캐나다 사람.
canal[1] *m.* ① 운하, 수로(水路): ~ de drenaje 배수로(排水路). ~ de riego 관개용 수로. ~ de Panamá 파나마 운하. ② 경로, 전달 수단: ~es de distribución 판매 경로. ③ (텔레비전의) 채널: cambiar de ~ 채널을 바꾸다. ④ [지리] 해협. ⑤ [해부] 관(管): ~ digestivo 소화관. ⑥ [해부] 후(喉), 인후(咽喉).
canal[2] *f.(m.)* ① [건축] (빗물의) 홈통, 물받이. ② [요리] 지육(枝肉).
canaladura *f.* [건축] 세로 홈.
canalé *m. fr.* [섬유] 메리야스 편물.
canaleta *f. AmérM.* 빗물받이.
canalete *m.* (국자 모양의) 노.
canalizable *adj.* 도랑[운하]을 팔 수 있는, 도랑[운하]을 만들 수 있는, 운하가 될 수 있는.
canalización *f.* ① 운하화(化), (주로 물의) 배관망, 파이프 라인. ② 방향을 정함, 유도(誘導).
canalizar (9) *tr.* ① (하천을) 운하화하다, …에 운하[수로]를 만들다; (수로의

C

물을) 조절[이용]하다. ② 방향을 정하다, 유도(誘導)하다.
canalla *f.* 하층민(下層民), 천박한 사람들. *—mf.* ① 비열한 사람. ② 폭한, 악당, 망나니.
canallada *f.* 비열한 행위[말].
canallesco, ca *adj.* 비열한, 비천한.
canalón *m.* *Esp* ① 빗물받이. ② 옛날 승려들이 쓰던 모자.
canana *f.* ① 탄약대. ② *AmérC.* 갑상선종(bocio).
cananeo, a *adj.* [성경] 가나안 태생의, 가나안의. *—mf.* 가나안 사람.
canapé *m.* *fr.* [*pl.* ~s] ① 긴의자, 소파. ② [요리] 카나페 ((생선·햄·치즈·야채 따위를 얹은 토스트)). ¶~ *cama* 침대 의자.

C

canario, ria *adj.* ① 까나리아 제도 (Islas Canarias, 대서양에 있는 스페인의 자치주의 하나) 태생의; 까나리아 제도의[에 관한]. ② (까나리아 제도의) Gran Canaria 섬의. *—mf.* ① 까나리아 사람. ② Gran Canaria 섬사람. *—m.* ① [새] 카나리아. ② =**pene.** ③ [감탄사적] =**¡caramba!**
canasta *f.* ① (주둥이가 넓은) 바구니 (cesto). ② [농구] 득점, 골: ~ triple 3점 슛. hacer [meter] tres ~*s* 세 번의 슛을 성공시키다. ③ [경제] 마켓 바스켓.
canastero, ra *mf.* ① 바구니 제조자[장수]. ② 안달루시아 지방의 집시.
canastilla *f.* ① 작은 바구니: ~ del pan 빵 바구니. ② 배내옷.
canastillo *m.* 작은 바구니.
canasto *m.* (운두가 협소하고 높은) 바구니.
cáncamo *m.* ① 몰약. ② 나사못, 볼트. ③ *Cuba.* 무능한 남자. ④ *AmérC.* 못생긴 여자.
cancamurria *f.* 우울, 울적함, 뾰로통함, 토라짐.
cancamusa *f.* 얍생이짓, 속임수.
cancán *m.* *fr.* ① [무용] 캉캉춤. ② *CRica.* (말을 못하는) 앵무새의 일종.
cancanear *intr.* *Amér.* 말을 더듬거리다, 입속으로 어물거리다.
cáncano *m.* [속어] 이(piojo).
cancel *m.* ① (이중문의) 안쪽[바깥쪽]의 문. ② (이중문의) 유리문. ③ 통풍창. ④ *Méj.* 칸막이. ⑤ *Méj.* 병풍.
cancela *f.* ① 덧문. ② (문의) 철책.
cancelación *f.* 취소, 해약, 캔슬.
cancelar *tr.* ① 취소하다; 해약하다, 캔슬하다. ② (채무를) 전액 지불하다.
cáncer *m.* ① [의학] 암: ~ de mama 유암(乳癌). ~ de(l) estómago 위암. ~ uterino 자궁암. ② 암종. ③ 사회악. ④ [천문·점성] 거해궁(巨蟹宮), 게 성좌(星座), 게자리.
cancerado, da *adj.* ① 암에 걸린, 암이 생긴. ② (정신적으로) 부패한.
cancerar *tr.* ① 암을 발생시키다. ② 타락시키다, 쇠퇴시키다. ~**se** 암을 앓다, 암에 걸리다.
cancerbero *m.* ① [신화] 지옥을 지키는 개. ② 엄격한 문지기. ③ [축구] 골키퍼, 문지기.
canceriforme *adj.* 암 모양의.
cancerígeno, na *adj.* 발암성의, 암을 유발하는. *—m.* 발암(성) 물질.
cancerización *f.* 암으로 전환.
cancerofobia *f.* 암공포증.
cancerología *f.* 암의학.
cancerológico, ca *adj.* 암의학의.
cancerólogo, ga *mf.* 암전문의.
canceroso, sa *adj.* ① 암을 앓는. ② 암 모양의, 암(성)의: tumor ~ 암성 종양. ③ 암을 유발하는. *—mf.* 암환자.
cancha *f.* ① (테니스·농구 등) 코트, 경기장. ② 투계장. ③ *Amér.* 공지(空地). ④ *Amér.* 경마장. ⑤ *AmérM.* (도박장의) 자릿세로 판돈에서 내는 돈. ¶~ ***blanca*** 팝콘(palomitas).
canchal *m.* 바위투성이의 토지.
canchar *intr.* *Perú.* 짭짤한 재미를 보다; 약간의 일을 하고 돈을 요구하다. *—tr.* *Méj.* 등에 지다. ~**se** *Amér.* (모자를) 푹 눌러 쓰다.
canchero, ra *mf.* ① *Amér.* 코트[시합장] 관리인, 경기장 주인. ② *AmérM.* 짐꾼, 포터.
cancho *m.* ① 바위투성이의 토지. ② *AmérM.* (변호사 등에게 주는 최저액의) 사례.
canciller *mf.* ① (독일 등의) 수상(首相). ② 정부 고관: ~ del exchequer (영국의) 재무 장관. ③ (외교 기관의) 서기관. ④ *Amér.* 외무 장관. ⑤ 대학 총장. ⑥ (옛날의) 대법관.
cancillería *f.* ① 외무부. ② 대사관 사무국. ③ canciller의 직.
canción *f.* ① 노래, 가요; 가곡(歌曲) (canto): canción de amor 연가(戀歌). ~ infantil 동요. ~ italiana 이탈리아 가곡. cantar una ~ 노래를 부르다. tocar una ~ al piano 피아노로 한 곡 연주하다. ② (16세기의) 궁중풍의 우아한 가곡. ③ (주로 근거가 없는) 변명, 핑계, 구실.
cancionero *m.* ① 시가집(詩歌集). ② (14-15세기의) 서정시집.
cancro *m.* ① =cáncer ①. ② (나무의) 혹.
candado *m.* ① 자물통. ② *Col., Perú.* (아래턱의) 짤막한 수염.
candar *tr.* …에 자물통을 잠그다.
candeal *adj.* (밀가루가) 질이 좋은, 하얀: pan ~ 하얀 빵.
candela *f.* ① 초, 양초(vela). ② 촛대. ③ [주로 *Amér.*] 불(lumbre). ④ [광도의 단위] 촉광. ¶***estar con una ~ en la mano*** 임종[위기]에 가까워지다.
candelabro *m.* ① 가지 장식이 있는 촛대. ② *Amér.* [식물] 큰 촛대 비슷한 선인장.
candelada *f.* 모닥불.
candelaria *f.* ① 성촉제(聖燭祭) ((2월 2일)). ② [식물] 현삼과 식물.
candelejón, na *adj., mf.* 호인(의).

candelero *m.* ① 촛대. ② *Méj.* 선인장의 일종. ③ *Col.* 쇄골(clavícula). ¶ *estar en (el)* ~ (주로 사람이) 저명하다, 일세를 풍미하다.
candelilla *f.* ① 작은 초. ② *Amér.* [곤충] 개똥벌레. ③ *pl. Amér.* 도깨비불.
candente *adj.* ① 백열(白熱)의, 한창 달아오른. ② 불타는, 열렬한, 뜨거운: amor ~ 불타는 사랑. noticias ~s 핫뉴스, 새로운 뉴스, 최근 뉴스.
candidato, ta *m.f.* [+a] (…의) 후보자, 지원자: ~ *a* la presidencia 대통령 후보자. ~ al bachillerato 고등 학교 지원자. ~ *a*l premio de la Paz de Seúl 서울 평화상 후보자.
candidatura *f.* ① [+a] (…의) 입후보; 추천. ② [집합] 후보자. ③ *Esp* 후보자 명부. ④ (사전에 후보자 이름이 쓰인) 투표 용지.
candidez *f.* 순진함, 천진함.
cándido, da *adj.* ① 순진한, 천진한, 악의가 없는, 앳된: ~ como un niño 어린아이처럼 순진한. ② 어리석은, 멍청한(tonto).
candil *m.* ① 기름 등잔. ② (사슴의) 뿔 끝. ③ *Méj.* 샹들리에(araña). ④ 모자의 끝.
candileja *f.* ① 램프의 기름을 넣는 부분. ② *pl.* [연극] 각광(脚光).
candinga *f.* ① *AmérM.* 우둔한 언동. ② *AmérC.* 악마(diablo).
candiota *f.* (포도주 저장용) 술통.
candombe *m.* ① (남아메리카의) 아프리카 풍의 야단스런 흑인 춤. ② 혼란, 무질서.
candombero, ra *adj.* candombe를 좋아하는.
candonga *f.* 놀림: dar ~ 놀리다, 놀려주다.
candongo, ga *adj., m.f.* ① 말만 번드르르한, 교활한 (사람)(astuto). ② 나태한, 게으른 (사람)(holgazán).
candonguear *tr.* 놀려주다, 놀려대다.
candongueo *m.* 놀려주기.
candor *m.* 허심 탄회, 공평 무사, 담백, 솔직.
candorosamente *adv.* 천진스럽게, 솔직하게; 순박하게.
candoroso, sa *adj.* 솔직한, 천진스런, 순박한, 순진하고 귀여운.
canear *intr.* 백발이 되기 시작하다, 백발이 성성해지다. —*tr.* 구타하다.
caneca *f.* (주로 주조용) 도제 용기.
caneco, ca *adj. AmérM.* 술 취한(borracho, ebrio). —*m.* =caneca.
canecillo *m.* [건축] 추녀 받침(can).
canéfora *f.* (그리스의 제전에서) 꽃[공물]을 넣은 광주리를 운반하는 아가씨.
canela *f.* [식물·향료] 계피: ~ fina [en polvo] 계피 가루.
canelo *m.* [식물] 계수나무.
canelo, la *adj.* 계피색의, 적갈색의.
canelón *m.* ① 물받이, 홈통(canalón). ② 고드름. ③ 계피 과자.
canesú *m. fr.* [*pl.* ~(e)s] (부인복·셔츠의) 허리, 몸통 부분.
caney *m. Amér.* 갈대로 만든 초가집.
cangilón *m.* ① 물항아리, 물병; 두레박. ② (물차의) 물상자, 양동이. ③ (준설선·기중기 등의) 덧대는 판자.
cangreja *f.* [선박] 평행하지 않는 사변형 돛.
cangrejero, ra *m.f.* 게를 잡는[파는] 사람. —*m.* ① [새] 백로의 일종. ② *Chile.* 게구멍.
cangrejo *m.* ① [동물] 게: ~ de río 강게. ② *AmérM.* 파락호, 불량배, 무뢰한. ③ *AmérM.* 바보, 멍텅구리. ¶ *avanzar como los ~s* 후퇴하다.
canguelo *m.* [집시어] =miedo.
canguis *m.* =canguelo.
canguro *m.* ① [동물] 캥거루. ② [복식] (큰 가슴 호주머니가 있는) 아노락. —*m.f.* 베이비 시터 ((어머니가 없는 동안 아이를 돌봐주는 여자)).
caníbal *adj.* ① (사람이) 사람을 먹는, 식인종의. ② 잔혹한. —*m.f.* ① 식인종. ② 잔혹한 사람.
canibalismo *m.* ① 식인(食人). ② 잔인(함).
canica *f.* ① 유리 구슬. ② *pl.* 유리 구슬 놀이. ③ *AmérC.* 계수나무.
caniche *m.* [개] 푸들.
canicie *f.* ① 백발(의 상태). ② [의학] 백모증(白毛症).
canícula *f.* ① 대서(大暑) ((7월 23일-9월 2일)): en plena ~ 한여름에. ② 삼복(三伏).
canicular *adj.* 대서[삼복]의: calores ~*es* 삼복 더위. —*m.pl.* 대서, 삼복(의 기간).
cánidos *m.pl.* [동물] 개과(科).
canijo, ja *adj.* ① 병약한, 약골의, 쇠약한. ② *AmérC.* 음험한.
canilla *f.* ① (팔이나 다리의) 긴 뼈. ② 경골(脛骨). ③ (닭의) 날개 뼈. ④ *Col., Arg.* 가느다란 종아리. ⑤ (통이나 단지의) 부리, 꼭지. ⑥ (재봉틀·방직기의) 보빈, 북통, 실타래. ⑦ 피륙에 다른 빛깔이 들어간 흠. ⑧ *Méj.* 완력(腕力), 체력, 힘: a ~ 힘으로, 완력으로. —*m. Perú, Urg.* 신문팔이.
canillita *f. AmérM.* 신문팔이.
canino, na *adj.* 개의[에 관한], 개과(科)의: diente ~ 송곳니. hambre ~*na* 심한 허기. —*m.* ① [해부] 송곳니. ② *pl.* [동물] 개과(科). ¶ *tener un hambre canina* 굶어서 몹시 배가 고프다.
canje *m.* 교환: ~ de prisiones 포로 교환.
canjeable *adj.* 교환할 수 있는.
canjear *tr.* [+por] (…과) 교환하다.
cannabáceas *f.pl.* [식물] 아마과(科).
cannabis *m.sing.pl.* [식물] 인도 아마, 대마(大麻).
cano, na *adj.* 백발(白髮)의, 흰머리의: ponerse ~ 백발이 되다.
canoa *f.* ① 카누; 보트; 작은 배: ~ neumática 고무 보트. ② 모터 보트(~

automóvil). ③ *Amér*. 물받이, 홈통.
canódromo *m*. 개 경기장, 그레이하운드 트랙, 도그 레이스장.
canon *m*. ① 법규(法規); (이상적인) 표준. ② *pl*. [천주교] (교회의) 법규; (종교 회의의) 결의(決議), 교회법. ③ (성서의) 정전(正典); (미사의) 전문(典文). ④ 목록, 리스트. ⑤ 사용료, 납부금. ⑥ [음악] 카논.
canonicato *m*. =**canonjía.**
canónico, ca *adj*. ① [천주교] 교회법에 의한, 종규(宗規)에 관한: derecho ~ 교회법. matrimonio ~ 교회법에 의한 결혼. ② 표준[규준]의.
canóniga *f*. 점심 식사 전의 낮잠.
canónigo *m*. [천주교] (주교좌 성당) 참사 회원: llevar vida de ~ 편안히 살다.

C

canonista *mf*. 교회법 학자.
canonización *f*. 열성(列聖).
canonizar (9) *tr*. [천주교] 성인의 반열에 올리다, 열성(列聖)하다.
canonjía *f*. 주교좌 성당 참사 회원의 직[록]; 편안한 일.
canoro, ra *adj*. [문어] 아름다운 선율의: poesía ~*ra* 아름다운 시.
canoso, sa *adj*. 백발의, 백발이 많은.
canotié *m.pl*. *fr*. [*pl*. ~s] =**canotier.**
canotier *m.pl*. [*pl*. ~s] 맥고 모자.
cansado, da *adj*. ① [estar+, +por] (육체적·정신적으로) 피곤한, 지친: cara ~*da* 피로한[지친] 얼굴. Estoy muy ~ *por* la caminata 나는 긴 여행으로 무척 피곤하다. ② [estar+, +de] (…에) (몹시) 싫증난, 물린, 염증이 난, 진절머리가 나는, 지긋지긋한: viaje ~ 지긋지긋한 여행. Estoy ~ *de* estudiar 나는 공부에 진절머리가 난다. ③ [estar+] 숙달된. ④ [ser+] (무척) 힘든: trabajo ~ 무척 힘든 일. ⑤ 이제는 별로 소용이 안 되는, 쓸모 없는.
cansador, ra *adj*. *AmérM*. 물린, 싫증난, 염증이 난.
cansancio *m*. 피로, 피곤; 염증, 물림: sentir ~ 피로[염증]를 느끼다. Se le nota el ~ en el rostro 그의 표정에는 피로의 기색이 보인다.
cansar *tr*. ① 피곤하게 하다(fatigar): Esta letra *cansa* la vista 이 글자는 눈을 피로하게 한다. ② 싫증나게 하다, 물리게 하다, 진절머리나게 하다, 지긋지긋하게 하다: Me *cansan* las películas de poca acción 액션 장면이 적은 영화는 싫증나게 한다. ③ (땅을) 토박하게 하다: terreno *cansado* 토박한 땅. —*intr*. 피곤하다; 물리다, (몹시) 싫증나다, 진절머리가 나다, 지긋지긋하다. ~**se** ① [+de] (…으로·에) 피곤하다; 물리다, 싫증나다, 권태롭다: *Me cansé* estudiando 나는 공부로 피로하다. *Me cansé de* estudiar 나는 공부에 진절머리가 난다, 나는 공부가 지긋지긋하다. Ya *me he canado de* oír las mentiras 이제 거짓말을 듣는 것은 진절머리가 난다. ② (땅이) 토박해지다. ③ 고집을 부리다.
cansino, na *adj*. ① (피로 때문에) 느린, 더딘: voz ~*na* 힘이 없는 목소리. ② 나태한, 게으른. ③ 귀찮은, 지친. ④ 날뛰다 지친 (소 등).
cantábile *adj., m*. [음악] 칸타빌레.
cantable *adj*. 노래할 수 있는, 노래할 수 있게 작사한. —*m*. (사라수엘라의) 노래하는 장면; (사라수엘라의) 노래 가사.
Cantabria *f*. [지명] 깐따브리아 ((스페인 북부의 자치주)).
cantábrico, ca *adj*. 깐따브리아(Cantabria)의: Mar ~ 깐따브리아 해(海).
cantabro, ra *adj*. 깐따브리아 (태생)의. —*mf*. 깐따브리아 사람.
cantado, da *adj*. (쉬) 예견할 수 있는. —*f*. =**cantata.**
cantador, ra *mf*. (주로 민요의) 가수.
cantaleta *f*. *AmérM*. =**cantinela.**
cantamañanas *f.sing.pl*. 미숙한 사람, 무책임한 사람.
cantante *adj*. 노래하는. —*mf*. 가수: ~ de ópera 오페라 가수.
cantaor, ra *mf*. (플라멩코의) 가수.
cantar[1] *intr*. ① 노래하다: ~ de tiple 소프라노로 노래하다. ② (새가) 지저귀다, 울다. —*tr*. ① 노래하다. ② 칭찬[칭송]하다, 찬양하다, 기리다. ③ 고하다, 알리다. ④ 자백하다; 폭로하다: ~ *su* culpablidad 죄를 자백하다. ⑤ *Esp* [속어] 불쾌[강렬]한 냄새를 풍기다. ⑥ (펄펄 끓는 물이나 삐걱거리는 차가) 소리를 내다. ⑦ [트럼프] (득점을) 알리다. ⑧ [빙고] 빙고라고 외치다. ¶ *Cada gallo canta en su muladar* (속담) 누구나 제 집에서는 활개친다. *No cantes victoria antes de hora* (속담) 알을 까기도 전에 병아리를 세지 마라, 김칫국부터 마시지 마라. *Quien canta, la pena espanta / Quien canta, su mal espanta* (속담) 소문만복래(笑門萬福來).
cantar[2] *m*. 노래, 민요. ¶*ser de* ~ 다르다: Su primera obra fue mala, pero ésta *es otro* ~ 그의 첫 작품은 좋지 않았으나 이번 것은 다르다.
cántara *f*. ① [용량의 단위] 16.13 리터. ② =**cántaro.**
cantarano *m*. (윗부분이 책상인) 정리 옷장.
cantarero, ra *mf*. 도공(陶工). —*m*. 단지[항아리]를 나란히 놓은 대.
cantarín, na *adj*. 노래를 좋아하는, 목청이 좋음을 자랑하는, 노래 자랑을 하는; 좋은 소리의: pájaro ~ 좋은 소리로 지저귀는 새. río ~ 졸졸 흐르는 강(물). —*mf*. 가수(歌手).
cántaro *m*. ① (대형으로 양쪽 손잡이가 달린) 항아리, 단지, 물항아리. ② 투표용 구슬을 넣는 상자. ③ *Méj*. 여자에게 알랑거림, 달콤한 말. ¶*a* ~*s* 대량으로, 콱콱, 우르르, 매우 강하게: llover *a* ~*s* 비가 억수처럼 내리다. *entrar en* ~ 잘 들어가다. *estar en*

~ 준비가 되어 있다. *Tanto va el ~ a la fuente que al fin se rompe* (속담) 꼬리가 길면 밟힌다.

cantata *f.* [음악] 칸타타.

cantautor, ra *mf.* 자작곡 가수, 자작곡 솔리스트.

cante *m.* (안달루시아 지방의) 민요; (특히) 플라멩코.

cantear *tr.* ① (석재 등의) 가장자리에 세공을 하다. ② 길이로 차곡차곡 쌓아 올리다.

cantera *f.* ① 채석장: ~ de mármol 대리석 채석장. ② 용도에 따라 다듬어 놓은 돌. ③ 인재를 배출한 곳.

cantería *f.* ① 석재를 잘라냄, 석재를 자르는 기술. ② 석조물(石造物).

cantero *m.* ① 단단한 껍질: ~ de pan 빵 껍질. ② *AmérM.* 화단(花壇). ③ *AmérM.* 야채밭.

cantero, ra *mf.* 석공(石工), 채석자.

cántico *m.* ① [성경] 찬가(讚歌). ② (일반적으로) 노래: ~ espiritual negro 흑인 영가. ~ triunfal 승리의 노래.

cantidad *f.* ① 양, 수량: ~ de calor 열량. Más vale la calidad que la ~ 양보다 질이 더 낫다. ② 금액. ③ 다수. ④ 숫자(cifra). ⑤ [언어] 음량(音量), 음장(音長). ⑥ [부사적] 아주 많이: comer ~ 엄청나게 먹다. ¶*en* ~ 많이, 무척, 매우, 비상히: El esquí me gusta en ~ 나는 스키를 무척 좋아한다. *en gran* ~ 대량으로.

cantiga *f.* =**cántiga.**

cántiga *f.* (중세의, 주로 갈리시아·포르투갈어의) 고요(古謠), 송가(頌歌).

cantil *m.* (해안의) 단애, 낭떠러지.

cantilena *f.* =**cantinela.**

cantimplora *f.* 물통.

cantina *f.* ① (역·공장·학교 등의) 식당, 매점. ② *Amér.* 술집, 주점. ③ *AmérM.* 이탈리아 식당.

cantinela *f.* ① (중세의) 느린 서정적인 선율; 짧은 시가. ② 상투적인 말.

cantinero, ra *mf.* cantina의 경영자[종업원].

cantizal *m.* 자갈땅.

canto *m.* ① 노래 ((참고: canción은 일반적인 노래, 특히 팝송. canto는 노래의 범위가 한정되어 있어, 특히 클래식 가곡)): ~ llano [gregoriano] 그레고리오 성가. ② 노래하는 것, 가창(법): ~ del himno nacional 국가 제창. estudiar ~ 성악을 배우다. ③ 노래 소리; 지저귐: ~ de los pájaros 새들의 지저귐. ④ (악곡의) 선율부. ⑤ [문어] 시(詩); (서사시 등의) 시편(詩編). ⑥ [비유] 찬가(讚歌). ⑦ 끝, 가장자리: ~ de la mesa 테이블의 가장자리. ⑧ 빵의 단단한 껍질. ⑨ 칼등. ⑩ 횡단면. ⑪ (책의) 단면. ⑫ (물건의) 두께. ⑬ 돌멩이. ⑭ *Col.* =**falda, regazo.** ⑮ (건물의) 모퉁이. ¶*por el ~ de un duro* 아슬아슬한 고비에서, 위기 일발로.

cantón *m.* ① (스페인의 제일 공화제 시대의) 자치구; (스위스의) 주; (프랑스의) 작은 고을. ② (건물의) 모서리. ③ (문장의) 왼쪽 위의 한 모퉁이. ④ (군대의) 숙영지. ⑤ *AmérC.* 주거.

cantonada *f.* 건물의 모서리.

cantonal *adj.* ① 지방 분립주의의. ② 주(州)의. —*mf.* 지방 분립주의자.

cantonalismo *m.* (19세기 후반의) 지방 분립주의.

cantonalista *adj.* 지방 분립주의(分立主義)의. —*mf.* 지방 분립주의자.

cantonera *f.* ① (표지 등의) 모서리 대기: ~*s* de un libro 책의 모서리 천. ② 구석에 놓는 가구[삼각 탁자]. ③ 성매매 여성, 창녀.

cantonés, sa *adj.* 광동(Cantón; 중국의 한 지방)의. —*mf.* 광동 사람. —*m.* 광동 말.

cantor, ra *adj.* ① 노래하는, 노래하기 좋아하는. ② (새가) 지저귀는. —*mf.* ① 가수. ② [작품에서, +de] …을 찬미하는 사람. —*f.pl.* 명금(鳴禽).

cantoral *m.* [종교] 합창가집.

cantueso *m.* [식물] 라완델.

canturrear *intr., tr.* 콧노래를 부르다, 윤창(輪唱)하다.

canturreo *m.* 콧노래, 흥얼거림.

cánula *f.* 카뉠레, 주사 바늘.

canular *adj.* cánula의.

canutillo *m.* ① [섬유] (코르덴 등의) 요철(凹凸). ② [수예] 관상(管狀)의 비즈 [작은 장식용 구슬].

canuto *m.* ① (대 등의) 마디 사이. ② (짧은) 관(管). ③ (도면·상장 등을 넣은) 통(筒). ④ *Amér.* 펜대. ⑤ *Amér.* 목사(牧師). ⑥ [요리] 막대 모양의 파이. ⑦ *Esp* [속어] 마리화나 담배.

caña *f.* ① (속이 빈, 화본과 식물의) 줄기: ~ del trigo 밀짚. ② [식물] 갈대. ③ [식물] 사탕수수. ④ 낚싯대. ⑤ (주로 생맥주용의 가늘고 긴) 잔: una ~ de cerveza 맥주 한 잔. Vamos a tomar unas ~*s* 한 잔 마시러 갑시다. ⑥ (양말·장화의 다리 부분을 제외한) 위로 올라간 부분: bota de media ~ 반장화. ⑦ [해부] =**canilla.** ⑧ (기계의) 굴대. ⑨ (관악기의) 리트. ⑩ 총대. ⑪ (싼) 사탕수수의 증류주. ¶*Las ~s vuelven lanzas* (속담) 개천에서 용난다.

cañacoro *m.* [식물] 칸나.

cañada *f.* ① 골짜기. ② (가축의) 통로. ③ 쇠다리의 골수. ④ *Amér.* 냇물, 개천. ⑤ *Cuba.* =**arroyuelo.**

cañadilla *f.* [동물] 팔고둥.

cañaduz *f.* =**cañadulce.**

cañadulce *f.* [식물] 사탕수수.

cañafístola *f.* [식물] 카시아나무.

cañafístula *f.* =**cañafístola.**

cañaheja *f.* [식물] 대회향(大茴香).

cañal *m.* =**cañaveral.**

cañamar *m.* cáñamo 밭.

cañamazo *m.* ① (자수용) 올이 굵은 거친 삼베. ② 메모, 스케치.

cáñamo *m.* ① [식물] 삼: ~ en rama

원료 삼. ② [식물] 대마(~ índico). ③ 마포, 삼 제품. ④ *Amér.* 섬유 식물; 삼실; (올이 약간 굵은) 실. ⑤ *Amér.* 삼 노끈.

cañamón *m.* cañamo의 열매.

cañaveral *m.* 갈대 밭, 사탕수수 밭.

cañería *f.* (수도·가스 등의) 도관(導管), 배관: ~ de agua 수도관. ~ de desechos 배수관. ~ maestra 본관.

cañero, ra *m.f. Amér.* 사탕수수 농장주[노동자].

cañí *adj., m.f.* [집시어] ① 집시(의). ② 민속적[전통적]인 스페인의. ③ 스페인적인.

cañinque *adj., m.f.* 병약한 (사람).

cañizal *m.* =**cañaveral.**

cañizar *m.* =**cañaveral.**

cañizo *m.* ① (갈대·싸리로 엮은) 발. ② 외(椳).

caño *m.* ① (짧은) 관(管); 배수관. ② 분출(하는 물). ③ (항구·만의) 수로(水路). ④ *Col.* 작은 시냇물[운하].

cañón *m.* ① 대포(大砲). ② 포신, 총신: escopeta de dos cañones 이연발총. ③ 관(管) 모양의 물건; (오르간 등의) 파이프; (난로 등의) 연기 구멍. ④ 깃털 촉; 수염 뿌리의 밑. ⑤ [지리] 협곡. ⑥ *Perú.* 길. ¶***pasárselo*** ~ 멋진 때를 보내다.

cañonazo *m.* ① 포격: batir a ~*s* 포격하다. ② 포성: salva de 21 ~*s* 21발의 예포. ③ [속어] 뜻밖의 소식. ④ [운동] 호타(豪打).

cañonear *tr.* 포격하다.

cañoneo *m.* 포격(砲擊).

cañonero, ra *adj.* (배가) 포를 장비한. —*m.f.* [운동] 스트라이커. —*f.* ① 포함(砲艦). ② 포안, 포좌. ③ 야영 텐트.

cañutillo *m.* =**canutillo.**

cañuto *m.* =**canuto.**

cao *m.* [새] 까마귀의 일종.

caoba *f.* ① [식물] 마호가니. ② 마호가니 목재.

caobo *m.* =**caoba.**

caolín *m.* [광물] 카올린, 고령토.

caolinita *f.* 카올리나이트.

caos *m.sing.pl.* ① [단수] (천지 창조 이전의) 혼돈. ② 대혼란, 무질서.

caótico, ca *adj.* 혼란한, 혼돈스러운.

cap. capital 자본(금), 수도; capitán 선장, 함장, 대위; capítulo …장(章).

capa *f.* ① [복식] 케이프 ((방한용[유아용]의 소매 없는 외투)); 소매 없는 망토: ~ aguadero [de agua] 비옷. ② 층: ~ del cielo 하늘, 천공. ③ 지층(地層). ④ 계층(階層). ⑤ 담배 잎. ⑥ (말 등의) 털색. ⑦ [투우] =**capote.** ¶***Debajo de una mala ~ hay un buen bebedor*** (속담) 겉만 보고 판단해서는 안 된다.

capá *m.* [식물] 떡갈나무.

capacete *m.* ① (옛날의) 철모(鐵帽). ② *Cuba., Méj.* 망토, 외투.

capacha *f.* ① =**capacho.** ② *AmérM.* 감옥.

capacho *m.* ① (골풀·버들가지로 엮은) 바구니. ② 큰 바구니.

capacidad *f.* ① 능력, 재능; 자격: ~ auditiva 청력(聽力). ~ de fuego [군사] 화력(火力). ~ de pago 지불 능력. ~ de trabajo 노동 능력. ~ visual 시력. ~ productiva 생산 능력. ② 수용 능력, 용량: ~ calorífica 열용량. ~ de carga 적재 용량. ~ vital 폐활량. ③ [법률] 법정 자격, 행위 능력: ~ para testar 증언 능력.

capacitación *f.* ① 양성, 연수(研修): ~ profesional 직업 훈련. ② 기능, 자격.

capacitancia *f.* [전기] 정전(靜電) 용량.

capacitar *tr.* [+para] (…의) 자격을 …에게 부여하다. ~**se** 자격을 얻다.

capador *m.* (주로, 돼지의) 거세자.

capadura *f.* 거세(去勢).

capar *tr.* ① (사람·동물을) 거세하다. ② 삭제하다. ③ *Amér.* 전정(剪定)하다, 가지치기하다.

caparazón *m.* ① [동물] 갑피(甲皮), 껍질, 등껍질. ② (보호용의) 덮개, 씌우개. ③ 마의(馬衣), 말옷.

caparrón *m.* [식물] 싹.

caparrosa *f.* [화학] 유산염의 구칭.

capataz *m.f.* [*pl.* capataces] 십장(什長), 직장(職長), 현장 감독.

capataza *f.* capataz의 아내.

capaz *adj.* ① [+para] (…의) 능력이 있는, 재능[자격]이 있는, 유능한: médico ~ 유능한 의사. ② [+de+*inf.*] ㉮ (용기·자신이 있어) …할 줄 알다, …할 수 있다. ㉯ [가능성] …할지도 모른다. ③ [+para] (…의) 수용력이 있는. ④ [법률] 법적 능력이 있는.

capazo *m.* ① 큰 바구니. ② 바구니로 때림. ③ (갓난아이용) 바구니 침대.

capcioso, sa *adj.* 사람을 속이는, 사기의: pregunta ~*sa* 유도 신문.

capea *f.* ① 비공식 투우, 소몰이 시합. ② capa로 소를 다루는 일.

capear *tr.* ① [투우] capa로 소를 다루다. ② 날치기하다. ③ 입으로 생색을 내다.

capelina *f.* ① (주로 여성용의) 모자. ② (머리에 감는) 붕대.

capellán *m.* [천주교] (수도원·병원·대학 등의 예배당 부속의) 주임 사제.

capellanía *f.* capellán의 직.

capellina *f.* =**capelina.**

capelo *m.* 추기경이 쓰는 넓은 붉은 모자: pasar de la mitra al ~ 사제에서 추기경이 되다.

caperuza *f.* ① 고깔 모자. ② 뾰족 지붕.

capi *m. Amér.* =**maíz.**

capia *f.* (희고 단) 옥수수.

capialzado, da *adj., m.* (문이나 창문의) 아치 모양의 챙(의).

capibara *f.* [동물] *Arg.* =**carpincho.**

capicúa *adj., m.* 거꾸로 읽어도 같은 (수·말) ((예: 81518)).

capilar *adj.* ① 머리털의: loción ~ 헤어 로션. ② 모관(毛管)의: tubo ~ 모

세관. acción ~ 모관 현상. —*m.pl.* 모세 혈관: ~*es* linfáticos 임파 모세관.
capilaridad *f.* 모세 현상, 표면 장력 현상.
capilla *f.* ① (학교·병원 등에 부속한) 예배당; (교회 내의) 작은 성당, 부제단(副祭壇); 작은 교회: ~ real 왕실 예배당. ~ ardiente 시체 가안치소. ② (미사용의) 휴대용 제구(祭具). ③ (교회의) 성가대: maestro de ~ 성가대 지휘자. ④ (예배당 부속의) 사제단(司祭團). ⑤ (수도사가 쓰는) 두건. ⑥ 당파, 파벌.
capillo *m.* ① =**capacete.** ② (세례식에서 어린아이들이 쓰는) 흰 모자. ③ *AmérM.* 세례식의 기념 카드.
capirotada *f.* ① 곁두리로 쓰는 달걀·나물·마늘·야채. ② 육류·옥수수·치즈 등을 원료로 한 요리. ③ *AmérC.* 건포도·치즈 등을 넣은 단 빵. ④ *AmérC.* 공동 묘지.
capirotazo *m.* ① 손가락으로 튀기기. ② (머리를 쥐어 박는) 주먹.
capirote *m.* ① (성주간 행렬에서 쓰는) 끝이 뾰족한 원뿔꼴 모자. ② (박사 의식용) 작은 모자. ③ =**capirotazo.**
capisayo *m.* ① (주교의) 짧은 망토. ② [속어] 싼 의복. ③ [속어] 셔츠.
capiscar (7) *tr.* [속어] 이해하다.
capital *adj.* ① 머리의, 생명에 관계되는: pena ~ 사형. ② 주요한: ciudad ~ 수도, 서울. punto ~ 요점. ③ 매우 중요한[중대한]: error ~ 중대한 오류. secreto ~ 극비. ④ 근본적인, 본래의: Lo ~ en la vida es la honradez 인생의 기본은 정직이다. ⑤ 머리글자의: letra ~ 대문자. —*f.* ① 수도, 서울; (주·도 등의) 주도(州都), 제일 큰 도시: Seúl es la ~ de la República de Corea 서울은 대한민국의 수도이다. ② (생산 등의) 중심지. —*m.* ① 자본(금): ~ circulante 유동 자본. ~ extranjero 외국 자본. ~ fijo 고정 자본. ② (노동 trabajo에 대한) 자본: relación entre el ~ y los asalariados 노자(勞資) 관계. ③ 자금; 원금. ④ 자산(資産).
capitaleño, ña *adj.* 산또 도밍고(Santo Domingo, 도미니까 공화국의 수도)의. —*m.f.* 산또 도밍고 사람.
capitalidad *f.* 수도[주도]로서의 조건.
capitalino, na *adj.* 수도의. —*m.f.* 수도 사람, 서울 사람.
capitalismo *m.* 자본주의.
capitalista *adj.* 자본의, 자본주의의, 자본가의: país ~ 자본주의 국가. sociedad ~ 자본주의 사회. —*m.f.* ① 자본가. ② 부호, 재벌.
capitalmente *adv.* =**mortalmente.**
capitalizable *adj.* 원금으로 불입할 수 있는.
capitalización *f.* 자본화, 자본으로 편입, 수익 환원.
capitalizar (9) *tr.* ① 자본화하다; (이자 등을) 자본[원금]으로 돌리다; 자본환원을 행하다. ② 저축[축적]하다. ③ (상황 등을) 잘 이용하다. ~**se** 자본화되다; 저축[축적]되다.
capitán *m.f.* ① (일반적으로) 대장, 지휘관; 두목. ② (팀의) 주장. ③ [육군·공군] 대위, 중대장: ~ de artillería 포병 대위. ~ general 육군 대장, 군사령관. ④ [해군] 함장: ~ de corbata [fragata·navío] 해군 소령[중령·대령]. ~ general [해군] 총사령관. ⑤ (큰 배의) 선장.
capitana *f.* ① (함대의) 기함. ② 군대 우두머리의 아내. ③ capitán의 아내.
capitanear. *tr.* (군대·반란을) 지휘하다.
capitanía *f.* ① 대위의 지위. ② 육군 대장의 지위. ③ 군사령부.
capitel *m.* [건축] 주두(柱頭), 기둥머리, 기둥의 장식 머리.
capitolio *m.* ① (도시의) 중심 건조물 ((시청사·국회 의사당 등)). ② (고대 로마의) 주피터 신전.
capitoné *adj. fr.* =**acolchado.** —*m.* 이삿짐 운반용 트럭.
capitoste *m.* [경멸적] 수령, 두목.
capitulación *f.* ① (조건부의) 항복; 항복 문서. ② 협정, 협약. ③ *pl.* 약혼, 약혼서.
capitulado, da *adj.* =compendiado, resumido.
capitular[1] *adj.* ① (주교좌 성당) 참사회의, (수도원) 총회의. ② 대문자의. —*m.f.* (투표권이 있는) 정회원.
capitular[2] *intr.* ① (조건부로) 항복하다; 주장을 버리다, 양보하다. ② 협정하다, 의정하다. —*tr.* [+de] (…의) 책임을 …에게 전가시키다.
capitularmente *adv.* 참사회[총회] 형식으로.
capítulo *m.* ① (책 등의) 장(章) ((참고: 제 10장까지는 서수를 주로 씀)): ~ primero 제일장. serial de veinte ~*s* 20회분의 드라마. ② 테마, 주제. ③ [경제] 분야, 영역. ④ [천주교] (주교좌 성당) 참사회; (수도원) 총회. ⑤ (성직자의) 탄핵.
capó *m. fr.* (자동차의) 보닛.
capo, pa *m.f. fr.* 마피아의 조장(組長); (일반적으로) 보스.
capón *adj.* 거세된 (닭). —*m.* ① 거세된 사람[짐승·닭]. ② 포도 덩굴의 다발. ③ 주먹질.
caporal *m.* ① [군사] 반장, 조장. ② (농장의) 우마 관리자. ③ *Amér.* (목장의) 감독.
capot *m.* =**capó.**
capota *f.* ① 보닛 ((부인용 모자의 일종)). ② (마차의) 포장. ③ 짧은 망토.
capotar *intr.* ① (자동차가) 전복하다. ② (비행기가) 추락하다, 기수부터 지면에 떨어지다.
capotazo *m.* ① [투우] capa로 소를 현혹시키기. ② capa로 치기.
capote *m.* ① 소매 있는 외투: ~ de montar 승마용 망토. ~ de monte 뽄

C

초(poncho). ② 군용 외투(~ militar). ③ [투우] =**capa**: ~ de paseo 행진용 반(半) capa. ④ [기상] 비구름.

capotear *tr.* ① [투우] (소를) capa로 놀리며 다루다. ② 말로 얼버무려 넘기다. ③ 요리조리 꽁무니를 빼다. ④ (연극에서) 장면을 단축하여 공연하다.

capotera *f. Amér.* =**percha.**

cappa *f.* =**kappa.**

capricho *m.* ① 변덕, 종작 없음, 줏대 없음: a ~ 변덕스레, 종작없이, 요량없이, 생각없이. ② 견딜 수 없는 욕망. ③ 기발한 장식품. ④ [음악] 공상곡.

caprichoso, sa *adj.* ① 변덕스런: niña ~ 변덕스런 여아. ② (마음이) 변하기 쉬운, 마음 내키는 대로의: tiempo ~ 변하기 쉬운 날씨. ③ 엉뚱한, 기상천외한, 기발한: idea ~*sa* 기발한 아이디어.

Capricornio *m.* [천문·점성] 산양자리, 마갈궁.

caprino, na *adj.* 산양(cabra)의.

cápsula *f.* ① (약의) 캡슐: ~ vitamínica 비타민제 캡슐. ② (로켓 등의) 캡슐: ~ lunar 달착륙선. ~ nuclear 핵탄두. ③ 병마개. ④ (총의) 뇌관. ⑤ [해부] 피막, 낭(囊): ~ suprarrenal. 부신(副腎). ⑥ [식물] 삭과(蒴果).

captación *f.* 획득.

captar *tr.* ① 얻다, 획득하다. ② 이해하다, 포착하다. ~**se** (신용 등을) 얻다: ~*se* las simpatías del vecindario 주민들에게서 호감을 얻다.

captor, ra *adj.* 잡는. —*m.f.* 잡는 사람, 획득자.

captura *f.* 획득, 체포, 포획.

capturación *f.* =**captura.**

capturar *tr.* 잡다, 획득하다, 나포하다; *Amér.* 체포하다.

capucha *f.* ① 후드 ((두건 모양의 머리에 쓰는 것)), 두건: chaquetón con ~ 후드 달린 자켓. ② 뚜껑, 덮개.

capuchina *f.* ① [식물] 한련 속의 식물. ② *Amér.* =**alcaparra.**

capuchino, na *adj., m.f.* [종교] 카프친회(會)의 (수도사·수도녀). —*m.* ① *pl.* 카프친회(會). ② [커피] 카푸치노 (café ~). ③ [동물] 꼬리말이원숭이.

capuchón *m.* ① [복식] 후드 (달린 코트); (얼굴을 가리기 위한) 두건. ② (만년필 등의) 뚜껑.

capulí *m.* [*pl.* ~(e)s] ① [식물] 벚나무. ② [과실] 버찌.

capulín *m.* =**capulí.**

capullo *m.* ① 누에고치: hilar *su* ~ 누에고치를 치다. devanar ~*s* 누에고치에서 실을 뽑다. ② (촉망되나 아직 성숙치 못한) 젊은이. ③ *Esp* [속어] 귀두; 포피. ¶***ser un*** ~ *Esp* [속어] 얼간이[바보]다 (*f.* ser una capulla).

capuz *m.* 후드 달린 긴 상복(喪服).

caquéctico, ca *adj.* ① 악액질의. ② 병약한, 창백한.

caquexia *f.* ① [의학] 악액질(惡液質). ② [식물] 황화(黃化).

caqui[1] *m. jap.* ① [식물] 감나무. ② [과실] 감(柿).

caqui[2] *m.* ① (주로 군복용으로 쓰이는) 질긴 천. ② 갈색, 카키색. ③ 군복(軍服)(uniforme militar). —*adj.* 카키색의: uniforme ~ 카키복.

cara *f.* ① 얼굴: ~ alargada 가늘고 긴 얼굴. ~ angulosa 모가 난 얼굴. ~ oval [ovalada] 오뚝한 코에 희고 갸름한 얼굴. ~ redonda 둥근 얼굴. ② 얼굴 생김새, 표정, 안색: Ella me recibió con buena ~ 그녀는 나를 웃는 낯으로 맞아 주었다. ③ 체면. ④ (행사 등의) 참가자, 면면(面面), 멤버. ⑤ (물건의) 면, 측면; 양상. ⑥ (건물 등의) 정면. ⑦ (동전·우표 등의) 겉면(~ derecha 초상화가 있는 쪽; ㊥ cruz). ⑧ [등산] (넓은) 벽: ~ norte 북벽. ⑨ (레코드 등의) 면(面). ⑩ [수학] 면(面). —*m.f.* 철면피, 철면피한, 철면피한 사나이, 후안무치한 사나이. ¶ ~ ***a*** ~ ㉮ 얼굴을 맞대고, 마주 보고: conversación ~ *a* ~ 대담(對談). enfrentarse ~ *a* ~ 대결하다. mirar ~ *a* ~ 직시하다. sentarse ~ *a* ~ 얼굴을 맞대고 [마주 보고] 앉다. ㉯ *m.* 일대일의 의론(議論). ***de*** ~ 정면에서, 정면으로, 똑바로: El viento nos daba *de* ~ 우리는 정면에서 바람을 받았다. ***saltar a la*** ~ 명백하다: El *salta a la* ~ que está arruinado 그가 파산해 있는 것은 명백하다. ***tener buena*** ~ ㉮ 안색이 좋다. ㉯ 건강하다. ***tener mala*** ~ ㉮ 안색이 나쁘다. ㉯ 건강이 나쁘다. ***tener dos*** ~***s*** 위선자다, 속 다르고 겉 다르다, 표리가 있다. ***Cara de beato y uña de gato*** (속담) 성인의 얼굴에 고양이 발톱.

caraba *f.* ① =**charla.** ② =**cacabóse, colmo, disloque.**

carabao *m.* (필리핀의) 물소.

carabela *f.* 카라벨라선(船) ((콜럼버스 시대에 사용한 돛대가 두세 개인 중형 범선)).

carábido *m.* [곤충] 먼지벌레.

carabina *f.* ① 카빈총, 기병총. ② [운동] 라이플. ③ *Esp* (외출하는 젊은 여성에) 함께한 노부인. ¶***ser la*** ~ ***de Ambrosio*** 무용지물이다.

carabinero *m.* ① 국경[연안] 경비대원. ② (옛날의, 카빈총을 소지한 병사(兵士). ③ *Amér.* 경찰관. ④ [동물] 중하(中蝦) ((중간 크기의 새우)).

carablanca *m. Col., CRica., Hond.* [동물] (몸집이 작은) 원숭이.

cárabo *m.* ① [새] 솔부엉이. ② [곤충] 먼지벌레. ③ 카라벨 선(船) ((15-16세기 경의 아라비아의 소형 배)).

caracal *m.* [동물] (열대산) 스라소니의 일종.

caracará *f.* [새] 까라까라 ((남미산의 맹조)).

caracol *m.* ① [동물] 달팽이, 우렁이. ② 나선식 계단. ③ 똘똘 말린 머리카락. ④ (귀의) 와우각. ⑤ (승마에서)

반회전, 반선회. ⑥ *AmérC.* 네글리제. ⑦ *AmérC.* (자수된 마(麻)) 블라우스.

caracola *f.* [조개] 소라고둥.

caracolada *f.* [요리] 달팽이 요리.

caracolear *intr.* (말이) (반)회전을 하다,

caracoles *interj.* =caramba.

caracolillo *m.* ① 마호가니의 일종. ② (작은 알맹이의) 커피콩.

carácter *m.* ① 성격: ~ abierto 외향적인 성질. ~ cerrado 내향적인 성질. ② 개성, 특징; 의지가 강함: ser de poco ~ 개성[특색]이 없다; 의지가 약하다. ③ (물건의) 성질. ④ [주로 *pl.*] 문자; 활자: *caracteres* chinos 한자(漢字). *caracteres* cursivos 이탤릭체. *caracteres* de imprenta 활자체. ⑤ 각인(刻印), 흔적. ⑥ [생물] 형질(形質): ~ adquirido 획득 형질. ~ hereditario 유전 형질. ⑦ [천주교] (비적에 의한) 영인(靈印).

característica *f.* ① 특징, 개성. ② [수학] (대수의) 지표. ③ [물리] 특성 (곡선). ④ *Amér.* 시외 국번(prefijo).

característico, ca *adj.* 특징적(特徵的)인: cualidad *~ca* 특질, 특성. *—m.f.* [연극] 노역(老役).

caracterización *f.* 특징, 특색.

caracterizado, da *adj.* 걸출한, 평판이 높은.

caracterizar (9) *tr.* ① …의 특성[특질]을 나타내다, 특색[특징]을 주다, …이 특징이다. ② [연극] (배우에게 역의) 역할을 시키다, 분장을 시키다. **~se** ① [+por · de] (…가) 특징이다. ② 메이크업을 하여 분장하다. ③ 성격을 나타내다.

caracterológico, ca *adj.* 성격(학)의.

caracterología *f.* ① 성격학. ② (한 인간의) 성격.

caracú *m.* (식품으로서의) 골수.

caracul *m.* [동물] 카라쿨 ((서아시아의 양의 일종)).

carado, da *bien* ~ 얼굴 생김새가 말쑥한, 인상이 좋은. ***mal*** ~ 얼굴 생김새가 나쁜, 인상이 나쁜.

caradura *adj.* 낯가죽이 두꺼운, 철면피한(desvergonzado). *—m.f.* 철면피, 낯가죽이 두꺼운 사람.

carajillo *m.* 브랜디가 들어 있는 커피.

carajo *m.* 음경, 자지(pene).

caramba *interj.* 제기랄!, 빌어먹을!, 저런!, 굉장하군!, 대단하군! ((놀라거나 화가 날 때)).

carámbano *m.* 고드름.

carambola *f.* ① [당구] 캐논. ② 일석이조(一石二鳥), 일거양득. ③ 속임수. ④ [식물] =**carambolo.**

carambolo *m.* [식물] 오렴자(五斂子).

caramelizar (9) *tr.* …에 캐러멜 소스를 치다, 엿으로 버무리다.

caramellas *f.pl.* [음악] (까딸루냐 지방의) 세레나데.

caramelo *m.* ① [요리] 캐러멜 (소스). ② [과자] 엿, 조청, 드롭프스, 캔디.

caramillo *m.* ① [식물] 나문재. ② 갈대 피리. ③ 야단법석, 대소동; 속임수.

caramujo *m.* 배의 밑바닥에 붙은 작은 소라.

carancho *m.* ① [새] =**caracará.** ② *AmérM.* =**búho.**

carantamaula *f.* ① 흉칙한 얼굴의 가면. ② 못생긴 여자. ③ 화장을 진하게 한 여인.

carantoñas *f.pl.* 아부, 아첨, 알랑거리기, 비위 맞추기; 애무.

carao *m.* [식물] 까라오 ((열대 아메리카산의 약용수)).

carapacho *m.* (거북 · 게의) 등껍질.

carape *interj.* =**caramba.**

caraqueño, ña *adj.* ① 까라까스(Caracas, 베네수엘라의 수도) 태생의. ② 까라까스의[에 관한]. *—m.f.* 까라까스 사람.

carate *m.* ① *jap.* 공수(空手). ② [의학] 반점병(斑點病).

carátula *f.* ① 탈, 가면. ② *AmérM.* (책의) 타이틀 표지, 안 겉장, 속 표지; (레코드의) 자켓의 표지; (파일의) 라벨. ③ *AmérC.* (시계의) 문자판.

caravana *f.* ① 대상(隊商), 캐러밴. ② (자동차 등의) 긴 행렬: en ~ 대열을 지어. Hay ~ en la autopista 고속 도로에는 자동차가 긴 행렬을 이루고 있다. ③ 캐러밴, 캠핑카. ④ *AmérC.* 추종. ⑤ *pl. AmérM.* 귀고리. ⑥ *Amér.* 트럭 운송대. ⑦ 단체 여행. ⑧ 집시.

caray *interj.* =**caramba.**

carbohidrato *m.* [화학] 탄수화물.

carbólico, ca *adj.* 콜타르성(性)의.

carbón *m.* ① 석탄; 목탄: ~ animal 골탄. negro como el ~ 새카만. ② =carboncillo. ③ [식물] 흑수병.

carbonada *f.* ① (보일러 등에 넣는 대량의) 1회분 석탄. ② *AmérM.* 고기 · 쌀 · 호박 · 감자 · 옥수수를 넣은 스튜.

carbonado *m.* 검은 다이아몬드.

carbonatar *tr.* ① 탄산염화하다. ② (음료를) 소다로 만들다.

carbonato *m.* [화학] 탄산염.

carboncillo *m.* [미술] (대생용의) 목탄: dibuja al ~ 목탄화.

carbonear *tr.* ① 목탄을 만들다. ② (배에) 석탄을 적재하다.

carbonería *f.* 숯가게, 연탄집.

carbonero, ra *adj.* 석탄의: industria *~ra* 석탄 산업. *—m.f.* 숯장수, 숯 굽는 사람. *—m.* ① 석탄 운반선. ② [새] 진박새. *—f.* 석탄 하치장.

carbónico, ca *adj.* 탄소의: ácido ~ 탄산. agua *~ca* 탄산수. bebida *~ca* 탄산 음료. gas ~ 탄산 가스.

carbonífero[1] *m.* [지질] 석탄기.

carbonífero[2], **ra** *adj.* 석탄(질)의; 석탄기(石炭紀)의: industria *~ra* 석탄 산업. yacimiento ~ 탄전(炭田).

carbonilla *f.* ① 목탄 가루, 분탄, 가루 코크스. ② =**carboncillo.**

carbonilo *m.* [화학] 카르보닐기(基).

carbonización *f.* 탄화(炭化).

carbonizar (9) *tr.* ① 타버리다. ② 탄화시키다. ~**se** 탄화되다.
carbono *m.* [화학] 탄소: acero de ~ 탄소강.
carboquímica *f.* 석탄 화학.
carboquímico, ca *adj.* 석탄 화학의: productos ~*s* 석탄 화학 제품.
carborundo *m.* 카보런덤 ((탄화규소의 상표명)).
carboxilo *m.* [화학] 카르복실기(基).
carboxílico, ca *adj.* 카르복실기의.
carbunco *m.* [의학] 탄저병; 옹(癰).
carburación *f.* ① (연료의) 기화(氣化). ② [금속] 침탄(浸炭).
carburador *m.* 기화기, 카뷰레터.
carburante *m.* (내연 기관용의) 연료.
carburar *intr., tr.* ① (연료를) 기화(氣化)하다. ② 정상으로 기능하다.
carburo *m.* [화학] 탄화물; (특히) 카바이트.
carca *adj., m.f.* ① 보수[반동]적인 (사람). ② *AmérM.* 연로한; 더러워진, 더럽혀진. —*f.* ① *Amér.* 치차(chicha)를 만드는 냄비. ② *AmérM.* 더러움, 오점(汚點).
carcaj *m. fr.* 화살통(aljaba).
carcajada *f.* 너털웃음, 홍소(哄笑), 폭소: reír(se) a ~*s* 큰소리로 웃다, 깔깔 웃다.
carcajear *intr.*, ~**se** ① 깔깔 웃다, 큰소리로 웃다, 너털웃음을 웃다: ② [+de] (…을) 일소에 붙이다.
carcamal *adj., m.f.* 늙고 병든 (사람).
carcamán[1]**, na** *m.f.* ① 능력이 없는 야심가. ② *Arg., Méj., Perú, Urg.* = carcamal.
carcamán[2] *m.* 크고 낡은 배.
cárcamo *m.* ① =**cárcavo.** ② =**hoyo, zanja.**
carcañal *m.* =**calcañal.**
carcaño *m.* =**calcaño.**
carcasa *f.* ① (기구・건물의) 골조. ② [기계] 포장 (재료). ③ 소이탄의 일종.
cárcava *f.* ① 잦은 홍수로 인한 큰 구멍. ② =**zanja, foso.** ③ 묘혈(墓穴), 무덤 구멍.
cárcel *f.* ① 교도소, 형무소, 감옥: pena de ~ 징역형. ir a la ~ 교도소에 가다. ② (널판지를 맞붙이는) 클램프. ③ 수문에서 판자 문이 있는 도랑.
carcelario, ria *adj.* 교도소의[같은].
carcelero, ra *adj.* 교도소의[에 관한]. —*f.* 간수(看守).
carcinógeno, na *adj.* 발암성(發癌性)의: substancias ~*nas* 발암성 물질.
carcinoma *m.* [의학] 암종(癌腫).
carcoma *f.* ① [곤충] 나무벌레. ② 두통거리. ③ 재산을 탕진하는 사람. ④ [은어] 통로.
carcomer *tr.* ① (벌레가 목재를) 먹어 파손하다, 벌레 먹다, 좀먹다. ② 좀먹다, 해치다, 침식하다. ③ 들볶다, 괴롭히다. ~**se** 온통 벌레에 먹히다, (건강을) 해치다, 잠식당하다.
carda *f.* ① (빗 등으로) 빗는 일, 보푸라기를 일으키는 일. ② 보푸라기를 일으키는 기구. ③ 선인장의 열매. ④ 질책, 나무람.
cardamomo *m.* [식물] 생강과의 다년생 식물.
cardado *m.* ① 빗은 털. ② 머리털을 세우는 일.
cardadora *f.* 소면기(梳綿機).
cardan *m.* [기계] (자동차의) 차동기.
cardar *tr.* ① (양모 등을) 빗다. ② (천의) 보푸라기를 세우다. ③ 머리털을 세우다.
cardenal *m.* ① [천주교] 추기경. ② [새] 홍관조. ③ [의학] 멍, 혈반.
cardenalato *m.* 추기경의 지위.
cardenalicio, cia *adj.* 추기경(樞機卿)의: dignidad ~*cia* 추기경의 위엄.
cardenillo *m.* 녹청(綠靑), 엷은 쪽빛.
cárdeno, na *adj., m.* ① 자줏빛(의). ② (소의 털이) 잿빛을 띤.
cardiaco, ca *adj., m.f.* =**cardíaco.**
cardíaco, ca *adj.* 심장(병)의. —*m.f.* 심장병 환자. —*m.* 강심제(强心劑).
cardias *m.sing.pl.* [해부] 분문(噴門).
cárdigan *m. ing.* [주로 *Amér.*] 카디건.
cardillo *m.* [식물] 금엉겅퀴.
cardinal *adj.* 기본의: número ~ 기수(基數). adjetivo numeral ~ 기수 형용사. punto ~ 방위점. puntos ~*es* 기본 방위, 동서남북.
cardiografía *f.* 심박동 기록(법); 심전도(心電圖).
cardiógrafo *m.* 심박동 기록기.
cardiograma *m.* 심박동 곡선, 심전도.
cardiología *f.* 심장(병)학.
cardiológico, ca *adj.* cardiología의.
cardiólogo, ga *m.f.* 심장병 전문의.
cardiomegalia [의학] 심장 비대증.
cardiópata *adj.* 심장병(心臟病)의[에 관한]. —*m.f.* 심장병 환자.
cardiopatía *f.* 심장 장해[질환].
cardiotónico, ca *adj.* 심장 활동을 강하게 하는.
cardiovascular *adj.* 심장 혈관의.
cardítico, ca *adj.* carditis의[에 관한].
carditis *f.sing.pl.* [의학] 심장염.
cardo *m.* [식물] 엉겅퀴.
cardón *m.* ① =**cardencha.** ② =**carda.**
cardoncillo *m.* [식물] 큰지느러미엉겅퀴.
cardume *m.* =**cardumen.**
cardumen *m.* ① 어군(魚群), 고기떼. ② *AmérM.* 다량, 풍부(함).
carduzar (9) *tr.* =**cardar.**
carear *tr.* ① [법률] 대질하다: ~ a los testigos 증인들을 대질시키다. ② 대조하다, 조합하다: ~ la copia con el original 사본을 원본과 대조하다. ~**se** 대면하다; (어려운 문제에 봉착해) 회담하다.
carecer (31) *intr.* [+de] (…이) 부족하다, …이 없다: ~ *de* recursos 자원이 없다.
carel *m.* (배・접시 등의) 가장자리.

carena *f.* 선저(船底)(의 수리).
carenado *m.* 선저(船底)의 수리.
carenar *tr.* …의 선저를 수리하다.
carencia *f.* ① 결여(缺如), 결핍. ② [의학] (비타민 등의) 결핍증: ~ cálcica 칼슘 부족.
carencial *adj.* 결핍증의.
carente *adj.* [+de] (…가) 없는, 결핍된, 빠진.
careo *m.* 대질, 대조, 조합(照合).
carero, ra *adj., m.f.* 비싸게 파는 버릇이 있는 (사람).
caresa *f.* =cresa.
carestía *f.* ① (생활 필수품의) 앙등, 등귀. ② 부족, 결핍(escasez, falta).
careta *f.* 가면, 탈; (방독용 · 펜싱 등의) 마스크: ~ antigás 방독 마스크. ~ de protección (용접의) 얼굴 가리개. quitarse la ~ 가면을 벗다; 정체를 밝히다, 본심을 털어 놓다.
careto, ta *adj.* ① (소 · 말이) 머리의 전면만 하얀. ② *CRica., Salv., Hond., Nic.* 얼굴이 더러운. —*m. CRica.* = carablanca. —*f.* =máscara.
carey *m.* ① [동물] 대모(玳瑁). ② 대모갑(玳瑁甲).
carga *f.* ① 적하(積荷), 적화(積貨), 적재(량); 하중: ~ máxima 최대 적재량. ~ rentable 이익 하중. ~ útil 유효 탑재량. exceso de ~ 중량 초과. tren [barco · avión] de ~ 화물 열차[선 · 수송기]. ② 부담; *pl.* 조세 부담: ~ de pago 급료 부담. ~ personal 개인 부담. ~*s* económicas 경제적 부담. ~*s* familiares 가계 부담, 부양 가족. ③ 장전(裝塡), 충전. ④ 화약(량). ⑤ [전기] 전하(電荷), 전기량; 충전. ⑥ [군사] 돌격: ¡A la ~! 돌격! ⑦ [운동] 차지, 차징. ¶***a ~s*** 대량으로, 풍부하게. ***a ~ cerrada*** 대충대충, 한꺼번에. ***a paso de ~*** 아주 급하게, 급속으로.
cargadero *m.* 적하장(積荷場).
cargado, da *adj.* ① [+de] (짐을) 실은, 장전된: estar ~ *de* años 나이를 먹고 있다. estar ~ *de* vino 많이 취해 있다. ② 가득한, 만원의. ③ 무더운, 후덥지근한: cielo ~ 비라도 한바탕 내릴 듯한 하늘. ④ 무거운, 무지근한, 중고(重苦)의, 참기 어렵게 아픈. ⑤ 술에 취한. ⑥ 공기가 오염된. ⑦ (커피 등이) 진한: café ~ 진한 커피. ⑧ 임신[잉태]한: mujer ~*da* 임신한 여인.
cargador, ra *m.f.* ① 하역 인부. ② 하주(荷主). —*m.* (총의) 탄창. —*f.* ① 적화기(積貨機). ② *Venez.* 아이 보는 여자. ¶ ~ ***de baterías*** 충전기.
cargadura *f.* 무기에 장전하는 일.
cargamento *m.* 선하(船荷), 적하(積荷).
cargante *adj.* ① (사람이) 화난, 귀찮은, 번거로운. ② (부담이) 무거운.
cargar (8) *tr.* ① ㉮ …에 짐을 싣다[적재하다]: ~ un camión 트럭에 짐을 싣다. ㉯ [+de · con] (짐을) 싣다: ~ *de* grava un camión 트럭에 자갈을 싣다[적재하다]. ② [+en …에, +sobre … 위에] 싣다: ~ grava *en* un camión 트럭에 자갈을 싣다. ~ una mochila sobre los hombros 배낭을 어깨에 매다. ③ [+con · de] (…을) …에 장전하다, 넣다. ④ (부담 · 책임을) 지우다, 부과하다. ⑤ [+de] (…로) 가득 채우다[차게 하다]. ⑥ 추가하다; 강화하다. ⑦ 불쾌하게 하다, 애먹이다, 괴롭히다, 부담이 되게 하다. ⑧ 용량이 …이다. ⑨ [운동] 차지[차징]하다. ⑩ (시험에서) 떨어뜨리다, 낙제점을 주다. ⑪ [상업] 차변(借邊)에 기입하다. ⑫ [컴퓨터] 로드하다. ⑬ [언어] 강하게 발음하다, 악센트를 붙이다. ⑭ *Amér.* 휴대하다, 몸에 입고[걸치고] 있다. ⑮ *Amér.* 처벌하다. —*intr.* ① [+sobre] (…에) 무게를 주다, 얹히다, 얹혀져 있다. ② [+con] (…을) 메다, 짊어지다; 지다, 떠맡다; (…을) 가지고 가다. ③ [+sobre · contra] (…을) 공격하다, 돌격하다. ④ [+hacia] (…의 근처에서) 맹위를 떨치다. ⑤ [+de] (…을) 대량으로 가지다. ☞ ~**se** ①. ⑥ 열매가 주렁주렁 열리다. ~**se** ① [+de] (…을) 대량으로 가지다, 잔뜩 많이 가지고 있다, 가득 차다. ② (하늘이) 구름으로 덮여 있다. ③ [+con] (…을) 담당하다, 인수하다. ④ (분위기가) 불쾌해지다. ⑤ *Esp* …을 파괴하다; (규칙 등을) 파괴하다; (시험에서) …을 떨어뜨리다, 낙제점을 주다. ⑥ (사람을) 죽이다. ¶***Grande o pequeño, cada uno carga con su leño*** (속담) 누구나 크건 작건 시련은 있다.
cargazón *f.* (머리 · 위가) 묵직함, 뻐근함: tener ~ de estómago 위가 (체한 듯) 트릿하다, 묵직하다.
cargo *m.* ① 직무, 임무; 지위; 역할: alto ~ (경찰 등의) 고관(高官). tomar el ~ de alcalde 시장에 취임하다. ② 담당. ③ [주로 *pl.*] 책임 추궁, 비난. ④ [상업] 차변. ⑤ 하중(荷重)(carga). ¶ ~ ***de conciencia*** 양심의 가책: Me da un ~ *de conciencia* terrible 나는 지독한 양심의 가책을 받고 있다. ¶***a ~ de*** alguien ㉮ …의 부담으로: Los gastos corren *a* ~ *de* la empresa 비용은 회사 부담이다. ㉯ …의 조건으로. ***hacerse ~ de*** algo ㉮ …을 담당하다, 인수하다: *hacerse* ~ *de* las deudas 채무를 인수하다. *hacerse* ~ *del* poder 정권을 담당하다. ㉯ (상황 등을) 파악하다; 잘 생각하다, 이해하다: El no *se hace* ~ *del* problema 그는 문제점을 파악하지 못한다.
cargosear *tr. AmérM.* 괴롭히다, 애먹이다, 성가시게 하다.
cargoso, sa *adj. AmérM.* =cargante.
carguero, ra *adj., m.f.* 화물을 운반하는 (사람). —*m.* ① 화물선; 화물 열차. ② *AmérM.* 짐말. ③ *AmérM.* 인내심이 강한 사람.
cari *adj. AmérM.* 갈색의.
cariacontecido, da *adj.* (표정이) 가엾은, 고통을 얼굴에 드러낸.

cariado, da *adj.* 카리에스에 걸린, 충치의: Tengo una muela *~da* 나는 충치가 하나 있다.
cariaguileño, ña *adj.* 매부리코에 얼굴이 갸름한.
cariampollado, da *adj.* 뺨이 토실토실한.
cariampollar *adj.* =**cariampollado.**
cariar (11) *tr.* 충치[카리에스]를 만들다. ~**se** 충치[카리에스]가 되다.
cariátide *f.* [건축] 여상주(女像柱).
caribe *adj., mf.* ① 카리브족(의) ((콜럼버스가 미대륙 발견 때, 서인도 제도에 살았음)). ② 카리브해(海)의.
caribeño, ña *adj.* 카리브의[에 관한]. —*mf.* 카리브 사람.
caribú *m.* [*pl.* ~(e)s] [동물] (캐나다의) 순록(馴鹿)(rengífero).
caricato *m.* ① *Esp* 성대[형태] 모사 연예인; 광대역 가수. ② *Amér.* = **caricatura.**
caricatura *f.* ① 희화(戲畵), 만화. ② 모방.
caricatural *adj.* =**caricaturesco.**
caricaturar *tr.* =**caricaturizar.**
caricaturesco, ca *adj.* ① 희화화(戲畵化)한. ② 우스꽝스런, 익살스런.
caricaturista *mf.* 희화가(戲畵家), 풍자화가.
caricaturizar (9) *tr.* 희화화(戲畵化)하다, 패러디화(化)하다.
caricia *f.* 애무(愛撫).
caridad *f.* ① 자비(慈悲). ② 자선, 시물(施物): hacer ~ 자선을 베풀다. ③ = favor: Hágame la ~ de + *inf.* …해 주십시오. ④ Su [Vuestra] Caridad [성직자 사이의 경칭] 귀하. ¶*La ~ bien ordenada empieza por uno mismo* (속담) 자애는 가정에서부터 시작한다, 남보다 먼저 가족을 사랑해라.
caries *f.sing.pl.* ① [의학] 카리에스: ~ espinal 척추 카리에스. ② 충치(로 검게 된 곳)(~ dental).
carilargo, ga *adj.* ① 얼굴이 긴, 말상(相)의. ② 우울한, 풀이 죽은, 기운 없이 축 늘어진.
carilla *f.* (편지지 등의 앞쪽·뒤쪽의) 면(面).
carillón *m.* ① (교회·악기의) 카리용 ((악기의 하나)). ② (시계의) 차임; 차임 시계.
carilucio, cia *adj.* 얼굴에서 빛이 나는.
cariñena *m.* 까리녜나 ((사라고사 주의 까리녜나 (Cariñena) 산의 포도주)).
cariño *m.* ① 애정, 애착 ((amor보다 일반적으로 사용됨)): con ~ 애정을 가지고, 애정으로; [편지의 끝맺는 말] 사랑으로. ② 신중(함), 공을 들임, 정성을 들임: tratar con ~ 신중히 다루다[취급하다]. ③ [부부·연인 사이에 호격] 여보!: ¡Mi ~! 여보! ④ *AmérC.* 선물(regalo).
cariñosamente *adv.* 사랑스레, 자애스레, 다정스레, 정답게.
cariñoso, sa *adj.* 사랑스러운, 자애로운, 애정이 깊은, 다정한, 마음씨가 고운, 상냥한, 정다운, 고운.
carioca *adj., mf.* ① 리오데자네이로의(사람). ② (넓게) 브라질의.
cariocinesis *f.sing.pl.* [생물] 핵분열.
cariópside *f.* [식물] 곡과(穀果).
cariparejo, ja *adj.* 안색이 변하지 않는.
carisma *m.* ① [기독교] 카리스마, 특별한 능력 ((신으로부터 부여받은 수도상의 특수한 능력)): tener ~ 카리스마가 있다. ② (카리스마적인) 영향력, 통솔력.
carismático, ca *adj.* 카리스마적인.
caritativo, va *adj.* ① 자선(慈善)의. ② [+con] (…에) 자비심이 많은.
carite *m.* [어류] *AmérM.* 피라냐.
cariz *m.* ① (사물의) 모양, 형세, 형편, 낌새, 기척. ② 날씨.
carlanca *f.* ① 개목걸이. ② *Amér.* 족쇄. ③ *Hond., Chile.* 번거로움, 귀찮음. ④ *pl.* 시커먼 뱃속.
carleta *f.* (쇠 자르는) 줄.
carlinga *f.* ① [항공] 조종실. ② [선박] 돛을 끼우는 구멍.
carlismo *m.* [역사] 까를로스당(黨).
carlista *adj., mf.* 까를리스따(의), 까를로스 지지파(의).
carlita *f.* 독서용 렌즈.
carlovingio, gia *adj.* =**carolingio.**
carmañola *f.* ① (프랑스 혁명 때, 혁명파가 입은) 소매가 넓고 짧은 웃옷. ② 프랑스 혁명 때의 혁명가.
carmelita *adj., mf.* ① [종교] 까르멘회(會)의 (수도사·수도녀). ② *Amér.* 밝은 차색(의), 담갈색(의).
carmelitano, na *adj.* 까르멘회(會)의.
Carmelo *m.* 까르멜로회(의 수도원).
carmen *m.* ① [종교] 까르멘파(派). ② (라틴어의) 시, 운문. ③ *Gran.* 정원과 채소밭이 있는 별장.
carmenar *tr.* ① (털 등을) 빗어서 풀다, 빗다. ② 훔치다, 후무리다.
carmesí *adj., m.* 심홍색(의).
carmín *adj., m.* ① 양홍색(洋紅色)(의). ② (입술연지의) 연지.
carminativo, va *adj.* 위나 장내(腸內)의 가스를 배출하는, 방귀가 나오게 하는. —*m.* 구풍제(驅風劑).
carnada *f.* ① (낚시·수렵의) 먹이, 모이. ② 함정.
carnadura *f.* [의학] =**encarnadura.**
carnal *adj.* ① (정신에 대해) 육체의: deseos [apetitos] *~es* 성욕. amor ~ 성애(性愛). ② 물질적인. ③ 지상(地上)의. ④ 혈연의: sobrino ~ 핏줄이 같은 조카, 친조카. —*mf.* 친구, 동무.
carnaval *m.* 카니발, 사육제(謝肉祭) ((사순절의 3일간)).
carnavalada *f.* (카니발 특유의) 술 마시고 노래하며 떠드는 일.
carnavalesco, ca *adj.* 카니발[사육제]의[같은].
carnaválido, da *adj.* =**carnavalesco.**
carnaza *f.* ① =**carnada.** ② (살과 접

하는) 살. ③ 비만, (혹 등의) 군살. ④ [요리] 지스러기 고기, 썩은 고기. ⑤ 죄도 없는 사람이 희생된 슬픈 사건.

carnazón *f. Sal.* 상처의 염증.

carne *f.* ① 살(肉): ~ viciosa 궂은 살. ② [식품] 고기, 살: ~ blanca 닭고기 [돼지고기] 등의 하얀 살. ~ de cerdo [cordero · ternera] 돼지[양 · 소]고기. ~ de vaca 쇠고기. ③ (과실의) 과육(果肉), 과일의 살. ④ (정신 espíritu에 대한) 육체: placeres de la ~ 육체적 쾌락. ¶*en ~(s) viva(s)* 알몸의[으로], 벌거벗은, 벌거벗은 채로. *perder ~s* 여위다, 살이 빠지다. *ser ~ y uña* =ser uña y ~. *ser uña y ~* [주어는 *pl.*] 사이가 좋다, 끊을래야 끊을 수 없는 사이이다.

carné *m. fr.* [*pl.* ~s] 신분 증명서(~ de identidad): ~ de conducir 운전 면허증. ~ de estudiante 학생증.

carneada *f.* 도살(屠殺).

carnear *tr. AmérM.* (식육용으로) 도살하다, 도살해서 발기다.

carnecería *f.* [속어] =carnicería.

carnero *m.* ① [동물] 수양 ((참고: 암양 oveja)): ~ de simiente 씨양, 종양(種羊). ② 양고기. ③ 양가죽, 양피(羊皮). ④ 납골당; (한 가족의) 지하 묘소. ⑤ 자주성이 없는 사람. ⑥ *Bol., Perú.* [동물] =llama.

carnestolendas *f.pl.* 사육제(의 기간).

carnet *m.* [*pl.* ~s] =carné.

carnicería *f.* 정육점.

carnicero, ra *adj.* ① (동물이) 육식(肉食)의: animal ~ 육식 동물. ave ~*ra* 맹조(猛鳥). ② 잔학한, 잔인한, 피를 좋아하는: venganza ~*ra* 잔인한 보복. —*m.f.* ① 정육점 주인. ② 잔학한 사람. ③ 팔이 나쁜 외과의. ④ *pl.* [동물] 식육류(carnívoros).

cárnico, ca *adj.* 식육(食肉)의, 식육용의: industria ~*ca* 식육 산업.

carnicol *m.* [동물] 발굽.

carnificación *f.* 육질 변화(肉質變化).

carnificarse *r.* 육질로 변하다.

carniforme *adj.* 살 모양의.

carnina *f.* [화학] 육소(肉素).

carniseco, ca *adj.* 여윈, 마른.

carnita *f. AmérC.* [요리] 까르니따 ((돼지고기의 덩어리를 기름에 튀긴 것; 또르띠야 (tortilla) 로 싸서 먹는다)).

carnívoro, ra *adj.* 육식의: animal ~ 육식 동물. —*m.pl.* [동물] 식육류.

carnosidad *f.* ① 궂은 살, 군살, 혹. ② 비만(肥滿).

carnoso, sa *adj.* 살이 많은, 육질의: sandía ~*sa* 과육이 많은 수박.

caro, ra *adj.* ① 비싼, 고가(高價)의: precio ~ 고가. joya ~*ra* 고가의 보석. ciudad ~*ra* 물가가 비싼 도시. ② [+명사] 사랑하는, 친애하는: mi ~ amigo 내 친애하는 친구. mi ~*ra* mitad 내 사랑하는 남편[아내]. ~*s* recuerdos 소중한 추억. —*adv.* 높게, 비싸게, 고가로 ((동사가 직접 목적어를 수반하지 않는 경우)): vender ~ 비싸게 팔다.

carolingio, gia *adj.* 까를 대제(Carlomagno)의, 까를 대제 시대의, 까를 왕조의.

carota *m.f. Esp* 철면피, 낯가죽이 두꺼운 사람.

caroteno *m.* [화학] 카로틴 ((당근 · 고추 따위에 들어 있는 황적색의 색소; 비타민 A를 함유함)).

carótida *f.* [해부] 경동맥(頸動脈).

carotina *f.* =caroteno.

carozo *m.* ① (옥수수의) 빈 이삭. ② *Amér.* (복숭아 등의) 속, 씨.

carpa *f.* ① [어류] 잉어: ~ dorada 금붕어. ② (서커스 등의) 큰 천막. ③ *Amér.* (야영용의) 천막.

carpanta *f.* ① 기아(hambre violenta). ② *Sal.* =galbana, flojera.

carpelo *m.* [식물] (암술의) 과엽(果葉), 심피(心皮).

carpeta *f.* ① 문서철, 서류철, 파일, 파인더: ~ de anillas 링 식 파인더. ② 상보, 테이블보. ③ *Esp* 레코드 자켓. ④ *AmérM.* 공부 책상, 사무용 책상. ⑤ *AmérM.* 융단, 카펫(alfombra). ⑥ [컴퓨터] 폴더, 서류철.

carpetano, na *adj., m.f.* [역사] 까르뻬따니아(Carpetania, 옛 Toledo 왕국) 족(의).

carpetazo *m.* 서류를 내동댕이 침.

carpetovetónico, ca *adj., m.f. Esp* 스페인의 전통을 고집하는 (사람), 배외주의적(排外主義的)인 (사람).

carpiano, na *adj.* carpo의.

carpincho *m.* [동물] 까르삔초 ((남미산으로 신장 1미터 정도의 쥐처럼 생긴 동물)).

carpintear *intr.* ① 목수를 직업으로 일하다. ② 취미로 목수 일을 하다.

carpintera *f.* ☞carpintero.

carpinterear *intr. Chile., Salv.* (직업이 아니고) 취미로 목수 일을 하다.

carpintereo *m. Chile.* 취미로 목수 일을 하기.

carpintería *f.* ① 목공(木工), 목수의 일. ② 목수 직. ③ 목수 작업장. ¶*~ de aluminio* 알루미늄 새시.

carpinteril *adj.* 목수의, 목수 일의.

carpintero, ra *m.f.* ① 목수. ② [새] 딱따구리. ③ [곤충] 호박벌(abeja ~*ra*). —*f. Zam.* =santateresa.

carpintesa *f. Zam.* =saltateresa.

carpir *tr. AmérM.* 잡초를 뽑다.

carpo *m.* [해부] 수근골(手根骨).

carpología *f.* 과실학(果實學).

carraca *f.* ① 까라까 ((이탈리아 사람들이 만든 2천 톤 급의 목조선)). ② 노후한 배. ③ (현재는 주로 까디스의) 조선소. ④ [완구] 딸랑이. ⑤ *Amér.* 턱; 광대뼈.

carraco, ca *adj.* 늙은, 노쇠한, 쇠약한, 약골의. —*m.* ① [새] 콘도르. ② *Col.* =aura. ③ *CRica.* (보통 거위보다) 작은 거위.

carracón *m.* (중세의) 배, 선박.
Carracuca *más feo que* ~ 몹시 추한[못생긴]. *estar más perdido que* ~ 몹시 딱한 처지에 있다, 절망적인 괴로운 지경에 있다.
carrada *f.* =carretada.
carrafa *f.* algarrobo의 열매.
carral[1] *m.* (운송용의) 술통(barril).
carral[2] *m. Mur., Sal.* 노쇠한[늙은] 사람(hombre viejo, achacoso).
carralero *m.* carral 만드는 사람.
carramanchones *a* ~ =a horcajadas.
carramarro *m. vasco.* =cámbaro.
carramplón *m.* ① =tachuela de calzado. ② *Col.* =fusil.
carranca[1] *f.* =carlanca.
carranca[2] *f. Al.* 연못의 얼음 층.
carrancudo, da *adj.* =cuellierguido, orgulloso.
carraña *f. Ar.* =ira, enojo.
carrañón, na *adj. Ar.* =regañón.
carrañoso, sa *adj. Ar.* =regañón.
carrao *m. Col., Ven.* [새] 까라오 ((물새의 일종)).
carrasca *f.* ① [식물] 떡갈나무. ② *Col.* [악기] 까라스까 ((원주민들이 사용한 악기)).
carrascal *m.* 떡갈나무 숲.
carrasco *m.* ① =carrasca. ② 잡목림(雜木林).
carraspada *f.* 까라스빠다 ((꿀과 향료가 혼합된 음료)).
carraspear *intr.* ① 목이 쉬다[잠기다]. ② 목을 맑게 하고 목이 쉬는 것을 피하기 위해 자주 가벼운 기침을 하다.
carraspeño, ña *adj.* 쉰[잠긴] 목소리의 (áspero, bronco).
carraspeo *m.* 목이 쉼[잠김].
carraspera *f.* =carraspeo.
carraspiento, ta *adj.* ① *Chile.* 습관적으로 목이 쉬어[잠겨] 고통을 받는. ② *Chile.* 목을 맑게 하기 위해 가벼운 기침을 하는.
carraspina *f. Al.* =colmenilla.
carrasposo, sa *adj.* ① 목이 항상 잠겨 있는[쉬어 있는]. ② *Col, Hond., Ven.* 깔끄러운, 우둘투둘한.
carrera *f.* ① 경주(競走), 레이스: ~ automovilística [de automóviles · de coches] 자동차 경주, 카 레이스. ~ de caballos 경마. ~ de cien metros 100미터 경주. ~ de obstáculos ㉮ 장애물 경주. ㉯ [경마] 장애 레이스. ㉰ 곤란: ~ de relevos [de postas] 릴레이 경주. ② (대학의) 전문 과정; (전문직의) 경력; 직업: ~ de ingeniero 기술자 양성 과정. ~ diplomática 외교관 양성 과정; 외교관 경력. militar de ~ 직업 군인. terminar la ~ 대학을 졸업하다. ~ media [superior] 3[5]년제 대학 과정. ③ 경로(經路): importe de la ~ (택시의) 주행 요금. ④ [천문] 궤도, 운행: ~ de la luna 달의 궤도[운행]. ⑤ [기계] 행정(行程). ⑥ [건축] 도리. ⑦ (스타킹의) 풀린 줄[땀]. ⑧ [야구] 홈 베이스를 밟는 일, 득점. ⑨ [고유 명사와 함께] 길(道). ¶*a la* ~ 서둘러, 황급히. **de** ~ 외워, 암송으로, 술술, 줄줄, 척척, 막힘없이. *de* ~*s* 경주용의: caballo [coche] *de* ~*s* 경주(용) 마[자동차]. *de mucha* ~ 학력이 높은. *hacer* ~ 출세하다. *hacer su* ~ [+en] (…에서) 경력을 쌓다. *tomar* ~ (도약하기 전에) 도움닫기하다, 마음의 준비를 하다.
carrerilla *f.* ① (스페인 춤에서) 빠른 스텝. ② [운동] 도움닫기: tomar ~ 도움닫기하다. ③ [음악] 한 음계의 올림과 내림. ④ [음악] 고저 음계의 악보.
carrerista *f.* ① 경마 팬. ② 레이서, 경주 선수.
carrero *m.* ① =carretero. ② *Ast.* =huella, rastro. ③ *Ast.* =estela.
carreta *f.* (이륜) 짐마차, 짐차, 달구지.
carretada *f.* ① 짐차 한 대분의 양. ② 다량(多量): tener ~*s* de libros 많은 장서가 있다. ¶*a* ~*s* 대량으로, 풍부하게, 충분히.
carrete *m.* ① (실 · 필름 등의) 두루마리, 보빈, 릴, 얼레, 코일: ~ de hilo 실패, 실감개. ~ de pesca 낚시 릴. ~ de inducción [전기] 유도 코일. ② (영화 · 사진의) 필름, 롤, 두루마리, 권(卷): ~ de 36 fotos, 36장짜리 필름 롤. tirar tres ~*s* 필름 세 통을 사용하다. ¶*tener* ~ 수다떨다.
carretear *tr.* ① (짐차로) 운반하다. ② (차를) 다루다. —*intr.* 활주(滑走)하다.
carretel *m.* ① (낚시의) 릴. ② (재봉틀의) 보빈.
carretela *f.* 4인승 포장 마차.
carretera *f.* 하이웨이, 간선 도로, 고속도로, 주요 도로, 한길, 큰길, 차도, 가도(街道): ~ nacional [general] 국도. ~ comarcal [secundaria] 지방 도로. ir por ~ 육로로 가다.
carretero *m.* ① 마차[달구지] 제작자. ② 마부. ③ 욕쟁이. ¶*fumar como un* ~ 담배를 지독하게 피우다, 심한 흡연자다.
carretilla *f.* ① (바퀴 하나의) 손수레, 작은 운반차, 대차(臺車): ~ eléctrica 전동 운반차. ~ elevadora 포크리프트 ((들어올리는 장치)), 지게차. ② (유아 등의) 보행기. ③ 땅 위에 길게 놓아 터뜨리는 불꽃놀이의 일종. ④ =buscapiés. ⑤ =pintadera. ⑥ *Arg., Chile.* =mandíbula. ⑦ *Arg.* 야생 자주개자리의 열매. ⑧ *Arg.* carreta보다 작은 보통의 carro. ⑨ *Chile, Méj.* =carrete.
carretón *m.* ① 작은 짐마차. ② [철도] 보기 차.
carretoncillo *m.* ① 매우 작은 수레[차]. ② (눈 덮인 산에서 사용하는) 썰매의 일종.
carretonero *adj. Cuba.* =malhablado. —*m.* carretón 운전수.
carric *m. fr. ing.* 여러 겹의 깃이 달린

외투.
carricero *m.* [새] 개개비.
carricoche *m.* ① 틀을 끼운 짐마차. ② 포장마차. ③ 낡아빠진 마차.
carriel *m.* ① *Col., Ven.* 가죽 제품 여행 가방. ② *CRica.* 여자 핸드백.
carril *m.* ① (도로의) 차선(車線): ~ bus 버스 전용 차선. ~ de aceleración [de de(sa)celeración] (고속 도로의) 가속[감속] 차선. carretera de ocho ~*es* 8차선 도로. ~ de adelantamiento 추월 차선. ② 도로. ③ 수레바퀴 자국, 바퀴 자국(rodada). ④ 레일, 선로(線路)(raíl). ⑤ 철도. ⑥ =**surco.** ⑦ *CRica.* =**carrera.** ⑧ *Cuba.* [운동 · 수영] =**calle.**
carrilada *f.* 바퀴 자국(carril).
carril-bici *m.* 자전거 전용 길[차선].
carrilete *m.* [의학] 옛날에 사용했던 외과 기구.
carrillada *f.* ① 돼지의 양쪽 볼의 기름기 부분. ② 턱을 떨게 하는 전율. ③ [고어] =**carrillera** ①. ④ [고어] =**bofetón.** ⑤ [고어] =**bofetada.**
carrillera *f.* ① (동물의) 턱. ② (모자의) 턱끈(correa).
carrillo *m.* ① 활차, 도르래. ② 광대뼈에서 아래턱까지 얼굴의 살이 많은 부분. ¶***comer [masticar] a dos ~s*** ㉮ 정신 없이 먹다, 걸신들린 듯 먹다. ㉯ 겸업하다, 겸직하다. ㉰ 양다리를 걸치다.
carrillón *m.* =**carillón.**
carrilludo, da *adj.* 볼이 토실토실한.
carrindanga *f. Arg., Urg.* 낡은 자동차(coche viejo).
carrique *m.* =**carric.**
carrito *m.* ① (공항 · 슈퍼마켓 등에서 사용하는) 손수레, 카트: ~ de la compra 쇼핑 카트. ② 소형 자동차.
carriza *f. Gal., León.* =**chochín.**
carrizal *m.* 부들 밭.
carrizo *m.* ① [식물] 부들, 물갈대. ② [새] 굴뚝새. ③ *Guat.* =**carrete.** ④ *Ast., Gal.* =**chochín.**
carro *m.* ① (주로 이륜의) 짐수레, 마차; 마차가 싣는 짐. ② 카트, 손수레; 운반차, 대차(臺車): ~ de [para] compra 쇼핑 카트. ~ camarero (식당 · 호텔의) 음식 나르는 수레. ③ [군사] 전차. ④ [기계] 왕복대(往復臺). ⑤ (타자기의) 행 보내기. ⑥ *Amér.* (일반적으로) 차(車) ((자동차, 시내 전차, 열차의 차량 등)).
carrocería *f.* ① (자동차 · 열차의) 차체. ② 자동차 (수리) 공장, 자동차 판매 영업소. ③ *Esp* (점포 안에서 사용하는) 유아도 타는 수레[카트].
carrocero, ra *m.f.* 차체(車體) 제조[수리]공; 카 디자이너.
carrocha *f.* (곤충의) 알.
carrocín *m.* 쌍두 이륜 마차; 가마.
carromato *m.* ① (이륜의) 큰 짐마차. ② 너무 커 불편한 차.
carronada *f.* (옛날의) 대포.
carroña *f.* (동물의) 썩은 사체(死體), 썩은 고기, 부육(腐肉).
carroñero, ra *adj.* 썩은 고기의, 부육의; 썩은 고기를 먹는. —*m.f.* 썩은 고기[부육]를 먹는 동물.
carroza *f.* ① 호화스럽게 장식한 사륜마차; 장의용 마차; (축제용의) 장식마차: ~ fúnebre [funeral] 영구차, 장의차. ② *Col., Méj., Pan., Perú, Ven.* 영구차. —*adj., m.f.* =**viejo.**
carrozar (9) *tr.* (대에) 차체를 올려 놓다.
carruaje *m.* ① (승용의) 차, 탈 것. ② [집합] (한 무리의) 차량.
carruajero *m.* carruaje의 운전수.
carrusel *m. fr.* ① 마상(馬上) 경기 ② 회전 목마.
carst *m.* 카르스트 지형(地形)(karst).
cárstico, ca *adj.* 카르스트(carst)의.
carta *f.* ① 편지: ~ abierta 공개장. ~ aérea 항공편. ~ bomba 편지 폭탄. ~ de aviso 통지장. ~ de familia (공용 · 상용 통신문에 대해) 일반 통신문. papel de ~*s* 편지지. ~ viva 메신저. enviar [mandar · remitir] una ~ 편지를 보내다. escribir una ~ a *uno* …에게 편지를 쓰다. recibir una ~ 편지를 받다. ② (공식의) 서장(書狀), 서류: ~ de despido 해고장, 해고 통지. ~ de pago 영수증. ~ de renuncia 사표. ~*s* credenciales [외교] 신임장. ③ 헌장: *Carta* Magna [역사] 대헌장, 마그나 카르타. ④ [트럼프] 카드: jugar a las ~*s* 트럼프를 치다, 카드놀이를 하다. ⑤ 도표, 차트. ⑥ [고어] 지도(地圖). ⑦ 메뉴, 차림표(menú): ~ del día 오늘의 메뉴. ¶ ***~ blanca*** 백지 위임장: dar [tener] ~ *blanca* 백지 위임을 하다. ***a ~ cabal*** 완벽한, 나무랄데 없는: hombre *a ~ cabal* 나무랄데 없는 사람. torpe *a ~ cabal* 아주 멍청한. ***jugar la última ~*** 최후의 수단을 쓰다.
cartabón *m.* ① (부등변의) 삼각자. ② [건축] 브래킷 ((벽 등에 내단 선반의) 받침대.
cartagenero, ra *adj., m.f.* 까르따헤나(Cartagena, 스페인 무르시아 주의 도시; 꼴롬비아의 도시)의 (사람). —*f.* 까르따헤네라 ((무르시아 지방의 민요)).
cartaginense *adj., m.f.* =**cartaginés.**
cartaginés, sa *adj., m.f.* 카르타고(Cartago)의 (사람).
cartaginiense *adj., m.f.* =**cartaginés.**
cartapacio *m.* ① (특히 습자용의) 공책. ② 학생 가방. ③ 폴더, 문서철.
carta-tarjeta *f.* 봉함 엽서.
cartear *intr.* (카드에서) 껍데기 패를 내다. ~**se** 서신을 교환하다, 편지를 주고 받다.
cartel *m.* ① 벽보, 포스터, 팻말: fijar [pegar] un ~ en la pared 벽에 포스터를 붙이다. No fije los ~*es* [게시] 포스터 부착 금지. ② 괘도(掛圖), 걸어 놓은 지도. ③ 명성: de ~ 유명한.

tener ~ 유명하다. ④ 결투장(狀), 선전 포고장. ⑤ =**cártel.** ¶*en* ~ 상연중의.
cartela *f.* ① (두꺼운 종이·나무 등의) 명찰(名札). ② [건축] (발코니 등의) 받침나무.
cartelera *f.* ① 게시판. ② (영화 등의) 간판. ③ (신문 등의) 오락 안내란. ¶*En* ~ [게시] 상영중, 상연중.
cartelero, ra *mf.* 벽보 붙이는 사람.
cartelista *mf.* ① 벽보[포스터] 디자이너. ② =**cartelero.**
carteo *m.* [주로 *Amér.*] 서신의 왕래.
cárter *m.* ① (기계를 보호하는) 금속 덮개: ~ de motor (자동차의) 크랭크실. ② [자동차] 윤활유 탱크.
cartera *f.* ① 지갑, 지폐 넣는 지갑. ② 서류 가방. ③ (학생용의) 등에 지는 가방. ④ 장관(의 직): ministro sin ~ 무임소 장관. ⑤ (보유하는) 유가 증권류: con una buena ~ 소유주가 많은. tener en ~ (회사가 유가 증권을) 보유하고 있다. ⑥ (호주머니의) 뚜껑. ⑦ [집합] 고객. ⑧ *Amér.* 핸드백.
cartería *f.* ① (작은) 우체국. ② 우체부의 직.
carterista *mf.* 소매치기(ratero).
cartero, ra *mf.* 우체부, 우편 집배원.
cartesianismo *m.* 합리주의; 데카르트(Descartes) 철학.
cartesiano, na *adj., mf.* 데카르트파(의): espíritu ~ 데카르트 정신, 합리적 정신.
cartílago *m.* [해부] 연골(軟骨).
cartilaginoso, sa *adj.* 연골(성·질)의.
cartilla *f.* ① 수첩(手帖)(libreta): ~ de ahorros 예금 통장. ~ militar 군인 수첩. ② 문자 교본 ((유치원 등에서 문자의 쓰는 법과 읽는 법을 익히는 그림책)); 입문서. ¶*no saber la* ~ 낫 놓고 기역자도 모르다.
cartismo *m.* [역사] (영국의) 인민 헌장 운동.
cartografía *f.* 해도 작성법, 제도법.
cartografiar (12) *tr.* …의 지도를 작성하다.
cartográfico, ca *adj.* 지도 작성법의.
cartógrafo, fa *mf.* 지도 작성자.
cartograma *m.* 통계 지도, (지도에 의한) 비교 통계도.
cartomancia *f.* =**cartomancía.**
cartomancía *f.* 트럼프[카드] 점(占): practicar la ~ 트럼프[카드] 점을 치다.
cartomántico, ca *adj.* 트럼프[카드] 점의. —*mf.* 트럼프[카드] 점성가.
cartón *m.* ① 후지(厚紙), 두꺼운 종이, 판지, 마분지. ② (타피스리·프레스코화 등의 실물대의) 판지 화판(畵板), 카튼. ③ (우유·주스의) 백. ④ (담배의) 한 카튼, 한 상자 ((10갑 들이; 200개비)). ⑤ (알의) 한 상자 ((한 타스나 반 타스)).
cartonaje *m.* 후지(厚紙) 제품, 마분지 상자.
cartoné *m.* [제본] 두꺼운 표지: en ~ 두꺼운 표지의.
cartuchera *f.* ① 탄약통, 탄약대. ② *AmérM.* 필통.
cartucho *m.* ① 약협(藥莢), 탄약통. ② (원통·원뿔꼴의) 지제(紙製) 용기. ③ (카메라용) 필름 케이스.
cartujano, na *adj.* ① =**cartujo.** ② (말이) 안달루시아 종(種)의.
cartujo, ja *adj., mf.* ① 카르토시오 수도회의 (수도사·수도녀). ② 남과 사귀기를 싫어하는 사람. ③ 은둔자.
cartulario *m.* (교회 등의) 기록부.
cartulina *f.* (질이 좋은) 후지(厚紙).
carúncula *f.* [동물] 볏, 계관.
carvajal *m.* =**robledal.**
carvajo *m.* [식물] =**roble.**
carvallar *m.* =**robledal.**
carvalleda *f.* =**robledal.**
carvalledo *m.* =**robledal.**
carvallo *m.* [식물] =**roble.**
carvayo *m. Ast.* [식물] =**roble.**
casa *f.* ① 집, 가옥(家屋), 주택: ~ con jardín 정원이 있는 집. ~ grande 대저택. fuera de ~ 집 밖에(서). de ~ en ~ 집에서 집으로, 집집마다. ir a ~ (자신의) 집에 가다, 집에 돌아가다. trabajar en ~ 집에서 일하다. Está usted en su casa 편안히 하십시오. ② 가족, 가정: amigo de la ~ 가족의 친구. escribir a ~ 가족에게[집에] 편지를 쓰다. ③ [집합] (고귀한) …가(家); (궁정·대통령 궁의) 고용인: ~ real 왕가. ④ 회사, 상점; 지사, 지점: ~ comercial [de comercio] 상사(商社), 판매 회사. ~ de discos 레코드 회사. ~ de Madrid 마드리드 지사. ~ editorial 출판사. ~ matriz 본사, 본점, 본부. ⑤ (공공·오락용의) 건물, 시설: ~ de baños 대중 목욕탕. ~ de juego 도박장. ~ de la cultura 문화회관. ⑥ [운동] 홈그라운드, 본거지; 홈그라운드에서의 시합: equipo de ~ 홈팀. jugar en ~ 홈그라운드에서 싸우다[경기하다]. ⑦ [야구] 본루(本壘). ⑧ [바둑판·장기판] 눈. ⑨ [점성] 숙(宿), 궁(宮). ¶*de* ~ 자가제(自家製)의; 자국(自國)의: vino *de* ~ 자가제 포도주. *cambiar de* ~ 이사하다, 거처를 옮기다. *no tener* ~ *ni hogar* 주소 부정이다, 일정한 주소가 없다. *ser muy de (su)* ~ 가정적이다. *En su* ~ *cada uno es rey / Mientras en* ~ *estoy, rey me soy* (속담) 집만한 곳은 없다. *El mejor caminar es no salir de* ~ (속담) 집에서 멀면 위험이 가깝다, 집이 제일 안전하다. *Unos por otros y la* ~ *por barrer* (속담) 사공이 많으면 배가 산으로 올라간다.
CASA *f. Esp* Construcciones Aeronáuticas, Sociedad Anónima 항공 우주 관련 메이커.
casabe *m. AmérM.* 까사베(의 가루로 만든 빵).

casaca *f.* (옛날의) 연미복; 예복.
casación *f.* ① 결혼하는 일. ② 파기(하는 일).
casadero, ra *adj.* 결혼 적령기의.
casado, da *adj.* 결혼한, 기혼의: Ella está *~da* con un español 그녀는 스페인 남자와 결혼해 (살고) 있다. Ya hace treinta años que estamos *~s* 우리가 결혼한 지가 벌써 30년이 되었다. *—mf.* 결혼한 사람, 기혼자: recién *~s* 신혼 부부. *—m.* [인쇄] 정판.
casal *m.* ① 별장. ② *Al.* 건물이 있었던 장소. ③ 명문가. ④ *Can., Arg., Par., Urg., Ven.* 암수 한 쌍.
casamata *f.* 포대(砲臺).
casamentero, ra *adj., mf.* 중매하기 좋아하는 (사람).
casamiento *m.* 결혼(식): ~ por amor 연애 결혼. asistir a un ~ 결혼식에 가다.
casanova *m.* 난봉꾼.
casar[1] *tr.* ① 결혼시키다: *He casado* a todas mis hijas 나는 딸들을 모두 결혼시켰다. ② 조합하다, 조화시키다, 균형을 맞추다. *—intr.* ① 결혼하다. ② 조화를 이루다, 어울리다, 꼭 맞다, 적합하다: Estos colores no casan 이 색깔은 어울리지 않는다. *~***se** 결혼하다: *~se* en segundas nupcias 재혼하다. ¶*Es mejor casarse que abrasarse* (고린도 전서 7:8) 정욕이 불같이 타는 것보다 혼인하는 것이 낫다.
casar[2] *tr.* (판결을) 파기하다.
casar[3] *m.* 별장(別莊)(caserío).
casata *f.* 과실·초콜릿을 넣은 아이스크림.
casatienda *f.* 점포 딸린 주택.
casca *f.* ① 포도즙을 짜낸 찌꺼기. ② 떡갈나무 무리의 껍질. ③ (달걀이나 과실 등의) 껍질(cáscara). ④ *Tol.* 질이 아주 낮은 포도주(vino muy bajo).
cascabel *m.* 방울.
cascabela *f. CRica.* 방울뱀.
cascabelear *intr.* ① 방울을 울리다. ② 경솔하게 굴다. ③ *Chile.* 투덜거리다, 불평하다. *—tr.* 감쪽같이 속이다, 교묘한 말로 꾀다.
cascabeleo *m.* 방울 소리.
cascabelero, ra *adj., mf.* 경솔한 (사람), 지각없는 (사람).
cascada *f.* 폭포(salto de agua).
cascado, da *adj.* ① 지친, 소모된. ② 오래된, 너덜너덜한, 낡아빠진. ③ 목소리가 쉰[잠긴]: voz *~da* 쉰 목소리.
cascadura *f.* 쪼개기.
cascajal *m.* 자갈밭.
cascajar *m.* 자갈밭.
cascajo *m.* ① 자갈, 돌멩이. ② (호두·밤 등 크리스마스 때 먹는 습관이 있는) 견과(堅果). ③ 낡은 집. ④ 낡은 가구[세간]. ⑤ 깨진 그릇.
cascajoso, sa *adj.* 자갈[돌멩이]이 많은, 자갈[돌멩이]투성이의.
cascalleja *f. Al.* =**grosella silvestre.**
cascamiento *m.* =cascadura.
cascanueces *m.sing.pl.* 호두까개.
cascar (7) *tr.* ① 빻다, 찧다, 깨다, 쪼개다, 까다. ② (사람을) 때리다; 격렬하게 공격하다. ③ (도박에서) 잃다. ④ (시험에서 점수를) 주다. ⑤ 쇠약하게 하다. *—intr.* ① 마구 지껄여대다, 수다떨다. ② 죽다. ③ [+a] (···을) 열심히 공부하다. *~***se** ① 쪼개지다, 금이 가다. ② 몸이 쇠약해지다, 건강을 해치다. ③ (목이) 쉬다, 잠기다.
cáscara *f.* ① (알·과실 등의) 껍질: ~ de nuez 호두 껍질. quitar la ~ de un huevo 달걀의 껍질을 까다[벗기다]. ② (바나나·오렌지 등의) 껍질.
cascarilla *f.* ① (곡물 등의) 껍질, 꼬투리: ~ del arroz 겉겨, 왕겨. ② (금속 등의) 피복, 박편(薄片). ③ 달걀 껍질로 만든 흰 분. ④ 볶은 코코아 껍질.
cascarón *m.* (달걀의) 껍질.
cascarrabias *mf.sing.pl.* 쉽게 성내는 사람, 화[성]를 잘 내는 사람.
cascarria *f.* ① =cazcarria. ② *Urg.* 보잘 것 없는 사람.
cascarrina *f. Al.* =**granizo.**
cascarrinada *f. Al.* =**granizada.**
cascarrinar *intr.* =**granizar.**
cascarrioso, sa *adj.* =**cazcarriento.**
cascarrojas *m.pl.* 배에서 자라는 벌레.
cascarudo, da *adj.* 껍질이 두꺼운.
cascaruja *f.* =**cascajo.**
cascaruleta *f.* =**cuchareta.**
casco *m.* ① 헬멧, 투구: ~ protector (작업원 등의) 보안모; (경주자 등의) 완충 헬멧. ~ militar 철모. ② 헤드폰. ③ 파편: ~ de vidrio 유리 파편. ④ *Esp, AmérC.* (빈) 그릇, 용기, 빈 병, 빈 통. ⑤ (인가의) 밀집 지역. ⑥ =**copa de sombrero.** ⑦ [선박] 선체. ⑧ (비행정의) 기체 아랫부분. ⑨ (양파 등의) 겉껍질. ⑩ (밀감 등의) 껍질. ⑪ (말의) 발굽. ⑫ [권투] 헤드기어. ⑬ *pl.* [요리] (소 등의) 머리 부분.
cascote *m.* (건물을 철거한) 허섭스레기, 잡동사니.
caseína *f.* [화학] 카세인, 건락소.
cáseo, a *adj.* =**caseoso.**
caseoso, sa *adj.* 치즈 (모양)의, 건락성의: necrosis *~sa* 건락성 괴사.
caserío *m.* ① 별장. ② 부락, 마을. ③ (빠이스 바스꼬와 나바라의) 전형적인 농가.
caserna *f.* [군사] 토치카, 구축 진지.
casero, ra *adj.* ① 집의, 가정의; 자가제의, 집에서 만든: cocina *~ra* 가정 요리, 집에서 만든 요리. jamón ~ 자가제 햄. ② 가정적인, 가사를 좋아하는. ③ 가족적인, 허물 없는, 격의 없는, 막역한. ④ (심판이) 홈팀을 봐주는, 홈팀에 호의적인. *—mf.* ① (하숙인에 대한) 집주인. ② (별장 등의) 관리인. ③ *AmérM.* 고객. ④ 가정부. ⑤ 하숙인. *—f. AmérC.* 애인, 첩.
caserón *m.* 덩그렁하게 넓기만 한 집.
caseta *f.* ① 작은 집, 움막, (임시로 만든 전시장 등의) 전시장, (해수욕장 등의) 탈의소, 탈의실, 탈의장: ~ de peaje 요금 징수소. ~ de policía 파출소. ~ telefónica 전화 박스. ② (축제·장터 등의) 가옥(假屋), 판매대. ③ 개집(~ de perro).
casete¹ *f.(m.)* 카세트 테이프: ~ de vídeo, vídeo ~ 비디오 카세트.
casete² *m.* =**radiocasete.**
casetera *f.* ① 카세트 끼워 넣는 장치. ② *Cuba., Salv.* (자동차의) 라디오 카세트.
casetero *m.* (카세트 보관용) 작은 상자[가구·장소].
caseto *m. Sal.* 작은 집(caseta).
casetón *m.* [건축] 천정과 둥근 지붕의 안쪽에 하는 장식(artesón).
casi *adv.* ① 거의: botella ~ llena 거의 가득찬 병. cosa ~ increíble 거의 믿을 수 없는 일. Es ~ imposible 그것은 거의 불가능하다. ② 하마터면 … 할 뻔하다: *Casi* me caí 나는 하마터면 넘어질 뻔했다. ③ 대략: cien años o ~ 백년 아니면 대략 그 정도. ④ [+que, 문장 앞에서] 거의: *Casi que* parece de ayer 마치 어제의 일 같다.
casida *f.* =**qasida.**
casilla *f.* ① (철도 건널목지기·도로 작업원 등의) 파수막, 작은 집. ② 매점. ③ (극장의) 매표소, 표 파는 곳. ④ (장기판 등의) 눈. ⑤ (서류 등의) 난(欄). ⑥ (선반 등의) 칸막이: ~ de correo [postal] [주로 *AmérM.*] 사서함(apartado).
casillero *m.* ① 정리 선반[상자], 칸막이. ② 편지 상자. ③ [운동] 득점 게시판, 스코어보드.
casimir *m.* =**cachemir.**
casimira *f.* =**cachemir.**
casino *m.* ① 카지노, 도박장. ② (사교의) 클럽. ③ *AmérM.* 학생 식당.
casis *m.sing.pl.* [조개] (지중해의) 소라고둥의 일종. —*f.* [식물] 검정 구즈베리.
casita *f.* (임대) 별장.
casiterita *f.* [광물] 석석(錫石).
caso *m.* ① 사건, 사태: ~ curioso 기묘한 사건. ~ imprevisto 뜻밖의 사태. ② 경우: en mi ~ 내 경우에는. en otro ~ 다른 경우는. en ciertos ~*s* 어떤 경우에는. en cualquier ~ 어떤 경우에도. ③ 기회. ④ 문제. ⑤ 사례(事例). ⑥ [의학] 증례(證例); 환자: ~ urgente 위급 환자. ⑦ [문법] 격(格): ~ nominativo 주격. ~ vocativo 호격. ¶***el ~ es que*** ㉮ [+*ind.*] 실은 …이다: *El ~ es que* no sé cómo hacerlo 실은 나는 그것을 어떻게 해야 할 지 모르겠다. ㉯ [+*subj.*] …이 긴요[중요]하다: Si vienes, *el ~ es que* llegues a tiempo 네가 오면 제 시간에 오는 것이 중요하다. ***en ~ de* + 명사 · *inf.* · que + *subj.*** …의 경우에는. ***no sea ~ que + subj.*** …하지 않기 위해. ***hacer ~*** (+de+*alguien*·*algo*/+a+*alguien*, 말·의견을) ㉮ 고려하다, 중시하다: No le *hago ~* 나는 그의 말을 문제 삼지 않는다. ㉯ 돌보아 주다: *Haz ~ del* chico 아이를 돌보아 주라. ***ir al ~*** 본론으로 들어가다. ***ser del ~*** 적절하다.
casón *m.* [casa의 증대사] 큰 집.
casona *f.* 옛 영주의 집.
casorío *m.* [경멸] 결혼식; 신통치 않은 결혼.
caspa *f.* ① 비듬. ② 비듬 모양의 것.
caspiroleta *f. Col., Perú, Ven.* 뜨거운 우유·달걀·계피·소주·설탕 등이 합성된 음료.
cáspita *interj.* 저런, 저런!
casposo, sa *adj.* ① 비듬이 많은, 비듬투성이의. ② [속어] 불쾌한.
casquería *f.* 내장 가게[요리집].
casquero, ra *m.f.* 내장 요리 장수.
casquete *m.* ① [군사] 헬멧. ② (낙하산의) 우산. ③ 실내용 두건. ④ (천주교 성직자의) 반원모.
casquijo *m.* 자갈.
casquillo *m.* ① (지팡이 등의 끝에 붙은) 쇠붙이, 쇠고리, 링. ② 화살촉. ③ *AmérC., Ven.* =**herradura.**
casquivano, na *adj.* 경박한, 방정맞은, 주책없는. —*f.* 바람기가 있는 여자, 바람둥이.
cassette *m.(f.)* =**casete.**
casta *f.* ① [생물] 종(種). ② 혈통, 가계. ③ (인도의) 계급, 사성(四姓), 캐스트. ④ 특권 계급. ⑤ (벌·개미의) 계급. ¶***de ~*** 순혈(종)의: artista *de ~* 진짜 예술가. perro *de ~* 순혈종 개. ***De ~ le viene al galgo*** (속어) 혈통은 속일 수 없다.
castaña *f.* ① [과실] 밤. ② (큰 소리가 나게) 손바닥으로 때리기. ③ 술에 취함. ④ 목이 가는 큰 병. ⑤ (여성의) 뒷머리에 묶는 머리. ⑥ …살, 세(歲): Tengo veintiún ~*s* 나는 21세다.
castañal *m.* =**castañar.**
castañar *m.* 밤나무 숲.
castañazo *m.* =**golpetazo, puñetazo.**
castañear *intr.* =**castañetear.**
casteñedo *m. Ast.* =**castañar.**
castañero, ra *m.f.* 군밤 장수.
castañeta *f.* ① 캐스터네츠(castañuela). ② 손가락 튕기기. ③ 투우사의 변발(辮髮).
castañetear *intr.* ① 캐스터네츠를 치다. ② 이빨을 딱딱 마주쳐 울리다.
castañeteo *m.* castañuela 울리기.
castaño, ña *adj.* (주로 머리카락·눈이) 밤색의, 다색의. —*m.* ① [식물] 밤나무. ② 밤색, 다색(茶色).
castañola *f.* [어류] 가스따뇰라 ((지중해에 많음)).
castañuela *f.* [악기] [주로 *pl.*] 캐스터네츠.
castellanismo *m.* 까스띠야 방언.
castellanizar *tr.* (외국어를) 스페인어화하다 ((예: fútbol ←football)).
castellano, na *adj., m.f.* 까스띠야(Castilla)의 (사람); 스페인어[까스띠야

어]의. —*m.* ① 스페인어, 까스띠야어 (lengua ~*na*). ② 성주(城主).
castellano-manchego, ga *adj., m.f.* 까스띠야-라만차(스페인 중앙부의 자치주)의 (사람).
castellano y leonés, sa *adj., m.f.* 가스띠야 이 레온(Castilla y León, 스페인 북부의 자치주)의 (사람).
castellonense *adj., m.f.* 가스떼욘 데 라 쁠라나(Castellón de la Plana, 발렌시아 지방 Castellón 주의 주도)의 (사람).
casticismo *m.* 순수주의.
casticista *m.f.* 순수주의자.
castidad *f.* 순결, 정절(貞節): ~ conyugal 정조(貞操).
castigador, ra *adj., m.f.* 뇌쇄하는 (사람).
castigar (8) *tr.* ① 벌하다, 벌주다, 혼내주다, 징계하다, 응징하다. ② 괴롭히다, 들볶다. ③ (채찍·박차로 말을) 괴롭히다, 재촉하다. ④ 뇌쇄하다. ⑤ 비용을 줄이다(aminorar gastos).
castigo *m.* ① 벌, 징벌: ~ corporal 체벌. ~ divino 천벌. ② 괴로움의 원인, 고통을 주는 일. ③ [운동] ~ máximo 패널티. tiro de ~ 패널티 킥.
Castilla *f.* [지명] 까스띠야 ((스페인의 중앙 지방)).
castillete *m.* ① (고압선 등의) 철탑(鐵塔). ② (유정의) 망루, 망대.
castillo *m.* ① 성(城): hacer ~*s* de arena 모래성을 만들다, 사상 누각을 짓다. ② [선박] 선수루(船首樓). ¶~ *de naipes* 사상 누각: levantar [hacer] ~*s de naipes* 사상 누각을 짓다. ***hacer ~s en el aire*** 공중 누각을 그리다[만들다].
casting *m. ing.* 배역(의 결정), 출연자의 선고(選考).
castizamente *adv.* 순수하게.
castizo, za *adj.* ① ㉮ 혈통이 순수한, 순종의. ㉯ 가스띠야[스페인] 토박이의. ② 전통을 지키는; (문체가) 순정(純正)한, 신어(新語)를 사용하지 않은. ③ 가문이 좋은; 우스운, 재미있는. —*m.f.* ① 자유 분방한 사람. ② *AmérC.* 백인과 메스띠소 (mestizo) 사이의 혼혈인.
casto, ta *adj.* 순결한, 정절(貞節)의.
castor *m.* ① [동물] 비버, 해리(海狸), 바다삵. ② 비버의 가죽.
castóreo *m.* 해리향(海狸香).
castoreño *m.* [투우] 삐까도르 (picador)의 모자.
castración *f.* 거세: complejo de ~ [심리] 거세 콤플렉스.
castrar *tr.* ① 거세하다: caballo *castrado* 거세마(馬). ② 꿀을 따다.
castreño, ña *adj., m.f.* 가스뜨로 델 리오(Castro del Río, 꼬르도바 주의 도시)의 (사람).
castrense *adj.* 군대의: cura [capellán] ~ 군종 사제. vida ~ 군대 생활.
castrismo *m.* 까스뜨로(Castro, 꾸바의 수상)주의.
castrista *adj.* 까스뜨로의. —*m.f.* 까스뜨로주의자, 까스뜨로 신봉자.
castro *m.* ① 옛 성터. ② 돌던지기 놀이. ③ (북부 해안의) 큰 바위, 단애. ④ 굴 따는 시기.
casual *adj.* ① 우연의: encuentro ~우연의 만남[상봉]. ② [언어] 격(格)의. ¶*por un* ~ 우연히.
casualidad *f.* 우연(의 사건): por ~ 우연히. Fue una ~ 그건 우연이었다.
casualmente *adv.* 우연히.
casuarina *f.* 목마황(木麻黃).
casuario *m.* [새] 화식조(火食鳥).
casuca *f.* 누옥(陋屋), 초라한 집.
casucha *f.* =**casuca.**
casuística *f.* 결의론(決疑論); 궤변.
casuístico, ca *adj.* 궤변의, 결의론의.
casuista *adj., m.f.* 결의론자(의); 궤변가(의).
casulla *f.* (사제가 미사 때 입는) 제의(祭衣).
CAT *f.* Comisaría *f* de Abastecimientos y Transportes 식량 공급 수송 위원회.
cata *f.* 시식, 시음: ~ del vino 포도주의 시음.
catabólico, ca *adj.* 이화(異化) 작용의.
catabolismo *m.* [생물] 이화(異化) (작용).
cataclismo *m.* 천지 이변, 대이변; (사회 등의) 큰 변동.
catacresis *f.sing.pl.* 비유적 전용(轉用).
catacumbas *f.pl.* (초기 그리스도 교도의 예배용) 지하 묘실.
catadióptrico, ca *adj.* [광학] 반사 굴절의.
catador, ra *m.f.* ① (포도주 등의) 감정가. ② 시음자, 시식자. ③ 눈썰미가 있는 사람.
catadura *f.* ① 용모, 표정, 얼굴 생김새. ② 시식, 시음.
catafalco *m.* 영구대(靈柩臺).
catafaros *m.sing.pl.* 반사경.
catáfora *f.* [문법] (대명사 등의) 후방 조응, 역행 지시.
catafórico, ca *adj.* 후방 조응의.
catagrafología *f.* [의학] 처방학.
catalán, na *adj.* ① 까딸루냐(Cataluña) 태생의. ② 까딸루냐의[에 관한]. —*m.f.* 까딸루냐 사람. —*m.* 까딸루냐 말.
catalanidad *f.* 까딸루냐풍[식], 까딸루냐적인 것.
catalanismo *m.* ① 까딸루냐 말씨[사투리]. ② 까딸루냐 자치[분리]주의.
catalanista *adj.* 까딸루냐 자치주의의. —*m.f.* ① 까딸루냐 자치주의자. ② 까딸루냐어[문학] 연구자.
catalejo *m.* 망원경(telescopio).
catalepsia *f.* [의학] 강경증(强硬症)
cataléptico, ca *adj.* 강경증 환자.
catalina *f.* (주로 소의) 똥.
catálisis *f.sing.pl.* [화학] 촉매 작용.
catalítico, ca *adj.* 촉매 작용의.
catalizador, ra *adj.* 촉매의. —*m.* 촉매, 촉매제.

catalizar (9) *tr.* 촉매 작용(觸媒作用)을 하게 하다.
catalogación *f.* 목록 작성.
catalogar (8) *tr.* ① …의 목록을 만들다, 목록에 기재하다: ~ los libros 도서 목록을 작성하다[만들다]. ② (사람을, +de · entre) (…에) 유별(類別)하다.
catálogo *m.* 목록, 카탈로그.
Cataluña *f.* [지명] 까딸루냐 ((스페인 북동부의 자치주)).
catamarán *m.* [선박] 쌍동선(雙胴船).
cataplasma *f.* ① [의학] 찜질 요법. ② 지병이 있는 사람.
cataplexia *f.* [의학] 탈력 발작.
cataplines *m.pl.* =**testículo.**
cataplum *interj.* 콰당!, 철거덩!, 쾅!
catapulta *f.* ① 쇠뇌, 투석기. ② 비행기의 사출기.
catapultar *tr.* ① 쇠뇌로 쏘다. ② 캐터펄트로 사출하다. ③ 일거에 유명하게 하다[승진시키다].
catapum, catapún ① [소리흉내말] 아득한, 까마득하게 오랜, 옛날 옛적의: en los tiempos de *catapum* 옛날 옛적에, 호랑이 담배 먹던 시절에. Eso ocurrió en el año *catapum* 그것은 옛날 옛적에 일어났다. ② =**cataplum.**
catar *tr.* ① 시식[시음]하다, 맛을 보다. ② 처음으로 경험하다.
catarata *f.* ① 폭포(瀑布): *Cataratas* de Iguazú 이구아수 폭포. ② 호우(豪雨). ③ [의학] 백내장.
catarral *adj.* 카타르성(性)의.
catarrino *adj.* [동물] 유인원의; 원숭이의. —*m.pl.* (아시아 · 아프리카에 사는) 원숭이.
catarro *m.* ① [의학] 카타르, 점막염증. ② [의학] 감기: coger [agarrar] un ~ 감기에 걸리다.
catarroso, sa *adj.* 카타르에 걸리기 쉬운, 감기에 잘 걸리는.
catarsis *f.sing.pl.* [철학] 카타르시스, 정화(淨化).
catártico, ca *adj.* ① 정화의. ② 세척의. ③ [의학] 하제(下劑)의.
catástasis *f.sing.pl.* [연극] 대단원 직전의 최고조부.
catastral *adj.* 토지 대장의: plano ~ 지적도(地籍圖).
catastro *m.* ① 토지 대장, 고정 자산 과세 대장; 지적(地籍) 조사. ② 부동산 취득세, 고정 자산세.
catástrofe *f.* ① 대참사, 대재해, 파국. ② 큰 불행, 큰 실패.
catastrófico, ca *adj.* ① 대참사를 초래한, 대재해의, 파멸적인, 파국적인. ② 정말 형편없는, 참담한.
catastrofismo *m.* 강한 비관주의.
catastrofista *adj.* 강한 비관주의의[에 관한]. —*m.f.* 강한 비관주의자.
catatonía *f.* [의학] 긴장병(緊張病).
catatónico, ca *adj.* 긴장병의[에 관한].
cataviento *m.* (원뿔꼴의 천으로 만든) 풍향계.
catavino *m.* (포도주의) 감정용 잔.
catavinos *m.f.sing.pl.* 포도주 감정가.
catchup *m.* =**ketchup.**
cate *m.* ① 낙제, 불합격. ② 구타.
cateada *f. Bol., Chile.* 시굴(試掘).
catear[1] *tr.* ① =**buscar, descubrir, espiar, acechar.** ② 가택 침입을 하다 (allanar la casa). ③ *Amér.* 시굴하다. ④ =**catar, procurar, solicitar.**
catear[2] *tr.* 낙제시키다, 불합격시키다.
catecismo *m.* ① [천주교] 공교 요리(公教要理), 교리 문답(서). ② (학설 등의) 입문서, 요약.
catecúmeno, na *m.f.* ① 세례 지원자. ② 초심자, 입문자.
catecumenado *m.* 세례 준비 교육[기간]; 신앙을 깊게 하는 수행.
cátedra *f.* ① 정교수직; 강좌. ② 강단; 설교단; 강의실. ③ 고위 성직자의 지위: ~ de San Pedro 교황의 지위.
catedral *f.* [천주교] 대성당, 주교좌 성당(iglesia ~): ~ de Segovia 세고비아의 대성당.
catedralicio, cia *adj.* 대성당이 있는.
catedrático, ca *m.f.* 정교수. —*f.* 정교수의 부인.
categoría *f.* ① 범주, 카테고리; 부류. ② 계층, 등급. ③ 권위, 명성. ④ [운동] (계)급, 종목: ~ de los pesos ligeros 경량급. ¶***de*** ~ ㉮ 권위 있는; 일류의, 고급의: artículos *de* ~ 고급품, 일급품. borrachera *de* ~ 술이 곤드레만드레 취함, 이취(泥醉). persona *de* ~ 상류 계급의 사람. ㉯ 중요한: un negocio *de* ~ 중요한 사업.
categóricamente *adv.* 단정적으로.
categórico, ca *adj.* ① 단정적인. ② 자명한, 명확한: opiniones ~*cas* 명확한 의견.
categorización *f.* 종류에 따라 나누어 구별함, 유별(類別).
categorizar (9) *tr.* 종류에 따라 나누어 구별하다, 유별(類別)하다.
catenario, ria *adj.* ① cadena의. ② [철도 · 전기] 현수선(懸垂線)[수곡선]의. —*f.* 현수선.
cateo *m. Amér.* 탐색, 수택; 시굴.
catequisis *f.sing.pl.* (세례 지원자에게 하는) 신앙 교육.
catequismo *m.* ① 공교 요리(公教要理). ② 신앙 교육.
catequista *m.f.* (catequismo를 가르치는) 전도사.
catequístico, ca *adj.* ① 교리 교육의. ② 문답 형식의.
catequización *f.* 신앙[입문] 교육.
catequizador, ra *m.f.* =**catequista.**
catequizar (9) *tr.* …에게 신앙[입문] 교육을 실시하다.
catering *m. ing.* 요리를 만들어 배달함.
caterva *f.* (사람 · 물건의) 잡다한 모임, 무리, 떼.
catete *adj., m.f. Chile.* =**cargante.**
catetear *intr. Chile.* 끈질기게 괴롭히다 [성가시게 하다].

cateteo *m. Chile.* 끈질기게 괴롭힘.
catéter *m.* [의학] 카테터, 도뇨관.
cateterismo *m.* [의학] 카테터법(法).
cateto *m.* [기하] (직각 삼각형의) 직각을 이루는 두 변.
cateto, ta *mf.* =**lugareño, palurdo.**
catilinaria *adj., f.* (연설 등이) 개인 공격(의).
catinga *f.* ① 땀내. ② (사람들의 무리에서 나오는) 악취. ③ *Amér.* (동물·식물에서 나오는) 악취.
catingoso, sa *adj. Bol.* 악취가 나는.
catingudo, da *adj. Amér.* =**catingoso.**
catión *f.* [물리] 양이온.
catire, ra *adj., mf. Amér.* 금발의 (사람).
catiusca *f.* (고무 제품의) 장화.
catizumbada *f. Salv.* =**montón.**
catleya *f.* [식물] 양란(洋蘭)의 일종.
catódico, ca *adj.* 음극의: rayos *~s* 음극선(陰極線).
cátodo *m.* [물리] 음극(陰極).
catolicidad *f.* ① 천주교 교의에 맞는 것; (교의의) 보편성. ② [집합] 천주교도.
catolicismo *m.* ① 천주교(의 교의). ② 천주교 교단.
católicamente *adv.* 천주교에 의해.
católico, ca *adj.* ① 천주교의, 가톨릭의: Su Majestad *Católica* 스페인 국왕 폐하. rey ~ 스페인 국왕. ② 정통적인. ③ 진정한, 올바른. ④ =**universal.** —*mf.* 천주교도, 가톨릭 교도. ¶***no estar muy*** ~ 원기가 없다, 상태가 나쁘다.
catolicón *m.* [의학] 만병 통치약.
catolizar (9) *tr.* 천주교도로 만들다, …에게 천주교를 포교하다.
catón *m.* (간단한 문장의) 초급 독본.
catorce *adj.* ① 14의. ② 열네 번째의. —*m.* ① 14. ② 14일.
catorceavo, va *adj., m.* =**catorzavo.**
catorceno, na *adj.* 열네 번째의.
catorzavo, va *adj.* ① 14분의 1의. ② 열네 번째의. —*m.* 14분의 1.
catracho, cha *adj.* =**hondureño.** —*m. Hond.* (튀긴 강낭콩과 강판에 간 치즈를 넣은) 튀긴 옥수수 전병.
catre *m.* (1인용의) 간이 침대.
catrecillo *m.* 소형의 접는 침대.
catrín, na *adj. AmérC., Méj.* 잘 입은, 멋을 부린. —*m.* 멋쟁이.
catsup *m. ing.* 케첩.
caturra *f. Chile.* 앵무새의 일종.
caucáseo, a *adj.* 코카서스 산맥의.
caucasiano, na *adj.* =**caucáseo.**
caucásico, ca *adj.* 코카서스 인종의, 백인종의, 인도 유럽 인종의. —*mf.* 코카서스 인종. —*m.* 코카서스 방언.
cauce *m.* ① 하상(河床). ② 관개 수로. ③ 경로, 수속, 절차.
cauchal *m.* 고무 농장[재배원].
cauchar *tr. Col., Ecuad.* 고무를 채집하다.
cauchero, ra *adj.* 고무의: industria *~ra* 고무 산업. —*m.* ① 고무 채취자. ② *Ecuad.* 고무 농장. —*f.* 고무나무.
caucho *m.* 고무: ~ crudo 생고무. ~ esponjoso 스펀지 고무. ~ regenerado 재생 고무. ~ sintético 합성 고무. llanta de ~ 고무 타이어. sello de ~ 고무인, 고무 도장.
caución *f.* 보증, 담보; 보증금, 보석, 보석금.
caucionar *tr.* (보석 등의) 보증인이 되다.
caudal[1] *adj.* ① 수량이 많은. ② [고어] 주요한, 주(主). —*m.* ① 수량(水量), 유량(流量). ② 자산, 재산. ③ 풍부함.
caudal[2] *adj.* (동물의) 꼬리의.
caudaloso, sa *adj.* ① 수량(水量)이 풍부한. ② =**acaudalado.**
caudillaje *m.* ① 지도, 지휘. ② 군사 정권.
caudillismo *m.* =**caudillaje.**
caudillo *m.* ① [군대] 지휘자, 대장. ② (단체의) 장, 지도자, 두목, 우두머리 통령, 총통. ③ el *Caudillo* 프랑코 총통의 칭호.
caudón *m.* =**alcaudón.**
cauri *m.* [조개] 자패(紫貝).
causa[1] *f.* ① 이유, 원인. ② 주의 주장, 이상. ③ 소송 (사건), 형사 소송: ~ civil 민사 소송. ~ criminal 형사 소송. ¶***a ~ de*** algo …의 이유로, …가 원인이 되어. ***por ~ de*** algo =a ~ de algo. ***por poca*** ~ 이유도 없이. ***sin*** ~ =por poca causa. ***hablar sin*** ~ 경솔히 말하다, 함부로 말하다.
causa[2] *f. Perú.* [요리] 까우사 ((앙트레처럼 차게 먹는 상추와 기름을 곁들인 노랑 고추와 레몬을 넣은 감자국)).
causador, ra *adj.* (어떤 일의) 원인이 되는. —*mf.* 발기인.
causahabiente *mf.* [법률] (재산·권리의) 승계인.
causal *adj.* 원인의: relación ~ 인과 관계(因果關係).
causalgia *f.* [의학] 작열통(灼熱痛).
causalidad *f.* ① [철학] 인과 관계: principio de ~ 인과율. ② 원인(原因).
causante *adj.* 야기시키는, 원인이 되는. —*mf.* ① 원인이 되는 사람. ② 본인. ③ *Méj.* 납세자: ~ mayor[menor] 고액[저액] 납세자.
causar *tr.* ① …을 야기시키다[불러일으키다], …의 원인이 되다. ② 가져오게 하다(traer). ~**se** 일어나다: De la codicia *se causa* muchos males 많은 재난은 탐욕에서 비롯된다.
causativo, va *adj.* [문법] 사역(使役)의: verbo ~ 사역 동사.
causear *tr. Chile.* ① 간식을 들다. ② 쉽게[가볍게] 이기다.
causeo *m. Chile.* 간식, 간단한 식사.
causón *m.* 일시적으로 나는 열.
cáusticamente *adv.* 신랄하게.
causticar (7) *tr.* ① 부식시키다. ② 초조하게 하다.

causticidad *f.* ① 부식성(腐食性). ② 신랄함, 통렬함.

cáustico, ca *adj.* ① 부식성의. ② 신랄한. —*m.* 부식제, 소작제(燒灼劑).

cautela *f.* ① 주의(注意), 조심; 신중함. ② 교활함, 간사함, 의뭉스러움.

cautelar *adj.* [법률] 예방적인: prisión ~ 예방 구금. —*tr.* …에 조심하다, 경계하다. ~**se** [+de] …에 예방 조치를 취하다, 조심하다.

cautelosamente *adv.* 주의깊게, 조심스럽게, 신중히, 빈틈없이.

cauteloso, sa *adj.* [+en] …에 주의깊은, 조심스러운, 신중한, 빈틈없는.

cauterio *m.* ① [의학] 뜸, 뜸 요법. ② 뜸 (요법) 기구. ③ 치료.

cauterización *f.* 뜸을 뜨기, 뜸 요법.

cauterizador, ra *adj., m.f.* 뜸을 뜨는 (사람), 뜸 요법사.

cauterizante *adj., m.f.* 태우는, 지지는, 뜸을 뜨는 (사람).

cauterizar (9) *tr.* ① 지지다, 태우다, 뜸을 뜨다. ② 마구[함부로] 고치다. ③ 채점[평가]을 매기다.

cautivador, ra *adj.* 매력적인, 감동적인, 남의 마음을 사로잡는 (듯한).

cautivar *tr.* ① 포로로 하다, 사로잡다. ② (주의 · 마음을) 끌다, 잡다, 홀딱 반하게 하다(seducir); 매료[매혹]시키다.

cautiverio *m.* 포로 상태[생활].

cautividad *f.* =cautiverio.

cautivo, va *adj.* 붙잡힌, 포로의, 자유를 박탈당한. —*m.f.* 포로.

cauto, ta *adj.* 주의깊은, 신중한, 빈틈없는(prudente, cauteloso).

cauz *m.* 용수로(用水路).

cava *f.* ① (땅을) 일구기. ② (지하의) 술창고. ③ [해부] 대정맥. —*m.* (까딸루냐 산의) 발포 포도주.

cavador *m.* ① 땅[구덩이] 파는 사람 [인부]. ② [고어] =**sepulturero.**

cavadura *f.* 땅을 파는 일, 땅을 일구기, 땅 퍼엎기.

cavar *tr.* ① (괭이 같은 것으로) 파다, 파엎다. ② *Ecuad.* 감자를 수확하다. —*intr.* ① 깊이 들어가다. ② 내려앉다, 함몰하다. ③ [+en] …을 생각하다, 심사하다, 깊이 생각하다.

cavatina *f.* [음악] 카바티나 ((짧은 영창곡)); 짧은 서정적 기악곡.

caverna *f.* ① 동굴, 동혈(洞穴): vivir en una ~ 동굴에(서) 살다. ② [의학] (폐의) 공동(空洞): ~ pulmonar 폐의 공동. ③ (도적 등의) 소굴.

cavernario, ria *adj.* 동굴의.

cavernícola *adj.* ① 동굴에 사는 (사람 · 동물): hombre ~ 혈거인. ② 반동적인 (사람). —*m.f.* 혈거인.

cavernidad *f.* =cavernosidad.

cavernosidad *f.* 땅에 생긴 자연적인 구멍; 동혈, 동굴.

cavernoso, sa *adj.* ① 동굴의, 동굴이 많은. ② (목소리 등이) 우렁우렁한. ③ [해부] 해면성(海綿性)의.

cavero *m.* 도랑 파는 인부.

caveto *m.* [건축] =moldura.

caviar *m.* 캐비어.

cavidad *f.* 움푹 패인 곳, 구덩이, 굴, 동공.

cavilación *f.* 심사, 심사 숙고.

cavilar tr. ① 심사 숙고하다, 골똘히 생각하다, 이 궁리 저 궁리하다. ② 어떻게 생각할 지 모르다.

cavilosamente *adv.* 심사 숙고해서.

cavilosidad *f.* 마음을 쓰는 일, 사서 고생함.

caviloso, sa *adj.* 미심쩍은, 의심이 많은.

cavitación *f.* 캐비테이션 ((추진기 등의 뒤에 생기는 진공 현상)).

cay- ☞ caer (73)

cayada *f.* 목동의 지팡이.

cayado *m.* 목자의 지팡이; [성공회] 목장(牧杖); (주교의) 권표; 홀(笏).

cayena *f.* ① 고추에서 추출한 매운 향신료. ② [식물] (정원에 심어지는) 당아욱과 식물.

cayente *adj.* 떨어지는, 넘어지는, 기운, 좀 떨어지는.

cayetés *m.pl.* (발견 당시 살았던) 브라질의 옛 원주민의 종족.

cayo *m.* (안띠야스 제도 · 멕시코 만의) 작은 섬.

cayuco *m.* (인디오의) 카누보다 더 작은 인디오의 배.

caz *m.* [*pl.* caces] (취수용의) 수로.

caza *f.* ① 사냥, 수렵. ② 사냥에서 잡은 것[짐승], 사냥감. ③ [요리] (꿩 · 토끼 등) 잡은 동물 (고기), 잡은 새 (고기). —*m.* 전투기(avión de ~).

cazaautógrafos *m.f.sing.pl.* 사인[서명] 수집가.

cazabe *m.* *Amér.* 만디오까 가루로 만든 전병.

cazabobos *m.sing.pl.* 만지면 폭발하게 제작된 폭탄.

cazabombardeo *m.* 전투 폭격기, 전천후 폭격기.

cazadero *m.* 수렵장.

cazador, ra *m.f.* 사냥꾼, 엽사(獵師), 수렵가. —*m.* 경장 보병(輕裝步兵).

cazadora *f.* *Esp* 점퍼: ~ de pieles 가죽 점퍼.

cazadotes *m.sing.pl.* 돈 가진 여성과 결혼하고 싶어하는 남자.

cazaejecutivos *m.f.sing.pl.* 인재[간부] 스카우트 담당자,

cazafortunas *m.f.sing.pl.* ① 재산[지참금]을 노리는 사람[구혼자]. ② 금광 찾는 사람. ③ 사금 채취자.

cazalla *f.* 까사야 ((세비야 주의 Cazalla de la Sierra 산의 증류주)).

cazallero, ra *m.f.* cazalla 애음가.

cazamariposas *m.sing.pl.* 포충망.

cazaminas *m.sing.pl.* 소해정(掃海艇).

cazamoscas *m.sing.pl.* =**papamoscas.**

cazanoticias *m.f.sing.pl.* 취재 기자.

cazar (9) *tr.* ① 사냥하다, 수렵하다. ② 붙들다, 붙잡다. ③ (남의) 비밀을 찾아내다. ④ 빨리 이해하다. ¶ ~ *(muy)* *largo* 빈틈이 없다(ser muy sagaz).

cazarrecompensas *m.f.sing.pl.* (범인을 쫓아) 상금을 타는 사람.

cazasubmarinos *m.sing.pl.* 구잠정, 대잠 초계정.

cazatalentos *m.f.sing.pl.* 탈렌트 스카우트, (운동·실업·연예계의) 신인 발굴 책임자.

cazatorpedero *m.* (어뢰) 구축함.

cazcarria *f.* ① 흙탕물, 진흙. ② 가축의 똥.

cazcarriento, ta *adj.* 흙탕물 투성이의.

cazcarrioso, sa *adj.* =cazcarriento.

cazo *m.* ① (바닥보다 주둥이가 더 넓은 금속이나 사기 제품의) 요리 그릇. ② (손잡이가 하나인) 금속 그릇. ③ 멍청이, 바보. ④ 칼등(recazo).

cazolada *f.* 냄비 하나 가득한 양.

cazoleja *f.* =**cazoleta.**

cazolero *adj.* =**cominero.**

cazoleta *f.* ① (고대 화가의) 불 켜는 단지, 반구형 단지. ② 향료의 일종. ③ (담배 파이프 등의) 담배 재는 부분. ④ (칼의) 날밑.

cazón *m.* [어류] 상어.

cazuela *f.* ① (깊이보다 더 넓은) 토제 냄비. ② 토제 냄비의 요리. ③ (손잡이 둘과 뚜껑이 있는 금속제 요리 그릇. ④ =**cazolada.**

cazurrería *f.* 과묵함, 말이 없음.

cazurro, rra *adj., m.f.* ① 과묵한 (사람), 말이 없는 (사람), 뚱한 (사람). ② 이해가 둔한 (사람). ③ 거친 (사람), 우락부락한 (사람).

cazuz *m.* 덩굴(hiedra).

c/c carta de crédito 신용장; cuenta corriente 당좌 계정.

CCOO *f.pl.* Comisiones Obreras 노동자 위원회 ((스페인의 노동 조합)).

CD. *m.* [*ing.* Compact Disc의 약자] = **disco compacto.**

C. de J. Compañía de Jesús 예수회.

CD-ROM. *m.* [*ing.* Compact Disc Read-Only Memory의 약자] [컴퓨터] (많은 양의 디지털화한 데이터를 기억할 수 있는) 콤팩트 디스크.

ce[1] *f.* 문자 c의 명칭. ¶ ~ ***por be,*** ~ ***por*** ~ 상세히, 장황하게, 알뜰살뜰히. ***por*** ~ ***o por be*** 이럭저럭.

CE[2] *f.* Comunidad *f* Europea 유럽 공동체, EC.

ce[3] *interj.* 어이, 잠깐만! ((부르거나 제지하거나 주의를 환기시킬 때)).

cea *f.* 좌골(坐骨).

ceaja *f.* 한 살 미만의 암 산양[암 양].

ceajo *m.* 한 살 미만의 수 산양[수 양]

cebada *f.* [식물] 보리, 대맥(大麥).

cebadal *m.* 보리밭.

cebadar *tr.* 맹수에게 보리를 주다.

cebado, da *adj.* ① [estar+] 거대한. ② *Amér.* 인육의 맛을 안 (맹수).

cebador *m.* ① (형광등의) 예비 가열 장치. ② (뿔·가죽제의) 화약통. ③ *AmérM.* [자동차] 초크, 공기 조절판.

cebadura *f.* ① 먹이를 주는 일. ② *Arg., Ur.* 마떼차 용의 잎의 양.

cebar *tr.* ① 먹이를 주다. ② (동물을) 살찌우다, 비육(肥育)하다. ③ (낚시에) 먹이를 끼우다. ④ (감정을) 북돋우다. ⑤ (기계를) 시동할 수 있는 상태로 하다. ⑥ (폭약에) 신관(信管)을 장치하다. ⑦ *AmérM.* (마떼차를) 넣다; 마시다. ~**se** ① [+en] (…에) 전념하다. ② (무엇을) 실컷 하다: ~*se en* llanto 실컷 울다. ③ 잔인성을 발휘하다. ④ (나쁜 병이) 몹시 유행하다. ⑤ *Méj.* (화약이) 불발로 끝나다; 실패하다.

cebellina *f.* [동물] 검은 담비.

cebiche *m. Amér.* 세비체 ((레몬즙이나 오렌지즙·다진 양파·소금·마늘의 양념 소스에 잔 조각으로 썬 날 생선이나 날 조개류 요리)).

cebo *m.* ① 사료(飼料). ② (낚시의) 미끼, 먹이 ((비유적으로도 사용함)). ③ 도화선, 신관(信管).

cebolla *f.* ① [식물] 양파. ② (꽃피기 전 부드러워 먹을 수 있는) 양파의 알뿌리: sopa de ~*s* 양파 수프. ③ (튤립 등의) 구근(球根), 알뿌리(bulbo). ④ (양파처럼 잘 벗겨지는) 나무의 심.

cebollada *f.* 세보야다 ((주 재료를 양파로 만든 요리)).

cebollana *f.* [식물] 파(의 일종).

cebollar *m.* 양파밭.

cebollero, ra *m.f.* 양파 장수.

cebolleta *f.* ① 양파 비슷한 식물. ② 저장 양파.

cebollín *m. Cuba.* =**cebolleta.**

cebollino *m.* ① 양파의 묘상. ② 양파의 종자. ③ =**cebollana.** ④ 우둔하고 무식한 사람.

cebollón *m.* 보통 것보다 맛이 덜 매운 양파.

cebón, na *adj.* 살찐 (칠면조·돼지 등). —*m.* 돼지(puerco).

ceborrincha *f.* 야생 양파.

cebra *f.* ① [동물] 얼룩말. ② Arg., Urg. (신호기 없는) 횡단 보도. ③ [고어] 야생 당나귀. ¶***paso (de)*** ~ (신호기 없는) 횡단 보도.

cebú *m.* [동물] 세부 ((인도·아프리카의 소의 일종)).

ceca[1] *f.* ① 조폐국, 화폐 주조소. ② (모로코에서) 돈(moneda). ③ *Arg.* (동전의) =**cruz.**

Ceca[2] ***de*** ~ ***en Meca, de la*** ~ ***a la Meca*** 여기저기.

cecear *intr.* s를 c로 발음하다.

ceceo *m.* s를 c로 하는 발음, 혀짤배기 소리.

ceceoso, sa *adj., m.f.* s를 c로 발음하는 (사람).

cecina *f.* ① 건육(乾肉), 육포(肉脯), 구운 고기. ② *Arg., Bol., Par., Ur.* (가늘고 소금 없이 말린) 쇠고기 토막. ③ *Chile.* 고기 순대. ④ *Ecuad.* 길고 가는 싱싱한 고기.

cecinar *tr.* ① =**acecinar.** ② *Ecuad.* 고기를 길쭉하게 자르다.

cecografía *f.* ① (맹인용) 점자. ② 점

자학(點字學).
cecográfico, ca *adj.* 점자(학)의.
cecógrafo *m.* 점자판.
ceda *f.* =zeta.
cedacero *m.* cedazo 제조자[장수].
cedazo *m.* ① (눈이 촘촘한) 체: pasar por el ~ 체에 치다, 체질하다. ② (큰) 어망(漁網).
ceder *tr.* ① 양보하다: ~ el paso 길을 양보하다[비켜 주다]. ~ *su* asiento a un anciano 노인에게 자리를 양보하다. ② 물려주다, 양도하다. —*intr.* ① [+a・ante・en] (…에) 굴복하다, 양보하다. ② (바람・열이) 약해지다, 누그러지다. ③ (압력에) 구부러지다, 휘다; (힘이) 약하다. ④ (과도한 힘에) 부서지다, 풀리다, 놓여 나다. ⑤ (저항에) 오므라들다, 짧아지다, 줄다, 쇠해지다. ⑥ (…보다) 못하다, 열등하다. ⑦ [+en] (좋은・나쁜 결과로) 되다. ⑧ [+en] (…을) 포기하다.
cedilla *f.* 세디야 ((ç의 아래 기호)).
Cedis Certificados de Devolución de Impuesto 관세 반환 증명서.
cédride *f.* cedro의 열매.
cedrino, na *adj.* 삼나무의.
cedrito *m.* 단맛이 있는 포도주와 삼나무 수지로 만든 음료.
cedro *m.* ① [식물] 삼나무. ② 삼나무의 목재.
cédula *f.* ① (신분 증명・채무 등의) 문서, 서류: ~ de habitabilidad *Esp* 거주 적격 증명서. ~ de identidad *Amér.* 신분 증명서. ② (목록의) 카드.
cedular *tr.* ① *Col., Ecuad., Nic., Salv., Ven.* 신분 증명서[시민증]를 발행하다. ② (무엇을) 벽보를 통해 공표하다.
CEE *f.* Comunidad Económica Europea 유럽 경제 공동체, EEC.
-céfala *suf.* =-céfalo.
cefalalgia *f.* [의학] 두통.
cefalálgico, ca *adj.* 두통의[에 관한].
cefalea *f.* [의학] 두통.
-cefalia *suf.*「머리의 상태」의 뜻: doli*cocefalia* 장두(長頭). meso*cefalia* 중두형(中頭型).
cefálico, ca *adj.* 머리의, 두부(頭部)의.
cefalitis *f.* [의학] 뇌염.
céfalo *m.* [어류] 농어(róbano).
-céfalo *suf.*「머리」의 뜻: dolico*céfalo* 장두(長頭)의; meso*céfalo* 중뇌(中腦).
cefalófodos *m.pl.* 두족강(頭足綱).
cefalohidrocele *m.* [의학] 뇌수종.
cefaloideo, a *adj.* 머리 모양의.
cefalópodo *adj.* [동물] 두족류(頭足類)의. —*m.pl.* 두족류(頭足類) ((오징어・낙지 등)).
cefalorraquídeo, a *adj.* [해부] 뇌수의: líquido ~ 뇌척수액(腦脊髓液).
cefaloscopia *f.* 뇌와 두개골 검사.
cefalotórax *m.sing.pl.* (갑각류・거미류의) 두흉부(頭胸部).
céfiro *m.* ① (지중해의 따뜻한) 서풍(西風). ② [시어] 산들바람.
cefo *m.* [동물] 긴꼬리원숭이.
cegador, ra *adj.* ① 현기증이 나는 (듯한). ② 눈부신. ③ [고어] =**adulador.**
cegar (19) (8) *tr.* ① 실명시키다, 눈을 멀게 하다. ② 눈부시게 하다. ③ 분별력을 잃다, 이성을 잃다, 눈이 멀어지다. ④ (구멍・통로 등을) 막다, 메우다. —*intr.* ① 장님이 되다, 시력을 잃다. ② (구멍 등이) 막히다, 메이다. ~**se** [+de・por] (…으로) 분별력[이성]을 잃다.
cegarrita *adj., m.f.* (근시안으로) 눈을 가늘게 뜨고 보는 (사람).
cegato, ta *adj., m.f.* 눈이 잘 보이지 않는 (사람).
cegesimal *adj.* CGS 단위계의.
ceguedad *f.* =**ceguera.**
ceguera *f.* ① 실명(失明). ② (병으로 잦게 장님이 되게 하는) 안질[안염]의 일종. ③ 이성을 잃는 일.
ceiba *f.* ① [식물] 판야나무. ② (끈 모양의) 해조류(海藻類).
Ceilán *m.* [국명] 세일론, 스리랑카.
ceilandés, sa *adj., m.f.* 스리랑카(Sri Lanka)의 (사람).
ceisatita *f.* [광물] 오팔(ópalo)의 변종.
ceja *f.* ① 눈알 위의 털로 덮여진 두둑한 부분. ② 눈썹: lápiz de ~s 눈썹 연필. ③ (책의 장정・옷・건축물・목공일 등의) 약간 나온[두둑한] 부분. ④ (산꼭대기에 자주 나타나는) 구름 띠. ⑤ (산의) 등성이. ⑥ [악기] 너트, 현침(絃枕), 줄받이(cejilla). ⑦ [악기] =**listón.** ⑧ *Cuba.* (산의) 길, 좁은 길 (senda). ⑨ *Riopl.* =**ceja de monte.** ¶ ~ ***de monte*** (멀리 높은 식물의 띠처럼 나타나는) 숲가. ***hasta las*** ~ 극도로, 진절머리날 정도로. ***quemarse las*** ~***s*** 공부를 많이 하다, 기를 쓰고 공부하다(estudiar mucho).
cejar *intr.* ① 후퇴하다, 물러서다. ② [+en] (…을) 완화하다, 늦추다, 양보하다, 단념하다.
cejijunto, ta *adj.* ① 미간이 좁은, 미간 쪽으로 눈썹이 짙은. ② =**ceñudo.**
cejilla *f.* ① [악기] =**ceja.** ② (기타의) 너트, 현침(絃枕); 줄받이.
cejudo, da *adj.* 눈썹이 짙고 긴.
cejuela *f.* (기타의) 줄받이.
cela *f.* (고대 희랍・로마의) 신전의 신상(神像) 안치실.
celada[1] *f.* ① (옛날의 머리를 덮고 보호하기 위한) 투구: ~ de Don Quijote 동끼호떼의 투구. ② 투구를 쓴 기마병.
celada[2] *f.* ☞ celado.
celadamente *adv.* 몰래, 살짝.
celado, da *adj.* =**oculto, encubierto:** luna ~*da* por la niebla 안개로 감추어진 달. —*f.* ① (무장 군인의) 복병. ② 위장 속임수.
celadón *m.* =**verdeceladón.**
celador, ra *adj.* 망을 보는, 감시하는. —*m.f.* ① (미술관 등의) 감시원. ② 사감(舍監), 학감. ③ 가선(架線) 공사자.

④ 간호 조무사.
celaduría *f.* celador의 사무소.
celaje *m.* ① 채광창. ② 전조(前兆). ③ 서운(瑞雲), 여러 가지 색으로 물들여진 구름. ④ 구름 덩어리. ¶*como un* ~ 전광 석화처럼, 재빨리.
celar[1] *tr.* ① 감시하다, 망보다, 감독하다. ② (의심 때문에) 사람의 움직임과 행동을 감시하다[관찰하다]. ③ (의무를 다하기 위해) 특별한 주의를 기울이면서 노력하다, 엄중한 주의를 기울이다. ④ (질투심으로) 연인의 관심에 마음을 쓰다. ⑤ [고어] =**recelar.**
celar[2] *tr.* =encubrir: ~ *su* secreto 비밀을 감추다. ~**se** 숨다.
celar[3] *tr.* ① (금속이나 나무에) 조각하다. ② (어떤 형태를 만들고 조각하기 위해 쇠·돌·나무를) 끌로 자르다.
celda *f.* ① 감방. ② (학교 등의 기숙사의) 독방. ③ 승방(僧房). ④ (벌집의) 꿀집(celdilla).
celdilla *f.* ① (벌집의) 꿀집. ② =**nicho.** ③ =**célula.** ④ [식물] (과실의) 씨방.
celebérrimo, ma *adj.* 매우 유명한.
celebración *f.* ① (행사 등의) 개최, 거행. ② 갈채, 칭찬. ③ *pl.* 축하[기념] 행사.
celebrado, da *adj.* =**célebre.**
celebrador, ra *adj.* 칭찬하는, 갈채를 보내는. —*mf.* [고어] 자담으로 축제를 열게 하는 사람.
celebrante *adj.* 축하[기념]하는. —*m.* 미사를 보는 신부(cura ~).
celebrar *tr.* ① 축하하다, 기리다, 기념하다: ~ el cumpleaños 생일을 축하하다. ② 칭찬하다, 추켜 세우다, 박수 갈채를 보내다. ③ (식·미사를) 거행하다, 올리다. ④ (회의·선거 등을) 개최하다, 행하다, 열다. ⑤ 기쁘다. ⑥ (협정 등에) 서명하다. ⑦ =**reverenciar.** —*intr.* ① 미사를 행하다. ② (회의·회견 등이) 열리다, 개최되다. ~**se** (식이) 개최되다, 열리다, 거행되다.
célebre *adj.* ① 유명한, 이름난, 명성이 자자한: hacerse ~ 유명하게 되다. ② 유쾌한, 기지에 넘치는. ③ *Amér.* (여성이) 애교가 있는.
celebridad *f.* ① 명성, 유명(함). ② 성대함, 향연. ③ 명사(名士), 유명지인(有名之人), 저명인사.
celemín *m.* ① 셀레민 ((곡물의 분량: 4.625리터)). ② 셀레민 ((옛날의 농지 면적의 단위: 약 537 평방 미터)). ③ 1 셀레민의 곡식.
celentéreos *m.pl.* [동물] 강장 동물문.
celeque *adj.* ① *CRica., Hond., Nic., Salv.* (과실이) 연한, 무른. ② *Hond.* (사람·동물이) 갓난, 갓 태어난. ③ *Hond.* 잘 울고 버릇이 없는.
celeridad *f.* 날쌤, 민첩함, 기민함, 신속함: con toda ~ 신속히, 날쌔게, 빨리.
celesta *f.* [악기] 첼레스타 ((종소리 같은 소리를 내는 피아노 비슷한 악기)).
celeste *adj.* 하늘의. —*m.* 하늘색.
celestial *adj.* ① 하늘의; 천국의. ② 완전한, 더할 나위 없는, 지상(至上)의. ③ 우둔한, 멍청한, 어리석은.
celestina[1] *f.* =alcahueta.
celestina[2] *f.* ① [광물] 천청석(天青石). ② [새] 셀레스띠나 ((아르헨띠나 뚜꾸만의 몸이 노랗고 깃이 녹색과 푸르스름한 색깔을 띤 아름다운 새)).
celestinaje *m.* 결혼 상대의 소개; 중개.
celestino, na *adj.* ① 1251년 셀레스티노 5세가 설립한 교단의 승려의. ② 셀레스티노 5세가 설립한 교단의.
celiaco, ca *adj.* =**celíaco.**
celíaco, ca *adj.* [해부] 복강(腹腔)의.
celibato *m.* ① (특히 종교상의 이유에 의한) 독신, 미혼. ② 독신남.
célibe *adj.* 독신의, 미혼의. —*mf.* 독신자, 독신주의자.
celícola *m.* 천국에 사는 사람들.
celidonia *f.* [식물] 애기똥풀.
celinda *f.* =**jeringuilla.**
celindo *m.* =**celinda.**
celista *mf.* =**violoncelista.**
cellisca *f.* 진눈깨비가 섞인 폭풍우.
cellisquear *intr.* 진눈깨비가 내리다.
cello[1] *m. Esp* [상표] 셀로테이프(cinta de ~) ((셀로판으로 만든 접착용 테이프)).
cello[2] *m.* (술통 등에 두르는) 테(aro).
celo[1] *m.* ① 열심, 열의, 헌신: trabajar con ~ 열심히 일하다. ② (동물의) 발정(發情); 발정기: estar en ~ 발정기에 있다. ③ 질투(심), 안달복달함. ④ (애인에 대한) 의심, 불안.
celo[2] *m. Esp* 셀로 테이프.
celofán *m.* 셀로판, 유리 종이.
celoma *m.* [동물] 체강(體腔).
celomado, da *adj.* 체강의.
celosía *f.* ① (그물) 격자창. ② 격자. ③ =**celotipia.**
celosamente *adv.* 열심히, 기를 쓰고.
celoso, sa *adj.* ① 질투하는, 질투심이 강한. ② =**receloso.** ③ 발화하기 쉬운. ④ 폭발하기 쉬운.
celotipia *f.* 질투의 불길[정념].
celta *adj., mf.* 켈트 사람(의); (인종적으로) 켈트족의. —*m.* 켈트 말. —*m.pl.* 켈트족.
celtibérico, ca *adj.* =**celtíbero.**
celtibero, ra *adj., mf.* =**celtíbero.**
celtíbero, ra *adj., mf.* ① 켈트-이베리아(Celtiberia, 기원전 5세기경에 스페인 북부에 거주했던 제 부족) 사람(의). ② 켈트-이베로계의. ③ 스페인적인, 스페인 특유의.
céltico, ca *adj.* 켈트 사람의.
celtismo *m.* 켈트적 어법, 켈트적 습관[기질].
celtista *mf.* 켈트어 학자.
célula *f.* ① [생물] 세포: ~ grasa 지방 세포. ~ nerviosa 신경 세포. ② 작은 (감)방. ③ [의학] 강(腔), 봉와(蜂窩). ④ 관(管), 전지: ~ solar 태양 전지.
celulado, da *adj.* 세포 조직의, 세포 같은.

celular *adj.* ① 세포의. ② 독방(獨房)의. —*m.* 손전화, 핸드폰, 휴대 전화(teléfono móvil). ¶*teléfono* ~ *Amér.* 휴대 전화, 휴대폰, 손전화.

celulitis *f.sing.pl.* [의학] 봉소염.

celuloide *m.* ① 셀룰로이드. ② 영화(cine). ③ 영화 산업. ④ 영화계.

celulosa *f.* [화학] 셀룰로오스, 식물 섬유소.

cementación *f.* ① [금속] 침탄(浸炭). ② [화학] 치환법(置換法).

cementar *tr.* 침탄 처리하다.

cementerio *m.* ① 묘지, 공동 묘지. ② 산업 폐기물이나 고장난 기계를 쌓아 두는 곳.

cementero, ra *adj.* 시멘트의.

cementita *f.* [화학] 시멘타이트, 탄화철.

cemento *m.* ① 시멘트. ② [해부] (이의) 시멘트질(質). ③ *AmérM.* 접착제. ¶*tener cara de* ~ *armado* 철면피하다, 낯가죽이 두껍다.

cementoso, sa *adj.* 시멘트 같은.

cena[1] *f.* ① 저녁밥: tomar la ~ 저녁밥을 먹다. ② 저녁밥을 먹은 일. ③ 저녁밥을 먹기 위한 사람들의 모임. ④ 만찬: la *Cena* (그리스도의) 최후의 만찬. ¶*última* ~ 최후의 만찬, 예수님의 제자들과의 만찬. ***Más mató la*** ~ ***que sanó Avicena*** (속담) 저녁밥을 많이 먹는 것은 건강에 무척 해롭다.

cena[2] *f.* =**escena.**

Cena[3] **(la)** *f.* [미술] (그리스도의) 최후의 만찬 ((레오나르도 다 빈치의 작)).

cenacho *m.* (고기·생선·야채·과실용의) 알파풀로 만든 바구니.

cenáculo *m.* ① 예수님이 최후의 만찬을 들었던 방. ② 동호회.

cenadero *m.* ① 저녁밥을 먹는 곳. ② =**cenador.**

cenador, ra *adj.* 저녁밥을 먹는, 저녁 식탁에 앉은. —*m.* 정원의 둥그렇게 나무 울타리를 둘러쳐 놓은 곳.

cenagal *m.* ① 진창, 수렁, 수렁길, 진창길. ② 해결하기 어려운 일, 난관, 어려움.

cenagoso, sa *adj.* 질퍽질퍽한.

cenar[1] *m.* =**cena**[1].

cenar[2] *intr., tr.* ① 저녁밥을 먹다. ② 저녁밥으로 …을 먹다.

cenata *f. Col.* 친구들 간에 먹는 푸짐하고 즐거운 저녁밥.

cenceño, ña *adj.* (사람·동식물이) 여윈, 바짝 마른(delgado, enjuto).

cencerrada *f.* (스페인에서) 재혼자의 첫날 밤을 놀려 주느라 방울과 나팔을 불어대는 일.

cencerrear *intr.* ① 방울을 미친 듯이 울려대다. ② 엉뚱한 가락으로 기타를 켜다. ③ (수레·창문·기계 등이) 삐걱거리는 소리를 내다.

cenerro *m.* (가축의 목에 단) 방울.

cendal *m.* ① 매우 얇은 비단 천. ② 승려복. ③ (새의) 털의 털. ④ 아라비아인의 긴 군선(軍船). ⑤ *pl.* 잉크병 바닥에 넣은 솜.

cenefa *f.* ① (손수건·커튼 등의) 갓단 두르기. ② 갓단의 무늬. ③ (옆으로 치는) 차일.

cenestesia *f.* [생리] 체감, 일반 감각.

cenestésico, ca *adj.* 체감의, 일반 감각의.

cenetista *adj.* 국민 노동 연합(CNT)의. —*m.f.* 국민 노동 연합 조합원.

cenicero *m.* ① 재떨이. ② (난로 등의) 재받이. ③ 재를 모으거나 버리는 곳.

cenicienta *f.* 천덕꾸러기, 의붓자식 취급을 받는 사람.

Cenicienta *f.* 신데렐라 ((프랑스의 Perrault의 동화 주인공 및 제목)).

ceniciento, ta *adj.* 회색(灰色)의.

cenit *m.* [주로 *pl.*] ① 천정(天頂). ② 정점, 절정.

cénit *m.* =**cenit.**

cenital *adj.* cenit의. ¶*luz* ~ 천창(天窓)에서 비추는 빛; 차내등(車內燈).

ceniza *f.* ① 재: ~ de cigarrillo 담뱃재. ~ volcánica 화산재. convertir en [reducir a] ~*s* 잿더미로 만들다, 수포로 돌아가게 하다. convertirse en ~*s*, reducirse a ~*s* 잿더미가 되다, 수포로 돌아가다, 황폐하다. ② [주로 *pl.*] 유해(遺骸), 유골. ③ 회색(灰色). ④ =**oídio.**

cenizal *m.* ① =**cenicero** ③. ② *Bol.* 쓰레기 버리는 곳(muladar).

cenizo, za *adj.* 회색의. —*m.* ① [식물] 명아주. ② =**oídio.** ③ =**aguafiestas.** ④ 악운(惡運).

cenizoso, sa *adj.* ① 재가 있는. ② 재를 뒤집어 쓴. ③ 잿빛의.

cenobio *m.* 수도원(monasterio).

cenobita *m.f.* 수도자.

cenotafio *m.* 위령비, 위령탑(慰靈塔).

cenote *m. Amér., Méj.* (천연의) 지하 저수지, 우물.

cenozoico, ca *adj., m.* [지질] 신생대(新生代)(의).

censal *adj.* 국세 조사의.

censar *tr., intr.* (인구를) 조사하다.

censatario, ria *m.f.* 연공 상납자.

censo *m.* ① 국세 조사: ~ de población 인구 조사. hacer [levantar] un ~ 국세 조사를 하다. ② 유권자 명부. ③ [집합] 선거민. ④ 지대(地代). ⑤ (고대 로마의) 인두세(人頭稅).

censor, ra *m.f.* ① 검열관. ② (문학·예술의) 평론가. ③ 남의 흠을 들추어 내는 사람. —*m.* (고대 로마의) 감찰관. ¶~ *de cuentas* 회계 검사관. ~ *jurado de cuentas* 공인 회계사.

censorino, na *adj.* =**censorio.**

censorio, ria *adj.* ① censor의. ② censura의.

censual *adj.* =**censal.**

censualista *m.f.* 지대(地代)[연공(年貢)] 징수자.

censura *f.* ① 검열, 검열부, 검열계, 검열 기관. ② 비난, 혹평; 불신임, 견책.

censurable *adj.* 비난할 만한.

censurador, ra *adj.* 검열하는; 비난하

는. —*mf.* 검열자; 비난자, 비평자, 혹평자.
censurar *tr.* ① 검열하다. ② (검열에 의해) 금지[삭제]하다. ③ 비난하다; 견책하다.
cent. (유로화의) céntimo.
centalla *f.* =chispa.
centaura *f.* [식물] 도깨비부채.
centauro *m.* 반인 반마(半馬)의 괴물.
centavo, va *adj.* 100분의 1의. —*m.* ① 100분의 1. ② [중남미 많은 나라의 화폐 단위] 센따보 ((peso의 100분의 1)): estar sin un ~ 일전도 가지고 있지 않다.
cente- *pref.* 「백」의 뜻: *cente*nario 백년제(百年祭).
centella *f.* ① 번갯불. ② 불꽃, 불똥, 스파크. ③ 매우 빠른 사람[물건]: pasar como una ~ 번개처럼 지나가다. ④ *Ar.* (곡식이 여물기 전에 말리는) 밀의 병(病). ⑤ *Sal.* (낮고 습한 초원에서 자라는) 독초. ⑥ *Chile.* [식물] 미나리아제비. ⑦ 원한, 앙심.
centelleante *adj.* 번쩍번쩍 빛나는.
centelleo *m.* 번쩍번쩍 빛남.
centellear *intr.* 번쩍이다, 불꽃이 튀다.
centena *f.* [집합] 100 단위(로 묶은 것), 약 100: una ~ de libros 약 100 권의 책. unas ~*s* de libros 수백 권의 책. dos ~*s* de personas 200인.
centenada *f.* 약 100. ¶***a ~s*** 많이, 무수히.
centenal *m.* 라이보리밭.
centenar[1] *m.* ① 100 단위(로 묶은 것): (varios) ~*es* de personas 수백 사람. ② [주로 *pl.*] 다수: ~*es* de veces 여러 번. ¶***a ~es*** 무수히, 많이.
centenar[2] *m.* =centenal.
centenario, ria *adj.* ① 100의, 100씩의. ② 100살쯤의. —*m.* ① 100년간. ② 100주년제. ③ (유명한 사람이나 사건의 사망·탄생의) 100주년 날 [100년을 기념하는 날]. —*mf.* 100세 노인.
centeno *m.* [식물] 호밀, 라이보리.
centeno, na *adj.* 백 번째의.
centesimal *m.* 100분의1의.
centésimo, ma *adj.* 100번째의; 100분의 1의. —*m.* ① 100분의 1. ② 센떼시모 ((아메리카의 일부 국가의 화폐 단위))
centi- *pref.* 「백·백분의 일」의 뜻: *centí*metro 센티미터.
centiárea *f.* [면적의 단위] 센티 아르.
centígrado, da *adj.* 섭씨의.
centigramo *m.* [중량의 단위] 센티그램.
centilitro *m.* [용량의 단위] 센티리터.
centímetro *m.* [길이의 단위] 센티미터.
céntimo *m.* 센띠모 ((스페인의 전 화폐 단위; 100분의 1 peseta)): no tener un ~ 일전도 없다.
céntimo, ma *adj.* 100분의 1의.
centinela *m.* 보초, 보초병, 초병(哨兵), 위병(衛兵), 파수병. —*mf.* 파수꾼.
centinodia *f.* [식물] 마디풀.
Cento centenario 백년제.
centola *f.* =centollo.
centolla *f.* =centollo.
centollo *m.* [동물] 털게.
centón *m.* ① 여러 색깔의 천으로 만든 모포. ② (옛날의) 군대 기계를 덮었던 투박한 모포. ③ 남의 글을 전부 혹은 거의 대부분을 표절한 문학 작품.
centonar *tr.* ① 닥치는 대로 쌓다. ② 남의 작품으로 짜깁기하여 문학 작품을 쓰다.
centrado, da *adj.* ① 중심으로 한, 바른 위치의. ② 익숙해진.
central *adj.* ① 중심의, 중앙의, 중추의: parte ~ 중심부, 중앙부. gobierno ~ 중앙 정부. ② 주(主), 주요한: estación ~ 주요 역. oficina ~ 메인 오피스. —*f.* ① 본부, 본사: ~ de correos 중앙 우체국. ② 발전소. ③ 전화국, 교환대. ④ *Nic., PRico., RDom., Ven.* = ingenio de azúcar. —*m.* [축구] 센터 포워드.
centralismo *m.* 중앙 집권제(주의).
centralista *adj.* 중앙 집권의.
centralita *f.* 전화 교환기, 교환대.
centralización *f.* 집중화; 중앙 집권화.
centralizador, ra *adj.* 중앙에 모으는; 중앙 집권의.
centralizar (9) *tr.* 중앙에 모으다; 중앙 집권화하다.
centrar *tr.* ① 중심에 두다; 알맞은 위치에 두다; …에 집중시키다. ② (주의·관심 등을) 끌다. ③ [운동] 센터링하다, 센터 킥하다. ~**se** ① (새로운 환경에) 익숙해지다. ② (과제 등에) 집중하다.
céntrico, ca *adj.* 중심의, 중심에 있는: barrio ~ 중심가. punto ~ 중심점.
centrífuga *f.* ☞centrífugo.
centrifugación *f.* 원심 분리.
centrifugado *m.* ① 탈수(脫水). ② 원심 분리.
centrifugador, ra *adj.* =centrífugo. —*f.* ① 원심 분리기. ② (세탁기의) 탈수기.
centrifugar (9) *tr.* 탈수기에 걸다, 원심 분리기에 걸다.
centrífugo, ga *adj.* 원심의, 원심력에 의한: fuerza ~*ga* 원심력. —*f.* 원심 분리기(centrifugadora).
centrípeto, ta *adj.* 구심(求心)의, 구심력에 의한: fuerza ~*ga* 구심력.
centrismo *m.* 중도주의, 중도 정치.
centrista *adj.* 중도파의: partido ~ 중도 정당. —*mf.* 중도파 (사람).
centro *m.* ① ㉮ 중심, 중앙, 가운데, 복판: ~ de un círculo 원의 중심. ㉯ (화제·활동의) 중심, 대상, 대상물: ~ de interés 흥미의 중심, 관심의 대상(물). ~ guerrillero 게릴라 부대. ② 중심지, 도시: ~ de comunicaciones 교통의 중심지[요충]. ~ industrial 공업 도시. ~ turístico 관광 도시. ③ (도시의) 중심부, 도심부, 도심지. ④ (중심적인) 기관, 본부, 센터; 종합 시

설: ~ cultural 문화 센터. ⑤ [정치] 중도파. ⑥ [축구] 센터링. ⑦ *Hond.* =chaleco. —*mf.* [운동] 센터.
centroafricano, na *adj., mf.* 중앙아프리카의 (사람).
Centroamérica *f.* [지명] 중앙아메리카.
centroamericano, ca *adj., mf.* 중앙아메리카의 (사람).
centroasiático, ca *adj., mf.* 중앙 아시아(el Asia central)의 (사람).
centrobárico, ca *adj.* [물리] 중심의.
centrocampismo *m.* [축구] 미드필드방어 작전.
centrocampista *mf.* [운동] 미드필더.
centroderechista *adj.* 중도 우파[우익]의. —*mf.* 중도 우파.
centroeuropeo, a *adj., mf.* 중앙 유럽의 (사람).
centroizquierdista *adj.* 중도 좌파[좌익]의. —*mf.* 중도 좌파.
centromexicano, na *adj.* 멕시코 중부의. —*mf.* 멕시코 중부 사람.
centrosfera *f.* ① [지질] (지구의) 중심부. ② [생물] (세포의) 중심구(中心球).
centrosoma *m.* [생물] 중심체(中心體).
centroterapia *f.* 중추 요법(中樞療法).
centuplicar *tr.* 100배로 하다.
céntuplo, pla *adj., m.* 100배(의).
centuria *f.* ① [문어] 1세기, 100년. ② (옛 로마의) 백인대(百人隊).
centurión *m.* (옛 로마의) 100인 대장.
centurionazgo *m.* centurión의 직.
ceñido, da *adj.* ① 검소한, 검약한, 절약하는. ② (옷의) 통이 좁은, 착 달라붙는. ③ 배 마디가 잘룩한 (곤충).
ceñidor *m.* 허리띠, 벨트, 끈, 줄.
ceñir (49) *tr* ① [+con · de] (신체 등에 …을) 동여매다, 칭칭 둘러 감다[동이다]. ② 죄다, 졸라매다, 조르다. ③ 둘러싸다, 에워싸다, 포위하다. ④ (칼 따위를) 차다. ⑤ 간추리다, 요약하다. ⑥ (배가) 맞바람을 받으며 가다. ~**se** ① [+a] (…에) 한정하다, 자제하다. ② (칼 등을) 몸에 차다. ③ (옷 등이) 착 들러붙다.
ceño *m.* ① 찡그린 얼굴, 우거지상. ② (수상한) 날씨. ③ (통 등의) 테.
ceñudo, da *adj.* 얼굴을 찡그린[찌푸린], 인상을 쓴.
CEP *m.* Comité Ejecutivo Permanente de la Asociación Latinoamericana de Libre Comercio 라틴 아메리카 자유무역 연합 상설 집행 이사회.
cepa *f.* ① (식물, 특히 포도의) 그루터기, 뿌리밑. ② (식물의) 한 그루. ③ (꼬리나 뿔 등의) 밑동. ④ 줄기. ⑤ 가문, 문벌, 혈통, 핏줄. ¶*de buena* ~ 상질(上質)의, 질이 상등(上等)인. *de pura* ~ 순, 순수한.
CEPAL *f.* Comisión Económica para América Latina 라틴 아메리카 경제위원회.
CEPE *f.* Corporación Estatal Petrolera Ecuatoriana 에꾸아도르 국영석유공사.
cepellón *m.* 뿌리흙.
cepillada *f.* ① *Arg., Hond., Urug.* = amonestación. ② *Ecuad.* =cepilladura.
cepillado *m.* ① 솔질. ② 대패질.
cepilladura *f.* ① 솔질. ② 빗질에서 생긴 부스러기.
cepillar *tr.* ① …에 솔질을 하다: ~ el traje 옷에 솔질을 하다. ② 대패로 밀다. ③ 솔로 머리를 빗다. ④ *Amér.* 아첨하다, 아부하다, 알랑거리다. ⑤ …에게서 돈을 빼앗다. ~**se** ① 자신의 …에 솔질하다: ~*se* el cabello 머리카락을 솔로 빗다. ② (일 등이) 대충 정돈되다. ③ (돈을) 즉시 다 써버리다. ④ 죽이다. ⑤ 낙제점을 받다, 낙제하다. ⑥ [속어] …와 성관계를 맺다.
cepillo *m.* ① 솔, 브러시: ~ dental 칫솔. ~ para el pelo 머릿솔, 헤어 브러시. ~ para [de] la ropa 양복 솔. ② 대패. ③ 헌금함, 모금함.
cepo *m.* ① (동물을 잡는) 올가미, 덫, 올무. ② (목재의) 족쇄, 항쇄(項鎖), 수갑: estar con las manos en el ~ 손에 수갑을 채우다.
ceporro *m.* (땔감용) 그루터기.
ceporro, rra *adj.* 둔한, 멍청한, 바보스런. —*mf.* 둔하고 무식한 사람.
CEPSA *f.* Compañía Española de Petróleos, Sociedad Anónima 스페인 석유 회사.
cequí *m.* (유럽의 여러 나라에서, 특히 베네치아에서 주조된) 옛날의 금화.
cera *f.* ① 납, 왁스: ~ aleda, ~ de abejas 밀랍. ② [집합] 초, 양초. ③ 귓밥. ④ [미술] 크레용.
cerámica *f.* ① [때때로 집합] 도기(陶器), 세라믹스. ② 도예(陶藝).
cerámico, ca *adj.* 도기의, 도제의.
ceramista *mf.* 도공, 도예가(陶藝家).
cerasta *f.* [동물] 뿔뱀.
cerastes *m.* =**cerasta.**
cerbatana *f.* ① 입으로 부는 화살. ② (귀머거리용) 보청기. ③ (옛날의) 긴 소구경 대포. ④ *Ven.* =**santateresa.**
cerca[1] *f.* 담장, 울타리, 담. —*m.pl.* (그림의) 전경(前景).
cerca[2] *adv.* [공간적이나 시간적으로] ① 가까이. ② [+de] ㉮ (…에서) 가까이: La playa está muy ~ *de* mi casa 해변은 나의 집에서 아주 가깝다. Estamos ~ *de* las vacaciones 우리는 휴가가 가까워졌다. ㉯ [수량을 넘지 않고] 대강, 대략, 대개, … 가까이: Son ~ *de* las cuatro 두 시 조금 전이다, 두 시가 가깝다. ③ [+de] …과의 사이에. ④ [+de] (대사 등이) … 주재(駐在)의. ¶*de* ~ 가까이에서: ver un Goya *de* ~ 고야의 그림을 가까이서 보다.
cercado *m.* ① 울타리를 친 땅[장소] ((과수원 · 목장 등)). ② 담장, 나무 울타리, 우리. ③ *Perú.* 수도나 주와 도시들의 영토 분할.
cercanía *f.* ① 가까운 것, 근접. ② 부근, 교외, 근교.

cercano, na *adj.* 가까운, 가까이 있는, 근처의, 부근의.

cercar (7) *tr.* ① 담장[울타리·토담]을 둘러치다. ② 포위하다. ③ 에워싸다, 둘러싸다. ④ [고어] =**acercar(se).**

cercen *adv.* =a **cercén.**

cercén *a* ~ 완전히, 몽땅, 고스란히, 뿌리채.

cercenadura *f.* ① 잘라내기. ② 잘라진 부분. ③ 삭감.

cercenamiento *m.* =cercenadura.

cercenar *tr.* ① …의 끝을 자르다, 짧게 자르다. ② (권한·비용 등을) 줄이다, 감하다, 축소하다, 삭감하다.

cércene *adv. Sal.* =a **cercén.** ¶*a* ~ *Sal.* =a **cercén.**

cerceta[1] *f.* [새] 홍머리오리.

cerceta[2] ① [고어] =**coleta.** ② *pl.* (사슴의) 어린 뿔.

cercha *f.* ① [건축] 굽자. ② 원형을 만드는 둥근 모양의 재목. ③ [건축] =**cimbra.**

cerchar *tr.* [농업] 포도나무를 꺾꽂이하다(acodar las vides).

cerchón *m.* [건축] =**cimbra.**

cerciorar *tr.* …의 진실[사실]을 보증하다. ~**se** [+de] (…을) 확인하다, 확실히 하다.

cerco *m.* ① 두르는[에워싸는] 것. ② (통·바퀴 등의) 테, 틀. ③ =**cerca, vallado.** ④ [군사] (전투를 하기 위해 광장이나 도시를 에워싸는) 포위. ⑤ =**corrillo.** ⑥ 선회(旋回). ⑦ 주술사들이 땅에 그린 그림. ⑧ (갈리시아 연안에서) 정어리를 잡기 위해 폭 이삼십 미터 길이 1300에서 1500미터 짜리 어망으로 하는 포위 기술. ⑨ =**halo.** ⑩ (물건의) 테. ⑪ *Hond.* =**seto vivo.**

cercopiteco *m.* [동물] 긴꼬리원숭이.

cerda *f.* ① (말의 꼬리와 목에 있는) 굵고 긴 빳빳한 털. ② (멧돼지·돼지 등의) 짧지만 빳빳한 털. ③ (동물이나 인공의 솔이나 붓의) 털. ④ 암퇘지. ⑤ (돼지의 목 양쪽에 생기는) 탄저병 종기. ⑥ (메추리 사냥용) 빳빳한 털로 만든 덫. ⑦ 수확한 곡물. ⑧ 빗지 않은 아마(亞麻)의 작은 다발. ⑨ 추접스런[더러운] 여자. ⑩ 촌스런 여자. ⑪ 천박한 여자. —*adj.* ① 더러운, 추접스런 (여자). ② 촌스런 (여자). ③ 천박한 (여자). ☞ **cerdo, da.**

cerdada *f.* =**guarrada.**

cerdamen *m.* (솔 등을 만들기 위해) 묶어진 (빳빳한) 털 다발.

cerdear[1] *intr.* ① (투우가 심하게 다쳤을 때처럼) 다리를 비틀거리다. ② (말이 병에 걸릴 때처럼) 다리를 비틀거리다. ③ (도구·기구의 줄이) 심하게 소리가 나다, 듣기 싫은 소리를 내다. ④ (기계가) 잘 움직이지 않다. ⑤ 일을 게을리하다[사보타주하다], …하는 것을 거부하다.

cerdear[2] *tr.* 말의 갈기와 털 등을 솎다[자르다].

cerdo *m.* ① [동물] 돼지. ② 돼지고기, 돈육(豚肉). ③ 더러운 [지저분한] 남자. ④ 촌스런 남자. ⑤ 천박한 남자. —*adj.* ① 더러운, 추접스런, 지저분한 (남자). ② 촌스런 (남자). ③ 천박한 (남자). ¶*como un* ~ 너무나도, 과도하게, 지나치게: sangrar [sudar·comer] *como un* ~ 너무 피를 흘리다 [땀을 흘리다·먹다].

cereal *adj.* 곡물의, 곡류의, 곡식의; 오곡의 여신 Ceres의. —*m.* ① [주로 *pl.*] 곡물, 곡류; 곡초: mercado de ~*es* 곡물 시장. ② *pl.* (일종의) 오곡밥.

cerealista *adj.* =**cerealícola.**

cerealícola *adj.* 곡물 생산[거래]의.

cerebelo *m.* [해부] 소뇌(小腦).

cerebral *adj.* ① 뇌의; 대뇌의: anemia ~ 뇌빈혈. ② 지적인, 이지적인, 두뇌적인. ③ [음성·음운학] =**cacuminal.**

cerebro *m.* ① 뇌(腦). ② [해부] 대뇌. ③ 두뇌, 지력(知力), 분별력, 판단력, 재능. ④ 지적 지도자, 브레인. ⑤ 머리가 좋은 사람. ¶***torturarse el*** ~ 지혜를 짜다.

cerebroespinal *adj.* [해부] 뇌수(腦髓)의: meningitis ~ 뇌수막염.

cerebromenigitis *f.* [의학] 뇌수막염.

ceremonia *f.* ① 식, 의식, 식전: ~ del matrimonio 결혼식. celebrar una ~ 식을 거행하다. ② (과도한) 예의, 의례: con ~(*s*) 공손히, 정중히. sin ~*s* 거드름피우지 않고. ③ 화사함. ¶***maestro de ~s*** 의전실장, 의전장(儀典長). ***traje de*** ~ 예복. **de** ~ 격식을 차려, 의식으로서(의). ***por*** ~ 예의 바르게, 의례적으로, 격식으로.

ceremonial *adj.* 의식(용)의, 식전(용)의. —*m.* 예의 범절, 의전: observar el ~ 예의 범절을 지키다.

ceremonialmente *adv.* 예의 바르게.

ceremoniáticamente *adv.* 예의 바르게, 격식을 차려.

ceremoniático, ca *adj.* =ceremonioso.

ceremonioso, sa *adj.* 매우 예의바른, 예의 범절에 까다로운.

céreo, a *adj.* 납(蠟)(cera)의.

cerería *f.* 납 제품점[공장].

cerero, ra *mf.* 납 제품상, 납 세공사.

Ceres *m.* [천문] 케레스 ((제일 소혹성)). —*f.* [로마 신화] 케레스 ((오곡의 여신; 희랍 신화의 Deméter)).

cereza *f.* ① [과실] 버찌. ② 암홍색. ③ 선홍색. ④ *AmérC., Col., Cuba, PRico.* 커피콩의 껍질. ⑤ (맛은 매우 다르지만 모양과 색깔에서) 유럽의 버찌와 비슷한 버찌. ¶~ ***mollar*** 버찌. ~ ***póntica*** 앵두. ***rojo*** ~ 선홍색(의).

cerezal *m.* ① 앵두나무밭. ② *Ast., Sal.* [식물] 앵두나무(cerezo).

cerezo *m.* ① [식물] 앵두나무. ② 벗나무. ③ 앵두나무[벗나무] 목재.

cerilla *f.* ① 성냥: una caja de ~*s* 성냥 한 갑. ② 매우 가늘고 긴 납초. ③ (여성이 화장용으로 사용했던 여러 가지 다른 재료와 섞인) 초 퍼티. ④ 귓밥(cera de los oídos).

cerillero, ra *mf.* 성냥팔이, 담배팔이. —*m.* 성냥통. —*f.* 성냥통.

cerillo *m.* ① 납초. ② *And., Méj.* 성냥. ③ *Cuba.* 납나무.

cerina *f.* ① 코르크나무에서 추출한 납의 일종. ② [지질] 세륨 규산염. ③ 백납에서 얻은 물질.

cerio *m.* [화학] 세륨.

cermeña *f.* [과실] cermeño의 열매.

cermeño *m.* ① 배나무의 일종. ② 거친[우락부락한] 남자.

cerne *m.* (나무의) 심(芯), 심재(心材).

cerner (20) *tr.* ① (가루 등을) 체로 치다. ② 망보다. ③ 곰곰히 생각하다. —*intr.* ① (비가) 가늘게 내리다. ② (포도나무 · 올리브나무 등이) 꽃가루를 떨어뜨리다. ~**se** ① 궁둥이를 흔들며 걷다. ② (새가 공중에서) 선회하다. ③ (안개 등이) 끼다. ④ (위협 · 불행이) 닥치다.

cernido *m.* 체로 치기.

cernícalo *m.* ① [새] 황조롱이. ② 무식하고 거친 사람.

cernir (21) *tr.* ① =cerner. ② *Ecuad.* 땅을 등기하기 위해 답사하다.

cero *m.* ① 영, 제로: ~ absoluto 절대 0도. La temperatura es de veinte grados bajo ~ 기온은 영하 20도다. ② 영점(零點). ¶*tener ~ faltas* 조금도 실패가 없다.

cerote *m.* ① (제화용의 실에 바르는) 왁스. ② 공포(恐怖).

cerquita *adv.* 아주 가까이.

cerrado, da *adj.* ① 닫혀진, 폐쇄된: carretera *~da* 폐쇄된 도로. La puerta está *~da* 문이 닫혀 있다. ② 폐쇄적인, 배타적인, 완고한: sociedad *~da* 폐쇄적인 사회. ③ (날씨가) 흐린: cielo ~ 흐린 하늘. ④ 빽빽한, 짙은. ⑤ (사투리가) 심한. ⑥ 바보 같은, 멍청한, 우둔한. ⑦ 입이 무거운, 말수가 적은, 조용한. ⑧ [언어] 폐구음(閉口音)의, (문법상의) 구조가 막힌. ⑨ [음성] 자음으로 끝나는. ⑩ [게시] 휴업의, 마감된: *Cerrado* 폐업, 휴업. —*m.* ① 울타리를 두른 야채밭[과수원]. ② 나무 울타리, 담장. ③ 닫기, 폐쇄.

cerrador, ra *adj.* 닫는. —*mf.* 닫는 사람. —*m.* 닫는 연장.

cerradura *f.* ① 자물쇠: ~ antirrobo 도난 방지 장치. ~ de seguridad 안전 자물쇠. ~ dormida 이중 자물쇠. ② 연결용 금속, 멈춤쇠, 잠금쇠, 물림쇠. ③ 닫기.

cerraja[1] *f.* 자물쇠(cerradura).

cerraja[2] *f.* [식물] 방가지똥.

cerrajería *f.* ① 자물쇠[철물 · 쇠장식물] 제조업[공장]. ② 자물쇠집.

cerrajero, ra *mf.* 자물쇠 장수, 자물쇠집 주인; 쇠장식물 제조 업자.

cerrajón *m.* 높고 가파른 언덕.

cerramiento *m.* ① 닫기, 폐쇄. ② 닫거나 덮기. ③ 출입 금지. ④ 미장이들이 만들어 놓은 칸막이. ⑤ [건축] 상층부 때문에 건물을 폐쇄하는 일.

cerrar (19) *tr.* ① 닫다, 잠그다: ~ la puerta 문을 닫다. ~ la boca 입을 다물다, 말을 하지 않다. ~ *su* abrigo 오바의 단추를 잠그다. ② 폐점하다, 휴업하다: ~ una tienda 가게를[문을] 닫다; 점포를 폐업(閉業)하다. ~ una escuela 휴교하다, 폐교하다. ③ 폐쇄하다. ④ 둘러싸다, 에워싸다. ⑤ 넣다, 가두다, 감금하다. ⑥ 마치다, 끝마치다, 끝내다, 마감하다, 중지하다, 중단하다. ⑦ (행렬 등의) 맨 끝[최후미]에 있다[가다]. ⑧ (협정 등을) 맺다, 체결하다. ⑨ 밀집시키다. —*intr.* ① 닫히다, 잠기다: La puerta [La ventana] no *cierra* bien 문[창문]이 잘 닫히지 않는다. ② 주위에 있다. ③ [+con] (…을) 습격하다. ④ [+contra] (…을) 공격하다. ⑤ 밤이 되다. ⑥ (말이) 이가 완전히 나오다. ~**se** ① 닫히다, 잠기다: La puerta *se cerró* por sí sola 문이 저절로 닫혔다. ② (상처가) 아물다. ③ [+a] (…에 대해) 자신을 닫다, (…을) 받아들이지 않다. ④ [+en] (태도 등을) 완강히 지키다. ⑤ (사람의 주위에) 모이다, 집결하다, 밀집하다. ⑥ (하늘이) 흐리다, 검은 구름으로 덮이다. ⑦ 밤이 되다: *Se cerró* la noche 밤이 되었다. ⑧ 꽃이 시들다. ⑨ (사람 · 자동차가) 급커브를 꺾다.

cerrazón[1] *f.* ① 맹추, 어리석음. ② 먹구름. ③ (무식 등으로) 이해력의 불능. ④ =**obstinación, obcecasión.** ⑤ *Arg., Bol., Urg.* (시야를 곤란하게 하는) 짙은 안개(niebla espesa).

cerrazón[2] *f.* ① =**cerrajón.** ② *Col.* 산맥의 돌출부.

cerrejón *m.* 작은 언덕.

cerrica *f. Ast.* =**chochín.**

cerril *adj.* ① 험한, 거친: terreno ~ 험한 땅. ② (노새 · 말 · 소 등이) 길들지 않은. ③ 버릇 없는, 독선적인. ④ =**grosero, tosco, rústico.**

cerrilidad *f.* 버릇 없음, 독선적임; 험함, 거침; 길들이지 않음.

cerrilismo *m.* =**cerrilidad.**

cerro *m.* ① 언덕. ② (동물의) 목, 목덜미. ③ 척추, 척골, 등. ④ (아마 · 삼의) 다발, 묶음.

cerrojazo *m.* 갑작스레[돌연] 빗장을 걸기: cerrar la puerta de un ~ 갑자기 문을 닫다.

cerrojillo *m.* [새] 자고새.

cerrojito *m.* =**cerrojillo.**

cerrojo *m.* ① (문 · 창문의) 빗장, 걸쇠. ② [운동] 빗장 수비[방어].

certamen *m.* (문학 등의) 콩쿠르; 토론회; 논쟁.

certero, ra *adj.* 표적을 벗어나지 않은.

certeza *f.* ① 확실함, 확실성: con certeza 확실히, 틀림없이. ② 확신.

certf°. certificado 증명서.

certidumbre *f.* =**certeza.**

certificación *f.* 증명(서), 보증(서).
certificado, da *adj.* 증명된, 보증된; 등기의: carta *~da* 등기 (편지). paquete ~ 등기 소포. *—m.* ① 증명서, 인가증, 인증서: ~ de estudios 학업 증명서. ~ de garantía (품질) 보증서. ~ de maestros 교사 자격증. ~ de matrícula 재학 증명서. ~ de nacionalidad 국적 증명서. ~ origen 원산지 증명서. ~ de residencia 거주증명서, 주민표. ~ de salud 건강 증명서. ~ médico 건강 진단서. ② 등기 우편물.
certificador, ra *adj.* 보증하는, 증명하는. *—mf.* 보증인; 증명인.
certificar (7) *tr.* ① 증명하다, 보증하다. ② 등기로 하다: ~ una carta 편지를 등기로 하다[보내다].
certificatorio, ria *adj.* 증명하는, 보증하는, 증명이 되는.
certísimo, ma *adj.* 매우 확실한.
certitud *f.* =certeza.
cerúleo, a *adj.* (하늘 · 바다가) 푸른, 감청색의.
cerumen *m.* 귓밥(cera).
cerusa *f.* [화학] 연백(鉛白).
cerusita *f.* [광물] 백연광(白鉛鑛).
cerval *adj.* =**cervuno.**
cervantesco, ca *adj.* =**cervantino.**
cervántico, ca *adj.* =**cervantino.**
cervantino, na *adj.* 세르반떼스(Miguel de Cervantes Saavedra; 1547-1616)의[같은]: estudios *~s* 세르반떼스 연구.
cervantismo *m.* ① 세르반떼스 연구. ② (대중 문학에서) 세르반떼스의 작품의 영향. ③ 세르반떼스의 말투.
cervantista *adj.* 세르반떼스 연구의[작품 연구를 전공한]. *—mf.* 세르반떼스 (의 작품) 연구자: Asociación de *Cervantistas* 세르반떼스 학회.
cervantófilo, la *adj.* ① 세르반떼스에 반한[열심인]. ② 세르반떼스 작품의 출판물 수집을 좋아하는. *—mf.* ① 세르반떼스 신봉자. ② 세르반떼스 작품의 출판물 수집광.
cervatica *f.* =**langostón.**
cervatillo *m.* [동물] 사향노루.
cervato *m.* [동물] (생후 6개월 이하의) 새끼 사슴.
cerveceada *f.* *Ecuad.* 맥주를 많이 마시기.
cervecear *intr.* *Ecuad.*, *Salv.* 맥주를 많이 마시다.
cerveceo *m.* 맥주의 발효.
cervecería *f.* ① 맥주홀, 비어홀. ② 맥주 공장.
cervecero, ra *adj.* ① 맥주의, 맥주를 제조하는. ② 맥주 소비를 좋아하는. *—mf.* ① 맥주 양조자. ② 맥주홀 주인. ③ 맥주 공장 주인.
cerveza *f.* 맥주: ~ de barril 생맥주. ~ estropeada 김빠진 맥주. ~ negra 흑맥주.
cervical *m.* 목덜미의, 경부의. *—f.* [주로 *pl.*] 경부(頸部), 목덜미.
cérvidos *m.pl.* [동물] 사슴과(科).
cerviz *f.* 목덜미, 경부(頸部).
cervuno, na *adj.* 사슴의, 사슴 같은.
cesación *f.* =**cese.**
cesante *adj* (주로 공무원이) 퇴직하는; 실업한. *—mf.* 실업자.
cesantía *f.* ① 퇴직, 휴직. ② 퇴직 [휴직] 수당. ③ 정직(停職). ④ *Cuba.* 고용주에 의한 노동 계약 파기.
cesar *intr.* ① 그치다, 멎다, 끝나다. ② [+en · como] (직을) 그만두다, 퇴직하다; 휴직하다. ③ [+de+*inf.*] (…하는 것을) 그만두다, 중지하다: ~ *de* llorar 울기를 멈추다. ~ *de* trabajar 일(하는 것)을 중지하다. *—tr.* 해직하다. ¶ *sin* ~ 계속해서, 줄곧, 잇달아, 그치지 않고, 쉬지 않고: Llueve *sin* ~ 계속 비가 내리고 있다.
césar *m.* ① (일반적으로) 황제 카이사르(Julio César)처럼 위대한 인물. ② (로마 제국의) 황제.
cesáreo, a *adj.* 황제의. *—f.* [의학] 제왕 절개: practicar una *~a* 제왕 절개를 하다.
cesarismo *m.* 독재 정치.
cesaropapismo *m.* 황제 교황주의.
cese *m.* ① 중지, 중단: ~ de alarma [군사] 경보 해제. ~ de fuego 정전(협정). ~ de pagos 지불 정지. ② 해고 (통지); 퇴직, 휴직. ③ 퇴직 증명서.
cesio *m.* [화학] 세슘.
cesión *f.* ① [법률] 양도(讓渡). ② (영토의) 할양(割讓).
cesionario, ria *mf.* 양수인, 피양도인.
cesionista *mf.* 양도인.
césped *m.* ① 잔디: ~ artificial 인공잔디. ② [운동] (잔디를 심은) 운동장.
céspede *m.* =**césped.**
cesta *f.* ① 바구니, 광주리, 소쿠리. ② [하이 알라이] 장갑 모양의 라켓. ③ [농구] 골(cesto).
cestada *f.* 한 바구니 분.
cestaño *m.* *Rioja.* 버들(가지) 바구니.
cestería *f.* 바구니 세공 (가게).
cesteril *adj.* *Chile.* 농구의[에 관한].
cestero, ra *mf.* 바구니 세공사[제조자].
cesto *m.* ① (크고 깊은) 바구니, 광주리. ② [농구] 골; 득점. ¶ ***Quien hace un ~, hace ciento*** (속담) 바늘 도둑이 소도둑된다.
cesura *f.* (시 · 음악의) 중간 휴지.
ceta *f.* =**zeta.**
cetáceos *m.pl.* 고래목(目).
CETG *m.* Consejo *E*jecutivo del *T*ratado *G*eneral (중미 공동 시장의) 일반 조약 집행 위원회.
cetina *f.* 고래잡이.
cetme *m.* *C*entro de *E*studios *T*écnicos de *M*ateriales *E*speciales (스페인제의) 자동 소총.
cetona *f.* [화학] 케톤.
cetrería *f.* 매 사냥[사육법].
cetrero, ra *mf.* 매 사냥꾼.
cetrino, na *adj.*, *m.* ① 녹황색(의). ② 근엄한, 성미가 까다로운, 신경질적인.

cetro *m.* ① 홀(笏); 왕장(王杖). ② 왕권(王權).
ceugma *f.* [문법] 연속 어법, 연속법.
ceutí *adj., mf.* [*pl.* ~(e)s] 세우따(Ceuta, 북아프리카에 있는 스페인령 항구 도시)의 (사람).
ceviche *m. Amér.* =**cebiche.**
cevichería *f. Ecuad.* ceviche 집.
cevichero, ra *mf. Ecuad.* ceviche를 만드는 사람, ceviche 장수.
cf. confróntese 참조하시오.
Cf. confróntese 참조하시오.
CGT *f* Confederación General de Trabajadores 노동자 총연합.
ch *f.* 체(che) ((1803년부터 스페인어 알파벳의 네 번째 문자로 간주됨; 1992년 왕립 스페인어 한림원에서 c에 편입시키기로 함)).
cha *f. Filip.* =**té.**
chabacanada *f.* =**chabacanería.**
chabacanería *f.* 천박함, 상스러움.
chabacano, na *adj.* 천한, 천박한, 상스러운, 취미가 나쁜.
chabola *f. Esp* ① (주로 집시가 사는) 움집, 움막, 오두막, 허름한 집. ② (주로 농촌의) 작은 집. ③ *pl.* 슬럼가.
chabolismo *m.* (도시 주변의) 슬럼가, 빈민굴.
chabolista *mf.* 빈민굴[슬럼가]의 주민.
chacachaca *m.* (반복해서 움직이는 소리) 딸가닥딸가닥, 잘각잘각.
chacal *m.* [동물] 재규어.
chacalín *m. AmérC.* =**camarón.**
chacana *f. Ecuad.* =**camilla.**
chácara[1] *f. Amér.* =**chacra.**
chácara[2] *m. Col., Ven.* (동전용의) 지갑. —*f. Pan.* (인디오들이 식물 섬유로 만든) 자루, 부대.
chacarera *f.* ☞**chacarero.**
charerería *f.* ① *Chile, Ecuad.* 야채밭 경작. ② *Chile.* 원예.
chacarero, ra *adj.* 밭의, 야채 농사를 짓는. —*mf.* ① chácara[1]의 주인. ② *Amér.* chácara[1]에서 일하는 사람. —*f.* ① 차까레라 ((아르헨띠나의 민속춤)). ② 차까레라의 음악과 가사.
chacha *f. Guat.* [조류] 들닭.
chachá *m. Cuba.* 차차 ((아프리카 기원의 악기)).
chachachá *f.* ① 차차차 ((룸바와 맘보에서 파생된 꾸바 기원의 현대 춤)). ② 차차차의 음악과 리듬.
cháchara *f.* ① 수다, 잡담. ② 경박한 대화, 쓸 데 없는 잡담. ③ *pl.* =**baratijas, cachivaches.**
chacharear *intr.* ① 잡담하다, 말을 많이 하다. ② *Méj.* 별 가치없는 것으로 장사하다[거래하다].
chachi *adj. Esp* 훌륭한, 근사한, 멋진.
chacho *m.* (어떤 상황에서 주저하지 않고 전개시키는) 유능한 사람.
chacho[1]**, cha** *mf.* =**muchacho, cha.** —*m.* (노름의) 판돈. —*f.* ① =**niñera.** ② =**sirvienta.**
chacho[2]**, cha** *adj.* ① *Salv., Hond.* (과실 둘이) 붙어 있는. ② *Hond., Nic.* 쌍둥이의. —*f.pl. Salv., Nic.* 수갑.
chacina *f.* ① 소금에 절여 말린 고기. ② (순대·소시지용) 소금 절임한 돼지 고기. ③ chacina로 만든 소시지[통조림류].
chacinería *f.* chacina 판매 가게.
chacinero, ra *mf.* chacina 제조자[장수].
chacmol *m.* (마야의 조각에서, 무릎을 꿇고 배 위에 항아리를 놓고 기대앉은) 신상(神像), (마야의) 비의 신.
chaco *m.* (옛날, 남미 인디오들이 원을 만들어 좁혀 가면서 했던) 몰이 사냥.
Chaco *m.* [지명] 차꼬 ((세 지역으로 나누어진 볼리비아와 빠라구아이의 분쟁 지역)): guerra del ~ 차꼬 전쟁.
chacó *m* (경기병의) 군모(軍帽).
chacolí *m.* [*pl.* ~(e)s] (빠이스 바스꼬·깐따브리아·칠레에서 만들어진) 알코올 도수가 낮은 약간 신맛이 나는 포도주(vino ligero algo agrio).
chacolotear *intr.* (편자가) 덜컹덜컹 소리를 내다.
chacoloteo *m.* (편자의) 덜컹덜컹거리는 소리.
chacona *f.* ① 차꼬나 ((16-17세기 유럽으로 많이 퍼진 스페인의 춤)). ② chacona 음악. ③ chacona를 위해 쓰인 시작(詩作). ④ chacona를 위해 쓰인 시작에서 영감을 받은 악기의 작곡.
chacota *f.* ① 군말, 용담(冗談), 쓸데없이 하는 말, 잡담. ② 농담, 조롱, 우롱, 모욕.
chacotear *intr.* 비웃다, 조소(嘲笑)하다. ~**se** [+de] (…을) 비웃다, 조롱하다.
chacoteo *m.* 조소(嘲笑).
chacotero, ra *adj., mf.* 군말[잡담]을 좋아하는 (사람).
chacra *f. AmérM.* =**alquería, granja.**
Chad *m.* [국명] 차드.
chadiano, na *adj., mf.* 차드(Chad)의 (사람).
chador *m.* (아라비아 여인들이 얼굴을 가리는) 베일, 차도르.
chafaldete *m.* (돛을 올렸다 내렸다 하는) 돛줄.
chafar *tr.* ① (풀·머리카락 등 부드러운 것을) 눕히다, 쓰러뜨리다. ② (옷을) 구깃구깃하게 하다.
chafarrinada *f.* 얼룩(mancha).
chafarriñón *m.* =**chafarrinada.**
chafirete *m. Méj.* 운전이 난폭한 사람.
chaflán *m.* (건물·십자로 등의) 사단면(斜斷面).
chagolla *f. Méj.* 위폐, 많이 닳은 동전.
chagra *adj. Ecuad.* ① =**inculto.** ② =**provinciano.** ③ 보기 싫은, 촌스러운. —*f.* ① *Col.* =**chacra.** ② *Cuba.* =**chaira.** —*mf.* 에꾸아도르의 시골 사람.
chagual *m.* [식물] 땅두릅 비슷한 파인애플과 식물.
cháguar *m. Amér.* 삼으로 꼰 노끈.
chaira *f.* ① (제화공의) 구두 밑창 절단

용 칼. ② (푸줏간의) 칼 가는 강철 통. ③ (목수용의 가는 칼에 붙은 껄죽껄죽한 것을 떼는) 손잡이 달린 강철 통.
chajá *m. Arg., Bol., Par., Ur.* [새] 해오라기의 일종.
chajuán *m. Col.* =bochorno.
chal *m.* 숄, 어깨걸이.
chala *f.* ① *Arg., Bol., Chile, Perú, Ur.* 옥수수 이삭을 싸는 잎. ② *Chile.* =chalala.
chalado, da *adj., mf.* ① 머리가 둔한 (사람), 정신 나간 (사람). ② 사랑에 눈이 먼 (사람). ¶*los ~s por las motos* 폭주족.
chaladura *f.* ① =extravagancia, locura, manía. ② =enamoramiento.
chalala *f. Chile.* 생가죽 샌들.
chalán, na *adj.* (말이나 다른 동물 등을) 중매하는. —*mf.* 중매상, 브로커, 거간꾼. —*m.* ① *Amér.* 조마사(調馬師). ② *Col.* 훌륭한 기수. ③ *Méj.* (미장이·화가 등의) 조수(ayudante).
chalana *f.* ① 평저선(平底船), 나룻배. ② *Cuba.* 넓고 큰 구두. ③ *Cuba.* 큰 발. ④ *Guat.* 대학생의 불경스런 노래.
chalanear *tr.* ① 능란하게 매매하다. ② *Amér.* (말을) 길들이다.
chalaneo *m.* ① 능란한 매매. ② (말의) 조마(調馬).
chalanería *f.* 말거간꾼의 교활함.
chalar *tr.* ① =enloquecer, alelar. ② =enamorar(se).
chalaza *f.* 알끈, 난대(卵帶).
chalcha *f.* (특히 소의) 턱밑의 혹.
chalchal *m. Arg., Urg.* [식물] 소나무의 일종.
chalé *m. fr.* (한 가족용) 산장식 주택, 정원 딸린 독립 가옥; 별장.
chaleco *m.* ① 조끼. ② (소매가 팔꿈치까지만 이르는) 천연색 천으로 만든 조끼. ③ *And.* 천박하고 매력 없는 여인. —*adj.* 천박하고 매력 없는.
chalequero, ra *mf.* 조끼 제조자.
chalet *m.* [*pl.* ~s] =chalé.
chalina *f.* ① 보헤미안 넥타이. ② *Amér.* 폭이 좁은 숄(chal estrecho).
chalota *f.* =chalote.
chalote *m.* [식물] 골파.
chalupa *f.* ① (돛대 둘 달린) 작은 배. ② =lancha. ③ (멕시코 습지대의) 카누. ④ *Méj.* (위에 양념을 친) 두껍고 작고 달걀 모양의 옥수수 전병(煎餠).
chamaco, ca *mf.* ① *Cuba, Hond., Méj., Salv.* =muchacho, niño. ② *Méj.* =novio.
chamamé *m.* 차마메 ((아르헨띠나 등의 폴카를 기원으로 한 무용·음악)).
chamán *m.* 샤머니즘의 도사(道士), 샤먼; 무당, 마법사.
chamanismo *m.* 샤먼교, 샤머니즘.
chamanístico, ca *adj.* 샤머니즘의.
chamanto *m. Chile.* (농부들이 사용했던 여러 색깔로 된 질이 좋은) 양모 망토.
chamar *tr.* (고물상과 교양이 없는 사람 사이에) 교환하다, 바꾸다.
chámara *f.* =chamarasca.
chamarasca *f.* ① 땔감, 장작. ② 장작불, 화톳불, 모닥불.
chamarilear *tr.* ① =chamar. ② 고물을 팔다.
chamarileo *m.* ① 교환. ② 고물 판매.
chamarilería *f.* 고물상.
chamarilero, ra *mf.* 고물 장수.
chamarillero, ra *mf.* ① =chamarilero. ② =tahúr.
chamarra *f.* zamarra 비슷한 거친 천으로 된 옷.
chamba¹ *f.* ① 요행수. ② *AmérC., Ecuad., Méj.* 일(trabajo).
chamba² *f. Col.* 도랑, 고랑.
chambelán *m.* 시종(侍從): gran ~ 시종장(長).
chambergo *adj.* ① (Carlos 2세 시대에 마드리드에 만들어진 연대의) 참베르고 연대 근위병용 제복의. ② 참베르고 연대 (장병)의. —*m.* ① 참베르고 근위병의 모자. ② (18세기 까딸루냐에서 통용된) 은화. —*f.* ① 참베르고 민요. ② *And.* 폭이 좁은 명주 리본 천.
chambón, na *adj., mf.* 서툰, 손재주가 없는 (사람).
chambra *f.* 장식이 없는 블라우스.
chamelo *m.* 도미노의 일종.
chamiza *f.* ① [식물] 띠, 억새. ② (난로용의) 잔 장작.
chamizo *m.* ① 불에 반 탄 나무. ② 반 탄 장작. ③ 억새를 이은 오두막. ④ 못 사는 사람들의 지저분한 오두막.
champán¹ *m.* (중국·남미 여러 나라의 도강용의) 바닥이 편편한 큰 배.
champán² *m.* 샴페인.
champaña *m.(f.)* =champán².
champar *tr.* 배은 망덕을 나무라다.
champiñón *m. fr.* ① (일반적인) 버섯. ② *Chile.* 먹을 수 있는 버섯.
champú *m. ing.* [*pl.* ~(e)s] 샴푸.
chamuchina *f.* ① 별로 가치 없는 것. ② =populacho. ③ *Ven.* (특히 아이들의) 무질서, 혼란.
chamullar *intr.* [집시어] =hablar.
chamuscar (7) *tr.* 바깥쪽을 태우다, 그을리다. ~**se** 눋다, 타다.
chamusco *m.* =chamusquina.
chamusquina *f.* ① 그을림, 눋는 일. ② 싸움, 말다툼.
chancaca *f.* 사탕수수에서 얻어진 꿀로 만든 직사각형 과자.
chancar (7) *tr.* ① *AmérC., Bol., Chile, Ecuad., Perú.* (특히 광물을) 부수다, 쇄광하다. ② *Bol., Chile.* 잘못 [불완전하게] 행하다. ③ *Chile.* 때리다; 학대하다. ④ *Chile.* =apabullar, vencer, sobrepujar. ⑤ *Perú.* 열심히 공부하다(empollar).
chance *m.(f.) fr.* 기회, 찬스.
chancear *intr.* =bromear(se).
chancero, ra *adj.* 신소리를 잘 하는.
chancha¹ *f.* [고어] =embuste.
chancha² *f.* ① *Amér.* 암퇘지. ②

Amér. 지저분한[더러운] 여자. —*adj.* 더러운, 불결한, 지저분한, 추접스런.
chanchería *f. Amér.* 돼지 파는 가게.
chanchero, ra *mf.* 돼지 기르는 사람.
chanchi *adj. Esp* 우수한, 매우 좋은.
chancho *m.* ① [동물] 돼지. ② 지저분한[더러운] 사람.
chanchullero, ra *adj., mf.* 부정한 수법을 사용하는 (사람).
chanchullo *m.* ① 부정한 거래[돈벌이 · 행위]. ② 오직(汚職).
chancillería *f.* [역사] 고등 법원.
chancla *f.* [주로 *pl.*] ① 다 낡은 구두. ② 실내화, 슬리퍼(chancleta).
chancleta *f.* ① 실내화, 슬리퍼. ② *Amér.* 갓난 여자. ③ 무능한 사람.
chancletear *intr.* 신발을 아무렇게나 신고 걷다.
chancleteo *m.* 신발을 아무렇게나 신고 걷는 소리.
chanclo *m.* ① 나막신(zueco). ② (옛날의 바닥이 두꺼운) 샌들. ③ 오버슈즈.
chanco *m.* [고어] =**chapín.**
chancro *m.* [의학] 하감(下疳).
chándal *m.* [*pl.* ~(e)s] *Esp* (바지와 품이 넓은 자켓이나 스웨터로 이루어진) 상하 운동복.
chanfaina *f.* ① 내장 졸임[찌개]. ② 맛없는 스튜. ③ *Col.* 양고기 요리. ④ *Col.* =**enchufe.** ⑤ =**rufianesca.**
changa[1] *f.* ① 별로 중요하지 않은 거래. ② *Arg., Ur.* 임시 직업(臨時職業). ③ *AmérM., And., Cuba.* 농담.
changa[2] *f.* ① *PRico.* 식물에 해로운 벌레. ② *PRico.* (마약 언어에서) 마리화나의 담배 꽁초.
changa[3] *f.* ☞chango.
changador *m.* 짐꾼, 포터.
changar (8) *intr.* 부수다, 부러뜨리다.
chango, ga *adj.* ① (칠레 북부에 살았던) 아메리카 인디오의. ② *Hond.* =**elegante.** ③ *PRico., RDom.* =**bromista, guasón.** —*mf.* ① *Bol.* =**niño, muchacho.** ② 행동이 어린애 같은 사람. ③ (칠레 북부에 살았던) 아메리카 인디오. ④ 우아한 사람. —*m.* ① 쇼핑용 수레. ② *Méj.* 원숭이. —*f. Col.* =**niña, muchacha.**
changoneta *f. Hond., Salv.* =**broma.**
changonetero, ra *adj. Salv.* =**bromista.**
changüí *m.* ① 속임수, 사기. ② *Arg., Ur.* =**ventaja, oportunidad.**
changurro *m.* 창구로 ((바스끄 지방의 게 요리)).
chano ~ ~ 천천히, 조금씩 조금씩.
chanquete *m.* [어류] 멸치 비슷한 식용의 작은 물고기.
chantaje *m. fr.* 공갈, 등침.
chantajear *tr., intr.* 공갈치다, 등치다.
chantajista *mf.* 공갈자, 등치는 사람.
chantar *tr.* ① 심다, 식수(植樹)하다. ② *Gran.* =**clavar.** ③ *Amér.* 입히다, 씌우다. ④ *Arg., Bol., Ecuad., Perú, Ur.* 모욕하다. ⑤ *Bol., Col.* 때리다, 두들겨 패다. ⑥ *Chile.* 그대로 서 있게 하다. ~**se** *Chile.* =**empecinarse.**
chantillí *m.* [*pl.* ~(e)s] [요리] 거품이 이는 생크림.
chantillón *m.* =**escantillón.**
chantre *m.* (성가대의) 합창 지위자.
chantría *f.* chantre의 직.
chanza *f.* ① 흥겨운 말, 유쾌한 말. ② 신소리, 익살, 농담.
chañar *m.* ① [식물] *Arg., Chile, Ur.* 감람나무의 일종. ② *Arg., Chile, Ur.* chañar의 열매.
chao *interj.* ① 안녕히 가세요[계세요](¡Adiós!). ② 곧 만납시다.
chaola *f. fr.* =**chabola.**
chapa[1] *f.* ① (금속 · 나무 등의) 얇은 판자: ~ de acero 강판(鋼板). ② (병을 단단하게 닫는) 금속 마개. ③ 경찰관의 배지[휘장]. ④ (구두 수선공이 구두에 대는) 가죽 조각. ⑤ (던지기 놀이에 쓰이는) 찌그러진 동전. ⑥ (주방의) 찻종 받침. ⑦ (발렌시아의) 큰 달팽이. ⑧ =**chapeta.** ⑨ (여자들이 인위적으로 얼굴에 만든) 붉은 점. ⑩ 자물쇠. ⑪ 신중함, 꼼꼼함, 진지함. ⑫ *Arg., Cuba, Ur.* 번호판. ⑬ 차빠 ((병뚜껑을 사용하는 어린이 놀이)). ⑭ *Pan.* 별 볼일 없는 사람. ⑮ *Ven.* 농담, 우스갯소리. —*pl.* (두 사람 이상이 동전 두 개를 높이 던져 하는) 동전놀이. —*m. Amér.* 자물쇠. ¶***estar sin ~, no tener ni ~*** 돈이 없다. no pegar ni ~ 빈둥빈둥 놀다.
chapa[2] *f.* ① *Perú.* =**apodo.** ② *Pan.* 의치. ③ (서아프리카에서 전파된) 매독 비슷한 병. ④ *Ecuad.* 경찰관.
chapado, da *adj.* ① =**hermoso, gallardo, gentil.** ② [고어] 신중한, 꼼꼼한, 진지한. ③…을 댄, 붙인, 도금된.
chapalear *intr.* ① =**chapotear.** ② =**chacolotear.**
chapaleo *m.* =**chapoteo.**
chapaleta *f.* 물을 푸는 펌프의 밸브.
chapaletear *tr.* =**chapotear.**
chapaleteo *m* ① 축축함. ② 빗소리.
chapandongo *m. Salv.* =**desorden.**
chapapote *m.* ① (멕시코 · 서인도 제도 · 베네수엘라의) 묽지도 않고 걸쭉한 아스팔트. ② *Cantb., Gal.* =**alquitrán.** ③ *Ven.* 끈끈한 물질.
chapar *tr.* ① 금속판으로 장식하다, 도금하다. ② 난폭하게 말하다. ③ *Perú, Ur.* =**agarrar, tomar.** ④ [고어] 말발굽에 편자를 끼우다. ⑤ 열심히 공부하다[일하다]. —*intr.* ① 열심히 공부하다. ② 열심히 일하다.
chaparral *m.* 떡갈나무 숲.
chaparreras *f.pl.* (멕시코에서 사용되는) zahones의 일종.
chaparro, rra *adj.* 땅딸막한. —*mf.* 땅딸막한 사람. —*m.* ① 떡갈나무 관목. ② 덩굴숲.
chaparrón *m.* ① 소나기, 폭우, 스콜. ② 풍부함, 많음, 범람, 쇄도.
chape *m.* ① *Chile.* 세 가닥으로 꼬아

서 땋은 머리. ② *Chile.* 연체 동물류.

chapeado, da *adj. Col., Hond., Méj.* 뺨이 불그스레한, 뺨의 색이 좋은.

chapear *tr.* ① =chapar. ② *AmérC., Cuba, Guin., RDom.* 큰 낫으로 풀을 베다. ③ =chacolotear.

chapeau =chapó.

chapela *f.* (바스크 지방의) 베레모.

chapeo *m.* [고어] 모자(sombrero).

chapera *f.* [건축] (미장이용) 사다리.

chapeta *f.* 뺨에 생긴 빨간 얼룩점.

chapetón[1] *m. Méj.* 타는 마구(馬具)를 장식하는 은 박차의 수레.

chapetón[2] *m.* =chaparrón.

chapetón[3]**, na** *adj.* ① 아메리카에 갓 도착한. ② =inexperto, novicio. —*mf.* 아메리카에 갓 도착한 스페인 사람[유럽 사람]. —*m.* =chapetonada.

chapetonada *f.* 아메리카에 도착할 때 유럽인들이 걸렸던 첫 병.

chapín[1] *m.* ① (코르크 바닥을 댄) 슬리퍼 ((부인용)). ② (열대산의) 복 비슷한 물고기. ③ *Cuba.* (바닥이 편편하고 뱃머리가 납작한) 작은 배.

chapín[2]**, na** *adj.* ① *AmérC.* 구아떼말라의. ② *Col., Hond.* =patojo. —*mf. AmérC.* 구아떼말라 사람.

chapinismo *m.* 구아떼말라 사투리.

chápiro *¡Por vida del ~ (verde)!, ¡Voto al ~!* 분하다!, 지긋지긋하다!, 젠장!, 제기랄! ((화가 날 때 사용함)).

chapista *mf.* 판금공, 강판 제조공.

chapistería *f.* ① 판금 제조업. ② [집합] 강판 (제조).

chapitel *m.* ① 첨탑(尖塔). ② 주두(柱頭). ③ 자침(磁針)의 심축(心軸).

chaplinesco, ca *adj.* 채플린(Charles Spencer Chaplin (1889-1977); 영국의 희극 영화 배우 · 감독) 풍의.

chapó[1] *m. fr.* 큰 당구대에서 네 사람이 하는 당구의 일종.

chapó[2] *interj. fr.* 야, 굉장하구나! ((감탄 · 탄복할 때)).

chapola *f. Col.* [곤충] =mariposa.

chapón *m.* 잉크의 큰 얼룩.

chapona *f.* ① *And.* 블라우스. ② *And., Ur.* 웃옷(chaqueta). ③ =chambra.

chapopote *m. Méj.* =chapapote.

chapoteadero *m. Méj.* (어린이용) 매우 얇은 연못.

chapotear *tr.* 축축하게 적시다[축이다]. —*intr.* 물장구를 치다, 물장구질을 하다, (물이) 참방참방 소리를 내다, (물을) 철벅철벅[철썩철썩]거리다.

chapoteo *m.* 물장구(질).

chapucear *tr.* ① =frangollar. ② 함부로 하다, 아무렇게나 고치다.

chapucería *f.* ① 서툶, 엉성함. ② =chapuza. ③ =embuste, mentira.

chapucero, ra *adj., mf.* ① 아무렇게나 만든. ② 막돼먹은 (사람). ③ =embustero. —*m.* ① (못 등을 만드는) 대장장이. ② 고철 장수.

chapulín *m. AmérC., Col., Méj.* [곤충] 메뚜기의 일종.

chapurrar *tr.* ① (언어를) 서툴게 말하다. ② 술을 다른 술과 섞다.

chapurrear *tr., intr.* =chapurrar ①.

chapurreo *m.* 언어가 서투름.

chapuza *f.* ① 별로 가치 없는 일[작품], 졸작. ② 함부로 한 일. ③ *Méj.* =estafa.

chapuzar (9) *tr.* 거꾸로 물속으로 뛰어들다. —*intr.*, **~se** 머리부터 물속으로 뛰어들다, 잠수하다; (배가) 물을 뒤집어쓰다.

chapuzas *mf.sing.pl. Esp* 일을 아무렇게나 하기.

chapuzón *m.* 잠수, 물을 뒤집어 쓰기.

chaqué *m.* 모닝 코트.

chaqueta *f.* ① (바지에 대해) 웃옷, 상의. ② *Méj.* =masturbación. ③ *Ven.* =cazadora. ¶*cambiar la ~, volverse la ~, cambiar de ~* 주의주장을 바꾸다, 변절하다, 전향하다, 당을 바꾸다.

chaquete *m. fr.* 서양 주사위 놀이의 일종.

chaquetear *intr.* ① 적전(敵前)에서 도망치다. ② 어려움 앞에서 겁을 내다[주춤하다]. ③ 변절하다, 전향하다, 당을 바꾸다. ④ *Chile.* 악랄하게 방해하다. ⑤ *Guat.* 비굴하게 행동하다. ⑥ *Méj.* =masturbar. **~se** 수음하다, 자위하다(masturbarse).

chaqueteo *m.* ① 변절, 표변(豹變). ② *Chile.* 도망.

chaquetero, ra *adj.* ① 변절하는. ② =adulador. ③ 비굴한. —*mf.* 변절자; 아부하는 사람; 비굴한 사람.

chaquetilla *f.* ① (주로 장식이 있는) 작고 꽉 조인 웃옷[재킷]. ② (투우사가 입는) 볼레로.

chaquetón *m.* ① 긴 웃옷[재킷]. ② 신사용 웃옷.

charabán *m.* (의자가 두 줄 이상인) 무개(無蓋) 마차.

charada[1] *f.* 문자 놀이 ((문자로 하는 수수께끼)).

charada[2] *f. Ar.* =llamarada.

charamada *f.* =llamarada.

charamasca *f.* =charamusca.

charamita *f.* =dulzaina.

charamusca *f.* ① 들에서 불을 피우는 잔 장작. ② *Gal.* 불을 피우는 작은 조각. ③ *Hond., Méj.* 꽈배기.

charancaco *m. Hond., Salv.* =lagartija.

charanga *f.* ① (관악기와 타악기로 구성된) 악단. ② 익살스런 밴드.

charango *m.* [악기] 차랑고 ((5개의 이중 줄로 된 작은 기타 모양의 현악기로, 특히 안데스 지방에서 사용됨)).

charapa *f. Perú.* [동물] (아마존 지역의) 작은 물거북의 일종. —*mf. Perú.* 뻬루 동부 지방 출신 사람. —*adj.* 뻬루 동부 지방 출신의.

charape *m. Méj.* 차라뻬 ((뿔께(pulque) · 옥수수 이삭 · 꿀 · 향료 및 계피로 빚은 양조주)).

charca *f.* 못, 저수지.
charcal *m.* 물웅덩이, 물이 고인 곳.
charchazo *m. Chile.* 뺨을 때리는 일.
charco *m.* ① 웅덩이 물. ② 강[내]의 물웅덩이.
charcutería *f.* =chacinería.
charcutero, ra *m.f.* charcutería에서 생산되는 것을 판매하는 사람.
charla *f.* ① [새] 큰 개똥지바퀴. ② 수다스러움, 지껄임, 잡담. ③ (형식을 무시한) 구두 논평, 강연.
charlador, ra *adj., m.f.* =charlatán.
charlar *tr.* =parlar. —*intr.* ① 담소하다, 이야기하다. ② 노닥거리다, 잡담하다, 쓸데없이 말을 많이 하다.
charlatán, na *adj., m.f.* ① 수다스런[말을 많이 하는, 내용 없는 말을 하는] (사람), 수다쟁이. ② 경솔한 말을 하는 (사람). ③ 속이는 (사람), 사기꾼. ④ (큰 소리로 선전하는) 행상인.
charlatanear *intr.* =charlar.
charlatanería *f.* =locuacidad.
charlestón *m.* [무용] 찰스턴 ((1920년부터 유럽에서 유행했던 미국의 아프리카계 공동체에서 만들어진 춤))
charlista *m.f.* (가벼운 테마의) 강연자, 형식을 무시한 강연자.
charlo ☞zorzal ~.
charlón, na *adj. Ecuad.* =charlatán.
charlotada *f.* ① 광대처럼 연기하는 투우. ② 역겨운 연기(演技).
charlotear *intr.* =charlar.
charloteo *m.* 노닥거림, 수다스러움.
charme *m. fr.* 매력(encanto).
charnego, ga *m.f. Cat.* 까딸루냐말을 하지 않는 스페인 지방에서 온 이민자.
charnela *f.* ① =bisagra. ② =gozne. ③ [동물] 쌍각 조개의 두 부분 관절.
Charo *f.* [인명] 차로 ((Josefa의 애칭).
charol *m.* ① 에나멜, 바니시, 니스. ② 에나멜 (칠한) 가죽. ③ *AmérC., Col., Ecuad.* =bandeja. ¶*darse* ~ 자만하다, 자부하다, 자랑하다(alabarse).
charola *f. Bol., Hond., Méj., Perú.* 쟁반(bandeja).
charolado, da *adj.* 빛나는, 반짝이는.
charolar *tr.* …에 에나멜을 칠하다, 광을 내다, 빛나게 하다.
charolista *m.* 에나멜 칠장이.
charque *m. Arg., Bol., Par., Ur.* = charqui.
charquear *tr. Arg., Chile, Par., Bol., Perú, Ur.* 육포(charqui)를 만들다.
charquense *adj.* =altoperuano.
charquetal *m.* =charcal.
charqui *m.* 육포 ((보존용으로 간을 해서 바람과 햇볕에 말린 고기)).
charquicán *m. Chile, Perú, Ur.* 차르끼깐 ((육포·고추·호박 및 다른 재료로 만든 요리)).
charquino, na *adj.* =altoperuano.
charrán, na *adj., m.f.* 악당(의).
charranada *f.* 악랄한 행위. 부정(不正).
charranear *intr.* 악랄한 짓을 하다.
charrasca *f.* ① (칼같이) 잡아당기는 연장[무기]. ② 용수철 칼. ③ [악기] 차라스까 ((구리·동·목재로 만든 원통형의 작은 타악기)).
charrasco *m.* =charrasca ①.
charrasqueado, da *adj.* 무기로 다친 흉터가 있는.
charrasquear *tr. Col., Pan.* 악기의 줄을 긋다(rasguear).
charrete *f.* 이륜 마차.
charretera *f.* ① (금·은·비단 등의) 군 견장. ② =jarretera. ③ 양말 대님의 걸쇠[버클]. ④ =albardilla.
charro, rra *adj., m.f.* ① 살라망까 지방의 (농민). ② 어수룩한, 촌스러운, 조잡한. ③ 칙칙한, 멋없는. ④ *Méj.* 말을 잘 타는. —*m. Méj.* 호화찬란한 옷을 입은 기수. —*f. Hond.* 챙이 넓은 모자.
charrúa[1] *adj.* ① 라쁠라따강 북쪽 연안에 거주했던 아메리카 인디오(의). ② 차루아족의. —*m.* 차루아족의 말.
charrúa[2] *f.* ① 예인선. ② *And.* 쟁기.
chárter *adj., m.* (*ing.*) (배·버스·비행기 등의) 전세 (계약)(의), 용선 계약(의), 차터(의): vuelo ~ 부정기선, 전세편, 차터편.
chartreuse *m. fr.* 샤르트뢰즈 ((샤르트르 수도원의 수도사들이 향기나는 풀로 빚은 술)).
chas *m.* (구타·충돌 등의 소리) 팍, 퍽; 쨍그렁, 찰카당.
chasca[1] *f.* ① 땔감. ② 섶나무 가지.
chasca[2] *Arg., Bol., Chile, Perú.* 뒤얽힌 머리카락.
chascar (7) *tr.* ① 깨다, 부수다 ; 깨지기 쉬운 음식을 이빨로 깨다. ② *And.* 괭이로 땅을 파다. —*intr.* ① 혀를 차다. ② 씹을 때 소리를 내다. ③ =engullir(se).
chascarrillo *m.* 가십, 기담, 우스운 소리, 넌지시 하는 말.
chasco[1] *m.* ① 놀려주기, 우롱, 조소; 속임수. ② 기대 밖임, 예측하기 어려움, 헛다리 짚음, 실망.
chasco[2]**, ca** *adj. AmérC.* (머리카락·깃털이) 뒤얽힌(enmarañado).
chasis *m.sing.pl.* ① (자동차 등의) 새시, 차대. ② (카메라의) 틀, 테.
chasquear *tr.* ① 놀리다, 골탕먹이다. ② 약속을 어기다. —*intr.* ① 바라던 일이 틀어지다, 기대에 어긋나다. ② 골탕을 먹이다.
chasque *m.* =chasqui.
chasqui *m.* ① *AmérM.* (잉카 제국에서) 파발꾼. ② *AmérM.* 편지 심부름꾼(emisario, correo).
chasquido *m.* ① (채찍 등의) 울리는 소리. ② 나무가 쪼개지는[빠개지는] 소리. ③ 혀를 차는 소리.
chata *f.* ☞chato.
chatarra *f.* ① (철광의) 쇠 찌꺼기, 광재(鑛滓). ② 고철의 조가리, 폐품. ③ (작동하지 않은) 헌 기계. ④ 별 가치 없는 주화(鑄貨). ⑤ 별 가치 없는 치장. ⑥ (차고 다니는) 훈장, 보석류. ⑦

Méj., Ur. [형용사적] 질이 나쁜.
chatarrear *tr.* 쇠조각으로 만들다.
chatarrería *f.* 폐품[고철] 창고[취급소].
chatarrero, ra *mf.* 고철상; 폐품 수집업자.
chatasca *f.* =charquicán.
chatear *intr.* *Esp* (친구들과) 술집 순례를 하다, 2차·3차 술을 마시다.
chateo *m.* 2차·3차 술집을 순례하기.
chato, ta *adj., mf.* ① 코가 납작한[낮은] (사람). ② 보통보다 낮은 [짧은·작은]. ③ 시야가 좁은, 앞을 내다보는 안목이 없는. ④ *Perú.* 키가 작은 (사람). ⑤ 수익[이문]이 별로 없는. —*m.* (포도주용의) 작고 넓적한 잔. —*f.* ① (환자용의) 요강, 변기. ② =chalana. ③ *And.* 죽음, 사망(muerte).
chatungo, ga *adj., mf.* 코가 납작한 (사람).
chau *interj.* *Arg., Bol., Perú, Ur.* = chao.
chaucha *f.* ① *Arg., Bol., Par., Ur.* 풋강낭콩. ② *Arg., Ur.* 껍질(vaina). ③ *Bol., Chile.* (은·니켈의) 작은 동전. ④ *Chile.* 은의 함량이 적은 동전. ⑤ *Chile.* 올감자. ⑥ *Chile.* (옛날의) 가치가 적은 보조 화폐. ⑦ *Ur.* (질이 좋지 않아) 귀찮은 것. ⑧ *pl. Arg., Chile.* 적은 돈(escasa cantidad de dinero).
chauvinismo *m.* =chovinismo.
chauvinista *adj., mf.* =chovinista.
chaval, la *mf.* 어린아이, 젊은이.
chavea *m.* =muchacho.
chaveta *adj.* 미친, 실성한. —*f.* ① 쐐기, 핀. ② 사람의 머리. ③ *Cuba.* (담배 제조자·구두 수선공의) 작고 굽은 칼(cuchilla pequeña y curva).
chavo[1] *m.* ① *And.* =ochavo. ② *Cuba.* 1 센티모 동전, 1뻬소의 100/1. ③ *PRico.* 1센트. ④ *PRico.* 돈.
chavo[2]**, va** *adj.* *Hond., Méj., Nic.* 소년의. —*mf.* *Nic.* =novio, via.
chayote *m.* ① [과실] chayotera의 열매. ② =chayotera.
chayotera *f.* [식물] 차요떼라 ((오이 비슷하며 식용임)).
che[1] *f.* 복합 문자 ch의 명칭.
che[2] *interj.* *Val., Arg., Bol., Par., Ur.* 이봐!, 야!, 어이! ((사람이나 동물을 부를 때나 주의를 환기시킬 때)).
checa *f.* ① 소비에트 러시아의 비밀 경찰. ② 인권을 존중하지 않는 기구[조직]. ③ 인권을 유린하는 장소.
checar *tr.* *Méj.* =chequear.
chéchere *m.* ① [주로 *pl.*] *Col., CRica., Salv., Ven.* 낡은 물건, 고물. ② *Col., CRica., Ven.* 일반적인 물건.
checo[1]**, ca** *adj., mf.* ① 체코 공화국(la República Checa)의 (사람). ② = checoslovaco. —*m.* 체코 말.
checo[2] *m.* *Hond.* 딱따구리.
checoeslovaco, ca *adj., mf.* =checoslovaco.
checoslovaco, ca *adj., mf.* 체코슬로바키아(Checoslovaquia)의 (사람).
chef *m. fr.* (식당의) 주방장.
chele *adj.* ① *CRica., Hond., Nic., Salv.* 하얀, 흰, 백색의. ② *Hond.* 피부가 불그스레한. —*mf.* 백인; 피부가 불그스레한 사람. —*m.* *Guat., Hond., Salv.* 눈꼽(legaña).
cheli *m.* *Esp* 마드리드의 은어.
chelín *m.* 실링 ((영국·오스트리아 등의 화폐 단위)).
chelista *mf.* =violonchelista.
chelo[1] *m.* ① =violonchelo. ② *mf.* = violonchelista.
chelo[2]**, la** *adj.* *Méj.* 눈이 황금색(黃金色)의. —*f.* =cerveza.
Chema *m.* [인명] 체마 ((José María의 애칭)).
Chemari *m.* [인명] 체마리 ((José María의 애칭)).
chepa *f.* ① 곱사[곱사등이]의 등. ② *Col.* 행운. —*m.* =jorobado.
cheposo, sa *adj.* 곱사등의.
chepudo, da *adj.* =cheposo.
cheque *m.* 수표(手票): ~ bancario 은행 수표. ~ de viaje, ~ de viajero 여행자 수표. ~ en blanco 백지 수표.
chequear *tr.* *ing.* ① 감시하다. ② 대조하다, 서로 맞추어 보다, 체크하다. ③ 조사하다, 검사하다. ~**se** ① 대조되다. ② 조사[검사]받다. ③ 건강 진단을 받다.
chequeo *m.* ① 감시; 점검, 대조, 조사, 검사. ② 일반 건강 진단: hacerse un ~ 건강 진단을 받다.
chequera *f.* ① 수표장용 지갑. ② *Amér.* 수표장. ③ (연금 매월 받는 수령금용) 쿠폰장.
chequetrén *m.* [철도] 여행 쿠폰권.
cherna *f.* [어류] =mero[1].
cherva *f.* [식물] 피마자, 아주까리.
chéster *m.* [*pl.* ~(e)s] (우유로 만든) 영국산 치즈.
chévere *adj.* ① *Ant., Ecuad., Hond., Méj., Pan., Perú.* =primoroso, gracioso, bonito, elegante, agradable. ② *ACaribe., Bol., Hond., Salv.* = estupendo, buenísimo, excelente. ③ =*Col., Cuba, Pan., Perú, RDom., Ven.* ④ =benévolo, indulgente. —*m.* *PRico., Ven.* =penimetre. —*adv.* =magníficamente, muy bien.
chevió *adj., m.* [*pl.* ~s] =cheviot.
cheviot *m.* ① 스코틀랜드의 양모. ② 스코틀랜드의 양모로 만든 천.
chiapaneco, ca *adj.* 치아빠스(Chiapas, 멕시코의 주) (태생)의. —*mf.* 치아빠스 사람.
chiar (12) *intr.* =piar.
chibcha *adj., mf.* 칩차족 (콜롬비아의 보고따와 뚱하의 고지에서 살았던 인디오)(의). —*m.* 칩차족의 말.
chibolo *mf.* *Perú.* 어린아이. —*m.* ① *AmérC., Col., Ecuad., Perú.* (머리의) 혹. ② *AmérC., Col., Perú.* 오동포동한 몸. —*f.* ① *AmérC., Col., Eduad., Perú.* 오동포동한 몸. ② *AmérC.,*

Col., Eduad., Perú. (몸의) 혹. —*adj. Perú.* 어린.

chic *adj. fr.* =**elegante, distinguido.** —*m.* =**elegancia, distinción.**

chicano, na *adj., mf.* 멕시코계 미국인(의).

chicarrón, na *adj., mf.* 몸집이 큰, 많이 자란 (아이).

chicha[1] *f.* 식용 고기.

chicha[2] *f.* ① (아메리카의 몇 나라에서 설탕물에 옥수수를 발효시킨) 알코올 음료. ② *Chile.* 포도·사과의 즙을 발효시켜 얻은 음료. ③ *Cuba.* (2~3일 물에 발효시켜 둔 싱싱한 파인애플 껍질과 설탕으로 만든) 청량 음료(수). ④ *Pan.* 과일로 만든 음료(수). ⑤ *Ven.* 쌀·우유·향료로 만든 청량 음료(수).

chicha[3] *fr. calma* ~ 바다가 무척 잔잔함.

chícharo *m.* [식물] =**guisante, garbanzo, judía.**

chicharra *f.* ① [곤충] 매미. ② (크리스마스용의) 매미 울음소리를 내는 장난감. ③ 무성음의 전기 초인종. ④ 수다쟁이.

chicharrear *intr.* 매미의 울음소리를 내다[흉내내다].

chicharrera *f.* ① 무더위. ② 무더운 곳.

chicharrero[1], **ra** *mf.* 매미 울음소리를 내는 장난감(chicharras) 제조자[장수].

chicharrero[2] *m.* =**chicharrera.**

chicharrero[3], **ra** *adj., mf.* =**tinerfeño.**

chicharrina *f.* =**chicharrera.**

chicharro *m.* ① 기름이 제거된 돼지 비계. ② (동물의) 지방 찌꺼기. ③ [어류] 전갱이.

chicharrón, na *adj.* ① 아첨[아부]하는, 알랑거리는 (사람). ② 들추어내는, 고발하는 (사람). —*m.* ① 기름이 제거된 돼지 비계. ② (동물의) 지방 찌꺼기. ③ 불에 너무 탄 고기. ④ 햇볕에 많이 탄 사람. ⑤ *Amér.* 바람에 쏘여 기름에 튀긴 어린 돼지의 가죽. ⑥ *Cuba.* [식물] 사군자과 나무. ⑦ *pl.* 돼지고기의 여러 부위로 만든 냉육 요리.

chiche[1] *m.* =**chicha**[1].

chiche[2] *adj.* ① *Arg., Bol., Chile, Par., Ur.* =**pequeño, delicado, bonito.** ② *Nic., Salv.* 쉬운. ③ *Méj.* (사람이) 매우 하얀, 금발의. —*m.* ① (여자의) 젖가슴, 유방. ② *Amér.* 장난감. ③ *Arg., Bol.* 작달막하고 예쁜 것. —*f. Nic., Salv.* (여자의) 젖가슴, 유방.

chichear *intr., tr.* =**sisear.**

chicheo *m.* =**siseo.**

chichera *f.* ☞ chichero.

chichería *f.* chicha[2] 파는 집[가게].

chichero, ra *adj.* ① 옥수수 알코올 음료(chicha)의. ② chicha를 제조하는[판매하는]. —*mf.* ① chicha ((옥수수로 만든 알코올 음료)) 제조자[장수]. ② chichera에서 연주하는 악사. —*f.* (단원들이 chicha를 제공받는) 악단.

chichi[1] *adj. AmérC.* 쉬운(fácil).

chichi[2] *f. AmérC.* (여성·암컷의) 유방. —*m.* [속어] (여성의) 음부(vulva).

chichí *m. Pan.* =**bebé.** —*mf. Hond.* (일반적으로 아들이나 가족 및 친지로) 아이(niño), 젊은이(joven).

chichimeca *adj., mf.* 치치메까족(멕시코 북부·서부에 사는 인디오)(의).

chichinabo *m. de* ~ 별로 중요하지 않은, 대수롭지 않은, 가치 없는.

chicho *m.* (머리카락의) 곱슬곱슬한 모양(rulo).

chichón *m.* ① (부딪쳐서 머리에 생긴) 혹. ② *Cuba.* (부딪쳐서 몸의 어느 부분이고 생긴) 혹, 멍.

chichona *adj.* 가슴[유방]이 큰 (여자).

chichonera *f.* (어린이와 운동 선수들이 머리가 다치는 것을 방지하기 위해 쓰는) 모자[헬멧].

chichota *f.* =**pizca.** ¶*sin faltar* ~ 없는 것 없이, 아무 것도 부족한 것이 없이, 완벽하게.

chichote *m.* ① *Nic.* =**chichón.** ② *Nic.* =**divieso.**

chicle *m.* ① 추잉껌; 치클: ~ de globo [de globito] 풍선껌. ② [속어] 상질(上質)의 대마(大麻).

chiclé *m.* (카뷰레터의) 죄임판.

chico, ca *adj.* ① 작은. ② 어린. ③ 소년의. —*mf.* ① 어린이(niño). ② 소년, 소녀. ③ (실제 나이와는 상관 없이 나이가 썩 많지 않아 보일 때의) 남자, 여자. —*m.* ① 포도주 양의 단위 ((168 ml)). ② (사무실·가게 등에서) 심부름 소년. ③ *Méj.* =**chico zapote.** —*f.* ① 가정부, 식모. ② (카드 놀이에서) 낮은 숫자의 카드 조합.

chicoco, ca *adj. Chile.* 키가 작은, 낮은. —*mf. Chile.* 작은 아이.

chicolear *intr.* (여자를) 구슬리다, 사랑을 속삭이다. ~**se** *Arg.* 즐기다, 즐겁게 보내다.

chicoleo *m.* (여자를) 구슬리기, 사랑의 속삭임, 사랑의 말.

chicoria *f.* [식물] 배추(achicoria).

chicote, ta *mf.* =**chicarrón.**

chicozapote *m.* [식물] =**zapote.**

chicuelina *f.* 투우사가 소에 접근해 소를 다루는 일.

chifa *f.* ① *Perú.* 중화 요리점[식당]. ② *Perú.* chifa의 중국식 식사.

chifla[1] *f.* ① chiflar 하기. ② 호루라기의 일종.

chifla[2] *f.* ① (가죽을 가는) 넓고 거의 사각인 칼. ② [고어] =**espadilla.**

chiflado, da *adj., mf.* ① 약간 미친 (사람). ② [+con+사물, por+사람] (…에) 열중한, 몰두한.

chifladura *f.* ① chiflar(se) 하기. ② =**manía, extravagancia.**

chiflar *tr.* ① 비웃다, 조소하다(mofar). ② (술을) 들이키다, 술을 많이 빨리 마시다. —*intr.* ① 호루라기를 불다, 입으로 소리를 흉내내다. ② 미치다. ~**se** 멍해지다; 홀딱 반하다.

chifle *m.* ① 호루라기. ② 뿔 화약통.
chiflido *m.* =silbido.
chiflo *m.* =chiflido.
chiflón *m.* ① *AmérM.* 틈새 바람, 질풍. ② 여울목, 센 물살. ③ *AmérC.* 폭포. ④ (광산의) 낙반.
chigua *f. Arg., Bol., Chile.* 소쿠리, 망태기.
chihuahua *f.* [개] 치와와.
Chihuahua *f.* [지명] 치우아우아 ((멕시코의 주·주도)).
chií *adj., m.f.* =chiita.
chiíta *adj., m.f.* [이슬람교] 시아파(의).
chiísmo *m.* 시아파 교의(教義).
chilaba *f.* (북아프리카의 아라비아 사람들이 입는) 두건 달린 외투.
chilacayote *m.* [식물] (멕시코산의) 수세미의 일종.
chilaquil *m.* [요리] 칠라낄 ((고추 소스로 삶은 빈대떡의 일종)).
chilate *m. AmérC.* 칠라떼 ((고추·코코아·구운 옥수수로 만든 음료)).
chilatole *m.* [요리] *Méj.* 칠라똘레 ((옥수수·돼지고기·고추로 만든 요리)).
chile[1] *m.* ① *AmérC., Méj.* [식물]. =pimiento. ② *AmérC., Méj.* [열매] 고추. ③ *Guat., Méj., Salv.* =pene.
Chile[2] [국명] 칠레 ((수도: Santiago)).
chilenismo *m.* 칠레 특유의 표현.
chileno, na *adj.* 칠레의. —*m.f.* 칠레 사람. —*f.* [축구] 시저스킥 ((점프할 때 한쪽 발을 먼저 올리고 이어 다른 쪽 발을 올려 공을 차기)).
chilindrina *f.* ① 하찮은 것. ② 농담, 가십.
chilindrón *m.* ① [요리] 토마토·피망 소스. ② 두 사람이나 네 사람이 하는 카드 놀이의 일종.
chilla *f. AmérC.* 빈핍, 빈곤: estar en la ~ 가난하다.
chillar *intr.* ① 끽끽거리다. ② 외치다, 고함치다. ③ 삐걱삐걱 소리내다. ④ (끓는 기름 같은 데 넣은 것이) 튀는 소리를 내다. ~**se** ① *AmérC.* 화내다, 노하다, 발끈하다. ② *Amér.* 부끄러워하다.
chillería *f.* 날카로운 소리[고함 소리]; 비명 소리, 튀기는 소리.
chillido *m.* ① 비명, 고함 소리, 날카로운 소리. ② 양철 소리. ③ 삐꺽거리는 소리.
chillón, na *adj.* ① 고함 소리로 떠드는, 날카로운 소리를 내는. ② 몹시 불쾌한. ③ (색이) 강렬한, 칙칙한: color ~ 칙칙한 색. —*m.f.* 떠드는 사람.
chilmole *m. AmérC., Méj.* 칠몰레 ((고추·토마토·밀감초 등으로 만든 소스)).
chimango *m.* [새] 치망고 ((남미 남부 지방의 맹조)).
chimbo[1]**, ba** *adj., m. Amér.* 달걀·편도·시럽으로 만든 (과자).
chimbo[2] *m. P.Vasco.* 침보 ((때까치·나이팅게일·굴뚝새 등 여러 종류의 새 이름)).
chimbo[3] *m. Hond.* 가스 통.
chimbo[4] *adj., m.f.* 에꾸아도르의 안데스의 중심부에 살았던 원주민(의).
chimenea *f.* ① 굴뚝, 연돌: fumar como una ~ 골초다, 담배를 입에 물고 살다, 줄담배를 피우다. ② 난로.
chimó *m. Cuba, Ven.* 인디오들이 씹는 담배.
chimpancé *m.* [동물] 침팬지.
chimuelo, la *adj. Méj.* 이빨이 빠진.
china[1] *f.* ① (둥근) 자갈, 돌멩이. ② 자기, 도자기, 도기(陶器). ③ 견직물, 중국 비단, 견포. ④ [속어] 돈. ⑤ [속어] (담배 한 개피 정도의) 적은 분량의 대마(大麻). ⑥ *AmérM.* (인디오의) 소녀, 여사환, 식모.
China[2] *f.* [국명] 중국.
chinama *f. AmérC.* ① 구멍가게. ② 다 쓰러져 가는 집. ③ 사탕수수의 대로 이은 집.
chinarro *m.* (china보다 작은) 돌.
chinchar *tr.* 귀찮게 굴다. ~**se** 따분해지다.
chinche *f.(m.)* ① [곤충] 빈대. ② 압정, 압핀. ③ *Chile.* 풀무. ④ *Méj.* 감옥. —*adj., m.f.* 귀찮게 구는 (사람); 골치 아픈 (사람).
chincheta *f.* 압정, 압핀.
chinchibí *m. Amér.* 생강술.
chinchilla *f.* ① [동물] 친칠라 ((남미산 다람쥐 비슷한 동물)). ② 친칠라 가죽.
chinchín[1] *m. Chile.* [식물] 친친 ((애기풀과의 사철 푸른 나무)).
chinchín[2] ① 속된 대중 음악. ② *Cuba.* 계속 내리는 가랑비. ③ *Cuba.* 어리석은 짓.
chinchín[3] *interj.* 건배!
chinchón *m.* 친촌 ((아니스가 들어 있는 증류주)).
chinchona *f.* 키니네(quina).
chinchorrear *tr.* =molestar.
chinchorrería *f.* ① 거만함. ② 아니꼬운 일. ③ 골치 아픈 이야기.
chinchorrero, ra *adj.* 골치 아픈 이야기를 하는 (사람).
chinchorro *m.* ① 작은 예인망. ② 거룻배. ③ *Ven.* 해먹. ④ *Méj.* 작은 짐승 떼. ⑤ *PRico.* 지저분한 구멍가게.
chinchoso, sa *adj., m.f.* 골치 아픈, 성가신 (사람).
chinchulín *m. AmérM.* [요리] (소·양의) 소장(小腸).
chincol *m.* =chingolo.
chiné *adj.* [복식] 알록달록한.
chinear *tr.* ① *AmérC.* (어린 아이를) 껴안다, 업다. ② *CRica.* 응석을 받아주다.
chinela *f.* 슬리퍼, 실내화.
chinerío *m. AmérM.* [집합] 인디오.
chinero *m.* (시골풍의) 식기 찬장.
chinesco, ca *adj.* 중국(풍)의. —*m.* 방울로 된 악기의 일종.
chingada *f. Méj.* 성매매 여성, 매춘부.
chingado, da *adj. Amér.* ① 고장난, 파괴된. ② 정신 나간; 술에 취한.

chingana *f.* ① *AmérM.* 늘 노래와 춤이 있는 술집. ② *AmérM.* 싸구려 식당. ③ *Perú.* 싼 술을 파는 가게.
chingar (8) *tr.* ① 술을 자주 마시다. ② =molestar, importunar. ③ 성교하다. ④ *AmérC.* 동물의 꼬리를 자르다. *—intr.* ① *Can.* =salpicar. ② *Pal.* =tintinar. ③ *Arg., Ur.* 옷의 끝을 짝짝이로 걷다. ~**se** =embriagar.
chino, na *adj.* ① 중국(China) 태생의. ② 중국의[에 관한]. *—mf.* 중국인: trabajo de ~*s* 중노동. *—m.* 중국어.
chip *m.* [*pl.* ~s] ① [컴퓨터] 칩: ~ de memoria 메모리 칩. ② (얇게 썬) 감자튀김, 포테이토 칩(patatas fritas).
chipá *m.* 치빠 ((옥수수나 만디오까 가루와 치즈로 만든 부침개)).
chipé *m.* 진실, 진심.
chipén *m.* =chipé.
chipiar (12) *tr. Salv.* 괴롭히다. ~**se** *Salv.* =frustrarse.
chipichipi *m.* ① *Col., Ven.* =coquina. ② *Guat., Hond., Méj.* =llovizna.
chipirón *m.* [동물] (깐따브리아해의) 오징어.
chipote *m.* ① *AmérC.* 손바닥으로 때리기. ② *Méj.* (머리의) 혹(chichón).
chipriota *adj., mf.* 키프로스(Chipre)의 (사람).
chiqueadores *m.pl. Méj.* (두통에 붙인는) 고약.
chiquear *tr. Cuba, Méj.* 응석받이로 키우다; 알랑거리다.
chiqueo *Cuba, Méj.* ① 응석을 받아주는 일. ② 알랑거림, 아부.
chiquero *m.* 돼지 우리.
chiquilicuatre *m.* =chiquilicuatro.
chiquilicuatro *m.* 주책바가지.
chiquillada *f.* 어린애 같은 일, 유치함.
chiquillería *f.* ① 어린이 무리. ② 유치함, 어린아이 같은 일.
chiquillo, lla *mf.* 어린이; 소년, 소녀.
chiquito, ta *mf.* 귀여운 꼬마. *—m.* 작은 술잔[포도주 잔].
chiribita *f.* [식물] 들국화.
chiribital *m. Col., Ven.* =erial.
chirigota *f.* 신소리, 농담.
chirigotero, ra *adj., mf.* 익살을 좋아하는 (사람).
chirimbolo *m.* 도구, 기물(器物).
chirimía *f.* ① [악기] 치리미아 ((피리의 일종)). ② *Guat.* 수다쟁이. *—m.* chirimía 악사.
chirimoya *f.* [과실] 치리모야 ((chirimoyo의 열매))
chirimoyo *m.* [식물] 치리모요 ((번여지과 나무)).
chirinada *f. Arg.* 실패된 폭동.
chiringuito *m.* 야외에서 신문·담배·음료 등을 파는 키오스크.
chiripa *f.* 요행, 횡재수; 우연.
chiripá *m.* [*pl.* ~s] ① (아르헨띠나·우루구아이·빠라구아이 등지의 목동들이 사용하는) 허리 가리개. ② *Arg., Ur.* (어린아이들의) 기저귀.
chirla *f.* [동물] 홍합.
chirle *adj.* ① 맛없는. ② *Arg., Bol., Ur.* 약간 부드러운. ③ *Arg., Ur.* 별로 재미없는. *—m.* 양[산양]의 똥(sirle).
chirlo *m.* ① 얼굴의 긴 상처. ② (치료 후에 남은) 흉터. ③ 타격.
chirola *f.* ① *Arg.* 5·10·20 센따보짜리 옛 니켈화. ② *pl. Arg., Ur.* 적은 돈(poco dinero).
chirona *f.* 감옥(cárcel).
chironda *f. Salv.* 감옥.
chirriador, ra *adj.* =chirriante.
chirrear *intr.* =chirriar.
chirriadero, ra *adj.* =chirriador.
chirriante *adj.* 삐걱거리는.
chirriar (12) *intr.* ① 삐걱거리다. ② 직직 소리를 내다. ③ (새나 벌레가) 날카롭게 울다. ④ 서툰 솜씨로 노래하다. ⑤ *Col.* (추위나 공포로) 떨다. ⑥ (불만으로) 울부짖다.
chirrido *m.* ① 삐걱거리는 소리. ② 날카롭게 우는 소리. ③ 불쾌한 연속음.
chirula *f.* [악기] (빠이스 바스꼬에서 사용하는) 피리(flautilla).
chirusa *f. Arg., Ur.* 천박한 여자.
chiruza *f.* =chirusa.
chis[1] *m.* [유아어] 소변, 오줌(orina).
chis[2] *interj.* ① (입술에 손가락을 대고) 쉿!, 조용히! ② 여보세요! ((누구를 부를 때)). ③ 조심해라! ((토할 정도로 더러운 것이 있을 때))
chisgarabís *m.sing.pl.* 변덕.
chisguete *m.* ① 한 모금의 술. ② (액체의) 분출.
chisme *m.* ① 험담, 악담. ② 잡동사니, 허드레 물건.
chismografía *f.* ① 남의 험담을 늘어놓는 일. ② [집합] 험담.
chismorrear *intr.* =chismear.
chismorreo *m.* 험담을 하는 일.
chismoso, sa *adj.* 남의 말하기 좋아하는. *—mf.* 험담가.
chispa *f.* ① 불꽃, 불똥, 스파크. ② 작은 알맹이의 다이아몬드. ③ 이슬비, 보슬비. ④ 기지(機智). ⑤ 재치 있는 사람. ⑥ 취기, 술주정. ⑦ 미량, 극소량. ⑧ *Col.* 허위, 거짓말. ⑨ *Cuba.* 레일 위를 달리는 손으로 끄는 소형 차. ⑩ 결과; 성과.
chispas *interj.* 불이야(¡fuego!).
chispazo *m.* ① 섬광, 불똥. ② 불똥으로 살이 뎀. ③ 험담. ④ 적은 양의 술.
chispeante *adj.* ① 번쩍거리는, 불꽃[불똥]이 튀기는. ② 영특한, 영악한.
chispear *intr.* ① 불꽃[불똥]을 튀기다. ② 반짝반짝 빛나다. ③ 보슬비가 내리다. ④ 재기(才氣)가 넘치다[번득이다]. ~**se** 얼근히 취하다.
chispero, ra *mf.* ① 대장간. ② 하청 대장간 일. ③ *Cuba.* 라이터. ④ 작은 마차를 모는 사람. ⑤ [집합] 동시에 튀기는 불꽃.
chispo, pa *adj.* ① 얼근히 취한. ② 한 모금의 술(chisguete).

chisporrotear *intr.* 툭툭[탁탁] 튀다.
chisporroteo *m.* (장작이나 기름 등이 타면서) 튀기는 일.
chisquero *m.* (옛날의) 휴대용 점화기.
chisss *interj.* =chist.
chist *interj.* 쉿!, 조용히 (해라)!
chistar *intr.* 입을 열다.
chiste *m.* ① 재담, 경구. ② 유쾌한[재미나는] 일. ③ 놀려주기, 놀려대기. ④ =chanza. ⑤ 난관, 어려움.
chistera *f.* ① 종다래끼. ② (놀이에서 손에 끼는) 토시. ③ (어부의) 작은 바구니. ④ 높은 실크 모자.
chistoso, sa *adj.* 익살맞은, 우스운.
chistu *m.* [악기] 치스뚜 ((빠이스 바스꼬에서 사용하는 구멍 세 개의 피리)).
chistulari *m.f.* chistu 연주자.
chita *f.* ① [해부] 복사뼈. ② 복사뼈 쓰러뜨리기 놀이.
chiticallando =a la chita callando.
chito *m.* ① =chita ②. ② 동전 떨어뜨리기 놀이. ③ chita 놀이에서 동전을 놓는 나무 받침.
chito *interj.* 조용히!, 쉿!
chitón[1] *m.* [조개] =quitón.
chitón[2] *interj.* =chito.
chiva[1] *f.* ① *AmérC.* =manta, colcha. ② *Ven.* 의류. ③ *pl. Méj.* =enseres.
chiva[2] *f.* ① 새끼 산양 암컷. ② 염소수염. ③ *Chile.* 거짓말. ④ *Col.* 버스. ⑤ *Cuba, Ur., Ven.* 산양. ⑥ *Nic.* 담배꽁초. ⑦ *Ven.* 행운. ⑧ *Cuba.* =delator.
chivar *tr.* ① *Can., Amér.* =molestar, fastidiar. ② *Arg.* =transpirar. ③ *Cuba.* =perjudicar. ④ *Cuba.* =estropear. ~**se** =delatar.
chivarra *f.* (한 살부터 두 살까지의) 새끼 산양 암컷.
chivarro *m.* (한 살부터 두 살까지의) 새끼 산양 수컷.
chivata *f.* ☞chivato.
chivatada *f.* 고자질, 밀고(soplón).
chivatazo *m.* [속어] =chivatada.
chivatear *tr.* 고자질하다, 밀고하다.
chivato, ta *adj.* ① 고자질을 좋아하는, 밀고하는. ② 심술궂은. —*m.f.* 고자쟁이, 밀고자. —*m.* ① (6개월은 넘고 1년은 안 된) 새끼 산양. ② *Esp* 경보기. ③ *Bol.* (광산 일의) 조수. ④ *Col.* 무척 맵고 옥수수 알맹이만큼 작은 고추. ⑤ *Pan.* 유령. —*f.* (목동들이 가지고 다니는) 막대기.
chivo[1] *m.* 기름 찌꺼기 저장소.
chivo[2] *m.* ① 새끼 산양 수컷. ② *Cuba, Ur., Ven.* =cabrón, macho de la cabra. ③ *Cuba, Guat.* 커닝 페이퍼. ④ *Cuba.* =fraude, malversación, negocio ilícito. ⑤ *Cuba.* =bicicleta. ⑥ 주사위 놀이. ⑦ *Nic.* 매춘부와 동거하는 남자. ⑧ *Ven.* 세력가, 명망가. ¶*comer* ~ *AmérM.* 성내다, 노하다.
chivón, na *adj.* ① *Cuba.* 농담을 잘 하는 (사람). ② *Cuba.* =fastidioso, cargante.
chocante *adj.* ① 기이한, 이상한; (사람이) 기묘한, 우스운. ② =gracioso. ③ *Amér.* =antipático, presuntuoso. ④ 불편한.
chocar (7) *intr.* ① [+con · contra · en] (…과 · 에) 충돌하다, 부딪치다. ② 싸우다, 반목하다, 다투다. ③ 전투하다, 싸우다. ④ 비위에 거슬리다. ⑤ 기이하게 느껴지다, 화나게 하다. —*tr.* ① 충돌시키다. ② (교섭의 성립 · 찬성 · 환영 · 인사 등의 표시로) 악수하다. ③ 잔을 모으다[부딪치다]. ¶ ~***la*** 악수하다: *¡Chócala!* 악수하세요!
chocarrear *intr.* 입에 담지 못할 잡소리를 하다.
chocarrería *f.* 입에 담지 못할 잡소리.
chocarrero, ra *adj.* ① 잡소리를 하는. ② 습관적으로 잡소리를 하는 (사람).
chocha *f.* [새] =chochaperdiz.
chochaperdiz *f.* [새] 멧도요.
chochear *intr.* ① 정신이 흐려지다, 멍청해지다. ② 홀딱 빠지다, 인정에 빠지다, 열중하다.
chochera *f.* =chochez.
chochez *f.* ① 노망. ② 사랑스러운 것[자식].
chocho[1] *m.* ① [식물] =altamuz. ② 계피 과자. ③ [속어] =vulva. ④ *Col., RDom.* [식물] 콩과 나무.
chocho[2], **cha** *adj.* ① 노망한, 정신이 나간. ② 정에 사로잡힌. ③ *Arg., Ur.* =satisfecho, contento, complacido. ④ *Salv.* =nicaragüense.
choclo[1] *m.* =chanclo.
choclo[2] *m.* ① 옥수수의 연한 이삭. ② *AmérM.* =humita.
choclón, na *adj.* 단정하지 못한. —*m.* ① 테 안으로 나무공 굴려 넣기. ② *Chile.* (사람의) 무질서한 집단.
choco, ca *adj.* ① *Bol.* =rubio, pelirrojo. ② *Col.* 얼굴이 거무잡잡한. ③ =rabón. ④ *Chile.* 한쪽 다리[귀]가 없는. ⑤ *Guat.* =ciego. ⑥ *Hond.* =tuerto. —*m.* ① =jibia. ② *AmérM.* =perro de aguas. ③ =caparro.
chocolatada *f.* 주성분이 뜨거운 초콜릿인 음식.
chocolate *m.* ① 초콜릿. ② 초콜릿 차. ③ =hachís. —*adj.* 초콜릿색의.
chocolateado, da *adj.* 초콜릿이 든.
chocolatera *f.* ☞chocolatero.
chocolatería *f.* ① 초콜릿 가게[공장]. ② 코코아 가게.
chocolatero, ra *adj.* 초콜릿 차를 마시기를 좋아하는 (사람). —*m.f.* 초콜릿 만드는 사람; 초콜릿 장수. —*m. And.* =chocolatera. —*f.* 초콜릿차 끓이는 기구.
chocolatín *m.* =chocolatina.
chocolatina *f.* 초콜릿 과자.
chofer *m.f.* [주로 *Amér.*] =chófer.
chófer *m.f. fr. Esp* 자동차 운전수.
chola *f.* =cholla.
cholla *f.* ① 머리. ② 이해력, 판단력.

chollar *tr. Nic., Salv.* =**rozar, raer.**
cholo, la *adj.* ① 유럽인과 인디오의 혼혈의. ② *Amér.* 유럽의 문물을 받아들인. —*mf.* 유럽인과 인디오의 혼혈.
chomba *f. Arg., Chile., Par.* 촘바 ((소매는 짧고 목이 터진 스타일로, 약간 조이며 허리까지 찬 가벼운 뜨개 옷)).
chombo, ba *m.f. Pan.* 영어 사용 흑인.
chompa *f.* ① *Bol., Ecuad., Par., Ur., Perú.* 스웨터. ② *Col., Pan.* (엉덩이에 착 달라붙는) 짧은 웃옷.
chongo *m.* ① *Guat.* 둥그렇게 말린 고수머리. ② *Hond., Méj.* 올린 머리. ③ *Perú.* =**escándalo, alboroto.** ④ *Perú.* [속어] =**prostíbulo.** ⑤ *PRico.* (힘이 약한) 나쁜 말. ⑥ *PRico.* 질이 낮은 바나나 송이.
chopal *m.* =**chopera.**
chopalera *f.* =**chopera.**
chopazo *m.* ① *Chile.* chope로 구타. ② *Bol., Chile.* =**puñetazo.**
chope *m.* ① (땅에서 알뿌리나 뿌리를 캐고 시골에서 다른 용도로도 쓰이는) 끝이 납작한 막대기. ② *Chile.* 쇠갈고리, 쇠 작살. ③ *Chile.* 주먹질, 구타.
chopera *f.* 검정 버드나무 숲.
chopo[1] *m.* ① [식물] 검정 버드나무. ② 검정 버드나무 목재.
chopo[2] [문어] 총(fúsil).
chopo[3] *m. And.* 오징어의 변종.
choque[1] *m.* ① 충돌, 부딪침. ② 말다툼, 싸움. ③ [군사] (소수의 병력으로 단기간의) 전투, 싸움: ~ armado 무력 충돌. ¶~ *cultural* 문화 충돌.
choque[2] *m.* ① [의학] 충격, 쇼크(증). ② 강한 감동[인상].
choquezuela *f.* [해부] 슬개골(rótula).
chorar *tr.* [속어] 훔치다, 도둑질하다.
chorbo, ba *m.f.* ① 누군지 알지 못하고 말하고 싶지도 않는 사람. ② 연인.
choricear *tr.* =**robar.**
choriceo *m.* 도둑질.
chorizar (9) *tr.* [속어] =**robar.**
chorizo[1] *m.* ① 돼지 순대[소시지]. ② 곡예사의 균형봉. ③ *Arg., Bol., Ur.* (농장의 벽에 바르기 위해 짚을 섞은) 초벽 흙. ④ *Arg., Bol.* 소 등심살의 절단. ⑤ *Col.* (당구에서) 점수 기록 줄. ⑥ (벽의 장식과 덧씌우기에 쓰는) 세로로 자른 벽돌. ⑦ *Ur.* 둔한 사람, 멍청이, 바보.
chorizo[2]**, za** *m.f.* 소매치기, 좀도둑.
chorla *f.* [새] 초를라 ((고방오리 비슷하나 몸집이 더 큰 새)).
chorlito *m.* ① [새] (다리가 긴) 물떼새. ② 경망스런 사람.
choro[1] *m.* 소매치기, 좀도둑(chorizo).
choro[2]**, ra** *adj.* 대담한, 과감한. —*m.* ① *Bol., Chile.* =**mjillón.** ② *Chile.* [속어] =**vulva.**
chorra *f.* ① 운(運). ② [비어] 음경(陰莖). ③ *Sal.* (바위와 다른 장애물 때문에 경작하지 않고 둔) 땅뙈기. ④ *Sal.* 땅을 경작하지 못하게 하는 장애물. ⑤ 둔한 남자, 바보, 멍청이.
chorrada *f.* ① 되를 되어 준 뒤에 덤으로 더 준 액체의 양. ② =**necedad.** ③ 별로 중요하지 않은 것.
chorreado, da *adj.* ① 수직 줄무늬가 있고 일반 종보다 더 어두운 색깔의 털이 있는 (소). ② *Amér.* 더러운, 얼룩진. ③ 파형(波形)을 잃은 (머리털). ④ *Ven.* 줄무늬 깃이 있는 (싸움닭). —*f.* 흘러내리는 적은 양의 액체.
chorreadura *f.* ① =**chorreo.** ② 액체가 떨어져 남긴 자국.
chorrear *tr.* ① 액체를 분출시키다[넘치게 하다]. ② (분비물·체액·피 등을) 분출시키다. ③ 조금씩 조금씩[간헐적으로] 오다[일어나다]. —*intr.* ① 분출하다 ② 방울방울 흘러나오다, 방울방울 떨어지다, 졸졸 흘러나오다. **~se** *Ven.* ① =**acobardarse.** ② (이성 앞에서) 현혹되다.
chorreo *m.* ① 분출; 방울방울 떨어짐. ② 불필요하게 계속되는 낭비.
chorrera *f.* ① 물방울이 떨어지는 곳. ② 물난 자국. ③ =**cascada.** ④ 와이셔츠 가슴의 레이스 장식.
chorretada *f.* (불의의) 분출(噴出).
chorretón *m.* 분출.
chorrillo *m.* 계속 들락날락하는 일.
chorro *m.* 분출, 내뿜음, 넘쳐 나옴. ¶ *beber a* ~ 흐르는 물을 입으로 마시다. *soltar el* ~ 깔깔거리고 웃다.
chota *f.* ① (포유기의) 새끼 산양 암컷. ② (어떤 지방에서는) 송아지 암컷.
chotacabras *m.(f.)sing.pl.* [새] 소쩍새.
chotear(se) *intr.(r.)* ① 야유하다, 조롱하다, 놀리다. ② 용두사미가 되다.
choteo *m.* [속어] =**burla, pitorreo.**
chotis *m.sing.pl.* ① 쇼티셰 ((폴카와 비슷한 두 박자로 된 윤무)). ② 쇼티셰의 음악.
chotís *m.sing.pl.* =**chotis.**
choto *m.* ① (포유기의) 새끼 산양 수컷. ② (어떤 지방에서는) 송아지 수컷.
chotuno, na *adj.* ① (산양의) 포유기의. ② (새끼 양의) 야위고 병약한.
chova *f.* [새] 까마귀의 일종.
chovinismo *m.* 광신적 애국심, 배외주의(排外主義).
chovinista *adj.* 광신적으로 애국하는, 배외주의의. —*mf.* 광신적 애국자, 배외주의자.
choza *f.* 오두막(cabaña).
chozo *m.* 작은 오두막.
christmas *m.sing.pl. ing.* 크리스마스 카드.
chsss *interj.* =**chis.**
chubascada *f.* =**chubasco.**
chubasco *m.* ① 소나기, 스콜, 집중 폭우. ② 대단치 않은 고장. ③ 수평선 위의 비구름.
chubasquero *m.* =**impermeable.**
chúcaro, ra *adj.* =**arisco, bravío.**
chucha *f.* ① 암캐. ② *Col., Perú.* [속어] =**vulva.** —*interj.* 이 놈의 개새끼! ((개를 꾸짖는 소리)).
chuchanga *f. Can.* =**chuchango.**

chuchango *m. Can.* [동물] 달팽이.
chuchería *f.* ① 하찮은 것, 자질구레한 것. ② 간단한 음식.
chucho[1] *m.* ① [동물] 수캐(perro). ② *AmérM.* 작은 물고기. ③ *Col.* =zarigüeya. ④ *Cuba., Méj.* [어류] =obispo. —*interj.* 이 놈의 개새끼!
chucho[2] *m.* ① *Cuba.* [철도] 전철기. ② *Cuba.* 전류 차단기.
chucho[3] *m.* ① *Amér.* =escalofrío. ② 말라리아열로 생긴 열병. ③ *Arg., Par., Ur.* =miedo. ④ *Chile.* [속어] 감옥(cárcel).
chucho[4] *m. Cuba., Ven.* 채찍(látigo).
chucho[5] *m. Chile.* [새] 추초 ((맹금류로 작달막함)).
chuchumeca *f. AmérM.* 성매매 여성.
chuchurrido, da *adj.* =marchito.
chuchuy *m. Perú.* (닭과 새의) 이.
chuco, ca *adj. Guat.* 더러운(sucio).
chucua *f. Col.* =lodazal.
chu-cu-chu *m.* [유아어] 칙칙폭폭.
chueco, ca *adj.* ① *Amér.* =estevado. ② *Cuba., Méj.* 굽은(torcido). ③ *Hond., Salv.* =defectuoso, inútil. ④ 품행이 바르지 못한.
chueta *m.f. Bal.* 개종한 유대인의 자손.
chufa *f.* ① [식물] 사초의 알뿌리. ② =bofetada. ③ 놀려주기.
chulada *f.* ① 버릇없음. ② 뻔뻔스러움. ③ *Guat., Méj.* (사람의) 아름다움, 미.
chulapo, pa *m.f.* =chulo.
chulapón, na *m.f.* =chulapo.
chulear *tr.* ① 놀리다, 조롱하다. ② 악용하다, 남용하다. ③ *Guat., Méj., Salv.* =piropear. ④ *Salv.* =alabar. **~se** =jactarse.
chulería *f.* ① (말이나 행동에서) 우아함. ② 잘난 체하는 행동이나 말.
chulesco, ca *adj.* 건달패 같은.
chuleta[1] *f.* ① (소·양·돼지 등의) 살이 붙은 갈비. ② =bofetada. ③ (학생들의) 커닝 페이퍼. ④ (목수들이 사용하는 가구의 벌어진 틈을 메우는) 가는 나무 조각. ⑤ [건축] (미장업에서, 틈새를 채우기 위해 붙이는) 삼각형 조각.
chuleta[2] *adj.* ① =chulo. ② =presumido. ③ *f.pl.* 긴 구레나룻.
chuletada *f.* 석쇠에 구운 갈비.
chuletón *m.* 대형 스테이크.
chullo *m. Perú.* 귀덮개가 달린 모자.
chulo, la *adj.* ① 잘난 체하는 (사람). ② =chulesco. ③ =lindo, bonito, gracioso. ④ *Guat., Hond., Méj., PRico.* 잘생긴. —*m.f.* (옷차림이나 행동거지가 의기양양함을 풍기는 마드리드의) 대중 계층의 사람. —*m.* ① 도살장에서 큰 소를 가둘 때 도와주는 사람. ② (투우 축제의) 투우사 조수. ③ =rufián. ④ *Col.* =zopilote.
chulón, na *adj. Salv.* =desnudo.
chumacera *f.* ① (굴대의) 축받이. ② [선박] 노받이, 노걸이.
chumbe *m. AmérM.* =ceñidor.
chumbera *f.* [식물] 선인장의 일종.
chumbo *m.* ① *Arg., Ur.* [속어] =revólver, pistola. ② *Arg.* [속어] =balazo. ③ *Arg.* =bala, proyectil.
chuminada *f.* =tontería, estupidez.
chumpa *f. Guat., Hond., Méj., Salv.* =cazadora.
chumpe *m. Guat., Hond., Méj., Salv.* [조류] 칠면조(pavo).
chumpipe *m. Guat., Hond., Méj., Salv.* [조류] 칠면조(pavo).
chuna *f.* [새] =chuña.
chuncho, cha *adj. Bol., Perú.* ① 서구 문명에 전혀 물들지 않은 밀림 지역 태생의 (인디오). ② *Bol., Perú.* =incivil, rústico, huraño. —*m. Perú.* [식물] =maravilla. —*m.f.* 춘초족(族) ((뻬루 동부의 삼림 지대에 사는 인디오)).
chungo, ga *adj.* ① 보기가 흉한, 상태[질]가 나쁜. ② =difícil, complicado. —*m.f. RDom.* =querido, da. —*f.* 재미있는 농담.
chungón, na *adj.* 재미있는 농담을 잘 하는 (사람).
chunguearse *r.* 재미있게 농담하다.
chungueo *m.* 재미있게 농담하는 일.
chuña[1] *f.* ① [새] 볏까치. ② *Chile.* =arrebatiña.
chuña[2] *adj. Hond., Salv.* =descalzo.
chuño *m.* ① *AmérM.* 감자 전분. ② *Bol., Perú.* 건조시킨 감자.
chupa[1] *f.* ① =chaqueta, chaquetilla. ② =cazadora.
chupa[2] *f.* =chaparrón.
chupada *f.* ☞chupado.
chupado, da *adj.* ① 말라빠진. ② 매우 쉬운. —*f.* 빨기, 흡수하기.
chupador, ra *adj.* 빠는: animal ~ de sangre 흡혈 동물. —*m.* (이가 나오는 동안 아이들에게 끼워 주는) 상아로 된 둥그런 것.
chupaflor *m. Col., Hond., Méj., Ven., PRico.* [새] 벌새(colibrí).
chupamirto *m. Méj.* [새] 벌새.
chupar *tr.* ① 빨다; 입안에 넣고 빨다; 핥다. ② 흡수하다. ③ 빼앗다, 우려내다. ④ *Ven.* (담배를) 피우다(fumar). —*intr.* 알코올 음료를 섭취하다. **~se** ① 여위어 가다. ② (무엇을) 불쾌하게[언짢게] 참다. ③ *Perú, Ur.* =avergonzarse. ④ *Ven.* =asustarse, amedrentarse.
chupatintas *m.sing.pl.* 말단 사무원.
chupe[1] *m. And.* =chupador.
chupe[2] *m.* ① *Andes, Chile, Pan.* 추뻬 ((육즙에 고기나 생선·해산물·달걀·고추·토마토 및 다른 재료를 넣고 감자로 만든 요리)). ② *Ven.* 추뻬 ((우유·옥수수 알맹이·감자를 잘게 썬 것·치즈 등을 넣고 닭이나 새우를 육즙으로 만든 수프)).
chupé *m. Ecuad.* 감자로 만든 요리.
chupeta[1] *f.* ① =chupete. ② [선박] (좁은) 선미 객실(船尾客室).

chupeta[2] *f.* ① *Perú.* =borrachera. ② *Ven.* (가는 막대기 손잡이가 있는) 빨아먹는 캐러멜.
chupete[1] *m.* ① (아이들이 빨기 위한) 젖꼭지 형태의 물건. ② (젖병의) 젖꼭지. ③ *Perú.* (플라스틱 그릇에 든) 다른 맛의 얼음 조각, ④ *Perú.* (강한 키스를 하거나 빨아서 생긴 목이나 몸의 다른 부분의) 붉은 자국.
chupete[2] *de* ~ 희한한, 멋진, 훌륭한, 아주 좋은.
chupetear *tr., intr.* 약간씩 자주 빨다[마시다], 홀짝홀짝 마시다.
chupeteo *m.* 홀짝홀짝 마시기[빨기].
chupetín *m.* 주름 장식이 달린 조끼.
chupetón *m.* 세게 빨기.
chupi *adj. Esp* [유아어] 매우 좋은. ¶ *pasarlo* ~ 매우 즐겁게 보내다.
chupinazo *m.* ① (대포의) 발사. ② [축구] (상대편의 골대를 향해 하는) 강한 슈팅.
chupito *m.* 포도주나 다른 알코올을 빨아들이는 일.
chupo *m. AmérM.* =**grano, divieso.**
chupón, na *adj.* ① 빠는. ② 돈을 뜯어내는 (사람). ③ 개인주의의 경기를 하는 (사람). —*m.* ① 허드레 가지. ② 새의 빳빳한 깃털. ③ (펌프의) 빨아들이는 구멍, 피스톤. ④ 굴뚝의 연통. ⑤ *Amér.* =**biberón.** ⑥ *Amér.* =**chupada.** ⑦ *Chile.* 마이나스과 식물. ⑧ *Chile.* 마이나스과 식물의 열매. ⑨ *Méj.* =**chupador.** ⑩ *Perú, Ven.* =chupete. ⑪ [고어] (아메리카에서) =chupetón.
chupóptero *m.* 별로 하는 일 없이 봉급을 받는 사람.
churo *m.* ① *Bol., Ecuad.* =caracol. ② *Col., Ecuad.* =**rizo.**
churra[1] *f.* ☞churro[2].
churra[2] *f.* ① [새] 송학. ② *Col.* 설사.
churrasco *m.* 철판이나 석쇠에 구운 불고기.
churre *m.* ① 기름때. ② 기름때 같은 것. ③ *Cuba.* 쌓인 오물.
churrería *f.* churro 가게.
churrero, ra *mf.* churro를 만드는 사람[장수].
churrete *m.* (얼굴이나 손처럼 눈에 띄는 신체의 일부분에 묻은) 얼룩, 때.
churretoso, sa *adj.* 때가 덕지덕지 낀, 더러운.
churrigueresco, ca *adj.* ① 추리게라 양식의. ② 악취미의.
churriguerismo *m.* 추리게라 양식 ((José Benito Churriguera(1665-1725)가 만든 바로크 장식이 많은 양식)).
churro[1] *m.* ① 추로 ((기름으로 튀긴 가느다란 과자·빵)). ② 졸작(拙作). ③ 우연한 적중.
churro[2]**, rra** *adj.* ① 다리와 머리가 굵고 짧으며, 빳빳한 털로 덮인 (양). ② 성기고 긴 (양모). ③ 아라곤 투의 까스띠야 말[스페인어]을 하는. —*mf. Sal.* =**añojo.** —*f. Sal.* 감옥(cárcel).
churruscar (7) *tr.* (불에) 눌리다, 너무 굽다. ~**se** 눋다, 너무 구워지다.
churrusco *adj. Col., Pan.* =**crespo.** —*m.* ① 너무 구워지거나 타기 시작한 빵 조각. ② *Col.* 만지면 타는 듯한 모충.
churumbel *m.* 어린이, 소년.
churumbela *f.* ① [악기] 추룸벨라 ((chirimía와 비슷한 취주 악기)). ② 마떼차의 빨대. ③ *Col.* 담배 파이프.
churumo *m.* 내용, 실질(實質).
Chus *m.* [인명] 추스 ((Jesús 애칭)).
chuscada *f.* 약삭빠름.
chusco, ca *adj.* ① 장난기가 있는 (사람). ② *Perú.* (동물의) 교배종의. ③ *Perú.* 거친, 세련되지 못한, 교양이 없는 (사람). —*m.* ① 빵 부스러기. ② (군대의) 빵.
chusma *f.* ① [집합] 천민. ② 천한 사람들의 무리. ③ [집합] 노를 젓는 죄수. ④ *Amér.* [집합] 집단으로 사는 인디오.
chusmaje *m. Amér.* 천민.
chuspa *f.* ① *AmérM.* 자루, 포대. ② *Arg.* 작은 담배 자루.
chusquero *adj.* 졸병부터 승진한 (하사관·준위·장교).
chut *m. ing.* [축구] 슛, 슈팅.
chutar *intr.* 슛을 하다. ~**se** 마약 주사를 맞다(inyectarse droga).
chutazo *m.* =chut.
chute *m.* ① =chut. ② [은어] 마약 주사. ③ *Chile.* =**patada.** ④ *Chile.* [속어] =**lechuguino.**
chuz *no decir* ~ *ni muz* 말을 하지 않다. *sin decir* ~ *ni muz* 말을 하지 않고(sin decir palabra).
chuzar *tr. Bol., Col., Nic.* =**punzar,** pinchar, herir.
chuzazo *m.* chuzo로 때리는 일.
chuzo *m.* ① (방어와 공격용으로) 쇠꼬챙이가 달린 몽둥이. ② 고드름. ③ *Chile., Hond.* 쇠막대기. ④ *Cuba.* 소의 음경이나 가죽으로 만든 채찍. ⑤ (몰래 감옥에서 죄수들이 만든) 거친 무기. ¶*caer* ~*s* 우박·비·눈이 억수처럼 퍼붓다. *echar* ~*s* 허세를 부리다; 크게 노하다. *llover* ~*s* 비가 억수로 내리다. *meter un* ~ 속이다. *nevar* ~*s* 눈이 엄청나게 내리다.
chuzonada *f.* =bufonada.
chuzonería *f.* =burla.
CI *m.* ① coeficiente *m* intelectual [de inteligencia] 지능 지수, IQ. ② *Amér.* cédula de identidad 신분증.
cía *f.* [해부] 요골(腰骨).
Cía. compañía 회사.
ciaboga *f.* [선박] 배를 선회하기.
cianhídrico *ácido* ~ 시안화 수소산, 청산(青酸).
cianógeno *m.* [화학] 시안.
cianosis *f.sing.pl.* [의학] 치아노시스, 청색증(青色症).
cianótico, ca *adj.* 치아노시스의, 청색증의. —*mf.* 치아노시스 환자.
cianotipo *m.* 청사진.

cianuro *m.* [화학] 시안화물(化物): ~ potásico 시안화 칼륨, 청산가리.

CIAP *m.* Comité Interamericano de la Alianza para el Progreso 진보를 위한 미주 동맹 위원회.

ciar (12) *intr.* ① (배를) 반대편으로 젓다. ② 후퇴하다.

ciático, ca *adj.* [해부] 좌골(坐骨)의, 요(腰)의. —*m.* 좌골 신경(nervio ~). —*f.* 좌골 신경통.

cibera *f.* ① 맷돌에 물리게 하는 소량의 밀. ② 사료로 쓰이는 과일의 껍질. ③ 과즙을 짜고 남은 찌꺼기. ¶*agua* ~ 관개 용수(灌漑用水).

cibernética *f.* 인간 공학, 인공 두뇌학.

cibernético, ca *adj.* ① 인공 두뇌학의 [에 관한]. ② 인공 두뇌학을 연구[개발]하는. —*m.f.* 인공 두뇌학자.

ciborio *m.* ① (초기 기독교 시대에) 주제단(主祭壇)의 천개(天蓋). ② =**copón.** ③ (고대 로마·희랍 시대의) 술잔.

cicatear *intr.* 인색하게 굴다, 노랑이짓을 하다.

cicatería *f.* 인색함, 노랑이짓.

cicatero, ra *adj.* 인색한. —*m.f.* 깍쟁이, 노랑이. —*m.* 소매치기.

cicatriz *f.* [*pl.* cicatrices] ① 흉터, 상처 자국. ② (정신적인) 타격, 상처.

cicatrización *f.* (상처의) 아물게 됨, 유착(癒着), 반흔화(瘢痕化).

cicatrizar (9) *tr.* 상처를 아물게 하다, 유착시키다. —*intr.*, ~**se** 상처가 아물다, 유착하다.

cicerone *m. it.* 관광 가이드, 안내인.

ciceroniano, na *adj.* 키케로(Cicerón, 고대 로마의 정치가·웅변가)의[같은].

cicindela *f.* [곤충] 가뢰.

ciclamen *m.* =**ciclamino.**

ciclamino *m.* [식물] 시클라멘.

ciclamor *m.* [식물] 박태기나무.

cíclico, ca *adj.* 주기적인, 순환적인.

ciclismo *m.* 자전거 경기, 사이클링.

ciclista *adj.* 자전거의: carrera [vuelta] ~ 자전거 레이스[일주 레이스]. —*m.f.* 자전거 이용자; 자전거 레이스 [사이클링]를 하는 사람.

ciclístico, ca *adj.* =**ciclista.**

ciclo *m.* ① 주기, 순환. ② (서사시의) 작품군(群); (소설 등의) 연작(連作). ③ [교육] 과정, 코스. ④ [전기·기계] 사이클.

ciclocrós *m.* [자전거] 험한 코스를 도는 자전거 경기.

ciclohexano *m.* 시클로헥산.

cicloidal *adj.* [수학] 사이클로이드의, 파선상(擺線狀)의.

cicloide *f.* [수학] 사이클로이드, 파선(擺線).

ciclomotor *m.* 원동기 부착 자전거.

ciclón *m.* ① [기상] (인도양 등의) 열대성 저기압; (일반적으로) 온대성 저기압. ② 대폭풍, 대선풍, 큰 회오리바람, 토네이도. ③ (원심 분리식) 집진(集塵) 장치. ¶*como un* ~ 난폭하게, 맹렬한 기세로.

ciclonita *f.* 사이클로나이트.

cíclope *m.* [희랍 신화] 키클롭스 ((시칠리아에 살았던 외눈박이 거인)).

ciclópeo, a *adj.* ① 키클롭스의, 키클롭스 같은. ② 거대한. ③ [건축] 거석(巨石)으로 쌓은. ④ 애꾸눈의.

ciclorama *f.* 원형 파노라마.

ciclostil *m.* =**ciclostilo.**

ciclostilo *m.* 윤전 등사(기).

ciclóstomos *m.pl.* [생물] 원구강.

ciclotimia *f.* [의학] (조울의) 순환 기질.

ciclotrón *m.* [물리] 사이클로트론.

cicloturismo *m.* [자전거] 사이클링.

cicloturista *m.f.* 사이클링 애호가.

-cico *suf.*「축소」의 뜻: joven*cico* 젊은이.

cicuta *f.* [식물] 독당근.

cidra *f.* cidro의 열매.

cidro *m.* [식물] 구연나무.

cidronela *f.* =**toronjil.**

ciego, ga *adj.* ① 장님의, 눈먼, 눈이 보이지 않는. ② 눈이 어두워진: ~ de amor 사랑에 눈먼. ③ (관·구멍 등이) 막힌. ④ 맹장(盲腸)의. —*m.f.* 맹인, 장님. —*m.* ① [해부] 맹장. ② [속어] 술 취함, 명정(酩酊). ¶***a ciegas*** 맹목적으로, 무턱대고, 닥치는 대로, 덮어놓고. ***En el país de los ~s el tuerto es rey*** (속담) 장님 나라에서는 애꾸눈이 왕이다.

cielito *m. Arg., Ur.* 가우초의 원무곡, 그 춤.

cielo *m.* ① 하늘. ② 공기, 대기. ③ 하늘; 하느님, 신, 신의(神意). ④ (어떤 것을 덮는) 윗부분, 씌우개, 천개(天蓋) ⑤ 사랑하는 사람에게 다정한 말: Mi ~, ~ mío 여보! ⑥ [종교] [주로 *pl.*] 천국(天國). ⑦ [종교] =**gloria.** ¶ ***descargar el*** ~ 비[눈]가 내리다. ***desgajarse el*** ~ 비가 억수처럼 쏟아지다. ***Al que al ~ escupe a la cara le cae*** (속담) 하늘에 침 뱉기, 긁어 부스럼, 자업자득.

ciempiés *m.sing.pl.* [동물] 지네.

cien *adj.* [ciento가 명사나 mil·millones 앞에서 to 탈락] ① 100의: ~ años 100년. ② 확정되지 않은 수의 표현: Te lo he dicho ~ veces 내가 너에게 셀 수 없이 여러 차례 그것을 말했다. ¶ ~ *por* ~ 전체적으로, 처음부터 끝까지; 진짜의. **al** ~ **por** ~ 완전히. ☞ **ciento.**

ciénaga *f.* 습지(濕地).

ciénago *m.* ① [고어] =**cieno.** ② [고어] =**cenagal.**

ciencia *f.* ① 과학, 학문: ~*s* naturales 자연 과학. No hay ~ sin trabao 학문에는 왕도가 없다. ② 이과(계의 학문). ③ 지식, 기술. ¶*tener poca* ~*, no tener* ~ 쉽다, 용이하다, 간단하다.

cienmilésimo, ma *adj., m.f.* 10만분의 1(의).

cienmilímetro *m.* 100분의 1밀리미터.

cieno *m.* 진흙.
cienticismo *m.* 과학 만능주의.
científicamente *adv.* 과학적으로.
científico, ca *adj.* ① 과학의, 과학적인, 학문(상)의, 학술의, 학술적인. ② 이과계(理科系)의. —*mf.* 과학자.
cientifismo *m.* =cienticismo.
ciento *adj.* [명사나 mil · millones 앞에서 *cien*이 된다. 구어에서는 남성 단수 명사로 *cien*이 많이 쓰인다: contar hasta *cien* 100까지 세다] ① 100의: *cien* casas 집 100채. *cien* libros 책 100권. *cien* dólares 100달러. *cien* euros 100 유로. ~ once personas 111 명. ② 백 번째의. —*m.* ① 100: *~s* de … 수백의 …. ② 100단위, 100을 단위로 묶은 것. ③ 시엔또 ((일반적으로 두 사람이 하는 카드 놀이; 정해진 규칙에 따라 먼저 100점을 따는 사람이 이긴다)). ¶***a ~s*** 많이. … ***por ~ (+관사)*** …퍼센트(가): Lo aprobó el ochenta *por* ~ del pueblo 국민 80%가 그것에 찬성했다. ~ ***por*** ~ 100퍼센트; 진짜의; 처음부터 끝까지.
cientología *f.* [종교] 사이언톨로지 ((미국인 L.R.Hubbard가 1965년에 창설한 신흥 종교)).
cientopiés *m.sing.pl.* =ciempiés.
cierna *f.* (밀 · 포도나무 등의 꽃에서 떨어진) 꽃받침.
cierne *m.* ① (포도나무와 다른 식물들이) 꽃이 만발함. ② =cierna.
cierre *m.* ① 폐쇄, 닫음; 폐점, 폐업, 휴업; 종결: hora de ~ 폐점[폐관] 시간, 종료 시간. ② 닫는 장치, 셔터. ③ 울타리, 담. ④ *Ur., Ven.* 지퍼. ⑤ [인쇄] 괘로 두른 기사[읽을거리]. ⑥ *Gran., Can.* 온실.
cierro *m.* ① 닫기, 폐쇄. ② *And.* 폐쇄된 발코니. ③ *Chile.* 담장, 울타리.
ciertamente *adv.* 확실하게, 안전하게.
cierto, ta *adj.* ① 확실한, 틀림없는: noticia *~ta* 확실한 소식. ② 확신한. ③ [+명사] 어떤: ~ día 어떤 날. *~ta* idea 어떤 생각. ④ 약간의. —*adv.* 맞습니다; 분명히, 그렇습니다.
cierva *f.* [동물] 암사슴.
ciervo *m.* [동물] 사슴, 수사슴.
cierzo *m.* 북풍(北風).
c.i.f.; C.I.F.; CIF 운임 및 보험료 포함 가격. ☞ C.S.F.
cifosis *f.sing.pl.* [의학] 척추 후만증.
cifra *f.* ① 수, 숫자. ② 암호. ③ 돈의 양. ④ 개요, 요약. ⑤ 맞춘 머리글자. ⑥ [음악] 악보. ⑦ 번지, (호텔의) 호.
cifrado, da *adj.* 암호[부호]로 쓴.
cifrar *tr.* ① (통신문을) 암호로 쓰다, 암호화하다. ② [+en] (…으로) 돌아가게 하다, 한정하다. ③ 간추리다, 요약하다. ④ [상업] 견적을 내다, 헤아려서 대충 값을 매기다.
cigala *f.* [동물] 바닷게.
cigarra *f.* [곤충] 매미.
cigarral *m.* (똘레도 교외의) 별장.
cigarrería *f. Amér.* 담배 가게.
cigarrero, ra *mf.* ① 엽궐련팔이. ② 엽궐련 만드는 공원. —*f.* 엽궐련 갑, 시가 케이스.
cigarrillo *m.* 궐련, (종이로 만) 담배.
cigarro *m.* ① 여송연, 시가, 엽궐련. ② 궐련(cigarrillo).
cigarrón *m.* [곤충] 메뚜기.
cigomático, ca *adj.* 광대뼈의, 뺨의.
cigoñal *m.* 크랭크 축.
cigoñino *m.* 황새의 새끼.
cigoto *m.* [생물] 수정란(受精卵).
ciguatera *f.* (멕시코 만의) 어패류로 자주 생기는 병.
cigüeña *f.* ① [새] 황새. ② [기계] 크랭크.
cigüeñal *m.* 크랭크 축.
cigüeñato *m.* =cigoñino.
cigüeño *m.* [새] 황새의 수컷.
cigüeñuela *f.* 크랭크, 굽자루.
cilantro *m.* [식물] =culantro.
ciliados *m.pl.* [동물] 섬모충강.
ciliar *adj.* [해부] 속눈썹의[같은].
cilicio *m.* 고행복(苦行服).
cilindrada *f.* (엔진의) 기통 용적, 배기량(排氣量).
cilíndrico, ca *adj.* 원주의, 원통형의.
cilindro *m.* ① [수학] 원주, 원통. ② (엔진 등의) 실린더. ③ (땅을 다지는) 롤러. ④ *Méj.* =organillo. ⑤ 실크 모자. ⑥ *Cuba.* =apisonadora. ⑦ (기계의 피스톤을 움직이는) 통. ⑧ (윤전기의) 회전통. ⑨ [주로 *Amér.*] =bombona.
cilindroeje *m.* [해부] 축색(軸索).
cilio *m.* [생물] 선모(線毛), 섬모(纖毛).
-cillo, -cilla *suf.*「축소(縮小)」의 뜻: nube*cilla* 한 편의 구름.
cima *f.* ① 꼭대기, 정상(頂上). ② 집산화서(集散花序).
cimacio *m.* [건축] =moldura.
cimarra *hacer* ~ *Arg., Chile.* 수업[일]을 사보타주하다, 결석하다, 수업을 빼먹다(hacer novillos).
cimarrón, na *adj.* ① (선원이) 게으른, 나태한 (사람). ② *Amér.* 들로 도망가 야생이 된 (가축). ③ *Amér.* 야생의, 길들이지 않은 (동물). ④ *Amér.* 이름이나 종류에서 자라는 곳이 다른 (야생 식물). ⑤ *Amér.* 자유를 찾아 도망친 (노예). —*m. Arg., Ur.* 맛이 쓴 마떼 차(mate amargo).
címbalo *m.* [악기] 심벌즈.
cimborio *m.* [건축] =cimborrio.
cimborrio *m.* ① [건축] =cúpula, bóveda. ② [건축] 둥그런 지붕을 받치는 통 모양의 부분.
cimbra *f.* [건축] 아치 구축용 틀.
cimbrado *m.* [무용] (빠른 속도로 허리를 구부리는) 댄스 스텝.
cimbrar *tr.* ① (탄력성 있는 것을) 휘다. ② 주먹으로 갈기다. ③ (아치 형의) 틀을 짜다. ~**se** 휘다, 구부러지다.
cimbreante *adj.* 쉽게[잘] 휘어지는.
cimbrear *tr.* =cimbrar.
cimbreo *m.* 휘기; 휘어짐, 뒤틀림.

cimbrón *m.* ① *Arg., Col., Ur.* 줄을 세게 갑작스레 잡아당기는 일. ② *CRica* 강한 요동. ③ *Ecuad.* 찌르는 듯한 고통, 격통(激痛).
cimbronazo *m.* ① 심한 요동, 강력한 지진. ② 칼의 측면으로 치기. ③ *Arg., Col., Ur.* 심한 경련. ④ *Arg., Ur.* 세고 갑작스레 잡아당기는 일.
cimentación *f.* 기초 공사, 기초 굳히기.
cimentar (19) *tr.* ① …의 기초를 만들다[토대를 굳히다]. ② 세우다, 건설하다. ③ 굳건히 하다. ④ (학설 등을) 세우다. ~**se** 토대를 굳건히 하다.
cimera *f.* ① (챙이 달린 투구의) 장식술. ② (무기에서) 투구의 꼭대기에 꽂는 장식.
cimero, ra *adj.* 정상에 있는, 절정기의.
cimiento *m.* [주로 *pl.*] (건축물의) 기초, 토대.
cimitarra *f.* (터키 사람・페르시아 사람들이 사용했던) 신월도(新月刀).
cinabrio *m.* 주사(朱砂), 진사(辰砂).
cinacina *f.* *Arg., Ur.* [식물] 시나시나 나무 ((콩과 식물)).
cinamomo *m.* [식물] 멀구슬나무.
cinc *m.* [*pl.* cines, zines] [화학] 아연.
cincel *m.* [연장] 끌.
cincelado *m.* 조각(彫刻).
cincelador, ra *m.f.* 조각사, 조각가.
cincelar *tr.* 조각하다.
cincha *f.* (말의) 복대(腹帶).
cinchar *tr.* (말에게) 복대를 감다.
cincho *m.* ① 넓은 띠[테]. ② 혁대, 허리띠. ③ 칼을 차는 띠. ④ 쇠테. ⑤ *Nic.* (치즈를 만드는) 목재로 된 네모틀. ⑥ *Méj.* =cincha.
cinchuela *f.* 좁은 띠.
cinco *adj.* ① 다섯의, 5의: ~ personas 다섯 사람. ② 다섯 번째의. —*m.* ① 5, 다섯. ② 5일: el ~ de mayo 5월 5일. ③ (베네수엘라의) 5줄로 된 소형 기타. ④ *Chile.* 최소량. ⑤ *Chile.* (5센따보 가치가 있는) 옛 은화. ⑥ *CRica.* 5센띠모 동전. ⑦ *Guat.* 진흙이나 유리 등의 작은 공으로 만들어진 어린이의 놀이(canica).
cincoenrama *f.* [식물] 가락지나물.
cincuenta *adj.* ① 50의. ② 50번째의. —*m.* 50.
cincuentavo, va *adj., m.* 50분의 1(의).
cincuentena *f.* [집합] 50(을 한 묶음으로 한 것).
cincuentenario *m.* 50주년 기념일.
cincuenteno, na *adj.* =quincuagésimo.
cincuentón, na *adj., m.f.* 50대(의).
cine *m.* [cinematógrafo의 생략어] ① 영화관, 극장. ② 영화 ((참고: cine는 장르로서의 영화, película와 filme는 작품으로서의 영화)). ③ 영화 예술, 영화 기술.
cineasta *m.f.* ① 영화인 ((배우, 감독, 카메라맨 등 영화 제작 관계자)). ② 영화 배우, 영화 스타.
cineclub *m.* [*pl.* ~(e)s] 영화 연구회. 영화 클럽.
cinéfilo, la *adj.* 영화(cine)를 좋아하는. —*m.f.* 영화팬.
cinefórum *m.* 영화 클럽[연구회].
cinegético, ca *adj. f.* 수렵술(의).
cinema *m.* =cine.
cinemascope *m.* 시네마스코프.
cinemateca *f.* ① 전위 영화 전문의 소극장. ② 필름 도서관, 필름 보관소.
cinemático, ca *adj., f.* [물리] 운동학(運動學)(의).
cinematografía *f.* 영화 예술[기술].
cinematografiar (12) *tr.* 영화로 촬영하다, 영화를 찍다.
cinematográfico, ca *adj.* 영화의.
cinerama *m.* [영화] 시네라마.
cineraria *f.* [식물] 시네라리아.
cinerario, ria *adj.* 납골용(納骨用)의.
cinética *f.* 동력학(動力學).
cinético, ca *adj.* [물리] 운동의.
cingalés, sa *adj.* 세일론(Ceilán, Sri Lanka의 옛 이름) (태생)의[에 관한]. —*m.f.* 세일론 사람.
cíngaro, ra *adj., m.f.* 집시(의).
cinglar *tr.* ① 쇠를 벼리다, 제강하다. ② 통나무배를 젓다, 노 하나로 젓다.
cíngulo *m.* 성직자의 제복 alba의 끈.
cínico, ca *adj.* ① 키닉[견유학파]의. ② 뻔뻔스런. ③ 냉소적인, 비꼬는. ④ 불결한, 추잡스런. —*m.f.* ① 키닉 학파 사람. ② 비틀어진 사람.
cínife *m.* 모기(mosquito).
cinismo *m.* ① 반인간적인 태도. ② 견유 철학(犬儒哲學).
cinocéfalo *m.* [동물] (아프리카의) 원숭이의 일종.
cinoglosa *f.* [식물] 큰 유리풀의 일종 ((지치류)).
cinquillo *m.* 5명이 하는 카드 놀이.
cinta *f.* ① 리본. ② 테이프. ③ 영화 필름. ④ [운동] (골인의) 테이프. ⑤ =casete. ⑥ 녹음 테이프. ⑦ 컨베이어 벨트. ⑧ [건축] =filete. ⑨ *Cuba.* =cinturón.
cintarazo *m.* 칼의 측면으로 치기.
cintillo *m.* ① (모자의) 띠[장식줄・리본]. ② 보석을 박은 반지.
cinto *m.* 띠, 혁대, 허리띠, 벨트.
cintra *f.* [건축] (아치 등의) 만곡(彎曲), 내호면(內弧面).
cintura *f.* ① (신체의) 허리. ② 옷의 허리. ③ 귀부인들이 허리를 더 가늘게 하기 위해 조이는 띠. ④ [건축] 연통이 시작하는 난로 위의 종모양 장식의 윗부분. ¶***tener poca*** ~ 허리가 가늘다. ***tener una ~ de avispa*** 허리를 조여서 히프가 풍만하다.
cinturilla *f.* [복식] (여성 의류의 허리에 넣는) 질긴 천의 띠.
cinturón *m.* ① [복식] 허리띠, 혁대, 벨트, 밴드: ~ de seguridad 안전 벨트. ② 대상(帶狀)의 것, 환상선(環狀線). ③ 지대: ~ verde 녹지대, 그린 벨트.
-ción *suf.* [동사의 명사화; 동작・결과] ocupa*ción* 점령, 직업.

cipayo *m.* (18-19세기 프랑스·포르투갈·영국 식민지군의) 인디오 병사.
cipo *m.* ① (고대의) 묘비, 표주(標柱). ② [교통] 도표(道標).
cipolino *m.* 운모 대리석(雲母大理石).
cipote[1] *m.* ① 경계석. ② 미련퉁이, 바보. ③ 땅딸막한 남자. ④ 곤봉. ⑤ 북채. ⑥ [속어] 음경. ⑦ *And.* 쐐기, 나무 조각(cuña, tarugo).
cipote[2], **ta** *m.f.* ① *Hond., Nic., Salv.* 어린아이(niño). ② *Salv.* 연인(novio).
ciprés *m.* ① [식물] 삼나무. ② 삼나무의 재목.
cipresal *m.* 삼나무가 무성한 곳.
cipresino, na *adj.* 삼나무의[같은].
ciprino[1], **na** *adj.* =cipresino.
ciprino[2], **na** *adj.* =chipriota.
circadiano, na *adj.* [생리] 약 24시간 간격의.
circe *f.* 엉큼하고 잘 속이는 여자.
circense *adj.* 서커스의.
circo *m.* ① 서커스; 서커스의 관람석. ② 서커스단. ③ (고대 로마의) 원형 경기장. ④ 작은 마구간. ⑤ 대소동. ⑥ [지리] 권곡(圈谷), 카르.
circón *m.* [광물] 지르콘, 백수정.
circona *f.* [화학] 지르코니아.
circonio *m.* [화학] 지르코늄.
circonita *f.* [광물] 지르코니트.
circuir (77) *tr.* 포위하다, 에워싸다, 둘러치다(rodear).
circuitería *f.* [컴퓨터] 회로 설계.
circuito *m.* ① 주행로, 서킷 (코스). ② 주위, 주변. ③ 순회, 주유, 순회 여행, 투어. ④ [운동] 토너먼트 투어. ⑤ [전기] 회로, 회선(回線). ⑥ 계통, 네트워크: ~ comercial 판매망.
circulación *f.* ① 통행, 교통. ② 순환. ③ 유통; 통화.
circulante *adj.* ① 순회의. ② 회유의, 순환의. ③ 유통의, 유통 중인.
circular[1] *adj.* 원형의, 환상(環狀)의. *—f.* 회람장, 인사장.
circular[2] *intr.* ① 돌다, 순회하다. ② (혈액 등이) 흐르다, 순환하다, 돌다. ③ 통행하다; (자동차 등을) 운전하다. ④ (손에서 손으로) 전해지다, (사상 등이) 유포되다. ⑤ (화폐·상품이) 유통되다. *—tr.* 돌리다, 유포시키다, 회람하다, 일반에게 알리다.
circulatorio, ria *adj.* [의학] 순환의.
círculo *m.* ① 원; 원형, 바퀴, 고리, 테. ② 모임, 서클, 클럽. ③ [주로 *pl.*] …계(界): ~*s* financieros 재계. ④ [지리] 권(圈): ~ polar ártico 북극권. ~ polar antártico 남극권. ⑤ [천문] 권: ~ diurno 일주권(日週圈).
circum- *pref.* ☞ circun-.
circumpolar *adj.* 북극[남극] 부근의.
circun- *pref.* [b·p 앞에서는 circum-] 「주위·주변」의 뜻: *circun*stancia 환경.
circuncentro *m.* [기하] 외심(外心).
circuncidar *tr.* …에게 할례를 행하다.
circuncisión *f.* ① 포피 절제, 할례. ② 그리스도 할례 축일 ((1월 1일)).
circunciso, sa *adj.* 할례(割禮)를 받은. *—m.* 할례를 받은 남자.
circundante *adj.* 주위의.
circundar *tr.* 포위하다, 에워싸다, 둘러싸다(cercar).
circunferencia *f.* ① [수학] 원주. ② 주위, 주변.
circunferir *tr.* [+a] (…에) 한정하다.
circunflejo *m.* *acento* ~ 회절 악센트.
circunlocución *f.* 완곡한 표현.
circunloquio *m.* 이야기를 빙돌려서 말하기, 더 간단히 말할 수 있음에도 이해를 돕기 위해 돌려 말하는 법.
circunnavegación *f.* 주항(周航).
circunnavegar (8) *tr.* 주항하다.
circunscribir *tr.* ① [+a] (…에) 한정하다, 제한하다. ② [기하]. 외접시키다. **~se** (범위가) 한정되다.
circunscripción *f.* ① (행정상의) 구분, 구역. ② 한정, 제한. ③ [기하] 외접.
circunscripto, ta *adj.* (…에) 한정되어 있는. ¶*círculo* ~ [기하] 외접원.
circunscrito, ta *adj.* =circunscripto.
circunspección *f.* 용의주도함, 신중함.
circunspecto, ta *adj.* ① (대인 관계에서) 용의주도한. ② (평가할 때에) 신중한.
circunstancia *f.* ① (주변의) 상황, 사정. ② 정상(情狀). ③ 자격, 필요 조건.
circunstanciado, da *adj.* 상세한.
circunstancial *adj.* 일시적인, 우연의.
circunstante *adj., m.f.* [주로 *pl.*] 마침 그 자리에 있던 (사람); 주위의.
circunvalación *f.* 포위, 주위에 있는 일: carretera de ~ 환상 도로.
circunvalar *tr.* (장소를) 둘러싸다, 에워싸다, 포위하다.
circunvolar (24) *tr.* …의 주위를 날다.
circunvolución *f.* ① 선회(旋回), 회전. ② (뇌의) 주름.
cirial *m.* (교회의) 대형 촛대.
cirineo *m.* (힘든 일에서) 원조자.
cirio *m.* ① 큰 초. ② =alboroto.
cirquero, ra *adj.* ① *Arg., Bol.* 서커스의. ② *Arg.* =extravagante, histriónico. *—m.f.* 서커스 단원.
cirripedos *m.pl.* =cirrópodos.
cirro *m.* ① [기상] 새털구름. ② [동물] 극모(棘毛). ③ [식물] (포도의) 덩굴손. ④ [의학] 경성암(硬性癌).
cirrocúmulo *m.* [기상] 권적운, 조개구름, 비늘구름, 털쌘구름.
cirroestrato *m.* [기상] 권층운, 털층구름, 햇무리구름, 솜털구름.
cirrópodos *m.pl.* [동물] 만각류.
cirrosis *f.sing.pl.* [의학] 경변증.
ciruela *f.* [과실] 서양 오얏, 자두; (일반적으로) 매실.
ciruelo *m.* [식물] 서양 오얏나무, 매화나무.
cirugía *f.* 외과(外科): ~ cardiaca 심장 외과. ~ del tórax 흉부 외과.
cirujano, na *m.f.* 외과의(外科醫).
cisalpino, na *adj.* (로마에서 보아) 알

프스 산 이쪽의.
cisandino, na *adj.* 안데스산맥 이쪽의.
ciscar (7) *tr.* 더럽히다(ensuciar). **~se** 방귀를 뀌다.
cisco *m.* ① 분탄(粉炭), 탄진(炭塵). ② 소요, 소란.
cisjordano, na *adj.* 요르단강 서안(西岸) 지구(Cisjordania)의.
cisma *m.* ① (기독교에서의) 분파, 분립, 이교(離教). ② 불화, 대립.
cismático, ca *adj., m.f.* 이교자(의).
cisne *m.* [새] 백조.
cisterciense *adj., m.f.* [종교] 시토 수도회(el Cister)의 (수도사·수도녀).
cisterna *f.* (주로 지하의) 물탱크, 물통; (수세식 화장실의) 수조(水槽), 물통.
cisticerco *m.* [동물] 자루벌레.
cistitis *f.sing.pl.* [의학] 방광염.
cistoscopia *f.* 방광경 검사.
cistoscopio *m.* 방광경.
cistotomía *f.* 방광 수술[절개(술)].
cisura *f.* ① 절단면. ② 상처.
cita *f.* ① (친구·연인 등과) 만날 약속; (진찰·면회 등의) 예약; 회합: Tengo una ~ con María 나는 마리아와 만날[데이트] 약속이 있다. ② 인용(문).
citación *f.* 소환(장)(~ judicial).
citado, da *adj.* 전술(前述)의, 전기(前記)의, 앞에서 언급한, 앞에서 기재한.
citador, ra *adj., m.f.* 인용하기 좋아하는 (사람).
citar *tr.* ① 인용하다. ② …와 만날 약속을 하다. ③ [법률] 소환하다, 환문(喚問)하다. ④ [투우] (소를) 도발하다. **~se** (서로) 만날 약속을 하다.
cítara *f.* [악기] 시따라 ((수금 비슷하나 나무 공명 상자가 있는 옛날 악기)).
citatorio, ria *adj.* 소환하는.
citerior *adj.* 이쪽의.
-cito *suf.*「축소」의 뜻: jardin*cito* 좁은 정원.
citocromo *m.* [생물] 시토크롬.
citófono *m. Col.* 인터폰.
citología *f.* ① 세포학. ② 세포 검사.
citológico, ca *adj.* 세포학의.
citoplasma *m.* [생물] 세포(형)질.
citotóxico, ca *adj.* [의학] 세포 독(毒)의, 세포 장애성의.
citrato *m.* [화학] 구연산염.
cítrico, ca *adj.* [식물] 감귤류의: ácido ~ [화학] 구연산. —*m.pl.* 감귤류 ((나무, 과실)).
citricultura *f.* 감귤류 재배.
CiU Convergencia i Unió 집중 연합 ((까딸루냐의 정당)).
ciudad *f.* ① 시, 도시: ~ dormitorio [colmena] 베드타운. ~ hermana 자매도시. ~ industrial 공업 도시. ~ satélite 위성 도시. ~ universitaria 대학촌, 대학 도시. ② 도회지. ③ 도시국가.
ciudadanía *f.* ① 시민권, 공민권, 국적: ~ española 스페인 국적. carta de ~ 국적 증명서. obtener la ~ 시민권을 얻다. perder la ~ 시민권을 잃다. ② 애국심, 공덕심. ③ [집합] 국민.
ciudadano, na *adj.* 도시의, 도회지의. —*m.f.* ① 도회지 사람. ② 시민, 공민, 국민. ③ [역사] 시민(市民) ((caballero 와 artesano 사이의 계층)); 평민.
ciudadela *f.* 요새 안에 있는 성채.
ciudadrealeño, ña *adj., m.f.* 시우다드레알(Ciudad Real, 까스띠야-라만차 지방의 주·주도)의 (사람).
cívico, ca *adj.* ① 시민의, 공민의. ② 공덕심이 있는.
civil *adj.* ① 시민의: guerra ~ 내전, 내란. ② [법률] 민사의, 민법상의. ③ 민간의; 세속의. ④ (천문력·종교력에 대해) 상용의. ⑤ 공손한, 예의바른. —*m.f.* ① 민간인. ② 치안 경비대원.
civilista *adj.* (변호사가) 민사 전문의. —*m.f.* ① 민법 학자. ② *Amér.* 반군국주의자.
civilización *f.* 문명; 문명화, 개화.
civilizado, da *adj.* ① 문명화된. ② 공덕심이 있는.
civilizador, ra *adj.* 문명화하는.
civilizar (9) *tr.* ① 문명화시키다, 개화시키다. ② 예의 범절을 가르치다. **~se** 문명화되다.
civilmente *adv.* ① 정중하게, 예의바르게. ② 민법에 의거하여. ③ 종교 없이, 무종교로.
civismo *m.* 공민 정신, 공덕심.
cizalla *f.* ① 종이 재단기. ② 절단한 파쇠. ③ *pl.* (금속을 자르는) 가위.
cizaña *f.* ① [식물] 독보리. ② 못된 버릇. ③ 해로운 것. ④ 불화(의 씨), 적개심.
cizañar *tr.* 분규를 일으키다, 화목함을 깨다, 적개심을 불러일으키다.
cizañear *tr.* =**cizañar.**
cizañero, ra *adj.* 불화의 씨를 뿌리는. —*m.f.* 고자쟁이.
clac *m.* 접을 수 있는 실크 모자. —*f.* =**claque.**
clamar *tr.* ① 애원하다. ② [고어] = llamar. —*intr.* ① 애원하다, 외치다. ② 간절히 바라다, 희구하다.
clámide *f.* [복식] (고대 로마·희랍의) 짧은 망토.
clamidosaurio *m.* [동물] (호주의) 갈기도마뱀과 파충류.
clamor *m.* ① 외침, 애절한 부르짖음. ② (장례식의) 만종(晩鐘).
clamorear *tr.* ① 외치다. ② 애원하다, 동정에 호소하다. ③ 만종이 울리다.
clamoroso, sa *adj.* ① 애절한, 탄식하는. ② 고통스러운, 부르짖는.
clan *m.* ① (주로 켈트인의) 씨족. ② (일반적으로) 일족, 일문, 한 집안. ③ 일당, 파.
clandestinidad *f.* 비밀, 불법 활동, 비합법적 활동.
clandestino, na *adj.* 비밀의, 내밀한; 불법의, 불법적인, 비합법적인. —*m.f.* 불법 입국자.
claque *m.* ① [집합] 박수 부대. ② [집합] 야바위꾼.

claqué *m.* [무용] 탭댄스.
clara *f.* ☞**claro.**
claraboya *f.* 천창(天窓).
claramente *adv.* 뚜렷하게, 분명히.
clarear *tr.* 밝게 하다. —*intr.* ① 동이 트다. ② (흐렸던 하늘이) 밝아 오다. ~**se** 맑아지다; 비쳐 보이다; 속이 들여다 보이다.
clarete *m.* 담홍색 포도주(vino ~).
claridad *f.* 환함, 밝음, 맑음; 분명함, 명료함, 명백함; 명석함.
clarificación *f.* 분명하게 하는 일.
clarificar (7) *tr.* ① 환하게 하다. ② 분명히 하다. ③ 맑게 하다. ④ 솎아내다. ~**se** 투명하게 되다, 맑아지다.
clarín *m.* [악기] 클라리온.
clarinete *m.* [악기] 클라리넷. —*mf.* 클라리넷 연주자.
clarinetista *mf.* 클라리넷 연주자.
clarión *m.* 분필, 백묵(tiza).
clarisa *f.* [종교] 성 끌라라회(orden de Santa Clara)의 수도녀.
clarividencia *f.* 혜안(慧眼), 선견지명; 투시 (능력).
clarividente *adj., mf.* 통찰력이 있는 (사람).
claro, ra *adj.* ① ㉮ 밝은(luminoso): habitación ~*ra* 밝은 방. luz ~*ra* 밝은 빛. ㉯ (색이) 연한: rosa ~*ra* 연한 핑크색. vestido ~ 밝은 색 드레스. ㉰ 하늘이 갠. ② (농도·밀도 등이) 묽은, 연한; 엷은. ③ 투명한. ④ 명확한, 분명한, 명백한, 명료한. ⑤ 명민한, 예리한. ⑥ 유명한. ⑦ 청렴한, 부정이 없는. ⑧ [투우] (소가) 당당하게 공격하는. —*m.* ① 공지(空地), 빈자리. ② (글이나 말의) 사이. ③ 구름의 사이. ④ (시간적인) 간격, 사이. ⑤ (그림의) 밝은 부분: ~ y oscuro 그림의 명암. —*adv.* 명확히, 명료하게, 분명히, 명백하게. —*interj.* 물론(이다)!, 아무렴!, 그렇고 말고!
clase *f.* ① 학급, 반, 클래스. ② 교실. ③ 수업: ~ atrasada 보충 수업. ~ magistral (수업 형태로서의) 강의. en ~ 수업 중에. dar ~ de [en] español a *alguien* …에게 스페인어 수업을 하다. dar ~ con *uno* …의 수업을 받다. estar en ~ 수업 중이다. faltar a ~ 수업에 빠지다, 결석하다. ir a ~ 학교에 가다, 수업을 들으러 가다. Hoy no hay ~ 오늘 수업이 없다. ④ 계급, 계층. ⑤ 등급; 종류: de primera ~ 일등급의, 일류의. de segunda ~ 이류의. toda ~ de …, … toda(s) ~(s) 온갖 종류의, 모든 종류의. ⑥ 기품, 우아함. ⑦ [생물] 강(綱). ⑧ [군사] 하사관 (계급).
clasicismo *m.* 고전주의.
clasicista *adj.* 고전주의의. —*mf.* 고전주의자; 고전 학파.
clásico, ca *adj.* ① 고전의, 고대 로마·희랍의; 고전주의의, 고전적인. ② 전통적인, 정통파의. ③ (옷이) 화려하지 않은, 수수한. ④ 특유의. —*mf.* 고전 작가, 고전주의의 예술가. —*m.* 고전(적인 작품), 명작. —*f.pl.* 고전, 고전 문학, 고전어.
clasificación *f.* ① 분류, 구분. ② 순위, 랭킹. ③ 예선 통과, 결승 진출. ④ [영화] 등급 분류.
clasificado, da *adj.* 비밀의, 기밀의.
clasificador, ra *adj.* 분류하는. —*mf.* 분류하는 사람, 분류자. —*m.* ① 정리 서랍, 정리함. ② =**clasificadora.** —*f.* 선별기, 분류기.
clasificar (7) *tr.* 분류하다; 등급으로 나누다. ~**se** ① [+en] 순위를 점하다. ② [+para] (결승 등에) 진출하다.
clasismo *m.* 계급 차별.
clasista *adj.* 계급 차별의. —*mf.* 계급 차별자.
clástico, ca *adj.* ① (바위가) 부서지기 쉬운, 잘 부서지는. ② (해부 모형이) 분해할 수 있는.
claudia *f.* 연한 녹색으로 달콤한 매실.
claudicación *f.* ① 변절; 굴복. ② [의학] 절름발이.
claudicar (7) *intr.* ① [+de] (책무·신조·신념을) 방기하다. ② [+ante] (곤란에) 굴하다, 굴복하다. ③ 다리를 절룩거리다(cojear).
claustral *adj.* 수도원의[같은].
claustro *m.* ① (수도원 등의 안마당에 면한) 회랑. ② 수도원 (생활). ③ 교수회, 교수진(~ de profesores).
claustrofobia *f.* 밀실[폐소] 공포증.
claustrofóbico, ca *adj.* ① 밀실[폐소] 공포증의. ② 밀실[폐소] 공포증에 시달리는.
cláusula *f.* ① (계약·조약의) 조항, 약관. ② [문법] 문장, 문(文).
clausura *f.* ① 종료; 폐쇄: ceremonia [acto] de ~ 폐회식. ② (수도원 안의) 금역(禁域), 수도원 금역제; 금역 생활.
clausurar *tr.* 종료하다, 폐회하다; 폐쇄하다. ~**se** 종료되다, 폐회되다.
clavado, da *adj.* ① (못 같은 것으로) 박아 놓은. ② 안성맞춤의, 어울리는, 꼭 들어맞은. ③ 멈추어 있는. —*m.* *Arg., Ecuad., Hond., Méj., Ur., Ven.* [수영] 수직 잠수(zambullida vertical).
clavar *tr.* ① (…에) 못을 박다, 못으로 고정시키다. ② 단단히 고정시키다, 못 박아 버리다. ③ (주의·시선을) 모으다, 쏟다, 응시하다. ④ (뾰쪽한 것으로) 쿡 찌르다. ⑤ (보석을 금은에) 끼우다. ⑥ 속이다. ⑦ *Cuba.* 훔치다, 도둑질하다. ~**se** ① (뾰족한 것에) 찔리다. ② 속다. ③ *Ven.* =**equivocarse.**
clave *f.* ① (암호의) 풀이, 코드. ② (문제 해결의) 열쇠. ③ [집합] 암호. ④ (아치의) 요석(要石). ⑤ [음악] 음부 기호. ⑥ [컴퓨터] 키: ~ de búsqueda 검색 키. ⑦ [형용사적] 중요한.
clavecín *m.* [악기] (15세기의 피아노식) 건반 악기.
clavecinista *mf.* clavecín 연주자.
clavel *m.* [식물] 카네이션.
clavelito *m.* (꽃이 작은) 패랭이꽃의

일종.
clavellina *f.* [식물] 패랭이꽃.
clavelón *m.* [식물] 매리골드 ((국화과 금잔화 속(屬)의 화훼 식물)).
clavero *m.* [식물] 정향나무.
claveta *f.* 나무못.
clavete *m.* [악기] 만돌린용의 골무.
clavetear *tr.* ① (…에) 장식 징을 박다; (…에) 징을 박다. ② (노끈의 끝에) 쇠붙이를 달다. ③ 완결[완성]하다.
clavicémbalo *m.* [악기] 클라비쳄발로.
clavicordio *m.* [악기] 클라비코드.
clavícula *f.* [해부] 쇄골(鎖骨).
clavicular *adj.* [해부] 쇄골의.
clavija *f.* ① 마개, 전(栓), 나무못; (칼의) 걸이 못. ② 쐐기. ③ 빨래 집게. ④ (전기 코드 끝에 달린) 콘센트, 플러그. ⑤ 나사 마개. ⑥ (현악기의) 줄 조르개. ⑦ (강철제의 등산용의) 쐐기 못, 하켄, 피통.
clavijero *m.* ① [음악] (현악기의) 목. ② 옷걸이(percha).
clavillo *m.* =**pasador.**
clavo *m.* ① 못, 징, 압정. ② (발가락에 생기는) 단단한 못. ③ 편두통. ④ 가슴 아픈 일. ⑤ 팔리지 않는 물건. ¶ ***Por un ~ se pierde una herradura*** (속담) 큰 방죽도 개미 구멍으로 무너진다.
claxon *m.* 경적, 클랙슨.
clemátide *f.* [식물] 미나리아재빗과에 속하는 낙엽 덩굴풀.
clemencia *f.* 자비, 관대, 관용, 용서.
clemente *adj.* 관대한, 정이 많은, 자비로운.
clementina *f.* ① 클레멘테 법령 ((교황 Clemente 5세가 편함)). ② *pl.* 클레멘테 법령집.
clepsidra *f.* (고대의) 물시계.
cleptomanía *f.* (병적인) 도벽(盜癖).
cleptomaníaco, ca *adj., m.f.* =**cleptómano.**
cleptómano, na *adj., m.f.* 도벽이 있는 (사람).
clerecía *f.* ① [집합] 성직자, ② 성직.
clerical *adj.* 성직자의, 교권을 지지하는. —*m.f.* 교권을 지지하는 사람.
clericalismo *m.* 교권 확장주의.
clérigo[1] *m.* ① [천주교] 성직자. ② [고어] 학자, 지식인.
clérigo[2]**, ga** *m.f.* [종교] 성직자, 목사.
clero *m.* [집합] 성직자 (계급).
cleruco *m.* (고대 그리스의 식민지에 살았던) 농노(農奴).
clic *m. ing.* [컴퓨터] 클릭.
cliché *m. fr.* ① 인쇄판. ② [사진] 음화(陰畵). ③ 상투적인 문구.
clienta *f.* 여자 고객.
cliente *m.f.* ① (가게 등의) 손님, 고객; (특히) 단골 손님. ② (누구의) 덕을 보는 사람, 보살핌을 받는 사람.
clientela *f.* ① [집합] 고객(층), 단골 손님. ② 애고(愛顧). ③ 파벌.
clientelismo *m.* 파벌주의.
clima *m.* ① 기후: ~ templado 온대 기후. ~ tropical 열대 기후. ② 풍토(風土). ③ 분위기: ~ de amistad 우호적인 분위기.
climatérico, ca *adj.* ① 갱년기의. ② 액년(厄年)의: año ~ 액년.
climaterio *m.* [의학] 갱년기, 폐경.
climático, ca *adj.* 기후의.
climatización *f.* ① 온도 조절. ② 내온 조절(耐溫調節).
climatizar (9) *tr.* ① 공기 조절을 하다, 공기 조절 설비를 하다. ② (실내 수영장을) 온수(溫水)로 하다. ③ 열대[한냉지] 방법[규정]으로 하다.
climatología *f.* 기후학.
climatológico, ca *adj.* 기후학의.
clímax *m.sing.pl.* ① 절정, 극점, 클라이맥스. ② [수사] 점층법. ③ [식물] 극상(極相), 안정기(安定期).
clínex *m.* 클리넥스(kleenex).
clínica *f.* ① 병원, 진료소. ② 임상 의학(臨床醫學).
clínicamente *adv.* 임상으로.
clínico, ca *adj.* 임상의. —*m.f.* 임상의(臨床醫), 일반의(一般醫).
clip[1] *m. ing.* ① (서류 등을 끼우는 금속제 등의) 클립, 종이[서류] 집게[끼우개]. ② (머리털을 고정시키는) 클립. ③ (만년필 등의) 끼움쇠, 클립.
clip[2] *m.* [음악] =**videoclip.**
clipe *m.* =clip[1.2].
clíper *m. ing.* 쾌속 범선; 장거리 대형 여객기.
clisar *tr.* 연판으로 뜨다.
clisé *m.* =**cliché.**
clitoridiano, na *adj.* 음핵(clítoris)의.
clítoris *m.sing.pl.* [해부] 음핵(陰核).
cloaca *f.* ① 하수 설비, 하수관. ② 불결한 장소. ③ (새의) 배설강(排泄腔).
clocar (24) (7) *intr.* 암탉이 꼬꼬 하고 울다(cloquear).
cloche *m.* ① *Ant., Col., Ven.* 클러치. ② *Ant., Col., Ven.* 클러치 페달.
clon[1] *m.* (서커스의) 어릿광대(payaso).
clon[2] *m.* [생물] 클론, 복제.
clonación *f.* [생물] 클론 기술, 클로닝, 복제.
clonaje *m.* =**clonación.**
clonar *tr.* (단일 개체 등에서) 클론을 만들다, 복제하다.
clónico, ca *adj.* 클론의, 복제의.
cloquear *intr.* (알을 품은 암탉이) 꼬꼬꼬 하고 울다.
cloqueo *m.* (알을 품은 암탉이) 꼬꼬꼬 우는 소리.
cloración *f.* 염소 처리[소독].
clorar *tr.* 염소(鹽素)로 처리[소독]하다.
clorato *m.* [화학] 염소산염.
clorhidrato *m.* [화학] 염산염(鹽酸鹽).
clorhídrico, ca *adj.* [화학] 염화 수소의: ácido ~ 염산(鹽酸).
clorización *f.* [화학] 염화(鹽化).
clorizar (9) *tr.* [화학] 염화하다.
cloro *m.* [화학] 염소(鹽素).
clorobenceno *m.* [화학] 클로로벤젠.
clorofila *f.* [식물] 엽록소(葉綠素).

clorofílico, ca *adj.* 엽록소의.
clorofluocarbono *m.* [화학] 클로로플루오로카본.
cloroformizar (9) *tr.* 클로로포름으로 마취[처리]하다.
cloroformo *m.* [화학] 클로로포름.
cloroplasto *m.* [식물] 엽록체(葉綠體).
clorosis *f.sing.pl.* ① [의학] 위황병(萎黃病). ② [식물] 백화(白化) 현상.
cloruro *m.* [화학] 염화물.
clóset *m.* [*pl.* ~s] *Amér.* (고정시킨) 선반.
clown *m. ing.* (서커스의) 어릿광대.
club *m. ing.* [*pl.* ~s] ① (운동·사교·정치 등의) 클럽, 모임, 부(部). ② 클럽 회원들이 모이는 장소, 클럽 회관. ③ 동호회.
clube *m.* =**club.**
clueco, ca *adj.* 알을 부화하는. —*f.* 알을 부화하는 암탉.
cluniacense *adj., m.* [종교] 끌루니(Cluni, 스페인 Borgoña에 소재함) 수도원의 (수도사).
cm. centímetro 센티미터.
CNEA *f. Arg., Ur.* Comisión Nacional de Energía Atómica 국가 원자력 위원회.
CNT *f.* ① Confederación Nacional del Trabajo 국민 노동 연합. ② *Ur.* Convención Nacional de Trabajadores 전국 노동자 회의.
co- *pref.* 「공동(共同)·공통」의 뜻: *co*educación (남녀) 공학. *co*operación 협력.
coacción *f.* 강제, 강요.
coaccionar *tr.* 억지로 시키다, 강제[강요]하다, 강행시키다.
coacervación *f.* [화학] 퇴적 현상.
coacervato *m.* [화학] 코아세르베이트.
coactivo, va *adj.* 강제적인.
coadjutor, ra *mf.* 도우미, 협력자, 보좌관. —*m.* [천주교] 주교보(主敎補).
coadyuvante *adj.* 협력하는, 돕는.
coadyuvar *intr.* [+a·en] (…에) 협력하다, 거들다, 돕다.
coagulación *f.* 응고 (작용), 응결; 응집.
coagulante *adj.* 응고[응결]하는[시키는]. —*m.* 응고제(凝固劑).
coagular *tr.* 응고[응결]시키다, 엉기게 하다, 굳게 하다. ~**se** 응고[응결]하다, 엉기다, 굳다.
coágulo *m.* ① 응고물, 응괴. ② 혈괴.
coala *f.* [동물] 코알라.
coalescencia *f.* 합체(合體), 집합.
coalición *f.* 동맹, 제휴: gabinete de ~ 연립 내각. gobierno de ~ 연립 정부.
coaligarse (8) *r.* 합하다, 연합하다, 동맹하다(coligarse).
coartada *f.* ① [법률] 알리바이, 현장 부재 증명. ② 변명, 핑계, 구실.
coartación *f.* 제한.
coartar *tr.* (자유 등을) 제한하다.
coaseguro *m.* 공동 보험.
coatí *m.* [*pl.* ~(e)s] 코아티 ((아메리카산의 곰의 일종)).
coautor, ra *mf.* ① 공저자(共著者). ② [법률] 공동 정범자(共同正犯者).
coaxial *adj.* 같은 축의.
coba[1] *f.* ① 교묘한 속임수. ② 아첨. ③ 1레알 짜리 동전(moneda de un real).
coba[2] *f.* ① (모로코에서 술탄이 사용하는) 야전 텐트. ② (모로코에서) 둥근 지붕. ③ (모로코에서) 사당(祠堂).
cobáltico, ca *adj.* 코발트의.
cobaltina *f.* 휘코발트광(鑛).
cobalto *m.* [화학] 코발트.
cobarde *adj.* 겁이 많은, 무서워하는, 비겁한, 치사한. —*mf.* 겁쟁이; 비겁한 사람. ¶***Hombre ~ no conquista mujer bonita*** (속담) 겁쟁이는 미인을 얻을 수 없다, 소심한 사람은 큰 일을 이루지 못한다.
cobardía *f.* 겁이 많음; 비겁함, 비열함.
cobaya *mf.* [동물] 모르모트.
cobayo *m.* [동물] 모르모트.
cobea *f. AmérC.* [식물] 메꽃의 일종.
cobertera *f.* ① 냄비[단지]의 뚜껑[마개]. ② 뚜쟁이 노릇하는 여자.
cobertizo *m.* ① (비를 막기 위해 벽 바깥으로 설치한) 지붕. ② 노천에서 사람이나 동물을 보호하기 위해 살짝 덮은 곳.
cobertor *m.* ① 이불. ② 침대용 모포.
cobertura *f.* ① 덮개. ② 침대 시트. ③ [운동] =**línea defensiva.** ④ [경제] 보증, 커버. ⑤ [전파·컴퓨터 등의] 널리 퍼지는 범위. ⑥ 엄호 (사격).
cobija *f.* ① 둥근 기와. ② (머리를 가리기 위해 여자들이 사용하는) 짧은 비단 숄. ③ (새의) 솜털 날개. ④ 덮개. ⑤ *And., Amér.* 침대 커버. ⑥ *Amér.* =**manta.**
cobijamiento *m.* 보호, 비호(庇護).
cobijar *tr.* ① (특히 야외에서) 보호하다. ② 감싸다, 두둔하다, 비호하다. ③ =**encerrar.** ④ 덮다, 씌우다. ~**se** ① 몸을 감싸다[보호하다]. ② 묵다, 숙박하다. ③ 피난하다. ¶***Piedra movediza nunca moho cobija*** (속담) 구르는 돌에는 이끼가 끼지 않는다, 직업을 자주 옮기면 돈이 모이지 않는다, 활동가는 녹슬지 않는다. ***Quien a buen árbol se arrima, buena sombra le cobija*** (속담) 나무는 큰 나무 덕을 못 보아도 사람은 큰 사람 덕을 본다.
cobijo *m.* ① 피난처, 도피처. ② 보호. ③ (식사가 제공되지 않는) 숙박소.
cobista *mf.* =**adulador.**
cobla *f.* ① =**copla.** ② [집합] (까딸루냐에서) sardanas 연주단.
cobra[1] *f.* ① 소의 고삐. ② 쟁기를 끄는 한 쌍의 암말.
cobra[2] *f.* [동물] 코브라.
cobra[3] *f.* 사냥꾼이 쏘아서 맞춘 새를 개가 찾는 일.
cobrable *adj.* =**cobradero.**
cobradero, ra *adj.* 회수할 수 있는.
cobrador, ra *mf.* ① 수금자(收金者). ② (버스의) 차장.
cobranza *f.* 수금(收金), 회수.

cobrar *tr.* ① (요금·비용 등을) 받다, 수취하다. ② 현금으로 받다. ③ 징수하다, 거두어들이다. ④ 회수[회복]하다. ⑤ (신용을) 얻다, 획득하다. ⑥ (원기·기력을) 내다. ⑦ (애정 등을) 느끼다, 가지게 되다. ⑧ (줄을) 당기다, 끌어당기다. ⑨ (쏘아 떨어뜨린 짐승을) 줍다. —*intr.* ① 급료를 받다. ② 두들겨 맞다. ~**se** ① (추징금·보상금 등을) 수취하다. ② 의식을 회복하다. ③ (인명을) 빼앗다.
cobre *m.* ① [광물] 동(銅), 구리. ② (주방 용품 등의) 동제품. ③ *pl.* [음악] 금관 악기.
cobrizo, za *adj.* ① 동색(銅色)의, 적갈색의. ② (광물이) 동을 함유한.
cobro *m.* (돈의) 수금, 징수, (대금의) 회수: ~ a la entrega 현품 착불.
coca[1] *f.* ① [식물] 코카. ② 코카 잎.
coca[2] *f.* ① 두 갈래로 땋은 여자의 머리카락. ② (중세의) 선박. ③ [속어] 머리. ④ 주먹. ⑤ (밧줄이) 얽히는 일. ⑥ (아이들에게) 무서운 것, 귀신.
coca[3] *f. Ar.* =torta.
coca[4] *f.* =cocaína.
cocacho *m. Arg., Bol., Col., Ecuad., Perú.* 알밤.
cocada *f.* ① 야자 열매로 만든 과자. ② *Bol., Col.* 누가 (과자)의 일종. ③ *Ven.* 물·야자 열매·설탕으로 만든 청량 음료.
cocaína *f.* [화학] 코카인.
cocainismo *m.* [의학] 코카인 중독.
cocainómano, na *adj.* 코카인 중독의. —*m.f.* 코카인 중독자.
cocal[1] *m. Bol., Perú.* 야자나무 재배지[성장지].
cocal[2] *m. Amér.* =cocotal.
cocción *f.* ① 삶기, 찌기; 가마에 굽는 일; 조리, 요리. ② [의학] 소성(燒成). ③ [금속] 배소(焙燒).
cóccix *m.sing.pl.* =coxis.
coceadura *f.* 발길질(하기).
coceamiento *m.* =coceadura.
cocear *intr.* ① (동물이) 차다, 발길질하다. ② =resistir, rechazar.
cocedero, ra *adj.* 쉽게 삶아지는[요리되는]. —*m.* 삶는 곳.
cocer (1) (25) *tr.* ① 삶다, 찌다: ~ a fuego lento 약한 불에 삶다[찌다]. ② (빵·벽돌·도자기·석회 등을) 굽다. ③ 소화하다. ④ [의학] 고름을 푹 곪도록 두다. ⑤ (삼 등을) 물에 담가 두다. ⑥ (술 등을) 발효시키다. —*intr.* ① 끓다. ② 발효되다. ~**se** ① 삶아지다, 쪄지다. ② (고통·불편으로) 오래 고생하다. ③ 무척 덥다[덥게 느끼다]. ④ 만취하다.
cochambre *m.(f.)* 오물, 더러운 것, 불결한 것, 악취가 풍기는 것.
cochambroso, sa *adj.* 오물투성이의 (사람)(lleno de cochambre).
cochayuyo *m. AmérM.* 해초(海草).
coche[1] *m.* ① 자동차 ((참고: *Amér.* carro)): conducir un ~ 자동차를 운전하다. ir en ~ 자동차로 가다. ② 마차. ③ [철도] (여객용의) 차량, 객차: ~ cama 침대차. ~ comedor 식당차. ~ correo [de correos] 우편차. ④ 유모차: ~ silla 베이비 카, 접는 유모차.
coche[2] *m.* ① [동물] 돼지. ② =**cochi.** —*adj.* 더러운, 불결한(sucio).
cochecito *m.* ① 장난감 자동차. ② (상자형의) 유모차(~ de niño).
cochero[1], **ra** *m.f.* 마부. —*f.* ① 자동차와 버스 두는 곳. ② 마부의 부인.
cochero[2] *m.* =porquero.
cochero[3], **ra** *adj.* 쉽게 요리되는.
cochifrito *m.* [요리] 꼬치프리또 ((목장주나 목동들이 만들어 먹는 음식으로, 향료·식초·후추 등으로 양념하고, 설익힌 양고기를 기름에 튀긴 요리)).
cochina *f.* ① 암퇘지. ② (도살하기 위해) 사료를 먹인 암퇘지. ③ 매우 지저분한 여자. ④ 인색한 여자. ⑤ 버릇없는[무례한] 여자.
cochinada *f.* ① =**suciedad.** ② 비열한 짓. ③ 다른 사람을 해치려는 악의에 찬 짓.
cochinamente *adv.* ① 더럽게, 추접스레. ② 비열하게.
cochinera *f.* ☞cochinero.
cochinero, ra *adj.* (같은 종류 중에서) 품질이 나빠서 돼지들에게 주는[먹이는]. —*f.* 돼지 사육장.
cochinería *f.* =**cochinada.**
cochinilla[1] *m.* (특히 가정사에) 간섭하는 남자.
cochinilla[2] ① [곤충] (선인장에 기생하는) 연지벌레. ② 연지벌레에서 얻은 안료(顔料).
cochinillo *m.* ① (젖을 떼기 전의) 새끼 돼지. ② [요리] 새끼 돼지 통구이.
cochino[1] *m.* ① [동물] 돼지. ② (도살용으로) 사료를 먹인 돼지. ③ 매우 지저분한[불결한] 남자. ④ 인색한 남자. ⑤ 무례한 남자.
cochino[2], **na** *adj.* 더러운; 비열한; 인색한; 버릇없는, 무례한.
cochiquera *f.* =**pocilga.**
cochura *f.* ① =**cocción.** ② 빵집에서 굽는 한 회분의 빵.
cocido, da *adj.* 삶은, 찐: arroz ~ 쌀밥. —*m.* ① 삶는 일, 찌는 일. ② [요리] 꼬시도 ((고기·절인 돼지고기·야채를 넣은 요리; 전골, 냄비 요리)).
cociente *m.* 지수(指數)(coeficiente): ~ intelectual [de inteligencia] 지능 지수.
cocimiento *m.* ① 끓어오름. ② 뜸들임. ③ 달이는 약. ④ (염색 전에) 양모의 세척.
cocina *f.* ① 부엌, 주방, 조리장. ② 조리대, 풍로. ③ 요리, 요리법.
cocinar *tr.* ① (요리를) 만들다; (가열해서) 조리하다. ② 삶다, 찌다. ③ 참견하다, 간섭하다.
cocinero, ra *m.f.* 요리사.
cocinilla *f.* 탁상 풍로, 휴대용 풍로, 소형 풍로.
cóclea *f.* ① 나선식 양수기. ② [해부]

와우각.
coclear *adj.* 나선형의.
coclearia *f.* (십자화과의) 약초.
coco[1] *m.* ① 야자나무. ② 야자 열매, 코코넛. ③ 야자 열매를 구성하는 부분들[층들]의 각각. ④ 야자 열매로 만든 그릇. ⑤ =**percal.** ⑥ 염주. ⑦ 사람의 머리. ⑧ *Méj.* =**coscorrón.**
coco[2] *m.* ① 요괴, 도깨비. ② =**gesto, mueca.**
cocobacilo *m.* [생물] 구간균(球桿菌).
cocodrilo *m.* [동물] (아메리카의) 악어. ¶*lágrimas de* ~ 거짓 눈물.
cocoliche *m.* ① *Arg., Ur.* 이탈리아계 이민자들이 스페인어와 섞어서 사용하는 혼합어. ② *Arg., Ur.* 스페인어와 섞어서 사용하는 혼합어를 말하는 이탈리아 사람.
cocorota *f.* ① 머리 꼭대기. ② (무엇의) 제일 높은 부분. ③ 사람의 머리.
cocotal *m.* 코코야자 숲.
cocotero *m.* [식물] 코코야자나무.
coctel *m.* =**cóctel.**
cóctel *m.* ① 칵테일: ~ Molotov 화염병. preparar [hacer] un ~ 칵테일을 만들다. ② 칵테일 파티. ③ 칵테일 드레스. ④ 여러 가지 것을 혼합.
coctelera *f.* 칵테일 조제 그릇, 칵테일 혼합기.
coctelería *f.* 칵테일 바.
cocuyo *m.* [곤충] 개똥벌레.
coda *f.* [음악] 종곡(終曲).
codal *adj.* ① 자 모양의. ② 까치발로 받친. —*m.* ① (갑옷의) 팔꿈치 받이. ② (포도의) 어린 싹. ③ 까치발.
codaste *m.* [선박] 선미 골재.
codazo *m.* 팔꿈치로 찌르기.
codear *intr.* ① 팔꿈치를 움직이다. ② 팔꿈치로 쿡쿡 찌르다. ③ 집요하게 요구하다. ~**se** [+con] (높은 지위의 사람과 대등하게) 교제하다[사귀다].
codeína *f.* [화학] 코데인.
codera *f.* ① 팔꿈치 장식. ② 팔꿈치에 생기는 옴. ③ [선박] 배 묶는 줄.
codeso *m.* [식물] 금작화.
códice *m.* (옛날의) 사본(寫本), 고문서.
codicia *f.* ① 탐욕, 욕심; 갈망: ~ de saber 지식욕. ② [투우] 투쟁심. ¶*La ~ rompe el saco* (속담) 욕심은 금물. *La ~ es raíz de todos los males* (속담) 탐욕은 모든 악의 근원이다. *La ~ lo quiso todo, y púsose del lodo* (속담) 대탐대실(大貪大失). *A la ~ no hay cosa que la hincha* (속담) 욕심은 한이 없다.
codiciar (11) *tr.* 탐내다, 욕심을 내다.
codicilo *m.* [법률] 유언 부속서.
codicioso, sa *adj.* ① 탐욕스런, 욕심이 많은. ② [+de] (…)욕이 강한. ③ 부지런한, 근면한. —*mf.* 욕심꾸러기, 욕심쟁이.
codificable *adj.* ① 법규화할 수 있는. ② 부호화할 수 있는.
codificación *f.* ① 법전 편찬. ② 부호화, 체계화.
codificador, ra *adj.* 법전으로 편찬한. —*mf.* 법전 편찬자.
codificar (7) *tr.* ① 법전으로 편찬하다. ② 부호화하다, 체계화하다.
código *m.* ① 법전(法典); 법규(집): ~ civil [penal · de comercio] 민법전. ~ de comercio 상법전. ② 신호(표), 코드: ~ barrado [de barras] 바 코드. ~ postal 우편 번호.
codillo *m.* ① 등자. ② 동물의 앞다리의 무릎. ③ (수도관의) 구부러진 부분.
codo *m.* ① 팔꿈치. ② (동물의) 앞다리의 무릎. ③ (수도관 등의) 굽은 부분. ④ 길이의 단위 ((팔꿈치에서 손가락 끝까지의 길이; 약 42센티미터)). ¶*acomerse los ~s de hambre* 아사 지경으로 가난하다. *hincar los ~s* 열심히 공부하다.
codoñate *m.* 멜르멜로 과자.
codorniz *f.* [*pl.* codornices] [새] 메추라기.
coedición *f.* 공저(共著) ((책, 행위)).
coeducación *f.* (남녀) 공학(共學).
coeficiente *m.* [수학 · 물리] 계수, 지수, 율(率): ~ intelectual 지능 지수.
coenzima *m.* [생물] 보효소(補酵素).
coercer (1) *tr.* 억제하다, 금지하다.
coercibilidad *f* [물리] 압축 가능성.
coerción *f.* [법률] 강제.
coercitivo, va *adj.* [법률] 강제적인.
coetáneo, a *adj.* [+de] (…과) 동시대의. —*mf.* 동시대인, 같은 시대 사람.
coexistencia *f.* 공존: ~ pacífica 평화 공존.
coexistir *intr.* 공존하다.
cofa *f.* [선박] 장루(墻樓).
cofactor *m.* [수학] 여인자(余因子).
cofia *f.* 머리 그물, 헤어 네트.
cofinanciación *f.* 협조 융자.
cofrade *mf.* ① cofradía 회원. ② 동료, 동업자.
cofradía *f.* ① [종교] 신도단, 종교 단체. ② 동직 조합, 동업자 단체. ③ …회, …족: ~ de ladrones 도둑패.
cofre *m.* ① (단단한) 상자, 궤. ② 귀중품 상자. ③ [어류] 거북복.
cogedor, ra *adj.* 잡는 (사람). —*m.* ① 쓰레기통, 쓰레받기. ② 부삽.
coger (3) *tr.* ① 잡다, 붙들다, 쥐다, 포착하다. ② 빼앗다, 탈취하다. ③ 붙잡다, 체포하다; 붙들다. ④ 발견하다. ⑤ 손에 넣다[입수하다]: ~ billete 표를 사다. ~ un trabajo 일자리를 얻다. ⑥ (습관 등을) 몸에 익히다; (감정 · 의견 등을) 가지다. ⑦ (탈 것에) 오르다. ⑧ (차가) 치다. ⑨ (장소를) 점하다. ⑩ 받다, 수취하다. ⑪ 수확하다, 거두어들이다. ⑫ 착수하다, 시작하다. ⑬ (비나 바람을) 맞다. ⑭ 골라 잡다. ⑮ (투우가) 뿔로 들이받다. —*intr.* ① 위치하다. ② 들어가다. ③ 뿌리를 내리다. ④ [+y+동사] 결심해서 …하다. ~**se** ① 끼다. ② [+de · a] (…을) 붙잡다, 쥐다.
cogestión *f.* (노동자의) 경영 참가.
cogido, da *adj.* 붙잡는. —*m.* (옷 · 커

튼의) 주름. —*f.* ① [농업] 수확. ② [투우] 뿔로 들이받는 일.
cogitabundo, da *adj.* 생각에 잠긴.
cognación *f.* ① (어머니 쪽의) 혈연, 외척(外戚). ② (일반적으로) 친척.
cognición *f.* 인식(認識) (행위).
cognitivo, va *adj.* 인식의.
cognoscible *adj.* 인식 가능한.
cognoscitivo, va *adj.* 인식(認識)의.
cogollo *m.* ① (배추 등의) 속; 싹. ② (사물・문제의) 핵심, 중심부. ③ 소나무 수관(樹冠)의 높은 부분. ④ 정화(精華), 엘리트.
cogorza *f.* [속어] =**borrachera.**
cogotazo *m.* 목덜미 때리기.
cogote *m.* ① 목덜미. ② 쟁반의 들어간 부분.
cogotera *f.* ① 모자의 뒤로 늘어뜨리는 천 조각. ② 소의 굵직한 목.
cogotudo, da *adj.* ① 목덜미가 너무 두터운. ② 무척 거만한. —*mf.* 부유한 평민.
cogujada *f.* [새] 종달새의 일종.
cogulla *f.* 두건 달린 수도복(修道服).
cohabitación *f.* ① 동거. ② 보혁(保革) 공존.
cohabitar *intr.* ① 동거하다. ② 성교하다. ③ [정치] 보혁 공존하다.
cohechar *tr.* (판사 등을) 매수하다.
cohecho *m.* 매수(買收).
coherencia *f.* ① (논리의) 일관성. ② 응집성. ③ [물리] 간섭성.
coherente *adj.* 일관된.
cohesión *f.* ① 점착, 부착. ② 응집력. ③ 통일성, 연결. ④ 결합, 결혼.
cohesivo, va *adj.* 결합력이 있는.
cohete *m.* ① 로켓: ~ espacial 우주 로켓. lanzar un ~ 로켓을 발사하다. ② 폭죽, 불꽃 (놀이).
cohetería *f.* ① 폭죽[불꽃] 공장[판매소]. ② [집합] 쏘아 올리는 폭죽[불꽃]. ③ 로켓 제작 공장. ④ 로켓 기술. ⑤ 로켓 발사.
cohetero, ra *mf.* 로켓 기술자.
cohético, ca *adj.* 로켓의.
cohibición *f.* 억제, 근신.
cohibido, da *adj.* =**tímido.**
cohibir (16-1) *tr.* 억제하다, 삼가다.
cohollo *m.* =**cogollo.**
cohombral *m.* 오이밭.
cohombro *m.* ① [식물・열매] 오이. ② [요리] 막대기 모양의 추로(churro). ¶ ~ *de mar* [동물] 해삼. ***Quien hizo el ~, que le lleve al hombro*** (속담) 결자해지(結者解之).
cohonestar *tr.* ① 나쁜 일을 좋은 일인 것처럼 꾸미다, 좋게 보이다. ② 조화시키다, 양립시키다.
cohorte *f.* ① (고대 로마의) 보병대. ② 일단, 일군(一群).
COI *m.* Comité Olímpico Internanal 국제 올림픽 위원회, 아이오시(IOC).
coihue *m. Arg.* =**coihué.**
coihué *m. Arg., Chile.* 떡갈나무 무리.
coima[1] *f.* =concubina.
coima[2] *f.* ① 도박장의 입장료, 개평. ② *Amér.* =**soborno.**
coincidencia *f.* ① (의견 등의) 일치. ② [수학] (도형의) 합동(合同). ③ (우연한) 만남, 조우(遭遇).
coincidente *adj.* 일치하는; 합동의.
coincidir *intr.* ① 일치하다, 때를 같이 하다. ② 동시에 일어나다. ③ [+en] 마침 그 자리에 있다.
coiné *f.* =**koiné.**
coipo *m. Arg., Chile.* [동물] 바다삵.
coital *adj.* 성교(性交)의.
coitar *intr.* 성교하다.
coito *m.* 성교, 교미.
coitus interruptus *m. lat.* 중절 성교.
cojear *intr.* ① 다리를 절다, 절름거리다. ② (책상 등이) 기우뚱거리다. ③ 약점[결점・나쁜 버릇]을 가지고 있다. ④ 실패[실수]하다.
cojera *f.* 절름거림, 절름발이.
cojín *m.* 방석, 쿠션 ((참고: almohadón 보다 작음)).
cojinete *m.* ① 바늘겨레. ② [기계] 굴대받이, 베어링.
cojitranco, ca *adj., mf.* 심하게 절룩거리는 (사람).
cojo, ja *adj.* ① 저는, 절룩거리는. ② (가구 등이) 기우뚱거리는. ③ 결함이 있는, 편파적인. —*mf.* 절름발이.
cojolite *m. Méj.* 꿩(faisán)의 일종.
cojón *m.* =**testículo.**
cojones *interj.* (이상스럽거나 화났을 때) 저런!, 애끼!, 제기랄!, 젠장맞을!
cojonudo, da *adj.* =**estupendo, excelene, magnífico.**
cojudez *f. Amér.* ① 거세하지 않음. ② 바보짓, 어리석은 짓.
cojudo, da *adj.* ① 아직 거세하지 않은 (동물). ② *Amér.* =**tonto, bobo.**
cok *m.* =**coque.**
col *f.* [식물] [총칭] 양배추, 캐비지 ((참고: 보통의 양배추는 repollo)). ¶ ***El que quiere a la col, quiere a las hojas de alrededor*** (속담) 제 눈에 안경, (사랑하면) 마맛자국도 보조개로 보인다.
col. colonia 구역; columna 종대(縱隊).
cola[1] *f.* ① 꼬리. ② 말미, 말단, ③ (노래의) 끝절. ④ (질질 끄는) 자락. ⑤ 열, 줄. ⑥ [목공] 장부. ⑦ 음경(陰莖).
cola[2] *f.* (강력한) 풀, 아교.
cola[3] *f.* ① 콜라나무의 씨. ② 콜라나무의 씨로 만든 자극 물질. ③ 콜라나무의 씨로 만든 청량 음료.
colaboración *f.* ① 협력, 협동. ② 공동 집필. ③ 기고(寄稿).
colaboracionismo *m.* (적국이나 점령군에) 협력.
colaboracionista *adj., mf.* (적군이나 점령군에게) 협력하는 (사람).
colaborador, ra *mf.* ① 협력자. ② 공동 집필자. ③ 기고가(寄稿家).
colaborar *intr.* ① 협력하다. ② 기부하다, 기부금을 내다. ③ (신문・잡지 등에) 기고하다.

colación *f.* ① 간식(間食), 가벼운 식사. ② (학위 등의) 수여(授與).
colada[1] *f.* ① 세탁. ② [집합] 세탁물. ③ (세탁용의) 표백제. ④ (용광로에서 나오는) 쇳물, 용해된 묽은 것. ⑤ 주조(鑄造). ⑥ 가축의 통로. ⑦ 산간의 좁은 길. ⑧ 험한 고갯길. ⑨ 용암류.
colada[2] *f.* 명검(名劍)(buena espada).
coladero *m.* ① 여과기, 거르는 천. ② 좁은 길.
colado, da[3] *adj.* ① 거르는, 여과하는. ② 바랜, 표백된.
colador *m.* ① 여과기. ② 홍차 거르개.
coladura *f.* ① (액체를) 고르는 일. ② 스며서 배어 나옴. ③ 따르는 일, 따라 붓기.
colágeno *m.* [생화학] 교원질(膠原質).
colapsar *tr.* 마비시키다. ~**se** 마비(痲痺)되다.
colapso *m.* ① [의학] 허탈(虛脫), 기력의 상실. ② (사업·조직 등의) 붕괴, 쇠퇴: ~ en las ventas 판매 부진.
colar[1] (24) *tr.* 승려 위원으로 임명하다.
colar[2] (24) *tr.* ① (액체를) 거르다, 여과하다. ② 스며들게 하다. ③ 바래다, 표백하다. ④ 붓다, 부어 넣다. ⑤ (위조 지폐 등을) 몰래 사용하다. —*intr.* ① 비집고 빠져나가다[지나가다]. ② 스며들다, 침투하다. ③ 이해가 되다, 머리에 들어오다. ④ 거짓말[속임수]로 통하다. ⑤ 술을 마시다. ~**se** ① 번지다, 스며들다. ② (살그머니) 끼어들다. ③ 얼렁뚱땅하다, 입에서 나오는 대로 지껄이다, 무책임한 말을 하다.
colateral *adj.* ① 양쪽 옆에 붙은. ② 방계의. —*mf.* 방계 친족. —*f.* 계열 회사, 그룹 기업.
colcha *f.* 침대 씌우개, 침대 커버.
colchón *m.* ① 방석, (침대)요, (서양식) 깔개 요, 메트리스. ② 완충재.
colchonería *f.* 침구점, 이불집.
colchonero, ra *mf.* 침구 판매[제조] 업자, 이불집 주인.
colchoneta *f.* 긴 방석[쿠션].
colcótar *m.* ① [화학] 철단(鐵丹). ② [화학] 삼산화이철(三酸化二鐵).
cole *m.* [유아어] 학교(colegio).
colear *intr.* 꼬리를 자주 치다[움직이다]. —*tr.* ① [투우] (쓰러진 투우사를 소가 공격할 때) 소의 꼬리를 잡아 쓰러뜨리다. ② *Col., Méj., Ven.* (서서·말을 타고 달리면서) 소를 쓰러뜨리기 위해 소의 꼬리를 잡아당기다. ~**se** *Ven.* ① 새치기하다. ② =**derrapar.** ③ 초대받지 않고 모임[파티]에 가다.
colección *f.* ① 수집, 수집품. ② 총서(叢書). ③ 다수(多數).
coleccionable *adj.* 수집(蒐集)할 수 있는. —*m.* (책·작품의) 영구 보존판.
coleccionador, ra *mf.* 수집가, 수집하는 사람(persona que colecciona).
coleccionar *tr.* 수집하다. ~**se** 모이다, 수집되다, 수집을 하다.
coleccionismo *m.* ① 수집벽, 수집 취미. ② 수집 정리 기술.
coleccionista *mf.* 수집가.
colecistitis *f.sing.pl.* [의학] 담낭염.
colecta *f.* ① (자선을 위한) 모금. ② =**derrama.** ③ [천주교] (미사 주도자의) 첫 기도문. ④ (초기 교회에서) 신자들의 모임[집회].
colectación *f.* 모금, 징수.
colectánea *f.* =**colección.**
colectar *tr.* 모금하다, 징수하다.
colectivamente *adv.* 집단으로.
colectivero *m. Arg., Bol., Ecuad., Perú.* 버스 운전수.
colectividad *f.* (하나의 목적을 위해 모이는) 집단, 단체, 모임.
colectivismo *m.* 집산주의(集産主義).
colectivista *adj.* 집산주의의. —*mf.* 집산주의자.
colectivización *f.* 공유화, 국영화.
colectivizar (9) *tr.* 공유화[국유화]하다.
colectivo, va *adj.* (하나의 목적을 위해 모이는) 집단의, 단체의: billete ~ 단체 할인표. contrato ~ 단체 계약. trabajo ~ 공동 작업. viaje ~ 단체 여행. —*m.* ① (공동 작업을 하는) 집단. ② [문법] 집합 명사. ③ *Arg., Bol., Ecuad., Par., Perú.* 버스, 소형 버스; (4·5인용의) 승합 택시.
colector, ra *adj.* ① 모으는, 수집하는. ② =**recaudador.** —*mf.* ① =**coleccionista.** ② (연구 등을 위해) 모이는 사람. —*m.* ① (성당의 미사 때) 헌금 모금 담당 성직자. ② 낙수구. ③ 지하의 하수도. ④ [전기] 콜렉터, 집전자.
colédoco *adj.* 담즙이 있는. —*m.* [해부] 총담관(總膽管).
colega *mf.* ① (학교·직장·교회 등의) 동료, 동직자. ② (의사·변호사 등의) 동업자. ③ 친구, 우인(友人).
colegiación *f.* 동업 조합에 입회, 동업 조합의 결성.
colegiadamente *adv.* 집단으로.
colegiado, da *adj.* ① 동업 조합에 입회한. ② 집단의. —*mf.* ① 조합원. ② (주로 축구의) 심판(árbitro).
colegial *adj.* ① 사립 학교의: vida ~ 학교 생활. ② 학생의. —*m* ① 사립 학교에서 장학금을 타거나 아르바이트를 하는 남학생. ② 사립 학교의 남학생. ③ 풋내기, 경험이 없고 소심한 소년. ④ *Chile.* [새] 꼴레히알 ((강가나 늪에 사는 길이 약 13센티미터의 새; 암컷은 회색이고 수컷은 검붉음)).
colegiala *f.* ① 사립 학교에서 아르바이트를 하는 여학생. ② 사립 학교의 여학생.
colegialmente *adv.* =**colegiadamente.**
colegiar *tr.* (…를) 직업 학교에 등록시키다. ~**se** ① 직업 학교에 등록하다. ② 동창회를 만들다, 단체를 조직하다.
colegiatura *f.* ① (학생의) 장학금. ② (학생의) 일자리(plaza).
colegio *m.* ① 초등 학교; 초중학교 ((8년제)); (사립의) 고등 학교 ② 학교 건물. ③ (종합 대학교에서 기초 교육을 하는) 단과 대학. ④ 수업. ⑤ (의사·변호사 등의) 동업 조합. ¶~ *electoral* ㉮ 선거구의 전(全) 유권자. ㉯ 투표소.
colegir (45) *tr.* ① =juntar. ② =inferir.
colelitiasis *f.sing.pl.* [의학] 담석증.
cóleo *m.* (장식에 사용하는) 순형과(脣形科)의 식물류.
coleópteros *m.pl.* [동물] 초시류.
colera *f.* 말의 꼬리 장식.
cólera[1] *f.* ① 격노, 화남, 성남, 노함. ② 담즙. —*m.* [의학] 콜레라. ¶~ *asiático*, ~ *morbo* 진성 콜레라. *montar en* ~ 격노하다, 몹시 화를 내다
cólera[2] *f.* 방수 처리한 흰 면제품 천.
colérico, ca *adj.* ① 분노의, 화난. ② 콜레라의. ③ 콜레라에 걸린. ④ 쉽게 화내는, 화를 잘 내는. —*m.f.* ① 화 잘 내는 사람. ② 콜레라 환자.
colesterina *f.* [생화학] =colesterol.
colesterol *m.* [생화학] 콜레스테롤.
colesterolemia *f.* 혈액에 들어 있는 콜레스테롤 비율.
coleta[1] *f.* ① (리본 등으로 묶는) 머릿단. ② (투우사의) 변발. ③ 보주(補註). ④ =crehuela. ¶*cortarse la* ~ ㉮ (투우사가) 은퇴하다. ㉯ 취미에서 멀어지다, 습관을 버리다.
coleta[2] *f.* ① *Ven.* =arpillera. ② *Ven.* =coleto.
coletazo *m.* ① 꼬리로 때리기. ② 빈사 상태의 물고기가 꼬리를 치는 일.
coletilla *f.* ① (투우사의) 변발. ② =crehuela. ③ 보주(補註).
coletillo *m.* 소매 없는 조끼의 일종.
colgadero, ra *adj.* 걸기[보관하기]에 적당한. —*m.* ① (물건을 거는) 고리, 갈고리, 고리못. ② 갈고리[고리못]의 링.
colgado, da *adj.* ① 매달린, 늘어진. ② 불확실한. ③ 엉뚱하게 되는. ④ 마약[약물]에 취해 있는 (사람), 중독된.
colgador *m.* ① 양복걸이, 옷걸이. ② 횃대.
colgadura *f.* [주로 *pl.*] 벽걸이 ((어떤 행사나 축제 때 내외벽이나 발코니 등을 장식한 벽포, 천 등)).
colgajo *m.* ① 너절한 누더기. ② (과일) 걸어 말리기.
colgante *adj.* 매다는, 걸려 있는, 늘어진: puente ~ 조교(弔橋), 현수교. —*m.* ① 매다는 보석. ② [건축] 꽃무늬 홈. ③ 목걸이.
colgar (24) (8) *tr.* ① [+de·en] (…에) 매달다, 걸치다, 걸다. ② (수화기를) 놓다: ~ el teléfono [el auricular] 수화기를 놓다, 전화를 끊다. ③ (벽포·천·커튼 같은 것으로) 장식하다. ④ 교살하다, 교수형에 처하다. ⑤ (다른 사람에게) 죄를 뒤집어씌우다. ⑥ (생일 축하로) 장신구를 선물로 보내다. ⑦ 낙제시키다, (시험에서) 낙제점을 받다. ⑧ (직업·활동 등을) 그만두다, 포기하다. —*intr.* ① [+de·en] (…에서) 매달리다, 늘어져 있다. ② (누구의) 뜻대로이다, (누구에게) 달려 있다. ~**se** ① (…에) 기대다, 의지하다. ② 마약에 의존하다. ③ 전화로 오래 말하다. ④ [컴퓨터] 블록을 설정하다, 인접 정보를 하나로 정리하다. ⑤ 목매 자살하다. ⑥ 낙오하다.
colibacilo *m.* [생물] 대장균.
colibacilosis *f.sing.pl.* [의학] 대장균염.
colibrí *m.* [*pl.* ~(e)s] [새] 벌새.
cólico, ca *adj.* 결장(結腸)의. —*m.* [의학] 산통(疝痛); (유아의) 격심한 발작성 복통.
coliflor *f.* [식물] 꽃양배추.
coligación *f.* 동맹, 결속; 제휴.
coligadura *f.* =coligación.
coligamiento *m.* =coligación.
coligarse (8) *r.* ① 결속하다. ② 동맹을 맺다, 연합하다.
coligual *m. Arg., Chile.* =colihual.
coligüe *m. Arg., Chile.* =colihue.
colihual *m. Arg., Chile.* colihue 서식지(棲息地).
colihue *m. Arg.* [식물] 포아풀과(科)에 속한 식물의 일종.
colilla *f.* 담배 꽁초.
colillero, ra *m.f.* 길거리에서 담배 꽁초를 줍는 사람.
colimación *f.* [광학] 시준(視準).
colimador *m.* [광학] 시준기(視準器).
colimar *tr.* [물리] 광선을 평행으로 하다.
colimba *f. Arg.* 병역(servicio militar).
colimbo *m.* [새] 비오리, 톱니오리.
colín, lina *adj.* (주로 말의) 꼬리가 짧은. —*m.* ① 막대기빵. ② [새] 메추라기의 일종.
colina[1] *f.* 언덕, 야산, 낮은 산, 구릉.
colina[2] *f.* =colino[1].
colina[3] *f.* [화학] 담즙소(膽汁素).
colinabo *m.* [식물] 순무과의 일종.
colindante *adj.* 인접한, 이웃의.
colindar *intr.* [+con] (…과) 인접하다.
colino[1] *m.* ① 양배추의 씨[종자]. ② 양배추밭. ③ 청소년기의 사람. ④ *Col.* [은어] 마약에 중독된 사람.
colino[2]**, na** *adj.* 꼬리가 짧은 (동물).
colipato *m. Chile.* 동성애 남자.
colipavo, va *adj.* 다른 것보다 꼬리가 더 긴 (비둘기).
coliquera *f.* 어떤 강력한 산통(疝痛).
colirio *m.* 눈약, 안약, 세정제.
colirrojo *m.* [새] 개똥지빠귀와 같은 과의 새.
coliseo *m.* ① 일반인들의 구경을 위해 건설된 홀. ② *Bol., Ecuad., Hond.* 실내 경기장, 시합장.
Coliseo *m.* (고대 로마의) 콜로세움.
colisión *f.* 충돌, (의견 등의) 대립.
colisionar *intr.* [+contra·con] (…에·…과) 충돌하다; 대립하다.
colista *m.f.* 최하위의 선수[팀].
colitis *f.sing.pl.* ① [의학] 대장염, 결장염. ② [의학] (일반적으로) 설사.
collado *m.* ① 언덕. ② 고갯길.
collage *m. fr.* [미술] 콜라주.
collalba *f.* (정원사들이 흙을 부수는) 나

무 망치, 써래.
collar *m.* ① 목걸이. ② (목에 거는) 훈장. ③ (개 등의) 목걸이. ④ (조류의 목 주변에 있는, 색으로 구별하는) 깃의 줄무늬. ⑤ (죄수·노예 등의 목에 거는) 쇠테, 족쇄.
collarín *m.* ① 작은 깃. ② 승복의 깃. ③ (예복 등) 떼었다 붙였다 하는 디태처블식 깃. ④ [건축] =**collarino.**
collarino *m.* [건축] 원주 윗부분을 둘러싸고 있는 장식대(裝飾帶), 기둥의 장식머리 아랫부분.
collazo[1]**, za** *mf.* ① 젖형제. ② 하인. —*m.* 보릿단 등을 모아 마차에 싣는 막대기.
collazo[2] *m.* =**pescozón.**
colleja[1] *f.* [식물] 석죽과의 풀.
colleja[2] *f.* ① 손바닥으로 목덜미를 치는 일. ② *pl.* 양의 목덜미에 있는 가느다란 신경.
collera[1] *f.* ① (수레를 끄는 말의) 워낭. ② (말의) 목에 하는 장식.
collera[2] *f.* ① (죄수들의) 족쇄. ② *And.* (어떤 동물의) 한 쌍. ③ *pl. Bol., Chile., Col.* 와이셔츠 커프스의 단추.
collerón *m.* (마차를 끄는 말의) 목에 거는 가죽 띠, 멍에.
colleta *f. Rioja.* 작은 양배추.
collón, llona *adj.* 겁이 많은. —*mf.* 겁쟁이(cobarde).
colmadamente *adv.* 아주 충분히, 엄청나게, 숱하게.
colmado, da *adj.* [+de] (…로) 가득찬, 철철 넘칠 정도로 많은, 엄청난. —*m.* ① 식사, 특히 해산물을 취급하는 식당[가게]. ② 식료품점. ③ *RDom.* 구멍가게, 작은 가게.
colmar *tr.* ① (되·상자·바구니 등을) 가득 채우다. ② 창고[곳간]를 채우다. ③ 충분히[듬뿍] 주다. ④ 욕망[야망]을 만족시키다[채우다].
colme *adj.* =**colmado.**
colmena *f.* ① 벌집. ② 벌떼. ③ 벌통. ④ 많은 사람이 모여 사는 곳[건물].
colmenar *m.* 양봉장(養蜂場).
colmenero, ra *mf.* 양봉가(養蜂家), 양봉 업자. —*m.* [고어] =**colmenar.**
colmenilla *f.* (여러 가지의) 먹는 버섯.
colmillada *f.* =**colmillazo.**
colmillar *adj.* 송곳니의, 엄니의.
colmillazo *m.* 엄니로 물고 늘어지는 일(colmillazo).
colmillo *m.* ① 송곳니. ② 엄니. ¶ ***enseñar los ~s*** 엄니를 드러내다, 으르렁거리다; 위협하다. ***escupir por el ~*** ㉮ 떵떵거리다, 호언장담하다. ㉯ 허세를 부리다, 짐짓 젠체하다.
colmilludo, da *adj.* ① 큰 송곳니[엄니]를 가진. ② *Méj., PRico.* 영특한, 영악한, 속이기 어려운.
colmo[1] *m.* ① (철철 넘칠 만큼) 수북이 올림[부음·담음]. ② 완성. ③ 절정, 극치. ¶***a ~*** 엄청나게, 수북이. ***llegar*** algo ***a ~*** (무엇이) 최고조에 이르다, 마지막 완성에 이르다.
colmo[2] *m.* ① (오두막을 씌우는, 특히 라이보리의) 짚. ② 짚 지붕.
colmo[3]**, ma** *adj.* 가득찬, 철철 넘치는.
colobo *m. Amér.* 꼬리가 긴 원숭이.
colocación *f.* ① 배치, 배열: ~ de la primera piedra 정초(定礎). ② 일자리, 직, 직책, 지위: agencia de *colocaciones* 직업 소개소. buscar ~ 일자리를 찾다. tener una buena ~ 좋은 직책을 가지고 있다, 대단한 지위에 있다.
colocado, da *adj.* ① 일자리[직업]가 있는. ② 알코올이나 마약에 중독되어 있는.
colocar (7) *tr.* ① 두다, 놓다, 배치하다, 늘어놓다, 정렬시키다. ② 돈을 투자하다. ③ 직장을 구해 주다, (어떤 자리에) 앉히다. ④ (상품을 낼) 시장을 발견하다. ⑤ (알코올·마약에) 취해 그 증상을 나타내다. ~**se** ① 몸을 놓다, 위치하다; 착석하다. ② 고용되다, 취직하다: *~se de* camarero 웨이터로 취직하다. ③ (술로) 기분이 좋다. ④ 마약에 취하다. ⑤ 팔리다, 나가다.
colocasia *f.* [식물] 토란.
colocolo *m. Chile.* 살쾡이의 일종.
colodión *f.* [화학] 콜로듐.
colodra *f.* ① (목동들이) 젖 짜는 통. ② (소매로 술을 팔 때) 따르는 나무 그릇. ③ 뿔 술잔. ④ *Cantb., Pal.* 물을 담는 뿔이나 나무로 만든 자루.
colodrillo *m.* 후두부(後頭部).
colofón *m.* ① 판권장(板權帳). ② (모임의) 피날레, 끝.
colofonia *f.* [화학] 콜로포늄.
coloidal *adj.* 콜로이드의, 교질의.
coloide *m.* [화학] 콜로이드, 교질.
Colombia *f.* [국명] 꼴롬비아 ((남아메리카 있는 공화국; 수도: Bogotá)).
colombianismo *m.* 꼴롬비아 사투리.
colombiano, na *adj.* ① 꼴롬비아 태생의. ② 꼴롬비아의[에 관한]. —*mf.* 꼴롬비아 사람.
colombicultura *f.* 비둘기 사육.
colombino, na *adj.* 콜럼버스(Cristóbal Colón)의: fiestas *~nas* 콜럼버스제(祭) ((아메리카 대륙 발견일; 10월 12일)).
colombofilia *f.* 전서구(傳書鳩)의 사육.
colombófilo, la *adj.* 전서구를 사육하는. —*mf.* 전서구 사육자.
colon *m.* ① [해부] 결장. ② [문법] 복합문의 주부(主部). ③ [문법] 콜론(:), 세미콜론(;). ④ [고어] 결장의 산통.
colón *m.* 꼴론 ((Costa Rica와 El Salvador의 화폐 단위)).
Colón (Cristóbal) [인명] 끄리또발 꼴론, 콜럼버스 ((1492년 아메리카 대륙 발견자)).
colonato *m.* ① 소작 제도. ② (로마제국 말기의) 농노제(農奴制).
colonia *f.* ① 식민지. ② [집합] 식민자. ③ [집합] 거류민. ④ (동향인·피서객·예술가 등의) 집단. ⑤ 주택 단지. ⑥ [생물] 군락(群落), 집락(集落), 콜로니. ⑦ [화장] 오드콜론 (화장수). ⑧

Méj. 도시의 확장 지역·분할 구역, 교외 주택지. ⑨ [지질] 화석군(化石群). ⑩ 폭이 손가락 두 개 정도의 비단 끈. ⑪ *Ecuad., Méj.* 지구(地區).
coloniaje *m. Amér.* 스페인에 의한 아메리카 통치 시대.
colonial *adj.* ① 식민지(풍)의. ② (식료품이) 외국[식민지]산의. *—m.pl.* (수입) 식료품.
colonialismo *m.* 식민지주의.
colonialista *adj.* 식민지주의의. *—mf.* 식민지주의자.
colonización *f.* 식민지화.
colonizador, ra *adj.* 식민지화(化)하는. *—mf.* 식민지 건설[개척]자.
colonizar (9) *tr.* ① 식민지화하다. ② 식민하다, 개척하다.
colono *m.* ① 식민자, 개척자. ② 소작인. ③ (아르헨띠나의 농장에서 일했던) 이민 노동자.
coloquial *adj.* 구어(체)의, 일상 회화의.
coloquíntida *f.* [식물] 콜로신트.
coloquio *m.* ① (친한 사이의) 회화, 대화. ② 토론(회). ③ 대화 문학.
color *m.* ① 색(色), 빛깔. ② ㉮ 색채, 색조(色調); 채색, 특색; 정경, 양상: ~ local 지방색. ~ político 정치색. ㉯ 활기. ③ 화구(畵具). ④ 염료(染料). ⑤ 안색, 얼굴빛. ⑥ 음색, 여운. ⑦ 정치[사상]적 경향. ⑧ *pl.* 색연필, 크레용. ⑨ *pl.* [운동] 팀(컬러), 유니폼: *~es* nacionales (한 나라의) 선수단. ⑩ *pl.* 기, 군기, (특히) 국기: saludar a los *~es* 국기에 경례하다. ¶*a todo ~* 색깔이 풍부한, 다채로운: foto *a todo ~* 천연색 사진. ***de ~*** ㉮ 색이 있는: zapatos *de ~* 다색(茶色)의 구두. vestir *de ~* 색옷을 입다. ㉯ (사람이) 유색(有色)의: hombre *de ~* 유색 인종; (특히) 흑인. ***en ~(es)*** 컬러의, 천연색의: televisión *en ~* 천연색[컬러] 텔레비전. ***dar ~ a*** algo ㉮ (무엇에) 색칠하다. ㉯ 활기를 주다. ***distinguir de ~es*** 정확한 판단을 내리다. ***no haber* [*tener*] *~*** 천양지차(天壤之差)이다, 비교가 안 되다, 차이가 심하다, 양자의 역량이 다르다. ***ponerse de mil ~es*** 얼굴을 붉히다; (흥분해서 얼굴이) 붉으락푸르락하다.
coloración *f.* ① 착색. ② 색조(色調). ③ 특색.
colorado, da *adj.* ① (특히 얼굴이) 붉은: ponerse ~ (부끄러워) 얼굴이 붉어지다. ② 외설의, 음란한, 추잡스러운. *—m.* 붉은색, 적색(赤色).
coloradote, ta *adj.* 얼굴이 붉은, 안색이 좋은.
colorante *adj.* 채색[착색]하는. *—m.* 착색(제), 염료(染料).
colorar *tr.* 착색하다, 염색하다, 물들이다: ~ *de* verde 초록색으로 물들이다.
colorear *tr.* ① 착색하다, 염색하다. ② 분식(粉飾)하다, 남에게 잘 보이기 위해 겉모양을 꾸미다, 잘못을 어름어름 숨겨 넘기다. *—intr.*, **~se** (과실 등이) 빨갛게 물들다, 익다.
colorete *m.* [화장] 루즈, 입술 연지.
colorido *m.* ① 색조; 배색. ② 활기.
colorimetría *f.* [화학] 색도 측정, 비색정량(比色定量).
colorímetro *m.* 비색계(比色計).
colorín, rina *adj. Bol., Chile.* =**pelirrojo.** *—m.* ① [새] 홍방울새. ② [주로 *pl.*] 강력한[칙칙한·화려한] 빛깔. ③ [속어] =**sarampión.**
colorinche *m. AmérM., Méj.* 짙은 빛깔, 몹시 강렬한 배색.
colorismo *m.* (미술·문학 등에서) 색채파, 색채 강조주의.
colorista *adj.* 색채파의, 색채가 풍부한, 다채로운 (문장). *—mf.* 색채파 화가[문인].
colosal *adj.* ① coloso의. ② 거대한, 큰. ③ 굉장히 아름다운; 대단한, 굉장한: precio ~ 엄청난 값.
coloso *m.* ① 거대한 조각상. ② 거물, 거인, 거장. ③ 질이 무척 뛰어난 물건.
colostomía *f.* ① [의학] 인공 항문 형성(술). ② [의학] 인공 항문 형성술로 생긴 항문.
cólquico *m.* [식물] 백합과의 풀.
coludir *intr.* 공모하다, 내통하다.
columbario *m.* ① (공동 묘지의) 벽감. ② (로마 시대의) 납골실의 벽감(壁龕).
columbino, na *adj.* 비둘기의[같은].
columbrar *tr.* (멀리 어렴풋이) …가 보이다, 보이기 시작하다; 예견하다.
columelar *m.* =**colmillo.**
columna *f.* ① 기둥, 원주(圓柱). ② [비유적] 지주(支柱), 받침, 기둥. ③ 기둥 모양의 것. ④ 하나씩 하나씩 쌓여 포개진 것. ⑤ [인쇄] 단(段); (신문 등의) 난, 기사, 칼럼. ⑥ [군사] 종대(縱隊); 행동 부대. ⑦ (온도계·기압계 등의) 주(柱): ~ de mercurio 수은주.
columnata *f.* [건축] 열주(列柱).
columnista *mf.* (신문의) 칼럼 집필자, 칼럼니스트.
columpiar (11) *tr.* 그네에 태워 밀어 주다; 흔들어 주다. **~se** ① 그네를 타다. ② 흔들거리다. ③ (걸을 때) 몸을 좌우로 흔들다. ④ 틀리다, 잘못되다.
columpio *m.* ① 그네. ② *pl.* 공원의 놀이 시설 ((그네, 시소, 미끄럼대 등)).
coluro *m.* [천문] 분지 경선, 사계선.
colusión *f.* 공모: en ~ 공모하여.
colutorio *m.* 양칫물.
colza *f.* [식물] 유채(油菜), 평지, 채종.
com- *pref.*「공동(共同)·공통」의 뜻: *com*poner 조립하다.
com. comisión 수수료.
coma[1] *f.* ① 구두점, 콤마. ② 소수점 ((스페인어에서는 ,)). ③ [음악] 콤마, 소음정. ④ [천문] (혜성의) 콤마.
coma[2] *f.* =**crin.**
coma[3] *m.* 혼수 (상태): estado de ~ 혼수 상태. caer [entrar] en ~ 혼수 상태에 빠지다.
comadre *f.* ① 조산사. ② [종교] 생모와 대모(代母)가 서로 부르는 호칭. ③

[종교] 생부와 대부가 대모(代母)를 부르는 호칭. ④ =alcahueta. ⑤ (마음을 놓을 수 있는) 이웃 아주머니, 이웃 여자 친구.

comadrear *intr.* =chismear, murmurar.

comadreja *f.* [동물] 족제비.

comadreo *m.* =charla.

comadrería *f.* =charla.

comadrón, na *m.f.* 조산사(助産師).

comal *m. AmérC., Ecuad., Méj.* (옥수수 전병을 구울 때 또는 커피나 코코아 낟알을 볶기 위해 사용하는) 진흙 판이나 쇠판.

comanche *adj., m.f.* (북아메리카 인디언의) 코만치족(의). —*m.* 코만치족의 말[언어].

comandancia *f.* ① comandante의 지위[관할 구역]. ② (comandante의 집무실이 있는) 사령부: ~ de Marina 해군 사령부.

comandanta *f.* ① comandante의 아내. ② 기함(旗艦).

comandante *m.* ① [군사] 사령관, 지휘관: ~ en jefe, ~ general 총사령관. ② [육군·공군] 소령. ③ [항공] 기장(機長): Les habla el ~ (기내 방송으로) 저는 기장입니다.

comandar *tr.* 지휘하다.

comandita *f.* =sociedad en ~. ¶*en* ~ 집단으로.

comanditario, ria *adj.* ☞sociedad, socio.

comando *m.* ① [군사] 특별 공격대, 코만도 부대. ② [군사] 특별 공격대원, 코만도 부대원. ③ 무장 테러리스트. ④ [컴퓨터] 코만도.

comarca *f.* 지방, 지역 ((참고: 보통은 región보다 협소함)).

comarcal *adj.* 지방의, 지역의.

comarcano, na *adj.* 인접한.

comarcar *tr.* (거리에) 같은 간격으로 일직선으로 나무를 심다. —*intr.* 서로 인접하다.

comatoso, sa *adj.* [의학] 혼수 (상태)의: Ella está ~*sa* 그녀는 혼수 상태에 빠져 있다.

comba *f.* ① 만곡(彎曲), 젖혀짐, 휘어짐, 뒤틀림. ② 줄넘기 (놀이). ③ 줄넘기 줄: dar a la ~ 줄을 돌리다. ④ *Hond.* =gamba[2]. ¶*hacer* ~*s* 몸을 흔들면서 걷다, 걸을 때 몸을 흔들다.

combadura *f.* 휨, 뒤틀림, 구부림.

combar *tr.* 휘다, 구부리다, 뒤틀리게 하다. ~**se** 휘어지다, 구부러지다, 뒤틀리다.

combate *m.* ① 싸움, 전투, 교전. ② 격투, 싸움, (격투기의) 시합. ③ 투쟁. ④ (마음의) 갈등.

combatible *adj.* 공격해도 되는, 정복할 수 있는, 공격당할 수 있는.

combatidor *m.* 전투원.

combatiente *adj.* 전투의. —*m.f.* ① 전투원: no ~ 비전투원. ② 전사, 투사. —*m.* 교전국(交戰國). ③ [새] (일반적으로 부리가 긴) 섭금류의 새. ④ [어류] (인도지나에 흔한) 경골속(硬骨屬)의 물고기.

combatir *tr.* ① 습격하다, 덮치다, 공격하다. ② (파도·바람 등이) 세게 치다, 때리다. ③ 진압하다, 억누르다, 견제하다. ④ 공격하다. ⑤ …와 싸우다, …에 저항하다, 반대하다. ⑥ 반론(反論)하다. —*intr.*, ~**se** [+contra·con …와/+por …을 (구하기) 위해] 싸우다.

combatividad *f.* 투지, 전의(戰意); 의욕, 하고자 하는 마음.

combativo, va *adj.* ① 호전적인, 전투적인: ② 투지[전의]가 있는. ③ 의욕적인, 하고자 하는 마음이 있는.

combazo *m. Bol., Chile., Perú.* =puñetazo.

combinable *adj.* ① 결합 가능한, 병합[합동] 가능한. ② [화학] 화합 가능한.

combinación *f.* ① 결합, 짜맞춤, 배합, 단결, 연합; 도당; 공동 동작. ② 술책, 책략. ③ [복식] 콤비네이션 ((아래 위가 달린 속옷; 속바지가 달린 슈미즈)). ④ [화학] 화합(물). ⑤ [수학] 조합. ⑥ (금고의) 다이얼; 다이얼의 숫자 짜맞추기. ⑦ (교통 기관의) 연락, 접속. ⑧ [컴퓨터] 조합, 짜맞춤.

combinada *f.* (스키 등의) 복합 경기: ~ nórdica 노르딕 복합.

combinado *m.* ① 칵테일(coctel). ② [운동] 혼성 팀.

combinador *m.* [철도] 열차 집중 제어 장치.

combinar *tr.* ① 짜맞추다, 조합시키다, 조화시키다, 결합하다, 연합하다, 배합하다. ② [운동] (공을) 패스하다. ③ (회합 등의) 날짜를 정하다, 택일하다. ④ [화학] 화합시키다. —*intr.* [+con] (…과) 조화되다, 어울리다. ~**se** ① [+con] (…과) 짜다, 어울리다. ② [+para+*inf.*] …하는 것을 서로 정하다. ③ [화학] 화합되다. ¶*operación combinada* 연합[합동] 작전.

combinatorio, ria *adj.* ① 결합의. ② [수학] 조합의. —*f.* [수학] 조합론.

combo[1], ba *adj.* 굽은, 휜, 뒤틀린. —*m.* (젖는 것을 방지하기 위해 화물이나 통을 얹는) 받침, 대석(臺石).

combo[2] *m.* ① *Amér.* 큰 나무 망치. ② *Bol., Chile, Perú.* =**puñetazo.** ③ *Cuba.* 민속 음악을 연주하는 악단. ④ *Ven.* [집합] 같은 활동을 하는 사람들. ⑤ *Ven.* 살사(salsa) 악단.

comburente *adj.* 잘 타게 하는. —*m.* 연소제(燃燒劑).

combustilidad *f.* 가연성(可燃性), 연소력(燃燒力).

combustible *adj.* 타기 쉬운, 연소성의, 발화성의, 가연성의. —*m.* ① 연료: ~ nuclear 핵연료. ② 가연물.

combustión *f.* 연소.

comecocos *m.sing.pl.* 이성을 잃게 하는 것, 망상, 세뇌.

comecome *m. Col.* 가려움(comezón).

comedero, ra *adj.* ① 먹을 수 있는.

② [고어] 많이 먹는. —*m.* ① 새나 동물의 먹이 그릇[큰 상자]. ② (공공 시설의) 식당. ③ 가축의 먹는 장소.

comedia *f.* ① 희극. ② 연극: ir a la ~ 연극을 보러 가다. ③ 희극적인 장면[사건]; 희극적 요소; 인생극 ((인생의 희비 양면을 묘사한 작품)). ④ 희극물. ⑤ (웃음을 자아내게 하는) 실생활의 사건. ⑥ =**farsa, fingimiento.** ⑦ 극장. ⑧ *Amér.* (라디오의) 연속극. ¶*hacer la* ~ 연극을 하다: No *hagas la* ~ 연극하지 마라.

comediante, ta *m.f.* ① 희극 배우, 코미디언. ② 배우. ③ 광대 ((비유적으로도 쓰임)). ④ 위선가.

comedido, da *adj.* ① 신중한, 절도 있는, 중용(中庸)의. ② 친절한, 금방 서비스하는, 남을 거들기 좋아하는.

comedimiento *m.* 절도, 온건.

comediógrafo, fa *m.f.* (희)극작가.

comedir *tr.* [고어] =**pensar, premeditar.** ~**se** ① 절도를 지키다, 자제하다. ② *Amér.* (친절히) 신청하다.

comedón *m.* [의학] 여드름.

comedor, ra *adj.* 많이 먹는, 식욕이 왕성한. —*m.* ① 식당방. ② 식당방의 가구. ③ 식당.

comeibebe *m. Ecuad.* (여러 가지 과일 조각을 친) 청량 음료

comején *m.* 흰개미.

comejera *f.* 흰개미집.

comelón, na *adj. AmérC., Col., Cuba, Ecuad., Méj., Ven.* =**comilón.** —*f. Ven.* =**comilona.**

comemierda *m.f.* [속어] 천박한 사람.

comendador *m.* ① 기사 분단장, 상급 기사단원. ② (수도회의) 고위 성직자.

comendadora *f.* ① (la Merced 같은 수도회의) 여자 수도원장. ② (옛 기사 수도회의) 수도녀.

comendatario *m.* 특별 급여를 받는 사제.

comensal *m.f.* 식솔, 권솔.

comentar *tr.* ① 해설[논평]하다. ② …에 주석을 붙이다.

comentario *m.* ① 해설, 논평. ② 주석, 주해. ③ =**murmuración.**

comentarista *m.f.* ① (뉴스 등의) 해설자, 평론가. ② 주석자, 주해자.

comento *m.* ① 해설[논평]하는 일. ② 텍스트의 해설. ③ =**embuste.**

comenzar (19) (9) *tr.* 시작하다, 착수하다, 개시하다. ((참고: comenzar는 empezar보다 약간 딱딱한 표현임)). —*intr.* ① 시작되다. ② [+a+*inf.*] …하기 시작하다: *Comenzó a* llover 비가 오기 시작했다. ③ [+por+*inf.*] 먼저 …부터 시작하다, 최초에 …하다, …하는 것부터 시작하다: *Comenzamos por* quitarnos los zapatos 우리들은 구두부터 벗기 시작했다.

comer[1] *tr.* ① 먹다. ② 씹다. ③ 소비하다. ④ 좀먹다, 침식하다, 해치다. ⑤ 작게 보이다. ⑥ [장기] (상대의 말을) 잡다. —*intr.* ① 먹다, 식사를 하다: ~ de prisa 급히 먹다. ~ despacio 천천히 먹다. ~ muy poco 거의 먹지 않다. ② 점심을 먹다. ③ [주로 *Amér.*] 저녁밥을 먹다. ~**se** ① (전부) 먹어 버리다, 먹어 치우다. ② 사람들이 식사하다: En este restaurante *se come* bien 이 식당은 음식 솜씨가 좋다. ③ 상쇄하다. ④ …을 읽는 [쓰는·말하는] 것을 빠뜨리다. ⑤ [+con·de] (사람이 질투심 등으로) 가책을 받다, 시달리다. ¶*~se unos a otros* 서로 으르렁거리다. *ser de buen* ~ 미식가[대식가]이다. ***El ~ y rascar todo es empezar*** (속담) 무슨 일이나 시작이 어렵다.

comer[2] *m.* 음식, 먹거리. ¶*perder el* ~ 식욕을 잃다.

comercial *adj.* 상업의; 무역의: acuerdo ~ 통상 협정. banco ~ 상업 은행. casa ~ 상점, 상사. representante ~ 대리점. sociedad ~ 상사. tratado ~ 통상 조약. zona ~ 상업[비즈니스] 지구. —*f.(m.)* 상점. —*m.* 상업 광고.

comercialidad *f.* 시장성(市場性).

comercialismo *m.* 영리주의.

comercialización *f.* 상품화; 마케팅.

comercializar (9) *tr.* 상품화하다.

comerciante *adj.* 장사하는, 상업[무역]하는, 이익 제일주의의. —*m.f.* ① 상인, 상점 주인. ② 실업가.

comerciar (11) *intr.* 장사하다, 무역[상업]을 하다, 거래를 하다.

comercio *m.* ① 상업; 장사, 거래; 무역. ② 상점. ③ [집합] 상인, 상업계. ④ 교제. ⑤ 성관계. ⑥ 요리, 먹거리.

comestible *adj.* 먹을 수 있는, 식용의. —*m.* [주로 *pl.*] 식료품.

cometa *m.* [천문] 혜성, 살별: ~ Halley 핼리 혜성 ((76년 주기)). —*f.* 연: (hacer) volar una ~ 연을 날리다.

cometer *tr.* ① (죄·과실 등을) 범하다, 저지르다: ~ un delito 죄를 범하다. ② [상업] …에게 수수료를 지불하다. ③ (수사적 기법을) 사용하다.

cometido *m.* 임무; 의무.

comezón *f.* ① 가려움, 근질근질 가려움. ② 근질근질함, 답답해 함.

comible *adj.* 먹을 수 있는.

cómic *m. ing.* ① (네 컷 이상의) 만화, 극화. ② 만화책, 만화 잡지.

comicastro *m.* 서툰 코미디언.

comicial *adj.* 선거의.

comicidad *f.* 익살스러움, 우스꽝스러움, 해학.

comicios *m.pl.* ① 선거(elecciones). ② (고대 로마의) 민회(民會).

cómico, ca *adj.* ① 희극의; 희극적인: actor ~ 희극 배우. autor ~ 희극 작가. obra ~*ca* 희극 작품. ② 익살스런, 우스꽝스런, 해학적인. —*m.f.* ① 희극 배우, 코미디언. ② (일반적으로) 광대, 배우. ③ 우스꽝스런 사람.

comida *f.* ① (조리한) 음식(물), 먹거리, 요리: ~ coreana 한식, 한국 음식. ~ rápida 간이 음식, 즉석 음식, 패스트푸드. grandes ~*s* 굉장한[근사한]

음식. ② 식사. ③ 점심. ④ [주로 *Amér.*] 저녁밥. ⑤ 식사하는 일[행동]. ¶~ *de pescado* 고기 없는 식사. *cambiar la* ~ 먹은 것을 토하다. *dar una* ~ (경의를 표하는 뜻으로) 식사를 내다. *reposar la* ~ 식후에 쉬다.

comidilla *f.* ① 소문거리, 웃음거리. ② 최고의 취미, 기호품.

comido, da *adj.* 밥을 (이미) 먹은.

comienzo *m.* 시작, 개시; 시초, 처음. ¶*a ~s de* …의 초(순)에: *a ~s de* julio 7월 초순에. *a ~s de* los años noventa 90년대 초에. *al* ~ 처음에(는), 초기에(는). *dar ~ a* algo (무엇을) 시작하다.

comilla *f.* [*pl.*로] 인용 부호 (" "); 겹괄호 (≪ ≫).

comilón, na *adj.* 많이 먹는, 난잡하게 먹는. —*mf.* 대식가, 먹보, 식충이. —*f.* 진수성찬.

comineria *f.* =minucia.

comino *m.* ① [식물] 커민 ((미나리과 식물)). ② 커민 열매 ((향신료)). ③ 작달막한 사람, (일반적으로) 아이.

comisar *tr.* =decomisar.

comisaría *f.* ① 경찰서(~ de policía). ② comisario의 직[사무소].

comisariado *m.* (부(部)·유엔 등의) 하부 구조: alto ~ 고등판무관 사무소.

comisariato *m.* *Col., Ecuad., Hond., Nic., Pan.* ① =economato. ② =comisaría.

comisario, ria *mf.* ① 위원, 임원: ~ europeo 유럽 연합 위원. ~ político [군사] 정치 위원. alto ~ (유엔 등의) 고등 판무관. ② [운동] 커미셔너. ③ 경찰서장(~ de policía).

comiscar (7) *tr.* 조금씩 먹다.

comisión *f.* ① 위원회: ~ consultiva 자문 위원회. ~ de presupuesto 예산 위원회. *Comisión* Europea 유럽[EU] 위원회. ~ mixta 합동 위원회. ~ permanente 상임 위원회. ② 위임, 임무. ③ [상업] 수수료, 구전, 커미션. ④ (범죄의) 수행. ¶*en* ~ 위탁 판매의[로]: venta *en* ~ 위탁 판매. dejar los libros *en* ~ 책을 위탁으로 내다.

comisionado, da *adj.* 위임받은. —*mf.* 위원: alto ~ (유엔의) 고등 판무관.

comisionar *tr.* …에게 권한을 위임하다; 사명을 부여해 파견하다.

comisionista *mf.* 중개인, 브로커.

comiso *m.* 몰수, 압수(decomiso).

comisquear *tr.* =comiscar.

comistrajo *m.* 잡탕 요리.

comisura *f.* ① [해부] 접합점. ② [해부] 두개골 뼈의 봉합.

comité *m.* 위원회: ~ electoral 선거 관리 위원회

comitente *adj.* 권한을 위임하는.

comitiva *f.* ① [집합] 수행원. ② 행렬.

cómitre *m.* 갈레라선(船)의 노 젓는 죄수들의 감독.

como[1] *m.* =burla, chasco.

como[2] *adv.* ① …처럼, …같이: blanco ~ la nieve 눈처럼 하얀. ② …같은 것. ③ …대로, …한 것처럼. ④ [+que] … 때문에. ⑤ 대략, 대강, 거의, … 가량. ⑥ …하자마자. ⑦ [+*subj.*] …하도록, …하기 위해. —*conj.* ① … 때문에: Como recibí tarde el aviso, no pude llegar a tiempo 나는 연락을 늦게 받았기 때문에 제시간에 도착할 수 없었다. ② …라면. ③ …한 것으로. ④ [관계 부사로, 현재 분사나 방법의 명사를 받는다] Comiendo es ~ se las hace uno 인간이란 먹으면 식욕이 생긴다. —*prep.* …의 자격으로. ¶~ *quiera* ㉮ =~ **usted quiera.** ㉯ =**comoquiera.** ~ *si* 마치 …인 것처럼: Ellos me tratan [trataban] ~ *si* fuera hijo suyo 그들은 나를 마치 자기들의 자식처럼 대한다[대했다]. ~ *usted quiera* 좋으실 대로: Hagalo ~ *usted quiera* 좋으실 대로 하십시오.

cómo[1] *adv.* ① 어떻게: *¿Cómo* está usted? 어떻게 지내십니까? / 건강은 어떠세요? *¿Cómo* está el enfermo? 환자의 상태는 어떻습니까? ② 뭐라고: *¿Cómo* se llama usted? 성함은 뭐라고 하십니까? / 성함은 어떻게 되십니까? ③ 왜, 무엇 때문에: *¿Cómo* no fuiste ayer a paseo? 어제는 왜 산책하지 않았느냐? ④ [+*inf.*] (…해야 할) 방법, 이유: No sé ~ agradecerle tantos favores 그렇게 많이 베풀어 주신 호의에 어떻게 감사해야 할 지 (그 방법을) 모르겠습니다. ⑤ [명사로] 이유, 방법, 까닭: No sabe el hombre el por qué ni el ~ de la vida 인간은 삶의 이유도 방법도 모른다. ⑥ [수량] 얼마: ¿A ~ es? (값이) 얼마입니까? ¶*¿Cómo no? / ¡Cómo no!* ㉮ 어떻게 다른 방법이 있을 수 있겠는가?: Mañana partiré, *¿~ no,* si lo he prometido? 내일 출발하겠습니다. 약속한 이상 하는 수 없지요. ㉯ 물론이다, 알았습니다, 아무렴, 좋고 말고.

cómo[2] *interj.* [놀람·화남] 뭐라고?: *¡Cómo!* ¿No lo entiendes? 뭐라고? 이해를 못한다고?

cómoda *f.* (서랍이 서너 개 달린) 옷장.

cómodamente *adv.* 편하게, 쾌적하게, 안성맞춤으로; 쉽게.

comodaticio, cia *adj.* 카멜레온 같은; 지조 없는, 변덕스러운.

comodidad *f.* ① 편리함, 쾌적함. ② *pl.* (편리·쾌적한) 시설. ③ =oportunidad, ventaja. ④ =utilidad, interés.

comodioso, sa *adj.* *CRica.* =comodón.

comodín[1] *m.* ① [트럼프] 조커, 으뜸패. ② 어디에나 두루 쓰이는 것, 용도가 다양한 것. ③ 상투적인 핑계, 둘러대는 구실. ④ [컴퓨터] 와일드 카드.

comodín[2], **na** *adj.* *Méj.* =comodón.

comodino, na *adj.* *Méj.* =comodón.

comodista *adj.* =comodón.

cómodo, da *adj.* ① 편리한, 사용하기 간편한; 쾌적한, 안락한: casa *~da* 살

기에 쾌적한 집. cocina *~da* 편리한 주방. habitación *~da* 거처하기 편한 방. plancha *~da* 사용하기 간편한 다리미. ② 딱 좋은, 적합한. ③ (사람의) 마음이 편한, 편안히 지내는. ④ = comodón. *—m.* ① *Méj.* =**silleta.** ② =**utilidad.**

comodón, na *adj.* 편한 것을 좋아하는 (사람), 선물을 좋아하는 (사람).

comodoro *m.* ① (영국이나 다른 나라들의 해군의) 함대 사령관. ② 요트 클럽 회장.

comoquiera *adv.* ① [+que+*subj.*] 어떻든, 어떤 방법으로도. ② [+que+*ind.*] …한 이상.

Comoras *f.pl.* [국명] 코모로.

comorense *adj.* 코모로(las Comoras)의. *—mf.* 코모로 사람.

compacidad *f.* =**compactibilidad.**

compaciente *adj.* 합치하는, 동정하는.

compactación *f.* 밀집, 촘촘함, 빽빽함.

compactar *tr.* 가득 채워 넣다.

compactibilidad *f.* 밀집함, 빽빽함.

compacto, ta *adj.* ① 밀집한, 빽빽하게 찬. ② 단단한, 견고한. ③ [인쇄] 글자가 촘촘한. *—m.* ① 콤팩트디스크, CD. ② CD 플레이어. ③ CD 음향 재생기. ④ [인쇄] 간격이 아주 좁은 보통 활자.

compadecer (31) *tr.* 불쌍히 여기다, 동정하다. **~se** ① [+de · con] (…에) 동정하다. ② [+con] (…와) 뜻이 맞다. ③ 합치다(unirse).

compadrada *f.* 허세를 부림, 뻐김.

compadraje *m.* 공모, 한패.

compadrar *intr.* ① 대부와 생부의 관계를 맺다. ② 친구가 되다.

compadrazgo *m.* ① 생부와 대부로 맺은 관계. ② =**compadraje.**

compadre *m.* ① [종교] 생부와 대부가 서로 부르는 호칭. ② [종교] 생모[대모]가 대부를 부르는 호칭. ③ *And.* = amigo, conocido. ④ *Arg., Ur.* = compadrito. *—adj.* 거만한, 뻐기는.

compadrear *intr.* ① 채산적으로 사귀다, 친구가 되다. ② *Arg., Par., Ur.* =**jactarse.** *—tr. Arg., Par., Ur.* = **provocar, irritar.**

compadreo *m.* =**compadraje.**

compadrito, ta *adj.* ① 아니꼬운, 눈꼴사나운. ② *Ar., Ur.* 눈부신, 화려한. *—m. Arg., Ur.* 툭하면 싸우는 사람, (태도나 옷으로) 우쭐해하는 사람.

compaginable *adj.* 양립할 수 있는.

compaginación *f.* 양립, 조정; 정판.

compaginado, da *adj.* [인쇄] 정판된.

compaginador, ra *mf.* 양립하는 사람, 조정하는 사람; 정판하는 사람.

compaginar *tr.* ① [+con] (…과) 양립시키다, 조정하다. ② [인쇄] 정판하다 (ajustar). **~se** 양립하다.

compaisano, na *adj. Ur.* 동포의, 동향의. *—mf.* 동포; 동향인, 고향 사람.

compaña *f.* 동료, 동반자, 일동.

compañerismo *m.* 동료애, 전우애, 동료 의식, 단결 정신.

compañero, ra *mf.* ① 동료, 친구, 짝: ~ da armas 전우. Somos *~s* de colegio 우리는 학교 친구이다. ② (물건 · 한 세트의) (한) 짝. ③ [트럼프] 파트너.

compañía *f.* ① 회사: ~ aérea 항공 회사. ~ de seguros 보험 회사. ② 동반(자), 함께 하는 것[사람]. ③ 단체. ④ 극단. ⑤ [군사] 중대. ⑥ [종교] 예수회. ¶*en* ~ 함께, 일제히.

comparable *adj.* 비교할 수 있는, 필적하는.

comparación *f.* ① 비교, 대비(對比): en ~ con *algo* …과 비교하여. sin ~, fuera de ~ 비교할 것도 없이, 단연. ② 비유(比喩)

comparado, da *adj.* ① 비교되는, …과 비교하면. ② 비교 연구의.

comparanza *f.* =**comparación.**

comparar *tr.* ① [서로/con · a] (…과) 비교하다, 대비하다. ② [+a] (…에) 비유하다. **~se** 비교되다.

comparativamente *adv.* 비교하여, 비교적으로.

comparativo, va *adj.* 비교의. *—m.* [문법] 비교급: ~ de inferioridad 열등비교급. ~ de superioridad 우등 비교급.

comparecencia *f.* 출두, 출정(出廷).

comparecer (31) *intr.* ① 출두하다. ② 나타나다, 모습을 드러내다.

comparsa *f.* [집합] [연극] (주연 배우를 제외한) 배우단(원), 단역; (카니발 등의) 가장 행렬. *—mf.* ① 단역. ② (지위가) 이름뿐인 사람.

compartimentación *f.* 구분.

compartimentar *tr.* (안전 방지를 위해) 구획으로 나누다, 구분하다.

compartimento *m.* ① [철도] 찻간: ~ de primera clase 일등칸. ② 구획, 차체의 안전한 구분. ③ 공용(共用).

compartimiento *m.* =**compartimento.**

compartir *tr.* ① 나누다, 분배하다. ② 공동으로 하다, 공용하다, 분담하다, (감정 등을) 공유하다.

compás *m.* ① [기하] 컴퍼스. ② 나침반. ③ 박자, 장단, 리듬. ④ [음악] 소절(小節); 한 소절의 세로줄. ¶ ***llevar el*** ~ ㉮ 박자를 맞추다. ㉯ (악단 · 합창단을) 지휘하다 ((비유적으로도 사용됨)).

compasadamente *adv.* 절도 있게, 침착하게, 신중하게.

compasado, da *adj.* 절도가 있는, 침착한, 신중한.

compasible *adj.* ① 동정할 만한. ② =**compasivo.**

compasillo *m.* [음악] 4분의 2박자.

compasión *f.* 불쌍히 여김, 동정.

compasivo, va *adj.* 인정 많은, 다정다감한, 자비심이 많은, 눈물이 흔한, 감정적인.

compaternidad *f.* =**compadrazgo.**

compatibilidad *f.* ① 양립(성), 적합성. ② 호환성. ③ [생물] 융화성. ④ [화

학] 화합성(和合性).
compatibilizar (9) *tr.* 공립(共立)시키다, 호환성을 유지시키다.
compatible *adj.* ① 양립할 수 있는. ② [기계·컴퓨터] 호환성(互換性)이 있는.
compatricio, cia *m.f.* =compatriota.
compatriota *m.f.* 동포, 동향인(同鄕人).
compatrón *m.* =compatrono.
compatronato *m.* compatrono의 권리.
compatrono, na *m.f.* (노동자 등의) 공동 고용주.
compeler *tr.* ① 강제[강요]하다. ② [+a+명사·*inf.*] (…에·…하도록) 강제[강요]하다, 강제로 …시키다[하게 하다].
compendiar (11) *tr.* 요약하다.
compendio *m.* 요약, 개요: en ~ 요약해서 (말하면), 간추려 말하면.
compenetración *f.* ① 상호 이해. ② 상호 침투.
compenetrarse *r.* ① (감정 등을) 공유하다. ② (미립자가) 상호 침투하다.
compensación *f.* ① 보상(금), 배상(금), 변상(금). ② [법률] 상쇄, 평형(平衡). ③ [기술] 보정(補正).
compensar *tr.* 보상[배상]하다, 갚다; 벌충하다, 보충하다. —*intr.* 노력에 걸맞게 보상받다. ~**se** ① 보상받다. ② [의학] 치유 상태에 이르다. ③ 자신이 벌충하다[메우다].
competencia *f.* ① 다툼, 겨룸. ② 경쟁: ~ desleal [경제] 불공정 경쟁. libre ~ 자유 경쟁. en ~ con *uno* …와 경쟁으로. hacer la ~ a *uno* …와 겨루다[경쟁하다]. ③ 경쟁 상대. ④ 권한, 관할: cuestión de ~ 관할권 다툼. ⑤ 자격, 능력. ⑥ *Amér.* 경기, 시합. ¶ *con* ~ 적절히.
competente *adj.* ① 권한이 있는, 관할권이 있는, 소관(所管)의. ② 유능한. ③ [+para] (…에) 자격이 있는. ④ [+en] (…에) 정통한, 환한. ⑤ 적절한, 타당한. —*m.f.* 유자격자.
competentemente *adv.* 정당하게, 적당한 자격으로; 십분, 충분히.
competer *intr.* [+a] (…에) 해당하다, …의 관할이다.
competición *f.* ① 경쟁, 겨루기: ~ reñida 치열한 경쟁. ② 경기, 시합. ③ 경쟁 시험. ④ (콩쿠르에) 응모, 시합.
competidor, ra *adj.* 경쟁하는. —*m.f.* 경쟁자, 경쟁 상대, 시합 참가자.
competir (42) *intr.* 경쟁하다, 경합하다, (우열을) 다투다, 겨루다, 맞서다: ~ *en* belleza 미를 다투다. ~ *en* precio 가격으로 경쟁하다.
competividad *f.* ① 경쟁력. ② 경쟁 관계, 경쟁 상대.
competitivo, va *adj.* ① 경쟁의. ② 경쟁력이 있는, 경쟁할 수 있는: mercado ~ 경쟁력이 있는 시장. precios ~*s* 경쟁(할 수 있는) 가격.
compilación *f.* ① 엮음, 편집, 편찬: 편찬물, 편집물: ~ de un diccionario español 스페인어 사전 편찬. ② [컴퓨터] 컴파일.
compilador, ra *adj.* 편집[편찬]하는, 엮는. —*m.f.* 엮은이, 편집자. —*m.* [컴퓨터] 컴파일러 ((고급 언어 프로그램을 기계어로 번역하는 프로그램)).
compilatorio, ria *adj.* 편집[편찬]의.
compilar *tr.* ① (문헌 등을) 엮다, 편집하다, 편찬하다. ② (자료 등을) 수집하다. ③ [컴퓨터] (프로그램을) 다른 부호[기계어]로 번역하다.
compincharse *r.* 공모하다.
compinchado, da *adj.* 친구의, (나쁜 짓을 하는) 한패의.
compinche *m.f.* ① =amigo, camarada. ② =amigote.
complacencia *f.* ① (자기) 만족. ② (과도한) 관용; 응석을 받아줌.
complacer (34) *tr.* 기쁨을 주다. ~**se** [+en·con·de] (…을) 기뻐하다, 즐거워하다, 만족하다: ~*se en* el trabajo [*con su* obra·*de sí* mismo] 일[작품·자신]에 만족하다.
complaciente *adj.* 붙임성이 좋은, 사근사근한, 호의적인; 관용의, 관대한.
complacimiento *m.* =complacencia.
complejidad *f.* 복합성, 복잡함.
complejo, ja *adj.* 복합의, 복잡한. —*m.* ① 복합적인 것, 복잡한 것, 복합체: ~ vitamínico 복합 비타민제. ② 공업 단지; 종합 시설: ~ de viviendas 주택단지. ~ deportivo 종합 스포츠 시설. ~ turístico 종합 관광[레저] 시설. ③ [심리] 콤플렉스, 관념 복합, 고정 관념, 과도의 혐오[공포]. ④ [의학] 증후군. ⑤ [수학] 복소수. ⑥ [화학] 복합체, 복합 화합물(compuesto ~).
complementación *f.* 상호 보완.
complementar *tr.* ① 메우다, 채우다, 보충하다. ② [문법] 낱말을 첨가하다. ~**se** 보충하다, 채우다, 벌충하다.
complementariedad *f.* 보족성(補足性).
complementario, ria *adj.* 메우는, 채워넣는, 추가하는, 보충하는, 보족(補足)의, 상보(相補)적인.
complemento *m.* ① 보족(補足), 보완: oficial de ~ 예비역 장교. ② 수당, 보너스. ③ [문법] 보어. ④ [수학] 여각; 보집합. ⑤ [생리] 보체(補體). ⑥ *pl.* 부속품. ⑦ *pl.* [복식] 자질구레한 물건.
completamente *adv.* 완전히, 철저하게.
completar *tr.* 완전하게 하다, 완성시키다; 끝내다. ~**se** 서로 보완하다.
completas *f.pl.* [종교] 최후 기도 시간.
completez *f.* =completitud.
completitud *f.* 완성하는 일.
completivamente *adv.* 완전히.
completivo, va *adj.* 완전한, 완벽한, 완전히 채워진.
completo, ta *adj.* ① 완전한, 완벽한, 마무리한, 끝낸. ② [estar+] (구성 요소가) 전부 있는: autobús ~ 만원 버스. obras ~*tas* 전집(全集). —*m.* ① 전원. ② [게시] 만원 사례. ¶*por* ~ 완전히, 철저히.
complexión *f.* 체격, 체질.
complexionado, da *bien* ~ 체격이 좋

은. *mal* ~ 체격이 나쁜.
complexo, xa *adj.* =complejo.
complicación *f.* ① 복잡함, 분규. ② [의학] 합병증, 여병(餘病).
complicado, da *adj.* ① 복잡한, 뒤얽힌, 얽혀 복잡한: asunto ~ 얽히고 설킨 사건. ② [+en] (사건 등에) 관계가 있는.
complicar (7) *tr.* ① 복잡하게 하다, 뒤얽히게 하다; 곤란하게 하다. ② [+en] (사건 등에) 말려들게 하다, 휩쓸리게 하다. **~se** ① 복잡해지다, 미묘해지다. ② (병상이) 악화되다, 더치다; [+con] (여병을) 병발하다.
cómplice *m.f.* 공범자, 가담자.
complicidad *f.* 공범, 공모; 가담.
complot *m. fr.* [*pl.* ~s] 음모, 밀의(密議), 흉계: maquinar [tramar] un ~ 음모를 꾸미다.
complutense *adj.* ① 알깔라 데 에나레스(Alcalá de Henares, 마드리드 동쪽의 도시) 태생의. ② 알깔라 데 에나레스의[에 관한]. —*m.f.* 알깔라 데 에나레스 사람.
Complutense *f.* 마드리드 대학교(Universidad ~ de Madrid).
componedor, ra *m.f.* ① 조립자, 수선인. ② 중재인, 조정자. ③ *Arg., Chile, Col., Méj.* 정골의(整骨醫), 접골의(接骨醫). —*m.* [인쇄] (행간을 맞추는 글자나 부호가 있는) 나무자, 쇠자.
componente *adj.* 구성하는. —*m.f.* 구성원. —*m.* ① 구성 요소. ② 부품: ~*s* físicos 하드웨어. ~*s* lógicos 소프트웨어. ③ [*f.*로도 쓰임] [물리] (벡터·힘 등의) 성분.
componer (61) *tr.* ① 구성하다, 조립하다. ② 작곡하다, 창작하다. ③ 정리하다, 수리하다, 수선하다, 고치다. ④ (싸우거나 반항하는 사람을) 달래다, 회유하다. ⑤ 맛을 내다; 무치다, 버무리다. ⑥ [인쇄] 조판하다. ⑦ 강하게 하다, 튼튼하게 하다. ⑧ *AmérM., Guat., Méj.* 정골하다, 접골하다, 뼈를 맞추다. —*intr.* ① 시를 쓰다. ② 작곡을 하다. **~se** ① [+de] (…로) 구성되어 있다. ② 치장하다, 단장하다, 옷차림을 단정히 하다, 맵시를 부리다. ¶ *componérselas* 교묘하게[감쪽같이] … 하다, (궁지에서 벗어나거나 어떤 목적을 달성하기 위해) 궁리하다, 머리를 쓰다.
componible *adj.* 타협[화해]할 수 있는.
componimiento *m.* =composición, calidad, temple.
comporta *f.* (포도 따는) 광주리.
comportable *adj.* =soportable, tolerable, llevadero.
comportamiento *m.* ① 행동, 거동, 행동거지. ② (기계 등의) 움직임. ③ (물질의) 특성. ④ 추이(推移). ⑤ [교육] (학생 평가에서) 생활 태도, 학습 태도.
comportar *tr.* ① 수반하다, 따르다, 포함하다. ② 가져오다, 초래하다, 원인[동기]이 되다. **~se** 행동하다, 처신하다(portarse, conducirse).
comporte *m.* =proceder.
comportería *f.* ① comportero의 직[기술]. ② comportero 공장.
comportero *m.* comporta 제조자[장수].
composible *adj.* =componible.
composición *f.* ① 구성; 합성; 성분, 함유량. ② 작곡, 작시, 창작; 작품. ③ 작문: ~ en español 스페인어 작문. hacer una ~ 작문을 짓다. ④ [미술] 구도(構圖). ⑤ [체조·스케이트] 경기: *composiciones* libres 자유 경기. ⑥ [인쇄] 식자, 조판: ~ por ordenador 컴퓨터 조판. ⑦ [언어] 합성. ⑧ [문법] 복합어, 복합법. ⑨ 혼합물, 합성물. ⑩ (외국어의) 작문 연습.
compositivo, va *adj.* (합성어의) 구성 요소가 되는.
compositor, ra *adj.* ① 구성하는, 조립하는. ② 작곡하는. —*m.f.* ① 조립자. ② 작곡가. —*m. Chile.* 정골의(整骨醫), 접골의(接骨醫).
compostelano, na *adj., m.f.* ① 산띠아고 데 꼼뽀스뗄라(Santiago de Compostela, 갈리시아 지방의 도시; 천주교 성지) 태생의. ② 산띠아고 데 꼼뽀스뗄라의[에 관한]. —*m.f.* 산띠아고 데 꼼뽀스뗄라 사람.
compostura *f.* ① 절도; 온건. ② 조정(調停), 합의. ③ 수리. ④ 몸치장, 몸단장. ⑤ 구성, 조립.
compota *f.* 물과 설탕으로 끓여 만든 과실 과자.
compotera *f.* compota 그릇.
compra *f.* ① 매입, 구입: precio de ~ 사는 가격, 매입 가격, 취득가. hacer una compra 장을 보다, 쇼핑하다. ir de ~*s* 쇼핑 가다, 장보러 가다. ② (식료품·일용품의) 장보기, 쇼핑: ir a la ~ al supermercado 슈퍼마켓에 쇼핑 가다. ③ 산 물건.
comprador, ra *adj.* 사는, 매입[구입]하는. —*m.f.* 구매자, 구매 담당자.
comprar *tr.* ① 사다, 구입하다, 매입하다. ② ㉮ [+a] (…에게) 사 주다. ㉯ [+a] (…에게서) 사다. ③ (부정으로) 매수하다. —*intr.* 물건을 사다. **~se** ① 자신을 위해 사다: *Me compré* estos guantes 나는 (내가 끼려고) 이 장갑을 샀다. ② (돈으로) 사다: El amor no *se compra* 애정은 돈으로는 사지 못한다. ③ *Arg.* (상처가 없거나 약간 상처가 나게) 세게 부딪치다[넘어지다].
compraventa *f.* (직업으로) 매매; (특히) 고물상.
comprehender *tr.* =comprender.
comprender *tr.* ① 이해하다. ② 포함하다, 포함되어 있다. **~se** 포함되다.
comprensible *adj.* 이해할 수 있는, 쉬이해가 가는, 납득이 가는.
comprensión *f.* ① 이해, 이해력. ② [논리] 내포.
comprensivo, va *adj.* ① 이해력이 있는. ② 내포하는, 포함하는: precio ~

de IVA 부가가치세 포함 가격. ③ 인내심이 있는(tolerante).

compresa *f.* ① [의학] (지혈용의) 거즈, 가제, 탈지면; 습포. ② 생리용 냅킨(~ higiénica · femenina).

compresible *adj.* 압축이 가능한.

compresibilidad *f.* 압축성, 압축율.

compresión *f.* ① 압축. ② [의학] (혈관 등의) 압박.

compresor, ra *adj.* 압축용의. —*m.(f.)* 압축기, 콤프레서.

comprimario, ria *m.f.* [음악] (두 번째 역을 하는) 극장의 가수.

comprimible *adj.* =compresible.

comprimido *m.* [약학] 정제(錠劑).

comprimir *tr.* 압축하다: aire *comprimido* 압축[압착] 공기. ~**se** ① 압축되다. ② 자신을 억제하다, (감정 등을) 억제하다: ~*se* en los gastos 지출을 억제하다.

comprobable *adj.* 확인할 수 있는.

comprobación *f.* 확인.

comprobador, ra *adj.* 확인하는. —*m.* 확인 장치; 테스터.

comprobante *m.* ① 증명서; 증거품, 증거 물건. ② 영수증.

comprobar (24) *tr.* 확인하다, 증명하다: ~ el disco 디스켓을 검사하다.

comprobatorio, ria *adj.* 확인하는, 증명하는: documento ~ 증명 서류.

comprometedor, ra *adj.* 위험한, 위태로운. —*m.f.* 위험 인물.

comprometer *tr.* ① 위험하게 하다; [+en] (…에) 말려들게 하다. ② [+a+*inf.* · que+ *subj.*] (…하는 것을) …에게 의무로 하다, 강요하다, 우겨서 하게 하다. ③ [+en · a] (제삼자에게) …의 조정[해결]을 위임하다[맡기다]. ④ 예약하다. ⑤ (매매 조건 등의) 합의에 달하다, 계약하다. ⑥ (내장 등에) 악영향을 미치다, 장애를 미치다. ~**se** ① 자신을 위험하게 하다; [+en · a] (…에) 말려들다, 휩쓸리다. ② [+a+*inf.*] (…할 것을) 굳게 약속하다. ③ 죄[책임]를 인정하다. ④ (지식인이 정치 문제 등에) 참가하다, 입장을 명확히 하다. ⑤ 약혼하다(contraer un compromiso).

comprometido, da *adj.* ① 약혼한: Los dos están ~*s* 두 사람은 약혼중이다. ② 위험에 직면한, 위험한, 위태로운, 곤란한. ③ 정치에 참가[참여]하는. —*m.f.* 약혼자.

compromisario, ria *adj.* 조정하는 (사람). —*m.f.* 선거인 대표, 대표 선거인.

compromiso *m.* ① (주로 사람과 만나는) 약속: ~ verbal 구두 약속. contraer [suscribir] un ~ 약속하다. cancelar [rescindir] un ~ 약속을 파기하다. ② 약혼(~ matrimonial). ③ 타협; 중재. ④ 궁지, 곤궁: ponerse [verse] en un ~ 궁지에 몰리다. ⑤ 대표 선거. ⑥ (정치 참가 등의) 결의(決意). ⑦ (내장 등에) 악영향, 장애. ¶***sin*** ~ ㉮ 자유로이, 무상으로, 아무런 부담 없이. ㉯ 약혼자 없이, 연인 없이: Ella está soltera y *sin* ~ 그녀는 처녀로 연인도 없다.

comprueba *f.* [인쇄] 재교 교정쇄.

compuerta *f.* ① (댐 · 수로 등의) 수문. ② 울짱, 목책.

compuesto, ta *adj.* ① 구성된. ② 합성된, 복합의. ③ 몸이 단정한, 가지런한. —*m.* ① 합성물. ② [화학] 화합물. —*f.* [식물] 두상화서, 두상꽃차례.

compulsa *f.* =**compulsación.**

compulsación *f.* 조합(照合).

compulsar *tr.* (확인하기 위해 복사본을 원본과) 대조하다.

compulsión *f.* ① 강제. ② [심리] 강박.

compulsivo, va *adj.* 강제력이 있는.

compunción *f.* 회한; 동정(同情).

compungir (4) *tr.* …의 마음을 아프게 하다. ~**se** 후회하다.

computable *adj.* 가산의, 셀 수 있는.

computación *f.* ① 계산(cómputo). ② *Amér.* 컴퓨터 조작, 정보 처리.

computacional *adj.* 컴퓨터의.

computador, ra *adj.* 계산하는. —*m.f.* 계산하는 사람, 계산자. —*m.* 계산기; 컴퓨터. —*f.* ① 계산기. ② *Amér.* 컴퓨터(ordenador): ~ de mesa 탁상용 컴퓨터. ~ portátil 휴대용 컴퓨터. ~ personal 퍼스널 컴퓨터.

computadorizar (9) *tr.* =**computalizar.**

computalizar (9) *tr.* (정보를) 컴퓨터에 입력하다, 컴퓨터로 처리하다; (과정을) 전산화하다.

computar *tr.* [+en · por] (…로) 계산[산정]하다, 산출하다.

computerizar (9) *tr.* =**computalizar.**

cómputo *m.* 계산, 산정.

comulgante *adj., m.f.* [천주교] 성체 배령하는 (사람).

comulgar (8) *intr.* ① [천주교] 성체 배령하다. ② 같게 하다. —*tr.* …에게 성체를 주다.

comulgatorio *m.* 성체 배령대.

común *adj.* ① 공통의: problema ~ *a* todos 모두에게 공통 문제. puntos *comunes* 공통점. ② 공동의: mercado ~ 공동 시장. retrete ~ 공중 변소. ③ 보통의, 일반의; 평범한. —*m.* ① 공통성, 공동성; 공동체. ② 변소. ¶***en*** ~ 공통으로, 공동으로: trabajar *en* ~ 공동으로 일하다. ***por lo*** ~ 보통은, 일반적으로는.

comuna[1] *f.* *Mur.* (용수로가 마른) 주요 관개 수로.

comuna[2] *f.* ① 코뮌 ((중세 유럽 제국의 최소 행정구)). ② (공동 생활을 하는) 소그룹; (히피 등의) 공동 생활체. ③ (공산권 등의) 인민 공사(人民公社). ④ *Amér.* =**municipio.**

comunal *adj.* ① 공공의, 공유의. ② comuna[2]의. —*m.* =**común.**

comunero, ra *adj.* ① 인기 있는, 모든 사람들에게 호감이 가는. ② 까스띠야의 꼬무니다데스(Comunidades) (반란)의. —*m.f.* Comunidades 반란 참가자.

comunicable *adj.* ① 전달[연락] 가능한. ② 호감이 가는, 사귈 수 있는.
comunicación *f.* ① 전달, 통지: ~ de masas 대중[대량] 전달, 매스컴. ② 연락; 통신, 교통: ~ por teléfonos 전화 통신. ③ *pl.* 통신[교통] 기관. ④ 문서, 전언: ~ oficial 공보(公報). ⑤ (학회에서의) 발표, 보고.
comunicado, da *adj.* (교통 기관이) 왕래가 있는, 통신[교통]편이 좋은: estar bien [mal] ~ 교통편이 좋다[나쁘다]. —*m.* 공식 성명, 코뮈니케: publicar un ~ conjunto 공동 성명을 발표하다. ~ de prensa 신문 발표.
comunicador, ra *m.f.* 전달자.
comunicante *adj.* 서로 통하는, 연락하는. —*m.f.* 통보자.
comunicar (7) *tr.* ① 전달하다, 전하다, 알리다, 통보하다. ② (움직임 등을) 전하다, 전도하다, 전염시키다. ③ 연락하게 하다. —*intr.* ① 연락을 취하다, 보고를 하다, 통신하다, 연락하다, 의사소통하다, 서로 이해하다. ② (길·방 등이) 통해[이어져] 있다. ~**se** ① 통신을 하다, 교신을 하다, 상통하다. ② (감정 등이) 전달되다, 전해지다. ③ 연락을 취하다, 교신하다.
comunicatividad *f.* 사귀기 쉬움, 막역함(cualidad de comunicativo).
comunicativo, va *adj.* ① 통하기 쉬운, 사귀기 쉬운, 막역한. ② 말담이 좋은. ③ 전달되기 쉬운. ④ 전달의, 통신의.
comunicología *f.* 커뮤니케이션학, 커뮤니케이션 이론.
comunicólogo, ga *m.f.* 커뮤니케이션 학자, 매스 미디어[대중 전달 매체] 연구자.
comunidad *f.* ① 공동체: ~ lingüística 언어 공동체. ② 공통성, 공동; 공유: ~ de bienes (부부 등의) 재산 공동제. ③ 교단, 수도회. ④ 꼬무니다데스 반란 ((Carlos I세에 대한 Castilla 주민의 반란, 1520-21)). ¶*Comunidad Británica de Naciones* 영연방. *Comunidad Económica Europea* 유럽 경제 공동체. *Comunidad Europea* 유럽 공동체, EC. *en* ~ 공동으로: vivir *en* ~ 공동 생활을 하다. poseer *en* ~ 공유하다, 공동으로 소유하다.
comunión *f.* ① [천주교] 성체 배령(의 의식); [개신교] 성찬식. ② (신앙 등을 함께 하는) 공동체. ③ (사상·감정 등의) 공유, 연계.
comunismo *m.* 공산주의.
comunista *adj.* 공산주의의: partido ~ 공산당. —*m.f.* 공산주의자; 공산당원.
comunitario, ria *adj.* ① 공동의; 공동체의. ② 유럽 공동체의.
comúnmente *adv.* ① 일반적으로, 보통, 대개, 통상적으로. ② =**frecuentemente.**
con *prep.* [+mí·ti·sí와 함께 쓰일 때는 conmigo, contigo, consigo가 됨] ① [동반·동거] …과[와], …과 함께, …과 더불어: Estoy ~ mis padres 나는 부모님과 함께 있다. ② [도구·수단] …으로, …으로써: ~ palillos 젓가락으로. ~ tinta 잉크로. ③ [+추상명사 =부사] ~ dificultad 어렵게, 간신히. ~ frecuencia 자주, 빈번히. ④ …을 가진, …이 있는, …을 탄: café ~ leche 밀크 탄 커피, 밀크 커피. arroz ~ camarones 새우 곁들인 밥, 새우덮밥. ⑤ … 밑에서, …슬하로: ~ el profesor 교수 지도하에. ⑥ …에 대하여: Ella es amable ~ su vecina 그녀는 이웃에게 친절하다. ⑦ [비교] …에 비해: Su fuerza no es nada ~ la que profeso 그의 힘은 내 힘에 비하면 아무 것도 아니다. ⑧ [+*inf.*] …하기[했기] 때문에: Con declarar él se eximió del tormento 그는 자백했기 때문에 고문을 면했다. ⑨ [+*inf.*] …이지만, …에도 불구하고: ~ ser antiguo 오래됐지만. ⑩ [찬성] ¿Están *con*migo, o en contra? 여러분들은 나에게 찬성입니까 반대입니까? ⑪ [소수점] ocho ~ quince 8.15.
con- *pref.* 「공동(共同)·공통」의 뜻: *con*discípulo 동급생.
Conacyt *m. Méj.* Consejo *m* Nacional de Ciencia y Tecnología 국가 과학 기술 심의회.
conato *m.* ① 시도. ② [법률] 미수, 미수죄: ~ de robo 절도 미수.
concadenar *tr.* =**concatenar.**
concatenación *f.* 연결, 맥락.
concatenar *tr.* 잇다, 연결시키다, 결부시키다.
concavidad *f.* ① 오목한 모양[면]. ② 오목한 곳.
cóncavo, va *adj.* 오목한, 복판이 들어간: espejo ~ 오목 거울, 요면경(凹面鏡). lente ~*va* 오목 렌즈.
concebible *adj.* 생각할 수 있는, 납득이 가는, 상상할 수 있는.
concebir (42) *tr.* ① (구상·감정 등을) 품다, 개념을 형성하다. ② 이해하다. ③ 수태하다, 임신하다. —*intr.* 수태하다, 임신하다.
conceder *tr.* ① (권리 등을) 주다, 인가하다: ~ un premio [una beca] 상[장학금]을 주다. ② [+que+*ind.*] (…가 사실임을·확실함을) 인정하다, 알아차리다, 인지하다. ③ [+que+*subj.*] (…하는 것을) 허가하다. ④ (가치 등을) 인정하다.
concejal, la *m.f.* 시[읍·면]의원.
concejalía *f.* concejal의 직무.
consejo *m.* 시[읍·면]의회 ((조직, 회의, 건물)).
concelebrar *tr.* [종교] (여러 사제가 미사를) 공동으로 집전하다[올리다].
concentración *f.* ① 집중, 집중시키는 일. ② [심리] 집중, 정신 통일. ③ (정치적인) 집회, ④ 농축. ⑤ [운동] 합숙, 숙소에 입소: hotel de ~ 합숙 호텔.
concentrado, da *adj.* ① [estar+] 전심으로 몰두하고 있는. ② 농후한, 진한, 짙은: café ~ 진한[짙은] 커피. ③ 농

축한: comida ~*da* 농축 식품. —*m.* 농축물, 엑스트랙트, 진액(津液).

concentrador, ra *adj.* 집중하는. —*m.* 농축기(濃縮機).

concentrar *tr.* ① 집중시키다. ② (액을) 농축하다. ③ [운동] (선수를) 숙소에 모으다, 캠프에 넣다. ~**se** ① 집중하다. ② 정신 통일하다. ③ 합숙하다, 합숙소[캠프]에 들어가다.

concéntrico, ca *adj.* [수학] 동심(同心)의: círculos ~*s* 동심원.

concepción *f.* ① 임신, 수태(受胎): ~ artificial 인공 수태. ② 파악, 개념 형성; 이해력.

conceptismo *m.* 기지주의(奇智主義), 경구 문학 ((Quevedo를 중심으로 17세기에 스페인에서 유행한 작풍)).

conceptista *adj.* 기지주의의. —*mf.* 기지주의자, 경구 문학자.

concepto *m.* ① 개념. ② 의견, 판단. ③ 경구(警句). ④ [상업] 세목, 품목. ¶*perder el* ~ 신용[인망]을 잃다.

conceptual *adj.* 개념의, 개념적인.

conceptualismo *m.* [철학] 개념론.

conceptualista *adj.* 개념론의. —*mf.* 개념론자.

conceptualizar (9) *tr.* 개념화하다, …의 개념을 형성하다.

conceptuar (15) *tr.* 생각하다, 판단하다: bien [mal] *conceptuado* 높게[낮게] 평가되고 있는. ~**se** 자신을 …라고 생각하다.

conceptuoso, sa *adj.* (문체 등이) 생각을 짜낸, 기지에 넘치는.

concerniente *adj.* [+a] (…에) 관한: en lo ~ *a algo* …에 관해서는.

concernir (21) *intr.* [+a] (…에) 관계하다, 속하다.

concertación *f.* 협정; 협조.

concertadamente *adv.* 가지런히.

concertado, da *adj.* ① 가지런한, 정돈이 잘 된. ② (사립 학교가) 공적 보조금을 받고 있는; (병원이) 건강 보험이 되는.

concertar (19) *tr.* ① (협정 등을) 맺다, 약속하다. ② 일치시키다, 조화시키다, 화해시키다. ③ [음악] 합주[합창]하다.

concertina *f.* [악기] 콘서티나 ((아코디언 모양의 6각형 손풍금)).

concertino *m.* [음악] 소협주곡, 제일 바이올린.

concertista *mf.* (합주의) 연주자, 독주자(獨奏者).

concerto grosso *f.* [음악] 합주 협주곡 (合奏協奏曲).

concesión *f.* ① 위양(委讓), 양도, 양여, 불하; 이권. ② 양보. ③ 거류지(居留地), 조계(租界).

concesionario, ria *adj., mf.* 위양[인가]하는 (사람).

concesivo, va *adj.* ① [문법] 양보를 나타내는: oración ~*va* 양보절. ② 인가하는. —*f.* 양보문.

concha *f.* ① 조개, 조가비, 패각(貝殼): ~ de perla 진주 모패(母貝). ② (거북의) 등껍질. ③ 대모갑(玳瑁甲)(carey). ④ [연극] 프롬프터 박스. ⑤ 조개 모양의 물건. ⑥ [요리] 나사 모양의 마카로니. ⑦ 뻔뻔함. ⑧ [속어] *Arg., Chile, Perú, Ur.* (여성의) 성기, 보지. ⑨ *Col., Ecuad., Perú.* 파렴치, 몰염치 (desfachetez).

Concha [인명] 꼰차 ((여자 이름 Concepción의 애칭)).

conchabar *tr.* ① =unir, juntar, asociar. ② (양털을 깎은 후) 중질이나 상질의 털과 나쁜 질의 것을 섞다. ③ *AmérM.* (노동자·근로자 등을) 고용하다. ~**se** ① [+para] (나쁜 목적으로) 담합하다, 계획을 미리 짜다. ② *RDom.* =**romperse, quebrarse.** ③ *RDom.* = **frustrarse, dejar sin efecto.**

conchabo *m. AmérM.* 재택 근무 계약.

concho[1]**, cha** *adj.* 치차(chicha)나 맥주의 앙금 색깔의. —*m. Amér.* (포도주 등의) 앙금, 침전물, (음식의) 찌꺼기.

concho[2] *m.* (과일의) 과피(果皮).

concho[3] *m.* ① *RDom.* (합승) 노선 버스. ② *RDom.* 택시, 렌터카.

concho *interj.* =**coño.**

conchudo, da *adj.* ① 조가비로 덮인. ② *Amér.* 낯가죽이 두꺼운, 철면피한. ③ *Col.* =**indolente.** ④ *CRica.* = **tosco, grosero.**

conciencia *f.* ① 의식, 자각: ~ de clase 계급 의식. ~ de sí mismo 자의식(自意識). ② 양심, 도의심(道義心): libertad de ~ 양심[사상·신앙]의 자유. ¶*caso de* ~ 양심적 의무. *en* ~ 양심에 따라, 양심에 부끄럼없이, 확실히. *cobrar* ~ ㉮ 의식을 회복하다. ㉯ 자각하다.

concienciado, da *adj.* 자각한, 의식에 눈을 뜬.

concienciar (19) *tr.* [+de] (…을) …에게 자각시키다.

concientizar (9) *tr.* 자각시키다.

concienzudo, da *adj.* 양심적인, 세부에까지 주의를 기울이는.

concierto *m* ① 일치, 조정, 조화; 협정. ② 음악회, 콘서트: ~ al aire libre 야외 연주회. ③ 협주곡: ~ para violín (y orquesta) 바이올린 협주곡. ¶*al* ~ *de* …에 조화[일치]하여. *de* ~ 합의하여, 협력하여. *sin orden ni* ~ 아무렇게나, 되는대로, 함부로, 엉터리로.

conciliable *adj.* 화해할 수 있는, 서로 받아들일 수 있는.

conciliábulo *m.* 비밀 집회, 밀의(密議).

conciliador, ra *adj.* 화해시키는; 타협적인. —*mf.* 조정자. —*adj.* 공회의의. —*m.* 공회의 참석자.

conciliar (19) *tr.* ① 화해시키다. ② [법률] 조정(調停)하다. ③ 양립시키다. ④ (호의 등을) 얻다. ~**se** ① 서로 화해하다. ② (호의 등을) 사다[얻다].

conciliatorio, ria *adj.* 화해시키는.

concilio *m.* ① [천주교] 공회의, 종교회의; 공회의[종교 회의]의 결정 (사항). ② (중세 똘레도에서 왕이 소집한 종교 회의를 겸한) 국회.
concisión *f.* 간략함, 간결함.
conciso, sa *adj.* 간단한.
concitar *tr.* ① 부추기다, 꼬드기다, 사주하다. ② =**reunir, congregar.**
conciudadano, na *m.f.* 같은 마을 사람; 동국인, 동향인.
cónclave *m.* ① 교황 선거 회의(장). ② 회의.
concluir (77) *tr.* ① 완결시키다, 종료시키다. ② [+de] (…에서) …로 결론짓다. —*intr.* ① 끝나다. ② [+por+inf./+현재 분사] 결국 …하다. ~**se** 끝나다, 결론을 내리다.
conclusión *f.* ① 결론. ② 종료, 완결: ~ de la guerra 종전(終戰). ③ (협정 등의) 체결. ④ [논리] 단안, 귀결.
conclusivo, va *adj.* 결론적인.
concluso, sa *adj.* ① 결정한. ② [법률] 결심(結審)한.
concluyente *adj.* 결정적인.
concoide *adj.* =**concoideo.**
concoideo, a *adj.* 패각(貝殼) 모양의.
concomerse *r.* ① (가려운 듯이) 어깨를 움칫거리다. ② 근질근질해 하다.
concomitancia *f.* 부수, 수반; 공존.
concomitante *adj.* 부수적인.
concordancia *f.* ① 일치. ② *pl.* 용어색인.
concordante *adj.* 일치하는.
concordar (24) *intr.* 일치하다. —*tr.* 일치시키다.
concordato *m.* 종교 협약, 정교(政教) 조약.
concorte *adj.* 일치한.
concordia *f.* ① 융화, 화합. ② 협정, 화해.
concreción *f.* ① 구체화, 구체성. ② 응고, 응고물: ~ renal [의학] 신장 결석.
concretamente *adv.* 구체적으로, 구체적으로 말하면.
concretar *tr.* ① 구체화시키다. ② [+a] (…에) 한정하다. ~**se** ① 구체화하다. ② 자신을 한정하다.
concreto[1], **ta** *adj.* ① 구체적인. ② 구상적인. ③ =**sólido, compacto, material.** ④ =**preciso, determinado.** ¶*en* ~ 구체적으로, 결국, 결론적으로 말해.
concreto[2] *m. Amér.* 콘크리트.
concubina *f.* 첩, 내연의 처, 애인; (다처 제도에서) 둘째 부인 이하의 처.
concubinato *m.* 내연 관계, 동거.
concuerda *por* ~ 원본과 일치한 것을 증명하는.
conculcar (7) *tr.* ① 발로 짓밟다. ② …에 위반하다.
concuñado, da *m.f.* cuñado나 cuñada의 형제 자매.
concuño, ña *m.f. Can., Amér.* =**concuñado.**
concupiscencia *f.* (현세에서 쾌락에의) 욕망; (특히) 색욕.
concupiscente *adj.* 탐욕의; 음탕한.
concupiscible *adj.* ① =**deseable.** ② 음탕한, 음란한.
concurrencia *f.* ① 집중. ② 붐빔, 북적임. ③ [집합] 참가자, 출석자. ④ 협력, 원조. ⑤ [상업] 경쟁 (상대).
concurrente *adj.* ① 집중하는. ② 참가하는. —*m.f.* 참가자.
concurrido, da *adj.* 혼합한, 참가자가 많은: cafetería muy ~*da* 손님이 많은 카페테리아.
concurrir *intr.* ① 집중하다. ② [+a] (…에) 참가하다.
concursado *m.* [법률] 파산 선고를 받은 사람.
concursante *m.f.* ① 응모자. ② (퀴즈 프로그램의) 해설자.
concursar *intr.* [+en 콩쿠르·선발 시험 등에/+a …에] 응모하다. —*tr.* [법률] …의 파산을 선고하다.
concurso *m.* ① 콩쿠르, 경연 대회; 선발[채용·자격]시험. ② 협력, 공헌. ③ 일치, 부합. ④ [방송] 퀴즈프로그램. ⑤ [상업] 경쟁 입찰. ¶ ~ *de acreedores* 채권자 회의.
concusión *f.* ① 충격. ② 공금 횡령, 오직(汚職).
concusionario, ria *adj.* 공금 횡령을 한. —*m.f.* 공금 횡령자.
condado *m.* ① 백작위(位). ② 백작령(領). ③ (영국 등의) 주(州). ④ (미국 등의) 읍(邑).
condal *adj.* 백작의.
conde *m.* 백작(伯爵).
condecir (70) *intr.* =**convenir.**
condecoración *f.* ① 서훈. ② 훈장.
condecorar *tr.* [+con] (훈장을) …에게 수여하다, 서훈하다.
condena *f.* ① 유죄 판결, 형(의 선고). ② [+de·a] (…에의) 비난.
condenable *adj.* 형벌에 처해야 할; 비난할 수 있는.
condenación *f.* ① =**condena.** ② 지옥에 빠지는[빠뜨리는] 일.
condenado, da *adj., m.f.* ① 유죄를 선고받은 (사람), 수형자: ~ a muerte 사형수. ② [천주교] 지옥에 떨어진 (사람). ③ 사악한 (사람).
condenar *tr.* ① [+a] (형을) …에게 선고하다, 유죄 판결을 내리다: ~ a muerte 사형을 선고하다. ② 비난하다, 규탄하다. ③ [+a+명사·*inf.*] (…을) …에게 부득이 하도록 하다. ④ (문·창 등을) 닫아 버리다, 폐쇄하다. ⑤ (주로 아이들이 어른을) 화나게 하다. ~**se** ① [천주교] 지옥에 떨어지다, 영원한 벌을 받다. ② 자책하다.
condenatorio, ria *adj.* 유죄(有罪)의: sentencia ~*ria* 유죄 판결.
condensable *adj.* 응축할 수 있는.
condensación *f.* 응축(凝縮).
condensador *m.* ① 응축기. ② [전기] 콘덴서, 축전기. ③ [광학] 집광 장치.
condensar *tr.* 응축[응결]시키다.
condesa *f.* ① 여백작. ② 백작 부인.
condescendencia *f.* (상대방에 대한) 관용, 용서; 승낙.

condescender (20) *intr.* [+a · con · en/a · en+*inf.*] (…을) 동의[응낙]하다, 쾌락하다; 묵인하다.
condescendiente *adj.* ① 동의[응낙]하는, 쾌락하는. ② 동의할 준비가 된.
condestable *m.* (중세의) 원수(元帥).
condición *f.* ① 조건. ② 상태, 상황; 환경. ③ 성격, 성질. ④ 신분, 사회 계층, 귀족 계급. ⑤ [주로 *pl.*] 적성, 소질. ¶*a ~ de que+subj.* …라는 조건으로. *en condiciones* 좋은 상태의. *sin condiciones* 무조건으로.
condicionado, da *adj.* ① 조건부의. ② 조건에 맞춘: reflejo ~ 조건 반사.
condicional *adj.* ① 조건부의. ② [문법] 조건을 나타내는. —*m.* [문법] 조건법(modo ~).
condicionalmente *adv.* 조건부로.
condicionamiento *m.* ① 조건을 붙임. ② 제한(limitación, restricción).
condicionante *adj.* 조건을 붙이는 (것). —*m.* 제약(制約).
condicionar *tr.* ① [+a] (…의) 조건을 …에 붙이다, 제약하다. ② 영향을 미치다, 좌우하다.
condigno, na *adj.* 어울리는, 상응의.
cóndilo *m.* [해부] 과상 돌기(顆狀突起).
codiloma *m.* [의학] 습우(濕疣).
condimentación *f.* 조미, 양념.
condimentar *tr.* 양념하다, 조미하다.
condimento *m.* 조미료, 양념.
condiscípulo, la *m.f.* 동급생, 동창생.
condolecerse *r.* =condolerse.
condolencia *f.* ① 동정. ② 조의(弔意).
condoler (25) *tr.* [고어] =compadecer. ~**se** [+de · por] (…을) 가엾게[불쌍하게] 생각하다, (…에) 동정하다.
condominio[1] *m.* ① 공동 통치, 공동 소유. ② 공동 통치령, 공동 소유의 것 [토지].
condominio[2] *m. Amér.* 맨션(piso).
condón *m.* 콘돔(preservativo).
condonación *f.* ① (형의) 사면. ② (부채의) 면제.
condonar *tr.* ① (형을) 사면하다. ② (부채를) 면제하다.
cóndor *m.* ① [새] 콘도르. ② 꼰도르 ((에꾸아도르의 금화; 25 수끄레에 해당)).
condotiero *m.* (주로 이탈리아의) 용병 대장.
conducción *f.* ① (자동차의) 운전: ~ por (la) izquierda 좌측 통행. ~ imprudente 운전 부주의. permiso de ~ 운전 면허(증). ② 지휘, 지도. ③ 전도(傳導). ④ [집합] 도관(導管), 배관. ⑤ (주로 유체(遺體)의) 운송.
conducente *adj.* …에 이끄는.
conducir (71) *tr.* ① [+a] (…에) 안내하다, 인도하다. ② *Esp* 운전하다: ~ un autobús[un camión] 버스[트럭]를 운전하다. ③ 지휘[지도]하다, 통솔하다. ④ (물 등을) 끌다. ⑤ [물리] 전도하다. ⑥ (주로 송장을) 운반하다, 옮기다. —*intr.* ① 자동차를 운전하다. ② 통하다. ~**se** 행동하다.
conducta *f.* ① 행동, 거동, 행동거지. ② 홈닥터 계약. ③ 통치, 경영. ④ 유도(誘導).
conductancia *f.* [전기] 콘덕턴스.
conductibilidad *f.* =conductividad.
conductismo *m.* [심리] 행동주의.
conductista *adj.* 행동주의적인. —*m.f.* 행동주의자.
conductividad *f.* [물리] 전도성.
conducto *m.* ① ㉮ 도관(導管), 파이프: ~ de desagüe 배수관. ㉯ [해부] ~ alimenticio 소화관. ② (사무 처리 등의) 경로.
conductor, ra *adj.* ① 인도하는, 지도하는. ② 전도하는. —*m.f.* ① 운전수. ② 지도자. ③ 지휘자. —*m.* [물리] 도체: buen ~ 양도체. mal ~ 불량 도체. ¶ ~ *eléctrico* 도선(導線).
condumio *m.* ① 반찬, 부식, 요리. ② 음식물: ganarse el ~ 식비를 벌다.
conectador *m.* ① [전기] 커넥터. ② [언어] 연결사, 연결어.
conectar *tr.* ① [+a] (…에) 매다, 묶어 놓다, 연결시키다. ② (전기 회로 등을) 접속시키다, 스위치를 넣다. —*intr.* [+con] (…과) 관계를 유지하다; 교제하다: *Conectamos con* Madrid [전화] 마드리드에 통화 중입니다.
conectivo, va *adj.* 접속적인, 결합성의. —*f.* ① [언어] 연결어. ② [논리] 결합 기호.
conector, ra *adj.* 연결하는. —*m.* ① 연결하는 것. ② [전기] 커넥터. ③ [언어] 연결사.
coneja *f.* ① [동물] 암토끼. ② 새끼를 자주 낳은 암컷. ③ 다산계[아들을 많이 낳는] 여자.
conejal *m.* =conejar.
conejar *m.* 토끼장.
conejero, ra *adj.* 토끼를 사냥하는 (개). —*m.f.* 양토가(養兎家). —*f.* ① 토끼굴. ② 토끼장. ③ (토끼굴 같은) 좁고 긴 동굴. ④ 열악하게 사는 많은 사람들이 모여 사는 집, 협소한 집. ⑤ 많은 사람이 모이는 좁은 지하실[동굴 · 장소].
conejillo *m.* ~ de Indias [동물] 모르모트.
conejo *m.* ① [동물] 토끼; (특히) 집토끼. ② *AmérC.* 형사(刑事). ③ [속어] 여자의 음부. ¶ ~ *de campo* [*monte*] 들토끼. ~ *de Indias* =*conejillo* de Indias. ~ *de Noruega* 나그네쥐. *El ~ ido, el consejo venido* (속담) 행차 뒤에 나팔.
conejudo, da *adj.* ① 토끼의[에 관한]. ② 토끼 같은[비슷한]. —*f.* 토끼털.
conexidad *f.* [드묾] =conexión.
conexión *f.* ① 연결, 관계. ② *pl.* 교제, 친교. ③ [전기] 접속.
conexo, xa *adj.* 관련된, 연결된.
confabulación *f.* 공모, 밀의(密議).
confabulador, ra *m.f.* 음모가.
confabular *intr.* (비밀리에) 협의하다.

~**se** (서로) 공모하다, 모의하다.
confección *f.* ① (요리·기성복 등의) 제조, 만들기. ② (요리·기성복 등의) 제품. ③ 기성복. ④ (목록·예산 등의) 작성.
confeccionador, ra *adj.* 제조하는, 만드는. —*m.f.* 제조자.
confeccionar *tr.* ① 제조하다, 만들다. ② 작성하다.
confeccionista *adj.* 기성복 제조[판매]의. —*m.f.* 기성복 제조 업자.
confederación *f.* 연방; 동맹, 연합, 연맹: *Confederación* Internacional del Trabajo 국제 노동 연맹.
confederado, da *adj.* 연방의; 연합된, 동맹한. —*m.* (미국 남북 전쟁의) 남부 연방.
confederal *adj.* =confederativo.
confederativo, va *adj.* 연방의; 연맹의, 동맹의.
confederar *tr.* 동맹하다, 연합(聯合)하다. ~**se** 연합하다, 동맹을 맺다.
conferencia *f.* ① (주로 국제적인) 회의: ~ de paz 강화[평화] 회의. ~ de prensa 기자 회견. ② 협의. ③ 강연, 강연회. ④ 장거리 전화, 시외 통화.
conferenciante *m.f.* ① 강연자, 연사. ② (회의 등의) 참가자. —*m.*(*f.*) (회의의) 참가국.
conferenciar (11) *intr.* 협의하다, 회담하다.
conferencista *m.f.* *Amér.* =conferenciante.
conferir (54) *tr.* (칭호·특권 등을) 주다, 수여하다. —*intr.* =conferenciar.
confesa *f.* 수도원에 들어간 과부.
confesable *adj.* 고백[자백]할 수 있는, 고해할 수 있는.
confesado, da *adj.* 고해한. —*m.f.* 고해자(告解者).
confesar (19) *tr.* ① (죄 등을) 고백하다, 인정하다. ② [천주교] (청죄사가) …의 고해를 듣다. ③ (신앙을) 고백[공언]하다. —*intr.* 자백하다. ~**se** ① 고해하다. ② 자백하다, 인정하다.
confesión *f.* ① 고백, 실토. ② [천주교] 고해. ③ 종파(宗派).
confesional *adj.* 신앙의, 종파의.
confesionalidad *f.* 종교색, 종파성, 특정 종교에 속하는 일
confesionario *m.* 고해실(告解室).
confeso, sa *adj.* ① 고해한, ② 자백한. ③ 유대교에서 기독교로 개종(改宗)한. —*m.f.* ① 고해자. ② 자백하는 사람. ③ 유대교에서 기독교로 개종자. ④ 평수도사[수도녀].
confesonario *m.* =confesionario.
confesor *m.* ① 청죄사(聽罪師), 청죄주교. ② 신앙의 공언자.
confiabilidad *f.* 신뢰성.
confiable *adj.* 믿을[신뢰할] 수 있는.
confiadamene *adv.* 안심하고, 마음을 놓고, 신뢰로.
confiado, da *adj* 확신[자신]이 있는
confianza *f.* ① [+en] (…의) 신뢰, 신용. ② 자신(自信). ③ 친밀함, 솔직함. ④ 허물이 없음. ¶*de* ~ 신뢰하는, 친한, 허물 없는: amigo *de* ~ 친구. hombre *de* ~ 심복, 오른팔. *en* ~ ㉮ 내밀히, 아무도 모르게. ㉯ 숨김없이, 솔직히; 친밀히, 돈독히. *margen de* ~ (신뢰하여) 허용(하는) 범위. *voto de* ~ ㉮ (정부의 시책에 대한) 국회의 시인. ㉯ 위임, 자유롭게 행동하기에 좋은 허가: Te doy mi *voto de* ~ 네 자유 재량에 맡긴다.
confiar (12) *intr.* [+en] (…를) 신뢰하다, 믿다, 신용하다. —*tr.* ① [+a] (…에게) 맡기다, 위임[위탁]하다, 부탁하다, 예치하다. ② 털어놓고[숨김없이] 이야기하다, 고백하다. ~**se** ① 의중을 털어놓고 이야기하다. ② [+en·a] (…를) 신뢰하다, 몸을 내맡기다. ③ (자신을 과신하여 안도감에서) 방심하다, 부주의하다.
confidencia *f.* 털어놓고 하는 말, 내밀한 말; 내부 정보: en ~ 내밀히.
confidencial *adj.* 내밀의.
confidencialidad *f.* 기밀성(機密性).
confidencialmente *adv.* 내밀히.
confidente *adj.* =fiel, seguro, de confianza. —*m.f.* ① 털어놓고 이야기할 수 있는 상대, 친구. ② 내부 밀고자, 스파이. ③ [연극] 심복역. —*m.* 2 인용 팔걸이 의자.
configuración *f.* ① 형상, 외형. ② 지형(地形). ③ 형성, 구성. ④ [컴퓨터] 구성: ~ Windows 윈도 방식.
configurar *tr.* 형성[구성]하다. ~**se** 형성되다: El carácter *se configura* en la niñez 성격은 유년기에 형성된다.
confín *adj.* =confinante. —*m.* ① [주로 *pl.*] 경계, 국경. ② 시야의 끝.
confinación *f.* =confinamiento.
confinado, da *adj.* 구금된. —*m.f.* 구금된 사람, 귀양살이하는 사람; 추방자.
confinamiento *m.* 감금, 구금, 유폐.
confinante *adj.* 인접한, 경계를 접한.
confinar *tr.* [+en·a] (…에) 감금하다, 가두다. —*intr.* 인접하다. ~**se** 감금되다, 가두어 두다, 유폐되다.
confinidad *f.* =proximidad, inmediación, contigüidad.
confinio *m.* *Ecuad.* =confinamiento.
confirmación *f.* ① 확인, 확증. ② 시인, 추인. ③ [천주교] 견진, 견진 성사(堅振聖事), 견진식(堅振式).
confirmadamente *adv.* 분명히, 확실히.
confirmador, ra *adj.*, *m.f.* 확인하는 (사람).
confirmamiento *m.* 확인(하기).
confirmando *m.f.* [천주교] 견진 성사를 받는 사람.
confirmar ① 확인하다, 확증하다. ② [+en] (신념 등을) 확고히 하다, 견고하게 하다. ③ [법률] (판결 등을) 시인하다, 추인하다. ④ [천주교] 견진 성사를 행하다[주다]. ~**se** ① 확인되다. ② 견지(堅持)하다, 굳게 지니다. ③ [천주교] 견진 성사를 받다.

confirmativo, va *adj.* =confirmatorio.
confirmatorio, ria *adj.* 확인의.
confiscable *adj.* 압수[몰수]될 수 있는.
confiscación *f.* 몰수, 압수.
confiscado, da *adj. And., Can., Ven.* =maldito, condenado, travieso.
confiscar (7) *tr.* [+a] (…로부터) 몰수하다, 압수하다.
confitar *tr.* ① (과실을) 설탕물에 담그다[삶다], 당의(糖衣)를 입히다. ② =endulzar, suavizar.
confite *m.* 사탕 과자, 캔디.
confitería *f.* ① 과자점. ② *Amér.* 카페, 카페테리아. ③ 과자 제조 기술.
confitero, ra *m.f.* 과자 제조자[판매자]. —*m.* (옛날에) 과자를 내놓는 그릇. —*f.* 과자 담는 그릇[상자].
confitura *f.* 과실의 설탕 절임, 잼 제조.
conflagración *f.* ① 동란, 국제 분쟁. ② 전쟁(~ bélica). ③ 큰 불(incendio).
conflagrar *tr.* 태우다, 활활 타오르게 하다, 불타게 하다. ~**se** 불타다, 활활 타오르다.
conflictividad *f.* ① 분쟁, 쟁의: ~ laboral 노동 쟁의. ② 대립. ③ 모순.
conflictivo, va *adj.* 분쟁의, 투쟁의, 다툼의, 내분의: zona ~*va* 분쟁 지역.
conflicto *m.* ① 분쟁, 투쟁. ② (심중의) 갈등. ③ 곤란, 궁지. ④ 문제.
conflictual *adj.* =conflictivo.
confligir *intr. PRico.* 충동하다.
confluencia *f.* 합류, 합류점.
confluente *adj.* 합류[집결]하는, 한 군데서 모이는.
confluir (77) *intr.* ① 합류하다, 집결하다, 한 곳으로 모이다. ② (생각·태도 등이) 일치하다.
conformación *f.* (인체 등의) 형태, 구조: vicio de ~ 기형(奇形).
conformar *tr.* ① [+a·con] (…에) 적합하게 하다, 합치시키다. ② [+con] (…로) 만족시키다. ③ 형성하다. ④ (서류 등에) 승인 사인을 하다. —*intr.* [+con] (…과) 적합[합치]하다. ~**se** ① [+con] (…에) 따르다, 순응하다. ② 만족하다. ③ 체념하다, 단념하다. ④ 합치하다.
conforme *adj.* ① [+a] (…에) 적합한, 합치된. ② 같은 의견의, 찬성의. ③ [+con] (…에) 만족한. —*m.* 승인(의 사인). —*adv.* [+a] …에 따라, 의거해: ~ a lo establecido en la ley 법률에 정한 바에 따라. —*conj.* ① …한 대로, 그대로: Lo he hecho todo ~ me han dicho 나는 나에게 말한 대로 모두 했다. ② …하자마자, …한 것과 동시에. —*interj.* 됐다!, 오케이!
conformemente *adv.* 의견 일치로.
conformidad *f.* ① 적합, 합치. ② 동의, 승인. ③ 인내, 참을성.
conformismo *m.* (체제) 순응주의.
conformista *adj.* ① 체제 순응주의의. ② 영국 국교(회)의. —*m.f.* ① 체제 순응주의자. ② 영국 국교도.
confort *m. fr.* 쾌적한 설비.
confortabilidad *f.* 쾌적성.
confortable *adj.* ① 쾌적한, 편안한. ② 원기 왕성한.
confortablemente *adv.* 쾌적하게, 편안하게.
confortación *f.* 원기 회복.
confortador, ra *adj.* 힘[원기]이 나는.
confortamiento *m.* =confortación.
confortante *adj.* 힘을 내는. —*m.* =mitón.
confortar *tr.* 원기를 회복시키다, 힘을 주어 강하게 하다. ~**se** 힘이 나다.
confortativo, va *adj.* 기운 나게 하는.
conforto *m.* =confortación.
confracción *f.* =rompimiento.
confrade *m.* =cofrade.
confraternar *intr.* 다른 것과 사이가 좋아지다, 우호 관계를 맺다.
confraternidad *f.* 우애, 우호.
confraternizar *intr.* 우호 관계를 맺다.
confrontación *f.* ① 대조, 조합(照合). ② 대결, 대질. ③ 시합.
confrontar *tr.* ① [+con] (…과) 대조하다, 조합하다. ② 대결시키다. ③ [법률] 대질시키다. ④ (곤란 등에) 정면에서 부딪치다. —*intr.* 인접해 있다. ~**se** ① 서로 대결하다. ② [+con] (…에) 직면하다. ¶*confróntese* 참고하세요.
confucianismo *m.* 유교, 유학(儒學).
confuciano, na *adj.* 유교(儒教)의, 공자(Confucio)의. —*m.f.* 유교도, 유학자.
confucionismo *m.* =confucianismo.
confucionista *adj., m.f.* =confuciano.
confundible *adj.* 혼동할 수 있는.
confundir *tr.* ① [+con] (…과) 혼동하다, 잘못 알다. ② 섞다, 혼합하다. ③ (어딘가에) 두다, 잃다. ④ 혼란하게[당황하게] 하다, 부끄럽게 하다. ~**se** ① 섞여 들어가다, 숨어 들어가다. ② 틀리다, 혼동하다. ③ 당황하다.
confusión *f.* ① 혼동. ② 혼란. ③ 불명료함. ④ 당황, 얼떨떨함, 착란.
confusionismo *m.* (사상·언어 등의) 혼란 상태.
confuso, sa *adj.* ① 어수선한, 혼란한, 난잡한; 명확하지 못한, 불명료한, 막연한, 애매모호한. ② 당황한, 얼떨떨한, 부끄럽게 하는.
conga[1] *f. Cuba.* (쥐보다 큰) 들쥐.
conga[2] *f.* ① 꽁가 ((꾸바의 민속 무용·음악)). ② *Col., Ecuad.* 큰 독개미. ③ *pl.* conga와 다른 리듬을 반주하는 여러 개의 북.
congal *m. Méj.* =prostíbulo.
congelable *adj.* 얼 수 있는.
congelación *f.* ① 동결. ② 냉동: punto de ~ 빙점. ③ [의학] 동상(凍傷).
congelado, da *adj.* ① 동결된. ② 얼린, 냉동의: carne ~*da* 냉동육. ③ 동상에 걸린. —*m.pl.* 냉동 식품.
congelador, ra *adj.* 어는, 동결하는, 냉동의. —*m.* 냉동고: barco ~ 냉동선.
congelamiento *m.* =congelación.

congelante *adj.* 냉동시키는.
congelar *tr.* ① 얼리다, 냉동시키다. ② (자산을). 동결시키다. ~**se** 얼다.
congénere *adj.* 동류(同類)의, 동종(同種)의. —*m.f.* [경멸] 친구, 동료.
congeniar (11) *intr.* 죽이 잘 맞다.
congénito, ta *adj.* 타고난, 선천적인.
congestión *f.* ① 울혈(鬱血), 충혈. ② 폐쇄 상태. ③ 교통 혼잡[체증]: horas de ~ 러시아워. ④ 체화(滯貨).
congestionado, da *adj.* 교통이 혼잡한 [폭주한].
congestionar *tr.* ① 충혈시키다. ② (길을) 막다, 가로막다, 혼잡하게 하다. ~**se** ① 울혈[충혈]되다. ② 얼굴이 붉어지다, 홍조(紅潮)되다. ③ (교통이) 막히다, 체증을 일으키다.
congestivo, va *adj.* 출혈(성)의, 충혈(성)의: síntoma ~ 충혈 증상.
conglomeración *f.* 응집(凝集).
conglomerado *m.* ① 한데 모음. ② [경제] 복합 기업. ③ [지질] 역암.
conglomerante *m.* 응집시키는 물질.
conglomerar *tr.* 집적(集積)하다. ~**se** 응집하다.
Congo *m.* [국명] 콩고 ((원명은 República de Congo)).
Congo (República Democrática del) *f.* [국명] 콩고 민주주의 공화국.
congo, ga *adj.* ① =congoleño. ② *Pan.* 아무도 이루어내지 못한 일을 하기 위해 다른 사람을 이용하는. ③ *Ven.* 땅딸막한. —*m.f.* 콩고 사람. —*m* ① *Col.* (Barranquilla의 카니발의) 가장 행렬의 구성원. ② *CRica.* 짖는 원숭이. ③ *Hond.* 꽁고 ((입이 크고 아랫턱이 약간 나온 민물고기)). ④ *Ven.* (다리가 짧은) 돼지.
congoja *f.* ① 고뇌, 비탄. ② 실신.
congojar *tr.* =**acongojar.**
congojoso, sa *adj.* 시름[슬픔]에 젖은.
congola *f. Col.* 담배 물부리.
congoleño, ña *adj.* 콩고의. —*m.f.* 콩고 사람.
congolés, lesa *adj., m.f.* =congoleño.
congraciar (11) *tr.* 역성들다, 편들다, 기분을 맞추다. ~**se** [+con] (…의) 마음에 들다.
congratulación *f.* [주로 *pl.*] 축하, 경하: Reciba mis *congratulaciones por* el éxito 성공을 축하합니다.
congratular *tr.* [+por] (성공 등을) …에게 축하하다, 축하의 말을 하다.: Le congratulé por el éxito de su recital 그의 리사이틀의 성공을 축하한다고 말했다. ~**se** [+de·por+일/+con+사람] (…에) 만족하다, 반가워하다, 기뻐하다, 축하하다: *Nos congratulamos por* su recuperación 회복을 축하합니다.
congregación *f.* ① [종교] 수도회. ② (로마 교황청의) 성청(聖廳). ③ 모이는 일. ¶~ ***de los fieles*** 천주 교회.
congregante, ta *m.f.* 수도 회원.
congregar (8) *tr.* 모으다. ~**se** 모이다.
congresal *adj. Ven.* congreso의. —*m.f.* *Amér.* =congresista.
congresista *m.f.* ① (과학자·경제 등) 회의의 회원. ② 하원 의원, 국회의원.
congreso *m.* ① (주로 국내의) 회의, 대회 ((회의, 건물)). ② (국제 문제에 관한) 회의. ③ 국회 의사당. ④ (미국과 같은 몇몇 나라에서) 국회 ((상하 양원)). ¶*Congreso de los Diputados* 하원,(우리나라의) 국회.
congrí *m. Cuba.* 강낭콩밥.
congrio *m.* [어류] 붕장어.
congruencia *f.* ① 적합, 일치. ② [수학] 합동.
congruente *adj.* ① [+con] (…에) 일치한, 적합한. ② [수학] 합동의.
congruo, grua *adj.* =**congruente.**
cónico, ca *adj.* 원뿔꼴의: superficie ~*ca* 원뿔면. —*f.* 원뿔 곡선.
conidio *m.* [식물] 분생자(分生子).
coníferas *f.pl.* [식물] 침엽수, 구과 식물(毬果植物).
conjetura *f.* [주로 *pl.*] 억측, 추측.
conjeturar *tr.* 억측하다, 추측하다, 예측하다: ~ el futuro 미래를 예측하다.
conjugación *f.* ① (동사의) 활용, 변화(표). ② 결합, 조정. ③ [생물] 접합.
conjugar (8) *tr.* ① (동사를) 활용시키다. ② 조정하다. ③ [+con] (…와) 잘 지내다, 화합하다, 타협하다.
conjunción *f.* ① [문법] 접속사. ② 결합, 결집. ③ [천문] (천체의) 회합.
conjuntamente *adv.* 공동으로, 일제히, 함께, 같이(juntamente).
conjuntar *tr.* 단결시키다. —*intr.* 조화되어 있다, 하나로 뭉쳐 있다. ~**se** 집합하다, 밀접한 관계를 가지다.
conjuntiva *f.* [해부] (눈의) 결막.
conjuntival *adj.* [해부] 결막의.
conjuntivitis *f.sing.pl.* (의학) 결막염.
conjuntivo, va *adj.* ① 결합[연결]하는. ② [문법] 접속사의: modo ~ 접속사구. —*m.* [문법] 접속어.
conjunto, ta *adj.* ① 결합된, 연대의, 관계가 있는. ② =**mezclado.** ③ =aliado. —*m.* ① (사물·사람의) 집합, 집단: ~ urbanístico [residencial] 주택단지. ~ coreano 한국 선수단. ② 전체. ③ [복식] 세트, 앙상블. ④ (소편성의) 악단. ⑤ 합창단. ⑥ [수학] 집합. ¶***de*** ~ 전체의. ***en*** ~ 일괄하여, 일체가 되어, 더불어서. ***en el*** ~ 많이 있는 것 중에서. ***en su*** ~ 전체적으로.
conjura *f.* =**conjuración.**
conjuración *f.* ① 음모, 공모. ② 피하는 일.
conjurado, da *adj., m.f.* 음모에 가담한 (사람).
conjurar *tr.* ① (재액을) 피하다. ② (악령을) 내쫓다. ③ [+(a)+*subj.*] (…하기를) 간청하다.
conjuro *m.* ① 악령을 쫓는 주문. ② 마력(魔力).
conllevar *tr.* ① (일이) 결과적[필연적]으로 수반하다[따르다]. ② (역경 등에) 참다, 인내하다.

conllorar *intr.* 함께 울다, 고통을 함께 하다.
conmemorable *adj.* 기념할 만한.
conmemoración *f.* 기념(제): en ~ de la victoria 승리를 기념해서.
conmemorar *tr.* 기념하다, 축하하다.
conmemorativo, va *adj.* 기념의: monumento ~ 기념 식전. foto ~*va* 기념 사진. monumento ~ 기념비[상 · 건축물]. sello ~ 기념 우표.
conmemoratorio, ria *adj.* =conmemorativo.
conmensual *adj.* =comensal.
conmensalía *f.* =comensalía.
conmensurabilidad *f.* ① 측정 가능함. ② 약분.
conmensurable *adj.* ① 동일 단위로 잴 수 있는, 측정 가능한. ② [수학] 통약(通約)할 수 있는.
conmensuración *f.* ① 균등, 균형. ② [수학] 약분.
conmensurar *tr.* 동등하게[동일 단위로] 재다.
conmensurativo, va *adj.* ① 동일 단위로 재는. ② 약분하는.
conmigo [con과 mí의 합성어] 나와 함께: Mi mujer quiere viajar conmigo 내 아내는 나와 함께 여행하길 원한다.
conmilitón *m.* 전우(戰友).
conminación *f.* 협박, 위협; 엄명.
conminar *tr.* ① (처벌 등으로) 위협[협박]하다. ② [법률] [+a+*inf.* · que+*subj.*] (…을) …에게 엄명하다.
conminativo, va *adj.* =conminatorio.
conminatorio, ria *adj.* 협박[위협]하는.
conmiseración *f.* 동정, 연민.
conmoción *f.* ① (육체적 · 정신적) 충격. ② 감동. ③ (사회의) 격변, 격동. ④ (강한) 지진(~ de tierra).
conmocionar *tr.* …에게 충격을 주다.
conmovedor, ra *adj.* 감동적인, 마음을 동요하게 하는.
conmover (25) *tr.* ① …의 마음을 동요시키다, 감동시키다. ② (강하게) 진동하다. ~**se** 마음이 흔들리다[동요하다], 감동하다.
conmutabilidad *f.* 감형의 가능성.
conmutable *adj.* ① 감형할 수 있는. ② 가환(可換)의.
conmutador, ra *adj.* 교환하는. —*m.* ① [전기] 정류자, 스위치. ② 전화 교환기. ③ *Amér.* (전화의) 교환대.
conmutar *tr.* ① [+por · en] (…에게) 감형하다. ② [+por] (…을) 갈아 넣다, 바꿔 놓다.
conmutativo, va *adj.* ① 교환의: contrato ~ 교환 계약. ② [법률] 쌍무의.
connacional *adj.* (다른 사람과) 같은 나라의. —*mf.* 동국인, 같은 나라 사람.
connatural *adj.* [+a] (…에) 천부적인, 타고난 천성의, 선천적인, 본래의.
connaturalizar (9) *tr.* [+con] (…에) 순응[적응]시키다. ~**se** 순응[적응]하다.
connaturalmente *adv.* =naturalmente.
connivencia *f.* ① 공모. ② (부하의 실패에 대해) 관용, 관대함.
connotación *f.* ① [언어] 내포. ② 암시적 의미.
connotado, da *adj.* *Amér.* 저명한.
connotar *tr.* (의미를) 내포하다, 함축하다, 관련짓다.
connotativo, va *adj.* 내포하는, 함축하는, 암시하는.
connubial *adj.* connubio의.
connubio *m.* ① [시어] 결혼. ② [시어] 천주교의 성사(聖事).
cono *m.* ① 원뿔(꼴): ~ sur 아르헨띠나 · 칠레 · 우루구아이 삼국 ((때로는 빠라구아이를 포함시켜 4국)). ② 원뿔꼴의 도로 표지 ((도로의 공사 구간 등에 설치하는 위험 경고 표지)). ③ [해부] (눈의) 원뿔체(體).
conocedor, ra *adj.* 정통한. —*mf.* 정통한 사람; 감정가, 감식가. —*m.* *And.* 소떼의 (우두머리) 목동(mayoral).
conocer *tr.* ① 알고 있다; (학문 · 기술 등에) 정통하다[환하다]: ~ bien *su* oficio 자신의 일을 잘 알고 있다. ~ unos idiomas 수개 국어를 알고 있다. ~ los vinos 포도주에 정통하다[환하다]. *Conozco* España y México 나는 스페인과 멕시코를 간 적이 있다. ② (사람을) 서로 알고 있다, (만나서 인사를 나누어) 알고 있다: Le *conozco* de vista 나는 그의 얼굴을 알고 있다. Sólo la *conozco* de nombre 나는 그녀의 이름밖에 모른다. ③ 깨닫다, 눈치채다, 알아차리다, 살펴서 알다. ④ 식별할 수 있다. ⑤ [법률] (재판관 등이 사건을) 담당하다. —*intr.* ① [+de · en] (…에) 환하다, 정통하다. ② [법률] 사건을 담당하다. ~**se** ① 자신을 알다, 잘 알고 있다: *Conócete* a ti mismo 너 자신을 알라. ② …로 알아차리다. ¶*dar a* ~ 알리다, 공표하다. *darse a* ~ 자신의 신원을 밝히다, 데뷔하다. *Se parece que* 보아하니, …라는군요, …랍니다. *Más vale malo conocido que bueno por* ~ (속담) 내일의 백 개보다 오늘의 오십 개가 낫다.
conocible *adj.* 알 수 있는, 인식할 수 있는, 알려질 만한.
conocidamente *adv.* =claramente.
conocido, da *adj.* (잘) 알고 있는, 정통한, 유명한. —*mf.* (그다지 친하지 않지만) 아는 사람, 지인(知人).
conocimiento *m.* ① 알고 있는 것. ② [주로 *pl.*] 지식: ~ tecnológico 노하우. ③ 인식; 이해력, 판단력. ④ 의식, 지각. ⑤ 선하 증권. ⑥ [집합] 아는 사람, 지인(知人). ¶*sin* ~ 판단력[이해력]이 없는; 무의식의, 정신을 잃은, 실신한. *tener* ~ (선악을) 분별할 나이에 이르다; [+de] (…을) 알고 있다: Mi hija no *tiene* todavía ~ 내 딸아이는 아직 분별력이 없다.
conoidal *adj.* 원뿔꼴의.
conoide *m.* [수학] 원뿔 곡선체.

conoideo, a *adj.* 원뿔꼴의.
conque *conj.* 그래서 …, 결국. —*m.* 조건: el ~ indispensable 불가결 조건.
conqué *m. Salv.* 꽁께 ((옥수수 지지미를 곁들인 음식)).
conquense *adj.* 꾸엔까(Cuenca, 까스띠야-라만차 지방의 주·주도)의. —*mf.* 꾸엔까 사람.
conquiforme *adj.* 조개 모양의.
conquiliología *f.* 패류학, 패각학.
conquiliólogo, ga *mf.* 패류 학자, 패각 학자.
conquista *f.* ① 정복. ② 획득(물). ③ (이성의) 마음을 사로잡는 일; (이성을) 정복한 여자[남자].
Conquista (la) *f.* 스페인의 아메리카 대륙 정복.
conquistable *adj.* ① 정복할 수 있는. ② 쉽게 얻을 수 있는.
conquistador, ra *adj.* ① 정복하는. ② (이성의) 마음을 빼앗는, 이성을 홀리는. —*mf.* ① (특히 아메리카 대륙의) 정복자: Jaime I, el Conquistador 정복왕 하이메 1세 (1208-76). ② (이성의) 애정을 획득한 사람; 돈후안, 바람둥이, 오입쟁이.
conquistar *tr.* ① 정복하다; 손에 넣다, 획득하다, 쟁취하다. ② …의 마음을 빼앗다[붙잡다], 매료시키다. ③ 납득시키다.
consabido, da *adj.* =**conocido, habitual, característico.**
consagración *f.* ① 성별(聖別). ② 봉헌. ③ (지위·명성 등의) 확립.
consagrar *tr.* ① [종교] 성별(聖別)하다; 신성화하다. ② [+a] (…에·에게) 바치다, 들리다, 봉헌하다. ③ 할당하다. ④ (지위·명성 등을) 확립시키다; (정식으로) 인정하다. ~**se** ① 몸을 바치다, 몰두하다. ② 자신의 지위를 확립하다[굳히다].
consanguíneo, a *adj.* 혈연의, 혈족의. —*mf.* 피를 나눈 사람, 혈족.
consanguinidad *f.* 혈족 관계.
consciencia *f.* =**conciencia.**
consciente *adj.* ① [+de] (…을) 자각한, 의식적인. ② [estar+] 의식이 분명한[있는]. ③ [+ser] 양심적인, 진심의, 진지한.
conscientemente *adv.* 의식적으로, 알고 있으면서도.
conscripción *f.* ① *Arg., Bol., Ecuad.* 모병, 병역. ② *Ven.* 신병 훈련소.
conscripto, ta *mf. AmérM., Méj.* 신병(新兵).
consecución *f.* 획득, 달성.
consecuencia *f.* ① 결과. ② (결과의) 중대함. ③ (사상과 행위의) 수미 일관성(首尾一貫性). ④ 결론, 귀결. ¶*en* ~ 그 결과. ***por*** ~ =**en ~. *traer*** ~***s*** 중대한 결과[영향]를 가져오다.
consecuente *adj.* ① [+a] (…에서) 유래하는. ② (사상과 행위가) 수미 일관한. ③ 필연적인. —*m.* ① 귀결. ② [논리] 후건(後件). ③ [수학] 후항.
consecuentemente *adv.* 그 결과; 수미 일관하여; 필연적으로.
consecutivamente *adv.* 직후에, 잇따라, 차례차례로.
consecutivo, va *adj.* ① 연속된, 계속된, 뒤를 잇는. ② [문법] 결과를 나타내는. —*f.* 귀결절(歸結節)(oración ~*va*).
conseguimiento *m.* =**consecución.**
conseguir (46) *tr.* 얻다, 획득하다, 달성하다: ~ un billete 표를 입수하다.
conseja *f.* ① 이야기, 우화. ② (불법적인 일을 하기 위한) 모임, 음모, 밀모.
consejable *adj.* 충고[조언]를 받을 수 있는.
consejeramente *adv.* 솜씨 좋게.
consejería *f.* ① (자치주의) 부(部). ② (대사관의) …부(部). ③ (고문·카운셀러·평의원의 집무실[직].
consejero, ra *mf.* ① 조언자, 충고자. ② 고문, 컨설턴트, 상담역, 카운셀러. ③ (자치주의) 장관. ④ (대사관의) 참사관. ⑤ 평의원, 이사; (심의회의) 위원, (주식 회사의) 이사.
consejo *m.* ① 충고, 조언; 카운슬링. ② (대표자의) 회의, 심의회, 협의회.
consell *m.* [*pl.* ~*s*] (발렌시아와 마요르까의) 주의회(州議會).
conselleiría *f.* (갈리시아 자치주 정부의) 부(部).
conselleiro, ra *mf.* (갈리시아 자치주 정부의) 장관.
consellería *f.* [*pl.* ~ríes] (까딸루냐·발렌시아·마요르까의 자치주 정부의) 부(部).
conseller, ra *mf.* [*m.pl.* ~s] consellería의 장관.
consenso *m.* 동의(同意), 합의, 일치.
consensual *adj.* 합의에 의한.
consensuar (14) *tr.* …에 대해 합의에 달하다.
consentido, da *adj.* 아내의 부정으로 고민하는 (남편).
consentimiento *m.* 동의, 허가.
consentir (53) *tr.* ① 용인하다, 허용하다. ② 응석을 받아 주다, 방임하다. ③ (사용·중량 등에) 견디다. —*intr.* ① 동의하다, 승낙하다 ((주로 부정문에서)). ② (기구·건물이 무게로) 결함이 생기다, 덜컹거리기 시작하다. ~**se** 무너져 가다, 덜컹거리기 시작하다.
conserje *m.* ① (주로 공공 시설의) 수위: (학교의) 용인(傭人), 고용된 사람. ② (호텔의) 접수 담당자.
conserjería *f.* ① 수위의 직무[방]. ② (호텔의) 접수처, 프런트 데스크.
conserva *f.* ① 보존 식품, (특히) 통조림: ~ de sardinas 정어리 통조림. lata de ~, bote de ~ 통조림 깡통. ② 보존, 보관.
conservable *adj.* 보존[보관]할 수 있는, 유지할 수 있는.
conservación *f.* 보존, 보관.
conservacionismo *m.* =**ecología.**
conservacionista *adj., mf.* =**ecologista.**

conservador, ra *adj.* ① 보관하는. ② 보수적인: partido ~ (영국의) 보수당. —*mf.* ① 보관자. ② (박물관·도서관 등의) 큐레이터, 관장, 관리자, 감독, 지배인. ③ 보수적인 사람, 보수주의자.
conservadurismo *m.* 보수주의.
conservante *adj.* 보존[보관]하는. —*m.* (식품의) 방부제.
conservar *tr.* 보존하다, 보관하다; 보유하다, 유지하다. ~**se** ① 보존되다. ② (자신의 젊음 등을) 유지하다.
conservatismo *m.* 보수성, 보수주의.
conservativo, va *adj.* ① 보존의. ② 보수의: campo ~ 보수 진영.
conservatorio, ria *adj.* 보유하고 있는, 보전하여 잘 지니고 있는. —*m.* (공립의) 음악원, 음악 학교.
conservero, ra *adj.* 보존 식품의, 통조림의: industria ~*ra* 통조림 산업.
considerable *adj.* 상당한.
considerablemente *adv.* 상당히.
consideración *f.* ① 고려, 숙고; (사물에의) 배려, 주의. ② 동정심, 동정(同情), 경의. ¶*de* ~ 상당한: daño *de* ~ 상당한 피해.
considerado, da *adj.* 생각이 깊은, 사려 깊은, 신중한.
considerando *m.* [법률] 전문(前文), 이유(서).
considerar *tr.* ① (잘) 생각하다, 검토하다; 고려에 넣다; 상상하다. ② …라 간주하다, 생각하다, 보다. ③ 존중하다, 존경하다. ~**se** 자신을 …라 간주하다[생각하다]. ¶*si se considera bien* 잘 생각해 보면.
consign consigancíón 위탁.
consigna *f.* ①(군대 등에서) 짧은 지령, 지시. ② 표어, 슬로건. ③ 수하물 예치소: ~ automática 자동 수하물 예치소, 코인 로커.
consignación *f.* ① (예산의) 할당(액). ② 위탁, 탁송. ③ 공탁(금).
consignador, ra *adj.* 위탁하는. —*mf.* 위탁자, 하주(荷主).
consignar *tr.* ① (예산 등에 금액을) 충당하다, 할당하다, 떼어 맡기다. ② (의견 등을) 기록에 남기다. ③ (보관소에) 맡기다. ④ [상업] 위탁하다, 탁송하다. ⑤ [법률] 공탁하다.
consignatario, ria *adj.* 위탁하는, 맡기는. —*mf.* ① 위탁 판매인. ② (공탁금의) 위탁자. ③ 선박 중개인.
consigo [con과 sí의 합성어] 자기 자신과 함께.
consiguiente *adj.* [+a] (…의) 결과로 생기는, …에 따라 일어나는. ¶*por* ~ 그러므로, 따라서.
consiguientemente *adv.* 그러므로, 따라서(por consiguiente).
consiliario, ria *mf.* 고문.
consistencia *f.* ① 끈기, 견고함, 단단함. ② 내실; 일관성. ¶*tomar* ~ ㉮ 찰기가 있다, 뭉치다, 덩어리지다. ㉯ 구체화하다.
consistente *adj.* ① 끈기 있는, 견고한. ② 내실 있는. ③ 구성된.
consistir *intr.* ① [+en] (…에) 있다, 기초[기반]를 두다. ② …의 것이다. ③ …로 구성되다. ④ …의 의무이다.
consistorial *adj.* ① 추기경 총회의의. ② 시청의: casa ~ 시청사.
consistorio *m.* ① 추기경 총회의. ② (일부 도시에서) 시청.
consocio, cia *mf.* (사업 등의) 협동자, 공동 사업자.
consola *f.* ① 콘솔형 테이블, 까치발로 벽에 받쳐 단 테이블. ② (컴퓨터의) 콘솔, 제어 탁자(대). ③ (파이프 오르간의) 연주대.
consolación *f.* ① 위로. ② [운동] 패자 부활전. ¶*premio de* ~ 애석상.
consolador, ra *adj.* 위로하는. —*m.* (여성의 자위용의) 음경 모양의 기구.
consolar (24) *tr.* 위로하다, 위안하다. ~**se** 자신을 위로하다[달래다].
consolidación *f.* 강화, 보강.
consolidado, da *adj.* 굳건한.
consolidar *tr.* ① 강화하다, 보강하다. ② (단기 차입금을) 장기로 바꾸다. ~**se** 강화되다.
consomé *m. fr.* 콘소메 (수프).
consonancia *f.* ① 조화, 일치. ② [음악] 협화, 협화음. ③ (시 등의) 어미동음(語尾同音). ¶*en* ~ *con* algo …에 따라서, …에 일치[조화]하여.
consonante *adj.* ① 조화된, 일치된. ② [음악] 협화음의. ③ 어미가 동음의. ④ 자음(子音)의. —*f.* ① [문법] 자음. ② 자음자: ~*s* compuestas 이중 자음.
consonántico, ca *adj.* 자음의.
consonar (24) *intr.* ① 조화되다, 일치되다. ② [음악] 협화음을 내다.
consorcio *m.* ① 업자 단체, 조합, 재단; 신디케이트, 컨소시엄. ② (주로 부부의) 결합, 결속, 관계.
consorte *mf.* ① 배우자. ② (운명을 함께 하는) 동료, 한패; 공범자, 공모자. ③ *pl.* [법률] 원고단, 피고단.
conspicuo, cua *adj* ① 유명한, 저명한. ② 명백한.
conspiación *f.* 음모, 공모.
conspirador, ra *mf.* 공모자, 음모자.
conspirar *intr.* ① [+contra] (…에 반대해) 음모를 꾸미다, 공모하다. ② 동시에 발생하다, 상호 작용하여 …하다.
Const. constitución 헌법.
constancia *f.* ① 끈기, 인내. ② 항구성. ③ 확실함, 명백함, 증거, 기록.
constante *adj.* ① 항구적인, 일정한. ② 끊임없는. ③ [+en] (…에) 확고 부동한, 끈질긴. —*f.* ① 불변의 것[특징]. ② [수학] 정수. ③ [물리] 정수. ④ *pl.* [의학] 생명 징후(生命徵候).
constantemente *adv.* ① 확실히, 분명히. ② 의심 없이. ③ 자주, 빈번히.
constantinopolitano, na *adj.* 콘스탄티노플(Constantinopla, 현재의 Estambul)의. —*mf.* 콘스탄티노플 사람.
constar *intr.* ① 분명하다, 확실하다. ② [*subj.*로 문장 앞의 Que 생략] …를

명기하시오. ③ [+en] (…에) 명기[기재]되어 있다. ④ [+de] (…로) 구성되어 있다. ¶*hacer* ~ [+en] (…에) 명기하다.
constatación *f.* 확인, 증명.
constatar *tr.* 확인하다.
constelación *f.* [천문] 별자리, 성좌. ¶ ~ *de escritores* 문단의 거성들.
constelado, da *adj.* ① 별로 가득찬. ② 가득찬(lleno). ③ 덮인(cubierto).
constelar *tr.* =**tachonar, cubrir, llenar.**
consternación *f.* 망연자실, 비탄.
consternar *tr.* 망연자실케 하다. ~**se** 망연자실하다.
constipación *f.* =**constipado.** ¶ ~ *de vientre,* ~ *intestinal* 변비(便秘).
constipado[1] *m.* ① 카타르, 코감기, 콧물. ② 감기(respriado).
constipado[2]**, da** *adj.* ① 감기 걸린. ② *Amér.* 변비에 걸린.
constipar *tr.* 숨구멍을 막고 조이다. ~**se** 감기에 걸리다.
constitución *f.* ① 구성, 조성(組成), 구조. ② 설립. ③ 체격; 체력, 체질. ④ [주로 C~] 헌법: *Constitución* de la República de Corea 대한 민국 헌법. ⑤ (유네스코·국제 노동 기구 등의) 헌장. ⑥ *pl.* (회의) 규칙.
constitucional *adj.* ① 헌법의, 입헌적인. ② 합헌의. ③ 헌법 옹호의. ④ 체질[체격]상의.
constitucionalidad *f.* 합헌성(合憲性).
constitucionalismo *m.* 헌정(憲政), 헌정옹호, 입헌(立憲).
constitucionalista *adj.* 호헌파(護憲派)의. —*m.f.* 헌법 학자, 헌법 옹호자.
constitucionalmente *adv.* 헌법에 정해진 대로.
constituido, da *adj.* 만들어진, 형성된; 제정된, 구성된, 설립된.
constituir (77) *tr.* ① (전체를) 구성하다. ② (내실을) 구성하다. ③ [주로 +en] (…로) 지정[임명]하다. ④ 설립하다, 조직하다. ~**se** ① [+en] (…으로) 나서다, …이 되다, …을 인수하다. ② [+en] 구성되다; 자신을 …로 하다; 역할을 떠맡다[인수하다].
constitutivo, va *adj.* 구성하는.
constituyente *adj.* ① =**constitutivo.** ② 헌법을 제정[개정]하는. —*m.* 구성 요소, 성분.
Consto consentimiento 동의(同意).
constreñimiento *m.* 강제.
constreñir (49) *tr.* ① [+a+*inf.*] (…하는 것을) 강제하다, 억압하다, 제한하다. ② [의학] 압박하다, 좁히다, 수축시키다. ~**se** 자제하다; 제한되다.
constricción *f.* 강제; 억압, 제한; 압박, 협착; 괄약
constrictivo, va *adj.* 압축하는, 바짝 조이는, 긴축성의, 수렴성의. —*m.* 수렴제.
constrictor, ra *adj.* 긴축시키는, 수축하는. —*m.* 괄약근(músculo ~).
construcción *f.* ① 건축, 건설, 제조; 설립: industria de ~ 건설업. ② 건축물, 건조물. ③ [문법] 구조, 구문. ④ [기하] 작도(作圖). ⑤ [미술] 구성. ⑥ 건축 공사[작업].
constructivismo *m.* [미술·연극] 구성주의(構成主義).
constructivista *adj.* [미술·연극] 구성주의의. —*m.f.* 구성주의자.
constructivo, va *adj.* 건설적인, 적극적인: opinión ~*va* 건설적인 의견.
constructor, ra *adj.* 건축하는, 건조하는. —*m.f.* 건설 업자. —*f.* 건설 회사.
construir (77) *tr.* ① 건축하다, 짓다, 건조하다, 건설하다. ② 제조하다. ③ 조립하다. ④ (작품 등을) 구성하다, 구축하다. ⑤ [기하] 작도(作圖)하다.
consubstanciación *f.* =**consustanciación.**
consubstancial *adj.* =**consustancial.**
consubstancialidad *f.* =**consustancialidad.**
consuegrar *intr.* 사돈을 맺다.
consuegro, gra *m.f.* 사돈 사이.
consuelda *f.* [식물] 캄프리.
consuelo *m.* ① 평온(함). ② 위로, 위안. ③ 기쁨, 즐거움. ④ 교회 합창단의 좌석에 붙어 있는 부분.
consuetudinario, ria *adj.* 습관의, 습관에서 생기는: derecho ~ 습관법.
cónsul *m.f.* 영사(領事): ~ general 총영사. ~ honorario 명예 영사. —*m.* [역사] 집정관.
consulado *m.* 영사관: ~ general 총영사관. personal del ~ 영사관원, 영사관 직원.
consular *adj.* ① 영사의, 영사관의: legalización ~ 영사 사증. derechos ~*es* 영사 사증료. ② 집정관의.
consulta *f.* ① 상담: ~ jurídica 법률상담. ② 진찰: ~ a domi- cilio 왕진. ③ 의원(醫院). ④ 진찰소, 진찰실. ⑤ (의사단의) 협의, 진단. ⑥ (전문가·의사 등의) 감정, 의견. ⑦ 참조, 열람.
consultable *adj.* ① 상담[의논]할 수 있는. ② 참고할 수 있는.
consultación *f.* 협의, 의논.
consultante *adj.* 협의[의논]하는. —*m.f.* 입회 의사.
consultar *tr.* ① 상담하다, 의견을 구하다. ② [+en] (책 등에서) 참조하다, 조사하다. —*intr.* [+con] (…에게) 상담하다: ~ *con* un médico 의사의 진찰을 받다.
consultivo, va *adj.* 자문의: comisión ~*va* 자문 위원회.
consultor, ra *adj.* 조언을 주는, 고문의: abogado ~ 고문 변호사. —*m.f.* 조언자, 고문, 컨설턴트. —*m.* 해설서.
consultoría *f.* 컨설턴트 업[회사].
consultorio *m.* ① 상담소. ② 의원, 진료소(~ médico).
consumación *f.* ① 종료, 종말. ② 완수, 성취.
consumadamente *adv.* 완벽하게, 완전

히(perfectamente).
consumado, da *adj.* ① 완수된, 완료된, 완성된. ② 숙달된, 완벽한.
consumar *tr.* ① (주로 범죄·계약 행위를) 완수하다. ② (주로 바 등에서) 먹다, 마시다.
consumación *f.* ① 소비. ② 음식 (대금), 밥값. ③ 마실 것, 술 (한 잔).
consumido, da *adj.* 쇠약한, 여윈.
consumidor, ra *adj.* [+de] (…을) 소비하는: sociedad ~*ra* 소비 회사. país ~ de petróleo 석유 소비국. —*mf.* 소비자: ~ final 최종 소비자.
consumir *tr.* ① 소비하다, 먹다. ② 소멸시키다. ③ 좀먹다, 해치다, 침식하다, 초췌하게 하다. ~**se** ① 없어지다, 다하다, 동이 나다, 바닥이 나다. ② *Col., CRica.* 물속에 들어가다[뛰어들다](zambullirse en el agua).
consmismo *m.* ① 소비자 보호 운동, 소비자 중심주의. ② 소비주의자, 무절제한 소비 경향.
consumista *adj.* 소비주의의. —*mf.* 소비주의자.
consumo *m.* 소비, 소모.
consunción *f.* ① 소비, 소모. ② 쇠약.
consuno *de* ~ 일제히, 마음을 합하여, 일치하여, 합의하에.
consustanciación *f.* [신학] 양체 공존설(兩體共存說).
consustancial *adj.* 불가분의, 일체가 된, 따라다니는, 붙어다니는.
consustancialidad *f.* 불가분성.
consustanciarse *r. Arg., Bol.* 다른 사람과 개인적으로 친하게 되다.
contabilidad *f.* 부기(학), 경리, 회계.
contabilizar (9) *tr.* ① 장부에 기입하다, 기장하다. ② 계산하다, 산정하다.
contable *adj.* ① 계산할 수 있는, 셀 수 있는. ② 부기. ③ [언어] 가산(可算)의. —*mf.* 회계 담당자.
contactar *intr.* 접촉하다.
contactante *m.* 접촉물.
contacto *m.* ① (주로 사람과) 접촉; 연락, 교제. ② 연고(緣故). ③ (비밀의) 연락원. ④ 일식[월식]의 개시. ⑤ [전기] 접촉, 접점(接點). ⑥ [자동차] 점화 (장치).
contactología *f.* 콘텍트렌즈 제조술.
contactólogo, ga *mf.* 콘텍트렌즈 제조 기술자.
contado, da *adj.* ① 드문. ② 일정한, 정해진. ¶*al* ~ ㉮ 현금으로: dinero *al* ~ 현금. pago *al* ~ 현금불. venta *al* ~ 현금 판매. ㉯ (현금이나 그와 동등한 것으로) 즉시불로: comprar *al* ~ 즉시불로 사다.
contador, ra *adj.* 셈하는, 계산하는, 계측하는. —*mf.* ① 회계 담당자, 회계사. ② 사채업자. —*m.* 미터기, 자동 계기, 금전 출납기, 자동 기록기, 계량기, 계수기: ~ de aparcamiento 주차 계량기. ~ de agua 수도 계량기. ~ de luz, ~ eléctrico 전기 계량기. ~ de gas 가스 미터기.
contaduría *f.* ① 경리부, 회계과. ② 입장권 예매처. ③ *Amér.* 전당포.
contagiar (11) *tr.* 전염시키다, 감염시키다. ~**se** 전염[감염]되다.
contagio *m.* ① 전염, 감염. ② (주로 가벼운) 전염병.
contagión *m.* [드묾] =contagio.
contagiosidad *f.* 전염성.
contagioso, sa *adj.* 전염성의.
contaminación *f.* 오염(汚染).
contaminador, ra *adj.* 오염시키는.
contaminante *adj.* 오염시키는. —*m.* 오염 물질. —*mf.* 오염시키는 사람.
contaminar *tr.* [+de·con] (…로) 오염시키다: ~ el aire 공기를 오염시키다.
contante *adj.* 현금의: dinero ~ 현금.
contar (24) *tr.* ① 계산하다, 세다. ② 수에 이르다. ③ 계산에 넣다. ④ [+por] (…로) 계산하다. ⑤ [+por+형용사/como] (…로) 간주하다, 생각하다: ~ *por* hecho 이미 완성된 것으로 생각하다. ⑥ [+entre] (…에) 포함시키다. ⑦ 이야기하다, 말하다. ⑧ [+*inf.*] 확신하다. —*intr.* ① 수를 세다, 계산하다. ② 중요하다. ③ [+por] (…의) 가치가 있다. ④ 계산에 넣다: Los niños no *cuentan* 아이들은 계산에 넣지 않는다. ⑤ [+con] (…을) 고려에 넣다. ⑥ [+con] 예상하다. ⑦ 가지고 있다. ~**se** 산입하다, 셈에 넣다, 상당하다.
contemplación *f.* ① 묵상, 명상, 숙고. ② 응시, 정관(靜觀). ③ 예기, 예상; 기도, 계획. ④ *pl.* 응석을 받아 줌, 관대함.
contemplar *tr.* ① 심사숙고하다, 잘 생각하다; 묵상하다. ② 응시하다, 정관(靜觀)하다, 둘러보다. ③ 예기[예상]하다, 고려에 넣다. ④ 기도[계획]하다, …하려고 생각하다. —*intr.* (종교적으로) 명상하다. ~**se** 자신을 보다: ~*se* en el espejo 거울을 보다.
contemplativo, va *adj.* ① 정관적인, 관조적인, 묵상적인, 묵상에 잠겨 있는. ② 응석을 받아 주는. —*mf.* 묵상 수도사[수도녀].
contemporaneidad *f.* ① 동시대성, 같은 시기[시대]임. ② 현대성.
contemporáneo, a *adj.* ① 동시대의, 같은 시대의. ② 현대의: arte ~ 현대 미술. edad ~*a* 현대. —*mf.* ① 동시대 사람. ② 현대인.
contemporización *f.* 타협, 영합.
contemporizador, ra *adj., mf.* 타협하는 (사람), 영합하는 (사람).
contemporizar (9) *intr.* [+con] (사람·시류에) 타협하다, 영합하다, 시류에 편승하다.
contención *f.* 억제, 제지.
contencioso, sa *adj.* 소송의, 계쟁의. —*m.* 소송, 계쟁.
contender (20) *intr.* [+con·contra …와] [+por …을] 싸우다, 다투다, 투쟁하다.
contendiente *adj.* ① 싸우는. ② 경쟁 상대의. —*mf.* 다투는 사람, 투쟁자;

경쟁 상대.

contenedor *m.* ① 컨테이너. ② 쓰레기 수집 용기. ③ [선박] 컨테이너선(船).

contenedorizar (9) *tr.* 컨테이너에 싣다, 컨테이너로 수송하다.

contener (59) *tr.* ① 포함하다, 함유하다, 머금다; (용기 등에) 넣어져 있다, 들어 있다. ② 제지하다, 억제하다, 억누르다, 참다. ~**se** [+de] (…을) 자제하다, 억제하다.

contenido, da *adj.* 함유된; 억제된: risa ~*da* 낄낄거리는 웃음. —*m.* ① 알맹이, 내용, 내용물. ② 함유량.

contentadizo, za *adj.* 곧 만족하는, 협조적인: mal ~ 좀처럼 만족하지 않은.

contentar *tr.* 만족시키다, 기쁘게 하다. ~**se** ① [+con] (…로) 만족하다, 기뻐하다. ② =**reconciliarse.**

contento, ta *adj.* 만족한, 기쁜: Estoy muy ~ de saber tu éxito 나는 네 성공 소식을 접하고 무척 기쁘다. —*m.* 만족, 기쁨: con gran ~ 대단히 만족해서, 무척 기뻐서.

contentura *f.* =**contento, alegría.**

conteo *m.* ① =**cálculo, valoración.** ② *Amér.* =**cuenta.**

contera *f.* (창·지팡이의) 물미.

contertuliano, na *mf.* [드묾] =**tertuliano.**

contertulio, lia *mf.* =**tertuliano.**

contesta *f. Amér.* =**contestación.**

contestación *f.* ① 답, 대답, 답장. ② 이의 신청.

contestador, ra *adj., mf.* 대답하는 (사람). —*m.* =**contestador automático.** ¶~ *automático* 자동 응답기.

contestar *tr.* ① 답하다, 대답하다, 회답하다, 답장하다. ② (다른 증언 등과) 일치하다. —*intr.* ① 회답하다, 답장을 보내다. ② 말대답하다, 말대꾸하다; 이의(異議)를 주창하다.

contestatario, ria *adj. mf.* (주식 회사 등에) 이의 신청을 하는 (사람), 체제 비판을 하는 (사람).

contestón, tona *adj., mf.* 말대답을 자꾸 하는 (사람).

contexto *m.* ① 문맥, 문장의 전후 관계. ② (전후의) 상황, 배경.

contextura *f.* ① (섬유 등의) 조직, 구성: ~ musculada 근육 조직. ② 체격.

contienda *f.* 다툼, 싸움, 말다툼.

contigo [con과 ti의 합성어] 너와 함께: Quiero ir ~ al cine 너와 영화 보러 가고 싶다.

contigüidad *f.* 인접(隣接).

contiguo, gua *adj.* [+a] (…에) 인접한: casa ~*gua* 인접한 집.

continencia *f.* ① 자제(自制). ② (특히 성적인) 금욕(禁慾).

continental *adj.* 대륙의: país ~ 내륙국(內陸國).

continentalismo *m.* [기상] 대륙풍.

continente *m.* ① 대륙: ~ americano 아메리카 대륙. antiguo ~ 구대륙 ((아시아·아프리카·유럽 등)). viejo ~ 구대륙 ((유럽)). nuevo ~ 신대륙. ② 외견, 모양. ③ 그릇, 용기(容器).

contingencia *f.* 우발성.

contingente *adj.* 우발적인. —*m.* 할당(액), 분담(금).

continuación *f.* 연속, 계속. ¶*a* ~ 계속해서, 이어서; 다음으로: A ~ *se celebró* una conferencia 계속해서 강연회가 열렸다.

continuador, ra *adj.* 계승하는. —*mf.* 후계자, 전수자.

continuamente *adv.* 계속적으로, 연속적으로, 그치지 않고.

continuar (15) *intr.* ① 계속되다. ② [+현재 분사] 계속해서 …하다. —*tr.* 계속하다.

continuativo, va *adj.* 계속하는, 이어받은, 물려받은: conjunción ~*va* 연결 접속사 ((pues, así que 등)).

continuidad *f.* ① 계속, 연속(성). ② 연장(延長). ③ [영화·방송] 대본.

continuismo *m.* 현상 유지주의.

continuista *adj.* 현상 유지의. —*mf.* 현상 유지주의자.

continuo, nua *adj.* 연속적인, 끊이지 않은, 부단한, 잇단. —*m.* ① 연속체. ② [음악] 통주 저음. ¶***de*** **~*, a la ~nua*** 연속적으로, 계속.

contonearse *r.* (걸을 때) 어깨와 엉덩이를 흔들면서 걷다.

contoneo *m.* 어깨와 엉덩이를 흔들며 걷는 법.

contornar *tr.* =**contornear.**

contornear *tr.* ① …의 주변을 돌다, 일주하다. ② …의 윤곽을 그리다.

contorno *m.* ① 윤곽, 주위. ② [자주 *pl.*] (도시 등의) 주변, 교외.

contorsión *f.* ① 몸을 뒤틀며 비틀기. ② 기묘한 얼굴 표정이나 모양.

contorsionarse *r.* (자신의) 몸을 뒤틀다[구부리다].

contorsionista *mf.* 몸을 꼬아서 하는 곡예사.

contra *prep.* ① …에 대하여. ② 반대하여, 어기고, 달리, 반하여. ③ …에[을] 향하여: ~ el enemigo 적을 향해. ④ …의 앞에, 마주보고: La casa está ~ la iglesia 그 집은 교회 앞에 있다. —*m.* ① 반대, 불리(한 점). ② 불찬성. ③ (오르간의) 발판, 페달. —*f.* ① 곤란, 난점: Ahí está la ~ 거기에 난점이 있다. ② 경품. ③ 해독제. ④ 반혁명파. ⑤ =**contraventana.** ⑥ [권투·펜싱] 카운터. ⑦ *pl.* [운동] 플레이오프. —*adj., mf.* 반혁명파의 (게릴라).

contraalisios *adj., m.pl.* 반대 무역풍(의).

contraalmirante *m.* 해군 소장.

contraaproches *m.pl.* [군사] =**contratrinchera.**

contraatacar *tr.* 역습하다, 반격하다.

contraataque *m.* ① 반격. ② [운동] 역습, 반격.

contraaviso *m.* 반대 명령; 명령의 취

소.
contrabajo *m.* ① [악기] 콘트라베이스; 콘트라베이스 연주. ② 최저음, 최저음 가수.
contrabalancear *tr.* (…과) 균형이 맞다, …을 메우다.
contrabandear *tr.* 밀수[밀매]하다.
contrabandeo *m.* 밀수, 밀매.
contrabandista *adj.* 밀수하는, 밀매하는. —*mf.* 밀수업자, 밀매인.
contrabando *m.* ① 밀수(품), 밀매(품). ② (사상 등의) 비합법. ¶*de* ~ 비밀리에, 사람의 눈을 피해.
contrabarrera *f.* (투우장 관람석 tendido의) 두 번째 열.
contracción *f.* ① 수축. ② [문법] 축약 ((al ←a+el, del←de+el)). ③ *AmérM.* 노력, 열중.
contracepción *f.* 피임(anticoncepción).
contraceptivo, va *adj.* 피임의, 피임용의. —*m.* 피임용 약품[기구].
contrachapado, da *adj.* 베니어의, 합판의. —*m.* 베니어, 베니어 합판, 합판.
contraclave *f.* (아치의) 박석(薄石).
contracorriente *f.* 역류(逆流), 반대 조류. ¶*a* ~ 역방향으로.
contráctil *adj.* 수축력이 있는, 수축할 수 있는.
contracto, ta *adj.* ① 수축된. ② [문법] 축약된.
contractual *adj.* 계약의, 계약에 의한.
contractualismo *m.* (운동・레저 등의) 사회 계약론.
contractura *f.* ① [의학] (근육의) 수축. ② [건축] (원주 윗부분의) 끝이 가늚.
contracubierta *f.* (책의) 표지의 안쪽; (책・잡지의) 뒷표지.
contracultura *f.* 반문화.
contracultural *adj.* 반문화적인.
contradanza *f.* [무용] 대무(對舞).
contradecir (70) *tr.* 반론하다, …에 대한 반대의 것을 말하다; 부인하다. ~**se** [+con] (…과) 모순되다, 모순된 것을 말하다.
contrademanda *f.* 반소(反訴).
contradicción *f.* ① 모순(矛盾). ② 반론, 이론.
contradictoriamente *adv.* 모순되어, 상반되어.
contradictorio, ria *adj.* 모순된, 상반된, 자기 모순의, 자가당착의; 반론(反論)의. —*f.* [논리] 모순 명제.
contraelectromotriz *adj.* *fuerza* ~ [전기] 역기전력(逆起電力).
contraer (72) *tr.* ① 수축시키다. ② 제한하다, 한정하다. ③ (습관 등을) 붙이다; (약속 등을) 맺다. ④ [문법] 축약하다. ~**se** ① 수축되다. ② 한정되다. ③ 열중하다, 노력하다.
contraespionaje *m.* 방첩, 대(對) 스파이 활동.
contrafilo *m.* 한쪽 날이 있는 칼 끝에 세운 양쪽 날.
contrafuero *m.* 특권에 대한 침해.
contrafuerte *m.* ① [건축] 버팀벽. ② (구두의) 뒤축 가죽. ③ (산맥의) 지맥.
contragolpe *m.* ① (타격의) 반동에 의한 손상, 여파. ② (피스톤의) 반동. ③ [권투] 카운터블로.
contrahecho, cha *adj.* 기형(奇形)의.
contrahílo *a* ~ 직물의 올과 반대로.
contrahuella *f.* (계단・발판의) 수직면.
contraindicación *f.* [의학] 금기(禁忌).
contraindicado, da *adj.* 금기된, 금기 증상의.
contrainsurgencia *f.* 대(對) 게릴라 활동, 대 반란 계획.
contrainteligencia *f.* 대적(對敵) 정보 활동[스파이 활동].
contrainterrogación *f.* 반대 심문.
contralmirantazgo *m.* contralmirante의 지위.
contralmirante *f.* =**contraalmirante.**
contralor *m Amér.* 회계 감사관.
contralto *m.* [음악] 알토. —*mf.* 알토 가수.
contraluz *m.* 역광 사진[그림]. —*f.* 역광(선): sacar a ~ 역광으로 촬영하다.
contramaestre *m.* ① 직공의 우두머리, 현장 감독. ② [해군] 병조장, 갑판장.
contramano *a* ~ ㉮ (습관・규정에) 역으로, 반대로, 반대 방향으로. ㉯ [표시] *AmérM.* 일방 통행.
contramarcha *f.* [군사] 배면 행진.
contraofensiva *f.* [군사] 반공(反攻), 반격(反擊).
contraoferta *f.* 대안(對案), 대안(代案).
contraorden *f.* 반대[취소] 명령.
contraparte *f.* ① [경제] 카운터 파트. ② *Amér.* (재판 등의) 상대방(측).
contrapartida *f.* ① 벌충, 보충. ② (복식 부기의) 반대 기입[항목].
contrapear *tr.* 합판을 만들다; 나뭇결을 어긋나게 맞추다.
contrapelo *a* ~ ㉮ 털의 결을 거슬러, 반대 방향으로. ㉯ 보통과는 반대로; 뜻에 반하여; 시의(時宜)에 맞지 않게.
contrapesar *tr.* ① …과 균형을 잡다. ② 보충하다, 메우다, 벌충하다.
contrapeso *m.* ① 추, 분동(分銅), 평행추. ② (줄타기의) 균형봉. ③ 벌충, 보충, 보상: ④ 균형 잡기.
contrapié *a* ~ ㉮ 역족(逆足)으로, 주로 잘 쓰는 쪽의 발과 반대로. ㉯ 공교롭게도.
contraponer (61) *tr.* [+a] (…에) 대치하다, 대항시키다, 대비시키다.
contraportada *f.* (잡지의) 마지막 페이지; 겉표지.
contraposición *f.* 대치, 대비.
contraprestación *f.* (은혜 등을) 되돌아봄.
contraproducente *adj.* 역효과의.
contraproposición *f.* =**contrapropuesta.**
contrapropuesta *f.* 반대 제안.
contraproyecto *m.* 대안(對案).
contraprueba *f.* ① [인쇄] 재교(再校). ② *Amér.* 반증.
contrapuerta *f.* 이중 문짝의 안쪽 문;

현관에서 부엌으로 난 문.
contrapuesto, ta *adj.* 반대의.
contrapunta *f.* (선반의) 중앙.
contrapuntear *tr.* ① 대위법으로 노래하다[연주하다]. ② 신랄한 말로 하다. —*intr.*, **~se** *AmérM., Cuba.* 즉흥적으로 노래하다[시를 읊다].
contrapuntista *mf.* 대위법으로 작곡하는 사람.
contrapunto *m.* ① [음악] 대위법. ② 대조. ③ (문학 작품 등의) 부수적 테마, 부차적 주제. ④ *Ar., Bol., Chile, Col., Ecuad.* 대중시의 대결. ⑤ *Ven.* 즉흥적인 노래 대항(전).
contrariamente *adv.* (…에) 반대로.
contrariar (12) *tr.* ① (…에) 반대하다, 거스르다, 방해하다. ② 당황하게 하다, 난처하게 하다. ③ =**disgustar.**
contrariedad *f.* ① 장애(물). ② 불쾌함. ③ 대립, 모순.
contrario, ria *adj.* ① [+a · de] (…과) 반대의, 역(逆)의: suerte *~ria* 불운, 역경. viento ~ 역풍(逆風). ② 상대의, 적의: parte *~ria* (소송의) 상대방; 상대 팀. —*mf.* 적, 반대자. ¶***al ~ (de)*** (…과) 반대로. ***lo ~*** 반대의 것. ***muy al ~*** 완전히 반대로. ***por el ~*** =al ~. ***todo lo ~*** [+de] (…의) 정반대.
contrarreforma *f.* 개혁 반대, 반개혁.
Contrarreforma *f.* [역사] 대항 종교 개혁(對抗宗敎改革).
contrarreformismo *m.* 개혁 반대 운동, 반개혁 운동.
contrarregistro *m.* 재검사.
contrarreloj *m.* 타임 트라이얼 (레이스) ((선수를 시차가 나게 출발시켜 개인 시간을 재는 레이스)).
contrarrelojista *mf.* [자전거] 타임 트라이얼 선수.
contrarréplica *f.* ① 회답에 대한 반론, 응수. ② [법률] 피고의 두 번째의 반소(反訴).
contrarrestar *tr.* ① (…에) 모순되다. ② 방해하다, 저지하다, 방지하다, 틀어놓다. ③ (공을) 되받아치다, 되돌려주다. ④ (…에) 대처하다.
contrarrevolución *f.* 반혁명.
contrarrevolucionario, ria *adj.* 반혁명의. —*mf.* 반혁명 분자.
contrarriel *m.* 레일 보호용 궤도.
contrarroda *f.* [선박] 선수(船首)와 내용골을 잇는 선재(船材).
contrarronda *f.* (초계소의) 장교 순찰.
contrarrotura *f.* [약학] 고약.
contrasalva *f.* 답례포.
contraseguro *m.* 불입금 환불 보험.
contrasellar *tr.* 연판을 찍다.
contrasello *m.* 연판(連判).
contrarrotante *adj.* [기술] 반회전의.
contrasentido *m.* 비상식, 몰상식, 자기모순, 자가당착, 어처구니없는 행위, 우스운 행위.
contraseña *f.* ① 암호. ② (극장 등의) 일시 외출권(~ de salida).
contraseñar *tr.* 암호화하다.
contrastable *adj.* ① 대조할 수 있는. ② 대항할 수 있는.
contrastante *adj.* 대조하는, 대조적인.
contrastar *tr.* ① =**resistir, hacer frente.** ② (금 · 은 · 도량형의) 검정을 하다. ③ (도량형의) 정확성을 증명하다. ④ (어떤 것의) 정확성이나 진짜인 것을 증명하다. —*intr.* ① 대조를 하다. ② [+a · con · contra] (…에) 대항하다, 반대하다.
contraste *m.* ① 대조, 대비. ② (금은 제품 등의) 순분 검증. ③ [의학] 조영제(造影劑). ④ 풍향의 급변.
contrata *f.* ① 도급(都給). ② 상연[연주] 계약.
contratación *f.* (도급) 계약.
contratante *mf.* 계약 당사자(parte ~).
contratar *tr.* 계약하다, …와 고용 계약을 맺다. **~se** 계약되다.
contratenor *m.* [음악] 카운터테너.
contratiempo *m.* 뜻밖의 사고; 재난. ¶***a ~*** ㉮ 공교롭게, 형편이 나쁜 때에. ㉯ [음악] 당김음으로.
contratista *mf.* 도급인, 도급 업자.
contrato *m.* ① 계약: ~ bilateral 쌍무계약. ~ de alquiler 임대 계약. ~ de compraventa 매매 계약. concluir un ~ 계약을 맺다. ② 계약서.
contratorpedero *m.* =**cazatorpedero.**
contratrinchera *f.* 대항호(對抗壕).
contratuerca *f.* (다른 나사 위에 끼우는) 고정 나사, 보조 나사.
contravención *f.* 위반.
contraveneno *m.* 해독제.
contravenir (60) *tr.* 어기다, 위반하다. —*intr.* [+a] (…에) 위배[위반]하다, 저촉되다: ~ a la ley 법에 위배되다.
contraventana *f.* 미늘창; 셔터; (비바람을 막는) 덧문.
contraventura *f.* =**desdicha.**
contrayente *adj.* 약혼하는. —*mf.* 약혼자.
contre *m. Chile.* 새의 위(molleja).
contrecho, cha *adj.* =**baldado, tullido, deforme.**
contri *m. Chile.* 새의 위(molleja).
contribución *f.* ① 공헌, 기여. ② 분담금, 출자금; 기부. ③ (주로 국가에 내는) 세금.
contribuidor, ra *adj.* 공헌하는. —*mf.* 공헌자.
contribuir (77) *intr.* ① [+con] 분담금을 지불하다, 출자하다. ② [+a] (…에) 공헌하다, 기여하다: ~ *al* desarrollo industrial 공업 발전에 공헌[기여]하다. ③ 기부하다. ④ 세금을 납부하다.
contribuyente *adj.* 납세자의. —*mf.* 납세자.
contrición *f.* [천주교] 통회(痛悔).
contrincante *mf.* 대전[경쟁] 상대.
contristar *tr.* =**afligir, entristecer.** **~se** 슬퍼하다.
contrito, ta *adj.* ① 후회하는, 슬픔에 젖은. ② [천주교] 통회(痛悔)의.
control *m.* ① 통제, 관리; 제어. ② 검

문, 검사, 체크: ~ de aduanas 세관 검사. ~ de pasaportes 여권 검사(소). ~ de seguridad (공항 등의) 신체・소지품 검사. ③ 검문소, 검사소. ④ 작은 테스트. ⑤ 건강 진단. ¶~ ***de natalidad*** 출산 제한. ~ ***remoto*** [전기・통신] 원격 조작[제어], 리모트 컨트롤. ***torre de*** ~ 관제탑. ***fuera de*** ~ 제어할 수 없는, 불가항력의. ***sin*** ~ ㉮ 제어할 수 없게 되어. ㉯ 많이, 대량으로. ***perder el*** ~ 제어할 수 없게 되다; 착란하다, 격노하다.

controlable *adj.* 제어할 수 있는.

controlador, ra *adj. mf.* 제어하는 (사람): ~ aéreo [de vuelo]. 항공 관제관.

controlar *tr.* ① 제어하다; 통제하다. ② 검사하다. **~se** 자신을 억제하다, 자제하다(moderarse).

controversia *f.* 논쟁.

controversial *adj.* 논쟁의, 쟁점의.

controversista *mf.* 논객, 논쟁가.

controvertible *adj.* 문제가 되는, 의론의 여지가 없는.

controvertido, da *adj.* ① [estar+] 의론이 있는. ② [ser+] 논쟁을 좋아하는.

controvertir (55) *tr., intr.* 논쟁하다.

contubernio *m.* ① 야합. ② 동거.

contumacia *f.* ① 완고함. ② (재판에) 궐석, 결석(rebeldía).

contumaz *adj.* ① 완고한. ② 재판에 궐석한[결석한](rebelde).

contundencia *f.* ① 타박(打撲), 타격(打擊). ② 확신성.

contundente *adj.* ① 타박상을 입은. ② 확신을 주는, 강한 인상을 주는; 명백한: prueba ~ 확증. derrota ~ 완패.

conturbación *f.* 동요, 불안.

conturbar *tr.* 동요시키다, 불안하게 하다. **~se** 동요하다.

contusión *f.* 타박상, 좌상(挫傷).

contusionar *tr.* …에게 타박상을 주다.

contuso, sa *adj.* 타박상을 입은.

conurbación *f.* 집합 도시, 도시 집단.

convalecencia *f.* (병의) 회복; 회복기.

convalecer (31) *intr.* [+de] (…에서) 회복하다.

convalecimiento *m.* =convalecencia.

convaleciente *adj., mf.* 회복기에 있는 (사람); 병후의 (사람).

convalidación *f.* ① 증명, 입증. ② (학점의) 인정.

convalidar *tr.* ① (진정으로 있는 것을) 증명하다. ② (다른 대학교에서 취득한 학점을) 인정하다; 다른 기관에서의 연구[업적]를 인정하다.

convección *f.* [물리] 대류(對流).

convecino, na *adj.* 인접한, 인근의, 이웃의. —*mf.* 주민, 이웃 사람.

convector *m.* 대류 난방기.

convencer (1) *tr.* ① (사람을) 설득하다, 납득시키다. ② 만족시키다. **~se** 납득하다, 깨닫다; 확신하다.

convencido, da *adj.* [+de] (…를) 확신한: El está ~ *de* su importancia 그는 자신의 권위에 자신이 있다.

convencimiento *m.* 확신(convicción).

convención *f.* ① 협정: *Convención* de Ginebra 제네바 협정. ② (전국적인) 대회, 대표자 회의; (대통령 후보 지명 등의) 당대회. ③ 관습, 관례, 인습. ④ 형편, 사정, 편의.

convencional *adj.* ① 전통[인습]적인. ② 틀에 박힌, 판에 박힌, 진부한. ③ 약정의, 협정(상)의. ④ 핵(무기)를 사용하지 않는; 재래식 무기의; 원자력을 사용하지 않는. ⑤ [예술] 양식화된. ⑥ 회의의.

convencionalismo *m.* 인습 존중, 관례 존중주의, 전통주의.

convencionalista *adj.* 예로부터 내려오는 낡은 습관에 집착한. —*mf.* 인습주의자, 전통주의자.

convencionalmente *adv.* 전통적으로, 인습적으로.

convenido, da *adj.* 협정에 의한.

conveniencia *f.* ① 형편, 사정, 편의; 적절함. ② [주로 *pl.*] 예의, 예법.

conveniente *adj.* (비교적) 형편이 좋은; 어울리는, 적절한.

convenientemente *adv.* 안성맞춤으로, 알맞게, 편리하게.

convenio *m.* 협정, 협약: ~ aduanero [arancelario] 관세 협정. ~ colectivo (entre trabajadores y patronos) (노사 간의) 단체 협약. ~ comercial 무역 협정. *Convenio* General sobre las Tarifas y Comercio 관세 및 무역에 관한 일반 협정, 가트(GATT).

convenir (60) *intr.* ① [+a] (…에) 형편이 좋다, 어울리다, 적당하다. ② [+con …와/+en …에서] 합의하다, 협정하다. —*tr.* …에 대해서 합의하다. **~se** 서로 합의하다.

conventico *m.* =**conventillo.**

conventícula *f.* =**conventículo.**

conventículo *m.* 밀의(密議), 모의(謀議), 비밀 집회.

conventillear *intr. Ar., Chile., Ur.* = **chismorrear.**

conventilleo *m. Ar., Chile., Ur.* = **chismorreo.**

conventillero, ra *adj., mf. Arg., Ur., Chile.* =**chismoso.**

conventillo *m.* (빈민들이 사는) 서민 아파트, 공동 주택(casa de vecindad).

convento *m.* ① [종교] 수도원. ② 같은 집에 사는 수도사들의 공동체.

conventual *adj.* 수도원의, 수도원에 속한. —*m.* 수사(修士), 수도사.

conventualidad *f.* ① 수도자들의 공동 생활. ② 수도자의 승적.

conventualmente *adv.* 공동체로.

convergencia *f.* ① 집중, 귀일, 통일화. ② 수렴(收斂).

convergente *adj.* 집중하는.

converger (3) *intr.* =**convergir.**

convergir (3) *intr.* 한 점으로 향하다; (하나의 목표를 향해) 집중하다.

conversa *f.* =**conversación.**

conversable *adj.* =**tratable, sociable,**

comunicable.
conversación *f.* ① 회화; 말하는 법. ② *pl.* 교섭, 회담.
conversacional *adj.* ① 회화의. ② 구어적인(coloquial).
conversacionista *m.f. Méj.* 대화를 즐겁게 할 줄 아는 사람.
conversador, ra *adj., m.f.* 대화를 즐겁고 재미있게 할 줄 아는 (사람).
conversar *intr.* 회화를 하다, 말하다.
conversión *f.* ① 변환, 전환: tabla de ~ 환산표. ② [+a] (…로) 개종(改宗). ③ [군사] 선회(旋回).
converso, sa *adj.* 변한, 전향한; 개종한. —*m.f.* ① 개종자. ② 천주교로 개종한 유대인. ③ [경멸] 전향자.
conversor *m.* [컴퓨터] 변환기.
convertibilidad *f.* 변환 가능성; (화폐의) 태환성.
convertible *adj.* ① 바꿀 수 있는, 태환할 수 있는. ② *Amér.* [자동차] 지붕을 접을 수 있는. —*m. Amér.* 지붕을 접을 수 있는 자동차.
convertidor *m.* ① [전기] 변환기, 변압기. ② [금속] 전로(轉爐). ③ [원자 물리] 전환로. ④ [텔레비전] 컨버터.
convertir (55) *tr.* ① [+en] (…로) 변환[전환]하다. ② 개종시키다. ③ 생각을 바꾸게 하다. ~**se** ① 변하다, 바뀌다. ② [+a] (…으로) 개종하다. ③ [+a] (…로) 전향하다.
convexidad *f.* 볼록한 모양.
convexo, xa *adj.* 복판이 볼록한.
convicción *f.* ① 확신. ② *pl.* 신념, 신조: en contra de *sus convicciones* 신념에 반(反)해.
convicto, ta *adj.* 자백하지 않았지만 죄를 인정하는. —*m.* =**presidiario.**
convidado, da *adj.* 초대받은. —*m.f.* 초대받은 사람, 초대객. —*f.* (주로 음식물의) 한턱 내는 일: pagar una ~da 한턱 내다, 한턱 쓰다. ¶*como el ~ de piedra* 돌부처처럼 입을 열지 않고, 말 한마디 없이.
convidar *tr.* ① 초대하다. ② [+a+*inf.*] (…하도록) 권장하다, 꾀다, 유혹하다, …하게 하다. ~**se** 자진해서 …하다.
convincente *adj.* 설득력이 있는.
convincentemente *adv.* 설득력 있게, 납득이 가게(de manera convincente).
convite *m.* ① 초대. ② 연회. ③ *Ven.* 식사 대신에 봉사를 하는 노동자들의 모임. ④ *Ven.* =**acuerdo, convenio.**
convival *adj.* 초대의, 연회의.
convivencia *f.* ① 동거, 공동 생활. ② [주로 *pl.*] (야외 활동 등의) 합숙.
convivialidad *f.* ① *Méj.* =camaradería. ② *Méj.* =**convite.**
conviviente *adj.* 함께 사는, 동거의, 합숙의. —*m.f.* 동거자, 합숙자.
convivio *m.* =**convite.**
convivir *intr.* ① 동거하다, 함께 생활하다. ② 사이좋게 살다.
convocar (7) *tr.* ① [+a] (…에) 소집[모집·소환]하다. ② (채용 시험 등을) 공고[공시(公示)]하다.
convocatoria *f.* ① 소집; 소집 공고[공시], 초청장. ② (채용 시험 등의) 공고, 공시, 모집 요강; (제 …차) 전형.
convólvulo *m.* ① [동물] (포도에 꼬이는) 잎말이벌레. ② [식물] 메꽃.
convoy *m.* ① 호위[수송]대; 호송[수송] 선단. ② 열차. ③ 탁상용 조미료 그릇. ④ =**séquito, acompañamiento.**
convoyar *tr.* ① (수송대로) 호송[호위]하다. ② *Cuba.* =**acompañar.** ~**se** *Ven.* =**confabularse.**
convulsión *f.* ① 경련, (특히 소아의) 경기. ② (대지·바다의) 진동. ③ (사회의) 격동.
convulsionar *tr.* 경련을 일으키게 하다; 진동시키다. ~**se** 경련을 일으키다, 경기를 하다; 소동[소란]이 일어나다; 진동하다.
convulsivo, va *adj.* 경련(성)의.
convulso, sa *adj.* 경련을 일으키는, 경련성의.
conyugal *adj.* 부부의: riña [reyerta] ~ 부부싸움. vida ~ 부부 생활.
cónyuge *m.f.* 배우자. —*m.pl.* 부부.
coña *f.* ① [속어] =**guasa.** ② [속어] 귀찮은 일, 번거로운 일.
coñac *m.* [*pl.* ~s] 코냑, 브랜디.
coñazo *m.* 번거로운[귀찮은] 일[사람].
coñearse *r.* [속어] =**guasearse.**
coñete *adj. Bol., Chile, Perú.* =**tacaño, miserable.**
coño[1] *m.* ① 여자의 성기, 음부, 보지. ② *Chile.* 스페인 사람. ③ *Ven.* =**tipo.** —*adj. Chile., Ecuad.* =**tacaño, miserable.**
coño[2] *interj.* ① 제기랄!, 빌어먹을!, 염병할! ② 으음, 생각보다 맛있군! ((음식을 처음 먹어 보면서)).
coñozo, za *adj.* 지루한, 무료한, 심심하고 따분한.
cooficial *adj.* 다른 언어와 함께 공용의: dos lenguas ~*es* 두 공용어.
cooperación *f.* 협력.
cooperador, ra *adj.* 협력하는. —*m.f.* 협력자.
cooperar *intr.* 협력하다.
cooperativa *f.* ① 협동 조합. ② 협동 조합의 점포.
cooperativismo *m.* 협동 조합 운동.
cooperativista *adj.* 협동 조합 운동의. —*m.f.* 협동 조합원, 협동 조합 운동주의자.
cooperativo, va *adj.* 협력의, 협동의, 협조적인: espíritu ~ 협조 정신.
cooptación *f.* 새 회원의 선출.
cooptar *intr.* 새 회원을 선출하다.
coordenado, da *adj.* 좌표의. —*f.* ① [지리] 경위. ② *pl.* [수학] 좌표.
coordinación *f.* ① 정돈, 정리; 배열; 조정. ② [문법] 등위(等位).
coordinadamente *adv.* 정연하게.
coordinado, da *adj.* ① =**coordenado.** ② [문법] 대등 배열의.
coordinador, ra *adj.* 정리[정돈·조정]

하는 (사람). —*m.f.* (기획 추진 등의) 책임자, 조정자, 진행자, 코디네이터.
coordinamiento *m.* =coordinación.
coordinante *adj.* =coordinativo.
coordinar *tr.* ① 제휴시키다, 결집하다, 조정하다. ② (옷·색을) 조화시키다.
copa *f.* ① (다리가 달린) (술)잔, 글라스, 컵: ~ de champaña 샴페인 잔. ② 한 잔의 술: tomar una ~ (포도주) 한 잔을 마시다. ③ 우승 컵, 우승배, 트로피: ganar la ~ 우승하다. ④ 우승배 쟁탈전: ~ mundial 월드컵 전. ⑤ 수관(樹冠). ⑥ [복식] ㉮ 모자의 운두: sombrero de ~ (alta) 실크 모자. ㉯ (브래지어의) 컵, 젖 가리는 부분. ⑦ (스페인의 트럼프에서) 네 짝 중의 하나. ⑧ 칵테일 파티, 작은 파티, 소연회. ¶*andar de ~s* 여러 술집을 돌며 [돌아다니면서] 마시다. *salir de ~s* 한 잔 마시러 나가다.
copado, da *adj.* ① (나무의) 수관이 있는. ② *Ur.* =**entusiamado, fascinado.** ③ *Ven.* (짐을) 너무[과도하게] 실은(sobrecargado).
copal *m.* ① 코팔 ((니스 원료의 경질 수지)). ② [식물] 코팔나무 ((니스 원료의 질이 좋은 수지를 추출함; 멕시코에서는 사원이나 가정에서 향을 피우기 위해 사용함)). —*adj.* 질이 좋은 딱딱한 니스에 사용되는 무색이고 딱딱하며 냄새도 맛도 없는 수지의.
copar *tr.* ① (의석 등을) 독점하다. ② 기습하다. ③ 퇴로를 차단하다. ④ (도박에서) 큰돈을 걸다.
Coparmex *f.* Confederación Patronal de la República Mexicana 멕시코 공화국 경영자 연합.
copartícipe *adj.* 공동 참가의. —*m.f.* 공동 참가자.
copazo *m.* 잔에 든 술.
copear *intr.* ① 술을 잔으로 팔다, 잔술을 팔다. ② 술을 마시다. ~**se** *Méj.* 취하다, 의식을 잃을 때까지 마시다.
cópec *m.* [*pl.* ~s] =**copeca.**
copeca *f.* 코펙 ((러시아의 화폐 단위)).
copela *f.* (금은 시금용) 재떨이, 분석로(分析爐); 용해기(溶解器).
copelación *f.* 분석로로 고르기.
copelar *tr.* 분석로로 고르다.
copeo *m.* ① 잔술 마시는 일. ② 음주.
copero, ra *adj.* ① 우승배 (쟁탈전)의. ② 우승배를 획득하기에 어울리는[적당한] (선수). —*m.* ① (술)잔 선반. ② (귀인의) 술시중 드는 사람. —*f.* ① 잔 보관소. ② *Bol., Col.* (바·카페에서 단골 손님의 시중을 드는) 종업원. ③ *Arg., Ur.* 호스티스(mujer de alterne).
copete *m.* ① (세워진) 앞 머리카락. ② (새의) 관모(冠毛). ③ (아이스크림 등이) 수북이 솟아오름. ④ (말의) 앞 갈기. ⑤ 정상, 꼭대기. ⑥ (거울 등의) 맨 윗부분 꾸미기.
copetín *m.* ① *Amér.* 아페리티프. ② *Arg., Par.* 꼬뻬띤 ((자주 아페리티프가 곁들인 식사)).
copetinera *f.* ① *Chile.* 호스티스(mujer de alterne). ② *Ecuad.* (바·식당에서 술잔을 따르는) 종업원.
copetón[1]**, na** *adj.* *Col.* =**calamocano, achispado.**
copetón[2]**, na** *adj.* *AmérM.* (새가) 관모를 과시하는. —*f.* *Arg.* =**martineta.**
copetudo, da *adj.* ① 앞 머리카락·관모가 있는. ② 집안을 자랑하는. ③ 으시대는. —*f.* ① [새] 종달새(alondra). ② *Cuba.* [식물] =**flor de maravilla.**
copey *m.* [식물] 꼬뻬이 ((고추나물과의 나무)).
copia *f.* ① 복사, 카피. ② 더빙(한 테이프). ③ [사진] 프린트, 인화. ④ [미술] 모사(한 그림). ⑤ (인쇄물의) …부(部). ⑥ 꼭 닮은 사람: Ella es una ~ de su madre 그녀는 어머니를 빼닮았다. ⑦ 복사기. ⑧ 대량, 풍부.
copiador, ra *adj., m.f.* 복사하는 (사람), 모사하는 (사람). —*m.* ① 편지 메모장[원장]. ② 복사기. —*f.* 복사기.
copiar (11) *tr.* ① 복사하다, 카피하다. ② (테이프를) 더빙하다. ③ 모사하다. ④ 모방하다. ⑤ 구술(을) 필기하다. —*intr.* 커닝하다. ~**se** *Arg.* (그림 등을) 모사하다.
copichuela *f.* =**copa.**
copihue *m.* [식물] 꼬삐우에 ((백합과의 식물; 익기 전에 고추 비슷한 장과가 열림; 꽃은 붉으나 가끔 흰것도 있음; 칠레의 국화)).
copilador, ra *adj., m.f.* =**compilador.**
copilar *tr.* =**compilar.**
copilla *f.* =**chofeta.**
copiloto *m.f.* 부조종사(piloto auxiliar).
copión, na *adj., m.f.* 모사[모작]하는 (사람); 커닝하는 (사람). —*m.* (그림·조각 작품의) 엉터리 복사[모사].
copiosamente *adv.* 대량으로, 엄청나게: Llueve [Nieva] ~ 비[눈]가 엄청나게 내린다.
copiosidad *f.* 풍부함, 엄청나게 많음.
copioso, sa *adj.* 다량의, 풍부한.
copista *m.f.* (고문서 등의) 필경사.
copita *f.* 작은 잔.
copla *f.* ① (노래 등의) 절. ② (주로 아르헨띠나의) 4행 민요. ③ (사람·물건의) 짝, 한 쌍. ④ *pl.* 시(詩), 속요.
coplero, ra *m.f.* ① 민요(copla)의 가수. ② 사이비 시인.
copo *m.* ① 눈송이, 설편(雪片). ② (실로 잣기 전 양모 등의) 꾸러미. ③ [어업] 자루 그물 (고기잡이). ¶*Poco a poco hila la vieja el ~* (속담) 티끌 모아 태산
copón *m.* [천주교] 성체기(聖體器).
copra *f.* 꼬쁘라 ((코코야자의 씨·배유를 건조시킨 것)).
coproducción *f.* ① 공동 생산. ② (영화 등의) 공동 제작, 합작.
coproducir (71) *tr.* (특히 영화·텔레비전·음악·연극에서) 공동 제작하다, 합작하다.
coproductor, ra *adj.* 공동 제작의, 합작

의. —*mf.* 공동 제작자.
coprofagia *f.* 사람의 똥을 먹는 일.
copróf ago, ga *adj.* (곤충이) 사람의 똥을 먹는.
coprolito *m.* [지질·의학] 분석(糞石).
copropiedad *f.* 공동 소유; 공유물.
copropietario, ria *adj.* 공동 소유(共同所有)의. —*mf.* 공동 소유자.
coprotagonista *mf.* [영화·연극] 주역급의 공연자.
cóptico, ca *adj.* =**copto.**
copto, ta *adj., mf.* 이집트의 기독교 교도(의). —*m.* 고대 이집트어.
copucha *f.* ① *Bol., Chile.* 거짓말. ② *Chile.* (가정에서 여러 용도로 사용되는) 얇은 주머니.
capuchento, ta *adj. Bol., Chile.* 거짓말 잘하는. —*mf.* 거짓말쟁이.
copudo, da *adj.* 가지가 무성한, 수관이 큰.
cópula *f.* ① 교접, 교미; 성교. ② 연결. ③ [언어] 계사(繫辭).
copularse *r.* 성교하다, 교접하다.
copulativo, va *adj.* ① 교접의, 교미의. ② 연결하는, 결합의, 접속하는.
copyright *m. ing.* [*pl.* ~s] ① 판권, 저작권. ② 판권[저작권]의 인 ((ⓒ)).
coque *m.* 코크스.
coqueluche *m.(f.)* 백일해(百日咳).
coquero[1]**, ra** *adj. Col., Perú.* 코카를 재배하는. —*mf. Col., Perú.* 코카 재배자.
coquero[2]**, ra** *mf. Méj., PRico.* ① 야자나무 재배자. ② 야자 열매 장수.
coquero[3]**, ra** *adj. Col., Hond.* 마약 특히 코카인을 상용하는 (사람). —*mf.* 코카인 중독자.
coqueta[1] *f. Ar.* =**palmetazo.**
coqueta[2] *f.* ☞**coqueto.**
coquetear *intr.* ① (여자가) 아양떨다, 요염하게 굴다, 교태를 부리다; (남자와) 희롱하다. ② (나쁜) 감화[영향]를 받다; 물들다; 심취하다.
coqueteo *m.* =**coquetería.**
coquetería *f.* ① 요염, 교태, 아양. ② 고상한 취미.
coqueto, ta *adj.* ① 아양을 떠는 (사람), 교태를 부리는 (사람). ② =**presumido, esmerado.** ③ =**pulcro, cuidado, gracioso.** —*f.* (특히 여자들이 머리를 빗고 화장용으로 사용하는) 거울 달린 화장대, 경대.
coquetón, na *adj.* ① =**gracioso, atractivo, agradable.** ② 많은 여자들을 기쁘게 하려는 (남자), 여자들을 호리는 (남자). —*m.* 바람둥이, 난봉꾼.
coquina *f.* [조개] 큰 가리비.
coquinero, ra *mf.* coquina 잡는 [파는] 사람.
coracero *m.* 흉갑기병(胸甲騎兵).
coraje *m.* ① 용기; 기력. ② 화, 성냄, 성냄, 분함(ira, irritación).
corajina *f.* (발작적인) 화냄, 성냄, 노함.
corajoso, sa *adj.* =**enojado, irritado.**
corajudo, da *adj.* ① 용감한. ② 화난, 노한; 화 잘 내는.
coral[1] *m.* ① [동물] 산호. ② 산호의 무리. ③ *pl.* 산호 목걸이. ④ *pl.* (칠면조의 목과 머리의) 붉은 볏. —*f.* [동물] 살모사. ¶***fino como un ~, más fino que un ~*** 교활한, 영악한, 재치 있는, 총명한, 날렵한(astuto, sagaz).
coral[2] *adj.* 합창(合唱)의: canto ~ 합창곡. —*m.* [음악] 코럴. —*f.* 합창단.
coralífero, ra *adj.* 산호가 있는.
coraliforme *adj.* 산호 모양의.
coralígeno, na *adj.* 산호가 나는.
coralillo *m.* [동물] 살모사.
coralino, na *adj.* 산호의[닮은]. —*f.* ① [동물] 산호충. ② [식물] 해태류.
corambre *f.* [집합] 가죽.
Corán *m.* 코란(alcorán).
coránico, ca *adj.* 코란의.
corazón *m.* ① 심장: trasplante de ~ 심장 이식. ② 마음, 심정(心情): sin ~ 냉혹한, 인정머리가 없는. ③ 사랑, 애정. ④ 용기. ⑤ 열의. ⑥ 중심, 중심부, 중앙. ⑦ [트럼프] 하트; 하트 모양의 물건. ⑧ 가운뎃손가락, ⑨ 사랑하는 사람, 귀여운 사람: ¡Ven aquí, ~ mío! 귀여운 아가야, 이리 온! ¶***con la mano en el ~, con el ~ (en la mano)*** 마음에서, 솔직히. ***con todo su ~*** 마음속으로부터, 진심으로. ***de todo ~*** 진심으로.
corazonada *f.* ① 예감. ② 충동. ③ [요리] 소의 내장.
corazonista *adj., mf.* [종교] 성심 수도회(聖心修道會)의 (수도사·수도녀).
corbata *f.* ① 넥타이: ~ de lazo 나비넥타이(pajarita). ② (깃대 등의) 장식 리본. ③ *Col.* 적은 노력으로 보수가 많은 직. ④ *Col.* 닭의 목의 앞 부분.
corbatín *m.* ① 짧은 넥타이. ② (깃대 등의) 장식 리본.
corbeta *f.* 소형 구축함 fragata와 비슷한 3개의 돛대에 사각 돛을 단 전함(戰艦).
corcel *m.* 준마(駿馬).
corchea *f.* [음악] 팔분 음부(八分音符).
corchero, ra *adj.* 코르크의.
corcheta *f.* 암 훅.
corchete *m.* ① 꺾쇠 괄호 (([ ])). ② (옷의) 훅단추 (거는 것과 걸리는 것). ③ 수컷 훅. ④ *Chile.* [인쇄] U자 못, 꺾쇠. ⑤ *Amér.* (호치키스의) 바늘 (grapa). ⑥ 시침바느질용 핀.
corchetear *tr. Chile.* U자 못으로 박다, 꺾쇠로 고정시키다.
corchetera *f.* =**corchetero.**
corchetero *m.* 제책기(製冊機).
corcho *m.* ① 코르크. ② 코르크 마개.
córchols *interj.* =**caramba.**
corcova *f.* 곱사등(joroba).
corcovado, da *adj.* 곱사등이의, 새우등의. —*mf.* 곱사등이.
corcovear *intr.* (말 등이) 날뛰다.
corcovo *m.* ① (동물의) 날뜀. ② 굽음, 휨, 요철.
cordada *f.* [등산] 안자일렌(Anseilen)한 그룹.

cordados *m.pl.* [생물] 척색 동물문.
cordaje *m.* ① [집합] [선박] 밧줄. ② (현악기의) 줄. ③ (기타의) 줄. ④ [운동] (테니스 라켓의) 줄.
cordal[1] *m.* (현악기의) 현 조리개.
cordal[2] *f.* 사랑니(muela de juicio).
cordel *m.* ① 가는 줄. ② 다섯 걸음의 거리. ③ 목초를 찾아 이동하는 소떼가 다니는 통로. ④ (꾸바의) 농지 크기 ((414 센티아르; 선 치수로는 20미터 352 밀리미터)).
cordelejo *dar* ~ ㉮ 놀리다, 조롱하다, 골탕먹이다. ㉯ *And., Méj.* 질질 끌다, 지체하다(dar largas).
cordelería *f.* 제강업(製鋼業).
cordelero, ra *adj.* 제강업의. *—m.f.* 제강 업자.
cordera *f.* ① 한 살이 안된 새끼 암양. ② 유순하고 얌전한 여자.
corderaje *m. Arg., Chile.* [집합] 새끼 양떼.
cordería *f.* [집합] 밧줄.
corderil *adj.* 새끼 양의.
corderillo *m.* 양모로 무두질된 새끼 양의 가죽.
corderino, na *adj.* 새끼 양의. *—f.* 새끼 양의 가죽(piel de cordero).
cordero *m.* ① (한 살이 안된) 새끼 수양. ② 무두질한 새끼 수양의 가죽. ③ 유순하고 얌전한 남자. ④ 예수 그리스도, 하나님의 아들. ¶*Cordero de Dios* 예수 그리스도, 하나님의 아들. ~ ***de so cesto*** 포유기의 새끼 양. ~ ***doblado*** 두 어미 양의 젖을 먹고 자라는 새끼 양. ~ ***macaco*** *Vall.* 풀을 먹기 시작한 포유기의 새끼 양. ~ ***mueso*** 아주 작은 귀를 가지고 태어난 새끼 양. ~ ***pascual*** ㉮ 히브리 사람들이 유월절 축제 때 먹는 새끼 양. ㉯ 포유기 새끼 양보다 큰 새끼 양. ***madre del*** ~ 키포인트, 핵심, 요점; 어려운 점.
corderuna *f.* =corderina.
cordeta *f. Mur.* 다발을 묶은 알파풀의 세 가닥.
cordial *adj.* ① 심장의. ② 배포가 큰. ③ 마음에서 우러난, 성심 성의의, 진심의, 정중한, 성실한, 진실한: Saludos ~*es* 정중한 인사를 드립니다 / [편지] 경구(敬具), 불비(不備) ((편지를 맺는 문구)). ④ (사람이) 붙임성이 있는. ⑤ 한복판의. ⑥ 강장의: remedio ~ 강장제, 강심제. *—m.* 강장제, 강심제.
cordialidad *f.* 정중함, 진심, 충정, 따뜻한 우정; 진심 어린 언동, 솔직함.
cordialmente *adv.* 정중히, 진심으로, 성의를 다하여. ¶*Cordialmente* 경구(敬具) ((편지를 맺는 문구))
cordiforme *adj.* =acorazonado.
cordila *f.* 갓 깐 참치.
cordillera *f.* 산맥, 산계(山系).
cordillerano, na *adj.* ① 산맥의; (특히 아메리카에서는) 안데스 산맥의 (사람). ② 꼬르디예라(Cordillera, 빠라구아이 중부의 주·주도)의 (사람). ③ (빠라구아이의) 꼬르디예라 주의.
cordita *f.* 코르타이트 화약.
córdoba *m.* 꼬르도바 ((니까라구아의 화폐 단위)).
Córdoba *f.* [지명] 꼬르도바 ((스페인 남부의 주·주도; Argentina의 주·주도; Colombia의 주)).
cordobán *m.* 산양의 무두질한 가죽.
cordobana *andar a la* ~ 발가벗고[알몸으로] 걷다(andar en cueros).
cordobanero *m.* cordobán 제조자.
cordobense *adj., m.f.* (Colombia의) 꼬르도바의 (사람).
cordobés, sa *adj., m.f.* (스페인·아르헨띠나·꼴롬비아에 있는) 꼬르도바의 (사람). *—m.* [복식] 꼬르도베스 ((안달루시아 특유의 차양이 넓은 펠트 모자))(sombrero ~).
cordón *m.* ① 가는 끈, 줄: *cordones* de los zapatos 구두 끈. ② 끈 모양으로 된 것: ~ umbilical 탯줄. ③ (전기 기구의) 코드, 줄. ④ 경계선. ⑤ (제복의 어깨에 다는) 장식 끈[줄]. ⑥ [건축] 아름다운 테두리(를 붙인 것). ⑦ *Arg., Bol., Chile, CRica., Par., Ur.* =**bordillo.** ⑧ *Ecuad.* (전기 설비에서) 절연 재료로 덮인 선. ⑨ *pl.* (군인들의) 어깨 견장(divisa).
cordoncillo *m.* ① (피륙의) 무늬. ② (동전의) 가장자리 새김. ③ (페이지의) 가장자리 장식. ④ 채찍.
cordura *f.* 신중함, 분별.
corea[1] *f.* ① [의학] 무도병. ② 꼬레아 ((일반적으로 노래를 곁들이는 춤)).
Corea[2] *f.* [국명] 대한 민국; [북한] 조선. ¶ ~ ***del Norte*** 북한. ~ ***del Sur*** 남한. ***República de*** ~ 대한 민국. ***República Popular Democrátia de*** ~ 조선민주주의인민공화국.
coreanista *m.f.* 한국(의 언어와 문화의) 연구자.
coreanización *f.* 한국화(韓國化).
coreanizar *tr.* 한국화하다. **~se** 한국화되다.
coreano, na *adj.* 대한 민국의, 한국의, 한국인[어]의; [북한] 조선민주주의인민공화국의, 조선의; 조선사람의, 조선말의. *—m.f.* 한국 사람; [북한] 조선사람. *—m.* 한글, 한국어; [북한] 조선말.
coreanófilo, fa *adj., m.f.* 한국을 좋아하는 (사람).
coreanófobo, ba *adj., m.f.* 한국을 싫어하는 (사람).
coreanología *f.* 한국학(韓國學).
coreanólogo, ga *m.f.* 한국학 학자.
corear *tr.* ① (합창곡을) 작곡하다. ② 합창하다. ③ …에 부화 뇌동하다. ④ (여러 사람이) 동시에 노래하다[낭송하다·말하다]. ⑤ =**aclamar, aplaudir.**
corecico *m.* =**corezuelo.**
corecillo *m.* =**corezuelo.**
coreografía *f.* [무용] 안무(按舞).
coreografiar *tr.* 안무하다.
coreográfico, ca *adj.* 안무의.
coreógrafo, fa *m.f.* 안무가(按舞家).

corezuelo *m.* ① 새끼 돼지. ② 구운 새끼 돼지의 껍질[가죽].
cori[1] *m.* =corazoncillo.
cori[2] *m.* [동물] =conejillo de Indias.
coriáceo, a *adj.* ① 가죽(cuero)의. ② 가죽 비슷한[같은].
corifeo *m.* ① (고전 비극의) 합창대 지휘자. ② (사회 운동 등의) 창도자.
corimbo *m.* [식물] 산방꽃차례.
corindón *m.* [광물] 강옥(鋼玉).
corinteño, ña *adj.* ① 고린도(Corinto) 태생의 (사람). ② 꼬린또(Nicaragua의 시·주)의 (사람).
coríntico, ca *adj.* 고린도의.
corintio, tia ① *adj., m.f.* (그리스의) 코린트(Corinto)의[태생의] (사람). ② [성경] 고린도의 (사람). ¶*Carta a los Corintios* [성경] 고린도서, 고린도 사람들에게 보내는 편지. ③ 코린트식의: orden ~ 코린트 양식.
corinto *adj., m.* 짙은 자줏빛에 가까운 암적색(의).
corión *m.* ① [해부] 섬모막(纖毛膜). ② [생물] 장막(漿膜).
corista *m.f.* ① (오페라 등의) 합창 단원. ② (뮤지컬의) 코러스 라인의 멤버. ③ 성가 대원.
coriza *f.* [의학] 코감기, 비강 카타르.
cormorán *m.* [새] 가우마지.
cornada *f.* 뿔로 때리기[받기].
cornadura *f.* =cornamenta.
cornal *m.* =coyunda.
cornalina *f.* [광물] 홍옥수(紅玉髓).
cornamenta *f.* [집합] (한 쌍의) 뿔.
cornamusa *f.* ① [악기] 트롬펫의 일종. ② (가죽 제품의) 퉁소. ③ 밧줄걸이.
córnea *f.* [해부] 각막(角膜).
cornear *tr.* 뿔로 받다.
corneja *f.* [새] 작은 까마귀.
cornejo *m.* [식물] 산수유나무.
córneo, a *adj.* 각질(角質)의.
córner *m. ing.* [*pl.* ~s] 코너킥.
corneta *f.* ① 군대 나팔. ② 뿔피리, 각적. —*m.* [군사] 나팔수.
cornete *m.* [해부] 비개골(鼻介骨).
cornetín *m.* [악기] 코넷. —*m.f.* 코넷 연주자.
cornezuelo *m.* ① [농업] 맥각균. ② [약학] 맥각(麥角).
cornisa *f.* ① [건축] 처마 장식. ② [건축] 배내기 ((벽의 윗부분에 장식으로 두른 돌출부)). ③ 벼랑 중턱에 선반처럼 비죽 나온 바위. ④ 지붕 끝[산등성이의 한쪽]에 눈이 쌓여 챙처럼 튀어 나온 곳.
cornisamento *m.* (고대 건축의) 중인방, 띠 모양의 조각(entablameinto).
cornisamiento *m.* =cornisamento.
corno *m.* [악기] 호른.
cornucopia *f.* (장식이 달린) 거는 거울.
cornudo, da *adj.* ① 뿔이 난. ② 질투[샘]이 많은. —*m.* ① (온두라스의) 원숭이의 일종. ② 오쟁이 진 남편, 서방질한 여자의 남편.
cornúpeta *m.f.* 뿔이 있는 동물. —*adj.* 뿔로 찌르려 하는 (소 등의 그림). —*m.* 투우용 소.
cornúpeto *m.* [속어] =cornúpeta.
coro[1] *m.* ① 합창, 코러스. ② 합창단. ③ 합창곡. ④ 성가대(석). ⑤ (교회·수도원의) 식전의 기도.
coro[2] *m.* [시어] 북서풍(noroeste).
coro[3] *m.* 히브리 사람들의 곡류의 단위 ((6 fanegas나 33 decalitros)).
coro[4] *de* ~ [드묾] 기억으로, 암기로.
corografía *f.* 지방 지지(地方地誌), 지세도(地勢圖).
coroides *f.sing.pl.* [해부] 맥락막.
corola *f.* [식물] 화관(花冠).
corolario *m.* [윤리] 파생적 명제, 필연적 귀결.
corona *f.* ① 관; 왕관. ② 왕위, 왕권; 왕국. ③ 영관. ④ 포상(褒賞). ⑤ (성상(聖像) 등의) 광륜(光輪), 광배(光背). ⑥ [천문] (태양의) 코로나. ⑦ [수학] 환형(環形). ⑧ (시계의) 용두. ⑨ 영광의 정점. ⑩ [종교] 삭관(削冠). ⑪ [해부] 치관(齒冠). ⑫ (이에 씌우는) 관(冠). ⑬ 크로네 ((덴마크·노르웨이의 화폐 단위)). ⑭ 영국의 크라운 은화.
coronación *f.* ① 대관(식). ② 영광의 정점. ③ 완성. ④ [건축] =coronamieto.
coronado, da *adj.* ① (…을) 머리에 쓴. ② =cornudo.
coronamiento *m.* ① 대관(戴冠). ② [건축] 꼭대기 장식. ③ [선박] 선미 꼭대기 장식.
coronar *tr.* ① 관을 씌우다. ② 왕위에 앉히다. ③ 완성하다. ④ (어떤 것의) 위에 장식하다. ⑤ (장기의) 말을 바꾸어 쓰다. ⑥ 찬양하다. ⑦ (…의) 꼭대기에 이르다. ⑧ (…의) 꼭대기[정점]에 있다[서다]. ⑨ 부정을 저지르다, 뿔이 나게 하다. —*intr.* (태아가) 머리를 드러내다. ~**se** ① 대관하다, 왕위에 오르다. ② 덮이다. ③ (태아가) 머리를 드러내다.
coronario, ria *adj.* [해부] 관상(冠狀)의: arteria ~*ria* 관상 동맥.
corondel *m.* [인쇄] 종선괘(縱線罫).
coronel[1] *m.f.* [육군·공군] 대령: teniente ~ 중령. —*m. Cuba.* ① 큰 연. ② *Salv.* [새] =pavo.
coronel[2] *m.* [건축] 관장식(冠裝飾).
coronela *adj.* 대령의[에 속한] (부대·기 등). —*f.* 대령의 부인.
coronilla *f.* ① 머리 꼭대기. ② [종교] 삭관(削冠).
coroto *m.* ① *Col., Ven.* (부엌의) 그릇, 도구, 기구. ② *Col., Ven.* 정치력.
corpachón *m.* 커다란 체격.
corpiño *m.* ① (소매 없는) 조끼(의 일종). ② *Arg., Ur.* 브래지어(sostén). ③ 흉상을 덮는 옷의 부분.
corporación *f.* ① 동업자 단체, 동업조합. ② 공단(公團), 공사(公社). ③ 시 자치체. ④ (영국 등의 큰) 회사, 기업.
corporal *adj.* 육체의, 육체적인. —*m.pl.* [천주교] 성찬포(聖餐布) ((성체 배령

에서 빵과 포도주를 얹는 베)).
corporalmente *adv.* 육체적으로, 몸을 사용하여(con el cuerpo).
corporativismo *m.* 협동 조합주의.
corporativista *adj.* 협동 조합주의의. —*mf.* 협동 조합주의자.
corporativo, va *adj.* 동업 조합의; 협동 조합주의의.
corporeidad *f.* 유형성(有形性).
corpóreo, a *adj.* 육체의, 육신의, 형체가 있는, 유형의.
corps *m.* (*fr.*) 단체, 단: guardia de ~ (군왕의) 호위대, 근위병, 친위대.
corpulencia *f.* 비만, 비대, 거대함.
corpulento, ta *adj.* 비만한, 몸집이 큰, 거대한.
corpus *m.sing.pl.* (문서 등의) 집성; 자료체: ~ jurídico romano 로마 법전.
Corpus *m.* [천주교] 성체절 ((부활절에서 60일째의 목요일)).
corpuscular *adj.* 입자의, 미립자의
corpúsculo *m.* ① [물리] 입자, 미립자. ② [해부] 소체(小體), 소구(小球).
corral *m.* ① (가축을 넣는) 우리, 사육장: ave de ~ 가금(家禽). ② (물고기의) 양식장. ③ 베이비 서클 ((아기를 안전하게 놀리기 위한 조립식 목책)). ④ (16-17세기의) 연극이 상연된 뜰. ⑤ *And.* 구식의 집합 주택. ⑥ *Cuba, Ven.* (걷지 못하는 아이들을 위한) 작은 뜰. ⑦ *Cuba, Ven.* 야채밭으로 이용되는 터; 동물 사육용의 터. ⑧ [고어] 본 뜰, 안마당.
corraliza *f.* 양금장(養禽場).
corralón *m.* ① *Mál.* 구식의 집합 주택. ② *Méj.* (경찰의) 주차 위반 차량 보관소. ③ *Ur.* 시립 창고. ④ *Ur.* 작은 우리[사육장].
correa *f.* ① (가죽 제품 등의) 혁대, 벨트. ② 가죽 끈. ③ 승려복에서 사용된 끈이 달린 가죽 벨트. ④ 신축성. ⑤ (일·농담·조롱 등을 참는) 인내심. ⑥ *pl.* (가죽 조각으로 만든) 먼지털이.
correaje *m.* ① [집합] 끈. ② [군사] 가죽 장비.
correazo *m.* 가죽 혁대로 때리는 일.
correcaminos *m.sing.pl.* *Hond., Méj.* [새] 후취류과의 새.
corrección *f.* ① 개정, 수정. ② 첨삭, 가필. ③ 교정(校正). ④ 교정(矯正). ⑤ 징계, 채벌. ⑥ 힐책. ⑦ 단정함, 바름; 정확함.
correccional *adj.* 수정하는; 교정하는; 훈계하는. —*m.* ① 감화원. ② 소년원.
correccionalismo *m.* 감화 제도.
correccionalista *adj.* 징계주의(懲戒主義)의. —*mf.* 징계주의자.
correccionalmente *adv.* 벌로, 징계로.
correcho, cha *adj.* *León.* =recto, firme, correcto, derecho.
correctamente *adv.* 정확히, 올바로.
correctivo, va *adj.* ① 교정(矯正)의. ② 고치는. ③ [의학] (부적당한 성질을 없애거나 줄이기 위해) 주된 재료에 첨가하는 (물질). —*m.* ① (일반적으로) 가벼운 벌, 징벌. ② [법률] 징계, 벌. ③ [운동] 대패(大敗).
correcto, ta *adj.* ① 정확한, 틀림이 없는. ② (사람이 행동에서) 나무랄 데 없는, 결점이 없는. ③ 그저 그만한, 그럭저럭한, 타당한.
corrector, ra *adj.* 수정하는, 교정하는. —*mf.* ① 교정자. ② (시험의) 채점자. —*m.* ① (San Francisco de Paula 수도원의) 원장. ② (인쇄될 책을 원본과 대조하고 틀린 곳을 찾아내는) 정부측 담당자. ③ 수정액. ④ 치열 교정 기구. ¶~ *ortográfico* [컴퓨터] 스펠(링) 체커 ((전자 문서 안에서 맞춤법을 검사하는 프로그램)).
corredero, ra *adj.* 레일식의 (문·창문). —*m.* 소를 몰아내고 쓰러뜨리기에 적당한 장소. —*f.* ① (기계나 장치의) 레일. ② 마장(馬場). ③ 여닫는 판자나 쪽문. ④ [곤충] =**cucaracha.** ⑤ (전에 말의) 마장 거리. ⑥ 뚜쟁이. ⑦ [해사] 측정기, 측정선. ⑧ 맷돌의 윗짝.
corredizo, za *adj.* ① 쉽게 풀어지는. ② 잘 조여지는. ③ 미끄럼식으로 된.
corredor, ra *adj.* ① 잘 달리는 (사람), 발 빠른. ② [동물] 날개가 없는, 달리는 조류의 ((타조 등)). —*mf.* ① 달리는 사람, 주자(走者). ② [상업] 중매인(仲買人), 브로커. —*m.* ① 낭하, 복도, 통로. ② 회랑. ③ [지리] 회랑 지대. ④ *pl.* [동물] 주조류(走鳥類).
correduría *f.* ① corredor의 직. ② =**corretaje.**
correería *f.* ① correa 만드는 직. ② correa 제작[판매] 장소.
correero, ra *mf.* correa 제작자[판매자].
corregencia *f.* corregente의 직.
corregente *adj.* 연립 섭정의. —*mf.* 연립 섭정자.
corregible *adj.* 개정[교정]할 수 있는. 고칠 수 있는.
corregidor *m.* (중세 스페인의 주요 도시에 파견된) 왕실 대리관.
corregidora *f.* corregidor의 아내.
corregimiento *m.* corregidor의 직[관할구].
corregir (45) *tr.* ① (오류를) 바로잡다, 개정하다; 교정하다. ② 수정하다. ③ (결점 등을) 고치다, 교정하다. ④ 힐책하다. ⑤ (선생이 답안을) 채점하다. **~se** ① [+de] (자신의 결점·소행 등을) 고치다. ② (결점이) 고쳐지다, 바로잡히다, 교정되다.
corregüela *f.* [식물] =**correhuela.**
correhuela *f.* [식물] 메, 메꽃.
correlación *f.* 상관 관계.
correlacionar *tr.* 서로 연관시키다.
correlativo, va *adj.* ① 상관적인. ② [문법] 상관(相關)의.
correlato *m.* ① 상관물. ② 상관어.
correligionario, ria *adj., mf.* ① 종교가 같은 (사람). ② (정치적으로) 의견이 같은 (사람).
correlón, na *adj.* ① *Col., Hond., Ven.*

잘 달리는. ② *Méj., Ven.* =**cobarde.**

correntada *f. Amér.* 급류(急流).

correntoso, sa *adj.* 급류의.

correo *m.* ① 우편(물): ~ electrónico 전자 우편, E메일. ~ urgente 빠른 우편, 속달 우편. venta por ~ 우편 판매. enviar *algo* por ~, echar *algo* al ~ …을 우편으로 보내다. ② *Amér.* 우체국. ③ 우편 열차, 우편차, 우편 수송기. ④ 우편함. ⑤ 공문서 배달원.

correos *m.pl.* 우체국 ((업무, 건물)).

correosidad *f.* ① 탄력성. ② 견고함.

correoso, sa *adj.* ① 탄력성이 있는. ② (빵이 습기 등으로) 우글쭈글해진, 질이 변한. ③ (고기가) 가죽처럼 질긴. ④ (사람이) 억센, 터프한, 불굴의.

correr *intr.* ① 달리다. ② (경주에) 참가하다. ③ 흐르다, 유동하다. ④ (시간이) 흐르다, 지나다. ⑤ (바람이) 불다. ⑥ (잉크 등이) 번지다. ⑦ (급료 등이) 지불되다. ⑧ (화폐가) 통용되다, 유통되다. ⑨ 나돌다, 팔리다. ⑩ [+con] (…을) 떠맡다, 인수하다, 부담하다. —*tr.* ① (거리를) 달리다, 돌다. ② 쫓다, 몰다, 뒤쫓다; (소와) 싸우다. ③ (자물쇠 등을) 잠그다. ④ (커튼 등을) 치다; (때때로) 열다. ⑤ (위험 등에) 직면하다. ⑥ (위치를) 약간 옮기다. ⑦ (색을) 번지게 하다, 흘리다. ⑧ 당황케 하다. ~**se** ① (사람·물건이) 약간 움직이다. ② 지나치다, 한도를 넘다. ③ (색이) 바래다. ④ 당황하다. ⑤ 비싸게 굴다, 거만떨다. ⑥ 부끄러워하다. ⑦ 오르가즘에 달하다. ¶***a más ~, a todo ~*** 전속력으로. ~ ***mucho*** 잘 달리다, 다리가 빠르다.

correría *f.* 소풍, 짧은 여행, 원행, 여행.

correspondencia *f.* ① 대응, 상응. ② 통신, 서신 교환: [집합] 서간, 우편물: ~ comercial 상업 통신문. amigo por ~ 펜팔. educación por ~ 통신 교육. ③ (지하철 등의) 바꿔 탐, 갈아탐, 환승(換乘), 접속.

corresponder *intr.* ① [+a] (…에) 대응하다, 상응하다. ② [+a] (호의 등에) 보답하다, 사례를 하다; (사랑 등에) 보답하다. ③ 배분되다, 속하다. ~**se** ① 서로 대응하다, 어울리다. ② 서신 교환을 하다, 서로 편지를 주고 받다. ③ 서로 사랑하다.

correspondiente *adj.* ① [+a] (…에) 대응하는, 해당하는; 적합한. ② 통신의, 통신에 의한.

corresponsal *m.f.* ① 서신 교환의 상대, 펜팔. ② (신문사 등의) 통신원, 특파원: ~ de guerra 종군 기자. ③ [상업] 대리인. —*m.* 대리점(agencia).

corresponsalía *f.* 대리점의 직무.

corretaje *m.* ① 거간, 중개, 주선. ② 거간 수수료.

corretear *intr.* 여기저기 쏘다니다, (아이들이) 뛰놀다, 맴돌다. —*tr.* ① *Arg., Ur.* (판매나 매입 주문을 받기 위해) 돌아다니다. ② *Bol., Chile, Hond., Méj., Nic., Perú.* =**correr, perseguir.**

correteo *m.* 여기저기[이 집 저 집] 돌아다니기.

corretero *adj., m.f.* 여기저기 돌아다니는 (사람).

correvedile *m.f.* =**correveidile.**

correveidile *m.f.* ① 남의 일을 이야기하고 돌아 다니는 사람. ② 뚜쟁이.

corrido, da *adj.* ① (무게나 치수에서) 약간 초과한. ② 무안해 하는, 난처해 하는. ③ (건물이) 연속적인, 잇달은, 계속적인. ④ 약삭빠른, 노련한, 경험이 풍부한. ⑤ 초서체의, 갈겨 쓰는, 흘려 쓰는. ⑥ 완전한, 완전 무결한. —*m.* ① (물건을 챙겨두기 위한 헛간에 단) 차일. ② (안달루시아 지방에서) 노래로 불려진 시가. ③ =**corrido de la costa.** ④ *Amér.* 8음절의 시가. ⑤ *Méj.* 춤과 함께 하는 노래. ⑥ *pl.* (기한이 되어) 받을 수 있는 이자. —*f.* ① 달리기, 주행, 질주. ② (안달루시아의) 민요. ③ 투우(~ de toros): ir a una ~ 투우를 보러 가다. ④ *Arg., Ur.* 스타킹에서 풀린 선[땀]. ⑤ *Cuba.* 물고기 떼. ¶***de*** ~ 술술, 막힘없이, 유창하게. ***corrida de toros*** 투우. ***corrida del tiempo*** 세월의 빠름. ~ ***de la costa*** (판당고에 맞추어 기타를 치며 노래하는) 시가[연가].

corrientazo *m. Cuba, Hond., Salv., Ven.* (사람이나 동물의 몸에서) 전기 방전(descarga eléctrica).

corriente *adj.* ① 흐르는. ② (주로 상업 통신문에서, 주·월·연·세기의) 이, 금(今): el mes ~, el ~ mes 이달, 금월. ③ 현재의. ④ (영수증이나 정기 간행물 등의) 최후의, 이번 회의, 최근의. ⑤ 흔한, 잦은, 빈번한. ⑥ 정기적인, 보통의, 평범한. ⑦ 유창한. ⑧ 당좌의: cuenta ~ 당좌 계정. —*f.* ① (물이나 공기처럼 흐르는 물체의) 이동, 흐름. ② ㉮ 기류. ㉯ 해류. ③ 전류. ④ (집이나 방에서 문과 창문 사이에 설치한) 끈. ⑤ 경향(傾向). ¶***al*** ~ 연체 없이, 정확히. ***andar*** ~ =**estar** ~. ***estar al*** ~ ***de*** algo …을 알고 있다, …에 환하다. ***estar*** ~ 설사하다. ***ir contra (la)*** ~ =**navegar contra la** ~. ***irse con [tras] la*** ~ 대부분의[다수의] 의견에 따르다, 대세에 따르다. ***navegar contra (la)*** ~ 일반적인 경향에 역행하다. ***seguir la*** ~ =**irse con la corriente.**

corrientemente *adv.* ① 보통, 습관대로. ② 막힘없이, 유창하게. ③ 쉽게, 어려움 없이.

corrillo *m.* 쑥덕거리는 일.

corrimiento *m.* ① 흐르는 일, 유출. ② 창피, 무안. ③ [농업] 포도 꽃의 냉해[풍해]. ④ *Amér.* 류머티즘.

corro *m.* ① 인파, 군중. ② 원형(의 공간). ③ (거래소의) 둥그런 장소.

corroboración *f.* 확증(確證).

corroborar *tr.* (가설·의혹 등을) 확증하다, 입증하다.

corroborativo, va *adj.* 확증하는.
corroer (74) *tr.* (금속 등을) 부식시키다. ~**se** 부식하다.
corromper *tr.* ① 부패시키다, 손상시키다, 타락시키다, 해치다. ② 매수하다. —*intr.* 썩다, 부패되다, 냄새나다, 악취를 내다. ~**se** ① 부패하다, 썩다. ② 매수되다.
corrompible *adj.* =corruptible.
corrompidamente *adv.* 뇌물을 써서, 부정한 수단으로, 구제할 길 없이.
corroncho, cha *adj.* ① *Hond.* =**escamoso, áspero, duro.** ② *Ven.* =**lento, tardo, pausado.**
corronchoso, sa *adj. Hond., CRica, Col., Ven.* =**escamoso, áspero.**
corrongo, ga *adj. CRica.* 귀여운.
corrosión *f.* 부식(腐食).
corrosivo, va *adj.* ① 부식성의. ② 신랄한: ironía ~*va* 통렬한 야유.
corrugar *tr.* 파형(波形)으로 하다.
corrumpente *adj.* ① 부패하는, 손상시키는. ② =**fastidioso, molesto.**
corrupción *f.* 부패, 타락, 퇴폐; 매수, 오직(汚職).
corruptamente *adv.* =**corrompidamente.**
corruptela *f.* (법률의 위반에 의한) 부패, 타락.
corruptibilidad *f.* 부패성, 타락성.
corruptible *adj.* 부패[타락]하기 쉬운.
corruptivo, va *adj.* 썩히는, 썩는 성질이 있는.
corrupto, ta *adj.* 부패한, 타락한.
corruptor, ra *adj., m.f.* 타락한 (사람).
corrusco *m.* 빵 부스러기(mendrugo).
corsario, ria *adj., m.f.* 해적(의); 해적선의 선원: nave ~*ria* 해적선.
corsé *m.* [*pl.* ~s] ① [복식] 코르셋. ② 자유의 속박.
corselete *m.* 코르셋과 브래지어를 합친 여성용 속옷, 올인원.
corsetería *f.* 코르셋 가게[제조소].
corsetero, ra *m.f.* 코르셋 제조자[장수].
corso, sa *adj., m.f.* 코르시카(Córcega)의 (사람). —*m.* 해적 행위, 노략질.
corta *f.* (나무의) 벌채, 절단.
cortaalambres *m.sing.pl.* 철사 끊는 기구.
cortacallos *m.sing.pl.* 티눈 뽑는 칼.
cortacésped *m.sing.pl.* (정원의) 잔디 깎는 기계.
cortacigarros *m.sing.pl.* =**cortapuros.**
cortacircuitos *m.sing.pl.* [전기] (과부하나 위험할 때 자동으로 전류가 끊기는) 자동 차단기.
cortacorriente *m.* [전기] 차단기.
cortada *f.* ☞cortado.
cortadera *f.* ① (철물 절단용) 끌. ② (양봉가의 벌집 따는) 기구. ③ *Amér.* [식물] 부들, 물갈대.
cortadillo *m.* ① (포도주용의) 작은 잔. ② 각설탕.
cortado, da *adj.* ① 잘려진, 절단된, 베어진. ② 꼭 들어맞는, 꼭 조이는. ③ 자주 끊어진 (문체). ④ *Amér.* 돈 한 푼 없는. ⑤ 오한이 나는, 떨리는. —*m.* ① [무용] 도약, 뛰기. ② 우유 약간 친 커피 잔. —*f.* ① 절단, 베기, 벌채. ② =**rebanada.** ③ 두 산 사이의 트인 땅. ④ 베인 상처, 창상(創傷). ⑤ *Arg.* (자주 일방 통행을 하는 좁은 끊긴 거리. ⑥ *Arg., Bol., Ur.* 지름길.
cortador, ra *adj.* 자르는, 재단(裁斷)하는. —*m.* ① 푸주한. ② (왕실의) 음식물 처리 담당자. ③ 앞니. ④ (양복점·제화점·제봉 공장 등의) 재단사. —*f.* 재단기, 절단 기구.
cortadura *f.* ① 절단, 재단. ② 자른 금. ③ (산간의) 뚫린 길. ④ 베인 상처. ⑤ 오려내기. ⑥ [축성] 돌출부. ⑦ [지질] (산간의) 단층. ⑧ *pl.* 재단[절단] 부스러기.
cortafierro *m. Arg., Par., Ur.* =**cortafrío.**
cortafrío *m.* (금속을 쪼아 자르는) 정, 끌.
cortafuego *m.* ① (산림의) 방화선(防火線). ② (건물의) 방화벽(防火壁).
cortafuegos *m.sing.pl.* =**cortafuego.**
cortahumedades *m.sing.pl.* (벽의) 방습층(防濕層).
cortalápices *m.sing.pl.* 연필깎이.
cortamente *adv.* 짧게, 간략하게.
cortante *adj.* ① 자르는, 베는. ② 잘 드는, 예리한. ③ 날카로운, 단호한. —*m.* 푸주한(cortador, carnicero).
cortapapel *m. Amér.* =**cortapapeles.**
cortapapeles *m.sing.pl.* 종이 재단 칼.
cortapicos *m.sing.pl.* [곤충] 집게벌레.
cortapisa *f.* [주로 *pl.*] (사용·소유의) 제한, 조건.
cortaplumas *m.sing.pl.* 주머니칼.
cortapuros *m.sing.pl.* 여송연의 끝을 자르는 기구.
cortar *tr.* ① 자르다, 베다: ~ el pan 빵을 자르다. ~ un vestido 옷을 재단하다. ② 막다, 가로막다, 차단하다, 멈추다, 세우다. ③ 가로지르다, 횡단하다. ④ (추위가 피부를) 트게 하다. ⑤ (술을 물 등으로) 타다. ⑥ (문장·영화 등의 일부를) 삭제하다, 컷하다: ¡*Corten*! [영화] 컷! ⑦ (틀린 행동을 하고 있는 사람을) 말리다. ⑧ [운동] (공을) 차단하다, 컷하다. ⑨ [요리] (우유·소스 등을) 분리시키다. ⑩ 재정(裁定)을 내리다. ⑪ *Amér.* (과실을) 수확하다. ⑫ [트럼프] 카드를 컷하다. —*intr.* ① (칼이) 잘 들다, 잘 잘리다. ② (물·바람이) 차다. ③ 지름길로 가다. ④ [트럼프] 카드를 컷하다. ~**se** ① (자기의 몸의 일부를) 자르다: ~*se* el dedo 손가락을 자르다. ~*se* las uñas 손톱을 깎다. ② 절단되다, 끊기다. ③ (추위로) 살이 트다. ④ (선이) 교차하다. ⑤ (우유·소스 등이) 분리되다, 표면이 갈라지다. ⑥ 당황하다, 얼굴이 붉어지다.
cortaúñas *m.sing.pl.* 손톱깎이.
cortavidrios *m.sing.pl.* 유리 절단기.

cortaviento *m.* [자동차] 방풍 설비, 바람막이.
corte[1] *m.* ① 절단, 자르기. ② 벤 자리. ③ 단면(도). ④ 산발; 머리 모양[형]. ⑤ [복식] 재단, 컷팅. ⑥ 칼로 베인 상처. ⑦ (칼 등의) 날. ⑧ 조각, 천 조각, 헝겊. ⑨ (사람·물건의) 타입, 스타일, 경향. ⑩ 중단, 차단: ~ de agua 단수(斷水). ~ de luz, ~ de electricidad 단전(斷電), 정전(停電). ⑪ (책의) 횡단면, 자른 자리. ⑫ [운동] 예선. ⑬ 차단. ⑭ 부끄러움, 수치스러움. ⑮ *Amér.* [무용] 탱고의 스탭의 일종.
corte[2] *f.* ① 궁정(宮廷). ② [집합] 조정의 신하. ③ 왕도(王都). ④ 양우리. ⑤ *Amér.* 사법 재판소. ⑥ *pl.* 국회. ¶ ***Corte Penal Internacional*** 국제 형사 재판소.
cortedad *f.* ① 짧은 것. ② 부족, 결여. ③ 겁이 많음, 부끄러움, 수치스러움.
cortejar *tr.* ① (여성에게) 사랑을 구하다. ② (누구에게) 알랑거리다, 비위를 맞추다. —*intr.* 애인이 있다, 데이트를 하다.
cortejo *m.* ① 설득함, 구애. ② [집합] 행렬, 수행원 일행. ③ 부수물.
cortés, sa *adj.* 예의바른, 정중한.
cortesano, na *adj.* ① 궁정(宮廷)[궁중]의. ② 정중한, 친절한. —*mf.* 궁중인, 수행원 일행. —*f.* [고어] 고급 매춘부.
cortésmente *adv.* 예의바르게, 정중히.
cortesía *f.* ① 예의, 예절: con ~ 예의바르게. visa de ~ 예의[우대] 비자, VIP 비자. visita de ~ 예방. ② 선물. ③ [상업] 지불 유예 기간; (일반적으로) 유예, 연기. ¶***página de*** ~ (단원·장의 끝에) 공백 페이지.
cortex *m.* ① [해부] 피질(皮質). ② [식물] 피층(皮層).
corteza[1] *f.* ① 나무 껍질, 수피(樹皮). ② [식물] 피층(皮層). ③ 겉껍질, 외피(外皮). ④ 겉, 표면, 외관, 겉보기. ⑤ [해부] 피질(皮質).
corteza[2] *f.* [조류] 들꿩(ortega).
cortical *adj.* ① [해부] 피질의, 피질성의. ② [식물] 피층의, 나무 껍질의.
corticoide *m.* [생화학] 코르티코스테로이드.
corticosteroide *m.* =corticoide.
cortijero, ra *mf.* cortijo의 감독.
cortijo *m.* (아르헨띠나의) 농장.
cortina *f.* ① 커튼, 휘장, 막(幕). ② 안벽(岸壁), 호안 공사. ③ [축성] 막벽(幕壁). ¶ ~ ***de agua*** 억수같이 내리는 비. ~ ***de hierro*** 철의 장막.
cortinado, da *adj.* ① [고어] 커튼이 있는. ② *Arg., Ur.* =**cortinaje.**
cortinaje *m.* [집합] 커튼 장비 일체.
cortinilla *f.* (열차 등의 창의) 커튼.
cortisona *f.* [생리·약학·생화학] 코티존 ((부신 피질 호르몬의 일종; 관절염 등의 치료제)).
corto[1], **ta** *adj.* ① (시간적·공간적으로) 짧은: ~ viaje 짧은 여행, 단기간의 여행. discurso ~ 짧은 연설. falda ~*ta* 짧은 스커트. novela ~*ta* 단편소설. película ~*ta* 단편 영화. a ~*ta* distancia 가까운 거리에[의]. ② 많지 않는, 모자라는, 불비한 점이 많은. ③ (같은 종류의 다른 것과 비교해) 작은. ④ (목적지의 점에) 도달하지 않은, 닿지 않은, 들어가지 않은. ⑤ 재주가 없는, 재능이 부족한, 훈련이 적은. ⑥ 소심한, 우유부단한. ¶ ~ ***de vista*** 근시의. ***a la ~ta o a la larga*** ㉮ 늦건 이르건. ㉯ 아무튼, 결국. ***ni corto ni perezoso*** 결심하여, 겁없이, 우유부단하지 않고.
corto[2] *m.* 단편 영화(cortometraje).
cortocircuitador *m.* (누전) 차단기.
cortocircuito *m.* [전기] 단락, 누전.
cortocircuitador *m.* (누전) 차단기.
cortometraje *m.* 단편 영화.
cortón *m.* ① [곤충] 땅강아지. ② *Méj.* =**separación.** ③ *Méj.* (조용하게 하기 위한) 끊는 말(frase cortante).
corucha *f.* *Sal.* =**cogujada.**
coruja *f.* [새] =**lechuza.**
corundo *m.* =**corindón.**
coruña *f.* (갈리시아 지방의 라 꼬루냐 산의) 올리 굵은 삼베.
coruñés, sa *adj., mf.* 라 꼬루냐(La Coruña, 갈리시아 지방의 주·주도)의 (사람).
coruscar (7) *intr.* [시어] =**brillar.**
corusco, ca *adj.* [시어] 빛나는.
corva *f.* ☞**corvo.**
corvadura *f.* 꺾여진 곳, 휜 곳, 구부러진 곳, 만곡부(彎曲部).
corvato *m.* 까마귀 새끼.
corvejón[1] *m.* (말의 뒷다리의) 관절.
corvejón[2] *m.* [새] 가마우지.
corvejos *m.pl.* =**corvejón**[1].
corveta *f.* 말이 뒷발로 서는 자세.
córvido, da *adj.* 까마귀과의. —*m.pl.* [조류] 까마귀과(科).
corvina *f.* ☞**corvino.**
corvinera *f.* corvina 잡는 그물.
corvino, na *adj.* 까마귀의, 까마귀 비슷한. —*f.* [어류] 꼬르비나 ((동갈민어과의 물고기))
corvo[1], **va** *adj.* 구부러진, 휜. —*m.* ① =**garfio.** ② (농사 지을 때 사용하는) 구부러진 큰 낫. —*f.* ① [해부] 오금. ② 깃. ③ (말의 뒷다리 관절의 윗부분에 생기는) 종기(tumor).
corvo[2] *m.* [어류] =**corvina.**
corza *f.* [동물] 암노루.
corzo *m.* [동물] 노루.
corzuelo *m.* 탈곡하고 남은 밀알.
cosa *f.* ① 것, 물건, 물체. ② 일, 것, 사정: ~ pública 국사(國事). ③ *pl.* 사태. ④ (기행(奇行)·결점 등 특유한) 언동. ⑤ 매사(每事): Todas las ~*s* tienen su fin 매사는 끝이 있는 법이다. ⑥ =**nada:** No vale ~ 아무런 가치도 없다. ⑦ 물건, 음경, 자지(pene). ¶***no ser la ~ para menos*** 정당한 행동이다, 무리도 아니다. ***¿Qué ~?*** 뭐라고요? (¿Qué dice?), 무슨 일입니

까? (¿Qué hay?). *Cosa mala nunca muere* (속담) 악한 일은 결코 없어지지 않는다.
cosaco, ca *adj.* 코삭[카자흐](러시아 남부 여러 지방)의. —*mf.* 코삭[카자흐] 사람. —*m.* ① 코삭 기병. ② 힘센 사람. ¶***beber como un*** ~ 붕어처럼 마시다, 말술을 마시다, 엄청나게 마시다, 술이 고래다.
coscoja *f.* [식물] 연지떡갈나무.
coscojal *m.* 연지떡갈나무 숲.
coscojar *m.* =**coscojal.**
coscojo *m.* 연지떡갈나무의 벌레혹.
coscorrón *m.* ① (피가 나지 않고 고통이 없는) 머리에 부딪침[구타]. ② (쥔 손의 손가락마디로 주는) 알밤. ③ *Chile.* 여러 가지의 강낭콩.
coscorronera *f.* =**chichonera.**
coscurro *m.* =**mendrugo.**
cosecante *m.* [수학] 코시컨트, 여할.
cosecha *f.* ① 수확, 가을, 거둠: hacer la ~ 수확하다, 가을하다, 거두다. ② 수확기. ③ 수확물, 작황. ④ (포도의) 수확(하는) 해. ⑤ 땅에서 열매를 거두는 직업. ¶***de la última*** ~ 최신의, 최근의.
cosechador, ra *adj.* 수확하는. —*mf.* 수확하는 사람. —*f.* [농업] 콤바인, 수확기.
cosechar *tr.* ① 수확하다, 가을하다, 거두다. ② (미움·동정 등을) 받다; (패배·성공 등을) 얻다, 거두다. —*intr.* 수확을 하다, 가을을 하다.
cosechero, ra *adj.* 수확의. —*mf.* 수확하는 사람.
coselete *m.* (가죽 제품의) 가슴받이.
coseno *m.* [수학] 코사인.
cosepapeles *m.sing.pl.* 호치키스.
cosedor, ra *mf.* 바느질하는 사람. —*f.* [인쇄] 철하는 기계.
coser *tr.* 바느질하다, 꿰매다. —*intr.* 바느질을 하다. ¶ ~ ***y cantar*** 누워 떡 먹기다, 식은 죽 먹기다.
cosiaca *f. Chile, Col.* 하찮은 일.
cosible *adj.* 꿰맬 수 있는.
cosido *m.* ① 재봉 일, 바느질하기. ② 바느질 솜씨.
cosificar (7) *tr.* 물건으로 바꾸다.
cosignatario, ria *mf.* 연서인(連署人).
cosmético, ca *adj.* 화장용의, 이발용의. —*m.* 화장품. —*f.* 미용술.
cósmico, ca *adj.* 우주의.
cosmo- *pref.* 「우주」의 뜻: *cosmo*nauta 우주 비행사.
cosmobiología *f.* 우주 생물학.
cosmofísica *f.* 우주 물리학.
cosmodromo *m.* 우주 비행 기지, 우주선 발사장.
cosmogonía *f.* 우주 발생론[진화론].
cosmogónico, ca *adj.* 우주 발생론의, 우주 진화론의.
cosmografía *f.* 우주 형상지학.
cosmográfico, ca *adj.* 우주 형상지학의[에 관한].
cosmología *f.* 우주론.
cosmológico, ca *adj.* 우주론의.
cosmonauta *mf.* 우주 비행사.
cosmonáutica *f.* 우주 비행.
cosmonáutico, ca *adj.* 우주 비행의.
cosmonave *f.* 우주선(astronave).
cosmopolita *adj.* 세계적인, 국제색이 짙은, 세계주의의. —*mf.* 세계적 시야를 가진 사람, 국제인.
cosmos *m.sing.pl.* 우주.
cosmovisión *f.* 세계관.
cosque *m.* =**coscorrón.**
cosqui *m.* =**coscorrón.**
cosquillas *f.pl.* 간지럼, 간지럽힘: tener ~ 간지럽다.
cosquillear *tr.* 간지럽히다.
cosquilleo *m.* 간지럼.
cosquilloso, sa *adj.* ① 간지러운. ② 성미가 까다로운, 화를 잘 내는.
costa *f.* ① 해안, 연안. ② [주로 pl.] 비용 ((경제 용어로는 coste, costo)). ③ [법률] 소송 비용. ¶***a*** ~ ***de*** …을 희생하여; …의 비용으로. ***a toda*** ~ 어떤 희생을 치르고라도, 어떤 일이 있어도, 무슨 수를 써서라도.
costado *m.* ① 옆구리. ② 측면, 옆. ③ (군의) 우측, 좌측. ¶***de*** ~ 옆쪽으로, 옆으로 향하여. ***por los cuatro*** ~***s*** 완전히; (혈통이) 조부모와 외조부모가 모두. ***por un*** ~ (문제의) 일면으로는.
costal *adj.* [해부] 갈비뼈의, 늑골의. —*m.* ① (올이 설피고 거친 천으로 만든) 큰 자루. ② (땅을 다지는) 달구.
costalero, ra *mf.* (성주간 등의 행렬에서) 예수 그리스도 상을 매는 사람.
costanero, ra *adj.* ① 경사진. ② 연안의. —*f.* 바다를 따라서 있는 산책로.
costanilla *f.* 짧고 비탈진 언덕길.
costar (24) *intr.* ① 비용이 들다, 값[비용]이 …이다, …의 돈이 들다: ¿Cuánto *cuesta* este ordenador? 이 컴퓨터는 얼마입니까? ② (노력·희생 등을) 요하다, 힘이 들다. ③ 시간이 걸리다. ¶ ***cueste lo que cueste*** 어떤 희생을 치르고라도, 무슨 일이 있어도, 꼭.
Costa Rica [국명] 코스타리카 ((중앙아메리카의 공화국; 수도 San José)).
costarricense *adj.* ① 코스타리카 태생의. ② 코스타리카의[에 관한]. —*mf.* 코스타리카 사람.
costarriqueñismo *m.* 코스타리코 말씨[방언].
costarriqueño, ña *adj., mf.* =**costarricense.**
coste *m.* 비용: ~ de (la) vida 생활비, 생계비. a precio de ~ 원가로.
costear *tr.* ① …의 비용을 부담하다. ② 해안을 따라 항행하다.
costeño, ña *adj., mf.* 연안의 (주민).
costero, ra *adj.* 연안의, 해안의. —*f.* 어업.
costilla *f.* ① [해부] 갈비뼈, 늑골. ② [요리] 갈비구이. ③ 자신의 아내. ④ [선박] 늑재(肋材). ⑤ *pl.* 등(espalda).
costillaje *m.* [집합] (배의) 골조(骨組).
costillar *m.* ① [집합] 갈비뼈, 늑골. ②

갈비뼈에 붙은 살 부분.
costo[1] *m.* 비용; 경비: ~, seguro y flete 운임 보험료 포함 가격, CIF. ~ y flete 운임 포함 가격, C&F.
costo[2] *m.* ① 대마. ② 대마의 뿌리.
costoso, sa *adj.* ① 비싼, 비용이 드는. ② 희생[노력]을 필요로 하는.
costumbre *f.* ① 습관, 벽, 버릇, 습성. ② (여자의) 월경. ③ *pl.* 관습, 습성, 풍습. ¶*de* ~ 항상, 언제나, 늘, 여느 때. *por* ~ 평소에는, 평상시에는. *según* ~ 습관에 따라. *tener buenas* [*malas*] *~s* 품행이 좋다[나쁘다].
costumbrismo *m.* 풍속 묘사[문학].
costumbrista *adj.* 풍속 묘사의. —*mf.* 풍속 묘사 작가[화가].
costura *f.* ① 바느질, 재봉; (특히 부인·어린이 옷의) 바늘질, 재봉. ② 솔기, 땀, 바느질 자리. ③ 바느질 일, 바느질감.
costurera *f.* (부인복 가게의) 침모.
costurero *m.* ① 바느질[재봉] 상자. ② 재봉실.
costurón *m.* ① 서툰 꿰맨 방법. ② (상처의) 꿰맨 흔적.
cota *f.* ① (지도상의) 표고, 해발; 등위선. ② 중요성, 중요도.
cotangente *f.* [수학] 코탄젠트.
cotejable *adj.* 대조할 수 있는.
cotejar *tr.* 대조하다, 대조하여 확인하다: ~ un texto con el original 텍스트를 원문과 대조하다.
cotejo *m.* 대조, 대조(하여) 확인(함).
cotidiano, na *adj.* 날마다의, 매일의, 일상의: vida *~na* 일상 생활.
cotiledón *m.* [식물] 떡잎.
cotiledóneo, a *adj.* 떡잎의. —*f.* 떡잎 식물.
cotizable *adj.* 시세를 정할 수 있는.
cotización *f.* 시세; 매매 기준 가격; 견적; 회비: ~ de cambios 환시세(표).
cotizar (9) *tr.* ① …의 회비[분담금]를 내다. ② [+a] (…의) 값[시세]을 …로 매기다. —*intr.* 회비[분담금]를 내다; (연금·퇴직금 등의) 분담금을 내다. **~se** 정가로 지불하다; …에 값을 매기다; 평가되다.
coto *m.* ① 사유지; 보호 지역, 사냥 금지 구역: ~ de caza 사냥 금지 구역. ~ de pesca 어로[낚시질] 금지 구역. ② 제한, 종료. ③ 갑상선종.
cotón *m.* (여러 가지 색깔로 인쇄된) 면제품 천(tela de algodón).
cotona *f.* ① *Amér.* 강한 면제품 천. ② *Méj.* 영양 가죽 제품 속셔츠.
cotorra *f.* ① [조류] 작은 앵무새. ② [조류] 까치. ③ 수다쟁이.
COU *m.* Curso de Orientación Universitaria 대학 표준 과정.
coulomb *m.* [물리] =culombio.
coxal *adj.* [해부] 허리의, 늑관절의.
coxis *m.sing.pl.* [해부] 미골(尾骨).
coyote *m.* ① [동물] 코요테. ② (멕시코에서 미국으로) 밀입국 주선 업자.
coyunda *f.* ① 고삐. ② 가죽 샌들 묶는 끈. ③ 결혼. ④ 속박, 복종.
coyuntura *f.* ① 관절. ② 좋은 기회, 호기. ③ 정세, 국면; (특히) 경제 정세, 경기.
coyuntural *adj.* 현재의; 일시적인; 경제 정세의, 경기의: medida ~ 경기 대책.
coz *f.* [*pl.* coces] ① (동물이) 뒷발로 차는 일. ② (총포의) 반동(反動). ③ 거친 말; 모욕적인 말[행동].
cp. copia 복사, 카피.
C.P. código postal 우편 번호; Contador Público 공인 회계사.
crac[1] 우지끈, 우지지직, 와르르; 찰칵, 찰싹 ((물건이 깨지거나 부러지거나 무너지는 소리의 소리흉내말)).
crac[2] *m.* (시세의) 폭락; 대형 도산; 몰락, 실추(quiebra).
crack *m.* (*ing.*) [*pl.* ~s] ① 코카인을 정제한 마약. ② (축구 등의) 명선수.
crampón *m.* ① [등산] 대형 피통[하케인]. ② *pl.* [등산] 아이젠.
craneal *adj.* 두개(골)의.
craneano, na *adj.* =craneal.
cráneo *m.* [해부] 두개(골).
craneología *f.* 두개학(頭蓋學).
crápula *f.* 방탕. —*mf.* 방탕자.
craqueo *m.* [화학] 열분해.
crasiento, ta *adj.* =grasiento.
crasitud *f.* =gordura, tejido adiposo.
craso, sa *adj.* ① 피할 수 없는. ② 뚱뚱한, 비만한. —*m.* =crasitud.
cráter *m.* 분화구.
crátera *f.* (고대 희랍·로마에서, 마시기 전에 포도주를 물에 섞는) 크고 넓적한 그릇.
creación *f.* ① (하나님에 의한) 천지 창조; 창조물, 세계: toda la ~ 삼라만상. desde la ~ del mundo 천지 창조이래, 아주 오랜 옛날부터, 태고적부터. ② 창작; 창설, 설치. ③ (특히 유행의) 신제품, 신작(新作).
creacionismo *m.* [종교] 영혼 창조설, 특수 창조설.
creacionista *mf.* 영혼 창조설론자, 특수 창조설론자.
creador, ra *adj.* 창조하는: talento ~ 창조력. —*mf.* ① 창설자, 창시자. ② [복식] 전문 창안자.
Creador *m.* 하나님, 창조주, 조물주, 신.
crear *tr.* ① 창조하다. ② 창작하다. ③ [연극] 배우가 그 배역에 알맞는 연기[분장]를 연구하다. ④ 창설하다, 설립하다, 창출하다. ⑤ 낳다, 일으키다, 야기하다. ⑥ (사람을) 고위직에 선임하다. **~se** ① 생기다. ② (자신을 위해) …을 만들다.
creativamente *adv.* 창조적으로.
creatividad *f.* 창조성, 창조력.
creativo, va *adj.* 창조적인. —*mf.* [복식·광고] 전문 창안자.
crecedero, ra *adj.* ① 성장할 수 있는. ② [복식] (어린이 옷의) 크기를 조절할 수 있는.
crecepelo *m.* 양모제(養毛劑).
crecer (31) *intr.* ① 성장하다, 발육하

다, 자라다, 크다. ② (식물이) 나다, 자라다. ③ 불어나다, 증대하다, 증가하다. ④ (화폐·소유물의 가치가) 오르다, 상승하다. ⑤ (조수·달이) 차다. —*tr.* (편물의 눈을) 늘리다. ~**se** ① 힘이 붙다, 힘이 솟다. ② 건방지다, 콧대가 높아지다. ③ (중요도 등이) 늘다, 불어나다.

creces *f.pl.* 성장(기): chico de ~ 성장기의 아이. ¶*con* ~ 듬뿍, 푹, 많이; 여분으로, 여유를 가지고.

crecido, da *adj.* ① 성장한. ② 증대한. —*f.* ① (냇물 등의) 증수(增水), 물이 불어남. ② (사춘기 등의 빠른) 성장.

creciente *adj.* 증대하는. ¶ *luna con cuarto ~, ~ de la luna* 초승달, 상현달. *~ del mar, aguas de ~* 밀물.

crecimiento *m.* ① 성장. ② 증대.

Cred. crédito 크레디트, 신용장.

credencial *f.* ① 소개장. ② 신용 보증서. ③ *pl.* [외교] 신임장(cartas ~*es*).

credibilidad *f.* 신뢰성, 신빙성.

crediticio, cia *adj.* 신용의.

crédito *m.* ① [상업] (지불 능력의) 신용. ② [상업] 신용 대출; 외상 판매. ③ [상업] 신용장(carta de ~). ④ 금융 (기관). ⑤ [부기] 대변(貸邊). ⑥ (일반적으로) 신용; 신망, 인망. ⑦ (수업의) 단위, 학점. ⑧ [영화] 크레디트 타이틀 ((영화·텔레비전의 제작자·감독·출연자 및 기타 관계자의 자막)). ¶*a ~* 외상으로, 신용으로: comprar *a ~* 외상[신용]으로 사다. dar *a ~* 신용 대부하다, 무담보로 대부하다. *dar ~ a algo* …를 믿다, …를 신용하다(creer): No *doy ~ a* los rumores 나는 소문을 믿지 않는다. Yo no podía *dar ~ a* mis oídos 나는 내 귀를 믿을 수 없었다.

credo *m.* ① [기독교] 사도 신경. ② [집합] 신조(信條): ~ político 정치 신조. ¶*ser la última palabra del ~* 거의 중요성이 없다.

credulidad *f.* 경신(輕信).

crédulo, la *adj.* (남이 말하는 것을) 바로 믿어 버리는, 믿기 쉬운, 경신(輕信)하는, 맹신하는.

creedras *f.pl.* 바로 믿는 일, 속기 쉬움.

creencia *f.* ① 확신. ② [주로 *pl.*] 신념, 신조; 신앙.

creer (78) *tr.* ① 믿다; 생각하다. ② …를 신용하다, 믿다: *Creo en* ti 나는 너를 믿는다. —*intr.* ① [+en] (…의 존재·가치를) 믿다. ② 신앙을 가지다. ~**se** ① 자신을 …라고 생각하다. ② …를 믿어 버리다.

creíble *adj.* 믿을 수 있는.

creíblemente *adv.* 아마(도), 굳이 의심하지 않는다면, 십중 팔구는.

creído, da *adj.* 믿어 버리는, 경신하는.

crema *f.* ① [요리] ㉮ 크림, 유지(乳脂). ㉯ 크림 수프, 포타지, 진한 수프. ㉰ 크림 모양의 치즈. ② (화장용 등의) 크림: ~ de afeitar 면도용 크림. ~ dental 튜브 치약. ~ de calzado [para zapatos] 구두약. ③ 크림색, 담황색. ④ 정화(精華), 정수, 엘리트. ⑤ [문법] =**diéresis.** —*adj.* 크림색의, 담황색의.

cremación *f.* 화장(火葬).

cremallera *f.* ① [복식] 지퍼. ② [기계] 평판 톱니바퀴; (톱니바퀴의) 래커.

crematístico, ca *adj.* 이재(理財)의, 이식(利殖)의. —*f.* 경제학; 이식(利殖).

cremar *tr. Méj.* =**incinerar.**

crematorio, ria *adj.* 화장의: horno ~ 화장로(火葬爐). —*m.* 화장터, 화장장; 쓰레기 소각장.

crémor *m.* 주석영(酒石英)(~ tártaro).

cremoso, sa *adj.* 크림 (모양)의.

crencha *f.* ① (머리의) 가르마. ② 양쪽으로 가르마 탄 머리의 한 쪽.

crenchar *tr.* 가르마를 타다.

creosota *f.* [화학] 크레오소트.

crep *m.* ① =**crepé.** ② 튀김 과자의 일종.

crepé *m. fr.* 크레이프 ((비단이나 가는 모직의 주름진 천)).

crepitante *adj.* 탁탁 튀기는.

crepitar *intr.* 탁탁 튀기다.

crepuscular *adj.* ① 황혼의, 해질녘의, 해거름의, 해질 무렵에 나오는. ② 희미한, 이른 새벽의.

crepúsculo *m.* ① 황혼, 여명; (주로 황혼에) 희미하게 밝음. ② 쇠퇴기.

crescendo *adv.* [음악] 점점 세게[강하게]. —*m.* [음악] 크레센도, 점강음(漸强音), 점강 음절.

crespo, pa *adj.* ① (머리카락이) 곱슬곱슬해진, 똘똘 말은. ② (식물의 잎이) 오므라든. ③ 읽기 힘든. ④ 화난, 성난. —*m.* 말은 머리(rizo).

crespón *m.* ① 축면사(縮綿絲), 크레이프. ② 상장(喪章).

cresta *f.* ① (새의) 볏. ② 관모(冠毛), 도가머리. ③ 봉우리, 산등성이, 능선. ④ 물거품이 이는 파도 끝, 물마루.

creta *f.* ① [광물] 백악(白堊); 석회질 암석. ② [미술] 색분필.

cretáceo, a *adj., m.* [지질] 백악기(의).

cretático, ca *adj., m.* =**cretáceo.**

crey- ☞**creer (78)**

creyente *adj.* 신앙심이 있는. —*mf.* 신자(信者), 신도: no ~ 불신자(不信者).

cría *f.* ① 사육(飼育): ~ del cerdo 양돈. ② (젖을 떼지 않은) 동물의 새끼; 치어(稚魚). ③ [집합] 한 배 새끼.

criadero *m.* ① 사육장, 양어장. ② 묘상(苗床), 묘목밭. ③ 광상, 광맥(鑛脈).

criadilla *f.* (양 등의 식용의) 불알.

criado, da *adj.* 성장한, 길러진: bien [mal] ~ 가정 교육이 잘된[잘 안된]. —*mf.* 머슴, 하인, 하녀.

criador, ra *adj.* 양육[사육]하는. —*mf.* ① 사육가. ② 포도주 양조가. —*m.* el *Criador* 창조주, 하느님, 신(Creador).

criandera *f. Amér.* =**nodriza.**

crianza *f.* ① (주로 유아의) 육아, 양육; 사육; 재배. ② 수유기, 유아기(乳兒期).

criar (12) *tr.* ① 기르다, 키우다, 양육하다; 사육하다; 재배하다. ② 교육하

다, 가르치다. ③ (포도주를) 숙성시키다. —*intr.* (동물이 새끼를) 낳다. ~**se** 자라다

criatura *f.* ① (주로 한 살 미만의) 유아, 갓난아기; 태아. ② (하나님에 의한) 피조물; (특히) 인간. ③ (상상력 등의) 산물, 소산.

criba *f.* 키, 체, 선별기.

cribar *tr.* 키[체]로 치다, 선별하다.

cric *m. fr.* [*pl.* ~s] (무거운 것을 드는) 잭, 작은 기중기, 윈치(gato).

cricket *m. ing.* [운동] 크리켓.

crimen *m.* ① 범죄, 죄; 중죄; 범행. ② 악행, 못된 짓.

criminal *adj.* ① 범죄의, 죄가 되는. ② [법률] 형사(刑事)의, 형법상의: caso ~ 형사 사건. derecho ~ 형법. ③ 죄를 범한: hombre ~ 범죄자. ④ 지독한. —*mf.* 범인, 범죄자.

criminalidad *f.* ① (행위의) 범죄성. ② 범죄 행위: índice de ~ 범죄 발생률.

criminalista *mf.* ① 범죄학자, 형법 학자. ② 형사 변호사(abogado ~).

criminología *f.* 범죄학.

criminólogo, ga *mf.* 범죄 학자.

criminoso, sa *adj.* =criminal.

crin *m.* ① (말 등의) 갈기. ② (쿠션 등에 넣는) 식물 섬유(~ vegetal).

crinogénico, ca *adj.* 극저온(極低溫)의.

crinolina *f.* ① [섬유] 크리놀린. ② 크리놀린 스커트.

crío, a *mf.* 갓난아이, 신생아.

crio- *pref.* 「한랭(寒冷)·찬(frío)」의 뜻: *crio*cirugía 한랭 수술. *crio*biología 한랭 생물학.

criobiología *f.* 한랭 생물학.

criocirugía *f.* 한랭 수술.

criollo, lla *adj., mf.* ① 유럽[스페인]계 중남미인(의). ② 중남미 태생 흑인(의). ③ *Amér.* (외국에 없는) 중남미 특유의. ④ *Amér.* 크레올 풍의. ⑤ *Perú.* 자국인(의).

crioterapia *f.* 한랭[냉동] 요법.

cripta *f.* (교회의) 지하 예배당[납골당].

criptomenorrea *f.* 잠복 월경.

criptón *m.* 크립톤.

criptorquidectomía *f.* 잠복 고환 절제.

criptorquidopexia *f.* 잠복 고환 고정술.

crisantemo *m.* ① [식물] 국화(나무). ② 국화꽃.

crisis *f.* ① 위기, 난국: ~ de divisas extranjeras 외환 위기. ~ económica 경제 위기. ~ energética [de energía] 에너지 위기. ② 공황. ③ 부족. ④ (병세의) 급변, 절정기, 고비. ⑤ [의학] 발작.

crisma *m.(f.)* [천주교] 성유. —*f.* 머리.

crismazo *m.* 머리에 심한 타격.

crismera *f.* 성유 그릇.

crisol *m.* [화학] 도가니.

crisólito *m.* [광물] 감람석(橄欖石).

crispación *f.* 경기, 경련.

crispadura *f.* =crispación.

crispamiento *m.* =crispación.

crispante *adj.* 화나게 하는(que irrita).

crispar *tr.* ① (근육을) 경련을 일으키게 하다. ② (손을) 꽉 쥐다. ③ 화나게 하다. ~**se** ① 경련을 일으키다. ② 화나다; 초조하다, 애가 타다.

crispatura *f.* =crispación.

cristal *m.* ① 유리(vidrio). ② 창유리. ③ [화학·광물] 결정(체); 수정(水晶). ④ 안경 렌즈. ⑤ [시어] (맑은) 물.

cristalazo *m. Méj.* 자동차나 가게의 (유리를 깨뜨려 저지르는) 도둑질.

cristalera *f.* ☞cristalero.

cristalería *f.* ① 유리 제조소[판매점]. ② [집합] 유리 제품. ③ (유리 잔·그릇을 이루고 있는) 유리의 부분.

cristalero, ra *mf.* =vidriero. —*f.* ① (큰) 유리창. ② 유리문. ③ 유리 뚜껑[덮개]. ④ 유리 찬장. ⑤ 유리 진열장.

cristalino, na *adj.* ① 결정(結晶)의. ② (수정처럼) 투명한, 맑은: agua ~*na* 맑은 물. —*m.* [해부] (안구의) 수정체.

cristalizable *adj.* 결정할 수 있는.

cristalización *f.* ① 결정화, 결정 작용. ② 구체화.

cristalizado, da *adj.* ① 수정 형태의. ② 수정 같은. ③ =quieto, estático, inmóvil.

cristalizar *tr.* (9) 결정시키다. —*intr.* ① 결정되다. ② 형을 만들다; 구체화하다. ~**se** 결정하다.

cristalografía *f.* 결정학(結晶學).

cristalográfico, ca *adj.* 결정학의.

cristaloide *m.* [화학] 정질(晶質).

cristianar *tr.* …에게 세례를 주다.

cristiandad *f.* [집합] 기독교도, 기독교 교회, 기독교국, 기독교 세계.

cristianismo *m.* ① 기독교: defensor del ~ 기독교 옹호자. ② =cristiandad.

cristianizar (9) *tr.* 기독교로 개종시키다, 기독교화하다.

cristiano, na *adj.* ① 기독교(도)의: civilización ~*na* 기독교 문명. mundo ~ 기독교 세계. ② 기독교도의. ③ 물 탄: vino ~ 물 탄 포도주. —*mf.* 기독교도. —*m.* ① =hermano, prójimo. ② 사람.

cristianodemócrata *adj., mf.* =democristiano.

cristo *m.* 십자가(상의 예수 수난)상.

Cristo *m.* 구세주, 예수 그리스도, 하나님의 아들: antes de ~ (서력) 기원전. después de ~ (서력) 기원후. ¶***donde ~ dio las tres voces*** 아주 먼 곳에(서), 길을 잃은 곳에서.

criterio *m.* ① (판단·결정의) 기준, 척도. ② 판단력, 견식. ③ 의견, 판단.

criterium *m.* ① [운동] 비공식 경기(대회). ② [경마] 같은 나이의 말 끼리 하는 경주.

crítica *f.* ☞crítico.

criticable *adj.* 비판의 여지가 있는, 비난할 만한.

criticar (7) *tr.* ① 비평하다. ② 비난하다, 비판하다.

criticismo *m.* 비판 철학.

crítico, ca *adj.* ① 비평의; 비판적인. ② 위기의; 결정적인, 중대한. ③ [물리] 임계(臨界)의. —*mf.* 비평가, 평론가. —*f.* ① 비평; 평론; 비판, 비난. ② [집합] 비평가들.
criticón, cona *adj.* 비난[비판·비평]만 하는. —*mf.* 혹평가, 독설가, 험담가.
croar *intr.* (개구리가) 울다(cantar).
croata *adj., mf.* 크로아티아(Croacia)의 (사람). —*m.* 크로아티아 말.
crocodilo *m.* =**cocodrilo.**
crol *m. ing.* [수영] 크롤, 자유형: estilo ~ 크롤형.
crolista *mf.* 크롤형 수영 선수.
cromado *m.* 크롬 도금.
cormar *tr.* 크롬 도금하다.
cromático, ca *adj.* ① 색의, 색채의. ② [음악] 반음계의.
cromatismo *m.* ① 반음계주의. ② [광학] 색수차(色收差).
cromatografía *f.* [화학] 색층 분석.
crómico, ca *adj.* 크롬의.
crómlech *m.* [고고학] 환상 열석.
cromo[1] *m.* [화학] 크롬.
cromo[2] *m* ① =**cromolitografía.** ② (종이에 인쇄된) 그림, 카드 그림.
cromolitografía *f.* 다색 석판화[술].
cromosfera *f.* [천문] 채층(彩層).
cromosoma *m.* [생물] 염색체.
cromosómico, ca *adj.* 염색체의.
cromotipografía *f.* 다색체.
crónica *f.* ① (신문의) 시평란; (라디오·텔레비전의) 보도 프로그램, 뉴스. ② 연대기(年代記), 편년사(編年史).
crónico, ca *adj.* 만성적인.
cronicón *m.* 짧은 연대기.
cronista *mf.* ① 연대기 작가. ② 연대기 작가의 직. ③ 보도[해설] 기자.
cronístico, ca *adj.* 연대기의, 연대기 작가의.
crónlech *m.* =**crómlech.**
crono *m.* (속도 경기에서) cronómetro로 잰 시간.
cronoescalada *f.* (자전거 경기에서) 오르막에서의 타임 트라이얼.
cronografía *f.* =**cronología.**
cronógrafo, fa *mf.* 연대학 학자. —*m.* 타임워치.
cronograma *m. Cuba, Ecuad., Salv.* 일 달력, 노동력(勞動曆).
cronología *f.* 연대학; 연표, 연보; 연대순(年代順).
cronológicamente *adv.* 연대순으로.
cronológico, ca *adj.* 연대학의, 연대순의, 편년체의.
cronologista *mf.* =**cronólogo.**
cronólogo, ga *mf.* 연대학 학자.
cronometrador, ra *mf.* (경기 등에서) 시간 기록원.
cronometraje *m.* cronómetro로 시간 측정(하기).
cronometrar *tr.* cronómetro로 시간을 재다.
cronometría *f.* 시간 측정(법), 정확한 시간 재기.
cronométrico, ca *adj.* ① 정확한 시간을 재는. ② cronómetro의.
cronómetro *m.* 크로노미터.
croqueta *f. fr.* 크로켓 ((튀김)).
croquis *m.sing.pl. fr.* ① [미술] 크로키. ② 약도, 견양도, 손으로 그린 도면.
cross *m.sing.pl.* (*ing.*) [운동] 크로스컨트리 (경기).
crotorar *intr.* (황새·학 등이) 울다.
crrte corriente 당좌(當座)의, 금월의.
cruasán *m. fr.* [요리] 크와상 ((반달 모양의 살짝 구운 케이크[비스킷].
cruce *m.* ① 횡단, 교차, 엇갈림. ② 교차점, 네거리, 사거리, 십자로; 횡단 보도. ③ [전화] 혼선. ④ [생물] 교배(交配). ⑤ 교배종(交配種), 잡종. ⑥ [언어] 어원이 다른 두 단어의 혼합.
cruceiro *m.* 크루제이루 ((브라질의 전 화폐 단위)).
crucero *m.* ① 순항(巡航). ② [선박] 크루저; 순양함. ③ [건축] 사원의 기둥 사이의 홀이 교차하는 통로. ④ (행렬에서) 십자가를 지고 가는 사람. ⑤ (교차점이나 교회의 큰 방에 놓인) 돌 십자가.
cruceta *f.* ① (편물 등의) 십자코. ② [선박] (장두의) 가로 돛대. ③ [기계] (기둥 따위에 옆으로 댄) 가로대.
crucial *adj.* 결정적인, 중대한.
crucificado, da *adj.* 십자가에 못박힌 (예수 그리스도).
crucificar (7) *tr.* ① 십자가에 못박다. ② 박해하다, 몹시 괴롭히다.
crucifijo *m.* (그리스도상이 있는) 십자가.
crucifixión *f.* 십자가에 못박는 형벌; 십자가에 못박힌 예수.
cruciforme *adj.* 십자형의.
crucigrama *m.* 크로스워드 퍼즐.
crudamente *adv.* 생으로; 혹독하게, 심하게; 노골적으로.
crudelísimo, ma *adj.* 매우 잔인한.
crudeza *f.* ① 가공하지 않은 천연 그대로임, 날 것. ② 생경(生硬). ③ 조잡함. ④ 칙칙한 빛깔. ⑤ 극심한 추위. ⑥ 가혹함, 엄격함.
crudo, da *adj.* ① 날 것의, 산 채로의: carne ~*da* 날고기, 생고기. ② 아직 익지 않은: fruta ~*da* 풋 과일, 익지 않은 과실. ③ 가공하지 않은: cuero ~ 생가죽. ④ 배가 거북한, 소화가 안 된. ⑤ 심한, 혹독한, 모진. ⑥ (표현 등이) 자극적인, 노골적인. ⑦ *Cuba.* 미숙한, 경험이 적은. ⑧ 달성하기 어려운. ⑨ *Méj.* 숙취한. ⑩ 아직 완전히 곪지 않은. —*f. Guat., Hond., Méj.* = **resaca, malestar.** —*m.* ① 원유(原油). ② 거칠게 짠 피륙. ¶*en* ~ = **crudamente, sin miramiento.**
cruel *adj.* ① 잔혹한, 무자비한, 비인간적인, 피비린내나는. ② 처참한, 모진, 지독한, 지나치게 가혹한, 고통스러운.
crueldad *f.* 잔혹함, 잔학 행위; 혹독함, 엄함: con ~ 잔혹하게.
cruelmente *adv.* 잔혹하게.

cruento, ta *adj.* 유혈이 낭자한.
crujía *f.* ① (큰 건물의 양측에 방이 즐비하고 넓은) 복도, 낭하. ② (병원의) 넓은 병실. ③ [건축] (건물의 큰 벽과 큰 벽의) 간격. ④ (선수(船首)·선미(船尾) 사이의) 중앙 갑판. ¶*pasar* ~ 고난을 겪다. *sufrir* ~ =pasar ~.
crujido *m.* 삐걱거림, 삐걱거리는 소리; 이를 갊; 째지는 소리. ¶*dar* ~ 삐걱삐걱거리다, 째지는 소리를 하다.
crujiente *adj.* 파삭파삭한: pan ~ 파삭파삭한 빵.
crujir *intr.* 삐걱거리다, 아드득아드득거리다, 파삭파삭하다.
crup *m.* [의학] 디프테리아성 후두염.
crupal *m.* 디프테리아성의.
crustáceos *m.pl.* [동물] 갑각류.
cruz *f.* ① 십자가. ② 십자가상; 십자가의 인[기장(記章)]: ~ de los caídos 위령비. ~ roja 적십자(사). ③ (기도할 때 표시하는) 십자인. ④ (서명 대신의) 십자인, ×자. ⑤ 십자 훈장. ⑥ 남십자성. ⑦ 동전[메달]의 뒷면. ⑧ 고난, 시련. ¶*de la ~ a la fecha* 처음부터 끝까지. *quedarse en ~ y en cuadro* 가진 것을 잃고 가난해지다.
cruza *f.* ① *And., Amér.* (동물의) 교배종. ② *Chile., Cuba.* 두 번째 논갈이.
cruzada *f.* ① 십자군; 성전(聖戰). ② 개혁[박멸] 운동.
cruzado, da *adj.* ① 교차된. ② [생물] 교배종의, 잡종의. ③ [복식] 소매를 두 겹으로 접는. ④ [섬유] 능직의. ⑤ 십자군[성전]에 참가한. —*m.* ① 십자군[성전]의 병사. ② 잡종. ③ 꾸르사도 ((브라질의 전 화폐 단위)). ④ 능직. ⑤ [권투] 크로스 카운터. ⑥ [무용] 교차하는 일. ⑦ 십자 모양의 화폐.
cruzamiento *m.* ① 횡단, 교차. ② [생물] 교배, 교잡(交雜).
cruzar (9) *tr.* ① (십자형으로) 교차시키다; (팔이나 다리 등을) 포개다. ② 횡단하다, 건너다, …와 교차하다. ③ 걸치다, 가로지르다, …에 사선을 긋다. ④ (인사 등을) 교환하다. ⑤ [생물] 교배시키다. —*intr.* 가로지르다, 횡단하다. ~**se** ① 교차하다, 길이 어긋나다. ② 순항(巡航)하다.
C.S. costo y seguro 보험료 포함 가격.
C.S.F.; c.s.f. costo, seguro y flete 운임 보험료 포함 가격.
CSIS *m.* Consejo *m* Superior de Investigaciones Científicas 고등 과학 연구원.
cta. cuenta 계정(計定).
cta/a. cuenta anterior 전회(前回) 계정.
cta.cte. cuenta corriente 당좌 계정.
cta/m cuenta a mitad 공동 계정, 가계정, 시산 계정서(試算計定書).
cta/n cuenta nueva 신계정.
cta.simda cuenta simulada 가계산, 시산 계정서.
cta/vta cuenta de venta 매상 계산서.
cte =crrte.
CTM *f.* Conferencia de Trabajadores de México 멕시코 노동자 연합.
CTNE *f.* Compañía Telefónica Nacional de España 스페인국영전화회사.
ctra. carretera 간선 도로, 국도(國道).
cu *f.* 문자 q 의 이름.
c/u. cada uno 각자, 각개(各個).
cuaderna *f.* [선박] 늑재(肋材).
cuadernillo *m.* ① 작은 공책, 소책자. ② 메모장. ③ [인쇄] (제본에서) 접장.
cuaderno *m.* 공책.
cuadra *f.* ① 돼지우리, 마구간. ② [집합] (자주 주인의 이름을 다는) 경주마. ③ 아주 지저분한 곳. ④ 넓은 홀. ⑤ (병영·병원·교도소의) 사람이 많이 자는 방. ⑥ 4분의 1마일. ⑦ = grupa. ⑧ 두 모퉁이 사이에 있는 거리의 공간. ⑨ *Amér.* [길이의 단위] 약 100미터와 150미터 사이. ⑩ *Ur.* (빵집에서) 화덕 있는 곳.
cuadrada *f.* ☞cuadrado.
cuadradamente *adv.* 꼭 들어맞게.
cuadrado, da *adj.* ① 사각의, 정사각형의, 네모진, 네모 반듯한. ② 완전한. ③ 제곱한, 이승[자승]의, 평방의: raíz ~*da* 평방근. metros ~*s* 평방미터. —*m.* ① 정사각형. ② [수학] 이승, 자승. ③ (네모진) 한 구획. ④ (소매가 붙은 부분에 대는) 천조각. —*f.* [음악] 2전음부(二全音符).
cuadragenario, ria *adj.* 마흔 살의, 40세의. —*m.* 마흔 살 먹은 사람, 40대.
cuadragésimo, ma *adj.* ① 40번째의. ② 40분의 1의. —*m.* ① 마흔 번째. ② 40분의 1. —*f.* 사순절(cuaresma).
cuadrangular *adj.* 사각형의.
cuadrángulo, la *adj.* 사각형의, 네모진. —*m.* 사각형, 네모.
cuadrante *adj.* 네 등분한. —*m.* ① [수학] 사분원. ② [기하] 상한(象限). ③ 표시반(表示盤), 다이얼. ④ (시계의) 문자반. ⑤ 해시계, ⑥ (옛날의) 사분의(四分儀). ⑦ 네모 베개. ⑧ *CRica.* [집합] (도시나 마을의) 구획과 거리.
cuadrar *tr.* ① 네모나게 만들다, 직각으로 만들다. ② [수학] 이승하다, 자승하다. ③ 청산하다, 결재하다. ④ [투우] (소를) 공격 자세를 갖추게 하다. ⑤ *Ven.* 성공하다. ⑥ *Cuba.* (축제·모임·일 등을 완수하기 위해) 준비하다. —*intr.* ① 적합하다, 알맞다, 걸맞다. ② 형편[사정]이 좋다. ③ 어울리다. ④ 일치하다, 맞다. ⑤ [투우] (소가) 공격 자세를 갖추다. ~**se** ① 부동 자세를 취하다. ② (마소가) 네 발을 버둥거리다. ③ 성내다, 발끈하다; 정색하다. ④ [투우] 공격 자세를 갖추다.
cuadri- *pref.* 「넷·사(cuatro)」의 뜻: *cuadri*enio 4년간. *cuadri*látero 사변형.
cuádriceps *m.sing.pl.* [해부] (대퇴) 사두근(四頭筋).
cuadrícula *f.* 바둑판의 눈금, 원고 용지의 눈금: papel de ~ 방안지(方眼紙).
cuadriculado, da *adj.* ① 바둑판의 눈금 모양의. ② (습관·생각이) 경직된.
cuadricular *tr.* …에 바둑판의 눈금 모

양으로 선을 긋다.
cuadrienial *adj.* ① 4년마다의. ② 4년간 계속하는.
cuadrienio *m.* 4년간.
cuadriga *f.* ① 사두 마차. ② (로마 시대의) 사두 이륜 마차.
cuadrilátero, ra *adj.* 네 변(邊)을 가진. —*m.* ① 사변형. ② [권투] 링.
cuadrilla *f.* ① 집단, 그룹, 일당, 떼. ② [투우] (마따도르 (matador), 삐까도르 (picador), 반데리야 (banderilla)의) 투우사의 일단(一團)(~ de toreros).
cuadrillero *m.* (cuadrilla의) 일원, 멤버.
cuadrimotor *m.* [항공] 네 발 비행기, 4발기.
cuatrinieto, ta *mf.* 네 번째 손자[손녀].
cuadripartido, da *adj.* =**cuatripartito.**
cuadripartito, ta *adj.* 4자(四者)간의.
cuadriplicar (7) *tr.* =**cuadruplicar.**
cuadrisílabo, ba *adj.* =**cuatrisílabo.**
cuadro *m.* ① 그림: ~ de Goya 고야의 그림. pintar un ~ 그림을 그리다. ② 묘사; 광경, 장면. ③ [연극] 장(場). ④ 표(表), 명부. ⑤ 사각형의 물건, 네모진 토지; 정사각형. ⑥ 계기반, 제어반. ⑦ (자전거 등의) 프레임, 틀. ⑧ [건축] (창·문의) 틀. ⑨ [집합] 간부(幹部); 스탭; 팀. ⑩ [군사] 방진(方陣). ⑪ [야구] 야구장의 내야, 다이아몬드: jugador de ~ 내야수. ⑫ 격자 줄무늬, 바둑판의 눈금. ⑬ [의학] 증상. ⑭ *AmérM.* 도살장. ⑮ *AmérM.* 작은 목장.
cuadrumano, na *adj., m.* 손이 네 개인 (동물) ((원숭이 등)).
cuadrúmano, na *adj., m.* =**cuadrumano.**
cuadrúpedo, da *adj., m.* 네 다리를 가진 (동물).
cuádruple *adj., m.* 네 배(의), 네 개 조(의), 네 통의: tamaño ~ 네 배 크기.
cuadruplicar (7) *tr.* 네 배로 하다.
cuadrúplo, la *adj., m.* =**cuadrúple.**
cuajada *f.* ☞**cuajado.**
cuajadillo *m.* 비단 레이스의 일종.
cuajado, da *adj.* ① 엉긴, 엉겨 붙은, 응결된. ② [+de] (…으로) 가득찬, 주렁주렁 열린. ③ 잠든, 잠들어 있는. —*m.* ① [요리] 꾸아하도 ((다진 고기·야채·과일에 달걀과 설탕을 쳐서 만들어진 음식)). ② *And.* 꾸아하도 과자 ((달걀·설탕·편도 열매 등을 넣고 오븐에 찐 집에서 만든 과자)). —*f.* ① 엉긴 젖[우유]. ② 꾸아하다 ((양젖으로 만든 요루르트 모양의 디저트)).
cuajar[1] *m.* (반추 동물의) 네 번째 위.
cuajar[2] *tr.* ① 응고시키다, 굳게 하다, 굳히다. ② 채우다. —*intr.* ① 응고하다, 굳다. ② (눈이) 쌓이다. ③ 달성되다. ④ 적합하다. ⑤ (열매가) 여물고, 자라서 나무와 식물의 형태가 되다. **~se** ① 응고되다, 굳어지다. ② 채워지다, 메워지다. ③ 달성되다.
cuajarón *m.* (피 등의) 응괴(凝塊), 엉기어 굳은 덩이.
cuajo *m.* ① 응유 효소. ② 응결제. ③ 냉정함, 침착하며 성미가 느릿함.
cuakerismo *m.* =**cuaquerismo.**
cuákero, ra *mf.* =**cuaquero.**
cual *pron.* [선행사의 성과 수에 일치하는 정관사와 함께 쓰여 el cual, la cual, los cuales, las cuales, lo cual 형태로 쓰이며, lo cual은 앞에 있는 문장 전체를 받는다] Me preguntaron por mi madre, *la* ~ murió hace cinco años 나는 모친에 대해 질문을 받았는데 모친께서는 5년 전에 돌아가셨다. —*conj.* …처럼, …같이. —*adj.* ① [사물의 성질을 나타내는 관계 형용사; 주로 tal과 함께] …과 같은: *Cual* es Pedro, tal es Juana 피장파장이다. *Cual* es el amo, tal es el criado 그 주인에 그 하인. *Cual* el padre, tal el hijo 그 아버지에 그 아들, 부전자전. ② 앞서 말한, 전술한, 위의, 상기의. ¶ ~ ***si*** + ***subj.*** 마치 …인 것처럼 (como si).
cuál *pron.* 어떤 것, 어느 것: *¿Cuál* de las dos hermanas es más guapa? 두 자매 중 어떤 사람이 더 미녀인가? *¿Cuál* quiere usted? 어떤 것을 원합니까? No sé ~ es el título de la obra 어떤 것이 작품 이름인지 나는 모른다. —*adj.* 어느, 어떤: *¿Cuál* camino es más corto? 어느 길이 더 짧습니까? —*adv.* 어떻게(cómo): ¡*Cuál* se verán los felices? 행복한 사람들은 어떻게 하고 있을까?
cualesquier *adj.* cualquier의 복수.
cualesquiera *pron.* cualquiera의 복수.
cualidad *f.* ① 특징, 특성: ~es del hierro 강철의 특성. ② 질(質), 품질. ③ 장점, 강점.
cualificado, da *adj.* ① 자격이 있는, 숙련된. ② =**calificado.**
cualificar (7) *tr.* =**calificar.**
cualitativo, va *adj.* 질적인.
cualquiera *adj.* [명사 앞에서 cualquier] 어느 것이라도 좋은, 누구라도 괜찮은: *cualquier* día 언젠가, 어느 날인가. —*pron.* 어떤 것이라도, 누구라도. —*f.* 성매매 여성, 매춘부.
cuan *adj.* [cuanto가 형용사나 부사 앞에서] ① 그 만큼: El se tendió ~ largo era 그는 자랄 대로 다 자랐다. ② [tan과 상대적으로 쓰여] …과 같은 정도[분량]로: *tan* piadoso … ~ poderoso 마음이 자비로우시고 … 또 힘도 그만하시니.
cuán *adv.* [cuánto가 형용사나 부사 앞에서] 얼마나, 어떻게: ¡*Cuán* feliz soy! 내가 얼마나 행복한지! ¡*Cuán* rápido! 참 빠르군!
cuando *conj.* ① …할 때: Ven ~ quieras 네가 편할 때 오너라. ② …면: *Cuando* usted venga, se lo diré 당신이 오면 말씀 드리겠습니다. ③ 그 때: Llegué a casa, ~ era ya de noche 내가 집에 도착한 그 때는 이미 밤이었다. ④ …이라면, 하는 것을 보니:

Cuando lo dices, verdad será 네가 말하는 것을 보니 사실일 것이다. ⑤ …일지라도: ~ le fuera en ello la vida 설령 그의 생명이 그것에 달려 있다고 하더라도. ⑥ [apenas, no bien 등과 함께] …하자마자: ~ la gente se reunió 사람들이 모이자마자. —*adv.* [설명 용법] …할 때: A las diez, ~ la reunión ya había terminado, volvimos a casa 일곱 시에는 모임이 끝나 우리들은 귀가했다.

cuándo *adv.* 언제: ¿Desde ~? 언제부터. ¿Hasta ~? 언제까지. ¿Hacia ~? 언제쯤? ¿*Cuándo* volverás? 너는 언제 돌아오느냐?

cuantía *f.* ① 양(量); 총량(總量). ② 중요성. ③ (사람의) 장점.

cuántico, ca *adj.* [물리] 양자(量子)의.

cuantificación *f.* ① 정량화, 수량화. ② 양자화(量子化).

cuantificador *m.* [문법] 수량사.

cuantificar (7) *tr.* ① 수량으로 나타내다[평가하다]. ② [물리] 양자화하다.

cuantioso, sa *adj.* (양적으로) 큰, 대량(大量)의.

cuantitativo, va *adj.* 양(量)의, 양적(量的)인: valoración ~*va* 양적인 평가.

cuanto[1] *m.* [*pl.* ~s, cuant*a*] [물리] 양자(量子): teoría de los ~*s* 양자론.

cuanto[2]**, ta** *adj.* ① …하는 모든: Le di ~ dinero tengo 나는 가진 돈을 모두 그에게 주었다. ② [tanto와 함께, 접속사적으로] …과 같은 정도의: *Cuanta* alegría ella lleva *tanta* tristeza me deja 그녀는 기쁨을 가져온 만큼 나에게 슬픔도 그만큼 크게 남겨 준다. —*pron.* …하는 모든 것: Le doy ~ tengo 나는 가진 것을 모두 그에게 준다. Vengan ~*s* quieren 오고 싶은 사람은 모두 오십시오. —*adv.* [형용사나 부사 앞에서는 cuan이 됨] [비교어 tanto, más, menos 등과 함께 쓰여] …하면 할수록, …하면 그 만큼 더: *Tanto* vales ~ tienes (속담) 돈을 가진 만큼 사람들이 우러러 본다. ¶ ~ ***a, en ~ a*** …에 대해서, …에 관해서. ***~ antes, ~ más antes*** 되도록 빨리, 가능한 한 빨리: Volveré ~ *antes* 되도록 빨리 돌아올 것이다. ***~ más … (tanto) más*** …하면 할수록 더욱더: … *Cuánto más* se tiene *tanto más* se quiere 사람은 가지면 가질수록 더 갖고 싶어한다. ***en ~*** ㉮ …하자마자 (곧): *En* ~ llegues a Seúl, avísamelo inmediatamente 네가 서울에 도착하자마자 곧 (그 사실을) 나에게 알려 다오. ㉯ …하는 동안: *En* ~ yo cantaba, todos me escuchaban 내가 노래부르고 있는 동안 모두들 듣고 있었다. ***Cuanto más, mejor*** 다다익선(多多益善).

cuánto, ta *adj.* 몇 개의, 얼마만큼의, 얼마나: ¿*Cuánto* dinero necesitas? 돈이 얼마나 필요합니까? —*pron.* 몇 사람, 몇 개: ¿*Cuántos* vienen a comer? 식사하러 몇 명이나 옵니까? ¿A ~*s* estamos hoy? 오늘은 며칠입니까? —*adv.* 얼마나, 얼마만큼, (돈・가치 등이) 얼마: ¿*Cuánto* es [vale・cuesta]? 얼마입니까? ¿*Cuánto* se tarda de Seúl a Busan en tren? 열차로 서울에서 부산까지는 얼마나 걸립니까? ¿*Cuánto* hay de Madrid a Barcelona? 마드리드에서 바르셀로나까지는 거리가 얼마나 됩니까? —*interj.* 얼마나, 정말: ¡*Cuánto* me alegro de verte aquí en España! 여기 스페인에서 너를 보니 정말 기쁘구나!

cuaquerismo *m.* 퀘이커교.

cuáquero, ra *adj.* 퀘이커교의. —*mf.* 퀘이커교도.

cuarenta *adj.* ① 40의. ② 40번째의, 마흔 번째의. —*m.* ① 40, 마흔. ② *pl.* 마흔 살, 40세; 40십대.

cuarentavo, va *adj., m.* 40분의 1(의).

cuarentena *f.* ☞ **cuarenteno.**

cuarentenal *adj.* 40의.

cuarenteno, na *adj.* [고어] 40번째의. —*f.* ① [집합] 40 단위; 40개로 된 한 조; 40일, 40개월; 40년. ② (생후・출산후) 40일간. ③ 검역; 검역 기간 ((예전에는 40일이었음)): estar en ~ 검역 중이다. poner en ~ 검역하다. ④ 고립, 격리.

cuarentón, na *adj.* 40대의. —*mf.* 40대(의 사람).

cuaresma *f.* [기독교] 사순절 ((재의 수요일에서 성토요일까지의, 주일(主日) 일을 제외한 40일간)).

cuaresmal *adj.* 사순절의.

cuarta *f.* ☞**cuarto.**

cuartana *f.* [의학] 4일열(fiebre ~).

cuartear *tr.* ① 네 등분하다, (특히 동물을) 사지를 나누다. ② (길을) 꾸불꾸불 달리다. ③ 난도질하다, 발기발기 찢다. ④ *Arg., Ur.* =**encuartar.** ⑤ *Méj.* 채찍으로 때리다. **~se** ① (피부・벽 등이) 갈라지다, 금이 가다. ② *Méj.* 겁내다, 기가 죽다. ③ *Méj.* 약속을 어기다.

cuartel *m.* ① 병사(兵舍); 병영(兵營), 숙영지(宿營地): ~ general 사령부; (정당 등의) 본부. ② (주로 넷으로 나눈) 지구(地區), 구획.

cuartelada *f.* =cuartelazo.

cuartelazo *m.* 군부 반란.

cuartelero, ra *adj.* 병영[병사(兵舍)]의. —*mf.* 병영[병사]의 청소나 보안을 담당하는 잡역병. —*m.* *AmérM.* (호텔의) 보이.

cuarteo *m.* (피부・벽 등의) 금이 감, 갈라짐.

cuarterón[1]**, na** *adj.* 메스띠소(mestizo)와 스페인 사람과의 혼혈의. —*mf.* 메스띠소와 스페인 사람과의 혼혈인.

cuarterón[2] *m.* ① 4분의 1. ② [중량의 단위] 4분의 1 파운드. ③ (창문의) 작은 창. ④ 문이나 창문을 장식하는 창살. ⑤ *Ar.* 4분의 1 아로바(arroba).

cuarteta *f.* [시법] 8음절의 4행시.

cuarteto *m.* ① [음악] 사중주, 사중단, 사중곡. ② [시법] 11음절의 4행시.
cuartilla *f.* ① (책 · 공책의) 한 장 ((4 절지)). ② *pl.* 원고 용지.
cuartillo *m.* ① [옛날의 곡식량의 단위] 꾸아르띠요 ((약 1.1 리터)). ② [옛날의 액체량의 단위] 꾸아르띠요 ((약 0.5 리터)).
cuarto, ta *adj.* ① 4분의 1의. ② 네 번째의: ~ lugar 4등, 4위. ③ *Col.* = amigo, compañero. *—m.* ① 방, 사실(私室). ② 침실. ③ 4분의 1. ④ (시간의) 15분. ⑤ 재산. ⑥ 돈. ⑦ [천문] 현: ~ creciente 상현. ~ menguante 하현. ⑧ [드묾] 아파트. ⑨ (왕 · 여왕의) 하인. ⑩ (4 maravedíes의 값어치가 있었던) 스페인의 동전. ⑪ 보초병들이 밤을 네 등분한 각각. ⑫ 옷의 네 부분의 각각. *—f.* ① 4분의 1. ② [길이의 단위] 엄지손가락 끝에서 새끼손가락 끝까지의 길이 ((약 21센티미터)). ③ [음악] 4도 (음정). ④ [천문] 사분원. ⑤ 가죽 채찍, 가죽 끈. ¶ *~ de aseo* (주택의) 세면대와 화장실이 딸린 작은 방. *~ de baño* 욕실. *~ de estar* 거실. *~ oscuro* ㉮ (외부의 빛이 적어) 어두운 방. ㉯ 암실(cámara oscura). ㉰ *Arg., Ur.* [속어] 밀실. *~ redondo Amér.* (길 · 정원으로 나가는) 독립된 방. *~ sanitario Col.* 공중변소. *~s de final* 준준결승, 8강. *cuatro ~s* 적은 돈.
cuartofinalista *m.f.* 준준결승 진출자, 8강 진출자.
cuartogénito, ta *adj.* 네 번째에 태어난. *—m.f.* 네 번째 아들[딸].
cuartón *m.* ① (제재의) 각목. ② 토지의 한 구획.
cuartucho *m.* 더러운[지저분한] 방.
cuarzo *m.* [광물] 석영; 수정(水晶).
cuásar *m.* =**quásar.**
cuasi *adv.* =**casi.**
cuasia *f.* [식물] 소태나무.
cuasicontrato *m.* [법률] 준계약.
cuatachismo *m. Méj.* =**nepotismo.**
cuatacho, cha *m.f. Méj.* =**amigote.**
cuate, ta *adj.* ① *Guat., Hond., Méj.* 친한. ② *Méj.* 쌍둥이의. ③ *Méj.* 같은, 동등한. *—m.f.* ① *Guat., Hond., Méj.* 동료, 친한 친구. ② 쌍둥이 중의 한 사람.
cuaternario, ria *adj., m.* [지질] 제4기(의).
cuatezón, na *adj. Méj.* (소 · 양 등이) 뿔이 없는.
cuatí *m. Arg., Col.* =**coatí.**
cuatreño, ña *adj.* 네 살의 (소).
cuatrero *adj.* 가축을 훔치는. *—m.* 가축 도둑.
cuatri- *pref.* =**cuadri-.**
cuatrienal *adj.* ① 4년 동안의. ② 4년마다의.
cuatrienio *m.* ① 4년간. ② 4년마다 급료의 인상.
cuatrillizo, za *adj.* 네 쌍둥이의. *—m.f.* ① 네 쌍둥이 중의 한 사람. ② *pl.* 네 쌍둥이 형제[자매].
cuatrimestral *adj.* ① 4개월간의. ② 4개월마다의.
cuatrimestre *adj.* 4개월간의. *—m.* 사분기(四分期), 4개월 한 기(期).
cuatrimotor *m.* [항공] 4발기(發機), 네 발 비행기(avión ~).
cuatrisílabo, ba *adj.* 네 음절의. *—m.* 네 음절 단어.
cuatro *adj.* ① 4의, 네 개의: ~ años 4년, ~ personas 네 사람. ② 네 번째의: lección ~ 제4과. ③ 약간, 조금, 얼마 되지 않는, 그다지 많지 않은: ~ letras 몇 글자. ~ palabras 몇 단어. hace ~ días 며칠 전에, 수일 전에. *—m.* ① 4, 넷. ② 4일: el ~ de agosto 8월 4일. ③ (베네수엘라의) 네 줄 기타. ¶ ***más de ~*** 많은, 상당수의: *Más de ~* protestaron a la policía 적지 않은 사람들이 경찰에 항의했다.
cuatrocentista *adj.* 15세기.
cuatrocientos[1] *m.* el ~ 15세기.
cuatrocientos[2]**, tas** *adj.* ① 400의. ② 400번째의. *—m.* 400.
cuba *f.* ① (술 · 간장 등을 넣어 두는 크고 둥글며 뚜껑이 있는) (나무) 통. ② cuba에 넣는 액체. ③ 배불뚝이. ④ 술고래, 모주꾼. ⑤ 용광로의 안쪽에 패인 부분. ¶ ***beber como una ~*** 통으로 마시다, 엄청나게 마시다. 고주망태다. ***estar como una ~*** 곤드레만레[잔뜩] 취해 있다. ***Cada ~ huele al vino que tiene*** (속담) (사람의) 태생은 속일 수 없다.
Cuba *f.* [국명] 쿠바, 꾸바 ((카리브해의 독립국; 수도 La Habana)).
cubalibre *m.* [술] 꾸바리브레 ((보통 럼주와 코카콜라를 혼합한 음료)).
cubanismo *m.* 꾸바 사람 특유의 말씨, 꾸바 사투리.
cubanito *m.* ① *Arg.* 꽈배기의 일종 ((우유 과자로 채워진 두루마리 모양의 구운 과자)). ② *Cuba.* 꾸바니또 ((럼주와 토마토 주스가 혼합된 음료)). ③ *Ur.* [과자] 꾸바니또((우유나 크림 과자로 채워지고 초콜릿을 바른 비스킷)).
cubanización *f.* 꾸바화(化).
cubanizar (9) *tr.* 꾸바화하다.
cubano, na *adj.* ① 꾸바 태생의. ② 꾸바의[에 관한]. *—m.f.* 꾸바 사람.
cubata *f. Esp.* =**cubalibre.**
cubertería *f.* [집합] 식기 세트.
cubertura *f.* ① 덮개. ② =**cobertura.**
cobeta *f.* ① 손잡이 달린 (물)통. ② (기압계의) 수은조(水銀槽). ③ 냉장고의 각어름용 칸막이 그릇. ④ (실험용이나 사진용의) 네모난 자기[플라스틱] 그릇. ⑤ *Hond., Méj.* =**cubo.**
cubetera *f. Arg.* (냉장고의) 각얼음용 칸막이 그릇.
cubicaje *m.* (엔진의) 배기량.
cubicación *f.* 입체 구적(立體求積).
cubicar (7) *tr.* ① …의 체적[용적]을

구하다. ② 세제곱하다.
cúbico, ca *adj.* ① [수학] 입방체의, 세제곱의. ② (결정이) 입방(立方)[등축(等軸)] 정계(晶系)의. —*f.* 삼차 곡선.
cubículo *m.* ① 작은 방, 침실. ② *Amér.* 연구실.
cubierta *f.* ① 덮개, 커버, 씌우개, 보: ~ de cama 침대 커버. ② 타이어(의 바깥 것): ~ sin cámara 튜브 없는 타이어. ③ (책의) 표지. ④ (잡지의) 첫 페이지. ⑤ [건축] 지붕, 덮개. ⑥ [선박] 갑판.
cubiertamente *adv.* 살그머니, 몰래.
cubierto *m.* ① (식탁에 놓여지는) 접시·나이프·포크와 수저·빵과 냅킨의 식탁 서비스. ② 수저와 포크와 나이프의 한 벌. ③ (모임이나 칵테일에서) 빵과 카스텔라를 대접하는 냅킨과 함께 나오는 접시[쟁반]. ④ [집합] 식탁에 동시에 내놓는 음식, 한 사람 분의 요리. ⑤ (식당·호텔의) 정식. ⑥ 엄동 설한을 피하기 위한 집이나 다른 곳의) 지붕, 덮개.
cubierto, ta *adj.* ① [+de] (…로) 덮인. ② (경기장 등에) 지붕이 있는: piscina ~*ta* 실내 풀. ③ [기상] 흐린: cielo ~ 흐린[구름 낀] 하늘.
cubil *m.* ① (야수의) 잠자리, 동굴. ② 하상(河床).
cubilete *m.* ① 구리 대접[잔]. ② (옛날의 유리·은 등의) 술잔. ③ 꾸빌레떼 ((cubilete 안에 요리하는 톡 쏘는 고기 요리)). ④ 주사위 종지.
cubismo *m.* 큐비즘, 입체파.
cubista *adj.* 입체파의. —*mf.* 입체파 예술가 ((화가·조각가)).
cubitera *f.* ① 냉장고의 각어름용 칸막이 그릇(cubeta). ② 제빙기.
cubital *adj.* ① 척골의. ② 팔꿈치의.
cubito *m.* (음식물 등에 넣는) 작은 어름 조각, 각빙(角氷)(~ de hielo).
cúbito *m.* [해부] 팔꿈치뼈, 척골(尺骨).
cubo *m.* ① 물통: ~ de (la) basura 쓰레기통. ② (차륜의) 바퀴통. ③ (시계의) 용수철 상자. ④ (창이나 칼의) 자루 받침. ⑤ [수학] 입방체, 정육면체; 세제곱, 입방. ⑥ [요리] =**cubito.** ⑦ (성의 원주형의) 작은 탑.
cubrecabeza *f.* 머리 보호용 물건.
cubrecadena *f.* [자전거] 체인 상자[박스·커버].
cubreobjetos *m.sing.pl.* (현미경의) 커버 유리.
cubrición *f.* 수컷이 암컷을 덮치는 일.
cubrimiento *m.* ① 덮는[가리는] 일. ② [방송·통신] 수신 가능 범위, 가시청 구역. ③ 취재.
cubrir *tr.* ① 덮다, 씌우다, 가리다; 가득 채우다. ② 지키다, 감싸다. ③ [군사] 원호(援護)하다. ④ (필요를) 채우다, 만족시키다; (지출을) 조달하다, 꾸려 나가다. ⑤ [통신·방송] 수신 가능 범위로 하다. ⑥ (뉴스를) 취재하다. ⑦ (거리를) 나아가다, 전진하다, 달리다. ⑧ (결원을) 메우다, 보충하다. ⑨ (수컷이 암컷을) 덮치다. ⑩ [보험] (위험에 대해) 보증하다. ⑪ [운동] (상대방 선수를) 마크하다. ~**se** ① 덮이다. ② (인사를 위해 모자를 벗었다가 다시) 모자를 쓰다. ③ (자신의) 몸을 감싸다[가리다]. ④ 옷을 껴입다. ⑤ (하늘이) 흐리다.
cuca[1] *f.* ① =**chufa.** ② (누에나방이 되는) 애벌레. ③ =**cucaracha.** ④ 노름으로 타락한 여인. ⑤ =**peseta:** El tiene muchas ~*s* 그는 돈이 많다. ⑥ *Chile.* [새] 까치. ⑦ *Chile.* (범인 호송용) 경찰차. ⑧ *Col., Guat., Ven.* 여자의 성기. ⑨ *Col.* (밀가루와 조당으로 만든) 달고 둥그런 비스킷. ⑩ *Nic.* =**pene.** ⑪ *pl.* 호두, 개암 등.
cuca[2] *f. Ast.* 옥수수대로 만든 피라밋형의 다발.
cucaracha *f.* ① [곤충] 바퀴벌레. ② [곤충] 쥐며느리. ③ [곤충] 진디. ④ 가루 담배의 일종.
cucarachera *f.* 바퀴벌레 잡는 기구.
cuchara *f.* ① 숟가락. ② (굴삭기 등의) 삽; (크레인의) 버킷 ((흙이나 모래 등을 퍼올리는 통)). ③ (골프의) 스푼 ((클럽의 한 종류로, 3번 우드 클럽의 별명)). ④ (낚시의) 가짜 미끼 ((숟가락 모양의 금속제)).
cucharada *f.* 한 숟가락의 양, 숟가락 하나 가득.
cucharadita *f.* 작은 숟가락 하나 가득.
cucharear *tr.* 숟가락으로 푸다. —*intr.* =**cucharetear.**
cuchareta *f.* ① (안달루시아 산의) 밀의 일종. ② (면양의) 간 염증. ③ [조류] =**espátula.** ④ *Ar.* 올챙이. —*mf.* *And.* 참견하는 사람.
cucharetear *intr.* ① 숟가락으로 젓다. ② 남의 일에 필요 없이 간섭하다.
cucharilla *f.* ① 작은 숟가락, 찻숟가락: ~ de café 커피용 스푼. ② (낚시용의) 스푼.
cucharita *f.* =**cucharilla.**
cucharón *m.* ① 큰 주걱, 국자, 식탁용 숟가락, 수프용 숟가락. ② *Salv., Ur.* 사람의 심장. —*mf. And., Col., Hond.* 참견하는 사람(cuchareta).
cuché *adj., m. fr.* 아트지(의).
cuchichear *intr.* 속삭이다, 귀엣말[귓속말]을 하다, 두런거리다.
cuchicheo *m.* 귀엣말, 귓속말, 속삭임.
cuchilla *f.* ① 소 잡는 칼, 고기 자르는 칼. ② (칼 등의) 날. ③ 면도날. ④ [시어] 검(劍), 칼. ⑤ *Arg., Cuba, Ur., Ven.* 경사가 평지까지 부드럽게 펼쳐진 길다란 능선[산등성이]. ⑥ cuchilla 모양의 가파른 산.
cuchillada *f.* ① (칼로) 벤 데. ② 칼로 생긴 상처. ③ *pl.* 싸움, 말다툼. ④ [복식] 속옷이 들여다 보이도록 앞 자락을 트게 한 부분.
cuchillería *f.* 칼붙이 상점[공장].
cuchillero, ra *mf.* ① 칼붙이 장수. ② 칼붙이 제조자.
cuchillo *m.* ① (자루 달린) 칼, 나이프;

식칼. ② (멧돼지의) 아래 어금니. ③ 덧대는 천.

cuclillas *en* ~ 웅크리고 앉아, 책상다리를 하고: ponerse *en* ~ 웅크리다, 쭈그리다.

cuclillo *m.* ① [새] 두견새, 뻐꾸기. ② 간통녀(姦通女)의 남편.

cuco[1] *m.* 도깨비, 요괴(coco).

cuco[2], **ca** *adj.* ① 깨끗한. ② 귀여운, 사랑스러운, 작고 예쁘장스런. ③ 의뭉한, 영특한, 엉큼한, 속이 검은. *—mf.* 의뭉한[엉큼한] 사람. *—m.* ① [새] 두견새, 뻐꾸기. ② (누에나방이 되는) 애벌레. ③ 카드놀이의 일종.

cuco[3] *m.* =**moisés.**

cucú *m.* 뻐꾸기의 울음 소리.

cucurucho *m.* ① 원뿔꼴의 종이 봉지[용기]. ② (아이스크림의) 콘 ((아이스크림을 담는 곡물 가루로 만든 용기)). ③ 끝이 뾰족한 원뿔꼴의 모자. ④ *AmérC., Caribe.* (나무나 집이나 건물 등의) 가장 높은 부분. ⑤ *Col., Hond., Nic., PRico., RDom., Ven.* 언덕. ⑥ *CRica., Hond.* 정상, 꼭대기.

cueca *f.* 꾸에까 ((꼴롬비아·볼리비아·아르헨띠나의 민속 무용)).

cuelga *f.* ① (과실 등을 보존용으로) 매달아 놓는 것. ② (누군가가 생일날에 주는) 선물. ¶***de*** ~ 보존용으로 걸어두는 (과실): caquis *de* ~ 걸어두는 감.

cuelgacapas *m.sing.pl.* 옷걸이, 횃대.

cuelgaplatos *m.sing.pl.* 장식용 접시 이 기구.

cuelgue *m.* 마약으로 생기는 황홀감.

ceullo *m.* ① 목. ② 깃, 동정, 칼라. ③ (병 등의) 목. ④ 소의 머리 고기. ¶ ~ ***de botella*** (교통의) 병목 지점. ~ ***uterino***, ~ ***de la matriz*** [해부] 자궁 경부(子宮頸部).

cuenca *f.* ① [지리] 유역; 분지. ② [지질] 광상(鑛床). ③ [해부] 눈구멍.

cuencano, na *adj., mf.* 꾸엔까(Cuenca)의 (사람).

cuenco *m.* ① 주발, 사발, 밥그릇. ② 움푹 팸, 우묵한 곳, 요부(凹部).

cuenta[1] *f.* ① 계산, 헤아리기. ② 회계; 계산서, 청구서. ③ 계정(計定). ④ (은행 등의) 계좌: ~ abierta 오픈 계좌. ~ conjunta 공동 예금 계좌. ~ corriente 당좌(當座) 예금[계좌]. ~ prendaria 자동(自動) 융자부 예금. ~ presupuestaria 자동 지불 계좌. abrir [tener] una ~ en un banco 은행에 계좌를 열다[가지고 있다]. ⑤ [때때로 *pl.*] 보고, 설명; 석명(釋明). ⑥ 책임, 역할. ⑦ 겨눔, 겨냥, 표적; 계획, 의도, 목적. ⑧ 염주. ⑨ [컴퓨터] 어카운트. ¶***a (buena)*** ~ 선불로, 전도금으로. ***a*** ~ ***de*** alguien …에게 기식(寄食)[의존]하여: vivir *a* ~ *de* su tío 삼촌에게 기식하여 살다, 삼촌 집에 묵으면서 밥을 얻어먹고 지내다. ***a su*** ~ 자기 부담으로. ***de*** ~ 중요한: hombre *de* ~ 중요 인물, 주의를 요하는[요주의] 인물. ***echar*** ~***s*** 고려[검토]하다. ***echar la(s)*** ~***(s)*** 계산을 하다. ***no tomar en*** ~ 무시하다, 상대가 아니다.

cuenta[2] *f.* [고어] =cuento[2] ②.

cuentacacao *f. Hond., Salv.* 거미의 일종.

cuentachiles *mf.sing.pl. Méj.* =**cicatero, mezquino.**

cuentacorrentista *mf.* 당좌 예금자.

cuentagotas *m.sing.pl.* 점안기(點眼器).

cuentahabiente *mf. Col., Méj., Perú.* =**cuentacorrentista.**

cuentahilos *m.sing.pl.* (직물의 실 등을 검사하기 위한) 확대경.

cuentakilómetros *m.sing.pl.* 주행 거리계, 주행 미터기.

cuentapasos *m.sing.pl.* ① 만보계. ② (전화 통화의) 도수계.

cuentarrevoluciones *m.sing.pl.* (자동차 엔진 등의) 회전 속도계, 타코미터.

cuentecito *m.* 단편 소설.

cuentero, ra *adj.* =**cuentista, chismoso.** *—mf.* ① 입담 좋은 사람, 말재주꾼; 허풍선이. ② *Cuba.* 단편 (소설) 작가(cuentista).

cuentista *adj.* 농담을 잘 하는, 거짓말 잘 하는, 속이기 잘하는, 사기성이 있는 (사람). *—mf.* ① 단편 (소설) 작가. ② 입담 좋은 사람, 말재주꾼. ③ 허풍선이. ④ 농담꾼. ⑤ *AmérM.* 사기꾼.

cuento[1] *m.* ① 이야기, 콩트, 단편 소설; 옛 이야기: ~ infantil 동화. ② 만들어낸 이야기, 새빨간 거짓말. ③ [주로 *pl.*] 고자질, 험담. ④ [주로 *pl.*] 골치 아픈 말, 번거로운 말, 귀찮은 말, 하찮은 이야기. ⑤ 계산, 셈(을 하는 일). ¶***venir a*** ~ 적절하다. ***vivir del*** ~ 빈둥거리며 지내다, 무위 도식하다.

cuento[2] *m.* ① (창이나 지팡이 등의) 물미. ② 버팀목, 버팀대. ③ [수렵] (새의) 날갯죽지.

cuera *f.* (옛날에 조끼 위에 입었던) 웃옷의 일종.

cuerazo *m.* ① *Amér.* =**latigazo.** ② *Amér.* =**caída, costalada.** ③ *Ecuad., Salv.* [속어] 부아를 돋우는 형의 억센 여자. ④ *Méj., Salv.* 미녀.

cuerda *f.* ① 새끼줄, 줄, 로프, 자일; 그물, 끈. ② (시계 등의) 태엽, 용수철. ③ (활의) 줄, 현(弦). ④ [음악] (악기의) 줄, 현(弦). ⑤ [음악] 현악기. ⑥ [음악] 음역, 성역. ⑦ [수학] 곡선상의 두 점을 연결하는 직선. ⑧ 산의 꼬리 등성이. ⑨ 사람[물건]을 염주알처럼 줄줄이 엮음[묶음]. ⑩ =**mecha.** ⑪ =**cordel.** ⑫ [해부] *pl.* 힘줄, 건: ~*s* vocales 성대. ¶***estirar las*** ~***s*** ㉮ 산책하다. ㉯ 일어서다. ***ser de la (misma) cuerda de*** al- guien …와 의견이 같다. ***ser de otra*** ~ ***de*** alguien …와 의견이 같지 않다.

cuerdamente *adv.* 신중히, 현명하게.

cuerdear *tr. CRica.* =**piropear, lisonjear.**

cuerdo, da *adj.* ① 제정신의. ② 신중

한: consejo ~ 신중한 충고.

cuereada *f.* ① *AmérM.* 소의 가죽을 벗기는 시기. ② *Bol., CRica., Hond., Méj., Nic., Ur.* 구타.

cuerear *tr.* ① *AmérM.* 소가죽 벗기는 일에 종사하다, 소가죽을 벗기다. ② *Bol., CRica., Hond., Méj., Nic.* 때리다, 구타하다. —*intr. Arg.* 남을 헐뜯다, 나쁘게 말하다.

cuerna *f.* ① 뿔 술잔. ② 잔을 만드는 소의 뿔. ③ 뿔. ④ 뿔 나팔.

cuerno *m.* ① (동물의) 뿔. ② [곤충] 촉각. ③ 뿔피리. ④ [군사] (대열의) 날개, 돌출부. ¶***levantar*** a alguien ***sobre el ~ de la Luna*** 일전짜리 비행기 타우다, 터무니없이 마구 칭찬하다. ***poner*** a alguien ***sobre el ~ de la Luna*** =**levantar hasta el ~ de la Luna**: No me *ponga sobre el ~ de la Luna* 일전짜리 비행기 태우지 마세요.

cuero *m.* ① (동물의) 가죽. ② 무두질한 가죽, 피혁. ③ 술부대. ④ *Col., CRica., PRico.* 겉늙고 못생긴 여자. ⑤ *Cuba.* 타악기. ⑥ *Ecuad., Ven.* [속어] =**querida.** ⑦ *Ecuad., RDom.* 매춘부. ⑧ *Guat.* =**desvergüenza.** ⑨ *Hond.* =**miedo, temor.** ⑩ *Hond., Méj.* 잘생기고 매력적인 여자. ⑪ *Nic.* 여자의 동정(童貞)[처녀성]. ⑫ *Nic.* 새것. ¶ ***~ de gallina*** *Hond.* 닭살. ***en ~s (vivos)*** 나체로, 알몸으로, 발가벗고 ***estar hecho un ~*** 취해 있다.

cuerpear *intr.* 몸을 피하다[비키다].

cuerpo *m.* ① ㉮ 몸, 신체, 육체. ㉯ 사체(死體). ㉰ 몸통, 동체(胴體). ㉱ (의복의) 몸통 부분. ② 물체. ③ 본체, 주요 부분; (책 등의) 본문. ④ 단체, 집단; 기관: ~ de bomberos 소방대. ~ diplomático 외교단. ~ electoral 선거단, 선거민. ~ legislativo 입법부. ~ médico 의료단, 의료반. ⑤ 집대성. ⑥ 물건의 크기; 두께. ⑦ (술 등의) 농도, 진한 정도, 진함; 감칠맛: vino de ~ 감칠맛이 있는 포도주. tener ~ 감칠맛이 있다. ⑧ [인쇄] 활자의 크기, 사이즈. ¶ ***~ a ~*** 격투의[로], 서로 맞붙어 싸워: combate *~ a ~* 백병전(白兵戰). ***a ~*** ㉮ 서로 맞붙어 싸워, 격투의[로]. ㉯ =**en ~**. ***en ~*** 겉옷을 입지 않고. ***falsear el ~*** (몸을 비틀거나 구부려) 피하다[비키다]. ***ganar con su ~*** 몸을 팔다, 매춘을 하다. ***hacer de(l) ~*** 대변을 보다.

cuervo *m.* [새] 까마귀. ¶***Cría ~s, que te sacarán los ojos / Cría ~s y te sacarán los ojos*** (속담) 은혜를 원수로 갚다.

cuest- ☞costar (24)

cuesta[1] *f.* ① 비탈길, 고개, 기울기, 경사면. ② [지리] 급경사(면), 절벽. ¶ ***~ de enero*** 돈이 궁한 시기. ***a ~s*** 등에 매고[지고], 짊어지고. ***en ~*** 비탈져, 경사져. ***ir ~ arriba*** 비탈길을 오르다.

cuesta[2] *f.* =**cuestación.**

cuestación *f.* (자선 목적의) 의연금 모금: ~ callejera 가두 모금.

cuestión *f.* ① 문제, 화제. ② 논쟁, 다툼. ③ 고문(拷問). ¶**en ~** 문제의, 화제로 되어 있는: asunto *en ~* 문제의 건, 본건(本件). persona *en ~* 문제의 인물, 당사자, 본인. ***otra ~*** 별문제, 딴 문제: Eso es *otra ~* 그것은 딴 문제다.

cuestionable *adj.* 의심나는, 미심쩍은, 수상쩍은, 논쟁의 여지가 있는.

cuestionar *tr.* 문제로 삼다; 토론하다.

cuestionario *m.* ① 질문표, 앙케이트표. ② (시험의) 테마, 과목.

cuestor *m.* ① 가두 모금자. ② (고대 로마의) 재무관, 집정관 보좌.

cueva *f.* ① 동굴. ② 지하실.

cuévano *m.* ① (포도) 광주리. ② (등에 지는 손잡이가 두 개인) 광주리. ¶ ***Después de vendimiar, ~s*** (속담) 행차 뒤에 나팔.

cuezo *m.* (미장이의) 반죽 상자.

cui *m.* [*pl.* ~s, ~ses] *Arg., Chile, Bol., Ur.* 모르모트.

cuidado *m.* ① 배려, 주의, 조심. ② 보살펴 줌, 도와 줌; 손질, 고침. ③ *pl.* 간호: *~s* intensivos 집중 치료. ④ 걱정, 근심, 심려: ~ de cosa 걱정거리. ⑤ 임무, 책임, 직무, 직분. —*interj.* 조심하세요!, 위험해! ¶***andar con ~*** 주의하다, 조심하다. ***estar con ~*** 걱정하고 있다. ***ir con ~*** 조심하고 있다. ***tener ~*** ㉮ [+de] …을 보살펴 주다: *Tengo ~ del* enfermo 나는 환자를 보살펴 주고 있다. ㉯ [+con・de] …에 조심하다, 주의하다; 신경을 쓰다: *Ten* más *~ con* lo que te pones 옷 입는 것에 더 신경을 써라.

cuidador, ra *adj.* ① 시중드는, 보살피는. ② 매우 세심하는. ③ 매우 생각에 몰두한[잠긴]. —*mf.* ① 아기 보는 이, 보모. ② [자동차] 정비공. ③ [운동] 트레이너.

cuidadosamente *adv.* 조심스럽게, 주의 깊게, 공을 들여.

cuidadoso, sa *adj.* 공을 들인, 정성을 들인, 주의 깊은; 신경을 쓰는.

cuidar *tr.* ① …에 신경을 쓰다. ② …를 보살피다, 돌보다, 도와주다; 손질하다. ③ 간병하다. —*intr.* ① [+de] …을 신경을 쓰다, 시중들다, 보살피다: *~ de su* salud 자신의 건강에 신경을 쓰다. ② [+con] …에게 조심하다. **~se** ① 자신의 몸・건강에 신경을 쓰다: *Cuídate* bien [mucho] 몸조심 해라. ② [+de] 마음을 쓰다, 신경을 쓰다.

cuita[1] *f.* ① =**trabajo, aflicción, desventura**: contar *sus ~s* a *alguien* …에게 고민거리를 털어놓고 이야기하다. ② [고어] =**ansia, anhelo.**

cuita[2] *f. AmérC.* 새똥.

cuitado, da *adj.* ① 슬픔에 젖은, 생각에 잠긴. ② 무기력한, 빌빌거리는.

cuja *f. Amér.* 침대(cama).

culada *f.* 엉덩이 부딪치기, 엉덩방아.

cular *adj.* ① 엉덩이의. ② 제일 두꺼운 창자로 만들어진 (순대·소시지).

culata *f.* ① (총의) 개머리판, 개머리판의 바닥, 포미. ② (엔진의) 실린더 헤드 ((내연 기관의 실린더 관이나 판이 장치된 부분)). ③ (마소의) 궁둥이; 궁둥이 살. ④ *Amér.* =**fachada.** ¶*dar de* ~ (차가) 후진하다.

culatazo *m.* ① (개머리판으로) 구타. ② (발사 때, 총의) 반동.

culear *intr.* ① 궁둥이를 흔들다. ② (자동차가 커브를 돌거나 미끄러운 땅에서 미끄러질 때) 뒷부분을 움직이다. ③ *Arg., Chile, Col.* 성교하다.

culebra *f.* ① [동물] (주로, 독이 없는 작은) 뱀. ② (증류기의) 나선관. ③ *Col., Ecuad.* 채권자. ④ *Salv.* 신입 사원이 첫 봉급으로 사무실 동료들에게 한턱내는 파티.

culebrear *intr.* 지그재그로 걷다, 사행(蛇行)하다.

culebrilla *f.* [의학] 대상 포진.

culebrón *m.* ① (텔레비전의) 장편 멜로 드라마, 연속극. ② 능구렁이 같은 남자.

culero, ra *adj.* ① 항상 남에게 뒤쳐지는, 모든 사람이 한 뒤에 일을 하는, 게으른. ② 겁이 많은. —*mf.* ① 게으름뱅이. ② 겁쟁이. —*m.* ① (청결용으로 아이들에게 채워 주는) 아마포 자루. ② =**granillo, tumor.** ③ *Salv.* 동성애 남자. ④ 아이들의 포대기에 남은 대변 오물 자국. ⑤ 바지 엉덩이 부분의 덧댄 천[수선 자국]. ⑥ 옷의 엉덩이 부분의 얼룩[닳은 곳·고친 데·덧댄 천].

culi *m.* (중국·인도 등의) 노동자, 원주민 하인.

culillo *m.* ① *AmérC., Col., Ecuad., PRico., Ven.* =**miedo.** ② *Nic.* =**inquietud, preocupación.** ③ *Cuba.* =**prisa, impaciencia.** ④ *RDom.* =**rabia, ira, enojo.**

culinario, ria *adj.* 요리의.

culmen *m.* 극치, 절정.

culminación *f.* ① 정점에 달한 것, 최고조. ② [천문] 자오선 통과.

culminante *adj.* 절정에 있는, 최고의: punto ~ ① 정점, 최고점. ② (연극 등의) 클라이맥스. ③ [천문] (천체의) 최고 고도. ④ [의학] 늑간 신경통.

culminar *intr.* ① 정점[절정]에 달하다, 최고조에 달하다. ② [+con·en] 오로지 …이 되다. ③ [천문] (천체가) 자오선을 통과하다. —*tr.* (정점에) 달하다; 끝내다.

culo *m.* ① [집합] 궁둥이. ② (어떤 동물에서) 궁둥이 주변의 살이 많은 부분. ③ 항문. ④ (잔의 바닥에 남아 있는) 적은 양의 액체.

culombio *m.* [전기량의 단위] 쿨롱.

culón, na *adj.* 궁둥이가 큰. —*m.* 부상병(soldado inválido).

culote *m. fr.* ① 꽉 끼는 여자의 바지. ② (자전거 선수의) 꽉 끼는 바지.

culpa *f.* ① 실수, 잘못, 탓. ② *pl.* (종교·도덕상의) 죄. ③ [법률] 과실. ¶*echar la* ~ a alguien …에게 죄를 뒤집어씌우다, …의 탓으로 돌리다.

culpabilidad *f.* 죄가 있는 일; 유죄, 죄상: sentido de ~ 죄의식, 죄악감.

culpabilizar (9) *tr.* =**culpar.**

culpable *adj.* ① 죄가 있는. ② [법률] 유죄(有罪)의. —*mf.* ① 책임이 있는 사람, 책임자. ② [법률] 죄인.

culpar *tr.* [+de] (책임·죄를) …에게 씌우다; 고소하다. —*intr.* [+a] (…의) 탓으로 하다. ~**se** 자신을 나무라다.

culposo, sa *adj.* 과실에 의한, 책임이 있는: homicidio ~ 과실 치사.

cultamente *adv.* ① 교양 있게. ② 점잔 빼며, 교양 있는 체하며.

culteranismo *m.* 과식주의(過飾主義).

culterano, na *adj.* 과식주의의. —*mf.* 과식주의 시인.

cultismo *m.* ① 교양어(palabra culta). ② [드묾] 과식주의(culteranismo).

cultivable *adj.* 경작[재배]할 수 있는, 경작[재배]에 적당한.

cultivado, da *adj.* ① 경작된. ② 재배된, 양식된. ③ 교양 있는, 세련된.

cultivador, ra *adj.* 경작[개척·재배]하는; 연구[예술] 활동에 힘쓰는. —*mf.* 경작자, 개척자, 재배자; 예술가.

cultivar *tr.* ① 갈다, 경작하다; 개척하다: ~ el campo 밭을 갈다. ② 재배하다. ③ 양식하다; 배양하다. ④ 양성하다, 육성하다. ⑤ (능력 등을) 개발하다; (연구·예술 활동에) 힘쓰다.

cultivo *m.* ① 경작; 개척. ② 재배(법). ③ 양식; 배양: perla de ~ 양식 진주. ④ (능력 등의) 양성, 개발.

culto, ta *adj.* ① 교양이 있는: lengua ~*ta* 교양어. persona ~*ta* 교양인. ② (나라가) 문화적으로 세련된. ③ (토지가) 경작된. ④ (식물이) 재배된. —*m.* ① 신앙: ~ cristiano 기독교 신앙. ② 예배 (의식): ~ dominical 일요(일) 예배. ③ [+a] (…에의) 숭배, 예찬.

cultura *f.* ① 문화. ② 교양. ③ 단련, 수양: ~ física 체육.

cultural *adj.* ① 문화의: bienes ~*es* 문화재. nivel ~ 문화 수준. ② 교양의: programa ~ 교양 프로그램.

culturar *tr.* 경작하다.

culturismo *m.* 보디빌딩.

culturista *mf.* 보디빌딩을 하는 사람.

culturización *f.* 문명화(文明化).

culturizar (9) *tr.* 문명화하다. ~**se** 문명화되다.

cumbia *f.* 꿈비아 ((꼴롬비아·파나마의 민속춤)).

cumbre *f.* ① 산꼭대기, 산정, 정상; 정점. ② 수뇌 회담, 정상 회담. ③ [형용사적] 최고의: novela ~ 최고의 걸작.

cúmel *m. al.* 퀴멜주(酒).

cum laude *lat.* 우등의, 우등으로.

cúmplase *m.* 승인 ((공문서의 서명 위에 놓는 말)).

cumpleaños *m.sing.pl.* 생일, 탄생일.

cumplidero, ra *adj.* ① 기한이 끝날[거의 다 된]. ② 적당한, 안성맞춤의.
cumplido, da *adj.* ① 완수한, 끝까지 해낸; 기한이 끝난. ② 완전한: victoria ~*da* 완승. ③ 조금 큰. ④ 예의바른. —*m.* ① 예법, 예의, 가정 교육. ② 선물, 기증품.
cumplidor, ra *adj., m.f.* 실행하는, 의무를 다하는 (사람).
cumplimentar (19) *tr.* ① 축하하다; (공식 방문으로) 경의를 표하다. ② =**rellenar.** ③ (명령을) 집행하다, 실행하다; (수속 등을) 밟다, 처리하다. ④ (서류 등에) 기입하다.
cumplimiento *m.* ① (의무·명령 등의) 수행; (기한의) 만료, 만기. ② 예의.
cumplir *tr.* ① (책임·의무 등을) 완수[달성]하다. ② 만 …살이다. —*intr.* ① 책임[의무]을 다하다, 직무를 수행하다. ② [+con] (임무 등을) 완수[달성]하다; (규칙 등을) 지키다: ~ *con su* obligación 의무를 다하다. ③ [+con] (…에의) 의무를 다하다, 예의를 지키다. ④ 기한이 되다, 지불 날짜가 되다. ⑤ 병역을 마치다. ⑥ 형편이 좋다. **~se** ① (기간이) 경과하다. ② (희망 등이) 실현되다.
cumquibus *m.* ① 재산. ② [고어] 돈.
cúmulo *m.* ① 더미. ② [기상] 적운(積雲). ③ [천문] 성단(星團).
cúmulonimbo *m.* 쌘비구름, 소나기구름, 적란운(積亂雲).
cuna *f.* ① 요람, 유아용 침대: canción de ~ 자장가. ② 가문, 문벌, 집안, 출신. ③ 출생지. ④ 발상지, 온상. ⑤ 기아 수용소. ⑥ 실뜨기 놀이. ⑦ (소의) 좌우의 뿔 사이의 간격. ¶*conocer* a alguien ***desde su*** ~ (…를) 핏덩이적부터 알다, 유아기부터 알다.
cundir *intr.* ① (액체·뉴스 등이) 퍼지다, 전해지다, 유포되다. ② (곡물이) 부풀어 오르다, 부풀다. ③ (일 등이) 순조롭게 되어 가다, 잘 진척되다.
cunear *tr.* =**acunar.** **~se** 몸을 흔들다.
cuneiforme *adj.* 쐐기 모양의: escritura ~ 설형 문자, 쐐기형 문자.
cunero, ra *adj.* ① 선거구에 외지에서 전입한. ② (상품이) 브랜드가 없는, 이류의. ③ 출신지가 분명치 않은 (투우). ④ 기아(棄兒)의, 개구멍받이의. —*m.f.* ① 기아(棄兒). ② 외지인. —*m. Cuba, Ecuad.* (병원에서) 갓 태어난 아이들이 있는 곳. —*f.* (궁에서) 아이들의 요람을 흔드는 직을 가진 여자.
cuneta *f.* (도로 양측의) 배수구.
cunicultor, ra *adj.* 토끼 사육의, 양토의. —*m.f.* 양토가, 토끼 사육자.
cunicultura *f.* 양토(養兎), 토끼 사육.
cunnilingus *m.* 여성 성기의 구강(口腔) 애무.
cuña *f.* ① 쐐기. ② 쐐기 모양의 물건. ③ 연고, 연줄, 친분 관계, 후원자. ④ [신문] (지면의 빈곳을 메우는) 짧은 뉴스. ⑤ 요강. ¶ ~ *publicitaria* (텔레비전·라디오의) 스포트 광고. *en* ~ V자 형으로.
cuñado, da *m.f.* 처남, 매부, 매제, 아주버니, 시동생; 시누이, 올케, 처형, 처제, 계수, 제수.
cuño *m.* ① (화폐 등의) 각인, 자국, 틀. ② 설형 대열. ¶***de nuevo*** ~ 현대[신형]의: palabra de nuevo ~ 신어.
cuota *f.* ① 몫, 할당분, 배당분, 분담금, 부담금, 할당액, 분배액, 배당액, 배당량. ② 회비. ③ *Amér.* 요금; 분할불의 매회 액수: carretera de ~ 유료 도로.
cuotidiano, na *adj.* =**cotidiano.**
cup- ☞caber (65).
cupé *m.* ① 2인승 사륜 상자형 마차. ② (옛 마차에서) 포장된 부분의 앞칸.
cupido[1] *m.* 여자에게 잘 반하는 남자.
Cupido[2] *m.* [로마 신화] 사랑의 신.
cuplé *m.* (극장이나 쇼를 하는 곳에서 부르는) 짧고 가벼운 노래.
cupletista *m.f.* cuplé 가수.
cupo *m.* ① 할당분, 배급량. ② (도시·마을에 할당된) 소집병(의 수). ③ *Amér.* 용량. ④ *Amér.* (차의) 좌석.
cupón *m.* ① (표 등의) 할인권, 반액표. ② (채권 등의) 배당권. ③ 복권.
cúprico, ca *adj.* ① 구리의, 동(銅)의. ② [화학] 제이동의.
cuprífero, ra *adj.* 동을 함유한
cuprita *f.* [광물] 적동광(赤銅鑛).
cuproníquel *m.* (옛날의) 백동화.
cuproso, sa *adj.* [화학] 제일동(銅)의.
cúpula *f.* ① [건축] 돔(의 안쪽), 원형지붕. ② (군함 등의) 포탑. ③ [식물] 꼭지. ④ 본부, 집행부.
cupulino *m.* (원형 지붕의) 첨탑, (돔의) 꼭대기 탑.
cuquería *f.* ① 교활한 짓, 능구렁이 짓. ② =**taimería.**
cuquillo *m.* [새] =**cuclillo.**
cura *f.* ① 치료, 치유; 치료법. ② 외상용 약 ((고약 등)). —*m.* 사제(司祭); (특히 소교구의) 주임 사제.
curable *adj.* 치료할[치유될] 수 있는.
curaca *f. AmérM.* 부족장, 추장.
curación *f.* ① 치료, 치유(治癒). ② 보존 가공.
curadera *f. Chile.* =**borachera.**
curadillo *m.* =**bacalao.**
curado, da *adj.* ① 보존 가공된; 숙성된. ② 단련된: 완고한. ③ *AmérM.* 술 취한. —*m. Méj.* 보존 가공된 용설란 술(pulque ~).
curador, ra *adj.* ① …에 조심하는 (사람). ② 치료하는 (사람). —*m.f.* ① [법률] 후견인. ② *AmérM.* 큐레이터. ③ 가공자.
curalotodo *m.* 만병 통치약.
curandero, ra *m.f.* ① 민간 요법 의사. ② 돌팔이 의사.
curanderismo *m.* 민간 요법 의술.
curar *tr.* ① 치료하다, 고치다. ② (고기·생선 등을) 보존 가공하다. ③ (목재를) 재워 두다. ④ (가죽을) 다루다,

무두질하다. ⑤ (천·실 등을) 표백하다. —*intr.* 낫다, 치유되다, 완쾌되다. ~**se** ① 낫다, 치료되다: La herida *se curó* sola 상처가 자연히 나았다. ② *AmérM.* 술에 취하다(embriagarse).
curare *m.* 꾸라레 ((중남미에서 독화살에 사용하는 식물의 진액)).
curasao *m.* 큐라소 ((오렌지 껍질로 빚어 오렌지 향료가 든 리큐어 술))
curatela *f.* [법률] 후견인의 직무.
curativo, va *adj.* 치유력이 있는; 치료용의: remedio ~ 치료약.
curato *m.* 사제의 직무[교구].
curco, ca *adj. Col., Ecuad.* =**jorobado.**
curcucho, cha *adj., mf. Hond., Nic., Salv.* =**jorobado.**
curcuncho, cha *adj., mf.* =**curcucho.**
curda *adj.* 술취한. —*f.* =**borrachera.**
curdo, da *adj., mf.* 쿠르드족의 (사람).
cureña *f.* 포가(砲架).
curia *f.* ① [집합] 법조(法曹), 법률가. ② [종교] (주로 교회법을 다루는) 법정. ③ [종교] 교황성청.
curial *adj.* 로마성청의. —*m.* 법원의 하급 직원.
curialesco, ca *adj.* 법률 만능주의적인.
curio *m.* ① 퀴리 ((방사능의 단위)). ② 퀴륨 ((초우라늄 원소의 일종)).
curiosamente *adv.* ① 호기심에서, 진기한 듯이. ② 열심히, 의욕적으로. ③ 깨끗하게, 청결하게.
curiosear *intr.* ① 호기심을 일으키다, 남의 것을 알고 싶어하다, 남의 일에 참견하다[덥적거리다]. ② 매기(買氣)도 없는데 살 생각 없이 물건을 보거나 값만 물어 보다. —*tr.* 샅샅이 뒤지다[캐다], 꼬치꼬치 알아보다.
curiosidad *f.* ① 호기심, 지식욕. ② 신기한 물건[것]. ③ *pl.* 골동(품): tienda de ~*es* 골동품 가게.
curioso, sa *adj.* ① 호기심이 강한, 유별난 것을 좋아하는. ② 호기심을 가진. ③ 호기심을 북돋우는. ④ 깨끗한 것을 좋아하는. ⑤ 청결한. —*mf.* ① 호기심이 강한 사람, 구경꾼. ② *Ven.* 손재주가 있는 사람. ③ *Amér.* 돌팔이 의사.
currante *mf.* 노동자, 일하는 사람.
currar *intr.* 일하다. —*tr. Arg.* [속어] 속이다, 사기 치다(estafar).
curre *m.* =currelo.
currelar *intr.* =currar.
currelo *m.* 직(職), 일.
curricán *m.* 트롤리 어업용 낚시 도구.
curricular *adj.* 커리큘럼의.
currículo *m.* ① 커리큘럼, 교육과정, 학습 계획. ② 이력서(curriculum).
curriculum *m.* ① 이력서. ② 커리큘럼.
curriculum vitae *m. lat.* 이력서.
currinche *mf.* (신문기자 중의) 애숭이, 신참자(principiante).
currito, ta *mf.* 노동자.
curro[1]**, ra** *adj.* =**majo.** —*m. Ast., Gal., León, Pal.* =**pato.**
curro[2] *m.* ① =**trabajo.** ② =**estafa.**
currusco *m.* =**cuscurro.**
curry *m. ing.* [*pl.* curries] ① 카레 (가루). ② 카레 요리.
cursado, da *adj.* 능숙한, 숙달된.
cursar *tr.* ① 이수하다: ~ literatura 문학 강의를 이수하다. ② (편지 등을) 보내다. ③ (명령을) 전하다. ④ (청원 등의) 수속을 하다, 서류를 돌리다.
cursi *adj., mf.* 촌스런, 저속한, 악취미를 가진, 취미가 나쁜 (사람).
cursilada *f.* 촌스런 행동[말], 악취미를 가지는 일.
cursilería *f.* 촌스런 일, 꼴불견.
cursillista *adj.* 수강중의, 연수중의. —*mf.* 수강생, 수강자, 연수자, 연수생.
cursillo *m.* 단기 강의, 강습회; 연수, 실습: ~ de cristiandad 종교학 강의.
cursivo, va *adj., f.* 이탤릭체(의), 사체(斜體)(의): en ~*va* 이탤릭체로.
curso *m.* ① 강의, 강좌, 강습회: ~ acelerado [intensivo] 집중 강의. ~ de verano [invierno] 하계[동계] 강의. abrir un ~ 강의를 개설하다. hacer un ~ de español 스페인어 강의[강습]를 받다. dar un ~ de historia 역사 강의를 하다. ② 과정, 학년: alumno de tercer ~ 3학년 학생. terminar un ~ 과정을 마치다. ③ [집합] (한 학년의) 학생, 생도: Soy de [Estoy en · Estudio] primer ~ 나는 1학년 학생이다. ④ (물 등의) 흐름, 진로. ⑤ 경과, 추이. ⑥ (화폐의) 유통. ⑦ (말 등의) 통용. ⑧ (책 등의) 유포. ¶***en*** ~ 진행중의, 현재의: el año *en* ~ 금년. el mes *en* ~ 금월. ***en*** ~ ***de*** algo (…가) 진행중인. ***en el*** ~ ***de*** algo (…의) 사이에. ***seguir su*** ~ 순조롭게 진척되다: Nuestros negocios *siguen su* ~ 우리의 사업은 순조롭다.
cursor *m.* ① [기계] 커서 ((계산자·측량 기계 등의 눈금선이 있는 이동판)). ② [컴퓨터] 커서.
curtido, da *adj.* ① =**experimentado.** ② *Salv., Ven.* =**renegrido.** ③ *Ven.* =**cínico.** —*m.* ① 무두질. ② (피부를) 햇볕에 태움. ③ 단련. ④ 무두질한 가죽. ⑤ 나무의 껍질. ⑥ 식초에 절인 열매(fruto encurtido).
curtidor, ra *mf.* 무두질하는 사람.
curtidura *f.* =**curtimiento.**
curtiduría *f.* 무두질 공장, 피혁 공장.
curtiembre *f.* =**curtiduría.**
curtiente *adj.* 무두질에 쓰는 (약제).
curtimbre *f.* =**curtimiento.**
curtimiento *m.* ① 무두질(하는 일). ② 볕에 탐. ③ 갯바람에 탐. ④ 단련.
curtir *tr.* ① (가죽을) 다루다, 무두질하다: piel curtida 무두질한 가죽. ② (피부를) 햇볕[갯바람]에 태우다. ③ 단련시키다. ④ *Arg., Ur.* 채찍으로 벌하다. ~**se** ① (햇볕·갯바람에) 타다. ② (고난 등에) 단련되다, 강해지다.
curul *f. Col., Ecuad., Méj., Perú, Salv.* 의석(議席)(escaño).

curvar *tr.* 구부리다, 휘다. ~**se** 굽다, 몸을 구부리다.
curvatura *f.* ① 만곡. ② [체조] 굴신.
curvilíneo, a *adj.* 곡선의, 곡선이 될 수 있는: coordinados ~*s* 곡선 좌표.
curvímetro *m.* 곡선 측정기.
curvo, va *adj.* 굽은: línea ~*va* 곡선. —*f.* ① 선, 굽은 방향. ② 곡선; [통계] 곡선 그래프. ③ (도로·선로 등의) 커브(의 한 구획): ~ abierta 완만한 커브. ~ cerrada 급커브; 폐곡선. ④ [기하] 곡선. ⑤ (두 각재를 고정시키는) 강한 나무 조각. ⑥ [야구] 커브. ⑦ *pl.* (여성의 아름다운) 몸의 곡선. ¶*coger la ~, tomar la ~* (자동차나 그 운전수가) 커브를 꺾다[틀다], 도로의 직선 구획에서 곡선 구획까지 지나가다.
cusca *hacer la ~* =hacer la cusqui.
cuscurro *m.* 가장 많이 구워진 빵의 끝 부분.
cuscús *m.* 쿠스쿠스 ((북서 아프리카, 특히 모로코, 알제리, 튀니지의 겉 껍질을 벗긴 보리와 소스로 만든 독특한 요리로 고기와 야채를 곁들임)).
cúspide *f.* ① 산꼭대기, 산정(山頂). ② 정점, 절정. ③ (원뿔 등의) 끝. ④ [식물] (잎 등의) 선단(先端).
cusqui *hacer la ~* 괴롭히다, 귀찮게 하다, 해를 끼치다.
custodia *f.* ① 감시; 보관, 관리; 보호, 감독, 양육(권); 의무, 권리. ② (죄인 등의) 감시원, 파수꾼. ③ [종교] 성체 현시대(聖體顯示臺); 성체 용기(聖體容器); 성궤(聖櫃).
custodiar (11) *tr.* 감시하다; 보관하다; 보호하다, 감독하다, 양육하다.
custodio *m.* 보호자, 감독자.
cusul *m. Hond.* ① 어두컴컴하고 통풍이 잘 안된 비좁은 방. ② 오두막.
cusumbe *m. Col.* =coatí.
cusumbo *m. Col.* =coatí.
cususa *f.* ① *AmérC.* 사탕수수 소주. ② *Hond,* 밀조(密造)한 소주.
cutáneo, a *adj.* 피부(cutis)의.
cúter *m. ing.* ① (종이 등을 자르는) 손잡이 안에 보관된 바꾸어 낄 수 있는 주머니칼. ② 소형 범선.
cutí *m.* [*pl.* ~es] 욧잇으로 사용되는 삼베 천.
cutícula *f.* ① 가늘고 엷은 가죽. ② [해부] 외피(外皮). ③ 표피(表皮).
cuticular *adj.* cutícula의.
cutirreacción *f.* (알레르기 체질 등을 가리기 위한) 피부 시험[테스트].
cutis *m.sing.pl.* ① (사람의) 피부 ((주로 얼굴의 피부를 말함)). ② [해부] 진피(眞皮)(dermis).
cuto, ta *adj.* ① *Hond., Salv.* 꼬리가 없는[잘린] (동물). ② *Hond., Salv.* 팔이 없는[잘린] (사람). ③ *Salv.* 매우 짧은 (옷). —*m. Guat.* 작은 소주병.
cutre *adj.* ① 인색한 (사람). ② 천덕스런, 구질구질한, 지저분한, 더러운, 질이 나쁜, 저질의.
cutredad *f.* =cutrez.
cutrería *f.* =cutrez.
cutrerío *m.* =cutrez.
cutrez *f.* ① 인색함. ② 지저분함, 더러움, 구질구질함.
cuy *m.* [동물] 모르모트 ((식용)).
cuye *m. Chile.* 모르모트.
cuyo[1], **ya** *adj.* [소유를 나타내는 관계 형용사; 명사 앞에 오며 그 명사의 성·수에 일치하여 cuyo, cuya, cuyos, cuyas로 변함] …하는 그: El niño ~*s* padres están muertos se dice huérfano 부모가 죽은 아이는 고아라고 부른다.
cuyo[2] *m. Méj., Salv.* [동물] 모르모트.
cuzcuz *m.* =cuscús.
cuzma *f.* (인디오의) 소매 없는 셔츠.
cuzo, za *adj. Ast., Gal., León.* 신중하지 못하고 남의 뒤를 캐고 다니는
cuzqueño, ña *adj., m.f.* 꾸스꼬(Cuzco, 뻬루의 남부에 있는 주·주도; 잉카 제국의 수도였음; cuzco란 잉카 말로 「배꼽」이다. 배꼽은 중앙을 뜻하며, 중앙은 수도를 의미함)의 (사람).
cuzul *m. Hond.* =cusul.
CV caballo de vapor 마력(馬力).
C.V. capital variable 가변 자본.
cyclo-cross *m. ing.* 크로스컨트리 자전거 경주.
czarda *f.* 차르다시 ((아주 경쾌한 동작의 헝가리의 민속 음악)).

D d

d, D ① 데 ((스페인어 자모의 네 번째 문자)). ② 로마 숫자의 500 ((일반적으로 대문자 D로 씀)).
D. don 돈 ((남자 이름 앞에 붙이는 경칭)).
d/ día 날, 일(日).
D[a]**.** doña ((여자 이름 앞에 붙이는 경칭)).
D/A documento contra aceptación 인수 어음, DA 어음.
dable *adj.* 할 수 있는, 가능한.
daca *interj.* [dar의 명령형 da와 부사 acá의 단축형] 내놓아라, 이리 내놓아라. ¶*andar al ~ y toma* 언쟁하다, 말다툼하다, 입씨름하다.
da capo *adv. it.* [음악] 처음부터 반복하여.
dacha *f.* (러시아의) 별장.
dación *f.* 주기, 양여.
dacriocitis *f.* [의학] 누낭염(淚囊炎), 눈물주머니 염증.
dacriorrea *f.* [의학] 눈물 과다 유출.

D

dactilado, da *adj.* 손가락 모양의.
dactilar *adj.* 손의. ¶ ***huella*** ~ 지문. ***impresión*** ~ 지문.
dactílico, ca *adj.* 장단단격시로 쓰인.
dáctilo *m.* [시법] 장단단격.
dactilo-, dáctilo- *pref.* 「손가락」의 뜻: *dactilo*grafía 타자.
dactilografía *f.* 타자(打字), 타이핑.
dactilografiar *tr.* =**mecanografiar.**
dactilográfico, ca *adj.* 타자용의; 타자기로 친.
dactilógrafo, fa *adj.* 타자수, 타이피스트(mecanógrafo).
dactilograma *m.* (법적 신분 확인을 목적으로 찍는) 지문(huella digital).
dactilología *f.* 수화법(手話法), 수화술; 지화법(指話法), 지화술.
dactilológico, ca *adj.* dactilología의.
dactiloscopia *f.* 지문학, 지문법, 지문 감정.
dactiloscópico, ca *adj.* dactiloscopia 의[에 관한].
dactiloscopista *m.f.* 지문 감정가, 지문 전문가, 지문 학자.
-dad *suf.* [형용사의 명사화] grave*dad* 진지함. terque*dad* 완고함.
dadá *adj.* =**dadaísta.** —*m.* =**dadaísmo.**
dadaísmo *m.* 다다이즘.
dadaísta *adj.* 다다이즘의, 다다이스트의. —*m.f.* 다다이스트.
dádiva *f.* 선물: hacer ~*s* 선물하다.
dadivoso, sa *adj., m.f.* 너그러운, 인심이 좋은(사람).
dado[1] *m.* ① 주사위. ② [기술] 다이스. ③ [건축] 기둥 받침, 벽의 기둥; 대좌의 동체부. ④ 굴대나 나사에 끼우는 주사위 모양의 각목 조각. ⑤ (깃대의) 바탕 빛깔이 아닌 빛깔. ¶ ***correr el*** ~ 운이 트이다. ***estar*** algo ***como un*** ~ (…이) 꼭 들어맞다.
dado[2]**, da** *adj.* ① 주어진. ② 가능한. ③ 특정의. ④ [+ser] (…의) 기질[경향]이 있는. ⑤ *Amér.* 사교적인, 붙임성이 좋은.
dador, ra *adj.* 주는 (사람). —*m.f.* ① 양도자. ② (편지의) 지참인. ③ 어음[수표] 발행인.
daga *f.* (양날의) 단검(短劍).
daguerrotipo *m.* 은판 사진, 은판 사진법[사진기].
daiquiri *m. Cuba.* [술] 다이끼리((럼주 칵테일; 헤밍웨이가 꾸바에서 즐겨 마신 술)).
dalia *f.* [식물] 달리아.
dallador, ra *m.f.* 낫질하는 사람, 풀을 베는 사람(persona que dalla).
dallar *tr., intr.* 낫(dalle)으로 베다.
dalle *m.* [연장] 낫(guadaña).
daltoniano, na *adj.* ① 색맹에 걸린. ② 색맹의. —*m.f.* 색맹(色盲).
daltónico, ca *adj* =**daltoniano.**
daltonismo *m.* [의학] (붉은 색과 푸른 색의) 색맹.
dama[1] *f.* ① 부인((mujer보다 정중한 표현)): (Para las) Damas [표시] 부인용. Primero las ~*s*, Las ~*s* primero(, los caballeros después) 레이디 퍼스트. ② 귀부인. ③ (서양 장기의) 여왕. ④ 시녀, 궁녀. ⑤ (큰 집에서) 하녀. ⑥ [연극] 주연 여배우: segunda ~ 조연 여배우. ⑦ (서양 장기의 하나인 체커에서) 반대편의 첫 줄에 닿아서 다른 말을 넘어 모든 선을 달릴 수 있는 말. ⑧ 땅의 경계표. ⑨ 첩. ⑩ [시어] 여자. ⑪ 의중(意中)의 여인. ⑫체커. ¶ ~ ***de cortesana*** =**prostituta.** ~ ***de honor*** ㉮ (왕비의) 시녀. ㉯ (신부의) 들러리, 시중 드는 여성. ㉰ (미인 대회의) 준미스. ~ ***regidora*** 카니발의 여왕. ***primera*** ~ ㉮ (어떤 나라에서) 영부인, 퍼스트 레이디, 대통령 부인. ㉯ 주연 배우.
dama[2] *f.* (용광로의) 방벽(防壁).
dama[3] *f.* [동물] 황록, 누런 사슴.
damaceno, na *adj.* =**damasceno.**
damasceno, na *adj.* 다마스쿠스(Damasco, 시리아의 수도)의[태생의]. —*m.f.* 다마스쿠스 사람. —*f.* 다마스쿠스 살구.
damasco *m.* ① 다마스크 천. ② [식물] 살구나무의 변종. ③ [과실] 살구.
damasquinado *m.* 상안 세공품.
damasquinar *tr.* (금속에) 은을 상안(象眼)하다.
damasquino, na *adj.* ① 다마스쿠스의. ② (도검이) 다마스크 강철의. ③ 다마스쿠스 산의 (천).
damero *m.* ① 장기판. ② =**damerograma.** ③ 바둑판 눈모양의 거리 지도.
damerograma *m.* 크로스워드 퍼즐.
damisela *f.* ① 숙녀처럼 행동하는 젊은 아가씨. ② 창녀, 매춘부, 성매매 여성.
damnificado, da *adj.* 이재(罹災)를 당한 (사람). —*m.f.* 이재민, 희생자.
damnificador, ra *adj.* 해치는, 피해를 주는, 손해를 끼치는 (사람).
damnificar (7) *tr.* 손해를 끼치다.
dan *m. jap.* (유도 등의) 단(段).
dance *m.* ① *Ar.* 칼춤. ② *Ar.* 칼춤에서 읊는 시작(詩作).
dancing *m. ing.* 댄스 홀.
dandi *m.sing.pl.* 멋쟁이 (남자).
danés, nesa *adj.* 덴마크의. —*m.f.* 덴마크 사람. —*m.* 덴마크 말.
danta *f.* ① =**anta**[1]. ② *Col., Ecuad., Ven.* =**tapir.**
dantesco, ca *adj.* ① 단테(Dante)의. ② 단테풍의 (작품).
dantismo *m.* 단테주의, 단테 경향.
dantista *adj.* 단테나 단테의 작품의 연구에 전념하는. —*m.f.* 단테 연구가, 단테 숭배자.
dantzari *m.f.* 바스크의 민족 무용을 추는 사람.
danza *f.* ① 댄스, 무용: ~ clásica 고전 무용, 발레. ~ del vientre 배꼽

D

춤. ~ popular 민속춤. ② 춤추는 법. ③ [집합] 댄서. ④ 아바네라 (habanera, Cuba에서 유래된 춤). ⑤ 아바네라 음악. ⑥ 이쪽저쪽으로 계속 움직이는 일. ⑦ 수상쩍은 일, 빗나간 일, 귀찮은 일, 성가신 일. ¶~ *de arcos* [집합] 아치(arcos). ~ *de cintas* 연무(連舞). ~ *de espadas* ㉮ 칼춤. ㉯ 싸움, 난투. ~ *de la muerte* (죽음의 신이 등장하는) 죽음의 춤.

danzado *m.* ① 춤, 무용. ② 어떤 공연의 무희의 수.

danzador, ra *adj.* 춤추는. —*m.f.* 댄서, 무희; 춤추는 사람.

danzante *adj.* 춤추는. —*m.f.* ① 댄서, 무용수, 춤추는 사람. ② 자기의 일에 열심인 사람. ③ 쓸데없는 참견을 하는 사람.

danzar (9) *intr.* 춤추다. —*tr.* ① 왈츠를 추다. ② 뛰면서 빨리 움직이다, 요동하다, 여기저기 뛰어 돌아다니다. ③ 공연한[쓸데없는] 참견을 하다.

dañable *adj.* =**perjudical, gravoso.**

dañar *tr.* …에게 손해를 주다, 해치다, 상처를 입히다; 손상하다, 흠내다, 망가뜨리다. —*intr.* 손해를 주다. ~**se** 피해를 입다.

dañino, na *adj.* ① [+para] (…에) 유해한, 해로운. ② 근성이 나쁜.

daño *m.* ① 손해, 피해. ② 병, 상처, 부상. ③ *Amér.* 저주, 마력, 악; 눈병. ¶*hacer* ~ ㉮ [+a] (…에게) 아픔[통증]을 주다, 손상하다, 흠내다. ㉯ 손해를 가져오다[초래하다]. ㉰ (먹은 것이 잘 삭지 않고) 위에 남다, 트릿하다; 체질에 맞지 않다.

dañoso, sa *adj.* 해로운, 유해한.

DAO *d*iseño *a*sistido por *o*rdenador [컴퓨터] 컴퓨터 원용 설계[디자인].

dar (37) *tr.* ① 주다: ~ un regalo 선물을 주다. ② (수도·전기 등을) 공급하다. ③ 인도하다, 건네다, 주다. ④ 낳다, 산출하다, 만들어내다, 생산하다, 주다. ⑤ 전하다, 알리다, 전파하다, 가리키다, 보이다, 나타내다. ⑥ (회의 등을) 열다, 개최하다. ⑦ 상영하다, 상연하다. ⑧ ㉮ (행위·동작을) 하다: ~ un paseo 산책을 하다. ㉯ (페인트 등을) 바르다, 칠하다. ㉰ (주사 등을) 주다, 찌르다. ㉱ (마사지 등을) 하다. ⑨ (영향·결과를) 가져오다, 초래하다, 야기하다, 발생시키다. ⑩ (기구 등을) 작동시키다: ~ la luz 불을 켜다. ~ el agua 수도를 틀다. ~ el gas 가스를 켜다. ⑪ (수업을) 받다. ⑫ (시계가) 시간을 알리다. ⑬ (시간을) 엉망이 되게 하다, 못쓰게 하다, 잡치게 하다. ⑭ [트럼프] (카드를) 분배하다, 나누어 주다. —*intr.* ① [+a] ㉮ (…에) 면해 있다, 통해 있다 ㉯ …에게 중요하다, 의의가 있다. ㉰ (사람에게) 느껴지다, 예상되다, 일어나다, 발생하다. ㉱ (스위치 등을) 작동시키다, 조작하다. ② [+con] ㉮ [+en] (…에) 부딪치다, 떨어뜨리다, 넘어뜨리다. ㉯ [+consigo] 넘어지다, 가게 되다. ㉰ …를 우연히 만나다. ③ [+contra] (…에) 맞부딪치다, 명중시키다, 부딪치다, 충돌하다. ④ [+de] ㉮ [반복 구타] 때리다: ~ de bofetadas a *alguien* (…의) 빰을 때리다. ㉯ [타격 등] Caí y di de culo en el suelo 나는 넘어져 엉덩방아를 찧었다. ㉰ [+음식물] ~ *de* comer [beber] a *alguien* …에게 먹을 것[마실 것]을 주다. ⑤ [+en] ㉮ …에 맞부딪치다, 명중시키다. ㉯ 명중되다. ㉰ …에 빠지다, 떨어지다, …이 고질이 되다. ⑥ [+para] (…에) 충분하다. ⑦ [+tras] (…을) 뒤쫓다. ⑧ [시보·종이] 울리다: Dan las diez 열 시를 치고 있다. ~**se** ① [+a] (…에) 열중하다, 전념하다, 몰두하다, 몸을 바치다, 홀딱 빠지다. ② 끝나다. ③ 일어나다, 생기다; (농산물이) 나다, 산출되다, 생산되다. ④ [+a+사람] (…가) 능숙하다, 서툴다. ⑤ [+ por +형용사·과거분사] 자신을 …라 생각하다, …으로 간주하다. ⑥ [+de] (…가)/ [+contra·en] (…과) 부딪치다; [+en] (자신의 몸의 일부를) 부딪치다. ¶*para ~ y tomar* 충분히. ~ *a + inf.* …시키다: ~ *a* entender 이해시키다. ~ *por* **+형용사·과거 분사** …으로 생각하다, 간주하다, 인정하다: ~ *por* inocente 무죄임을 인정하다. ~ *de sí* 신장하다, 퍼지다, 펼쳐지다, 벌어지다. *Donde las dan las toman* (속담) 인과응보. *Quien da lo que tiene, no debe nada* (속담) 남에게 인정을 베풀면 반드시 자기에게 돌아온다.

dardo *m.* ① 투창. ② =**mújol.** ③ 빈정거림, 빗댐.

dares ~ *y tomares* ① 주고 받는 액. ② 대화, 의논, 논쟁.

dársena *f.* (하역) 부두.

darviniano, na *adj.* =darwiniano.

darvinismo *m.* =darwinismo.

darvinista *adj., m.f.* =darwinista.

darwiniano, na *adj.* 다윈설의.

darwinismo *m.* 다윈설, 진화론.

darwinista *adj.* 다윈설의. —*m.f.* 진화론자.

dasonomía *f.* 삼림학(森林學).

dasonómico, ca *adj.* 삼림학의.

data *f.* ① (편지 등의) 날짜와 발신지. ② [부기] 대변. ③ *pl.* 데이터. ¶*de larga* ~ 먼 옛날의.

datación *f.* ① 날짜의 기입. ② 연대의 추정.

datáfono *m.* 데이터폰 (방식).

datar *tr.* ① …에 날짜를 기입하다; (사건·작품 등의) 연대를 추정[결정]하다. ② [부기] 대변에 기입하다. —*intr.* [+de] 거슬러 올라가다.

datero, ra *m.f.* ① *Ven.* (경주에서 이

길 가능성이 있는 경주마를 내기꾼에게 정보나 자료를 제공하는) 정보 제공자. ② *Ven.* (경찰의) 정보 제공자, 밀정.

dátil *m.* ① [열매] 대추야자. ② (사람의) 손가락.

datilera *f.* [식물] 대추야자. —*adj.* 열매가 열리는 (대추야자).

dativo *m.* [문법] 여격.

dato *m.* ① [주로 *pl.*] 자료, 데이터: ~*s* personales 개인 정보. poner los ~*s* en el ordenador 자료를 컴퓨터에 입력하다. recoger ~*s* 자료를 수집하다. ② [수학] 미지수. ③ (주소·전화 번호 등의) 연락처. ④ 증거 서류. ⑤ [컴퓨터] 정보, 데이터.

daza *f.* [식물] 수수(sorgo).

DBE *m.* *D*iploma *m* *B*ásico de *E*spañol 스페인어 기초 면장(免狀)

dbre diciembre 12월

dc docena(s) 타(打), 다스

dC después de Cristo 서력 기원.

dcha. derecha 오른쪽, 우측

d. de J.C. después de Jesucristo 서력 기원(西曆紀元).

DDF *m.* *Méj.* *D*epartamento del *D*istrito *F*ederal 연방구(聯邦區).

DDT. *d*icloro-*d*ifenil-*t*ricloroetano 디디티(dedeté).

de[1] *f.* 문자 d의 명칭.

de[2] *prep.* [정관사 el서는 el과 결합하여 *del*이 된다: luz *del* sol 일광(日光). 단, el이 고유 명사의 일부인 경우는 제외함: la capital de *El* Salvador 엘살바도르의 수도] **I** [한정] ① [소유] …의: el libro *de* mi mujer 내 아내의 책. *¿De* quién es esta casa? — Es *de* María 이 집은 누구의 것입니까? — 마리아의 것입니다. ② [성질·종류] deberes *de* ciudadano 시민으로서의 의무(義務). hombre *de* estatura mediana 중키의 남자. juego *de* niños 아이들의 놀이. ③ [주체·작자] llegada *de*l tren 기차의 도착. ④ [재료, +무관사 명사] vaso *de* cristal 유리잔. ⑤ [내용·수량] saco de harina 밀가루 포대. una taza de café 커피 한 잔. ⑥ [전체의 일부] uno *de* nosotros 우리들 중의 한 사람. ⑦ [신체의 일부] hombre ancho *de* hombros 가슴이 넓은 남자. ⑧ [시간의 한정] el 5 *de* noviembre *de* 2004 2004년 11월 5일. **II** [기점·원인·양태] ① [기점] …에서, …부터: ㉮ [시간] *de* (las) 9 de la mañana a (las) 17 (horas) 오전 9시부터 오후 5시까지. ㉯ [장소] *de* Seúl a Busan 서울에서 부산까지. ② [출신·출생지] *¿De* dónde eres? — Soy *de* España 어느 나라 태생이오? — 스페인 태생입니다. ③ [고유 명사] ㉮ [기혼 부인의 성] Matilde López *de* Montes 마띨데 로뻬스 데 몬떼스 ((몬떼스(Montes)는 남편의 아버지쪽 성)). Señora *de* Montes 몬떼스 부인 ((이 de는 생략할 수 있음)). ㉯ [귀족 등의 성의 앞] Miguel *de* Cervantes Saavedra 미겔 데 세르반떼스 사아베드라. ㉰ [지명 등] Golfo *de* México 멕시코만. ((단, de가 생략되는 경향이 있음; 특히 인명 앞에서: Museo Sorolla 소로야 미술관. Fundación Rockefeller 록펠러 재단)). ④ [원인] …(으)로: ㉮ morir *de* cáncer 암으로 죽다. ㉯ [목적·이유] *de* negocios 사업으로. ⑤ [수단] …(으)로: vivir *de* la pensión 연금으로 살다. ⑥ [동작주] acompañado *de su* padre 아버지를 따라서. ⑦ [양태] ㉮ *de* pequño 어린 시절에. ㉯ [역할, +무관사 명사] …로, …로서: trabajar *de* secretario 비서로 근무하다. ⑧ [주제] …에 대해서[관해서]: discutir *de* la paz mundial 세계 평화에 대해서[관해서]. ⑨ [방향] …(으)로 가는, …에의: camino *de*l Museo de Picasso 피카소 미술관으로 가는 길. **III** [문법적 기능] ① [동작 명사의 목적어] cuidado *de* un enfermo 환자의 간호. ② [동격] el mes *de* julio 7월. la ciudad *de* México 멕시코시(市). ③ [감탄문에서] ¡Pobre *de* mi hija! 가련한 내 딸! ④ [+*inf.*] ㉮ [형용사·명사의 보어(補語)로] Yo estoy avergonzado *de* haber mentido 나는 거짓말한 것을 수치스럽게 생각하고 있다. ㉯ [독립 용법: 가정·조건] …(하)면, …(이라)면: *De* oírlo se reirán mucho de ti 그 말을 들으면 사람들은 너를 비웃을 것이다. ⑤ [부분 표시] Ella prueba *de* todo 그녀는 무엇이건 먹어 본다.

dé dar(주다) 동사의 접속법 현재 1·3인칭 단수: *Dé*melo 나에게 그것을 주십시오.

de- *pref.* 「무·반대」의 뜻: *de*volver 돌아오다, 돌아가다.

dea *f.* [시어] 여신(diosa).

deambulación *f.* 배회, 방랑.

deambular *intr.* 걷다, 정처없이 걷다.

deambulatorio *adj.* 배회[방랑]하는.

deán *m.* ① [천주교] 성당 참사회장. ② (옛 스페인 알깔라 대학교에서) 각 단과 대학의 제일 고참 졸업생.

deanato *m.* ① deán의 직[지위]. ② deán의 소유령(領).

deanazgo *m.* =**deanato.**

debacle *m.* *fr.* =**desastre.**

debajo *adv.* ① [+de] (…의) 아래: ~ de un puente 다리 아래. ② (그) 아래(에): Mi maleta es la de ~ 내 가방은 아래의 것이다.

debate *m.* ① (의회 등의) 토론, 의론: ~ público 공개 토론회. ② =**contienda, lucha, combate.**

debatir *tr.* ① 토론하다, 토의하다. ② =**combatir, guerrear.**

debatirse *r.* 고투하다, 애쓰다, 노력하다, 동요하다: ~ entre la vida y

la muerte 생사의 갈림길을 헤매다.
debe *m.* [부기] 차변(借邊), 부채.
deber *tr.* ① [+*inf.*] …해야 한다, …하지 않으면 안된다: *Debemos* obedecer a nuestros padres 우리는 부모님께 순종해야 한다. ② [no+] …해서는 안 된다: Los menores *no deben* fumar 미성년자는 담배를 피워서는 안 된다. ③ (의무·채무·은혜를) 지다[입다]: ¿Cuánto te *debo*? 내가 너한테 빚을 얼마나 지고 있느냐? Te *debo* lo que soy 오늘의 내가 있는 것은 네 덕분이다. ④ …할 의무가 있다. —*intr.* [de+*inf.*] …일 것이다, …임에 틀림없다 ((de를 생략하기도 함)): El tren *debe* (*de*) llegar a tiempo 열차는 제시간에 도착할 것이다. ~**se** ① 의무가 있다: Los cónyuges *se deben* amor y fidelidad 부부는 서로 사랑하고 정절을 지켜야 한다. ② 원인이 있다: El gol *se debió a* un fallo del portero 골키퍼의 실수로 골이 되었다. —*m.* ① (법률·사회 규범·종교·도덕·정치적인) 의무, 책무: cumplir (con) *su* ~ 의무를 다하다. ② 빚, 채무. ③ *pl.* 숙제.
debidamente *adv.* 단정하게, 빈틈없이, 확실히, 분명히, 충분히.
debido, da *adj.* 당연한, 마땅히 그래야 하는, 그렇게 하는 것이 당연한 (como es): con el ~ respeto 마땅히 표해야 할 존경심으로. ¶ ~ ***a*** … 때문에: *Debido a* la lluvia *se anuló* el partido 비 때문에 시합은 취소되었다. ***como es*** ~ 당연히, 마땅히 그렇게 해야, 단정하게.
débil *adj.* ① (힘·기력·정력이) 약한, 쇠약한. ② [+con] (…에 대해) 심약한, 마음이 약한. ③ 희미한, 미약한, 약한. ④ (음절·모음이) 악센트가 없는. —*m.f.* 약자(弱者), 허약자; 무력자.
debilidad *f.* ① 약함. ② 약점, 결점. ③ [+por] (…에의) 과도한 애호. ④ [상업] (시세의) 내려갈 기미.
debilitación *f.* ① =debilitamiento. ② =debilidad.
debilitamiento *m.* 약하게 되는 일; 쇠약(衰弱).
debilitar *tr.* ① 약하게 하다, 허약하게 만들다. ② [언어] 약음(弱音)으로 바꾸다; (문자의) 발음을 생략하다. ~**se** 약해지다, 허약[쇠약]해지다.
débilmente *adv.* 약하게, 기운 없이, 허약하게.
debitar *tr. Arg., Hond., Méj., Ur.* 차변에 기입하다.
débito *m.* ① [부기] 차변(借邊): nota de ~ 차변 전표. ② 부채(負債), 빚. ③ 부부의 의무(~ conyugal).
debut *m. fr.* [*pl.* ~s] 데뷔, 첫 등장, 처녀작의 발표; (흥행 등의) 초연(初演), 첫 공연.
debutante[1] *adj.* 데뷔하는, 초연의, 첫 무대의. —*m.f.* (가수·배우 등의) 신인, 데뷔자.
debutante[2] *f.* 사교계에 데뷔하는 아가씨.
debutar *intr.* 데뷔하다, 첫 무대를 밟다, 세상에 처음 발을 내딛다.
deca- *pref.* ①「10배」의 뜻: *deca*litro 10리터. ②「10」의 뜻: *deca*edro 10면체.
década *f.* ① 10년간. ② 10권(卷), 10장(章), 10편(編).
decadencia *f.* ① 쇠퇴(기), 감퇴; 퇴폐. ② (문예상의) 데카당 운동.
decadente *adj.* ① 몰락한, 쇠퇴기에 있는; 퇴폐주의의: época ~ 쇠퇴기. ② [예술] 데카당(파)의, 퇴폐(파)의. —*m.f.* =decadentista.
decadentismo *m.* 데카당스주의.
decadentista *adj.* 퇴폐주의의. —*m.f.* 퇴폐주의자, 데카당파의 예술가·문인; 퇴폐적인 사람.
decaedro *m.* [수학] 십면체(十面體).
decaer (73) *intr.* ① [+en] (체력 등이) 쇠하다, 기운이 빠지다, 저하하다. ② 몰락하다, 형편 없이 되다. ③ (배가) 물에 떠밀리다.
decagonal *adj.* [수학] 십각형의.
decágono *m.* [수학] 십각형.
decagramo *m.* [중량의 단위] 데카그램, 10그램.
decaído, da *adj.* ① 쇠퇴기에 있는. ② 쇠한, 원기가 없는.
decaimiento *m.* 쇠약; 의기 소침(함).
decalificación *f.* [의학] =descalcificación.
decalificar *tr.* =descalcificar.
decalito *m.* [용량의 단위] 데카리터, 10리터.
decálogo *m.* ① 십계: el Decálogo de Moisés 모세의 십계. ② (일반적으로) 10개조.
decámetro *m.* [길이의 단위] 데카미터, 10미터.
decanato *m.* 단과 대학장의 직책[임기·방].
decano, na *m.f.* ① (단체 등의) 최고참자. ② 선임자, 선배. ③ (종합 대학교의) 단과 대학장.
decantación *f.* ① 윗국물을 따르는 일, 기울여 부음. ② 맑은 윗국물. ③ 경향(傾向).
decantador, ra *adj.* 윗국물을 따르는. —*m.* 마개 있는 유리병.
decantar[1] *tr.* =propalar, ponderar, engrandecer.
decantar[2] *tr.* ① (그릇을 기울여 포도주 등의) 윗물을 옮기다; 기울여 붓다[쏟다]. ② 상찬하다. —*intr.*, ~**se** [+por·hacia] (…에) 마음이 기울다.
decapante *adj.* (산소 등의) 제거용의. —*m.* 산소[페인트] 제거제.
decapar *tr.* (산소·페인트 등을) 제거하다.
decapitación *f.* 목을 자름, 참수.
decapitar *tr.* …의 목을 자르다.

D

decápodos *m.pl.* [동물] 십각수.
decasílabo, ba *adj.* [시어] 10음절의. —*m.* 10음절 시.
decatlón *m.* [운동] 십종 경기.
deceleración *f.* =desaceleración.
decena *f.* ① [집합] 10단위: ~*s* de personas 수십 명. ② [음악] 10도 음정.
decenal *adj.* ① 10년마다의. ② 10년간의: contrato ~ 10년 계약.
decencia *f.* 예의 바름, 품위(가 있음), 우아함, (언행이) 고상함; 신중: vivir con ~ 절도 있는 삶을 살다.
decenio *m.* 10년간.
decentar (19) *tr.* ① …에 손을 대다, 시작하다. ② (건강 등을) 손상하다. ~**se** (병상에 오래 누워) 살이 짓무르다[쓸리다].
decente *adj.* ① 예의가 바른, 품위 있는, 고상한. ② 조심스러운, 조신하는, 얌전한. ③ (복장 등이) 말쑥한, 깔끔한. ④ (양·금액 등이) 상식에 맞는, 적당한, 그저 그런 (정도의): casa ~ 그저 그런 정도의 집.
decentemente *adv.* 예의 바르게; 신중히; 적당히.
decenviro *m.* (고대 로마의) 10인 위원회 위원.
decepción *f.* 환멸, 실망, 낙담.
decepcionante *adj.* 기대 밖의, 기대에 어긋난.
decepcionar *tr.* 실망시키다, 환멸을 일으키게 하다.
deceso *m.* 자연사, 법률상의 사망.
dechado *m.* ① 견본, 형. ② (아이들의, 수예의) 연습. ③ 본보기, 모범.
deci- *pref.*「10분의 1」의 뜻: *deci*belio 데시벨. *deci*litro 데시리터.
deciárea *f.* 10분의 1 아르 ((10 평방미터)).
decibel *m.* [물리] =decibelio.
decibelímetro *m.* 소음 측정기.
decibelio *m.* [음의 강도의 단위] 데시벨.
decible *adj.* 말[설명]할 수 있는.
decididamente *adv.* ① 결심하고, 굳게 마음먹고, 단단히. ② 사실상, 실제로, 결론적으로.
decidido, da *adj.* ① [estar+, +a+*inf.*] (…하기로) 결정[결심]된, 확정한. ② [+ser] 결연[의연]한, 딱 잘라 말하는, 단호한: con tono ~ 단호한 어조로.
decidir *tr.* ① 결정하다, 정하다; 결심하다. ② 결정짓다, 매듭을 짓다. ③ (어떤 결정을 내리게 할 목적으로) …를 마음대로 움직이다. ④ [+a+*inf.*] (…하는 것을) …에게 결심하도록 하다. —*intr.* [+en·sobre] (…에 대해서·관해서) 결정하다. ~**se** [+a+*inf.* 하는/+por 고르는] 결심을 하다, 결정을 내리다.
decidor, ra *adj.* ① 말하는. ② 쉽고 기품 있게 말하는 (사람). —*m.* [고어] =trovador.
decigramo *m.* 데시그램.
decilitro *m.* [용량의 단위] 데시리터.
décima *f.* ☞décimo.
decimal *adj.* ① 10분의 1의. ② 10진법의. —*m.* ① 10진법. ② 10등분. ③ 1할, 10%. ④ [수학] 소수. ¶*fracción* ~ [수학] 소수. *numeración* ~ [수학] 10진법. *punto* ~ 소수점.
decímetro *m.* 데시미터, 10센티미터.
décimo, ma *adj.* ① 열 번째의. ② 10분의 1의. —*m.* ① 10분의 1. ② (복권의) 10분의 1권 ((같은 번호의 10장 한 조 중의 한 장)). ③ 데시모 ((꼴롬비아와 에꾸아도르의 은화)). —*f.* ① 1할세. ② 8음절 10행 시. ③ 데시모 ((real de vellón의 10분의 1에 해당하는 동전)). ④ (체온에서) 열의 10분의 1도.
decimoctavo, va *adj.* 열여덟 번째의, 18번째의(décimo y octavo).
decimocuarto, ta *adj.* 열네 번째의, 14번째의(décimo y cuarto).
decimonónico, ca *adj.* ① 19세기의. ② 유행이 지난.
decimonono, na *adj.* =decimonoveno.
decimonoveno, na *adj.* 열아홉 번째의, 19번째의(décimo y noveno).
decimoquinto, ta *adj.* 열다섯 번째의, 15번째의(décimo y quinto).
decimoséptimo, ma *adj.* 열일곱 번째의, 17번째의(décimo y séptimo).
decimosexto, ta *adj.* 열여섯 번째의, 16번째의(décimo y sexto).
decimotercero, ra *adj.* =decimotercio.
decimotercio, cia *adj.* 열세 번째의, 13번째의(décimo y tercio).
deciocheno, na *adj.* =dieciocheno.
decir[1] *tr.* ① 말하다, 기술하다, 생각을 말로 나타내다. ② 생각하다, 언명하다, 의견을 말하다. ③ 이름을 말하다, 부르다. ④ 말하다, 나타내다, 알리다, 표명하다. ⑤ (책·서류 등에서 내용에) 적혀 있다, 말하고 있다, 말하기를, 왈: ¿Qué *dice* el periódico de hoy? 오늘 신문에 뭐라고 쓰였습니까? ⑥ *Salv., Ven.* 시작하다. ⑦ [고어] =**pedir, rogar.** ⑧ =**trovar, versificar.** —*intr.* ① (경기·연(年)·수확에 대해) 안성맞춤이다[아니다]. ② (다른 것과) 어울리다. ③ (개가) 짖다. ~**se** ① 마음속으로 생각을 표현하다[말하다]. ② 말해지다. ③ [3인칭 단수에서만] …라고 한다, (사람들이) …라고 말하다(dicen): *Se dice* que es verdad 그건 사실이라고 한다. ¶*como aquel que dice* =**como si dijéramos.** *como dijo el otro* 누군가가 말했듯이. *como quien dice* =**como si dijéramos.** *como quien no dice nada* 바로 말해서, 이건 그렇게 볼 것이 아니야. *como si dijéramos* 말하자면. ~ *de repente* =**improvisar.** ~ *de sí* 긍정하다. ~ *de*

una hasta ciento 서슴없이 노골적인 말을 하다. ~ *por* ~ 근거 없이 말하다. *diga, dígame* 여보세요 ((전화를 받을 때)). *digo* ㉮ 아이구머니! ((놀람·감탄의 경우)). ㉯ *Cuba.* 여보세요 ((전화를 받을 때)). *digo, digo* 이봐, 들어 봐!, 이제 그만! *es* ~ 즉, 다시 말하면. *no* ~ *malo ni bueno* ㉮ 대답하지 않다. ㉯ 자기의 의견을 말하지 않다, 문제에 대해 아무 말도 하지 않다. *Dime con quién andas y te diré quién eres* (속담) 사람은 그 친구를 보면 알 수 있다, 가문보다는 훈육이 더 중요하다. *Es más fácil de* ~ *que de hacer* (속담) 계획은 쉬워도 실천은 어렵다, 말보다 실천이 어렵다.

decir² *m.* ① 말(dicho). ② [주로 *pl.*] 속담, 경구, 평판, 소문, 험담. ¶*es un* ~, *vamos al* ~, *voy al* ~ 말하자면(como si dijéramos).

decisión *f.* ① 결정; 재정(裁定), 판정: poder de ~ 결정권. ② 결심, 결의. ③ 결단(력): tener ~ 결단력이 있다. con ~ 결연히, 단호히.

decisivamente *adv.* 결정적으로; 단호히, 결연히.

decisivo, va *adj.* ① 결정적인. ② 단호한, 결연한, 확고한.

decisorio, ria *adj.* [법률] 결정권이 있는.

declamación *f.* ① 낭독(법), 낭송(법). ② 열변. ③ [연극] 대사의 높낮이. ④ 연설(법).

declamatorio, ria *adj.* 큰 소리로 하는, 힘을 준, 격렬한.

declamar *intr.* ① 대중 앞에서 말하다, 연설하다. ② 미사여구를 사용하여 말하다. ③ 열변을 토하다. ④ (배우가) 낭독[낭송]하다.

declaración *f.* ① 공표; 성명, 선언: ~ de derechos del hombre 인권 선언. ~ de guerra 선전 포고. hacer una ~ 성명을 발표하다. ② 신고; 선고: ~ de la renta 소득 신고. ③ 애정의 고백. ④ 발생, 표출(表出). ⑤ [법률] 증언, 진술.

declaradamente *adv.* 공공연히, 명백히.

declarado, da *adj.* 공공연한, 명백한.

declarante *m.f.* ① 진술자. ② 증인.

declarar *tr.* ① (공식적으로) 선언하다: ~ la independencia 독립을 선언하다.~ abierta la sesión 개회를 선언하다. ② (감정·의지 등을) 표명하다, 언명하다. ③ 신고하다: ¿Tiene usted algo que ~? – Nada (de ~) (세관에서) 신고하실 것 있습니까? – 없습니다. ④ 판결을 내리다. ⑤ (법정에서) 진술하다. —*intr.* 언명하다, 진술을 하다. ~**se** ① (자신이 …임을) 진술하다, 언명하다: ~*se* inocente 무죄를 주장하다. ② (재해 등이) 발생하다. ③ [+a] (…에게) 애정을 고백하다. ④ *AmérC.* 패배를 선언하다.

declarativo, va *adj.* 선언적인, 명시적인: juicio ~ 선언적[확인] 판결.

declaratorio, ria *adj.* 털어놓은. —*f. Méj.* 공식 성명[발표].

declinación *f.* ① 쇠퇴, 쇠미. ② 어미변화, 격변화. ③ [천문] 적위(赤緯); 편차, 편각.

declinar *intr.* ① (아래로) 기울다, 내려가다, 떨어지다. ② 쇠퇴하다, 쇠약해지다. —*tr.* ① (초대·임명 등을) 정중히 거절하다, 사퇴하다. ② [언어] (성·수·격에 의해) 어미를 변화시키다. ~**se** 어미[격]변화하다.

declive *m.* ① 경사, 비탈. ② 쇠퇴, 내리막.

decocción *f.* ① (식물·동물질을) 물에 달이는 일; (약을) 달여 마시는 일. ② 탕약, 탕제, 달여 낸 한약(韓藥). ¶ ~ *medicinal* 탕약.

decodificación *f.* =descodificación.

decodificar *tr.* =descodificar.

decolaje *m. AmérM.* (비행선의) 이륙(離陸).

decolar *intr. AmérM.* (비행선이) 이륙하다.

decoloración *f.* 퇴색, 변색; 표백.

decolorante *m.* 탈색제, 표백제.

decolorar *tr.* 퇴색시키다, 변색시키다; 표백시키다. ~**se** 퇴색되다, 변색되다, 색깔이 바래다; 표백되다.

decomisar *tr.* 몰수하다, 압수하다.

decomiso *m.* 몰수, 압수.

decoración *f.* ① 장식(하는 일), 장식법; 장식품. ② 무대 장치.

decorado *m.* 장식(품); 무대 장치.

decorador, ra *adj.* 장식의. —*m.f.* 장식가, 장식 미술가.

decorar *tr.* (물건·장소를) 꾸미다, 장식하다, 꾸며 놓다.

decorativo, va *adj.* 장식(용)의, 장식적인, 장소를 돋보이게 하는: arte ~ 장식 미술.

decoro *m.* 품격, 단정함.

decoroso, sa *adj.* 품격이 있는, 단정한: profesión ~*sa* 고상한 직업.

decrecer (31) *intr.* (강도·양·중요성 등이) 줄다, 감소하다.

decreciente *adj.* 감소하는, 쇠퇴하는.

decrecimiento *m.* 감소, 저하(低下).

decremento *m.* ① [물리] 감쇠율(減衰率). ② =decrecimiento.

decrépito, ta *adj.* 노쇠한, 노쇠화된, 쇠퇴해 버린.

decrepitud *f.* 노쇠; 쇠미, 쇠퇴.

decrescendo *adv. it.* [음악] (음의 강도를) 점점 약하게. —*m.* [음악] 데크레센도, 점차 약음(의 악절).

decretar *tr.* ① 발령하다, 명령을 내리다, 포고하다. ② (재판관이) 명령하다. ③ (난외에) 결정을 기입하다.

decreto *m.* ① 각령(閣令); (교황의) 교령. ② (재판관의) 명령.

decúbito *m.* 눕는 위치, 눕는 일, 편안히 누움.

D

decuplar *tr.* =**decuplicar.**
decuplicar *tr.* 열 배하다, 10배하다.
décuplo, pla *adj.* 10배의. —*m.* 10배.
decuria *f.* (고대 로마의) 10인조 병사[시민].
decurión *m.* decuria의 반장.
decurso *m.* 시간의 연속[계속]; 시간의 경과.
dedada *f.* 손가락으로 한 웅큼의 양.
dedal *m.* 골무.
dédalo *m.* 미로(迷路)(laberinto).
dedazo *m.* ① *Salv.* =**delación.** ② *Hond., Méj.* 고관이 친구·친척을 공직에 지명하는 일.
dedicación *f.* ① [+a] (…에) 헌신; 전념, 열중; 직업. ② 헌납, 봉납; (건물의) 헌정비(獻呈碑).
dedicar (7) *tr.* ① [+a] (…에게) 바치다, 드리다, 올리다, 봉납(奉納)하다. ② (저서 등을) 헌정(獻呈)하다; 헌사를 쓰다. ③ [+a · para] (용도에) 전용하다. ~**se** 헌신하다; 전념하다, 종사하다: *¿A* qué *se dedica* usted? 직업이 무엇입니까?
dedicatoria *f.* 헌사(獻辭).
dedicatorio, ria *adj.* 헌정(獻呈)의.
dedil *m.* (가죽 등의) 골무.
dedillo *m.* *al* ~ 처음부터 끝까지, 낱낱이, 세부까지, 완전히: saber *al* ~ 완전히[낱낱이] 알다.
dedo *m.* ① 손가락. ② 데도 ((길이의 단위; 손가락 하나의 폭; 18mm)). ③ (편물에서) 코 10개의 길이. ④ 대략 손가락 하나 폭의 분량. ¶ ~ *anular* 약지, 약손가락, 무명지, 넷째 손가락. ~ *auricular* =**dedo meñique.** ~ *cordial,* ~ *corazón* 장지, 가운뎃손가락. ~ *de en medio,* ~ *del corazón* =**dedo cordial.** ~ *meñique* 새끼손가락. ~ *gordo* ㉮ =**dedo pulgar.** ㉯ 엄지발가락. ~ *índice* 검지, 집게손가락. ~ *médico* =**dedo anular.** ~ *meñique* 새끼손가락. ~ *mostrador* =**dedo índice.** ~ *pulgar* 엄지손가락. ~ *saludador* =**dedo índice.** *chuparse los ~s* 충분히 만족하다. *cogerse los ~s* =**pillarse los ~s.** *comerse los ~s* =**chuparse los ~s.** *meter* a alguien *los ~s (en la boca)* …를 유도 심문하다. *morderse los ~s* 후회하다. *pillarse los ~s* 못된 짓이 드러나다. *poner bien los ~s* 연주가 능숙하다.
deducción *f.* ① 추론(推論). ② [논리] 연역, 연역법. ③ 공제(控除).
deducible *adj.* 추론할 수 있는, 공제할 수 있는, 공제 가능한.
deducir (71) *tr.* ① [+de · por(…에서) 추론하다. ② [논리] 연역하다. ③ [+de] (…에서) 공제하다. ~**se** 추론되다, 판명되다.
deductivo, va *adj.* 연역적인.
de facto *lat.* 실제로(de hecho).
defasaje *m.* [물리] 위상차(位相差).
defecación *f.* ① 앙금[찌꺼기] 제거, 불순물 제거. ② 배변(排便), 변(便).
defecar *tr.* ① 앙금[찌꺼기]을 없애다. ② 대변을 보다. —*intr.* 대변을 보다, 똥을 누다.
defectivo, va *adj.* =**defectuoso.** —*m.* 결여 동사(verbo ~) ((활용형의 일부가 없는 동사: abolir 등)).
defecto *m.* ① 결함: ~ físico 육체적 결함. ② 결점, 단소, 단점. ③ 부족, 결핍, 결여.
defectuoso, sa *adj.* 결점[결함]이 있는: artículo ~ 결함 상품.
defender (20) *tr.* ① [+de · contra] (…에서) 지키다, 보호하다. ② 방위하다, 지키다. ③ 변호하다; 옹호하다, 지지하다. ④ =**vedar, prohibir.** ~**se** ① 몸을 지키다: ~*se del* frío 추위로부터 몸을 지키다. ② 경제력이 있다. ③ 자기 변호를 하다.
defendible *adj.* 방어할 수 있는; 지지할 수 있는; 변호의 여지가 있는.
defendido, da *adj.* 변호받은 (사람).
defenestración *f.* ① 사람을 창문으로 던지는 일. ② 실각, 추방.
defenestrar *tr.* ① (사람을) 창문에서 던지다. ② 실각시키다, 추방하다.
defensa *f.* ① 방위, 방어; [군사] 방위 시설: ~ nacional 국방. ② 변호(인); 옹호. ③ [운동] 후위(後衛), 디펜스 진(陣). ④ [의학] [주로 *pl.*] 방위(防衛). —*m.f.* 후위(後衛).
defensivo, va *adj.* 방어(防禦)의, 방위의. —*m.* ① =**defensa, reparo, resguardo.** ② 몸의 아픈 부위에 놓는 액체에 젖은 천. —*f.* 수세, 방어의 자세[위치]; 방어물.
defensor, ra *adj.* 변호하는, 옹호하는. —*m.f.* ① 수호자, 옹호자; 변호사. ② [운동] 후위; 선수권 보유자.
deferencia *f.* 존경, 경의.
deferente *adj.* 공손한, 정중한.
deferir (54) *intr.* [+a] (존경의 표시로 …의 의견에) 따르다, 맡기다, …하는 대로 내버려두다. —*tr.* (권한 등의 일부를) 이양하다.
deficiencia *f.* ① (주로 육체적 · 정신적인) 결함, 결점. ② 부족.
deficiente *adj.* ① 결함이 있는. ② [+en] (…이) 불충분한, 부족한. ③ =**subnormal.**
déficit *m.sing.pl.* ① 적자(赤字), 결손: ~ comercial 무역 적자. ~ fiscal 재정 적자. presupuesto en ~ 적자 예산. ② 부족: ~ de recursos 자원 부족.
deficitario, ria *adj.* 적자의.
definición *f.* ① 정의(正義). ② (사전 등의) 어의(語義), 말뜻. ③ (교리상 문제 등의) 결정. ④ [광학] (렌즈의) 해상력. ⑤ (라디오 재생음 · 텔레비전 재생화의) 선명도, 명료도.
definido, da *adj.* 명확한, 명료한.
definir *tr.* ① 정의하다. ② 분명히 하다, 명확히 하다, 명시하다. ③ (교의

(教義) 등을) 제정[결정]하다. ④ [미술] 마무리하다, 끝손질하다, 뒷마감하다. ~**se** 자신의 생각[태도]을 명확히[분명히] 하다.

definitiva *f.* ☞definitivo.

definitivamente *adv.* 결정적으로, 최종적으로.

definitivo, va *adj.* 결정적인, 최종적인. —*f.* 최종 판결. ¶*en ~va* 결국(은), 요컨대, 결론적으로: *En ~va,* él no ha dicho nada nuevo 결국 그는 아무 것도 새로운 것을 말하지 않았다.

definitorio, ria *adj.* 특징적인, 명확한, 결정적인.

deflación *f.* [경제] 디플레이션.

deflacionario, ria *adj.* 디플레이션의.

deflacionista *adj.* 디플레이션의, 디플레이션 정책의. —*m.f.* 디플레이션 정책론자.

deflagración *f.* [화학] 폭연(爆燃).

deflagrar *intr.* 폭연하다.

deflector *m.* 액체 방향 전환 기구.

deflexión *f.* [물리] 편향(偏向).

defoliación *f.* (병·대기 오염 등에 의한) 낙엽.

deforestación *f.* 산림 벌채, 산림 파괴; 난벌(亂伐).

deforestar *tr.* (수림을) 벌채하다, 파괴하다, 난벌하다.

deformación *f.* ① 모양을 망침, 변형; 비뚤어짐, 일그러짐, 뒤틀림, 바르지 못함. ② [미술] 데포르마시옹.

deformador, ra *adj., m.f.* 변형시키는, 왜곡시키는 (사람).

deformar *tr.* ① 변형시키다; 비뚤어지게 하다, 일그러뜨리다. ② [미술] 데포르메하다. ~**se** 변형되다, 비뚤어지다, 일그러지다.

deformatorio, ria *adj.* 변형시키는, 모양[형]을 일그러뜨리는.

deforme *adj.* ① 기형의, 불구의. ② 왜곡된: imagen ~ 왜곡된 이미지.

deformemente *adv.* 보기 흉하게, 몰골 사납게.

deformidad *f.* ① 기형, 불구. ② 왜곡. ③ (예술·도덕상의) 타락.

defraudación *f.* ① 횡령, 사취(詐取). ② 기대에 어긋남.

defraudador, ra *adj.* 횡령하는, 사취하는. —*m.f.* 횡령자, 사취자.

defraudar *tr.* ① …의 기대를 어긋나게 하다. ② (세금 등의) 지불을 속이다. ③ 부정 승차하다. ④ [+en] (…을) …에게서 횡령하다, 사취하다.

defunción *f.* 사망(muerte).

DEG *m.pl.* *D*erechos *E*speciales de *G*iro (국제 통화 기금의) 특별 인출권(特別引出權).

degeneración *f.* 퇴화; 퇴폐, 타락.

degenerado, da *adj.* 퇴화된, 퇴폐된. —*m.f.* 변질자, 타락자.

degenerante *adj.* 퇴화하는; 퇴폐하는, 타락하는.

degenerar *intr.* ① [생물] 퇴화하다. ② 퇴폐하다, 타락하다. ③ [+en] (악화·변질되어 …로) 되다. ~**se** (사람·풍습이) 타락되다, 퇴폐되다.

degenerativo, va *adj.* 퇴행성의.

deglución *f.* 삼키는 일, 삼키는 작용.

deglutir *tr., intr.* 삼키다, 넘기다.

degollación *f.* 참수(斬首).

degolladero *m.* ① 동물의 목을 자르는 숨통에 연결된 목 부분. ② 도살장, 도축장. ③ 참수대. ④ (부인복의) 가슴이 벌어진 곳.

degollado *m.* =degolladero ④.

degollador, ra *adj., m.f.* 참수하는 (사람). —*m.* =**alcaudón.**

degolladura *f.* ① 목에 난 상처[상흔]. ② (손잡이 등의) 가장 좁은 부분. ③ [건축] (벽돌 사이의) 이음짬. ④ (의복의) 섶의 벌어짐.

degollante *adj.* =**presumido, necio.**

degollar (28) *tr.* ① (사람·동물의) 목을 자르다, 참수하다. ② 못쓰게 만들다, 부수다, 파괴하다. ③ (배우가) 역을 졸연하다, 서툴게 하다. ④ (연설·연주 등이) 실패로 끝나다, 평이 좋지 않게 끝나다. ⑤ (투우사가) 급소를 벗어나다, 잘못 겨냥하여 한 번이나 여러 차례 찔러 황소를 죽이다. ⑥ 불쾌하게 하다, 견딜 수 없이 귀찮게 하다. ⑦ [선박] (배를 구하기 위해) 칼로 돛을 찢다. ⑧ (부인의 옷에) 목을 파다.

degollina *f.* ① =**mantanza, mortandad.** ② (시험에서) 많은 낙제 점수, (선생의) 낙제 점수 남발.

degradación *f.* ① (관등의) 박탈, 강등, 좌천. ② 타락; 악화. ③ [물리] (에너지의) 감손(減損), 산일(散逸). ④ [미술] 점감(漸減).

degradante *adj.* 품위[체면]를 손상시키는.

degradar *tr.* ① (지위·칭호를) 박탈하다, 강등시키다. ② …의 품위[체면]를 손상시키다, 타락하게 하다; 악화시키다. ③ (색조·빛을) 서서히 흐리게 하다. ~**se** 손상되다, 타락하다; 악화하다.

degüello *m.* 참수(斬首).

degustación *f.* 시식, 시음; 시식품.

degustar *tr.* …의 맛을 보다, 시식하다, 시음하다.

dehesa *f.* 목초지(牧草地).

dehesar *tr.* =**adehesar.**

dehiscencia *f.* ① [해부] (기관의) 터져 벌어짐. ② [식물] 열개(裂開).

dehiscente *adj.* [식물] 열개성의.

deicida *adj., m.f.* 예수 그리스도를 죽인 (사람).

deicidio *m* 예수 그리스도를 죽인 사람의 죄(crimen del deicida).

deíctico, ca *adj.* [언어] 대상 지시적인, 직시적인.

deidad *f.* ① 신성(神性). ② (기독교 이외의 다른 종교의) 신(神).

deificación *f.* 신격화; 숭배; (신비주의에서) 신과의 일치.

D

deificar (7) *tr.* 신격화하다; (신처럼) 우러러 받들다, 숭상하다.
deífico, ca *adj.* 신(神)의.
deiforme *adj.* 신의 모습을 한, 신과 같은.
deípara *adj.* 신을 낳으신 (성모).
deísmo *m.* [철학] 이신론(理神論), 자연 신교(自然神敎).
deísta *adj.* 이신론의. —*m.f.* 이신론자(理神論者).
de iure *lat.* 정당한[하게], 법률상(의).
deixis *f.sing.pl.* =**deíxis.**
deíxis *f.sing.pl.* [언어] 직시(直視).
dejación *f.* ① 포기. ② (재산·주식 등의) 양도.
dejadez *f.* 태만, 만경 타령.
dejado, da *adj.* ① 게으른, 태만한. ② 기력이 없는, 맥이 빠진. —*f.* ① 방치하는 일. ② *Méj.* 차량 여행, (특히) 택시 여행.
dejador, ra *m.f.* 방치하는 사람.
dejamiento *m.* ① 방치, 방임, 포기. ② =**flojedad, descuido.** ③ 의기소침. ④ =**desasimiento.**
dejante *prep. Chile, Col., Guat.* …이외에. ¶ ~ ***que*** *Chile, Col., Guat.* 그럼에도 불구하고, 그렇다고는 하나, 그렇지만.
dejar *tr.* ① 놓다, 놓아두다, 남기다, 남겨 두다: *Deja* esa manzana en el plato 그 사과는 접시에 놓아라. ② 맡기다, 위임하다, 일임하다. ③ 방기하다, 내버리고 돌아보지 아니하다, …에서 떠나다[사라지다], 버리다. ④ (이익 등을) 낳다, 이익을 보다. ⑤ 빌려 주다. ⑥ (…의 상태로) 해 두다: ~ a *su* hijo solo 아이를 혼자 두다. ⑦ =**nombrar, designar.** ⑧ =**olvidar.** ⑨ [고어] =**perdonar.** ⑩ …시키다, …하게 하다, …하게 두다[놓다]: ㉮ [+*inf.*] *Déje*me pensar un momento 잠깐 생각하게 해주세요. ㉯ [+현재 분사] Le *he dejado* arreglándose para salir 나는 그가 외출하기 위해 몸단장을 하게 두었다. ㉰ [+que+*subj.*] *Deja que* tu hijo venga conmigo 당신의 아들이 나와 함께 갈 수 있도록 두세요. ⑪ [+para] (…로) 연기하다, 미루다. ⑫ [테니스·뻴로따(pelota)] 드롭샷하다. —*intr.* ① [+de+*inf.*] (…하는 것을) 중지하다, 그만두다, 게을리하다: ~ de fumar 금연하다, 담배를 끊다. ② [no+~ de+*inf.*] 반드시[꼭] …하다: No *dejes de* escribirme 꼭 나한테 편지해라. ~**se** ① 게을러서 힘쓰지 아니하다, 귀찮아하다, 게을리하다, 등한히 하다, 소홀히 하다. ② [+자동사의 *inf.*] …해지다: El *se dejó* caer 그는 픽 넘어졌다. ③ (물건을) 둔 곳을 잊다, 가지고 오는 것을 잊다: *Me he dejado* la cartera en casa 나는 지갑을 집에 놓고 왔다. ④ 내버려 둔 채[관계를 끊고] 돌보지 않다. ⑤ [+de+명사·*inf.*] (…을) 그만두다, 손을 떼다.
dejazón *f. CRica., Hond., Nic., Salv.* =**dejadez.**
deje *m.* ① dejar 하기. ② =**dejo** ①, ②,④.
dejillo *m.* =**dejo** ①.
dejo *m.* ① 특별한 발음법. ② 지방 말씨. ③ 말꼬리가 처지는 말씨. ④ (음식·음료 등의) 뒷맛. ⑤ (행동 뒤에 남아 있는) 기쁨이나 불쾌감. ⑥ dejar 하기. ⑦ 끝, 종말.
dejuramente *adv. Arg., PRico.* = **ciertamente.**
de jure *lat.* =**de iure.**
del [전치사 de와 정관사 el과의 축약형] del águila ← de el águila 독수리의.
delación *f.* 밀고; 폭로.
delantal *m.* 앞치마.
delante *adv.* 앞에, 전에; 정면에, 전면에: parte de ~ 앞 부분, 앞쪽. vagón de ~ 앞 차량. ¶ ~ ***de*** ㉮ 눈에 띄게, 가시적으로, … 앞에서: ~ *de* testigos 증인들 앞에서. ㉯ …의 앞에: ~ de la puerta 문앞에.
delantero, ra *adj.* 앞에 있는[가는]: rueda ~*ra* 앞바퀴. —*m.f.* (축구·다른 운동에서) 전위(前衛), 포워드: ~ centro 센터 포워드. —*m.* ① 앞 말의 기수. ② (옷의) 앞섶. —*f.* ① 앞부분, 전부(前部). ② (투우장·극장·관객석의) 맨 앞줄; (극장의) 무대 바로 앞쪽의 관람석. ③ [운동] 포워드 진 (라인). ④ [복식] 옷의 앞길. ⑤ (여성의) 흉부(胸部), 가슴 부분. ⑥ 선행(先行), 리드. ⑦ (마을·집·과수원 등의) 정면, 앞면. ⑧ (길에서) 다른 사람보다 앞선 거리[간격]. ⑨ (양장한 책의) 등과 반대쪽. ⑩ *pl.* 승마복의 바지. ¶***coger la ~ra*** a alguien …보다 먼저 가다, …를 앞질러 가다, …의 선수를 쓰다, …의 기선을 제압하다. ***llevar la ~*** (다른 사람의) 앞에 가다. ***tomar la ~*** =**coger la delantera.**
delatable *adj.* 밀고[고발]되어도 무방한[마땅한].
delatador, ra *adj.* 밀고[고발]하는.
delatar *tr.* (범죄 등을) 밀고하다, 폭로하다. ~**se** 속마음을 드러내다.
delator, ra *adj.* 밀고하는(denunciador, acusador). —*m.f.* 밀고자.
delco *m. ing.* Dayton Engineering Laboratories Company [상표] 델코 ((엔진의 점화 배전기)).
dele *m.* [인쇄] 교정 기호.
DELE *m.* Diploma de Español como Lengua Extranjera 외국어로서 스페인어 면장
deleble *adj.* 간단히 지워지는[지울 수 있는]: tinta ~ 지우는 잉크.
delectación *f.* =**deleite.**
delegable *adj.* (권한을) 위임할 수 있는.
delegación *f.* ① 위임, 위탁. ② 대표

D

단: ~ cultural 문화 사절단. ③ 위원회. ④ 대표직. ⑤ 대표의 사무실. ⑥ 지점, 출장소. ⑦ *Méj.* (도시 안에 있는) 정치 · 행정 구(역). ⑧ *Méj.* 대표부. ⑨ *AmérC.* 시청. ⑩ *AmérC.* 경찰서(comisaría).

delegado, da *adj.* 위임받은, 대표의. —*m.f.* ① 대표(자), 위임받은 사람: ~ sindical 조합 대표. ② [상업] 대리인, 에이전트. ③ 지방 책임자. ④ 각 자치주 정부에 파견된 중앙 정부의 대표(~ del Gobierno).

delegar (8) *tr.* ① (권한을) 위임하다, 넘기다. ② 대표로 보내다, 대표로 임명하다.

deleitable *adj.* =**deleitoso.**

deleitación *f.* =**deleite.**

deleitamiento *m.* =**deleite.**

deleitar *tr.* 무척 즐겁게 하다. ~**se** [+con · de] (…로) 무척 즐겁다, 즐기다, 즐겁게 맛보다.

deleite *m.* ① 즐거움, 기쁨, 흐뭇함. ② 쾌락, 관능적 즐거움, 육체적 즐거움: ~s de la carne 성적 즐거움.

deleitoso, sa *adj.* 즐거운, 기쁜, 신나는, 흐뭇한.

deletéreo, a *adj.* 유독한, 유독성의, 치사(致死)의.

deletrear *tr.* 또박또박 한 자씩 말하다: *Deletree* su apellido 성을 한 자씩 또박또박 말씀해 주세요.

deletreo *m.* 또박또박 말하기.

deleznable *adj.* ① 무른, 깨지기[부서지기] 쉬운. ② 미끄러지기 쉬운. ③ (근거가) 희박한. ④ 비열한.

delfín[1] *m.* [동물] 돌고래.

delfín[2] *m.* ① (프랑스의) 왕태자. ② (정치가 등의) 후계자.

delfinario *m.* 돌고래 쇼.

delgadez *f.* 가늚, 엷음, 홀쭉함.

delgado, da *adj.* ① 여윈, 살이 빠진, 수척한. ② 가는, 엷은, 얇은. ③ (토지가) 메마른. —*m.pl.* (동물의) 옆구리; 복부(腹部) 안.

delgaducho, cha *adj.* 가느다란, 좀 여위어 보이는, 날씬한.

deliberación *f.* 토의, 심의; 숙고.

deliberadamente *adv.* 신중히; 고의로, 일부러.

deliberado, da *adj.* 숙고된; 의도된, 고의의.

deliberante *adj.* (결정권을 가지고) 토의하는: asamblea ~ 심의회.

deliberar *intr.* 토의하다, 심의하다; 숙고하다.

deliberativo, va *adj.* =**deliberante.**

delicadez *f.* ① 허약, 나약함, 약함. ② 성미가 꽤 까다로움. ③ 무기력함. ④ 섬세함, 미묘함.

delicadeza *f.* ① 섬세함, 미묘함; 배려. ② 우아함, 우미. ③ 화사함, 나약함. ④ 소심함. ⑤ 민감함, 예민함.

delicado, da *adj.* ① 미묘한, 어려운; 날씬한; 상하기 쉬운; 아픈. ② 성미가 까다로운, 다루기 어려운. ③ 섬세한, 세련된. ④ 신중한, 조심성이 많은. ⑤ (감정 등이) 예리한.

delicaducho, cha *adj.* 과민[병약]한.

delicia *f.* ① 황홀경에 빠진 것 같은 즐거움. ② 매우 강렬한 관능적 쾌락. ③ 기쁨[즐거움]의 원인(이 된 것).

delicioso, sa *adj.* ① 대단히 기분이 좋은, 흐뭇한, 즐거운. ② 맛있는:¡Qué ~! 참 맛 좋군요! comida ~*sa* 맛있는 요리. ③ 매력적인, 귀여운.

delictivo, va *adj.* 가벼운 죄의, 경죄(輕罪)의, 위법의.

delicuescencia *f.* ① [화학] 조해(潮解)(성). ② (사회 등의) 퇴폐.

delimitación *f.* 경계의 획정(劃定); 범위의 한정.

delimitar *tr.* 경계를 정하다; 범위를 한정하다.

delincuencia *f.* 범죄(犯罪).

delincuente *adj.* 가벼운 죄를 지은, 비행을 저지른. —*m.f.* 경범죄자.

delineación *f.* ① 윤곽[도면]을 그리는 일. ② 개요의 설명.

delineador *m.* [화장] 아이라이너 ((아이라인을 그리기 위한 화장품)).

delineante *m.f.* 제도가(製圖家).

delinear *tr.* ① …의 윤곽을 그리다, 도면을 그리다. ② 개략을 말하다. ~**se** 윤곽이 확실하다.

delinquir *intr.* 죄를 범하다.

deliquio *m.* ① 기절, 실신(desmayo). ② =**éxtasis, arrobamiento.**

delirante *adj.* 정신 착란의, 무척 흥분한: muchedumbre ~ 열광하는 군중.

delirar *intr.* ① 정신 착란을 일으키다, 헛소리를 하다. ② 흥분해서 이성을 잃다. ③ [+por] (…에) 열광하다.

delirio *m.* ① 정신 착란, 망상. ② [의학] 섬망(譫妄). ③ 열광. ④ 욱하는 성질, 앞뒤를 가리지 않고 불끈함.

delírium trémens *m.* [의학] 진선 섬망.

delito *m.* ① 범죄: ~ político 정치 범죄. ② 억울한 일.

delta *m.* [지리] 삼각주. —*f.* [희랍어 문자] 델타 ((Δ, δ)).

deltaplano *m.* 행글라이더.

deltaico, ca *adj.* 삼각주(三角洲)의.

deltoides *m.sing.pl.* [해부] 삼각근.

demacrado, da *adj.* 여윈, 살이 빠진.

demacrar *tr.* =**enflaquecer.** ~**se** 여위다, 살이 빠지다, 쇠약해지다.

demagogia *f.* 민중 선동; 중우 정치.

demagógico, ca *adj.* 민중 선동의, 중우 정치의: discurso ~ 선동 연설.

demagogo, ga *m.f.* 민중 선동가.

demanda *f.* ① [법률] 청구; 제소(장), 신청(서). ② 수요. ③ [집합] 주문: ~*s* de trabajo 구직. ④ 요구, 의뢰.

demandado, da *adj.* 고소당한. —*m.f.* (민사의) 피고.

demandante *adj.* 원고의. —*m.f.* 원고.

demandar *tr.* ① [법률] 청구하다; 소송하다, 고소하다. ② 원하다, 바라다.

demarcación *f.* ① 경계 (획정), 획정된 토지. ② 관할 구역. ③ [운동] (선수

D

한 사람 한 사람의) 수비 범위.

demarcador, ra *adj., mf.* 경계를 정하는 (사람).

demarcar (7) *tr.* 경계를 정하다.

demarraje *m.* [운동] 전속력을 내는 일.

demarrar *tr., intr. fr.* [자전거] 스퍼트를 내다, 전속력을 내다.

demás *adj.* [성·수가 변하지 않음] 다른, 그 밖의, 나머지의: los ~ panes 나머지의 빵. la ~ gente 그 밖의 사람들. —*pron.* [정관사와 함께 쓰임] 다른 사람들, 다른 것들: Este niño era diverso de los ~ 이 아이는 다른 아이들과 달랐다. —*adv.* =**además.** ¶***por*** ~ ㉮ 쓸데없이, 헛되이. ㉯ 매우, 대단히, 너무, 지나치게: película *por* ~ divertida 무척[매우] 재미있는 영화. padre *por* ~ severo 지나치게 엄하신 아버지. ***y*** ~ ··· 등: Había Antonio *y* ~ 안또니오 등이 있었다.

D

demasía *f.* ① 과도, 과다, 과분, 지나침, 지나친 일. ② 무모함, 터무니없음. ③ 무례함, 건방짐. ④ 악의, 사악함, 못된 짓, 벌받을 짓. ¶***en*** ~ 너무나(도), 과도하게, 지나치게, 몹시: beber *en* ~ 과음하다. comer *en* ~ 과식하다. ***cometer ~s*** 부정 행위를 하다; 극단으로 달리다.

demasiadamente *adv.* =**excesivamente.**

demasiado, da *adj.* 너무 많은, 지나친, 과도한, 과분한. —*adv.* 너무나(도), 지나치게, 과도하게: comer ~ 과식하다. No bebas ~ 과음하지 마라.

demasiarse *r.* =**excederse, desmandarse.**

demediar *tr.* ① 반으로 나누다. ② (시간·나이 등을) 절반을 보내다. ③ (가치의 절반을 손해보면서) 사용하다, 낭비하다. —*intr.* 반으로 나누어지다.

demencia *f.* ① 광기, 광란; 정신 착란. ② 치매, 노망.

demenciado, da *adj., mf.* =**demente.**

demencial *adj.* 광기[광란]의, 정신 착란의; 혼란한.

dementar *tr.* 이성을 잃게 하다, 미치게 하다. ~**se** 미치다, 발광하다.

demente *adj.* ① 미친, 실성한, 정신 이상의, 정신 착란의. ② [의학] 치매에 걸린. —*mf.* ① 미치광이, 광인. ② 치매증 환자.

demérito *m.* ① 결점, 흠, 잘못, 과실. ② 불명예.

demeritorio, ria *adj.* 불명예스런.

demiúrgico, ca *adj.* demiurgo의.

demiurgo *m.* (플라톤 철학에서) 조화(造化)의 신.

demo- *pref.*「국민」의 뜻: *demo*sofía 민속.

democracia *f.* 민주주의; 민주 정치, 민주 국가: ~ directa 직접 민주주의.

demócrata *adj.* 민주주의의.

democratacristiano, na *adj., mf.* =**democristiano.**

democrático, ca *adj.* 민주주의의, 민주적인: país ~ 민주주의 국가.

democratización *f.* 민주화.

democratizador, ra *adj.* 민주화하는, 민주화를 추구하는.

democratizar (9) *tr.* 민주화하다.

democristiano, na *adj.* 기독교 민주 동맹의. —*mf.* 기독교 민주 동맹 당원.

demodé *adj. fr.* 유행이 지난.

demografía *f.* 인구 통계학.

demográfico, ca *adj.* 인구 통계학상의, 인구의: expansión ~*ca* 인구의 팽창.

demoledor, ra *adj.* 허무는, 해체하는, 파괴적인. —*mf.* 해체업자; 파괴자.

demolición *f.* 해체, 파괴.

demoler (25) *tr.* (건물 등을) 헐다, 해체하다, 부수다, 파괴하다.

demoniaco, ca *adj.* =**demoníaco.**

demoníaco, ca *adj.* ① 악마의[같은]. ② 악마가 낀, 악마에 씐. —*mf.* 악마가 낀 사람, 극악인.

demoniado, da *adj., mf.* =**endemoniado.**

demonial *adj.* =**demoníaco.** —*m. Méj.* =**montón.**

demonio *m.* ① 악마. ② (악마같이) 나쁜 사람, 심술쟁이, 몽니쟁이. ③ 수호천사. ④ (고대의) 수호신, 영(靈). ⑤ [주로 *pl.*; 의문사와 함께 쓰여 강조] 도대체: ¿Quién ~*s* eres tú? 도대체 너는 누구냐? —*interj.* 빌어먹을!: ¡*Demonio,* qué calor hace! 빌어먹을, 무슨 날씨가 이리도 덥나! ¶***a ~s*** ㉮ *adj.* (냄새·맛이) 고약한. ㉯ *adv.* (냄새·맛이) 지독하게, 고약하게: saber *a* ~*s* 정말 맛없다. Huele *a* ~*s* 냄새 지독하다[고약하다]. ***como un*** ~ 과도하게, 지나치게, 너무. ***del*** ~ 터무니없는, 예상 밖의; 가공할, 무서운: Hace un frío *del* ~ 지독한 추위다. ***de mil ~s*** =**del demonio.**

demoniomanía *f.* =**demonomanía.**

Demonios *interj.* 빌어먹을!

demonismo *m.* (원시 종교의) 악마 숭배, 악마주의.

demonolátra *mf.* 악마 숭배자.

demonolatría *f.* 악마 숭배.

demonología *f.* 악마학(惡魔學).

demonológico, ca *adj.* 악마학의.

demonólogo, ga *mf.* 악마학 전문가.

demonomancia *f.* =**demonomancía.**

demonomancía *f.* (악마의 영감으로 미래를 점치는) 미신술(迷信術).

demonomanía *f.* 악마가 씌었다고 믿는 사람의 편집광, 귀신 망상.

demontre *m.* =**demonio.**

demontre *interj.* =**Demonio.**

demontres *interj.* =**Demonio**

demoñuelo *m.* 작은 악마.

demora *f.* ① 지연, 지체. ② (식민지 아메리카의) 인디오들이 광산에서 일해야 했던 8개월. ③ 의무 이행의 지연. ④ [선박] 방위(方位).

demorar *tr.* 지연[지체]시키다, 미루다, 연기하다. —*intr.* ① 늦다, 미적거리다, 꾸물거리다, 지체하다. ② [해사] ···의 방향에 있다. ~**se** 지연되다.

demorón, na *adj. Cuba, Ecuad.* (동작이) 느린(lento).

demoroso, sa *adj., m.f. Bol., Chile.* (동작이) 느린(lento).

demostrable *adj.* 증명 가능한.

demostración *f.* ① 증명, 입증. ② (감정 등의) 표명; 실연(實演). ③ 시위 운동, 데모(manifestación).

demostrar *tr.* ① 증명하다, 입증하다. ② 분명하게 드러내다, 명시하다, 나타내다, 보이다. ③ 실제로 해 보이다, 실연하다. ④ 데모하다.

demostrativo, va *adj.* ① 논증에 도움이 되는; 명시하는. ② [문법] 지시의. —*m.* 지시사(指示詞).

demudar *tr.* (표정·태도를) 바꾸다, 변하다. ~**se** (급히) 표정을 바꾸다.

dendrógrafo, fa *m.f.* 수목 학자.

dendrología *f.* 수목학(樹木學).

denegación *f.* 거절.

denegar *tr.* 거절하다.

dengue *m.* ① (특히 여성의 악취미인) 젠체함, 고상한 체함. ② [의학] 뎅그열(熱)(fiebre ~).

denigración *f.* 중상(中傷), 비방.

denigrante *adj.* 폄하하는, 헐뜯는, 비방하는, 중상하는; 모욕적인.

denigrar *tr.* 폄하하다, 헐뜯다, 비방하다, 중상하다, 욕하다; 모욕하다.

denodado, da *adj.* =**intrépido.**

denominación *f.* 명명(命名); 명칭, 호칭: ~ de origen 원산지 증명.

denominador, ra *adj.* 명명하는. —*m.f.* 명명자. —*m.* [수학] 분모.

denominar *tr.* 이름을 지어 붙이다, 명명하다.

denominativo, va *adj.* [언어] 명사 파생의.

denostrar *tr.* 심하게 모욕하다.

denotación *f.* 외연(外延); 명시적 의미.

denotar *tr.* 나타내다, 나타내 보이다.

densidad *f.* ① 밀도, 농도, 진함, 진한 정도. ② 비중(比重).

densificar (7) *tr.* (밀도를) 짙게 하다.

densímetro *m.* 비중계, 밀도계.

denso, sa *adj.* 짙은, 조밀한, 밀도가 높은: bosque ~ 밀림. población *~sa* 조밀한 인구.

dentado, da *adj.* 가장자리에 톱니 모양의 들쭉날쭉이 연속적으로 있는.

dentadura *f.* [집합] 이, 치아, 치열, 잇바디. ¶ ~ ***postiza*** 의치(義齒), 틀니.

dental[1] *m.* ① 쟁기의 날을 끼우는 횡목. ② 탈곡기의 날.

dental[2] *adj.* ① 이(diente)의. ② 잇소리[치음]의. —*f.* [음성] 잇소리.

dentar (19) *tr.* (낫·톱 등에) 날을 세우다. —*intr.* 이가 나기 시작하다.

dentario, ria *adj.* 이(diente)의.

dentellado, da *adj.* ① 이가 있는. ② 이 같은[비슷한]. ③ 이에 물린. ④ 치열 모양의. —*f.* ① 이로 (깨)무는 일. ② 물린 상처. ③ 물린 자국.

dentellar *intr.* (추위 등으로) 이를 딱딱 마주치다.

dentellear *tr.* 질겅질겅 씹다.

dentera *f.* ① (신맛·불쾌감 등으로) 이가 솟는 듯한 느낌. ② 시기, 질투, 선망(envidia). ③ 갈망.

dentición *f.* ① 이가 남. ② 이가 나는 시기, 치아 발생(기). ③ 치열(의 특징). ④ [동물] (속한 종에 따라) 포유 동물 특유의 이의 종류와 수.

dentículo *m.* [건축] 이 모양의 장식, 치상 장식(齒狀裝飾).

dentífrico, ca *adj.* 이를 깨끗하게 하고 건강하게 보존하기 위해 사용하는: polvos *~s* 가루 치약. pasta *~ca* 튜브 치약. —*m.* 치약.

dentina *f.* (이의) 상아질.

dentista *m.f.* 치과의(齒科醫).

dentistería *f.* ① *Col., CRica., Ecuad., Ven.* 치과 진료소, 치과 병원. ② *AmérM., CRica.* 치과 의학, 치아학.

dentón, na *adj., m.f.* =dentudo. —*m.* [어류] 가시지느러미과의 물고기.

D

dentro *adv.* 안에, 속에; 안으로, 속으로. ¶***a*** ~ 안으로. ~ ***de*** ㉮ [미래의 기간] … 있으면, 지나서, 후에, …가 경과한 시점에서; … 이내에: ~ de dos meses 2개월 있으면[지나서]. ㉯ [공간] … 안에(서): ~ *de* un cajón 서랍 안에, ~ *de*l corazón 마음속에(서). ~ ***o fuera*** (결단을 촉구하면서) 어떤 것이냐 (빨리 정해라). ***por*** ~ ㉮ 내심으로는, 마음속으로(는). ㉯ 안쪽을[에·에서]: cerrar la puerta con llave *por* ~ 안쪽에서 문에 자물쇠를 채우다. ***por de*** ~ =**por dentro.**

dentudo, da *adj., m.f.* 고르지 못한 이를 가진 (사람).

denudación *f.* 노출, 벌거벗은 상태.

denudar *tr.* 벌거벗기다, 껍질을 벗기다. ~**se** 노출되다; 껍질을 벗기다.

denuedo *m.* 용기, 대담함; 노력.

denuncia *f.* 알림, 신고; 소송; 밀고, 고발(장). ¶ ~ ***de un tratado*** [외교] 조약 파기 통고.

denunciable *adj.* 소송을 낼 수 있는, 고발할 수 있는.

denunciación *f.* 알림, 신고; 고발.

denunciador, ra *adj.* 알리는, 신고하는, 고발하는. —*m.f.* =**denunciante.**

denunciante *adj.* 알리는, 신고하는, 고발하는 (사람). —*m.f.* (법원·당국에) 고발자, 밀고자.

denunciar *tr.* ① 알리다, 신고하다. ② 예측[예지·예언·예보]하다. ③ 발포하다, 공포하다, 발표하다. ④ (불법적인 상태를) 공식적으로 참여하다[선언하다]. ⑤ 고발[밀고]하다. ⑥ [광산] (광산 발견자가 개발권을 확보하기 위해 광산 발견을) 관할권이 있는 당국에 신고하다. ⑦ (불법 행위를 사법·행정 당국에) 알리다. ⑧ (계약·조약 등의) 파기[종결]를 통고하다.

denunciatorio, ria *adj.* 고발의.

deo gracias *lat.* 실례합니다 ((「하나님의 은총으로」의 뜻; 집에 들어갈 때 인사)).
deontología *f.* 의무론; 직업 윤리.
Dep. Departamento 부(部), 아파트.
D.E.P. descanse en paz 고이 잠드소서, 영면하소서((묘비에 새기는 문구)).
deparar *tr.* ① 주다, 공급하다, 할당하다, 양도하다. ② 앞에 놓다; 내놓다, 제출하다, 제시하다, 보이다(presentar).
departamental *adj.* 부문(별)의; 부(部)의; 학과의, 주의.
departamento *m.* ① (회사의) 부(部), 부문: ~ de ventas 영업부. ② (정부의) 부(Ministerio). ③ (대학의) 학과: ~ de español 스페인어과. ④ 칸막이, 구획. ⑤ 찻간(車間). ⑥ 아파트. ⑦ [군사] 해상 관구. ⑧ (남미의 몇 나라에서) 주(provincia).
departidor, ra *adj.* 말하는, 환담하는 (사람).
departir *intr.* 말하다, 이야기하다, 담화하다, 환담하다. *—tr.* ① =separar, repartir. ② =enseñar, explicar. ③ =diferenciar, distinguir. ④ =discurrir, juzgar. ⑤ =demarcar. ⑥ =impedir, estorbar.
depauperación *f.* 쇠약, 쇠퇴.
depauperar *tr.* (체력·기력 등을) 약화시키다, 빈약하게 하다. ~**se** 쇠약하다, 빈약하게 되다.
dependencia *f.* ① 의존(依存), 종속. ② 지국, 출장소; 지점. ③ [집합] (한 개의 기관의) 종업원, 점원. ④ 대리업, 대리점. ⑤ [의학] 의존(증). ⑥ 관계. ⑦ 부속물; 부속 건조물.
depender[1] *intr.* ① …에 달려 있다, 좌우되다. ② …에 의존하다, 종속[소속]되다.
depender[2] *tr.* =expender, gastar.
dependienta *f.* 점원(empleada).
dependiente *adj.* [+de] (…에) 의존하는, 종속되는. *—mf.* ① 점원. ② 부하, 하급자, 아랫사람.
depilación *f.* 탈모(脫毛).
depilar *tr.* …의 머리카락[털]을 뽑다. ~**se** …의 털을 뽑다.
depilatorio, ria *adj.* 탈모용의: crema *~ria* 탈모용 크림. *—m.* 탈모제.
deplorable *adj.* 한심스런, 통탄[한탄]스러운, 슬픈; 가엾은; 구제할 길 없는.
deplorar *tr.* 한탄하다, 탄식하다; 유감스레 생각하다.
deponente *adj., mf.* 버리는, 폐기하는, 해임하는 (사람). *—m.* [문법] =verbo deponente. ¶*verbo* ~ [문법] (라틴어의) 이태 동사(異態動詞).
deponer (61) *tr.* ① 내려 놓다, 버리다. ② (높은 곳에서) 내리다. ③ 해임하다; (지위를) 박탈하다. ④ *Guat.* 토하다, 토해내다. *—intr.* ① 똥을 누다, 대변을 보다. ② [법률] 증언[공술]하다. ③ *Guat.* 토하다.
deportación *f.* 국외 추방; 강제 수용; 귀양.
deportar *tr.* (국외) 추방하다, 유형을 보내다, 강제 수용소에 집어넣다.
deporte *m.* ① 스포츠, 운동: trajes de ~ 운동복. ② (일반적으로 야외에서) 레크리에이션, 여가, 취미, 오락, 여흥, 육체적 운동. ¶*por* ~ 취미로.
deportismo *m.* 운동[스포츠] 정신, 운동열, 트레이닝.
deportista *adj.* 운동[스포츠]을 좋아하는. *—mf.* 운동 선수, 스포츠맨; 운동을 좋아하는 사람.
deportividad *f.* 스포츠맨십, 운동가 정신[기질], 운동[경기] 정신, 정정당당하게 행동함.
deportivismo *m.* =deportividad.
deportivo, va *adj.* ① 운동의: periódico ~ 스포츠 신문. ② 운동 정신[스포츠맨십]에 따른. ③ 운동하기 위해 사용되는. ④ 편리[간편]한, 약식의. *—m.* 스포츠카(automóvil ~).
deportoso, sa *adj.* =divertido.
deposición[1] *f.* ① 증언(證言), 공술(供述). ② 해임, 파면, 박탈.
deposición[2] *f.* ① 배변(排便). ② 똥.
depositador, ra *adj.* 예금하는. *—mf.* 예금자.
depositante *adj.* 예금하는. *—mf.* 예금자(預金者).
depositar *tr.* ① 맡기다, 위임하다, 부탁하다. ② ㉮ (신뢰·기대·예정 등을) 두다. ㉯ 두다, 놓다, 얹다. ③ (유체(遺體)를) 임시로 안치하다. ④ [법률] (사람을) 안전한 장소에 보호하다.
depositaría *f.* ① 보관소. ② (회사·관청의) 출납과. ③ 위탁 판매업.
depositario, ria *adj.* 위탁하는, 보관하는. *—mf.* 위탁자, 보관자; 위탁 판매업자; 출납 담당자.
depósito *m.* ① 맡기는 일, 위임, 위탁, 보관; [법률] 기탁, 공탁. ② 보관물, 예치물, 위탁물, 공탁물, 공탁금. ③ 예금: ~ a plazo [a término] fijo 정기 예금. ~ a tres meses 3개월 정기. ~ a [en] cuenta corriente 당좌 예금. ④ 보관소, 창고; 보세 창고. ⑤ 탱크; 저수지. ⑥ 침전물. ⑦ [지질] 퇴적물. ⑧ [군사] 신병 훈련소, 연대 본부.
depravación *f.* 타락, 퇴폐.
depravadamente *adv.* 사악하게.
depravado, da *adj., mf.* 타락(墮落)한 (사람).
depravador, ra *adj.,mf.* 타락(墮落)하는 (사람).
depravar *tr.* 타락시키다, 퇴폐하게 하다. ~**se** 타락하다.
deprecación *f.* 탄원, 간절한 부탁.
deprecar *tr.* 간청하다, 간원하다, 탄원하다, 부탁하다(rogar, pedir).
deprecativo, va *adj.* 탄원의.
deprecatorio, ria *adj.* 탄원의.
depreciación *f.* 가치의 하락; 감가 상각, 감모(減耗).
depreciar (11) *tr.* (화폐 등의) 값을 떨어뜨리다. ~**se** 값이 떨어지다.
depredación *f.* 약탈; 횡령, 공금 소비.
depredador, ra *adj.* 약탈하는; 보식성의: aves *~ras* 맹조. *—mf.* 약탈자.

depredar *tr.* ① 약탈하다. ② (다른 동물을) 보식(補食)하다.
depresión *f.* ① 낙심, 낙담. ② [의학] 울병(鬱病). ③ (지반의) 침하, 함몰; 움푹 팬 땅. ④ [경제] 경기 후퇴, 불황. ⑤ [기상] 저기압.
depresivo, va *adj.* ① 억압성의, 함몰성의 (지진). ② 기가 죽은, 풀이 죽은.
depresor, ra *adj.* =depresivo. *—m.* 억울제(抑鬱劑).
deprimente *adj.* ① 의기 소침한. ② = depresivo.
deprimido, da *adj.* 의기 소침한, 풀이 죽은; 우울해진.
deprimir *tr.* ① 압축하다. ② 의기 소침하게 하다, 풀이 죽게 하다, 콧대를 꺾다. ③ 내리 누르다. ④ 낙담시키다. ⑤ 작게 하다. ⑥ (값을) 떨어뜨리다, 하락시키다. ⑦ 함몰시키다, 가라앉히다. ⑧ 울병 징후에 걸리다. ~**se** ① 의기 소침해지다, 풀이 죽다, 무기력해지다. ② 우울해지다. ③ (값이) 내리다. ④ 함몰되다, 가라앉다.
deprisa *adv.* 서둘러, 급히, 속히, 재빨리, 신속히: Voy ~ 서둘러 가겠다.
depuesto, ta *adj.* 해임된.
depuración *f.* 정화, 순화; 세련; 숙청.
depurador, ra *adj.* 정화하는. *—m.(f.)* 정화 장치: ~ de aire 공기 청정기.
depurar *tr.* ① 정화하다; 정제하다, 제련하다: ~ el agua 물을 정화하다. ② 순화시키다; 세련하다: ~ la lengua 국어를 순화시키다. ③ 추방하다, 숙청하다. ④ 복권시키다, 명예를 회복시키다. ~**se** 정화되다, 정제[제련]되다; 순화되다; 추방되다; 복권되다.
depurativo, va *adj.* 정화하는, 정혈하는, 피를 깨끗하게 하는. *—m.(f.)* 정혈제(淨血劑)(~ de la sangre).
depuratorio, ria *adj.* 정화용의; 정혈(淨血)용의.
derbi *m. ing.* ① 더비 경마 (시합). ② (축구 등) 같은 지역 팀끼리의 시합; 영원한 라이벌 관계에 있는 두 팀 간 축구 시합.
derecha *interj.* 우향우!
derechamente *adv.* ① 곧장, 똑바로 곧게, 일직선으로. ② 서거나 멈추지 않고, 바로: ir ~ a casa (다른 곳에 들르지 않고) 바로 집에 가다. ③ 신중히, 공정하게, 정정당당히, 정당하게, 바로, 틀림없이, 정상적으로. ④ 직접으로, 공공연히, 터놓고.
derechazo *m.* ① 오른손[오른쪽 주먹]으로 때리기. ② [투우] 오른손으로 물레따(muleta) 다루기[지나치게 하기]. ③ [테니스] 포핸드. ④ [권투] 라이트, 오른손의 일격.
derechismo *m.* 우익 (정책).
derechista *adj.* 우익의. *—mf.* 우익[보수]주의자, 우익 분자.
derechito *adv.* 곧장, 똑바로 곧게, 일직선으로: Siga ~ 곧장 가십시오.
derechización *f.* 우경화, 보수화.
derechizar *tr.* 우경화하다, 보수화하다.
derecho, cha *adj.* ① 쭉 곧은, 똑바른, 직선의: camino ~ 똑바른 길, 가까운 길; 최선의 수단. línea ~*cha* 직선. ② 올바른, 정당한, 공정한, 착실한. ③ 근거가 있는, 타당한, 지당한. ④ 중간에서 멈추지 않고 가는. ⑤ 오른쪽의. ⑥ 옵서버의 오른쪽에 위치한. ⑦ 물건의 오른쪽으로 향하고 있는. ⑧ (진행 방향에 의해) 그 오른편에 있는, 오른편으로 향한. *—m.* ① 법률; 법학, 법률학: doctor en ~ 법학 박사. facultad de ~ 법학부, 법과 대학. ② 권리: ~ de reproducción 복제권. ③ 정의. ④ 겉쪽, 정면 쪽: ~ de una tela 천의 겉쪽. ~ de un calcetín 양말의 바깥쪽. ⑤ (테니스·탁구의) 포핸드. ⑥ *RDom.* 합승 택시. ⑦ [주로 *pl.*] (법정) 요금, 수수료; 세금: ~*s* de examen 수험료. ~*s* de matrícula (대학 등의) 수업료, 등기료, 등록금. *—f.* ① 오른손. ② 오른쪽, 우측: girar [torcer·doblar·tomar] a la ~ 우회전하다. Tuerza a la ~ 오른쪽으로 꺾어지십시오. Conserve su ~ [게시] 우측 통행. Por favor, en las escaleras mecánicas sitúense a la ~ para permitir el paso [마드리드 지하철 에스컬레이터의 게시] 오른쪽은 서서 계실 분, 왼쪽은 걸어가실 분. ③ [정치] 우익. ④ 보수주의자, 보수 사상을 신봉하는 사람. ⑤ (사냥할 때) 개들이 안내하는 길. *—adv.* ① 곧장 똑바로 곧게: Siga (todo) ~ 똑바로 가세요. ② 서거나 멈추지 않고, 바로, 다른 곳에 들르지 말고: Ven ~ a casa 집에 바로 오세요. ¶~ ***de autor*** 저작권 (사용료), 인세. ~ ***escrito*** 성문법. ~ ***privado*** 사법(私法). ~ ***público*** 공법. ~ ***romano*** 로마법. ~***s humanos (del hombre)*** 인권(人權). ***a ~chas*** 정당하게, 적절히. ***a la*** ~ [군사] [고어] 우향우! ((현재는 Derecha!)). ***en*** ~ 정당하게. **a las** ~***chas*** 공정하게, 성실히, 정직하게, 진지하게. ***al*** ~ =a derechas. ***andar*** ~ 바르게 행동하다. ***ceñirse a la*** ~ 우측 차선을 계속 달리다. ***estar en su*** ~ 옳다, 맞다, 합법적이다, 권리가 있다. ***perder de su*** ~ 타협하다. ***ser de*** ~ 옳다, 맞다, 합법적이다.
derechohabiente *adj.* 다른 사람의 권리를 가진, 상속하는. *—mf.* 권리 소유자, 상속자.
derechura *f.* ① 똑바름, 곧음. ② *CRica, Hond.* 지름길(atajo). ③ = **destreza.** ¶***en*** ~ ㉮ 똑바로, 곧장. ㉯ 멈추지도 않고 서지도 않고, 쉬지 않고, 곧장(sin detenerse ni parase).
deriva *f.* (배·비행기가) 코스에서 벗어나는 일, 편류(偏流); 표류: pesca con redes a la ~ 유자망(流刺網) 어업. ir a la ~ 표류하다.
derivación *f.* ① 유래. ② [언어] 파생(어). ③ 분기(分岐). ④ (파생적인) 결과. ⑤ [수학] 도출(導出); 미분. ⑥ [전

D

기] 단락, 쇼트; 분로(分路), 분류(分流). ⑦ [군사] (포탄의) 부정 유실.
derivado, da *adj.* 파생의, 파생된, 파생적인. —*m.* ① 파생어. ② 부산물, 이차 제품. —*f.* [수학] 도함수.
derivar *intr.* ① [+de] (…에서) 유래하다. ② [언어] 파생하다. ③ [+hacia] (새로운 방향으로) 향하다, 마음이 쏠리다. —*tr.* ① (방향을) 다른 데로 돌리다, 향하다. ② 이끌어내다, 끌다, 분류시키다. ③ [언어] 파생시키다. ④ [수학] (함수를) 이끌다. ⑤ (의사가 환자를 전문의에게) 돌리다. ~**se** 유래하다, 생기다; 파생하다.
dermatergosis *f.* 직업성 피부증.
dermatitis *f.sing.pl.* [의학] 피부염.
dermatoesqueleto *m.* [생물] 외골격.
dermatología *f.* [의학] 피부과.
dermatológico, ca *adj.* 피부과의.
dermatólogo, ga *m.f.* 피부과 의사.
dermatoplastia *f.* 식피 수술.
dermatosis *f.sing.pl.* [의학] 피부병.
dérmico, ca *adj.* 진피(眞皮)의, 피부의.
dermis *f.sing.pl.* [해부] 진피(眞皮).
dermohidratante *adj.* 피부에 적당한 습기를 주는.
dermoplastia *f.* 식피 수술.
dermoprotector, ra *adj.* 피부 손질의, 피부 보호의, 스킨케어의.
dermorreacción *f.* (알레르기 체질 등을 가리기 위한) 피부 시험.
derogación *f.* (법률 등의) 폐지, 철폐.
derogar (8) *tr.* (법률·규칙 등을) 폐지하다, 철폐하다.
derogatorio, ria *adj.* 폐지를 목적으로 하는: cláusula ~*ria* 폐지 조항.
derrama *f.* (세금·분담금의) 할당, 부과; (일시적인) 특별세.
derramamiento *m.* ① 흘리기, 유출: ~ de sangre 유혈. ② (가족 등의) 이산.
derramar *tr.* ① 흘리다, 엎지르다, 흩뿌리다. ② (세금 등을) 할당하다, 부과하다. ~**se** ① 흘러내리다, 흘러나오다, 넘쳐흐르다. ② (애교 등이) 넘치다.
derrame *m.* ① 유출(물), 누출(漏出)(액). ② [건축] (열고 닫는 데 편리하도록 만든 창문의) 경사면.
derrapaje *m.* =derrape.
derrapar *tr.* (차가) 옆쪽으로 미끄러지다. ((참고: resbalar 미끄러지다)).
derrape *m.* 옆쪽으로 미끄러지는 일.
derredor *m.* 주위. ¶*al* [*en*] ~ 주위에, 주변에: sentarse *en* ~ *de* la mesa 테이블 주위에 앉다.
derrengado, da *adj.* 몹시 다친.
derrengar (8) (19) *tr.* ① (사람·우마의 등에) 상처를 입히다. ② 몹시 피곤하게 하다. ~**se** 몹시 피곤하다; (등을) 다치다.
derretimiento *m.* 용해(溶解): ~ de la nieve 눈의 용해.
derretir (42) *tr.* (열로) 녹이다, 용해하다. ~**se** ① 녹다. ② [+por] (…에게) 홀딱 반하다, 매료되다. ③ [+de] (…에) 정열을 태우다, 안달복달하다, 조바심하다.
derriba *f.* *Col., Hond., Méj., Nic., Pan.* =desmonte.
derribado, da *adj.* (말의 엉덩이가) 보통보다 더 낮은.
derribador *m.* 소를 쓰러뜨리는 남자.
derribamiento *m.* =derribo.
derribar *tr.* ① (건물 등을) 헐다, 철거하다: ~ un edificio viejo 노후된 건물을 헐다[철거하다]. ② 쓰러뜨리다, 넘어뜨리다; 부딪쳐[들이받아·쳐서·미쳐서] 쓰러뜨리다: ~ el gobierno 정부를 전복시키다. ③ (비행기를) 추락시키다. ④ (말이 탄 사람을) 흔들어서 떨어뜨리다.
derribo *m.* ① 철거 (작업); 철거 작업의 못쓰는 자재, 기왓조각과 자갈. ② 무너뜨리는 일, 무너짐, 붕괴; 격추.
derrocamiento *m.* 밀어 넘어뜨림.
derrocar *tr.* (높은 자리에서) 밀어 떨어뜨리다.
derrochador, ra *adj.* 낭비[남비]하는. —*m.f.* 낭비자.
derrochar *tr.* ① 낭비[남비]하다. ② (타고난 재질 등을) 풍부하게 지니고 있다: ~ salud 대단히 건강하다.
derroche *m.* 낭비, 남비(濫費).
derrota *f.* ① 패배. ② 항로, 침로.
derrotado, da *adj.* ① (복장이) 초라한, 너덜너덜 해진. ② 피로가 쌓인, (정신적으로) 풀이 죽은, 맥이 풀린, 기운이 빠진(deprimido, vencido en el ánimo).
derrotar *tr.* ① (재산을) 낭비하다; (가구를) 파괴하다, 부수다; (옷을) 찢다. ② (건강·재산에서) …를 파멸시키다. ③ 쳐서 이기다, 무찌르다. ④ 패주시키다. —*intr.* [투우] 황소가 갑작스레 방향을 바꾸면서 머리를 들어 올려 한 번 받다. ~**se** 원 항로에서 벗어나다.
derrote *m.* [투우] 황소가 갑작스레 방향을 바꾸면서 머리를 들어 올려 한 번 받기.
derrotero *m.* ① [주로 *pl.*] 진로. ② 항로(도), 침로(針路).
derrotismo *m.* 패배주의, 비관론.
derrotista *adj.* 패배주의의, 비관론의. —*m.f.* 패배주의자, 비관론자.
derrubiar *tr.* (땅을) 침식하다. ~**se** 침식되다.
derrubio *m.* ① 침식, 안벽(岸壁)의 붕괴. ② 침식으로 인한 흙.
derruir (77) *tr.* (건물을) 해체하다, 헐다, 부수다.
derrumbadero *m.* (사람이 떨어질 위험성이 있는) 단애(斷崖), 깎아 세운 듯한 낭떠러지; 위기.
derrumbamiento *m.* 도괴(倒壞), 붕괴; 낙반; 낙담.
derrumbar *tr.* ① (채석장 등에서) 밀쳐서 떨어뜨리다. ② (건축물을) 헐다, 해체하다, 부수다. ~**se** 도괴되다, 무너지다, 쓰러지다, 허물어지다; 낙담하다.
derrumbe *m.* ① 도괴(倒壞), 토사 사태(土砂沙汰). ② [경제] 붕괴, 폭락.
derviche *m.* 이슬람교의 수도승.

D

des- *pref.*「비(非)·불·부정(否定)·무(無)·반대·과(過)」 *des*confianza 불신. *des*orden 무질서. *des*lenguado 입이 더러운.
desabastecer *tr.* [+de] (…의) 공급을 끊다[중단하다].
desabollar *tr.* 쭈그러진 부분을 고치다.
desaborido, da *adj.* ① (요리가) 맛없는. ② 무뚝뚝한, 싱거운, 멋없는.
desabotonar *tr.* …의 단추를 끄르다. ~**se** ① (자신의 옷의) 단추를 끄르다. ② [옷이 주어] 단추가 끌러지다. ③ 꽃이 피다, 개화(開花)하다.
desabridamente *adv.* 맛없이, 무미건조하게(con desabrimiento).
desabrido, da *adj.* ① 맛없는. ② (총처럼 활이나 화기를 쏠 때) 힘이 많이 드는, 빡빡한. ③ (기후가) 일정하지 않은, 고르지 못한, 불순한. ④ (말수가 적고) 무뚝뚝한, 뚱한, 상냥하지 못한.
desabrigado, da *adj.* =desamparado, sin favor ni apoyo.
desabrigar (8) *tr.* 오버를 벗기다, 덮개[씌우개]를 제거하다[벗기다]. ~**se** 옷을 홀가분하게 입다, 오버를 벗다.
desabrigo *m.* ① 경장(輕裝), 홀가분하게 차림. ② 의지할 곳이 없음.
desabrimiento *m.* ① 맛없음. ② 무뚝뚝함, 냉담; 불쾌함, 기분이 좋지 않음.
desabrochar *tr.* (옷의) 단추[훅]를 끄르다. ~**se** ① 자신의 …를 끄르다. ② [옷이 주어] 단추[훅]가 끌러지다.
desacatar *tr.* ① 예의에 벗어나다, 버릇없이 굴다. ② (명령·법률 등에) 복종하지 않다, 따르지 않다.
desacato *m.* ① 불복종, 반항. ② 불경(不敬). ③ 법정 모욕죄.
desaceleración *f.* 감속(減速).
desacelerar *tr.* …의 속도를 줄이다, 감속하다. ~**se** 속도가 떨어지다.
desacertadamente *adv.* 예상을 뒤엎고, 생각지도 않게; 부적절하게.
desacertado, da *adj.* 엉뚱하게 빗나간, 예상이 틀어진; 부적절한.
desacertar (19) *intr.* [+en] (…을) 실패하다, 빗나가다, 맞추지 못하다.
desacierto *m.* 예상에서 벗어남, 실패, 실수.
desacomedido, da *adj.* *Amér.* 무정한, 인정머리 없는, 냉담한, 쌀쌀맞은.
desacomodadamente *adv.* 부자유스럽게, 불편하게.
desacomodado, da *adj.* ① 부자유스런, 불편한, 거북한. ② 실직한, 일자리가 없는(que está sin acomodo).
desacomodamiento *m.* =incomodidad, desconveniencia.
desacomodar *tr.* ① 부자유스럽게[거북하게] 만들다. ② 애먹이다. ③ 해고하다, 몰아내다, 쫓아내다. ④ *Arg., Hond., Méj., Ur.* 흩뜨리다, 어지르다, 어지럽히다, 혼란하게 하다, 문란하게 하다(desarreglar).
desacomodo *m.* 해고; 실직; 곤궁.
desacompañamiento *m.* 몸을 피하는 일; 동반 불허; 어울리기 싫어함.
desacompañar *tr.* 피하다, 어울리기 싫어하다, 동반하지 않다.
desacompasado, da *adj.* 리듬[박자]을 잃은.
desaconsejable *adj.* ① 권[충고]해서는 안되는. ② 편하지 못한, 불편한.
desaconsejadamente *adv.* 경솔하게, 지각 없이, 깊은 생각 없이.
desaconsejado, da *adj.* ① 부적절한. ② 경솔한, 무분별한, 신중하지 못한. ③ 변덕스러운, 진득하지 못한.
desaconsejar *tr.* 설득시키다, 단념시키다, 그만두게 하다, 못하게 권하다.
desacoplar *tr.* ① (한 쌍을 이루는 것의) 한쪽을 떼(어 놓)다, 쌍으로 된 것을 떼다. ② (기계·전기 회로의) 접속을 끊다.
desacordadamente *adv.* 일치하지 않고, 어울리지 않게, 엉뚱하게.
desacordado, da *adj.* [그림] 조화를 이루지 못한.
desacordar *tr.* [음악] (악기의) 가락[리듬]을 틀리게 하다. ~**se** ① 리듬[가락]이 깨지다, 리듬[가락]이 틀리다. ② 깜박 잊다(olvidarse).
desacorde *adj.* ① 일치하지 않는, 조화를 이루지 못한. ② [음악] 하모니[가락]가 맞지 않는.
desacostumbradamente *adv.* 드물게, 전례없이, 각별히, 여느 때와 달리.
desacostumbrado, da *adj.* 보통이 아닌, 흔치 않은, 드문.
desacostumbrar *tr.* [+a·de] (…의) 습관[버릇]을 버리게[잃게] 하다. ~**se** 습관[버릇]을 버리다[잃다].
desacreditado, da *adj.* 평판이 좋지 않은.
desacreditar *tr.* …의 신용을 떨어뜨리다[추락시키다], 평(評)을 나쁘게 하다. ~**se** 신용을 잃다.
desactivación *f.* ① (…의) 기폭 장치를 끊는 일, 뇌관을 떼어 냄. ② 전시 근무 해제.
desactivar *tr.* ① …의 기폭 장치를 끊다, 뇌관(雷管)을 떼(어 내)다[벗기다]. ② [화학] 불활성화(不活性化)하다. ③ 전시 근무를 해제하다.
desacuerdo *m.* ① 불일치, 부조화; 불화. ② =error. ③ =olvido.
desaderezar *tr.* =desaliñar.
desafección *f.* (체제에) 반감(反感); 냉담, 악감정.
desafecto, ta *adj.* ① [+a] (사상 등에) 충실하지 않은. ② 냉담한. —*m.* 악감정, 혐오.
desaferrar *tr.* ① 풀다, 풀어 주다, 놓아주다. ② 무지몽매함을 일깨워 주다. ③ (배가 항해를 위해) 닻을 올리다.
desafiador, ra *adj.* 도전하는. —*mf.* 선수권 도전자.
desafiante *adj.* 도전적인.
desafiar (12) *tr.* ① [+a] (…를) …에게 도전하다; 결투를 신청하다. ② 맞서다, 대항하다, 대들다, 반항하다. ~**se** (서

D

로) 결투하다.
desafilar *tr.* (무기·연장의 날을) 무디게 하다. ~**se** 날이 무디어지다.
desafinación *f.* (음악·화제가) 어울리지 않음.
desafinar *intr.* ① [음악] (악기·음의) 가락이 흐트러지다, 장단이 맞지 않다. ② 난데없는[엉뚱한] 소리를 하다.
desafío *m.* 도전; 결투 신청.
desaforado, da *adj.* 엉뚱한, 터무니없는; 엄청나게 큰, 너무 큰.
desaforar *tr.* …의 특권을 빼앗다[박탈하다·침해하다]. ~**se** 절도(節度)를 넘다; 냉정을 잃다.
desafortunadamente *adv.* 불운하게도, 불행히도.
desafortunado, da *adj.* ① 불운한, 운이 없는, 불행한. ② 어울리지 않은.
desafuero *m.* 위법 행위, 난폭한 행위.
desagradable *adj.* 불쾌한, 불유쾌한, 싫은(que desagrada o disgusta).
desagradablemente *adv.* 불쾌하게, 마지못해 하는 듯이(con desagrado).
desagradar *intr.* 언짢아 하다, 불쾌하다, 언짢다: ~ *al* oído 귀에 거슬리다.
desagradecer (31) *tr.* …에 대해 배은망덕하다, 은혜를 잊다.
desagradecido, da *adj.* ① 배은망덕한, 은혜를 저버린: De ~*s* está el mundo [el infierno] lleno (속담) 배은망덕은 지옥행. ② 노력의 보상이 안 된, 일한 만큼 보상받지 못한. —*mf.* 배은망덕한 사람.
desagrado *m.* 불쾌, 불만.
desagraviar (11) *tr.* …에게 사죄하다; 손해를 배상하다. ~**se** [+de] (…을) 보상받다.
desagravio *m.* 보상; 사죄.
desaguadero *m.* 배수구, 배수로.
desaguador *m.* =desaguadero.
desaguar (10) *tr.* 배수하다. —*intr.* ① (저수지 등의) 물을 빼다. ② (강물이 바다 등으로) 흘러 들어가다. ③ =orinar. ~**se** ① (그릇의 물이) 흐르다. ② 토하다. ③ (대변으로) 싸다.
desagüe *m.* ① 배수, 방수. ② 배수관, 배수구.
desaguisado, da *adj.* 법에 어긋난, 불법의, 불합리한. —*m.* ① 모욕. ② =destrozo, desafuero.
desahogado, da *adj.* ① 뻔뻔스런, 낯가죽이 두꺼운. ② (장소가) 텅 빈. ③ (마음이) 느긋한, 편안한.
desahogar (8) *tr.* ① 한숨 돌리게 하다, 편히 있게 하다. ② (감정을) 털어놓다. ~**se** ① (열·피곤을) 가볍게 하다, 덜다, 한숨 돌리다, 마음이 편해지다. ② 진정을 토로하다[털어놓다]. ③ (빚 등에서) 해방되다, 풀려나다.
desahogo *m.* ① 한숨 돌림, 휴식. ② 해방감, 기분 전환. ③ 느긋함, 마음 편함, 안락함. ¶***vivir con*** ~ 느긋하게 살다, 편안하게 살기 위해 충분한 재산을 가지다.
desahuciar (11) *tr.* ① 절망시키다, 희망을 빼앗다. ② (의사가) 환자가 치유될 가망이 없다는 것을 인정하다, 환자의 치료를 단념하다. ③ (세든 사람을 합법적으로) 쫓아내다.
desahucio *m.* 세든 사람을 쫓아내기.
desairado, da *adj.* ① 촌스런. ② 신통치 못한. ③ =menospreciado, desatendido.
desairar (16) *tr.* ① 업신여기다, 경시하다. ② 거부하다, 거절하다.
desaire *m.* 경시, 경멸.
desajustar *tr.* 고장내다, 망가뜨리다, (나사 등을) 늦추다. ~**se** 고장나다; 느슨해지다, 벗겨지다.
desajuste *m.* 고장, 기계의 이상; 차질, 착오: ~*s* horarios 시차 장애[병]
desalar[1] *tr.* ① 염분·소금기를 빼다. ② =desalinizar.
desalar[2] *tr.* 날개를 뽑다.
desalarse *r.* ① 종종걸음으로 걷다. ② 조바심하다.
desalentador, ra *adj.* 낙담[실망]시키는, 맥이 풀리는.
desalentar (19) *tr.* ① 실망[낙담]시키다. ② 맥풀리게 하다. ③ 헐떡거리게 만들다. ~**se** ① 낙담[실망]하다. ② 기운이 빠지다, 맥이 풀리다.
desaliento *m.* 맥이 빠짐; 실망, 낙담, 의기 소침.
desalinear *tr.* 열[줄]을 무너뜨리다, 무질서하게 만들다. ~**se** 열[줄]이 무너지다, 대열에서 이탈하다.
desalinización *f.* 해수 담수화(淡水化).
desalinizadora *f.* 탈염 장치(脫鹽裝置).
desalinizar (9) *tr.* (바닷물을) 담수화하다, 탈염하다.
desaliñado, da *adj.* 단정치 못한, 깔끔하지 못한.
desaliñar *tr.* 몸단장을 흩뜨리다, 단정치 못하게 하다. ~**se** 몸단장이 흐트러지다, 단정치 못하다.
desaliño *m.* 단정치 못함, 몸단장이 흐트러짐: con ~ 난잡하게.
desalmado, da *adj. mf.* 흉악한 (사람), 피도 눈물도 없는 (사람).
desalojamiento *m.* 추방, 퇴거, 철거.
desalojar *tr.* ① …에서 떠나다. ② 몰아내다, 쫓아내다, 추방하다. ③ 꺼내다. ④ =desplazar.
desalojo *m.* =desalojamiento.
desalquilar *tr.* (임대 가옥의) 명도를 통보하다. ~**se** 집을 비우다.
desamarrar *tr.* ① 밧줄을 풀다. ② 놓아주다, 끄르다, 늦추다, 느슨하게 하다. ~**se** 밧줄이 풀리다; 느슨해지다; (사람·동물이) 해방되다.
desambientado, da *adj.* 익숙한 환경에 있지 않은.
desamigar *tr.* =enemistar.
desamistarse *r.* =enemistarse.
desamoblar *tr.* =desamueblar.
desamor *m.* ① 애정[우정]이 없음. ② 냉담, 무정. ③ 미움, 증오.
desamoradamente *adv.* 매정하게, 무정하게, 쌀쌀하게(sin amor ni cariño).

D

desamorado, da *adj.* 애정이 없는, 애정을 나티내지 않은.
desamortización *f.* (영대(永代) 재산의) 양도; 매각.
desamortizador, ra *adj.* 양도하는, 매각하는. —*mf.* 양도자, 매각자.
desamortizar (9) *tr.* 양도[매각]하다.
desamparador, ra *adj.* 내버려 둔 채 돌보지 않은 (사람).
desamparamiento *m.* =desamparo.
desamparar *tr.* 내버려 둔 채[관계를 끊고] 돌보지 않다.
desamparo *m.* 고립 무원(孤立無援), 일가 친척이 없음, 의지가지없음.
desamueblar *tr.* (집・방에서) 가구를 치우다.
desanclar *tr.* (배의) 닻을 올리다.
desandar (41) *tr.* (왔던 길을) 되돌아 오다: ~ el camino 길을 되돌아오다.
desangelado, da *adj.* 살풍경한.
desangramiento *m.* ① 착취. ② 출혈.
desangrar *tr.* ① (과도하게) 피를 뽑다. ② (호수・연못 등의) 물을 뽑다. ③ 재산을 착취하다, 재산을 빼앗다[등치다], 남의 재산을 탕진시키다, 가난하게 만들다. ④ *Cuba.* 담배잎의 굵은 부분을 따다. ~**se** 출혈이 많다, 과다 출혈로 죽다.
desangre *m.* *Ecuad.* =desangramiento.
desanidar *intr.* (새가) 보금자리를 떠나다. —*tr.* (숨은 장소에서) 내쫓다, 몰아내다.
desanimado, da *adj.* ① (장소・모임 등이) 붐비지 않은, 혼잡하지 않은, 활기가 없는. ② 풀이 죽은, 무기력한, 기운이 빠진(deprimido).
desanimar *tr.* ① 실망시키다, 낙담시키다. ② 단념케 하다. ~**se** ① 기력을 잃다. ② 실망하다, 낙담하다.
desánimo *m.* 낙담, 실망.
desanudar *tr.* (매듭・분규 등을) 풀다, 해결하다.
desapacibilidad *f.* 불쾌감, 언짢음.
desapacible *adj.* ① 불쾌한, 불쾌감이 드는, 언짢은 느낌이 드는. ② (기후가) 불안정한, 고르지 못한.
desapaciblemente *adv.* =desagradablemente.
desapadrinar *tr.* =desaprobar.
desaparcar (7) *tr.* (주차되어 있던 차를) 치우다, 빼다(retirar).
desaparecer (31) *tr.* 보이지 않게 하다, 숨기다, 감추다, 없어지게 하다, 사라지게 하다. —*intr.*, ~**se** 없어지다, 사라지다.
desaparecido, da *adj.* ① 자취를 감춘, 없어진, 사라진, 분실된, 행방 불명된. ② 죽은(muerto). —*mf.* ① 행방 불명자. ② 사망자.
desaparecimiento *m.* =desaparición.
desaparejar *tr.* ① (말에서) 마구를 벗기다[풀다]. ② (배에서) 장비를 떼다[제거하다].
desaparición *f.* 보이지 않음, 없어짐, 실종; 소멸, 멸종, 멸망; 사망.
desapasionadamente *adv.* 열의 없이.
desapasionado, da *adj.* (사람이) 공평한; (비평・결정 등이) 객관적인.
desapego *m.* 냉담, 무관심.
desapercibido, da *adj.* 아무런 준비가 없는(no apercibido).
desaplicación *f.* 태만, 나태, 열성 없음.
desaplicado, da *adj.*, *mf.* 공부에 태만한[열성이 없는] (사람).
desapoderar *tr.* ① [+de] (…의 소유권을) …에게서 빼앗다. ② 해임하다.
desapolillar *tr.* (의복에서) 좀을 없애다; (좀먹거나 곰팡이 피는 것을 막기 위해) 볕에 쬐다. ~**se** (병이나 다른 이유로 오랫동안 외출하지 않고 세월을 보낼 때) 외출하다(salir de casa), 기분 전환을 하다.
desaprensión *f.* 후안무치(厚顔無恥).
desaprensivo, va *adj.*, *mf.* 후안무치한 (사람).
desapretar *tr.* (나사・매듭 등을) 풀다, 늦추다. ~**se** 풀어지다, 느슨해지다.
desaprobación *f.* 반대, 비난.
desaprobar (24) *tr.* 반대[비난]하다.
desapropiación *f.* =desapropiamiento.
desapropiamiento *m.* (소유물・소유권의) 포기.
desapropiar (11) *tr.* (나라 등이) …의 소유권을 빼앗다. ~**se** [+de] (…을) 넘기다, 처분하다.
desapropio *m.* =desapropiamiento.
desaprovechado, da *adj.* 진보가 없는, 태만한, 나태한, 게으른.
desaprovechamiento *m.* 태만, 나태; 불성실; 이용하지 않음.
desaprovechar *tr.* 헛되이 하다, 놓치다, 낭비하다.
desarbolar *tr.* [선박] 돛대를 떼다[파괴하다].
desarmador *m.* ① *Hond., Méj., Salv.* =destornillador. ② (총의) 공이쇠, 격철(disparador).
desarmadura *f.* =desarme.
desarmaduría *f.* *Chile.* 기계[차량] 해체 장소.
desarmamiento *m.* =desarme.
desarmar *tr.* ① (기계 등을) 해체하다, 분해하다. ② 무장 해제하다, 무기를 빼앗다[몰수하다]; (어떤 나라의) 군비를 철폐[축소]시키다. ③ (…의 노기 등을) 진정시키다. ④ 설복시키다, 말로써 상대를 제압하다. ⑤ (배의) 의장(艤裝)을 떼다. ⑥ [투우] (소가) 물레따(muleta)를 빼앗다. ~**se** ① 분해되다. ② 무기를 버리다; 군비를 철폐[축소]하다.
desarme *m.* ① 분해, 해체. ② 무장 해제; 군비 축소: ~ nuclear 핵군축. ~ arrancelario 관세 철폐.
desarraigamiento *m.* =desarraigo.
desarraigar (8) *tr.* ① 뿌리째 뽑다, 근절하다. ② (고향・습관 등에서) 떼어놓다[갈라놓다], 손을 떼게 하다, 전향

D

시키다. ~**se** ① 뿌리째 뽑히다. ② 전향하다, 발을 빼다.
desarraigo *m.* ① 뿌리를 뽑음, 송두리째 뽑음, 박멸. ② 전향.
desarrapado, da *adj.* =desharrapado.
desarreglado, da *adj.* 난잡한, 무질서한, 무절제한, 함부로 구는.
desarreglar *tr.* 난잡하게[문란하게] 하다, 흐트러뜨리다; (계획 등을) 틀어지게 하다. ~**se** 난잡해지다, 흐트러지다, 무절제하다.
desarreglo *m.* 난잡, 무질서; 방종.
desarrendado, da *adj.* 무질서한 생활을 하는(que lleva vida desordenada).
desarrendar[1] (19) *tr.* 말의 고삐를 풀어주다.
desarrendar[2] (19) *tr.* 소작지를 돌려주다, (토지·가옥의) 임대차를 중지하다.
desarrollable *adj.* 발전할 수 있는, 전개(展開)할 수 있는, 개발 가능한.
D
desarrollado, da *adj.* 발전된, 성장된: país ~ 선진국.
desarrollar *tr.* ① 발달시키다, 발전시키다; 발육시키다, 성장시키다. ② (말린 것·접은 것을) 펴다, 펼치다, 늘이다. ③ (생각·이론을) 전개하다, 부연(敷衍)하다. ④ (산업·제품 등을) 개발하다. ⑤ (활동을) 전개하다, 벌이다; (능력을) 발휘하다; (계획을) 실행하다. ⑥ [수학] (수식 등을) 전개하다. ~**se** ① 발달하다, 발전하다; 성장하다. ② (일이) 일어나다; 전개되다. ③ [생물] 발생(發生)하다.
desarrollo *m.* ① 발달, 발전; 개발: ~ económico 경제 발전; 경제 개발. país en (vías de) ~ 발전 도상국. plan de ~ 개발 계획. mal plan de ~ 난개발. ② 발육. ③ 전개, 진전. ④ [수학] 전개. ⑤ [생물] 발생. ⑥ [사진] 현상.
desarropar *tr.* (더워서) 옷을 벗기다. ~**se** 옷을 벗다, 옷을 얇게 입다.
desarrugar (8) *tr.* 주름[구김살]을 펴다. ~**se** 주름[구김살]이 펴지다.
desarticulación *f.* ① 관절의 삠, 탈구(脫臼). ② 분해, 해체.
desarticulado, da *adj.* [언어] =desorganizado, inconexo, elíptico.
desarticular *tr.* ① (관절을) 삐다. ② (기계 등을) 분해하다, 해체하다. ~**se** ① 관절을 삐다, 탈구(脫臼)되다, 뼈마디가 삐어 물러나다. ② 분해되다, 해체되다.
desasado, da *adj.* 손잡이(asa)가 떨어진[빠진·부러진].
desaseadamente *adv.* 더럽게, 불결하게, 추접스레(sin aseo).
desaseado, da *adj.* 불결한, 더러운, 추접스런(sucio); 난잡한.
desasegurar *tr.* ① 확실성을 없애다. ② 보증을 취소하다; 계약을 취소하다. ③ …의 보험을 해약하다.
desaseo *m.* =suciedad, porquería.
desasimilación *f.* [생리] 분해, 이화.
desasimilar *tr.* [생리] 분해하다, 이화(異化)하다.
desasir (36) *tr.* 놓다, 놓아주다, 풀어주다. ~**se** [+de] (…을) 떼어놓다, …에서 벗어나다, 떨어지다.
desasistir *tr.* =desacompañar, desamparar.
desasnar *tr.* (촌스럽거나 무지한 사람을) 세련되게 하다, 교육시키다. ~**se** 수양하다.
desasociar (11) *tr.* 분해하다, 해산시키다. ~**se** [+de] (…와) 관계를 끊다, 절교하다.
desasosegar (8) (19) *tr.* 불안하게 하다, …의 평온을 어지럽히다[혼란시키다]. ~**se** 불안해지다.
desasosiego *m.* 불안, 걱정; 동요.
desastrado, da *adj.* ① 불행한. ② 지저분한, 너덜너덜한 (옷을 입은 사람), 하는 짓이 야무지지 못한 (사람), 낡아빠진.
desastre *m.* ① 재해, 재앙, 재난, 재액(災厄), 참화. ② 완전한 실패.
desastroso, sa *adj.* ① 재해[재앙]를 가져온. ② 참담한.
desatado, da *adj.* 풀린, 자제할 수 없는, 방탕한.
desatar *tr.* ① (묶은 것을) 풀다, 뜯다. ② (감정 등을) 분출시키다. ~**se** ① 풀리다; (자신의 …을) 풀다. ② (감정 등이) 분출되다; [+en] (…을) 자제할 수 없게 되다. ③ (폭풍 등이) 돌발하다. ④ 유유자적하다, 편안히 지내다[쉬다].
desatacar (7) *tr.* ① (흙탕 속에서) 꺼내다. ② (관 등의) 막힌 데를 뚫다. ③ 궁지[어려움]에서 구출하다. ~**se** 궁지에서 벗어나다.
desate *m.* 넘쳐 흐름, 방약 무인. ¶ ~ *de vientre* 설사, 이질.
desatención *f.* 마음을 쓰지 않음, 방심; 무례, 실례.
desatender (20) *tr.* ① …에 주의를 기울이지 않다, 등한히 하다, 중시하지 않다, 무시하다. ② 돌보지 않다, 신경을 쓰지 않다.
desatentado, da *adj., mf.* 무모한 (사람), 사려가 없는 (사람).
desatento, ta *adj., mf.* ① 주의가 산만한 (사람), 멍청한 (사람). ② 함부로 구는 (사람).
desatinar *intr.* ① 예상 밖의 짓[일]을 하다. ② 예상을 빗나가다, 예상에서 벗어나다. —*tr.* 망연자실케 하다.
desatino *m.* ① 예상에서 벗어남(falta de tino). ② 미친 짓, 광기(locura)
desatorar *tr.* ① (갱내의) 토사를 치우다. ② (배의 짐을) 옮겨 싣다. ③ *Hond., Méj.* =desatascar.
destornillador *m.* =destornillador.
desatornillar *tr.* =destornillar.
desatracar (7) *intr.* (배가) 출항하다. —*tr.* (배를) 출항시키다.
desatrampar *tr.* (관 등의) 막힌 데를 뚫다.
desatrancar (7) *tr.* ① 문의 빗장을 벗

기다. ② =desatrampar.
desautorización *f.* 부인, 각하(却下).
desautorizar (9) *tr.* 승인하지 않다, 권능을 박탈하다, (인가 등을) 취소하다.
desavecindarse *r.* 다른 곳으로 옮기다, 이사하다, 전거(轉居)하다
desavenencia *f.* 불화, 대립(對立).
desavenido, da *adj.* 사이가 나쁜.
desavenir (60) *tr.* 대립시키다, 불화를 일으키다, (의견을) 충돌시키다. ~**se** 사이가 틀어지다.
desaventajado, da *adj.* 불리한, 형편이 좋지 못한.
desaviar (12) *tr.* ① 길을 잃게 하다[잘못 들게 하다]. ② (필요한 것을) 빼앗다, 공급하지 않다. ~**se** ① 길을 잘못 들다, 길을 잃다. ② (필요한 것을) 빼앗기다, 공급받지 못하다.
desayunador *m. Méj.* (가벼운 식사를 들기 위해) 주방 가까이에 탁자와 의자가 놓인 방.
desayunar *intr.* 아침(밥)을 먹다. —*tr.* 아침으로 …을 들다. ~**se** ① 아침(밥)을 먹다. ② (몰랐던 일의 소식을) 처음으로 듣다.
desayuno *m.* ① 아침밥: tomar el ~ 아침밥을 먹다. ② 아침밥을 먹는 일. ③ 아침밥을 먹기 위한 사람들의 모임.
desazón *f.* ① (막연한) 불안감, 불쾌감. ② =**picazón.** ③ 내면적인 불안. ④ 맛이 없음, 형편없는 맛. ⑤ (땅이) 메마름, 경작에 적당하지 않음.
desazonar *tr.* ① (음식의) 맛을 없애다. ② 성나게 하다, 언짢게 하다, 불쾌하게 하다. ~**se** ① 맛이 없어지다. ② 건강이 나빠지다, 몸의 상태가 나빠진 것을 느끼다.
desbancar (7) *tr.* ① (지위를) 가로채다, 빼앗다; 대신하다. ② (애정·우의를) 잃게 하다. ③ (카드놀이에서) 물주에게서 모든 판돈을 따다. ④ (실내·선박의) 의자를 없애다.
desbandada *f.* 뿔뿔이침, 탈주. ¶*a la* ~ 무질서하게, 난잡하게, 갈팡질팡.
desbandarse *r.* 뿔뿔이치다; 뿔뿔이 흩어지다; 동료들로부터 떨어지다; 탈주하다.
desbarajustar *tr.* 혼란하게 하다.
desbarajuste *m.* 큰 혼란, 무질서.
desbaratamiento *m.* 파괴, 혼란.
desbaratar *tr.* ① 부수다, 망가뜨리다. ② 낭비하다, 없애다. ③ 방해하다. ④ [군사] 혼란하게 하다, 흐트러뜨리다. —*intr.* 엉터리 짓을 하다, 터무니없는 짓을 하다. ~**se** ① 부서지다. ② 흐트러지다, 혼란하다. ③ 자제심을 잃다.
desbarbar *tr.* ① (수염 모양의 것을, 특히 식물의 가는 뿌리와 종이의 가장자리를) 자르다. ② 수염을 깎아 주다. ~**se** (자신의) 수염을 깎다.
desbarrancar (7) *tr. AmérC., Chile, Cuba, Méj., Perú, Ven.* 떨어뜨리다, 벼랑에 던지다. ~**se** ① (차가) 도로에서 뛰쳐나오다. ② *Hond.* 결혼하다.
desbarrar[1] *intr.* ① 미끄러지다. ② (말 등을) 잘못하다. ③ 멋대로 굴다.
desbarrar[2] *intr.* 장대를 되도록 힘껏 던지다.
desbastador *m.* 대충 깎는 공구.
desbastar *tr.* ① 거칠게[대충] 깎다. ② 써서 닳게 하다. ③ 세련되게 하다, 교육시키다, 교화시키다. ~**se** 교화되다, 세련되다.
desbaste *m.* 대충 깎기.
desbeber *intr.* 소변을 보다.
desbloquear *tr.* (봉쇄 등을) 해제하다, 풀다.
desbloqueo *m.* (봉쇄) 해제.
desbocado, da *adj.* ① 구경이 넓은. ② 이가 빠진 (그릇). ③ 대가리가 뭉개진. ④ 입버릇이 사나운, 입에 담지 못할 소리를 하는 (사람), 입이 더러운 (사람). ⑤ (말이) 폭주하는. ⑥ (자유) 분방한.
desbocamiento *m.* ① 대가리를 뭉개는 일. ② 폭주.
desbocar (7) *tr.* (그릇의) 주둥이를 부수다. —*intr.* =**desembocar.** ~**se** ① (말의) 재갈을 풀어놓다; (말이) 폭주하다. ② 명령을 어기다, 탈선 행위를 하다, 자제력을 잃다. ③ 무절제하게 증가하다, (물가가) 천정부지로 오르다. ④ =**desvergonzarse.** ⑤ *Nic.* 서둘러 결정하다.
desbole *m. Arg., Ur.* =**desorden, confusión.**
desbordamiento *m.* 범람.
desbordante *adj.* ① 넘쳐 흐르는. ② 억제할 길 없는.
desbordar *tr.* ① (그릇 안에 든 것이 밖으로) 넘치다, 흘러나오다. ② (그릇 안에 든 것을) 흘러나오게[넘치게] 하다. ③ (경계·한계를) 넘다. —*intr.* 흘러나오다, 넘치다, 범람하다. ~**se** ① 넘치다, 범람하다. ② (감정·악습이) 넘치다, 격해지다, 도가 지나치다.
desborde *m.* =**desbordamiento.**
desbraguetado, da *adj.* 바지의 앞이 열린, 바지의 앞 단추가 풀어진.
desbravar[1] *tr.* (동물을) 훈련[조련]시키다, 길들이다. —*intr.*, ① (바지의) 앞이 열리다. ② 야성적인 기질이 없어지다. ③ (화가) 풀리다. ④ (물살이) 완만해지다. ~**se** ① (바지의) 앞이 열리다. ② (물살이) 완만해지다.
desbravar[2] *intr.*, ~**se** (술의) 독한 맛이 없어지다, 독한 맛을 잃다.
desbriznar *tr.* ① 가늘게 자르다[쪼개다]. ② 암술을 떼어내다. ③ (야채에서) 줄기를 벗겨내다.
desbroce *m.* =**desbrozo.**
desbrozamiento *m.* =**desbrozo.**
desbrozar (9) *tr.* ① (…에서) 덤불을 치우다, 청소하다. ② …에서 장애물[불필요한 것]을 제거하다[치우다], 실현을 쉽게 하다.
desbrozo *m.* ① 덤불 청소. ② 장애물 제거. ③ 나무의 가지치기 후에 생긴 가지[잎].
descabalamiento *m.* 가지런하지 않음,

D

고르지 않음.
descabalar *tr.* ① 불완전하게 하다. ② 혼란하게 하다, 엉망으로 만들다, 망가뜨리다. ~**se** ① 불완전해지다, 짝이 맞지 않다. ② 망가지다, 엉망이 되다.
descabalgar (8) *intr.* 말에서 내리다. —*tr.* 포가(砲架)에서 포를 내려놓다.
descabelladamente *adv.* 무질서하게.
descabellado, da *adj.* 일반적인 규정[규칙]에서 벗어난.
descabellamiento *m.* =despropósito.
descabellar *tr.* [투우] 소의 후두부[급소]에 칼을 찔러 즉사시키다.
descabello *m.* 투우용 황소를 즉사시키는 일.
descabestrar *tr.* =desencabestrar.
descabezadamente *adv.* =descabelladamente.
descabezado, da *adj.* ① 상궤에서 벗어난. ② 멍한, 건성의; 기억이 불확실한, 잘 잊어 버리는(desmemoriado).
descabezar (9) *tr.* ① 머리를 자르다. ② (조직의) 지도자를 잃다. ③ (나무·식물의 싹과 같은 윗부분이나 끝을) 자르다. ④ (난관을) 극복하다. ⑤ [군사] 대형의 방향을 전환하다. ⑥ [군사] 장애를 극복하다. ⑦ *Bol., Col., Hond., Nic.* =defenestrar, destituir. ⑧ *PRico.* 물을 타서 알코올의 도수를 내리다[약하게 하다]. —*intr.* 경계를 접하다. ~**se** ① =descalabarse. ② [농업] =desgranarse.
descabritar *tr.* 새끼 산양의 젖을 떼다.
descabullirse *r.* =escabullirse.
descachalandrado, da *adj. Amér.* = desaliñado, andrajoso.
descachar *tr. Hond., Nic.* =descornar. ~**se** ① *Chile, Col.* =descornarse. ② *Col.* 자루[손잡이]가 빠지다. ③ *Col.* (차바퀴를 받치는 축이) 부러지다. ④ *Col.* 실수를 저지르다.
descacharrado, da *adj. Guat., Hond.* =descuidado, desaliñado.
descacharrante *adj.* =cómico, hilarante.
descacharrar *tr.* =escacharrar.
descafeinado, da *adj.* ① 독(毒)[걱정]의 요소를 제거한. ② 본질을 상실한. —*m.* 카페인 없는 커피(café ~).
descafeinar *tr.* ① 커피에서 카페인 함량을 없애다[줄이다]. ② 위험하다[난폭하다]고 생각되는 것을 줄이다.
descalabazarse *r.* (달성하지도 못하고 무엇을 조사하는 데) 머리를 짜내 생각하다.
descalabradura *f.* ① 머리의 상처. ② 머리의 상처 자국.
descalabrar *tr.* ① 머리에 상처를 입히다. ② 머리 이외의 다른 부분에 상처를 입히다. ③ 손해를 입히다. ~**se** 머리에 상처를 입다.
descalabro *m.* 실패, 재난, 재해; 손해.
descalce *m.* =socava.
descalcez *f.* ① 맨발로 있기. ② (승려가) 맨발의 계율을 지켜야 하는 규칙.
descalcificación *f.* 칼슘 부족; 탈석회(脫石灰), 연수화(軟水化).
descalcificar (7) *tr.* (뼈나 다른 석회질에 함유된) 석회질[칼슘]을 제거하다. ~**se** ① 석회질을 잃다. ② (사람이) 칼슘이 부족해지다.
descalificación *f.* 신용의 실추(失墜); 실격(失格); 무자격; 자격 박탈.
descalificado, da *adj.* 자격이 없는, 무자격의. —*mf.* 무자격자.
descalificador, ra *adj.* 자격이 없는, 자격을 잃은, 실격된.
descalificar *tr.* 신용을 떨어뜨리다[추락시키다]; 자격을 박탈하다.
descalzar (9) *tr.* ① 신발을 벗기다. ② (끼웠던 것을) 벗기다. ③ 밑을 파다. ~**se** ① 신발을 벗다. ② 편자가 벗어지다. ③ (승려가) 맨발이 되다.
descalzo, za *adj.* ① 맨발의, 신발을 신지 않은. ② (승려가) 맨발을 신조로 하는. ③ 재산이 없는, 빈털터리의, 맨주먹의. —*mf.* ① 맨발을 한 사람. ② 맨발을 신조로 하는 종파의 승려.
descamación *f.* [의학] 표피 탈락.
descamar *tr.* (물고기의) 비늘을 벗기다. ~**se** ① (물고기의) 비늘이 벗겨지다. ② (식물·피부 등의) 겉껍질이 벗겨지다.
descamativo, va *adj.* ① 표피 박탈의. ② [의학] (피부의) 껍질이 벗겨지는.
descambiar (11) *tr.* ① =destrocar. ② 구매한 물건을 물리다[반품하다]. ③ *Amér.* 액면이 큰[적은] 지폐나 동전을 적은[큰] 돈으로 바꾸다.
descaminado, da *adj.* 길을 잃은, 길을 잘못 든.
descaminar *tr.* ① 길을 잘못 들게 하다. ② 나쁜 길에 빠지게 하다. ③ = decomisar. ~**se** ① 길을 잘못 들다, 길을 잃다. ② 나쁜 길로 빠지다.
descamino *m.* ① 길을 잘못 드는 일. ② 잘못, 실수(error). ③ 밀수(품). ④ 부정(不正). ⑤ 엉터리, 터무니없는 것.
descamisado, da *adj.* ① 셔츠를 입지 않은. ② 매우 가난한. ③ 남루한, 누더기를 걸친. —*mf.* 가난뱅이.
descamisar *tr. And., Can.* =esfoyar.
descampado, da *adj.* 황량한, 탁 트인. —*m.* 황야. ¶*en* ~ 야외[노천]에서.
descampar *tr.* =escampar.
descansadamente *adv.* 일없이, 한가로이, 마음 편하게, 차분히.
descansadero *m.* 쉬는 장소, 쉴 수 있는 장소.
descansado, da *adj.* ① 차분한, 조용한, 가라앉은, 잔잔한. ② 별로 노력이 필요하지 않은 (직업).
descansar *tr.* (일을) 쉬게 하다, (일을) 도와 주다. —*intr.* ① 쉬다, 휴식을 취하다, 휴게(休憩)하다. ② (걱정에서) 한숨을 돌리다[놓다], 안심하다. ③ (심신·피로를) 편안히 하다, 풀다. ④ 쉬다, 자다. ⑤ (일의 믿음·누구의 호의로) 걱정 없이 편하게 있다. ⑥ (물건이) 기대어 있다, 얹혀져 있다, 떠받치고 있다, 편안히 있다. ⑦ (땅이 1년 이상) 경작되지 않고 있다, 휴한(休閑) 중이다. ⑧ 묻혀 있다, 잠들어 있다, 쉬고 있다, 영면(永眠)하다: Que en paz *descanse* [q.e.p.d.; Q.E.P.D.] 영면하소서, 고이 잠드소서.
descansillo *m.* 층계참(層階站).
descanso *m.* ① 쉼, 휴식; (일·상연중의) 휴게(休憩). ② 위안, 편안함. ③ =**descansillo.** ④ 얹어놓는 자리[대]. ⑤ 믿는[의지하는] 것[사람]. ⑥ [운동] 하프타임, 중간 휴식. ⑦ *AmérM.* 변소. ⑧ [감탄사적] 쉬어!
descantillar *tr.* ① 모서리[가]를 깨뜨리다[손상하다·흠내다·파손하다·훼손하다]. ② (어떤 양에서) 약간을 떼어먹다, 횡령하다; 깎다, 공제하다.
descapitalizar (9) *tr.* ① (기업에게) 충분한 자금을 제공하지 못하다, 자본 없이 전부나 일부를 은행 등에서 빌리다. ② (나라 등의) 역사적 유산[문화재]을 잃게 하다. ~**se** ① 충분한 자금이 없다, 자금이 부족하다. ② 역사적 유산[문화재]을 잃다.
descapotable *adj.* (자동차·마차에) 접는 뚜껑이 있는. —*m.* [자동차] 윗부분을 접었다 폈다 할 수 있는 승용차, 지붕을 접을 수 있는 자동차.
descapotar *tr.* 자동차의 뚜껑[겉포장]을 접다[내리다].
descaradamente *adv.* 뻔뻔스레.
descarado, da *adj.* 낯가죽이 두꺼운, 뻔뻔스런. —*mf.* 뻔뻔스런 사람.
descaramiento *m.* =**descaro.**
descararse *r.* 뻔뻔스레 말[행동]하다.
descarga *f.* ① 하역, 짐을 내림. ② [건축] (과도한 중량으로 무너질 것이 염려될 때) 건축물의 몸체를 경감하는 일. ③ 사격; (특히) 일제 사격. ④ [전기] 방전, 감전. ⑤ *Cuba.* 음악 활동. ⑥ *Cuba.* =**reprensión.** ⑦ *Ven.* 귀찮은 일(asunto fastidioso).
descargadero *m.* 하역장, 부두.
descargador, ra *mf.* ① 하역 인부. ② 장탄 추출기(sacatrapos).
descargar (8) *tr.* ① ㉮ [+de] (짐을) …에서 내리다. ㉯ [짐이 목적어] ~ mercancías 뱃짐을 내리다[풀다]. ② [+de] (의무·책임 등을) …에서 면제하다. ③ [+de] (여분을) …에서 없애다[제거하다]. ④ ㉮ [+sobre·contra] (총포류를) …에 쏘다. ㉯ 탄환을 뽑아내다. ⑤ 구타하다, 주먹 세례를 퍼붓다. ⑥ (분노 등을) 터뜨리다. ⑦ (구름이 비·눈을) 대량으로 내리다; (강이 물을) 대량으로 흘리다. ⑧ (에너지 등을) 방출하다. ⑨ [전기] 방전시키다. ⑩ [컴퓨터] (데이터를) 내려받기하다. —*intr.* ① (배·트럭에서) 짐을 내리다[풀다]. ② 사격하다. ③ (강물이 바다 등으로) 흘러들다. ④ (구름이) 비[눈]을 내리다. ⑤ (태풍 등이) 맹위를 떨치다. ~**se** ① [+de] (직무·책임을) 사퇴하다[물러나다]. ② 격노하다. ③ 자신의 혐의를 풀다. ④ 방전하다.
descargo *m.* ① 하역. ② 부담의 해제[경감]. ③ [법률] 변명, 해명. ④ (채무의) 변제[증서].
descarnado, da *adj.* ① 살이 없는. ② (표현이) 생생한, 적나라한, 잔혹한.
descarnador *m.* 잇몸을 벗겨내는 메스.
descarnadura *f.* ① 살을 발라내는 일. ② 빼빼마름.
descarnar *tr.* ① 뼈에서 살을 발라내다. ② …에서 연한 부분을 떼어내다. ③ (육체적·도덕적인 원인으로) 살을 빠지게 하다, 여위게 하다. ~**se** ① 여위다, 앙상해지다, 뼈만 남다. ② (다른 사람을 위해) 돈이나 재산을 없애다.
descaro *m.* 낯가죽이 두꺼움, 후안무치: con ~ 뻔뻔스레.
descarozar (9) *tr.* (과일의) 속[씨]을 빼다.
descarriar (12) *tr.* ① 길을 잃게 하다. ② (짐승 떼를) 갈라놓다. ~**se** 미아가 되다, 길을 잘못들다, 길을 잃다.
descarrilamiento *m.* (열차의) 탈선.
descarrilar *intr.* (열차가) 탈선하다.
descartable *adj.* ① 제외[배제]될 수 있는. ② 1회용의, 단 한 번만 사용되는: pañal ~ 종이[1회용] 기저귀.
descartar *tr.* ① 제외하다, 떼어놓다. ② 배제하다, 잊어버리다. ③ 거절하다, 받아들이지 않다. ~**se** ① 카드의 가진 패를 버리다. ② 피하다, 도망가다.
descarte *m.* ① 카드를 버리는 일. ② (카드의) 버린 패. ③ 변명, 구실, 핑계.
descasar *tr.* ① (합법적으로 결혼하지 않아) 갈라놓다, 헤어지게 하다. ② 결혼을 무효로 하다. ③ 뿔뿔이 흩어지게 하다. ~**se** 이혼하다.
descascarar *tr.* 껍질을 벗기다. ~**se** 껍질이 벗겨지다.
descascarillado *m.* 엷은 껍질 벗기기.
descascarillar *tr.* 가죽을 벗기다, 엷은 껍질을 떼내다; (도자기 등을) 이지러지게 하다, 흠지게 하다. ~**se** 껍질이 떼어지다, 가죽이 벗겨지다; (도자기 등이) 이지러지다, 흠지다.
descastado, da *adj.* ① (가족·친구 등에게) 박정한 (사람), 냉정한 (사람). ② 인연을 끊은. ③ 혈통이 끊긴.
descendencia *f.* ① [집합] 자손들, 후손, 후예; 대를 이음. ② 가계, 혈통.
descendente *adj.* 아래로 내려가는, 하강하는, 점감하는.
descender (20) *tr.* ① 내리다, 내려놓다. ② 내려가다. —*tr.* ① 내리다, 저하하다, 내려가다. ② [+de 높은 곳에서·탈것에서/+por …을/+a …로] 내려가다, 내려오다, 하강하다. ③ [+de] (…의) 출신이다, 자손이다; 파생하다. ④ 아래로 늘어지다, 처지다. ⑤ [+a] (…에까지) 이르다. ⑥ [음악] 음이 내려가다.
descendiente *mf.* 자손, 후손, 후예(後裔). —*f.* =**bajada, falda, vertiente.**
descendimiento *m.* ① 내려감, 내려옴, 하강. ② [대문자로] 십자가에서 그리스도의 몸을 내리는 일. ③ [조각·회

D

화] 십자가에서 그리스도의 몸을 내리는 그림[조각].
descenso *m.* ① 내리는 일, 하강; 저하, 하락. ② 내리막길. ③ [운동] 하위[마이너] 리그로 전락. ④ [스키] 활강.
descentrado, da *adj.* ① (기계 · 기구가) 중심에서 벗어난. ② 원래의 자리[상태]에서 벗어나 있는. ③ =desorientado, disperso, desequilibrado.
descentralización *f.* 지방 분권[분산].
descentralizar (9) *tr.* 지방 분권으로 하다, 지방에 분산시키다.
descentramiento *m.* 흔들림; 정신적 불안정.
descentrar *tr.* ① 중심에서 벗어나게 하다. ② [사진] 카메라를 위로 돌리다. ③ (정신적으로) 혼란[산만]하게 하다. ~**se** ① (중심이) 흔들리다. ② (정신적으로) 혼란하다, 산만하다.
desceñir (49) *tr.* (띠 등을) 풀다, 풀어놓다. ~**se** (띠 등이) 풀어지다; (자신의 띠 등을) 풀다, 풀어놓다.
descerrajar *tr.* ① …의 자물쇠를 부수고 열다. ② 발사하다.
descifrable *adj.* 해독[판독]할 수 있는.
descifrar *tr.* 해독하다, 판독하다; 알아차리다, 간파하다, 꿰뚫어 보다.
descinchar *tr.* (말의) 복대를 풀다[느슨하게 하다].
desclavador *m.* 못뽑이.
desclavar *tr.* ① …에서 못을 뽑다. ② (못으로 단단히 박힌 것을) 떼다, 벗기다. ③ (보석을 장식에서) 떼어내다.
descoagular *tr.* (응고물을) 녹이다, 풀다. ~**se** (응고물이) 녹다, 풀리다.
descocado, da *adj.* 파렴치한 (사람).
descocarse *r.* 염치 없이 행동하다, 후안 무치하다.
descoco *m.* 후안무치; 파렴치한 복장.
descodificación *f.* 해독(解讀).
descodificador *m.* 해독기, 데코더.
descodificar *tr.* (7) 해독(解讀)하다.
descolgar (8) (24) *tr.* ① [+de] (걸린 것을 …에서) 내리다, 떼다: ~ el auricular (del teléfono) 수화기를 들다. ② 매달아 내리다. ③ [경기] (집단을) 떼어[갈라]놓다, 뒷사람과 사이를 벌리다.
—*intr.* [전화] 수화기를 들다. ~**se** ① [+por · de+장소] (…을) 타고 내리다. ② [+con/+현재 분사] 생각이 없는 것을 말하다; [+por] (…에) 불의에 나타나다. ③ [경기] (집단에서) 탈락하다, 사이가 벌어지다.
descollante *adj.* 빼어난, 뛰어난.
descollar (24) *intr.* 빼어나다, 뛰어나다, 걸출하다(sobresalir).
descolocar (7) *tr.* ① 자리를 빼앗다, 실직시키다, 해고시키다. ② [운동] 내쫓다, 몰아내다. ~**se** [운동] 현위치에서 관계가 없어지다.
descolonización *f.* 비식민지화.
descolonizar (9) *tr.* 비식민지화하다.
descolorar *tr.* =decolorar.
descolorido, da *adj.* ① 빛 바랜. ② 창백한.
descolorir *tr.* =decolorar.
descombrar *tr.* =desescombrar.
descomedido, da *adj.* ① 버릇없는, 무례한, 예의 없는. ② 굉장한, 대단한, 지독한, 과도한, 터무니없는, 엉뚱한, 당치도 않은: apetito ~ 굉장한 식욕.
descomedimiento *m.* 무례, 버릇없음.
descomedirse (42) *r.* 버릇 없는 짓을 하다, 무례한 말을 하다.
descomer *intr.* 대변을 보다.
descompaginar *tr.* (계획 등을) 어지럽히다; 나빠지게 하다; 잘못 되게 하다.
descompasado, da *adj.* =descomedido.
descomponer (61) *tr.* ① 분해하다. ② 분산시키다. ③ 썩히다, 부패시키다. ④ 부수다, 파괴하다, 허물어뜨리다. ⑤ 사이를 틀어지게 하다. ~**se** ① 분해[해체]되다. ② 썩다, 부패하다. ③ 부서지다, 망가지다, 고장나다. ④ 건강을 해치다. ⑤ (말 등에서) 신중[침착성 · 조심성]을 잃다. ⑥ 안색이 변하다.
descomposición *f.* ① (성분 · 요소의) 분해. ② 부패. ③ 부조(不調), 고장. ④ (표정의) 일그러짐. ⑤ 설사.
descompostura *f.* ① 후안무치. ② 불쾌. ③ 설사. ④ *AmérC.* 고장.
descompresión *f.* ① 감압(減壓). ② [의학] 케이슨병, 잠수병.
descompresor *m.* (엔진의) 감압 장치.
descompuesto, ta *adj.* ① 분해된. ② 부서진, 고장난. ③ 썩은. ④ 컨디션이 나빠진, ⑤ 안색이 변한. ⑥ 난잡해진. ⑦ 무례한, 버릇 없는. ⑧ *AmérC., PRico.* 술취한. ⑨ *Chile.* 힘이 없는. ⑩ *Cuba.* (암컷이) 발정기에 있는.
descomulgado, da *adj.* ① 파문된 (사람). ② 사악한.
descomulgador *m.* 파문당한 남자.
descomulgar (8) *tr.* =excomulgar.
descomunal *adj.* ① 굉장한, 터무니없는, 어처구니없는. ② 거대한.
desconceptuar *tr.* =desacreditar.
desconcertado, da *adj.* 방종한.
desconcertante *adj.* 어지럽히는, 망가뜨리는, 쩔쩔매는.
desconcertar (19) *tr.* ① 어지럽히다, 망가뜨리다, 부서뜨리다. ② 당황하게 만들다, 쩔쩔매게 만들다. ③ (뼈 · 관절을) 삐다(dislocar).
desconchado *m.* 벽의 벗겨진 부분, 도자기의 유약이 벗겨진 부분.
desconchabar *tr. Chile, Cuba, Méj., AmérC.* =descomponer.
desconchón *m.* (벽 등이) 벗겨짐.
desconchinflar *tr. Cuba, Méj., Salv.* =deteriorar, estropear.
desconcierto *m.* ① 혼란, 부조(不調); 곤혹(困惑). ② 불화.
desconectar *tr.* ① [전기] 절단하다, 전원을 끊다. ② [+de] (…과의) 연락[교제]을 끊다. —*intr.* ~**se** ① [전기] 끊기다. ② 연락[교제]을 끊다.
desconfiado, da *adj.* 미심쩍은, 의심이 많은, 시기심이 강한.

desconfianza *f.* 의심, 불신, 시기심.
desconfiar (12) *intr.* [+de] (…를) 의심하다, 믿지 않다.
descongelación *f.* ① (냉동 식품 등을) 소금물에 부어 녹임. ② 동결 해제.
descongelador *m.* 서리 제거 장치.
descongelar *tr.* ① (냉동 식품 등을) 소금물 등에 부어 녹이다. ② (자동차 유리 · 냉장고 등의) 서리를 없애다. ③ (계좌 등의) 동결을 해제하다.
descongestión *f.* 혼잡 완화[해소]; 체증의 해소: ~ del tráfico 교통 체증의 해소.
descongestionante *m.* 울혈 제거제.
descongestionar *tr.* ① 혼잡을 완화하다: ~ el tráfico 교통 혼잡을 완화시키다, 붐비는 차량을 소통시키다. ② 울혈을 제거하다. ~**se** 혼잡이 완화되다; 울혈이 제거되다.
desconocedor, ra *adj.* [+de] (…을) 모르는, 알지 못하는.
desconocer *tr.* ① (잊어 버리고) 기억을 못하다. ② 모르다. ③ (어떤 것을) 자기 것임을 부인하다. ④ 모른 척하다, 딱 잡아떼다. ⑤ 본 일이 없다, (어떤) 관념을 가지고 있지 않다. ⑥ 잘못 보다, 몰라보다. ~**se** ① 모르다, 알려지지 않다. ② 알아보지 못하다.
desconocidamente *adv.* ① 무지하게. ② 배은망덕하게, 은혜를 모르고.
desconocido, da *adj.* ① 은혜를 모르는, 배은망덕한. ② 낯선, 알지 못하는, 미지의. ③ 무명의. ④ 많이 변한, 알아볼 수 없는. —*mf.* ① 낯선 사람, 모르는 사람. ② 무명 인사.
desconocimiento *m.* ① 무지(無知). ② 배은망덕.
desconsideración *f.* 무시, 경시; 무례, 버릇없음, 예의에서 벗어남.
desconsiderado, da *adj., mf.* 다른 사람의 일을 고려하지 않은 (사람), 무례한 (사람).
desconsoladamente *adv.* 슬피, 구슬피, 구슬프게.
desconsolado, da *adj.* 슬픈, 구슬픈, 침통한.
desconsolar *tr.* 슬프게 하다, 괴롭히다. ~**se** 슬퍼하다, 슬픔에 젖다.
desconsuelo *m.* ① 슬픔, 비애. ② 쇠약, 위가 약함(debilidad de estómago).
descontado *dar* algo *por* ~ …을 당연한 것으로 보다[간주하다]. *por* ~ 물론(por supuesto).
descontaminación *f.* 오염 제거.
descontaminar *tr.* 오염을 제거하다.
descontar (24) *tr.* ① 할인하다. ② 에누리해서 듣다. ③ [운동] (경기에서 심판이 중단되어 있는) 시간을 고려하다[계산에 넣다].
descontentadizo, za *adj., mf.* ① 쉽게 불만을 품은 (사람), 불만이 많은 (사람). ② 만족하기 어려운 (사람).
descontentar *tr.* …에게 불만을 품게 하다. ~**se** 불만을 품다.
descontento, ta *adj.* 만족하지 못한, 불만의. —*m.* 불만.
descontextualizar (9) *tr.* …의 문맥을 무시하다.
descontinuar *tr.* …이 계속되는 것을 그치다, 중단하다, 중지하다.
descontrol *m.* ① 무질서, 혼란. ② 관리 철폐, 통제 해제, 통제력 부족.
descontrolar *tr.* 통제력을 유지하지 못하다, 통제력을 잃게 하다. ~**se** 통제력을 잃다.
desconvocar (7) *tr.* 소집을 취소하다.
desconvocatoria *f.* 소집 해제[취소].
descorrer *tr.* (막 · 커튼 등을) 열다.
descortés *adj.* 예의가 없는, 무례한, 버릇이 없는, 거친, 발칙한. —*mf.* 예의 없는 사람.
descortesía *f.* 무례, 예의가 없음; 실례.
descortezar (9) *tr.* (나무의) 껍질을 벗기다.
descoser *tr.* (꿰맨 것을) 풀다. ~**se** (실밥 · 꿰맨 자리가) 풀리다.
descosido, da *adj.* ① (실밥 · 꿰맨 자리가) 풀린. ② 무질서한, 지리멸렬한. —*m.* (실밥 등이) 타진 자리. ¶*como un* ~ ㉮ 많이, 지독히, 비상히, 과도히: comer *como un* ~ 지독히 먹다. ㉯ 열심히: estudiar *como un* ~ 열심히 공부하다.
descoyuntamiento *m.* 탈구(脫臼).
descoyuntar *tr.* ① 관절을 삐다. ② 귀찮게 하다. ~**se** 관절이 삐다.
descrédito *m.* ① 신용의 실추[하락]. ② (물건의) 가치의 하락.
descreído, da *adj.* ① 믿음이 부족한 (사람). ② 믿음[신앙]이 없는 (사람).
descreimiento *m.* 신앙이 없음, 무신앙.
descremado *m.* 탈지(脫脂).
descremadora *f.* 탈지기(脫脂機).
descremar *tr.* 우유에서 지방을 제거하다(quitar la grasa a la leche).
describir *tr.* ① 묘사하다, 서술하다. ② 그리다: ~ una curva 곡선을 그리다.
descripción *f.* 묘사; 서술, 기술.
descriptible *adj.* 묘사[서술]할 수 있는.
descriptivo, va *adj.* 묘사하는, 기술적인: música ~*va* 표제[묘사] 음악.
descristianizar (9) *tr.* …에게 기독교를 버리게 하다, 비(非)기독교화하다.
descruzar (9) *tr.* (교차된 것을) 풀다.
descto. descuento 할인.
descuadernar *tr.* ① =**desencuadernar.** ② (…의 순서 등을) 뒤죽박죽으로 하다, 엉망으로 하다, 지리멸렬하게 하다; 파괴하다.
descuajar *tr.* ① (단단한 물질을 액체에) 녹이다. ② 실망시키다. ③ (식물 등을) 뿌리째 뽑다. ~**se** 녹다.
descuajaringar (8) *tr.* 느슨하게 하다, 헐겁게 하다. ~**se** ① 느슨해지다, 헐거워지다. ② 지치다, 피로해지다.
descuaje *m.* =descuajo.
descuajeringar *tr.* =descuajaringar.
descuajo *m.* 뿌리째 뽑기, 근절.
descuartizamiento *m.* 해체(解體).
descuartizar (9) *tr.* ① (사체를) 넷으

로 나누다. ② 뿔뿔이 되게[흩어지게] 하다, 해체[분해]하다.
descubierto, ta *adj.* ① 발견된. ② 모자를 쓰지 않은. ③ 숨김없는, 그대로 들어 내놓은. ④ 무개(無蓋)의: vagón 무개 화차. ⑤ 보장하지 않은: crédito ~ 오픈 크레디트. —*m.* 결손, 적자. —*f.* [군사] 정찰(偵察). ¶*a la ~ta* 사실대로, 까놓고, 노골적으로; 공공연히; 옥외에서. *al* ~ ㉮ 옥외에(서), 야외에(서). ㉯ 노골적으로, 까놓고, 사실대로. ㉰ [상업] (계좌가) 차월(借越)의, 한도 이상으로 빌리는, 예금액 이상으로 대부받는, 예금 잔고가 없는. *en* ~ 차월의, 적자의. *en todo lo* ~ 두루 알려져. *quedar al* ~ 알리다; 명백히 하다
descubridor, ra *mf.* ① 발견자, 탐험가. ② [군사] 정찰 대원.
descubrimiento *m.* 발견(된 것): ~ de América 아메리카의 발견.
descubrir *tr.* ① 발견하다; 찾다, 찾아내다: Cristóbal Colón *descubrió* el Nuevo Mundo el día 12 de octubre de 1492 끄리스또발 꼴론 [콜럼버스]은 1492년 10월 12일 신대륙을 발견했다. ② 드러내다, 내보이다, 덮개를 벗기다, 노골적으로 드러내다. ③ 털어놓다, 폭로하다. ④ 발명하다, 창출하다. **~se** ① (모자 등을) 벗다. ② 모습을 드러내다, 멀리서 바라보이다.
descuelgue *m.* 탈락(됨), 소외당함, 무시당함.
descuello *m.* ① (산·건물·사람 등 크기가 같은 종류 중에서) 튀어나온 높이[키]. ② 탁월함, 빼어남, 뛰어남. ③ 거만, 불손함.
descuento *m.* ① 할인(액). ② [운동] 치료 등으로 소요된 시간만큼의 연장 시간. ③ 채무의 일정 부분의 탕감. ④ [상업] (어음의) 할인: ~ bancario 은행 할인. ~ de precios 가격 할인.
descuerar *tr.* ① (짐승의) 가죽을 벗기다(desollar, despellejar). ② 혹평하다.
descuidadamente *adv.* 부주의하게, 방심하여; 단정하지 못하게.
descuidado, da *adj.* ① (한 번도) 손을 보지 않은, 소홀히 한. ② (옷이) 단정하지 못한. ③ 준비가 없는, 방심한, 부주의한, 태만한.
descuidar *tr.* ① 소홀히 하다, 등한히 하다, 태만히 하다, 방심하다. ② …의 주의를 다른 데로 돌리다. ③ (책임·의무에서) 벗어나게 하다. ④ [명령문에서] 안심하다, 걱정[근심]하지 않다. —*intr.* ① (책임·의무에서) 벗어나다. ② *Cád., Córd., Jaén.* (여자가) 낳다, 출산하다. **~se** ① 주의를 기울이지 않다; [+de] (…을) 소홀히[태만히] 하다. ② 방심하다.
descuidero, ra *adj.* 다른 사람이 방심하는 틈을 타 자주 훔치는. —*mf.* 좀도둑, 소매치기, 날치기.
descuidista *mf. Arg., Ur.* =**descuidero.**
descuido *m.* ① 태만, 부주의: con ~ 아무렇게나, 되는 대로. por ~ 무심코, 깜박. ② 실수, 잘못, 과실, 과오. ③ 예상에서 벗어남. ¶*al ~, al ~ y con cuidado* 짐짓 무관심한 듯이.
descuitado, da *adj.* 걱정없이 사는, 마음 편히 사는.
descular *tr.* ① =desfondar ①. ② = desentrañar ②.
descumbrado, da *adj.* 평평한.
descunchar *intr. Col.* 노름에서 돈을 몽땅 잃다.
descurtir *tr. Nic.* =despercudir ①.
desdar *tr.* ① 거꾸로[반대 방향으로] 돌리다. ② =**desabrochar.**
desde *adv.* ① …에서, …로부터. ② [장소] caer ~ el tejado 지붕에서 떨어지다. ③ [시간] ~ niño 어린 시절부터. ~ veinte años antes 그 20년 전부터. ~ las diez hasta las once 10시부터 11시까지. ④ [순서·범위 등] ~ el primero hasta el último 처음부터 마지막까지. ¶ ~ *luego* 의심(의 여지)없이, 분명히; 물론. ~ *ya* 지금 당장, 즉시(inmediatamente).
desdecir (70) *tr.* ① [고어] =**desmentir.** ② [고어] (…의) 진위를 부인하다. —*intr.* ① 나빠지다, 악화되다, 떨어지다, 저하되다, 타락되다. ② [+de] (…과) 조화되지 않다, 어울리지 않다, 맞지 않다, 적합하지 않다; 일치하지 않다. ③ =**desmentir.** ④ = decaer. **~se** (앞에서) 말한 것을 취소하다.
desdén *m.* ① 무관심, 냉담, 매정함. ② 경멸. ¶*al* ~ ㉮ =al descuido. ㉯ 짐짓 태만한 듯이.
desdentado, da *adj.* ① 이가 없는, 이가 빠진. ② [동물] 빈치류(貧齒類)의 ((앞니·송곳니·어금니가 없는)) ((나무늘보, 갑옷쥐, 개미핥기)). —*mpl.* 빈치류 ((앞니·송곳니·어금니가 없는 동물의 한 목(目))).
desdeñable *adj.* 무시[경멸·경시]당해도 마땅한[싼].
desdeñador, ra *adj.* 업신여기는, 무시하는, 경멸하는, 경시하는.
desdeñar *tr.* 업신여기다, 무시하다, 경멸하다. **~se** [+de] (…을) 업신여기다, 무시하다.
desdeño *m.* =**desdén.**
desdeñoso, sa *adj.* 오만 불손한, 경멸적인.
desdibujarse *r.* 희미해지다, 윤곽이 흐려지다.
desdicha *f.* ① 불운, 재난: por ~ 불운하게도. ② 극빈, 빈궁. ¶*poner* a alguien *hecho una* ~ (누구의) 옷을 많이 더럽히다. *ponerse hecho una* ~ (자신의) 옷을 많이 더럽히다, 옷이 많이 더러워지다.
desdichado, da *adj.* ① 불행한, 불우한, 불길한. ② 악의가 없는, 소심한, 겁이 많은. —*mf.* 불행한 사람, 운이 없는 사람.
desdoblamiento *m.* ① 전개(展開). ②

이분화, 이중화. ③ =explanación.
desdoblar *tr.* ① (접어진 것을) 펼치다, 펴다. ② 두 개로[많은 부분으로] 나누다. ~**se** ① (접었던 것이) 펼쳐지다, 벌어지다. ② 두 개로 나누어지다.
desdorar *tr.* ① …의 금박(金箔)[도금]을 벗기다. ② 신용을 실추시키다.
desdoro *m.* 신용의 실추, 불명예.
desdramatización *f.* 극적 요소의 배제.
desdramatizador, ra *adj., m.f.* 극적 요소를 배제하는 (사람).
desdramatizar (9) *tr.* 극적 요소를 배제하다; 심각하게 생각하지 않다.
deseable *adj.* 바람직한.
deseador, ra *adj.* 바라는. —*m.f.* 바라는 사람.
desear *tr.* ① 원하다, 바라다, 소망하다 (querer): *Deseo* una cámara para mi cumpleaños 나는 생일에 카메라를 원한다. *¿Qué desea* [*deseaba*] usted? 무엇을 원하십니까?, 무엇을 드릴까요? ② 욕정을 품다, 성적 욕구를 느끼다. ¶*de* ~ 바람직한: Es *de* ~ que asista ella 그녀의 출석이 바람직하다. ***dejar mucho* [*bastante*] *que*** ~ 몹시 [대단히] 불완전하다, 불충분하다: Esta obra *deja mucho que* ~ 이 작품은 완성이 좋지 않다, 이 작품은 아주 불완전하다. ***Cuánto más se tiene más se desea*** (속담) 사람은 가지면 가질수록 더 욕심을 낸다.
desecación *f.* 건조(시키는 일); 건조 상태.
desecador, ra *adj.* =desecante.
desecamiento *m.* =desecación.
desecante *adj.* 건조하는, 말리는, 간척하는. —*m.f.* 건조하는[말리는] 사람; 간척자.
desecar (7) *tr.* 말리다, 건조시키다, 간척하다. ~**se** 바짝 마르다, 말라붙다.
desecativo, va *adj.* 건조력이 있는, 건조용의.
desechable *adj.* ① 버려야 하는. ② 이제 이용하지 않은, 버려도 되는. ③ 단 한 번만 사용되어야 하는 (주사기 · 기저귀 등): pañal ~ 종이[1회용] 기저귀. —*m. Col.* =sicario.
desechar *tr.* ① (사용하지 않는 물건을) 버리다. ② 배제하다, 거부하다. ③ (자물쇠를 열기 위해) 열쇠를 돌리다.
desecho *m.* ① 폐기물, 찌꺼기, 남은 것: ~*s* industriales 산업 폐기물. ~*s* nucleares 핵폐기물. ② *Amér.* 가까운 길, 지름길(atajo).
deselectrizar *tr.* 방전시키다.
desembalar *tr.* 포장을 풀다.
desembaldosar *tr.* …의 타일[벽돌 · 포석]을 걷다[벗기다].
desembalsar *tr.* (저수지의) 물을 방류하다.
desembalse *m.* 방류(放流).
desembarazado, da *adj.* 자유로운, 걱정이나 염려할 일이 없는.
desembarazar (9) *tr.* ① [+de] (장애물을 …에서) 제거하다, 비우다. ② = evacuar, desocupar. ~**se** [+de] (방해물 · 골칫거리를) 제거하다, 없애다, 치워 버리다, 처분하다.
desembarazo *m.* ① 방해물[골칫거리] 제거. ② 평안함, 즐거움.
desembarcadero *m.* 선착장, 부두.
desembarcar (7) *tr.* [+de] (배에서 짐을) 내리다, 하역하다. —*intr.*, ~**se** 내리다, 상륙하다.
desembarco *m.* ① 양륙, 하역. ② 하선, 상륙. ③ [군사] 상륙 작전.
desembargar (8) *tr.* [법률] (압류 등을) 해제하다.
desembargo *m.* 압류 해제.
desembarque *m.* =desembarco.
desembarrancar (7) *tr.* (배를) 이초(離礁)시키다.
desembaular *tr.* (감정을 다른 사람에게) 털어놓다, 말하다.
desembocadura *f.* ① (강 · 운하 등의) 하구(河口), 강어귀. ② (좁은 곳에서 넓은 곳으로의) 출구.
desembocar (7) *tr.* ① (강물이) 흘러들다. ② (길 등이) 연결되다, 통하다. ③ …에 귀착하다.
desembolsar *tr.* 지불하다, 지출하다.
desembolso *m.* 지불, 지출.
desembozar (9) *tr.* 복면[가면]을 벗기다. ~**se** 복면[가면]을 벗다.
desembragar (8) *tr.* [기계] 클러치를 분리하다[끊다].
desembrague *m.* 클러치 분리.
desembridar *tr.* 고삐를 풀다[벗기다].
desembrollar *tr.* 갈등을 풀다; 해명하다: ~ un malentendido 오해를 풀다.
desembuchar *tr.* ① 털어놓고 말하다, 고백하다. ② (새가) 먹었던 것을 토해 내다.
desemejante *adj.* 다른, 판이한.
desemejanza *f.* 상위(相違), 부동(不同).
desemejar *intr.* 상위하다. —*tr.* 변모시키다(desfigurar).
desempacar (7) *tr.* ① 꾸러미에서 짐을 꺼내다, 짐[포장]을 풀다. ② *Arg., CRica., Hond., Méj., Nic., Ur.* 가방을 풀다(deshacer la maleta).
desempacarse *r.* =aplacarse, mitigarse, desenojarse.
desempachar *tr.* 소화 불량[위장 장애]을 고치다. ~**se** ① (거북했던 속이) 가라앉다. ② =desembarazarse.
desempacho *m.* =desahogo.
desempañador *m.* (유리 등의) 흐림 방지 장치
desempañar *tr.* ① (유리 등의) 흐려진 곳을 없애다, 닦다. ② (아이들의) 기저귀[포대기]를 벗기다. ~**se** (아이들이) 기저귀[포대기]를 벗다.
desempapelar *tr.* ① (…에서) 포장지를 풀다. ② (방의) 벽지를 벗기다.
desempaquetar *tr.* (소포 · 짐을) 풀다, 내용물을 꺼내다.
desemparejar *tr.* 짝을 떼어놓다.
desempatar *intr., tr.* ① (찬반 동수의 경우) 결선 투표를 하다. ② [운동] 결

승 시합을 하다.
desempate *m.* 결선 투표[시합]로 정하기, 최종 결정.
desempedrar (19) *tr.* ① …에서 포석을 제거하다. ② 허겁지겁 뛰다. ③ 거리[돌이 깔린 곳]를 자주 산책하다.
desempeñar *tr.* ① (전당물·저당 물건을) 찾다. ② (임무·의무를) 다하다, 수행하다. ③ (…의 부채를 다른 사람 대신) 떠맡다. **~se** [+de] (채무에서) 해방되다, 벗어나다.
desempeño *m.* ① 돈을 갚고 전당 잡힌 것을 찾음. ② 수행, 이행. ③ 출연. ④ (채무의) 변제.
desempleado, da *adj.* 실업 상태에 있는. —*m.f.* 실업자(失業者).
desempleo *m.* 실업(失業): ~ abierto 완전 실업. tasa de ~ 실업률. estar en el ~ 실업 중이다.
desempolvadura *f.* 먼지 털기.
desempolvar *tr.* ① …의 먼지를 털다. ② 이미 잊혀진 것을 기억에 떠올리다. ③ 오래 전에 버린 것을 이용하다.
desempolvoradura *f.* 먼지 털기.
desempolvorar *tr.* =desempolvar.
desempotrar *tr.* (벽에 고정시켜 놓을 것을) 잡아 빼다, 뽑아내다.
desenamorar *tr.* …의 애정을 잃게 하다. **~se** 애정이 식다.
desencadenar *tr.* ① 쇠사슬에서 해방시키다[풀어놓다]. ② (중대한 결과를) 야기시키다, 발생시키다. **~se** (물결·바람 등이) 거칠어지다.
desencajamiento *m.* 떼어냄, 뽑아냄.
desencajar *tr.* (맞춘 것·장치한 것을) 떼다, (낀 것을) 빼다, 벗기다. **~se** ① 뽑혀 나오다, 벗겨지다. ② (뼈가) 탈구되다, 빠지다, 퉁겨지다. ③ (표정이) 일그러지다.
desencajonar *tr.* ① 서랍[큰 상자]에서 꺼내다. ② [투우] (투우장에 운반된 큰 상자에서) 소를 나가게 하다.
desencallar *tr.* (배를) 이초(離礁)시키다. **~se** (배가) 이초하다.
desencaminar *tr.* =descaminar.
desencantamiento *m.* =desencanto.
desencantar *tr.* ① …의 마법을 풀다. ② 실망시키다, 환멸을 느끼게 하다. **~se** ① 마법이 풀리다. ② 환멸을 느끼다, 실망하다.
desencanto *m.* 환멸, 실망.
desencapotar *tr.* ① 망토[외투]를 벗기다. ② 드러내놓다. ③ (습관적으로 머리를 아래로 하는 말의) 머리를 들게 하다. **~se** ① 망토[외투]를 벗다. ② (하늘이) 활짝 개다.
desencaprichar *tr.* 잘못을 깨닫게 하다, 변덕을 그만 떨게 하다. **~se** 잘못을 깨닫다, 변덕을 그만 떨다.
desencarcelar *tr.* =excarcelar.
desenchufar *tr.* [전기] …의 플러그를 빼다, 전원을 끊다. **~se** [+de] (…과) 접촉을 끊다.
desencoger (3) *tr.* (접어진 것·굽은 것·오므라든 것을) 펴다, 펼치다, 뻗다. **~se** ① 펴지다, 펼쳐지다. ② 즐기다, 재미있게 보내다, 편히 쉬다.
desencolar *tr.* (풀로 붙여진 것을) 벗기다, 떼다. **~se** 떼어지다, 벗겨지다.
desencolerizar (9) *tr.* (노해[성내] 있는 사람을) 진정시키다. **~se** 진정하다, 화를 풀다.
desenconar *tr.* ① 염증을 가라앉히다. ② (화를) 가라앉히다. **~se** ① 염증이 가라앉다[낫다]. ② 화를 진정하다, 화가 가라앉다.
desencono *m.* 진정(鎭靜).
desencordar *tr.* (악기의) 줄을 벗기다[풀다]; (활시위를) 부리다, 벗겨 놓다.
desencordelar *tr.* (묶여진 끈을) 풀다.
desencorvar *tr.* (구부러진 것을) 똑바로 하다.
desencuadernado *m.* [집합] 한 벌의 트럼프(baraja, conjunto de naipes).
desencuadernar *tr.* (책·공책처럼 제본된 것을) 해체하다, 풀어 헤치다.
desencuentro *m.* ① 스치듯 지나감, 엇갈림. ② 의견의 불일치(desacuerdo).
desendemoniar *tr.* (…의 몸에서) 마귀를 쫓다(expulsa los demonios).
desendiablar *tr.* =desendemoniar.
desendiosar *tr.* 거만한 콧대를 꺾다. **~se** 거만한 콧대가 꺾어지다.
desenfadaderas *f.pl.* 난관을 헤쳐나가는 재간.
desenfadado, da *adj.* ① 노여움이 진정된. ② 인습에 매이지 않는, 자유로운. ③ (장소가) 널찍한, 시원시원한, 툭 터진(espacioso, ancho, capaz).
desenfadar *tr.* 노여움을 가라앉히다. **~se** 노여움이 가라앉다[풀리다].
desenfado *m* ① 인습에 매이지 않는 일, 자유로움. ② 즐거움, 낙, (긴장을 풀고) 한숨을 돌림.
desenfocar (7) *tr.* 초점을 빗나가게[흐리게] 하다. **~se** 초점이 빗나가다[흐려지다·어긋나다]
desenfoque *m.* 초점이 빗나감.
desenfrenado, da *adj.* 억제하지 못하는: lenguaje ~ 절도를 잃은 말.
desenfrenar *tr.* (말의) 재갈을 벗기다. **~se** ① (악행에) 빠지다, 빠져들다. ② =desencadenarse.
desenfreno *m.* 억제하지 못하는 일, 방종, 방탕. ¶ ~ ***de vientre*** 갑작스런 설사(flujo precipitado del vientre).
desenfundar *tr.* ① 씌운 것[덮개·커버]을 벗기다. ② 씌운 것[덮개·커버]에서 …을 꺼내다.
desenganchar *tr.* ① 갈고랑이 된 것을 풀다. ② (말 등을 마차처럼 묶여진 것에서) 풀어 놓다. ③ (…에게) 나쁜 습관[특히 마약 습관]을 버리게 하다. **~se** ① 갈고랑이 된 것이 풀리다. ② 마약 습관을 버리다. ③ (약속·의무에서) 자유로워지다.
desengañar *tr.* ① (환상·잘못을) 인식시키다, 깨닫게 하다. ② 희망[꿈]을 빼앗다, 실망시키다. **~se** ① 잘못을 인식하다. ② 실망하다, 환멸을 느끼다.

desengaño *m.* ① 환멸. ② 실망. ③ *pl.* 쓰라린 경험으로 얻은 교훈.
desengarzar (9) *tr.* (얽힌 것을) 풀어주다. ~**se** (얽힌 것이) 풀리다.
desengastar *tr.* (…을 끼운 것에서) 분리시키다[떼어내다].
desengranar *tr.* (맞물린 걸) 풀어놓다.
desengrasar *tr.* 지방분[기름기]을 빼다. —*intr.* ① 여위다, 마르다. ② (기름기가 있는 음식의 작용이 과일이나 아이스크림 등을 먹어) 중화되다, 상쇄되다.
desengrase *m.* 탈지(脫脂), 지방분[기름기] 빼기.
desenhebrar *tr.* (바늘의) 실을 빼다.
desenjaezar *tr.* (말의) 마구를 벗기다.
desenlace *m.* ① (사건 등의) 결말, 해결; (희곡 등의) 대단원. ② (얽힌 것을) 푸는 일.
desenlazar (9) *tr.* ① 매듭을 풀다, 매듭으로 묶인 것을 풀다. ② (사건·어려움을) 해결하다. ③ (극작품[영화 작품]의 구성을 마지막까지) 해결하다, 결말짓다. ~**se** ① 매듭이 풀리다, 묶인 것이 풀리다. ② (극작품 등이) 결말이 나다.
desenmarañar *tr.* ① (얽힌 것을) 풀다. ② (분규를) 해결하다. ~**se** ① (얽힌 것이) 풀리다. ② (분규가) 해결되다. ¶ *~se el pelo* 머리를 빗다.
desenmascarar *tr.* ① 가면을 벗기다. ② 정체를 파헤치다. ~**se** ① 가면을 벗다. ② 정체[본성]를 드러내다.
desenmohecer (31) *tr.* ① 녹·곰팡이를 떨어내다[닦다]. ② 기능을 회복시키다. ~**se** ① 녹·곰팡이가 떨어지다. ② 기능이 회복되다.
desenojar *tr.* (성나 있는 사람을) 달래다. ~**se** ① 노여움이 가라앉다. ② 마음이 후련해지다.
desenojo *m.* 성[노여움]이 풀림.
desenojoso, sa *adj.* 노여움을 풀기에 충분한.
desenraizar *tr.* *Méj.* =desarraigar.
desenredar *tr.* ① 얽힌 것을 풀다. ② 어지러운 것을 정리하다. ~**se** 난관을 극복하다[헤쳐 나가다]. ¶ *~se el pelo* 머리를 풀다
desenredo *m.* ① 얽힌 것을 푸는 일, 해결. ② =desenlace.
desenrollar *tr.* (말린 것을) 펼치다. ~**se** (말린 것이) 펼쳐지다, (말린 것을) 내리다.
desenroscar (7) *tr.* (비틀어 박은 것·소용돌이 모양·나선형을) 빼다, 나사를 돌려 빼다. ~**se** =desenrollar.
desensamblar *tr.* (조립된 것을) 분해하다, 해체하다. ~**se** (조립된 것이) 분해되다, 해체되다.
desensartar *tr.* (염주알 같을 것을) 실에서 뽑아내다, 알알이 흩뜨리다.
desensillar *tr.* (말에서) 안장을 내려놓다[벗기다].
desentechar *tr.* *AmérC., Col., Ecuad.* =destechar.
desentejar *tr.* *AmérC., Col., Ecuad., Ven.* =destejar.
desentenderse *r.* ① 알아듣지[이해하지] 못한 척하다. ② 관여하지 않다, 참견하지 않다.
desentendimiento *m.* =desacierto, despropósito, ignorancia.
desenterrador *m.* 발굴하는 사람.
desenterramiento *m.* 발굴(發掘).
desenterrar (19) *tr.* ① (땅 밑에 있는 것을) 파내다, 발굴하다. ② (잊혀진 것을) 기억해[생각해] 내다.
desentierro *m.* =desenterramiento.
desentonación *f.* =desentono.
desentonamiento *m.* =desentono.
desentonar *tr.* (…의) 콧대를 꺾어 주다. —*intr.* ① 어울리지 않다, 조화가 깨지다. ② [음악] 가락에 맞지 않게 노래하다. ~**se** ① 조화가 깨지다. ② 음성을 거칠게 하다.
desentono *m.* ① 목소리의 불균형[불일치]. ② 방약무인(傍若無人)한 행동.
desentornillar *tr.* =desatornillar.
desentorpecer (31) *tr.* ① 동작의 어색함을 없애다, 둔한 것을 교정하다. ② (손발의) 마비를 풀다. ~**se** ① (손발의) 마비가[저린 것이] 풀리다. ② 쓸모있게 하다.
desentrampar *tr.* (채무에서) 벗어나게 하다. ~**se** (채무에서) 벗어나다.
desentrañar *tr.* ① 창자를 꺼내다. ② (문제의) 핵심에 다가가다, 깊게 탐구하다. ~**se** (애정의 증거로) 가진 것을 전부 넘겨주다.
desentrenar *tr.* 훈련을 부족하게 만들다. ~**se** 훈련이 부족하다.
desentreno *m.* 훈련 부족.
desentronizar (9) *tr.* ① =destronar. ② (지위에서) 해임시키다(deponer).
desentumecer (31) *tr.* (마비된 곳을) 풀다. ~**se** (근육 마비가) 풀리다.
desentumecimiento *m.* (마비된) 근육이 풀림.
desentumir *tr.* =desentumecer.
desenvainar *tr.* ① (칼을 칼집에서) 뽑다. ② (맹수들이) 발톱을 내놓다. ③ (감추어 있던 것을) 꺼내다.
desenvoltura *f.* ① (동작·태도의) 가벼움, 경쾌함. ② 소탈함. ③ 제멋대로 행동함.
desenvolver (25) *tr.* ① (포장한 것을) 열다, 펴다. ② (논리 등을) 전개하다, 발전시키다. ③ 해명하다. ~**se** ① 전개되다, 발전되다. ② 지위를 얻다. ③ (성가신 상황 아래에서) 침착하게 말하다, 잘 벗어나다, 잘 타개하다.
desenvolvimiento *m.* 전개; 성장, 발전.
desenvuelto, ta *adj.* 걱정이나 염려할 일이 없는, 느긋한; 수완이 좋은
desenzarzar (9) *tr.* ① (덤불에서) 꺼내다. ② 싸우고 있는 사람을 서로 갈라놓다.
deseo *m.* ① 욕망, 원망, 소망: ~ de comer 식욕. ~*s* de poder 권력욕. satisfacer un ~ 욕망을 만족시키다.

② 육욕(肉慾), 색정(色情). ③ 욕망의 대상: ¿Cuál es tu ~? 네가 바라는 것은 무엇이냐? ④ 서원(誓願). ¶*arder en ~s de* algo …을 열망하다. *tener ~ de* algo …을 바라다, 원하다.

deseoso, sa *adj.* 바라는, 원하는, 열망하는, 염원하는, 갈망하는: Estamos *~s de que* llegue la primavera 우리들은 봄이 오기를 갈망하고 있다.

desequido, da *adj.* 너무 마른, 말라 비틀어진(reseco, demasiado seco).

desequilibrado, da *adj.* ① 균형을 잃은, 불균형의. ② (가벼운) 정신 이상의. —*mf.* 정신 이상자.

desequilibrar *tr.* …의 균형을 잃게 하다[깨뜨리다]. **~se** ① 균형을 잃다. ② 정신에 이상이 생기다.

desequilibrio *m.* ① 불균형, 불안정: ~ de la balanza comercial 무역 역조, 편무역. ② 정신 이상.

deserción *f.* ① 탈주(脫走), 도망. ② (고소·상소의) 포기.

deserrado, da *adj.* 오류[잘못]가 없는, 틀림이 없는(libre de error).

desertar *intr.* ① [군사] 탈주하다, 도망치다. ② [+de] (의무 등을) 방기(放棄)하다, 포기하다. ③ 탈회하다. ④ (고소·상소를) 포기하다. **~se** (병사가) 탈주하다, 탈영하다.

desértico, ca *adj.* ① 인적이 없는, 사람의 내왕이 없는. ② 사막(성)의.

desertícola *adj.* 사람이 없는 곳에서 사는(que vive en parajes desiertos).

desertificación *f.* 사막화(砂漠化).

desertificar *tr.* 사막화시키다. **~se** 사막화되다.

desertización *f.* 사막화.

desertizar *tr.* =desertificar.

desertor, ra *adj.* 탈주하는, 도망하는, 탈영하는. —*mf.* 탈주병(soldado ~).

deservicio *m.* (의무의) 불이행.

deservidor, ra *mf.* 의무 불이행자.

desescombrar *tr.* =escombrar.

desescombro *m.* 잔해의 정리[정돈].

deseslabonar *tr.* =deslabonar.

desesperación *f.* ① 절망. ② (노여움으로 인한) 극심한 심경의 변화. ③ (노여움으로 인한 극심한 심경의 변화 같은) 그런 감정을 유발하는 사람[것]. ¶*con ~* 절망적인[으로]; 필사의[적으로]: lucha *con ~* 필사의 투쟁.

desesperadamente *adv.* 절망적으로; 필사적으로.

desesperado, da *adj.* ① 절망의, 절망한: quedar [hallarse] ~ 절망하다. ② (객관적으로 보아) 절망적인, 가망[희망]이 없는. ③ 필사의. ¶*a la ~da* 필사적으로. *como un ~* 맹렬히, 무턱대고, 몹시, 지독히.

desesperante *adj.* ① 절망감을 주는 것 같은, 절망적인, 자포자기적인, 견딜 수 없는, 참을 수 없는. ② 조바심을 일으키는, 안절부절 못하는.

desesperanza *f.* 절망.

desesperanzador, ra *adj.* 절망적인, 희망[가망]이 없는.

desesperanzar *tr.* 절망시키다. **~se** 절망하다(quedarse sin esperanza).

desesperar *tr.* ① =desesperanzar. ② =impacientar, exasperar. —*intr.* ① 절망하다. ② [+de+*inf.*·que+*subj.*] (…하는 것을) 체념[단념]하다. **~se** ① 절망하다. ② 조바심 나다, 초조해하다.

desespero *m.* ① =desesperanza. ② *Ven.* =impaciencia.

desestabilización *f.* 안정을 방해하는 일, 안정을 위태롭게 하는 일.

desestabilizador, ra *adj.* (경제나 정치 상태를) 위태롭게 하는.

desestabilizar *tr.* ① 안정을 방해하다. ② 정치나 경제 상태의 안정을 위태롭게 하다. **~se** ① 안정이 방해되다. ② (정치나 경제 상태가) 위태롭다.

desestima *f.* =desestimación.

desestimación *f.* ① 과소 평가. ② (제의의) 거절.

desestimador, ra *adj., mf.* 과소 평가하는, 경시[멸시]하는 (사람).

desestimatorio, ria *adj.* 요구[요청·부탁]를 거절하는.

desestimar *tr.* ① 과소 평가하다. ② (제의·의뢰를) 거절하다.

desfacer *tr.* [드묾] =deshacer.

desfachatado, da *adj.* =descarado, desvergonzado.

desfachatez *f.* =desvergüenza.

desfalcar (7) *tr.* ① 횡령하다. ② 우정을 무너뜨리다, 냉대하다. ③ =descabalar.

desfalco *m.* 횡령; 낭비.

desfallecer (31) *tr.* 기운을 빠지게 하다. —*intr.* ① 실신하다, 기절하다, 졸도하다. ② (체력·기력이) 쇠하다, 쇠약해지다, 기운이 빠지다.

desfallecimiento *m.* ① =desmayo, desaliento. ② [고어] =extinción, fenecimiento.

desfamar *tr.* =difamar.

desfase *m.* ① (현실과의) 차이. ② [통계] 시간차. ¶*~ horario* 시차(時差).

desfavor *m.* [드묾] =disfavor.

desfavorable *adj.* 불리한, 형편[사정]이 나쁜; 호의적이 아닌: viento ~ 역풍. condiciones *~s* 불리한 조건.

desfavorablemente *adv.* 불리하게.

desfavorecer (31) *tr.* 불리하게 하다; 어울리지 않다.

desfibrado *m.* 섬유를 빼는 일.

desfibrador, ra *adj.* 섬유를 빼는. —*f.* 섬유질을 빼는 기계.

desfibrar *tr.* …의 섬유를 제거하다.

desfibrilación *f.* [의학] (근섬유) 세동(細動) 제거.

desfibrilador *m.* [의학] (심실 근육의) 세동(細動) 제거기[제거제].

desfiguración *f.* 변모; 위장, 속임수.

desfiguramiento *m.* =desfiguración.

desfigurar *tr.* ① (얼굴·모습 등을) 추하게 하다; 손상하다, 상하게 하다. ② 왜곡시키다, 변질시키다. **~se** (얼굴·

모습 등이) 흉해지다.
desfiguro *m. Méj.* 우스운 것.
desfijar *tr.* [드묾] 뽑아내다, 꺼내다.
desfilachar *tr.* =deshilachar.
desfiladero *m.* (산간의) 좁은 길.
desfiladiz *m. Ar.* =filadiz.
desfilar *intr.* 행진하다, 줄지어 가다.
desfile *m.* (분열) 행진, 퍼레이드: ~ de modas [de modelos] 패션쇼.
desflecar (7) *tr.* (피륙·끈의 끝을 풀어) 술로 만들다.
desflemar *tr.* [화학] 정류(精溜)하다. —*intr.* 가래를 뱉다.
desflocar *tr.* =desflecar.
desfloración *f.* ① 꽃 꺾기. ② 처녀성 빼앗기. ③ (문제 등의) 표면적인 취급.
desfloramiento *m.* 처녀성[순결]을 빼앗기.
desflorar *tr.* ① 꽃을 꺾다. ② 처녀성[순결]을 빼앗다. ③ (문제·사건을) 표면적으로 취급하다.
desflorecer *intr.* [드묾] 꽃이 지다[시들다](perder la flor).
desflorecimiento *m.* 꽃이 짐[시듦].
desfogar (8) *tr.* ① (불의) 출구를 내다. ② (감정을) 발산하다, 터뜨리다. ~**se** (감정이) 폭발하다, 터지다.
desfogonar *tr.* (대포·화기의) 화문(火門)을 빼다[부수다]
desfogue *m.* ① (불의) 출구를 내는 일. ② 감정의 발산[폭발].
desfollonar *tr.* (식물에서) 잎[허드렛가지]을 치다.
desfondamiento *m.* 밑바닥 빼기; 체력 상실; (배의) 밑바닥 부수기[구멍뚫기]; 땅을 깊이 갈기.
desfondar *tr.* ① (잔·상자의) 밑(바닥)을 빼다. ② [운동] 힘을 빼다, 체력[기력]을 잃게 하다. ③ [농업] (땅을) 깊이 갈다. ④ [선박] (배의) 밑바닥을 부수다. ~**se** ① 밑이 빠지다. ② [운동] 힘이 빠지다. ③ (배의) 밑바닥이 부서지다[구멍이 뚫리다].
desfonde *m.* 밑을 빼는 일; 땅을 깊게 가는 일; 체력의 저하.
desforestación *f.* =deforestación.
desforestar *tr.* =deforestar.
desformar *tr.* =deformar.
desfortalecer (31) *tr.* 요새를 부수다.
desforzarse *r.* [드묾] =vengarse, desagraviarse.
desfrenamiento *m.* =desenfreno.
desfrenar *tr.* [드묾] =desenfrenar.
desfruncir *tr.* =desplegar.
desfrutar *tr.* [드묾] =disfrutar.
desga *f.* (세공된) 큰 목재 반죽 상자.
desgabilado, da *adj.* =desvaído, pusilánime, desgarbado.
desgaire *m.* ① 몸이나 행동이 단정치 못함. ② 얕잡아 보는 태도.
desgajadura *f.* 나뭇가지를 꺾는 일.
desgajamiento *m.* =desgaje.
desgajar *tr.* ① 나뭇가지를 꺾다. ② 산산조각을 내다. ~**se** ① 나뭇가지가 꺾이다. ② 산산조각이 나다. ③ 분리되다, 떨어져 나가다.
desgaje *m.* 나뭇가지를 꺾음; 산산조각을 냄; 분리.
desgalgadero *m.* ① 경사지의 돌밭. ② =despeñadero, precipicio.
desgalgar *tr.* =despeñar.
desgalichado, da *adj.* =desaliñado, desgarbado.
desgalichadura *f.* =desgarbo, desaliño.
desgalillarse *r. Hond., Nic., Salv.* = desgañitarse.
desgana *f.* ① 식욕 부진. ② 싫증. ③ *Ar.* =congoja, desmayo. ¶*a* ~ 마지못해 (억지로).
desganado, da *adj.* ① 식욕 부진의. ② 마지못해 하는: aplausos ~*s* 마지못해 치는 박수.
desganar *tr.* 싫어하게 하다, …을 하고 싶은 의욕을 빼앗다. ~**se** ① 식욕을 잃다, 식욕이 없어지다, 식욕 부진이다. ② (전에는 기꺼이·자발적으로 했던 일을) 싫어하다, 싫증을 내다.
desganchar *tr.* (나무의) 가지를 치다.
desgano *m.* =desgana.
desgañifarse *r.* =desgañitarse.
desgañitarse *r.* ① 울부짖다. ② 목이 잠기다(enronquecerse).
desgarbado, da *adj.* 촌스런, 우아하지 못한, 흉한, 꼴사나운(falto de garbo).
desgarrado, da *adj.* 찢어진, 부숴진; 철면피한: voz ~*da* 비통한 목소리.
desgarrador, ra *adj.* 가슴이 찢어지는 듯한, 비통한.
desgarradura *f.* =desgarrón.
desgarramiento *m.* 찢어지는 것.
desgarrancharse *r. Hond.* =desvencijarse, aflojarse.
desgarrar *tr.* ① (발기발기) 찢다: ~ el sobre 봉투를 찢다. ② =esgarrar. ③ 고통을 가져오게 하다, 많은 동정을 불러일으키다, 연민의 정을 느끼게 하다. ~**se** 찢어지다; (동료에게서) 떨어져 나오다, 도망치다, 이별하다; 비통한 생각을 하다.
desgarre *m.* 갈기갈기 찢음[찢김].
desgarreate *m. Méj.* =desgarriate.
desgarriate *m. Méj.* 혼란, 뒤얽힘.
desgarro *m.* ① =rompimiento, rotura. ② =desvergüenza, descaro. ③ 호언장담, 허풍, 짐짓 용감한 척하기. ④ *Amér.* 가래침 뱉는 일.
desgarrón *m.* ① 옷이 많이 찢어짐. ② 옷의 찢어진 천.
desgastador, ra *adj.* [드묾] 소모시키는, 타락시키는, 힘을 잃은 (사람).
desgastamiento *m.* 탕진; 방탕.
desgastar *tr.* ① 조금씩 소모시키다[닳게 하다]. ② 타락시키다. ③ [고어] = desperdiciar, malgastar. ~**se** 닳아 없어지다, 소모되다; 힘을 잃다.
desgaste *m.* ① 마멸. ② 소모.
desgaznatarse *r.* =desgañitarse.
desglosar *tr.* ① (철한 것을 한 장씩) 꺼내다[뽑아내다]. ② 분류하다.

desglose *m.* 분리; 분류, 세분.
desgobernar (19) *tr.* ① 정치를 실패하다[그르치다]. ② 질서를 파괴하다.
desgobierno *m.* 실정, 악정; 무질서
desgonzar *tr.* ① =desgoznar. ② = desencajar, desquiciar. ③ *Ven.* (피로에 지쳐) 힘없이 넘어지다.
desgoznar *tr.* 돌쩌귀를 뽑다[떼어내다]. ~**se** =desgobernarse.
desgracia *f.* 불운, 재난; 불행. ¶ *~s personales* (재해의) 희생자. *para mayor ~* 더욱 불운하게. *por ~* 불행히도, 불운하게, 유감스레. *caer en ~* 총애를 잃다. *librarse la propia ~* 스스로 불행의 씨를 뿌리다. *ser una ~ que + subj.* …한 것은 불행한 일이다. *tener ~* 운이 없다. *tener la ~ de + inf.* [*de que + subj.*] 불행히도 …하다. *Desgracia compartida, menos sentida* (속담) 고통은 나누면 덜하다. *En la ~ se conoce a los amigos* (속담) 어려울 때 친구가 진정한 친구. *Las ~s nunca vienen solas* (속담) 우는 얼굴에 벌(침), 엎친데 덮치기, 설상가상.
desgraciadamente *adv.* 유감스럽게도, 불운하게도.
desgraciado, da *adj.* ① 불운한, 불행한: suceso ~ 불행한 사건. ② (생활이) 비참한, 참혹한: vida *~da* 비참한 생활. ③ 매력이 없는, 하찮은, 시시한, 변변찮은. ④ 시기를 놓친, 빗나간, 핵심을 벗어난. —*mf.* 불운[불행]한 사람; 가난한 사람; 쓸모없는 사람, 변변치 못한 사람.
desgraciar (11) *tr.* ① 불쾌하게 하다, 성나게 하다. ② 못쓰게 만들다, 파손하다, 손상하다. ③ (여성을) 욕보이다, 폭행하다. ~**se** ① 못쓰게 되다. ② 실패하다, 좌절되다. ③ (…의) 사랑을 잃다, 서먹서먹한 사이가 되다. ④ *And.* =ventosear.
desgranador *m.* 탈곡기, 타작기.
desgranar *tr.* ① 타작하다, 낟알을 털다. ② (화약을) 키로 까불어 갈라놓다. ~**se** ① (씨·낟알이) 떨어지다. ② (염주 등 꿴 것이) 흩어지다. ③ [군사] (총공이) 마멸되다(desgastarse).
desgrasar *tr.* (양모 등을) 탈지(脫脂)하다, 기름을 빼다.
desgravable *adj.* 공제할 수 있는.
desgravación *f.* 감세, 공제; 관세 인하.
desgravar *tr.* 감세하다, 공제하다.
desgreñado, da *adj.* 머리카락이 헝클어진, 산발한.
desgreñar *tr.* (머리카락을) 헝클어뜨리다. ~**se** ① 머리카락이 헝클어지다. ② 멱살을 잡고 싸우다.
desguace *m.* ① (폐선·자동차 등의) 해체. ② 해체장(解體場).
desguanzado, da *adj.* *Méj.* 녹초가 된, 기진 맥진한.
desguañangar *tr.* *Amér.* =desvencijar, descuajaringar.
desguarnecer (31) *tr.* ① (…에서) 장식[장비]을 제거하다[떼다]. ② (장소에서) 병사를 철수시키다.
desguazar (9) *tr.* (오래된 배·자동차를) 해체하다.
deshabillé *m.* [*pl.* ~s] (*fr.*) 실내복, 가운(salto de cama).
deshabitar *tr.* ① 퇴거하다, 물러가다. ② (사는 사람이 없이) 비어두다.
deshabituar (15) *tr.* 습관을 버리게 하다. ~**se** 습관을 버리다.
deshacer (69) *tr.* ① 해체하다, 분해하다. ② (계약 등을) 파기하다. ③ 파괴하다, 부수다. ④ (고체를) 녹이다. ⑤ (적을) 궤주(潰走)시키다. ~**se** ① 부서지다, 망가지다. ② 망치다. ③ 분골쇄신하다, 애태우다, 열을 내다. ④ 무심하다. ⑤ 녹초가 되다, 울적해지다. ⑥ 쇠약해지다. ⑦ (자신의 몸을) 다치다. ⑧ (시계 등에서) 벗어나다. ⑨ 녹다, 풀리다.
desharrapado, da *adj.* 남루한, 누더기를 걸친 (사람).
desharrapamiento *m.* 비참함; 빈궁.
deshechizar (9) *tr.* 마법을 풀다, 신들린 상태에서 벗어나게 하다.
deshecho, cha *adj.* ① 부서진, 파괴된. ② 녹은. ③ 녹초가 된, 피로에 지친. ④ (비·바람이) 심한.
deshelar (19) *tr.* (얼음 등을) 녹이다. ~**se** 녹다.
desherbar *tr.* (정원 등의) 풀을 뽑다.
desheredado, da *adj.* 재산이 없는 (사람), 가난한 (사람).
desheredar *tr.* …에게서 상속권을 박탈하다[빼앗다].
deshermanar *tr.* 개수가 모자라게 하다, 똑같지 않게 하다.
deshidratación *f.* 탈수 (증상).
deshidratar *tr.* 탈수하다, 수분을 제거하다; 건조시키다. ~**se** 탈수 증상을 일으키다.
deshielo *m.* 해빙, 해동(解凍).
deshijar *tr.* ① *Can., Amér.* (식물의) 불필요한 싹을 따다. ② *Arg.* [목축] (어미에게서) 새끼를 떼어놓다.
deshilachar *tr.* 실을 풀다. ~**se** 실이 풀리다.
deshilar *tr.* ① (피륙의) 실을 뽑다[풀다]. ② 분봉(分蜂)하다. —*intr.* 병으로 몸이 여위다.
deshilvanado, da *adj.* 지리멸렬한.
deshilvanar *tr.* 시침질을 풀어내다.
deshinchar *tr.* 부기를 가라앉히다.
~**se** 부기가 가라앉다; 시들다; 거만한 콧대가 꺾이다.
deshipotecar (7) *tr.* …의 저당권을 해제하다.
deshojar *tr.* 잎[꽃잎]을 뜯다; 한 장씩 뜯다. ~**se** 낙엽이 떨어지다, 꽃이 흩어지다.
deshoje *m.* 낙엽(落葉).
deshollinador, ra *adj.* 굴뚝 청소하는. —*mf.* 굴뚝 청소부. —*m.* 굴뚝 청소용 도구, 자루가 긴 빗자루.
deshollinar *tr.* (굴뚝·천정의) 그을음

을 털어내다.
deshonesto, ta *adj.* 정직하지 못한, 품행이 나쁜, 부도덕한.
deshonestidad *f.* 부도덕(함).
deshonor *m.* 불명예, 수치(deshonra).
deshonra *f.* ① 면목없음, 불명예, 수치. ② (여성에 대해) 모욕, 치욕. ¶*tener* algo *a* ~ …을 수치로 생각하다.
deshonrar *tr.* ① 모욕하다, 체면을 깎다. ② (여성을) 욕보이다, 폭행하다. ~**se** 모욕을 당하다, 능욕을 당하다.
deshonrosamente *adv.* 염치 불구하고, 체통없이, 면목없이.
deshonroso, sa *adj.* 불명예스러운, 수치스러운.
deshora *f.* 적당하지 않은 때. ¶*a* ~, *a* ~*s* ㉮ 부적절한 때에. ㉯ 갑자기, 별안간(de repente).
deshornar *tr.* (빵·도기 등을) 가마(솥)에서 꺼내다.
deshuesar *tr.* 가시[뼈]를 뽑아내다.
deshumanización *f.* 비인간화.
deshumanizar *tr.* 인간성을 잃게 하다. ~**se** 인간성을 잃다, 비인간화되다.
desiderata *f. lat.* (도서관 도서 구입 등의) 청구서, 요청서.
desiderativo, va *adj.* [언어] 원망의.
desiderátum *m. lat.* 절실한 요구.
desidia *f.* =negligencia, inercia.
desidioso, sa *adj.* 주의[관심·활력]가 없는, 게으른, 조심성이 없는.
desierto, ta *adj.* ① 사람이 살지 않은, 무인의: isla ~*ta* 무인도. ② 사람의 내왕이 없는. ③ 후보[해당자]가 없는. —*m.* 사막, 불모지: ~ de Sahara 사하라 사막. ¶*clamar en el* ~ = predicar en ~. *predicar en (el)* ~ 우이독경(牛耳讀經), 쇠귀에 경 읽기.
designación *f.* ① 지명, 임명; 지정: ~ presidencial 대통령에 의한 임명. ② 명칭; 명명: ~ original 원래의 명칭.
designar *tr.* ① [+para] (…에) 지명[임명]하다; 지정하다. ② [+con] (…에 명칭을) 붙이다.
designativo, va *adj.* ① 임명제의. ② [언어] =denominativo.
designio *m.* 계획; 의도.
desigual *adj.* ① 똑같지 않은, 고르지 않은; 불공평한. ② 불규칙한. ③ 울퉁불퉁한: terreno ~ 울퉁불퉁한 토지.
desigualar *tr.* 똑같지 않게 하다, 불규칙하게 하다. ~**se** 불규칙하다, 균형이 잡히지 않다.
desigualdad *f.* ① 불균등; 불공평, 불평등. ② 불규칙, 고르지 않음; 기복. ③ [수학] 부등식: signo de ~ 부등호.
desilusión *f.* 환멸, 실망; 기대밖.
desilusionar *tr.* 환멸을 느끼게 하다, 실망시키다; (꿈·미혹에서) 깨어나게 하다. ~**se** 환멸을 느끼다, 실망하다; 깨어나다.
desimantar *tr.* 자기(磁氣)를 제거하다.
desimpregnar *tr.* (화학 병기 등에 의한 오염을) 제거하다.
desincrustar *tr.* (보일러의) 앙금을 제거하다.
desinencia *f.* [언어] 굴절 (어미).
desinfección *f.* 소독, 살균.
desinfectante *adj.* 소독의. —*m.* 소독제(消毒劑).
desinfectar *tr.* 소독[살균]하다. ~**se** (자신의 몸을) 소독하다.
desinflamación *f.* 염증 제거.
desinflamar *tr.* 염증을 제거하다. ~**se** 염증이 낫다.
desinflar *tr.* ① 가스[공기]를 빼다; 축소하다. ② 의기 소침하게 하다. ~**se** 오므라들다; 의기 소침하다.
desinformación *f.* 틀린 정보.
desinformar *tr.* (의도적으로) 틀린 정보를 주다.
desinhibición *f.* 자연스러움, 천의무봉.
desinhibir *tr.* [생리·심리] 억제력을 잃다. ~**se** 자연스레 행동하다.
desinsectar *tr.* (…에서) 해충을 구제(驅除)하다[박멸하다].
desintegración *f.* 붕괴; 풍화.
desintegrador *m.* 분쇄기.
desintegrar *tr.* 붕괴시키다; (암석을) 풍화시키다. ~**se** 붕괴되다, 분열되다; 풍화되다.
desinteligencia *f.* ① *Arg., Chile, Ur.* 오해. ② *Arg., Chile, Ur.* =incomprensión, desacuerdo.
desinterés *m.* ① 무관심, 흥미 없음. ② 무사 무욕(無私無欲); 공평.
desinteresado, da *adj.* 무관심한; 공평한, 욕심이 없는, 무욕(無慾)의.
desinteresarse *r.* [+de] (…에) 흥미[관심]를 잃다[가지지 않다].
desintoxicación *f.* 해독, 중독의 치료.
desintoxicar *tr.* 해독시키다, 중독을 치료하다; 독기를 빼다.
desistimiento *m.* 단념; 방기(放棄).
desistir *tr.* ① [+de] (…을) 체념[단념]하다. ② [법률] (권리를) 방기하다.
desjarretar *tr.* (말 등의) 무릎 밑을 자르다.
deslabonar *tr.* (쇠사슬을) 끊다; 분리하다, 분해하다.
deslastrar *tr.* (배 등의) 바닥 짐을 내리다, 하중을 줄이다.
deslavado, da *adj., m.f.* =descarado.
deslavadura *f.* 대충 씻기; 힘의 약화.
deslavar[1] *tr.* ① 대충 씻다. ② 힘을 약화시키다, 기를 꺾다.
deslavar[2] *tr. Méj.* 비 때문에 언덕의 흙이 무너져 내리다.
deslavazado, da *adj.* ① =insustancial, insulso. ② =desordenado.
deslavazar *tr.* =deslavar[1].
deslave *m. Amér.* =derrubio.
deslazamiento *m.* 풀림, 해결됨.
deslazar *tr.* =desenlazar.
desleal *adj.* [+a·con] (…에) 불성실한, 충성심이 없는: competencia ~ 불공정 경쟁.
deslealtad *f.* 부실(不實), 불성실; 불충(不忠), 배신 (행위); (거래의) 불공정.
desleidura *f.* =desleimiento.

desleimiento *m.* 용해(溶解).
desleír (44) *tr.* 녹이다, 용해하다. **~se** 녹다, 용해되다.
deslenguado, da *adj., m.f.* 입이 건 (사람).
deslenguamiento *m.* 험담, 욕설.
deslenguar (10) *tr.* 혀를 빼다[자르다]. **~se** =desbocarse, desvergonzarse.
desligadura *f.* 해방; 면제, 사면.
desligar (8) *tr.* ① 풀다, 풀어 주다. ② [+de] (…에서) 분리하다. ③ (의무 등에서) 해방시키다, 면제하다. **~se** 해방되다; 자신을 해방시키다.
deslindador, ra *adj.* 경계를 획정한.
deslindar *tr.* 경계를 정하다; [+de] (…에서) 분리하다; (개념을) 정하다.
deslinde *m.* 경계의 획정; 분리; 규정.
desliz *m.* [*pl.* deslices] ① 미끄러지는 일. ② 잘못, 과오, 실언.
deslizable *adj.* ① 미끄러지기 쉬운, 미끄러질 수 있는. ② 범하기 쉬운.
deslizadero, ra *adj.* 미끄러지기 쉬운. —*m.* 미끄러지기 쉬운 장소.
deslizadizo, za *adj.* =deslizadero.
deslizamiento *m.* 미끄러지기.
deslizante *adj.* 미끄러지는.
deslizar (9) *tr.* ① 미끄러지게 하다. ② 무심코 말하다[하다]. ③ 시치미를 떼고 …을 건네다. **~se** ① 미끄러지다. ② 살짝[몰래] 도망치다[달아나다]; 몰래 들어가다, 잠입하다. ③ (액체가) 정해진 방향으로 흐르다. ④ =resbalar, caer, desprenderse.
desloar *tr.* =vituperar, reprender.
deslomadura *f.* 요통(腰痛).
deslomar *tr.* (등·허리를) 상하다, 부수다, 부러뜨리다. **~se** ① (허리를) 다치다. ② 일을 많이 하다, 노력을 많이 하다.
deslucidamente *adv.* 버릇[예의]없이.
deslucido, da *adj.* ① 꾸밈없는, 멋없는. ② 명성이 떨어진.
deslucimiento *m.* 평범함, 빛을 잃음.
deslucir (33) *tr.* ① 광택을 없애다[잃게 하다]. ② 명성을 떨어뜨리다. **~se** 광택이 죽다; 명성이 떨어지다.
deslumbrador, ra *adj.* 눈부신, 현란한.
deslumbramiento *m.* 눈부심, 현혹.
deslumbrante *adj.* 눈부신, 현란한.
deslumbrar *tr.* ① 눈부시게 하다; 현혹시키다. ② 강한 인상을 주다. **~se** 눈부시다; 현혹되다.
deslustrador, ra *adj.* 광택을 없애는; 명성을 떨어뜨리는 (사람).
deslustrar *tr.* ① 광택을 없애다. ② = desacreditar. ③ (유리의) 투명성을 없애다.
deslustre *m.* ① =deslucimiento. ② (천 등에서) 광택을 없애는 일. ③ 명성이 떨어지는 일, 나쁜 평판.
deslustroso, sa *adj.* =deslucido, feo, indecoroso.
desmadejado, da *adj.* 몸이 쇠약해진.
desmadejamiento *m.* 쇠약(衰弱).
desmadejar *tr.* 쇠약하게 하다. **~se** (체력이) 쇠약해지다.
desmadrar *tr.* (젖을 먹지 못하게 새끼를) 어미한테서 떼어 놓다, 젖을 떼다. **~se** 도를 넘다.
desmadre *m.* 도를 지나침, 지나친 행위; 야단 법석.
desmallar *tr.* ① (그물을) 찢다, 풀다. ② =desenmallar. **~se** 그물이 풀리다[찢어지다].
desmamar *tr.* 이유(離乳)시키다.
desmán[1] *m.* ① =exceso, desorden, tropelía. ② =desgracia.
desmán[2] *m.* [동물] 뾰족뒤쥐.
desmanchar[1] *tr.* 단체를 떠나다, 우정을 멀리하다. —*intr. Amér.* 도망치다, 달려 나가다. **~se** ① (다발의) 줄이 끊기지 않고 비다. ② *And., Amér.* (동물이) 무리에서 나오다. ③ *Amér.* =descarriarse, desorientarse.
desmanchar[2] *tr.* 얼룩을 빼다.
desmandado, da *adj.* =desobediente.
desmandamiento *m.* 반항, 불복종.
desmandarse *r.* 반항하다, 복종하지 않다; (집단에서) 떨어지다.
desmangar *tr.* (연장의) 자루를 빼다.
desmano *a* ~ 자주 다니던 길에서 벗어나(a trasmano).
desmanotado, da *adj.* 서투른, 손재주가 없는.
desmantecar *tr.* 기름기를 빼다.
desmantelamiento *m.* (건물 등의) 철거(撤去), 헐기.
desmantelar *tr.* ① 헐다, 철거하다, 해체하다. ② (건물에서) 가구[설비]를 치우다. ③ (배의) 돛대를 쓰러뜨리다.
desmaña *f.* 서투름, 손재주가 없음.
desmañado, da *adj.* 서툰, 손재주가 없는 (사람).
desmañanarse *r. Méj.* =madrugar.
desmaño *m.* =desaliño, descuido.
desmaquillador, ra *adj.* 화장을 지우는데 사용하는. —*m.* 크렌징 크림.
desmaquillar *tr.* …의 화장을 지우다. **~se** (자기의) 화장을 지우다.
desmarañar *tr.* =desenmarañar.
desmarcar (7) *tr.* ① 그룹에서 떼어놓다[갈라놓다]. ② [운동] (자기편에서) 상대방의 마크를 피하다. **~se** ① 그룹에서 갈라지다. ② [운동] 마크를 피하다.
desmayado, da *adj.* ① 기절한. ② 생기[힘]가 없는, 축 늘어진. ③ (색이) 연한: color ~ 연한 색.
desmayar *tr.* 실신시키다. —*intr.* ① 기력을 잃다, 힘이 없다, 축 늘어지다. ② *Ecuad.* 색이 바래다. **~se** ① 실신하다, 기절하다. ② (체력·기력이) 쇠하다. ③ (물건이) 축 처지다[늘어지다].
desmayo *m.* ① 기절, 실신; 졸도. ② (체력·기력의) 무기력. ③ [식물] 수양버들(sauce de Babilonia).
desmazalado, da *adj.* ① =flojo, caído, dejado. ② [드뭄] =desdichado, abatido.
desmechar *tr. Méj.* =mesar.

desmedidamente *adj.* 터무니없이.
desmedido, da *adj.* 과도한, 도가 지나친, 보통 이상인, 유별난, 뛰어난.
desmedirse (42) *r.* 도가 지나치다, 터무니없이 굴다, 엉뚱한 짓을 하다.
desmedra *f.* =desmedro.
desmedrar *tr.* =deteriorar. —*intr.* 망가지다, 부서지다, 못쓰게 되다. ~**se** (체력 등이) 쇠하다, 여위다.
desmedro *m.* 쇠약(衰弱).
desmejora *f.* =deterioro, menoscabo.
desmejoramiento *m.* 악화(惡化).
desmejorar *tr.* 악화시키다; 손상하다. —*intr.* 건강을 해치다. ~**se** (건강 상태가) 악화되어 가다, 악화되다.
desmelenamiento *m.* (머리카락의) 산발; 욱함, 앞뒤를 가리지 않고 불끈함.
desmelenar *tr.* 머리카락을 헝클어뜨리다. ~**se** ① 머리카락이 헝클어지다. ② 격분하다. ③ =soltarse.
desmembración *f.* 분할(分割).
desmembrar (19) *tr.* ① (동물의 사지를) 떼어내다. ② 분할하다, 분리하다, 분열시키다. ~**se** 해당(解黨)하다; (나라 등이) 갈라지다.
desmemoria *f.* 기억이 없음, 깜박 잊음.
desmemoriado, da *adj.* 잘 잊어버리는, 잊기 쉬운.
desmentido *m.* 부정(否定), 부인(否認).
desmentidor, ra *adj., m.f.* 거짓말을 폭로하는 (사람), 부인하는 (사람).
desmentir (53) *tr.* ① (사실이 아니라고) 부인하다. ② (행동 등이) 모순되다; (기대 등이) 어긋나다. ③ (모르는 것처럼) 감쪽같이 숨기다. ~**se** 전에 말한 것을 취소하다.
desmenuzador, ra *adj.* 부수는, 산산조각을 내는; 세분하는, 자세한.
desmenuzamiento *m.* 세분화; 자세한 분석.
desmenuzar *intr.* ① 가늘게[잘게] 부수다, 산산조각을 내다. ② 자세하게 검토하다. ~**se** 부서지다, 깨지다.
desmerecedor, ra *adj.* 어울리지 않은.
desmerecimiento *m.* 악화; (…만) 못해 보임.
desmerecer (31) *tr.* 받을 가치[자격]가 없다, 어울리지 않다. —*intr.* ① 좋은 점[가치]을 잃다. ② [+de] (…보다) 못하다.
desmesura *f.* 건방짐, 무례함.
desmesuradamente *adv.* 과도히, 지나치게(con esceso, descomedidamente).
desmesurado, da *adj.* ① 과도한, 지나친, 보통보다 큰. ② 건방진, 무례한.
desmesurarse *r.* 건방지게 행동하다, 무례한 말을 하다.
desmigajar *tr.* (빵 등을) 잘게 찢다, 잘게 부수다, 산산조각을 내다. ~**se** (흐물흐물) 부서지다.
desmigar (8) *tr.* 빵을 가루로 만들다.
desmilitarización *f.* 비무장화, 비군사화, 무장 해제.
desmilitarizar (9) *tr.* 비무장화[비군사화]하다, 무장을 해제하다: zona *desmilitarizada* 비무장 지대.
desmineralización *f.* [의학] 무기분 과잉 배설(無機分過剩排泄).
desmirriado, da *adj.* 고스러진, 앙상해진, 여윈, 마른.
desmitificación *f.* 비신화화(非神話化), 신비성 제거, 우상시하지 않음.
desmitificador, ra *adj.* 신화화하지 않은, 우상시하지 않은, 신비성을 없앤.
desmitificar (7) *tr.* 비신화화하다, 우상시하지 않다, 신비성을 없애다.
desmocha *f.* =desmoche.
desmochadura *f.* =desmoche.
desmochar *tr.* ① (동물·나무 등의) 뿔[가지·윗부분]을 자르다. ② (예술 작품의 일부를) 잘라내다, 없애다.
desmoche *m.* (사슴 등의) 뿔을 자름; 삭제; 삭감.
desmogar (8) *intr.* (사슴이나 다른 동물이) 뿔을 갈다, 새 뿔이 나오다.
desmogue *m.* 뿔을 갊, 새 뿔이 나옴.
desmolado, da *adj.* 어금니가 없는.
desmonetización *f.* 통화의 폐기.
desmonetizar (9) *tr.* ① 통화를 폐기시키다. ② *Arg., Par., PRico.* =depreciar.
desmontable *adj.* 분해[해체]할 수 있는, 뗄 수 있는. —*m.* (타이어를 떼는) 지레.
desmontar *tr.* ① 분해[해체]하다. ② (산의 나무를) 벌채하다; (토지를) 평평하게 하다; (건물을) 허물다. ③ (총에) 안전 장치를 젖히다; (대포를) 사용 불능케 하다; (말 등에서) 밀어 떨어뜨리다, 낙마시키다. —*intr.*, ~**se** [+de] (말 등에서) 떨어지다.
desmonte *m.* 밀어 떨어뜨림; 벌채; 개간, 정지(整地); 개간[정지]하고 남은 흙; (주로) 절개한 토지; *Amér.* 광산 입구에 쌓인 찌꺼기[부스러기] 광석.
desmoralización *f.* 사기 상실; 퇴폐.
desmoralizador, ra *adj.* 사기를 잃은; 퇴폐적인.
desmoralizante *adj.* =desmoralizador.
desmoralizar (9) *tr.* ① …의 사기를 꺾다. ② 도덕심을 잃게 하다. ~**se** 사기가 저하되다, 의기 소침하다.
desmoronadizo, za *adj.* 허물어지기 쉬운, 부서지기 쉬운.
desmoronamiento *m.* 붕괴.
desmoronar *tr.* (건조물 등을) 부수다, 무너뜨리다, 붕괴시키다. ~**se** 무너지다, 붕괴되다, 허물어지다, 부서지다.
desmotivar *tr.* =desalentar, disuadir.
desmovilización *f.* (부대의) 동원 해제.
desmovilizar (9) *tr.* (부대의) 동원을 해제하다.
desmultiplicación *f.* [기계] 감속(減速).
desmultiplicar (7) *tr.* 감속시키다.
desnacionalización *f.* 민영화(民營化).
desnacionalizar (9) *tr.* 민영화하다.
desnarigado, da *adj., m.f.* 코가 없는 (사람), 코가 매우 작은 (사람).
desnarigar (8) *tr.* …의 코를 자르다.

desnatadora *f.* 크림 분리기(分離器).

desnatar *tr.* ① (우유나 다른 액체에서) 크림을 분리하다, 탈지하다: leche *desnatada* 탈지유. ② …에서 가장 좋은 것을 고르다. ③ 용광로 위에 뜬 것을 제거하다.

desnaturalización *f.* 국적 상실[박탈]; 변성, 변질; 비자연화.

desnaturalizado, da *adj.* ① 국적을 상실한, (부모·형제·아들로서의 본래의 의무를) 저버린 (사람). ② 무정한, 비인도적인. ③ 변성된, 변질된: alcohol ~ 변성 알코올. ④ 인공적인.

desnaturalizar (9) *tr.* ① (귀화한 외국인의) 국적을 박탈하다. ② 변성[변질]시키다. ③ 자연[본성]을 손상시키다. ~**se** 국적을 잃다; 변성[변질]되다.

desnevar (19) *intr.* 눈이 녹다.

desnivel *m.* (토지의) 고저차(高低差); 기복, 요철, 울퉁불퉁함.

desnivelación *f.* 기복, 울퉁불퉁함.

desnivelar *tr.* ① (고저 등의) 기복을 만들다, 울퉁불퉁하게 하다. ② 불균등하게 하다. ~**se** 기복이 생기다, 차이가 나다.

desnucar (7) *tr.* ① 목뼈를 삐게 하다. ② (목을 때려 사람·동물을) 죽게 하다. ~**se** ① 목뼈가 삐다. ② (사람·동물이) 목뼈를 맞아 죽다.

desnuclearización *f.* 비핵화(非核化).

desnuclearizado, da *adj.* 비핵화된, 핵무기가 철거된: zona ~*da* 비핵 지대.

desnuclearizar (9) *tr.* 비핵화하다, 핵병기를 철거[제거]하다.

desnudar *tr.* ① …의 옷을 벗기다, 발가벗기다. ② (덮은 것이나 장식한 것을) 벗기다, 제거하다. ③ =**desvalijar, desplumar.** ④ 노골적으로 드러내다. ~**se** ① 옷을 벗다, 벌거벗다. ② [+de] (…을) 남에게 넘겨주다, 단념하다, 포기하다, 버리다.

desnudez *f.* 나체 상태; (표현 등의) 겉꾸밈이 없음.

desnudismo *m* 나체주의, 누디즘.

desnudista *adj.* 나체주의의. —*m.f.* 나체주의자, 누디스트.

desnudo, da *adj.* ① 옷을 입지 않은, 나체의. ② 헐벗은. ③ 장식이 없는; 숨김이 없는, 노골적인. ④ 가난한, 재산이 없는. ⑤ 명백한, 분명한. ⑥ [+de] (…이) 없는. ⑦ [식물] 보호하기 위한 겉껍질이 없는. —*m.* [조각·미술] 나체화, 나체상; 누드, 알몸, 맨몸: foto de ~ 누드 사진. pintar un ~ 나체화를 그리다. ¶*al* ~ 숨김없이.

desnutrición *f.* 영양 실조[불량].

desnutrirse *r.* 영양 실조가 되다.

desobedecer (31) *tr.* (…을) 어기다, 불복하다, 복종[순종]하지 않다, 고분고분하지 않다.

desobediencia *f.* 불복종, 반항.

desobediente *adj.* ① 말을 듣지 않는, 불복하는, 고분고분하지 않은 (사람); 반항적인 (사람). ② 말을 듣지 않는 경향이 있는 (사람), 불복종하는 경향이 있는 (사람).

desobstruir (77) *tr.* ① 방해물[장애물]을 제거하다. ② (폐쇄된 것을) 열다.

desocupación *f.* ① 장소가 비어 있음, 한가함. ② *Amér.* 실직, 무직.

desocupado, da *adj.* ① 한가한. ② 빈, 사람[물건]이 없는. ③ *Amér.* 실직한, 실직 상태의. —*m.f. Amér.* 실직자.

desocupar *tr.* ① (…에서) 장애물을 제거하다. ② (장소·그릇을) 비우다. ~**se** ① 일이 끝나다, 한가로워지다. ② 비다. ③ *NO Arg., Hond., Ur.* 출산하다(parir).

desodorante *adj.* 냄새를 없애는, 탈취(脫臭)의, 방취(防臭)의, 소취(消臭)의. —*m.* 탈취제, 소취제, 방취제(防臭制).

desodorizar (9) *tr.* 냄새를 없애다, 탈취(脫臭)하다

desoír (76) *tr.* (충고 등을) 귀담아듣지 않다.

desojar *tr.* (공구의 구멍을) 망가뜨리다[부수다]. ~**se** 눈을 한곳에 집중하다; (혹사하여) 눈을 나쁘게 하다.

desolación *f.* 황폐; 비탄, 비통.

desolado, da *adj.* 황량한; 비통한.

desolador, ra *adj.* 애처로운, 가엾은, 참혹한.

desolar (24) *tr.* ① 황폐시키다. ② 몹시 슬프게 하다. ~**se** 비탄에 잠기다, 슬퍼하다, 한탄하다, 서러워하다.

desoldar *tr.* 용접을 떼내다. ~**se** 용접이 떨어지다.

desolladero *m.* (동물의) 가죽 벗기는 곳[장소].

desollador, ra *adj.* ① 가죽을 벗기는. ② 폭리를 일삼는. —*m.f.* ① 가죽을 벗기는 사람. ② 폭리배.

desolladura *f.* 가죽 벗기기.

desollamiento *m.* =**desolladura.**

desollar (24) *tr.* ① …의 가죽을 벗기다. ② 큰 손해를 입히다. ~**se** 가죽이 벗겨지다. ¶ ~*la* =**desollar el lobo.** ~ *el lobo* 술이 취해 있는 동안 자다. ~ *vivo* ㉮ 폭리를 취하다. ㉯ (남을) 심하게 헐뜯다.

desorbitado, da *adj.* 눈알이 튀어나올 정도로 놀란[아픈].

desorbitar *tr.* ① (눈알을) 빼다, (눈알을) 튀어나오게 하다. ② (극단적으로) 과장하다.

desorden *m.* ① 무질서, 혼란; 난잡함, 난장판. ② *pl.* 소란, 폭동. ③ [주로 *pl.*] 타락하여 (몸가짐·생활이) 방종함, 단정치 못함; *pl.* 방탕.

desordenación *f.* =**desorden.**

desordenadamente *adv.* 혼잡하게, 난잡하게, 무질서하게.

desordenado, da *adj.* 무질서한, 난잡한; 방탕한, 단정치 못한.

desordenamiento *m.* =**desorden.**

desordenar *tr.* 난잡하게 하다, 혼란케 하다. ~**se** ① 난잡하다, 혼란하다. ② (생활 등이) 무절제하다, 방탕하다, 난잡하다.

desorejado, da *adj.* ① =**prostituido,**

infame, abjecto. ② *And., Chile., Col.* =desasado. ③ *AmérC., Col.* = tonto. ④ *NO Arg., Bol., Col., Pan., Perú.* 음치(音癡)의. ⑤ *Arg., Cuba, Ur.* =irresponsable, desfachatado. ⑥ *Arg., Cuba.* =derrochador. ⑦ *Perú.* =desobediente.

desorejamiento *m.* 귀를 자르는 일.

desorejar *tr.* 귀를 자르다.

desorganización *f.* (조직의) 파괴, (질서의) 해체, 혼란.

desorganizar (9) *tr.* (조직을) 파괴시키다; (질서를) 문란케 하다, 혼란케 하다. ~**se** 흐트러지다, 어지러워지다, 질서가 문란해지다.

desorientación *f.* 방향을 잃음; 당혹.

desorientador, ra *adj., m.f.* 방향을 잃은 (사람); 당혹한 (사람).

desorientar *tr.* ① 방향을 잃다, 길을 잃다. ② 어찌할 바를 모르다, 당혹케 하다. ~**se** 방향을 잃다; 당혹하다, 어찌할 바를 모르다.

desornamentado, da *adj.* 장식(裝飾)이 없는.

desortijado, da *adj.* [수의학] =relajado, dislocado.

desosar *tr.* =deshuesar.

desosegar *tr.* =desasosegar

desosiego *m.* =desasosiego.

desovadero *m.* ① 산란기(período del desove). ② 산란 장소.

desovar *intr.* (물고기 · 곤충 등이) 산란하다.

desove *m.* ① 산란(産卵). ② 산란기.

desovillar *tr.* (털 등의) 올을 뽑다; 얽힌 것을 풀다; …의 혼란을 해결하다.

desoxidable *adj.* 산소를 제거할 수 있는, 탈산할 수 있는.

desoxidación *f.* 탈산(脫酸), 산소 제거.

desoxidante *adj.* 산소를 제거하는, 탈산을 위해 사용되는. —*m.* 탈산제.

desoxidar *tr.* ① 산소를 제거하다; (산화물을) 환원하다. ② 녹을 없애다.

desoxigenar *tr.* 산소를 제거하다.

desoxirribonucleico á*cido* ~ [화학] 디옥시리보 핵산, 디엔에이(DNA).

despabiliaderas *f.pl.* 초의 심지 자르는 가위. ¶*tener buenas* ~ 간섭을 용케 피하다, 간섭을 거절하기 위해 안면 몰수하다.

despabilado, da *m.f.* =espabilado.

despabilar *tr.* ① 초의 심지의 탄 부분을 자르다. ② [드묾] 재빨리 끝내다.

despachaderas *f.pl.* ① (문제 해결의) 교묘함. ② (대답이) 퉁명스러움.

despachante *adj.* (물건을) 보내는, 발송하는. ¶~ ***de aduana*** *m.f.* 세관의 통관 수속 대행 업자.

despachar *tr.* ① (일 등을) 급히 하다. ② 처리하다, 결정하다. ③ (상품을) 팔다; (손님의) 상대를 하다. ④ 발송하다, 보내다. ⑤ 죽이다. ⑥ 해고하다. —*intr.* ① 신속히 처리하다. ② 손님을 상대하다. ③ 급하다. ④ 출산하다. ~**se** ① (신속히) 처리하다. ② (생각한 것을) 모두 말하다. ③ 낳다, 출산하다. ④ *Cuba.* 허가 없이 자유로이 처리하다. ⑤ 죽다.

despachero, ra *m.f. Chile.* 점포를 가진 사람.

despacho *m.* ① (신속한) 처리. ② (손님의) 접대, 응대. ③ 집무실, 사무실, 연구실. ④ [집합] (사무실 등의) 가구 일체. ⑤ (표 · 복권 등의) 판매소, 점포. ⑥ 외교[공용] 문서. ⑦ (전보 · 전화 등에 의한) 통지, 연락. ⑧ 발송.

despachurrar *tr.* ① 짓누르다, 으깨다. ② (이야기를) 혼란시키다. ~**se** 짓눌리다, 으깨지다.

despacio[1] *m.* ① 천천히, 느릿느릿. ② 장시간, 긴 시간, 오랫동안. ③ 침착하게, 차분하게. ④ *Amér.* 작은 소리로. ¶*con* ~ *And., Amér.* 천천히, 느리게. ***Vísteme*** ~ ***que tengo prisa*** (속담) 느릿느릿 걸어도 황소 걸음.

despacio[2] *interj.* ① 천천히!, 서행하세요! ② 침착하세요!

despaciosamente *adv.* 천천히, 느릿느릿(lentamente).

despacioso, sa *adj.* 느린, 한가로운, 태평스러운(espacioso, lento).

despacito *adv.* 아주 느리게, 아주 천천히, 아주 조금씩 조금씩. —*interj.* = despacio.

despampanador, ra *m.f.* 포도나무의 가지를 치는 사람.

despampanandura *f.* 포도나무의 덩굴[잎]을 쳐내는 일.

despampanante *adj.* =pasmoso, llamativo.

despampanar *tr.* ① 어리둥절하게 하다. ② 불필요한 포도 덩굴[잎]을 쳐내다. ③ =despimpollar. —*intr.* 마음속을 털어놓다. ~**se** (부딪치거나 넘어져) 심하게 다치다.

despanzurrar *tr.* ① (누구의) 배를 찢다. ② 파열시키다, 폭발시키다, 터뜨리다. ~**se** ① (누구의) 배가 터지다. ② 파열되다, 터지다, 폭발되다.

desparedar *tr.* 벽[담]을 무너뜨리다.

desparejado, da *adj.* 짝이 없는, 짝을 잘못 이룬, 짝짝이가 된.

desparejar *tr.* (쌍을) 짝짝이를 만들다. ~**se** (쌍이) 짝짝이가 되다.

desparejo, ja *adj.* ① =desparejado. ② =dispar.

despechar[1] *tr.* [드묾] 분해하다. ~**se** 분하다.

despechar[2] *tr.* 이유하다, 젖을 떼다.

despecho[1] *m.* ① 분함: llorar de ~ 분해서 울다. ② =desesperación. ¶*a* ~ ***de*** …에도 불구하다(a pesar de).

despecho[2] *m.* 젖을 뗌, 이유(destete).

despechugar (8) *tr.* (새의) 가슴 고기를 잘라내다. ~**se** 가슴을 보이다, 가슴을 풀어 헤치다.

despectivamente *adj.* 경멸적으로.

despectivo, va *adj.* 경멸의, 경멸적인. —*m.* [언어] 경멸어, 경멸사(輕蔑辭).

despedazar (9) *tr.* ① 토막내다, 발기발

기 찢다. ② (물질적이 아닌 것을) 상처를 입혀 부수다, 더럽히다, 손상시키다.
despedida *f.* ① 작별(의 말·인사), 이별. ② 송별회. ③ (노래의) 결구(結句). ¶ ~ *y cierre* [텔레비전] 방송 종료.
despedir (42) *tr.* ① 배웅[송별]하다; 작별 인사를 하다. ② 해고하다. ③ 내던지다, 메어치다, 내동댕이치다, 내팽개치다. ④ 분출하다. ⑤ 발사하다, 쏘다. ⑥ 내다, 발하다, 풍기다. ⑦ [+de] (…에서) 내쫓다, 몰아내다, 퇴짜 놓다. **~se** [+de] (…와) 헤어지다, 작별하다, 작별을 고하다: *~se de sus* padres 부모님과 헤어지다. *~se del* trabajo 일을 그만두다, 직장을 사직하다.
despegado, da *adj.* 상냥하지 못한, 무뚝뚝한(poco cariñoso).
despegar (8) *tr.* [+de] (…에서) 벗기다, 떼다, 떼어내다, 뜯어내다. *—intr.* 이륙하다. **~se** ① 벗겨지다, 벗겨져 떨어지다. ② (마음이) 멀어지다, 관심이 적어지다, (사이가) 멀어지다. ③ 관련성이 없다. ④ [경주] (집단에서) 몰래 빠져나가다, 살짝 도망치다.
despego *m.* =**desapego.**
despegue *m.* 이륙(離陸).
despeinar *tr.* …의 머리카락을 헝클어뜨리다. **~se** 머리카락이 헝클어지다.
despejado, da *adj.* ① 장애물이 없는, 광활한, 넓은. ② 맑은, 쾌청한. ③ (머리가) 개운한, 명쾌해진. ④ 두뇌가 명석한.
despejar *tr.* ① [+de] (장애물을) 치우다, 제거하다. ② …에서 떠나(가)다, 물러가다. ③ (문제 등을) 분명하게 하다. ④ [운동] (슛한 공을) 막아내다[물리치다·뿌리치다], 적의 공격을 빠져 나가다; [럭비] 펀트킥하다. *—intr.* 구름이 걷히다, 활짝 개다. **~se** ① (하늘이) 개다, 구름이 걷히다. ② 기분 전환이 되다. ③ 열이 가라앉다. ④ 걱정을 덜다.
despeje *m.* ① [운동] 공을 막아냄. ② [럭비] 펀트킥.
despejo *m.* ① 장애물 제거. ② 투우 시작 전 모래사장에서 사람들을 퇴장시키는 일. ③ 자유 분방. ④ 머리가 명석함, 재주, 재능.
despellejar *tr.* ① …의 가죽을 벗기다. ② 혹평하다, 악담하다. **~se** 가죽이 벗겨지다.
despelotar[1] *tr. Arg., Ur.* =**desordenar. ~se** 어지러워지다, 절제를 잃다.
despelotar[2] *tr. And.* (아이를) 건강하고 튼튼하게 기르다. **~se** (아이가) 건강하고 튼튼하게 자라다.
despelotarse *r.* ① 옷을 벗다. ② =**alborotarse.**
despelote *m.* 옷을 벗음.
despelucar *tr.* ① *And., Col., Hond., Méj., Pan.* 분해하다. ② *Chile, Méj.* 가진 것을 모두 털다(desplumar).
despeluchar *tr.* =**despeluzar.**
despeluzar *tr.* ① 분해하다, 해체하다, (머리카락을) 흩뜨리다. ② 머리카락을 곤두서게 하다. ③ *Cuba, Méj., Nic.* 가진 것을 모두 털다(desplumar).
despenalización *f.* 합법화; 형사 소추 면책.
despenalizar *tr.* 합법화[적법화]하다.
despenar *tr.* ① *Amér.* 숨통을 끊어 놓다. ② [드묾] 죽이다(matar).
despendolarse *r.* 흥겨운 나머지 도를 지나치다, 광란하다(desmadrarse).
despensa *f.* 식료품 저장(실).
despeñadero *m.* ① 낭떠러지, 절벽. ② 위기.
despeñar *tr.* (높은 곳에서) 던져 떨어뜨리다, (떼)밀어 떨어뜨리다. **~se** ① 뛰어들다. ② 신세를 망치다.
desperdiciar (11) *tr.* ① 낭비하다, 허비하다, 탕진하다. ② (기회를) 놓치다.
desperdicio *m.* ① 낭비, 허비, 탕진. ② [주로 *pl.*] 쓰레기, 지스러기, 폐물: *~s* de comida 먹다 남은 밥. ¶ *no tener* ~ (사람·물건이) (무척) 유용하다.
desperdigamiento *m.* 분리, 분산.
desperdigar (8) *tr.* ① 분산시키다, 이산시키다. ② 주의[관심]를 흐트러뜨리다. **~se** ① 사방으로 흩어지다. ② 관심[주의]이 흩어지다.
desperezarse (9) *r.* 기지개를 켜다.
desperfecto *m.* ① (작은) 결함, 결점. ② 파손, 손해.
despersonalización *f.* 비인격화, 비개성화, 객관화, 인격 상실.
despersonalizar (9) *tr.* 비인격화하다, 비인간화하다, 익명화(匿名化)하다, 인격[개성]을 박탈하다.
despertador, ra *adj.* 잠을 깨우는. *—mf.* 다른 사람을 잠에서 깨우는 역할을 하는 사람. *—m.* ① 괘종 시계, 자명종(reloj ~): poner el ~ para [a] las cinco 자명종을 다섯 시에 맞추다. ② (등대의 램프에서) 점화기에 기름이 올라가지 않는 것을 예방하는 기구. ③ 신호(aviso); 자극(estímulo).
despertar[1] (19) *tr.* ① 잠을 깨우다. ② (잊혀진 것을) 생각나게 하다. ③ 제정신을 돌이키게 하다. ④ 자극하다, 돋우다, (요구 등을) 불러일으키다: ~ el apetito 식욕을 돋우다. *—intr.* ① 잠에서 깨어나다. ② (거칠거나 둔한 사람이) 현명해지다. **~se** 잠이 깨다.
despertar[2] *m.* =**despertamiento.**
despestañar *tr.* (…의) 눈썹(pestañas)을 뽑다. **~se** (무엇을 찾으려고) 눈에 불을 켜다.
despiadado, da *adj.* 무자비한, 무정한, 냉혹한, 인정사정없는.
despido *m.* ① 해고. ② 해고 수당.
despiece *m.* 분해, (특히 소나 돼지 등을) 해체.
despiezar (9) *tr.* 분해하다, 해체하다.
despierto, ta *adj.* ① 잠에서 깨어난. ② 재치 있는, 민첩한.
despilfarrador, ra *adj.* 낭비하는, 허비하는. *—mf.* 낭비가.
despilfarrar *tr., intr.* 허비하다, 낭비하

다, 탕진하다.
despilfarro *m.* 낭비; 물 쓰듯 하는 탕진.
despimpollar *tr.* 불필요한 포도나무의 싹을 쳐내다.
despintar *tr.* ① 도장(塗裝)[페인트]을 벗기다. ② *Chile, Col., PRico.* (눈길을) 피하다. ~**se** (색이) 바래다.
despiojar *tr.* 이(piojo)를 잡다. ~**se** (자기 옷에서) 이를 잡다.
despistado, da *adj.* 멍한, 멍청한, 얼빠진, 방심 상태의. —*mf.* 덜렁이, 촐랑이, 멍청이.
despistar *tr.* (추적 등을) 피하다, 따돌리다. —*intr.* =fingir. ~**se** ① 길을 잃다, 방향을 잃다. ② 갈피를 잡지 못하다. ③ *Perú.* (차량이 운전수의 부주의로) 길에서 벗어나다.
despiste *m.* ① 얼간이 짓. ② =distracción, fallo, olvido, error.
despizcarse (7) *r.* [드묾] 주의를 집중하다.
desplacer[1] *m.* =pena, desazón.
desplacer[2] (34) *tr.* 불쾌하게 하다.
desplanchar *tr.* (다려 놓은 것을) 마구 구겨 놓다. ~**se** 마구 구겨지다.
desplantador, ra *adj., mf.* 옮겨 심는 (사람). —*m.* 이식용 흙손[삽].
desplantar *tr.* (이식하기 위해) 뽑다, 옮겨 심다. ~**se** [춤·검술] 발의 자세가 흐트러지다.
desplante *m.* ① 무례한 언동[행동]. ② [춤·검술] 흐트러진 자세.
desplazamiento *m.* ① 이동, 이전. ② 출장, 통근; 여행. ③ [선박] 배수량.
desplazar (9) *tr.* ① 이동시키다, 위치를 바꾸다. ② 넘겨 주게 하다. ③ 배수량이 …이다. ~**se** 이동하다.
desplegar (8) (19) *tr.* ① (접힌 것을) 펼치다. ② 발휘하다. ③ [군사] (부대를) 산개시키다; (병기를) 배치하다. ~**se** 펴지다; [군사] 산개되다.
despliegue *m.* 펼치는 일; 발휘; 과시; 산개, 전개.
desplome *m.* 도괴, 붕괴.
desplumar *tr.* ① (새의) 깃털을 뽑다. ② 재산을 빼앗다. ③ 빈털터리로 만들다. ~**se** ① 깃털이 빠지다. ② *And.* =ventosear.
despoblación *f.* 인구의 감소, 과소화.
despoblado, da *adj.* 인적이 없는, 주민이 살지 않는. —*m.* 주민이 살지 않는 곳; 폐촌(廢村).
despoblamiento *m.* =despoblación.
despoblar (24) *tr.* ① …의 주민을 줄이다; 사람을 없애다, 황폐화시키다. ② [+de] (…을) …에서 없애다, 근절시키다. ~**se** 주민이 줄어들다[없어지다].
despojar *tr.* ① (가진 물건·재산 등을) …에게서 빼앗다. ② (장식·비품 등을) 없애다, 제거하다. ~**se** ① 벗다. ② 버리다, 팔아 넘기다.
despojo *m.* ① 몰수, 약탈; 약탈품, 전리품. ② 영향, 자취, 추억; (눈앞에 떠오르는) 모습, 모양. ③ 찌꺼기, 나머지, 먹다 남은 밥; (소·돼지·닭 등의) 고기 이외의 부분 ((머리·내장·다리 등)); 유해, 유물.
despolarizar (9) *tr.* [전기] 복극[소극]하다.
despolitización *f.* 비정치화.
despolitizar *tr.* 정치색을 띠지 않다.
despopularización *f.* 인기 하락.
despopularizar (9) *tr.* 인기를 떨어뜨리다, 평판을 나쁘게 만들다. ~**se** 인기가 떨어지다, 평판이 나쁘다.
desposado, da *adj.* ① 갓 결혼한. ② 수갑을 찬. —*mf.* 신혼자, 갓 결혼한 사람.
desposamiento *m.* =desposorio.
desposando, da *mf.* 갓 결혼한 사람; 결혼 직전의 신랑[신부].
desposar *tr.* (사제가) 결혼식을 주례하다. ~**se** 약혼하다; 결혼하다.
desposeer (78) *tr.* [+de] …에게서 빼앗다. ~**se** 방기(放棄)하다, 버리다.
desposeído, da *adj.* 극빈의. —*mf.* 극빈자, 빈궁한 사람.
desposorio *m.* ① 약혼. ② *pl.* 결혼식.
déspota *mf.* 전제 군주, 폭군; 독재자.
despótico, ca *adj.* 전제(專制)적인, 독재적인, 횡포한.
despotismo *m.* 전제정치, 전제주의; 횡포: ~ ilustrado (18세기 후반의) 계몽 전제주의.
despreciable *adj.* 경시[경멸·무시]할 만한: cantidad nada ~ 큰 돈, 대금.
despreciar (11) *tr.* 경멸하다, 경시하다. ~**se** [+de] (…을) 경시하다.
despreciativo, va *adj.* 경멸적인, 업신여기는.
desprecio *m.* 경멸, 경시, 무시.
desprender *tr.* ① [+de] (…에서) 벗기다, 떼어내다. ② (가스·불꽃 등을) 내다, 발(發)하다. ③ *Arg., Nic., Par., PRico., RDom., Ur.* 단추[호크]를 끄르다. ~**se** ① 벗겨지다, 떨어지다. ② 발하다, 내다. ③ *Arg., Nic., Par., PRico., RDom., Ur.* 단추[호크]가 끌러지다. ④ [+de] 남에게 넘겨주다. ⑤ =inferirse.
desprendido, da *adj.* 욕심이 없는; 너그러운.
desprendimiento *m.* ① 낙석, 낙하: ~ de rocas 바위의 낙하. ② [의학] 탈출, 박리(剝離).
despreocupación *f.* 무관심, 무심함.
despreocupado, da *adj.* 무관심한, 걱정이 없는.
despreocuparse *r.* 걱정이 없어지다, 마음에 걸리는 일이 없어지다: ~ de sus hijos 아이들 걱정을 하지 않다.
desprestigiar (11) *tr.* …의 위신을 떨어뜨리다, 평판을 나쁘게 하다. ~**se** 위신이 떨어지다, 평판이 나쁘다.
desprestigio *m.* 위신[평판]의 실추.
despresurizar (9) *tr.* 감압(減壓)하다.
desprevenido, da *adj.* 준비가 없는, 불의(不意)의.
desproporción *f.* 불균형.
desporcionado, da *adj.* 어울리지 않

은, 균형을 잃은; 유별난, 보통 이상인.
desproporcionar *tr.* 불균형을 이루다, …의 균형을 깨뜨리다.
despropósito *m.* 부적절한 언동.
desprotección *f.* 돌보지 않음, 보호하지 않음(falta de protección).
desproteger (3) *tr.* 돌보지 않다, 글렀다고 단념하고 포기하다.
desprotegido, da *adj.* ① 돌보지 않은, 보호받지 못한. ② 가난한. —*m.f.* 가난한 사람.
desproveer (78) *tr.* [+de] (…에게서) 빼앗다.
desprovisto, ta *adj.* [+de] (…이) 없는.
despueble *m.* =**despoblación.**
después *adv.* ① [시간] 뒤에, 후에, 나중에, 다음에; 계속해서, 잇달아. ② [순서·공간] 그 후에, 다음에, 그러고 나서. ③ [형용사적으로] 다음(의): el año ~ 다음해. el día ~ 다음날. ④ [+de] (…) 뒤에, (…) 후에, 다음에: *Después de* la cena 저녁을 먹은 후에. ~ *de* las ocho 여덟 시 이후에는. Yo llegué ~ *de* ella 나는 그녀 다음에 도착했다. ¶ ~ ***de los despueses*** =**después de todo.** ~ ***de todo*** ㉮ 요컨대, 결국. ㉯ 어느 쪽이든, 어쨌든; 이럭저럭, 그럭저럭, 겨우 (겨우), 그런대로. ~ ***(de) que + ind.*** …한 후에: *Después de que* él se enteró de ello, no quiso verme 그는 그 일을 알고 난 후에 나를 만나기를 싫어했다. ~ ***(de) que + subj.*** **현재** [미래를 나타냄] …한 후에: Iremos a comer ~ *que* venga ella 그녀가 온 후에 식사하러 갑시다. ~ ***que* + 명사** …보다 늦게: Llegué ~ *que* tú 내가 너보다 늦게 도착했다.
despuntar *tr.* (…의) 끝을 못쓰게 하다[부러뜨리다]. —*intr.* ① 움트다, 싹트다. ② 징조가 보이다. ③ 나타나기 시작하다. ④ 날이 새다. ~**se** 끝이 닳다[부러지다]; 꺾이다, 망가지다.
desquitar *tr.* [+de] (손해 등을) 벌충[보충]하다. ~**se** 만회하다, 회수하다, 되찾다.
desquite *m.* ① 만회, 보충, 보상. ② [운동] 리턴 매치(partido de ~).
desregular *tr.* …의 규제를 철폐하다.
desrielar *tr. Méj.* 철도의 레일[궤도]을 제거하다. —*intr. Amér.* 기차가 탈선하다. ~**se** *Amér.* 기차가 탈선하다.
desrizar[1] (9) *tr.* (둘둘 만 것을) 펴다.~**se** (둘둘 만 것이) 펴지다.
desrizar[2] (9) *tr.* (돛을) 펴다. ~**se** (돛이) 펴지다.
destacado, da *adj.* 걸출한, 뛰어난, 눈에 뜨인.
destacamento *m.* 분견대(分遣隊).
destacar (7) *tr.* ① (부대를) 파견하다. ② 뛰어나게 하다, 두드러지게 하다, 강조하다. —*intr.*, ~**se** 뛰어나다, 걸출하다, 두드러지다.
destajador *m.* (대장장이들의) 쇠망치.
destajero, ra *m.f.* =**destajista.**
destajista *m.f.* 성과급 노동자; 도급 업자(都給業者).
destajo *m.* 성과급[도급] 일. ¶***a*** ~ ㉮ 성과급으로. ㉯ 열심히. ㉰ *Arg., Chile.* 한데 뭉쳐, 대체로. ***hablar a*** ~ 너무[지나치게] 말하다.
destapador *m. Amér.* =**abrebotellas.**
destapar *tr.* ① …의 마개[뚜껑]를 따다[벗기다·열다]. ② 숨겨진[덮여진] 것을 벗기다, 파헤치다. ~**se** ① (…의 마개 등이) 열리다, 벗겨지다. ② 노출되다, 나체가 되다. ③ [+con] (…에게) 비밀[속마음]을 털어놓다.
destape *m.* ① (영화 등의) 누드. ② (습관·사상 등의) 자유화.
destaponar *tr.* …의 마개를 뽑다
destejer *tr.* (편물 등을) 풀다.
destellar *intr.* 번득이다, 반짝이다, 빛나다.
destello *m.* 섬광, 빛남, 반짝임, 번뜩임, 번쩍임.
destemplado, da *adj.* ① 어울리지 않은, 불협화음의, 고르지 못한, 조율이 안된; (열 등으로) 몸의 상태가 좋지 않은. ② (날씨가) 불쾌한.
destemplanza *f.* 기후 불순; 난조(亂調); 불쾌(감); 무절제.
destemplar *tr.* ① 혼란하게 하다. ② (악기의) 음률을 나쁘게 하다. ③ 몸 상태가 나빠지게 하다. ④ (강철을) 무디게 만들다. ~**se** ① 음률이 고르지 못하다. ② 몸 상태가 좋지 않다. ③ 평정[절도]을 잃다, 불쾌하다, 기분이 좋지 않다. ④ (강철이) 무디어지다.
destensar *tr.* =**distender.**
desteñir (19) *tr.* 퇴색시키다, 색을 바래다. —*intr.*, ~**se** 색이 바래다.
desternillarse *r.* ① 물렁뼈가 부서지다. ② 자지러지게[허리를 쥐고] 웃다.
desterrar (19) *tr.* ① 국외 추방시키다, 유배시키다, 귀양보내다. ② (생각 등을) 내쫓다, 털어내다; (습관 등을) 버리다. ~**se** [+a] (…에) 망명하다.
destetar *tr.* ① 이유(離乳)시키다, 젖을 떼다. ② 자립시키다. ~**se** ① 이유하다, 젖을 떼다. ② 자립하다 ③ (여자가) 유방을 드러내다.
destete *m.* 이유(離乳).
destiempo *a* ~ 시기에 맞지 않게, 철이 아닌 때에; 공교롭게도, (바람직하지 않게도) 때마침.
destierro *m.* ① 국외 추방, 유형(流刑). ② 유배지, 망명지; 마을에서 떨어진 토지.
destilación *f.* 증류(蒸溜).
destiladera *f.* 증류기(蒸溜器).
destilador, ra *adj.* 증류하는. —*m.* 증류기(蒸溜器).
destiladería *f.* 증류 공장; 증류주 저장소: ~ de petróleo 정유소.
destilar *tr.* ① 증류하다. ② (물방울 등을) 떨어지게 하다; 분비하다. ③ (감정 등을) 나타내다. —*intr.* 방울방울 떨어지다.
destinar *tr.* [+para·a] (용도·직무 등

에) 할당하다, 분배하다, 충당하다, 전용하다, 돌리다, 활용하다.
destinatario, ria *mf.* (우편 등의) 수취인: ~ no encontrado 수취인 불명.
destino *m.* ① 운명, 숙명. ② 전도(前途), 장래의 계획. ③ 용도, 사용 목적. ④ 사명, 임무, 직(職); 임지(任地). ⑤ 목적지; 보낼 곳. ¶*con ~ (a)* … ㉮ …행, …를 향해. ㉯ …용(用)(의). *unir sus ~s* 결혼하다.
destitución *f.* 면직, 파면; 해임.
destituir (77) *tr.* 면직시키다, 파면시키다; [+de] (…에서) 해임하다.
destocar *tr.* 화장을 지우다. **~se** ① 화장이 지워지다. ② 모자를 벗다.
destorcer (25) (1) *tr.* 꼬인[뒤틀린] 것을 풀다. **~se** ① 꼬인 것이 풀리다. ② (배가) 진로를 잘못 들다, 침로(針路)를 벗어나다.
destornillado, da *adj.* 무분별한, 경솔한, 신중하지 못한. —*mf.* 경솔한 사람.
destornillador *m.* 나사돌리개, 드라이버.
destornillar *tr.* 나사를 빼다. **~se** 경솔한 몸가짐을 하다.
destral *m.* 손도끼, (보통 한 손으로 쓸 수 있는) 작은 도끼.
destreza *f.* 솜씨가 뛰어남[좋음], 숙달.
destripar *tr.* ① (동물의) 내장을 꺼내다. ② (내용물을) 꺼내다. ③ 짓누르다, 으깨다. ④ (남의 말을) 앞질러 말하다. —*intr. Méj.* 공부를 중단하다, 낙제하다, 퇴학당하다.
destripaterrones *m.sing.pl.* ① 막일꾼. ② 우락부락한 남자, 과묵한 사람.
destrísimo, ma *adj.* [diestro의 절대 최상급] 매우 노련한[숙련된].
destrocar *tr.* 교환을 취소하다, 되찾다.
destronamiento *m.* 왕위의 박탈.
destronar *tr.* ① …의 왕위를 박탈하다, 폐위시키다. ② 지위를 잃게 하다.
destrozar (9) *tr.* ① 조각내다, 토막내다. ② (정신적으로) 박살내다, 의욕을 잃게 하다; 손해를 입히다; (극도로) 피로하게 하다. ③ (적을) 괴멸시키다. **~se** ① (산산) 조각나다: Al caer *se destrozó* el vaso 잔이 떨어져 산산 조각났다. ② 피로하다.
destrozo *m.* 파괴.
destrozón, zona *adj., mf.* (옷이나 신발 등을) 너무 심하게 신은[입은] (사람). —*f.* (거리의 카니발에서) 더럽고 흉칙한 옷을 입은 여자 가면.
destrucción *f.* 파괴, 파멸.
destructible *adj.* 파괴할 수 있는.
destructivo, va *adj.* 파괴력의, 파괴력이 있는.
destructor, ra *adj.* 파괴하는. —*m.* 구축함(驅逐艦).
destruir (77) *tr.* 파괴하다, 부수다. **~se** 부서지다, 스스로 무너지다.
desubicar (7) *tr.* 장소 밖에 놓다, 장소 밖에 위치하게 하다. **~se** ① [주로 *Amér.*] 장소 밖에 있다[위치하다]. ② *Bol., Guat., Ven.* 길[방향]을 잃다.
desudar *tr.* …의 땀을 닦다[닦아 주다]. **~se** (자신의) 땀을 닦다.
desuello *m.* ① 껍질 벗기는 일. ② 철면피, 파렴치. ¶*ser un ~* (값이) 엄청나게 비싸다.
desulfuración *f.* [화학] 탈황(脫黃).
desulfurar *tr.* [화학] 탈황시키다.
desuncir (2) *tr.* 멍에에서 풀어놓다.
desunión *f.* 이반(離反), 반목; 불화.
desunir *tr.* ① [+de] (…에서) 분리하다. ② 이반케 하다, 불화하게 하다. **~se** 거리가 멀어지다, 사이가 벌어져 떠나다, 이반하다.
desurbanización *f.* 비도시화, 시골화.
desurtido, da *adj.* 재고가 바닥난, 절품된(que no está surtido).
desusado, da *adj.* 못쓰게 된, 무용지물의.
desuso *m.* 사용하지 않음. ¶*caer en ~* 쓰이지 않게 되다, 소용없게 되다.
desustanciar *tr.* …의 실체[내실(內實)]를 잃게 하다.
desvaír *tr.* 색[힘·강도]을 잃게 하다. **~se** 색[힘·강도]을 잃다.
desvalido, da *adj.* 의지할 데가 없는.
desvalijamiento *m.* 도둑질, 노략질.
desvalijar *tr.* ① 가방 속의 물건을 훔치다. ② 도둑질하다. ③ (도둑질·노름·속임수를 통해 돈이나 재산을) 약탈하다, 빼앗다.
desvalorización *f.* (가치의) 저하, 하락.
desvalorizar (9) *tr.* (화폐 등의) 가치를 떨어뜨리다. **~se** 가치가 떨어지다[하락하다].
desván *m.* 다락방; 더그매.
desvanecer (31) *tr.* ① 흩뜨리다, 흩어지게 하다, 일소하다. ② (추억·생각 등을) 뇌리에서 지우다. ③ 파기하다, 취소하다. ④ (색조 등을) 약화시키다. **~se** ① 없어지다, 일소되다, 사라지다, 흩어지다: *~se* el humo 연기가 사라지다. ② (음식 맛·향기 등이) 없어지다. ③ 실신하다(desmayarse).
desvanecimiento *m.* ① 소산(消散), 흩어져 사라짐. ② 실신.
desvariar (12) *intr.* 헛소리[잠꼬대]를 하다.
desvarío *m.* ① 헛소리. ② 정신 착란.
desvelar[1] *tr.* 잠을 못 자게 하다, 철야시키다. **~se** ① 잠을 자지 않다, 철야하다, 밤샘하다. ② [+por] (…에) 마음[신경]을 쓰다.
desvelar[2] *tr.* 밝히다, 분명히 하다.
desvelo *m.* ① 불면. ② 배려, 마음 씀.
desventaja *f.* 불리(한 점), 핸디캡; 단점, 결점: llevar ~ 불리하다.
desventajoso, sa *adj.* 불리한, 형편이 좋지 못한.
desventura *f.* 불운, 불행.
desventurado, da *adj., mf.* 불운한 (사람), 불행한 (사람).
desvergonzado, da *adj.* 파렴치한, 낯가죽이 두꺼운, 철면피한. —*mf.* 파렴치한 사람, 철면피.
desvergonzarse (9) *r.* 파렴치하게 굴다, 염치없는 짓을 하다.

desvergüenza *f.* 파렴치, 철면피.
desvestir *tr.* (…의) 옷을 벗기다. **~se** 옷을 벗다.
desviación *f.* ① (방향이) 빗나감, 벗어남, 편향, 일탈(逸脫). ② (교통 혼잡을 완화하기 위한 자동차용) 우회 도로, 곁길, 옆길(desvío). ③ [수학] 편차.
desviacionismo *m.* (당의 노선에서) 벗어남, 일탈(逸脫).
desviacionista *adj.* (당의 노선에서) 벗어난, 일탈한. *—mf.* 일탈자.
desviar *tr.* ① 우회시키다. ② (사람을 …에서) 다른 데로 돌리게 하다. ③ …에서 다른 데로 돌리다, 빗나가다. **~se** [+de] (…에서) 벗어나다, 빗나가다, 우회하다: *~se de* la carretera 국도에서 벗어나다.
desvinculación *f.* 풀어놓음, 해방.
desvincular *tr.* 풀어놓다, 해방시키다. **~se** 풀리다, 해방되다.
desvío *m.* ① (공사 등의) 우회로, 곁길, 옆길. ② 냉담, 무관심. ③ 빗나감, 벗어남(desviación). ④ [철도] 분기선.
desvirgar (8) *tr.* 처녀성을 빼앗다.
desvirtuar (15) *tr.* …의 좋은 점[본질·효과]을 잃게 하다. **~se** 장점을 잃다.
desvivirse *r.* [+por] (…에) 큰 관심을 보이다; 힘껏[열심히] 하다.
desyemar *tr.* (식물의) 싹을 따내다.
desyerbar *tr.* …의 잡초를 뽑다.
detal *m. Ven.* 소매점. ¶***al*** ~ *Ven.* 소매로, 소매의(al por menor).
detall *al* ~ *adv., adj.* 소매로, 소매의.
detalladamente *adv.* 상세히, 자세하게.
detallado, da *adj. Sol.* 질에 따라 골라진 (소나무).
detallar *tr.* ① 상세히 말하다[묘사하다]. ② 소매하다.
destalle *m.* ① 세부, 세목. ② 마음을 씀, 배려. ③ 별 것 아닌 물건; (작은) 일부분. ¶***al*** ~ ㉮ 상세히, 자세하게. ㉯ 소매로, 소매의. ***en*** ~ 상세히, 자세하게. ***dar ~s*** 상세히 말하다.
detallismo *m.* 완전주의, 세심함.
detallista *adj.* (세심한 점까지도) 마음을 쓰는, 세심한, 완전주의의 (사람); [미술·문학] 세밀하게 묘사하는 (사람). *—mf.* 소매 상인.
detección *f.* 검출, 탐지.
detectar *tr.* 검출하다, 탐지[감지]하다.
detective *mf.* (사립) 탐정; 형사.
detectivesco, ca *adj.* 탐정의.
detector, ra *adj.* 검출하는. *—m.* 검출기, 검파기, 탐지기: ~ de mentiras 거짓말 탐지기.
detención *f.* ① 체포; 구류, 유치; (정치범 등의) 감금: ~ domiciliaria 자택 감금, 연금. ② 저지, 정지. ③ 주의.
detener (59) *tr.* ① 멈추다, 세우다, 정지시키다, 저지하다, 막다: ~ el paso 통행을 차단하다. ② 체포하다; 구류시키다; 감금하다. **~se** ① 멈추다. ② [+a+*inf.*] 멈추어 서서 …하다. ③ [+en] (…에) 시간이 걸리다. ④ 기뻐하다, 좋아하다, 즐거워하다(entretenerse).
detenidamente *adv.* 상세히; 신중하게, 정성을 들여.
detenido, da *adj.* ① 차단된. ② 체포된, 구류된, 유치된. ③ 상세한; 시간이 걸리는. *—mf.* 체포된 사람, 피구류자.
detenimiento *m.* =detención. ¶*con* ~ 상세히, 주의 깊게.
detentar *tr.* (권력·칭호 등을) 부당하게 차지하다[점하다].
detergente *adj.* 세정(洗淨)하는, 세척하는, 깨끗이 씻는. *—m.* 가루비누, 세제.
deteriora *tr.* 손상하다, 망가뜨리다; 악화시키다: ~ *su* salud 건강을 해치다. **~se** 악화되다.
deterioro *m.* 파손, 감모(減耗); 악화.
determinación *f.* ① 결정; 결의, 결심. ② 결단력, 용기. ③ 추정(推定); 규정.
determinado, da *adj.* ① 정해진, 결정된; 일정한, 특정한. ② [문법] 한정된.
determinante *adj.* 결정하는: causa ~ 결정적인 원인. *—m.* ① [문법] 한정사. ② [심리] 결정인. *—f.* [수학] 행렬식.
determinar *tr.* ① 결정하다, 명확하게 하다, 구체화하다. ② 추정하다. ③ (규칙 등이) 규정하다. ④ [+*inf.*] …하는 것으로 결정[결심]하다. ⑤ [+a+*uno*, +a+*inf.*] …에게 …하도록 결심시키다. ⑥ 야기하다, 발생시키다, 원인이 되다. ⑦ …의 경계를 정하다. ⑧ [법률] …로 판결하다. **~se** [+a+*inf.*/+por+명사] (…하기로) 결심[결정]하다: *~se a* partir 출발하기로 하다.
determinativo, va *adj.* [문법] 한정적인. *—m.* [문법] 한정사.
determinismo *m.* [철학] 결정론.
determinista *adj.* 결정론의. *—mf.* 결정론자.
detersión *f.* 세정(洗淨).
detestable *adj.* ① 증오할 만한, 싫은, 지겨운. ② (질·정도가) 형편없는.
detestar *tr.* 싫어하다; (질이 나쁜 것 등에) 참을[견딜] 수 없다.
detonación *f.* 폭음, 폭발(음); [자동차] 노킹.
detonador *m.* 기폭 장치, 뇌관.
detonante *adj.* ① 폭음을 내는, 폭발성의. ② 충격적인. *—m.* ① 폭약. ② 충격적인 사건의 원인.
detonar *intr.* ① 폭발하다; 폭음을 내다. ② 눈에 띄다, 두드러지다. ③ 충격을 주다. ④ [자동차] (내연 기관에서) 연료가 이상 폭발하다.
detractor, ra *adj.* 중상하는, 비방하는. *—mf.* 중상자, 비방자.
detraer (72) *tr.* ① =**restar, sustraer, apartar, desviar.** ② 중상하다, 비방하다(infamar, denigrar).
detrás *adv.* ① 뒤에, 뒤에서; 배후에: salida de ~ 뒷출구. atacar por ~ 배후에서 공격하다. ② 당사자[본인]가 없는 곳에서, 사람이 없는 데서. ¶~ ***de*** …의 뒤에: Yo me escondí ~ *de* la puerta 나는 문 뒤에 숨었다. ***por*** ~ 사람이 없는 데서, 본인이 없는 곳에서, 뒤에서: El habla mal de ti *por*

~ 그는 뒤에서 네 험담을 한다.
detrimento *m.* ① 손해, 손실. ② 건강의 악화. ③ 정신적 타격.
deuda *f.* ① 빚, 채무: [상업] 부채. ② [경제] 공채(公債). ③ 은의(恩義), 의리: Estoy [Quedo] en ~ con mis amigos 나는 친구들에게 은혜를 입었다[빚이 있다]. ④ [종교] 죄(罪).
deudo, da *mf.* 친척, 일가.
deudor, ra *adj.* 부채[채무·빚]가 있는: nación ~*ra* 채무국. —*mf.* 채무자.
deus ex máchina *m. lat.* [고대 연극] 아주 절박하거나 비극적인 상황에서 나타나 해결하는 신의 역을 하는 인물.
deuterio *m.* [화학] 중수소(重水素).
deuterón *m.* [물리] 중양자(重陽子).
deutón *m.* [물리] =**deutrón.**
devalar *intr.* 항로에서 벗어나다, 항로를 잘못들다(abatir).
devaluación *f.* 평가 절하, 가치 절하.
devaluar (15) *tr.* (통화의) 평가를 절하하다; 가치를 내리다. ~**se** 평가가 절하되다; 가치가 내리다.
devanadera *f.* 실꾸리, 실패; 회전 무대.
devanado *m.* ① 실 감기. ② [전기] = bobina.
devanador, ra *adj., mf.* 실 감는 (사람). —*m.* 실 감는 관, 목관.
devanar *tr.* 실을 감다.
devastación *f.* 황폐.
devastador, ra *adj.* 황폐시킨; 압도적인. —*mf.* 파괴자.
devastar *tr.* 황폐시키다.
develar *tr.* ① 베일(velo)을 벗기다. ② =desvelar[2].
devengar (8) *tr.* (정당한 대가로 이익 등을) 내다, 취득하다, 받다.
devengo *m.* (대가로서의) 수입.
devenir[1] (60) *intr.* ① (사건 등이) 일어나다. ② …이 되다, 생성하다.
devenir[2] *m.* [철학] 생성, 변전(變轉).
deverbal *adj.* [문법] 동사에서 파생하는 ((예: empuje ←empujar)).
deverbativo, va *adj.* [문법] =**deverbal.**
de verbo ad vérdum *adv. lat.* 문자[글자] 그대로, 한 획[자]도 빠뜨리지 않고(sin faltar una coma).
devoción *f.* ① 신심(信心), 신앙심. ② [주로 *pl.*] 기도, 근행(勤行). ③ 숭배, 헌신; 집착, 애착.
devocionario *m.* (신자가 사용하는) 미사서, 기도서.
devolución *f.* 되돌려 줌, 반환, 반각(返却), 반제(返濟); 반제금, 반환금.
devolver *tr.* ① 되돌리다, 되돌려 놓다, 반환하다, 돌려주다, 반품하다, 갚다, 반각(返却)하다, 반제(返濟)하다. ② 토해 내다, 토하다, 게우다. —*intr.* 토하다, 게우다. ~**se** *Amér.* 되돌아가다, 되돌아오다.
devoniano, na *adj. m.* =devónico.
devónico, ca *adj., m.* [지질] 데본기[데본계](의).
devorador, ra *adj.* 탐욕스런; 탐식하는, 걸신들린 것처럼 먹는. —*mf.* 탐욕스런 사람; 걸신들린 것처럼 먹는 사람.
devorar *tr.* ① (동물이 잡은 것을) 먹다. ② 걸신들린 것처럼 먹다, 걸근거리다. ③ 파괴하다, 부수다. ④ 초췌케 하다. ⑤ 매우 빨리 걷다[다니다].
devoto, ta *adj., mf.* ① 신앙심이 깊은 (사람). ② 헌신적인 (사람), 무척 애호하고 있는 (사람). ③ 신앙심을 일으키게 하는: estampa ~*da* 종교 판화.
devuelto, ta *adj.* 반환된, 되돌린, 갚은. —*m.* 구토물. —*f. Amér.* 거스름돈, 잔돈(cambio).
deyección *f.* ① [의학] 배변(排便). ② [주로 *pl.*] 인분(人糞), 배출물. ③ (화산의) 분출물.
DF. *m. Méj.* Distrito Federal 연방 특(별)구: México, ~ [우편 표기에서] 멕시코 시티.
d/f. días fecha 일부후(日附後).
Dgo domingo 일요일
DGT *f. D*irección *G*eneral de *T*urismo (정부) 관광국.
dho(s) dicho(s) 위에 쓰인[언급한].
di- *pref.* 「분리(分離)·비(非)」의 뜻: *di*solver 녹이다, 용해하다.
día *m.* ① ㉮ 날, 일(日): ~ de mi cumpleaños 내 생일. ~ laborable [de trabajo·de labor] / *Amér.* ~ de semana 평일, 취업일, 주일(週日) ((토요일과 일요일을 제외한 날)). Hay siete ~*s* en una semana 1주일은 7일이다. ¿Qué ~ es hoy? 오늘은 무슨 요일입니까? Ella tardó treinta ~*s* en acabarlo 그녀는 그것을 완성하는 데 30일 걸렸다. Mi madre murió ese ~ 내 어머님은 그 날 돌아가셨다. ㉯ 하루, 일일(一日): al ~ 하루에. tres veces al ~ 하루에 세 번. ② 주간(晝間), 낮: Ahora es de ~ en España 스페인은 지금 낮이다. ③ (하루의) 날씨, 기후: ~ llovioso 비오는 날. Hace buen ~ 날씨가 좋다. ④ 햇빛. ⑤ *pl.* 교회에서 성인을 축하하는 날. ⑥ 생일. ⑦ 순간, 기회. ⑧ *pl.* 인생, 생애: al fin de *sus* ~*s* (…의) 만년(晩年)에. ⑨ *pl.* 시기. ¶***a*** … ~***s*** …일 후에: *a* ocho ~*s* 1주일 후에. ***a los pocos ~s*** 수일 후에. ***al ~ siguiente, al otro ~*** 그 다음 날에. ***algún ~*** (미래의) 어느 날, 언제인가. ***antes del ~*** 날이 밝기 전에. ***cada ~*** 매일, 날마다. ***cualquier ~*** ㉮ 아무 때나, 언제든지. ㉯ 언젠가는. ***de ~*** 낮에. ***de ~ en ~*** 하루하루, 나날이. ***de ~ y de noche*** =~ y noche. ***del ~*** 최신 유행의; 그 날의, 오늘의; 신선한. ***~ a ~*** 매일, 날마다, 계속. ***~ por ~*** 매일, 나날이, 날이 감에 따라. ***~ tras ~*** =**día a día.** ***~ y noche*** 밤낮, 밤이고 낮이고 없이, 늘, 언제나. ***el mismo ~, ese (mismo) ~*** 당일, 바로 그 날. ***el otro ~*** 전날, 일전, 요전. ***en estos ~s*** 요즈음. ***en pleno ~*** 백주에, 대낮에, 한낮에. ***estos ~s*** 요즈

음. *noche y* ~ =~ y noche. *ocho ~s* 일주일, 1주간. *otro* ~ 다른 날에, 언제인가. *quince* ~ 2주일, 2주간. *todo el día* 온종일. *todos los ~s* 매일, 날마다 *un* ~ ㉮ (과거·미래의) 어느 날. ㉯ 1일, 하루. *no tener más que el ~ y la noche* 일전 한 푼 없다, 곤궁한 처지다. *ser la noche y el* ~ 완전히 대조적이다, 전혀 다르다. *tener los ~s contados* 여생이 얼마 남지 않았다. *Un ~ es un ~* 그 날은 하루뿐이다, 그 날은 다시는 오지 않는다. *Cada ~ trae su agonía* (속담) 번민 없이 지나가는 날은 없다.

diabetes *f.sing.pl.* [의학] 당뇨병.

diabético, ca *adj.* 당뇨병의. —*m.f.* 당뇨병 환자.

diabla *f.* 악마 같은 여자, 악녀.

diablejo *m.* 작은 악마.

diablesa *f.* 악마 같은 여자, 악녀.

diablesco, ca *adj.* =**diabólico.**

diablillo *m.* ① 행렬이나 카니발에서 악마처럼 가장한 사람. ② 말썽꾼.

diablo[1] *m.* ① 악마, 마왕. ② 교활한[간교한] 사람. ③ (주로 아이들에 대해) 쓸모없는 사람, 장난꾸러기, 말썽꾼. ④ 아주 못생긴 사람. ⑤ [¿의문사+~*s*?] 도대체, 대관절: ¿Qué ~*s* estás tú haciendo ahí? 너는 도대체 거기서 무엇을 하고 있니? ¶*como el* [*un*] ~ 몹시, 심하게, 지나치게, 너무. *del ~, de los ~s, de mil ~s, de todos los ~s* 나쁜, 불편한. *tener el* ~ [*los ~s*] *en el cuerpo* 매우 영악하다. *¡Cómo ~s!* =**¡Qué ~s!** *¡Qué ~s!* 안타깝구나!, 애닯다!, 안됐다!; 지독하군!, 굉장하군!; 빌어먹을!, 제기랄!

diablo[2] *interj.* 제기랄!, 빌어먹을!, 이거 참!; 굉장하군!, 대단하군!

diablos *interj.* =**diablo**[2]**.**

diablura *f.* ① (아이의) 대수롭지 않은 장난. ② 심한 장난; 아슬아슬한 재주.

diabólico, ca *adj.* ① 악마의[같은]. ② 아주 복잡한, 아주 어려운. ③ 극히 나쁜: tiempo ~ 아주 나쁜 날씨.

diaconado *m.* =**diaconato.**

diaconato *m.* [천주교] 부제(副祭) 직.

diaconisa *f.* ① (고대 교회의) 집사. ② [기독교] 부인 사회 봉사 단원; 전도사.

diácono *m.* ① [천주교] 부제(副祭). ② [기독교] 집사.

diacústica *f.* 굴절 음향학.

diadema *f.* ① [복식] (반원형의) 여성용 보석 박은 관, 머리띠. ② (권위·영광의 상징으로서의) 왕관.

diafanidad *f.* 반투명(성); 간결하고 요령 있는 해석.

diáfano, na *adj.* ① 아주 맑은, 아주 맑게 갠, 투명한, 비쳐 보이는. ② 간결하고 요령 있는. ③ 반투명한. ④ 표리(表裏)가 없는.

diafragma *m.* ① [해부] 횡격막. ② 페서리. ③ (카메라의) 조리개. ④ (스피커의) 진동판. ⑤ (동식물·기계의) 격막, 격벽. ¶ ~ *intrauterino* 페서리.

diagnosis *f.* [의학] 진단(법).

diagnosticar (7) *tr.* 진단하다.

diagnóstico, ca *adj.* 진단의; 증상을 나타내는. —*m.* 진단: ~ erróneo 오진.

diagonal *adj.* 대각선의, 비스듬한. —*f.* 대각선(línea ~).

diágrafo *m.* 전사기(轉寫器).

diagrama *m.* 도표, 그래프.

dial *m. ing.* (전화·라디오의) 다이얼.

dialectal *adj.* 방언의, 사투리의.

dialectalismo *m.* 방언 (특유)의 어법.

dialéctica *f.* 변증법.

dialéctico, ca *adj.* 변증법적인. —*m.f.* 변증법 교사.

dialecto *m.* 방언, 지방 사투리.

dialectología *f.* 방언학.

dialectólogo, ga *m.f.* 방언 학자.

diálisis *f.sing.pl.* [화학·의학] 투석.

dialogado, da *adj.* 대화 형식의.

dialogar (8) *intr.* 대화를 하다, 대담하다; 교섭하다. —*tr.* 대담 형식으로 표현하다.

diálogo *m.* ① 대화; 의논, 교섭, 회담. ② (이야기의) 대화 부분; (연극·영화의) 대사. ③ 대화체의 작품.

dialoguista *m.f.* 대사(臺詞) 작가.

diamante *m.* ① 다이아몬드: ~ (en) bruto 다이아몬드 원석. ② [트럼프] 다이아몬드. ③ 유리칼.

diamantífero, ra *adj.* 다이아몬드가 나는: mina ~*ra* 다이아몬드 광산.

diamantino, na *adj.* ① 다이아몬드의[같은]. ② (성격이) 아주 강인한[견실한].

diamantista *m.f.* 다이아몬드 상인; 다이아몬드 세공사.

diametral *adj.* 직경의.

diametralmente *adv.* ① 끝에서 반대편까지. ② 완전히, 아주.

diámetro *m.* 직경; (원통의) 내경.

diana *f.* ① (과녁 중심의) 검은 점: dar en la ~, hacer ~ ㉮ 과녁의 중심에 맞히다. ㉯ 예상이 맞다[적중하다]. ② (화살 던지기 놀이의) 과녁. ③ [군사] 기상 나팔: tocar ~ 기상 나팔을 불다.

Diana *f.* [로마 신화] 다이아나.

diantre *interj.* =**diablo**[2]**.**

diapasón *m.* ① (사람·악기의) 음역, 성역; 음차. ② (오르간의) 음전(音栓).

diapositiva *f.* [사진] 슬라이드.

diarero, ra *m.f. Arg., Bol., Ur.* =**diariero.**

diariamente *adv.* 매일, 날마다.

diariero, ra *adj. Méj.* 매일 사용하는. —*m.f.* 신문팔이(vendedor de diarios).

diario[1] *m.* ① 일기; 일지. ② 신문, 일간지: ~ de la mañana 조간. ~ de la tarde 석간. ③ 보도 프로그램, 뉴스. ④ [상업] 거래 일기장. ⑤ 매일의 가계비. ⑥ 일기장. ¶*a* ~ 매일, 날마다. *de* ~ ㉮ =**a diario.** ㉯ 일상의, 매일 입는: ropa [vestido] *de* ~ 평상복.

diario[2]**, ra** *adj.* 날마다의, 매일의: salario ~ 일급. vida ~*ria* 일상 생활.

diarismo *m. Amér.* =**periodismo.**

diarrea *f.* [의학] 설사.
diarreico, ca *adj.* 설사의.
diatermia *f.* [의학] 단파 요법.
diátesis *f.sing.pl.* [의학] (병에 대한) 체질(體質): ~ cancerosa 암 체질.
diatomea *f.* [식물] 규조(硅藻).
diatónico, ca *adj.* [음악] 전음계의.
diatópico, ca *adj.* [언어] 통역적(通域的)인, 지역적인.
diatriba *f.* 혹평, 독설.
dibujador, ra *adj., m.f.* =dibujante.
dibujante *adj.* 그리는, 스케치하는, 데생하는. —*m.f.* 디자이너; 제도가; 도안가, 삽화가, 도공(圖工).
dibujar *tr.* ① (선으로) 그리다, 스케치하다. ② 밑그림[초벌 그림]을 그리다, 제도하다, 디자인하다. ③ (말로) 묘사하다. ④ 구상하다, 입안하다. **~se** ① (윤곽이) 그려지다, 보이다. ② 나타나다, 드러나다, 출현하다.
dibujo *m.* ① 소묘, 데생 ((작품, 행위)); 선묘, 선화(線畵): ~ a pluma 펜화(畵). papel de ~ 도화지. ② (기계·부품 등의) 제도, 겨냥도. ③ 모양, 무늬, 도안. ④ (말에 의한) 묘사. ¶ ***~ del natural*** 사생화. ***~s animados*** 만화 영화.
dic. diciembre 12월.
dicbre diciembre 12월.
dicción *f.* ① 말, 말씨, 말투, 어법. ② 발성법, 낭독법.
diccionario *m.* 사전: ~ de la lengua española 스페인어 사전. ~ español-coreano 서한 사전. ~ enciclopédico 백과 사전.
dicha *f.* 행복, 행운. ¶***a [por] ~*** 운좋게, 재주 좋게, 다행히.
dicho[1] *m.* ① 말, 표현. ② 격언; 경구, 문구. ③ [법률] 진술, 신청. ¶***Del ~ al hecho hay mucho [un gran] trecho*** (속담) 말하기는 쉽고 행하기는 어렵다.
dicho[2]**, cha** *adj.* ① 말해진, 말한: cosas *dichas* 말한 것. ② [+명사, 무관사로] 앞에서 말한, 전술한: ~ asunto 말에서 말한 건. ¶***Nunca es tarde si la dicha es buena*** (속담) 늦는 것이 때로는 행운일 적이 있다, 늦더라도 결과가 중요하다.
dichosamente *adv.* 행복하게, 운좋게.
dichoso, sa *adj.* ① 행복한, 기쁜. ② 행운을 가져다 주는. ③ 적절한, ④ = desventurado, malhadado. ⑤ =enfadoso, molesto.
diciembre *m.* 12월, 선달.
diciendo decir의 현재 분사.
dicromático, ca *adj.* 이색(二色)의.
dictado *m.* ① 구술; 받아쓰기: examen de ~ 받아쓰기 시험. escribir al ~ 구술 필기하다. ② (다른 이름으로의) 칭호. ③ *pl.* (양심·이성 등의) 명령, 암시: *~s* de la razón 이성의 소리.
dictador, ra *adj., m.f.* 독재자(의).
dictadura *f.* 독재, 독재 체제, 독재 정치, 전제(專制): ~ militar 군부 독재.
dictáfono *m.* [상표] 딕터폰.
dictamen *m.* (전문가의) 견해, 판단.
dictaminar *intr.* [+sobre] (…에 관해서) 견해를 말하다[기술하다].
dictar *tr.* ① 구술하다, 받아쓰기를 시키다. ② (법률·명령 등을) 발하다, 선언하다; 지시하다.
dictatorial *adj.* 독재자의; 독재적인; 독단적인: poder ~ 독재 권력.
didáctico, ca *adj.* 교육의, 교육적인: material ~ 교재. —*f.* 교수법, 교육법.
didacticismo *m.* (작품의) 교훈주의.
didáctilo, la *adj.* [동물] 손가락이 두 개인 (동물).
didactismo *m.* =didacticismo.
dídimo, ma *adj.* [식물] 좌우 대칭의, 쌍생(雙生)의.
diecinueve *adj., m.* 19(의); 19번 째의.
diecinueveavo, va *adj., m.* 19분의 1(의).
dieciochavo, va *adj., m.* 18분의 1(의).
dieciochesco, ca *adj.* 18세기의[적인].
dieciocho *adj., m.* 18(의); 18번 째의.
dieciséis *adj., m.* 16(의); 16번 째의.
dieciseisavo, va *adj., m.* 16분의 1(의): libro en ~ 16절 판본.
dieciseiseno, na *adj.* 16번 째의.
diecisiete *adj., m.* 17(의); 17번 째의.
diecisieteavo, va *adj., m.* 17분의 1(의).
diedro *adj.* [수학] 두 면의, 이면(二面)의. —*m.* 이면형(二面形), V자형.
diencéfalo *m.* [해부] 간뇌(間腦).
diente *m.* ① 이 ((특히 앞니와 송곳니)): limpiarse [lavarse] los *~s* 이를 닦다. ② (톱·빗살·톱니바퀴 등의) 이: ~ de peine 빗살. *~s* de sierra 톱니. ③ [식물] ㉮ (잎의) 톱니. ㉯ (마늘의) 비늘줄기의 한 쪽: un ~ de ajo 마늘 한 쪽. ④ [건축] (증축용의) 돌출부. ¶ ***~ canino, ~ columelar*** 송곳니. ***~ de leche*** 젖니. ***~ de león*** [식물] 민들레. ***~ incisivo*** 앞니. ***~ mamón*** =diente de leche. ***~ molar*** 어금니. ***tener (buen) ~*** 잘 먹다, 대식가다, 식욕이 좋다.
dientudo, da *adj.* =dentudo.
diera- dar (37).
diéresis *f.sing.pl.* ① 분음부(分音符) (¨). ② 이중 모음[연속 모음]의 분할 발음((güe · güi ←gue · gui)). ③ [의학] 절단 (수술).
dieron dar의 직·부정 과거·3·복수.
diese- dar (37).
diesel *m.sing.pl.* 디젤 엔진; 디젤 차.
diestramente *adv.* 능숙하게, 솜씨 좋게, 멋지게, 교묘하게.
diestro, tra *adj.* ① 오른쪽의, 우측의: mano *~tra* 오른손. a su mano *~tra* 그의 오른쪽에. ② 오른손잡이의. ③ 능숙한, 솜씨 좋은; 교묘한, 빈틈없는. —*m.f.* 오른손잡이. —*m.* 투우사. —*f.* 오른손. ¶***a ~ y siniestro*** 아무렇게나, 닥치는 대로, 순서 없이, 엉망진창으로, 뒤죽박죽으로.

dieta *f.* ① 식이 요법; 규정식: seguir una ~ vegetal 야채 식이 요법을 하다. ② 절식, 다이어트: estar a ~ 다이어트를 하고 있다, 절식 중이다. ③ 일상의 식사. ④ *pl.* (공무원의 출장 등의) 수당; (국회 의원의) 세비(歲費). ⑤ (독일·스웨덴·일본 등의) 국회, 의회. ¶ ~ ***meditarránea*** 지중해 요리.
dietario *m.* ① 가계부, 용돈 출납장. ② 수첩, 메모장.
dietético, ca *adj.* 식이 요법의, 다이어트의. —*f.* 식이 요법학, 영양학.
dietista *mf.* 식이 요법 전문의.
diez *adj.* ① 10의. ② 열 번째의. —*m.* ① 10, 열. ② 10일: el diez de julio 7월 10일. ③ *f.pl.* 10시: las ~ de la mañana 오전 10시.
diezmar *tr.* ① 대량 살상하다. ② 10중 1을 없애다[제거하다].
diezmilésimo, ma *adj., m.* 1만분의 1(의).
diezmilímetro *m.* 10분의 1밀리미터.
diezmillonésimo, ma *adj.* 1천만분의 1(의).
diezmo *m.* (신자가 교회에 내는) 십일조, 10분의 1세.
difamación *f.* 중상; 명예 훼손.
difamador, ra *adj., mf.* 중상 (모략)하는 (사람).
difamar *tr.* 중상하다, 비방하다, …의 명예를 훼손하다.
difamatorio, ria *adj.* 중상적인; 명예 훼손의: escrito ~ 중상 문서.
difásico, ca *adj.* [전기] 이상(二相)의.
diferencia *f.* ① 틀림, 차이, 상이함; 차: ~ de carácter 성격의 차이. ~ de hora 시차(時差). pagar la ~ 차액을 지불하다. ② [주로 *pl.*] 의견의 불일치, 다툼(질), 분쟁, 싸움, 대립. ③ [음악] (옛날의) 변주곡. ¶ ~ ***de fase*** 위상차. ~ ***de potencia*** 전위차. ***a*** ~ ***de*** …와 달리: *A* ~ *de* mí 나와 달리. ***partir la*** ~ (양보하여) 해결 짓다, 타협하다.
diferenciación *f.* [생물] 분화(分化); 구별, 식별.
diferencial *adj.* ① 차이[구별]의, 차이를 나타내는; 차별적인: derechos ~*es* 차별 관세. ② [수학] 미분의. —*m.* [자동차] 차동 장치. —*f.* [수학] 미분.
diferenciar *tr.* ① [+de] (…과) 구별하다, 차이를 만들어내다; 식별하다. ② [수학] 미분하다. ~**se** ① 다르다, 차이가 있다. ② [생물] 분화(分化)하다.
diferendo *m. AmérM., Cuba, Guat.* = **diferencia, desacuerdo.**
diferente *adj.* ① 다른, 차이가 있는: Mi opinión es ~ de la tuya 내 의견은 당신과 다르다. ② *pl.* [+명사] 가지 각색의, 여러 가지의. —*adv.* =**diferentemente.**
diferentemente *adv.* 달리, 다르게, 다른 방식으로.
diferido ***en*** ~ 녹화 중계로: emitir en ~ 녹화 중계하다.
diferir (54) *tr.* 연기(延期)하다, 미루다. —*intr.* ① [+de] (…와) 다르다. ② 동의하지 않다.
difícil *adj.* ① 어려운, 곤란한: obra ~ 난공사. ② 성미[성격]가 까다로운, 다루기 어려운: carácter ~ 까다로운 성격. ③ 이상한, 특이한, 기이한, 색다른: cara muy ~ 아주 특이한 얼굴.
difícilmente *adv.* 어렵게, 간신히, 겨우.
dificultad *f.* ① 어려움, 곤란, 장애, 난관: verse en ~*es* 어려움[곤란]에 처하다[빠지다]. vencer [superar] una ~ 난관을 극복하다. ② 이의(異議), 반대. ¶ ***con*** ~ 고생하여, 애써, 겨우, 간신히, 가까스로.
dificultar *tr.* 곤란하게 하다; 방해하다.
dificultoso, sa *adj.* 무척 어려운, 귀찮은, 성가신.
difracción *f.* [물리] 회절(回折).
difractar *tr.* 회절시키다.
difractor *m.* 회절 격자.
difrangente *adj.* 회절의, 회절시키는.
difteria *f.* [의학] 디프테리아.
diftérico, ca *adj.* 디프테리아의. —*mf.* 디프테리아 환자.
difuminar *tr.* ① (디자인 등을) 문질러 선이나 색을 없애다[흐리게 하다]. ② 뿌옇게 하다. ~**se** 희미해지다, 부예지다, 뿌예지다.
difumino *m.* [회화] (뿌옇게 하기 위해) 섬유질 종이나 부드러운 가죽을 둥그렇게 만 것.
difundir *tr.* ① (물 등을) 흩뿌리다. ② (소문·사상 등을) 널리 퍼지게 하다, 보급시키다. ③ 방송하다. ~**se** 흩뿌려지다; 널리 퍼지다, 유포되다.
difuntear *tr. Amér.* 죽이다(matar).
difunto, ta *adj.* 죽은, 사망한, 고(故)…: su ~ padre 그의 망부(亡父). —*mf.* 고인, 죽은 사람. —*m.* 시체(cadáver). ¶ ~ ***de taberna*** 정신을 잃은 만취자.
difusamente *adv.* 산만하게; 넓게.
difusión *f.* ① 산란(散亂), 확산. ② 유포, 보급. ③ 방송.
difusivo, va *adj.* 확산 경향이 있는, 보급에 도움이 되는.
difuso, sa *adj.* ① 확산된: luz ~*sa* 산광. ② 산만한: estilo ~ 산만한 문체.
difusor, ra *adj.* 확산[보급]시키는: medio ~ de noticias (뉴스를 전하는) 매체, 미디어. —*m.* 확산 장치.
diga decir의 접속법 현재 1·3인칭 단수: 말씀하세요, 여보세요.
diga- ☞**decir (70).**
digerible *adj.* =**digestible.**
digerir (53) *tr.* ① (음식물·지식 등을) 소화시키다: ~ los alimentos 음식물을 소화시키다. ~ la lección 배운 것을 소화시키다. ② [주로 부정문에서] 꾹 참다, 견디다. —*intr.* 소화되다.
digestible *adj.* 소화가 잘 되는.
digestión *f.* 소화: tener una mala ~ 소화 불량을 일으키다.
digestivo, va *adj.* ① 소화의; 소화를 촉진하는: aparato ~ 소화기. ② 소화

가 잘 되는. —*m.* 소화제.
digesto *m.* 적요(摘要), 다이제스트.
digitación *f.* [음악] 운지법(運指法).
digitado, da *adj.* ① [식물] 편 손바닥 모양의. ② [동물] 발가락이 달린.
digitador, ra *m.f. Chile, Col., Salv., Ur.* [컴퓨터] 정보 처리사.
digital *adj.* ① 디지털 (방식)의, 계수형의: comunicaciones ~*es* 디지털 통신. ② 손가락의. —*f.* ① [식물] 디기탈리스. ② 디기탈리스의 꽃.
digitalina *f.* [약학] 디기탈린, 디기탈리스 (잎에서 추출한) 정(精).
digitalizar *tr.* [컴퓨터] 디지털화하다.
digitar *tr. Chile, Hond., Salv., Ur.* [컴퓨터] 정보를 처리하다. —*intr. Chile, Hond., Ur.* 손가락을 잘 놀리다.
digitígrado, da *adj.* [동물] 지행성의.
dígito *m.* ① [수학] (숫자의) 자릿수; 숫자. ② [천문] 식분(蝕分).
digitopuntura *f.* 지압(指壓).
diglosia *f.* ① [언어] 두 개 국어의 상용. ② 두 변종의 가려 쓰기.
dignamente *adv.* 품위[위엄] 있게, 훌륭하게, 당당히.
dignarse *r.* [+(a+)*inf.*] …하여 주시다.
dignatario, ria *m.f.* 고관(高官).
dignidad *f.* ① 위엄, 존엄: con gran ~ 당당히. ~ humana 인간의 존엄. ② 품위. ③ 고위(의 사람); 현직(顯職).
dignificar (7) *tr.* …에게 위엄을 주다.
digno, na *adj.* ① [+de] (…의) 가치가 있는, (…)할 만한, (…에) 상당한, (…에) 어울리는: Es un libro ~ *de* leerse 그것은 읽을 만한 책이다. ② 위엄이 있는, 당당한, 의연한. ③ 부끄럽지 않은, 그저 그만한, 보통의.
digo decir의 직설법 현재 1인칭 단수: ㉮ 나는 말한다. ㉯ *Cuba.* [전화에서] 여보세요.
dígrafo *m.* [언어] 복합 문자 ((ch, ll, qu 등)).
digresión *f.* 본제(本題)에서 벗어난 것, 여담(餘談).
dije[1] *m.* ① (목걸이·팔찌 등에 다는) 작은 장식품 ((보석·메달 등)). ② 작달막한 보석 장식품. ③ 재주꾼. ④ *Bol., Chile.* 매우 상냥한[사근사근한] 사람. —*adj.* 매우 상냥한[사근사근한].
dije[2] decir의 직설법 부정 과거 1인칭 단수: 나는 말했다.
dije- ☞decir (70).
diji- ☞decir (70).
dijo dedir의 직설법 부정 과거 3인칭 단수: 그[그녀·당신]는 말했다.
dilacerar *tr.* ① (사람·동물의 살을) 발기발기 찢다, 토막내다. ② (긍지·자존심·명예 등을) 상하게 하다.
dilación *f.* 지연, 연기.
dilapidación *f.* 낭비, 허비, 남비.
dilapidador, ra *adj.* 낭비하는, 허비하는. —*m.f.* 낭비자.
dilapidar *tr.* 낭비하다, 허비하다.
dilatable *adj.* 팽창성의.
dilatación *f.* 팽창, 확장.
dilatado, da *adj.* 넓은, 광대한.
dilatador *m.* ① [해부] 확장근. ② [의학] 확장기(擴張器).
dilatar *tr.* ① 팽창시키다, 확장시키다, 넓히다. ② 늦추다, 늦게 하다, 지연시키다, 오래 끌다, 연기하다. ③ 기쁘게[즐겁게] 하다, 만족시키다. ~**se** ① 팽창되다, 확장되다, 넓어지다. ② 늦다, 더디다, 예상 밖으로 시간이 오래 걸리다. ③ 기쁘다, 만족하다.
dilatorio, ria *adj.* 늦추는, 연기하는, 시간을 질질 끄는, 시간을 버는. —*f.* 지체, 지연, 질질 끄는 전술: andar con ~*rias* 시간을 질질 끌다, 어물거리다.
dilección *f.* 순수한 사랑.
dilecto, ta *adj.* 사랑하는(querido).
dilema *m.* 진퇴 양난, 궁지, 딜레마.
diletante *adj.* 딜레탕트의, 예술을 좋아하는. —*m.f.* 예술 애호가, 아마추어 예술가, 딜레탕트.
diletantismo *m.* 도락, 취미.
diligencia *f.* ① [법률] 소송 수속; (사무상의) 수속, 처리. ② (공문서에서, 승인필·보류 등의) 기재 사항. ③ 신속함; 열심. ④ (큰) 승합 마차, 역마차.
diligenciar (11) *tr.* (필요한 수단을) 취하다, 수속을 밟다.
diligente *adj.* ① 근면한, 부지런한, 열심인. ② 민첩한, 민활한, 날쌘, 빠른.
dilogía *f.* 양의성(兩義性).
dilucidación *f.* 해명(解明).
dilucidar *tr.* 명확하게 하다, 해명(解明)하다, 풀다.
dilución *f.* 용해(溶解), 희석(稀釋).
diluir (77) *tr.* 묽게 하다, (물에 타서) 엷게 하다, 녹이다, 풀다, 용해하다.
diluvial *adj.* ① 대홍수의. ② [지질] 홍적층의. —*m.* [지질] 홍적층, 홍적세.
diluviar *intr.* 호우가 내리다.
diluviano, na *adj.* 노아의 홍수의, 노아의 홍수 같은.
diluvio *m.* ① 대홍수, 물난리. ② [성경] 노아의 홍수: *Diluvio* Universal (de Noé) 노아의 홍수. ③ 큰비, 호우. ④ 대량, 많음, 풍부, 넘침. ¶***arca de*** ~ 노아의 방주.
diluyente *adj.* 묽게 하는. —*m.* 희석액, 시너: aspirar el ~ 시너를 흡입하다.
dimanación *f.* 솟아 나옴; 발생.
dimanar *intr.* [+de] (물이 …에서) 솟아나다; 발생하다.
dimensión *f.* ① [주로 *pl.*] 크기, 길이, 치수, 척도; 규모: coche de grandes *dimensiones* 대형차. ② 여성의 가슴·허리·히프의 치수. ③ [물리] 차원. ④ (물건의) 측면, 양상.
dimensional *adj.* 크기의, 용적의; 차원(次元)의. ¶***análisis*** ~ 차원 해석.
dimensionar *tr.* …의 크기[가치]를 측정하다.
dimes ~ ***y diretes*** 의론(議論), 말다툼, 언쟁; 소문(에 오른 이야기), 세상 이야기.
diminuendo *adj., adv.* [음악] 점점 약한[약하게]. —*m.* [음악] 디미누엔도의

악절(樂節).
diminutivo, va *adj.* [문법] 지소(指小)의. —*m.* 지소사, 지소어.
diminuto, ta *adj.* ① 불완전한, 결함이 있는(defectuoso). ② 아주 작은.
dimisión *f.* 사직, 사임: ~ en bloque, ~ en pleno 총사직.
dimisionario, ria *adj., m.f.* 사표를 낸 (사람).
dimitir *intr.* [+de · como] (…을) 사직[사임]하다.
dimorfismo *m.* [생물] 자웅 이형, 이형성(二形性).
dimorfo, fa *adj.* 자웅 이형[이형성]의.
dimos dar의 직설법 부정 과거 1인칭 복수: 우리들은 주었다.
din *m.* ① 돈. ② 부, 재산, 재화.
dina *f.* [물리] 다인 ((힘의 단위)).
Dinamarca *f.* [국명] 덴마크.
dinamarqués, quesa *adj.* ① 덴마크 태생의. ② 덴마크의[에 관한]. —*m.f.* 덴마크 사람. —*m.* 덴마크 말.
dinámico, ca *adj.* ① (사람이) 활동적인, 활발한. ② 역학의; 동태적인. —*f.* [물리] 역학.
dinamismo *m.* ① 활력. ② [철학] 동력론(動力論), 역본설(力本說), 다이너미즘. ③ [미술] 다이너미즘.
dinamita *f.* 다이너마이트.
dinamitación *f.* 다이너마이트 폭파.
dinamitar *tr.* ① (다이너마이트로) 폭파하다; 다이너마이트를 설치하다. ② 전멸하다, 궤멸하다(aniquilar, destruir).
dinamitero, ra *m.f.* 폭파 요원; 폭탄 테러리스트.
dinamizar *tr.* (활동을) 활발하게 하다.
dinamo *f.* 발전기.
dínamo *f.* =**dinamo.**
dinamómetro *m.* 역량계, 동력계; 악력계(握力計).
dinar *m.* 디나르 ((아랍 제국 등의 화폐 단위)).
dinastía *f.* ① 왕조(王朝). ② (유명한) 가계(家系), 가문.
dinástico, ca *adj.* 왕조의; 가계[가문]의: orgullo ~ 가문의 명예[자랑거리].
dinerada *f.* 큰돈, 거액의 돈.
dineral *m.* ① 큰돈, 거액의 돈. ② 금은화 계량기.
dineralada *f.* 큰돈(dineral).
dinerario, ria *adj.* 돈의.
dinerillo *m.* ① (아라곤과 발렌시아에서 각기 주조된) 구리와 은으로 합금된 옛 동전. ② 적은 돈.
dinero *m.* ① 돈: ~ caliente [경제] 핫머니. ~ de bolsillo 용돈. ~ negro 검은 돈. ~ suelto 잔돈. ganar ~ 돈을 벌다. gastar ~ 돈을 쓰다. perder ~ 돈을 잃다, 돈을 손해보다. ② 재산. ③ 통화: ~ bancario 신용 화폐. ④ 자금: ~ extranjero 외자(外資). ~ prestado 차입금. ¶ ~ ***al contado,*** ~ ***contante,*** ~ ***contante y sonante,*** ~ ***en tabla*** 현금. ~ ***de plástico*** 신용 카드 (에 의한 지불 제도). ***a*** ~, ***a*** ~ ***contante, a*** ~ ***seco, al*** ~ 현금으로. ***estar mal con*** su ***dinero*** 돈을 낭비하다. ***estar podrido de*** ~ 큰 부자다, 돈이 많다. ***estrujar el*** ~ (돈에) 인색하다. ***hacer*** ~ 재산을 이루다, 부자가 되다. ***Dinero llama*** ~ (속담) 돈 있는 곳에 돈이 모인다. ***Los*** ~***s del sacristán, cantando (se) vienen y cantando (se) van*** (속담) 쉽게 번 돈은 쉽게 없어진다. ***De*** ~ ***y calidad, la mitad de la mitad*** (속담) 재산과 집안 자랑은 반의 반으로 들어라. ***Poderoso caballero es don*** ~ (속담) 돈만 있으면 귀신도 부릴 수 있다.
dinosaurio *m.* [고생대] 공룡.
dintel *m.* 문미(門楣); 상인방(上引枋).
diñar *tr.* 건네다, 주다. ¶ ~***la*** 죽다.
dio dar의 직설법 부정 과거 3인칭 단수: 주었다.
diodo *m.* [전기] 이극관, 이극 진공관.
dionisiaco, ca *adj.* =**dionisíaco.**
dionisíaco, ca *adj.* [신화] 주신(酒神)(Dionisos)의. —*f.pl.* 주신제(酒神祭).
dioptría *f.* 디옵터.
dióptrico, ca *adj., f.* 굴절 광학(의).
diorama *m.* 디오라마, 투시화(透視畵).
Dios *m.* ① (기독교 · 유대교 등 일신교의) 신, 하나님, 하느님: ~ Espíritu Santo 성신(聖神). ~ Hijo 성자(聖子). ~ Hombre 주 예수 그리스도. ~ Padre 성부(聖父). ② [감탄사적, 노함 · 실망 · 불만] 체!, 거 참!, 어허 참!, 이거야 참!, 천만의 말씀! ¶ ***gracias a*** ~ 덕택에, 덕분에. ***¡A*** ~***!*** 안녕. ***¡Válgame*** ~***!*** 이거 참!, 천만에 말씀! ~ ***te bendiga*** / ~ ***te lo pague*** 감사합니다. ~ ***los cría y ellos se juntan*** (속담) 가재는 게 편이라. ~ ***da pañuelo a quien no tiene narices [mocos]*** (속담) 돼지에 진주. ***A quien*** ~ ***ama, le llama*** (속담) 하느님께서 사랑하는 자는 요절한다. ***A quien se ayuda, Dios le ayuda*** (속담) 하늘은 스스로 돕는 자를 돕는다.
dios, sa *m.f.* ① (신화 등의) 신(神), 여신. ② (유일신 이외의) 잡신(雜神). ③ 신과 같은 존재의 사람.
dióxido *m.* [화학] 이산화물(二酸化物).
dioxina *f.* [화학] 다이옥신.
dipétalo, la *adj.* [식물] 화판이 두 개 있는.
diploma *m.* 면장[면허]; (대학 · 각급 학교의) 수료[졸업] 증서: ~ académico 학위증. ~ de honor 표창장.
diplomacia *f.* ① 외교. ② 외교관 직. ③ [집합] 외교단; 외교 기관. ④ 외교적 수완.
diplomado, da *adj., m.f.* 면허증이 있는 (사람), 자격이 있는 (사람).
diplomar *tr.* …에게 면허증[면장]을 주다. ~**se** [+en] (…를) 졸업하다.
diplomático, ca *adj.* ① 외교의, 외교상의, 외교적인. ② 붙임성 있는, 외교적 수완이 있는. —*m.f.* 외교관; 외교적 수완이 있는 사람. —*f.* 외교술, 외교학.

diplomatista *m.f.* 외교학 전문가.
diplomatura *f.* 학사호(學士號).
diplopía *f.* [의학] 복시(複視).
dipneo, a *adj.* [동물] 폐어류의.
dipolo *m.* ① [물리] 쌍극자. ② [화학] 쌍극 분자.
dipsomanía *f.* 알코올 중독, 음주벽.
dipsomaníaco, ca *adj., m.f.* =dipsómano.
dipsómano, na *adj.* 알코올 중독의, 음주벽이 있는. —*m.f.* 알코올 중독자, 음주벽이 있는 사람.
díptico *m.* [미술] 둘로 접는 그림.
diptongación *f.* [언어] 이중 모음화.
diptongar (8) *tr.* 이중 모음화시키다. **~se** 이중 모음화되다.
diptongo *m.* [언어] 이중 모음.
diputación *f.* ① 국회 의원단; 대표 위원회. ② 국회 의원 직[임기]. ③ 지방 의회: ~ provincial 도의회.
diputado, da *m.f.* ① 국회 의원; 하원 의원. ② 대표자, 대의원.
diputar *tr.* ① 대표로 내세우다, 국회 의원으로 선출하다. ② 판단하다, 간주하다.
dique *m.* ① 제방, 둑, 방파제. ② [선박] 독, 선거(船渠): ~ seco 건독. ③ 장해, 장벽. ④ [지질] 암맥(巖脈).
diquelar *tr.* [속어] =**comprender.**
dirá decir(말하다)의 직설법 미래 3인칭 단수: 그[그녀·당신]는 말할 것이다.
diré decir(말하다)의 직설법 미래 1인칭 단수: 내가 말하겠다.
dirección *f.* ① 방향, 방위(方位): ~ prohibida 진입 금지. ~ única 일방통행. ② 지도, 지휘. ③ 주소: cambiar de ~ 이사하다. ④ [집합] 간부; 경연진; 집행부. ⑤ 장(長)(director)의 직[사무실]. ⑥ [연극] 연출, 감독. ⑦ [음악] 지휘. ⑧ 조종. ⑨ [자동차] 핸들, 조타 장치. ⑩ [컴퓨터] 주소, 어드레스. ¶ ~ ***general*** (부·청의) 국(局), 청: *Dirección General* de Turismo (정부의) 관광청, 관광국. ***en ~ a*** …쪽으로. ***en todas direcciones*** 사방으로, 사방팔방으로.
direccional *adj.* 방향의.
directa *f.* [자동차] 톱기어.
directamente *adv.* 직접(적으로).
directiva *f.* ① 중역 회의, 임원 회의; (당의) 집행부. ② [주로 *pl.*] 지침.
directivo, va *adj.* 지도적인. —*m.f.* 간부, 임원, 관리직.
directo, ta *adj.* ① 일직선의, 쭉 곧은, 똑바른; 직행의, 직통의. ② 직접의. ③ 솔직한, 노골적인: pregunta *~ta* 솔직한 질문. —*m.* ① (중간 역에 서지 않는) 직행 열차. ② [권투] 스트레이트(펀치), 직격. ¶***en*** ~ 생방송으로, 생중계로: grabación *en* ~ 라이브 녹음.
director, ra *m.f.* ① 장(長); 교장, 국장, 부장, 이사, 중역; 사장; 매니저. ② [영화·방송] 감독: ~ artístico 미술 감독. ~ de teatro 연출가. ③ [음악] 지휘자. ④ [종교] 지도자.
directorial *adj.* 장(director)의.
directorio *m.* ① 지시, 지침; 규정: ~ de negocios 영업 방침. ② 입문(서), 편람. ③ 명부, 주소록. ④ 임원회, 이사회; 집행 위원회. ⑤ [역사] 정부. ⑥ [컴퓨터] 디렉토리 ((외부 기억 장치에 들어 있는 파일 목록; 특정 파일의 특정 기술서)). ¶ ~ ***telefónico*** *Méj.* 전화번호부(guía de teléfonos).
directorio, ria *adj.* 지도의, 지휘의.
directriz *f.* [*pl.* directrices] ① [수학] 준선(準線). ② *pl.* 지침, 가이드 라인.
dírham *m.* ① 중세에 아라비아 사람들이 사용했던 은화. ② 모로코와 아랍 에미리트 연방의 화폐 단위.
dírhem *m.* =**dírham.**
diría decir(말하다)의 가능법 1·3인칭 단수.
diría- ☞**decir (70).**
dirigencia *f.* (정당·조합의) 집행부.
dirigente *adj.* (정당·기업 등을) 지도하는, 지배하는. —*m.f.* 지도자, 간부.
dirigible *m.* 비행선(globo ~).
dirigir (4) *tr.* ① 지도하다, 지휘하다; 경영하다, 운영하다. ② [+a·hacia] (…로) 돌리다; 인도하다, 안내하다. ③ [연극] 연출하다, 감독하다: ~ una película 영화를 감독하다. ④ [음악] 지휘하다: ~ una orquesta 오케스트라를 지휘하다. ⑤ 조종하다. **~se** ① 향하다, 마주보다, 지향하다. ② 말을 걸다. ③ 편지를 내다.
dirigismo *m.* (정부 등의) 규제; 통제 경제 (체제).
dirigista *adj., m.f.* 규제를 추진하는 (사람).
dirimente *adj.* 무효로 하는, 파기하는.
dirimir *tr.* ① [법률] 무효로 하다, 파기하다. ② (싸움 등을) 해결하다.
dis- *pref.* 「분리(分離)·비(非)」의 뜻: *dis*gusto 불쾌.
disc-jockey *m.sing.pl.* 디스크자키.
discal *adj.* [해부] 추간 연골의.
discante *m.* 고음의 소형 기타.
discapacidad *f.* (육체적·정신적) 장애.
discapacitado, da *adj., m.f.* 신체 장애자(의): ~ físico 신체 장애자.
discar (7) *tr. Arg., Bol., Hond., Par.* 다이얼을 돌리다, (다른 사람의) 전화번호를 누르다(marcar).
discente *adj., m.f.* 학생(의).
discernimiento *m.* 식별, 판별; 견식.
discernir (21) *tr.* ① 감별하다, 식별[판별]하다. ② 주다, 수여하다, 허가하다. ③ 후견인으로 지명하다.
disciplina *f.* ① 규율; 풍기(風紀); 훈련: ~ de partido 당규. ② 학과; 학문 분야: ~*s* básicas (대학의) 기초 과정. ③ [운동] 종목. ④ 채찍, 회초리.
disciplinado, da *adj.* 규율이 바른, 잘 훈련된: vida *~da* 예절 바른 생활.
disciplinar *tr.* ① …에게 규율을 과하다; 훈련시키다, 예의 범절을 가르치다. ② 채찍으로 때리다. **~se** 규율에 따르다; 자신을 다루다; 자신을 채찍으로 때리다.

disciplinario, ria *adj.* 규율상의; 징계의: castigo ~ 징벌.

discípulo, la *m.f.* 제자, 문하생, 문제자(門弟子); 신봉자.

disc-jockey *m.f. ing,* =pinchadiscos.

discman *m.* 휴대용 CD 플레이어.

disco[1] *m.* ① 레코드: ~ compacto [digital] 콤팩트 디스크, CD. ~ de vídeo digital[DVD] 디지털 비디오 디스크. ② 원반: lanzar el ~ 원반을 던지다. ③ 같은 것을 반복하기. ④ (전화·금고의) 다이얼. ⑤ 신호등; 교통표지. ⑥ [식물] 화반. ⑦ [천문] 시표면. ¶ ~ ***duro*** [컴퓨터] 하드 디스크. ~ ***flexible [floppy]*** [컴퓨터] 플로피 디스크. ~ ***intervertebral*** [해부] 추간 연골, 척추 간판. ***parecer un ~ rayado*** 같은 것을 반복해서 말하다, 같은 말을 몇 번이고 반복하다.

disco[2] *f.* [discoteca의 생략형] 디스코텍: música ~ 디스코 뮤직.

discóbolo, la *m.f.* 원반던지기 선수.

discografía *f.* 레코드 목록, 취입 레코드 일람표.

discográfico, ca *adj.* 레코드 (목록)의. —*f.* 레코드 회사.

discoidal *adj.* 원반형의.

díscolo, la *adj., m.f.* (주로 학생이) 순종하지 않는, 반항적인 (학생).

disconforme *adj.* [+con · a] (…과) 적합하지 않는, 일치하지 않는.

disconformidad *f.* 불일치; 불만.

discontinuidad *f.* 불연속성; 중단.

discontinuo, nua *adj.* 불연속의; 단속적(斷續的)인: línea ~*nua* 파선(破線).

discordancia *f.* ① 부조화, 불일치. ② [음악] 불협화음(不協和音).

discordante *adj.* 부조화의, 일치하지 않는: matrimonio ~ 사이가 나쁜 부부. nota ~ 불협화음.

discordar (24) *intr.* ① [+de · con …과 /+en …가] 조화가 안 되다, 일치하지 않다. ② (악기 · 소리가) 음이 맞지 않다, 가락[리듬]이 틀리다. ③ [+de] (…과) 반목하다, 사이가 나쁘다.

discorde *adj.* ① 일치하지 않는, 조화를 이루지 않는. ② [음악] 불협화음의, 가락[리듬]이 맞지 않는.

discordia *f.* 불화; 말다툼, 싸움, 다툼(질), 내분, 분쟁, 승강이.

discoteca *f.* ① 디스코텍. ② 레코드 보관소; 레코드 컬렉션; 레코드 캐비닛.

discotequero, ra *adj.* ① 디스코텍의. ② 디스코텍에 자주 가는, 디스코텍을 좋아하는. —*m.f.* 디스코텍에 자주 가는 사람, 디스코텍을 좋아하는 사람.

discreción *f.* ① 신중함, 조심성이 많음; 분별. ② 비밀을 지킴. ③ 기지(機智), 재기(才氣). ¶***a ~*** 마음 내키는 대로, 자유로이, 좋을 대로: beber *a* ~ 마음 내키는 대로 마시다.

discrecional *adj.* 자유 재량의, 임의의.

discrepancia *f.* 상위(相違), 틀림, 다름, 불일치: ~ de ideas 사고의 다름.

discrepar *intr.* [+de] (…과) 다르다.

discretamente *adv.* 신중히, 빈틈없이.

discretear *intr.* ① [경멸적으로] 빈틈없이 보이다, 신중한 것처럼 보이다. ② 귀엣말을 하다, 두런거리다.

discreto, ta *adj.* ① 신중한, 조심성이 많은, 용의 주도한 (사람). ② 비밀을 지키는, 입이 무거운. ③ (금액 등이) 적당한, 알맞은, 적절한.

discriminación *f.* ① 구별, 식별. ② 차별: ~ racial 인종 차별.

discriminante *m.* [수학] 판별식.

discriminar *tr.* ① 구별하다, 식별하다. ② 차별하다.

discriminatorio, ria *adj.* 구별하는; 차별적인: trato ~ 차별 대우.

discromatopsia *f.* [의학] 색약(色弱).

disculpa *f.* 변명, 핑계; 사죄, 사과 ¶ ***pedir ~s*** 용서를 청하다, 사죄하다.

disculpable *adj.* 용서할 만한, 용서할 수 있는.

disculpar *tr.* ① [+de · por] (…에 대해) 용서하다. ② (사정이) 핑계[변명]가 되다. ③ [+con+사람] (… 때문에) 핑계를 대다. **~se** ① [+de · por] (…의) 핑계를 대다; 사죄하다. ② [+de+*inf.*] 할 수 없다고 변명하여 발뺌하다.

discurrir *intr.* ① [+por] (물 등이 …를) 흐르다, 떠내려가다[떠내려오다]. ② (답을 찾아내기 위해서) 생각하다, 숙고하다. —*tr.* 생각해내다, 문득 생각이 떠오르다.

discursear *intr.* 연설을 하다.

discursivo, va *adj.* 사려 깊은; 논증적인, 추론적인.

discurso *m.* ① 연설, 강연; 인사: ~ de apertura 개회사. ② 추론, 논증; (짧은) 논문. ③ (시간 등의) 흐름. ④ 담화(談話).

discusión *f.* 토론, 토의, 검토, 심의.

discutible *adj.* 논의의 여지가 있는, 마음에 들지 않는, 호감이 가지 않는.

discutidor, ra *adj., m.f.* 논쟁을 좋아하는 (사람), 쓸데없이 이론만 내세우는 (사람).

discutir *tr.* ① 토론하다. ② [+a+사람] (…에 대하여) …에 이의를 제기하다, 의심이 나는 곳을 참견하다. —*intr.* [+de · sobre] (…에 대해) 논의하다; 언쟁하다, 말다툼하다.

disecador, ra *m.f.* 박제사(剝製師).

disecar (7) *tr.* ① 해부하다. ② 박제하다. ③ 상세히 분석[검토]하다.

disección *f.* ① 해부. ② 상세한 분석.

diseccionar *tr.* 해부하다.

diseminación *f.* 확산, 산포; 전파.

diseminar *tr.* (씨앗 등을) 뿌리다, 파종하다, 살포하다.

disensión *f.* ① (의견 등의) 틀림, 차이, 상위(相違), 대립. ② 불화, 분쟁(紛爭).

disenso *m.* =disentimiento.

disentería *f.* [의학] 이질, 적리(赤痢).

disentérico, ca *adj.* 이질의.

disentimiento *m.* (의견들의) 상위(相違); 불화.

disentir (53) *intr.* [+de] (…와) 의견[생각]이 다르다.
diseñador, ra *mf.* 제도가, 설계가, 디자이너: ~ de moda(s) 패션 디자이너.
diseñar *tr.* ① 제도하다, 설계하다, 디자인하다. ② 간단히 설명하다.
diseño *m.* ① 제도, 설계(도), 디자인: ~ gráfico 그래픽 디자인. ② (말로 하는) 간단한 설명.
disépalo, la *adj.* [식물] 꽃받침 조각이 두 개인.
disertación *f.* 논술, 발표; 강연.
disertar *intr.* [+sobre · de] (구두로 …에 대해) 논하다, 논술하다.
disfasia *f.* [의학] 부전 실어증.
disfavor *m.* ① 실총(失寵), 총애를 잃음; 꾸지람, 꾸중; 윗사람의 기분을 상하게 함. ② 경시, 무례.
disforme *adj.* =deforme.
disfraz *f.* ① 변장, 가장; 변장[가장]한 옷: baile de disfraces 가장 무도회. ② 외관, 겉보기.
disfrazar (9) *tr.* ① [+de] (…로) 변장시키다. ② (감정 등을) 숨기다, 감추다. **~se** 변장하다, 가장하다.
disfrutar *intr.* [+de · con] (…을) 향수하다, 즐기다, 기뻐하다: ~ *de* buena salud 건강을 누리다. —*tr.* 향수하다, 즐기다: ~ horrores 스릴을 즐기다.
disfrute *m.* 향수(享受).
disfunción *f.* [의학] 기능 부전.
disgregación *f.* 분리, 분산화; 풍해.
disgregar (8) *tr.* ① 분리[분산]시키다, 해산시키다. ② [지질] 풍화시키다, 풍해(風解)시키다. **~se** ① 분리[분산]되다, 해산되다. ② [지질] 풍화[풍해]되다.
disgustado, da *adj.* 재미없는, 거북한; 언짢은, 못마땅한; 불쾌한, 기분이 좋지 못한; 싸우는, 대립된, 사이가 좋지 못한.
disgustar *tr.* 언짢게 만들다, 불쾌하게 하다, 속상하게 만들다, 성나게 하다. **~se** ① 불쾌한 생각을 하다, 언짢아하다. ② (서로) 싸우다, 대립하다.
disgusto *m.* ① 불쾌, 화남, 성남. ② 고뇌, 불안. ③ 대립.
disidencia *f.* 이반, 탈퇴; 이론(異論).
disidente *adj.* (정당 · 종파 등에서) 이반[탈퇴]하는; 반역하는; 반체제파의. —*mf.* 이반자, 탈퇴자; 반체제파.
disidir *intr.* [+de] (…에서) 이반[탈퇴]하다; 이론을 주창하다.
disimetría *f.* 비대칭, 불균형.
disimétrico, ca *adj.* 비대칭의.
disimilar *tr.* [언어] (근접된 유사음을) 이화(異化)시키다.
disimilitud *f.* 부동(不同), 상이(相異).
disimulación *f.* 숨김, 은폐.
disimulado, da *adj.* 거짓을 숨기는[은폐한] (사람): hacerse el ~ 시치미떼다.
disimular *tr.* ① (주로 감정 · 생각을) 숨기다, 감추다. ② 눈감아 주다, 묵인하다, 보고도 못 본 체하다.
disímulo *m.* (감정 · 알고 있는 것에 대해) 숨기는 일, 은폐, 시치미떼기.
disipación *f.* 소산(消散); 방탕.
disipado, da *adj.*, *mf.* 방탕한 (사람).
disipador, ra *mf.* 낭비가.
disipar *tr.* ① (연기 · 구름 등을) 흩뜨리다, 흩어지게 하다. ② 낭비하다, 탕진하다. **~se** 흩어지다; 일소되다.
dislalia *f.* [의학] 발음 부전, 구음 장애.
dislate *m.* 큰 실책, 엉터리, 함부로 함.
dislexia *f.* [의학] (뇌손상에 의한) 실독증(失讀症).
disléxico, ca *adj.* ① 실독증의. ② 실독증에 걸린. —*mf.* 실독증 환자.
dislocación *f.* ① (뼈가) 삐는 일, 탈구(脫臼). ② 분해, 붕괴.
dislocadura *f.* =**dislocación.**
dislocar (7) *tr.* ① …의 관절을 삐다, 탈구시키다. ② (기계 등을) 분해하다. ③ 분할하다, 나누다. ④ (내용 등을) 변경하다, 왜곡하다. **~se** 관절이 삐다, 탈구되다.
disloque *m.* =**desbarajuste.**
dismenesia *f.* [의학] 기억 장애.
dismenorrea *f.* [의학] 월경 곤란.
disminución *f.* 감소, 경감; 감퇴; 저하.
disminuido, da *adj.* (정신적 · 육체적) 장애가 있는. —*mf.* 장애자.
disminuir (77) *tr.* 줄이다, 감하다, 적게 하다. —*intr.* 줄다, 삭감되다, 오므라들다, 감소되다, 적어지다.
disnea *f.* [의학] 호흡 곤란.
disociación *f.* 분리; [화학] 해리(解離).
disociar (11) *tr.* ① 분리시키다. ② [화학] 해리(解離)시키다.
disolubilidad *f.* 용해성, 해소 가능성.
disoluble *adj.* 용해성의, 해소 가능한.
disolución *f.* ① (액체 중에서) 용해; 용액. ② 해체, 해산; 도산. ③ (풍속의) 퇴폐, 방탕, 멋대로 놀아남.
disolutivo, va *adj.* 용해성의.
disoluto, ta *adj.*, *mf.* 방종한 (사람), 방탕한 (사람).
disolvente *adj.* 용해시키는. —*m.* 용제.
disolver (25) *tr.* ① 녹이다, 용해시키다. ② 해소[해산]시키다. **~se** 녹다, 풀리다, 용해되다; 해소되다, 해산되다.
disón *m.* [음악] =**disonancia.**
disonancia *f.* ① [음악] 불협화음, 귀에 거슬리는 음. ② 부조화, 불일치.
disonante *adj.* ① 가락이 맞지 않은, 귀에 거슬리는. ② 조화되지 않은.
disonar (24) *intr.* ① 가락[리듬]이 맞지 않는[귀에 거슬리는] 음을 내다; 불협화음으로 되다. ② [+de] (…과) 조화가 되지 않다.
dispar *adj.* 다른, 틀린, 동떨어진; 균동하지 않는.
disparada *f.* ① *Arg., Nic., Ur.* 탈주, 도주, 도망. ② *Perú.* 값의 갑작스런 앙등[등귀]. ¶***a la*** ~ ㉮ *Arg., Bol., Chile, Par., Perú, Ur.* 전속력으로. ㉯ *Arg., Bol., Chile, Par., Perú.* 급하고 경망스레. ***de una*** ~ *Arg.* 급히, 서둘러; 즉각.
disparadero *m.* 발사 장치(disparador).
disparado, da *adj.* *Cuba.* 매우 흥분되

고 불안에 사로잡힌.

disparador *m.* ① 발사 장치. ② [사진] 셔터 (버튼).

disparar *tr.* ① 발사하다, 쏘다. ② 강하게 던지다[차다]. ③ 과도하게 상승[증가]시키다. ④ 세게 던지다. ⑤ 셔터를 작동시키다. ⑥ (축구나 다른 경기에서) 골을 향해 공을 던지다[차다]. ⑦ *Cuba.* (사람·동물을) 때리다, (타격을) 가하다. ⑧ *Méj.* 다른 사람이 소비한 것을 지불하다, 돈을 내다. —*intr.* [드묾] =disparatar. ~**se** ① 폭발하다. ② 갑자기 달려나가다, 폭주하다; 흥겨운 나머지 도를 지나치다. ③ 격노하다; 난폭한 말을 하다 ④ 과도하게 상승하다[증가하다].

disparatadamente *adv.* 아무렇게나, 함부로, 엉터리로.

disparatado, da *adj.* ① 상식을 벗어난, 엉터리의, 아무렇게 하는, 함부로 하는. ② 엄청난, 매우 큰.

disparatar *intr.* 아무렇게나 되는 대로 말하다[행동하다], 상식에서 벗어난 말[짓]을 하다.

disparate *m.* ① 상식에서 벗어난 언동, 함부로 함, 되는 대로 함, 아무렇게나 함. ② 과도한 것, 도리에서 벗어난 일, 터무니없는 일.

disparejo, ja *adj.* =**dispar.**

dispareunia *f.* [의학] (통증에 의한) 성교 곤란.

disparidad *f.* 부동(不同), 불균형.

disparo *m.* ① 발사, 사격: ~ intimidatorio 위협 사격. ② [축구] 강한 슛.

dispendio *m.* 낭비, 굉장한 지출.

dispendioso, sa *adj.* 막대한 비용이 드는, 돈이 많이 드는.

dispensa *f.* 면제, 특별 허가.

dispensar *tr.* ① (명예·은혜 등을) 주다. ② (실수 등을) 용서하다. ③ [+de] (…을) …에게 면제하다. —*intr.* 용서하다: *Dispense,* por favor 미안합니다, 죄송합니다.

dispensario *m.* 무료 진료소.

dispepsia *f.* (만성적인) 소화 불량.

dispéptico, ca *adj.* 소화 불량(dispepsia)의. —*mf.* 소화 불량 환자.

dispersar *tr.* ① 흩뿌리다; 분산시키다. ② 쫓아 해산시키다, 궤주(潰走)시키다. ~**se** ① 사방으로 흩어지다. ② 마음이 산란해지다.

dispersión *f.* 산란, 산일; 분산; 궤주.

disperso, sa *adj.* 산재된, 산재하는; [군사] (본대에서) 연락이 끊어진.

displasia *f.* [의학] (기관의) 형성 이상.

display *m. ing.* ① =**despliegue.** ② 표시 (장치).

displicencia *f.* 냉담, 무뚝뚝함, 상냥하지 못함; 무관심.

displicente *adj.* ① 불쾌감을 주는. ② [+con] (…에게) 냉담한, 무뚝뚝한, 쌀쌀맞은. ③ [+con·hacia] (…에) 무관심한, 마음이 내키지 않은.

disponer (61) *tr.* ① 늘어놓다, 나란히 하다, 배치하다. ② [+para] (…을 위해) 정돈하다, 준비하다. ③ 규정하다. ④ [+*inf.*·que+*subj.*] …하도록 명하다[명령하다]. ⑤ …에게 결심[각오]을 하게 하다. —*intr.* ① [+de] (…을) 자유롭게 사용하다, 소유하고 있다. ② [법률] 처분하다, 양도하다. ~**se** ① [+a+*inf.*] …하려고 하다, …할 준비를 하다, …할 각오[결심]를 하다. ② 늘어서다, 배치되다.

disponibilidad *f.* ① 관대함. ② 사용권, 처분권. ③ *pl.* 유동 재산.

disponible *adj.* ① 자유로이 사용[처분]할 수 있는: artículos ~*s* 재고품. ② (관리·군인이) 대기 명령 중의, 다른 사람의 직을 대신 맡고 있는 중의.

disposición *f.* ① 배려, 배열; (집의) 배치; (방·가구 설비 등의) 배치. ② 정신 상태(~ de ánimo); 건강 상태. ③ [+a+*inf.*] (…할) 의향. ④ 재량, 자유 처리: Ponga mi coche a su ~ 저의 차를 자유로이 사용하십시오. Estoy en todo a su ~ 모든 것은 귀하의 재량에 따르겠습니다. ⑤ 소질, 재능. ⑥ (법률 등의) 규정, 조항. ⑦ [주로 *pl.*] 처치, 방책.

dispositivo *m.* ① 장치: ~ de seguridad 안전 장치. ~ electrónico 전자 장치. ② [주로 *pl.*] (파견) 부대.

disprosio *m.* [화학] 디스프로슘.

dispuesto, ta *adj.* ① 늘어 놓여진, 배치된. ② [+a+*inf.*] (…할) 준비가 된, 용의가 있는: Estoy ~ *a* negociar 나는 교섭할 용의가 있다. ③ 소질[재능]이 있는. ¶***bien*** ~ ㉮ 건강 상태가 좋은. ㉯ 신바람이 나는. ***mal*** ~ ㉮ 건강이 나쁜. ㉯ 풀이 죽은.

disputa *f.* ① 말다툼, 언쟁; 논쟁. ② 경쟁. ¶***sin*** ~ 이론의 여지가 없이, 의심의 여지가 없이(indudablemente).

disputar *tr.* [+a+사람] (…와) 다투다, 언쟁하다, 서로 경쟁하다. —*intr.* ① [+de·sobre] (…에 대해) 말다툼하다, 언쟁하다; 의논하다: ~ de literatura 문학(에 대해) 논쟁을 격렬히 벌이다. ② [+por] (…을) 다투다: ~ *por* la copa 우승컵을 다투다. ~**se** ① 다투다, 싸우다, 행해지다. ② 서로 (다투어) 빼앗다, 쟁탈하다.

disquera *f.* ☞**disquero.**

disquería *f. Arg., Chile.* 레코드 가게.

disquero, ra *adj. Cuba.* 레코드 판매[취입]의. —*f.* ① *Cuba, Ven.* 레코드 회사. ② *Ur.* 트랙터에 묻은 흙을 터는 연장. ③ *Ur.* 레코드 보관함.

disquete *m.* [컴퓨터] 플로피 디스크

disquetera *f.* [컴퓨터] 디스크드라이브.

disquisición *f.* ① 논문, 연구 보고. ② *pl.* 여담.

distancia *f.* ① 거리, 간격, 격차, 차이. ② (현저한) 차이. ③ 소원(疏遠). ¶***a*** ~ 거리를 둔[두고], 멀리(에): enseñanza *a* ~ 통신 교육. ***en la*** ~ 멀리에(서): *En la* ~ no te olvido 멀리에서도 언제나 당신을 잊지 않고 있다.

distanciamiento *m.* 소원(疎遠), 사이가

틀어짐.

distanciar (11) *tr.* [+de] (…에서) 떼어 놓다, 갈라놓다, 떨어지게 하다. **~se** 거리를 두다, 떨어지다.

distante *adj.* ① [+de] (…에서) 떨어진, 먼: No está muy ~ *de* aquí 그 곳은 여기에서 그리 멀지 않다. ② 서먹서먹한, 쌀쌀한, 데면데면한.

distar *intr.* ① [+de] (…에서) 떨어져 있다, 멀다, 간격이 있다. ② [+de] …과 걸맞지 않는, 조금 먼.

distender (20) *tr.* ① 늦추다, 느슨하게 하다, 풀다. ② [의학] (근육 조직 등을) (잡아) 늘이다, 길게 하다. **~se** 늦추어지다, 풀리다, 완화되다.

distensión *f.* ① 이완, 풀려 느슨해짐, 완화. ② [정치] 긴장 완화. ③ [의학] 어긋남.

dístico *m.* [시법] 이행 연구(二行聯句), 대구(對句).

distinción *f.* ① 구별, 식별. ② 영예, 특전. ③ 기품, 품위. ④ 경의, 존경하는 마음. ¶*a ~ de* …과는 달리, …과 구별하여. *sin ~* 아무런 차별없이, 평등하게. *hacer distinciones* 차별하다.

distingo *m.* 차이, 구별되는 특징; 제한, 한계.

distinguido, da *adj.* 고상한, 품위가 있는, 기품이 있는; 저명한, 탁월한.

distinguir (5) *tr.* ① 구별하다. ② 특징지우다. ③ 분간하다, 감별하다, 식별하다. ④ (사람을) 높이 평가하다, 특별 취급하다. ⑤ [+con] (…의) 영예를 …에게 주다. —*intr.* 분간되다, 식별되다; 권위를 높이다. **~se** [+por · en] (…으로) 빼어나다, 특출하다, 뛰어나다, 눈에 띄다

distintamente *adv.* ① 똑똑히, 명확히, 분명히. ② 달리, 가지각색으로.

distintivo, va *adj.* 구별하는, 특유의. —*m.* 기장, 표장(標章); 특장(特長).

distinto, ta *adj.* ① [+de · a] (…과) 다른, 판이한, 상이한. ② *pl.* [+명사] 여러 가지의, 가지각색의, 다양한. ③ 명료한, 명확한(claro).

distocia *f.* [의학] 난산(難産).

distorsión *f.* ① (사실 등의) 왜곡. ② (영상 · 음 등의) 바르지 못함, 일그러짐, 비틀어짐. ③ [의학] 관절의 삠.

distorsionar *tr.* 뒤틀다, 비틀다, 일그러뜨리다, 비뚤어지게 하다. **~se** 관절을 삐다.

distracción *f.* ① 기분 전환, 오락. ② 방심, 부주의. ¶*por ~* 무심코; 제멋대로: cantar por ~ 콧노래를 부르다.

distraer (72) *tr.* ① [+de] (…에서) …의 마음[주의]을 다른 데로 돌리다. ② 기분 전환을 시키다, 즐겁게 하다. ③ 얼버무리다, 관심을 다른 데로 돌리다. ④ 잊게 하다. ⑤ (공금 등을) 횡령하다, 유용하다. **~se** ① [+con · en] (…로) 기분 전환을 하다. ② 방심하다, 마음이 산란해지다, 다른 생각에 잠기다, 기분을 다른 데로 돌려 달래다.

distraído, da *adj.* ① 즐거운. ② 재미있는. ③ 방심한, 건성의, 마음이 들뜬, 주의력이 산만한. ④ 방종한, 멋대로 놀아나는.

distribución *f.* ① 분배, 배급, 배포; 배분, 할당. ② (상품의) 유통. ③ 배열, 배치; 분포. ④ [기계] 배기(排氣), 배수, 배전: cuadro de ~ 배전반.

distribuidor, ra *adj.* 분배의, 배급의. —*mf.* ① 배포자, 배달인. ② 딜러, 구입[매입] 업자. —*m.* ① 분배기, 판매기. ② (집의) 복도, 낭하. —*f.* [영화] 배급 회사.

distribuir (77) *tr.* ① 분배[배급]하다. ② [+en · por] (…에) 배열[배치]하다.

distributivo, va *adj.* 배분하는.

distrito *m.* (행정 · 사법 등의 목적으로 구분된) 지구(地區): *Distrito* Federal *Méj.* 연방 특별구. ~ postal 우편구.

distrofia *f.* [병리 · 생물] 영양 실조.

disturbio *m.* 소란, 교란; *pl.* 폭동.

disuadir *tr.* [+de] (…을) …에게 생각을 고쳐 먹게 하다, 단념시키다. **~se** 단념하다.

disuasión *f.* ① 설득. ② [군사] 억지력: ~ nuclear 핵억지력.

disuasivo, va *adj.* 생각을 달리하게 하는, 단념시키는, 설득력 있는.

disuelto, ta *adj.* 용해된, 녹은, 풀린; 해산된; 해소된.

disyunción *f.* ① [문법] (단어 등의) 분리. ② [논리] 선언적 명제.

disyuntivo, va *adj.* ① [문법] 분리의. ② [논리] 선언적인.—*f.* 양자 택일.

diteísmo *m.* (선악의) 이신교, 이신론.

diteísta *adj.* 이신교[이신론]의. —*mf.* 이신론자.

ditirámbico, ca *adj.* 격찬하는, 극구 칭찬하는; 열광적인.

ditirambo *m.* ① 주신 바카스(Baco)에게 보내는 찬가. ② 열광적인 찬사.

DIU *m.* dispositivo intrauterino 피임(避姙) 링.

diuresis *f.sing.pl.* 이뇨(利尿).

diurético, ca *adj.* 이뇨의. —*m.* 이뇨제(利尿劑).

diurno, na *adj.* ① 낮의, 주간의: curso ~ 주간 강좌. ② (동물의) 주행성의. ③ (꽃 · 잎이) 낮에 피는. ④ [천문] 일일의: movimiento ~ 일주 운동.

divagación *f.* 여담, 탈선.

divagar (8) *intr.* 여담을 늘어놓다, 헛소리를 하다, 옆길로 새다.

diván *m.* ① (등 · 팔걸이가 없는) 소파. ② (페르시아 · 터키 등의) 시집(詩集). ③ (터키 등의) 추밀원.

divergencia *f.* ① (의견 등의) 대립, 차이, 상위; 분기(分岐); 일탈. ② [수학 · 물리] 발산(發散).

divergente *adj.* 대립의, 차이가 나는, 틀린, 갈라진, 각기 다른, 구구한; 발산하는: opiniones ~*s* 구구한 의견.

divergir (4) *intr.* ① (의견 등이) 갈라지다, 나누어지다, 대립하다. ② (길 등이) 나뉘어 갈라지다.

diversidad *f.* ① 다양성. ② 차이, 상위,

불일치, 어긋남, 엇갈림.
diversificación *f.* 다양화; 잡다(雜多).
diversificar (7) *tr.* 다양화시키다, 변화를 일으키다. ~**se** 다양화되다.
diversión *f.* ① 오락, 기분 전환: ~ de salón 실내 게임. ② 양동 작전, 견제.
diverso, sa *adj.* ① 다양한, 변화가 풍부한. ② 여러 가지의, 각종의, 가지각색의. —*m.pl.* [상업] 잡비.
divertículo *m.* [해부] 게실(憩室).
diverticulosis *f.sing.pl.* [의학] 게실증.
divertido, da *adj.* 즐거운, 재미있는, 유쾌한: película ~*da* 재미있는 영화.
divertir (55) *tr.* 즐겁게 하다, 기분을 풀다. ~**se** [+현재 분사/con · en] (…로 · …을 하면서) 즐기다: *Me divierto* viendo la televisión 나는 텔레비전을 보면서 즐기고 있다.
dividendo *m.* ① [상업] 배당금: ~ activo 이익 배당금. ② [수학] 피제수.
dividir *tr.* ① 나누다, 분할하다, 분배하다. ② 분리하다, 칸을 막다, 사이를 떼다. ③ 분류하다, 구분하다. ④ 분열시키다, 불화케 하다. —*intr.* 나눗셈을 하다. ~**se** 나누어지다, 갈라지다, 분할되다, 분열하다.
divieso *m.* [의학] 옹(癰), 면종(面腫).
divinidad *f.* ① 신성(神性); (특히 기독교에서 본 다른 종교의) 신(神). ② 아름다운 것[사람].
divinización *f.* 신격화, 신성시; 숭배, 찬미(讚美).
divinizar (9) *tr.* 신에게 제사 지내다, 신격화하다; (신처럼) 숭배하다, 예찬하다.
divino, na *adj.* ① 신(神)의, 하나님의. ② 숭고한. ③ 아름다운, 절세의.
divisa *f.* ① 기장(記章), 배지; (문장의) 명(銘). ② [투우] (목장이 틀림을 표시하기 위해 소의 머리에 붙이는) 색 리본. ③ [주로 *pl.*] 외국환, 외국 환어음, 외국 통화: control de ~*s* 외화 관리. mercado de ~*s* 환시장. ingreso de ~*s* 외화 수입.
divisar *tr.* 멀리[희미하게] 보이다.
divisibilidad *f.* 나눌 수 있음, 가분성(可分性); [수학] 나누어 떨어짐.
divisible *adj.* 나눌 수 있는, 가분의; [수학] (우수리 없이) 나누어 떨어지는.
división *f.* ① 분할, 구분; 분열. ② 구획, 구분, 칸막이. ③ 부문, 분야; 국(局), 부(部), 과(課): ~ de venta 판매부. ④ [생물] (유(類), 과(科), 속(屬) 등의) 부문(部門). ⑤ [식물] (식물 분류상의) 문(門). ⑥ [수학] 나눗셈, 제법(除法). ⑦ [군사] 사단. ⑧ [운동] 등급, 클래스, 리그. ⑨ [문법] 이음표, 하이픈(guión).
divisionario, ria *adj.* 분할의.
divisionismo *m.* [미술] 분할 묘법.
divismo *m.* 스타 지망, 스타인 체하는 태도.
divisor *m.* [수학] 제수, 나누는 수, 약수: común ~ 공약수.
divisorio, ria *adj.* 나누는.
divo, va *m.f.* ① (주로 오페라의) 유명 가수, 스타 가수; 스타인 체하는 가수. ② (기독교도가 아닌 로마인이 믿는) 신(神). —*adj.* ① 최고의 명성을 얻은, 유명한. ② 신(神)의. ③ (유명한 인물에 대해) 신 같은.
divorciado, da *adj.* 이혼한. —*m.f.* 이혼자; 이혼남, 이혼녀.
divorciar (11) *tr.* ① 이혼시키다. ② 갈라놓다, 서로 떼어놓다, 따로 떼다, 분리하다. ~**se** ① (서로) 이혼하다, 갈라서다. ② [+de] (…에서) 분리되다, 갈라지다.
divorcio *m.* ① 이혼; 이혼 판결: ~ por mutuo consentimiento 합의 이혼, 협의 이혼. ② 불일치, 분열. ③ *Col.* 여자 교도소(cárcel de mujeres).
divulgable *adj.* 공표해도 되는, 일반에게 알려도 되는.
divulgación *f.* 공표(公表); 유포, 보급.
divulgador, ra *adj.* 공표하는, 유포[보급]하는. —*m.f.* 공표자, 유포[보급]자.
divulgar (8) *tr.* ① 공표하다; (비밀을) 폭로하다, 누설하다. ② 보급시키다, 대중화하다.
divulgativo, va *adj.* =**divulgador.**
dizque *m.* =**dicho, murmuración, reparo.** —*adv. Amér.* =**al parecer, presuntamente.**
d.J.C. =**dC.**
dl. decilitro 데시리터.
Dls. dólares 달러.
DNA *m.* (*ing.*) [*d*eoxyribo*n*ucleic *a*cid 의 약자] =**ADN.**
DNI *m.* *d*ocumento *n*acional de *i*dentidad (정부 발행의) 신분 증명서.
DNS *f.* *D*elegación *N*acional de *S*indicatos (국제 노동 연맹의) 각국 지부.
do *m.* [*pl.* ~es] [음악] (도레미파 음계의) 도, 장음계의 첫째 음. —*adv.* [시어] =**dónde.**
D.O. *d*enominación de *o*rigen 원산지 증명.
dóberman *m.f.* [*pl.* ~s] [개] 도베르만.
dobla *f.* 도블라 ((중세에 주조된 까스띠야의 금화)).
dobladamente *adv.* ① 두 배로. ② 두 마음을 가지고, 의뭉스레(con doblez).
dobladillar *tr.* 옷에 가두리를 하다, 옷을 감치다.
dobladillo *m.* [재봉] 옷자락, 가두리.
doblaje *m.* [영화] 더빙, 외국 영화의 대사를 자국어로 녹음함.
doblar *tr.* ① 두 배로 하다, 이중으로 하다. ② 접다, (접어) 개다, 접어 작게 하다; 접어 구부리다. ③ (모퉁이를) 돌다, 구부러지다: ~ la esquina 모퉁이를 돌다[돌아가다 · 구부러지다]. ④ (영화 · 텔레비전의) 더빙하다, 재녹음하다, 외국 영화의 대사를 자국어로 녹음하다. ⑤ (생각을) 바꾸게 하다; 굴복시키다. ⑥ 때려눕히다, 두들겨 패다. ⑦ [경주] 한 바퀴 리드하다. —*intr.* ① 굽다, 구부러지다, 꺾다, 꺾어지다. ② [+por] (…을 위해) 조종(弔鐘)을 울리다. ③ (배우가) 두 역을 하다. ④ [투우] (소가) 치명상을 입고 쓰러지다. ~**se** ① 굽다, 굽어지다, 꺾다, 꺾어지다; 구부리다, 몸을 꼬다[비틀다]. ② [+a] (압력 등에) 굴하다, 따르다, 좇다.

doble *adj.* ① 두 배의. ② 이중의: ~ acristalamiento 이중 유리. —*mf.* ① 아주 닮은 사람. ② (영화·텔레비전의) 더빙하는 사람. —*m.* ① 두 배. ② (호텔 등의) 2인용 방. ③ (레코드 등의) 더블 레코드((2장이 한 세트로 된 것)). ④ (맥주·포도주 등의) 보통 양의 두 배들이 병[그릇]. ⑤ [복식] 구김, 주름. ⑥ 조종(弔鐘). ⑦ 복제(複製). ⑧ [주로 *pl.*] ㉮ [테니스] 더블즈, 복식 (경기). ㉯ [농구] 더블 드리블. ㉰ [야구] 2루타. ㉱ [볼링] 더블. —*f.* [도미노] 더블. —*adv.* 이중으로, 두 가지로. ¶*al* ~ 두 배로. ***estar a tres ~s y un repique*** *Bol., Chile, Perú, PRico.* 돈이 없다, 가난하다.

doblegable *adj.* 구부리기[꺾기] 쉬운, 다루기 쉬운.

doblegadizo, za *adj.* 쉽게 접히는, 쉽게 구부리는.

doblegar (8) *tr.* ① 굴복시키다. ② 접다, 구부리다: ~ *su* sable 칼을 접다. ~**se** ① [+a·ante] (…에게) 복종하다, 따르다. ② 접히다, 굽히다, 굽다.

doblemente *adj.* 이중으로, 두 배로.

doblero *m.* 각재(角材).

doblete *m.* ① (두 개의 유리를 붙인) 모조 보석. ② [언어] 이중어 ((예: 같은 어원의 colocar와 colgar 등)). ③ [연극] 1인 2역. ④ [운동] 2연승.

doblez *m.* [*pl.* dobleces] 접은 금[자국], 주름, 구김. —*m.(f.)* 딴마음, 두 마음.

doblón *m.* ① 도블론 ((옛 스페인의 금화)). ② 도블론 ((옛 칠레의 금화)).

doc. docena 타, 다스.

doce *adj.* ① 12의. ② 열두 번째의. —*m.* ① 12, 열둘. ② 12일. —*f.pl.* 12시: Son las ~ de la noche en punto 정각 밤 12시다.

doceañero, ra *adj.* 열두 살의, 12세의. —*mf.* 열두 살 먹은 아이.

doceavo, va *adj., m.* 12분의 1(의).

docena *f.* ① 다스, 타(打): media ~ 반 타, 여섯 개. ② (나바로에서 사용했던) 12 파운드의 무게. ¶*la ~ del fraile* 13개. ***meterse en ~*** 말하는 사람들과 관계가 없으면서 대화에 끼어들다. ***no entrar en docena con*** …와 같지 않다, …와 닮지 않다.

docencia *f.* 교육, 가르치는 일.

doceno, na *adj.* 12번째의(duodécimo).

docente *adj.* ① 가르치는. ② 교육의, 교육에 관계되는. —*mf.* 교사, 교육자.

docético, ca *adj.* docetismo의.

docetismo *m.* 그리스도 가현설.

dócil *adj.* ① 고분고분한, 유순한, 다루기 쉬운. ② =**obediente.** ③ (금속 등이) 가공하기 쉬운.

docilidad *f.* 순종함, 고분고분함.

docmto(s) documento(s) 서류.

Doct. Doctor, Doctora 박사.

doctamente *adv.* 박식하게, 현명하게.

Dr. Doctor 박사.

Dra. Doctora 여자 박사.

docto, ta *adj.* 박식한, 박학한, 박학다식한. —*mf.* 박학다식한 사람.

doctor, ra *mf.* ① 박사: ~ en ciencias 이학 박사. ~ en Filosofía y Letras 문학 박사. ~ honoris causa 명예 박사. ② 의사.

doctorado *m.* ① 박사 학위. ② 박사 과정(curso de ~).

doctoral *adj.* ① 박사의: tesis ~ 박사 논문. ② 거드름 피우는, 젠체하는, 점잔빼는, 학자 티를 내는.

doctorando, da *mf.* 박사 후보자; 박사 과정 학생.

doctorar *tr.* ① …에게 박사 학위를 수여하다. ② [투우] 정식 마따도르(matador)로 승격시키다. ~**se** ① 박사 학위를 취득하다. ② [투우] 정식 마따도르(matador)에 승격되다.

doctrina *f.* ① (특정 종파의) 교리, 교의. ② [천주교] 공교 요리, 교리 문답서. ③ 학설;주의. ④ 학식, 지식.

doctrinal *adj.* 교의(教義)(상)의, 학리(상)의, 학술적인.

doctrinario, ria *adj.* 교조주의의, 이론파의; 공론적인. —*mf.* 교조주의자, 이론가, 공론가.

doctrinarismo *m.* ① 교조주의. ② 공리공론(空理空論).

doctrinero *m.* ① 공교 요리의 교사. ② 중남미에서 인디오에게 교의(教義)를 설하는 (교구) 사제.

docudrama *m.* 다큐멘터리 드라마.

documentación *f.* ① [집합] (어떤 일에 대한) 정보, 참고 자료. ② 고증, 자료에 의한 보증. ③ [집합] (공적인) 필요 서류. ④ 증명서 ((신분증 등)).

documentado, da *adj.* 자료[정보]로 첨부된; 증명서[필요한 서류]를 가진.

documental *adj.* ① 기록[자료]에 의한, 다큐멘터리의. ② 문서의. —*m.* 기록 영화, 다큐멘터리.

documentalista *mf.* ① 문서 정리 담당자. ② 다큐멘터리 영화 감독.

documentalmente *adv.* (증거) 자료에 의해.

documentar *tr.* ① 고증하다, 자료를 첨부하다. ② …에 참고[증거] 자료를 건네주다. ~**se** 자료를 모으다, 예비 조사[사전 준비]를 하다.

documento *m.* ① (역사적인·신분 증명용 등의) 문서; (문헌) 자료, 기록; 증명서: ~ de identidad 신분 증명서. ~*s* del embarque 선적 서류. ② [상업] 증권, 어음: ~ de crédito 신용 증권. ~ negociable 상업 어음.

dodecaedro *m.* [수학] 12면체.

dodecafonía *f.* =**dodecafonismo.**

dodecafónico, ca *adj.* [음악] 12음[음악]의.

dodecafonismo *m.* 12음 음악[기법].

dodecágono, na *adj., m.* 12각형(의).

dodecasílabo, ba *adj., m.* 12음절의 (시구)
dodo *m.* [조류] 도도 ((17세기 말에 멸종된 거위만한 날지 못하는 새)).
dogal *m.* ① (말 등의) 목에 매는 밧줄. ② 오랏줄.
dogma *m.* ① 교리, 교의(教義). ② 교조(教條), 학설; 독단적 주장.
dogmático, ca *adj.* ① 교의(상)의. ② 독단적인, 단정적인. —*mf.* 독단론자, 독단가.—*f.* 교의학, 교의 신학.
dogmatismo *m.* ① 독단(적인 표현); 교조주의; 독단론. ② [집합] 교의(教義), 이론 체계.
dogmatizar (9) *intr.* 거짓 교리를 가르치다, 독단적으로 판단하다, 지레 짐작하다.
dogo, ga *mf.* [개] 불독(perro dogo).
dola *f.* [유아어] =**pídola.**
doladera *f.* 손도끼.
dólar *m.* [미국 등의 화폐 단위] 달러: ~ estadounidense 미국 달러. zona del ~ 달러 지역.
dolencia *f.* ① 몸의 부조, 병고(病苦). ② 고통, 아픔(dolor).
doler (25) *intr.* ① [아픈 곳이 주어] 아프다: ¿Qué le *duele*? 어디가 아프십니까? Me *duele* el estómago [la cabeza · la muela] 나는 배[머리 · 이]가 아프다. ② [사물이 주어] 마음이 아프게 하다: Sus insultos nos *han dolido* mucho 그의 모욕은 우리들을 무척 마음 아프게 했다. ③ [*inf.* · que+*subj.*이 주어] (미안해서) 마음이 괴롭다, 마음 아프다. ~**se** [+de] (고통을) 호소하다; …에게 동정하다; …을 후회하다; …을 불쾌하게 생각하다.
dolicocéfalo, la *adj.* [인류] 장두(長頭)의. —*mf.* 장두인(長頭人).
dolido, da *adj.* 속상한, 기분을 해치는, 마음을 아프게 하는, 가슴 아파하는.
doliente *adj.* 슬퍼하고 있는: familia ~ 유족. —*mf.* 유족; 환자.
dolmen *m.* [고고학] 고인돌, 돌멘.
dolménico, ca *adj.* 거석(巨石)의.
dolo *m.* [법률] 사기, 기만; 고의(故意).
dolomita *f.* [광물] 백운석, 백운암.
dolomítico, ca *adj.* 백운석[백운암]의.
dolor *m.* ① 고통, 아픔: ~ de cabeza 두통. ~ de estómago 복통. ~ de muelas 치통. ② (정신적인) 괴로움, 고통, 고뇌: ¡Qué ~! 아야!, 아이구 아파라!, 아이구 골치야! ¶ ~ ***de corazón*** 자책하는 마음, 후회. ~ ***de viuda***, ~ ***de viudo*** 살이 없는 곳에 부딪쳤을 때의 심한 아픔. ~ ***latente*** =**dolor sordo.** ~ ***nefrítico*** 신장 결석. ~ ***sordo*** 둔통. ***estar*** una mujer ***con ~es*** (여자가) 진통을 일으키고 있다. ***rabiar de*** ~ 심한 통증으로 비명을 지르다.
dolorido, da *adj.* ① (약간) 아픈, 아파오는, 욱신거리는, 따끔따끔하는. ② 괴로운, 괴로워하는, 슬픔에 잠긴.
dolorosamente *adv.* ① 고통스레. ② 슬픔에 젖어, 비통하게.
doloroso, sa *adj.* ① 아픈, 고통스러운. ② 비통한, 비참한. —*f.* ① 그리스도의 죽음에 비통해 하는 성모 마리아상. ② 지불해야 하는 계산서.
doloso, sa *adj.* 사기(dolo)의.
dom. domingo 일요일.
doma *f.* 야생마 길들이기.
domable *adj.* 길들일 수 있는 (동물).
domador, ra *mf.* ① (동물) 조련사. ② (맹수를 훈련시키면서) 서커스 등지에서 일하는 사람.
domar *tr.* ① (맹수 등을) 길들이다, 조련하다, 훈련시키다. ② (감정 등을) 억제하다.
domeñar *tr.* 굴복시키다, 억제하다.
domesticable *adj.* 길들일 수 있는.
domesticación *f.* 길들이기.
domesticar (7) *tr.* ① (야생 동물을) 길들이다, 가축으로 만들다. ② 교화(教化)하다, 복종시키다. ~**se** 길들여지다, 가축이 되다; 교화되다.
domesticidad *f.* 온순함, 얌전함, 순종.
doméstico, ca *adj.* ① 집의, 가정의. ② 국내의. ③ 사육된: animal ~ 가축. ④ 집에서 일하는 (하인). —*mf.* ① 집안 일을 돕는 하인; 심부름꾼, 도우미. ② [자전거] (팀에서) 주전 선수를 돕는 역할을 하는 선수, 어시스트 역을 하는 선수.
domiciliación *f.* (예금 계좌에서) 자동 납입[이체](함), 자동 계좌 대체.
domiciliar (11) *tr.* ① 주소를 정하다. ② [+en] (은행 계좌에[에서]) 자동 이체하다[납부하다]. ~**se** 정착하다, 한 곳에 살다.
domiciliario, ria *adj.* 주거(住居)의, 주택의. —*mf.* 거주자.
domicilio *m.* 주소, 주거. ¶***a*** ~ ㉮ 자택의[에서]: servicio *a* ~ (가정) 배달. venta *a* ~ 방문 판매. ㉯ 상대 팀이 소유한 경기장에서: jugar *a* ~ 상대 팀의 고장에서 시합[경기]을 하다.
dominación *f.* ① 지배, 통치. ② [천주교] 주천사(主天使).
dominador, ra *adj.* 지배하는; 우격다짐의; 횡포한, 난폭한. —*mf.* 지배자; 우격다짐하는 사람; 횡포한 사람, 난폭한 사람.
dominancia *f.* ① (유전의) 우성. ② [생태] 우점도(優點度), 우위.
dominante *adj.* ① 지배적인, 주요한, 우세한. ② 가장 높은. ③ 건방진, 오만한, 우격다짐의. —*f.* [음악] 속음(屬音), 음계의 제5음.
dominar *tr.* ① 지배하다; 점거하다. ② 억제하다. ③ 습득하다, 통달하다. ④ 내려다보다, 굽어보다. ⑤ 뛰어나다, 두드러지다, 눈에 띄다. —*intr.* ① [+en] (…을) 지배하다; 우월하다. ② 보통이다, 특징적이다. ③ [+sobre] (…에) 높이 우뚝 솟다[치솟다]. ~**se** 자신을 억제하다, 참다.
dómine *m.* ① (옛날의) 라틴어 교사. ② 선생 티를 내는 사람.

domingada *f.* 일요 행사, 일요일에 열리는 파티.

domingo *m.* ① 일요일. ② (기독교의) 안식일, 주일(主日). ¶*Domingo de Resurrección* 부활 주일. *hacer* ~ (평일에) 일을 쉬다, 파티를 열다.

dominguejo *m.* ① =**dominguillo.** ② *Amér.* 하찮은 사람.

dominguero, ra *adj.* ① 일요일에 늘 사용하는. ② 일요일이나 휴일에만 즐겁게 노는 (사람). ③ 일요일과 휴일만 자동차를 운전하는 (미숙한 운전사).

dominguillo *m.* (아이들이) 짚으로 만든 작은 인형.

Dominica *f.* [국명] 도미니카.

domínica *f.* [천주교] 주일; 일요 기도서.

dominical *adj.* ① 일요일의: escuela ~ 일요 학교. hoja ~ (신문의) 일요판. ② 주일의. —*m.* 일요판.

dominicanismo *m.* 도미니까 공화국 기원의 스페인어 (표현)

dominicano, na *adj.* ① 도미니까 공화국(República Dominicana)의. ② 산또 도밍고(Santo Domingo) 섬의. ③ =**dominico.** —*mf.* 도미니까 공화국(República Dominicana) 사람.

dominico, ca *adj., mf.* ① 산또 도밍고회(Orden de Santo Domingo)의 (수도사·수도녀). ② *Ant., Ecuad., Méj., Pan., Perú, Salv., Ven.* 작은 바나나의. —*m.* ① *Ant., Ecuad., Méj., Pan., Perú, Salv., Ven.* 자은 바나나의 일종. ② *Cuba.* [조류] 도미니꼬 ((기분 나쁜 소리를 내는 흰 반점이 있고, 거무스름한 날개를 가진 새)).

dominio *m.* ① 지배, 통치: ~ del aire 제공권. ~ del mar 제해권. ② [주로 *pl.*] 영토, 세력 범위; (과학·예술 등의) 분야, 영역. ③ 습득, 통달. ④ 영연방 자치령의 옛 이름. ⑤ 소유. ⑥ [컴퓨터] 도메인.

dominiqués, sa *adj.* 도미니카(Dominica)의. —*mf.* 도미니카 사람.

dominó *m.* ① 도미노 (패). ② (가장 무도회용) 두건 달린 긴 가운.

domo *m.* 돔, 둥근 지붕[천정].

dompedro *m.* ① =**dondiego.** ② 변기.

don[1] *m.* [남성 이름 앞에 붙이는 경칭; 여성은 doña; 약어 D.] 씨, 돈: *Don Quijote* 돈 끼호테.

don[2] (하늘의) 은총, 자비; 천부의 재능, 천성: ~ de lenguas 언어의 재능.

donación *f.* 기부, 증여; 기부금.

donaire *m.* ① 기지, 익살, 신소리, 농담. ② 우아함, 고상함; 품위가 있음; 침착성, 차분함.

donairosamente *adv.* 우아하게, 고상하게, 품위 있게, 차분하게.

donairoso, sa *adj.* 우아한, 고상한, 품위가 있는, 차분한.

donante *mf.* 기증자; 장기 제공자: ~ de sangre 헌혈자.

donar *tr.* 기증[증여]하다.

donatario, ria *mf.* 기증[기부]의 수령인[수령자].

donativo *m.* (자선을 위한) 기증, 기부.

doncel *adj.* (과실·포도주 등이) 단, 달착지근한. —*m.* ① 동정(童貞)의 청년. ② 젊은이, 청년. ③ (중세에 아직 정식으로 기사 작위를 받지 않은) 귀족의 젊은이. ④ *Ar., Mur.* [식물] =**ajenjo.**

doncella *f.* ① 동정녀. ② 처녀, 아가씨; 소녀. ③ 시녀. ④ 가정부. ⑤ [어류] 놀래기. ⑥ *And., Col., Ven.* 생인손.

doncellería *f.* =**doncellez.**

doncellez *f.* 처녀성, 동정(童貞).

donde *adv.* ① 그 곳에서, 그 곳에, 그 곳으로, …하는 곳(에). ② 곳으로. —*adj.* …하는 (곳). —*pron.* ① [장소를 표시하는 부정 대명사] 곳, 곳에, 장소에[로]. ② [전치사적] …이 있는 곳, …의 집에.

dónde *adj.* [장소의 의문 부사] 어디, 어디에, 어디로: *¿Dónde* estamos? 여기가 어딥니까? *¿Dónde* vives tú? 너 어디서 살고 있니? ¿De ~ es usted? 어디서 오셨습니까? / 어디 태생이십니까? / 어느 나라 사람입니까? ¿Por ~ se va al Museo del Prado? 쁘라도 미술관에 가려면 어디로 가면 됩니까?

dondequiera *adv.* 어디든지, 아무 데나: Ponlo ~ 아무 데나 놓아라.

dondiego *m.* [식물] 분꽃. ¶ ~ ***de día*** [식물] 매꽃. ~ ***de noche*** =**dondiego.**

donjuán *m.* ① 난봉꾼, 바람둥이, 오입쟁이, 호색한. ② 돈 후안 ((Tirso de Molina 라는 희곡의 주인공 *Don Juan* Tenorio 에서)). ③ =**dondiego.**

donjuanear *intr.* 팔난봉 짓을 하다.

donjuanesco, ca *adj.* donjuán의.

donjuanismo *m.* donjuán 같은 성격[행동].

donosidad *f.* =**gracia, chiste.**

donosilla *f. Sal.* =**comadreja.**

donoso, sa *adj.* 기지가 풍부한; 우아한, 세련된, 매력적인.

donosura *f.* 기지(機智); 우아함.

donquijotesco, ca *adj.* =**quijotesco.**

donut *m.* (*ing.*) [*pl.* ~s] 도넛.

doña *f.* [기혼 여성의 이름 앞에 붙이는 경칭; 남성은 don; 약자 D[a]] 도냐: ~ Juana la Loca 광녀 도냐 후아나 ((페르난도 2세의 딸; 1479-1555)).

dopado *m.* ① [운동] 도핑, 금지 약물 복용. ② [전기] (반도체 등에) 불순물을 첨가하는 일.

dopaje *m.* [운동] 도핑, 금지 약물 복용.

dopamina *f.* [생화학] 도파민 ((뇌 안의 신경 전달 물질)).

dopante *adj.* 금지 약물을 투약하는; 불순물을 첨가하는.

dopar *tr.* ① [운동·의학] (인위적으로 힘을 내게 하기 위해) 약물이나 자극제를 투약하다[주다]. ② [전기] (반도체 등에) 불순물을 첨가하다. ~**se** 금지 약물을 복용하다, 약물을 사용하다.

doping *m. ing.* 도핑, 금지 약물 복용.

doquier *adv.* =dondequiera.
doquiera *adv.* =dondequiera.
doquiere *adv.* ① =doquier. ② =doquiera.
-dor, ra *suf.* ① [행위자] organiza*dor* 발기인. encubri*dor* 은닉자. ensordece*dor* 시끄럽게 떠드는 사람. labra*dor* 농부. ② [도구] calcula*dora* 계산기. encende*dor* 라이터. lava*dora* 세탁기. tritura*dora* 분쇄기, 그라인더. ③ [장소] come*dor* 식당. cena*dor* 정원의 암자. ④ [명사의 파생어를 만듦] agua*dor* 물장수. leña*dor* 나무꾼. viña*dor* 포도 재배자.
dorado, da *adj.* 금색의; 금도금의: gafas de aro ~ 금테 안경. edad *~da* 황금 시대. —*m.* ① 금도금, 금박. ② *pl.* 금도금한 쇠장식[장식품]. —*f.* [어류] 흑도미.
dorar *tr.* ① …에 금박을 붙이다[씌우다], 금니(金泥)를 바르다; 금도금하다; 금색으로 칠하다[물들이다]. ② 체제를 좋게 하다, 미화하다. ③ [요리] (먹을 것을) 살짝 굽다, 엷은 갈색으로 굽다, 노릇노릇하게 되도록 굽다, 노르끄레하게 굽다: (노릇노릇한 색을 내기 위해) 달걀 노른자위를 칠하다. ~**se** 노르끄레하게 굽다; 피부가 햇볕에 타서 검어지다.
dórico, ca *adj.* 도리스식(式)의. —*m.* 도리스 방언.
dormida *f.* ① 선잠, 얕은 잠: echar una ~ 선잠을 자다. ② (누에의) 휴면, 잠. ③ (동물의) 보금자리, 잠자리, 집. ④ 숙박. ⑤ *And., AmérM.* 밤을 새우는 곳.
dormidero, ra *adj.* 잠자게 하는, 수면의, 최면의. —*m.* ① 가축의 잠자는 우리. ② 야생 새들이 잠자리를 만들기 위해 모으는 덤불. —*f.* ① [식물] 양귀비. ② *Col., Cuba, Pan., PRico., Ven.* [식물] 함수초. ③ *pl.* 잠버릇.
dormido, da *adj.* 잠에 취한, 멍청한.
dormidor, ra *adj., m.f.* 많이 자는 (사람), 잠꾸러기.
dormilón, na *adj.* 잠을 잘 자는, 잠을 많이 자는. —*m.f.* 잠꾸러기. —*m.* [새] 소쩍새. —*f.* ① 다이아몬드나 진주가 박힌 귀고리. ② 낮잠용 안락의자. ③ *AmérC., Cuba, RDom.* [식물] 함수초. ④ *Ven.* 여자의 잠자리 셔츠.
dormir (57) *intr.* ① 자다. ② 숙박하다, 묵다. ③ 가라앉다, 잠잠해지다, 진정되다, 침착해지다. ④ [+sobre] (…에 대해) 천천히 생각하다. ⑤ [con] (…와) 성교하다. ⑥ (팽이 등이) 그 자리에서 돌다. —*tr.* ① 재우다, 잠들게 하다. ② 마취시키다. ③ *Cuba, Salv.* (어떤 이익을 얻을 목적으로 사람을) 속이다. ~**se** ① (푹) 잠들다. ② (몸의 일부가) 마비되다, 저리다. ③ 잠잠해지다, 평온해지다. ④ *Méj.* 속이다, 사기치다. ⑤ (심한 바람으로) 배가 기울다. ¶***a duerme y vela, durmiendo y velando, entre duerme y vela*** 꾸벅꾸벅 졸면서. ***medio dormido*** 꾸벅꾸벅 졸면서. ~ ***a medias*** 비몽사몽하다. ~ ***a pierna suelta*** 정신없이 자다. ~ ***como un bendito [lirón · tronco]*** 단잠을 자다. ~ ***la siesta*** 낮잠을 자다. ***echarse a*** ~ ㉮ 잠자리에 들다. ㉯ 도중에서 포기하다. ***ser de mal*** ~ 불면증이다.
dormirlas *m.* 숨바꼭질.
dormitar *intr.* 꾸벅꾸벅 졸다, 선잠 자다(estar o quedarse medio dormido).
dormitivo, va *adj.* 최면성의. —*m.* 최면제, 수면제.
dormitorio *m.* ① 침실. ② 침실용 가구[집기]. ③ (학교 등의) 기숙사.
dormivela *f.* =duermevela.
dorsal *adj.* ① 등의; 뒤쪽의, 등 쪽의: aleta ~ 등지느러미. ② [언어] 구개음의. —*m.* [운동] 등번호. —*f.* ① 산맥의 정상 부분. ② [언어] 구개음.
dorso *m.* ① (어떤 것의) 등. ② 뒤쪽, 뒤, 뒷면: ~ de la mano 손등.
dos *adj.* ① 2의, 두 개의. ② 두 번째의(segundo). —*m.* ① 2, 둘. ② 2일. —*f.pl.* 2시: Son las dos de la tarde 오후 2시다. ¶***a*** ~ [운동] 2대 2의. ***a*** ~ ***por tres*** 민첩하고 명확하게. ***a cada*** ~ ***por tres*** =cada ~ por tres. ***cada*** ~ ***por tres*** 빈번히, 자주. ***como*** ~ ***y dos son cuatro*** 분명히, 명확히. ***de*** ~ ***en*** ~ 둘씩. ***en un*** ~ ***por tres*** 일순간에, 빨리.
doscientos, tas *adj.* ① 200의. ② 200번째의. —*m.* 200.
dosel *m.* (제단 · 설교대 등의) 천개.
dosificación *f.* 조제; 투약; 가감.
dosificar (7) *tr.* ① (약을) 조제하다. ② 투약하다. ③ (양을) 가감하다.
dosis *f.sing.pl.* ① (약의 1회분의) 복용량: ~ mortal 치사량. ② (일정한) 분량, 정도.
dossier *m. fr.* [*pl.* ~(e)s] 일건 서류, 신상 조사서.
dotación *f.* ① 기금, 수입; 지급, 장비. ② 인원, 요원; (특히 군함의) 승무원, 승무원 정수(定數). ③ 지참금(dote).
dotado, da *adj.* 재능이 있는, 타고난 재질이 있는.
dotar *tr.* ① (신부 등에게) 지참금[재산]을 지참시키다[가지고 가게 하다]. ② [+con · de] (재능 · 예산 · 인원 등을) …에게 주다[부여하다]; 설치하다, 장비하다.
dote *f.* ① [때때로 *m.*] 지참금; 수도원 입회금. ② *pl.* 재능, 천분.
dovela *f.* (아치의) 홍예석.
dovelar *tr.* 홍예석을 만들다.
doy dar (주다) 동사의 직설법 1인칭 단수: 나는 준다.
Down ***síndrome de*** ~ 다운 증후군, 몽고증.
dozavo, va *adj. m.* =doceavo.
D/P *d*ocumento contra *p*ago DP 어음.
dpdo duplicado 복사본
dpto. departamento 부(部), 국(局), 학

과(學科).
dracma *f.* 드라크마 ((고대 희랍 · 로마의 은화; 희랍의 전 화폐)).
draconiano, na *adj.* (법률 등이) 엄격한, 엄정한.
DRAE *m.* *D*iccionario de la *R*eal *A*cademia *E*spañola 스페인 왕립 한림원 사전.
draga *f.* 준설기, 준설선; 소해기.
dragado *m.* 준설(浚渫).
dragaminas *m.sing.pl.* 소해정(掃海艇).
dragar *tr.* ① 준설하다. ② [군사] 소해(掃海)하다.
drago *m.* [식물] 용혈수(龍血樹).
dragón *m.* ① 용(龍). ② [동물] (필리핀 산의) 비행 도마뱀. ③ [식물] 금어초(金魚草). ④ 용기병(龍騎兵). ⑤ 용광로의 불을 빨아들이는 곳.
dragona *f.* 암용(龍).
dragonear *intr.* ① *Amér.* 무면허로 영업하다: ~ de médico 돌팔이의사 노릇을 하다. ② *Amér.* 자만하다, 자랑하다, 우쭐하다. —*tr.* ① 아양 떨다, 교태를 부리다. ② (무엇을) 가질 의향으로 계속 바라보다.
drama *m.* ① 연극; 희곡, 각본. ② 극적인[슬픈] 사건.
dramáticamente *adv.* 극적으로.
dramaticidad *f.* =**dramatismo.**
dramático, ca *adj.* ① 연극의: género ~ 극부문. obras ~*cas* 극작. ② 극적인, 감동적인; 비극적인. —*mf.* 극작가. —*f.* ① 극작법. ② [집합] 희곡.
dramatismo *m.* 비극성.
dramatización *f.* 극화(劇化); 과장.
dramatizar (9) *tr.* 극화(劇化)하다, 극으로 꾸미다, 각색하다. —*intr.* 비극적으로 생각하다[말하다].
dramaturgia *f.* ① 극작법. ② [집합] 희곡(戲曲).
dramatúrgico, ca *adj.* 극작(법)의, 연출의.
dramaturgista *mf.* (무대 개념에서) 극작가.
dramaturgo, ga *mf.* 극작가, 각본가.
dramón *m.* 규모만 큰 재미없는 연극.
drástico, ca *adj.* ① 격렬한, 과격한, 철저한: medida ~*ca* 대담한 수단. ② 심한 설사를 일으키는. —*m.* 설사약.
drenaje *m.* ① 배수 (시설). ② [의학] 배농(排膿); 배농 수술 기구.
drenar *tr.* ① 배수하다. ② [의학] 배농하다.
dría *f.* =**dríade.**
dríada *f.* =**dríade.**
dríade *f.* [신화] 숲의 요정 ((나무에 붙어 그 나무와 수명을 함께 했던 요정))
driblar *tr.* [운동] (공을) 드리블하다. —*intr.* 드리블로 주고받다.
driblear *tr.* *Perú.* [운동] 드리블하다.
dril *m.* 생면직(生綿織).
driza *f.* [선박] (돛을 올리는) 줄.
droga *f.* ① 약품, 약제. ② 마약. ③ 속임수.
drogadicción *f.* 마약 중독.
drogadicto, ta *adj.* 마약 중독의. —*mf.* 마약 중독자.
drogado, da *adj.* 마약을 사용하는, 마약 기호의. —*mf.* 마약 사용자. —*m.* 마약 사용.
drogar (8) *tr.* …에게 마약을 사용하게 하다. ~**se** 마약을 사용하다.
drogata *mf.* =**drogadicto.**
drogodependencia *f.* 마약 의존증.
drogodependiente *adj.* 마약 의존증의. —*mf.* 마약 의존증 환자, 마약 중독자.
drogota *mf.* =**drogadicto.**
droguería *f.* ① 약종상. ② 약국, 약을 파는 가게. ③ *Esp.* (청소 도구나 페인트 자재를 파는) 잡화점.
droguero, ra *adj.* *AmérM., Méj.* 지불이 나쁜, 잘 지불하지 않는. —*mf.* 약방 주인.
droguista *mf.* =**droguero.**
drosera *f.* [식물] 끈끈이주걱.
dto. descuento 할인.
Dtor director 지배인, 사장.
dual *adj.* 두 개의, 이중의. —*m.* [문법] 양수(兩數), 쌍수(número ~).
dualidad *f.* ① 이중성, 이원성. ② [논리 · 수학] 쌍대성(雙對性).
dualismo *m.* ① 이중성, 이원성. ② [철학] 이원론, 이원설. ③ [종교] 이신교. ④ [신학] 그리스도 이성론(二性論).
dualista *adj.* 이원론(二元論)의. —*mf.* 이원론자.
dubitación *f.* 의심, 반신반의.
dubitativo, va *adj.* 의심스러운 듯한, 의심을 표시하는, 주저하는.
ducado *m.* ① 공작의 지위; 공작령, 공국. ② 두까도 ((16세기 스페인 금화)).
ducal *adj.* 공작(duque)의.
ducentésimo, ma *adj., m.* 200분의 1(의).
ducha *f.* ① 샤워; 샤워실; 샤워 설비: tomar [darse] una ~ 샤워하다. ② 세정, 세척.
duchar *tr.* 샤워시키다; 흠뻑 젖게 하다. ~**se** 샤워하다
duchazo *m.* *Amér.* =**ducha.**
ducho, cha *adj.* 숙달된, 익숙한, 노련한: ~ en política 정치에 노련한.
duco *m.* (내뿜는) 래커.
dúctil *adj.* ① [금속] 가연성의. ② 구부리기 쉬운. ③ (사람이) 유순한, 온순한, 유연한.
ductilidad *f.* ① 가연성. ② 유순함, 순종함.
duda *f.* ① 의심, 의혹, 회의; 의문점: sin la menor ~ 한 점의 의혹도 없이. ② (신앙상의) 회의(懷疑). ¶***sin ~ (alguna)*** 의심없이, 틀림없이, 필히. ***no dejar lugar a ~s*** 의문의 여지가 없다. ***salir de ~s*** 의문이 풀리다.
dudar *intr.* ① 의심하다, 믿지 못하다. ② [+si+*ind.*] (…인지 어쩐지) 확신이 없다. —*tr.* ① 의심하다, 믿지 못하다. ② [+que+*subj.* (부정문에서는 *ind.*도 쓰임)] …라고 생각하지 않는다.
dudosamente *adv.* 의심스럽게, 수상쩍

게: ~ eficaz 효과가 의심스런.
dudoso, sa *adj.* ① 의심스러운, 의심의 여지가 있는; 수상쩍은, 어쩐지 수상쩍은. ② [estar+] 의심하고 있다, 갈피를 못잡고 있다.
duelista *m.f.* 결투자.
duelo[1] *m.* 결투: ~ a muerte 목숨을 건 싸움. batirse en ~ 결투하다.
duelo[2] *m.* ① 슬픔, 고통. ② 상(喪)을 당한 슬픔, 애도(哀悼): casa de ~ 상가(喪家). estar de ~ 상에 상복을 입고 있다, 상중이다. ③ [집합] 문상객.
duende *m.* ① (집에 산다는) 귀신. ② 비단의 일종. ③ (불가사의한) 마력. ¶ *andar como un* ~ 신출귀몰하다.
dueño, ña *m.f.* ① 임자, 소유자, 소유주, 주인; (가축의) 사육주: ~ de casa 집주인. ~ del coche 자동차 주인, 차주. ② (하인 등이 보는) 주인, 고용주. ③ 중심 인물.
duerm- ☞**dormir (57).**
duermevela *m.(f.)* 선잠, 비몽사몽, 잠시 졸기.
dueto *m.* 이중창, 이중주.
dulce ① (맛이) 단: Esta bebida es ~ 이 음료는 달다. ② (포도주가) 단맛이 도는, 달착지근한: vino ~ 단맛이 도는 포도주. ③ 감미로운: voz ~ 감미로운 목소리. ④ 연한, 부드러운: colorido 연한 색채. ⑤ 온화한, 다정한: carácter ~ 온화한 성격. ⑥ 염분[소금기]이 없는: agua ~ 민물, 담수. —*m.* ① 과자, 단것: comer ~*s* 과자를 먹다. ② 설탕 절임; 설탕 절임 과일. —*adv.* =**dulcemente.**
dulcémele *m.* [악기] =**salterio.**
dulcemente *adv.* 달콤하게, 감미로운 소리로, 부드럽게; 친절하게.
dulcería *f.* 과자점(confitería).
dulcero, ra *adj.* 단것을 좋아하는(goloso). —*m.f.* =**confitero.**
dulcificación *f.* 달게 함; 부드럽게 함.
dulcificar *tr.* ① 달게 하다, 감미롭게 하다. ② (고뇌·긴장 등을) 진정시키다, 완화시키다, 부드럽게 하다. ~**se** 달게 되다, 담백해지다; 부드러워지다.
dulcinea *f.* 사랑스러운[귀여운] 여인, 의중의 여인, 사랑하는 여인.
dulzaina *f.* [악기] 둘사이나 ((chirimía 비슷한 관악기)).
dulzaino, na *adj.* 너무 단.
dulzarrón, rrona *adj.* =**dulzón.**
dulzón, zona *adj.* 단맛이 있으나 질어서 싫은.
dulzor *m.* =**dulzura.**
dulzura *f.* ① 단맛. ② 감미로움. ③ 우아함, 온화함. ④ 상냥스러움, 다정스러움. ⑤ [주로 *pl.*] 달콤한 말.
duma *f.* (제정 러시아의) 제국 의회.
dúmper *m. ing.* 덤프카(volquete).
dumping *m. ing.* 덤핑.
duna *f.* 사구(砂丘), 모래 언덕.
dundeco, ca *adj. Hond., Nic., Salv.* =**tonto.**
dundo, da *adj. AmérC., Col.* =**tonto.**
dúo *m.* ① [음악] 이중주곡, 이중창곡, 듀엣. ② *Par.* =**colega.**
duodécimo, ma *adj.* ① 열두 번째의. ② 12분의 1의. —*m.* 12분의 1.
duodenal *adj.* 십이지장(duodeno)의.
duodenario, ria *adj.* 12일 걸리는.
duodenitis *f.sing.pl.* 십이지장염.
duodeno, na *adj.* =**duodécimo.** —*m.* [해부] 십이지장.
dup(l) duplicado 복사본.
dúplex *m.sing.pl.* [통신] 다원[이원] 방송, 동시 송수신 방식. —*adj.sing.pl.* 2층의, 이중의, 복식(複式)의.
dúplica *f.* [법률] (피고측의) 두 번째 답변서.
duplicación *f.* ① 복사. ② 이중; 배증(倍增), 갑절로 늘림.
duplicado, da *adj.* ① 복사의, 정부 2통의. ② [번호·번지 표지] 제2의: calle Granja 7 ~ 그랑하가(街) 7번지 2. —*m.* ① 부본, 베낌벌, 사본. ② 복제(複製): ~ de la llave 결쇠, 여벌쇠.
duplicar (7) *tr.* ① 두 배[이중]로 하다. ② 복사품[복제품]을 만들다. ~**se** 배증하다, 두 배로 늘다.
duplicidad *f.* ① 두 배; 이중성. ② (태도의) 표리(表裏).
duplo, pla *adj., m.* 두 배(의).
duque *m.* 공작; (공국의) 군주, 공(公).
duquesa *f.* 공작 부인; 여자 공작.
dura *f.* [드묾] =**duración.**
durabilidad *f.* 내구성, 지속력(持續力).
durable *adj.* =**duradero.**
duración *f.* ① 계속, 지속(성); 기간: ~ de una película 영화 상영 시간. ② 수명, 오래 지속함: ~ de un coche 자동차의 수명[내구성]. ~ media de la vida 평균 수명.
duraderamente *adv.* 오래오래, 언제까지나, 지속성 있게.
duradero, ra *adj.* 내구성이 있는, 지속성이 있는: bienes de consumo ~*s* 내구 소비재.
duraluminio *m.* [화학] 두랄루민.
duramadre *f.* [해부] (뇌·척추의) 경막.
duramáter *f.* [해부] =**duramadre.**
duramen *m.* [식물] 적목질, 심재(心材).
duramente *adv.* 엄하게, 혹독하게, 심하게, 강하게.
durando *m.* (Felipe 2세 시대 까스띠야에서 사용하던) 천(paño)의 일종.
durante *prep.* …동안, 계속, 쭉: ~ el día 낮동안 쭉. ~ la noche 밤새도록.
durañón, ñona *adj. Cuba.* =**tacaño.**
durar *intr.* ① 계속하다, 지속하다. ② 오래 가다[쓰다·계속되다], 내구성이 있다. ③ 꾹 참고 있다, 참다, 견디다.
durativo, va *adj.* [문법] 계속성의.
duraznal *m. Hond., Méj., Perú, Ur.* 복숭아밭.
duraznate *m.* 단 복숭아 빵(조각).
duraznero *m.* [식물] 복숭아나무.
duraznilla *f.* 복숭아(durazno).
duraznillo *m.* [식물] 여뀌의 일종.
durazno *m.* ① [식물] 복숭아나무. ②

복숭아.
dureza *f.* ① 단단함, 경도(硬度). ② 엄함, 냉혹함, 혹독함. ③ (수족의) 못.
durma- ☞dormir (57).
durmie- ☞dormir (57).
durmiendo dormir의 현재 분사.
durmiente *adj., mf.* 자고 있는 (사람). —*m.* ① [건축] 받침나무. ② *Amér.* (철도의) 침목(枕木).
duro, ra *adj.* ① 단단한, 딱딱한, 굳은, 질긴: almohada *~ra* 딱딱한 베개. carne *~ra* 질긴 고기. ② 고된: trabajo ~ 고된 일. ③ 엄한, 혹심한, 지독한, 냉엄한; 곤란한: clima ~ 혹심한 기후. ④ 엄격한, 냉혹한, 무정한; 강요의, 비타협적인. ⑤ 강한, 견디는, 버티는, 단단한, 견고한. ⑥ 자극적인. ⑦ 무뚝뚝한. —*m.* ① [화폐 단위] 두로 ((5 pesetas)). ② 하드보일드파(派)의 배우. —*adv.* 난폭하게; 세게, 강하게. ¶ ~ *de pelar Arg.* 인색한.
durofrío *m. Cuba.* 과실 주스, 맛이 다양한 설탕을 넣고 얼린 주스.
duunvir *m.* =**duunviro.**
duunviral *adj.* 이두[쌍두] 정치의.
duunvirato *m.* ① duunviro의 직. ② duunviro의 통치 기간. ③ 이두 정치.
duunviro *m.* (고대 로마의) 이두 정치의 집정관 중의 한 사람.
dux *m.sing.pl.* (베네치아 공화국과 제노바 공화국의) 최고 집정관, 총독.
duz *adj. And.* =**dulce.**
d/v días vista 일람후 …일.
DVD *m.* [*ing.* *D*igital *V*ideo *D*isc] 디지털 비디오 디스크.
DYA *m.* *D*etente *y* *A*yuda 사고자 구조 협회.

E e

e[1] *f.* 에 ((스페인어 알파벳의 여섯 번째 문자)).
e[2] *conj.* 와, 과, 그리고, 그런데: ① [접속사 y가 i-·hi-로 시작되는 단어의 앞에 올 때] madre *e* hija 어머니와 딸. Juan *e* Ignacio 후안과 이그나시오. ② [그러나 의문문과 감탄문의 맨 앞과 다음 단어가 y와 hie로 시작될 때는 y를 사용함] *¿Y* Ignacio? 그런데 이그나시오는? tigre *y* hiena 호랑이와 하이에나.
e- *pref.* ①「바깥」의 뜻: *e*liminar 추방하다. ②「기원(起源)·출처」의 뜻: *e*manar 발산하다, 유출하다. *e*migrar 이주하다. ③「연장(延長)·확대」의 뜻: *e*fusión 유출. *e*moción 감동.
-e *suf.* [명사화, 동작·결과] avance 전진. combate 전투. corte 절단. goce 즐거움.
E einstenio 아인시타이늄.
E. este 동쪽
E.A. Ejército del Aire 공군
ea *interj.* ① [격려·결의] 자!, 기운을 내라!: *¡Ea,* a trabajar! 자, 일하자! ② [반복해서, 아이들을 달랠 때] 그래, 그래; 자, 자!
-ear *suf.* [명사·형용사에서 파생된 동사형] fals*ear* 속이다. hum*ear* 연기가 나다. tut*ear* 말을 놓다.
ebanista *mf.* 소목장(小木匠), 소목장이.
ebanistería *f.* ① 소목장이의 작업장. ② 가구 장인의 기술. ③ [집합] (널빤지로 짜서 만든) 가구 ((옷장·책장)).
ébano m. ① [식물] 흑단(黑檀). ② 흑단의 목재(木材)(madera).
ebonita *f.* [화학] 에보나이트.
eborario, ria *adj.* ① 상아(marfil)의. ② 상아에 관한. —*f.* 상아 세공(술).
ebrancado, da *adj.* 가지가 잘려진.
ebriedad *f.* =**embriaguez.**
ebrio, bria *adj.* ① 술 취한: conductor ~ 음주 운전사. ② 착란된, 마음이 혼란한, 눈이 어두운, 도취된, 황홀해진.
ebrioso, sa *adj., mf.* 쉽게 취하는 (사람).
ebulición *f.* [드묾] =**ebullición.**
ebullición *f.* ① 비등(沸騰): punto de ~ 비등점. ② 흥분 상태.
ebullómetro *m.* 비등점 측정 장치.
ebulloscopia *f.* 비등점 측정학.
ebúrneo, a *adj.* ① 상아(marfil)의. ② [시어] 상아 같은, 새하얀.
eccehomo *m.* ① 가시관을 머리에 쓴 그리스도의 상. ② 괴로워하는[고통스러워하는] 사람.
eccema *m.* [의학] 습진.
eccematoso, sa *adj.* 습진(eccema)의, 습진 같은.
-ecer *suf.* [형용사·명사의 동사화; 기동·상태의 변화] aman*ecer* 동이 트다. entrist*ecer* 슬프게 하다.
ECG *m.* electrocardiograma 심전도.
echadillo, lla *adj., mf.* =**expósito.**
echado, da *adj. CRica, Hond., Nic.* =**indolente, perezoso.** —*m.* (지층·광맥의) 경사. —*f.* ① 던지기. ② 드러누운 사람의 몸의 넓이. ③ *Méj.* =**fanfarronada, bola, mentira.**
echar *tr.* ① 던지다; 버리다: ~ la pelota 공을 던지다. ② 몰아내다, 쫓아내다. ③ 내다, 발하다: ~ olor 냄새를 풍기다. ~ sangre 피를 흘리다. ④ 넣다, 부어[따라] 넣다. ⑤ (싹·꽃·뿌리 등을) 내다, 돋아나다; (이·수염 등이) 나기 시작하다. ⑥ (용구 등을) 쓰다, 사용하다. ⑦ (수량을) 추정하다. ⑧ 걸다, 내기를 하다. ⑨ (형벌 등을) 과하다. ⑩ (서류를) 제출하다. ⑪ (몸을) 움직이다. ⑫ (어떤 행위를) 하다, 행하다: ~ un sueño 잠을 자다. ~ un trago 한 잔 마시다. ⑬ 상영하다, 상

E

연하다. ⑭ (시간을) 쓰다, 소비하다. ⑮ (수컷을 암컷에게) 교미시키다, 흘레붙이다. *—intr.* ① 향하다, 길을 가다. ② [+a+*inf.*] …하기 시작하다: ~ a correr 달리기 시작하다. ~ a reír 웃기 시작하다. ③ [+tras+사람] 뒤를 밟다, 뒤쫓아 가다, 추적하다. **~se** ① 몸을 던지다, 뛰어들다: *~se al* río 강에 뛰어들다. ② [+sobre] …에게 덤벼들다, 달려들다. ③ 드러눕다. ④ (자신의 몸을) 뒤틀다, 꼬다, 비틀다. ⑤ (자신의 몸에) …을 걸치다, 걸쳐 입다. ⑥ (바람이) 자다. ⑦ (새가) 알을 품다. ⑧ 덥석 먹다, 꿀꺽 마시다. ⑨ [+a+명사] (…을) 개시하다, 시작하다. ⑩ [+a+*inf.*] ㉮ 갑자기[별안간] …하기 시작하다: *~se a* llorar 별안간 울기 시작하다. ㉯ …에 골몰하다, 잠기다. ¶ ~ ***abajo*** (건물 등을) 부수다; (계획 등을) 잡치다, 망가뜨리다. ~ ***de ver*** 알아차리다, 깨닫다, 생각나다.

echarpe *m. fr.* =**chal.**

echazón *m.* ① 던지기. ② (선체나 기체를 가볍게 하기 위해) 실었던 짐을 내버리기.

E

echona *f. Chile.* [연장] 낫.

echonería *f. Ven.* =**jactancia, fanfarronada.**

eclampsia *f.* [의학] (임산부의) 자간(子癎); (아이들의) 경기, 경련.

eclecticismo *m.* 절충주의.

ecléctico, ca *adj.* 절충주의의. *—mf.* 절충주의자.

eclesial *adj.* 교회의.

Eclesiastés *m.* [성경] 전도서(傳道書).

eclesiástico, ca *adj.* [천주교] ① 성직자의. ② 교회의. *—m.* ① 성직자. ② [성경] 집회서(集會書).

eclesiología *f.* [신학] 교회론(敎會論).

eclipsar *tr.* ① (천체가) 식분(蝕分)하다, 이지러지다. ② 어둡게 하다, 광택을 없애다; 압도하다. **~se** ① 일식[월식]이 생기다. ② 빛을 잃다, 흐려지다. ③ 자취를 감추다, 모습을 숨기다, 사라지다, 없어지다.

eclipse *m.* ① [천문] (일·월)식(蝕): ~ lunar 월식. ~ solar 일식. ② =**ausencia, evasión, desaparición.**

eclíptico, ca *adj.* 식(蝕)의; 황도(黃道)의. *—f.* [천문] 황도.

eclosión *f.* ① 꽃잎이 움틈[벌어짐], 개화. ② 출현, 발생. ③ [의학] 부화(孵化), 익화(翼化).

eclosionar *intr.* ① 꽃잎이 움트다[벌어지다]. ② (동물이 나오거나 탄생하기 위해) 겉껍질이 터지다.

eco *m.* ① 메아리, 산울림, 반향. ② [물리·음악] 에코. ③ 사회적 반향. ④ (사건의 헛)소문. ⑤ (시의) 끝말을 되받는 문구. ⑥ 남의 말을 자기 생각인 것처럼 (그대로) 받아 옮기는 일(을 하는 사람); 추수(追隨), 추수자(追隨者). ⑦ *pl.* (신문에 나는) 사교계 소식.

eco-[1] *pref.* 「집·거주·생태·생활 구역」의 뜻: *eco*logía 생태학, 환경학. *eco*sistema 생태계.

eco-[2] *pref.* 「전자기파·반사음」의 뜻: *eco*locación 반향 정위(定位). *eco*lalia 방향 언어.

ecocardiografía *f.* [의학] 초음파 심장 검진(법).

ecocardiograma *m.* [의학] 초음파 심장 진단도.

ecografía *f.* [의학] 초음파 장기 촬영.

ecográfico, ca *adj.* [의학] ecografía의[에 관한].

ecógrafo *m.* 초음파 장기 촬영 기구.

ecoico, ca *adj.* ① 메아리의[에 관한]. ② =**onomatopéyico.**

ecolalia *f.* [의학] 반향 언어 ((남의 말을 그대로 흉내내는 행동)); (유아기의) 음성 모방.

ecolocación *f.* ① [동물] 반향 정위(定位) ((박쥐 등이 발사한 초음파의 반향으로 물체의 존재를 측정하는 능력)). ② [전자] 반향 위치 결정법.

ecología *f.* ① 생태학, 사회 생태학. ② 생태; (생태학적으로 본) 자연 환경, 생태 환경. ③ (생태) 환경 보존; 환경 보존 정책.

ecológico, ca *adj.* ecología의[에 관한], 환경 친화적인: desastre ~ 환경 파괴. papel ~ 재생지.

ecologismo *m.* 환경 보호[자연 보호] 주의 (운동).

ecologista *adj.* 환경 보호[자연 보호]주의의, ecología의, 자연 보호의. *—mf.* 환경 보호[자연 보호]주의자, 자연 보호 전문가, 생태학자, 사회 생태학자.

ecólogo, ga *mf.* 생태학자, 사회 생태학자.

economato *m.* ① 주지 대리직. ② 주지 대리의 관할 영토. ③ (협동 조합·사내 판매 등의) 조합점, 염가 판매점.

económetra *mf.* 계량 경제학자.

econometría *f.* 계량 경제학.

econométrico, ca *adj.* 계량 경제학의[에 관한].

economía *f.* ① 경제 (상태·제도): ~ abierta 개방 경제. ~ capitalista 자본주의 경제. ~ de mercado 시장 경제. ~ estatal 국가 경제. ~ individual 개인 경제. ② 경제학: ~ política (정치) 경제학. ③ 절약, 검약. ④ *pl.* 저금, 저축.

económicamente *adv.* 경제적으로; 검소하게, 알뜰하게.

económico, ca *adj.* ① 경제의, 경제적인: ayuda *~ca* 경제 원조. ② 절약이 되는, 싼: hotel ~ 싼 호텔. tarifa *~ca* 이코노미 요금. velocidad *~ca* 경제 속도. ③ 검소한, 알뜰한. ¶ ***ciencias ~cas*** 경제학.

economismo *m.* 경제주의.

economista *mf.* 경제학자, 경제주의자.

economizar *tr.* ① 절약하다. ② 검약(儉約)하다, 저금하다.

ecónomo, ma *adj.* [천주교] 대리(代理)의. *—m.* [천주교] 대리 성직자.

ecoscopia *f.* 음향 탐지.

ecosistema *m.* 생태계(生態系).
ecosonda *f.* 음향 측심기(音響測深器).
ecoturismo *m.* 환경 관광, 자연 환경을 손상시키지 않는 관광 여행.
ectasia *f.* [의학] 확장(증).
ecto- *pref.* 「바깥으로 · 외부에」의 뜻: *ecto*plasma 외피 원형질.
ectoparásito *m.* [생물] 외부 기생자.
ectopia *f.* [의학] (기관의) 전위(증).
ectoplasma *m.* ① (영매의 몸에서 발하는) 심령체. ② [생물] 피질 원형질.
ectropión *f.* [의학] (아랫입술의) 바깥 쪽으로 전위(轉位)(증).
ecuación *f.* ① [수학] 등식, 방정식. ② [천문 · 심리] (관측 · 관찰에 대한) 차(差): ~ de tiempo 시차.
ecuador *m.* ① 적도(赤道). ② (기간의) 중간점.
Ecuador, el *m.* [국명] 에꾸아도르, 에콰도르 ((남아메리카의 공화국; 수도 Quito))
ecualizador *m.* [전기] 등화기.
ecuánime *adj.* 냉정한; 공정한.
ecuanimidad *f.* 냉정, 평정; 공정함.
ecuatoguineano, na *adj., mf.* 적도 기니(Guinea Ecuatorial)의 (사람).
ecuatorial *adj.* 적도 (지대)의. —*m.* [천문] 적도의(赤道儀).
ecuatorianismo *m.* 에꾸아도르 특유의 표현[말].
ecuatoriano, na *adj.* 에꾸아도르 태생의; 에꾸아도르의[에 관한]. —*mf.* 에꾸아도르 사람.
ecuestre *adj.* 말(馬)의; 기사(騎士)의.
ecuménico, ca *adj.* 전세계적인; 전그리스도 교회의.
ecumenismo *m.* [기독교] (교파를 초월한) 세계 교회주의, 교회 일치 운동.
eczema *m.* [의학] =**eccema.**
edad *f.* ① 나이, 연령, 연세: ¿Qué ~ tiene usted? — Tengo sesenta años (de ~). 연세가 어떻게 되십니까? — 예순입니다. Pareces muy joven para tu ~ 당신은 나이에 비해 매우 젊게 보입니다. ② (역사 구분의) 시대(時代): *Edad* Antigua 고대(古代). *Edad* Contemporánea 현대. *Edad* Media 중세. *Edad* Moderna 근세. ¶ ~ ***adulta*** 성년기. ~ ***avanzada*** 노년기. ~ ***del pavo*** 소년기 ((유년기(la niñez)에서 청소년기(la adolescencia)를 지나는 시기)). ~ ***madura*** 장년 후기, 숙련기. ~ ***tierna*** 유소년기. ~ ***viril*** 장년기. ***tercera*** ~ 노령; [집합] 노인.
edáfico, ca *adj.* 토양의.
edafología *f.* 토양학(土壤學).
edafólogo, ga *mf.* 토양학자.
edecán *m.* ① [군사] 부관(副官). ② 조수, 보좌역.
edelweis *m. al.* [식물] 에델바이스.
edema *m.* [의학] 수종(水腫), 부종.
edematoso, sa *adj.* 부종[수종](성)의.
edén *m.* [성경] 에덴 (동산), 낙원.
edénico, ca *adj.* 에덴 동산의, 에덴 동산 같은: vida ~*ca* 쾌미한 생활.
edición *f.* ① 출판, 간행; …판: ~ aumentada 증보판(增補版). ~ corregida y aumentada 개정 증보판. ~ príncipe (고서로서 가치가 있는) 초판본. ~ suplementaria 증보판. ~ revisada 개정판. ② (책의) 제작, 편집; (레코드 등의) 제작, 발매. ③ (행사 · 경기 대회 등의) …회(回). ④ [컴퓨터] 편집.
edicto *m.* ① [역사] 칙령, 왕령. ② 포고, 고시(告示).
edículo *m.* ① 작은 건(축)물. ② 작은 사원, 예배당(templete).
edificabilidad *f.* 건축 허가.
edificable *adj.* 건축[건설] 가능한.
edificación *f.* 건축(물), 건조(물), 건설; 교화(教化).
edificante *adj.* 건조하는; 모범적인.
edificar (7) *tr.* ① (대규모로) 건조[건설]하다; 창설하다. ② (태도 등에서) 좋은 본보기를 보이다.
edificio *m.* (큰) 건물, 빌딩.
edil, la *mf.* ① 시청 간부; 시의회 의원. ② (고대 로마의) 사법관 ((공공 시설 · 거리의 미화 · 사원과 주택 및 도시의 거리 청소 담당)).
edilicio, cia *adj.* ① 시의회의, 시의회 의원의. ② *Arg., Bol., Col., Par., RDom., Ur.* 건물의, 건축의.
editar *tr.* ① (서적 · 신문 등을) 출판하다, 발행하다; 제작하다, 편집하다. ② [컴퓨터] 편집하다.
editor, ra *adj.* ① 출판[발행]하는, 제작하는, 편집하는. ② [컴퓨터] 편집하는. —*mf.* 발행자; 교정 간행자. —*m.* [컴퓨터] 에디터. —*f.* 출판사. ¶ ~ ***responsable*** ㉮ (신문의) 발행 책임자. ㉯ (대필자를 이용한) 명목상의 저자.
editorial *adj.* 출판(업)의. —*m.* (신문 · 잡지의) 사설, 논설. —*f.* 출판사.
editorialista *mf.* 논설 위원[기자].
editorializar *intr.* (신문 · 잡지에) 사설을 쓰다.
editorialmente *adv.* ① 편집[출판]에 관해서는. ② 사설을 통해.
-edo, da *suf.* [명사+, 집합 명사화] rob*ledo* 떡갈나무 숲. rosal*eda* 장미원.
Edo. Estado 주(州).
-edor, ra *suf.* ① [er 동사의 품질 형용사화] beb*edor* 음주의. ② [er 동사의 명사화. 장소] com*edor* 식당.
edredón *m.* ① (북부 지방의 어떤 새들의) 솜털. ② 솜털 모포[이불 · 방석].
educación *f.* ① 교육: ~ especial 특수교육. *Educación* General Básica 초등교육, EGB. ~ primaria 초등 교육. ~ secundaria (obligatoria) 중등 교육. ~ sexual 성교육. ② 예의 범절.
educacional *adj.* 교육의.
educacionista *adj.* 교육의[에 관한]. —*mf.* 어린이 · 청소년 교육 전문가.
educado, da *adj.* 훌륭한 교육을 받은, 교육을 잘 받은, 예의 바른.
educador, ra *adj.* 교육하는. —*mf.* (주로 초등학교의) 교육자.
educando, da *adj.* ① 교육을 받고 있

E

는. ② 학교 교육을 받는. —*m.f.* (주로 초등학교의) 학생, 생도.
educar (7) *tr.* ① 교육하다. ② 예의 범절을 가르치다. ③ (기능 등을) 훈련하다, 단련하다. ④ (교훈·연습·본보기 등을 통해 어린이나 청소년들의 지적이고 도덕적인 힘을) 개발[완성]하다. ~**se** (학교 등에서) 교육을 받다.
educativo, va *adj.* ① 교육의, 교육에 관한. ② 교육에 도움[소용]이 되는, 교육적인: película ~*va* 교육 영화.
edulcoración *f.* (약이나 쓴 것을) 달게 하기.
edulcorado, da *adj.* ① 달게 된. ② 가라앉은, 누그러진. ③ 거짓으로 미화된 [개선된].
edulcoramiento *m.* =**edulcoración.**
edulcorante *adj.* 달게 하는. —*m.* 감미료(甘味料).
edulcorar *tr.* ① 달게 하다. ② 가라앉히다, 누그러뜨리다. ③ 거짓으로 아름답게 하다 [개선하다]. ~**se** 가라앉다, 진정되다, 누그러지다.
-eduría *suf.* [er 동사의 명사화; 장소] expend*eduría* 매점(賣店).

E

EE.UU. Estados Unidos (de América) 아메리카 합중국, 미국.
efable *adj.* =**expresable.**
efe *f.* 에페 ((문자 f의 명칭)).
efébico, ca *adj.* efebo의[에 관한].
efebo *m.* 젊은이, 미소년(美少年).
efectismo *m.* 감각주의, 선정주의.
efectista *adj., m.f.* 효과주의의, 전시 효과만 노리는 (사람), 부자연스런 (사람), 꾸며낸 티가 나는 (사람).
efectivamente *adv.* 실질적이고 진실하게, 사실로, 실제로.
efctividad *f.* 효과, 효력.
efectivo, va *adj.* ① 효과가 있는, 효과적인. ② 실제의, 현실의. ③ 현직(現職)의. —*m.* ① 현금(現金). ② *pl.* [군사] 병력. ¶*en* ~ 현금으로. *hacer* ~ ㉮ 실행하다, 실현하다. ㉯ (수표 등을) 현금화하다.
efecto *m.* ① (주로 좋은) 효과, 효능; 결과: ~*s* especiales [영화] 특수 효과. ~*s* secundarios 이차적 효과, 부작용. ② 인상, 감명. ③ 목적: a este ~ 이런 목적으로, 이래서. ④ *pl.* 상품. ⑤ *pl.* 재산; 일상 생활에 필요한 여러 가지 물건. ⑥ [상업] 환어음. ⑦ *pl.* 유가 증권. ⑧ [운동] 스핀: ~ hacia atrás 백 스핀. ¶*a ~s de* …의 목적으로. *en* ~ 실제로, 사실. *hacer* ~ =**surtir efecto.** *llevar a* ~ 실행하다. *poner en* ~ =**llevar a efecto.** *surtir* ~ 기대한 대로 효과를 거두다, 소기의 성과를 보이다.
efectuar (15) *tr.* 실행하다, 행하다, 하다: ~ una detención 체포하다.
efeméride *f.* ① (달력·신문 등에 기재된) 과거의 같은 날에 일어난 일(의 축하 행사); 그 일의 일람표. ② *pl.* 매일의 기록, 일지. ③ *pl.* [천문] 천체력, 천체 위치 추산표.
eferente *adj.* [해부] 도출(導出)의, 원심성(遠心性)의: vaso ~ 수출관(輸出管).
efervescencia *f.* ① 거품이 읾, 발포. ② 불온한 움직임, 걱정, 불안, 불만.
efervescente *adj.* ① 발포성의; 거품이 일고 있는. ② 불온한; (성이 나서) 흥분한: carácter ~ 욱하는 성격.
efeta *m.* (고대 아테네의) 재판관.
eficacia *f.* 효과, 효력; 능률, 효율: ~ de la publicidad 선전 효과. aumentar la ~ 능률을 올리다.
eficaz *adj.* ① [+contra] (…에 대해) 대단한 효과가 있는, 효과적인. ② 유능(有能)한.
eficazmente *adv.* 효과적으로, 유효하게 (con eficacia).
eficiencia *f.* 유효성; 능률, 효율.
eficiente *adj.* ① 유능한, 능률[효율]이 좋은. ② 효과적인(eficaz).
eficientemente *adv.* 효과적으로, 능률적으로, 효율적으로.
efigie *f.* ① 초상(肖像). ② 화신(化身).
efímero, ra *adj.* ① 잠깐 사이의, 덧없는, 허무한, 헛된. ② 하루살이의, 단 하루 (동안)의: fiebre ~*ra* 1일열. —*f.* [곤충] 하루살이.
eflorescencia *f.* ① [화학] 풍해(風解). ② [의학] 발진(發疹).
eflorescente *adj.* 풍해성의.
efluente *m.* 폐액(廢液), 배수(排水).
efluvio *m.* ① 냄새, 향기; 악취. ② 기미, 기색, 낌새, 분위기.
efod *m.* (유대교의 사제가 입는) 법의.
éforo *m.* [역사] (스파르타의) 법관.
efracción *f.* 불법 침입.
efugio *m.* 핑계, 꽁무니 빼는 말.
efusión *f.* ① 유출: ~ de sangre 출혈, 유혈. ② (애정 등의) 토로; 감동: con ~ 감격해서, 열렬히.
efusivo, va *adj.* ① 유출하는, 흐르는. ② (애정 등이) 넘칠 정도의, 열렬한.
efvo. efectivo 현행의, 현금(現金).
EGB *E*ducación *G*eneral *B*ásica 초등 교육.
egeo, a *adj.* 에게 해(海)(Mar Egeo)의.
égida *f.* ① [신화] Zeus 신과 Atenea 신에게 바치는 Medusa 머리로 장식된 Amaltea 산양 가죽. ② 방패. ③ 보호, 방어.
egipcio, cia *adj., m.f.* 이집트의 (사람).
Egipto *m.* [국명] 이집트.
egiptología *f.* (고대) 이집트학.
egiptólogo, ga *m.f.* (고대) 이집트학자.
eglantina *f.* [식물] 해당화.
égloga *f.* (대화 형식의) 목가(牧歌), 전원시(田園詩).
ego *m. lat.* 자아(自我); 자만, 자부심, 자신에 대한 과대 평가.
egocéntrico, ca *adj., m.f.* 자기 중심적인 (사람).
egocentrismo *m.* [심리] 자기 중심주의(적 경향).
egoísmo *m.* 자기주의, 에고이즘.
egoísta *adj.* 자기주의의. —*m.f.* 이기주의자, 에고이스트.

egolatra *adj., m.f.* 자기 숭배적인 (사람).
egolatría *f.* 자기 숭배.
egotismo *m.* 자기 숭배[중심주의].
egregio, gia *adj.* 저명한; 고귀한.
egresado, da *m.f.* 졸업생.
egresar *intr.* ① (어떤 곳에서) 나오다. ② *Amér.* (주로 대학을) 졸업하다; 지출하다.
egreso *m.* ① =**salida.** ② 졸업; 지출.
eh *interj.* [질문·소리질러 부름·질책 등] 이봐!, 야!, 그만!, 위험해!, 조심해!
einstenio *m.* [화학] 아인시타이늄.
eirá *m.* [동물] 에이라 ((남미산으로 퓨마 비슷함; 족제비속 육식 동물)).
ej. ejemplar …부(部); ejemplo 예(例)
eje *m.* ① [기하] 축(軸). ② (기계의) 회전축: ~ de la ruedas 차축(車軸). ③ 기본 방침[노선]; 중심 인물.
Eje (el) *m.* [역사] 추축국(樞軸國).
ejecución *f.* ① 실행, 수행, 실시: poner *algo* en ~ …을 실행에 옮기다. ② 연주. ③ 사형 집행, 처형. ④ 시행; 집행, 압류: ~ forzada 강제 집행.
ejecutante *m.f.* 집행자; 연주자.
ejecutar *tr.* ① 실행하다, 수행하다. ② (기술·훈련 등을 요하는 행위를) 하다, 행하다. ③ [음악] (곡을) 연주하다. ④ 처형하다, 사형을 집행하다. ⑤ [법률] 시행[집행]하다; 압류하다.
ejecutivo, va *adj.* ① (즉시·신속히) 집행하는. ② 집행[행정]상의: comité ~, comisión *~va* 집행[실행] 위원회. *—m.f.* 중역, 간부 직원; 행정관. *—f.* 이사회, 집행부(junta *~va*).
ejecutor, ra *adj.* 실행[집행]하는. *—m.f.* 실행자, 수행자.
ejecutoria *f.* ① 업적. ② [법률] 확정판결(sentencia ~).
ejem *interj.* [주의를 환기시키거나 연설을 중단되거나 할 때] 에!, 에헴!
ejemplar[1] *adj.* ① 모범적인, 본보기가 되는, 본보기의: vida ~ 모범적인 생활. ② 실례(實例)가 되는: caso ~ 사례(事例). *—m.* ① (책·신문 등의) …부(部), …책(冊). ② (그 종(種)의) 전형; 표본. ¶***sin*** ~ ㉮ 전대 미문의, 이제까지 들어본 적이 없는. ㉯ 전례가 되지 않는, 예가 없는.
ejemplar[2] *tr.* [드묾] =**ejemplificar.**
ejemplaridad *f.* 모범성.
ejemplarizar (9) *tr.* …의 모범이 되다.
ejemplificación *f.* 예증(例證), 예시.
ejemplificar (7) *tr.* 예증하다, 예시하다.
ejemplo *m.* ① 모범, 본보기: ② 예, 실례(實例); 전례(前例).
ejercer (1) *tr.* ① …에 종사하다, 일하다: ~ la abogacía 변호사에 종사하다. ② [+sobre] (영향력을 …에) 미치게 하다. ③ 행사하다. *—intr.* [+de] (직업에) 종사하다.
ejercicio *m.* ① 연습, 훈련. ② (신체의) 운동. ③ 연습 문제. ④ (채용 시험의) 심사, 시문(試問). ⑤ (직업의) 종사; (권리 등의) 행사: ~ de poder 권력 행사. ⑥ 회계 연도, 사업 연도. ⑦ *pl.* [군사] 연습, 교련. ¶***en*** ~ ㉮ 현역(現役)의. ㉯ 업무중의.
ejercitación *f.* 행사; 훈련.
ejercitar *tr.* ① (권력·능력을) 행사하다, 발휘하다. ② 종사하다. ③ [+en] (…의) 연습을 …에게 시키다, 훈련하다. **~se** 연습하다.
ejército *m.* 군대; (특히) 육군: ~ coreano 한국군. ~ del aire 공군.
ejidal *adj. Méj.* ejido의[에 관한].
ejidatario, ria *m.f. Méj.* ejido 소유자[이용권자].
ejido *m.* (마을의) 공유지.
ejote *m.* ① *Guat., Hond., Méj.* 꼬투리째 먹는 강낭콩. ② *Guat.* 크고 잘못 꿰매진 바늘땀.
el *art.* [정관사 남성 단수형; 여성 단수 la, 남성 복수 los, 여성 복수 las; 악센트 있는 a-나 ha-로 시작되는 여성 단수 명사의 직전에서는 la는 el로 된다: *el* agua, *el* hacha, *el* águila. 그러나 이런 단어도 복수가 되면 다시 las로 돌아간다: *las* aguas, *las* hachas, *las* águilas. 전치사 a 다음에 el이 오면 al, de 다음에 el 이 오면 del] ① [말하는 사람·글 쓰는 사람·듣는 사람 등 쌍방이 깨달아 알고 있어 앞에서 말한 것, 이미 알고 있는 것, 여러 사람이 두루 알고 있는 것] 그, 예의: Aquí está *el* ménu 메뉴 여기 있습니다. ② [유일물·전체·하늘·바다·들·산·해안·대지·세계·자연현상·계절·요일·월명·날짜·시각·방위 등에는 정관사를 붙인다] *el* sol 태양. *la* luna 달. *el* cielo 하늘. *la* montaña 산. ③ [호격일 때는 정관사를 붙이지 않는다] ¿Cómo está, *señora*? 부인, 안녕하십니까? ④ [고유 명사에는 원칙적으로 관사를 붙이지 않으나 국명에 관사를 붙이는 나라가 있다] *El* Salvador 엘살바도르. *el* Perú 뻬루. ⑤ [산·산맥·강·섬·대양·호수·사막 등 고유 명사에는 성과 수에 일치한 정관사를 붙인다] *el* Himalaya 히말라야산. *los* Andes 안데스 산맥. *el* Amazonas 아마존강. ⑥ [형용사·부사·동사·접속사·절 등이 정관사와 함께 쓰여 명사화됨] *el* bueno 착한 사람, 선인. ⑦ [전치사 de나 형용사 앞에서 명사의 중복을 피하기 위해 정관사가 대신함] el libro de María y *el* de Juan 마리아의 책과 후안의 책. ⑧ [형용사의 비교급 앞에 정관사가 오면 최상급] Ella es *la* más hermosa de sus amigas 그녀는 여자 친구들 중 가장 미녀다.
él *pron.* [인칭 대명사 3인칭 단수 남성형] [*pl.* ellos] 그, 그 사람; 그것: Para ~ eso es muy fácil 그에게 그것은 무척 쉬운 일이다.
elaboración *f.* 가공, 정제; 퇴고(推敲).
elaborado, da *adj.* 공을 들인, 정성을 들인, 꼼꼼히 한.
elaborar *tr.* ① (원료를) 가공하다, 정제하다: alimiento *elaborado* 가공 식

E

품. ② [생물] 생성하다. ③ (계획 등을) 꼼꼼히 생각하다, …의 구상을 세우다. ④ (문장을) 퇴고하다.

elan *m.* 기력, 정열.

elasmobranquios *m.pl.* [어류] 연골 어류(軟骨魚類).

elasticidad *f.* ① 탄성, 탄력성. ② 유연성; 융통성.

elástico, ca *adj.* ① 탄력성 있는. ② (육체·정신이) 유연한, 융통성이 있는. —*m.* ① 고무 끈, 고무 밴드; 고무 천. ② *pl.* 바지 멜빵. —*f.* ① 방한용 속옷. ② 바지 멜빵.

ele[1] *f.* 엘레 ((문자 l의 명칭)).

ele[2] *interj.* [동의] 그래!, 그렇다!

elección *f.* ① 선택: ~ de carrera 직업의 선택. ② [주로 *pl.*] 선거, 선출.

eleccionario, ria *adj.* *Amér.* 선거의.

electividad *f.* 공선(제).

electivo, va *adj.* 선거에 의해 선출된.

electo, ta *adj.* 당선된 ((당선된 지 얼마 되지 않았고 아직 정식 취임은 하지 않고 있다)): el presidente ~ 이번 선거에서 당선된 대통령.

elector, ra *m.f.* 선거인, 유권자. —*m.* [역사] 선거후(選擧侯)(príncipe ~).

E

electrado *m.* [집합] 선거민, 유권자.

electoral *adj.* ① 선거의. ② 유권자의.

electoralismo *m.* 선거 지상주의, 선거 제일주의.

electoralista *adj.* 선거 지상주의(至上主義)의. —*m.f.* 선거 지상주의자.

electorero, ra *m.f.* 선거 참모.

electricidad *f.* ① 전기, 전력; 전류. ② 전기학. ③ 긴장, 흥분.

electricista *m.f.* 전기공; 전기 기사; 가전 제품 판매상.

eléctrico, ca *adj.* 전기의: plancha ~*ca* 전기 다리미.

electrificación *f.* 전화(電化).

electrificar (7) *tr.* 전화(電化)하다.

electrizable *adj.* 대전성(帶電性)의.

electrizante *adj.* 감동적인.

electrizar (9) *tr.* ① 대전(帶電)시키다. ② 감동[열광]시키다. ~**se** 대전되다, 감전되다; 감동되다.

electro *m.* 심전도 ((electrocardiograma의 생략어)).

electro- *pref.* 「전기(electricidad)」의 뜻: *electro*magnético 전자기의.

electroacústica *f.* [물리] 전기 음향학.

electrocardiografía *f.* 심전도 검사법.

electrocardiógafo *m.* 심전계(心電計).

electrocardiograma *m.* [의학] 심전도.

electrochoque *m.* 전기 충격 (요법).

electroconvector *m.* 팬히터.

electroconvulsivo, va *adj.* 전기 경련(電氣痙攣)의.

electroconvulsoterapia *f.* [의학] 전기 충격 요법.

electrocutación *f.* 전기 사형; 감전사.

electrocutar *tr.* 전기 사형시키다, 전기 의자에 앉히다; 감전사시키다. ~**se** 감전사하다.

electrodinámico, ca *adj.* 전기 역학의. —*f.* 전기 역학.

electrodo *m.* 전극(電極).

electrodoméstico, ca *adj., m.* 가정 전기 제품(의): industria ~*ca* 가전 산업.

eletroencefalografía *f.* 뇌파 기록, 뇌파 검사(법).

electroencefalograma *m.* [의학] 뇌전도, 뇌파도.

electrógeno, na *adj.* 발전하는: grupo ~ 발전 장치. —*m.* 발전기.

electroimán *m.* 전자석(電磁石).

electrólisis *f.sing.pl.* [화학] 전기 분해, 전해(電解).

electrolítico, ca *adj.* 전해(질)의.

electrólito *m.* 전해질, 전해액.

electrolizar (9) *tr.* 전기 분해하다.

electromagnético, ca *adj.* 전자기의: onda ~*ca* 전자파.

electromagnetismo *m.* 전자기학.

electromecánica *f.* 전기 기계 기술.

electrometalurgia *f.* 전기 야금.

electrometría *f.* 전위 측정(법).

electrómetro *m.* 전위계(電位計).

electromotor, triz *adj.* 전기를 일으키는, 기전의. —*m.* 전동기, 전기 모터.

electromotora *adj.* 기전의.

electrón *m.* 전자(電子).

electronegativo, va *adj.* 음전하(陰電荷)를 띠는.

electrónico, ca *adj.* 전자의, 전자 공학의: industria ~*ca* 전자 산업. música ~*ca* 전자 음악. —*f.* 전자 공학.

electropositivo, va *adj.* 양전하(陽電荷)를 띠는.

electroquímico, ca *adj.* 전기 화학의. —*f.* 전기 화학.

electroscopio *m.* 검전기(檢電器).

electroshock *m.* =**electrochoque.**

electrostático, ca *adj.* 정전기의. —*f.* 정전기학.

electrotecnia *f.* 전기 공학.

electrotécnico, ca *adj.* 전기 공학(電氣工學)의. —*m.f.* 전기 공학 기술자.

electroterapia *f.* [의학] 전기 요법.

electrotermia *f.* 전열 공학(電熱工學).

electrotipia *f.* [인쇄] 전기 제판(製版).

electrotipo *m.* 전기판(電氣版).

electrotren *m.* 전기 특급.

electrovalencia *f.* [물리] 이온 원자가.

electrovoltio *m.* [물리] 전자 볼트.

elefanta *f.* [동물] 암코끼리.

elefante *m.* [동물] 코끼리.

elefantiásico, ca *adj.* ① 상피병의[에 관한]. ② 상피병에 걸린. —*m.f.* 상피병 환자.

elefantiasis *f.sing.pl.* [의학] 상피병.

elegancia *f.* 우아, 우미, 기품, 고상함.

elegante *adj.* ① 우아한, 우미한; 기품 있는, 품위 있는; 스마트한, 세련된. ② (행동이) 신중한. ③ (하는 짓이) 멋진, 근사한, 훌륭한. —*m.f.* 언제나 곱게 꾸미고 있는 사람.

elegía *f.* 애가(哀歌), 비가(悲歌), 엘레지, 애도곡, 애도가.

elegiaco, ca *adj.* =**elegíaco.**

elegíaco, ca *adj.* 애조를 띤, 애수적인; 구슬픈.
elegibilidad *f.* 피선거권
elegible *adj.* 피선거권이 있는.
elegido, da *adj.* 선출된, 뽑힌, 선택된: canditado ~ 당선자. vino ~ 질이 좋은 포도주. —*mf.* ① (하느님의) 선민(選民)(pueblo ~). ② 엘리트(élite).
elegir (45) *tr.* ① 고르다, 선택하다. ② (선거로) 선출하다.
elemental *adj.* ① 기본의, 기초의: conocimientos ~*es* 기초 지식. curso ~ de español 스페인어 입문 (과정). ② 초보적인, 간단한.
elemento *m.* ① 요소, 성분. ② 원소. ③ 구성원, 멤버. ④ [경멸적] 분자(分子), 형편없는 놈 ((여성형 elementa도 있음)): ~ de cuidado 요주의 인물. ⑤ *pl.* 초보, 기본 원리. ⑥ *pl.* 기본 수단. ⑦ *pl.* 대자연의 힘 ((바람, 파도, 태풍, 지진, 해일 등)). ⑧ *PRico.* 바보, 얼간이, 천치.
elenco *m.* ① 일람표, 카탈로그. ② [집합] [연극·영화] 배역, 총 출연자. ③ [집합] 한 무리의 사람, 그룹. ④ [운동] 팀.
elepé *m. ing.* [*pl.* ~s] =**LP.**
elevación *f.* ① 들어올리기, 상승: ~ de precios 물가 상승. ② 높은 곳, 높은 지대, 고지, 고소. ③ (정신적인) 고양. ④ 입면도. ⑤ [천주교] (성체의) 거양(擧揚).
elevado, da *adj.* ① 높은: lugar ~ 높은 곳[지대]. sueldo ~ 고액 봉급. ② 고상한, 고매한.
elevador, ra *adj.* 들어 올리는, 퍼 올리는: bomba ~*ra* de agua 양수 펌프. —*m.* ① 들어[퍼] 올리는 기계. ② *Cuba, Guat., Méj., Salv.* 승강기, 엘리베이터(ascensor).
elevadorista *mf. Méj.* =**ascensorista.**
elevalunas *f.sing.pl.* [자동차] 자동 (개폐) 유리.
elevamiento *m.* =**elevación.**
elevar *tr.* ① 올리다, 높이다, 높게 하다. ② [+a] (…에) 승진시키다. ③ (탄원·고충 등을) 올리다. ④ [천주교] (성체를) 거양(擧揚)하다. ~**se** ① 오르다. ② [+a] (…에) 도달하다, 이르다, 달하다. ③ 승진하다, 출세하다. ④ (정신적으로) 높다.
elevavidrio *m. Méj.* =**elevalunas.**
elfo *m.* 작은 요정.
elidir *tr.* [문법] (모음자 등을) 생략하다 ((예 del ←de el. Vistalegre [지명] ←Vista Alegre. CONFIRMAR RECEPCION [텔렉스] ←confirmar la recepción)).
eliminación *f.* ① 제거, 배제. ② [수학] 소거(법).
eliminar *tr.* ① [+de] (…에서) 제거하다, 배제하다, 없애다. ② [+de] (단체에서 사람을) 추방하다, 몰아내다. ③ [수학] 소거하다. ④ [의학] 물질을 내다. ⑤ 죽이다(matar). ~**se** 떠나다, 떠나가다, 물러가다.
eliminatorio, ria *adj.* 예선의, 예비 전형의: prueba ~*ria* 예비 시험. —*f.* 예선: primera ~ 일차 예선.
elipse *f.* [기하] 타원(橢圓).
elipsis *f.sing.pl.* ① [문법] (문장 요소의 일부의) 생략 ((예 Trae los zapatos del niño y los (zapatos) míos también 아이의 구두를 가져오고 내것도 가져 오세요)): ~ del sujeto 주어의 생략. ② [문학·영화] 시간적 도약.
elipsoidal *adj.* [기하] elipsoide의.
elipsoide *m.* [기하] 타원면, 타원체
elíptico, ca *adj.* ① 타원의. ② 생략의.
elisión *f.* [문법] 생략.
elite *f.* =**élite.**
élite *f. fr.* [집합] 선택된 사람들, 정예(精鋭), (사회의) 중추; 엘리트(층).
elitismo *m.* 엘리트주의.
elitista *adj.* 엘리트주의의. —*mf.* 엘리트주의자.
élitro *m.* [동물] (갑충류의) 날개.
elixir *m.* =**elíxir.**
elíxir *m.* ① 연금약액(鍊金藥液) ((비(卑)금속을 황금으로 만든다고 함)). ② (불로불사의) 영약, 묘약. ③ 구내세정제(口內洗淨劑).
ella *pron.* [인칭 대명사 제3인칭 단수 여성형] ① 그녀, 그 여자: *Ella* es catedrática 그녀는 정교수다. ② [목적 대명사와 중복시켜 목적어의 의미를 확실히 해 줌] Le duele el estómago a ~ 그녀는 복통이다. ③ [여성 명사를 받음] 그것: La plaza es muy divertida, siempre hay feria en ~ 광장은 무척 재미있다. 늘 그 곳에서는 장이 서기 때문이다.
ellas *pron.* [인칭 대명사 제3인칭 복수 여성형] ① 그녀들, 그 여자들: *Ellas* son españolas 그녀들은 스페인 사람들이다. ② [여성 복수 명사를 받음] 그것들.
ello *pron.* [인칭 대명사 중성형; 구어에서는 지시 대명사 eso를 많이 사용함] 그것: *Ello* no me gusta 나는 그것이 마음에 들지 않는다.
ellos *pron.* [인칭 대명사 3인칭 복수 남성형] ① 그들, 그 사람들: *Ellos* vinieron a Corea el año pasado 그들은 작년에 한국에 왔다. ② [남성 복수 명사를 받음] 그것들.
elocución *f.* 이야기하는 방식[태도], 말투, 화술, 연설법.
elocuencia *f.* ① 웅변, 구변[변설]의 재능. ② 표현력, 설득력.
elocuente *adj.* 웅변의; 표현력이 풍부한: orador ~ 말이 유창한 연설가.
elogiable *adj.* 칭찬할 만한.
elogiar (11) *tr.* 극구 칭찬하다.
elogio *m.* 칭찬; 찬사.
elogioso, sa *adj.* 칭찬의, 찬사의.
elongación *f.* ① =**alargamiento.** ② [천문] (태양과 유성과의) 이각(離角).
elotada *f. Méj.* elote를 먹는 간식.
elote *m.* (멕시코와 중앙 아메리카의 다

E

른 나라에서 삶거나 구워 음식으로 먹는) 옥수수의 부드러운 이삭.
elucidación *f.* 해명(解明).
elucidar *tr.* 해명하다(dilucidar).
elucidario *m.* 해설서(解說書).
eludible *adj.* 피할 수 있는.
eludir *tr.* (구실 등을 사용해) 교묘히 피하다, 면하다, 모면하다.
elusivo, va *adj.* 발뺌하는, 책임을 회피하는.
eluvión *m.* [지질] 풍화 잔유물.
emanación *f.* 발산, 방사(放射).
emanantismo *m.* [철학] 유출설[론].
emanar *intr.* ① [+de] (…에서) 발산하다, 방사하다; 솟아나다. ② 유래하다. —*tr.* (기분 · 느낌 등을) 발산하다.
emancipación *f.* 해방: ~ de América [역사] 라틴 아메리카 해방.
emancipar *tr.* [+de] (…에서) 해방시키다, 자유롭게 하다. ~**se** 자유의 몸이 되다, 자유롭게 되다, 해방되다.
emasculación *f.* 거세(去勢).
emascular *tr.* 거세하다(castrar).
embajada *f.* 대사관: *Embajada* de España en Seúl 서울 주재 스페인 대사관.
embajador, ra *m.f.* 대사, 사절, 특사: ~ de la República de Corea en España 스페인 주재 대한민국 대사. —*f.* 대사 부인.
embaladura *f. Chile, Perú.* =**embalaje.**
embalaje *m.* ① 포장. ② 포장 재료 ((상자, 종이 등)). ③ 포장비(용).
embalar *tr.* ① 포장하다. ② (모터 등을) 과도하게 회전시키다. —*intr.* 수면을 철썩거려 물고기를 그물에 몰아넣다. ~**se** ① 맹렬한 속도를 내다. ② 흥분하다, 몹시 상기[흥분]하다.
embaldosado *m.* (길에) 돌[타일] 깔기; 돌 까는 장소.
embaldosar *tr.* (…를) 돌로 포장하다; 타일을 붙이다.
emballenado *m.* 코르셋용 철사 테.
emballenador, ra *m.f.* 코르셋에 철사를 넣는 사람.
emballenar *tr.* (코르셋 등에) 철사를 넣다.
embalsadero *m.* 습지, 늪지.
embalsamador, ra *adj.* 향수를 뿌리는; 방부 처리하는. —*m.f.* 사체에 방부 처리하는 사람.
embalsamar *tr.* ① (사체에) 방부 처리를 하다. ② 방향(芳香)으로 채우다.
embalsamiento *m.* ① 향수 뿌리기. ② 사체의 방부 처리.
embalsar *tr.* ① (물을) 모으다, 저수하다. ② =**rebalsar.** ~**se** ① 물이 모이다, 저수되다. ② 물이 넘치다.
embalse *m.* ① 물을 모으는 일, 저수. ② 댐, 저수지.
embanastar *tr.* ① 바구니에 넣다. ② 공간에 너무 많은 사람을 넣다, 콩나물시루처럼 우겨넣다[밀어넣다].
embancarse (7) *r.* ① 모래톱에 좌초하다. ② *Chile, Ecuad.* (강 · 호수가) 토사로 매립되다, 얕아지다. ③ *Ecuad.* (자동차가 진흙탕 · 모래에서) 옴짝달싹하지 못하다.
embanderar *tr.* 기(banderas)로 장식하다. ~**se** 기로 장식되다.
embanquetar *tr. Méj.* (도로에) 인도를 만들다.
embarazada *adj.* 임신한. —*f.* 임산부.
embarazadamente *adv.* 우물우물, 더듬더듬.
embarazar (9) *tr.* ① 방해하다, 훼방놓다, 저지하다. ② 임신시키다. ~**se** ① 임신하다. ② 방해받다, 저지되다; 난처하다.
embarazo *m.* ① 임신: ~ extrauterino [ectópico] 자궁외 임신. ~ falso 상상임신. ② 곤혹, 당혹. ③ 장애, 미혹(迷惑). ④ 궁지, 고경(苦境): encontrarse en un ~ 궁지에 몰려 있다, 난처하다. ¶ ~ *gastronómico* 위장 장애.
embarazoso, sa *adj.* ① 거추장스런, 방해되는, 골치 아픈. ② 성가신, 귀찮은, 곤혹스런.
embarbillado *m.* [건축] (목재를) 서로 물리게 놓는 일.
embarcación *f.* ① [집합] 배, 선박. ② =**embarco.** ③ 항해 일수(日數).
embarcadero *m.* ① 부두, 선창, 잔교(棧橋). ② (역의) 승강장, 플랫폼.
embarcar (7) *tr.* ① (배 · 비행기 · 열차에) 태우다; 화물을 싣다; 출하하다. ② [+en] (위험한 사업 등에) 끌어들이다, 끌어넣다. ③ *Cuba, Ven.* 기다리다 허탕치게 만들다. —*intr.* 승선하다, 탑승하다. ~**se** 타다, 승선[탑승]하다.
embarco *m.* 승차, 탑승, 승선; 짐싣기.
embargar (8) *tr.* ① [법률] 압류하다. ② (정신적으로) 마음을 끌다, 매혹하다, 사로잡다, 붙잡다.
embargo *m.* ① 압류; (무기 등의) 수출[운반] 금지, 봉쇄: ~ económico 경제 봉쇄. ② [의학] 소화 불량. ¶ *sin* ~ 그럼에도 불구하고, 그렇다고 하더라도, 그러나.
embarque *m.* ① 짐싣기, 선적, 출하: ~ parcial 분할 선적. ② 승선, 탑승: puerta de ~ 탑승구. tarjeta de ~ 탑승권. ③ 적하, 적화. ④ 눈속임, 사기.
embarrada *f.* ① *Col., Par.* =**patochada.** ② *Bol., Col., Nic., Ur.* =**desbarro, error manifiesto.**
embarrancar (7) *intr.* 배가 좌초되다, 배가 암초에 얹히다. —*tr.* (배를) 좌초시키다. ~**se** ① (차가) 수렁에 빠지다. ② 난관에 부딪치다.
embarrar[1] *tr.* ① (진흙으로) 바르다, 덮다. ② (진흙으로) 더럽히다. ③ =**embadurnar.** ④ *As., Ext., Sal., Zam.* 벽을 희게 칠하다. ⑤ =**calumniar, desacreditr.** ⑥ *Amér.* 곤란하게 만들다. ⑦ *Amér.* 죄를 범하다. ⑧ *AmérC., Cuba, Ecuad., Méj.* (못된 일에 …를) 끌어들이다, 끌어넣다. ⑨ *Ur.* =**equivocar.** ~**se** ① (진흙으로) 발

라지다, 덮이다. ② (진흙으로) 더러워지다. ③ 비방되다. ④ 곤란해지다. ⑤ 죄를 저지르다. ⑥ (못된 일에) 끌려 들어가다.
embarrar[2] *tr.* (지레를) 물리다.
embarrilar *tr.* 통에 넣다.
embarullar *tr.* ① 혼란하게 하다; (사람을) 당황하게 하다, 망설이게 하다. ② 소홀히 하다, 등한히 하다. ~**se** 지리멸렬한 것을 하다[말하다].
embastar *tr.* 시침바느질하다, 가봉하다; (이부자리를) 꿰매 맞추다.
embastecer *intr.* 살찌다, 뚱뚱해지다. ~**se** 성기다(hacer basto).
embate *m.* ① (바다가 갑작스런) 세찬 비바람으로 거칠어짐. ② (감정의) 격발: ~ de celos 질투의 불길.
embaucador, ra *adj.* 사람을 속이는: palabras ~*ras* 감언. —*m.f.* 사기꾼.
embaucamiento *m.* 속이는 일, 사기.
embaucar (7) (17) *tr.* 속이다.
embaular (17) *tr.* ① 트렁크(baúl) 안에 넣다. ② =engullir.
embausamiento *m.* =abstracción.
embebecer (31) *tr.* 매료시키다, 기쁘게 하다. ~**se** 황홀해지다, 넋을 잃다.
embebecidamente *adv.* 황홀해서, 넋을 잃고(con embebecimiento).
embebecimiento *m.* =enajenamiento, embelesamiento.
embebedor, ra *adj.* 빨아들이는, 흡수하는, 적시는.
embeber *tr.* ① (액체를) 빨아들이다, 흡수하다. ② [+en · de] (…을) …에 적시다[스며들게 하다]. ③ [+en] (…에) 끼워 넣다, 집어넣다; (조직의 일부로) 집어넣다. ④ [복식] 치수를 줄이다. —*intr.* (폭이) 줄어들다, 오므라들다, 위축되다. ~**se** ① =embebecerse. ② [+en · de] (…가) 잠기다, 머금다. ③ [+de] (학설 등을) 완전히 이해하다, 자신의 것으로 만들다. ④ [+con · en] (…에) 마음을 빼앗기다, 빠져들다, 깊이 빠지다, 골몰하다. ⑤ [천이] 줄다, 줄어들다, 오므라들다.
embejucar (7) *tr.* ① *Ant., Col., Ven.* 덩굴풀(bejucos)로 덮다[싸다]. ② *Col.* =desorientar. ~**se** ① *Col., Ven.* = enredarse. ② *Col.* =enfadarse.
embelecador, ra *adj.* 속이는, 사기치는. —*m.f.* 사기꾼.
embelecamiento *m.* =embeleco.
embelecar (7) *tr.* (달콤한 말로) 속이다, 꾀다.
embeleco *m.* 사기; 감언, 달콤한 말.
embelesamiento *m.* 매료(魅了).
embelesar *tr.* 매료시키다, 황홀하게 하다, 넋을 잃게 하다. ~**se** [+con · en] (…에) 매료되다, 황홀해지다, 넋을 잃다, 도취되다.
embeleso *m.* 황홀(경), 매료(되는 일).
embellecedor, ra *adj.* 화장용의. —*m.* ① (자동차 등의) 장식품; (특히) 바퀴통 씌우개. ② 화장품. ③ (문 등의) 목공 장식(품).
embellecer (31) *tr.* ① 아름답게 하다. ② [+con] (…으로) 장식하다, 꾸미다. ~**se** 몸을 꾸미다, 화장을 하다.
embellecimiento *m.* 아름답게 꾸미는 일, 미화, 화장.
emberrenchinarse *r.* =enberrinchar-se.
emberretinamiento *m. Arg., Cuba., Ur.* =obstinación, terquedad.
emberretinarse *r. Arg., Cuba, Ur.* …에 변덕을 부리다, …에 지나치게 열광[열중]하다.
emberretinarse *r.* 너무 투정을 부리다, 타박하다, 화내다.
embestida *f.* ① 공격, 돌진. ② 조름, 강요.
embestir (43) *tr., intr.* ① (투우 등이) 와락 덤벼들다, 덮치다. ② (파도 등이) 밀어닥치다, 밀려오다. ③ [군사] 공격[습격]하다, 덮치다(atacar).
embetunar *tr.* …에 타르[구두약]를 바르다: ~ los zapatos 구두를 닦다.
emblandecer (31) *tr.* 부드럽게[연하게] 하다. ~**se** ① 부드럽게[연하게] 되다. ② 감동되다.
emblanquecer (31) *tr.* 하얗게 만들다. ~**se** 하얗게 되다.
emblanquecimiento *m.* 하얗게 만듦; 하얗게 됨; 흰칠, 표백.
emblema *m.* ① 문장(紋章). ② 배지, 기장(記章), 표장(標章). ③ 상징.
emblemático, ca *adj.* 상징적인.
embobamiento *m.* 도취; 경탄.
embobar *tr.* 황홀하게 만들다, 넋을 잃게 만들다. ~**se** [+con] (…에) 황홀해지다, 넋을 잃다.
embocado, da *adj.* =abocado.
embocadura *f.* ① (좁은 장소에서) 끼어들기. ② (강 · 항구 등의) 입구. ③ (포도주의) 방향(芳香), 향기로운 냄새. ④ (현악기의) 취구(吹口). ⑤ 재능, 기량. ⑥ (말 등의) 재갈.
embocar (7) *tr.* ① [농구] (공을) 골인시키다; [골프] 홀에 넣다. ② (입구 · 협소한 장소에) 들어가다. ③ 입에 넣다. ④ (피리 등을) 입에 갖다 붙이다. ⑤ 믿게 하다. ⑥ 손을 대다, 시작하다, 착수하다. ⑦ 급히 먹다, 급히 삼키다. —*intr.*, ~**se** 좁은 곳으로 들어가다, 끼어들다.
embolada *f.* 피스톤의 행정(行程).
embolado *m.* ① (연극의) 단역, 중요하지 않은 역. ② 속임수, 사기.
embolia *f.* [의학] 색전증(塞栓症).
embolismo *m.* (태양력의) 윤달.
émbolo *m.* ① 피스톤. ② [의학] 색전.
embolsar *tr.* ① (돈을) 받다. ② (돈 등을) 자루[지갑]에 넣다. ~**se** (돈을) 벌다.
emborrachador, ra *adj.* 술이 거나하게 취한.
emborrachamiento *m.* =embriaguez.
emborrachar *tr.* ① 술에 취하게 하다. ② 최면시키다, 잠들게 하다. ③ (술 등에) 과자를 담그다. ~**se** ① 취하다.

E

② 색이 번지다.
emborrajar *tr.* *Ecuad.* =empanar.
emborrascar (7) *intr.* =irritar, alterar. **~se** ① 격분하다. ② (날씨가) 사나워지다, 거칠어지다. ③ (사업이) 망가지다, 망하다. ④ *Arg., Hond., Méj.* [광산] 광맥이 다하다.
emborronar *tr.* ① 종이에 낙서를 하다. ② 급히 글을 쓰다.
emboscada *f.* 복병, 매복[잠복](하고 기다림).
emboscado *m.* 전시에 군복무를 피하는 남자.
emboscar (7) *tr.* 매복[잠복]시키다, 매복[잠복]하고 기다리게 하다. **~se** ① 매복[잠복]하다; (수풀에) 숨다. ② (안전·안락한) 후방 근무를 하다.
embotarse *r.* 장화를 신다.
embotellado, da *adj.* ① (차량이) 밀린, 정체된. ② (연설·수업 등이) 잘 준비된. ③ 병조림된.
embotellador, ra *adj.* 병조림하는. —*f.* 병조림 기계.
embotellamiento *m.* ① 병조림. ② 교통 혼잡, 병목 현상.

E

embotellar *tr.* ① (포도주 등을) 병에 담다, 병조림하다. ② (사람을) 막다른 곳[궁지]에 몰아넣다, 바싹 추궁하다. ③ (교통을) 정체시키다, 밀리게 하다. ④ (상담 등을) 방해하다. ⑤ (적함대를) 봉쇄하다. **~se** ① 교통이 막히다[정체되다]. ② (내용을 이해하지 못하고) 남김없이 전부 외우다.
emboticar *tr.* (7) *Cuen., Chile.* =medicinar, jaropar.
embotijarse *r.* ① =hincharse, inflarse. ② =enojarse, encolerizarse, indigarse.
embozar (9) *tr.* ① (얼굴의 아랫부분을) 가리다, 숨기다. ② (쉽게 이해하지 못하도록) 말이나 행동으로 숨기다. **~se** 얼굴을 가리다.
embozo *m.* ① (얼굴이 닿는 부분에) 침대의 홑이불 접기. ② (망토 등의) 세운 깃. ③ 얼굴 가리는 옷(의 일부). ④ 시치미떼기, 위장.
embragar (8) *intr.* 크러치를 연결하다.
embrague *m.* 크러치(의 접속), 연동장치.
embravecer (31) *tr.* (특히 바다·바람을) 사나워지게 하다. —*intr.* (식물이) 무성하게 퍼지다. **~se** (특히 바다·바람이) 사나워지다, 거칠어지다.
embravecido, da *adj.* (물의 흐림이) 탕탕한.
embrazar (9) *tr.* (방패의 손잡이 등에) 팔을 넣다.
embrear *tr.* 역청(brea)을 바르다.
embriagador, ra *adj.* 술에 취하게 하는: líquido ~ 취하게 하는 액체.
embriagante *adj.* =embriagador.
embriagar (8) *tr.* ① 술에 취하게 하다. ② =atontar, perturbar, adormecer. ③ =enajenar, transportar. **~se** ① 술에 취하다. ② 도취되다, 취하다, 넋을 잃다, 열중하다.
embriaguez *f.* ① 취함, 대취, 명정(酩酊). ② 도취, 몽중(夢中), 열중.
embridar *tr.* ① (말에) 고삐를 달다. ② 억제하다, 억누르다.
embriología *f.* 발생학; 태생학(胎生學).
embriológico, ca *adj.* embriología의.
embriólogo, ga *mf.* 발생[태생]학자.
embrión *m.* ① [생물] 배(胚). ② 태아. ③ (사물의) 시작, 초기 단계.
embrionario, ria *adj.* 배(胚)의; 태아의; 초기 단계의.
embrocar[1] (7) *tr.* ① (다른 그릇으로) 비우다. ② *Sal.* 떨어뜨리다. ③ *Guat.* (누구를 피해당하는 일에) 끼어넣다. ④ *Nic.* (누구를) 실수하게 하다. ⑤ *Nic.* (누구를) 잘못에 빠지게 하다. **~se** *Nic.* 실수하다.
embrocar[2] (7) *tr.* ① (자수실을) 실패에 감다. ② (구두 밑창에) 징을 박다. ③ 소가 투우사를 두 뿔로 받다.
embrollar *tr.* ① (실을) 엉클다. ② 혼란하게 하다. ③ [+en] (사건에) 말려들게 하다. **~se** (실이) 엉클어지다; 얽히다, 머리가 혼란하다.
embrollo *m.* ① 착잡, 혼란; 분규, 혼미. ② 거짓말, 날조, 조작.
embrollón, na *adj.* 말썽을 부리는, 분쟁을 일으키는. —*mf.* 말썽꾸러기, 분쟁의 야기자.
embuchado *m.* ① 돼지 고기 순대[소시지]. ② 돼지 등심(살) 순대[소시지]. ③ 중대한 일; 간과(看過), 못 보고 빠뜨림. ④ 부정 투표. ⑤ 참고 참은 울화. ⑥ [제본] (아무렇게나) 처넣음, 던져 넣음. ⑦ [연극] 즉흥적인 연주[대사·연기].
embuchar *tr.* ① 다진 고기를 창자 속에 넣다. ② 새의 모이주머니에 먹이를 집어 넣다. ③ (거의 씹지도 않고) 정신 없이 집어넣다. ④ [인쇄] (인쇄된 종이 등을) 다른 것에 끼워 넣다.
embuste *m.* ① 허풍. ② 모조 보석.
embustear *intr.* 자주 속임수를 쓰다.
embustería *f.* =engaño.
embustero, ra *adj.* 허풍을 떠는. —*mf.* 허풍선이.
embustidor, ra *adj.* =mentiroso.
embustir *intr.* [드묾] 허풍을 떨다, 거짓말을 하다.
embutar *tr.* *Burg., Cantb.* =empujar.
embutiar *tr.* *Ast.* =empujar.
embutición *f.* 얇은 금속판을 끼워 넣어 다른 형태의 조각을 제작하는 일.
embutido *m.* ① (돼지고기의) 소시지. ② 채워 넣는 일, 끼워 넣기. ③ 상감(象嵌). ④ =embutición. ⑤ *Amér.* 이음 자수(entredós).
embutidor, ra *mf.* embutir에 전념하는 사람.
embutir *tr.* ① 소시지[순대]를 만들다. ② 채워 넣다, 안에 다져 넣다. ③ 얇은 금속판을 붙이다. ④ 봉해 넣다, 안으로 넣다. ⑤ =imbuir, instruir. ⑥ 급히 꾸역꾸역 집어넣다. **~se** ① 걸신들린 듯이 먹다. ② (옷을) 껴입다.

embuzonar *tr. Nic.* 은밀한 곳에 무기를 보관하다.

eme *f.* ① 에메 ((문자 m의 명칭)). ② 똥(mierda).

emelga *f.* =**amelga.**

emenagogo *m.* [약학] 월경 촉진제, 통경제(通經劑).

emergencia *f.* ① 돌발 사고, 비상 사태, 비상시, 위급, 급변: aterrizaje de ~ 비상[긴급] 착륙. estado de ~ 비상 사태. en caso de ~ 위급한 경우에(는). ② 부상(浮上), 출현(出現).

emergente *adj.* ① 신생의, 신흥의, 두각을 나타내는. ② 불시의, 긴급의. ③ [철학] 창발적(創發的)인.

emerger (3) *intr.* 수면[액체] 위에 나타나다.

emeritense *adj., mf.* 메리다(Mérida, Extremadura 자치주의 주도)의 (사람).

emérito, ta *adj.* 직에서 은퇴한[물러난]: profesor ~ 명예 교수.

emersión *f.* 출현, 부상(浮上).

emético, ca *adj.* [약학] 구토를 일으키는. —*m.* 토제(吐劑), 최토제(催吐劑).

emétrope *adj.* [의학] (눈이) 정시(正視)의.

emetropía *f.* [의학] 정시(正視).

emigración *f.* ① (타국·다른 지방으로) 이주. ② 출가(出稼) ((일정 기간 타관에 가서 일함[벌이를 함])). ③ [집합] 이민, 출가자.

emigrado, da *mf.* ① 이민, 이주자. ② 출가자(出稼者).

emigrante *adj.* 이주하는. —*mf.* ① 이주자, 이민. ② 출가자(出稼者).

emigrar *intr.* ① [+a] (타국·타지방으로) 이주하다. ② [동물] 이동하다, 회유하다. ③ 떠나다, 물러가다.

emigratorio, ria *adj.* ① 이주의. ② 출가(出稼)의.

eminencia *f.* ① 걸출, 탁월. ② 걸물, 거물. ③ 고지, 언덕. ¶*Su* [*Vuestra*] *Eminencia* [추기경의 존칭] 예하.

eminente *adj.* ① (장소가) 높은. ② [+en] (…에) 걸출한, 탁월한, 빼어난, 뛰어난, 훌륭한.

eminentemente *adv.* 뛰어나게, 두드러지게, 현저하게.

eminentísimo *adj.* [추기경의 존칭] 지존하신: el ~ señor cardenal 예하.

emir *m.* 아랍의 왕자[추장].

emirato *m.* ① emir의 직[지위]. ② emir 의 통치 기간[영토].

emisario, ria *mf.* ① 특사, 밀사. ② 배수로, 방수로. ③ (호수에서 내는) 강.

emisión *f.* ① 방출, 방사; 배출. ② 발행: banco de ~ 발권 은행. ③ 방송(프로그램): ~ por satélite 위성 방송.

emisor, ra *adj.* 내는, 발하는; 송신하는; 발행하는: banco ~ 발권 은행. —*mf.* ① 송신인. ② 발행인. ③ [언어] (메시지의) 발신자. —*m.* 송신기.

emitir *tr.* ① (빛·음 등을) 발하다, 방출[방사]하다; 배출하다. ② (의견·판단 등을) 표명하다. ③ 발행하다: ~ billetes 화폐를 발행하다. ④ 방송하다. —*intr.* 방송되다.

emmental *m.* (스위스의) 에멘탈 치즈.

emoción *f.* 감동, 감격; (이성에 대해 희로애락의) 감정, 정서.

emocionable *adj.* =**emotivo.**

emocional *adj.* 감정의; 감정적인: 감정에 움직이기 쉬운; 정에 무른, 감수성이 강한.

emocionalidad *f.* 감격성, 감동성.

emocionalmente *adv.* 감정적으로; 정서적으로.

emocionante *adj.* 감동적인.

emocionar *tr.* (희로애락으로) …의 마음을 동요시키다, 감동시키다, 감격시키다. **~se** [+con·por] (…에) 감동하다, 감격하다: *~se con* la música 음악에 감동하다.

emoliente *adj.* [의학] (염증을 일으킨 조직을) 부드럽게 하는, 완화시키는. —*m.* 완화제.

emolumento *m.* [주로 *pl.*] (공증인·의사 등에게 주는) 추가 사례금.

emoticón *m.* [컴퓨터] =**emoticono.**

emoticono *m.* [컴퓨터] 이모티콘.

emotividad *f.* 감동(성); 감수성.

emotivo, va *adj.* ① 감정의, 정서의. ② (사물이) 감동적인. ③ (사람이) 다감한, 감수성이 강한[예민한].

empacada *adj. Nic.* =**preñada.**

empacador, ra *adj.* 포장하는. —*mf.* 포장하는 사람. —*f.* 포장기.

empacamiento *m.* 포장(包裝).

empacar (7) *tr.* ① 포장하다. ② 상자 안에 넣다. ③ *Amér.* 짐을 꾸리다. —*intr. Amér.* 짐을 꾸리다.

empacarse *r.* ① =**emperrarse.** ② =**turbarse, cortarse, amostazarse.** ③ *Amér.* =**plantarse.**

empachada *f.* ☞**empachado.**

empachadamente *adv.* 졸렬하게, 서툴게; 실컷, 마음껏.

empachado, da *adj.* 졸렬한, 서툰, 솜씨가 없는. —*f.* 과식(하는 일).

empachar *tr.* ① 괴롭히다, 못살게 굴다, 방해하다. ② 배탈 나게 하다, 과식하게 하다, 포식시키다, 위를 트릿하게[거북하게] 하다, 위에 부담을 주다. ③ 감추다, 숨기다. **~se** ① 괴롭힘을 당하다, 방해받다, 왕따당하다. ② 위에 부담이 되다, 물리다, 위가 거북하다. ③ 수줍어하다, 부끄러워하다.

empacho *m.* ① 수치(심), 창피함, 부끄러움. ② 난관; 방해, 장애. ③ 소화 불량. ¶ ~ *de estómago* 소화 불량.

empachoso, sa *adj.* ① 위에 부담을 주는, 소화 불량을 일으키는. ② 부끄러운, 수치스러운, 부끄럼을 잘 타는.

empadrarse *r.* (아이가) 지나치게 아버지[부모]에게 응석[어리광]을 부리다.

empadronamiento *m.* ① 인구[국세] 조사. ② 주민 등록, 거주민 등록.

empadronar *tr.* 주민 등록을 시키다, 인구 조사를 하다. **~se** [+en] (…에)

E

주민 등록을 하다.
empajada *f.* 말먹이.
empajar *tr.* ① 짚으로 덮다[채우다]. ② *Chile, Col., Ecuad., Hond., Nic.* 짚으로 지붕을 이다. ③ *Chile.* 짚을 섞다; (특히 볕에 말린 벽돌을 만들기 위해) 진흙에 짚을 섞다. ④ *Chile.* 구유통의 바닥에 짚을 넣어 주다. **~se** ① *Can., PRico.* 영양가 없는 음식으로 배를 채우다. ② *Nic.* 남을 손해 보게 하고 개인의 이득을 취하다.
empalidecer (31) *intr.* 창백해지다.
empalizada *f.* 울타리(estacada).
empalmadura *f.* =empalme.
empalmar *tr.* ① (관 등을) 연장하다. ② 잇다, 연결하다, 접속하다. —*intr.* ① 이어지다, 연결되다. ② (탈것이) 접속되다, 연결되다. **~se** 비수를 숨겨 가지고 있다.
empalme *m.* 접속, 연결: estación de ~ 접속역, 환승역.
empamparse *r. AmérM.* 초원에서 길을 잃다[잘못들다].
empanada *f.* ☞empanado.
empanadilla *f.* 작은 만두.
empanado, da *adj.* 다른 방으로 둘러싸여 직접 (햇)빛도 들어오지 않고 환기도 되지 않는 (방). —*f.* ① 엠빠나다 ((고기·생선·야채 등을 밀가루 반죽에 채워 넣어 오븐에 찐 만두의 일종)). ② 간계, 속임수. ③ *Salv., Ven.* =empanadilla.
empanar *tr.* ① (오븐에 찌기 위해) 반죽한 것으로 싸다. ② 튀기기 위해 빵가루에 버무리다.
empantanar *tr.* ① 침수시키다, 물바다로 만들다. ② (누구를) 늪에 넣다. ③ (일을) 질질 끌다. ④ 방해하다, 훼방놓다. **~se** ① 침수되다, 물바다가 되다. ② 늪에 빠지다. ③ 정체되다.
empanzamiento *m. Hond., Méj.* 과식하지 않았는데 위에 부담을 느끼는 일.
empanzarse *r.* =ahitarse.
empapaciar (11) *tr.* =empapuzar.
empapado, da *adj.* 흠뻑 젖은.
empapar *tr.* ① (액체를) 적시다, 잠기게 하다. ② 흠뻑 적시다. ③ 닦아 없애다. **~se** ① 깊이 스며들다, 배어들다. ② [+en·de] (…에) 정통하다, 자세히 알고 있다; 심취되어 있다.
empapelado *m.* ① 도배. ② 도배지.
empapelador, ra *mf.* 도배장이.
empapelar *tr.* ① 종이에 싸다. ② 도배하다, 종이를 바르다. ③ 기소하다.
empapelonarse *r. Ven.* =confundirse, embrollarse, enredarse.
empapirotar *tr.* =emperejillar.
empapizar *tr. Ast., León, Sal.* =empapuzar. **~se** *Ast., León.* (먹거나 마시면서) 목이 막히다.
empapuciar (11) *tr.* =empapuzar.
empapujar *tr.* =empapuzar.
empapuzar *tr.* (누구에게) 너무 먹게 하다, 물리게 하다. **~se** [+de] (…을) 과식하다, 너무 먹다, 물리다.
empaque *m.* ① 당당한 모양, 위엄 있는 외견. ② 포장 (재료). ③ *Col., CRica, Hond.* =zapatilla. ④ =**seriedad, gravedad.** ⑤ =**catadura.** ⑥ (동물이) 성질을 부림. ⑦ *And., Perú, PRico.* =**descaro, desfachatez.**
empaquetado *m.* 짐 꾸리기.
empaquetador, ra *adj.* 짐을 꾸리는, 포장용의. —*mf.* 포장 담당자.
empaquetar *tr.* ① 짐을 꾸리다. ② 짐을 큰 짐 속에 적당히 넣다. ③ 초과된 사람을 짐짝처럼 쑤셔 넣다. ④ =**emperejillar, acicalar.** ⑤ 벌을 주다, 벌을 과하다, 제재를 가하다. ⑥ *Arg.* 그럴듯한 말로 속이다.
emparchar *tr.* 고약(parche)을 바르다.
emparedado *m.* 샌드위치(sandwich).
emparedar *tr.* 벽 사이에 감금하다, 벽 사이에 숨기다. **~se** 벽 사이에 감금되다.
emparejado, da *adj. Sal.* 새끼들(las crías)을 동반한 (양).
emparejar *tr.* ① 짝을 이루게 하다. ② (두 사람을) 짝을 이루어 주다. ③ 같은 높이로 하다. ④ (두 개의 문짝·창문을) 양쪽으로 끌어당기다. ⑤ (우체국에서 우표에 소인을 찍기 위해) 편지를 크기별로 놓다. ⑥ [농업] 땅을 고르다, 반반하게 하다. —*intr.*, **~se** ① 짝을 이루다. ② [+con … en](…를 …에서) 따라잡다, 따라붙다, (수준에) 달하다.
emparentar (19) *intr.*, ① 인척[친척] 관계가 되다. ② 유사성[관련]이 있다. —*tr.* 관련시키다, 유사성을 지적하다.
emparrado *m.* ① 포도 시렁. ② 대머리를 가리기 위해 늘어뜨린 머리카락.
emparrar *tr.* 포도 시렁을 만들다.
emparrillado *m.* (무른 지반에 토대를 받치는) 나무틀.
emparvar *tr.* 농작물을 차곡차곡 쌓아 올리다.
empastador, ra *adj.* 풀로 제본[장정]하는. —*mf.* 제본 업자.
empastar[1] *tr.* ① 풀을 먹이다. ② 책을 풀로 장정[제본]하다. ③ (충치에) 아말감을 채워 넣다. ④ (화장품·물감 등을) …에 두툼하게 바르다.
empastar[2] *tr.* ① *Arg., Chile.* (가축이 연한 목초를 먹거나 너무 먹어) 고창에 걸리다. ② *Arg., Chile., Nic.* (토지를) 목장으로 바꾸다. **~se** ① 고창에 걸리다. ② (토지가) 목장으로 바뀌다. ③ (밭에) 잡초가 우거지다.
empastador, ra *adj.* 풀로 제본[장정]하는. —*mf.* 제본 업자.
empaste[1] *m.* ① 풀을 먹이는 일, 풀칠. ② (이의) 충전물. ③ (물감을) 두툼하게 칠하기.
empaste[2] *m. Arg.* (가축의) 고창(鼓脹).
empatar *intr.* (운동·선거에서) 동점이 되다, 비기다, 무승부가 되다. —*tr.* ① 동점[동수]이 되게 하다. ② *Col.* (시간을) 낭비[허비]하다. ③ *Can., Amér.* 밧줄을 이어 맞추다. ④ *Can., Amér.*

줄에 낚시바늘을 묶다.
empate *m.* 동점, 무승부, 비김.
empatía *f.* [심리] 감정 이입, 공감.
empavesada *f.* [선박] 만함식(滿艦飾).
empavesado *m.* =empavesada.
empavesar *tr.* ① 만함식으로 하다. ② (수리를 하기 위해 건물을 휘장 등으로) 가리다.
empavonar *tr.* ① 녹 방지제를 바르다. ② *Col., PRico., RDom.* 기름 바르다.
empecé empezar(시작하다)의 직설법 부정 과거 1인칭 단수: 나는 시작했다.
empecer *intr.* 방해하다(impedir).
empecinado, da *adj.* 완고한.
empecinamiento *m.* 고집.
empecinarse *r.* 고집하다(obstinarse).
empedarse *r. Arg., Ur.* (술에) 취하다.
empedernido, da *adj.* (나쁜 습관 등에) 집착한, 열중한.
empedrado, da *adj.* ① =rodado. ② (하늘이) 비늘구름으로 덮인. —*m.* ① 포석(鋪石) 작업. ② 돌을 깐 길.
empedrar *tr.* ① (도로 등에) 돌을 깔다. ② 이상한 물건으로 표면의 울퉁불퉁한 것을 채우다. ③ [+de] (…의) 투성이로 만들다.
empegar (8) *tr.* …에 역청을 바르다.
empeine[1] *m.* 치부(恥部).
empeine[2] *m.* ① (손발의) 등. ② (장화의) 다리 이외의 올라간 부분.
empeine[3] *m.* 무좀.
empeinoso, sa *adj.* 무좀이 있는.
empelar *intr.* 털이 나다.
empella[1] *f.* 구두의 앞축.
empella[2] *f. And., Amér.* =manteca.
empellar *tr.* =empujar.
empeller *tr.* =empellar.
empellón *m.* 몸으로 부딪치기. ¶*a empellones* 난폭하게, 갑자기. *dar empellones* 몸을 부딪치다.
empelotarse *r.* ① 얽히다, 휘말리다. ② *And., Ext., Bol., Chile, Col., Méj., Nic., RDom.* 발가벗다.
empeñar *tr.* ① 담보[저당] 잡히다. ② 중개인[보증인]으로 삼다. ③ (싸움 등을) 시작하다. ④ (어떤 일에 일시적 기간을) 사용하다, 쓰다. ~**se** ① (돈을) 빌리다. ② [+en+*inf.* · que+*subj.*] (…하는 것을) 고집하다, 우겨대다. ③ [+en+*inf.*] (…하도록) 노력하다. ④ (전투 등을) 개시하다, 시작하다.
empeño *m.* ① 저당 잡힘, 담보(에 넣음): casa de ~(s) 전당포. papeleta de ~ 전당표. ② 집착심, 미련, 숙원, 기도. ③ 노력; 끈질김, 끈기. ④ 연고, 연줄. ⑤ *And., Hond., Méj.* 전당포.
empeñosamente *adv.* 끈질기게.
empeñoso, sa *adj. And., Amér.* 끈질긴, 끈기 있는.
empeoramiento *m.* 악화(惡化).
empeorar *tr.* 악화시키다. —*intr.*, ~**se** 악화되다.
empequeñecer (31) *tr.* 작게 하다; (중요성 등을) 줄이다. —*intr.*, ~**se** 작게 되다, 줄어들다.
emperador *m.* 황제(皇帝).
emperatriz *f.* 여제(女帝), 여자 황제, 여황(女皇); 황후.
emperejilar *tr.* (아름답게) 몸치장을 하다. ~**se** 잔뜩 멋을 부리다.
emperezar (9) *tr.* 늦추다, 지연시키다. —*intr.*, ~**se** 게으름피우다.
empergaminar *tr.* (…에) 양피지를 씌우다.
empericarse (7) *r.* ① *Cuba.* 화려하게 옷차림을 하다. ② *Méj.* 기어오르다.
emperifollar *tr.* =emperejilar.
empero *m.* [문어] 그러나(pero).
emperrarse *r.* [+en] (…에) 고집하다.
empezar (9) (19) *intr.* ① 시작하다. ② [+a+*inf.*] (…하기) 시작하다. ③ [+por] 우선 …부터 시작하다. ④ [+con] (…에서) 시작하다. ⑤ [+a] (타격을) 갑자기 시작하다. —*tr.* 시작하다.
empiece *m.* =comienzo.
empiezo *m. Hond.* =comienzo.
empilchar *intr. Arg., Bol., Ur.* 고급 옷을 입다. —*tr. Arg., Bol., Ur.* 고급 옷을 입히다.
empilonar *tr. Cuba.* (잎을 펼쳐지게 하기 위해) 마른 담배를 차곡차곡 쌓다.
empinado, da *adj.* ① (길이) 급한, 험한. ② 높은 곳에 있는, 우뚝 솟은. ③ 고만(高慢)한, 오만한.
empinar *tr.* ① (넘어지거나 기운 것을) 세우다, 일으키다. ② (마시기 위해 그릇을) 기울이다. ③ 들어올리다, 쳐들다. ④ (특히 포도주를) 많이 마시다. ~**se** ① 발돋움해 서다. ② (동물이) 뒷다리로 서다. ③ 우뚝 솟다. ④ (길이) 험해지다.
empiparse *r. Chile, Ecuad., Perú, PRico.* =apiparse, ahitarse.
empíreo, a *adj.* (신이 살고 있는) 천공의, 천국의. —*m.* 천공(天空), 천국.
empírico, ca *adj.* 경험주의의. —*mf.* 경험주의자.
empirismo *m.* [철학] 경험론, 경험주의.
empirista *adj.* 경험주의의. —*mf.* 경험주의자; [철학] 경험론자.
empitonar *tr.* (소가 투우사를) 뿔로 받다.
empizarrado *m.* 슬레이트 지붕.
empizarrar *tr.* (지붕이나 건물의 다른 부분을) 슬레이트로 이다.
emplastadura *f.* 고약을 바르는 일.
emplastamiento *m.* =emplastadura.
emplastar *tr.* ① 고약을 바르다. ② 모조품으로 화장[장식]하다. ③ (일을) 질질 끌다; 방해하다.
emplastecer (31) *tr.* (캔버스를) 그림 물감으로 반반하게 고르다.
emplástico, ca *adj.* ① (고약처럼) 잘 붙는, 끈적끈적한(pegajoso, glutinoso). ② [의학] =supurativo, disolutivo.
emplasto *m.* ① 고약. ② 임시 조치, 서툰 수리. ③ 약골. ¶*estar hecho un* ~ ㉮ 고약과 약으로 덮여 있다. ㉯ 몸이 무척 약하다.
emplástrico, ca *adj.* =emplástico.

E

emplazamiento *m.* ① 소환, 출두: carta de ~ 소환장. ② 위치, 배치.

emplazar[1] (9) *tr.* ① (상대방에게 나가는 장소와 시간을) 지정하다. ② 소환하다, 출두를 명령하다.

emplazar[2] *tr.* ① (지정된 장소에 포를) 배치하다. ② (지정된 장소에 어떤 다른 것을) 놓다, 배치하다.

empleado, da *adj.* ① 사용된, 쓰인. ② 고용된. —*mf.* ① 종업원, 직원, 피고용인: ~ bancario [de banco] 은행원. ~ de aduanas 세관 직원. ~ del Estado 국가 공무원. ~ público 공무원. ② 머슴, 하인, 하녀. —*f.* 가정부. ¶ ~ ***de hogar*** *mf.* 머슴, 가정부.

emplear *tr.* ① 쓰다, 사용하다. ② [+como · de] (…로) 고용하다. **~se** ① 사용되다: En las ciudades *se emplea* gas natural 도시에서는 천연 가스가 사용된다. ② 고용되다.

empleo *m.* ① 사용. ② 고용: contrato de ~ 고용 계약. ③ 직무, 직책, 일, 일자리. ④ [군사] 계급.

emplomado *m.* ① 지붕을 덮는 연판[판자 모양의 납]. ② (창유리의) 납테, 납 틀, 납 테두리. ③ 봉하는 납.

E

emplomadura *f.* ① 납으로 싸는 일. ② 납 조각. ③ *Arg., Par., Ur.* (이의) 충전물, 아말감.

emplomar *tr.* ① 납으로 덮다[용접하다]. ② 연판(鉛版)으로 덮다. ③ 납 테[틀]로 고정시키다. ④ 납인하다. ⑤ *Arg., Par., Ur.* (이를) 충전하다, 아말감으로 봉하다.

emplumar *tr.* ① (…에) 깃털을 달다. ② 벌하다. ③ =**sancionar, arrestar, condenar.** —*intr.* ① =**emplumecer.** ② *Bol., Chile, Col, PRico.* 도망치다, 피신하다. ¶ ***~las*** ㉮ *Col.* =**tomar las de Villadiego.** ***emplumárselas.*** ㉯ *Chile.* =**tomar las de Villadiego.**

emplumecer (31) *intr.* 깃털이 나다.

empobrecedor, ra *adj.* 가난한.

empobrecer *tr.* (누구를) 가난하게 만들다. —*intr.*, **~se** ① 가난해지다. ② 쇠약해지다, 기운이 빠지다.

empobrecimiento *m.* 빈곤(화).

empolladura *f.* ① 알을 품는 일. ② 열심히 공부함. ③ 곰곰 생각함.

empollar[1] *tr.* ① (주로 시험 직전에) 벼락치기로 공부하다. ② (어미 새가) 알을 품다. —*intr.* ① 벼락치기로 공부하다. ② (꿀벌이) 새끼를 치다.

empollar[2] *tr.* =**ampollar.**

empollón, llona *adj.* 공부를 열심히 하는. —*mf.* 공부벌레.

empolvar *tr.* ① (…을) 먼지투성이로 만들다. ② (얼굴이나 머리카락에) 화장분을 바르다. ③ (…을) 가루로 만들다. **~se** ① 먼지를 뒤집어쓰다. ② 얼굴에 분을 바르다.

emponchado, da *adj.* ① *Arg., Bol., Ecuad., Perú, Ur.* 폰초(poncho)로 감싼. ② *Arg.* 많이 끼어 입은.

emponzoñar *tr.* ① …에게 독을 타서 먹이다[넣다], 독살하다. ② (관계 · 상황 등을) 악화시키다.

emporcar (7) (24) *tr.* 더럽히다.

emporio *m.* ① 국제 상업 도시[항구]. ② 문화[예술]의 중심지. ③ *AmérC.* 백화점.

empotrar *tr.* [+en] (…에) 끼워 넣다, 집어 넣다; 붙박이로 만들다. **~se** (충돌로) 눌려 깊이 들어가다.

empozar *tr.* ① 우물에 넣다. ② (삼을) 물에 담그다. —*intr.* (…에) 물이 고이다. **~se** (법안의 처리가) 늦어지다.

emprendedor, ra *adj., mf.* 적극적인, 진취적인 기질이 풍부한 (사람).

emprender *tr.* (주로 어려운 일 등에) 시작하다, 착수하다, 개시하다. ¶ ***~la para*** un sitio (…에 도착할 결심으로) 길을 나서다, 출발하다.

empreñar *tr.* ① 수태시키다, 임신시키다. ② 불쾌하게 하다, 괴롭히다. **~se** ① 임신하다. ② 불쾌하게 생각하다.

empresa *f.* ① 기업, 회사. ② 기획, 사업. ③ (방패 등의) 문양, 명구(銘句).

empresariado *m.* [집합] 기업(가) 연합.

empresarial *adj.* 기업의, 경영의. —*f.* 현지 연수. —*m. pl.* 경영학.

empresario, ria *mf.* 기업가, 기업주, 경영주.

emprésito *m.* 공채(公債); 대부, 차관.

empujada *f. Arg., Bol., Guat., Nic., Ur., Ven.* =**empujón.**

empujador, ra *adj., mf.* 미는, 밀어올리는 (사람).

empujar *tr.* ① 밀다, 밀어 젖히다: *Empuje* la puerta 문을 미세요. ② 찌르다. ③ [+a+*inf.* · que+ *subj.*] (…하도록) 압력을 가하다, 몰아대다, 강제로 …하게 하다. ④ (지위에서) 몰아내다, 내쫓다. —*intr.* (야망을 실현하기 위해) 계획하다, 꾀하다.

empuje *m.* ① 누르는 힘, 압력, 중압, 무게. ② 기력, 행동력, 판단력; 영향력. ③ [항공] 추력(推力), 추진력. ④ [운동] 밀기, 떼밀기, 푸싱.

empujón *m.* ① 힘껏 밀어 붙이기, (강하게) 밀어젖히기. ② 급속한 진척. ¶ ***a empujones*** ㉮ 난폭하게, 사납게, 호되게. ㉯ 간헐적으로, 띄엄띄엄.

empuntar *tr.* ① [투우] =**empitonar.** ② *Sal.* (귀찮게 해서) 쫓아내다, 몰아내다. ③ *Sal., Col.* =**encarrilar, encaminar, dirigir.** —*intr. Col.* 떠나다, 떠나가다. ¶ ***~las*** *Col.* =**tomar las de Villadiego.**

empuñadura *f.* ① (칼의) 손잡이, 칼자루; (우산 등의) 손잡이. ② 이야기나 연설의 첫머리에 붙이는 말((예 Erase que se era 옛날 옛적에)).

empuñar *tr.* ① (무기 등을 주먹으로) 쥐다, 잡다. ② (손으로) 꽉 잡다. ③ 직업[일자리]을 얻다.

emú *m.* [*pl.* emues] [조류] 에뮤 ((오스트레일리아산의 타조 비슷한 큰 새)).

emulación *f.* ① 경쟁심, 라이벌 의식. ② [컴퓨터] 에뮬레이션.

emulador, ra *adj.* 모방하는, 흉내내는. —*m.f.* 모방자; 경쟁자. —*m.* [컴퓨터] 에뮬레이터.
emular *tr.* ① …을 열심히 흉내내다[모방하다] ② …와 경쟁하다, 우열을 다투다[겨루다]. ③ [컴퓨터] (다른 프로그램을) 모방하다, 에뮬레이트하다.
émulo, la *adj.* 경쟁하는, 우열을 다투는, 겨루는. —*m.f.* 경쟁 상대, 경쟁자.
emulsión *f.* 유제(乳劑).
emulsionar *tr.* 유화(乳化)하다.
en *prep.* ① [장소] … 안에(서), …에(서): *en* el cajón 서랍 안에. ② [연·월·계절 등] …에: *en* enero 1월에. ③ [분야] …에 대한: doctor en filosofía 철학박사. ④ [양상·상태] …로: *en* voz baja 작은 소리로. ⑤ [수단·방법] …로: viajar *en* coche [autobús · avión · tren] 차[버스·비행기·열차]로 여행하다. ⑥ [가격·수량] …로, 에: comprar *en* diez euros 10유로로 사다. ⑦ [변화의 결과] cortar *en* dos 둘로 나누다. ⑧ [+명사·형용사, 부사화] *en* especial 특히. ⑨ [+*inf.*] …에서, …하는 것에 있어서: Tengo mucho gusto *en* conocerle a usted 귀하를 알게 되어 무척 기쁩니다, 처음 뵙겠습니다. ⑩ [소요 시간] …하는 데(에): No tardarás *en* llegar 너는 도착하는 데 시간이 걸리지 않을 것이다. ⑪ [+현재분사] …하자마자.
en- *pref.* [b, p 앞에서는 em-] ① [가운데] *en*cajonar 상자 안에 넣다. *em*botellar 병에 채워 넣다. *en*latar 깡통에 넣다. ② [위에] *em*papelar 종이를 바르다. *em*pastar 풀을 먹이다. ③ [+명사·형용사, 타동사화] *en*riquecer 풍부하게 하다.
enagua *f.* 속치마, 페티코트.
enajenable *adj.* 양도 가능한.
enajenación *f.* ① 양도. ② 정신 이상, 발광(~ mental). ③ 황홀, 도취.
enajenado, da *adj.* ① 정신에 이상이 온, 미친. ② 자신을 망각한, 도취한. —*m.f.* 정신 이상자, 미친 사람.
enajenamiento *m.* =**enajenación.**
enajenar *tr.* ① 양도하다. ② 자신을 망각하다, 욱하다, 앞뒤를 가리지 않고 불끈하다; 넋을 잃다. ③ (인심을) 이반시키다; (동정 등을) 상실하다. **~se** ① [+de] (…을) 잃다, 상실하다, 단절하다. ② 자신을 잊다, 욱하다, 앞뒤를 가리지 않고 불끈하다.
enálage *f.* [문법] (품사 등의) 전용 용법 ((예 El río corre *rápido* 강물이 빨리 흐른다. 형용사 rápido의 부사로의 전용)).
enalbardar *tr.* ① (말에게) 길마를 얹다. ② (기름에 튀기려고) 밀가루와 달걀에 버무리다. ③ =**emborrazar.**
enaltecer (31) *tr.* =**ensalzar.**
enaltecimiento *m.* 칭찬, 찬양, 찬미.
enamarillecer *intr.* =**amarillecer.**
enamoradamente *adv.* 사랑으로, 사랑해서, 애정으로, 연정으로(con pasión).
enamoradizo, za *adj.* 금방[쉽게] 반하는, 금방 혹하는.
enamorado, da *adj.* ① 애정을 가진, 사랑하는. ② =**enamoradizo.** ③ (…을) 무척 좋아하는. —*m.f.* ① 애정이 있는 사람. ② 반한 사람. ③ 애호가. ④ 연인, 사랑하는 사람.
enamorador, ra *adj.* 연정을 일으키는. —*m.f.* (사랑의) 유혹자.
enamoramiento *m.* 연모(戀慕).
enamorar *tr.* ① …에게 연정을 일어나게 하다, 사랑을 느끼게 하다. ② (여성에게) 사랑을 구하다, 구애하다. ③ …의 마음에 들다. **~se** [+de] ① (…에게) 반하다; 무척 마음에 들다. ② …에 심취[도취]하다, 빠지다, 마음에 들다.
enamoricarse *r.* =**enamoriscarse.**
enamoriscarse *r.* 약간 반하다.
enancarse (7) *r.* ① *Amér.* (말의) 궁둥이에 타다. ② *Amér.* 부르지 않는 곳에 끼어들다.
enanismo *m.* 왜소 발육증, 왜성(矮性).
enano, na *adj.* 왜소한, 왜소증의; 아주 작은. —*m.f.* ① 왜소증 환자. ② 난쟁이. ③ =**niño.** —*m.* (동화·민간 전설에 나타나는) 인간 형태의 키가 작은 환상적인 인물. ¶ ~ *mental* 이해력이 부족한 사람. ***estrella ~na*** [천문] 왜성(矮星). ***como un ~*** 많이, 보통보다 더 많이.
enarbolado *m.* (탑·돔의 각등의 뼈대를 만드는) 끼워 맞춘 나뭇조각.
enarbolar *tr.* (기 등을) 게양하다, 달다, 내걸다; (다른 사람에 위협되는 것을) 치켜들다, 쳐들다.
enarcar (7) *tr.* 활처럼 휘다[구부리다]. **~se** ① 활처럼 휘어지다. ② =**encogerse.** ③ =**encabritarse.**
enardecer (31) *tr.* 흥분시키다, 열광시키다. **~se** ① 흥분[열광]하다. ② 염증을 일으키다. ③ 성적으로 흥분하다.
enardecimiento *m.* 흥분, 열광.
enarenar *tr.* ① (표면을) 모래로 덮다. ② 가는 모래의 적당량을 섞다. **~se** ① 모래가 덮이다. ② (배가) 좌초되다.
enastado, da *adj.* (동물이) 뿔이 달린.
enastar *tr.* (무기에) 손잡이를 달다.
encabalgamiento *m.* ① 포가(砲架). ② (물건을 기대어 놓는) 나무 받침. ③ (어구의) 행을 나누는 일.
encabalgar (8) *tr.* ① 말을 공급하다. ② (어구의) 행을 나누다. —*intr.* (물건을 다른 것 위에) 기대다.
encaballar *tr.* (다른 물건의 끝에 지탱하기 위해) 포개어 늘어 놓다. —*intr.* ① =**encabalgar, apoyarse.** ② (조판이) 흐트러지다.
encabellecerse *r.* 머리카락이 자라다.
encabestrar *tr.* ① (동물에) 고삐를 매다. ② 사나운 소를 길들여진 소가 이끌게 하다. ③ 유혹하다, 호리다.
encabezado *m.* *Arg., Ecuad., Guat., Hond., Méj., Ur.* 신문의 표제.
encabezamiento *m.* (편지 등의) 서두.
encabezar *tr.* ① (이름이 명부 등의)

E

처음에 있다. ② 서두에 놓다. ③ 거느리다, 인솔하다, 통솔하다, 지휘하다. ④ (포도주의) 알코올 도수를 높이다.

encadenado, da *adj.* [시법] 연쇄운(連鎖韻)의. —*m.* ① [건축] 목재의 연결. ② [영화] 오버랩.

encadenamiento *m.* ① 연계, 짜맞추기. ② 속박.

encadenar *tr.* ① 쇠사슬로 묶다[매다]; 속박하다, 행동의 자유를 빼앗다. ② (관념 등을) 관련시키다.

encajar *tr.* ① 끼우다, 넣다, 박다. ② 내던지다, 내동댕이치다; (구타 등을) 가하다. ③ 억지로 떠맡기다. ④ (어울리지 않는 옷을) 입히다. ⑤ (불행·역경 등을) 받아들이다. ⑥ (권투 등에서 상대의 일격을 침착하게) 막아내다, 참고 견디다. ⑦ 때리다, 치다. —*intr.* ① 꼭 끼다, 꼭 맞다; 적합하다. ② 일치하다; 조화하다. ~**se** ① 끼이다. ② 입다; 쓰다.

encaje *m.* ① 레이스 (편물). ② (은행의 자금 보유) 준비율. ③ 끼워 넣기, 맞추어 박기, 접합. ④ 목재의 이음.

encajetillar *tr.* (궐련을) 종이 상자에 넣다, 자루[주머니]에 채워 넣다.

E

encajonar *tr.* ① 상자에 넣다. ② (좁은 곳에) 억지로 집어 넣다, 쑤셔 넣다. ③ [투우] (이동하기 위해) 소를 우리에 넣다. ~**se** ① (좁은 장소에) 억지로 들어가다. ② (강폭이) 좁아지다.

encalada *f.* (말의 마구에 있는) 쇠붙이.

encalado *m.* =encaladura.

encalador, ra *adj., m.f.* 하얗게 칠하는, 석회를 바르는 (사람).

encaladura *f.* 석회를 바르는 일.

encalar *tr.* ① (주로 벽에) 석회를 바르다. ② 표백하다.

encalcar *tr.* *Ast., León., Sal., Zam.* = recalcar, apretar.

encaletarse *r.* *Chile, Ven.* =esconderse, refugiarse.

encalillarse *r.* *Chile.* =endeudarse.

encallar *intr.* ① 좌초하다. ② 실패[좌절]하다. —*tr.* 좌절[정체]시키다. ~**se** (요리가) 설익어 단단해지다.

encallecer(se) (31) *intr.(r.)* ① (손발에) 못이 박히다. ② (기후 등에) 저항력이 생기다; (악습 등에) 익숙해지다. ③ (요리가) 설익어 단단해지다.

encallejonar *tr.* (가축 등을 좁은 통로를 통해) 몰아넣다.

encalmar *tr.* (흥분 등을) 진정시키다. ~**se** ① (흥분 등이) 진정되다. ② (바람이) 자다, 평온해지다. ③ (사업이) 별로 활발하지 못하다. ④ (말이) 더위를 먹다.

encamar *tr.* ① (바닥에) 눕히다, 깔다. ② [광산] 관목을 깔다. ~**se** ① 병상에 눕다, 병으로 몸져 눕다. ② (다른 사람과 성관계를 하기 위해) 잠자리에 들다, 성교를 하다. ③ (동물이) 쉴 곳에 눕다. ④ (곡물이) 쓰러지다.

encame *m.* (동물이) 쉬는 장소.

encaminadura *f.* =encaminamiento.

encaminamiento *m.* 진행; (어떤 일을) 돌림; 발족; 발송.

encaminar *tr.* ① 길을 가르쳐 주다. ② 향하게 하다, 가게 하다. ③ (행위 등을) 돌리다, 쏟다. ④ (사람을) 안내하다, 인도하다, 가르치다. ~**se** …로 향하다, 향해 가다.

encamotarse *r.* *Amér.* 사랑에 빠지다.

encanalar *tr.* ① 운하로 수송하다. ② (하천을) 운하화하다.

encanalizar *tr.* =encanalar.

encanallar *tr.*=corromper, envilecer.

encanar *tr.* *Arg., Col., Cuba.* [은어] 감옥에 넣다. ~**se** 감옥에 들어가다.

encanarse *r.* ① (너무 웃어·울어) 움직일 수 없게 되다. ② *And., Ar.* 말을 지나치게 하면서 즐기다. ③ *Cuen.* 쉽게 찾지 못할 곳에 감금되어 있다.

encanastar *tr.* 광주리[바구니]에 넣다.

encandelillar *tr.* ① *Arg., Chile, Col., Cuba, Perú.* 시침질하다. ② *Col., Ecuad., Hond., Perú.* =encandilar, deslumbrar.

encandilar *tr.* ① 현혹시키다, 유혹하다, 황홀하게 만들다, 눈앞이 아찔하게 만들다. ② (욕망 등을) 불러일으키다, 자극하다, 부채질하다. ③ (술·정열로) 눈을 반짝반짝 빛나게 하다. ~**se** ① 현혹되다. ② (술·정열로) 눈이 반짝반짝 빛나다. ③ *Cuba, PRico.* 화내다, 성내다.

encanecer *intr.* ① 백발이 되다. ② 녹이 슬다, 곰팡이가 끼다. ③ 늙다, 노쇠해지다. —*tr.* 백발이 되게 하다; 곰팡이가 끼게 하다; 노쇠하게 하다. ~**se** 곰팡이가 끼다[슬다].

encanijar *tr.* ① (아이들을 평상시보다) 더 여위게 만들다. ② *Méj.* =enojar, enfadar. ~**se** 여위다, 병약해지다.

encanillar *tr.* (실을) 실패에 감다.

encantado, da *adj.* ① 황홀경에 빠진, 매혹된, 넋을 잃은. ② 매우 만족한. ③ (건물에) 사람이 없는; 혼령이 나올 것 같은. ④ 멍한, 방심한. ¶*Encantado* ㉮ 처음 뵙겠습니다 ((초대면의 인사; 여성이 말할 때는 Encantada)). ㉯ [권유 등에 답할 때] 잘 알았습니다, 그렇게 하겠습니다. ㉰ 참 멋지다, 훌륭하다, 굉장하군요.

encantador, ra *adj.* 매혹적인, 멋진; 우아한, 아름다운; 친절한. —*m.f.* 마술사, 마법사.

encanatamiento *m.* ① 마법에 걸리는 일. ② 매혹, 매력. ③ 환희.

encantar[1] *tr.* …에게 마법을 걸다, 현혹시키다. —*intr.* ① 무척 좋아하다. ② 기쁘게[즐겁게] 하다. ③ [+que+*subj.*] …하는 것이 즐겁다[기쁘다]. ~**se** 매혹되다, 넋을 잃다, 넋이 나가다.

encantar[2] *tr.* *Ar.* 경매로 팔다.

encanto *m.* ① 매력; [*pl.*] 육체적 매력. ② 환희. ③ 부주의.

encañado *m.* ① 도관(導管), 수도관, 하수관. ② 갈대 울타리.

encañar *tr.* ① (도관으로) 물을 끌다;

배수하다. ② (식물에) 갈대로 받치다.

encañizada *f.* ① (고기잡이용) 갈대 발. ② 갈대 울타리.

encañonar *tr.* ① (총구 등을) …로 향하다, 겨누다. ② (물을) 관으로 끌다. ③ (다리미로) 주름을 세우다. ④ [제본] 종이를 접어 넣어 맞추다.

encapotamiento *m.* (하늘이) 먹구름으로 덮이는 일.

encapotarse *r.* (하늘이) 먹구름으로 덮이다.

encapricharse *r.* ① 고집하다. ② 홀딱 반하다, 매우 호의를 가지다.

encapsular *tr.* 캡슐에 넣다.

encapuchado, da *adj., m.f.* 두건을 쓴 (사람); 가면을 한 (사람).

encapuchar *tr.* …에 두건을 쓰다. ~**se** 두건을 쓰다, 복면을 하다.

encaramar *tr.* ① (밀어) 올리다. ② 추켜올리다. ③ 고위직에 앉히다. ~**se** ① …에 오르다. ② 자화자찬하다.

encaramiento *m.* (사람을) 고위직에 앉히기.

encarar *tr.* ① 서로 마주보게 하다; 대치하다. ② (곤란·위험 등에) 직면하다. —*intr.*, ~**se** [+con·a] (…과) 마주보다, 마주 향하다.

encarcelación *f.* 투옥, 입옥(入獄).

encarcelador, ra *adj.* 투옥[입감·입옥]하는.

encarcelamiento *m.* =encarcelación.

encarcelar *tr.* ① 투옥시키다. ② [건축] 회반죽 칠을 하다. ③ (아교 풀칠한 나무를) 조임 나무로 조이다.

encarecer (31) *tr.* ① 값을 인상하다. ② 격찬하다, 치켜세우다. ③ [+que+*subj.*] (…하도록) 간청하다, 신신 당부하다. ~**se** 값이 오르다.

encarecidamente *adv.* 간절히, 열심히.

encarecimiento *m.* ① 가격 상승. ② 칭찬, 상찬(賞讚). ③ 간청, 권유, 간절한 바람. ¶*con* ~ 간절히, 열심히.

encargado, da *adj.* 부탁받은, 의뢰받은, 맡겨진, 담당한, 인수받은. —*m.f.* 담당자, 책임자, 계원: ~ de la comida 식사 담당(자). ¶~ ***de negocios*** 대리 공사(代理公使).

encargar (8) *tr.* ① 맡기다, 위임하다, 일임하다. ② 주문하다. ③ [+que+*subj.*] (…하도록) 권하다, 충고하다, 지시하다, 명령하다. —*intr. Cuba, Ur., Ven.* 임신하다, 아이를 가지다. ~**se** ① [+de] (…을) 맡다, 책임지다, 인수하다. ② (자신을 위해) …을 주문하다. ③ [+*inf.*·que+ *subj.*] …하는 것을 맡다[책임지다], 담당하다.

encargo *m.* ① 의뢰, 부탁, 위임; 사명. ② 주문. ③ 부탁받은 것(일). ④ 직, 직무. ¶***como de*** ~, ***como hecho de*** ~ 안성맞춤으로.

encargue *andar* [*estar·quedar*] *de* ~ *Arg., Ur.* 임신 중이다.

encariñar *tr.* …를 좋아하게 하다. ~**se** [+con] (…을) 좋아하다.

encarnación *f.* ① (그리스도의) 탁신(託身). ② 화신, 권화(權化). ③ [미술] 연주황(軟朱黃)(color de carne).

encarnado, da *adj.* ① 연주황의. ② 붉은. —*m.* 연주황.

encarnadura *f.* ① 상처의 아무는 힘. ② 화살에 다친 상처, 칼에 벤 상처. ③ (개가 쫓아가 잡은 사냥감을) 질근질근 씹는 일.

encarnar *tr.* ① (…의) 화신(化身)으로 나타나다. ② 구현하다, 몸으로 실현하다. ③ (배우가 역을) 연기하다. ④ (조각상에) 연주황을 칠하다. —*intr.* ① 사람의 형상으로 나타나다. ② (상처가) 아물다. ~**se** ① 화신(化身)이 되다. ② (발톱이) 살 속으로 파고들다. ③ 다른 것과 섞이다, 합해지다.

encarnecer (31) *tr.* 살이 찌다[붙다].

encarnizado, da *adj.* 피비린내나는, 처참한, 잔인한, 잔혹한.

encarnizamiento *m.* 잔인함, 잔혹함.

encarnizar (9) *tr.* ① 잔인하게 하다. ② (사냥개에게) 고기 맛을 알게 하다, 짐승의 고기를 주다. ~**se** ① 잔인하게 굴다. ② (짐승이 잡은 것을) 걸신들린 것처럼 먹다.

encaro *m.* ① 마주보기. ② 무기를 겨냥함. ③ =puntería. ④ 짧은 총. ⑤ 개머리판의 뺨에 대는 부분.

encarpetar *tr.* ① 서류철에 서류를 보관해 두다, 파일에 서류를 철해 놓다. ② *Arg., Bol., Chile, Ecuad., Nic., Perú.* 서류를 보류하다.

encarrerar *tr. Méj.* =**encarrilar.**

encarrilar *tr.* ① (탈것을) 앞으로 가게 하다. ② (탈것을) 레일 위에 놓다. ③ 편리한 길로 안내하다; (일을) 순조롭게 진행시키다; 바른 길로 가게 하다. ~**se** 순조롭게 나아가다.

encarrillar *tr.* =encarrilar. ~**se** 도르래의 줄이 벗겨지다.

encarroñar *tr.* 썩히다, 부패시키다, 썩게 하다. ~**se** 썩다, 부패되다.

encartar *tr.* ① 동료로 삼다. ② 기소하다, 영장에 의해 소환하다. ③ (납세자의) 명부에 등록하다. ~**se** [트럼프] (다른 사람과) 같은 카드를 모으다.

encarte *m.* ① (책·신문 등에 끼워 넣는) 광고지. ② (카드 놀이에서) 같은 종류의 카드를 모으기.

encartonar *tr.* ① 마분지[판지(板紙)]로 싸다[보호하다]. ② 판지(板紙)로 장정하다. ③ 두꺼운 종이를 대다[붙이다]. ~**se** *Cuba.* 폐결핵을 앓아 여위다.

encartuchar *tr. Chile, Col., Ecuad., Hond., PRico.* 삼각형 모양으로 감다.

encasillar *tr.* ① 분류함에 넣다. ② 분류하다. ③ 할당하다. ④ (후보자를 지구별로) 배당하다.

encastar *tr.* (교배에 의해 가축의) 품종을 개량하다.

encausar *tr.* 기소하다, 고소하다.

encauste *m.* =**encausto.**

encáustico, ca *adj.* [미술] 밀랍화의. —*m.* (도료의) 밀랍, 왁스.

encausto *m.* ① (로마 황제가 서명했

E

던) 붉은 잉크. ② 밀랍.
encauzamiento *m.* 수로(水路)의 정비.
encauzar (9) *tr.* ① (흐르는 물을) 수로로 유도하다. ② (수로를) 만들다. ③ 유도하다, 방향을 정하다. ~**se** 순조롭게 기능하다[나아가다].
encebollado *m.* 양파를 너무 많이 넣은 먹거리.
encefálico, ca *adj.* 뇌의, 뇌성(腦性)의.
encefalitis *f.* [의학] 뇌염.
encéfalo *m.* [해부] 뇌(腦).
encefalografía *f.* [의학] 뇌 촬영법[조영법], 뇌사(腦寫).
encefalograma *m.* 뇌전도, 뇌파도.
encefalomielitis *f.sing.pl.* [의학] 뇌척수염(腦脊髓炎).
encefalopatía *f.* [의학] 뇌 장애, 뇌증.
enceguecer (31) *tr.* ① 시력을 잃게 하다. ② 이성을 잃게 하다. —*intr.* 시력을 잃다. ~**se** ① 시력을 잃다. ② 이성을 잃다.
encelar *tr.* 질투하게 하다. ~**se** ① 질투하다. ② (동물이) 암내를 내다, 발정기가 되다(entrar en celo).
enceldar *tr.* 수감(收監)하다, 독방에 넣다. ~**se** 수감되다.
encementar *tr.* (표면에) 시멘트를 바르다.
encenagarse (8) *r.* ① 수렁에 빠지다. ② 진흙으로 더러워지다, 진흙투성이가 되다. ③ 악습에 젖다[물들다], 타락하다.
encendedor, ra *adj.* 불을 켜는, 점화용(點火用)의. —*m.* ① 라이터(mechero). ② (풍로 등의) 점화기, 점화 장치.
encender (20) *tr.* ① …에 불을 붙이다, 점화하다. ② (전기) 스위치를 넣다, 점등하다; (엔진을) 스타트시키다. ③ 열이 나고 화끈거리게 하다, 얼얼하게 하다. ④ 전쟁을 일으키다. ⑤ 격하게 만들다, 자극시키다, 흥분시키다. —*intr.* 불이 켜지다. ~**se** ① 불이 켜지다, 점화되다. ② (매워) 얼얼해지다. ③ 흥분하다. ④ 얼굴을 붉히다, 얼굴이 붉어지다.
encendidamente *adv.* 격렬하게, 힘껏, 열심히; 이글이글.
encendido, da *adj.* ① (불길이) 이글거리는, 활활 타오르는, 솟은. ② 새빨간. ③ (감정이) 격한. —*m.* ① 점화, 발화. ② (엔진의) 점화 장치.
encentar (19) *tr.* ① =comenzar, empezar. ② =ulcerar, llagar, herir. ③ =disminuir, mordisquear, cortar. ~**se** =ulcerarse, llagarse, herirse.
encerado, da *adj.* 초 빛깔의. —*m.* ① 방수포. ② 흑판(pizarra).
encerador, ra *m.f.* 초[왁스]를 칠하는 사람. —*f.* 판자에 초[왁스]를 칠해 광을 내는 기계.
encerar *tr.* ① …에 초[왁스]를 칠하다. ② 촛농 자국이 나다. ③ [건축] 석회를 짙게 하다. —*intr.*, ~**se** (밀 이삭이) 누렇게 익다.
encerradero *m.* 가축을 가두어 놓은 장소.
encerrar (23) *tr.* ① 가두다, 감금하다. ② 깊이 보관하다, 잘 간직하다; 감추다, 숨기다; (내용으로) 포함되어 있다, 품고 있다. ③ 내포하다, 포함하다. ④ 두르다, 에워싸다. ⑤ [장기] 상대방의 말을 꼼짝 못하게 하다. ⑥ (소가 투우사를) 막다른 곳까지 몰아넣다. ~**se** ① 감금되다, 갇히다; 틀어박히다. ② (항의의 표시로) 공공 건물을 점령하다. ③ =encastillarse.
encerrona *f.* ① 함정, 계략. ② (항의의) 농성. ③ (어린 소의) 비공개 투우. ④ *Guat., Nic.* (비밀 협정을 조정할 목적으로) 정치적 성격을 띤 모임.
encespedar *tr.* 잔디로 덮다.
encestar *tr.* ① 바구니에 넣다[보관하다·주워 담다]. ② [농구] 공을 넣다, 득점하다. ③ (옛날에 모욕적인 벌로) 바구니에 넣다.
enceste *m.* [농구] 득점.
encetar *tr.* ① 시작하다, 개시하다. ② =encentar.
enchachar *tr. Hond.* =esposar.
enchapado *m.* 엷은 금속판 붙이기.
enchapar *tr.* 엷은 금속판을 붙이다.
enchapopotar *tr. Méj.* =asfaltar.
encharcada *f.* =charco, charca.
encharcamiento *m.* 침수(浸水).
encharcar *tr.* ① 침수시키다. ② 뱃속을 물로 가득 채우다. ~**se** ① 물바다가 되다, 침수되다. ② 뱃속에서 물이 쿨렁거리다. ③ (폐에) 물[액체]이 가득하다. ④ *Col., Cuba, Pan.* (신발이) 비로 많이 젖다. ⑤ *Cuba, Salv., Ven.* (사람·물건이) 비로 젖다, 진흙투성이가 되다. ⑥ *Pan.* 아주 위험한 일에 빠지다.
enchastrar *tr. Arg., Ur.* 더럽히다.
enchastre *m. Arg., Ur.* 더럽히는 일.
enchibolar *tr. Hond., Salv.* =aturdir, confundir.
enchicar *tr.* ① (…의 크기를) 작게 하다. ② =humillar, acobardar.
enchicharse *r. Col., Cuba, Hond.* 만취하다, 의식을 잃을 때까지 마시다.
enchilada *f.* ① *CRica.* 엔칠라다 ((고기와 감자를 고추로 양념하여 속으로 넣은 밀가루 빵)). ② *Guat., Hond., Méj., Nic., Salv.* 엔칠라다 ((고기 소를 넣고 고추 소스를 발라 둥그렇게 만 옥수수 부침개)). ③ *Hond., Méj.* 성나게[화나게] 하는 일.
enchilado *m. Cuba.* 엔칠라도 ((매운 소스를 바른 생선이나 해물 요리)).
enchilar *tr.* ① *CRica., Cuba, Hond., Méj., Nic.* 고추 (소스)로 양념하다. ② *CRica., Hond.* 입안[눈]이 얼얼하다[화끈거리다]. ③ *Hond., Méj., Nic.* = irritar, enfurecer. ~**se** ① *CRica., Hond.* (입안·눈이) 화끈거리다. ② *Hond., Méj., Nic.* 화내다. ③ *CRica.* =inquietarse, desasosegarse.
enchiloso, sa *adj.* 고추처럼 매운, 매운 양념을 한.

E

enchinar *tr.* ① (…에) 자갈을 깔다. ② *Méj.* (머리카락을) 파마하다, 물결처럼 곱슬곱슬하게 지지다, 고수머리로 만들다. ~**se** ① *Méj.* (머리카락이) 곱슬곱슬해지다. ② *Méj.* 주눅들다.
enchinarrar *tr.* 돌멩이를 깔다.
enchinchado, da *adj. Arg., Méj., Ur.* =enojado, irritado.
enchinchar *tr.* ① *Arg., Guat., Méj.* 괴롭히다, 귀찮게 하다. ② *Salv.* 감옥에 넣다. ③ *Méj.* 시간을 놓치게 하다. ④ *Méj.* 성나게[화나게] 하다. ~**se** *Méj., Salv., Ur.* 노하다, 화내다.
enchipar *tr. Bol., Col.* =arrollar.
enchiquerar *tr.* ① [투우] 소를 우리에 넣다. ② 감옥에 넣다, 투옥시키다.
enchironar *tr.* 투옥시키다.
enchispar *tr.* =achispar.
enchivarse *r.* ① *Col., Ecuad., PRico.* =emberrincharse, encolerizarse. ② *RDom.* =atascarse.
enchuecar (7) *tr. Bol., Chile, Méj.* 구부리다, 비틀다(torcer, encorvar).
enchufado, da *mf.* 연줄로 뽑힌 사람.
enchufar *tr.* ① (전기 기구 등을) 접속하다. ② [+en] (…에) 연결하다. ③ (일을) 관련시키다. ④ (연줄로·정치적 배경으로) 채용하다. ⑤ (파이프 등을) 잇다, 끼워 넣다. —*intr.* 끼다, 들어맞다. ~**se** 연줄로 취직하다.
enchufe *m.* ① 연결관의 접합(부). ② [전기] 콘센트, 플러그. ③ 연줄, 배경.
enchufismo *m.* 이면 공작, 엽관 운동.
enchufista *mf.* 엽관 운동을 하는 사람.
enchularse *r.* ① 건달 생활을 하다. ② [+con] (매춘부가 …를) 정부(情夫)로 두다.
enchuletar *tr.* [목공] (가는 나뭇조각을 오목한 곳에) 채워 넣다.
enchute *m. Hond.* =boliche.
encía *f.* [주로 *pl.*] 잇몸.
encíclica *f.* (로마 교황의) 회칙(回勅).
enciclopedia *f.* 백과 사전, 백과 전서.
enciclopédico, ca *adj.* ① 백과 사전의. ② 박식한.
enciclopedismo *m.* (18세기 프랑스의) 백과 사전파.
enciclopedista *mf.* 백과 사전 집필자; 백과 사전파 사람.
encierre *m. Méj.* =encierro.
encierro *m.* ① (투우를) 가두는 일, 가두어 넣는 일. ② 외양간. ③ 은둔, 은거. ④ 감금, 유폐.
encima *adv.* ① (그) 위에: Ponte el jersey ~ 그 위에 스웨터를 입어라. ② 몸에 붙이고, 소지하고. ③ 박두해, 임박해, 머지않아. ④ 그 위에, 다시, 또. ¶~ ***de*** …의 위에. ***por*** ~ 잽싸게, 대강, 대충, 수박 겉 핥기로. ***por ~ de*** ㉮ …의 위에[로]. ㉯ (탁월·우선 등에서) …의 위에, …보다 뛰어난; …보다 우선(이다). ㉰ 한계에 달해. ***por ~ de todo*** ㉮ 어떤 장애에도 불구하고, 어떤 어려움이 있더라도. ㉯ 더욱이, 게다가(sobre todo).
encimar *tr.* ① 위에[높이] 놓다. ② 포개어 놓다. ③ 내기 돈을 올리다. ④ *Bol., Col.* 첨가하다. —*intr.* ① 위에 나오다, 위에 놓이다. ② 정상에 오르다. ~**se** (남보다) 뛰어나다, 빼어나다.
encimero, ra *adj.* 위에 있는[놓인], 위에 붙이는. —*f.* ① 홑이불. ② 조리대. ③ *Arg.* 가죽 안장 덮개.
encina *f.* ① [식물] 떡갈나무. ② 떡갈나무 재목.
encinal *m.* =encinar.
encinar *m.* 떡갈나무 숲.
encino *m.* =encina.
encinta *adj.* 임신한, 임신중인.
encintado *m.* 갓돌, 연석(緣石).
encintar *tr.* ① (사람·물건을) 리본으로 장식하다. ② (차도나 보도 등에) 갓돌(encintado)을 깔다.
encizañador, ra *adj., mf.* 이간질하는 (사람).
encizañar *tr.* … 사이에 불화의 씨를 뿌리다[원인을 만들다], 이간질하다.
enclaustrar *tr.* ① 수도원에 가두다[넣다]. ② 감추다, 숨기다. ~**se** ① 수도원에 들어가다. ② 숨다, 자취를 감추다. ③ (은퇴 생활을 위해) 사회 생활을 멀리하다.
enclavación *f.* 못으로 고정시킴.
enclavado, da *adj.* ① 위치하는. ② 끼워 넣어진, 집어 넣어진.
enclavadura *f.* ① 꼼짝 못하게 함. ② (목재를 연결시키는) 장부촉.
enclavar *tr.* ① 못을 박다, 못으로 고정시키다. ② (편자에 못이 깊게 들어가) 말에 상처를 일으키다. ③ 꿰뚫다. ④ 속이다(engañar).
enclave *m.* 본토 또는 어떤 행정 구역으로부터 떨어져 있는 곳.
enclenque *adj., mf.* 병약한 (사람).
enclítico, ca *adj.* [문법] 한 단어 형태로 앞 단어[말]와 결합하는. —*m.* 앞의 말과 결합하는 말 ((예 aconséja*me*, sosiéga*te*, díce*se* 등)).
enclocar(se) (7) (24) *intr.*(*r.*) (닭·오리 등이) 둥우리에 들다.
enclochar *tr.* ① *Cuba, Salv.* =embragar. ② *Méj.* 장치를 연결하다.
encloquecer (31) *intr.* =enclocar.
encluecar (7) *intr.* =enclocar.
encobijar *tr.* =cobijar.
encobilarse *r. Mur.* =encamarse.
encobrado, da *adj.* ① 구리를 함유한. ② 구릿빛의.
encobrar *tr.* 동판(銅板)으로 덮다.
encochado, da *adj.* 차에 오래 있는, 차로 많이 돌아다니는.
encochinar *tr. Chile, Méj.* =ensuciar.
encoclar *intr.* =enclocar.
encocorar *tr.* 너무 괴롭히다, 진절머리나게 하다. ~**se** 괴롭다, 울화통이 터지다, 진절머리가 나다.
encofrado *m.* ① (터널 등의) 널빤지로 흙을 막는 틀. ② (소정의 형태로 콘크리트를 굳히기 위해 가설해 놓은) 테

E

두리. ③ [광산] 널빤지로 흙이 흘러내리지 않도록 막는 갱도.
encofrador, ra *m.f.* encofrado를 짜는 목수.
encofrar *tr.* ① encofrado를 조립하다. ② [광산] encofrado를 놓다.
encoger *tr.* ① 좁히다, 움츠리다. ② 기력을 상실하게 하다, 의기를 꺾다. —*intr.* ① (옷이 젖었거나 빨 때) 줄어들다. ② (물건이 말라 크기가) 작아지다. ~**se** ① 몸을 웅크리다, 몸이 오그라들다, 움츠리다. ② 주눅들다, 풀이 죽다. ③ 소심하게 행동하다.
encogidamente *adv.* 겁에 질려, 주눅이 들어.
encogido, da *adj.* 주눅이 든, 겁에 질린, 풀이 죽은.
encogimiento *m.* ① 오므라듦, 축소. ② 사기 저하, 의기 소침.
encojar *tr.* (…를) 절름발이로 만들다. ~**se** ① 다리를 절다. ② 아프다, 병들다. ③ 꾀병을 부리다.
encolado, da *adj. Chile, Méj.* 아교로 붙인, 아교칠을 한; 끈적끈적한. —*m.* ① 아교풀칠 하기. ② 젤라틴 용액으로 탁한 포도주를 맑게 하기.
encolador, ra *m.f.* 아교칠을 하는 사람. —*f.* (방적업에서) 풀칠하는 기계.
encoladura *f.* =encolamiento.
encolamiento *m.* ① 아교풀 붙이기. ② 포도주의 탁한 이물질을 가라앉히기.
encolar *tr.* ① 아교풀로 붙이다, …에 아교풀을 칠하다. ② 쉽게 닿을 수 없는 장소로 던져 버리다. ③ 포도주를 맑게 하다(clarificar vinos).
encolerizado, da *adj.* 화가 잔뜩 난.
encolerizar (9) *tr.* 격노시키다, 노하게 하다, 화나게 하다. ~**se** 격노하다.
encolochar *intr. Nic.* =confundir, perturbar. —*tr.* ① *Nic.* 머리카락을 곱슬곱슬하게 하다, 파마하다. ② *Nic.* =engargolar.
encomendable *adj.* 부탁할 수 있는.
encomendado *m.* [군사] 기사 단장의 부하.
encomendamiento *m.* 부탁, 의뢰.
encomendar *tr.* ① 위탁하다, 위임하다, 부탁하다, 맡기다. ② 기사 단장으로 임명하다. ③ 안부를 전하다. ~**se** [+a] (…에게) 보호를 의뢰하다.
encomendería *f. Perú.* =abacería.
encomiar (11) *tr.* 격찬하다, 침이 마르도록 칭찬하다.
encomiástico, ca *adj.* 절찬의.
encomienda *f.* ① 위탁[위임]. ② [역사] 엔꼬미엔다(제) ((에스파냐 식민지에서 국왕이 식민 지배자에게 원주민 통치를 위임한 제도)). ③ =recomendación, elogio. ④ =amparo, patrocinio, custodia. ⑤ *Amér.* 화물편으로 보내지는 소포. ⑥ *AmérC., AmérM.* 우편 소포. ⑦ *pl.* 안부(recados, saludos).
encomio *m.* 격찬, 절찬.
encomioso, sa *adj. Arg., Bol., Chile, Col.* =encomiástico.

E

enconado, da *adj.* 격분한, 성난, 화난, 노한. —*m. Ecuad.* 곪은 종양.
enconar *tr.* ① (상처를) 악화시키다, 염증을 일으키다. ② (싸움 등을) 격화시키다. ③ 노하게[화나게] 하다; 적의(敵意)를 품게 하다. ~**se** ① [+en] (…에) 흥분하다, 격분하다, 격노하다. ② (상처가) 곪다, 염증을 일으키다.
encono *m.* ① 강한 반감, 적의(敵意). ② *Col.* 궤양(llaga con supuración).
encontradizo, za *adj.* (…과) 만나는, 마주치는. ¶*hacerse (el)* ~ 우연히 만난 것처럼 …를 만나러 나가다.
encontrado, da *adj.* ① 정면에 있는. ② [주로 *pl.*] 정반대의, 역방향의.
encontrar *tr.* ① (찾고 있던 사람이나 물건을) 찾다, 찾아내다, 발견하다. ② (우연히) 만나다, 찾(아내)다. ③ (성질 등을) 인정하다; 평가하다. ④ 장점을 인정하다, 좋게 생각하다. ~**se** ① (장소에) 있다. ② (…의 상태에) 있다. ③ (약속한 곳에서) 만나다, 합류하다. ④ (태도 등이) 대립하다, 충돌하다. ⑤ (태도 등이) 일치하다, 맞다. ⑥ (서로) 접촉하다, 충돌하다, 부딪치다. ⑦ 맞닥뜨리다, 부딪치다. ⑧ (우연히) 찾아내다, 만나다. ⑨ [+con que+*ind.*] …라는 것을 깨닫다[알아차리다].
encontrón *m.* ① 충돌, 부딪침. ② 입씨름, 말다툼, 언쟁, 싸움.
encontronazo *m.* =encontrón.
encoñarse *r.* 홀딱 반하다.
encopetado, da *adj.* ① 교만한, 독선적인. ② 신분이 높은. ③ 호화스러운. ④ 상류 계급인 체하는.
encorajinar *tr.* 격노시키다. ~**se** 미친 듯이 몹시 노하다[성내다].
encorar (24) *tr.* ① (…을) 가죽으로 덮다. ② (…을) 가죽 주머니에 넣다. ③ 종양에 새 살이 나오게 하다. —*intr.*, ~**se** 종양에 껍질이 앉다, 새 살이 나오다.
encorbatarse *r.* 넥타이를 매다.
encorchar *tr.* ① 병에 코르크 마개를 하다. ② (벌떼를) 벌통에 몰아넣다.
encorchetar *tr.* ① (…에) 훅(corchete)을 달다. ② 훅으로 잠그다.
encordado *m.* ① =encordadura. ② *AmérM.* 기타(guitarra).
encordadura *f.* [집합] (한 악기의) 현(전부).
encordar (24) *tr.* ① (악기에) 현을 매다. ② (테니스의 라켓에) 줄을 매다. ③ 밧줄로 칭칭 감다. ④ *León, Pal., Sal., Vall., Zam.* 조종을 울리다. ~**se** (등산자가) 자일에 몸을 묶다.
encordelar *tr.* ① (…에) 끈을 대다. ② 끈으로 묶다. ③ 끈으로 칭칭 감다.
encordonar *tr.* (…에) 장식 끈을 달다, 끈으로 장식하다.
encornado, da *adj.* (소가) 뿔이 난.
encornadura *f.* ① 뿔의 모양. ② 뿔.
encorralar *tr.* (가축을) 우리 안으로 몰아넣다.
encorsetar *tr.* 코르셋을 채우다[입히

다]. ~**se** 코르셋을 차다[입다].
encorvada *f.* ① 몸 굽히기. ② 몸과 사지를 뒤트는 춤. ¶*hacer la* ~ 꾀병을 부리다.
encorvar *tr.* 구부리다, 휘다. ~**se** ① 구부러지다, 휘어지다. ② [건축] [드묾] =abovedar. ③ (나이나 병으로) 등이 굽다. ④ [승마] (말이 기수를 내팽개칠 목적으로 목과 척추를 구부리면서) 머리를 낮추다.
encostalar *tr.* 자루(costal)에 넣다.
encrespadura *f.* 머리를 곱슬곱슬하게 하기.
encrespamiento *m.* ① 머리를 곱슬곱슬하게 하는 일. ② 안달복달인[초조한] 모양.
encrespar *tr.* ① (머리를) 곱슬곱슬하게 하다. ② 머리카락을 곤두서게 하다. ③ 화나게[노하게] 하다. ④ 파도를 일게 하다. ~**se** ① (머리가) 곱슬곱슬해지다. ② 머리카락이 곤두서다. ③ (파도가) 출렁이다. ④ 일이 꼬이다, 골치 아프게 되다.
encrestarse *r.* ① (새가) 볏을 곤두세우다. ② =ensoberbecerse.
encrucijada *f.* ① 교차점, 십자로. ② 기로(岐路), 딜레마.
encrudecer (31) *tr.* ① 격렬하게 하다. ② =exasperar, irritar.
encuadernación *f.* ① 제본, 장정(裝幀). ② 제본소.
encuadernador, ra *mf.* 제본업자
encuadernar *tr.* 제본하다, 장정하다.
encuadrar[1] *tr.* ① (틀·액자에) 넣다. ② (다른 물건 안에) 끼워 넣다. ③ (집단·부류 등에) 넣다. ④ [사진] (피사체를) 틀에 넣다, 구도를 정하다. ⑤ [텔레비전] 영상을 조절하다. ⑥ [군사] 배속하다. ~**se** ① (배경·범위에) 넣다, 집어넣다. ② 일원이 되다.
encuadrar[2] *tr.* *Sal.* 가축을 마구간에 넣다.
encuadre *m.* ① [사진] 피사체 잡기. ② [텔레비전] 영상 조정 (장치). ③ 테, 틀, 테두리, 끼운 것.
encuartelar *tr.* *Hond., Méj.* 병영에 대기시키다.
encubierta *f.* ☞encubierto.
encubiertamente *adv.* ① 몰래, 비밀리에, 살짝. ② 남의 눈을 속여, 부정한 방법으로. ③ 신중하게.
encubierto, ta *adj.* 숨겨진, 보이지 않는, 은밀한. —*f.* 부정, 사기 행위.
encubridizo, za *adj.* 쉽게 감출 수 있는, 감추기 쉬운.
encubridor, ra *adj.* 은폐하는. —*mf.* 은폐자.
encubrimiento *m.* 은폐; 몰래 감춤.
encubrir *tr.* ① (주로 범행·다른 사람의 실패 등을) 숨기다, 감추다, 은닉하다. ② 몰래 숨겨[감춰]두다, 은닉하다. ~**se** 숨다.
encuclillarse *r.* *Chile.* =acuclillarse.
encuentro *m.* ① 우연히 만남, 해후. ② 대립. ③ 말다툼, 언쟁. ④ 회견, 회담. ⑤ 집회. ⑥ 시합, 대전. ⑦ 발견, 찾아낸 것. ⑧ 접촉, 충돌. ⑨ [군사] 조우전(遭遇戰). ⑩ (뿔이 난 동물이) 뿔로 받기. ⑪ 겨드랑이(sobaco).
encuerar *tr.* *And., Ext., Amér.* 벌거벗기다, 나체로 만들다. ~**se** *And., Ext., Amér.* 벌거벗다, 나체가 되다.
encueratriz *f.* *Méj.* 무대에서 조금씩 조금씩 옷을 벗는 여인.
encuero, ra *adj.* *Pan.* =desnudo.
encuesta *f.* ① 조사, 앙케이트; 조사표, 앙케이트 용지. ② (경찰의) 수사[취조].
encuestado, da *adj.* 여론[앙케이트] 조사를 받은.
encuestador, ra *mf.* 조사원; 수사관.
encuestar *tr.* 앙케이트 조사를 하다.
encular *tr.* [속어] =sodomizar. ~**se** *Hond., Nic., Salv.* 노하다, 성내다.
encumbramiento *m.* 출세(出世).
encuetar *tr.* *Méj.* =emborrachar.
encuevar *tr.* =encovar.
encuitarse *r.* =afligirse, apesadumbrarse.
encular *tr.* [속어] =sodomizar. ~**se** *Hond., Nic., Salv.* 반하다.
encumbrado, da *adj.* =elevado, alto.
encumbramiento *m.* ① 출세(出世). ② =altura, elevación. ③ =enzalsamiento, exaltación.
encumbrar *tr.* ① 높이 올리다. ② (정상을) 오르다, 통과하다. ③ 찬양하다, 칭찬하다. ④ 승진시키다. ~**se** ① 높이 오르다. ② 정상에 오르다. ③ 칭찬받다. ④ (생명이 없는 것이) 우뚝 솟다. ⑤ 우쭐거리다, 뻐기다.
encurtido *m.* 식초에 오래 담겨진 과실[야채].
encurtir *tr.* (과일이나 야채를) 오래 식초에 담가 두어 식초 맛이 나게 하다.
endamarse *r.* *Hond., Salv.* 결혼하지 않고 부부 생활을 하다.
endeble *adj.* ① 약한, 허약한, 나약한, 약골의. ② 취약한, 박약한.
endeblez *f.* ① 허약(함). ② 취약(함).
endecágono *m.* 11각형.
endecasílabo, ba *adj.* [시법] 11음절의.
endecha *f.* 장송가, 애가(哀歌).
endémico, ca *adj.* ① (병이) 풍토성의. ② (어떤 지방·사회에) 영속적인, 만성적인. ③ (동식물이) 한 지방 특유의.
endemismo *m.* 한 지방의 특유성.
endemoniado, da *adj., mf.* ① 귀신 들린, 악마에게 씐 (사람). ② 심술궂은, 짓궂은 (사람), 장난이 심한 (사람). ③ 매우 나쁜, 극악한, 불쾌한.
endemoniar *tr.* ① (…에게) 귀신 들리게 하다, 악마가 씌게 하다. ② 화나게[성나게] 하다, 분개시키다. ~**se** 화내다, 노하다, 성내다.
endenantes *adv.* [속어] 얼마 전에, 조금 전에(hace poco).
endentar *tr.* ① (바퀴와 바퀴를) 맞물리다. ② (바퀴에) 이빨 모양을 내다.
endentecer (31) *intr.* (아이들이) 이가 나기 시작하다.

E

endeñarse *r.* (상처에) 염증이 생기다.
enderechar *tr.* =enderezar.
enderezadamente *adv.* 똑바로, 올바로.
enderezado, da *adj.* 적당한, 잘 들어맞는(favorable).
enderezar (9) *tr.* ① (굽은 것을) 똑바로[꼿꼿이] 펴다. ② (기운 것을) 똑바로 다시 세우다, 일으키다. ③ =remitir, dedicar. ④ 잘 다스리다. ⑤ 바로잡다, 시정하다, 고치다. ⑥ 벌하다. ⑦ =dirigir, orientar. —*intr.* 일직선으로 나아가다. ~**se** ① (굽은 것이) 곧게 되다, 꼿꼿이 펴지다. ② (기운 것이) 바로 서다. ③ 잘 다스려지다. ④ 준비가 되어 있다, 목표로 하다.
endeudamiento *m.* 차입(借入), 채무.
endeudarse *r.* ① 빚을 지다. ② 신세를 지다, 은혜를 입다.
endiabladamente *adv.* 무섭게, 밉살스레, 고약하게.
endiablado, da *adj.* ① 몹시 추악한, 어울리지 않는. ② 극악 무도한. ③ *Méj.* (햄이나 다른 음식물이) 몹시 매운. —*f.* 악마의 가면을 쓴 유쾌한 가장 무도회.
endíadis *f.* [수사] 불필요한 말의 중복, 이사 일의(二詞一意)(hendíadis).
endibia *f.* [식물] 꽃상추.
endino, na *adj.* =indigno, perverso.
endiñar *tr.* 때리다, 구타하다.
endiosamiento *m.* ① 고만(高慢), 뽐내어 건방짐, 으스댐. ② 방심.
endiosar *tr.* 신격화하다, 신으로 모시다. ~**se** ① 거만을 떨다, 우쭐거리다. ② =suspenderse, embebecerse.
endivia *f.* =endibia.
endocardio *m.* [해부] 심내막(心內膜).
endocarditis *f.sing.pl.* [의학] 심내막염.
endocarpio *m.* [식물] 속열매껍질.
endocistitis *f.* [의학] 방광 내막염.
endocrino[1]**, na** *adj.* ① [생리] 호르몬의. ② [생리] 내분비의.
endocrino[2] *m.f.* =endocrinólogo.
endócrino, na *adj. Méj.* =endocrino[1].
endocrinología *f.* 내분비학.
endocrinológico, ca *adj.* 내분비학의.
endocrinólogo, ga *m.f.* 내분비 학자.
endocrinopatía *f.* [의학] 내분비 장애.
endodermo *m.* ① [식물] 내피(內皮). ② [생물] 내배엽(內胚葉).
endodoncia *f.* [의학] 치내 치료학.
endoesqueleto *m.* [해부] 내골격.
endofásico, ca *adj.* [언어] 내언어(內言語)의.
endogamia *f.* ① 족내혼(族內婚), 동족 결혼. ② [생물] 동계 교배.
endogámico, ca *adj.* endogamia의.
endogénesis *f.sing.pl.* [생물] 내생.
endógeno, na *adj.* 내인성의, 내생의.
endolinfa *f.* [해부] (내이(內耳)의) 미로(迷路) 임파, 내임파(액).
endometrio *m.* [해부] 자궁 내막.
endometriosis *f.* [의학] 자궁 내막증, 자궁 증식증, 자궁 이소(異所) 발생.
endometritis *f.* [의학] 자궁 내막염.
endomingado, da *adj.* =dominguero.
endomingarse (8) *r.* 외출복을 입다.
endonar *tr.* =donar.
endoparásito *m.* [생물] 내부 기생자.
endoplasma *m.* [생물] 내부 원형질.
endorfina *f.* [생화학] 엔도르핀.
endorreico, ca *adj.* 내륙 하천의.
endorreísmo *m.* 내륙 유역.
endorsar *tr.* =endosar[1].
endorso *m.* =endoso.
endosable *adj.* 배서(背書) 가능한.
endosar *tr.* ① [상업] (수표·어음에) 배서하게 하다. ② (무거운 부담·책임을) 떠맡기다, 지우다, 부담시키다.
endosatario, ria *m.f.* 피배서인.
endoscopia *f.* 내시경 검사.
endoscopio *m.* 내시경(內視鏡).
endose *m.* 배서(背書).
endósmosis *f.sing.pl.* [물리] 내침투.
endoso *m.* [상업] 배서 (양도).
endospermo *m.* [식물] 내유, 배유.
endotelio *m.* [해부] 내피(內皮).
endotérmico, ca *adj.* [물리·화학] 흡열(吸熱)의, 흡열 작용[반응]의.
endotoxina *f.* [생화학] 균체내 독소.
endovenoso, sa *adj.* [의학] 정맥내(靜脈內)의: inyección ~*sa* 정맥 주사.
endrina *f.* [과실] 야생 자두.
endrinal *m.* 야생 자두(나무) 밭.
endrino, na *adj.* 검푸른. —*m.* [식물] 야생 자두나무.
endrogado, da *adj.* ① 마약에 중독된. ② *Méj.* 빚으로 고생하는, 부채에 허덕이는(endeudado, entrampado).
endrogarse (8) *r.* ① *Can., Méj.* 빚으로 고생하다, 빚[부채]에 허덕이다. ② *Ant., Ven.* 마약에 빠지다, 마약 중독이 되다, 마약을 복용하다.
endulcorante *m.* =endulzante.
endulzante *m.* 감미료.
endulzar (9) *tr.* ① 달게 하다. ② (올리브의) 쓴맛을 빼다. ③ 부드럽게 하다, 순화시키다. ~**se** ① 달게 되다. ② 부드러워지다, 온화해지다.
endurecedor, ra *adj.* 단단하게[딱딱하게] 하는, 경화시키는. —*m.* 경화제.
endurecer (31) *tr.* ① 단단하게 하다, 견고하게 하다, 응고시키다. ② (몸 등을) 튼튼하게 하다, 강하게 하다, 단련시키다, (심신을) 연마하다; (쇠 등을) 불리다. ③ 엄하게[완고하게] 하다. ④ 무자비하게 하다, 냉혹하게 하다. ~**se** ① 단단해지다, 응고되다. ② 튼튼해지다, 강해지다, 단련되다, 연마되다. ③ 무자비해지다, 정서가 없어지다.
endurecido, da *adj.* ① 단단해진, 딱딱해진, 거친. ② [+a] (…에) 단련된, 익숙해진, 익은.
endurecimiento *m.* 경화; 강화(强化).
ene *f.* 에네 ((문자 n의 명칭)).
en(e). enero 1월.
ENE estenordeste 동북동(東北東).
enea *f.* [식물] 큰 부들.
eneágono, na *adj., m.* 9각형(의).
eneasílabo, ba *adj.* [시법] 9음절의.

enebrina *f.* 두송의 열매.
enebrinal *m.* enabro 숲.
enebro *m.* [식물] 두송, 노간주나무.
enema *m.* [의학] 관장제(灌腸劑).
enemicísimo *adj.* 몹시 싫은.
enemiga *f.* =enemistad, odio, oposición. ¶*tener ~ a* alguien (누구에게) 적의[악감정]를 품다.
enemigamente *adv.* 적개심으로.
enemigo, ga *m.f.* ① 적(敵). ② [+de] (…의) 반대자, …이 싫은 사람. —*m.* 적군. —*adj.* ① 적(敵)의: país ~ 적국. tropas ~*gas* 적군. ② [+de] (…이) 싫은: Soy ~ *de* la comida rápida 나는 패스트푸드를 몹시 싫어한다. ¶*Al ~ que huye, puente de plata* (속담) 긁어 부스럼 만들지 마라. *No hay ~ pequeño* (속담) 방심은 금물.
enemistad *f.* 적의, 반감; 증오(odio).
enemistar *tr.* ① (누구를 다른 사람의) 적으로 만들다. ② 우정을 잃게 만들다. ~**se** 서로 미워하다, 증오하다, 적대하다.
energético, ca *adj.* 에너지의. —*m.pl.* 연료. —*f.* [물리] 에너지론(論).
energía *f.* ① [물리] 에너지: ~ atómica 원자력 (에너지), 핵에너지. ~ cinética 운동 에너지. ~ nuclear 핵에너지, 원자력 (에너지). ~ radiante 방사능. ~ solar 태양 에너지. ② (육체적·정신적인) 에너지, 활력, 힘이 참; 기력, 의지가 강함.
enérgicamente *adv.* 정력적으로, 강력하게.
enérgico, ca *adj.* ① 힘이 좋은, 힘찬, 정력적인. ② 단호한.
energizar (9) *tr.* ① 전류를 공급하다. ② *Col.* 자극하다; 힘[정력]을 주다(dar energía). —*intr.*, ~**se** 정력적으로 일하다, 정력적으로 행동하다.
energúmeno, na *m.f.* ① 악마가 씐 사람. ② 미쳐 날뛰는 사람, 소란을 피우는 사람.
enero *m.* 1월, 정월.
enervación *f.* ① 힘을 잃은 일, 쇠약해짐. ② =**afeminación.** ③ [의학] 기력의 쇠약, 무기력.
enervador, ra *adj.* =**enervante.**
enervamiento *m.* =**enervación.**
enervante *adj.* ① 기운[맥]이 빠지는. ② 신경질이 난.
enervar *tr.* ① 약화시키다, 힘을 빼다. ② 무기력하게 하다. ③ 신경질 나게 하다. ~**se** ① 약화되다, 힘이 빠지다. ② 무기력해지다. ③ 신경질이 나다.
enésimo, ma *adj.* ① (횟수가) 아주 많은. ② [수학] n번째[배·차(次)]의.
enfadadizo, za *adj.* 화를 잘 내는, 쉬 노하는[성내는](fácil de enfadar).
enfadamiento *m.* =**enfado.**
enfadar *tr.* 성나게[화나게·노하게] 하다. ~**se** 화내다, 성내다, 골을 내다, 노하다.
enfado *m.* ① 노여움, 분노, 불쾌감. ② 노력, 수고.
enfadosamente *adv.* 화가 나서, 성난 얼굴로(con enfado).
enfadoso, sa *adj.* ① 싫은, 지겨운; 화가 난, 괘씸한. ② 귀찮은, 성가신.
enfaenado, da *adj.* 매우 분주한, 일에 쫓긴.
enfajar *tr.* ① 띠를 두르다[감다]. ② 아이를 싸서 허리띠를 하다. ③ 띠처럼 휘감다.
enfaldado *adj.* (남자, 특히 어린이가) 어머니에게 찰싹 달라붙은; 여자 치맛자락에만 매달리는.
énfasis *m.sing.pl.* ① 강조; 역점, 중점. ② (과도한) 과장, 대단한 허세.
enfáticamente *adv.* 강조하여.
enfático, ca *adj.* ① [문법] 강조의. ② 과장된, 허풍을 떠는.
enfatización *f.* ① 강조, 역설. ② 과장.
enfatizar (9) *tr.* ① 강조하다, 역설하다. ② 과장하다.
enfebrecer *tr.* ① 열을 내게 하다. ② 흥분시키다.
enfebrecido, da *adj.* ① 열이 있는. ② 흥분한.
enfermar *tr.* ① 병에 걸리게 하다. ② 약하게 하다, 힘을 빼다, 맥을 못추게 하다. —*intr.* 병에 걸리다, (병을) 앓다, 병이 나다. ~**se** 병에 걸리다.
enfermedad *f.* ① 병, 질환. ② 병폐.
enfermería *f.* ① (학교 등의) 의무실. ② 간호. ③ [집합] 환자.
enfermero, ra *m.f.* 간호사.
enfermizo, za *adj.* ① 병약한, 허약한, 약질의. ② 병자 같은, 병적인.
enfermo, ma *adj.* ① 아픈, 병에 걸린: caer [contraer·ponerse] ~ 병에 걸리다. ② 병약한. —*m.f.* 병자, 환자.
enfermoso, sa *adj. Col., Guat., Nic., Ecuad., Hond., Ven.* =**enfermizo.**
enfermucho, cha *adj.* 건강이 나쁜; 잘 아픈(propenso a enfermar).
enfervorecer *tr.* =**enfervorizar.**
enfervorizar (9) *tr.* …의 좋은 마음[생각·정열]을 불러일으키다, 격려하다.
enfeudar *tr.* 왕국[영토·도시]을 봉토로 주다[하사하다].
enfiestarse *r. Chile, Méj., Hond., Nic.* 즐기다, 흥에 겨워 떠들다.
enfilar *tr.* ① (앞으로) 나아가다, 전진하다, 똑바로 가다. ② (길고 좁은 길을) 달리기 시작하다. ③ (시선 등을) 돌리다, 향하다. ④ (바늘 등에) 실을 꿰다. ⑤ (열에) 늘어놓다. ⑥ 반감을 가지다, 반대 입장에 서다. —*intr.* (앞으로) 나아가다, 가다.
enfisema *m.* [의학] 기종(氣腫).
enfisematoso, sa *adj.* 폐기종에 걸린.
enfiteusis *f.sing.pl.* 영대 차지(권), 장기 (부동산) 임대차 계약.
enfitéutico, ca *adj.* 장기 (부동산) 임대차의.
enflaquecer (31) *tr.* ① (…를) 여위게 하다, 수척하게 만들다. ② 기운이 빠지게 하다, 약화시키다. —*intr.* ① 여위다, 수척해지다. ② 기력을 잃다, 실신하다. ~**se** 여위다, 수척해지다.

enflaquecimiento *m.* ① 여윔, 수척해짐. ② 의기 소침, 의욕 상실.

enflautado, da *adj.* =hinchado.

enflautador, ra *adj.* 사기치는. —*m.f.* ① 사기꾼. ② =alcahuete.

enflautar *tr.* ① 부풀리다. ② =alcahuetear. ③ =alucinar, engañar. ④ *Col.* =encajar.

enfocar (7) *tr.* ① (렌즈 등의) 초점을 맞추다. ② (어떤 관점에서) 검토하다, 고찰하다. —*intr.* 초점을 맞추다.

enfoque *m.* ① 초점을 맞춤: ~ automático 자동 초첨. ② 시점, 관점.

enfoscar (7) *tr.* ① (벽의) 구멍을 막다. ② (벽에) 모르타르를 칠하다.

enfrailar *tr.* 승적에 입적시키다, 승려를 만들다. —*intr.*, ~**se** 승려가 되다.

enfrascar *tr.* (…을) 유리병에 넣다.

enfrascarse *r.* ① 몰두하다, 열중하다. ② 덤불 속으로 숨다[깊숙이 들어가다]. ③ (진흙·똥·잉크·페인트 등으로) 더러워지다.

enfrenar *tr.* ① 말에 재갈을 물리다. ② (말을) 조교(調敎)하다. ③ 제어[억제]하다. ④ (자동차의) 브레이크를 걸다. ⑤ (…에) 제동기를 달다.

enfrentamiento *m.* 대결, 도전; 대립.

enfrentar *tr.* ① …에 맞서다, 대항하다. ② [+con] (…에) 도전하다. ③ 대면시키다, 세우다. ~**se** [+a · con] (…에) 맞서다, 대항[대결]하다.

enfrente *adv.* ① 정면에, 맞은편에. ② 반대하여. ¶~ ***de*** … ㉮ …의 정면에: Ella está sentada ~ *de* mí en la mesa 그녀는 테이블에서 내 정면에 앉아 있다. ㉯ …에 반대해서: Todo el pueblo está ~ *del* proyecto 온 마을이 그 계획에 반대하고 있다.

enfriadera *f.* 냉각기.

enfriadero *m.* 냉각장.

enfriador, ra *adj., m.f.* 냉각시키는 (사람). —*m.* 냉각장(enfriadero).

enfriamiento *m.* ① 냉각. ② 감기.

enfriar *tr.* ① 차게 하다, 식히다, 냉각시키다. ② (감정 등을) 얼어붙게 하다, 차게 하다. ③ (작품에서) 효과를 완화시키다. —*intr.* (…이) 식다, 차지다. ~**se** ① 식다, 차지다. ② (감정이) 얼어붙다, 차지다. ③ 냉담해지다. ④ (작품에서) 효과가 완화되다. ⑤ =acatararse.

enfrijolada *f. Méj.* 엠프리홀라다 ((강낭콩 크림·잘게 다진 양파·묵은 치즈를 바른 튀긴 옥수수 부침개))

enfrontar *tr., intr.* ① …의 앞에 서다. ② [+con] (…과) 대면하다, 마주보다. ③ 대항하다.

enfroscarse *r.* =enfrascarse.

enfunchar *tr. Cuba., PRico.* =enojar, enfadar.

enfundadura *f.* 봉지[자루]에 넣기.

enfundar (31) *tr.* ① 봉지[자루]에 넣다. ② 채우다(llenar, henchir).

enfuñarse *r. And., PRico., RDom.* = enfurruñarse, enfadarse.

enfurecer *tr.* ① 화나게[성나게 · 노하게] 하다, 격노시키다. ② 오만하게 하다. ~**se** ① 격노하다, 화내다, 성내다, 격분하다. ② (바람 · 바다가) 사나워지다, 거칠어지다(alborotarse, alterarse).

enfurecimiento *m.* ① 격노. ② 비바람이 심한 날씨, 황천(荒天).

enfuriarse *r. Sal.* =enfurecerse ②.

enfurruñamiento *m.* 분개(憤慨), 격분, 화냄, 성냄.

enfurruñarse *r.* ① =enfadarse. ② (하늘이) 흐려지다, 구름에 덮히다.

enfurruscarse *r. Al., Ar.* =enfurruñarse.

enfurtir *tr.* ① (직물을) 빳빳하게 하다. ② 머리카락을 꽉 조이다. ~**se** ① (직물이) 빳빳해지다. ② (머리카락이) 꽉 조여지다.

engaitar *tr.* 속이다(engañar).

engalanar *tr.* 아름답게 치장하다, 꾸미다, 장식하다. ~**se** 옷치장을 하다.

engaliar *tr. And.* 속이다, 사기치다.

engallado, da *adj.* ① =erguido, derecho. ② =altanero, soberbio.

engallador *m.* =engalle.

engalladura *f.* =galladura.

engallamiento *m.* 오만, 거만, 교만.

engallar *tr.* (오만한 태도로) 머리를 들다, 가슴을 펴다. ~**se** ① 거만해지다, 오만한 태도를 하다. ② (말이) 머리를 세우다.

engalle *m.* 고삐.

engalletar *tr. Ven.* =confundir, embrollar, enredar. ~**se** ① *Ven.* 얽히다, 복잡해지다. ② *Ven.* (교통이) 혼잡해지다, 병목 현상이 일어나다.

enganchado, da *adj. CRica, Hond.* 반한, 연정을 느낀, 사랑에 빠진.

enganchador, ra *adj.* 자물쇠로 잠그는, 쇠고리로 올리는.

enganchamiento *m.* =enganche.

enganchar *tr.* ① (자물쇠로) 잠그다. ② (말에 수레를) 매다. ③ 쇠고리에 걸다. ④ [군사] 병적에 편입시키다, 모병하다. ⑤ [투우] 소가 뿔에 걸쳐 들어올리다. ⑥ (사람을) 멈추어 세우다. ⑦ 중독시키다. ⑧ (속여서) 걸려들게 하다. —*intr.* ① 걸리다. ② 말을 수레에 매다. ③ *Cuba.* 성교를 하다. ④ 오르다. ~**se** ① [+en] (…에) 걸리다. ② (군에) 지원하다, 입대하다. ③ (마약에) 중독되다. ④ 오르다. ⑤ *CRica.* =enamorarse.

enganche *m.* ① 자물쇠를 잠그는 일. ② 쇠고리로 찍어 올리는 일. ③ 거는 도구. ④ 갈고리, 훅. ⑤ (전화 등의) 접속, 연결. ⑥ (장병의) 모병; 지원. ⑦ 착수금, 계약금(entrada).

enganchón *m.* (천 등이) 못 같은 것에 걸려서 L 모양으로 찢어짐.

engandujar *tr.* =gandujar.

engandujo *m.* =gandujado.

engañabobos *m.sing.pl.* ① 사기꾼, 잘만 하면 한 밑천 잡는 사람. ② 겉으로

속이는 일[것]. ③ *And.* [조류] 소쩍새.
engañadizo, za *adj.* 속이기 쉬운.
engañador, ra *adj.* ① 속이는. ② 애정을 달콤하게 끄는, (상대방의) 마음을 녹이는. —*m.f.* ① 사기꾼. ② 바람둥이.
engañamundo *m.* 사기꾼(engañador).
engañamundos *m.sing.pl.* =engañamundo.
engañanecios *m.sing.pl.* 사기꾼.
engañapastores *m.sing.pl.* [새] 소쩍새 (chotacabras).
engañapichanga *f.* ① *Bol.* 행상. ② *Arg., Ur.* 겉을 속이는 일[것].
engañar *tr.* ① 속이다. ② 눈속임하다. ③ 착각[오해]을 일으키게 하다. ④ =entretener, distraer. ⑤ 음식을 더 맛있어 보이게 하다. ⑥ =engatusar. ⑦ 부정(不貞)을 저지르다, 바람을 피우다. ~**se** ① 진실을 외면하다. ② 실수하다, 잘못하다, 틀리다, 잘못 알다. ③ 자신을 속이다. ④ [+con · por] (…로) 속다.
engañifa *f.* (작은) 속임, 속임수.
engañifla *f. And., Bol., Chile.* =engañifa.
engaño *m* ① 속임수, 기만. ② 잘못, 실수. ③ [투우] =muleta, capa.
engañosamente *adv.* 속임수로.
engañoso, sa *adj.* ① 속이는, 혹하게 하는. ② *Ar., Av., León.* 거짓말하는.
engarabitar *intr.*, ~**se** 높은 곳에 오르다(subir a un lugar alto).
engaratusar *tr. Col., Guat., Hond., Méj., Nic.* =engatusar.
engarce *m.* ① 줄줄이 매달기. ② (염주알처럼) 줄줄이 꿰는 철사.
engarrar *tr.* =agarrar.
engarzadura *f.* =engarce.
engarzar (9) *tr.* ① (철사 등을) …에 줄줄이 잇다. ② =rizar. ③ =engastar. ~**se** *And., Amér.* =enzarzarse ④.
engasgarse *r.* =atragantarse.
engastador, ra *adj.* 끼워 넣는. —*m.f.* (전문으로) 끼워 넣는 사람.
engastadura *f.* =engaste.
engastar *tr.* 끼워 넣다, 끼워 박다.
engaste *m.* ① 끼워 넣는[박는] 일. ② (보석의) 대좌. ③ 고르지 않은 진주.
engatusar *tr.* 구워삶다.
engavillar *tr.* =agavillar.
engendrar *tr.* ① (아이를) 낳다. ② 일으키다, 야기시키다, 발생시키다. ~**se** 일어나다, 야기되다, 발생되다.
engendro *m.* ① 태아(胎兒). ② 기형아(畸形兒). ③ 무척 못생긴 사람. ④ 미완성 계획[작품]. ¶*mal* ~ 비행 소년.
engibar *tr.* 새우등을 만들다. ~**se** 새우등지다.
englantina *f.* [식물] 해당화(海棠花).
englobar *tr.* ① 포함하다, 함유하다, 포괄하다. ② [+en] (…에) 한데 모으다, 합치다, 통합하다, 정리하다, 일괄하다.
engolfar *tr.* 배를 만(灣)에 넣다. —*intr.* (배가 육지에서 보이지 않게) 먼 바다로 나가다. ~**se** ① (배가) 멀리 나가 보이지 않다. ② 몰두하다, 열중하다.
engolosinar *tr.* 마음을 끌다, 매혹시키다. ~**se** 아주 좋아하다, 욕심내다, 탐내다, 갖고 싶어하다(aficionarse).
engomar *tr.* (…에) 고무풀을 붙이다; (고무풀로) 붙이다.
engorda *f.* =engorde.
engordaderas *f.pl.* [의학] (유아에게 생기는) 발진(發疹).
engorde *m.* 비육(肥育).
engordar *tr.* ① 살찌게 하다, 살찌우다. ② (숫자 등을) 부풀리다. —*intr.* ① 살찌다. ② 벌다, 이익을 보다.
engorro *m.* =obstáculo, molestia, impedimiento.
engorroso, sa *adj.* =molesto, dificultoso.
engoznar *tr.* …에 경첩을 대다.
engrampadora *f. Hond., Salv., Ur.* =grapadora.
engrampar *tr. Hond., Salv., Ur.* 호치키스로 고정시키다(grapar).
engranaje *m.* ① 톱니바퀴 (전달) 장치: caja de ~ 기어 박스. ② (톱니바퀴 · 부품의) 맞물림. ③ 관련, 연쇄.
engranar *tr.* ① (톱니바퀴 · 부품을) 맞물리게 하다. ② 관련시키다, 연계시키다. —*intr.* ① (톱니바퀴 · 부품이) 맞물리다. ② 관련되다, 결부되다.
engrandecer (31) *tr.* ① 크게 하다, 키우다, 확장하다, 늘리다. ② 위대하게 [고귀하게] 하다; 명성을 높이다, 칭찬하다. ~**se** 승진하다; 훌륭하게 되다.
engrandecimiento *m.* 확장; 승진.
engrapadora *f.* 호치키스(grapadora).
engrapar *tr.* 호치키스로 꽂다.
engrasador *m.* 주유기, 급유기.
engrasar *tr.* (기계 · 피혁 등에) 기름을 칠하다; 주유하다.
engrase *m.* ① 기름칠(을 함). ② 주유(注油). ③ 윤활유.
engreído, da *adj., m.f.* 오만한 (사람).
engreimiento *m.* 오만(함), 자만심
engreír (44) *tr.* 우쭐대게 하다.
engrescar (7) *tr.* ① …에게 싸움을 시키다, 도발하다. ② 유인하다, 끌어들이다. ~**se** ① 싸움을 걸다. ② 놀이에 가담하다.
engrifar *tr.* =encrespar, erizar. ~**se** =empinarse.
engrillar *tr.* 족쇄를 끼우다. ~**se** ① (감자의) 싹이 트다. ② (말이) 머리를 낮게 숙이다.
engringarse (8) *r.* 외국인[미국인]에게 물들다, 외국인의 풍습을 따르다.
engriparse *r. CRica., Salv., Ur., Ven.* 감기에 걸리다(contraer la gripe).
engrosamiento *m.* 비대화; 증가, 증대.
engrosar *tr.* ① 살찌게 하다; 굵게[두껍게] 하다. ② 늘리다. —*intr.* ① 살찌다; 굵게[두껍게] 되다. ② 늘다, 증가하다.
engrudar *tr.* 풀을 바르다, 풀로 붙이다.
engrudo *m.* (밀가루) 풀.

engruesar *intr.* 살찌다(engrosar).
engrumecerse (31) *r.* [요리] (밀가루 등이) 엉기다.
engruñar *tr.* =arrugar, encoger.
engrupir *tr. Arg., Chile., Ur.* 거짓말을 믿게 하다(hacer creer una mentira).
enguachinar *tr.* ① …에 물을 많이 넣다[섞다]; (물을 타서) 엷게[묽게] 하다. ② (위를) 거북하게 하다. **~se** ① 엷어지다, 묽어지다. ② (위가) 트릿하다, 거북하다.
engualdrapar *tr.* (말에게) 말옷을 입히다.
enguantar *tr.* (손에) 장갑(guante)을 끼우다. **~se** 장갑을 끼다.
enguatar *tr.* ① …에 솜을 넣다. ② *Chile.* 물릴 때까지 배를 채우다.
enguirnaldar *tr.* 화관으로 꾸미다.
engullir (50) *tr., intr.* (음식물을) 씹지 않고 삼키다, 걸신들린 것처럼 먹다.
engurruñar *tr.* 위축시키다, 줄이다, 오므라들게 하다. **~se** ① 위축되다, 줄다. ② =encogerse, entristecerse.
engurruñir *tr.* =arrugar, encoger.
engusanarse *r. Hond., Méj., Salv.* = agusanarse.
enhacendado, da *adj., mf. Ecuad.* 농장을 가진 (사람)(hacendado).
enhacinar *tr.* =hacinar.
enharinar *tr.* …에 밀가루를 바르다.
enhebrar *tr.* ① (바늘에) 실을 꿰다, 실을 바늘귀에 꿰다. ② (거짓말을) 밥먹듯이 하다.
enhiesto, ta *adj.* 일으킨, 세운.
enhilar *tr.* ① …에 실을 꿰다. ② 말을 조리 있게 하다. ③ 순서를 세우다. ④ 줄에 세우다. —*intr.* (어떤 목적을) 향해 가다. **~se** [투우] 일직선으로 소 앞에 서다.
enhorabuena *f.* (노력의 성과에 대한) 축하 인사, 축하의 말. —*interj.* 축하합니다! —*adv.* ① 때마침 (잘). ② [명령문에서] 어쩔[하는] 수 없다.
enhoramala *adv.* ① 좋지 않은 때에, 나쁜 시기에, 운 나쁘게, 재수 없이, 하필 (그 때). ② [명령문에서] 냉큼, 빨리, 급히: Vete ~! 냉큼 꺼져라!
enhornar *tr.* 솥[오븐]에 넣다.
enigma *m.* 수수께끼, 불가사의(한 것), 수수께끼의 인물.
enigmático, ca *adj.* 수수께끼의, 불가사의한, 불가해(不可解)한.
enjabonado, da *adj.* 비누[거품]투성이의. —*m.* 비누 빨래.
enjabonadura *f.* 비누 빨래.
enjabonar *tr.* ① 비누로 빨다, 비누로 칠하다. ② 아첨하다[알랑거리다]. ③ 나무라다, 힐책하다. **~se** (자신의 몸을) 비누로 씻다.
enjaezar (9) *tr.* (말에) 마구를 달다.
enjalbegar (8) *tr.* ① (석회로 벽 등을) 하얗게 덧칠하다. ② (얼굴에) 백분을 바르다.
enjalma *f.* 길마, 짐안장.
enjalmar *tr.* (말 등에) 짐안장을 얹다.
enjambrar *tr.* (분봉 꿀벌을) 벌통에 넣다. —*intr.* (꿀벌이) 분봉하다.
enjambre *m.* ① (분봉 꿀벌) 떼. ② 떼, 무리, 동아리, 집단. ③ [천문] (운석의) 성단(星團).
enjaranarse *r.* ① *Hond., Nic., Salv.* 빚지다. ② *Nic.* 약혼하다.
enjardinar *tr.* ① 조원(造園)하다, 정원의 나무들을 다듬다, 정원처럼 꾸미다. ② 정원의 흙을 바꾸다.
enjaular *tr.* ① 새장[우리]에 넣다. ② 투옥시키다, 감옥에 넣다.
enjertación *f.* 접목; 꺾꽂이.
enjertal *m.* 접목 과수원.
enjertar *tr.* =injertar.
enjerto *m.* ① 접목된[꺾꽂이한] 식물. ② 서로 다른 여러 가지의 혼합.
enjetado, da *adj. Méj.* =enfadado, enojado.
enjetarse *r. Bol., Méj.* =enojarse.
enjoyar *tr.* ① (사람·물건을) 보석으로 장식하다. ② =adornar, hermosear, enriquecer. ③ (금은 세공사가) 장식에 보석을 끼워 넣다. **~se** 몸에 보석을 달다.
enjuagar (8) *tr.* ① (적당한 액체로) 입을 가시다[헹구다]. ② 물로 헹구다[씻다]. ③ 가볍게 씻다. **~se** (자신의 입을) 헹구다, 양치질하다, (자신의 몸을) 씻다.
enjuague *m.* ① 입을 헹굼. ② 양치질물, 입을 헹구는 물. ③ 입을 헹구고 뱉는 그릇. ④ 부정 거래, 부정 조작.
enjugar (8) *tr.* ① (물기를) 닦아 내다, 씻어 내다. ② 닦다, 훔치다. ③ 말리다. ④ (적자 등을) 없애다, 해소하다. **~se** (자기 몸의) …을 닦다, 닦아 내다: *~se* las lágrimas 눈물을 닦다.
enjuiciamiento *m.* 재판에 회부; 심리.
enjuiciar (11) *tr.* ① 검토하다, 판단하다, 평가하다. ② [법률] …의 소송을 예심에 회부하다, 소추하다; 심리하다.
enjundia *f.* ① 실질, 내용. ② 기력; (성격이) 강함. ③ (암탉의 난소 주변의) 지방, 비계, 비계가 많은 부분.
enjundioso, sa *adj.* ① 내용이 있는, 알맹이가 있는. ② 지방이 많은. ③ (금액이) 상당한.
enjuto, ta *adj.* ① 여윈, 마른, 살집이 나쁜. ② (작품 등이) 수수한. ③ 말수가 적은.
enlabiar (11) *tr.* ① …에 입술을 대다. ② (약속·감언으로) 속이다.
enlace *m.* ① 관계, 연결, 결합. ② 결혼(식). ③ (교통 기관의) 접속. ④ 연락 담당; (비밀) 연락원: ~ sindical *Esp.* 조합 대표, (노동 쟁의의) 직장 대표. ⑤ [컴퓨터] 링크, 연계: ~ de datos 데이터 링크.
enlaciar (11) *tr.* (초목을) 시들게 하다.
enladrillado *m.* 벽돌 쌓기[깔기].
enladrillar *tr.* …에 벽돌을 깔다[쌓다].
enlanado, da *adj.* 양털(의 비율)이 많은; 양털로 덮인.
enlatado, da *adj.* ① 방송 전에 녹음

된. ② 보관된 (신문 자료). —*m.* ① 녹음된 것. ② 통조림 제조(법).
enlatar *tr.* ① 통조림하다, 깡통에 넣다. ② *And.* 지붕을 이다.
enlazable *adj.* 연결할 수 있는.
enlazador, ra *adj., m.f.* 연결하는 (사람).
enlazadura *f.* 연결(enlace).
enlazamiento *m.* =enlace.
enlazar (9) *tr.* ① 잇다, 연결하다. ② (리본·나비 매듭으로) 묶다. ③ 올가미를 던지다. —*intr.* (교통 기관이) 접속되다. ~**se** ① 결합되다. ② 결혼으로 맺어지다, 인척 관계가 되다.
enlistar *tr.* ① *Méj.* =alistar. ② *Méj.* =reclutar, alistar reclutas.
enlistonar *tr.* =listonar.
enlobreguecer (31) *tr.* 어둡게 하다 (oscurecer). ~**se** 어두워지다.
enlodar *tr.* ① 진흙으로 더럽히다. ② 진흙을 바르다. ③ (명예를) 더럽히다, 먹칠하다. ~**se** ① 진흙으로 더러워지다. ② (명예가) 더럽혀지다, 손상되다.
enloquecedor, ra *adj.* 미칠 정도의.
enloquecer (31) *tr.* 미치게 하다, 이성을 잃게 하다. —*intr.*, ~**se** ① 무척 좋아하다. ② 미치다. ③ 열매가 열리지 않게 되다.
enloquecimiento *m.* 광란, 발광
enlosado *m.* 타일[돌]을 깔기[포장]; 타일[돌]을 깐 바닥.
enlosar *tr.* 타일[돌]을 깔다.
enlozar *tr.* 에나멜[법랑]을 칠하다.
enlucido *m.* 회반죽 칠하기.
enlucir (33) *tr.* ① (벽 등에) 회반죽을 칠하다. ② (금속 제품을) 광택을 내다.
enlutar *tr.* ① 상복을 입히다. ② 어둡게 하다. ③ 슬프게 하다. ~**se** ① 상복을 입다. ② 어두워지다.
enmaderar *tr.* 표면을 나무로 덮다.
enmadrarse *r.* 어머니를 찰딱 따르다.
enmalle *m.* 걸그물 치기 (기술).
enmarañar *tr.* (실 등을) 꼬이게 하다, 뒤얽히게 하다. ~**se** ① (실 등이) 뒤얽히다, 꼬이다. ② (사람이) 말려들다, 휩쓸리다. ③ 구름이 덮이다.
enmarcar (7) *tr.* ① …에 액자를 하다. ② …의 속에 넣다, 한계를 정하다. ~**se** 들어가다, 속하다.
enmascarado, da *adj., m.f.* 가면을 쓴 (사람).
enmascaramiento *m.* 가장, 변장; [군사] 위장(僞裝).
enmascarar *tr.* ① (얼굴을) 가면으로 씌우다. ② 덮어 가리다, 덮어 씌우다, 숨기다, 가리다. ~**se** ① 가면을 쓰다. ② [+de] (…으로) 가장[변장]하다.
enmendar (19) *tr.* (오류·결점을) 고치다, 개정하다; (법안·판결을) 수정하다. ~**se** [+de] (자신의 결점을) 고치다, 행동을 고치다.
enmienda *f.* ① 개심(改心); 정정(訂正). ② 수정, 수정안.
enmohecer (31) *tr.* 곰팡이가 끼게 하다. ~**se** 곰팡이가 끼다.
enmohecimiento *m.* 곰팡이가 낌.
enmudecer (31) *intr.* ① 침묵하다, 잠자코 있다. ② 벙어리가 되다. —*tr.* 말을 못하게 하다.
ennegrecer (31) *tr.* 검게 하다; 암담하게 하다. ~**se** 검게 되다, 검어지다; 어두워지다; 불길한 기운이 돌다.
ennegrecimiento *m.* 검게 만듦, 검어짐, 어두워짐.
ennoviarse *r.* 연인이 되다.
enodio *m.* 세 살에서 다섯 살까지의 사슴.
enodrido, da *adj.* =**apocado.**
enojada *f. Hond., Méj.* =**enojo.**
enojadizo, za *adj.* 성을 잘 내는, 잘 노하는.
enojar *tr.* ① 성나게 하다, 감정을 상하게 하다. ② 괴롭히다. ~**se** ① 성내다, 화내다, 노하다. ② (바닷바람이) 격해지다.
enojo *m.* ① 성냄, 화냄, 노함(ira). ② 성가심, 귀찮음(molestia).
enojón, na *adj., m.f. Bol., Chile., Méj.* =enojadizo.
enojosamente *adv.* 화가 나서, 성이 나서, 노해서(con enojo).
enojoso, sa *adj.* 성나게[화나게] 하는.
enología *f.* 포도주 양조법[양조학].
enológico, ca *adj.* 포도주 양조법의[에 관한].
enólogo, ga *m.f.* 포도주 양조 연구가[학자].
enorgullecer (31) *tr.* 자만[자랑]하게 하다. ~**se** ① 거만해지다. ② [+de·por] (…을) 자랑하다.
enorgullecimiento *m.* 거만, 자만.
enorme *adj.* ① 거대한: edificio ~ 거대한 건물. ② 막대한: ~s gastos 막대한 비용. ③ 지독한, 엄청난, 호된, 가혹한: insulto ~ 엄청난 모욕.
enormemente *adv.* 거대하게, 크게; 굉장히, 심하게.
enormidad *f.* ① 거대함, 막대함. ② 중대함. ③ 상궤를 벗어난 언동. ④ 잘못, 틀림.
enoteca *f.* 포도주 박물관, 포도주 저장.
enotecnia *f.* 포도주 양조법[양조술].
enotécnico, ca *adj.* enotecnia의.
enrabiar (11) *tr.* 화나게[성나게] 하다. ~**se** 화내다, 성내다, 노하다.
enraizar (9) (16) *intr.*, ~**se** 뿌리를 뻗다, 뿌리를 내리다.
enredadera *f.* 덩굴식물(planta ~).
enredador, ra *adj.* ① 얽힌, 휘감기는. ② 시끄럽게 하는. —*m.f.* 거짓말쟁이.
enredar *tr.* ① (실 등을) 엉클어지게 하다. ② (사건을) 뒤얽히게 하다, 복잡하게 하다, 시끄럽게 하다. ③ (성가신 일에) 말려들게 하다. ④ 그물로 잡다. ⑤ 그물을 치다. —*intr.*, 장난을 치다, 떠들어대다. ~**se** ① 얽히다, 휘감기다. ② 뒤얽히다, 복잡해지다, 시끄럽다. ③ 정을 통하다.
enredo *m.* ① 뒤얽힘, 엉클어짐. ② 속임수, 사기, 거짓말. ③ 애인 관계, 바

람을 피움. ④ (소설·극 등의) 줄거리.
enredoso, sa *adj.* 복잡한, 귀찮은.
enrejado *m.* ① (한 개의 건물·그 건물 일부의) 격자. ② 목책, 울짱.
enrejar *tr.* ① 격자를 끼우다. ② 철책으로 둘러치다. ③ 감옥에 넣다.
enrielar *tr.* 레일을 깔다.
enriquecer (31) *tr.* ① 넉넉하게[풍부하게] 하다, 부유하게 하다. ② 장식하다. —*intr.* [+de·en] (…으로) 풍부하다. ~**se** ① 부자가 되다. ② 충실하다.
enriquecimiento *m.* 부유해짐, 번창, 번영, 풍부함; 충실(함).
enriscado, da *adj.* 바위산이 많은.
enrojecer (31) *tr.* 붉게 하다, 빨갛게 하다, 발그레하게 하다. —*intr.* (얼굴이) 붉어지다. ~**se** 붉어지다.
enrollar *tr.* ① (원통형으로) 말다, 감다. ② [+en] (사업 등에) 휘말리게 하다, 말려들게 하다. ~**se** ① 길게[되풀이해서·지리멸렬하게] 말하다. ② 말려들다, 휘말리다. ③ 열중하다. ④ 가입하다, 참가하다.
enronquecer (31) *tr* 목이 쉬게[잠기게] 만들다. —*intr.*, ~**se** 쉰 목소리가 되다, 목이 쉬다[잠기다].
enronquecimiento *m.* =ronquera.
enroscar (7) *tr.* ① 나사 모양으로 하다. ② 칭칭 감다[말다]. ~**se** (뱀이) 또아리치다.
ensaimada *f.* 꽈배기 모양의 빵[과자].
ensalada *f.* ① 샐러드. ② 뒤섞임, 뒤범벅, 뒤죽박죽, 잡탕.
ensaladilla *f.* (삶은 달걀·참치를 넣은) 감자 샐러드.
ensalmador, ra *m.f.* 기도사(祈禱師).
ensalmar *tr.* ① 접골하다, 뼈를 맞추다. ② 기도로 치료하다.
ensalmo *m.* 기도로 치료하는 미신적인 방법, 안수 기도에 의한 치료.
ensalzamiento *m.* 찬미(讚美), 칭찬
ensalzar (9) *tr.* 찬미하다, 칭찬하다, 칭송하다.
ensamblador *m.* [컴퓨터] 어셈블러.
ensambladura *f.* 조립(ensamblaje).
ensamblaje *m.* ① 조립, 짜 맞춤. ② 접합용 부품. ③ [컴퓨터] 어셈블리.
ensamblar *tr.* 조립하다, 짜 맞추다.
ensamble *m.* =ensambladura.
ensanchamiento *m.* 확장, 확대.
ensanchar *tr.* 넓히다, 확장하다, 확대하다. —*intr.*, ~**se** 넓어지다, 커지다, 늘어나다.
ensanche *m.* ① 확장, 확대. ② (도시의) 신규 개발 지구. ③ [복식] 시접.
ensangrentamiento *m.* 피투성이, 피로 물들이기.
ensangrentar *tr.* 피로 물들이다, 피로 더럽히다. ~**se** 피투성이가 되다.
ensañamiento *m.* 격렬함; 잔혹함.
ensañarse *r.* ① [+con·contra] (무저항의 사람 등에게) 격렬히 습격을 가하다. ② [+en] (…에) 매우 잔인하다.
ensartar *tr.* ① …에 실을 꿰다. ② (칼 등으로) 푹 찌르다. ③ 아무렇게나 지껄여대다, 이것저것 되는 대로 지껄이다. ④ *AmérM., Hond., Méj., Nic.* (사람을) 함정에 빠뜨리다, 속이다. ⑤ *Cuba, Ven.* (바늘에) 실을 꿰다.
ensayar *tr.* ① (반복해서) 연습하다; [연극·음악] 연습하다, 리허설하다, 시연하다, 예행 연습을 하다. ② 연습시키다. ③ (성능·품질의) 시험을 하다; 시용하다. ④ 시험해 보다. —*intr.* ① 연습하다. ② 리허설하다. ③ [텔레비전] 시험하다. ~**se** 연습하다.
ensayismo *m.* (장르로서의) 수필.
ensayista *m.f.* 수필가(隨筆家).
ensayo *m.* ① 연습; [연극·음악] 연습, 리허설. ② (성능·품질의) 시험, 테스트; 시용(試用). ③ 시도, 시행, 사전 연습. ④ 수필, 에세이. ⑤ [럭비] 트라이: línea de ~ 골라인.
enseguida *adv.* 즉시, 즉각, 당장에, 곧, 바로: Volveré ~ 즉시 돌아가겠다.
ensenado, da *adj.* 후미진. —*f.* ① 후미. ② *Arg.* =corral.
enseña *f.* =insignia, estandarte.
enseñable *adj.* 쉽게 가르칠 수 있는.
enseñado, da *adj.* =educado.
enseñador, ra *adj., m.f.* 가르치는 (사람).
enseñamiento *m.* =enseñanza.
enseñante *adj.* 가르치는. —*m.f.* (넓은 의미로) 교사(敎師).
enseñanza *f.* ① 교육: ~ básica 초등교육. ~ estatal 공교육. ② [주로 *pl.*] 교훈, 가르침; *pl.* 교훈이 되는 것.
enseñar *tr.* ① (학과·지식·기술을) 가르치다. ② 교시하다, (사실·경험 등이 …을) 가르치다, 깨닫게 하다. ③ 보이다, 나타내다: *Enséñe*me su pasaporte 여권[통행권]을 보여 주십시오. ④ [+a+*inf.*] …하는 법[것]을 가르치다: ~ *a* cantar 노래를 가르치다.
enseñorearse *r.* [+de] (…의) 주인이 되다, 지배하다.
enseres *m.pl.* ① 가재 도구, 가구 집기. ② (일 등의) 도구.
ENSIDESA *f.* *E*mpresa *N*acional de *Side*rurgia, *S*ociedad *A*nónima 스페인 제철 회사.
ensiforme *adj.* [식물] (잎이) 칼 모양의: hoja ~ 칼 모양의 잎.
ensillar *tr.* (말에) 안장을 놓다[얹다].
ensimismamiento *m.* 몰두, 몰입.
ensimismarse ① …에 몰두하다, 몰입하다, 전념하다. ② *Bol., Col., Hond.* =envanecerse.
ensoberbecimiento *m.* 거만(함), 오만.
ensoberbecer (39) *tr.* 거만하게 만들다. ~**se** ① 거만해지다. ② [+con·de] (…을) 자랑하다, 뽐내다: ~*se con su* belleza 아름다움을 자랑하다[뽐내다]. ③ (바다·파도가) 사나워지다, 거칠어지다(agitarse).
ensombrecer (39) *tr.* 어둡게 하다; (그림에) 음영(陰影)을 넣다. ~**se** ① 어두워지다. ② =entristecerse.
ensoñación *f.* 몽상(夢想).

ensoñador, ra *adj.* 꿈꾸는, 몽상하는. —*m.f.* 몽상가(夢想家).

ensoñar (24) *tr.* 꿈꾸다, 몽상하다: ~ el futuro 미래를 꿈꾸다.

ensopar *tr.* ① (빵 등을) 수프에 적시다. ② *AmérC., Cuba., Hond., Méj.* 흠뻑 적시다. ~**se** *AmérC., Cuba, Hond., Méj.* 흠뻑 젖다.

ensordecedor, ra *adj.* 귀가 찢어지는 듯한, 귀가 먹먹해질 정도의.

ensordecimiento *m.* 귀가 들리지 않음.

ensordecer (31) *tr.* ① …의 귀를 들리지 않게 만들다, 귀머거리로 만들다, 귀를 먹게[먹먹하게] 만들다. ② (소리를) 약하게 하다. ③ [언어] (유성 자음을) 무성화하다. —*intr.* ① 귀머거리가 되다. ② 잠자코 있다, 대답하지 않다.

ensortijar *tr.* ① (머리카락을) 곱슬곱슬하게 만들다. ② (가축에게) 코뚜레를 끼우다. ~**se** (머리카락이) 곱슬곱슬해지다.

ensuciar (11) *tr.* ① (어떤 것을) 더럽히다. ② (명예·명성을) 더럽히다, 모독하다. ~**se** ① 더러워지다. ② 오직[독직]하다. ③ 대변[소변]을 보다.

ensueño *m.* ① 꿈. ② 환상, 몽상, 꿈. ¶*de* ~ 이상적인, 꿈 같은, 환상적인, 굉장한, 멋진, 훌륭한, 믿기 어려운.

entablado *m.* ① 판자 받침. ② 판자 마루(suelo formado de tablas).

entablamento *m.* [건축] 중방.

entablar *tr.* ① …에 판자를 붙이다, 판자로 덮다. ② 시작하다, 착수하다. ③ =**entablillar.** ④ (장기에서) 말을 늘어 놓다. —*intr. And., Amér.* 동점이 되다, 비기다, 무승부가 되다. ~**se** ① 시작되다. ② (말이) 돌아서지 않다.

entable *m.* (서양 장기의) 말의 배치.

entablillar *tr.* [의학] (손발을) 부목(副木)으로 고정시키다, 부목을 대다.

entalegar (8) *tr.* ① 자루(talego)에 넣다. ② 저축하다(ahorrar dinero).

entallar *tr.* ① (옷을) 몸에 맞추어 재단하다. ② (상을) 조각하다. ③ (수지를 채취하기 위해) 자국을 내다. ④ (목재에) 다른 것을 끼워 넣기 위해 조각으로 자르다. ~**se** (옷이) 몸에 맞다.

entallecer (31) *intr.,* ~**se** [식물] 땅속의 마디에서 가지가 나오다.

entapizar (9) *tr.* =**tapizar.**

éntasis *f. sing.pl.* [건축] 엔타시스 ((고대 그리스·로마에서 볼 수 있는 기둥 중간의 불룩 나온 부분)).

ente *m.* ① [철학] 존재. ② (주로 공적인) 단체, 기관. ③ 기묘한 사람, 괴짜, 기인. ¶ ~ ***de razón*** 논리적 존재, 사고의 산물(產物).

enteco, ca *adj.* =**enfermizo, débil, flaco.**

entejar *tr.* 기와를 이다, 기와로 덮다.

entelequia *f.* [철학] 망상(妄想).

entendederas *fpl.* 이해력.

entender[1] (20) *tr.* ① 이해하다, 알아듣다, 납득하다: No te *entiendo* 네 말을 이해하지 못하겠다. ¿Me *entiende* usted? —Todavía no. 제 말을 알아들으시겠습니까? —아직 이해하지 못하겠습니다. ② …이 들리다. ③ [+que+*subj.*] …라 판단하다. ④ [+por] (…로) 간주하다. —*intr.* ① [+de] (…에) 정통하다, 잘 알고 있다, …에 강하다. ② 관계가 있다. ~**se** ① 이해가 일치하다; 사이가 좋다; (의견이) 일치하다. ② 자신을 이해하다. ③ 정을 통하다, 애인 관계에 있다. ④ [+con] (…에) 정통해 있다, 다루는 법을 알고 있다. ¶ ~ *mal* 오해하다.

entender[2] *m.* 판단, 의견: según su ~ 그의 의견에 의하면.

entendidamente *adv.* 교묘히, 감쪽같이; 영리하게, 총명하게.

entendido, da *adj.* ① 이해된. ② 정통한. —*m.f.* 정통한 사람, 전문가.

entendimiento *m.* ① 판단, 이해; 판단력, 이해력. ② [주로 부정문에서] 지능, 능력; 분별. ③ 협조.

entenebrecer (31) *tr.* 어둡게 하다, 캄캄하게 하다. ~**se** 어두워지다.

entente *f.* (주로 국가간의) 협정, 협상.

enterado, da *adj., m.f.* ① 정보에 밝은 (사람), (일어난 사건을) 알고 있는 (사람). ② 학식이 있는 체하는 (사람). ③ =**orgulloso, entonado, estirado.** —*m.* [문서의 끝에 하는 서명] 승인필.

enteramente *adv.* 완전히.

enterar *tr.* ① (…에게) 알리다. ② *Bol., Col., CRica., Hond., Méj., Nic.* 지불하다. ~**se** ① [+de] (…을) 알다. ② (일어난 사건을) 알아차리다. ③ (말한 것에) 유의하다.

entereza *f.* ① 완전함. ② 청렴 결백함; 의지가 굳음.

entérico, ca *adj.* [해부] 장(腸)의.

enteritis *f.* [의학] 장염(腸炎).

enterizo, za *adj.* 이음이 없는.

enternecer (31) *tr.* ① 부드럽게 하다. ② 감동시키다. ~**se** 감동하다.

enternecimiento *m.* 감동, 동정.

entero, ra *adj.* ① 전부의; 전체의. ② 온전한, 완전한. ③ 청렴 결백한, 공명정대한. ④ 의지가 굳은, 다부진. ⑤ 건장한. ⑥ (쌀밥이) 아직 (익지 않아) 설컹거리는. ⑦ (과실이) 아직 익지 않은. ⑧ [수학] 정수(整數)의. ⑨ [식물] 잎의 가장자리가 매끈하고 톱니가 없는. ⑩ 거세하지 않은. —*m.* ① [수학] 정수(整數). ② [주식] 포인트. ③ [득점의 단위] 점수. ④ *Chile.* (복권의) 1등상. ¶*por* ~ 전부, 모조리; 완전히; Ella ha cambiado *por* ~ 그녀는 완전히 변했다.

enterocolitis *f.sing.pl.* [의학] 전장염.

enteropatía *f.* [의학] 장병(腸病).

enterostomía *f.* [의학] 장관 절단술.

enterrador, ra *mf.* 묘를 파는 인부.

enterramiento *m.* 매장, 장의(葬儀); 묘, 묘혈(墓穴), 무덤 구멍.

enterrar (19) *tr.* ① 묻다: ~ un tesoro 보물을 묻다. ② 매장(埋葬)하다: ~ en un cementerio 묘지에 매장하다.

③ 감추다, 숨기다. ④ 망각하다, 아주 잊어버리다. ⑤ 장수하다. ⑥ (칼로) 푹 찌르다. ~**se** 틀어박히다.
entibiar (11) *tr.* 미지근하게 하다, 약간 따뜻하게 하다; (애정 등을) 깨다, 식히다. ~**se** 미지근해지다, 식다.
entidad *f.* ① 기관, 단체. ② 가치, 중요성. ③ [철학] 본질; (추상적인) 실체.
entierro *m.* ① 매장. ② 장례식. ③ 장례 행렬.
entimema *m* [논리] 생략 삼단 논법.
entintar *tr.* 잉크로 더럽히다; 물들이다.
entoldado *m.* 천막, 차일.
entoldar *tr.* ① …에 천막을 치다. ② (구름이) 하늘을 덮다. ~**se** 흐려지다.
entomología *f.* 곤충학.
entomológico, ca *adj.* 곤충학의.
entomólogo, ga *m.f.* 곤충 학자.
entonación *f.* ① 억양, 인토네이션; 어조. ② [음악] 발성, 조음(調音).
entonar *tr.* ① 억양을 붙이다. ② (장단에 맞추어) 노래하다. ③ 힘을 돋구다; (근육을) 단련하다. ④ 조율하다. ⑤ (찬사를) 보내다. —*intr.* 색이 조화를 이루다. ~**se** ① (취해서) 기분이 좋다. ② 활기[기력]를 되찾다. ③ 우쭐하다, 오만 불손해지다.
entonces *adv.* ① 그때, 그 당시: desde ~ 그때부터. hasta ~ 그때까지. ② 그러면, 그럼: *Entonces,* hasta la vista 그럼 또 봅시다.
entono *m.* ① =entonación. ② =arrogancia.
entontecer (31) *tr.* 바보로 만들다, 멍청하게 만들다. —*intr.,* ~**se** 바보가 되다, 멍청해지다(volverse tonto).
entontecimiento *m.* 우둔함, 백치가 됨.
entorno *m.* ① (사회·가정 등의) 환경, 주위. ② [컴퓨터] 환경.
entorpecer (31) *tr.* ① 곤란하게 하다, 방해하다. ② (이해력·반응을) 둔하게 하다, 무디게 하다. ~**se** (이해력·반응이) 둔해지다.
entorpecimiento *m.* 둔화; 교통 정체.
entrada[1] *f.* ① 들어가기: ~ de capital 자본 유입. Prohibida la ~ 입장 금지. ② 입장: derechos de ~ 입장료; 수입세. ③ 입장권, 입장료. ④ [집합] 입장자. ⑤ 입회, 가맹; 입학, 입사. ⑥ 입구. ⑦ (계절·해 등의) 초, 처음, 최초; (소설 등의) 처음 부분. ⑧ [상업] [주로 *pl.*] (장부에) 입금; 수입(輸入). ⑨ 계약금. ⑩ [연극] 등장. ⑪ [요리] 전채(前菜). ⑫ [야구] 회, 이닝 ⑬ (사전의) 표제어. ⑭ [컴퓨터] 입력.
entrado, da[2] *adj.* ① (나이를) 먹은. ② (살이) 찐. ③ (시간이) 지난: bien ~*da* la noche 심야에. muy ~*da* la noche 밤이 깊어. hasta muy ~*da* la noche 밤늦게까지.
entrador, ra *adj.* ① =altivo, emprendedor, arriesgado. ② *Amér.* = simpático, agradable.
entrambos, bas *adj., pron.* 양쪽(의).
entrampar *tr.* ① 함정에 빠뜨리다. ② 속이다. ③ 빚으로 사업체 등을 저당잡다. ~**se** ① 함정에 빠지다. ② 뒤얽히다. ③ 빚을 짊어지다[부담하다].
entrante *adj.* 오는; 다음의: el año ~ 내년. el mes ~ 다음 달. —*m.* ① 들어가는 것. ② [요리] 전채(前菜).
entraña *f.* [주로 *pl.*] ① 내장(內臟). ② 깊은 속, 깊은 곳. ③ 중심, 본질. ¶*de sus ~s* 사랑하는: Hija *de mis ~s*! 귀여운 내 딸아! *sin ~s* 피도 눈물도 없이, 잔혹하게.
entrañable *adj.* 친한: amigo ~ 친구.
entrañar *tr.* (위험·문제점 등을) 포함하다, 내포하다. ~**se** 친교를 맺다.
entrar *intr.* ① ㉮ [+en] (장소에) 들어가다: ~ *en* el cuarto 방에 들어가다. ¿Se puede ~? 들어가도 됩니까? ㉯ 꼭 끼이다, 꼭 맞다, 들어가다. ㉰ (조직 등에) 들어가다, 가입하다: ~ *en* la escuela 입학하다. ~ *en* el ejército 입대하다, 군인이 되다. ㉱ (사건 등에) 관계하다, 가담하다. ㉲ (재료·요소·범주 등에) 들어가다, 포함되다. ② ㉮ (시기 등에) 달하다; (어떤 상태가) 되다. ㉯ (습관 등에) 물들다. ㉰ (감정 등이) 나다, …되다. ③ (시기·상태 등이) 시작되다: el año que *entra* 내년. ④ (음식·음료수가) 맛있다, 맛좋다. ⑤ [연극] 등장하다. ⑥ [음악] (악보에 따라 연주·노래가) 시작되다. ⑦ [투우] (소가 투우사의 도발에) 맞서 가다. ⑧ [자동차] (기어가) 들어가다. ⑨ [+*inf.*] …하기 시작하다. ⑩ [+현재 분사] (…로 말이) 시작되다. —*tr.* ① 넣다, 집어넣다. ② …에 침입하다. ③ 박아 넣다. ④ 공격하다. ⑤ [컴퓨터] 인풋하다, 액세스하다. ⑥ [축구] 태클하다. ~**se** 숨어 들어가다, 잠입하다.
entre *prep.* ① …의 사이에: ~ Seúl y Pyongyang 서울과 평양 사이에. por ~ los árboles 나무들 사이로. ② [선택·구별·분할] 사이에서: vacilar ~ el dinero y el honor 돈과 명예 사이에서 주저하다. ③ [범위] …중에(서), …사이에: estar ~ los candidatos 후보자들 중에 들다. ④ [중간] 중간의, 사이의. ⑤ [서로] 상호간의: conferencia ~ el Norte y el Sur 남북 회담. ⑥ [협력] …이 함께, 합심하여: coger al ladrón ~ dos personas 두 사람이서 도둑을 잡다. ⑦ [합계] …을 합해서. ⑧ …의 마음속으로: pensar ~ sí 마음속으로 생각하다. ⑨ [나눗셈] 나누면: Treinta ~ cinco igual a seis $30 \div 5 = 6$.
entreabrir *tr.* 반쯤[절반 가량] 열다.
entreacto *m.* (연극 등의) 막간.
entrebarrera *f.* [투우] [주로 *pl.*] 울타리와 관객석 사이의 통로.
entrecano, na *adj.* (머리카락이) 반백(半白)의.
entrecavar *tr.* (흙을) 얕게 파다.
entrecejo *m.* ① 미간(眉間). ② 미간을 찌푸림, 우거지상, 찡그린 얼굴.
entrecerrar (19) *tr.* (문·창문을) 반쯤

닫다.
entrecruzar (9) *tr.* ① 교차시키다. ② [식물] 교배하다. ~**se** 교배되다.
entrecubierta *f.* [선박] 중갑판(中甲板).
entrefilete *m.* (신문의) 박스 기사, 작은 기사.
entrega *f.* ① 인도: ~ a domicilio 배달, 택배. ② 수여: ~ de premios 상품 수여. ③ 헌신: ④ (연재 등의) 1회분: novela por ~*s* 연재 소설.
entregado, da *adj.* [+a] …에 몰두한.
entregar (8) *tr.* ① 건네다, 건네주다, 인도하다; 명도하다. ② 수여하다. ③ [기술] 내보내다, 송출하다. ~**se** ① …에게 몸[마음]을 맡기다. ② (여성이) 몸을 주다. ③ …에 몰두하다, 전심하다. ④ 투항하다; 자수하다.
entreguerras *de* ~ ① 잇따른 두 전쟁 사이의 평화 기간의. ② (제1차·제2차) 두 전쟁 사이의.
entrelazar (9) *tr.* (실 등을) 엮다, 짜다.
entrelínea *f.* 행간(行間)(에 기입함).
entrelinear *tr.* 행간에 써 넣다.
entremedias *adv.* [+de] (…의) 사이에, 그 사이에.
entremedio, dia *adj.* =intermedio. —*adv.* =en medio.
entremés *m.* ① [요리] [주로 *pl.*] 오르되브르. ② [연극] 막간의 촌극.
entremeter *tr.* 사이에 넣다, 끼우다, 삽입하다; 혼합하다. ~**se** 개입하다, 끼어들다, 참견하다.
entremetido, da *adj., m.f.* 공연히 참견하는 (사람).
entremetimiento *m.* 개입, 간섭; 참견.
entremezclar *tr.* 섞다, 혼합하다. ~**se** 섞이다.
entrenador, ra *m.f.* ① 트레이너, 코치; 감독. ② (오토바이에 탄 자동차 레이스의) 선도자.
entrenamiento *m.* 연습, 훈련.
entrenar *tr.* 훈련하다, 트레이닝시키다, 단련하다. —*intr.* 훈련받다, 트레이닝을 받다. ~**se** 자신을 훈련하다.
entreoír (76) *tr.* 희미하게 들리다.
entrepierna *f.* ① 허벅지. ② [복식] (바지의) 허벅지 받이. ③ [속어] 성기.
entrepiso *m.* 중이층(中二層).
entreplanta *f.* (점포 등의) 중이층.
entrepuente *m.* =entrecubierta.
entresacar (7) *tr.* ① 가려내다, 골라내다, 추려내다, 뽑아내다. ② 간벌(間伐)하다. ③ (머리를) 빗다.
entresemana *adv.* *Hond., Méj., Ven.* 평일에.
entresijo *m.* ① [해부] 장간막(腸間膜). ② 비밀, 숨겨진 것, 은밀한 곳.
entresuelo *m.* ① 중이층. ② 중이층 방. ③ (극장의) 이층 정면 좌석.
entretanto *adv.* 그러는 사이에. —*m.* 그 사이: en el ~ 그 사이에.
entretejer *tr.* ① (옷감 등을) 짜다. ② 섞어 넣어 짜다. ③ …에 넣다, 삽입하다, 포함하다.
entretela *f.* ① (양복저고리에 대는) 심. ② 속마음, 본심; 정(情).
entretelar *tr.* …에 심(entretela)을 넣다.
entretención *f.* *Amér.* =entretenimiento, diversión.
entretener (59) *tr.* ① 즐겁게 하다, 기분 전환시키다. ② …의 주의를 다른 데로 돌리다. ③ 참을 수 있게 하다. ④ (처리 등을) 끌다, 지연시키다. ⑤ 유지하다. ~**se** ① 즐기다, 기분 전환을 하다. ② 마음이 산란해지다. ③ 긴 시간을 보내다.
entretenido, da *adj.* ① 즐거운, 재미있는: película ~*da* 재미있는 영화. ② 바쁜. ③ 주의력이 필요한.
entretenimiento *m.* ① 오락, 기분 전환. ② 유지(mantenimieto).
entretiempo *m.* 사이의 계절 ((봄이나 가을)).
entrever (38) *tr.* ① 틈으로 살짝 (엿)보다, 흘끗 보다. ② (막연히) 예상하다, 짐작하다.
entrevía *f.* [철도] 궤간(軌間).
entrevista *f.* ① 회담. ② 인터뷰: hacer una ~ al presidente 대통령을 인터뷰하다. ③ (채용 시험의) 면접.
entrevistador, ra *m.f.* ① 회견자, 면담자. ② 면접관.
entrevistar *tr.* ① …에게 인터뷰하다. ② 면접 시험을 실시하다. ~**se** ① 회담(會談)하다. ② [+con] (…에게) 인터뷰하다.
entripado, da *adj.* ① 창자에 있는[닿는]. ② (죽은 동물의) 창자를 꺼내지 않은. ③ *Cuba., PRico.* =empapado, mojado. —*m.* 화, 노여움, 혐오감.
entripar *tr.* *Cuba.* 물로 적시다. ~**se** ① *Cuba.* 흠뻑 젖다. ② *Ecuad.* 노하다, 화내다, 성내다.
entristecer (31) *tr.* ① 슬프게 하다. ② 음산하게 하다. ~**se** [+de·con·por] (…을) 슬퍼하다, 마음 아파하다, 괴로워하다.
entristecimiento *m.* 슬픔.
entrometer *tr.* =entremeter.
entrometido, da *adj. m.f.* 공연히 참견하는 (사람).
entrometimiento *m.* 오락, 기분 전환; 유지.
entronar *tr.* =entronizar.
entronización *f.* 즉위(卽位).
entronizar (9) *tr.* ① 즉위시키다, 왕좌에 앉히다. ② 칭찬하다, 잔뜩 추켜 올리다. ~**se** 으스대다, 우쭐거리다, 거드름피우다(envanecerse).
entubar *tr.* ① …에 관(tubo)을 설치하다, 배관(配管)하다. ② [의학] 삽관(挿管)하다.
entuerto *m.* ① 부정(不正), 악(惡). ② [의학] 후진통(後陣痛)(dolores de ~*s*).
entumecer (31) *tr.* (근육·관절 등을) 부자유스럽게 하다, 마비시키다. ~**se** (근육·관절 등이) 저리다, 마비되다, 잘 움직이지 않다.
entumecimiento *m.* (근육 등의) 저림.
enturbiar (11) *tr.* ① 흐리게 하다, 탁

하게 하다. ② (기능을) 어지럽히다, 동요시키다. ~**se** ① 흐려지다, 탁하게 되다. ② 어지러워지다, 흐트러지다.
entusiasmar *tr.* ① 열광시키다, 감격시키다. ② 무척 마음에 들다, 사족을 못 쓰다. ~**se** 열광하다, 열중하다.
entusiasmo *m.* ① 열광, 환희; 열정: con ~ 열광적으로, 열심히. ② (예술가가 느끼는) 고양(高揚).
entusiasta *adj., m.f.* 열광적인 (사람).
entusiástico, ca *adj.* (행위가) 열광적인, 열렬한.
enucleación *f.* [의학] (종양·안구 등의) 적출(摘出).
enumeración *f.* ① 열거; 열거 목록. ② [논리] 매거(枚擧).
enumerar *tr.* 하나하나 세다, 열거하다
enumerativo, va *adj.* 열거하는.
enunciación *f.* 언명, 표명, 표현.
enunciar (11) *tr.* 말하다, 기술하다, 표현하다, 언명하다, 표명하다, 설명하다.
enunciativo, va *adj.* 언명(言明)의.
enuresis *f.sing.pl.* [의학] 야뇨증.
envanecer (31) *tr.* 으스대게 하다, 우쭐거리게 만들다. ~**se** 교만하다, 오만하다, 으스대다, 우쭐거리다; [+de] (…을) 무척 자랑하다.
envanecimiento *m.* 교만, 오만.
envasado *m.* 그릇에 담기: ~ al vacío 진공 팩, 진공 포장.
envasador *m.* 큰 깔대기.
envasar *tr.* ① (운반·보존을 위해) 용기(容器)에 넣다. ② 벌컥벌컥 마시다, 대량으로 마시다, 실컷 마시다.
envase *m.* ① 용기에 넣기. ② (운반·보존용의) 용기, 팩: leche en ~ de cartón 종이 팩에 든 우유.
envejecer (31) *tr.* ① 늙게 만들다, 나이가 들게 하다, 나이를 먹게 하다. ② (포도주·치즈를) 숙성시키다, 묵히다. ③ (목재를) 낡게 보이게 하다; 오래 입어 낡은 것처럼 보이게 하다. —*intr.* ① 나이를 먹다, 늙다, 늙어 보이다. ② 오래 되다. ③ 숙성되다. ~**se** 자신을 실제보다 나이가 들어 보이게 하다.
envejecimiento *m.* ① 노화(老化), 노령화. ② 숙성(熟成).
envenenado, da *m.f. Arg.* 악의가 있고 무례한 사람.
envenenamiento *m.* 독살.
envenenar *tr.* ① …에게 독을 타서 먹이다, 독살하다. ② 독을 타다, 독을 바르다. ③ 해치다, 깨뜨리다. ~**se** ① 독살되다. ② 깨지다, 못쓰게 되다.
enverar *intr.* (포도가) 익기 시작하다.
envero *m.* (포도 등이) 익기 시작할 때의 색; 익기 시작하는 포도.
enverdecer (31) *intr.* 녹색이 되다.
enverjado *m.* 철책, 철책 격자.
envés *m.* =**revés.**
enviado, da *m.f.* ① 외교 사절: ~ especial 특사. ② [신문·방송] 통신원, 기자: ~ especial 특파원.
enviar (12) *tr.* ① 보내다, 발송하다, 파견하다: ~ una carta 편지를 보내다. ~ dinero 송금하다. ② 심부름을 보내다: ~ por el médico 의사를 부르러 보내다. ③ 던지다.
enviciar (11) *tr.* 나쁜 버릇에 물들게 하다, 타락시키다. —*intr.* (열매는 열리지 않고) 잎만 무성하다. ~**se** ① 타락하다. ② [+con·en] (…에) 열중하다, 마음을 빼앗기다.
envidia *f.* 선망, 시샘, 질투, 시기(심)
envidiable *adj.* 부러운, 샘이 나는.
envidiar (11) *tr.* 선망하다, 부러워하다, 시샘하다; 질투하다.
envidioso, sa *adj.* 부러워하는, 시샘하는, 질투하는.
envigar (8) *intr., tr.* 대들보를 얹다.
envilecer (31) *tr.* ① 품위를 떨어뜨리다, 타락시키다. ② 가치를 낮추다[내리다]. —*intr.*, ~**se** 자신의 품위를 떨어뜨리다; 가치가 내리다[낮아지다].
envilecimiento *m.* 품위의 하락, 타락.
envío *m.* ① 발송, 송부; 발송품: ~ por correo 우송(郵送). ② 파견: ~ de una delegación 대표단 파견. ~ de tropas 파병(派兵).
envite *m.* ① 내기, 판돈, 건 돈. ② 초대. ③ (동작의 독촉을 위해) 한 번 밂.
enviudar *intr.* 홀아비[과부]가 되다.
envoltorio *m.* ① 싸는 일, 다발, 묶음, 포장. ② 싸는 물건, 포장지.
envoltura *f.* 포장.
envolvente *adj.* ① 포위하는, 싸는. ② 압박하는, 지배하는.
envolver (25) *tr.* ① 싸다, 포장하다, 말아 싸다. ② 포위하다. ③ 끌어들이다, 끌어넣다. ④ 구슬리다, 말로 구워삶다. ⑤ (실 등을) 말다. ~**se** ① 몸을 싸다. ② 휘말리다.
envueltas *f.pl. Sal.* (아기의) 포대기.
envuelto *m. Méj.* [요리] 엔부엘또 ((양념해서 둘둘 만 옥수수 부침개)).
enyesado *m.* ① 석고를 바름. ② 깁스붕대.
enyesar *tr.* ① 석고를 바르다. ② 깁스붕대를 대다.
enyugar (8) *tr.* (소·말 등에) 멍에를 씌우다.
enzarzar *tr.* ① 가시밭을 만들다. ② 싸움 붙이다. ~**se** ① 덤불 속에 숨다. ② (난관에) 부딪치다. ③ (서로) 싸우다.
enzima *m.(f.)* [생물] 효소.
enzimático, ca *adj.* 효소의[에 의한].
enzootia *f.* (동물의) 풍토병, 지방병.
eñe *f.* 에녜 ((문자 ñ의 명칭)).
eólico, ca *adj.* ① 바람의, 바람[풍력]에 의한: central ~*ca* 풍력 발전소. ② [희랍 신화] 바람의 신(Eolo)의.
épica *f.* 서사시(poesía ~).
épicamente *adv.* 서사시적으로.
epicardio *m.* [해부] 심외막(心外膜).
epicarpio *m.* [식물] 외과피(外果皮).
epiceno *adj.* [문법] 통성(通性)의. —*m.* [문법] 통성 명사.
epicentro *m.* [지질] 진앙(震央).
épico, ca *adj.* ① 서사시(체)의, 서사시적인. ② 영웅적인. ③ 장대한. —*m.f.*

서사시 시인.

epicureísmo *m.* ① 쾌락주의, 향락주의. ② [철학] 에피쿠로스(Epicuro, 그리스의 철학자; 에피쿠로스파의 시조) 주의.

epicúreo, a *adj.* ① 쾌락주의의. ② 에피쿠로스파의. —*m.f.* ① 쾌락주의자. ② 에피쿠로스파.

epidemia *f.* ① (전염병의) 유행. ② 유행병.

epidemial *adj.* =**epidémico.**

epidémico, ca *adj.* 유행성의.

epidemiología *f.* 역학(疫學), 유행병학.

epidemiológico, ca *adj.* 역학(疫學)의.

epidemiólogo, ga *m.f.* 역학 전문가.

epidérmico, ca *adj.* 표피(表皮)의.

epidermis *f.sing.pl.* [해부・식물] 표피; 피부.

epigastrio *m.* [해부] 명치.

epiglotis *f.sing.pl.* [해부] 후두개.

epígrafe *m.* ① (장(章)의) 표제; (신문의) 표제(어). ② (책 등의) 제사(題辭); (건물 등에 새겨진) 비명(碑銘).

epigrafía *f.* 금석문학(金石文學).

epigrama *m.* 풍자시, 경구(警句).

epilepsia *f.* [의학] 간질, 지랄병.

epiléptico, ca *adj.* 간질의: convulsión ~*ca* 간질성 경련. —*m.f.* 간질 환자.

epílogo *m.* ① (소설 등의) 종장, 에필로그; 결론. ② (사건의) 종국, 종말.

episcopio *m.* 반사 투영기.

episódico, ca *adj.* ① 삽화적인. ② 일시적인.

episodio *m.* ① (전체의 흐름 중에서) 한 사건, (사소한) 발생 사건[사고]. ② (소설 중의) 삽화, 에피소드. ③ [방송] (연속물의) 1회분. ④ (생각지도 않은・귀찮은) 사건, 발생 사고[사건]. ⑤ [의학] (재발성 질환의) 증상 발현.

epístaxis *f.sing.pl.* [의학] 코피.

epístola *f.* ① 서간, 편지. ② [문학] 서간체 시. ③ [성경] 사도 서간. ④ (미사에서) 사도 서간 낭독.

epistolar *adj.* 편지의.

epistolario *m.* ① 서간집. ② 사도 서간집. ③ 사도 서간을 낭독하는 사제.

epitafio *m.* 묘비명(墓碑銘), 비문(碑文).

epitalamio *m.* 축혼가(祝婚歌).

epitalámico, ca *adj.* 축혼가의.

epitelial *adj.* [해부] 상피(上皮)의.

epitelio *m.* [해부・생물] 상피(上皮).

epítome *m.* (내용을 알지 못하는 사람들을 위한 작품의) 발췌, 요약.

época *f.* ① 시대: ~ del ordenador 컴퓨터 시대. nuestra ~ 현대. ② 시기(時期): ~ lluvioso 우기(雨期). ③ [지질] 세(世). ¶*hacer* [*formar*] ~ 일세(一世)를 풍미하다.

epopeya *f.* ① 서사시. ② 영웅적인 행위, 노고의 연속; 위업.

epos *m.* 시(詩), 운문(韻文).

épsilon *f.* 엡실론 (Ε, ε) ((그리스 자모의 다섯 번째 문자)).

equiángulo, la *adj.* [수학] 등각의.

equidad *f.* 공평, 공정.

equidistancia *f.* 등거리(等距離).

equidistante *adj.* 등거리의.

equidistar *intr.* 등거리에 있다.

equilátero, ra *adj.* [수학] 등변의.

equilibrado, da *adj.* 균형 잡힌; 안정된, 평온한. —*m.* 안정.

equilibrar *tr.* 균형을 잡다, 어울리게 하다. ~**se** 균형이 잡히다.

equilibrio *m.* ① 균형, 평형: ~ de fuerzas 세력의 균형. ② 조화. ③ 평정, 정신적 안정. ④ 술책, 타협안.

equilibrismo *m* 곡예.

equilibrista *adj.* 곡예사 같은. —*m.f.* 곡예사.

equinoccial *adj.* 주야 평분의.

equinoccio *m.* 주야 평분시.

equipaje *m.* (여행용의) 짐, 수하물: ~ de mano 휴대품, 수하물.

equipamiento *m.* 장비; 시설.

equipar *tr.* [+con・de] (장비를 …에) 설치하다, 갖추다; 준비[채비]시키다; 설비를 하다.

equiparación *f.* 비교.

equiparable *adj.* 비교할 수 있는.

equiparar *tr.* 비교하다, 비교해 보다, 견주어 보다.

equipo *m.* ① 팀; [종목] 단체: ~ de fútbol 축구팀. ② [집합] 장비, 비품: ~ de alpinismo 등산 장비 전부. ③ 설비: ~ de una casa 집의 설비. ¶*en* ~ 조[팀]를 짠[짜서], 집단의[으로]: trabajo *en* ~ 팀워크.

equipolencia *f.* ① 힘의 균형. ② 등가치(等價値).

equipolente *adj.* ① 힘의 균형을 이룬. ② 등가치의.

equis *f.sing.pl.* ① 에끼스 ((문자 x의 명칭)): en (forma de) ~ X형의. ② [형용사적] 미지(未知)의, 부정(不定)의.

equitación *f.* 마술(馬術), 승마(乘馬).

equitativo, va *adj.* 공평한, 공정한.

equivalencia *f.* ① 동등, 등가(等價). ② [수학] 등치(等值).

equivalente *adj.* ① 동등한, 등가의. ② [수학] 등치의.

equivaler (62) *intr.* [+a] (…와) 동등하다, 같다.

equivocación *f.* 틀림, 오류, 잘못, 실수, 과실, 과오: por ~ 실수로. cometer la ~ 실수를 범하다. sufrir ~ 실수하다.

equivocar (7) *tr.* ① 잘못하다, 실수하다: ~ la fecha 날짜를 틀리다. ② [+con] (잘못해서 다른 것과) 바꾸다. ~**se** ① [+de・en] (…을) 잘못하다, 실수하다, 틀리다. ② [+con] (…과) 무척[많이] 닮다. ¶***Quien tiene boca, se equivoca*** (속담) 사람은 누구나 실수하는 법이다.

equívoco, ca *adj.* ① 애매한, 모호한. ② 수상한, 괴이한, 의심스러운.

era *f.* ① 기원(紀元): ~ cristiana 서력기원. ② 시대, 시기: ~ del ordenador 컴퓨터 시대. ③ [지질] …대(代): ~ paleozoica 고생대. ④ 탈곡장. ⑤ (작은) 밭, 채소밭.

eral, la *mf.* (한 살 이상 두 살 이하의) 송아지.
erario *m.* 국고, 재정; 금고(金庫).
ere 에레 ((문자 r의 명칭)).
erección *f.* ① 건립, 설립, 제정(制定). ② 승격. ③ [생리] 발기(勃起).
eréctil *adj.* 발기성의.
erecto, ta *adj.* ① 세워진, 바로 선, 직립(直立)한. ② 경직된.
erector, ra *adj.* [생리] 발기된.
eremita *mf.* 은인(隱人), 은자(隱者), 속세를 떠나 숨어사는 사람.
eremítico, ca *adj.* 은둔 생활을 하는, 은인의, 은자의.
eremitorio *m.* 은인이 도를 닦는 곳.
ergonomía *f.* 인간 공학.
ergonómico, ca *adj.* 인간 (환경) 공학의, 인간 공학적인.
ergónomo, ma *mf.* 인간 공학 연구자.
erguimiento *m.* 직립(直立).
erguir (47) *tr.* (머리 등을) 똑바로 세우다. ~**se** ① 똑바로 서다. ② (건물 등이) 우뚝 서다. ③ 뽐내다, 거만하게 굴다, 으스대다.
erial *adj.* 미개지(未開地)의. —*m.* 미개지의 토지, 거친 땅, 황무지.
erigir (4) *tr.* ① 건립하다. ② 설립하다, 제정(制定)하다. ③ [+en] (…으로) 승격시키다; 임명하다. ~**se** [+en] (…에) 앉다, 자신이 취임하다.
erisipela *f.* [의학] 단독(丹毒).
eritema *m.* [의학] 홍반(紅斑).
eritrocito *m.* [의학] 적혈구(赤血球).
erizado, da *adj.* ① 곤두선: pelo ~ 덥수룩한 머리카락. ② 가시 돋친. ③ [+de] (장애・곤란으로) 산적한, 가득한.
erizar (9) *tr.* ① (털・깃 등을) 곤두 세우다. ② 곤란하게 하다, 까다롭게 하다, 복잡하게 하다. ~**se** ① 곤두서다. ② 무서워하다, 겁내다, 놀라다. ③ 당황하다, 허둥지둥하다, 갈팡질팡하다.
erizo *m.* ① [동물] 고슴도치. ② [어류] 가시복. ③ 밤송이. ④ 성미가 까다로운 사람, 무뚝뚝한 사람. ¶ ~ *de mar*, ~ *marino* [동물] 성게, 섬게.
ermita *f.* (마을에서 멀리 떨어진) 절; 예배당, 작은 교회.
ermitaño, ña *mf.* 은인, 은자, 속세를 떠난 사람, 중. —*m.* [동물] 소라게.
erogación *f.* ① 분배, 배분. ② *Méj., Ven.* 지출, 지불.
erogar (8) *tr.* ① (재산을) 분배하다, 배분하다. ② *Méj., Ven.* 돈을 지출하다[쓰다](gastar dinero).
erógeno, na *adj.* 성적 자극에 민감한: zonas ~*nas* 성감대.
eros *m.sing.pl.* ① 성애(性愛). ② [심리] 성의 본능.
Eros *m.* [신화] 에로스 ((연애의 신)).
erosión *f.* ① [지질] 침식 (작용). ② 마멸(磨滅), 손모(損耗). ③ 권위[영향력]의 저하. ④ [의학] 미란(糜爛), 진무름.
erosionar *tr.* ① 침식하다. ② (재능・장점 등을) 소모시키다.
erosivo, va *adj.* ① 침식성의. ② 미란성의: gas ~ 미란성 (독)가스.
erótico, ca *adj.* ① 선정적인, 관능적인, 에로틱한. ② 연애의. —*f.* ① 연애시. ② 유혹: ~*ca* del poder 권력의 유혹.
erotismo *m.* 호색(好色), 에로티즘.
erotizar (9) *tr.* 관능적으로 만들다, 성적으로 자극하다.
erotomanía *f.* [심리] 색정광(色情狂), 호색증, 색광증, 병적 성욕 항진.
erotómano, na *adj.* 색정광의. —*mf.* 색마(色魔). —*m.* 치한(癡漢).
errabundo, da *adj.* 방랑하는, 정처 없는: imaginación ~*da* 끝없는 공상.
erradicación *f.* (주로 전염병의) 근절.
erradicar (7) *tr.* 근절시키다, 뿌리뽑다.
errado, da *adj.* 틀린.
errante *adj.* 방랑하는, 떠돌아다니는: gitano ~ 떠돌아다니는 집시.
errar (22) *intr.* ① [+en] (…을) 잘못하다. ② [+por] (…를) 방랑하다, 유랑하다, 떠돌아다니다. ③ (생각 등이) 옆길로 새다. —*tr.* ① 잘못하다, 틀리다. ② (과녁을) 빗나가다.
errata *f.* [인쇄] 오식(誤植), 오자(誤字).
errático, ca *adj.* ① 상궤(常軌)를 벗어난, 엉뚱한, 이상 야릇한, 별난. ② (통증 등이) 미주성(迷走性)의.
erre *f.* 에르레 ((문자 rr의 명칭)).
erróneo, a *adj.* 잘못된, 틀린.
error *m.* ① 잘못, 틀림, 실수, 착오; 과실, 실책: por ~ 실수로, 잘못으로. cometer [incurrir en] un ~ 잘못을 범하다. ② (종교・도덕상의) 잘못, 죄과. ③ [물리] 오차. ④ [컴퓨터] 오류, 에러. ⑤ (우표 수집에서) 잘못 만들어진 우표.
eructar *intr.* 트림을 하다.
eructo *m.* 트림.
erudición *f.* 학식(學識).
erudito, ta *adj.* 학식이 풍부한, 석학의; 조예가 깊은. —*mf.* 학자, 석학, 박식한 사람: ~ a la violeta 사이비 학자.
erupción *f.* ① 분출. ② [의학] 발진(發疹). ③ (노여움 등의) 폭발.
eruptivo, va *adj.* ① 분화(噴火)의. ② [의학] 발진성의.
esa *adj.* 그. ☞ese.
ésa *pron.* 그것. ☞**ése.**
esbeltez *f.* 날씬함, 호리호리함.
esbelto, ta *adj.* 날씬한, 호리호리한, 가늘고 나긋나긋한.
esbozar (9) *tr.* ① …의 밑그림[초벌 그림]을 그리다, 스케치하다, 대체의 윤곽을 그리다. ② (동작 등을) 시작하다, 걸다: ~ una sonrisa 미소를 짓다.
esbozo *m.* 밑그림, 초벌 그림, 스케치; 초고, 초안.
escabrosidad *f.* 험함; 곤란함.
escabroso, sa *adj.* ① (토지가) 기복이 심한, 험한. ② 귀찮은, 성가신, 장애가 많은. ③ 음란한, 외설의.
escala *f.* ① 사다리; (배・비행기의) 트랩: ~ de cuerda [de viento] 줄사다리. subir [bajar] una ~ 사다리를 올라가다[내려가다]; 트랩을 올라가다[내

려가다]. ② 단계, 체계(표). ③ (계량기의) 눈금; 측정기. ④ 규모(規模): de pequeña ~ 소규모의. ⑤ 척도: a ~ natural 실물 크기의. ⑥ 기항, 기항지: hacer ~ en …에 기항[착륙]하다. ⑦ [음악] 음계. ⑧ [군사] 간부 명단: ~ de reserva 예비역 간부. ¶~ *de peces* 어도(魚道). *en gran* ~ 대규모의; 대규모로.

escalada *f.* ① 등반. ② (분쟁 등의) 긴급 확대; (가격의) 등귀. ③ (급속한) 승진, 출세. ④ 가택 침입.

escalador, ra *adj.* 등산가의; 암벽 등반가의. —*mf.* 등산가; 암벽 등산가.

escalafón *m.* (근속 연수·능력 등에 의한) 서열: subir en el ~ 출세하다.

escalamiento *m.* =escalada.

escalar *tr.* ① 기어 오르다, 등반하다. ② (서열을) 오르다. ③ (사다리를 올라) …에 들어가다; (문 등을 비집어 열고) 침입하다. —*intr.* ① 오르다. ② [자전거] 비탈길[고개]을 오르다. ③ 승진하다. ④ (분쟁 등이) 단계적으로 확대되다. ⑤ [+en] (…에) 기항하다.

escaldado, da *adj.* ① 넌더리가 난, 덴, 혼이 난, 기가 죽은. ② 품행이 좋지 못한. ¶*Gato ~ del agua fría huye* (속담) 끓는 물에 덴 고양이 찬물 보고 도망친다.

escaldar *tr.* ① [요리] 미지근한 물에 데치다. ② 화상을 입히다. ~**se** (뜨거운 물·증기 등으로) 화상을 입다, 데다.

escaleno, na *adj.* [수학] (삼각형이) 부등변의. —*m.* [해부] 사각근(斜角筋).

escalera *f.* ① 계단: ~ de emergencia, ~ de salvamento 비상 계단. ~ mecánica, ~ automática 에스컬레이터. ② 사다리(~ de mano, escala). ③ 이발이 서툴러 층이 지고 어룽지게 깎은 머리(의 솜씨). ④ [트럼프] 스트레이트, 카드의 다섯 장 연달음.

escalerilla *f.* ① 작은 계단. ② [배·비행기] 트랩. ③ [트럼프] 같은 조의 패 세 장 연속.

escalinata *f.* (현관 앞 등의) 계단, 밖에 붙은 계단.

escalo *m.* 사다리를 이용한 침입; 가택 침입.

escalofriado, da *adj.* 차가운, 으스스한, 한기가 온, 오한이 온.

escalofriante *adj.* ① 오싹하는, 소름이 끼치는, 너무 무서워 머리 끝이 쭈뼛해지는, 무서운. ② 놀라운.

escalofriar (12) *tr.* (춥거나 무서워서 몸을) 오싹하게 하다, 소름 끼치게 하다. —*intr.*, ~**se** 오싹하다, 소름이 끼치다.

escalofrío *m.* [주로 *pl.*] 한기; 오한(으로 떪); 전율.

escalón *m.* ① (계단의) 단. ② 계단 모양의 토지. ③ [지질] 단구(段丘), 계단식 지형. ④ (지위의) 등급. ⑤ [군사] 이동하는 큰 부대를 편의상 여럿으로 구분했을 때, 그 각 부대. ¶*en* ~ 고르지 않게, 울퉁불퉁하게, 쥐가 뜯어먹은 것처럼: cortar el pelo *en* ~ (머리를) 쥐가 뜯어먹은 것처럼 깎다.

escalonado, da *adj.* ① 간격을 둔. ② 계단 모양의.¶*llevar el pelo* ~ 머리를 쥐 뜯어먹은 것처럼 깎고 다니다.

escalonamiento *m.* 간격을 두고 늘어놓음[배치함].

escalonar *tr.* 간격을 두어 늘어놓다[나열하다·행하다], 단계적으로 하다.

escalpelo *m.* [의학] 해부도, 메스.

escama *f.* ① (물고기 등의) 비늘. ② 비늘 모양의 것. ③ [의학] 인비늘, 인설(鱗屑). ④ [식물] 인편(鱗片). ⑤ 불신, 의심. ¶~ *de jabón* 인편 비누.

escamar *tr.* ① 비늘을 떼다. ② 불안[불신]하게 하다. ~**se** 불안해지다.

escamoso, sa *adj.* 비늘이 있는.

escampar *intr.* ① 비가 멎다. ② 중지되다, 그만두게 되다. ③ *Ven.* 비를 피하다. —*tr.* =**despejar.**

escandalera *f.* 큰 소동(escándalo).

escandalizar (9) *tr.* …의 빈축을 사다, 눈쌀을 찌푸리게 하다, 충격을 주다. —*intr.* ① 세간의 빈축을 사다. ② 큰 소동을 일으키다. ~**se** [+de·por] (…에) 눈쌀을 찌푸리다, 충격을 받다; 분개하다.

escandallar *tr.* ① …의 가격을 결정하다. ② 측연으로 해저를 탐사하다.

escandallo *m.* ① [상업] 평가, 가격 결정. ② [해저] (해저의 지질을 조사하는) 측연(測鉛)의 선단(先端) 부분. ③ (제품 등의) 임의 추출법.

escándalo *m.* ① 큰 소동: armar un ~ 큰 소동을 일으키다, 큰 소리를 지르며 떠들다. ② 빈축, 악평, 물의; 추문. ③ 오직(汚職). ④ 언어 도단, 당치도 않음.¶*de* ~ 도가 지나친, 터무니없는, 과도한.

escandaloso, sa *adj.* ① 파렴치한, 괘씸한, 발칙한, 무엄한. ② 큰 소동을 일으키는: niño ~ 감당할 수 없는 아이.

escandinavo, va *adj.* 스칸디나비아(Escandinavia)의. —*mf.* 스칸디나비아 사람.

escandio *m.* [화학] 스칸듐.

escanear *tr.* 주사(走査)하다.

escáner *m.* [*pl.* ~s] ① [의학] (인체 내부를 조사하는) 스캐너, 주사(走査) 장치. ② [텔레비전·통신] 스캐너, 주사기(走査機). ③ [컴퓨터] 스캐너.

escaño *m.* ① 의석(議席). ② (등이 있는) 벤치, 긴의자.

escapada *f.* ① 사보타주, 태업; (학생이) 수업을 빼먹음. ② 도망, 탈주(huida). ③ [자전거] 도망침.

escapar *intr.* ① [+de] (…에서) 도망치다, 달아나다. ② [+de] (…을) 면하다, 모면하다, 피하다. ③ [+a] (…의) 손이 닿지 않는 곳에 있다. ④ [운동] (경륜·경마에서) 따라잡기 전에 결승점에 들어가다; 뿌리치다. ~**se** ① 도주하다, 탈주하다; (몰래) 빠져 나가다, 살짝 도망치다; 도중에서 자리를 뜨다. ② [+a+사람] (…에게서) 도망치다, 달아나다. ③ (탈것을) 놓치다. ④ 빠뜨리다. ⑤ 떨어뜨리다. ⑥ (기회 등을) 놓치다. ⑦ 손이 닿지 않는 곳에 있다. ⑧ [+a+사람] (…의) 입에서 누설되다, 엉겁결[무의식중]에 해버리다. ⑨ (가스·수도 등이) 새다. —*tr.* (말을) 노쇠할 때까지 타다.

escaparate *m.* ① 진열창, 쇼윈도. ② *Cuba., Ven.* 양복장, 옷장(armario). ③ *Cuba.* 키가 크고 건장한 사람.

escaparatismo *m.* 쇼윈도 장식(법).

escaparatista *m.f.* 쇼윈도 장식가.

escapatoria *f.* ① 도망, 탈주(fuga). ② 탈주로. ③ 도망갈 길, 핑계, 발뺌. ④ =**escapada.**

escape *m.* ① 탈출, 도주. ② 도망갈 길, 도주로. ③ 누출(漏出), 새어 나옴. ④ [기술] 배기 (장치). ⑤ (시계의) 탈진기(脫進機). ⑥ [컴퓨터] 이스케이프(키) ((명령을 중단하거나 프로그램의 한 부분을 다른 부분으로 변경할 때 이용)). ¶*a* ~ 서둘러, 급히, 전속력으로: Ven *a* ~ 서둘러 오너라.

escapismo *m.* 현실 도피(벽).

escapista *adj.* 현실 도피의, 현실 도피벽이 있는. —*m.f.* 현실 도피주의자.

escápula *f.* [해부] 견갑골, 어깨뼈, 주걱뼈(omóplato).

escapular *adj.* ① 어깨의. ② 견갑골(肩胛骨)의, 어깨뼈의.

escaquearse *r.* [+de] (…에서) 도망치다: ~ de clase 수업을 빼먹다.

escara *f.* (부스럼) 딱지.

escarabajear *intr.* 우글거리다, 득시글거리다, 북적거리다, 몹시 혼잡하다, 붐비다, 뒤끓다.

escarabajo *m.* [곤충] 투구벌레, 투구풍뎅이.

escaramucear *intr.* =**escaramuzar.**

escaramuza *f.* (소규모의) 국지전(局地戰), 소강전; 승강이.

escaramuzar (9) *intr.* 승강이를 벌이다(sostener una escaramuza).

escarapela *f.* (모자 등에 붙이는) 리본 장식.

escarbadientes *m.sing.pl.* 이쑤시개.

escarbar *tr., intr.* ① (땅바닥 등을) 긁다, 후비다; 파헤치다, 파내다. ② (불을) 타오르게 하다. ③ 탐색하다, 파고들다, 조사하다. ④ (상처 자리를) 손가락으로 반복해서 만지다. ~**se** (이·코를) 후비다.

escarcha *f.* 서리.

escarchar *intr.* 서리가 내리다. —*tr.* ① (과실에) 당의(糖衣)를 입히다. ② 증류주 병에 아니스의 가지를 넣다. ③ (서리가 내린 것처럼 활석 가루 등을) 뿌리다.

escarda *f.* 제초(의 시기); 제초용 괭이.

escardar *tr.* ① 제초하다, 잡초를 뽑다. ② 선악을 분별하다.

escardillo *m.* 작은 제초기(除草器).

escariador *m.* 구멍을 넓히는 기계.

escariar (11) *tr.* 구멍을 넓히다[뚫다].

escarificador *m.* ① [농업] 경운기. ② [의학] 절개도(切開刀).

escarificar (7) *tr.* ① (땅을) 고르다, 정지하다. ② [의학] (액체를 쉽게 주입하고 빼내기 위해 몸의 어느 부분을) 절개하다. ③ [의학] =**escarizar.**

escarizar (9) *tr.* 종양 주위에 난 부스럼 딱지를 떼다.

escarlata *adj., m.* 진홍색(의), 주황색(의)(rojo ~).

escarlatina *f.* ① [의학] 성홍열(fiebre ~). ② [섬유] 진홍색 천.

escarmentar (19) *tr.* ① 엄하게 나무라다[벌하다]; 혼내주다. ② 넌더리나게 하다, 싫증나게 하다. —*intr.* 넌더리나다, 데다, 싫증나다.

escarmiento *m.* ① 징벌. ② 넌더리남.

escarnecer (31) *tr.* 조롱하다, 우롱하다, 비웃다.

escarnecimiento *m.* 조롱, 우롱.

escarnio *m.* 조롱, 우롱.

escarpa *f.* 급사면, 낭떠러지, 단애.

escarpado, da *adj.* 우뚝 솟은, 깎아지른 듯이 솟아 있는.

escarpadura *f.* 급사면.

escarpelo *m.* (목수·조각가 등이 줄로 썬 다음 반드럽게 마무리할 때 사용하는) 이가 가는 긁는 쇠기구.

escarpia *f.* 갈고랑이 모양의 못; (철도의) 침목용 못.

escarpiador *m.* 관을 벽에 고정하는 작은 쇠붙이.

escarpín *m.* ① 펌프스 ((끈이 없고 운두가 낮은 여자 구두)). ② (양말 위에 신는) 방한용 양말. ③ *Arg., CRica., Bol., Ecuad., Ur., Ven.* =**patuco.**

escasamente *adv.* ① 인색하게, 가난에 쪼들려. ② 겨우, 간신히, 가까스로, 어렵게(con dificultad, apenas).

escasear *intr.* 부족하다, 모자라다; 감소되다.

escasez *f.* ① 부족, 결핍. ② 빈곤.

escaso, sa *adj.* ① 근소한, 약간의, 얼마 안 되는. ② [+de] (…이) 부족한. ③ 빠듯한, 안팎의, 정도의, 될까말까한, 남짓한.

escatimar *tr.* 인색하게[다랍게] 굴다, 인색해서 내기를 아까워하다.

escatología *f.* ① 인분학(人糞學); 분뇨취미. ② [종교] 종말론.

escatológico, ca *adj.* ① 분뇨에 관한, 분뇨 취미의. ② [종교] 종말론의.

escayola *f.* ① (조각·깁스용의) 석고. ② 석고상. ③ [의학] 깁스, 깁스붕대.

escayolar *tr.* (손·발에) 깁스를 하다.

escena *f.* ① 무대; 연극: director de ~ 연출가, 무대 감독. ② [집합] 희곡. ③ …장(場), (특정한) 장면. ④ (일반적으로) 장면, 광경; (사건의) 현장. ⑤ …계(界), 활동 무대. ⑥ 큰 소동, 싸움. ⑦ 큰 소동, 싸움.

escenario *m.* ① (극장의) 무대. ② [영화] 촬영 현장. ③ (사건의) 현장. ④ 분위기, 상황. ⑤ 시나리오, 각본. ⑥ (경제 등의) 예측.

escénico, ca *adj.* 무대의, 연극의: arte ~ 연기(演技); 무대 예술.

escenificación *f.* 각색, 무대화, 극화(劇化); 상연(上演).
escenificar (7) *tr.* 각색하다, 극화(劇化)하다; 상연하다.
escenografía *f.* ① 무대 미술. ② [미술] 원근 화법(遠近畵法)
escenográfico, ca *adj.* 무대 미술의.
escenógrafo, fa *m.f.* 무대 미술가.
escepticismo *m.* ① 의혹. ② 회의론, 회의주의.
escéptico, ca *adj.* ① 회의적인, 의심이 많은. ② [철학] 회의론의. —*m.f.* 회의주의자(懷疑主義者).
escialítico *m.* (수술용) 무영등.
escindir *tr.* ① 분할하다. ② [물리] 핵분열을 일으키게 하다. ~**se** [+en] (…으로) 분열되다, 갈라지다.
escintilómetro *m.* [물리] 신틸레이터.
escirro *m.* [의학] 경성암(硬性癌).
escisión *f.* ① 분열. ② [의학] 절제(切除). ③ [생물] 세포 분열.
esclarecedor, ra *adj.* 해명하는.
esclarecer (31) *tr.* ① 해명하다, 명백히 하다. ② …의 명성[위신]을 높이다. —*intr.* 밤이 밝다(alborear).
esclarecido, da *adj.* 저명한.
esclarecimiento *m.* 해명.
esclava *f.* ☞ esclavo.
esclavista *adj.* 노예 제도를 지지하는. —*m.f.* 노예 제도 지지자.
esclavitud *f.* ① 노예의 신분. ② 노예 제도. ③ 예속, 굴종.
esclavizar (9) *tr.* ① 노예로 만들다. ② 예속시키다. ③ 혹사하다.
esclavo, va *adj.* ① 노예 같은. ② 구속된, 사로잡힌, 포로가 된. —*m.f.* ① 노예. ② 구속된 자. ③ 포로.
esclerosar *tr.* 경화시키다. ~**se** 경화되다, 경직화되다.
esclerosis *f.sing.pl.* ① [의학] 경화증: ~ arterial 동맥 경화증. ② (사상·조직 등의) 경직화(硬直化).
esclerótica *f.* [해부] 공막(鞏膜).
esclusa *f.* (운하 등의) 갑문, 수문.
escoba *f.* ① 비: ~ metálica 갈퀴, 고무래. reunir basuras con una ~ 비로 쓰레기를 쓸어 모으다. ② [축구] 스위퍼 ((골키퍼 앞을 지키는 선수)).
escobero, ra *m.f.* 빗자루 상인[만드는 사람].
escobilla *f.* ① (자루가 짧은) 작은 비; 솔, 브러시. ② (타악기의) 브러시 ((드럼·심벌 등을 치는 솔 모양의 것)). ③ [전기] (모터 등의) 브러시, 브러시 방전.
escobillón *m.* ① 갑판 닦는 솔. ② 총구[포구] 소제 기구. ③ [의학] (검사용의) 면봉(綿捧).
escocer (25) *intr.* ① (상처 자리·눈을) 따끔따끔하게 하다. ② 초조하게 [애타게] 하다. ~**se** ① 따끔따끔하다, 쑤시다. ② 초조하게 생각하다, 애가 타다.
escocés, sa *adj.* 스코틀랜드(Escocia)의. —*m.f.* 스코틀랜드 사람.
escocimiento *m.* =escozor.
escoda *f.* (석공용의) 해머, 쇠망치.
escodar *tr.* escoda로 돌을 새기다.
escoger (3) *tr.* 고르다, 골라내다, 가려내다, 뽑다, 선출하다. —*intr.* 고르다, 뽑다, 선택하다.
escogidamente *adv.* ① 고르고 골라. ② 완전 무결하게.
escogido, da *adj.* 골라 낸, 골라 뽑은, 선택된, 선발된, 정선된: lecciones ~*das* 정선된 강독. obras ~*das* 선집. tropas ~*das* 정예 부대. —*f.* ① *Can., Cuba.* (담배에서 다른 종류의) 선별. ② *Can., Cuba.* 선별 장소.
escolanía *f.* 성가대 (양성소).
escolano *m.* 성가대의 소년.
escolar *adj.* 학교 (교육)의: edad ~ 취학 연령. libro ~ 생활 통지표. nuevo curso ~ 새 학년. sistema ~ 학제(學制). —*m.f.* (주로 초등 학교의) 학생, 생도.
escolaridad *f.* ① 취학 (기간). ② 학력.
escolarización *f.* ① 취학(률). ② 학교 교육의 정비.
escolarizar (9) *tr.* ① 취학시키다. ② (지역에) 학교 교육 (시설)을 정비하다.
escolasticismo *m.* 스콜라 철학(적 형식주의).
escolástico, ca *adj.* ① 스콜라학(파)의. ② 형식주의의. —*m.f.* 스콜라 철학자. —*f.* 스콜라 철학(filosofía ~*ca*).
escolio *m.* 주석(註釋), 평주(評注).
escoliosis *f.sing.pl.* [의학] (척추의) 측만(側彎), 측만증.
escollar *intr.* ① 암초에 부딪치다, 좌초하다. ② *Arg.* 실패하다.
escollera *f.* 방파제.
escollo *m.* ① 암초. ② 위험. ③ 난관; 장애(obstáculo).
escolta *f.* ① 호위, 호송. ② [집합] 수행원; 호위대, 호송대. —*m.f.* ① 경호원. ② [농구] 가드.
escoltar *tr.* 호위하다, 호송[경호]하다: ~ al presidente 대통령을 경호하다.
escombrar *tr.* ① (잔해·기왓조각과 자갈 등을) 치우다, 제거하다. ② 치우다, 깨끗하게 하다. ③ 작고 흠이 있는 포도를 골라내다. ④ *Mur.* (후추 껍질을 빻기 위해) 부스러기를 제거하다.
escombrera *f.* ① 잔해의 더미. ② 잔해를 버리는 곳, 폐기물 처리장.
escombro[1] *m.* ① (건물 등의) 잔해, 기왓조각과 자갈. ② [광산] 부스러기(돌). ③ (좋은 것에서 골라낸) 찌꺼기 포도 ④ *Mur.* (마른 후추에서) 꽃꼭지 옆에 붙은 부분.
escombro[2] *m.* [어류] =**caballa.**
esconder *tr.* ① 숨기다, 감추다. ② 내포하다, 숨기다, 간직하다. ~**se** ① 몸을 숨기다, 숨다, 은둔하다. ② 숨겨지다, 묻히다.
escondidamente *adv.* 숨어서, 살짝.
escondidas *f.pl.* *Amér.* 숨바꼭질. ¶*a* ~ 살그머니, 숨어서(sin ver visto).
escondido, da *adj.* ① 숨겨진. ② (장

소가) 외진. —*m.* 에스꼰디도 ((아르헨띠나 북서 지방의 토착 무용)). ¶*en* ~ 숨어서, 살그머니.
escondimiento *m.* 은닉, 잠복.
escondite *m.* ① 숨긴 곳, 숨는 곳. ② 숨바꼭질.
escondredijo *m.* =escondrijo.
escondrijo *m.* 숨을 곳, 숨긴 곳
escopeta *f.* ① 엽총, 산탄총. ② 소총.
escopetado, da *adj.* [부사적] 재빨리, 날래, 민첩하게, 급히.
escopetazo *m.* ① 총격; 총성. ② 탄흔(彈痕), 총상. ③ 갑작스런 나쁜 통지.
escopeteado, da *adj.* =escopetado.
escopetero *m.* ① 소총 병사. ② 소총으로 무장한 사람. ③ 총기 제조자. ④ 총기 판매자. ⑤ 수렵대에서 엽총 운반 담당자. ⑥ 사냥꾼, 엽사.
escopladura *f.* 새긴 자국, 파낸 자국.
escoplo *m.* [연장] 정.
escora *f.* ① [선박] 만재 흘수선. ② (배의) 경사(도). ③ (건조·수리중인 배를 떠받치는) 지주(支柱).
escorar *intr.* ① [선박] (배가) 기울다. ② (최고로 낮은) 간조(干潮)에 달하다. —*tr.* (배를) 육지에 올리다, 지주로 떠받치다.
escorbuto *m.* [의학] 괴혈병(壞血病).
escoria *f.* ① 광재(鑛滓). ② 쓰레기, 앙금, 찌꺼기. ③ (인간) 쓰레기. ④ [지질] 화산암재.
escoriación *f.* =excoriación.
escoriar (11) *tr.* =excoriar.
escorpena *f.* =escorpina.
escorpera *f.* =escorpina.
escorpiano, na *adj., m.f. Arg., Ur.* [점성] 전갈궁 띠에 태어난 (사람).
escorpina *f.* [어류] 쏨뱅이, (특히) 점감펭.
Escorpio *m.* [점성] 전갈궁.
escorpión *m.* ① [동물] 전갈. ② [어류] 쑥감펭. ③ (옛날 돌을 재어서 쓰던) 큰 활(ballesta) 비슷한 전쟁 도구, 투석기. ④ 에스꼬르삐온 ((끝이 뾰족하거나 전갈의 꼬리처럼 꼬인 갈고리를 지닌 쇠사슬 모양을 한 고문 도구로 쓰인 채찍)), 갈고리[사슬] 달린 채찍. ⑤ [형용사적] 전갈궁 띠에 태어난: Yo soy ~, pero ella es piscis 나는 전갈궁 띠지만 그녀는 쌍어궁 띠다. ⑥ 전갈궁 띠에 태어난 사람.
Escorpión *m.* ① [천문] 전갈자리. ② [점성] 전갈궁.
escotado[1] *m.* 옷깃, 동정, 칼라.
escotado[2]**, da** *adj.* 운두가 낮은.
escotadura *f.* ① 옷깃, 동정. ② [연극] 무대의 일부를 도려서 그 곳을 통해 배우나 무대 장치가 오르내리는 곳.
escotar[1] *tr.* ① [복식] …의 옷깃을 적당한 치수로 재단하다. ② (강·개울·못에서) 물을 빼다.
escotar[2] *tr.* 몫[할당액]을 지불하다.
escote *m.* ① [복식] 옷깃, 동정, 칼라. ② (옷의) 앞가슴. ③ [+a] (회식 등의) 몫, 할당액, 분배액, 자신의 지불액.
escotilla *f.* 해치, (배의 갑판의) 승강구.
escotillón *m.* ① (마루 바닥의) 위로 밀어 올려 여는 문. ② [연극] 무대의 일부를 도려서 그 곳을 통하여 배우·무대 장치를 오르내리게 하는 기구.
escozor *m.* ① (화상 같은) 고통, 쑤심, 욱신거림. ② 초조함, 애가 탐; 화가 남, 괘씸함.
escriba *m.* ① (고대의) 서기, 사자생(寫字生). ② (고대 유대의) 율법 학사.
escribanía *f.* ① 공증인 직. ② 공증인 사무소. ③ 사법 서사의 직[사무소]. ④ 서류 보관용 서랍 달린 가구. ⑤ (잉크·압지(押紙) 등을 세트로 한) 문방구 한 벌. ⑥ (공증인과 학생이 가지고 다니는 펜·잉크병 꽂이가 있는) 리본 달린 휴대용 곽[상자]. ⑦ *Arg., Par.* =notaría.
escribano, na *m.f.* ① 공증인. ② 대서인. ③ =pendolista. ④ [고어] =escribiente.
escribidor, ra *m.f.* 삼류 작가.
escribiente *m.f.* 필경자(筆耕者); 사자생(寫字生).
escribir *tr.* (문자·글을) 쓰다, 짓다: ~ un poema 시를 쓰다. ~ a máquina 타자 치다. ~ en el ordenador personal 퍼스널 컴퓨터에 쳐[입력해] 넣다. —*intr.* ① [+a] (…에게) 편지를 쓰다[내다]. ② 저작(著作)하다: ganarse la vida *escribiendo* 글을 써서 생계를 유지하다, 저술하여 생활하다. ③ (펜 등이) 써지다. ~**se** ① 써지다, 철자가 …이다: ¿Cómo *se escribe* su apellido y nombre? 귀하의 성명은 (철자를) 어떻게 씁니까? ② 서신 교환을 하다, 펜팔을 하다, 편지를 주고 받다.
escrito, ta *adj.* ① 써진, 쓰인, 서면화한: examen ~ 필기 시험. ② 문자 무늬가 있는. —*m.* ① 쓴 것; 문서, 서류. ② *pl.* 저작, 작품. ¶***por*** ~ 문서로, 서면으로.
escritor, ra *m.f.* 작가, 저술가.
escritorio *m.* ① (사무·학습용의) 책상: artículos de ~ 문방구. ② 보석 보관용 서랍 달린 가구. ③ (은행가·공증인·상인 같은 사업가들의) 사무소가 있는 아파트, 오피스텔.
escritura *f.* ① 쓰는 것; 습자, 필적: tener mala ~ 악필이다. ② 문서, 서류; 증서. ③ 문자법, 자체(字體): ~ fonética 표음 문자. ④ [컴퓨터] 기록, 써넣음.
Escritura(s) *f.(pl.)* 성서(聖書).
escriturar *tr.* [법률] 문서로 정식화하다, …의 공정 증서를 작성하다.
escriturario, ria *adj.* 공문서에 의해서 확인된. —*m.f.* 성서 연구가.
escrófula *f.* [의학] 나력(瘰癧).
escrofulosis *f.sing.pl.* 선병질(腺病質).
escroto *m.* [해부] 음낭(陰囊).
escrupulizar (9) *intr.* 끙끙 앓다.
escrúpulo *m.* ① 양심의 가책. ② 세심한 주의: con ~ 면밀히, 세심한 주의를 기울여. ③ 불결감. ④ 구두에 들어

간 잔 돌. ¶*sin* ~*s* 양심의 가책을 받지 않고, 염치없이, 뻔뻔스럽게.

escrupulosamente *adv.* ① 양심적으로. ② 면밀히.

escrupulosidad *f.* 고지식함; 면밀함.

escrupuloso, sa *adj.* ① 면밀한, 고지식한, 올곧은, 진국인; 청결을 좋아하는. ② 양심적인, 고지식한, 올곧은, 지나치게 착실한.

escrutador, ra *adj.* 탐색하는, 정탐하는. —*m.f.* 개표 종사자, 개표하는 사람.

escrutar *tr.* ① 탐색하다, 정탐하다, 탐지하다, 주의 깊게 관찰하다. ② (표를) 집계하다, 개표하다.

escrutinio *m.* ① 표 집계, 개표. ② 면밀한 조사, 정사(精査).

escuadra *f.* ① (직각 이등변의) 삼각자, 곱자. ② [해군] 함대. ③ [집합] (한 나라의) 모든 함대. ④ (하사가 거느리는) 분대; 하사[분대장]의 지위. ⑤ 모난 보강재. ¶*a* ~ 직각으로: calles trazadas *a* ~ 바둑판 모양의 시가지의 도로. cortar una piedra *a* ~ 돌을 직각으로 자르다.

escuadrar *tr.* 직각으로 만들다[자르다].

escuadría *f.* (각재의) 횡단면 길이.

escuadrilla *f.* ① 비행대. ② 소함대, 선대(船隊).

escuadro *m.* =**escrita.**

escuadrón *m.* ① [군사] 기병 중대. ② [군사] 비행 중대. ③ (보병 대대와 동등한) 공군 중대.

escualidez *f.* ① 더러움, 불결함. ② 여윔, 바짝 마름(flaqueza, delgadez).

escuálido, da *adj.* ① 여윈. ② 더러운.

escucha *f.* 청취: ~ telefónica (전화의) 도청. —*m.f.* [군사] (야간의) 보초.

escuchar *tr.* ① 듣다, 청취하다. ② 말하는 것을 듣다; (충고 등을) 들어주다. —*intr.* 듣기 위해 귀를 쫑긋하다, 귀를 기울이다. ~**se** 자신의 말에 도취해 반복하다, 대한한 척 말하다.

escuchimizado, da *adj.* 허약한.

escucho *m.* *Cantb, León.* 속삭임. ¶*a* ~, *al* ~ 귀엣말로, 소근소근.

escuchón, na *adj.* 다른 사람의 말을 별 관심 없이 듣는.

escudar *tr.* ① (위험으로부터 …를) 보호하다, 지키다. ② 방패로 막다. ~**se** ① 몸을 방어하다. ② 핑계[변명·구실]로 삼다.

escudería *f.* ① 종자의 직. ② [운동] [집합] 같은 경주[레이스] 팀의 자동차.

escuderil *adj.* 종자(escudero)의.

escudero, ra *adj.* 종자의, 종자에 관한. —*m.* ① 혈통이 귀족인 사람. ② 종자(從者). ③ (기사가 방패를 사용하지 않을 때) 데리고 다녔던 하인. ④ 시신(侍臣), 근신(近臣). ⑤ 방패 제조자. ⑥ (외출할 때) 부인을 시중들었던 하인. ⑦ (사냥에서) 늙은 멧돼지를 따라 다니는 어린 멧돼지.

escudete *m.* ① 작은 방패. ② 장식 똬리쇠. ③ [복식] (옷감의 폭이 모자라는 곳에 이어대는) 천 조각.

escudilla *f.* (보통 수프용으로 사용하는) 넓고 반구형(半球形)의 그릇.

escudillar *tr.* ① (수프나 다른 음식물을) escudilla에 담다. ② 멋대로 처리하다. ③ (비밀이 아닌) 알고 있는 것을 말하다.

escudo *m.* ① 방패. ② 방패 모양의 문장(紋章). ③ 비호(庇護). ④ 에스꾸도 ((포르투갈의 화폐 단위)). ⑤ (옛날의) 금화, 은화. ⑥ (자물쇠 구멍 주변의) 장식 똬리쇠.

escudriñable *adj.* 자세히 조사할 수 있는, 따질 수 있는.

escudriñador, ra *adj.* 비밀스러운 일들을 알려고 하는[꼬치꼬치 캐는].

escudriñamiento *m.* 정밀 조사[검사]; 검색.

escudriñar *tr.* 자세히 조사하다.

escudriño *m.* =**escudriñamiento.**

escuela *f.* ① 학교; (특히) 초등 학교. ② 교사(校舍). ③ 교육, 훈련. ④ 교수법, 교육법. ⑤ 학파, 유파: ~ clásica 고전파. ~ impresionista 인상파. ⑥ [집합] 문하생.

escuerzo *m.* ① [동물] 두꺼비(sapo). ② 말라깽이.

escuetamente *adv.* 간결(簡潔)하게, 꾸밈이 없이.

escueto, ta *adj.* ① 구김살 없이 활달한, 편하고 느긋한, 자유롭고 편안한, 구애됨이 없는, 거추장스럽지 않는. ② (표현·설명 등이) 간결한, 꾸밈 없는.

escuincle, cla *m.f.* *Méj.* =**niño.**

escuintle, tla *m.f.* *Méj.* =**niño.**

esculpir *tr.* 조각하다, 새기다.

escultismo *m.* 보이[걸] 스카우트 운동.

escultista *adj.* escultismo의[에 관한]. —*m.f.* 보이[걸] 스카우트 운동자.

escultor, ra *m.f.* 조각가.

escultórico, ca *adj.* 조각의[에 관한].

escultura *f.* 조각 (작품).

escultural *adj.* ① 조각의, 조각에 관한. ② 조각 같은.

escupetina *f.* 내뱉는 침[담·피].

escupidera *f.* ① 침 뱉는 그릇, 담[가래] 그릇. ② *And., Arg., Chile, Ur.* 요강(orinal).

escupidero *m.* ① 침 뱉는 곳. ② 곤란한 처지. ③ *Guat.* 담[가래] 그릇, 침 뱉는 그릇(escupidera).

escupido, da *adj.* 조상[부모]을 꼭 닮은, 그대로 빼닮은. —*m.* =**esputo.**

escupidor, ra *adj., m.f.* 무척 자주 침을 뱉는 (사람). —*m.* ① *And., Guat., PRico.* 침 뱉는 그릇(escupidera). ② 둥글고 작은 돗자리[멍석](ruedo).

escupidura *f.* ① =**escupetina.** ② 열로 입술에 자주 나타나는 부르틈.

escupir *intr.* 침을 뱉다. —*tr.* ① 토하다, 내뱉다, 토해 내다. ② 자백하다.

escupitajo *m.* 내뱉는 침(escupidura).

escupitina *f.* =**escupitajo.**

escupitinajo *m.* =**escupitajo.**

escupo *m.* =**esputo.**

escurreplatos *m.sing.pl.* (씻은 그릇의

물기를 빼는 데 사용하는 설거지통 옆에 있는) 시렁, 가구.

escurridero *m.* (식기의) 물기 빼는 곳.

escurridizo, za *adj.* ① 회피적인, 파악하기 어려운. ② 미끄러지기 쉬운, 미끄러지듯 빠지는.

escurrido, da *adj.* ① 허리가 가는, 호리호리한. ② 꽉 낀 스커트를 입은 (여자). ③ 꽉 조인. ④ *Méj.* =corrido, avergonzado, confundido. ⑤ *Guat., PRico.* =esmirriado.

escurridor *m.* ① (야채의) 물기 빼는 그릇. ② =escurreplatos. ③ (세탁기의) 탈수기.

escurridora *f.* =escurridor.

escurriduras *f.pl.* (병이나 잔에 남은) 마지막 몇 방울. ¶***llegar*** alguien ***a las ~s*** (누가) 마지막에 이르다; 이제 쓸모 없이 되다.

escurril *adj.* =truhanesco.

escurrimbres *f.pl.* 그릇에 남은 액체의 마지막 몇 방울.

escurrimiento *m.* 건조, 말리기.

escurrir *tr.* ① …의 물기를 빼다, 탈수하다, 말리다, 건조시키다. ② (속에 든 것을) 비우다. ③ [+por encima de] (…의 위에) 미끄러지게 하다; [+en] (…의 안으로) 미끄러져 들어가다. —*intr.* 뚝뚝[방울방울] 떨어지다. ~**se** ① 미끄러지다. ② 미끄러져 떨어지다, 빠져나가다. ③ 뚝뚝 떨어지다.

escusado, da *adj.* 남의 눈에 띄지 않는, 비밀의. —*m.* 변소(retrete).

escúter *m.* 스쿠터.

escutiforme *adj.* 방패 모양의.

esdrújulo, la *adj., m.* [문법] 끝에서 세 번째 음절에 악센트가 있는 (단어).

ese[1] *f.* 에세 ((문자 s의 명칭)): en forma de ~ S자형의. ¶***andar*** **[*ir*]** ***haciendo ~s*** 갈짓자걸음으로 걷다. ***hacer ~s*** ㉮ S자형을 그리다. ㉯ 갈짓자걸음을 걷다. ㉰ 지그재그로 나아가다.

ese[2]**, sa** *adj.* [지시 형용사; *pl.* esos, esas] ① [보통은 명사 앞에서] 그: ~ libro 그 책. *esa* casa 그 집. ② [명사 뒤에 오면 강조하거나 경멸적임] 그런: el hombre ~ 그런 인간, 그런 남자.

ése, sa *pron.* [지시 대명사; *pl.* ésos, ésas] 그것. —*f.* [편지] 귀지(貴地).

esencia *f.* ① 본질. ② 진수(眞髓), 정수(精髓). ③ 요점. ④ 정(精), 엑스; 에센스; 정유(精油). ⑤ 향수(香水). ¶***en ~*** 본질적으로; 간추려서, 요약해서, 요점만. ***por ~*** 본질적으로, 원래, 본디(부터). ***quinta ~*** =quintaesencia.

esencial *adj.* ① 본질적인, 본질의. ② 없어서는 안 될, 불가결의, 필수적인, 긴요한. ③ 정수의, 엑스의, 정수를 모은: aceite ~ 엑스, 정유(esencia).

esencialidad *f.* 본질성; 필수성.

esencialismo *m.* [철학] 본질주의.

esencialmente *adv.* 본질적으로, 원래, 본디(부터).

esfera *f.* ① 구체(球體), 구면(球面). ② 지구, 세계. ③ 범위, 영역. ④ 계층. ⑤ (시계 등의) 문자반(文字盤).

esferal *adj.* =esférico.

esféricamente *adv.* 구형으로, 공 모양으로 둥글게.

esfericidad *f.* 구형(球形), 구면(球面).

esférico, ca *adj.* 구형의, 공처럼 둥근. —*m.* 공, 볼(balón).

esferográfica *f. Col., Ecuad.* =bolígrafo.

esferográfico *m. Col., Ecuad.* =bolígrafo.

esferoidal *adj.* ① esferoide의. ② esferoide 모양의.

esferoide *m.* [기하] 회전 타원면.

esferómetro *m.* [물리] 구면계(球面計).

esfigmomanómetro *m.* [의학] 혈압계.

esfigmómetro *m.* [의학] 맥박계.

esfinge *f.* ① 스핑크스. ② 스핑크스상. ③ 수수께끼의 인물.

esfínter *m.* [해부] 괄약근.

esforzado, da *adj.* 용감한.

esforzar (24) (9) *tr.* …에 힘을 집중하다: ~ la voz 소리를 지르다. ~**se** [+en・por] (…에) 힘쓰다, 진력하다, 애쓰다, 노력하다.

esfuerzo *m.* ① 노력: hacer ~*s* (여러 가지) 노력을 하다. ② [기술] 응력(應力). ③ (기관・기능의) 활발화.

esfumación *f.* 바림, 선염(渲染).

esfumar *tr.* (데생 등을) 찰필(擦筆)로 바림하다[선염하다]. ~**se** ① (서서히) 보이지 않게 되다, 사라지다. ② (사람이) 갑자기 없어지다.

esfuminar *tr.* =esfumar.

esfumino *m.* 찰필(擦筆).

esgrima *f.* 펜싱, 검술(劍術).

esgrimidor, ra *m.f.* ① 펜싱 선수. ② 검객, 검사(劍士).

esgrimir *tr.* (검 등을) 다루다, 취급하다, 사용하다.

esguince *m.* ① (몸을 무리하게) 비트는 일. ② [의학] 염좌(捻挫), 발목을 삠. ③ (공격 등에서) 몸을 피하기.

esguízaro, ra *adj., m.f.* =suizo.

-ésimo *suf.* [서수화] mil*ésimo* 천 번째의.

eslabón *m.* ① 쇠사슬, 고리. ② 부시.

eslabonamiento *m.* 연결, 연계, 연관.

eslabonar *tr.* 연결시키다. ~**se** 연결되다, 연관되다, 이어지다.

eslálom *m.* =slalom.

eslalon *m.* =slalom.

eslavismo *m.* ① 슬라브 어문학 연구. ② 범(汎)슬라브주의.

eslavista *m.f.* 슬라브 어문학 연구자.

eslavo, va *adj.* 슬라브의. —*m.f.* 슬라브 사람. —*m.* 슬라브 말. —*m.pl.* 슬라브 민족.

eslogan *m. ing.* 표어, 슬로건.

eslora *f.* [선박] 배의 길이.

eslovaco, ca *adj.* 슬로바키아의. —*m.f.* 슬로바키아 사람. —*m.* 슬로바키아 말.

Eslovaquia *f.* [국명] 슬로바키아.

Eslovenia *f.* [국명] 슬로베니아.

esloveno, na *adj.* 슬로베니아의. —*m.f.* 슬로베니아 사람. —*m.* 슬로베니아 말.
esmaltado, da *adj.* 에나멜을 입힌, 법랑을 칠한. —*m.* 법랑을 끼워 넣음; 칠보 가공.
esmaltar *tr.* ① 법랑[에나멜]을 끼우다; 칠보를 박아 넣다; 유약을 칠하다[입히다]. ② 여러 가지 색으로 장식하다.
esmalte *m.* ① 법랑, 에나멜. ② 법랑[에나멜] 끼워 넣기. ③ 칠보 (공예품). ④ [도예] 유약, 파란. ⑤ [해부] 법랑질. ⑥ (코발트 산화물로 유리를 녹여 만들어진) 푸른색, 감청(紺青), 짙고 산뜻한 남빛. ⑦ [화장] (매니큐어용) 에나멜.¶~ ***de uñas*** 손톱용[매니큐어용] 에나멜(pintaúñas).
esmaltín *m.* 감청(紺青)(esmalte).
esmerado, da *adj.* 정성을 들인, 공을 들인, 꼼꼼히 한.
esmeralda *f.* [광물] 에메랄드. —*adj., m.* 선명한 진녹색(의).
esmerar *tr.* ① =**pulir, limpiar, ilustrar.** ② *Ar.* (액체를) 졸이다. ~**se** ① [+en] (…에) 정성들여[공들여 · 꼼꼼히] 하다. ② (액체가) 바싹 졸여지다.
esmeril *m.* [광물] 금강사(金剛砂).
esmerilar *tr.* ① (금강사 등으로) 갈다, 닦다. ② 광택을 없애다.
esmero *m.* 세심함, 정성을 들임, 공을 들임: con gran ~ 정성을 많이 들여.
esmerriado, da *adj.* =**flaco, extenuado, consumido.**
esmoquin *m* [*pl.* esm*ó*quines] 턱시도.
esnob *adj.* 신사인 체하는, 속물 근성의. —*m.* 신사인 체하는 속물.
esnobismo *m.* 속물 근성, 신사인 체함.
esnórquel *m.* ① 스노클. ② 잠수용 플라스틱 관 ((호흡용)).
eso *pron.* [지시 대명사 중성형] ① 그것, 그 일: ¿Qué es ~? 그것은 무엇이냐? ② [장소] 그 곳. ¶***a*** ~ ***de*** … 경에, 쯤에, 무렵에. ***por*** ~ 그래서, 그러니까, 그러므로.
ESO *f.* *E*nseñanza *S*ecundaria *O*bligatoria (12세-16세의) 후기 의무 교육.
esofágico, ca *adj.* 식도(esófago)의.
esofagitis *f.* [의학] 식도염(食道炎).
esófago *m.* [해부] 식도(食道).
esópico, ca *adj.* 이솝(Esopo, 기원전 6세기 그리스의 우화 작가)의[에 관한]: fábulas ~*cas* 이솝 우화.
esos *pron.pl.* 그. ☞ **ese.**
esotérico, ca *adj.* ① 비전(秘傳)의. ② [종교] 비교(秘敎)의. ③ (초심자 등에게) 난해한, 어려운.
esoterismo *m.* ① 난해함. ② 비교주의(秘教主義).
espabiladeras *f.pl.* =**despabiladeras.**
espabilar *tr.* =**despabilar.**
espachurramiento *m.* =**despachurramiento.**
espachurrar *tr.* =**despachurrar.**
espaciadamente *adv.* 사이를 분리해서, 사이에 공간을 두어.
espaciado *m.* 사이를 분리함, 사이에 공간을 둠: barra de ~ 스페이스 바.
espaciador *m.* 스페이스 바.
espacial *adj.* ① 우주의: base ~ 우주기지. estación ~ 우주 정거장. nave ~ 우주선. ② 공간의.
esparciamiento *m.* 간격의 띄움.
espaciar (11) *tr.* ① …의 간격[사이]을 띄우다[넓히다]. ② =**esparcir.** ③ =**difundir, divulgar.** ④ [인쇄] 행간을 띄우다. ~**se** ① 시간이 걸리다; (이야기나 글이) 늘어나다. ② 뿌려지다, 흐트러지다.
espacio *m.* ① 공간: ~ aéreo 영공. ② 우주 (공간). ③ 빈 곳, 장소. ④ 간격. ⑤ [인쇄] 행간(行間), 낱말 사이. ⑥ [음악] 오선(五線)의 선간(線間). ⑦ (간격으로서의) 시간, 사이.
espacioso, sa *adj.* 널찍한.
espacio-tiempo *m.* 시공(時空).
espaciotemporal *adj.* 시공 (세계)의.
espada *f.* ① 검(劍), 칼. ② [펜싱] 에페. ③ [트럼프] 스페이드. —*m.* [투우] =**matador**: primer ~ ㉮ 대표적 투우사. ㉯ (그 도(道)의) 제일인자. —*m.f.* 자객. ¶***ser un buen*** ~ 논객이다.
espadero *m.* 도검 제조자[판매자].
espadín *m.* 예장용(禮裝用) 단검.
espaqueti *m. it.* [*pl.* ~s] [주로 *pl.*] 스파게티.
espalación *f.* [물리] 파쇄(破碎).
espalda *f.* ① [때때로 *pl.*] 등, 어깨의 등 쪽. ② 배후, 뒤쪽, 등 뒤. ③ [수영] 배영. ¶***puesta de*** ~***s*** [레슬링] 폴. ***dar de*** ~ 벌렁 나자빠지다.
espaldar *m.* ① (네 발 짐승의) 등; [요리] 등 고기. ② (거북의) 등껍질. ③ (의자의) 등받이. ④ *pl.* [체조] 늑목.
espaldarazo *m.* ① (기사 서임식에서) 칼[손]로 어깨를 가볍게 때리는 일. ② (사회적인) 인지(認知). ③ 원조.
espaldera *f.* ① 담쟁이덩굴을 휘감은 벽[담]. ② [농업] 과수를 받치는 목책[울타리]. ③ [농업] 목책으로 받쳐진 과수의 열. ④ *pl.* [체조] 늑목(肋木).
espaldero *m.* *Ven.* =**guardaespaldas.**
espaldilla *f.* ① (주로 동물의) 견갑골. ② [요리] 앞발목 고기.
espaldón *m.* ① [목공] 문장부, 장붓구멍. ② [군사] (대포의 반동을 감안한) 인공 장애물. ③ 참호, 보루.
espantada *f.* ① (동물의) 갑작스러운 도망. ② (두려움으로 인한) 갑작스러운 단념[포기].
espantadizo, za *adj.* 쉽게 놀라는.
espantador, ra *adj.* 놀라게 하는.
espantajo *m.* ① (새를 쫓기 위한) 허수아비. ② 싫은[귀찮은] 사람.
espantamoscas *m.sing.pl.* 파리채.
espantapájaros *m.sing.pl.* (새를 쫓기 위한) 허수아비.
espantar *tr.* ① 무섭게[놀라게] 하다. ② 몰아내다, 쫓아내다. ③ =**admirar, maravillar.** ~**se** [+de · por · con] (…에) 겁내다, 무서워하다, 떨다.
espanto *m.* ① 놀람, 공포. ② 얼러대

기, 위협. ③ (돌팔이의사 사이의) 놀라 생긴 병. ④ *pl.* =fantasma. ¶*de* ~ 엄청난, 막대한, 굉장한, 심한. ***estar curado de*** ~**(s)** (경험이나 습관 등으로) 어떤 일에도 동요하지 않다.

espantosamente *adv.* 놀라, 무서워.

espantoso, sa *adj.* ① 공포의, 무서운, 무시무시한. ② =**maravilloso.** ③ 굉장한, 심한, 엄청난, 막대한. ④ 매우 못생긴, 무척 추한(muy feo).

España *f.* [국명] 에스빠냐, 서반아(西班牙), 스페인 ((수도: Madrid)).

español, la *adj.* ① 스페인 태생의. ② 스페인의[에 관한]. —*mf.* 스페인 사람. —*m.* 에스빠냐 말, 서반아어, 스페인어. ¶*a la ~la* 스페인 식으로.

españolado, da *adj.* (예술·의상·풍습이) 스페인적인, 스페인 사람 같은[닮은]. —*f.* 스페인 식으로 과장한 행동[흥행물·문학 작품].

españolar *tr.* =**españolizar.**

españolear *intr.* 스페인에 대해 과장된 선전을 하다.

españolería *f.* ① 스페인적인 것[행동]. ② 스페인 것에 대한 애착[집착]. ③ =**españolada.**

españoleta *f.* 에스빠뇰레따 ((스페인의 옛 춤)).

españolía *f.* =**españolismo.**

españolidad *f.* ① 스페인 사람의 성질. ② 진짜 스페인 기질.

españolismo *m.* ① 스페인 고유의 것에 대한 애착[사랑]. ② =**hispanismo.** ③ 진짜 스페인 기질.

españolista *adj.* 스페인 고유의 것에 대한 애착을 가진; 진짜 스페인 기질을 가진.

españolización *f.* 스페인화(하는 것).

españolizar (9) *tr.* 스페인화하다, 스페인풍으로 하다.

esparadrapo *m.* 반창고.

esparajismo *m. Alb., Canth., León, Pal.* =**aspaviento.**

esparaván *m.* [새] =**gavilán.**

esparavel *m.* ① 투망. ② (미장이의) 반죽을 받치는 나무 판.

esparciata *adj., mf.* =**espartano.**

esparcidamente *adv.* =**distintamente, separadamente.**

esparcido, da *adj.* =**festivo.**

esparcidor, ra *adj., mf.* 뿌리는, 살포하는 (사람).

esparcimiento *m.* ① 산재; 산포(散布), 살포. ② 기분 전환, 오락.

esparcir (2) *tr.* ① [+por] (…에) 흩뜨리다, 어지르다, 흩어지게 하다, 흩뿌리다; 확대시키다. ② 즐겁게 하다. ~**se** ① 흩어지다, 분산되다, 퍼지다. ② 즐기다, 낙으로 삼다.

esparragal *m.* 아스파라가스 밭.

espárrago *m.* ① [식물] 아스파라가스. ② 아스파라가스 어린 줄기.

esparraguero, ra *mf.* 아스파라가스 재배자[판매자]. —*f.* ① [식물] 아스파라가스. ② 아스파라가스 밭. ③ 아스파라가스 전용 큰 접시.

esparramar *tr.* [속어] =**desparramar.**

esparrancarse *r.* =**desparrancarse.**

espartal *m.* =**espartizal.**

espartano, na *adj.* ① 스파르타(Esparta) 태생의. ② 스파르타의[에 관한]. ③ =**austero, sobrio, firme, severo.** —*mf.* 스파르타 사람.

espartar *tr. And.* 아프리카 수염새(esparto)로 그릇을 덮다.

esparteña *f.* (esparto 바닥의) 샌들.

espartería *f.* esparto 공예품, esparto 공예품점[제조소].

espartero, ra *mf.* esparto 재배자[가공자·판매자].

espartizal *m.* esparto 재배지[경작지].

esparto *m. And.* ① [식물] 아프리카 수염새 ((스페인 및 북아프리카에서 나는 풀로 밧줄·바구니·구두·종이 등의 원료)). ② 아프리카 수염새의 잎.

espático, ca *adj.* [광물] espato처럼, 쉽게 엷은 조각으로 갈라지는.

espato *m.* [광물] 섬광석(閃光石). ¶ ~ *calizo* 방해석. ~ ***de Islandia*** 매우 투명한 방해석. ~ ***flúor*** 형석. ~ *pesado* 중정석(重晶石)(baritina).

esparver *m.* [새] =**gavilán.**

espasmo *m.* [의학] 경련.

espasmódico, ca *adj.* 경련(성)의.

espasmolítico, ca *adj.* 진경성(鎭痙性)의. —*m.* 진경제(鎭痙劑).

espatarrarse *r.* =**despatarrarse.**

espátula *f.* ① (약제사·화가가 섞기 위해 사용하는) 작은 주걱. ② [조류] 주걱해오라기.

especia *f.* 향신료(香辛料).

especiación *f.* [생물] 분화(分化).

especial *adj.* ① 특별한, 특수한. ② 독특한, 색다른. —*m.* ① 특별 열차. ② (잡지의) 특별호. ③ 특별 프로그램. ④ [요리] (가게의) 특별 요리. ¶*en* ~ 특히, 특별히.

especialidad *f.* ① 특기, 가장 숙련된 것; 특산품, 명물. ② 전문, 전공. ③ 매약(賣藥), 특허 제재(製劑). ④ 특성.

especialista *adj.* 전문의. —*mf.* ① 전문가. ② 전문의(專門醫). ③ [영화·텔레비전] 스턴트맨.

especialización *f.* ① 전문화; 전문. ② (대학의) 전문 과정.

especializado, da *adj.* 전문(專門)[전공]의: trabajador ~ 숙련공.

especializar (9) *tr.* 전문화하다; …에게 기술 교육을 하다. ~**se** [+en] (…을) 전문으로 하다, 전공하다.

especialmente *adv.* 특히, 특별히.

especiar (11) *tr.* …에 양념을 치다.

especie *f.* ① [생물] 종(種). ② 종류. ③ (문제가 되고 있는) 일, 정보. ④ [화학] 원소, 단체(單體). ⑤ [논리] 종개념. ¶*en* ~ 현물로, 물건으로.

especiería *f.* 향신료 가게.

especiero, ra *mf.* 향신료 상인. —*m.* 향신료 찬장[그릇].

especificación *f.* ① 명시, 명기. ② 명

세서, 내역, 품명.
especificado, da *adj.* 특정한.
especificativo, va *adj.* ① 명시하는. ② [문법] 특수화의.
especificar (7) *tr.* ① 명시하다, 명기하다, 구체적으로 쓰다. ② [상업] 명세서에 기입하다.
específicamente *adv.* ① 특히, 유난히. ② 명확히.
especificidad *f.* 특이성; 특효성.
específico, ca *adj.* ① 특유의, 고유의, 특정의. ② [의학] [+para · de] (…에) 특효가 있는. —*m.* 특효약; 매약(賣藥).
espécimen *m.* [*pl.* especímenes] ① 전형. ② 표본, 견본, 샘플. ③ (책의) 내용 견본.
especioso, sa *adj.* 겉치레에 불과한, 겉만 번드르한, 그럴싸한.
espectacular *adj.* ① 남의 눈[시선]을 끄는, 장관인, 눈부신. ② 흥행의.
espectacularidad *f.* 눈부심, 화려함.
espectacularmente *adv.* 눈부시게.
espectáculo *m.* ① 구경거리, 쇼, 흥행. ② 광경. ¶*filme de* ~ 스펙터클 영화. *dar un* ~ ㉮ 흥행을 하다. ㉯ 사람의 시선을 끌다, 구경거리가 되다.
espectador, ra *m.f.* ① 관객, 구경꾼; 시청자. ② 방관자. —*adj.* 방관자적인.
espectral *adj.* ① 유령 같은, 어쩐지 기분 나쁜, 소름끼치는. ② [물리] 스펙트럼의.
espectro *m.* ① 유령, 망령. ② 말라빠지고 창백한 사람. ③ [물리] 스펙터클. ④ 범위.
espectrógrafo *m.* 분광 사진기.
espectrograma *m.* 분광 사진.
espectroscopia *f.* 분광학.
espectroscópico, ca *adj.* 분광기의.
espectroscopio *m.* 분광기(分光器).
especulación *f.* ① 사색. ② [+en] (…에의) 투기, 시세가 오를 것을 예상하고 증권 등을 사기.
especulador, ra *adj.* 투기적인. —*m.f.* 투기가, 투기업자.
especular *intr.* ① [+en] (…에) 투기하다: ~ *en* terrenos 땅[토지]에 투기하다. ② [+con] (…로) 이익을 얻다. ③ 대담한 추측을 하다. —*adj.* 거울의.
especulativo, va *adj.* ① 사색적인; 명상형의. ② 투기적인. —*f.* 사변력, 지성(知性).
espéculo *m.* 검경(檢鏡).
espejar *tr.* [속어] =**despejar.** ~**se** [+en] (거울처럼) (…에) 비추다.
espejear *intr.* (거울처럼) 반짝반짝 빛나다.
espejeo *m.* =**espejismo.**
espejeras *f.pl.* *Cuba.* (말의 장신구 · 박차 때문에 생기는) 종양, 궤양(llaga).
espejería *f.* 거울(과 다른 장식품을 파는) 가게.
espejero, ra *m.f.* 거울 제작자[판매자].
espejismo *m.* ① 신기루(蜃氣樓). ② 환영(幻影)(ilusión).
espejo *m.* ① 거울: ~ de mano 손거울. mirarse al [en el] ~ 거울을 보다. ② 반영. ③ 모범, 귀감. ④ [선박] 선미 늑판. ¶ ~ *de los Incas* [광물] 흑요석(黑曜石).
espejuelo *m.* ① (손님을 꾀어 들이기 위하여 쓰는) 후림수, 미끼. ② 투명석고. ③ *pl.* 안경. ④ *pl.* 안경에 넣는 유리[렌즈].
espeleología *f.* 동굴학; 동굴 탐험.
espeleológico, ca *adj.* 동굴학의; 동굴 탐험의.
espeleólogo, ga *m.f.* 동굴 학자, 동굴 탐험가.
espelucar (7) *tr.* *Am.* =**despeluzar.**
espelunca *f.* =**cueva, gruta.**
espeluzar (8) *tr.* =**despeluzar.**
espeluznamiento *m.* =**despeluzamiento.**
espeluznante *adj.* 머리털이 곤두서는 듯한.
espeluznar *tr.* (공포로 머리털을) 곤두세우다; 몹시 무서워[두려워]하게 하다. ~**se** (춥거나 무서워서) 오싹하다, 소름이 끼치다; (공포 · 추위 등으로) 부들부들 떨다.
espeluzno *m.* =**escalofrío, estremecimiento.**
espera *f.* ① 기다림, 대기; 기다리는 시간: En ~ de su respuesta … [편지] 귀하의 답장을 기다리면서 …. ② [사냥] 매복하고 기다리는 장소. ③ [법률] 집행 유예. ¶*lista de* ~ (비행기의) 캔슬 대기자 명단(명부); 신청자[보결자] 명단[명부].
esperantista *adj.* 에스페란토 말의. —*m.f.* 에스페란토 말 사용자[지지자].
esperanto *m.* 에스페란토 말.
esperanza *f.* ① [종종 *pl.*] 희망, 기대: tener ~*s* 희망을 가지다. ② [기독교] 망덕(望德). ¶ ~ *de vida* [통계] 평균수명. *alimentarse de ~s* 일루의 희망을 걸다. *estar en estado de (buena)* ~ 임신 중이다. *Con la ~ se vive* (속담) 사람은 희망으로 산다. *La ~ es el pan del alma* (속담) 희망은 정신의 양식이다. *La ~ me sustenta* (속담) 희망은 가난한 사람들의 빵이다.
esperanzar (9) *tr.* 희망[기대]을 가지게 하다. ~**se** 희망을 품다.
esperar *tr.* ① 기다리다: ~ la llegada del tren 열차의 도착을 기다리다. *Espere* un momento 잠깐 기다리십시오. ② 기대하다, 희망하다: ~ el éxito 성공을 기대하다. ③ 임신 중이다, 출산 예정이다. —*intr.* ① 기다리다. ② (…에게) 기대를 걸다. ③ 임신하고 있다. ~**se** 예상하다; 상상하다.
esperma *m.(f.)* ① 정액. ② 경랍(鯨蠟).
espermaceti *m.* 경뇌(鯨腦), 경랍.
espermafitas *f.pl.* 현화 식물, 꽃식물.
espermatófitos *m.pl.* =**espermafitas.**
espermaticida *adj., m.* =**espermicida.**
espermático, ca *adj.* 정자의, 정액의.
espermatorrea *f.* [의학] 정액루.

espermatozoide *m.* 정자, 정충.
espermatozoo *m.* 동물의 정자[정충].
espermicida *adj.* 정자(精子)를 죽이는. —*m.* 살정자제(殺精子劑).
espesar *tr.* ① (액체를) 짙게 하다. ② [요리] 약간 걸쭉[되직]하게 하다. ③ (직물의 발·뜨개질의 코를) 좁히다. ~**se** ① 짙어지다. ② (부분적으로) 밀생하다.
espeso, sa *adj.* ① (주로 액체가) 짙은, 농후한: café ~ 진한 커피. ② (나무·풀이) 밀생한, 우거진, 무성한. ③ (벽 등이) 두꺼운. ④ 튼튼한. ⑤ *Ar., Perú, Ven.* =pesado, impertinente, molesto.
espesor *m.* ① 두께. ② 진함, 진한 정도, 농도.
espesura *f.* ① 진함, 농도. ② (직물의 발·뜨개질의 코의) 촘촘함. ③ (나무·풀의) 무성함. ④ 숱이 많은 머리카락. ⑤ 복잡(함), 난해(함).
espetar *tr.* ① 꼬챙이에 꿰다. ② (날카로운 것으로 몸을) 찌르다. ③ 들이대다. ④ 말하여 놀라게 하다[애먹이다]. ~**se** ① 긴장하여 몸이 굳어지다. ② =**encajarse, asegurarse, afianzarse.**
espetera *f.* ① (고기·부엌 도구를 거는) 갈고리 달린 판(자). ② [집합] espetera에 거는 주방의 금속 도구. ③ 축 늘어진 여자의 유방.
espeto *m.* [드묾] =**espetón.**
espetón *m.* ① 쇠꼬챙이. ② 부젓가락. ③ 커다란 핀. ④ 쇠꼬챙이로 때림. ⑤ =**barracuda.** ⑥ *And.* [집합] (굽기 위해) 갈대로 낀 정어리.
espía *f.* ① 스파이, 간첩. ② [형용사적] satélite ~ 스파이 위성. —*f.* [선박] 후릿그물, 트롤망.
espiar[1] (12) *tr.* 스파이 짓을 하다, 염탐하다; 몰래 조사하다. —*intr.* 스파이 짓을 하다, 염탐하다; 몰래 조사하다.
espiar[2] (12) *tr.* 배를 끌다.
espiga *f.* ① 이삭. ② [식물] 수상(穗狀) 꽃차례. ③ [건축] 장부. ④ (칼 등의) 슴베. ⑤ [목공] 나무못, 대가리 없는 못. ⑥ [복식] 삼목 잎 모양의 줄무늬. ⑦ 신관. ⑧ [선박] 돛대의 머리.
espigado, da *adj.* ① 이삭이 팬, 다 익은, 다 자란. ② 몸통이 매우 큰 (나무). ③ 이삭 모양의. ④ 키가 큰.
espigador, ra *mf.* 이삭 줍는 사람.
espigar (8) *tr.* ① …에서 떨어진 이삭을 줍다. ② (자료 등을) 수집하다. ③ 장부를 만들다. ④ *Sal.* 연인들에게 선물을 주다. —*intr.* ① 이삭이 나오다. ② 자료[정보]를 수집하다. ~**se** ① 키가 많이 자라다. ② (야채가) 대[꽃대]가 너무 자라 못 먹게 되다.
espigón *m.* ① (뾰족한) 끝. ② 칼끝. ③ 까칠까칠한 이삭. ④ 방파제. ⑤ 나선 계단의 중심축.
espigueo *m.* ① 이삭 줍기. ② 추수기, 수확기. ③ (책에서) 자료 찾기.
espiguilla *f.* ① 작은 이삭. ② [복식] 삼목 잎 모양의 줄무늬.
espín *m.* [동물] 멧돼지(puerco espín).
espina *f.* ① 가시나무. ② 가시. ③ (생선의) 가시. ④ 귀찮은 일, 성가신 일. ⑤ [해부] 척추. ⑥ *Nic.* =**molestar, disgusto.** ¶ ~ *bífida* [의학] 척추 기형. ~ *dorsal* [해부] 척추.
espinaca *f.* [식물] 시금치.
espinal *adj.* 척추의.
espinar *m.* 가시덤불.
espinazo *m.* ① [해부] 척추; 척수(脊髓). ② [요리] 등 고기.
espinilla *f.* [해부] 정강이.
espinillera *f.* ① [운동] 정강이 보호대, 정강이 받이. ② (옛날의) 정강이 보호병기.
espino *m.* ① [식물] 산사나무, 아가위나무. ② 철조망.
espinoso, sa *adj.* ① 가시가 있는. ② 곤란한, 힘든, 어려운.
espionaje *m.* 스파이 활동[행위].
espira *f.* ① (나선의) 한 회전. ② 나선(螺旋). ③ [건축] (기둥 등의 대좌의) 돌출부·가장자리를 깎아서 만든 커브. ④ 나선(螺線)(línea en espiral).
espiración *f.* 내쉬는 숨, 날숨.
espiráculo *m.* (곤충 등의) 숨구멍, 기공(氣孔), 기문(氣門).
espiral *adj.* ① 나선 모양의, 소용돌이 모양의, 나선 장치의. ② [기하] 나선의. ③ (책 등이) 나선철로 제본된. —*f.* ① 나선(모양의 것). ② (시계의) 와형 태엽, 유사. ③ 임신 링. ④ (악성의) 나선 모양 진행 과정.
espirar *intr.* 숨을 내쉬다.
espiratorio, ria *adj.* 숨을 내쉬는.
espirilo *m.* [생물] 나선균(螺旋菌).
espiritado, da *adj.* 깡마른, 몹시 여윈.
espiritar *tr.* ① =**endemoniar.** ② =**agitar, conmover, irritar.** ~**se** =**adelgazar, consumirse, enflaquecer.**
espiritiflaútico, ca *adj. Méj.* 깡마른, 몹시 여윈(muy delgado, muy flaco).
espiritismo *m.* 교령술(交靈術).
espiritista *adj.* 교령술의. —*mf.* 교령술자(交靈術者).
espiritosamente *adv.* 시원시원하게.
espiritoso, sa *adj.* =**espirituoso.**
espiritrompa *f.* (나비의) 주둥이.
espíritu *m.* ① 정신, 마음: ~ de la ley 법의 정신. ~ humano 인간 정신. ② 의욕; 기골, 용기. ③ 정기(精氣), 정령(精靈); (인간의) 영혼, 혼령. ④ [천주교] (하느님이 특별한 사람에게 주는) 능력, 선물. ⑤ [주로 *pl.*] 악령. ¶ ~ *de vino* [화학] 주정(酒精), 에틸알코올. *exhalar* [*despedir · dar*] *el* ~ 죽다. *levantar el* ~ a alguien (누구를) 고무하다, 기운[힘]을 북돋우다. *quedarse en el* ~ 바싹 마르다, 여위어서 몸이 홀쭉해지다.
espiritual *m.* ① 정신의, 마음의: patria ~ 마음의 고향. ② 영적인; 신앙의, 교회의. —*m.* [음악] 흑인 영가.
espiritualidad *f.* 정신성; 영성(靈性).
espiritualmente *adv.* 정신적으로.

espiritualismo *m.* 유심론; 정신주의.
espiritualista *adj.* 유심론의; 정신주의의. —*mf.* 유심론자; 정신주의자.
espiritualización *f.* 정신화, 영화(靈化).
espiritualizar (9) *tr.* 정신화하다, 영화(靈化)하다, 정신적인 의미를 부여하다.
espirituoso, sa *adj.* 알코올 도수가 높은: bebida *~sa* 증류주(蒸溜酒).
espiroidal *adj.* 나선(螺旋) 모양의.
espirometría *f.* 폐활량 측정.
espirómetro *m.* 폐활량계.
espita *f.* ① (술통의) 입을 대는 부분, 주둥이. ② (술통의) 주둥이의 마개. ③ 술꾼, 주정뱅이.
espléndidamente *adv.* 멋지게, 훌륭하게, 눈부시게, 화려하게.
esplendidez *f.* 화려함, 호화스러움, 훌륭함, 근사함.
espléndido, da *adj.* ① 화려한, 훌륭한, 멋진, 근사한, 호화스러운. ② 관대한, 선심 잘 쓰는, 활수한, 희떠운.
esplendor *m.* ① 화려함, 호화로움. ② 전성기, 최성기, 절정.
esplendorosamente *adv.* 찬란하게, 화려하게, 눈부시게, 휘황찬란하게.
esplendoroso, sa *adj.* ① 빛나는, 찬란한, 화려한, 눈부신, 휘황찬란한. ② 인상적인, 감동적인.
esplénico, ca *adj.* [해부] 비장(脾臟)의, 지라의: arteria *~ca* 지라 동맥.
esplenitis *f.sing.pl.* [의학] 비염(脾炎).
esplenomegalia *f.* [의학] 비종(脾腫), 비장염(inflamación del bazo).
espolada *f.* =**espolazo.**
espolazo *m.* 박차를 가함.
espolear *tr.* ① (말에게) 박차를 가하다. ② 자극하다, 꼬드기다, 부추기다, 교사(教唆)하다.
espoleta *f.* [군사] 신관(信管).
espoliar (11) *tr.* =**expoliar.**
espolín *m.* (장화에 고정되어 있는) 박차(拍車).
espolio *m.* =**expolio.**
espolón *m.* ① (닭·짐승의) 며느리발톱. ② (교각의) 물살 가르기. ③ 방파제. ④ (낭떠러지 등의) 옹벽. ⑤ (옹벽 위의) 보도(步道), 산책길. ⑥ [선박] (뱃머리의) 물살 가르기. ⑦ (군함의) 충각. ⑧ (산맥 등의) 돌출부, 지맥.
espolonazo *m.* 며느리발톱으로 일격.
espolvorear *tr.* ① (가루 등을) 뿌리다, 끼얹다, 묻히다, 뒤바르다. ② …에서 먼지를 털다. *~**se*** 자신의 몸에서 먼지를 털다.
espondaico, ca *adj.* espondeo의.
espondeo *m.* (희랍·라틴 시의) 장장격(長長格).
espondilitis *f.* [의학] 척추염(脊椎炎).
espongiarios *m.pl.* 해면 동물문.
esponja *f.* ① 스펀지, 해면; 스펀지 모양의 물건. ② 술꾼, 주호(酒豪). ③ *pl.* [동물] 해면 동물. ¶***beber como un ~*** 술고래다. ***tirar [arrojar] la ~*** [권투] 타월을 던지다, 항복하다.
esponjar *tr.* ① 스펀지 모양으로 만들다, 부풀리다. ② *Méj.* 스펀지로 말리다. *~**se*** ① (빵·옷감 등이) 부풀어 오르다. ② (머리카락·타월 등이) 푸하다, 봉곳하다. ③ 뽐내다, 거만하게 굴다, 득의 양양해 하다. ④ 틀이 잡혀가다, 관록이 붙다, 씩씩해지다.
esponjera *f.* (세면대 등의) 스펀지 그릇, 스펀지 놓는 곳.
esponjosidad *f.* 해면질, 스펀지 모양.
esponjoso, sa *adj.* ① 해면(질)의, 스펀지 모양의; 구멍이 많은. ② 폭신폭신한, 말랑말랑한; 푸한, 봉곳한.
esponsales *m.pl.* 약혼, 혼약, 약혼식.
esponsalicio, cia *adj.* 약혼(식)의.
esponsorización *f.* 후원(後援).
esponsorizar (9) *tr.* =**patrocinar.**
espontáneamente *adv.* 자발적으로, 자연 발생적으로, 자연히.
espontanearse *r.* 속마음[비밀]을 털어놓다, 고백하다.
espontaneidad *f.* 자연 발생; 자발성.
espontáneo, a *adj.* ① 자연 발생적인. ② 자발적인, 임의의. ③ 솔직한, 꾸밈이 없는. ④ [식물] 자생의. —*mf.* (투우 등의) 느닷없이 불쑥 뛰어든 가욋사람.
espora *f.* [생물] 포자(胞子).
esporádicamente *adv.* 산발적으로.
esporádico, ca *adj.* ① 때때로 일어나는, 산발적인. ② [의학] 산발성의.
esporangio *m.* [생물] 포자낭(胞子囊).
esporofita *f.* [생물] 포자체(胞子體).
esportada *f.* 한 광주리 분량.
esportear *tr.* 광주리에 넣어 운반하다.
esporulación *f.* [식물] 포자 형성.
esporular *tr.* [식물] 포자를 형성하다.
esposar *tr.* …에게 수갑을 채우다.
esposo, sa *mf.* ① 남편, 아내 ((중남미에서는 자기의 남편과 아내는 mi esposo, mi esposa라 하지만, 스페인에서는 보통 mi marido, mi mujer이라 함)). ② 약혼을 축하하는 사람. ③ *m.pl.* 부부(夫婦). —*f.* ① 수갑. ② *Amér.* 주교의 반지.
esprintar *intr.* (특히 단거리를) 전력 질주하다, 전속력으로 달리다.
esprínter *mf.* 스프린터, 단거리 주자.
espuela *f.* ① 박차. ② 몰아댐, 자극. ③ (술자리에서의) 마지막 한 잔.
espuerta *f.* (미장이 등이 재료 등을 넣는) 광주리, 바구니. ¶***a ~s*** 풍부하게, 엄청나게. ***estar*** alguien ***para que lo saquen en una ~ al sol*** (누가) 병약하다, 지병이다.
espulgar (8) *tr.* ① …의 벼룩[이]을 잡아 주다. ② 자세히 조사하다. *~**se*** (자신의 몸에서) 벼룩[이]을 잡다.
espulgo *m.* 벼룩[이]을 잡아 주기.
espuma *f.* ① [집합] (표면에 뜨는) 거품: hacer *~s* 거품이 일다. ② [요리] 떫은 액체. ③ [요리] 무스 ((거품이 인 크림에 젤라틴·설탕·향료를 섞어 고기 또는 생선을 사용한 요리)). ④ (화장 등) (거품 모양의) 모발 정제용품, 무스. ⑤ 다공성(多孔性) 고무, 기포(氣

泡) 고무, 스펀지 고무. ¶*como (la)* ~ 빨리, 순식간에, 갑자기, 금세.
espumadera *f.* 거품을 건져내는 구멍 뚫린 국자.
espumador, ra *m.f.* 거품을 내는 사람.
espumaje *m.* 대량의 거품.
espumajear *intr.* 입에서 침[거품]을 튀기다(arrojar o echar espumajos).
espumajo *m.* =**espumarajo.**
espumajoso, sa *adj.* 거품투성이의.
espumante *adj.* 거품이 일어나는, 발포성의. —*m.* 기포제.
espumar *tr.* …의 거품을 제거하다[떠내다]. —*intr.* ① 거품이 일다. ② [드뭄] 순식간에 커지다[증가하다].
espumarajo *m.* 입에서 튀기는 많은 양의 침, 입에서 내뿜는 거품. ¶*echar* alguien *~s por la boca* (누가) 몹시 화가 나 있다.
espumear *intr. Méj.* =**espumar.**
espumero *m.* 바닷물이 자연적으로 소금으로 결정되는 곳.
espumilla *f.* ① 얇은 비단 비슷한 가볍고 가는 직물. ② *Ecuad., Hond., Guat., Nic.* (오븐에 찐) 달걀 흰자와 설탕으로 만든 과자(merengue).
espumoso, sa *adj.* ① 거품이 많이 이는. ② 발포성의. —*m.* 발포 포도주.
espumuy *f. Guat.* 야생 비둘기.
espurio, ria *adj.* ① (사람이) 사생의: hijo ~ 사생아. ② (서류가) 진짜가 아닌. ③ 잡종의: raza *~ria* 잡종.
espurrear *tr.* =**espurriar.**
espurriar (12) *tr.* [+con] (…을) …에 토해 내다.
esputar *intr.* 담[가래]을 뱉다.
esputo *m.* 담(痰), 가래(침).
esquejar *tr.* 꺾꽂이하다.
esqueje *m.* (꺾꽂이용) 꺾꽂이순.
esquela *f.* ① 사망 통지. ② (간단한) 편지. ③ 초대장, 통지서.
esquelético, ca *adj.* ① 매우 여윈, 빼빼 마른. ② [해부] 골격의.
esqueleto *m.* ① [해부] 해골, 골격. ② 뼈만 앙상한 사람. ③ (건물 등의) 골조. ④ (소설·연설 등의) 개요. ⑤ (가운데가 칸막이 된) 맥주 상자. ⑥ [식물] 책갈피에 넣어 눌려진 식물[잎]. ⑦ *Chile.* (문학 작품의) 초고. ⑧ *Col., Guat., Méj., Nic.* (빈 칸에 적어 넣는) 서식, 용지. ⑨ *Nic.* 인체. ¶*mover el* ~ (일반적으로 현대적 리듬을) 춤추다(bailar).
esquema *m.* ① (개략적인) 도표, 도식. ② (계획 등의) 개요, 아우트라인. ③ 초고(草稿). ④ [철학] 선험적 도식.
esquemático, ca *adj.* 도해된, 도식적인: corte ~ 단면도.
esquematismo *m.* ① [철학] 도식론(圖式論). ② 도식적인 것.
esquematización *f.* 도표화(圖表化); 단순화, 도식화(圖式化).
esquematizar (9) *tr.* 도해하다; 도식화하다; 간략화하다, 단순화하다.
esquí *m.* [*pl.* ~(*e*)s] 스키.
esquiador, ra *m.f.* 스키 선수; 스키 타는 사람, 스키어.
esquiar (12) *intr.* 스키를 타다.
esquiciar (12) *intr.* [드뭄] 스케치하기 시작하다.
esquicio *m.* 스케치(apunte de dibujo).
esquife *m.* ① [선박] (큰 배에 딸린) 소형 보트. ② [건축] 통 모양의 둥근 천정.
esquila[1] *f.* ① (가축의 목에 다는 작은) 방울. ② (수도원의 소집용) 작은 종.
esquila[2] *f.* (짐승의) 털[양털] 깎기.
esquila[3] *f.* ① [동물] 새우. ② =**girino.** ¶ ~ *de agua* 새우.
esquilador, ra 양털 깎는. —*m.f.* 양털 깎는 사람. —*f.* 양털 깎는 가위[기계].
esquileo *m.* ① 양털을 깎음. ② 양털을 깎는 계절[장소].
esquilar *tr.* ① (동물의) 털을 깎다; 양털을 깎다. ② (머리카락을 짧게) 깎다.
esquilmar *tr.* ① (식물이 땅 속의 수분을) 대량으로 흡수하다. ② (자원 등을) 고갈시키다. ③ (돈을) 착취하다, 어거지로 빼앗다. ④ (과실·야채 등을) 수확하다.
esquilón *m.* 큰 방울(esquila grande).
esquimal *adj., m.f.* 에스키모(의). —*m.* 에스키모 말.
esquimotaje *m.* [카누] 에스키모 롤.
esquina *f.* ① 모난 귀퉁이, 모서리, 길모퉁이 ((참고: esquina는 바깥쪽에서 보는「모퉁이·구석」; rincón은 안쪽에서 보는「구석」)): casa de la ~ 모퉁이의 집. doblar la ~ 모퉁이를 돌다. ② [축구·권투] 코너.
esquinado, da *adj.* 다루기 어려운.
esquinadura *f.* 다루기 어려운 일.
esquinar *tr.* ① 모퉁이에 있다, 모퉁이를 만들다. ② (…을) 모퉁이에 놓다. ③ (나무를) 직각으로 자르다. ④ 부아를 돋우다. —*intr.* ① [+con] (…의) 모퉁이에 있다. ② (도로가) 교차하다. **~se** 사이가 나빠지다, 서로 으르렁거리다; …에 노하다.
esquinazo *m.* ① 건물의 모퉁이. ② *Chile.* 공공 장소에서 음악과 민속 춤으로 경의를 표하는 행사. ¶*dar* ~ a alguien (모퉁이를 돌거나 가던 방향을 바꾸면서) 거리에서 (누구를) 만나는 것을 피하다.
esquinero, ra *adj.* (물건이) 모퉁이에 놓은 것을 찾은. —*m.* ① *Arg., Hond., Méj., Ur.* (어떤 건축물 등에서) 모퉁이에 있는 기둥. ② *Ur.* 모퉁이에 놓여진 물건. —*f.* ① 창녀. ② 구석에 놓는 책장[옷장]. ③ *Arg.* 모퉁이에 놓여진 물건. ④ *Méj.* =**esquinero, poste.**
esquisto *m.* [광물] 편암(片巖).
esquistoso, sa *adj.* 편암(질 모양)의.
esquistosomiasis *f.sing.pl.* [의학] 주혈흡충증(住血吸蟲症).
esquitar *tr.* 빚을 탕감하다(remitir).
esquite *m. Méj.* 팝콘, 튀긴 옥수수.
esquivar *tr.* 피하다, (옆으로) 비키다. **~se** =retraerse, retirarse.

esquivez *f.* 무뚝뚝함, 부끄러워함.
esquivo, va *adj.* ① (반대 등을) 피하는. ② 부끄러워하는, 수치스러워하는.
esquizofrenia *f.* [의학] (정신) 분열증.
esquizofrénico, ca *adj.* (정신) 분열병의. —*m.f.* (정신) 분열병 환자.
esquizoide *adj.* 분열병질의. —*m.f.* 분열병질 환자.
esquizogénesis *f.sing.pl.* [생물] 분열생식(分裂生殖).
esrilanqués, sa *adj.* 스리랑카(Sri Lanka)의. —*m.f.* 스리랑카 사람.
esta *adj.* [지시 형용사 여성 단수] 이. ☞ **este.**
ésta *pron.* [지시 대명사 여성 단수] 이것. ☞ **éste.**
estabilidad *f.* ① 안정성: ~ política 정치적 안정. ② 평정.
estabilización *f.* 안정화(安定化).
estabilizador, ra *adj.* 안정시키는. —*m.* ① (자동차 등의) 안정 장치. ② [항공] 안정판. ③ [화학] 안정제.
estabilizante *m.* [화학] 안정제.
estabilizar (9) *tr.* 안정시키다: ~ la economía 경제를 안정시키다. ~**se** 안정되다.
establecedor, ra *adj.* 설립(設立)[건립]의. —*m.f.* 설립자.
establecer (31) *tr.* ① (시설 · 기관 등을) 설립하다, 창설하다, 창립하다, 개설하다. ② (제도 등을) 확립하다, 제정하다. ③ (계획 · 서류 등을) 작성하다, 준비하다. ④ 확증하다; 분명하게[뚜렷하게] 하다. ⑤ (신기록 등을) 수립하다, 세우다. ~**se** ① [+en] (…에) 정착하다, 정주하다. ② 자립하다, 독립하다. ③ [+de] (…을) 개업하다.
establecido, da *adj.* 확립된.
establecimiento *m.* ① 설립. ② (계획 등의) 작성. ③ (신기록의) 수립. ④ 시설, 기관. ⑤ 정착지, 정주지. ⑥ 개척지, 식민지. ⑦ 점포.
establo *m.* ① 마구간. ② 목사(牧舍), 가축 우리. ③ 더러운 장소, 난잡한 곳.
estabulación *f.* 목사에서 사육.
estabular *tr.* 목사에서 사육하다, 목사에 넣다.
estaca *f.* ① 말뚝. ② 곤봉, 몽둥이. ③ 꺾꽂이. ④ 쇠못. ⑤ (만 한 살 때 까마귀에게서 나오는) 뿔. ⑥ *Chile, Bol.* 광산 소유권. ⑦ *Chile.* 며느리발톱.
estacada *f.* ① (나란히 말뚝을 박은) 나무 울타리. ② 나란히 박은 말뚝. ③ 결투장. ④ *Ven.* 말뚝으로 생긴 상처.
estacado *m.* =**palenque.**
estacar (7) *tr.* ① (동물을) 말뚝에 매다. ② 말뚝으로 땅을 표시하다. ③ *Amér.* (말리기 위해 땅에 펼칠 때) 가죽을 말뚝으로 박다. ④ *Col.* (고문을 위해) 말뚝에 단단히 매다. ~**se** ① 움직이지 않다. ② *Col., CRica, Hond.* (가시 · 유리 파편 등에) 찔리다.
estacazo *m.* ① 몽둥이 찜질. ② 강타. ③ 심한 충돌. ④ =**daño, quebranto.**
estacha *f.* ① (고래잡이용) 작살에 묶여진 줄. ② (배를 붙잡아 매는 데 사용하는) 큰 줄.
estación *f.* ① 계절. ② 역(驛). ③ (통신 · 관측 · 연구 등의) 시설: ~ de radar 레이더 기지. ~ emisora 방송국. ④ 관광지, 휴양지: ~ termal 온천장. ~ veraniega 피서지. ⑤ [생물] 분포 지역, 서식지. ⑥ [천문] 변향위(變向位). ⑦ [통신] 라디오 방송국. ¶ ~ *de Policía Cuba.* 경찰서(comisaría de Policía). ~ *de servicio* (자동차의) 서비스 센터, 주유소.
estacional *adj.* ① 계절의, 계절적인; 주기적인. ② [천문] =**estacionario.**
estacionalidad *f.* 계절적인 것.
estacionamiento *m.* ① 주차: luz de ~ 주차등. Prohibido el ~ 주차 금지. ② 주차 예약 장소. ③ 주차장. ④ [군사] 주둔지.
estacionar *tr.* ① 장소에 두다, 배치하다. ② 주차시키다. ~**se** ① 배치되다. ② 주차하다. ③ 정체되다.
estacionario, ria *adj.* ① 정체한, 움직이지 않은, 부동의. ② [천문] (어떤 시간 동안) 궤도에 멈춰 있는 것처럼 있는: órbita ~*ria* 정지 궤도(靜止軌道).
estada *f.* 체재 (기간).
estadía *f* ① 체재. ② (화가나 조각가 앞에서) 모델이 포즈를 취하는 시간. ③ [상업] 초과 정박. ④ [상업] 초과 정박료, 체선료.
estadígrafo *m.f.* =**estadístico.**
estadio *m.* ① 경기장, 스타디움: ~ de fútbol 축구장. ~ olímpico 올림픽 경기장. ② (발전 등의) 단계, 국면.
estadista *m.f.* ① (국정을 움직이는) 정치가, 국가 지도자. ② 통계학자.
estadística[1] *f.* ① 통계. ② 통계표. ③ 통계학.
estadístico, ca[2] *adj.* 통계(학)의. —*m.f.* 통계학자.
estadizo, za *adj.* ① 오래 움직이지 않고 있는. ② (식품이) 오래된, 상하기 시작한.
estado *m.* ① 상태: ~ de salud 건강 상태. ~ mental 정신 상태. ② 신분, 지위: ~ civil 호적. ③ (상황을 기록한) 보고서, 리스트: ~ de personal 종업원 명부. ④ [상업] 계산서, 재무표. ⑤ 국가; 정부: ~ de derecho 법치 국가. asunto de ~ 국사(國事); 중요 문제. hombre de ~ (수상 · 국무 총리급의) 정치가. ⑥ 호적(~ civil). ⑦ 정체(政體). ⑧ (멕시코 · 미국의) 주(州): *Estados* Unidos Mexicanos 멕시코 합중국, 멕시코. ⑨ (귀족 등이 지배하는) 영지. ¶ ~ *de excepción* 비상 사태, 계엄 상태. *Estado Mayor* [군사] 참모 본부. *Estado Mayor Central* 통합 참모 본부. *jefe de Estado Mayor* 참모 총장. *estar en* ~ 임신 중이다. *tomar* ~ ㉮ 결혼하다. ㉯ 성직(聖職)에 오르다.
estadounidense *adj.* 아메리카 합중국(Estados Unidos de América)의, 미국

의. —*mf.* 미국 사람.
estadunidense *adj., mf.* =estadounidense.
estafa *f.* 사기, 사취(詐取).
estafador, ra *mf.* 사기꾼.
estafar *tr.* 속여서 빼앗다, 속이다.
estafeta *f.* ① 우체국. ② 우편 취급소. ③ 외교용 특별 우편.
estafetero, ra *mf.* 우편 취급소 직원.
estafetil *adj.* estafeta의.
estafilococia *f.* [의학] 포도상 구균종.
estafilococo *m.* [의학] 포도상 구균.
estagflación *f.* [경제] 경제 침체하의 인플레이션.
estalactita *f.* [지질] 종유석(鐘乳石).
estalagmita *f.* [지질] 석순(石筍).
estalagnato *m.* [지질] 석주(石柱).
estalinismo *m.* 스탈린(Stalin)주의.
estalinista *adj.* 스탈린주의의. —*mf.* 스탈린주의자.
estallar *intr.* ① 폭발하다, 파열하다. ② (유리 등이) 깨지다; (옷 등이) 찢어지다. ③ (갑자기) 울리다, 울려 퍼지다. ④ (전쟁·태풍·위기 등이) 갑자기 일어나다. ⑤ (감정이) 폭발하다.
estallido *m.* 파열(음); 발발. ¶*dar un* ~ 폭발하다, 터지다.
estambrar *tr.* (소모사를) 실로 꼬다.
estambre *m.* ① [섬유] 소모(梳毛), 소모사(梳毛絲). ② [식물] 수술. ¶ ~ ***de la vida*** ㉮ 생명줄. ㉯ (나서 죽을 때까지의) 생명. ㉰ 인간의 생명의 본질.
estamental *adj.* 신분(身分)의, 신분 차별적인.
estamento *m.* ① 신분, 계층. ② [역사] 아라곤 의회의 네 신분: 성직자, 귀족, 기사(騎士), 대학인.
estampa *f.* ① (책의) 삽화, 일러스트; (주로 종교적인) 판화, 목판화. ② 자태, 모습. ③ 꼭 닮음, 빼쏜 듯이 닮음. ④ 전형(典型). ⑤ 인쇄. ⑥ 발자국, 발자취, 족적. ¶***ser la fiel*** [***la viva***] ~ ***de*** alguien (누구를) 빼쏘다, 꼭 닮다.
estampación *f.* 인쇄, 프린트, 날염(捺染), 날염 무늬.
estampado, da *adj.* 프린트 지(地)의, 날염 원단의, 인쇄된. —*m.* ① 인쇄, 프린트. ② 프린트 원단, 날염 원단, 프린트 지(tela ~*da*).
estampador, ra *adj., mf.* 인쇄하는 (사람), 날염하는 (사람).
estampar *tr.* ① …의 문자[모양]를 (목판·고무인 등으로) 박다[찍다], (…에) 인쇄하다, 프린트하다, 날염하다; (금속 등에) 문자 모양을 가하다. ② 쓰다; (특히) 서명하다. ③ (족적을) 남기다. ④ (마음에) 새겨 두다. ⑤ [+contra] (…에) 내동댕이치다, 내던지다. ⑥ (구타 등을) 하다. ~**se** [+contra] (…와) 심하게 충돌하다.
estampería *f.* ① 동판(láminas)을 찍는 사무실. ② 판화 가게.
estampero, ra *mf.* ① 판화 제작자. ② 판화 판매자.
estampía ***embestir de*** ~ 갑자기 덮치다. ***partir de*** ~ 느닷없이 떠나다. ***salir de*** ~ 예고없이 나가다.
estampida *f.* ① =**estampido.** ② =**resonancia.** ③ (가축 등이) 우르르 [앞을 다투어] 질주(하는 일). ¶***dar*** ~ 폭발하다, 터지다(dar un estallido).
estampido *m.* 폭발음; 총성, 포성. ¶***dar un*** ~ 폭발하다, 터지다.
estampilla *f.* ① 스탬프, 검인; 인감. ② *Amér.* 우표; 수입 인지(sello fiscal).
estampillado *m.* 검인을 찍음, 날인.
estampilladora *f.* 서류에 날인하는 기계: máquina ~ 우표 자동 판매기.
estampillar *tr.* …에 검인을 찍다.
estancación *f.* ① (물 등의) 흐름을 막음, 억제. ② 정체(停滯), 막힘.
estancamiento *m.* =**estancación.**
estancar (7) *tr.* ① …의 흐름을 막다. ② 억제하다. ③ (나라 등이 …의 매매를) 독점하다, 전매로 하다: géneros *estancados* 전매품. ~**se** ① (물이) 괴다, 흐르지 않다. ② [+en] (…이) 정체되다, 막히다.
estancia *f.* ① 맨션. ② (큰) 방, 거실. ③ 체재[체류] (기간). ④ (르네상스기 노래의) 연(連), 절(節). ⑤ *AmérM., Hond.* 큰 농원, 농장, 목장. ⑥ *RDom.* (시골에 있는) 별장.
estanciero, ra *mf.* ① 농장주, 목장주. ② 농장[목장·별장] 관리인.
estanco, ca *adj.* ① 격리된, 막힌, 밀폐된. ② [선박] 누수가 안 된, 방수 장치가 된. —*m.* ① 전매(제): mercancías en ~ 전매품. ② 에스땅꼬 ((전매품 가게, 특히 우표·담배·성냥을 판매함)). ③ =**depósito, archivo.** ④ *Hond., Nic., Salv.* 소주 판매점.
estándar *adj. ing.* ① (상품이) 표준의, 표준 규격의, 공인된. ② 보통의, 무난한. —*m.* =**tipo, modelo, patrón, nivel:** ~ de vida 생활 수준[기준].
estandardización *f.* =**estandarización.**
estandardizar (9) *tr.* =**estandarizar.**
estandarización *f.* 표준화, 규격화, 획일화(劃一化).
estandarizado, da *adj.* 표준화된, 규격화된, 획일화된.
estandarizar (9) *tr.* 표준화하다, 규격을 통일하다, 획일화하다(tipificar).
estandarte *m.* 기(旗), 군기, 단기. ¶***alzar*** [***levantar***] ~(***s***) 기를 올리다.
estanflación *f.* [경제] 경기 침체하의 인플레이션.
estannífero, ra *adj.* [광물·금속] 주석이 함유된(que contiene estaño).
estanque *m.* ① (인공의) 연못, 저수지. ② *pl.* [은어] 말안장(silla del caballo).
estanquero[1] *m.* estanque 관리인.
estanquero[2]**, ra** *mf.* estanco의 주인.
estanquillero, ra *mf.* 전매품 판매자.
estanquillo *m.* ① 전매품 판매소. ② *Cuba.* 신문 판매대. ③ *Ecuad.* 주점, 술집. ④ *Méj.* 구멍가게, 작은 가게.
estantal *m.* [건축] 벽의 버팀대.

estantalar *tr.* 벽에 estantal을 받치다.
estante *m.* ① (문이 없는) 책장, 시렁. ② 선반. ③ 기계의 발. ④ *Amér.* (열대 지방에서 고가식 집의) 지주.
estantería *f.* ① 선반류. ② 책장.
estantigua *f.* ① 유령, 도깨비. ② 키가 껑충하고 해진 옷을 입은 사람.
estantío, a *adj.* ① 움직이지 않는, 흐름이 멎은. ② 정신 나간, 쓸개 빠진.
estanza *f.* =estancia, estrofa.
estañado *m.* =estañadura.
estañador *m.* 주석 세공인[땜장이].
estañadura *f.* 주석 도금, 주석 땜질.
estañar *tr.* 주석 도금[땜질]하다.
estañero *m.* ① 주석 세공사. ② 주석 세공품 판매자.
estaño *m.* [광물] 주석(朱錫).
estaqueadero *m. Arg., Ur.* 가죽[피혁] 건조장.
estaqueador *m. Arg., Par.* 가죽 건조 담당 인부.
estaquear *tr.* ① *Arg.* 가죽을 말뚝에 매어 잡아늘이다[말리다]. ② *Arg., Ur.* [드뭄] 가죽끈으로 손발을 네 개의 말뚝에 묶고 고문하다.
estaqueo *m. Arg.* 가죽을 말뚝에 매어 말리기.
estaquero *m.* ① 말뚝 박아 넣는 구멍. ② 1년생 사슴.
estaquilla *f.* ① (구두 굽에 박는) 나무못. ② 대가리 없는 작은 쇠못. ③ (대들보용) 긴 못.
estaquillador *m.* ① 송곳. ② [투우] matador의 muleta를 묶는 막대기.
estanquillar *tr.* ① (구두 굽을 만들기 위해) 나무못을 박다. ② 식물을 꺾꽂이하다.
estar (41-1) *intr.* ① [상태] …이다, (되어) 있다: *Estamos* contentos 우리들은 만족한다. Ellos *están* vivos 그들은 살아 있다. ② [소재] 있다: Un amigo mío *está* a la puerta 나의 한 친구가 문 있는 곳에 있다. ¿Dónde *estamos*? 여기가 어딥니까? ③ [+과거 분사] …해 있다: Ella *está* sentada a mi lado 그녀는 내 옆에 앉아 있다. ④ [+현재 분사] …하고 있(는 중이)다: Yo *estoy tomando* la cena en casa 나는 집에서 저녁밥을 먹고 있다. ¶ ~ *con* alguien …의 말에 동의하다. ~ *para+inf*. (바야흐로) …하려 하고 있는 중이다. ~ *por+inf*. ㉮ 아직 …하지 않고 있다. ㉯ …하고 있는 중이다.
estarcido *m.* [인쇄] 스텐실, 인쇄해 박아 넣는 틀.
estarcir (2) *tr.* (도안을) 형지(型紙)에 베끼다[전사(轉寫)하다].
estarna *f.* [조류] 자고새의 일종.
estárter *m.* [자동차] 초크.
estasis *f.sing.pl.* [의학] 혈행 정지, 울혈(鬱血).
estatal *adj.* 국가의, 국영(國營)의, 국유의: empresa ~ 국영 기업.
estatalismo *m.* 국가 통제 주의.
estatalización *f.* 국유화, 국영화.
estatalizar (9) *tr.* 국유화[국영화]하다.
estática *f.* 정력학(靜力學).
estático, ca *adj.* ① 정적(靜的)인, 정태(靜態)의. ② 정지(靜止)한. ③ (공포·감정 등으로) 몸을 움직일 수 없는. ④ 정력학의.
estatificación *f.* =estatalización.
estatificar (7) *tr.* =estatalizar.
estatismo[1] *m.* 정지 (상태).
estatismo[2] *m.* ① 국가 (관리) 주의. ② *Arg., Chile.* =estatalismo.
estatista *m.f. Arg., Chile.* 국가 관리주의자.
estatizar (9) *tr. Arg., Chile., Cuba., Hond.* =estatalizar.
estátor *m.* [전기] 고정자, 스타터.
estatua *f.* ① 상(像), 조상(彫像), 조각상, 입상: ~ de bronce 동상. ② 무표정한 사람.
estatuario, ria *adj.* 조각상의, 조각상 같은. —*m.f.* 조각상가. —*f.* 조각상술.
estatuar (15) *tr.* 상(像)으로 장식하다.
estatuaria *f.* 조상술(彫像術).
estatuario[1]**, ria** *adj.* ① 조상술의. ② 조각상에 적합한. —*m.f.* 조각가.
estatuario[2]**, ria** *adj.* =estatutario.
estatuilla *f.* 작은 상.
estatuir (77) *tr.* ① (법률 등을) 제정하다; (법령으로) 규정하다. ② (이론 등을) 규정하다.
estatura *f.* ① 신장(身長), 키: por orden de ~ 키순으로. ② 도덕적[지적] 높이.
estatus *m.sing.pl. lat.* ① (사회적) 지위, 신분. ② 사정, 사태, 현상. ③ [컴퓨터] 상태 ((CPU나 입출력 정지 등 주변 장치의 동작 상태)).
estatutario, ra *adj.* 법규(法規)의; 정관에 의한.
estatuto *m.* ① 법규, 성문법; [주로 *pl.*] (단체·회사 등의) 정관, 규약. ② (각 자치주의 헌법에 상당하는) 지방 자치 기본법. ¶ ~ ***personal*** 대인법. ~ ***real*** 대물법.
estay *m.* [선박] 강삭으로 된 버팀줄.
este[1] *m.* ① 동(東), 동쪽. ② 동부 (지방). ③ 동쪽에 위치한 곳. ④ 동풍.
este[2]**, ta** *adj.* [지시 형용사; *pl.* estos, estas] ① 이: *este* sombrero 이 모자. *esta* muñeca 이 인형. ② ㉮ [현재] 지금의: *esta* mañana 오늘 오전. *este* año 금년. ㉯ [가까운 과거·미래] *Este* sábado fui al terruño 나는 지난 토요일에 고향에 갔다. *Este* sábado iré al cine 이번 토요일에 나는 영화 구경 가려 한다.
éste, ta *pron.* [지시 대명사; *pl.* éstos, éstas] ① 이것: Mi libro es *éste* 내 책은 이것이다. ② (전자 aquél에 대해) 후자. ③ [사람을 소개할 때] 이 분, 이 사람.
esteárico, ca adj. [화학] 스테아린의.
estearina *f.* [화학] 스테아린.
esteatita *f.* [광물] 동석(凍石).
estela[1] *f.* ① 항적. ② 비행기운, 비행기

구름. ③ 흔적. ④ [항공] 프로펠러 후류(後流). ⑤ [자동차] 슬립스트림.
estela² *f.* [식물] 물갬나무(pie de león).
estela³ *f.* 기념 돌기둥; 석비; 묘석.
estelar ① 별의, 천체의. ② 중요한; 우수한.
estelaria *f.* [식물] 물갬나무.
estelífero, ra *adj.* [시어] ① 별이 나온. ② 별로 가득찬(lleno de estrellas).
esteliforme *adj.* 별 모양의.
estelo *m.* =**columna, poste.**
estema *m.* (문장의) 구조 계도(系圖).
estenocardia *f.* [의학] 협심증.
estenografía *f.* =**taquigrafía.**
estenografiar (12) *tr.* 속기하다.
estenográficamente *adv.* 속기로.
estenográfico, ca *adj.* 속기의[에 관한]: copia ~*ca* 속기에 의한 복사.
estenógrafo, fa *m.f.* 속기자.
estenordeste *m.* ① 동북동(東北東). ② 동북동풍.
estenoreste *m.* =**estenordeste.**
estenosis *f.sing.pl.* [의학] 협착(증).
estenotipia *f.* 속기 타자(술).
estenotipista *m.f.* 속기 타자수.
estentóreo, a *adj.* (목소리나 억양이) 매우 강한.
estepa *f.* 광활한 황무지.
estepario, ria *adj.* estpa의.
ester *m.* [화학] =**éster.**
éster *m.* [화학] 에스테르.
estera *f.* 멍석, 자리, 거적, (테두리를 댄) 돗자리.
esteral *m.* *NE Arg., Ur.* 습지(濕地).
esterar *tr.* (땅에) 돗자리를 깔다. ~**se** 겨울도 되기 전에 겨울 옷을 입다.
estercoladura *f.* 시비(施肥).
estercolamiento *m.* =**estercoladura.**
estercolar¹ *tr.* (토지에) 퇴비를 주다, 시비하다. —*intr.* (동물이) 똥을 누다.
estercolar² *m.* [드묾] 퇴비장.
estercolero *m.* ① 똥을 수거하는 사람. ② 퇴비장. ③ 아주 더러운 곳.
estéreo *m.* 스테레오 ((estereofonía의 생략어)).
estereo- *pref.* 「입체(立體)의」의 뜻: *estereo*grafía 입체 화법.
estereofonía *f.* 입체 음향(술).
esterofónico, ca *adj.* 스테레오의.
estereografía *f.* 입체 화법.
estereográfico, ca *adj.* 입체 화법의.
estererógrafo, fa *m.f.* 입체 화법 화가.
estereometría *f.* 체적 측정, 구적법.
estereométrico, ca *adj.* 체적 측정의.
estereomicroscopio *m.* 입체 현미경.
estereoscópico, ca *adj.* 입체경의.
estereoscopio *m.* 입체경, 실체경(實體鏡), 쌍안 사진경, 스테레오스코프.
estereotipado, da *adj.* 틀에 박힌, 상투적인, 진부한.
estereotipador, ra *m.f.* 연판공.
estereotipar *tr.* ① 연판으로 하다. ② 연판으로 인쇄하다. ③ 형식화하다, 틀에 끼우다.
estereotipia *f.* ① 연판 인쇄(술). ② 연판 인쇄소. ③ 연판 인쇄기. ④ (몸짓・행동・말투가) 판에 박은 듯함.
estereotípico, ca *adj.* estereotipia 의.
estereotipo *m.* ① 상투적인 어투, 판에 박은 듯한 문두; 진부한 것. ② [인쇄] 연판(鉛版).
estereotomía *f.* [건축] 절석술(切石術).
estéril *adj.* ① 불모의. ② 소득이 없는, 수익이 없는. ③ 불임의, 아이를 배지 못하는. ④ 단종(斷種)된. ⑤ 과작(寡作)의. ⑥ 흉작의. ⑦ [식물] 열매가 열리지 않는. ⑧ 살균한, 소독한.
esterilidad *f.* ① 불모(성). ② 불임(성). ③ 과작. ④ 흉작. ⑤ 살균 (상태).
esterilización *f.* ① 불임 수술, 단종 수술. ② 살균, 소독.
esterilizador, ra *adj.* ① 불임으로 만든. ② 살균하는, 소독하는. —*m.* 살균기, 소독기.
esterilizar (9) *tr.* ① 불모지로 만들다. ② …에게 불임 수술을 하다, 단종 수술을 하다. ③ 살균하다, 소독하다.
esterilla *f.* ① (X자꼴의 십자뜨기용) 자수포(刺繡布). ② (현관・욕실용) 작은 깔개, 매트. ③ 짚으로 꼰 끈. ④ 짚으로 짠 것. ⑤ *Sal.* 새끼틀. ⑥ *Chile, CRica., Ecuad.* 발이 툭툭한 삼베. ⑦ *CRica.* (말을 탈 때) 땀 닦는 멍석 조각. ⑧ *Ecuad., Ven.* (의자용) 짚 그물, 식물 섬유 그물. ⑨ *Ur.* (야외용) 가벼운 골풀 그물.
esternón *m.* [해부] 흉골(胸骨).
estero¹ *m.* ① 멍석[돗자리] 깔기. ② 월동 준비 철.
estero² *m.* ① =**estuario.** ② 습지, 소택지, 늪과 못이 많은 땅. ③ *Chile.* =**arroyo, riachuelo.** ④ *Col., Ven.* =**charca.**
esteroide *m.* [생화학] 스테로이드.
esteroideo, a *adj.* =**esteroídico.**
esteroídico, ca *adj.* 스테로이드성의.
esterol *m.* [생화학] 스테린, 스테롤.
estertor *m.* (특히 임종 때의) 목에서 가르랑거림.
estesudeste *m.* ① 동남동(東南東). ② 동남동풍.
estesureste *m.* =**estesudeste.**
esteta *m.f.* 탐미주의자; 미학자(美學者).
estéticamente *adv.* 심미적으로.
esteticismo *m.* [미술・문학] 탐미주의, 유미주의(唯美主義), 예술 지상주의.
esteticista *adj.* 탐미주의의, 유미주의의. —*m.f.* 전신(全身) 미용사.
estético, ca *adj.* ① 미학(美學)의. ② 미에 관한; 탐미적인, 심미적인. ③ 아름다운. ④ 미용의. —*m.f.* ① 미학자. ② 심미가, 유미주의자. —*f.* ① 미학. ② 미적 가치관, 미의식. ③ (외견상의) 미, 아름다움.
estetoscopia *f.* [의학] 청진, 청진법.
estetoscopio *m.* [의학] 청진기.
esteva *f.* (쟁기의) 자루.
estevado, da *adj.* 다리가 안쪽으로 휜. —*m.f.* 안짱다리.
estiaje *m.* (호수의) 최저 수위; 갈수기.

estiba *f.* 적재(積載), 짐싣기.
estibación *f.* =estiba.
estibador, ra *m.f.* 항만 노동자.
estibar *tr.* ① (배에 중량이 적당하도록) 짐을 싣다. ② (뱃짐을) 하역하다.
estiércol *m.* ① 똥, 인분. ② 퇴비.
estigma *m.* ① [주로 *pl.*] 몸에 남아 있는 흔적[자국·낙인]. ② 상흔, 상처 자국. ③ [천주교] 성흔. ④ (노예·죄인에게 찍는) 소인. ⑤ 낙인, 오명. ⑥ [의학] (병 특유의) 심한 증상; 출혈반, 홍반. ⑦ [식물] 암술머리. ⑧ [동물] 기문(氣門), 기공(氣孔).
estigmatizador, ra *adj., m.f.* ① 낙인을 찍는 (사람). ② 오명을 씌우는 (사람).
estigmatizar (9) *tr.* ① …에게 낙인을 찍다. ② 오명을 씌우다. ③ 반점[성흔]을 생기게 하다.
estilar *tr.* ① [법률] (정식으로 문서를) 작성하다. ② [+*inf.*] …하는 습관이다. ~**se** 일반적으로 …하는 습관이다, 보통이다; 유행이다.
estilete *m.* ① 폭이 좁은 단검. ② (estilo보다 짧은) 철필. ③ [의학] 소식자, 존데.
estilismo *m.* estilista의 직.
estilista *m.f.* ① 명문가(名文家), 문장가(文章家). ② 무대 미술가, 디자이너.
estilístico, ca *adj., m.* 문체론(의).
estilización *f.* ① 도안화. ② 양식화.
estilizar (9) *tr.* ① …의 특징을 눈에 띄게 하다, 양식화하다. ② (몸을) 여위게 하다. ~**se** ① 특징이 눈에 띄다, 양식화되다. ② 몸이 여위다.
estilo *m.* ① 양식, 방식, 스타일. ② 풍(風): cuadro (de) ~ (de) Picasso 피카소풍의 그림. ③ 타입, 모드; 습관. ④ (작가·화가 등을 특징짓는) 문체, 화풍. ⑤ 세련되고 운치와 매력이 있음, 스마트함. ⑥ [문법] 화법. ⑦ [수영] 영법: ~ libre 자유형. ⑧ (납판에 문자를 쓰는) 철필. ⑨ *Arg., Ur.* 에스띨로 ((민속 음악의 하나)). ⑩ *Ur.* 에스띨로 ((민속 춤의 하나)).
estilóbato *m.* [건축] 기단(基壇).
estilográfica *f.* 만년필(pluma ~).
estilográfico *m.* 샤프펜슬(lápiz ~).
estiloso, sa *adj.* 말쑥한, 단정한.
estima *f.* ① 평가. ② [선박] 배의 위치 추정[추산].
estimable *adj.* ① (사람·행동이) 존중[존경]할 만한, 경의를 표할 만한. ② 평가[어림]할 수 있는.
estimación *f.* 평가, 견적; 평가액.
estimado, da *adj.* ① 평판이 좋은, 호평 받는. ② [편지] 존경하는, 고마운: *Estimado* señor: / *Estimada* señora: / *Estimados* señores: 근계(謹啓). Mi *estimado* amigo Kim: 친애하는 친구 김에게.
estimar *tr.* ① 평가하다. ② 사랑하다, 귀여워하다. ③ …라고 생각하다. ④ [+en] (…으로) 평가[견적]하다. ~**se** ① 서로 존경하다. ② 자신을 높게 평가하다, 자부심[자존심]을 가지다. ③ …라 평가되다, 생각되다.
estimativo, va *adj.* ① (계산·숫자가) 개산(概算)의, 대강의, 대략의. ② 평가에 도움이 되는. —*f.* ① 판단력. ② 동물적 본능.
estimulación *f.* 자극.
estimulador, ra *adj.* =estimulante.
estimulante *adj.* 흥분시키는, 자극하는. —*m.* 자극제, 흥분제.
estimular *tr.* 분발하게 하다, 자극하다; (기능을) 증진시키다. ~**se** 흥분제[마약]를 섭취하다.
estímulo *m.* 자극; 자극 효과.
estío *m.* 여름(verano).
estipendiario, ria *adj., m.f.* 보수를 받는 (사람).
estipendio *m.* ① 보수, 급여. ② [천주교] 제식(祭式) 사례금.
estípula *f.* [식물] 턱잎.
estipulación *f.* ① 약관(約款), 계약 조항. ② 계약.
estipular *tr.* ① (규약 가운데) 정하다, 규정하다. ② (구두로) 계약하다.
estirado, da *adj.* ① 거만한, 건방진, 우쭐대는. ② 인색한. —*m.* 미용 정형. —*f.* [축구] 몸을 최대로 늘려 잡다.
estirajar *tr.* =estirar.
estirajón *m.* =estirón.
estiramiento *m.* ① [체조] 스트레치 체조 ((힘줄·근육·관절을 뻗치는 체조)). ② 미용 정형. ③ 거만, 건방짐, 우쭐거림(orgullo).
estirar *tr.* ① 늘이다, 펴다; 잡아 당기다, 팽팽히 당기다. ② (질질) 끌다. ③ (주름을 펴기 위해) 다리미질하다. ④ (돈을) 절약해서[아껴] 쓰다, 찔끔찔끔 쓰다. —*intr.* ① 끌어당기다, 잡아당기다. ② (짧은 시간에) 키가 많이 자라다[성장하다]. ~**se** ① 늘어지다, 펴지다. ② 기지개를 켜다, 수족을 펴다. ③ 스트레칭을 하다. ④ (짧은 시간에) 키가 많이 자라다.
estirazar (9) *tr.* =estirar.
estireno *m.* [화학] 스티렌, 스티롤.
estirón *m.* ① 갑자기 잡아당김. ② (특히 사춘기에) 키가 빨리 큼. ¶*dar* alguien *un* ~ 단시간에 많이 자라다.
estirpe *f.* ① 혈통, 가문, 가계: noble ~ 귀족 혈통. ② [생물] =**cepa.**
estival *adj.* 여름의: solsticio ~ 동지.
estivo, va *adj.* =**estival.**
esto *pron.* [지시 대명사 중성형] ① 이것: ¿Qué es ~? 이것은 무엇이냐? ② 이 곳: ¿Qué es ~? 이 곳은 어디냐?
estocada *f.* ① 칼(estoque)로 찌르기. ② 자상(刺傷), 찔려서 생긴 상처. ③ [투우] 결정적인 일격.
estocafís *m.* =pejepalo.
estocástico, ca *adj.* ① 우연의. ② 추계학의, 통계학의: variable ~*ca* 확률. —*f.* 추계학, 통계학.
Estocolmo *f.* [지명] 스톡홀름 ((스웨덴의 수도)). ¶*síndrome de* ~ [정신의학] 스톡홀름 증후군.
estofa *f.* ① 수놓은 천. ② (사람의) 기

질(calidad), 종류(clase).
estofado[1] *m.* [요리] 에스또파도 ((기름, 포도주나 식초, 마늘, 양파 및 여러 가지 향료로 양념하여 만든 요리; 김이나 향이 나가지 않도록 약한 불로 끓이기 위해 잘 덮인 그릇에 모두 날것으로 준비함)).
estofado[2], **da** *adj.* ① 약한 불로 찐. ② 장식한, 꾸민. —*m.* ① 속을 넣어 누비기. ② 황금색으로 누비는 장식.
estofador, ra *m.f.* (금박) 세공사, 자수를 놓는 사람.
estofar[1] *tr.* ① …에 수를 놓다. ② (금박 위에 입힌 재료를) 깎아내고 그림을 그리다. ③ (금박을 입히기 전에) 목각에 흰색을 칠하다. ④ (금박을 입힌 천·종이 위에) 템페라 화구로 그리다.
estofar[2] *tr.* 에스또파도를 만들다.
estofisiología *f.* 감각 생리학.
estofo *m.* (나무·금속·화폭에) 그리기, 새기기.
estofón, na *adj. PRico.* =**empollón.**
estoicamente *adv.* 태연하게, 냉정하게.
estoicidad *f.* 극기심.
estoicismo *m.* ① 스토아 철학. ② 스토아 학파. ③ 금욕주의, 극기심.
estoico, ca *adj.* ① 스토아 철학[학파]의. ② 금욕적인. ③ 태연한, 동요되지 않은, 냉정한. —*m.f.* ① 스토아 철학자. ② 금욕주의자.
estol *m.* [드묾] =**acompañamiento.**
estola *f.* ① [천주교] 영대(靈帶). ② (여자용) 목에 두르는 긴 띠. ③ (고대 로마인과 그리스인들이 입은) 길고 헐거운 겉옷.
estolidez *f.* 우둔함.
estólido, da *adj., m.f.* 우둔한 (사람).
estolón[1] *m.* [천주교] (미사 때 두르는) 큰 영대(estola grande).
estolón[2] *m.* [식물] (딸기 등의) 가지눈.
estoma *m.* [식물] 기공(氣孔).
estomacal *adj.* ① 위의: jugos *~es* 위액(胃液). ② 위에 좋은, 식욕을 증진시키는. —*m.* 건위제(健胃劑).
estomagar (8) *tr.* ① 소화 불량을 일으키다. ② 진저리나게 만들다, 신물나게 만들다, 화나게 하다.
estómago *m.* ① 위(胃): enfermedad del ~ 위병. tener el ~ delicado 위가 약하다. tener el ~ lleno 배가 부르다. tener el ~ pesado 위가 (체한 듯) 거북하다[트릿하다]. tener el ~ sano 위가 튼튼하다. tener el ~ vacío 공복이다. ② (불쾌감에 대한) 참음, 참고 견딤, 인내. ③ 도덕성 결여. ¶*boca del ~* 명치. ***de*** ~ 배짱이 두둑하고 지조가 굳은. *gritarle* ***el*** ~ a alguien = ladrarle el ~ a alguien. *ladrarle* ***el*** ~ a alguien 배가 고프다, 시장하다. *quedarle* a alguien *algo en el* ~ 알고 있는 것을 전부 말하지 않다, 맘 속의 것을 모두 털어놓지 않다. *tener* a alguien *sentado en el* ~ (누구에게) 반감을 품다, 참을 수가 없다, 분노를 누를 수가 없다. *tener* alguien *el ~ en los pies* 배가 고프다, 시장하다. *tener sentado en la boca del ~* = tener sentado en el ~.
estomaguero *m.* (아이를 싸거나 띠를 두를 때 아이의 배나 명치 위에 놓는) 천 조각(pedazo de bayeta).
estomático, ca *adj.* (사람의) 입의.
estomaticón *m.* 명치 위에 바르는 향고약.
estomatitis *f.sing.pl.* [의학] 구내염.
estomatología *f.* [의학] 구강 외과.
estomatológico, ca *adj.* 구강 외과의.
estomatólogo, ga *m.f.* 구강 외과 의사.
estoniano, na *adj., m.* =**estonio.**
estonio, nia *adj.* 에스토니아(Estonia)의. —*m.f.* 에스토니아 사람. —*m.* 에스토니아 말.
estopa *f.* ① 삼 부스러기. ② (삼 부스러기로 짠) 조포(粗布), 막베. ③ 뱃밥.
estoque *m.* ① 단도, 큰 칼. ② [투우] 소를 죽이는 칼. ③ [식물] 글라디올러스 ((붓꽃과의 다년생 식물)).
estoqueador *m.* 칼로 찌르는 투우사.
estoquear *tr.* 칼로 찌르다.
estor *m.* (수직으로 걷는) 한 폭 커튼.
estorbador, ra *adj.* ① 방해하는. ② 괴롭히는.
estorbar *tr.* ① 방해하다. ② 괴롭히다, 애먹이다.
estorbo *m.* 장애, 방해, 장애물, 거추장스러운 것.
estorboso, sa *adj.* 귀찮은, 거추장스러운, 방해하는.
estornino *m.* [새] 찌르레기.
estornudar *intr.* 재채기를 하다.
estornudo *m.* 재채기.
estornutatorio, ria *adj.* 재채기를 나게 하는. —*m.* 재채기를 나게 하는 것.
estos *adj.pl.* 이. ☞ **este**[2].
estovar *tr.* =**rehogar.**
estozar (9) *tr. Hues.* 목을 부러뜨리다.
estozolar *tr. Ar., Nav.* =**estozar.**
estrábico, ca *adj.* 사시의, 사팔뜨기의. —*m.f.* 사시안인(斜視眼人), 사팔뜨기.
estrabismo *m.* [의학] 사시(斜視).
estrado *m.* ① 단(壇), 연단(演壇), 교단. ② *pl.* 법정(法廷).
estrafalariamente *adv.* 단정치 못하게, 칠칠맞게.
estrafalario, ria *adj., m.f.* ① (복장·행동이) 단정치 못한, 칠칠맞은 (사람). ② (생각·행동이) 엉뚱한, 터무니없는 (사람).
estragadamente *adv.* 무질서하게, 난잡하게, 단정치 못하게.
estragador, ra *adj.* 무질서한, 난잡한.
estragal *m. Cantb.* (집의) 현관.
estragamiento *m.* 부패, 타락.
estragar (8) *tr.* ① =**viciar.** ② 해를 입히다. **~se** 해를 입다; 타락하다.
estrago *m.* ① 황폐. ② 해(daño). ¶*causar* [*hacer*] *~s* 해를 주다, 황폐시키다.
estral[1] *adj.* [동물] 발정기(estro)의.

estral[2] *m. Ar.* =destral.
estrambote *m.* [시법] 추가구(追加句).
estrambóticamente *adv.* 터무니없이, 엉뚱하게.
estrambótico, ca *adj.* 터무니없는, 엉뚱한(extravagante).
estrangulación *f.* ① 교살, 목 졸라 죽임. ② [유도·격투기] 조르기 (기술). ③ [의학] 협착.
estrangulador, ra *m.f.* 교살자. —*m.* (자동차의) 초크.
estrangulamiento *m.* ① 교살. ② (진행상의) 장애, 교통의 병목 현상.
estrangular *tr.* ① 교살하다, 목을 졸라 죽이다. ② (혈관 등을) 단단히 죄다[조르다]; 좁게 하다. ③ (계획의 실행 등을 강제로) 막다[방해하다]. ④ (자동차의) 통행을 방해하다[막다]. ~**se** ① 질식하다. ② 목 졸려 죽다. ③ [의학] 혈관이 조이다.
estraperlear *intr.* 암거래하다.
estraperlista *m.f.* 암거래상.
estraperlo *m.* ① 암거래. ② 암거래 물건. ③ =**chanchullo, intriga.** ¶*de* ~ ㉮ *adj.* 암거래의: precio *de* ~ 암거래 가격. ㉯ *adv.* 불법적으로, 비밀리에, 몰래: vender *de* ~ 암거래하다.
estrapontín *m.* (자동차의) 보조 의자.
estratagema *f.* ① 전략. ② 책략, 계략.
estratega *m.f.* 전략가(戰略家).
estrategia *f.* ① 전략. ② 작전, 임기 응변술: ~ de mercados 시장 전략.
estratégico, ca *adj.* 전략적인, 전략상의: materias ~*cas* 전략 물자.
estratificación *f.* [지질] 성층, 층리.
estratificar (7) *tr.* 층을 이루다, 층 모양으로 만들다.
estratigrafía *f.* [지질] 지층학, 층위학.
estrato *m.* ① [지질] 지층. ② [사회] 계층. ③ [생물] (식생 등의) 층. ④ (조직 등의) 엷은 층. ⑤ [기상] 층운.
estratocúmulo *m.* [기상] 층적운.
estratosfera *f.* [기상] 성층권.
estratósfera *f. Amér.* =**estratosfera.**
estratosférico, ca *adj.* 층적운의.
estrave *m.* [선박] 선수재(船首材).
estraza *f.* 천 조각, 누더기, 넝마.
estrechamente *adv.* ① (경제적으로) 알뜰하게, 검소하게. ② 친밀히, 긴밀히, 굳게. ③ 엄격히, 엄밀히.
estrechamiento *m.* ① 좁히기, 강화, 긴밀화. ② 긴축. ③ 잘록한 부분.
estrechar *tr.* ① 좁히다, 폭을 줄이다. ② 조이다, 꼭 움켜쥐다, 꽉 껴안다, 부둥켜 안다. ③ 긴밀히 하다. ④ 강요하다. ~**se** ① (길이) 좁다. ② 친해지다, 긴밀하게 되다. ③ 서로 껴안다, 악수하다. ④ (좌석의) 간격을 좁히다.
estrechez *f.* ① 좁음, 협소함. ② (시간이) 빠듯함. ③ 곤란, 궁지. ④ 곤궁, 가난. ⑤ 긴밀함, 친밀함, 친교. ⑥ (지적·도덕적) 폭이 좁음.
estrecho, cha *adj.* ① (폭이) 좁은, 협소한. ② 비좁아 답답한, 옹색한. ③ (옷 등이) 몸에 꼭 맞는, 꼭 낀. ④ 긴밀한, 친밀한, 친한. ⑤ 가까운. ⑥ 엄격한, 엄한. ⑦ 편협한, 협량의, 도량이 좁은. ⑧ 인색한. ⑨ 성적 충동을 억제하고 있는, 성도덕 면에서 보수적인. —*m.* ① =**estrechez, aprieto.** ② 해협: el ~ de Gibraltar 지브롤터 해협. el ~ de Magallanes 마젤란 해협.
estrechura *f.* =**estrechez.**
estregadura *f.* 문지르기.
estregamiento *m.* =**estregadura.**
estregar (8) (19) *tr.* 문지르다, 비비다.
estregón *m.* 강한 마찰(roce fuerte).
estrella *f.* ① 별; 항성. ② [점성술] 운세, 운명, 별. ③ 인기 배우, 스타. ④ 별 모양, 별 모양 도장: hotel de cinco estrellas 별 다섯 개의 호텔. ⑤ [인쇄] 별표. ⑥ [군사] 성장(星章). ⑦ 말 이마의 하얀 털 반점. ¶~ *de mar* [동물] 불가사리. *levantarse* alguien *con (las)* ~*s* (누가) 매우 일찍 일어나다, 새벽에 일어나다. *poner sobre* [*por*] *las* ~*s* alguien o algo (누구·무엇을) 극구 칭찬하다, 절찬하다, 비행기를 태우다. *querer* alguien *contar las* ~*s* 불가능한 것을 원하다.
estrellado, da *adj.* ① 별 모양의. ② 이마에 반점이 있는 (말). —*f.* [식물] 들국화(amelo).
estrellamar *f.* ① [동물] 불가사리(estrella de mar). ② [식물] 질경이.
estrellar[1] *tr.* ① [+contra·en] (…에) 내던지다, 냅다 던지다, 메어치다, 내동댕이치다. ② 때려부수다. ③ 달걀을 프라이하다, 달걀을 프라이팬에 깨어 넣다. ~**se** ① 내동댕이쳐지다. ② 부딪치다, 충돌하다. ③ 산산조각이 나다. ④ [+en] (비행기가 …에) 추락하다. ⑤ 실패하다, 좌절되다.
estrellar[2] *adj.* 별의, 별 모양의.
estrellato *m.* 스타의 조건[지위], 스타덤: ascender al ~ 스타덤에 오르다.
estrellón *m.* ① 큰 별 모양의 인공 불. ② (제단의 위에 놓기 위해 그린) 큰 별 모양의 장식. ③ *Amér.* 충돌, 충격.
estremecedor, ra *adj.* 떨게 하는, 동요시키는.
estremecer (31) *tr.* 떨게 하다, 울리게 하다, 흔들려 움직이게 하다. ~**se** ① 흔들리다. ② 벌벌 떨다, 갑자기 떨다: ~*se de* frío 추위로 떨다.
estremecimiento *m.* 전율; 동요.
estremezón *m.* ① *Bad.* 부들부들 떨기, 한속기, 오한. ② *Col., Ven.* 전율.
estrena *f.* =**estreno.**
estrenar *tr.* ① 처음으로 사용하다[입다]. ② 개봉하다; 초연하다, 데뷔하다. ~**se** (직업 등에) 첫발을 내디디다.
estrenista *adj., m.f.* 연극의 초연을 언제나 보는 (사람).
estreno *m.* ① 개시, 첫 사용, 처음 씀. ② 초연, 개봉. ③ 데뷔, 첫 등장. ¶*de* ~ (영화를) 개봉하는: cine *de* ~ 개봉 영화관, 개봉관.
estreñido, da *adj.* ① 변비에 걸린, 무지근한. ② =**miserable, avaro.**

estreñimiento *m.* [의학] 변비.
estreñir (49) *tr.* 변비에 걸리게 하다, 변비를 일으키다. ~**se** 변비에 걸리다, 변비가 되다.
estrépito *m.* ① 큰 소리, 격한 소음, 굉음. ② =ostentación.
estrepitosamente *adv.* 시끄럽게.
estrepitoso, sa *adj.* ① 굉음을 내는, 시끄러운. ② =aparatoso, desmedido, exagerado.
estreptococo *m.* [생물] 연쇄 구균.
estreptomicina *f.* 스트렙토마이신.
estrés *m.sing.pl.* (*ing.*) 스트레스, 긴장.
estresado, da *adj.* 스트레스를 받은.
estresante *adj.* 스트레스가 많은.
estresar *tr.* …에게 스트레스를 받게 하다, 괴롭게 하다, 신경질 나게 하다.
estría *f.* ① 가늘고 긴 움푹 패인 곳; (끌로 새긴) 세로 홈, 새긴 눈금. ② [의학] 임신선(姙娠線).
estriado, da *adj.* 눈금이 새겨진, 홈이 패인.
estriar (12) *tr.* (기둥에) 세로 홈을 파다, 눈금을 새기다. ~**se** 홈이 생기다,
estribación *f.* (산맥의) 지맥(支脈).
estribar *intr.* ① [+en] (…에) 기초[근거]를 두다, 의거하다. ② 받쳐져 있다, 실려 있다. ③ 얹혀져 있다.
estribillo *m.* (노래 가사의) 후렴, 반복.
estribo *m.* ① (마구의) 등자. ② (등산에서, 암벽을 오르는) 줄사다리. ③ (차·열차의) 발 디딤판. ④ [건축] 부벽(扶壁). ⑤ 교각대(橋脚臺). ⑥ (산의) 지맥. ⑦ [해부] (귀의) 등자뼈, 등골(鐙骨). ⑧ =**apoyo, fundamento.** ¶*andar* [*estar*] alguien *sobre los ~s* 신중히 행동하다. *perder* alguien *los ~s* ㉮ (말을 타고 갈 때 무의식적으로) 등자에서 발이 빠져 나오다. ㉯ 이성을 잃고 멋대로 굴다[말하다·행동하다]. ㉰ 무척 초조해 하다, 안달복달하다. *perder* alguien *los ~s de la paciencia* 무척 초조해 하다, 안달복달하다.
estribor *m.* [선박] 우현(右舷).
estricnina *f.* [화학] 스트리크닌.
estrictamente *adv.* 엄밀히.
estricto, ta *adj.* ① 엄밀한, 엄정한. ② [+con] (…에게) 엄한, 엄격한.
estridencia *f.* ① 귀를 찢는 듯한 소리. ② (표현·행동의) 격렬함, 과격함.
estridente *adj.* ① (소리가) 째지는, 새된, 귀에 거슬리는, 예리한: voz ~ 째지는 목소리. ② 과격한, 아주 심한.
estridor *m.* 째지는 소리.
estridular *intr.* 날카로운 소리를 내다.
estrige *m.* [새] =**lechuza.**
estripar *tr. Ven.* =**destripar.**
estro *m.* ① (시인 등의) 영감, 감흥. ② (동물의) 발정.
estróbilo *m.* [식물] 구과(毬果).
estrofa *f.* [시법] 연(連), 시절(詩節).
estrófico, ca *adj.* 시절(詩節)의.
estrógeno, na *adj.* 발정을 일으키는. —*m.* 발정 호르몬 물질.
estroma *m.* ① [의학] (기관의) 기질(基質). ② [의학] (종양의) 간질(間質).
estropajo *m.* ① [식물] 수세미외. ② (식기 씻는) 스펀지, 수세미. ③ 하찮은 사람, 무용지물.
estropajosamente *adv.* 말뜻을 알 수 없게, 말하기 거북해 하면서.
estropajoso, sa *adj.* ① 말뜻을 알 수 없는, 더듬거리는. ② 단정치 못한, 지저분한. ③ 씹기 어려운, 심줄투성이의.
estropear *tr.* ① 불구로 만들다, 상처를 입히다. ② 엉망으로 만들다. ③ 좌절시키다, 실패로 만들다. ④ 상하다, 삐다. ~**se** ① 다치다, 부상을 입다, 삐다. ② 부서지다, 파괴되다.
estropicio *m.* ① (그릇 등이 큰 소리를 내면서) 깨짐; 큰 소리, 소음. ② 파괴. ③ 난장판, 소동.
estructura *f.* 구조; 조직, 기구.
estructuración *f.* 구조화, 구성하는 일.
estructural *adj.* 구조적인, 구조상의.
estructuralismo *m.* 구조주의.
estructuralista *adj.* 구조주의의. —*mf.* 구조주의자.
estructurar *tr.* 구조화하다, 조직화하다. ~**se** 구성되다.
estruendo *m.* ① 큰 소리, 소음, 굉음. ② 혼란, 소란, 난장판. ③ =**aparato.**
estruendoso, sa *adj.* =**ruidoso.**
estrujador, ra *adj.* 짜는; 누르는; 꽉 껴안는. —*f.* 즙내는 기구.
estrujadura *f.* 짜기, 압착.
estrujar *tr.* ① (즙을 내기 위해) 짜다, 압착하다. ② 짓눌러 구기다. ③ 착취하다. ④ 꽉 껴안다, 부등켜안다.
estrujón *m.* ① 압착, 짜기. ② 서로 밂.
estrumpido *m. Sal.* =**estallido, estampido, ruido.**
estrumpir *intr. Sal.* 폭발하다; 터지다; 소란하다.
estuante *adj.* 너무 뜨거운.
estuario *m.* (큰) 하구(河口), 강어귀.
estucado *m.* 회반죽을 바름.
estucador, ra *mf.* 회반죽 바르는 사람.
estucar (7) *tr.* 회반죽을 바르다, 벽을 희게 칠하다.
estuchar *tr.* 종이 팩에 넣다.
estuche *m.* ① (보호용) 작은 상자, 곽, 케이스. ② [집합] 상자에 들어 있는 한 벌의 도구.
estuchería *f.* estuche 제조[장사].
estuchista *mf.* estuche 제조자[제작자].
estuco *m.* 회반죽.
estucurú *m.* [조류] *CRica.* (열대 지방의) 큰 부엉이, 수리부엉이.
estudiado, da *adj.* =**afectado.**
estudiador, ra *adj.* 공부를 많이 하는.
estudiantado *m.* [집합] (한 대학교·고등 학교의) 학생 전체; 학생 자치회.
estudiante *mf.* (주로 고등 학교·대학교의) 학생: ~ universitario 대학생. carné de ~ 학생증.
estudiantil *adj.* 학생의.
estudiantina *f.* 학생 데모, 학생들의 퍼레이드[가장 행렬].

estudiar *tr.* ① 공부하다. ② 연습하다, 익히다, 배우다. ③ 연구하다. ④ 검토하다, 조사하다, 토의하다. —*intr.* 공부하다; 교육을 받다, 배우다.
estudio *m.* ① 공부, 학습. ② 연습. ③ 연구. ④ 연구서, 논문. ⑤ *pl.* 학교 교육, 학업. ⑥ 연구실; 공부방; (화가 등의) 아트리에, 작업실. ⑦ [방송·영화] 스튜디오. ⑧ 원룸 맨션. ⑨ [음악] 연습곡. ⑩ [미술] 습작. ⑪ 검토, 토의, 심의. ⑫ 전심(專心). ⑬ 숙달(熟達). ¶ ~ *general* 교육 기관. *dar ~s* a alguien (누구의) 학비를 내 주다. *en ~* 검토[심의] 중인. *tener ~s* 교육을 받았다, 대학에서 과정을 밟고 있다.
estudioso, sa *adj.* 학구적인, 연구에 열심인, 공부를 좋아하는. —*m.f.* 전문가, 학자: La gloria del ~ es estudiar 학자의 낙(樂)은 연구하는 것이다.
estufa *f.* ① 난로, 스토브. ② 사우나 목욕탕, 발한실. ③ 온실. ④ 보온기. ⑤ 건조기. ¶*criar en ~* a alguien (누구를) 과보호로 키우다.
estufador *m.* 고기 덥히는 냄비.
estufar *tr.* 따뜻하게 하다, 덥히다.
estufero, ra *m.f.* =**estufista.**
estufido *m.* ① 성난 표현. ② *Alb., Mur.* =**bufido.**
estufilla *f.* ① (겨울용) 팔 토시. ② =**rejuela.** ③ 손 화로.
estufista *m.f.* 난로 제조자[장수].
estultamente *adv.* 어리석게, 우둔하게, 멍청하게.
estulticia *f.* =**necedad, tontería.**
estulto, ta *adj.* =**necio, tonto.**
estupefacción *f.* 망연자실, 경악.
estupefaciente *adj.* 망연자실하는, 경악하는. —*m.* 마취제; 마취.
estupefacto, ta *adj.* =**atónito.**
estupendamente *adv.* 놀랍게도, 아주 멋지게, 훌륭하게, 근사하게.
estupendo, da *adj.* 훌륭한, 멋진, 근사한, 굉장한.
estúpidamente *adv.* 우둔하게, 어리석게, 바보처럼.
estupidez *f.* ① 우둔함, 어리석음, 바보짓. ② 어리석은 말[행동].
estúpido, da *adj.* ① 어리석은, 우둔한, 멍청한. ② =**estupefacto.** —*m.f.* 바보, 멍청이, 얼간이, 어리석은 사람.
estupor *m.* ① 몹시 놀람, 기겁을 함, 망연자실. ② [의학] 마비; 혼미.
estuprador *m.* 능욕자(凌辱者), 강제 추행자, 부녀 강간자.
estuprar *tr.* 능욕(凌辱)하다.
estupro *m.* 능욕(凌辱).
esturión *m.* [어류] 철갑 상어.
esvástica *f.* 갈고리 십자.
eta *f.* 에타 ((Η, η; 그리스어 자모의 일곱 번째 문자))
ETA *f.* *Euzkadi ta Azkatasma* [바스크의 혁명적 민족 조직] 바스크 조국과 자유.
etano *m.* [화학] 에탄.
etanol *m.* [화학] 에탄올.
etapa *f.* ① 단계; 기간, 시기. ② (1일·1회의) 여정, 행정(行程); (자동차 등의) 1주행 기간.
etarra *adj., m.f.* ETA의 (구성원).
etc. etcétera 등등(等等).
etcétera *f.* 등등, 기타, … 따위.
éter *m.* ① [화학·물리] 에테르. ② [시어] 하늘, 천공(天空).
etéreo, a *adj.* ① 에테르의. ② [시어] 하늘의, 천공의. ③ [시어] =**vago, sutil, vaporoso.**
eterismo *m.* 에테르 중독.
eterizable *adj.* 에테르화할 수 있는.
eterización *f.* [의학] 에테르 마취(법).
eterizar (9) *tr.* 에테르로 마취시키다.
eternal *adj.* 끝없는, 영원한, 영구한.
eternamente *adv.* 영원히, 영구히.
eternidad *f.* ① 영원, 영구, 불후, 불멸성. ② [종교] 내세(來世). ③ 아주 긴 시간.
eternizable *adj.* 오래 걸릴 만한, 영원히 계속할 수 있는.
eternizar (9) *tr.* ① 예상보다 오래 끌다. ② 영원한 것이 되게 하다, 영원 불멸의 것으로 만들다. **~se** ① [+en] (…이) 오래 걸리다. ② 영원 불멸하게 되다.
eterno, na *adj.* ① 영원한, 영구의. ② 오래 걸리는. ③ 너무 잦은, 지나치게 자주 반복되는.
eteromanía *f.* 에테르 중독.
ética[1] *f.* ☞**ético**[1].
ético[1]**, ca** *adj.* 윤리학의; 윤리의, 도덕에 관한. —*f.* ① 윤리학. ② 윤리.
ético[2]**, ca** *adj.* =**hético.**
etileno *m.* [화학] 에틸렌.
etílico, ca *adj.* 에틸의.
etilismo *m.* 알코올 중독(alcoholismo).
etilo *m.* [화학] 에틸.
étimo *m.* [언어] 어원(語源).
etimología *f.* ① 어원학. ② 어원.
etimológico, ca *adj.* 어원의; 어원학의.
etiología *f.* ① 원인론. ② [의학] 병인학(病因學).
etiológico, ca *adj.* etiología의.
etiope *adj., m.f.* =**etíope.**
etíope *adj.* 에티오피아의. —*m.f.* 에티오피아 사람.
Etiopía *f.* [국명] 에티오피아.
etiópico, ca *adj.* 에티오피아의(etíope).
etiopio, pia *adj.* [드묾] =**etíope.**
etiqueta *f.* ① 라벨, 명찰; 가격표; 꼬리표. ② 의례(儀禮), 예의 범절, 에티켓. ③ [컴퓨터] 플래그, 표시 문자.
etiquetado *m.* 라벨 첨부.
etiquetar *tr.* ① …에 라벨[꼬리표]을 붙이다. ② [+de] (사람을 …으로) 분류하다.
etmoides *m.sing.pl.* [해부] 사골(篩骨).
etnia *f.* (언어·문화 등에서 보는) 민족.
étnico, ca *adj.* 민족의.
etnocéntrico, ca *adj.* 자민족(自民族) 중심주의의.
etnocentrismo *m.* 자민족 중심주의.
etnografía *f.* 민족지학(民族誌學).
etnolingüística *f.* 민족 언어학.

etnología *f.* 민족학.
etnológico, ca *adj.* 민족학의.
etnólogo, ga *mf.* 민족 학자.
etología *f.* 동물 행동학, 행동 생물학.
etopeya *f.* [수사] 인물 묘사.
E.U.A. *E*stados *U*nidos de *A*mérica 아메리카 합중국, 미국.
eucaliptal *m.* 유칼리나무 숲[군락지].
eucalipto *m.* ① [식물] 유칼리나무. ② 유칼리나무의 목재. ③ 유칼리나무 잎의 엑스(extracto).
eucaliptus *m.* =eucalipto.
eucaristía *f.* ① [천주교] 성체(聖體); 성체 배령; 미사. ② [개신교] 성찬; 성찬식.
eucarístico, ca *adj.* 성체의, 성찬의.
euclidiano, na *adj.* 유클리드(Euclides)의: geometría ~*na* 유클리드 기하학.
eufemismo *m.* 완곡 어법, 우회적 표현.
eufemístico, ca *adj.* 완곡 어법의, 우회적 표현의.
eufonía *f.* 듣기 좋은 음조.
eufónico, ca *adj.* 음조가 좋은.
euforbio *m.* [식물] 등대풀속(屬).
euforia *f.* ① 행복감, 도취. ② [의학] 다행증. ③ 호경기(auge).
eugenesia *f.* 우생학(優生學).
eugenésico, ca *adj.* 우생학의.
eupepsia *f.* [의학] 정상 소화.
eupéptico, ca *adj.* [약학] 소화를 돕는. —*m.* 소화 촉진제.
Eurasia *f.* [지명] 유라시아.
eurasiático, ca *adj.* 유라시아 (대륙)의, 유럽인과 아시아인의 혼혈의.
euritmia *f.* 율동적 운동.
eurítmico, ca *adj.* euritmia의.
euro[1] *m.* 동풍(東風).
euro[2] *m.* 유로(화).
euro- *pref.* 「유럽의(europeo)」의 뜻: *Euro*diputado 유럽 의회 의원.
euroasiático, ca *adj.* 유럽과 아시아의.
eurociudadano, na *mf.* 유럽 연합의 각국 국민.
eurocomunismo *m.* 서구형 공산주의, 유럽 공산주의.
eurocomunista *adj.* 서구형[유럽] 공산주의의. —*mf.* 유럽 공산주의자.
eurócrata *mf.* 유럽 연합의 관료.
eurodiputado, da *mf.* 유럽 의회 의원.
eurodólar *m.* [주로 *pl.*] 유러달러.
euromoneda *f.* 유러머니, 유럽 통화.
Europa *f.* [지명] 유럽, 구라파.
europeidad *f.* ① 유럽인 기질[조건]. ② 유럽 통합.
europeísmo *m.* 유럽 (통합)주의.
europeísta *adj.* 유럽 (통합)주의의, 유럽 패권의. —*mf.* 유럽 (통합)주의자.
europeización *f.* 유럽화.
europeizar (9) *tr.* 유럽화하다.
europeo, a *adj.* 유럽(Europa) (사람)의. —*mf.* 유럽 사람.
europio *m.* [화학] 유로퓸.
eurotúnel *m.* 유러터널.
Eurovisión *m.* 유러비전.
euscaro, ra *adj., m.* =euskera.
Euskadi [지명] *vasco.* 바스크.
euskaldún, na *adj.* 바스크 말을 말하는; 바스크 사람의. —*mf.* 바스크 말 사용자.
euskera *adj., m.* 바스크 말(의).
eutanasia *f.* ① 안락사. ② [의학] 안락사술(術).
eutrofia *f.* [생태학] 좋은[정상적인] 영양 상태, 영양 정상.
eutrófico, ca *adj.* [생태학] eutrofia의.
Euzkadi [지명] vasco. 바스크.
Eva *f.* [인명] [성경] 에바, 이브.
evacuación *f.* ① 소개(疏開), 피난. ② 철퇴. ③ 배변(排便), 배설, 배출.
evacuado, da *adj.* 퇴거된. —*mf.* 퇴거민, 피난민.
evacuar (15) *tr.* ① 퇴거시키다, 피난시키다. ② 구출[구조]하다. ③ (장소에서) 철수하다, 퇴각하다, 퇴거하다, 물러나다, 떠나다. ④ (몸에서) 나오게 하다, (대소변을) 배설하다. ⑤ (서류 등을) 써서 보내다[올리다]. ⑥ (용건 등을) 수행하다; 정리[정돈]하다. —*intr.* 배변하다, 대변을 보다.
evacuatorio, ria *adj.* 배변 촉진의. —*m.* ① 배변 촉진제. ② 공중 변소.
evadir *tr.* ① (위험 등에서) 피하다, 모면하다, 비키다, 기피하다. ② (불법으로 세금을) 면하다, 탈세하다. ③ (돈을) 국외로 반출하다. ~**se** [+de] (…에서) 도주하다, 피하다.
evaluación *f.* 견적, 평가.
evaluar (15) *tr.* ① 감정하다, 견적하다. ② 평가하다. ③ (시험에서) 채점하다.
evanescencia *f.* 소실(消失), 덧없음.
evanescente *adj.* 점점 사라져 가는, 순간의, 덧없는.
evangeliario *m.* (미사용) 복음서 초록집(福音書抄錄集).
evangélico, ca *adj.* ① 복음(서)의, 복음 전도의. ② 복음주의의. ③ 프로테스탄트의. —*mf.* ① 복음주의자. ② 신교파, 프로테스탄트.
evangelio *m.* ① 복음; (미사에서 낭독하는) 복음문; *pl.* (신약 성서의) 복음서: predicar el ~ 복음을 설교하다. ② (주의·사상의) 교의; 절대적 진리.
evangelista *mf.* 복음 사가(福音史家).
evangelización *f.* 복음 전도.
evangelizar (9) *tr.* …에게 복음을 전하다, 기독교로 개종시키다.
evaporación *f.* 증발, 증산(蒸散).
evaporador *m.* 증발 장치.
evaporar *tr.* 증발시키다. ~**se** ① 증발하다. ② 없어지다, 사라지다, 소멸하다. ③ (사람이) 돌연 자취를 감추다, 도망하다.
evaporizar (9) *tr.* =vaporizar.
evasión *f.* ① 도주, 도피. ② 기분 전환: película de ~ 오락 영화.
evasivo, va *adj.* 피하는, 회피하는, 발뺌하는; 핑계 대는, 꽁무니를 빼는. —*f.* 핑계, 발뺌하는 말, 구실.
evasor, ra *adj.* 도망[도피]하는. —*mf.* 도망자.

evento *m.* ① 사건, (우연히) 일어난 일. ② 이벤트, 주최, 개최.
eventual *adj.* ① 우연한, 돌발적인, 우발적인. ② (일 등이) 임시의.
eventualidad *f.* ① 불확정성. ② (일어날 수 있는) 가능성, 예측되는 사태.
eventualmente *adv.* 시나브로, 어쩌다가, 우연히.
evicción *f.* 축출, 쫓아냄; 되찾음.
evidencia *f.* ① 명백함, 명백한 일[사실]. ② 증거(證據)(prueba).
evidenciar (11) *tr.* 명백하게 하다, 증명하다, 입증(立證)하다.
evidente *adj.* 분명한, 뚜렷한, 명백한.
evidentemente *adv.* 분명히, 명백히, 당연히, 물론.
evitable *adj.* 피할[회피할] 수 있는.
evitación *f.* 회피.
evitar *tr.* ① 피하다, 회피하다. ② 막다: ~ el accidente 사고를 막다.
evocación *f.* 상기(想起), 환기(喚起).
evocador, ra *adj.* 상기시키는, 환기하는: imagen ~*ra* 상기시키는 이미지.
evocar (7) *tr.* 생각해 내다, 회상하다. ~**se** 상기하다, 생각해 내다.
evolución *f.* ① 진전, 발달, 발전; 변천; 동향. ② [생물] 진화. ③ [군사] 기동, 이동. ④ *pl.* 선회 운동, 전개 동작.
evolucionar *tr.* ① 진화하다, 진보하다. ② [군사] 이동하다.
evolucionismo *m.* 진화론.
evolucionista *m.f.* 진화론자.
evolutivo, va *adj.* 진화의, 변화하는, 진행하는; 선회 운동의.
ex *adj.* 전(前), 구(舊), 전직(前職): ~ presidente 전 대통령, 전 사장.
ex- *pref.*「외, 제거」의 뜻: *ex*portar 수출하다.
exabrupto *m.* 격노(激怒).
exacción *f.* (세금·공공 요금 등의) 징수(徵收), 부당한 징수, 강제 징수: ~ de tributos 징세(徵稅).
exacerbación *f.* 악화; 격화.
exacerbar *tr.* ① (병상을) 악화시키다, 항진(亢進)시키다. ② (감정을) 격화시키다, 격노하게 하다. ~**se** 악화되다, 항진하다; 격노하다.
exactamente *adv.* ① 정확히; 엄밀히; 꼭, 딱. ② 정확히 말해서.
exactitud *f.* 정확함; 엄밀함.
exacto, ta *adj.* ① 정확한. ② 옳은, 바른. ③ 엄밀한, 정밀한.
exageración *f.* ① 과장, 과장된 표현. ② 과도, 도가 지나침, 터무니없음.
exagerado, da *adj.* ① 과장된, 허풍을 떠는. ② 과도한, 지나친, 도를 넘는. —*m.f.* 지나치게 생각하는 사람.
exagerar *tr.* ① 과장하다. ② …의 도를 넘다, 지나친 행위다. —*intr.* ① 허풍(을) 치다. ② [+con·en] (…의) 도를 넘다.
exaltación *f.* ① 고양(高揚). ② 흥분. ③ 찬미, 찬양, 칭찬. ④ 승직(昇職), 승직(陞職), 승임(陞任), 등위(登位), 등극.
exaltado, da *adj.* 흥분한, 열광적인. —*m.f.* ① 열광적인 사람. ② (1820년 이후의 스페인의 자유주의자 중의) 진보파.
exaltar *tr.* ① 고양시키다; 흥분시키다. ② 찬미하다, 칭찬하다. ③ 승진[등극]시키다. ~**se** 흥분하다, 열광하다.
examen *m.* ① 시험, 고사: ~ de ingreso 입학 시험. ~ final 기말[최종] 시험. ② 검사; 검진. ③ 검토, 조사. ④ [철학·종교] 검증; 구명. ⑤ [법률] 심문(尋問), 심리(審理).
examinador, ra *m.f.* (구두 시험 등의) 시험관; 심사관, 검사관.
examinando, da *m.f.* 수험자, 수험생.
examinar *tr.* ① [+de] (…에 대해) 시험을 보이다, 시문(試問)하다, 시험삼아 묻다. ② 검토하다, 조사하다; 검사하다, 점검하다; 검진[진찰]하다. ~**se** ① 시험을 치르다[보다]. ② 서로 점검하다, 자신을 점검하다, 반성하다.
exangüe *adj.* ① 기진 맥진한, ② 핏기가 없는. ③ 죽은.
exánime *adj.* 죽은, 살아날 기미가 없는, 의식을 잃은, 기절한; 쇠약해진.
exantema *m.* [의학] 발진(發疹).
exantemático, ca *adj.* [의학] 발진성(發疹性)의.
exasperación *f.* 격앙, 격분.
exasperar *tr.* 격분시키다, 화나게 하다. ~**se** 무척 노하다[화내다].
Exc. Excelencia 각하(閣下).
excarcelación *f.* 석방.
excarcelar *tr.* 석방하다.
ex cátedra *lat.* (교황의) 권위의 좌(座)로부터, 권위를 가지고.
ex cáthedra *lat.* =**ex cátedra.**
excavación *f.* ① 굴착, 발굴. ② 구멍, 동혈(洞穴), 넓고 깊은 굴의 구멍.
excavador, ra *adj.*, *m.f.* 굴착하는 (사람). —*f.* 굴착기(máquina ~*ra*).
excavar *tr.* ① 파다, 굴착하다, 구멍을 뚫다. ② (유적을) 발굴하다.
excedencia *f.* 휴직(休職).
excedente *adj.* ① 초과한, 과잉의. ② 휴직 중의. —*m.f.* 휴직 중인 사람. —*m.* ① 초과, 과잉. ② 흑자.
exceder *intr.* 상회하다; (권한·능력 등을) 넘다. —*tr.* (한도를) 넘다. ~**se** (한도·규정 등을) 넘다, 초과하다.
excelencia *f.* ① 탁월함, 우수함, 훌륭함. ② [주로 Su *Excelencia*, 장관, 대사, 주교 등의 경칭] 각하. ¶*por* ~ 뛰어나게, 두드러지게; 특별히, 유난히.
excelente *adj.* ① (매우) 탁월한, 우수한, 훌륭한, 멋진. ② 선량한.
excelsitud *f.* 걸출(함), 탁월(함).
excelso, sa *adj.* ① 걸출한, 탁월한. ② (나무 등이) 높은, 키가 큰.
excentricidad *f.* ① 기발함. ② [주로 *pl.*] 기행, 기벽. ③ [수학] 편심(율).
excéntrico, ca *adj.* ① 기발한. ② 괴짜의, 기벽의, 기행의, 엉뚱한, 별난, 이상야릇한. —*m.f.* 기인, 괴짜, 좀 색다른 사람. —*f.* [기계] 편심기, 편심륜.
excepción *f.* ① 예외, 제외. ② 드문

일, 이례적인 일. ③ [법률] 항변. ¶*a* [*con*] ~ *de* …을 제외하고, 예외로 하고: No conozco a nadie *a* ~ *de* un pianista 나는 한 피아니스트를 제외하고는 아무도 모른다. *de* ~ ㉮ 아주 좋은, 훌륭한, 근사한, 멋진. ㉯ 특별한.
excepcional *adj.* ① 예외적인, 이례적인. ② 유별난, 뛰어난, 보통 이상인.
excepcionalmente *adv.* 예외적으로, 이례적으로; 특별히.
exceptivo, va *adj.* 예외적인.
excepto *prep.* …을 제외하고.
exceptuar (15) *tr.* [+de] (…에서) 제외하다, 빼다.
excesivamente *adv.* 과도하게.
excesivo, va *adj.* 과도한, 과잉의.
exceso *m.* ① 과다, 과잉; 초과분. ② [+en] (…에의) 과도한 행위, 무절제; 폭력 행위, 잔학 행위.
excipiente *m.* [약학] 부형제(賦形劑).
excitabilidad *f.* ① 흥분(하기 쉬움). ② 자극.
excitable *adj.* 흥분하기[격하기] 쉬운.
excitación *f.* ① 흥분 (상태). ② 선동. ③ [물리] 여자(勵磁), 여진(勵振).
excitador *m.* [전기] 방전기(放電器).
excitante *adj.* 흥분시키는. —*m.* 흥분제(興奮劑), 자극물(刺戟物).
excitar *tr.* ① 흥분시키다, 자극하다; 욕정을 돋우다. ② 선동하다, 야기시키다. ~**se** ① 흥분하다. ② 성적으로 흥분하다.
exclamación *f.* ① 감탄; 절규, 외침. ② 느낌표, 감탄 부호(signos de ~).
exclamar *intr.*, *tr.* (감탄하여) 외치다, 소리지르다, 부르짖다.
exclamativo, va *adj.* 감탄의.
exclautración *f.* 환속(還俗).
exclaustrar *tr.* [종교] 환속(還俗)시키다. ~**se** 환속하다.
excluir (77) *tr.* ① 추방하다, 배척하다, 제명하다. ② (가능성 등을) 배제하다. ~**se** 서로 맞지 않다.
exclusión *f.* ① 추방; 제명, 제적. ② 제외, 배제: sin ~ 예외 없이.
exclusiva[1] *f.* 독점권, 전유권(專有權); 독점 기사.
exclusive *adv.* …을 포함하지 않고, …을 제외하고.
exclusividad *f.* ① 배타성, 편협성. ② 독점권, 전유권.
exclusivismo *m* 배타주의.
exclusivista *adj.* 배타주의의. —*m.f.* 배타주의자.
exclusivamente *adv.* 오로지, 한결같이, 일편단심으로, 일념으로.
exclusivo, va[2] *adj.* ① 배타적인, 배제하는. ② 독점적인. ③ 하나에 한정된. ④ 손님[회원]을 엄선하는, 상류 상대의, 고급의: restaurante ~ 고급 식당.
Ex(c)mo, ma Excelentísimo 각하.
excombatiente *m.f.* 퇴역 군인.
excomulgar (8) *tr.* ① [종교] 파문하다. ② 추방하다.
excomunión *f.* [종교] 파문; 파문장.
excoriación *f.* [의학] 찰과상, 표피 박리(表皮剝離)(~ dérmica).
excoriar (11) *tr.* 스쳐서 껍질을 벗기다, 찰과상을 입히다.
excrecencia *f.* (동식물의) 이상한 돌기물, 혹.
excreción *f.* 배설(排泄).
excremento *m.* [주로 *pl.*] 대변, 똥; 배설물, 분뇨(糞尿).
excretar *intr.*, *tr.* 배설하다, 분비하다.
excretor, ra *adj.* 배설의.
excretorio, ria *adj.* 배설 (기관)의.
exculpación *f.* 무실(無實)의 증명; 변명, 석명(釋明).
exculpar *tr.* …의 무실을 증명하다, …을 면하다.
excursión *f.* ① 소풍, 수학 여행, 원족; (조사·견학 등의) 여행, 투어. ② 어슬렁어슬렁 여기저기 돌아다님.
excursionismo *m.* 소풍[견학·조사·탐사] 여행: club de ~ 여행 클럽.
excursionista *m.f.* 하이커, 도보 여행자; 견학자, 구경꾼.
excusa *f.* ① 변명, 핑계; 구실. ② *pl.* 사과(의 말), 유감의 뜻.
excusable *adj.* ① 용서받을 만한, 용서해도 좋은, 변명이 되는. ② 피할 수 있는, 회피할 수 있는.
excusado, da *adj.* ① 쓸데없는, 소용없는, 무익한. ② (특권 등으로) 세금을 면제받은. —*m.* [고어] 변소(retrete).
excusador, ra *adj.* 변명하는; 용서하는. —*m.* ① 사면자. ② 대리자.
excusalí *m.* 작은 앞치마.
excusar *tr.* ① 변명하다, 구실을 대다, 핑계를 대다. ② 용서하다. ③ [+de] (…에서) 면제하다. ④ [+*inf.*] …할 필요가 없다. ~**se** ① 핑계대다, 변명하다. ② 용서받다, 면하다. ③ 회피하다.
excusión *f.* [법률] 압류.
excuso, sa *adj.* ① 변명하기. ② [드묾] =excusado.
execrable *adj.* 저주스러운, 가증스러운.
execración *f.* 증오, 혐오; 증오의 말.
execrar *tr.* 비난하다, 증오[혐오]하다.
exegesis *f.* =exégesis.
exégesis *f.sing.pl.* 주석, 해석; (특히) 성서 석의(釋義).
exegeta *m.f.* =exégeta.
exégeta *m.f.* ① 주석자. ② 성서 석의(exégesis) 학자.
exención *f.* 면제: certificado de ~ del servicio militar 병역 면제 증명서.
exento, ta *adj.* ① [+de] (…을) 면제받은. ② (위험·걱정 등이) 없는. ③ (장소·건물이) 비바람을 그대로 맞는.
exequátur *m.sing.pl.* (정부가 외국 영사 등에게 주는) 인가장; (외국 판결의) 국내 집행 승인; (교황 칙서 등에) 국가 인가.
exequias *f.pl.* 장의(葬儀), 장례, 장례식.
exequible *adj.* 달성[실현]할 수 있는.
exfoliación *f.* 박리, 박락, 박탈(剝脫).
exfoliador, ra *adj.*, *m.* *Amér.* 뒤로 넘기는 식의 (공책).

exfoliar (11) *tr.* 얇게 벗기다[떼어내다]. ~**se** 박리되다, 벗겨지다.
exhalación *f.* ① 발산; 호기(呼氣). ② 유성(流星).
exhalador, ra *adj.* 내뿜는, 발산하는.
exhalar *tr.* ① (향기·증기 등을) 발산하다, 내다. ② (불평 등을) 늘어놓다.
exhaustivamente *adv.* 남김없이, 망라해서.
exhaustivo, va *adj.* 남김없는, 망라한, 철저한: análisis ~ 철저한 분석.
exhausto, ta *adj.* 고갈된, 바닥이 난, 다한, 소모된; 쇠약해진.
exhibición *f.* ① 공개, 전시(물): ~ de trajes de baño 수영복 패션쇼. ② 과시. ③ [운동] 시범 경기, 비공식 시합.
exhibicionismo *m.* ① (개인 감정의) 노출 취미. ② [의학] (성기) 노출증.
exhibicionista *m.f.* 노출증 환자.
exhibir *tr.* ① 공개하다, 전시하다. ② 자랑해 보이다, 자랑하다, 과시하다. ~**se** ① 사람 앞에 나타나다. ② 자신의 몸을 보이다. ③남의 시선[눈]을 끌다, 눈에 띄다.
exhortación *f.* ① 격려. ② 장려, 권고. ③ 격려의 말; 짧은 설교.
exhortar *tr.* [+a+*inf.*·que+*subj.*] (…할 것을) 설득하여 권하다, 권고하다.
exhortativo, va *adj.* 격려(激勵)의; 권장의: discurso ~ 격려 연설.
exhumación *f.* 발굴(發掘).
exhumar *tr.* ① (사체를) 파내다. ② 생각해 내다, 머리에 떠올리다.
exigencia *f.* [주로 *pl.*] ① (강한) 요구; 욕구. ② 무리한 희망, 방자함, 버릇없음, 제멋대로 굶.
exigente *adj.*, *m.f.* 많은 것을 요구하는 (사람), 성미가 까다로운 (사람).
exigible *adj.* ① 요구[청구]할 수 있는. ② 지불 기한이 온.
exigir (4) *tr.* ① 요구하다. ② 필요로 하다. —*intr.* 엄하다.
exiguo, gua *adj.* 불충분한, 얼마 안 되는, 조금, 약간, 근소한.
exigüidad *f.* 근소함, 얼마 안 됨.
exilado, da *adj.* =**exiliado.**
exilar *tr.* =**exiliar.**
exiliado, da *adj.* 추방된; 정치 망명한. —*m.f.* 유형자(流刑者); 정치 망명자.
exiliar (13) *tr.* 국외 추방시키다, 유배보내다. ~**se** 망명하다.
exilio *m.* ① 국외 추방, 유형. ② 망명지; 유형지.
eximente *adj.* 형사 책임을 면한. —*f.* (형을 면제받을 수 있는) 정상(情狀).
eximio, mia *adj.* (주로 예술가에 대한) 걸출한, 이름난.
eximir *tr.* [+de] (책무 등을 …에서) 면제하다. ~**se** [+de] (…을) 면제받다, (…이) 면제되다.
existencia *f.* ① 존재. ② 실재(實在). ③ [철학] 실존. ④ 생애. ⑤ 생활. ⑥ *pl.* [상업] 재고품.
existencial *adj.* [철학] 실존(實存)의.
existendialismo *m.* 실존주의.
existencialista *adj.* 실존주의의. —*m.f.* 실존주의자.
existente *adj.* 실재(實在)의, 현존하는.
existir *intr.* ① 존재하다. ② 실재(實在)하다. ③ 살다, 생존하다.
exitazo *m.* ① 대성공. ② (노래·영화 등의) 대히트(함).
éxito *m.* ① 성공; 좋은 결과: mal ~ 실패. ② 히트 상품. ¶***de*** ~ 성공한, 성공의: obra *de* ~ 성공작. ***tener*** ~ 성공하다.
existosamente *adv.* 성공적으로.
exitoso, sa *adj.* 성공한.
ex libris *m.* 장서표, 장서인(藏書印).
exocrino, na *adj.* [생리] 외분비의.
exocéntrico, ca *adj.* [언어] 외심적(外心的)인.
éxodo *m.* 집단 탈출[이동], 이주.
Exodo *m.* [성경] 출애급기.
exoesqueleto *m.* [동물] 외골격.
exoftalmía *f.* [의학] 안구 돌출.
exogamia *f.* ① 족외혼(族外婚). ② [생물] 이계 교배(異系交配).
exógeno, na *adj.* 외인성의, 외생의.
exoneración *f.* ① (지위 등의) 박탈, 파면. ② (의무 등의) 면제.
exonerar *tr.* ① [+de] (지위 등을) …에서 박탈하다. ② (의무 등을) …에서 면제하다. ~**se** (의무 등이) 면제되다.
exorbitancia *f.* 터무니없음, 도가 지나침.
exorbitante *adj.* (요구·평가 등이) 터무니없는, 도가 지나친.
exorbitar *tr.* 과장하다(exagerar).
exorcismo *m.* 귀신 쫓아내기, 푸닥거리, 액막이.
exorcista *m.f.* 무당.
exorcizar (9) *tr.* (귀신을) 내쫓다, 귀신을 몰아내다, 액막이하다.
exordio *m.* ① 서문. ② (연설 등의) 서두, 서론.
exornar *tr.* 꾸미다, 장식하다(adornar).
exorreico, ca *adj.* [지리] 외양 유역의.
exorreísmo *m.* [지리] 외양 유역.
exosfera *f.* 외기권(外氣圈).
exosmosis *f.* =**exósmosis.**
exósmosis *f.sing.pl.* [물리·생리] 외방침투(外方浸透).
exosqueleto *m.* =**exoesqueleto.**
exotérico, ca *adj.* ① (이론 등이) 통속적인; 공개적인. ② [종교·철학] (문외한에게) 개방적인.
exotérmico, ca *adj.* [물리·화학] 발열성의.
exótica *f.* ☞**exótico.**
exoticidad *f.* =**exotismo.**
exótico, ca *adj.* ① (동식물 등이) 외국(산)의, 외래의. ② 이국 정서의, 이국적인, 이국풍의. ③ 드문, 색다른; 이상한. —*f. Méj.* 카바레의 무희.
exotiquez *f.* =**exotismo.**
exotismo *m.* 이국 정서, 이국 취미.
expandir *tr.* (뉴스·소문 등을) 넓히다, 펼치다, 퍼뜨리다. ~**se** (기체·액체·소문 등이) 퍼지다, 넓어지다.
expansibilidad *f.* [물리] 팽창성.

expansible *adj.* [물리] 팽창성이 있는.
expansión *f.* ① 확대; (사상 등의) 보급, 전파. ② (감정의) 발로, 토로. ③ 기분 전환. ④ [물리] 팽창.
expansionar *tr.* ＝**expandir, dilatar, ensanchar.** ~**se** ① [+con+사람] (…에게) 심정을 토로하다. ② 기분 전환을 하다, 즐기다. ③ (기체·액체가) 퍼지다, 팽창되다.
expansionismo *m.* (영토) 확장주의, 확장 정책; (통화 등의) 팽창 정책.
expansionista *adj.* 확장주의의. —*mf.* 확장주의자.
expansivo, va *adj.* ① [물리] 팽창성의. ② 개방적인.
expatriación *f.* ① 국외 추방, 국외 이주. ② 망명.
expatriado, da *adj.* 국외로 추방된, 망명의. —*mf.* 망명자.
expatriar (11)[(12)] *tr.* 국외로 추방하다. ~**se** ① 국외로 이주하다. ② 망명하다.
expectación *f.* 기대, 예상.
expectante *adj.* ① (마음을 졸이며) 이제나저제나 하고 애타게 기다리는: madre ~ 임신부, 해산달의 부인. ② 기대되는, (결과 등을) 관망하는.
expectativa *f.* 기대, 기대[희망]를 거는 일; *pl.* 가망(可望), 예상, 목표. ¶*a la ~* (아무 것도 결정된 것이 없이, 막연히) 기대해.
expectoración *f.* ① 침 뱉기. ② [의학] 객담(喀痰), 담 뱉기.
expectorante *adj.* 담을 나오게 하는. —*m.* 거담제.
expectorar *tr., intr.* (담·침을) 뱉다.
expedición *f.* ① 원정, 탐험; 원정대, 탐험대. ② 발송; [집합] 발송품. ③ 교부, 발행. ④ [드묾] ＝**facilidad.**
expedicionario, ria *adj.* 원정의, 탐험의. —*mf.* 원정 대원, 탐험 대원.
expedidor, ra *mf.* 발송인(發送人).
expedientar *tr.* 징계 처분으로 하다; 행정 심판을 행하다.
expediente *m.* ① 일건 서류, 관계 문서. ② [법률] 행정 심판. ③ 성적: ~ académico 학업 성적. ~ profesional 근무 성적. ④ 임시 방편, 궁여지책, 편법. ⑤ (싸움을 법률에 호소하지 않고) 당사자간에 해결하는 일. ⑥ (문제를 처리하는) 신속함. ⑦ 징계 처분.
expedir (42) *tr.* ① 보내다, 발송하다. ② (증명서 등을) 발급하다, 교부하다, 발행하다. ~**se** *Bol., Chile.* ＝**manejarse.**
expeditamente *adv.* 쉽게, 힘 들이지 않고, 어렵지 않게.
expeditar *tr. Cuba, Hond., Méj.* (사건 등을) 신속히 처리하다.
expeditivo, va *adj.* 빠른, 신속한, 빠르고 능률적인.
expedito, ta *adj.* ① 자유롭게 통행할 수 있는, 통행에 지장이 없는. ② 신속한, 기민한.
expeler *tr.* ＝**expulsar.**
expendedor, ra *adj.* 소비하는; 판매하는: máquina ~*ra* de tabaco 담배 자동 판매기. —*mf.* ① 소비자. ② (역 등에서) 물건을 팔러 다니는 사람. —*m.* 자동 판매기(~ automático).
expendeduría *f.* 담배나 전매품 소매점.
expender *tr.* ① 낭비하다, 소비하다. ② 소매하다. ③ (기차표·흥행표를) 취급하다: ~ billetes 표를 발매하다. ④ 주인의 부탁으로 남의 물건을 팔다.
expendición *f.* ① 소비. ② 소매.
expendio *m.* ① [드묾] ＝**gasto, dispendio, consumo.** ② *Arg., Cuba, Méj. Par., Perú, Ur., Ven.* [상업] 소매. ③ *Salv.* 국산 주류(酒類) 판매 허가점. ④ *Méj.* 작은 가게(estanquillo). ⑤ *Ur.* 식료품 소매 가게.
expensas *f.pl.* ① 비용, 경비. ② [법률] 소송 비용.
experiencia *f.* ① 경험, 체험. ② 실험, 시도(해 봄). ¶***tener ~ de + inf.*** · **명사** …의 경험이 있다.
experimentación *f.* ① [집합] 실험((개개의 실험은 prueba)). ② 실험법.
experimentado, da *adj.* 경험을 쌓은, 숙달된.
experimental *adj.* 실험에 기초를 둔, 실험적인.
experimentar *tr.* ① 실험하다, 시험해 보다. ② 체험하다, 몸소 경험하다; (감정·변화 등을) 느끼다. —*intr.* [+con] (…을) 실험하다, 시험해 보다.
experimento *m.* 실험; 시험, 시도(해 봄): ~ de química 화학 실험.
expertamente *adv.* 능숙히, 노련하게.
experto, ta *adj.* 능숙한, 노련한, 정통한, 숙련된. —*mf.* 전문가; 숙련자.
expiación *f.* 속죄, 보상.
expiar (12) *tr.* ① (죄를) 갚다, 보상하다, 속죄하다. ② (형을) 받다. ③ (더러워진 것을) 깨끗하게 하다, 부정한 것을 없애다. ④ (악행의) 보복을 받다.
expiativo, va *adj.* ＝**expiatorio.**
expiatorio, ria *adj.* 속죄의, 죄갚음의.
expiración *f.* 기한 마감, 기한 만료.
expirar *intr.* ① 숨을 거두다, 죽다. ② (기한이) 끝나다.
explanación *f.* ① 정지(整地), 땅 고르기. ② 설명.
explanada *f.* ① 평지. ② 공지(空地).
explanar *tr.* ① 반반하게 하다, 정지하다, 땅을 고르다. ② (쉽게) 설명하다.
explayar *tr.* 넓히다. ~**se** ① 펼쳐지다, 전개되다, 길어지다. ② 기분 전환을 하다. ③ [+con] (…에게) 마음을 열다, 심중을 털어놓고 이야기하다.
expletivo, va *adj.* 무의미한, 단순히 보충적인.
explicable *adj.* 설명할 수 있는.
explicación *f.* ① 설명, 해설. ② [주로 *pl.*] 석명, 변명, 핑계. ③ 강의, 수업.
explicaderas *f.pl.* (각양 각색의) 설명 방법.
explicador, ra *adj.* 설명하는. —*mf.* 설명자; 해설자.

explicar (7) *tr.* ① 설명하다. ② (의도 등을) 알리다. ③ 가르치다. ~**se** ① (자신의 생각 등을) 상대방에게 이해시키다. ② 이해하다, 납득하다. ③ 설명되다. ④ 지불하다.
explicativo, va *adj.* 설명하는, 설명적인: nota ~*va* 설명서, 주의서.
explícitamente *adv.* 분명히, 뚜렷하게, 명백하게.
explicitar *tr.* 명시하다, 분명히 하다.
explícito, ta *adj.* 명시된, 뚜렷한, 명백한, 분명한.
explicitud *f.* 뚜렷함, 명백함, 분명함.
explicotear *tr.* 대충 설명하다, 명확히 설명하다. ~**se** 노골적으로 표현하다.
exploración *f.* ① 탐험, 답사; (자원 등의) 탐사; (학문적인) 탐구. ② [의학] (정밀) 검사. ③ [광학] 주사(走査): línea de ~ 주사선. ④ [군사] 정찰.
explorador, ra *adj.* 탐험의, 답사의; 탐사의; 주사의; 정찰의: avión ~ 정찰기. —*mf.* ① 탐험가. ② 탐구자. ③ 보이스카웃. ④ 걸스카웃. ⑤ 정찰병. —*m.* ① [의학] 존데, 소식자(消息子). ② [광학] 주사판(走査板).
explorar *tr.* ① 탐험하다, 답사하다. ② (자원 등을) 조사하다, 탐사하다. ③ [의학] (정밀) 검사하다. ④ [광학] 주사하다. ⑤ [군사] 정찰하다.
exploratorio, ria *adj.* 탐색의, 탐지의.
explosión *f.* ① 폭발; 폭발음. ② 갑작스런 현상, 돌발; (감정의) 격발, 폭발. ③ [언어] (폐쇄음의) 파열.
explosionar *tr.* 폭발시키다. —*intr.* 폭발하다.
explosivo, va *adj.* ① 폭발(성)의. ② 폭발적인. ③ —*m.* 폭약, 폭발물. —*f.* ① [언어] 파열음. ② [언어] 음절핵의 모음 앞에 있는 자음 ((예 pata의 p)).
explotable *adj.* 개발할 수 있는.
explotación *f.* ① 개발, 개척. ② 채굴. ③ 영업, 경영. ④ 착취.
explotador, ra *adj.* ① 착취하는. ② 경영하는. —*mf.* ① 착취자. ② 경영자.
explotar *intr.* 폭발하다. —*tr.* ① 개척하다, 개발하다. ② 채굴하다. ③ 영업하다, 경영하다. ④ 착취하다. ⑤ 악용하다.
expoliación *f.* 약탈, 강탈.
expoliar (11) *tr.* 약탈하다, 강탈하다.
expolio *m.* 약탈, 강탈; 약탈품.
exponente *m.* ① (판단의) 근거. ② 조목별로 쓴 문서. ③ 대표하는 것. ④ [수학] 멱수, 지수.
exponer (61) *tr.* ① 전시하다, 진열하다. ② (햇볕 등에) 쬐다. ③ 위험에 내맡기다. ④ 개진하다, 표명하다. ⑤ [천주교] (신자가 성체를) 현시(顯示)하다. —*intr.* (예술가가) 출품하다. ~**se** ① (몸을 바람에) 맞히다, (몸을 햇볕 등에) 쬐다. ② [+a] (위험에) 드러내다.
exportable *adj.* 수출할 수 있는.
exportación *f.* ① 수출. ② *pl.* 수출품.
exportador, ra *adj.* 수출의: compañía ~*ra* 수출 회사.
exportar *tr.* 수출하다.
exposición *f.* ① 전람회, 전시회. ② 전시, 진열. ③ (햇볕 등에) 쬠, 맞힘. ④ [사진] 노출. ⑤ 위험에 몸을 내놓음. ⑥ 논술, 설명. ⑦ [연극·음악] 도입부, 제시부.
exposímetro *m.* [사진] 노출계.
expositivo, va *adj.* 설명적인.
expósito, ta *adj.* 버려진. —*mf.* 기아, 버린 아이(niño ~).
expositor, ra *mf.* ① (전시회 등의) 출품자. ② (성서·법률 등의) 설명자, 해설다. ③ 강연자, 강사. —*m.* (회전식의) 진열 선반.
exprés *adj.sing.pl.* ① 급행의: tren ~ 급행 열차. ② 빠른: por correo ~ 빠른 우편으로, 속달로. —*m.* ① 급행 열차. ② [표시] 속달 (우편). ③ 익스프레스 커피(café ~).
expresamente *adv.* ① 분명하게, 명백하게. ② 일부러, 고의로.
expresar *tr.* 표현하다, 나타내다. ~**se** ① 자신의 생각을 표현하다. ② 표현되다, 나타나다.
expresión *f.* ① 표현. ② 어구, 표현(하기). ③ 표정. ④ 안부 전하기. ⑤ [수학] 식(式): ~ algebraica 대수식.
expresionismo *m.* 표현주의(表現主義).
expresionista *adj.* 표현주의의. —*mf.* 표현주의 예술가.
expresividad *f.* 표현력[표정]이 풍부함.
expresivo, va *adj.* ① 표현력이 풍부한, 의미심장한, 표정이 풍부한. ② 애정 어린, 다정한. ③ 특징적인, 특유의. ④ 표현의.
expreso, sa *adj.* ① 뚜렷이 나타난[드러난]. ② 급행의; 속달의. ③ 익스프레스의 (커피): café ~ 익스프레스 커피. —*m.* ① 급행 열차. ② 속달 (우편). —*adv.* 일부러, 고의로.
exprimidera *f.* =exprimidor.
exprimidero *m.* =exprimidor.
exprimidor *m.* 즙 내는[짜는] 기계.
exprimir *tr.* ① (과실 등을) 짜다, 짜내다. ② (사람을) 착취하다. ③ 철저히 이용하다.
ex profeso *lat.* 고의로, 일부러.
expropiación *f.* ① 수용, 접수. ② [주로 *pl.*] 접수[수용]된 것, 징발물.
expropiar (11) *tr.* (토지 등을) 수용[접수]하다.
expuesto, ta *adj.* ① …에 쏘인, 맞힌. ② 위험한.
expugnable *adj.* (장소를) 탈취할 수 있는, 무력 점거할 수 있는.
expugnación *f.* 탈취, 무력 점거.
expugnar *tr.* (무력으로 장소를) 탈취하다: ~ una plaza 광장을 점거하다.
expulsar *tr.* ① 추방하다, 내쫓다. ② 배출하다. ③ [운동] 퇴장시키다.
expulsión *f.* ① 추방, 강제 퇴거. ② 배출. ③ [운동] 퇴장.
expulsor, ra *adj.* ① 추방하는. ② 배출된. —*m.* =eyector.
expurgación *f.* ① 정화(淨化). ② 검열 삭제, 금서 처분(禁書處分).

expurgador, ra *adj.* 정화하는, 세척하는. —*m.f.* 정화자, 세척자.
expurgar (8) *tr.* ① 정화하다, 깨끗이하다. ② 삭제하다; 금서로 규정하다.
expurgatorio, ria *adj.* 검열 삭제된. —*m.* =índice expurgatorio.
expurgo *m.* =expurgación.
exquisitez *f.* ① 우아(함), 세련. ② 맛이 좋음, 맛 좋은 음식.
exquisito, ta *adj.* ① (더할 나위 없이) 훌륭한. ② 맛 좋은, 더할 나위 없이 맛있는, 맛이 기가 막힌.
extasiarse *r.* 황홀해지다, 넋을 잃다.
éxtasis *m.sing.pl.* ① 황홀. ② [종교] 법열(法悅).
extático, ca *adj.* 황홀 상태의.
extemporaneidad *f.* 때[철]가 아님.
extemporáneo, a *adj.* ① 때[철]가 아닌, 때늦은. ② 부적절한.
extender (20) *tr.* ① 펴다, 늘이다, 넓히다, 확장하다. ② (서류 등을) 발행하다, 교부하다. ~**se** ① 펴지다, 퍼지다, 확장되다; 보급되다. ② [+a · hasta] (…에까지) 이르다, 미치다. ③ 길게 말하다. ④ 기다랗게 드러눕다.
extensible *adj.* 펼 수 있는, 늘일 수 있는; 신장성이 있는.
extensión *f.* ① 면적. ② 확대; (의미 등의) 확장. ③ [논리] 외연(外延). ④ (소설 등의) 길이. ⑤ 연장, 갱신: ~ de visado 비자의 연장. ⑥ [전화] 내선(内線), 구내 전화. ¶*por* ~ 광의(廣義)로는, 넓은 의미로는.
extensivo, va *adj.* ① 넓은, 광대한. ② 광범위한, 대규모의.
estenso, sa *adj.* 넓은, 광대한, 광범한. ¶por ~ 아주 상세히[자세히].
extensor, ra *adj.* 신장성이 있는. —*m.* [해부] 신근(伸筋)(músculo ~).
extenuación *f.* 기진맥진; 초췌함.
extenuar (15) *tr.* 몹시 피곤하게 하다, 기진맥진하게 하다. ~**se** 기진맥진하다; 초췌하다.
exterior *adj.* ① 외부의, 바깥쪽의. ② 외면적인. ③ 대외적인: política ~ 대외 정책. ④ (방 등이) 대로에 면한. —*m.* ① 외부, 옥외, 집 밖, 바깥쪽. ② 외관, 외견, 외모. ③ 외국. ④ *pl.* [영화] 야외 촬영(지), 로케이션.
exterioridad *f.* ① 외견, 외관. ② [철학] 외재성(外在性). ③ (감정의) 표출. ④ [주로 *pl.*] 허식(虛飾).
exteriorización *f.* ① 외면화. ② [철학] 외재화(外在化).
exteriorizar (9) *tr.* ① (감정 등을) 밖으로 나타내다. ② [철학] 외재화(外在化)하다.
exteriormente *adv.* 표면적으로, 외면적으로, 대외적으로, 외견은, 외부는.
exterminable *adj.* 근절시킬 수 있는.
exterminación *f.* 근절, 일소.
exterminador, ra *adj.* 근절하는.
exterminar *tr.* 근절시키다, 일소하다; 구제(驅除)하다.
exterminio *m.* 근절, 절멸(絶滅).
externado *m.* ① 통학생만 다니는 학교. ② [집합] 통학생.
externamente *adv.* 외면적으로; 외부로부터.
externo, na *adj.* ① 바깥쪽의, 외부의. ② 외적인. ③ 외국의. ④ 국제 시장에서의. ⑤ 통학생의. ⑥ (가정부 등이) 통근하는, 출근하는. —*m.f.* (기숙생에 대해) 통학생.
extinción *f.* ① (종 · 민족의) 절멸. ② 소화(消火). ③ [법률] (계약 등의) 소멸, 실효(失效).
extinguible *adj.* 절멸[소멸]할 수 있는.
extinguidor *m.* *Amér.* =extintor.
extinguir (5) *tr.* ① (종을) 절멸시키다. ② (폭력 · 부정 등을) 근절시키다, 없애다. ③ (불을) 끄다. ④ 서서히 가라앉히다. ~**se** ① (종이) 절멸되다. ② 근절되다. ③ (불 · 소리가) 꺼지다, 없어지다, 사라지다. ④ (정열 · 애정이) 없어지다, 사라지다, 식다. ⑤ [법률] 실효(失效)하다.
extintivo, va *adj.* 절멸[소멸]시키는.
extinto, ta *adj.* ① (종 · 민족이) 절멸된. ② (불 등이) 꺼진, 식은. ③ 죽은. —*m.f.* 고인, 죽은 사람.
extintor, ra *adj.* —*m.* 소화기(消火器).
extirpable *adj.* 근절할 수 있는, 뿌리뽑을 수 있는.
extirpación *f.* 근절, 뿌리 뽑음; 적출.
extirpador, ra *adj.* 뿌리를 뽑는. —*m.* 제초기(除草器).
extirpar *tr.* ① 뿌리를 뽑다. ② 근절시키다, 없애다.
extorsión *f.* ① 강탈; 강요. ② 혼란, 곤혹(스러움).
estorsionar *tr.* ① 강탈하다, 등치다. ② 혼란시키다, 곤혹스럽게 하다.
extorsionista *adj.* 강탈하는, (남을) 등치는. —*m.f.* 강탈자, (남을) 등치는 사람.
extra *adj.* ① 극상(極上)의. ② 특별의: tamaño ~ 특대 사이즈. ③ 임시의: tren ~ 임시 열차. —*m.f.* [영화] 엑스트라. —*m.* ① 임시 증간(호), 호외. ② —*f.* 특별 수당, 보너스(paga ~).
extra- *pref.* ① 「범위외(範圍外)」의 뜻: *extra*judicial 법의 관할 외의. ② 「극히, 아주, 더없이」의 뜻: *extra*plano 아주 반반한, 아주 엷은.
extracción *f.* ① 빼냄, 뽑아냄, 추출. ② 채굴. ③ 태생, 혈통, 출신(~ social).
extracorpóreo, a *adj.* 체외의, 몸 밖의.
extractar *tr.* (문장의 일부를) 발췌하다, 요약하다.
extracto *m.* ① 발췌, 요약. ② 추출물, 엑스: ~ de opio 아편 엑스.
extractor, ra *adj.* 추출하는: dispositivo ~ 추출기. —*m.(f.)* 환기 선풍기.
extracurricular *adj.* 교과 과정 외의, 과외(課外)의.
extradicción *f.* (외국 정부에게 범인의) 인도, 환송.
extraditar *tr.* (범죄자를 재판권이 있는 나라에) 인도하다.

extradós *m.* ① [건축] (아치 등의) 외륜(外輪). ② [항공] (날개의) 윗면.
extraer (72) *tr.* ① 뽑다, 빼내다, 뽑아내다. ② 채취하다, 채굴하다. ③ [화학] 추출하다. ④ [수학] 구하다.
extraescolar *tr.* 교외(校外)의.
extrafino, na *adj.* 매우 가는.
extragaláctico, ca *adj.* [천문] 은하계 외의.
extraíble *adj.* 빼낼[꺼낼] 수 있는.
extrajudicial *adj.* 법정의 권한외의, 재판(권)외의.
extrajudicialmente *adv.* 재판에 의하지 않고, 사적으로.
extralimitación *f.* 권력 남용.
extralimitarse *r.* ① 권력을 남용하다. ② 한도를 넘다.
extralingüístico, ca *adj.* 언어(학)외의.
extramarital *adj.* 혼외 성교의.
extramatrimonial *adj.* 혼외(婚外)의.
extramuros *adj., adv.* 교외에 (있는), 시외에 (있는).
extranatural *adj.* 자연 밖에 있는, 자연에 속하지 않는.
extranjería *f.* ① 외국인에 관한 것. ② 외국인의 법적 지위.
extranjerismo *m.* ① 외래어. ② 외국숭배.
extranjerizar (9) *tr.* 외국풍으로 하다, 외국화하다.
extranjero, ra *adj.* 외국의: coche ~ 외제차. —*mf.* 외국인. —*m.* 외국.
extranjía *f.* =**extranjería.** ¶*de* ~ ㉮ =**extranjero.** ㉯ =**extraño, inesperado.**
extranjis *de* ~ ㉮ *adj.* =**extranjero.** ㉯ *adv.* 남몰래, 얼굴을 감추고, 숨어서, 살그머니, 비밀리에.
extraña *f.* ☞**extraño.**
extrañación *f.* =**extrañamiento.**
extrañamente *adv.* 기묘하게, 이상하게, 수상쩍게.
extrañamiento *m.* ① 신기함, 기이함. ② 국외 추방, 유형(流刑)(destierro).
extrañar *tr.* ① 기이하게 느끼게 하다. ② 놀래다, 놀라게 하다. ③ …에 익숙하지 않다. ④ …이 없어서 서운하게 생각하다[쓸쓸해하다], 그리워하다. ~**se** ① [+de] (…을) 기묘하게 생각하다, 불가사의하게 생각하다. ② [+de] (…에) 의아해 하다, 놀라다. ③ [+de que+*subj.*] …한 것을 이상하게 생각하다. ④ [+de] (친구 등과) 소원해지다, 헤어지다, 갈라서다.
extrañeza *f.* 기묘함; 기묘한 것.
extraño, ña *adj.* ① 기묘한, 이상한, 보통이 아닌. ② 아무 연관이 없는, 관계가 없는, 미지의. —*mf.* 타관 사람; 부외자(部外者). —*m.* 예기치 못한 동작.
extraoficial *adj.* 비공식의, 사적인.
extraoficialmente *adv.* 비공식적으로, 사적으로(de modo extraoficial).
extraordinaria *f.* ☞ **extraordinario.**
extraordinariamente *adv.* 유별나게, 뛰어나게, 보통 이상으로.
extraordinario, ria *adj.* ① 유별난, 뛰어난, 보통 이상의, 비범한; 근사한, 굉장한, 멋진. ② 임시의. ③ 특별의. —*m.* ① (메뉴에 없는) 특별 요리. ② (신문 등의) 특별판, 호외. —*f.* 보너스.
extraparlamentario, ria *adj.* 원외(院外)의, 국회에 대표가 없는 (정당).
extraplano, na *adj.* 아주 반반한[납작한], 아주 엷은 (형의).
extrapolación *f.* 추정, 추론.
extrapolar *tr.* ① 추정하다, 추론하다. ② (법률 · 이론 등을) 확대 적용하다.
extrarradio *m.* ① 시외, 변두리. ② 빈민가.
extrasensorial *adj.* (지각이) 오감 이외의, 초감각의
extraterrestre *adj.* 지구외의, 외계의. —*mf.* 외계인.
extraterritorial *adj.* 치외 법권의.
extraterritorialidad *f.* 치외 법권.
extrauterino, na *adj.* 자궁외의
extravagancia *f.* 상궤를 벗어나는 일, 비상식적인 언행.
extravagante *adj., mf.* 상궤를 벗어난 (사람), 엉뚱한 (사람), 이상야릇한 (사람), 터무니없는 (사람), 도가 지나친 (사람).
extravasación *f.* (혈액 등이) 넘쳐 흐름, 넘쳐 흐른 것.
extravasarse *r.* [의학] 넘쳐 나오다.
extravenar *tr.* ① 피가 넘쳐 흐르게 하다. ② 빗나가게 하다(desviar).
extraversión *f.* 외향성(外向性).
extravertido, da *adj.* [심리] 외향성의. —*mf.* 외향적인 사람.
extraviado, da *adj.* ① 길을 잃은[잘못 든]. ② 분실한, 잃어버린. ③ 사람의 왕래가 적은, 교통량이 적은.
extraviar (12) *tr.* ① (길을) 잘못 들게 하다, 엉뚱한 데로 빠지게 하다. ② 생각을 헷갈리게 하다, 현혹시키다. ③ 분실하다. ~**se** ① 길을 잃다, 길을 잘못 들다: *Me he extraviado* 나는 길을 잃었다. ② 정도에서 벗어나다, 악에 물들다. ③ 분실하다.
extravío *m.* ① 분실. ② [주로 *pl.*] 정도를 벗어난 일; 실수, 잘못, 과실. ③ 귀찮은 일.
extrema *f.* [속어] =**extremaunción.**
extremadamente *adv.* 극단적으로, 극심하게, 극도로, 극히.
extremado, da *adj.* ① 극단의; 최고의, 그 이상이 없는: clima ~ 이상 기온. ② [기상] 대륙성 기후의.
Extremadura *f.* [지명] 에스뜨레마두라 ((스페인 남서부의 자치주)).
extremar *tr.* 극단적으로 하다. ~**se** 정성을 다하다[들이다].
extremeño, ña *adj., mf.* Extremadura (태생)의 (사람).
extremidad *f.* ① 맨 끝, 맨 가장자리. ② *pl.* 사지(四肢), 수족, 팔다리.
extremismo *m.* 과격주의.
extremista *adj.* 극단[과격]론(자)의, 과격한. —*mf.* 극단론자, 과격론자, 극단

적인 사람.

extremo, ma *adj.* ① 맨 끝의, 맨 가장자리의. ② 극도의, 극심한. ③ 과격한, 극단적인, 몹시 급격한: ~*ma* derecha 극우. ~*ma* izquierda 극좌. —*mf.* [축구·럭비] 윙: ~ derecho 우익수, 오른쪽 날개. ~ izquierdo 좌익수, 왼쪽 날개. —*m.* ① 맨 끝. ② 극단, 정점. ③ *pl.* 양극단. ④ *pl.* 극단적인[과격한] 수단[표현법]. ⑤ 논점. ⑥ [수학] (비례식의) 외항 ((초항 또는 말항)). ⑦ [논리] (명제의) 주사(主辭), 빈사.

extremosidad *f.* 애정 표현을 많이 함.

extremoso, sa *adj.* ① 애정 표현을 많이 하는. ② 과도한.

extrínsecamente *adv.* 외적(外的)으로.

extrínseco, ca. *adj.* 외적인, 외부에서의: causa ~*ca* 외인(外因).

extroversión *f.* =**extraversión.**

extrovertido, da *adj.* =**extravertido.**

extrudir *tr.* (금속·플라스틱 등을) 틀에서 압출 성형하다.

extusión *f.* ① 압출 성형. ② [지질] (마그마의 지표에서) 유출.

extusor, ra *adj.* 압출 성형의. —*mf.* 압출 성형 업자.

exuberancia *f.* 풍부함, 풍족함, 풍요로움, 풍만함.

exuberante *adj.* 매우 풍부한, 매우 풍만한: bosque ~ 울창한 숲.

F

exudación *f.* [의학] 삼출(滲出).

exudado *m.* [의학] 삼출액(滲出液).

exudar *tr.* (밖으로) 스며 나오게 하다. —*intr.* 스며 나오다.

exultación *f.* 환희.

exultante *adj.* 매우 기뻐하는.

exultar *intr.* 무척 기뻐하다.

exvoto *m.* [기독교] 봉납물.

eyaculación *f.* 사정: ~ precoz 조루.

eyacular *tr.* 사정(射精)하다.

eyección *f.* ① 배출, 분출. ② 파일럿 사출(射出).

eyectable *adj.* 배출[사출]할 수 있는.

eyectar *tr* 배출하다, 사출하다. ~**se** 사출 좌석에서 탈출하다.

eyector *m.* 사출[배출] 장치.

ezquite *m.* *Méj.* =**esquite**[2].

-ezuelo, la *suf.* 「작은(pequeño)」의 뜻: porte*zuela* 승강구.

F f

f *f.* 에페 ((스페인어 알파벳의 일곱 번째 문자)).

f/ fecha 날짜, 일부(日附).

fa *m.sing.pl.* [음악] 파, 바 음, F음.

f.a.b., F.A.B., FAB *f*ranco *a* *b*ordo 본선 갑판도 가격.

faba *f.* ① *Ast.* [식물] 강낭콩. ② *Ast.* 강낭콩의 열매[씨].

fabada *f.* [요리] 파바다 ((강낭콩·소시지·선지 순대를 넣은 아스뚜리아스의 대표적인 짙은 수프)).

fabianismo *m.* *ing.* [지구전을 쓴 고대 로마의 장군 Fabianus의 이름에서] 페이비언주의; 점진주의; (19세기 말에 나타난) 영국의 개혁성 사회주의 운동.

fabiano, na *adj.* Fabianus식 (전략)의 ((지구전으로 적의 자멸을 기다림)), 지구적인; 점진적인; 페이비언 협회의.

fábrica *f.* ① 공장, 제작소. ② 제조. ③ 돌[벽돌] 건조물. ④ 날조, 조작, 꾸며댐. ⑤ 교회를 수리하고 예배 비용으로 받았던 세(금). ⑥ 교회재산. ¶*al pie de* ~, *de* [*en*] ~ 공장도의: precio de ~ 공장도 가격.

fabricación *f.* 제조, 생산.

fabricador, ra *adj.* 만드는, 날조하는, 조작하는. —*mf.* 날조자, 조작자.

fabricante *adj.* 제조하는. —*mf.* 제조업자: ~ de papel 제지 업자.

fabricar (7) *tr.* ① 제조하다. ② 건조하다. ③ 꾸며 내다, 날조하다.

fabrido, da *adj.* [드묾] =**fabricado, labrado.**

fabril *adj.* 제조(업)의.

fábula *f.* ① 우화(寓話). ② 우화시(寓話詩). ③ 소문, 만들어 낸 이야기, 구며낸[조작한] 이야기. ④ 신화(神話).

fabulación *f.* [심리] 공화증(空話症).

fabulador, ra *mf.* ① =**fabulista.** ② 쉽게 이야기를 꾸며낸 사람.

fabular *tr.* 꾸며낸 이야기를 하다.

fabulario *m.* 우화집.

fabulista *mf.* 우화 작가; 신화 작가.

fabulístico, ca *adj.* 우화의. —*f.* ① 우화의 역사론. ② 우화 문학.

fabulosamente *adv.* ① 허위로, 거짓으로. ② 아주 잘.

fabulosidad *f.* 공상적인 것.

fabuloso, sa *adj.* ① 공상적인, 공상상의. ② 황당 무계한, 믿을 수 없는, 터무니없는, 도가 지나친, 놀라운, 경이적인, 막대한.

Fac. factura 송장(送狀), 인보이스.

FAC *f*ranco *a*l *c*ostado 선측 인도 가격.

faca *f.* ① 굽은 칼. ② 끝이 뾰족한 칼.

facazo *m.* ① faca로 침. ② faca로 인한 상처.

facción *f.* ① 과격파, 폭력 집단; 파벌. ② *pl.* 얼굴 모습[생김새], 용모.

faccioso, sa *adj.* ① 당파의, 당파적인. ② 반란을 일으키는, 무장 봉기하는. —*mf.* ① 반역자. ② 분쟁을 일으키는 사람.

faceta *f.* ① (사물을 관찰할 때의) 면(面), 상(相). ② (다면체의) 면. ③ (보석의) 모를 잘라낸 면.

facha *f.* ① 용자(容姿), 풍채, 얼굴 생김새. ② 보기 흉한 사람[물건]. ③ *Chile.* =jactancia. ④ *Méj.* =disfraz.
fachada *f.* ① 건물의 외면; (일반적으로) 정면. ② 외관, 외모, 풍채, 몸매. ③ 책의 표지(portada de libros).
fachadismo *m. Nic.* 정부의 행정 정책.
fachado, da *bien* ~ 용모[풍채]가 좋은. *mal* ~ 용모[풍채]가 나쁜.
fachalina *f. Ecuad.* (여자들이 어깨에 두르는) 큰 어깨걸이.
fachar *tr. Cuba.* =robar.
fachenda *f.* 뽐내기, 으스대기. —*m.* 으스대는 사람, 뽐내는 사람.
fachendear *intr.* 으스대다, 뽐내다, 우쭐거리다, 허세를 부리다.
fachendista *adj., m.f.* 으스대는 (사람).
fachendón, na *adj., m.f.* =fachendoso, jactancioso.
fachendoso, sa *adj.* 으스대는 (사람).
fachentada *f. Hond., Nic.* =jactancia.
fachento, ta *adj. CRica., Hond., Nic.* =jactancioso.
fachinal *m. Arg.* 소택(沼澤), 소지(沼地), 늪지, 습지(濕地).
fachoso, sa *adj.* ① 보기 흉한, 흉칙한. ② *Chile, Ecuad.* =jactancioso. ③ *Ecuad.* =elegante, gallardo.
fachudo, da *adj.* ① 못생긴. ② *Méj., Ur.* 우습게 차려 입은.
facial *adj.* ① 얼굴의, 안면의. ② 얼굴용의: masaje ~ 얼굴 마사지. técnica ~ 미안술(美顏術). ③ [상업] 액면의: valor ~ 액면 가격. —*m.* (통화 등의) 표시 가격, 액면 가격.
facies *f.sing.pl.* ① 면모. ② (지층의) 상(相). ③ (식물의) 외관.
fácil *adj.* ① 쉬운, 용이한. ② [+de+*inf.*] …하기 쉬운, 쉽게 …하다: problema ~ de resolver 쉽게 해결할 수 있는 문제. ③ [+ser ~ que+*subj.*] …하는 것은 쉽다[간단하다]. ④ 안락한, 안이한, 손쉬운. ⑤ 사귀기 쉬운, 고분고분한. ⑥ (여자가) 경박스러운, 몸가짐이 헤픈. —*adv.* =**fácilmente.**
facilidad *f.* ① 용이함, 손쉬움, 쉬움. ② 능력, 재능, 솜씨. ③ 호기, 좋은 기회. ④ *pl.* [주로 ofrecer·obtener·dar 등과] 편의: ~*es* de pago 분할불. ⑤ *pl.* (편리한) 설비. ¶ ~ ***de palabra*** 능변.
facilillo, lla *adj.* =difícil.
facilitación *f.* ① 쉽게[용이하게] 함. ② (편의의) 제공.
facilitador, ra *m.f. Ven.* =profesor, maestro.
facilitar *tr.* ① 쉬워지게 하다, 편리하게 하다. ② 제공하다, …의 편의를 주다.
fácilmente *adv.* 쉽게(con facilidad).
facilón, na *adj.* 너무 쉬운[간단한].
facineroso, sa *adj.* 상습적으로 저지른. —*m.f.* ① 상습범. ② 악인(惡人).
facistol *m.* (교회의) 성서대(聖書臺), 찬송가 악보대(樂譜臺).
facón *m. Arg., Par., Ur.* 끝이 뾰족한 큰 칼.
facsímil *m.* =facsímile.
facsimilar *adj.* 복제의; 사진 전송의.
facsímile *m.* ① 복사, 복제. ② 사진 전송, 팩시밀리.
factibilidad *f.* 가능성.
factible *adj.* 실현 가능한.
facticio, cia *adj.* 인위적인, 인조의.
fáctico, ca *adj.* ① 현실에 근거한. ② 실권이 있는.
factitivo, va *adj.* [문법] 작위(作爲)의.
factor *m.* ① 요인. ② [수학] 인수. ③ [물리] 계수, 율. ④ [생물] 인자: ~ Rh [Rhesus] 아르에이치(Rh) 인자. ⑤ 대리업자, 중매인(仲買人), 거간꾼. ⑥ [철도] 하물 취급 담당자.
factoraje *m.* factor의 직[사무소].
factoría *f.* ① 공장. ② (특히 식민지 국가에 있는) 무역관, 교역장. ③ factor의 직. ④ factor의 사무소. ⑤ *Perú.* 자동차 수리 공장.
factorial *f.* [수학] 계승(階乘).
factorización *f.* 인수 분해.
factorizar (9) *tr.* 인수 분해하다.
factótum *m.* ① 잡역 담당. ② 집사.
factual *adj.* 사실의.
factura *f.* ① 청구서, 계산서. ② [상업] 송장: ~ consular 영사 송장. ~ pro forma 매입 견적 송장. ③ (미술품 등의) 완성 상태, 제작. ④ 양식(樣式).
facturación *f.* ① 송장 작성. ② 탁송 수하물로 함. ③ 매상고.
facturar *tr.* ① (요금 등을) 청구하다. ② …의 송장을 작성하다, 송장에 써넣다. ③ (목적지까지 하물을) 맡기다, 위탁하다, 탁송 수하물로 하다. ④ 매상고가 …이 되다.
fácula *f.* [천문] (태양의) 백반, 광점.
facultad *f.* ① 능력, 기능. ② [주로 *pl.*] 재능, 천분. ③ 권한, 권리; 자격. ④ [종교] 권능. ⑤ (대학의) 학부, 단과대학. ⑥ (학부를 구성하는) 교수단.
facultar *tr.* …에게 자격[권한·허가]을 주다.
facultativamente *adv.* 임의적으로.
facultativo, va *adj.* ① 임의(任意)의. ② 학부(學部)의. ③ 전문직의, 기술직의. ④ 의사(醫師)의. —*m.f.* 의사.
faculto, ta *adj. Ven.* =experto. —*m.f. Ven.* =curandero.
facundia *f.* 다변, 능변.
facundo, da *adj.* 다변의, 능변의, 말 잘 하는.
fada *f.* =hada, maga, hechicera.
fado *m.* 파두 ((포르투갈의 민요)).
faena *f.* ① 육체 노동. ② 정신 노동. ③ =quehacer. ④ 도살, 도축. ⑤ 비열한 수법, 지독한 행위. ⑥ [투우] (주투우사의) 일련의 기술. ⑦ *Guat.* 농장에서 시간외 노동. ¶***entrar*** [***meterse***] alguien ***en*** ~ (누가) 일하기 시작하다.
faenar *tr.* 도축하다, 도살하다. —*intr.* ① [선박] 조업하다. ② 일하다.
faenero, ra *adj. And.* 수확하는 일에 전념하는. —*m.f. And., Chile.* 밭 노동

F

자(obrero del campo).
fafarachero, ra *adj. Amér.* =jactancioso.
fagocitar *tr.* ① 식균하다. ② 흡수하다, 합병하다.
fagocito *m.* [생물] 식세포(食細胞).
fagocitosis *f.sing.pl.* [생물] 식균 작용.
fagot *m.* [악기] 바순, 파고토. —*m.f.* = fagotista.
fagote *m.* =fagot.
fagotista *m.f.* 바순[파고토] 연주자.
fagüeño *m. Ar.* =favonio.
Fahrenheit *adj.* [독일 물리학자 이름에서] 화씨의: grado ~ 화씨 도 ((°F)).
fai *de* ~ *Salv.* 무료로. ***de puro*** ~ *Salv., Hond.* 아무런 이유 없이, 자기가 좋아서.
fainada *f. Cuba.* =mentecatería.
fainera *f. Cuba.* =mentecatería.
fainería *f. Cuba.* =mentecatería.
faino, na *adj., m.f. Cuba.* =mentecato.
faisán[1] *m.* ① [조류] 꿩, 장끼. ② = urogallo. ③ *Córd., Sev.* (황갈색의) 식용 버섯.
faisán[2] *Cantb.* 강낭콩(fisán, alubia).
faisana *f.* [새] 암꿩, 까투리.
faisanería *f.* 꿩 우리.
faisanero, ra *m.f.* 꿩 사육자, 꿩 장수.
faja *f.* ① [복식] 거들 ((코르셋의 일종)). ② [복식] 띠, 끈, 벨트. ③ (군인 등의) 수(綬), 현장(懸章). ④ (책 등의) 띠, 끈. ⑤ 띠 모양으로 퍼진 토지, 지대(地帶): ~ intermedia 중앙 분리대.
fajada *f.* 공격, 습격.
fajar *tr.* ① …에 띠[끈]를 두르다, 띠[끈]를 감다. ② 아이를 감싸 허리띠에 차다. ③ *Can., Amér.* (…를) 때리다. ④ *Arg., Ur.* =clavar. ⑤ *Cuba., PRico.* 빌린 돈을 요구하다. ⑥ *Cuba., Nic.* 여자를 구슬리다. ~**se** ① (…를) 난폭하게 공격[습격]하다. ② *Méj.* = magrear, sobar. ~**se** ① 자기 몸을 띠로 묶다. ② 때리다, 서로 치고 받다. ③ 억압하다, 억제하다. ④ *AmérC, Ant., Ven.* 일하다, 열심히 일하다. ⑤ *Cuba.* =pelearse, desavenirse.
fajardo *m.* [요리] 파하르도 ((고기 만두의 일종)).
fajazo *m.* ① *Ant.* =embestida, acometida. ② *Cuba.* 허리띠로 때리기. ③ *PRico.* 돈을 우려내기(sablazo).
fajeado, da *adj.* 줄무늬가 있는.
fajear *tr. Hond., Nic.* =fajar, pegar.
fajín *m.* (장군의 예복에 다는) 장식 띠.
fajina[1] *f.* ① 보릿단. ② 땔나무, 섶나무 가지. ③ [군사] 식사 나팔.
fajina[2] *f.* ① =faena. ② *Nic.* 시간외 노동. ③ *Ven.* 함께 일하는 그룹.
fajo *m.* ① 속(束), 다발, 묶음. ② *Guip.* 장작의 무게 단위. ③ *pl.* 배내옷.
fajón *m.* ① (문・창문 주위의 회반죽의) 가장자리 장식. ② 둥근 천정에 붙이는 아치. ③ *Pan.* 여성용 허리띠.
falacia *f.* 속임수, 사기, 허위, 거짓말.
falange *f.* ① (고대 그리스의) 보병 부대. ② (엄청난 수의) 군대, 군단. ③ 동호회. ④ (정치적인) 단체, 결사(結社). ⑤ [해부] 손가락뼈; 지골(趾骨), 발가락뼈. ⑥ [해부] 첫째 손가락뼈. ⑦ [해부] 손가락의 마디 부분.
Falange Española *f.* 스페인 팔랑헤당.
Falange Española de las Juntas de Ofensiva Nacional-Sindicalistas *f.* 국민 노동 조합주의 행동대 스페인 팔랑헤당 ((약자 FE de las JONS)).
falangeta *f.* 세 번째 손가락뼈.
falangiano, na *adj.* 손가락[발가락]뼈의: articulación ~*na* 손가락뼈의 마디.
falangina *f.* 두 번째 손가락뼈.
falangismo *m.* 팔랑헤주의.
falangista *adj.* 팔랑헤당(Falange)의. —*m.f.* Falange 당원.
falaz *adj.* 속임수의, 허위의.
falciforme *adj.* 낫 모양의, 굽은.
falda *f.* 스커트, 치마. ¶ ~ ***pantalón*** 바지식 스커트, 치마 바지. ***pegado a las ~s*** (여성이) 말하는[하라는] 대로 하는, 패기가 없는. ***haberse criado bajo las ~s de mamá*** 과보호로 자랐다.
faldellín *m.* ① 짧은 스커트. ② 페티코트. ③ *Cuba., Ven.* 세례식용 긴 스커트(faldón de bautizo).
faldero, ra *adj.* ① 스커트의. ② 여자 사이에 있는 것을 좋아하는 (남자). ③ =mujeriego. —*m.* 삽살개. —*f.* [드뭄] 스커트 만드는 여자.
faldillas *f.pl.* 옷자락.
faldón *m.* ① (옷・커튼 등의) 자락. ② (갓난아이용) 긴 스커트.
faldriquera *f.* =faltriquera.
falencia *f.* ① =engaño, error. ② *AmérM., Nic.* 파산. ③ *Arg., Perú.* =carencia, falta.
falible *adj.* ① 속을 수 있는, 속일 수 있는. ② 실수할[실패할] 수 있는.
fálico, ca *adj.* ① 음경(陰莖)의. ② 남근 숭배의: culto ~ 남근 숭배.
falismo *m.* 남근 숭배.
falla[1] *f.* ① (물건의) 흠, 결점. ② =defecto, falta. ③ 의무의 불이행. ④ [지질] 단층. ⑤ *Arg., Cuba, Méj., Salv., Ur., Ven.* 엔진 고장. ⑥ *Cuba, CRica., PRico., Salv., Ur., Ven.* = error.
falla[2] *f.* [복식] (부인용) 두건.
fallar[1] *tr.* (배심원・심사원이) 재결(裁決)하다.
fallar[2] *tr.* ① 맞추지 못하다, 틀리다. ② …에 실패하다. —*intr.* ① 재결하다. ② 부서지다, 파괴되다, 깨지다, 무너지다. ③ 실패하다, 좌절하다. ④ (기대・예상이) 빗나가다. ⑤ 배반하다. ⑥ 반드시 …하다.
fallecer (31) *intr.* 죽다, 사망하다, 서거하다(morir).
fallecido, da *adj.* 죽은, 사망한. —*m.f.* 고인, 사망자.
fallecimiento *m.* 사망, 서거(muerte).
fallido, da *adj.* ① 실패한, 기대에 어긋

난. ② [상업] 회수할 수 없는. —*mf.* 파산자, 도산자. —*m.* 파산.
fallo *m.* ① 재결(裁決), 판결. ② 결락(缺落), 결함. ③ 실패. ④ [컴퓨터] 에러, 버그, 결함.
falluca *f. Méj.* =contrabando.
falluquear *tr. Méj.* 밀수하다.
falluquero, ra *mf. Méj.* 밀수(입)자, 암거래자.
fallutada *f. Arg., Ur.* =falluteada.
falluteada *f. Arg., Ur.* 반역 (행위).
fallutear *tr. Arg., Ur.* =traicionar, fallar.
fallutería *f. Arg., Ur.* =falluteada.
falluto, ta *adj.* ① *Arg., Ur.* =traidor, desleal, hipócrita. ② (도구·기구가) 잘 작동하지 않는.
falo *m.* 남근(男根), 자지(pene).
falocracia *f.* 남성 우위.
falócrata *adj.* 남성 우월주의의. —*mf.* 남성 우월성 주장자.
falocrático, ca *adj.* 남성 우위의.
falopa *f.* ① *Arg., Ur.* =estupeciente. ② *Arg., Ur.* 마약 복용량.
falopearse *r. Arg., Ur.* =drogarse.
falopero, ra *adj., mf.* =drogadicto.
falordia *f. Hues.* =faloria.
faloria *f. Ar.* =cuento, fábula, mentira.
falsa *f.* ☞falso.
falsamente *adv.* 허위로, 거짓으로, 속여서(con falsedad).
falsario, ria *adj.* ① 속이는. ② 자주 거짓말을 하는. —*mf.* ① 속이는 사람. ② 거짓말쟁이.
falseador, ra *adj.* (무엇을) 속이는.
falseamiento *m.* 왜곡(歪曲).
falsear *tr.* ① (사실을) 왜곡하다, 곡해하다. ② 위조하다. ③ [건축] 비스듬히 자르다. —*intr.* ① 약해지다, 수그러지다. ② [음악] 본래의 소리를 내지 않다, (악기의) 줄이 늘어나다.
falsedad *f.* 허위; 위조.
falseta *f.* [음악] 악구(樂句).
falsete *m.* ① (통의) 코르크 마개. ② (집의) 덧문. ③ [음악] 가성(假聲). ④ [음악] =falseta.
falsía *f.* 허위; 위선.
falsificación *f.* 위조; 위조품.
falsificador, ra *adj.* 위조의. —*m.* 위조자, 변조자.
falsificar (7) *tr.* 위조하다, 변조하다.
falsilla *f.* 밑에 받치는 괘지(罫紙).
falso, sa *adj.* ① 거짓의, 허위의. ② 위조의, 모조의: billete ~ 위조 지폐. ③ 믿지 못할, 믿을 수 없는. ④ (동작이) 적절하지 않은, 서툰. —*mf.* 거짓말쟁이. —*m.* 안감 천, 덧대는 천. —*f.* ① *Alb., Ar., Méj.* =falsilla. ② *Ar., Mur.* =desván. ¶*de* ~ =en ~, falsamente. ***en*** ~ ㉮ 거짓으로, 허위로, 속여, 눈속임하여. ㉯ 겉치레로, 겉에만, 부실하게. ***sobre*** ~ 부실하게, 반드시 있어야 할 안정성이 없이.
falta[1] *f.* ① 부족, 결여. ② 부재(不在). ③ 결석, 결근. ④ 결점, 결함. ⑤ 잘못, 틀림, 실수. ⑥ 실책, 과실(過失). ⑦ [법률] 위반. ⑧ [운동] 반칙, 파울. ⑨ [운동] 프리 킥. ⑩ [운동] 자유투, 프리 스로. ⑪ [상업] 거절. ⑫ [의학] 무월경(無月經). ¶*a* ~ ***de*** …이 없어(서). ***hacer*** ~ 필요하다. ***sin*** ~ 반드시, 꼭, 틀림없이. ***A ~ de pan, buenas son tortas*** (속담) 궁여일책, 궁여지책.
faltar *intr.* ① [주어가 사물] …가 없다, 부족하다. ② (시간·거리가) 아직 남아 있다. ③ [사람이 주어] [+por+*inf.*] 아직 …하는 것이 남아 있다. ④ [+a] (…에) 결석하다, 결근하다. ⑤ [+de] (…에) 없다, 부재중이다. ⑥ 죽다. ⑦ [+a] (약속·신뢰 등에) 거역하다, 어기다: ~ a su promesa 약속을 어기다. ⑧ [+en] (…을) 태만히 하다. ⑨ (도구가) 결함이 있다.
falto, ta[2] *adj.* [+de] (…이) 부족한, …을 필요로 하는.
faltón, na *adj.* ① 약속[규칙]을 잘 어기는. ② 지각[결석·결근]이 많은. ③ *Col.* 무례한 (사람).
faltriquera *f.* ① (옷의) 호주머니. ② (여자들이 허리에 차는) 주머니. ③ (옛날 극장의 관람석 밑에 있던) 작은 골방.
falúa *f.* (일반적으로 항구나 강에서 사용된) 작은 배.
fama *f.* 명성, 평판.
famélico, ca *adj.* ① =hambriento. ② 말라빠진, 홀쭉해진, 앙상한.
familia *f.* ① 가족, 가정; 처자(妻子), 자식, 아이. ② 친족, 일족, 같은 겨레붙이. ③ 집단, 그룹, 동아리. ④ [언어] 어족. ⑤ [생물] 과(科). ⑥ *Chile.* 벌떼. ¶*cargar(se)* ***de*** ~ 아이들이 많다. ***de buena*** ~ 양가 태생의, 가정이 좋은. ***en*** ~ 가족적으로, 친밀하게, 친하게(en la intimidad).
familiar *adj.* ① 가족의, 가정의. ② 마음을 터놓은, 격의[허물] 없이 사귀는, 스스럼없는, 소탈하고 빡빡하지 않은, 딱딱하지 않고 친근한. ③ 자신과 관계가 깊은. ④ 익숙해진, 익은, 낯익은. ⑤ (가족 전원이 쓸 수 있는) 대형의. —*m.* ① 친척. ② 동아리, 한패. ③ =criado, sirviente. ④ 수호신. ¶*hacerse* ~ =familiarizarse.
familiaridad *f.* ① 친함, 친밀함. ② 허물없음, 허물없는 태도.
familiarizado, da *adj.* [+con] (…에) 환한, 정통한.
familiarizar (9) *tr.* 친하게 하다, 익숙하게 하다. ~**se** ① 친해지다, 익숙해지다, 익다. ② [+con] (…에) 따르다, 적응하다, 순응하다.
familiarmente *adv.* 가족적으로, 친밀하게(con familiaridad y confianza).
familión *m.* 대가족(familia numerosa).
famosamente *adv.* ① 유명하게, 평판 좋게. ② 멋지게, 훌륭히, 아주 잘.
famoso, sa *adj.* ① 유명한, 이름난. ②

F

굉장한, 엄청난: ser un ~ borracho 술고래다. ③ 희한한. ④ 놀라운. —*mf.* 유명인, 저명 인사.

fómulo, la *mf.* =**criado, doméstico.**

fan *mf. ing.* ① (가수 · 배우 등의) 팬. ② …의 광(狂), 애호가.

fanal *m.* ① (배 · 항구의) 표시등. ② 선미등(船尾燈). ③ 칸델라, 램프; (유리로 된) 갓의 램프. ④ 유리 뚜껑.

fanaticada *f. Cuba, Ecuad., Hond., Salv.* =**hinchada.**

fanáticamente *adv.* 열광적으로, 광신적으로.

fanático, ca *adj.* 열광적인, 광신적인. —*mf.* ① 광신도, 광신자. ② 열렬한 애호가, 팬.

fanatismo *m.* 열광; 광신(적 행위).

fanatizador, ra *adj.* 열광시키는, 광신하는. —*mf.* 광신자.

fanatizar (9) *tr.* ① 열광시키다. ② 광신적으로 만들다.

fandango *m.* ① 판당고 ((기타와 캐스터네츠, 심벌즈와 바이올린까지 켜고 노래하며 추는 경쾌한 3박자의 옛 스페인의 춤으로 안달루시아에서는 현재까지 계승되고 있음)). ② 큰 소동, 대혼란. ③ *Salv.* =**trasero, nalgas.**

fandanguero, ra *adj.* ① 판당고를 추기 좋아하는 (사람). ② 무도회와 잔치에 참가하기 좋아하는 (사람).

F

fandanguillo *m.* ① 판당기요 ((판당고 (fandango)와 비슷한 민속 춤)). ② 판당기요의 곡과 가사.

fanega *f.* 파네가 ((곡류 · 콩류의 용량 단위; 55.5 리터, 지방에 따라서 변함)): ~ de tierra 1 파네가의 씨를 뿌리는 면적 ((64.596 아르에 해당)).

fanegada *f.* =**fanega de tierra.** ¶*a ~s* 아주 풍부하게, 흔하게.

fanerógamo, ma *adj.* [식물] 현화(顯花)의. —*f.pl.* 꽃식물, 현화식물.

fanfarrear *intr.* =**fanfarronear.**

fanfarria *f.* ① 금속 악기를 연주하는 악단. ② fanfarria로 연주되는 음악. ③ =**baladronada, bravata, jactancia.** —*m. Ar.* 허세를 부리는 사람.

fanfarrón, na *adj., mf.* 허세를 부리는 (사람), 뻐기는 (사람).

fanfarronada *f.* 허세, 허장성세.

fanfarronear *intr.* 허세를 부리다.

fanfarronería *f.* 허세, 허영.

fangal *m.* 수렁, 진창, 늪.

fangar *m.* =**fangal.**

fango *m.* ① (주로 도로의) 진흙, 진창. ② 무시, 업신여김.

fangosidad *f.* 질퍽거림.

fangoso, sa *adj.* 질척거리는, 질퍽질퍽한: camino ~ 질퍽거리는 길.

fangoterapia *f.* 진흙 요법.

fanguero *m.* ① *Cuba.* =**fangal.** ② *Cuba.* =**charquero.**

fantaseador, ra *adj.* 상상하는, 공상하는 (사람).

fantasear *intr.* ① 공상하다, 상상하다, 꿈꾸다. ② 우쭐대다, 자만하다. —*tr.* 꿈꾸다, 공상하다.

fanfaseo *m.* 공상, 상상.

fantasía *f.* ① 공상, 환상, 상상; 공상력, 상상성(想像性). ② [주로 *pl.*] 공상의 산물. ③ [음악] 환상곡. ④ =**ficción, cuento.** ⑤ =**presunción, arrogancia.** ¶*de* ~ ㉮ 보통 마음에 들지 않는, 장식만 요란한. ㉯ (재료가) 별로 가치가 없는, 겉만 번드레한. ㉰ 모조의, 가짜의.

fantasioso, sa *adj.* ① 공상적인 (사람). ② =**vano, presuntuoso.**

fantasma *m.* ① 유령, 도깨비, 요괴. ② 환영, 환각. ③ [광학 · TV] 가상(假像), 고스트, 제2 영상(映像). —*adj.* ① 실존하지 않는, 유령 같은: compañía ~ 유령 회사. ② 사람이 살지 않는, 유령 같은: ciudad ~ 유령 같은 도시.

fantasmada *f.* 착각, 환상(幻想).

fantasmagoría *f.* 환영(幻影), 환각(幻覺); 마술 환등.

fantasmal *adj.* 유령의, 유령 같은; 비현실적인.

fantasmón, na *adj.* 허세 부리는, 겉치레하는. —*mf.* 허세 부리는 사람, 겉치레꾼.

fantástico, ca *adj.* ① 공상적인, 환상적인, 상상의. ② 변덕스러운; 별난, 괴상한, 기이한, 터무니없는; 엄청난 (금액 등). ③ 훌륭한, 멋진, 근사한, 굉장한, 경탄할 만한, 놀라운.

fantochada *f.* 허세, 허영.

fantoche *m.* ① 꼭두각시 인형. ② 괴뢰. ③ 허세 부리는 사람.

fañado, da *adj.* 한 살의 (동물).

fañar *tr.* (귀를 잘라) 낙인을 찍다.

fañoso, sa *adj. Can., Ant., Ven.* 콧소리의, 코맹맹이의.

FAO *f.* ① *ing.* 유엔 식량 농업 기구 (Organización de las Naciones Unidas para la Agricultura y la Alimentación). ② *f*abricación *a*sistida por *o*rdenador 계산기 원용 제조.

faquín *m.* =**ganapán, esportillero.**

faquir *m.* ① [이슬람교] 행자(行者). ② (인도에서) 탁발승.

farad *m.* =**faradio.**

farádico, ca *adj.* 유도 전류의.

faradio *m.* 패러드 ((전기 용량 단위)).

farándula *f.* ① 어릿광대의 직. ② (옛날의) 지방 순회 연예단. ③ 예능계, 연극계.

farandulero, ra *mf.* (옛날의) 지방 순회 연예인, 어릿광대.

faraón *m.* 파라오 ((고대 이집트의 왕의 칭호)).

faraónico, ca *adj.* ① faraón의. ② =**grandioso, fastuoso.**

fardar *intr.* ① 근사하다, 멋지다. ② [+de · con] (…을) 자만하다, 뽐내다.

fardel *m.* ① (가난한 사람 · 여행자 · 목자 등의) 자루(saco). ② =**fardo.** ③ 지저분한 사람.

fardería *f.* [집합] 짐 꾸러미.

fardo *m.* 큰 묶음, 큰 짐 꾸러미.

fardón, na *adj.* ① 뽐내는, 자만하는, 으스대는. ② =aparente, llamativo, vistoso.
farero, ra *mf.* 등대지기, 등대수.
faringalgia *f.* [의학] 인두통.
faringe *f.* [해부] 인두(咽頭).
faríngeo, a *adj.* [해부] 인두의.
faringitis *f.sing.pl.* [의학] 인두염.
farisaico, ca *adj.* ① [성경] 바리새 사람의, 바리새 사람 같은. ② 위선적인.
fariseímo *m.* ① [성경] 바리새 사람의 태도. ② 위선.
fariseo, a *mf.* ① [성경] 바리새 사람. ② 위선자.
farmaceuta *mf. Col., Ecuad., Guat., Pan., RDom., Ven.* =farmacéutico.
farmacéutico, ca *adj.* 제약(製藥)의, 조제(調劑)의; 약학의. —*mf.* 약제사.
farmacia *f.* ① 약국. ② 약제실. ③ 약학: estudiar ~ 약학을 공부하다.
fármaco *m.* 의약품, 약제.
farmacodependencia *f.* 마약 상용.
farmacodependiente *mf.* 마약 상용자.
farmacología *f.* 약물학, 약리학.
farmacológico, ca *adj.* 약물[약리]학의.
farmacólogo, ga *mf.* 약리학자.
farmacopea *f.* 약국방(藥局方).
farmacotécnica *f.* 약물 사용법.
farmacoterapia *f* 약물 사용.
faro *m.* ① 등대: guardián de ~ 등대지기. ② (공항 등의) 표지등. ③ (자동차의) 등, 헤드라이트(~ delantero). ④ (강력한) 조명등. ⑤ 지침.
farol *m.* ① 가로등. ② (집의) 외등(外燈). ③ (배·열차의) 등불. ④ 등: ~ a gas 가스등. ~ de señales 신호등. ⑤ 허세 부리는 사람, 겉치레꾼. ⑥ 홍감, 허세. ⑦ [투우] 망토(capa)를 살짝 비키는 동작. ⑧ (살담배 포장용) 종이 봉지. ⑨ *Cuba, Méj., Salv.* (사람의) 눈(ojo) ((*Ur.*에서는 *pl.*로 사용함)). ⑩ *Ur.* 정상 분량을 넘는 알코올 음료의 양. ¶ ~ ***de sitaución*** 항공등(航空燈).
farola *f.* 가로등; 가스등; 등대.
farolear *intr.* 허세를 부리다.
faroleo *m.* 허세 (부리기).
farolero, ra *adj.* 허세 부리는, 우쭐거리는, 으스대는. —*mf.* 허세 부리는 사람. —*m.* ① farol 제조자[장수]. ② farol 담당자.
farolillo *m.* 작은 초롱.
farsa *f.* ① 소극(笑劇) ((중세 희극의 한 장르)). ② 떠돌이 악극단. ③ 속임수, 사기.
farsante *adj., mf.* 완전히 꾸민, 거짓 탈을 쓴 (사람).
fascia *f.* [해부] (근육의) 건막(腱膜).
fasciculado, da *adj.* [해부] 섬유속(纖維束)의.
fascículo *m.* ① (순차적으로 간행되는 책의) 분책(分冊). ② [해부] (근육·신경의) 속(束).
fascinación *f.* 매혹, 매료.
fascinador, ra *adj.* 매혹시키는, 매혹적인, 뇌살시키는.
fascinante *adj.* 매우 매혹적인.
fascinar *tr.* 매혹시키다, 매료시키다, 뇌살시키다, …의 넋을 빼앗다. **~se** 매료되다.
fascismo *m.* 파시즘.
fascista *adj., mf.* 파시즘의; 파시스트.
fase *f.* ① (변화·발전 등의) 단계, 국면. ② [천문] 양상, 위상(位相). ③ [전기] 상(相), 위상. ④ [화학] 상(相).
faso *m. Arg., Ur.* =cigarrillo.
fastidiado, da *adj.* 아픈, 병약한. —*f. Cuba.* =molestia, daño, perjuicio.
fastidiar (11) *tr.* ① 노하게[성나게] 하다. ② 불쾌하게 하다, 진저리나게 하다, 귀찮게 하다. ③ 육체적[도덕적] 해를 끼치다. **~se** 꾹 참다.
fastidio *m.* ① 불쾌(감). ② 귀찮음, 싫증, 괴로움, 무료함. ¶***La abundancia trae el*** ~ (속담) 풍요로움은 무료함을 낳는다.
fastidiosamente *adv.* 지루하게, 진저리나게, 무료하게, 귀찮게.
fastidioso, sa *adj.* 불쾌한; 물린, 싫증난, 신물이 난, 싫은, 귀찮은.
fasto, ta *adj.* 길한, 행운의: días ~*s* 길일, 길한 날. —*m.* =fausto[1].
fastuosamente *adv.* 호화스럽게, 화려하게(con fausto, de manera fastuosa).
fastuosidad *f.* 호화스러움, 화려함.
fastuoso, sa *adj.* ① 호화스러운, 화려한. ② 사치를 좋아하는.
fatal *adj.* ① 불가피한, 피할 수 없는. ② 숙명적인. ③ 나쁜: letra ~ 악필. ④ 치명적인, 목숨에 관계되는. ⑤ 비운의, 불운한, 불행한. ⑥ 연장[연기]할 수 없는. —*adv.* 극히 나쁘게. ¶***mujer*** ~ 요부(妖婦), 탕녀.
fatalidad *f.* ① 불가피성. ② 불운, 불행. ③ 숙명(hado), 운명(destino).
fatalismo *m.* 숙명론, 운명론.
fatalista *adj.* 숙명론의. —*mf.* 숙명론자, 운명론자.
fatalizarse *r. Chile.* 중대한 잘못을 범하다
fatalmente *adv.* ① 불가피하게. ② 불행히, 불운하게. ③ 극히 나쁘게.
fatídicamente *adv.* 불길하게.
fatídico, ca *adj.* ① 예언의. ② 불길한, 운수가 나쁜: día ~ 기일, 흉일(凶日).
fatiga *f.* ① 피로, 피곤. ② *pl.* 노고, 고생, 애씀. ③ *pl.* 구역질, 욕지기, 토기.
fatigación *f.* =fatiga.
fatigadamente *adv.* 피곤하게, 귀찮게.
fatigador, ra *adj.* (누구를) 피곤하게 하는, 귀찮게 하는.
fatigar (8) *tr.* ① (누구를) 피곤하게 하다. ② 괴롭히다, 애먹이다, 귀찮게 하다. **~se** 피곤[피로]하다(cansarse).
fatigosamente *adv.* 피곤[피로]해서.
fatigoso, sa *adj.* ① 피곤한, 피로한, 지친. ② 피곤하게 하는.
fato *m.* ① =olfato. ② (고약한) 냄새.
fatuería *f. Cuba.* =fatuidad.
fatuidad *f.* =necedad, tontería.
fatula *f.* ① *PRico.* 황갈색의 큰 바퀴벌

F

레. ② [고어] 날아다니는 바퀴벌레.
fatulo, la *adj.* ① *PRico.* (크지만) 투계용으로 쓸 수 없는 (닭). ② *PRico.* 거짓의, 허위의, 불확실한. ③ *RDom.* 품질이 매우 나쁜.
fatuo, tua *adj.* ① 우둔한, 바보스러운, 멍청한, 이성이 없는. ② 실체가 없는, 알맹이가 없는, 내용이 없는: fuego ~ 도깨비불. —*mf.* 멍청이, 바보.
fauces *f.pl.* [해부] 인두(咽頭).
fauna *f.* ① [집합] (한 나라·한 지방의) 동물. ② 동물지(動物誌), 동물 도감. ③ 집단, 그룹, 동아리.
faunesco, ca *adj.* fauno의[에 관한].
fáunico, ca *adj.* fauna의[에 관한].
fauno *m.* ① 음탕한 남자. ② [신화] 들과 삼림의 반신(半神).
fausto[1] *m.* 호화(스러움), 호사(스러움).
fausto[2]**, ta** *adj.* =**feliz, afortunado.**
faustoso, sa *adj.* =**fastuoso.**
fautor, ra *mf.* 남을 돕는 사람.
fautoría *f.* =**favor, ayuda.**
fauvismo *m.* [미술] 야수파, 야수주의, 포비슴.
fauvista *adj.* [미술] 야수파의, 야수주의의. —*mf.* 야수파 화가.
favela *f. Amér.* =**barraca, chabola.**
favo *m.* [의학] 쇠버짐 비슷한 피부병.
favonio *m.* ① [시어] 서풍(西風). ② 미풍(céfiro, viento suave).
favor *m.* ① 호의, 친절(한 행위): hacer el ~ de + *inf.* …해 주시다. ② 은혜, 덕택; 부탁. ③ 도움; 사랑하여[특별히] 돌봐 줌, 후원. ④ (호의·애정을 나타내는) 선물. ¶***a ~ de*** ㉮ …에게 유리하게, …을 지지하여. ㉯ …의 도움으로, …의 덕택[덕분]에. ㉰ (수표·위임장 등에서) …의 앞으로[에]. ***de ~*** (극장표·기차 무임 승차권을) 무료로 얻은, 무료의, 우대의: billete *de* ~ 무료 입장권. pase *de* ~ 무료 승차권, 우대 패스. ***en ~ de*** …에게 유리하게, …의 이익을 위해, …를 지지하여. ***~ de*** *AmérC., Chile, Col., Ecuad., Méj., RDom.* =**hágame el favor de.** ***hacerle un ~*** a alguien (누구에게) 우연히 성관계를 허락하다. ***hágame [haz · hazme] el ~ (de)*** ㉮ (정중한 표현으로) …해 주십시오: *Hágame el ~ de* pasar la sal 소금 좀 건네 주십시오. ㉯ (무엇을 보내거나 요청할 때) 제발: Cállate, *haz el ~* 제발 좀 조용히 해라. ***por ~*** [정중한 부탁이나 명령을 표현할 때] 부디, 아무쪼록, 제발: Espere un momento, *por ~* / *Por ~*, espere un momento (부디) 좀 기다려 주십시오.
favorable *adj.* ① [+para] (…에) 좋은, 안성맞춤의, 유리한; 순조로운. ② [+a] (…에) 호의적인, 찬성하는.
favorablemente *adv.* 안성맞춤으로; 순조롭게; 호의적으로.
favorecedor, ra *adj.* 유리한; 호의적인. —*mf.* 고객.
favorecer (31) *tr.* ① 유리하게 하다, 역성들어 주다, 특별히 돌보아 주다; …에게 호의를 베풀다. ② …에게 잘 맞다, 어울리다. **~se** [+de] (…을) 이용하다.
favorecido, da *adj.* 혜택을 받는, 특전을 받은: la nación más ~ 최혜국. cláusula de nación más *~da* 최혜국 조항. tratado de nación más *~da* 최혜국 약관. trato de nación más *~da* 최혜국 대우.
favoritismo *m.* 편애, 편파, 역성, 정실.
favorito, ta *adj.* 마음에 드는, 아주 좋아하는, 총애를 받은. —*mf.* ① (경기의) 우승 후보, (경륜·경마의) 우승 후보 선수[말]. ② 마음에 든 사람. ③ 총신, 측근자. ④ 총희(寵姬).
fax *m.* ① 팩스 ((telefax의 생략어)). ② 팩스로 받은 서류.
faxear *tr.* 팩스로 보내다.
faya[1] *f. fr.* 결이 굵은 비단의 일종.
faya[2] *f. Sal.* =**peñasco.**
fayuca *f. Méj.* =**contrabando.**
fayuquear *tr. Méj.* 밀수를 하다.
fayuquero, ra *mf. Méj.* 밀수꾼.
faz *f.* ① 얼굴. ② (물건의) 표면. ③ (동전·메달 등의) 표면, 겉쪽, 정면 쪽 ¶***sacra Faz, santa Faz*** 예수의 얼굴상. ***a prima ~, a primera ~*** 첫 눈에(a primera vista).
fe *f.* ① 신용, 신뢰; 신뢰성. ② 신앙. ③ 신봉. ④ 증명: dar ~ 증명하다. ⑤ 증명서: ~ de matrimonio 혼인 증명서. ~ de nacimiento 출생 증명서. ⑥ =**fidelidad, lealtad.** ¶***a buena ~*** 틀림없이, 분명히, 확실히, 의심없이.
fealdad *f.* ① 추악함. ② 비열함.
feamente *adv.* 추악하게; 비겁하게, 비열하게.
feb. febrero 2월.
feble *adj.* ① 약한, 여윈. ② (동전·동전의 합금이) 무게가 모자라는, 법정 비율이 모자라는.
febledad *f.* =**debilidad, flaqueza.**
feblemente *adv.* [드묾] =**flacamente.**
febrera *f.* 용수구(用水溝).
febrero *m.* 2월.
febricitante *adj.* 열이 있는.
febrícula *f.* [의학] 미열(微熱).
febrífugo, ga *adj.* [약학] 해열의. —*m.* 해열제.
febril *adj.* ① 열의. ② 열이 있는, 발열에 의한. ③ 열렬한, 격렬한, 흥분한, 고조된.
febrilmente *adv.* ① 열병으로. ② 열렬히, 격렬히(con vehemencia).
febro febrero 2월.
fecal *adj.* 똥의, 인분의.
fecha *f.* ① 날짜, 일부(日附), (정한) 날짜: ~ de vencimiento 만기일; 기한 날짜. ~ límite 마감 날짜. ¿Qué ~ es hoy? — Hoy es el 25 de diciembre 오늘은 며칠입니까? — 오늘은 12월 25일입니다. ② …일간: hace siete ~ 1주일 전에. ③ *pl.* 시기(時期).
fechador *m.* ① 일부인(日附印), 날짜

스탬프. ② *Bol., Perú.* =**matasellos.**
fechar *tr.* ① (서류에) 날짜를 써넣다. ② (서류·예술 작품·사건의) 날짜를 추정[결정]하다.
fechoría *f.* ① 악행. ② 못된 짓[장난], (짓궂은) 장난(travesura).
fechuría *f.* =**fechoría.**
fécula *f.* 전분(澱粉).
feculencia *f.* 전분을 (많이) 함유하고 있음, 전분질.
feculento, ta *adj.* 전분질의, 전분을 많이 함유한.
fecundable *adj.* 수태할 수 있는.
fecundación *f.* 수태, 수정, 수분(受粉).
fecundador, ra *adj.* 수태[수정]하는, 번식하는.
fecundamente *adv.* 비옥[풍부]하게.
fecundar *tr.* ① 수태[수정·수분]시키다, 교배시키다. ② 다산하게 하다, 번식시키다. ③ 비옥하게 하다.
fecundidad *f.* ① 수태 능력, 생식력. ② 다산성. ③ 풍부함. ④ 비옥함.
fecundización *f.* =**fecundación.**
fecundizador, ra *adj.* 비옥하게 하는.
fecundizar (9) *tr.* [드묾] =**fecundar.**
fecundo, da *adj.* ① (동물이) 생식력이 있는, 다산한. ② 비옥한, 기름진, 많이 생산[산출]하는. ③ 가득한, 풍부한. ④ 다작(多作)의, 좋은 결과를 낳는.
fedatario *m.* 공증인, 공식 증명서를 발행하는 공무원.
fedegar (8) *tr. Sal.* =**bregar, amasar.**
FE de las JONS *f. F*alange *E*spañola de las *J*untas de *O*fensiva *N*acional-*S*indicalistas 국민 노동 조합주의 행동대 스페인 팔랑헤당.
FEDER *m. F*ondo *E*uropeo de *De*sarrollo *R*egional (유럽 연합의) 유럽 지역 진흥 기금.
federación *f.* 연방; 연합, 연맹, 협회, 동맹: ~ de fútbol 축구 연맹. ~ de sindicatos obreros 노동 조합 연합회.
federal *adj.* ① 연방(제)의. ② 연맹의. ③ (미국 남북 전쟁 시대의) 북부 연맹 동맹의, 북군의. —*mf.* 연방주의자.
federalismo *m.* 연방주의, 연방 제도; 연맹 조직.
federalista *adj.* 연방주의의, 연방제의. —*mf.* 연방주의자.
federar *tr.* 연방(제)로 만들다. ~**se** 연맹[연합]에 가입하다.
federativo, va *adj.* 연방의, 연방제의. —*mf.* (스포츠 연맹의) 이사, 간부.
FEF *F*ederación *E*spañola de *F*útbol 스페인 축구 연맹[협회].
féferes *m.pl.* ① *Col. Cuba, Ecuad., RDom.* 잡동사니. ② *Cuba.* 식량, 양식(alimento). ③ *RDom.* 남성의 성기.
fehaciente *adj.* 입증되는; 믿을 수 있는: testimonios ~*s* 명백한 증거.
feje *m. Can., León.* (장작의) 다발, 묶음(haz, fajo).
felación *f.* 펠라티오 ((입술이나 혀로 남성의 성기를 애무하는 행위)).
feliciano, na *m.f. Cuba., Méj.* 행복한 사람, 낙천적인 사람.
felicidad *f.* ① 행복. ② 만족, 경사. ③ 요행, 행운. ¶ ***¡Felicidades!*** 축하합니다. ((참고: ¡Felicidades!는 생일·크리스마스·성공 등에 대해, ¡Enhorabuena!는 성공에 대해)): *¡Felicidades* por tu hijo! 아들의 일에 축하하네.
felicitación *f.* ① 축하. ② 축하 엽서, 축하 전보, 축하장: carta de ~ 축하장. ③ *pl.* 축의, 축사.
felicitar *tr.* ① 축하하다: ~ el Año Nuevo [las Navidades] 신년[크리스마스]을 축하하다. ② [+por] (…에 대해) 행운이 있기를 빌다, 행복을 빌다, 축하의 말을 하다: Le *felicito* por su cumpleaños 생일을 축하합니다. ~**se** [+de] (…을) 기뻐하다, 축하의 말을 하다: *Me felicito de* tu éxito 합격을 축하한다, 합격에 축하를 보낸다.
félidos *m.pl.* [동물] 고양이과.
feligrés, sa *m.f.* (교구의) 신자, 교구민.
feligresía *f.* 교구 신자, 교구민.
felino, na *adj.* ① 고양이의; 고양이 비슷한. ② 고양이과의. —*m.* 고양이과.
felipe *m. Arg., Par., Ur.* 펠리뻬 ((껍질이 약간 단단하고 속이 아주 말랑말랑한 달걀 모양의 빵)).
feliz *adj.* ① 행복한, 기쁜, 즐거운, 만족한. ② 행복을 더하는, 행복을 낳는, 경사스러운. ③ 적절한, 현명한, 교묘한, 멋진. ④ 운이 좋은, 행운의, 다행한. ⑤ [축복·축하의 말] …(을) 축하합니다: *¡Feliz* Año Nuevo! 새해 복 많이 받으십시오. *¡Feliz* cumpleaños! 생일을 축하합니다. *¡Feliz* Navidad! 크리스마스를 축하합니다.
felizmente *adv.* ① 행복하게. ② 다행히, 무사히, 잘.
felón, na *adj.* 불충한, 불성실한. —*mf.* 배반자, 배신자.
felonía *f.* 불충(不忠), 배반(traición).
felpa *f.* ① 우단, 벨벳. ② 구타. ③ = **rapapolvo.**
felpar *tr.* ① 우단[벨벳]으로 덮다. ② [시어] 부드러운 것으로 덮다. ~**se** [시어] 부드러운 것으로 덮다.
felpeada *f. Arg., Ur.* =**regañina.**
felpear *tr.* ① *Arg., Ur.* 질책하다, 심하게 나무라다[꾸짖다]. ② *Arg., Ur.* =**golpear.**
felpilla *f.* [섬유] 모충사(毛蟲絲).
felposo, sa *adj.* ① 부드러운 털로 덮인. ② 우단처럼 부드러운.
felpudo, da *adj.* ① [섬유] 털이 긴. ② 우단(felpa)처럼 부드러운. —*m.* ① (문 앞의) 구두 흙 털개, 현관의 매트. ② 우단처럼 부드러운 끈.
femenil *adj.* ① 여성다운: ademán ~ 여성다운 몸가짐. ② [운동] 여성의.
femenilmente *adv.* 여성답게.
femenino, na *adj.* ① 여성의, 여성적인: belleza ~*na* 여성미. ② [생물] 암컷의. ③ [문법] 여성(형)의: nombre ~ 여성 명사. ④ 약한. —*m.* [문법] 여성(género ~).

F

fementidamente *adv.* 허위로, 거짓으로, 불성실하게.
fementido, da *adj.* ① 불성실한. ② 허위의, 거짓의, 속이는.
fémina *f.* 여성(女性)(mujer).
femineidad *f.* 여성다움.
femíneo, a *adj.* ① =**femenino.** ② =**femenil.**
feminidad *f.* ① 여성다움. ② (남성의) 여성화.
feminismo *m.* 여성 해방 운동, 여권 확장론.
feminista *adj.* 여성 해방의. —*mf.* 여성 해방주의자.
feminización *f.* 여성화(女性化).
feminoide *adj.* (남성이) 여성 용모의.
femoral *adj.* [해부] 대퇴(大腿)의: arteria ~ 대퇴 동맥. —*m.* =**fémur.**
femto- *pref.* 1,000조(兆)분의 1, 10^{-15}.
femtogramo *m.* 1,000조분의 1 (10^{-15}) 그램.
femtómetro *m.* 펨토 미터 (=10^{-15} m).
fémur *m.* [해부] 대퇴골.
fenecer (31) *tr.* [드묾] 끝내다. —*intr.* ① 죽다. ② (기한이) 끝나다.
fenecimiento *m.* 종결, 종언; 사망.
fenicio, cia *adj.* [역사] 페니키아(Fenicia) (사람)의. —*mf.* 페니키아 사람. —*m.* 페니키아 말.
fénico, ca *adj.* 콜타르성(性)의.
fénix *m.sing.pl.* ① [신화] 불사조. ② 뛰어난 재주를 가진 사람, 불세출의 위인, 대천재. ③ 일품, 백미. ④ 봉황.
fenol *m.* [화학] 페놀, 석탄산.
fenología *f.* 생물 계절[기후]학.
fenomenal *adj.* ① 유별난, 뛰어난, 비범한, 놀랄 만한; 훌륭한, 근사한, 멋진. ② 현상(現象)의. ③ 자연 현상의, 자연 현상에 관한. ④ 지독한, 굉장한, 엄청난; 매우 큰, 거대한. —*adv.* 아주 멋지게, 근사하게, 훌륭하게.
fenomenalismo *m.* [철학] 현상론(現象論), 현상주의.
fenomenalista *adj.* [철학] 현상론의, 현상주의의. —*mf.* 현상론자, 현상주의자.
fenoménico, ca *adj.* 현상의[에 관한].
fenómeno *m.* ① 현상(現象). ② 이상한 일[물건], 진기한 물건; 비범한 인물, 천재; 괴물. ③ [철학] 현상, 외상(外象). —*adj.* 매우 좋은, 훌륭한, 두드러진. —*adv.* 멋지게, 훌륭하게, 잘.
fenomenología *f.* [철학] 현상학.
fenomenológico, ca *adj.* 현상학의.
fenomenólogo, ga *mf.* 현상학자.
fenotípico, ca *adj.* fenotipo의[에 관한].
fenotipo *m.* [생물] 표현형(表現型) ((육안으로 볼 수 있는 생물의 형질)).
feo, a *adj.* ① 못생긴, 추한. ② 불쾌한, 반감[증오]을 일으키는. ③ (형편 등이) 나쁜, 불리한. ④ (트럼프에서) 거짓 패를 말하는. —*mf.* 못생긴 사람, 추남, 추녀. —*m.* 실례, 모욕.
feracidad *f.* 비옥(함)(fertilidad).
feraz *adj.* 비옥한, 기름진(fértil).
féretro *m.* 관(棺)(ataúd).
feria *f.* ① (큰) 장, 시장, 정기시(定期市) ((mercado보다 큼)), 축제일 겸 장날. ② 품평회, 공진회. ③ 자선시. ④ 박람회, 견본시, 전시회. ⑤ 설명회. ⑥ (토요일·일요일 이외의) 요일. ⑦ 휴식, 일의 중지. ⑧ =**trato, convenio.** ⑨ *Salv.* =**dinero.** ⑩ *Méj., Nic.* 잔돈, 거스름돈. ⑪ *CRica.* [드묾] (상인이 자기의 손님에게 주는) 덤. ⑫ *pl.* [드묾] (어떤 곳에 장이 설 때) 내놓는 선물: dar ~*s* 선물을 주다.
feriado *m.* ① 휴일. ② 국경일(día ~).
ferial *adj.* 장이 서는, 시장의: días ~*es* 장날. —*m.* ① 장, 시장. ② 장터.
feriante *adj., mf.* (물건을 사거나 팔기 위해) 장에 모이는 (사람).
feriar (11) *tr.* ① 장에서 사다. ② 물건을 사다[팔다]. ③ 물건을 다른 것과 교환하다. ④ *Col., Ecuad.* (돈이 급히 필요하거나 다른 이유로) 아주 싸게 팔다. ⑤ *Cuba., Ecuad., Guat.* 재산[돈]을 낭비하다. ⑥ [드묾] 선물을 주다(dar ferias). —*intr.* [드묾] 일을 하루나 며칠 중지하다.
ferino, na *adj.* 맹수의, 맹수 같은.
fermentable *adj.* 발효성의.
fermentación *f.* ① 발효. ② 정신적 고조, 불만 고조.
fermentar *tr.* 발효시키다; 양조하다. —*intr.* ① 발효하다. ② (정신적으로) 동요하다, 불만이 높아지다.
fermento *m.* ① 효소. ② 불씨, 유인(誘因): ~ revolucionario 혁명의 불씨.
fermio *m.* [화학] 페르뮴.
fernandino, na *adj., mf.* [역사] 페르난도 7세(Fernando VII; 1814-33) 지지파(의).
ferocidad *f.* 사나움, 잔인성, 흉포성; 광포한 행위, 만행.
ferodo *m.* [자동차] 브레이크 라이닝.
feroz *adj.* ① 사나운, 흉포한. ② 잔인한. ③ 지독한, 굉장한, 맹렬한.
ferozmente *adv.* 사납게, 흉포하게, 잔인하게(con ferocidad).
ferragosto *m.* 8월의 혹서.
ferrar *tr.* 쇠로 장식하다[덮다·씌우다].
férreo, a *adj.* ① 철[쇠]의: vía [línea] ~*a* 철길, 철도, 레일. ② 철분의, 철을 함유한. ③ 단단한, 쇠 같은; 엄격한.
ferrería *f.* ① 대장간. ② *pl.* 제철소.
ferretería *f.* ① 철물점. ② [집합] 철물점에서 파는 철물. ③ 철 장사. ④ =**ferrería.**
ferretero, ra *mf.* ① 철물점 주인. ② 철물점 점원.
férrico, ca *adj.* [화학] 제이철의.
ferrita *f.* [광물·야금] 페라이트.
ferrizo, za *adj.* 철의, 쇠의(de hierro).
ferro- *pref.* 철의, 쇠의: *ferro*vía 철도.
ferroaleación *f.* [금속] 합금철.
ferrobús *m.* [철도] 기동차.
ferrocarril *m.* 철도. ¶ ~ ***funicular*** 케이블카. ~ ***subterráneo*** 지하철.
ferrocarrilero, ra *adj., mf. Amér.* =**ferroviario.**

ferroso, sa *adj.* ① 철을 함유한. ② [화학] 제일철(第一鐵)의.
ferrotipo *m.* 철판 사진법.
ferrovía *f.* =**ferrocarril.**
ferrovial *adj.* 철도의[에 관한].
ferroviario, ria *adj.* 철도의: empresa ~*sa* 철도 회사. —*mf.* 철도원.
ferruginoso, sa *adj.* 철분을 함유한.
ferry *m. ing.* =**transbordador.**
fértil *adj.* ① 비옥한. ② 풍족한, 풍부한, 풍요로운. ③ [+en] (…이) 많은. ¶ *edad* ~ 출산 (가능) 나이.
fertilidad *f.* ① 비옥함. ② 풍족함, 풍부함: año de ~ 풍년.
fertilizable *adj.* 비옥하게 될 수 있는.
fertilización *f.* ① (토질을) 비옥하게[기름지게] 함, 비옥화. ② 풍요롭게 함.
fertilizador, ra *adj.* ① 비옥하게 하는, 기름지게 하는. ② 풍요롭게 하는.
fertilizante *adj.* ① 비옥하게 하는. ② 풍요롭게 하는. —*m.* 비료.
fertilizar (9) *tr.* ① …에 비료를 주다, (땅을) 기름지게[비옥하게] 하다. ② 풍요롭게 하다.
férula *f.* ① [식물] 아위. ② [의학] 부목(副木).
férvido, da *adj.* 불타는 듯한, 열렬한.
ferviente *adj.* ① [드묾] 뜨거운, 타는, 타오르는. ② 열렬한. ③ 열심인.
fervor *m.* ① 열의, 정열; 열광. ② 백열(상태), 염열(炎熱).
fervoroso, sa *adj.* 열렬한, 열광적인.
festejar *tr.* ① 축하하다. ② 극진히 대접하다, 환대하다, (축하로) 한 자리를 마련하다, 연회를 마련하다. ③ (여자를) 구슬리다. ④ 여자의 사랑을 얻기 위해 애쓰다. ~**se** 즐기다, 향연을 베풀다.
festejo *m.* ① 환대, 접대. ② *pl.* (공식의) 축하 행사. ③ 구애(求愛).
festichola *f. Arg., Ur.* 친구들 간의 왁자지껄한 파티.
festín *m.* (음악·춤이 있는 호화스러운) 축하연, 축연(祝宴).
festinación *f.* =**celeridad, prisa.**
festinadamente *adv. Cuba., Guat.* = **precipitadamente, sin reflexión.**
festinar *tr. Ecuad.* =**malversar.**
festival *m.* 페스티벌, 음악제, 영화제, 연극제, 축전, 제전, 축제, 잔치, …제.
festivalero, ra *adj.* 페스티벌의, 페스티벌에 참가하는.
festividad *f.* ① (종교적인) 축제(일). ② *pl.* 축하 행사. ③ 유쾌함, 명랑함.
festivo, va *adj.* ① 축제의, 제전의, 잔치의: día ~ 국경일, 휴일. ② 유쾌한; 농담의, 농으로 하는; 명랑한.
feta *f. Arg., Ur.* (냉육이나 치즈의) 얇고 길쭉한 조가리.
fetal *adj.* 태아의.
fetén *adj.* ① 좋은, 멋있는, 훌륭한. ② 진실한, 성실한, 진짜의, 명백한. —*f.* 사실, 진실. —*adv.* 아주 잘(muy bien).
fetiche *m.* (미개인의) 우상.
fetichismo *m.* (물건·사람의) 맹목적 숭배; 물신 숭배(物神崇拜).
fetichista *adj.* 물신 숭배의. —*mf.* 물신 숭배자.
fetidez *f.* 악취(惡臭).
fétido, da *adj.* 악취가 나는.
feto *m.* ① 태아(胎兒). ② (동물의) 조산된 새끼. ③ 매우 못생긴 사람.
feúcho, cha *adj.* 매우 못생긴.
feúco, ca *adj.* =**feúcho.**
feudal *adj.* 봉건제의; 봉건적인.
feudalismo *m.* 봉건 제도, 봉건주의.
feudatario, ria *adj.* 봉토(feudo)를 받는. —*mf.* 봉신(封臣).
feudo *m.* ① 봉토(封土), 영지(領地). ② 세력 범위, 세력권.
feúra *f. Col., Cuba., Ecuad., Ven.* = **fealdad.**
fez *m.* [*pl.* feces] 펠트 모자.
fha. fecha 날짜, 일부(日附).
fhdo, da fechado, da … 날짜의.
fi *f.* 파이 (Φ, φ) ((그리스 문자의 스물한 번째 문자)).
fía *f.* ① *Cantb.* 외상 판매. ② *Rioja.* =**fianza.**
fiabilidad *f.* 신뢰성, 신용도.
fiable *adj.* 신뢰[신용]할 수 있는.
fiado, da *adj.* [고어] 안전하고 믿을 만한. ¶***al*** ~ 신용으로, 외상으로. ***coger*** ~ *Cuba.* 결혼 전에 관계를 가지다. ***en*** ~ (교도소에서 나갈 때) 보석으로, 보증으로(bajo fianza).
fiador, ra *mf.* (신원·융자·보석의) 보증인. —*m.* ① (총 등의) 안전 장치. ② (문 등의) 고리, 빗장, 걸쇠. ③ (브로치 등의) 연결용 금속.
fiambrar *tr.* fiambre를 먹을 음식 준비를 하다.
fiambre *m.* ① 냉육 ((햄, 소시지 등)). ② 사체(死體). ③ *Guat.* 피암브레 ((각종 고기와 절인 야채 및 설탕을 버무려 삶은 과일로 만든 국민 요리: 찬 요리로 1년에 한 번 만성절에 먹음)). —*adj.* ① 차게 먹는. ② 신선미가 없는: noticia ~ 시기를 놓친 뉴스.
fiambrera *f.* ① fiambre 운반용 바구니[상자]. ② 보온식 찬합. ③ *Arg., Ur.* 곤충 먹이용 새장 모양의 상자.
fiambrería *f. And., Arg., Bol., Par., Ur.* fiambre 파는[만드는] 가게.
fiana *f. Cuba.* 경찰. —*mf. Cuba.* 경찰관(policía).
fianza *f.* ① 보증금. ② [법률] 보석금.
fiar (12) *tr.* ① 외상 판매하다. ② 보증하다. ③ [+a·en] (…에게) 맡기다, 부탁하다. ④ (믿고) 털어놓다. —*intr.* ① [+en] (…을) 신뢰하다, 믿다: *Fío en* ella 나는 그녀를 신뢰한다. ② 확고하게[확실히] 믿다. ~**se** ① [+a·de·en] (…을) 신뢰하다, 믿다. ② 믿고 털어놓다. ¶***ser de*** ~ 믿을 만하다, 신뢰할 만하다.
fiasco *m.* 실패(fracaso).
fibra *f.* ① 섬유. ② 소질, 기질.
fibrilación *f.* ① (심장의) 전동(顫動). ② (심장 질환에 의한) 섬유성 연축(攣

縮). ③ 미소(微小) 섬유화.
fibrilar *adj.* [해부] 섬유성의. —*intr.* 전동(顫動)하다.
fibrina *f.* [생화학] 섬유소.
fibroblasto *m.* [해부] 섬유아세포.
fibrocemento *m.* [건축] 섬유 시멘트.
fibroma *m.* [의학] 섬유종.
fibrosis *f.sing.pl.* [의학] 섬유증, 섬유형성.
fibroso, sa *adj.* 섬유질의, 섬유성의.
ficción *f.* ① 공상(의 산물); 허구, 꾸며낸 일, 조작한 일. ② [문학] 소설. ③ [법률] 의제(擬制).
ficha *f.* ① (분류・자료용) 기록, 카드. ② (화폐 대용의) 토큰, 코인; 도박 패, 칩, 말. ③ (도미노 등의) 패. ④ 근무시간 기록표, 타임카드. ⑤ [운동] 선수계약; (선수의) 연봉. ⑥ [영화] 크레디트 타이틀. ⑦ 위험 인물. ⑧ =**pícaro.**
fichaje *m.* ① [운동] 계약, 계약금. ② (…의) 서비스[도움]를 받는 일.
fichar *tr.* ① 카드에 적다[기입하다]. ② (카드를) 분류[정리]하다. ③ 블랙리스트에 올리다, 요주의 인물로 보다. ④ (실업 수당을 받기 위해) 직업 안정소에 등록하다. ⑤ (팀이 선수와) 계약을 체결하다. —*intr.* ① 출근부[근무 시간 기록표]에 도장을 찍다. ② [+por] (팀과) 선수 계약을 맺다.
fichero *m.* ① 카드 상자[정리함]. ② [집합] 색인[자료] 카드. ③ [컴퓨터] 파일: ~ invertido 역(逆)[색인] 카드.
ficticio, cia *adj.* ① 허구(虛構)의, 가공의, 거짓의. ② 의제(擬制)의; 명목상의: letra ~*cia* 공수표, 융통 어음.
fictivo, va *adj.* (문학의) 허구 속에 존재하는.
fidecomiso *m.* =**fideicomiso.**
fidedigno, na *adj.* 신용할 수 있는, 믿을 수 있는, 믿을 만한.
fideero, ra *mf.* fideo 제조자.
fideicomisario, ria *adj.* 신탁의: banco ~ 신탁 은행. —*mf.* 피신탁자.
fideicomiso *m.* ① 신탁 (처분). ② (유엔의) 신탁 통치: estado en [bajo] ~ 신탁 통치국.
fideicomitente *mf.* 신탁자.
fidelidad *f.* ① 충실함, 성실함. ② [기술] 충실도, 성능.
fidelísimo, ma *adj.* 매우 충실한.
fideo *m.* ① 피데오 ((수프용 가는 실 모양의 국수; 우리 나라의 국수에 가까운 것은 tallarines)). ② 빼빼 마른 사람.
fideúa *f.* [요리] 피데우아 ((쌀 대신 fideo로 만든 paella 비슷한 요리)).
fiducia *f.* [드묾] =**confianza.**
fiduciario, ria *adj.* ① 신탁을 받은. ② [경제] 신용 발행의. —*mf.* 피수탁자.
fiebre *f.* ① (병에 의한) 열(熱). ② [때때로 *pl.*] 열병. ③ 열광, 흥분. ¶ ~ *aftosa* 구제역(口蹄疫). ~ *amarilla* 황열. ~ *cuartana* 사일열. ~ *de Malta* =fiebre mediterránea. ~ *héctica*, ~ *hética* 소모열. ~ *láctea* 수유열(授乳熱). ~ *mediterránea* 지중해열. ~ *palúdica* 말라리아열. ~ *puerperal* 산후열[산욕열]. ~ *terciana* 삼일열. ~ *térmica* ㉮ 너무 높은 온도에 몸을 노출시켜 생긴 열. ㉯ =**insolación.** ~ *tifoidea* [의학] 장질부사.
fiel *adj.* ① 충실한, 성실한. ② 정확한, 사실을 왜곡하지 않은. —*mf.* 신자, 신도. —*m.* (저울의) 바늘.
fieltro *m.* 펠트: sombrero ~ 펠트모자.
fiemo *m.* 퇴비(estiércol).
fiera[1] *f.* ① 맹수. ② 잔인한 사람, 냉혹한 사람. ③ 화를 잘 내는 사람. —*mf.* 걸출한 사람.
fieramente *adv.* 사납게; 잔인하게, 냉혹하게.
fiereza *f.* 사나움; 잔인함, 냉혹함.
fiero, ra[2] *adj.* ① 사나운. ② 잔인한, 흉악한, 냉혹한. ③ 맹렬한, 굉장한, 지독한, 엄청난, 대단한, 놀라운.
fierro *m.* ① *Amér.* (가축의 낙인용) 쇠. ② *Col., Ur.* 무기, 화기 총포. ③ *CRica.* =**herramienta.** ④ *Méj.* 센트. ⑤ *Ur.* =**dinero en monedas.** ⑥ [고어・방언] =**hierro.** ⑦ *pl. Méj.* =**dinero.**
fiesta *f.* ① 국경일(día de ~): ~ nacional ㉮ 국경일. ㉯ 투우. ② 교회의 축제일. ③ 성인의 축하 의식. ④ =**diversión, regocijo.** ⑤ 축하 행사, 축제, …제(祭). ⑥ 파티, 연회. ⑦ (누구로부터 애정을 얻기 위해 애정의 표현으로 하는) 선물, 애무. ⑧ 농담, 신소리. ⑨ *pl.* (부활절 등의) 휴가.
fiestear *intr. Bol., Chile, Cuba, Ven., Guat., Salv.* 즐기다, 신나게 놀다.
fiesterío *m. Hond., Méj., Salv.* 축제의 연속.
fiestero, ra *adj., mf.* 파티를 좋아하는 (사람).
fiescota *f. Chile.* 춤추는 파티.
FIFA *f.* 국제 축구 연맹.
fígaro *m.* ① 직업 이발사. ② 통이 좁은 외투(torera).
figón *m.* 싼 식당.
figulina *f.* 도자기로 만든 작은 상(像).
figura *f.* ① 모습, 형체, 자태, 체형; 형, 모양. ② (미술・조각 등의) 상; 인물상. ③ 인물; (특히) 유명 인사, 거물. ④ 도형(圖形). ⑤ [무용] 피겨 ((선회 운동의 한 가지)). ⑥ [스케이트] 피겨 ((스케이트로 얼음 위에 그리는 도형)). ⑦ [음악] 음부, 음표. ⑧ [장기] 말. ⑨ [트럼프] 잭・퀸・킹의 패. ⑩ [수사학] 문채(文彩). ⑪ [문법] 파격, 변칙. ⑫ [논리] 격(格). ⑬ [법률] 개념. —*mf.* 괴상하고 못생기고 풍채가 좋지 않은 사람.
figurable *adj.* 나타낼 수 있는, 상상할 수 있는.
figuración *f.* ① 도형으로 나타내기. ② 상상, 공상. ③ [집합] [영화・연극] 엑스트라, 단역.
figuradamente *adv.* 비유적인 의미로, 전의(轉義)로.
figurado, da *adj.* 비유적인.

F

figuranta *f.* [연극 · 영화] 단역.
figurante *adj.* 나타나 있는. —*mf.* [영화 · 연극] 단역, 엑스트라.
figurar *tr.* ① (모양으로) 나타내다, 묘사하다, 그리다. ② …하는 체하다, 가장하다. ③ [연극] …의 역을 연출하다. —*intr.* ① [+en · entre] (명단 등에) 적혀 있다. ② 참가하다. ③ 중요한 역할을 하다, 눈에 띄다, 두드러지다. ~**se** ① [+que+*ind.*] 상상하다, 생각하다. ② [+a *alguien*+que+*ind.*] (…에게) …라 생각되다. ③ [no ~ a *alguien*+que+*subj.*] (…에게) …라 생각되지 않는다.
figurativismo *m.* 구상주의(具象主義).
figrativo, va *adj.* ① 물건을 본뜬[나타내는]: escritura *~va* 상형 문자. ② 구상(파)의: arte ~ 구상 예술.
figurilla *mf.* 작고 괴상한 사람.
figurín *m.* ① 의상 디자인[모델]. ② = lechuguino, gomoso.
figurinista *mf.* 복식 디자이너.
figurita *f. Arg., Bol., Nic., Ur.* =cromo, estampa.
figurón *m.* ① 허세 부리는 사람, 겉치레꾼. ② 익살 코미디 주연 배우.
fija *f.* ☞fijo².
fijación *f.* ① 고정(固定); 장치, 설치함; 정착. ② 결정. ③ 편집, 강박 관념. ④ [의학] 고착. ⑤ [사진] 정착. ⑥ (염색의) 정착, 고착.
fijado, da *adj.* 고정된: a la hora *~da* 정시에, 정각에. —*m.* [사진] 정착.
fijador, ra *adj.* 고정시키는. —*m.* ① 고정 기구. ② [사진 · 회화] 정착액. ③ [화장] 이발료.
fijapelo *m.* [화장] 이발료.
fijar *tr.* ① [+a · en] (…에) 고정시키다; 고정시켜 놓다, 장치하다, 설비하다. ② (주거 · 날짜 등을) 정하다, 결정하다. ③ (시선 등을) 집중시키다, 멈추다. ④ [사진 · 회화] 정착(定着)하다. ~**se** ① 고정하다. ② 정착하다, 정주(定住)하다. ③ [+en] (…에) 주목하다, 주의하다: *Fíjate* bien en lo que te digo 내가 너에게 말한 것을 잘 들어라.
fijasellos *m.sing.pl.* 우표 첨부용 파라핀 종이.
fijativo *m.* [사진 · 회화] 정착액.
fijeza *f.* ① =firmeza, seguridad de opinión. ② =persistencia, continuidad.
fijiano, na *adj.* 피지(Fiji)의. —*mf.* 피지 사람.
fijo¹, ja *mf.* [고어] =hijo.
fijo², ja *adj.* 고정된, 정해진; 일정한. —*f.* [경마] 우승 후보 말. —*adv.* 꼭, 반드시, 틀림없이.
fila *f.* ① 열(列): ponerse en ~ 열을 짓다. ② 증오, 반감. ③ *pl.* 집단, 당파. ④ *pl.* 군대, 전열(戰列).
filamento *m.* ① 가는 실. ② (동 · 식물의) 섬유. ③ (전구의) 필라멘트.
filamentoso, sa *adj.* 섬유질의.
filandón *m. León.* 실을 자으면서 잡담하기 위한 여인들의 야간 모임.
filantropía *f.* 박애, 자선.
filantrópico, ca *adj.* 박애의, 박애주의의, 자선의: sociedad *~ca* 자선 협회.
filantropismo *m.* =filantropía.
filántropo, pa *mf.* 자선가; 박애가.
filar *tr.* 감시하다.
filaria *f.* [생물] 필라리아, 사상충.
filariasis *f.* 필라리아 기생충병(病).
filariosis *f.* 필라리아증(症).
filarmonía *f.* 음악 애호.
filarmónico, ca *adj.* ① 음악 애호의, 음악을 좋아하는. ② 음악의. —*mf.* ① 음악 애호가. ② *Méj.* 교향 관현악 단원. —*f.* ① 교향악단. ② [악기] 하모니카(armónica).
filatelia *f.* 우표 수집, 우표 연구.
filatélico, ca *adj.* 우표 수집[연구]의. —*mf.* 우표 수집가.
filatelista *adj.* 우표 수집[연구]에 전념하는. —*mf.* 우표 수집가[연구가].
filete *m.* ① (소 · 돼지의) 등심살. ② (고기 · 생선의) 살 조각. ③ (얇은) 비프스테이크. ④ (책표지 · 의복 등의) 장식 윤곽선. ⑤ [건축] 사개. ⑥ [기계] 나사산. ⑦ (망아지용) 재갈. ⑧ 틈새기 바람. ⑨ 작고 가는 꼬챙이.
filetear *tr.* ① 사개(filete)로 장식하다. ② *Ven.* =sobrehilar.
filfa *f.* =mentira, engaño.
filia *f.* 애호(愛好).
filiación *f.* ① 인물 조사. ② 인물 조사 서류, 인상서. ③ (부모와 자식의) 관계, 관련성. ④ 당적(黨籍).
filial *adj.* 자식의[에 관한]. —*f.* 자회사, 계열 회사(compañía ~).
filialmente *adv.* 자식답게, 효성스럽게.
filiar (11) *tr.* (경찰 등이) …의 인물 조사를 하다. ~**se** ① 병적에 들어가다[기재되다]. ② =afiliarse.
filibusterismo *m.* ① 해적 행위. ② 의사 진행 방해 ((긴 연설, 각종 동의 제출, 불신임안 연속 상정 등)).
filibustero *m.* (16-18 세기 카리브해의) 해적.
filicida *mf.* 자식 살해자. —*adj.* 자식을 살해한.
filicidio *m.* (아버지나 어머니에 의한) 자식 살해.
filiforme *adj.* 실 모양의, 실 같은.
filigrana *f.* ① (금 · 은의) 실 세공. ② 섬세한 세공품. ③ 종이로 만든 투명한 표시.
filípica *f.* 공격 연설.
Filipinas *f.pl.* [국명] 필리핀.
filipinismo *m.* 필리핀 특유의 표현[말].
filipino, na *adj.* ① 필리핀 태생의. ② 필리핀의[에 관한]. —*mf.* 필리핀 사람.
film *m.* =filme.
filmación *f.* 영화 촬영[제작].
filmador, ra *adj.* 촬영의. —*mf.* 촬영 기사, 카메라맨. —*f.* 촬영기.
filmar *tr.* 촬영하다.
filme *m.* 영화: ~ coreana 한국 영화.
fílmico, ca *adj.* 영화의[에 관한].
filmina *f.* 슬라이드(diapositiva).

F

filmlet *m.* 프로모션 필름.
filmografía *f.* 특정 배우·감독의 영화 작품 리스트.
filmoteca *f.* ① 필름 보관소. ② 보관된 필름 상영실. ③ 필름 수집.
filo[1] *m.* ① 칼날. ② (스케이트화의) 구두 밑 쇠날이 직접 얼음에 닿는 양쪽 모서리. ③ 똑같이 둘로 나누는 선[점]. ④ *Arg.* 일시적 애정 관계를 시작한 사람, 연인. ⑤ *Cuba.* (다리미질할 때 생기는) 주름, 줄. ⑥ *Salv.* 공복.
filo[2] *m.* [생물] 문(門).
filogenia *f.* 계통학, 계통 발생.
filogénesis *f.sing.pl.* =**filogenia.**
filología *f.* ① 문헌학. ② 언어학.
filológicamente *adv.* 문헌학적으로.
filológico, ca *adj.* ① 문헌학의. ② 언어학의. —*f.* =**filología.**
filólogo, ga *m.f.* 문헌학자; 언어학자.
filón *m.* ① 광맥. ② 큰 이문이 기대되는 장사[거래].
filoso, sa *adj.* ① 날이 선. ② *Méj.* (무엇을 하기 위해) 준비가 잘 된. —*f.* ① [식물] 아욱의 일종. ② [은어] = **espada.**
filosofal *adj.* [드묾] 철학의[에 관한].
filosofar *intr.* ① 철학자처럼 조사하다. ② 명상에 잠기다, 사색하다; 독백하다.
filosofastro, tra *m.f.* 사이비 철학자, 개똥철학자.
filosofía *f.* ① 철학: Filosofía y Letras 문학부. ② 인생관, 세계관; (작품·계획 등의) 의도. ③ 평정, 체관(諦觀).
filosóficamente *adv.* 철학적으로.
filosófico, ca *adj.* ① 철학의, 철학적인: sistema ~ 철학 체계. ② 달관한.
filosofismo *m.* ① 사이비 철학, 개똥철학. ② 궤변.
filósofo, fa *m.f.* 철학자; 철인, 달관한 사람.
filtración *f.* ① 여과; 침투. ② (돈·정보 등의) 누출(漏出).
filtrador, ra *adj.* 여과하는. —*m.* 여과기, 여과 장치.
filtraje *m.* 여과(하는 일).
filtrante *adj.* 여과하는, 여과에 쓰는.
filtrar *tr.* ① 거르다, 밭다, 여과하다, 필터로 거르다. ② (물·액체 등을) 살짝 스며들게 하다, 침투시키다. ③ (비밀을) 누설하다. —*intr.* 침투되다, 스며들다. ~**se** ① 새어 나오다, 스며 나오다, 배어 나오다. ② (돈·기밀 등이) 누출되다, 새어 나오다.
filtro *m.* ① 필터, 여과기, 여과 장치: ~ de aire 공기 청정 장치, 에어클리너. cigarrillo con ~ 필터 달린 담배. ② 미약(媚藥).
filudo, da *adj. Amér.* 날이 선.
filustre *m.* =**finura, elegancia.**
fimo *m.* 똥(estiércol).
fimosis *f.sing.pl.* [의학] 포경(包莖).
fin *m.* ① 끝, 마지막, 종료. ② 결말, 최후. ③ 최후, 죽음, 임종. ④ [영화] [표시] 끝. ⑤ 목적. ¶ ~ *de semana* 주말: Buen ~ *de semana* 주말을 잘 보내십시오. *a* ~ *de* …을 목적으로, …을 위해서. *a* ~ *de cuentas* =**en resumen, en definitiva.** *a* ~ *de que + subj.* …할 목적으로, …하기 위해. *a* ~ *de, a* ~*es de* …의 말(末)에, …이 끝날 무렵에. *al* ~ 최후로, 끝내, 마침내, 드디어, 결국, 온갖 장애를 극복한 후에. *al* ~ *y a la postre, al* ~ *y al cabo, al* ~ *y al postre* =**al fin.** *dar* ~ ㉮ 끝내다. ㉯ 죽다. *dar* ~ *a* algo (무엇을) 끝내다. *dar* ~ *de* algo (무엇을) 파괴하다, 완전히 없애다. *en* ~ ㉮ =**finalmente, últimamente.** ㉯ 요컨대, 말하자면, 요약하면. *en* ~ *de cuentas* =**a fin de cuentas.** *llegar a* ~ *de mes* 월말에 필요한 비용을 위해 충분한 돈을 가지다[돈이 충분하다]. *poner* ~ *a* algo =**dar fin a** algo. *por* ~ 마침내, 결국, 드디어. *por* ~ *y postre* =**al cabo, por remate.** *sin* ~ 무수한, 셀 수 없는, 한없는, 끝없는.
finado, da *m.f.* 고인(故人).
final *adj.* ① 최후의, 최종의. ② 구극의, 궁극의. ③ 최종적인, 변경 불가능한. ④ [문법] 목적을 나타내는. —*m.* ① 끝, 마지막. ② 결말; [연극] 피날레. ③ 말단(末端), 끝. —*f.* [운동] 결승전. ¶*a* ~ *de, a* ~*es de* …의 말(경)에, …의 하순에. *en un* ~ *Cuba.* =**en fin, en definitiva.** *llegar a* ~ *de mes* =**llegar a fin de mes.**
finalidad *f.* 목적, 의도.
finalista *adj.* ① 결승(전)에 진출한. ② [철학] 목적 원인론의. —*m.f.* ① 결승(전) 진출자. ② [철학] 목적 원인론자.
finalización *f.* 끝, 종료.
finalizar (9) *tr.* 끝내다. —*intr.* 끝나다.
finalmente *adv.* ① 최후에. ② 드디어, 마침내, 결국(en conclusión).
finamente *adv.* 깨끗하게, 정교하게.
financiable *adj.* 융자[출자]할 수 있는.
financiación *f.* 융자, 자금 조달.
financiador, ra *adj.* 출자하는, 투자하는. —*m.f.* 출자자(出資者).
financiamiento *m.* =**financiación.**
financiar (11) *tr.* …에 융자[출자]하다, 돈을 내다.
financiero, ra *adj.* 재정(財政)의, 금융의. —*m.f.* 재계인; 금융업자. —*f.* 금융[투자] 회사(sociedad · compañía ~*ra*).
financista *m.f.* ① *Amér.* 출자자, 투자자. ② *Chile., Ecuad., Hond., Ven.* 은행[증권 거래소] 문제에 정통한 사람. ③ *Ecuad.* =**hacendista.** ④ *Ecuad.* 작은 사업에 능한 사람.
finanza *f.* ① [고어] 볼모의 신병 인수. ② [고어] 볼모의 몸값. ③ *pl.* 재정, 재무; 금융. ④ *pl.* 금융계, 재계.
finar *intr.* =**fallecer, morir.** ~**se** (모임 등이) 끝나다.
finca *f.* 토지, 대지, 땅; 부동산.
fincar (7) *tr.* [고어] =**hincar.** —*intr.* ~**se** 땅을 사다.
finés, sa *adj.* ① 핀족(族)의. ② 핀란

F

드(Finlandia) (태생)의. —*m.f.* ① 핀족 사람. ② 핀란드 사람. —*m.* ① 핀 말. ② 핀란드 말.
fineza *f.* ① 가늚, 엷음. ② 상질(上質), 질이 좋음; 훌륭함. ③ 섬세함, 고상함: ~ del porte 행동이 고상함. ④ 선물.
fingidamente *adv.* …체하고, 가장해서, 거짓으로, 허위로.
fingido, da *adj.* …척하는, …체하는, 거짓의, 허위의, 사기의.
fingidor, ra *adj., m.f.* …하는 척하는 (사람), 가장하는 (사람), 거짓말하는 (사람).
fingimiento *m.* 거짓, 거짓말, 허위, 사기, 속이기.
fingir (4) *tr.* ① 만들어 내다. ② …체하다, …척하다, …을 가장(假裝)하다. —*intr.* 짐짓 시치미떼다. ~**se** …체하다, …척하다: ~*se* enfermo 아픈 척하다, 칭병하다, 꾀병을 부리다.
finible *adj.* 끝날 수 있는.
finiquitar *tr.* ① [상업] 결제하다, 청산하다. ② 끝마치다, 매듭짓다, 처리하다: ~ un asunto 용건을 끝마치다.
finiquito *m.* ① 결제, 청산. ② 퇴직계. ③ 퇴직금. ④ 해고 수당.
finisecular *adj.* 세기말의, 세기말적인.
finito, ta *adj.* ① 유한(有限)의. ② [문법] 정형(定形)의.
finlandés, sa *adj.* 핀란드(Finlandia) (태생)의. —*m.f.* 핀란드 사람. —*m.* 핀란드 말.
fino, na *adj.* ① 잔; 가는, 엷은: arena *fina* 가는 모래. ② 세세한, 세밀한. ③ 세련된, 고상한, 품위가 있는. ④ 예민한. ⑤ 질이 좋은. ⑥ (금속이) 순수한: oro ~ 순금(oro puro). ⑦ (표면이) 감촉이 좋고 윤기가 있는. ⑧ 숙달된, 빈틈없는. ⑨ 예의바른, 친절한, 공손한. ⑩ (포도주가) 단맛이 없고 알코올 농도가 높은. —*m.* 셰리 ((단맛이 없고 알코올 도수가 15도에서 17도인 백포도주)).
finoli *adj., m.f. Ur.* =**finolis.**
finolis *adj., m.f.* 아니꼬운 (사람).
finta *f.* ① 위장(僞裝). ② [운동] 공격하는 시늉.
fintar *intr.* 공격하는 시늉을 하다.
fintear *intr. Amér.* =**fintar.**
finura *f.* ① 가늚, 엷음. ② 세밀함. ③ 고상함. ④ 예의바름. ⑤ 상질(上質). ⑥ 숙달, 빈틈없음.
finústico, ca *adj.* =**finolis.**
fiordo *m.* (노르웨이의) 협만(峽灣).
fique *m.* ① *Col., Ven.* [식물] 수선과의 섬유 식물. ② *Col., Ven.* 끈을 만드는 식물 섬유.
firifiro, ra *adj. Ven.* =**menudo, delgado, débil.**
firma *f.* ① 서명, 사인. ② 조인. ③ 서명을 요하는 서류. ④ 상호. ⑤ 회사, 상사. ⑥ 저자, 집필자. ¶~ *en blanco* 백지 서명[위임]. buena ~ 신용 있는 사람. *media* ~ 성(姓)만 서명. *dar* alguien ~ *en blanco* (누가) 백지 위임하다. *llevar* alguien *la* ~ *de* otra persona (누가 다른 사람을) 대표하다.
firmal *m.* 브로치 모양의 보석.
firmamento *m.* (별이 보이는) 하늘, 창공(蒼空).
firmán *m.* (터키의) 제왕령(帝王令).
firmante *adj.* 서명하는, 조인(調印)하는: países ~*s* 조인국. —*m.f.* 서명자.
firmar *tr.* ① …에 서명[조인]하다. ② [고어] =**afirmar.** ~**se** (서명에서) …라는 이름[타이틀]을 사용하다 ¶~ *en blanco* alguien (누가) 백지 위임장에 서명하다. *no estar* alguien *para* ~ (누가) 만취해 있다.
firme *adj.* ① 견고한, 튼튼한, 흔들거리지 않는. ② 확고한, 단호한. —*adv.* 튼튼히, 견고하게. —*m.* ① (튼튼한) 지반(地盤). ② 포장(鋪裝). ¶*de* ~ 튼튼히, 강하게; 열심히; 끊임없이. *en* ~ ㉮ (시황이) 안정된. ㉯ (계약이) 일정 조건의: pedido *en* ~ 정식 발주[주문].
firmemente *adv.* 튼튼히, 견고하게; 확고하게: creer ~ 확신하고 있다.
firmeza *f.* 튼튼함, 견고함, 단단함; 단호함, 확고함: con ~ 단호하게.
fisán *m. Cantb.* =**alubia.**
fiscal *adj.* ① 국고의, 재정의: reforma ~ 재정 개혁. política ~ 재정 정책. ② 검사(檢事)의. —*m.f.* ① 검사, 검찰관: ~ general (del Estado) 검찰 총장. ② 회계관, 검사관.
fiscalía *f.* ① 검찰청: *Fiscalía* Suprema 대검찰청. ② 검사국(檢事局). ③ 검사의 직무. ④ 회계관[검사관]의 직무[사무소].
fiscalización *f.* ① 검찰, 사찰. ② (재정의) 관리, 통제. ③ 탐색, 비난.
fiscalizar (9) *tr.* ① 사찰하다. ② 탐색하다, 비난하다.
fisco *m.* 국고, 재정.
fisga *f.* ① 작살. ② 조소, 조롱, 놀림.
fisgar (8) *tr., intr.* 엿보다, 냄새를 맡고 다니다. ~**se** 놀리다, 조롱하다.
fisgón, na *adj., m.f.* ① 놀리는, 조롱하는 (사람). ② 엿보기 좋아하는 (사람).
fisgonear *tr., intr.* =**fisgar.**
fisgoneo *m.* ① 조롱, 조소. ② 남의 일을 캐고 다니기.
fisiatra *m.f.* 물리 요법사.
fisiatría *f.* 물리 요법.
fisiátrico, ca *adj.* 물리 요법의.
fisible *adj.* [물리] 핵분열을 일으키는.
física[1] *f.* ① 물리학: ~ nuclear 원자[핵] 물리학. ② [고어] 의학(medicina).
físicamente *adv.* ① 육체적으로(corporalmente). ② 실제적이고 사실적으로.
físico, ca[2] *adj.* ① 물질의: ciencias ~*cas* 자연 과학. ② 천연의, 자연계의: medio ~ 자연 환경. ③ 물리학의. ④ 신체의. ⑤ —*m.f.* 물리학자. —*m.* 체격, 몸매.
fisicoculturismo *m. Arg., Perú, Salv.* =**culturismo.**
fisicoquímico, ca *adj.* 이화학[물리 화

F

학]의. —*mf.* 이화학자, 물리 화학자. —*f.* 이화학, 물리 화학.
fisiculturismo *m. CRica, Hond.* = culturismo.
fisio- *pref.* 「자연(naturaleza)」의 뜻: *fisio*terapia 자연[물리] 요법.
fisiocracia *f.* 중농주의.
fisiócrata *mf.* 중농주의자.
fisiognomía *f.* 관상학, 골상학, 관상술, 골상술.
fisiognómico, ca *adj.* fisiognomía의[에 관한]. —*f.* =fisiognomía.
fisiografía *f.* 지문학, 자연 지리학.
fisiográfico, ca *adj.* fisiografía의[에 관한].
fisiología *f.* ① 생리학. ② 몸의 상태.
fisiológicamente *adv.* 생리(학)적으로.
fisiológico, ca *adj.* 생리학의.
fisiólogo, ga *mf.* 생리학자.
fisión *f.* 분열: ~ nuclear 핵분열.
fisionable *adj.* (핵)분열될 수 있는.
fisionar *tr.* ① 분열시키다. ② 핵분열시키다. ~**se** ① 분열하다. ② 핵분열하다.
fisionomía *f.* =fisonomía.
fisiopatología *f.* 생리 병리학.
fisiopatológico, ca *adj.* 생리 병리학의[에 관한].
fisioterapeuta *mf.* 물리 요법사.
fisioterapéutico, ca *adj.* [의학] = fisioterápico.
fisioterapia *f.* [의학] 물리[이학] 요법.
fisioterápico, ca *adj.* [의학] 물리[이학] 요법의[에 관한].
fisioterapista *mf. Col.* =fisioterapeuta.
fisonomía *f.* ① 인상, 용모. ② 외모, 외관. ③ 특색, 특징. ④ 골상학.
fisonómico, ca *adj.* 인상(人相)의, 얼굴 생김새의: rasgos ~*s* 얼굴의 특징.
fisonomista *adj.* ① 골상학의. ② 골상의. —*mf.* 골상학자.
fisónomo, ma *mf.* =fisonomista.
fistol *m. Méj.* 넥타이 핀.
fístula *f.* ① 관(管). ② 피리 비슷한 관악기. ③ [의학] 누관(瘻管).
fisura *f.* ① 갈라진[터진] 곳, 갈라진 금, 균열. ② [의학] (뼈 등의) 균열, 골절.
fitófago, ga *adj.* 초식(草食)의.
fitogenético, ca *adj.* 식물 발생의.
fitogeografía *f.* 식물 지리학.
fitografía *f.* 기술(記述) 식물학.
fitográfico, ca *adj.* fitografía의[에 관한].
fitógrafo, fa *mf.* 기술 식물학자.
fitología *f.* =botánica.
fitopatología *f.* 식물 병리학.
fitoplancton *m.* 식물 플랑크톤.
fitosanitario, ria *adj.* 식물 위생의.
fitosociología *f.* [식물] 식물 사회학.
fitoterapeuta *mf.* 식물 요법 전문가.
fitoterapia *f.* [의학] 식물 요법.
fitotóxico, ca *adj.* 식물 독소의, 식물에 유해한.
fitotomía *f.* 식물 해부학.
fius *m. CRica.* =fusible.
fiyiano, na *adj.* 피지(Fiyi)의, 피지에 관한. —*mf.* 피지 사람.
fizón *m. Hues.* =aguijón.
flabelicornio *adj.* [동물] 부채 모양의 촉각이 있는.
flabeliforme *adj.* 부채 모양의.
flabelo *m.* 손잡이가 긴 큰 부채.
flacamente *adv.* 살이 빠져, 여위어.
flaccidez *f.* =flacidez.
fláccido, da *adj.* =flácido.
flacidez *f.* ① 연약, 무기력, 맥없음. ② 누에고치의 치명적인 전염병.
flácido, da *adj.* ① (근육·사람이) 흐느적흐느적한, 축 늘어진. ② (정신 등이) 이완된, 연약한.
flaco, ca *adj.* ① 여윈, 살이 빠진. ② 약한, 힘이 없는. ③ 나약한, 잘 흔들리는. ④ 박력이 없는. —*m.* 결점, 약점.
flacón, na *adj. Cuba.* =flacucho.
flacuchento, ta *adj. Andes, Chile, Cuba, Hond.* =flacucho.
flacucho, cha *adj., mf.* 약간 마른 (사람).
flacuncho, cha *adj. Ecuad.* =flacucho.
flacura *f.* ① 여윔, 살이 빠짐, 바싹 마름. ② 박약함.
flagelación *f.* 채찍질, 매질, 태형.
flagelado, da *adj.* [생물] 편모가 있는.
flagelador, ra *adj., mf.* ① 채찍질하는 (사람). ② 야단치는 (사람).
flagelante *adj.* ① 채찍질하는. ② 자신의 몸에 채찍질하는. —*m.* ① 채찍질로 고행하는 이단자. ② =disciplinanante.
flagelar *tr.* ① 채찍으로 때리다, 매질하다. ② =vituperar. ~**se** 자신의 몸에 채찍질하다.
flagelo *m.* ① 채찍. ② =aflicción, calamidad. ③ [생물] 편모(鞭毛).
flagrante *adj.* ① [시어] 불타 오르는. ② 명백한. ¶*en* ~ 현행범으로.
flagrar *intr.* [시어] 불[불꽃]처럼 타오르다[빛나다].
flama *f.* ① =llama[1]. ② 불꽃의 반사. ③ [군사] (투구의) 불꽃 장식. ④ *And., Ext.* =bochorno, calor.
flamante *adj.* ① 빛나는, 번쩍이는. ② 새로운, 신품의. ③ 신인(新人)의, 새로 들어온.
flambear *tr* =flamear ①.
flamear *tr.* ① [요리] 술을 붓고 불을 붙이다. ② (털을 뽑은 새나 가죽을 벗긴 동물을) 마무리하기 위해 화염을 쏘이다. ③ [의학] 화염 멸균하다, 불꽃으로 소독하다. —*intr.* ① 불꽃을 내뿜다. ② (돛·깃발이) 펄럭이다.
flamenco, ca *adj.* ① 플랑드르(Flandes, 벨기에, 네덜란드 남부, 프랑스 북부에 걸쳐 북해에 면한 중세의 나라)의. ② 플라멩코의, 안달루시아 집시의. ③ 철면피한, 뻔뻔스러운. ④ (여성이) 육체가 풍만한. ⑤ *PRico.* 여윈, 마른. —*mf.* ① 플랑드르 사람. ② 육체가

F

풍만한 여인. —*m.* ① 플랑드르 말. ② 플라멩코 노래와 춤. ③ [새] 홍학.
flamencología *f.* 플라멩코 (음악 · 무용)의 연구.
flamencólogo, ga 플라멩코 연구에 전념한. —*mf.* 플라멩코 연구 전문가.
flamenquería *f.* 건방짐, 젠체함.
flan *m.* ① 플란 ((계란 노른자 · 우유 · 설탕으로 만들어진 과자)). ② 동전 주조용으로 준비된 금속 원반. ¶*como un ~, hecho un ~* 매우 신경질적인, 흥분한.
flanco *m.* ① 옆구리. ② 선측(船側), 배의 곁. ③ [군사] 측면.
flanera *f.* flan(을 만드는) 틀(molde).
flanero *m.* =flanera.
flanqueado, da *adj.* 측면 보호를 받은.
flanqueador, ra *adj., mf.* 측면 공격[보호]을 하는 (사람).
flanquear *tr.* ① …의 측면[옆]에 놓여 있다. ② [군사] 측면을 지키다. ③ [군사] 적의 측면을 위협하다.
flanqueo *m.* 측면 공격; 측면 방어.
flaquear *intr.* ① (체력 · 강도 등이) 약해지다. ② 무너질 듯하다, 붕괴될 듯하다. ③ 뒤떨어지다, 못하다, 약하다.
flaquencia *f.* *AmérC., Ant., Méj.* = flaqueza.
flaquera *f.* ① *Sal.* =debilidad, extenuación. ② *Sal.* (목초의 부족으로 생기는) 벌의 병.
flaqueza *f.* ① 여윔, 쇠약. ② 약함, 나약함. ③ 약점, 결점. ④ [펜싱] = tercio flaco.
flash *m. ing.* ① [사진] 플래시. ② 플래시로 생긴 섬광. ③ 뉴스 속보.
flash-back *m. ing.* [영화] 플래시백.
flato *m.* ① 뱃속에 차는 가스로 인한 격통, 산통(疝痛). ② *AmérC., Col., Ven.* =melancolía, tristeza.
flatoso, sa *adj.* ① 뱃속에 가스로 인한 격통이 일어난. ② 울적한, 우울한, 슬픈.
flatulencia *f.* =flato.
flatulento, ta *adj.* ① 뱃속에 가스가 생기는. ② 뱃속의 가스로 인한 격통을 일으키는 (사람).
flatuoso, sa *adj.* =flatoso.
flauta *f.* ① [악기] 피리, 플루트 ② *Arg., Cuba, Par., Ur.* 바게트 ((기다란 막대기꼴의 빵)). ③ *Méj.* 플라우따 ((옥수수 부침개로 만든 속에 고기가 든 기다란 따꼬(taco))). —*mf.* 피리 연주가, 플루트 연주가.
flautado, da *adj.* 피리 같은. —*m.* (오르간의) 음전(音栓).
flauteado, da *adj.* 피리 같은 소리의.
flautero *m.* 피리 제작자.
flautín *m.* 작은 피리[플루트]. —*mf.* flautín 연주가.
flautista *mf.* 플루트 연주자.
flavo, va *adj.* 벌꿀 색의, 황금 색의.
flébil *adj.* ① [시어] 울음이 터질 것 같은, 울고 싶을 정도의. ② [시어] =lamentable, triste, lacrimoso.
flebítico, ca *adj.* ① 정맥염의[에 관한]. ② 정맥염에 걸린. —*mf.* 정맥염 환자.
flebitis *f.sing.pl.* [의학] 정맥염.
flebotomía *f.* [의학] 정맥 절개, 사혈.
flebotomiano *m.* =sangrador.
flecha *f.* ① 화살. ② 화살 표시. ③ (종루의) 첨탑. ④ [건축] (아치의) 수직 높이. ⑤ =sagita. ⑥ *CRica.* = tirachinas. ¶*como una ~* 쏜살같이, 총알같이.
Flecha *f.* [천문] 화살자리.
flechado *m. Ur., Ven.* 교통 신호.
flechador *m.* 화살을 쏘는 사람.
flechadura *f.* [선박] 배의 줄사다리.
flechar *tr.* ① 활시위를 잡아당기다. ② (…를) 활로 다치다[죽이다]. ③ 유혹하다, 홀딱 반하게 하다. —*intr.* 화살을 쏘려고 준비중이다.
flechazo *m.* ① 화살을 쏨. ② 화살로 인한 부상. ③ 한눈에 반함, 연심.
flechero *m.* ① 궁수. ② 화살 제작자.
fleco *m.* ① 술, 술장식. ② (이마에 내려뜨린) 앞머리(flequillo).
flegmonoso, sa *adj.* [의학] =flemonoso.
fleja *f.* [식물] *Ar.* =fresno.
flejar[1] *m. Ar.* =fresno.
flejar[2] *tr. Méj.* (짐을 단단히 묶기 위해) 갓철대를 두르다.
fleje *m.* ① 갓철대. ② 쇠테.
flema *m.* ① 담, 가래. ② 점액질. ③ 냉정, 무감각. ④ [화학] 증류액. ⑤ *pl.* 발효시킨 포도 껍질에서 얻은 증류주.
flemático, ca *adj.* ① 담[가래]의. ② (행동이) 느린, 굼뜬. ③ 냉정[침착]한.
flemón *m.* [의학] 봉소(직)염, 결합 조직염.
flemudo, da *adj., mf.* (동작이) 느린, 굼뜬 (사람).
flequillo *m* (이마에 늘어뜨린) 앞머리.
fletador, ra *adj.,* 용선(用船)하는, 임차하는. —*mf.* 용선자.
fletamento *m.* 용선; 용선 계약.
fletante *m.* [드묾] 선주(船主).
fletar *tr.* ① (배 · 비행기 등을) 전세내다. ② (배 · 비행기에) 짐을 싣다, 선적하다; 용선시키다, 탑승시키다. ③ *Amér.* (사람이나 짐을 나르기 위해 동물 · 차량을) 빌리다. ④ *Arg., Chile, Cuba, Par., Ur.* 해고하다. ⑤ *Chile.* (폭언을) 퍼붓다; (타격 등을) 가하다. —*intr. Cuba.* 급히 떠나다. **~se** ① 선적되다, 승선하다. ② *Cuba.* 황급히 떠나다. ③ *Méj.* (힘든 일에) 진절머리를 내다. ④ *Méj.* =inclinarse. ⑤ *Méj.* =fastidiarse, aguantarse.
flete *m.* ① 용선료, 차터 요금; 운임, 송료. ② 선하(船荷), 뱃짐. ③ *Amér.* 수송 임대료. ④ *Amér.* (육상 · 해상으로 수송된) 짐. ⑤ *Arg., Ur.* 준마. ⑥ *Arg., Ur.* 화물 수송 전세 차량. ⑦ *Arg.* 화물 수송. ⑧ *CRica., Guat., Ven.* 수송 차량에 의한 상품 운송비용. ⑨ *Cuba.* 창녀의 고객[손님].
fletear *tr. CRica, Nic.* (짐을) 나르다.

F

—*intr. Cuba.* (창녀가) 손님을 찾아 거리를 헤매다.
fleteo *m. Cuba.* (창녀가) 손님을 찾아 헤맴.
fletero, ra *adj.* ① (수송을 위해 차량을) 빌리는, 임대하는. ② (직업으로) 짐을 나르는. —*mf.* 운송 업자. —*m. Bol., Chile, Perú.* (항구의) 하역 인부. —*f. Cuba.* (거리를 손님을 찾아 헤매는) 창녀, 성매매 여성.
fleto *m. Chile.* [속어] 동성 연애 남자.
flexibilidad *f.* 유연함, 유연성.
flexibilización *f.* 유연성.
flexibilizar (9) *tr.* 유연하게 하다. ~**se** 유연해지다.
flexible *adj.* ① 구부러지기 쉬운, 휘기 쉬운, 유연한. ② 고분고분한, 유순한. ③ (규준 등이) 엄격하지 않은. ④ 가변성의, 융통성이 있는, 탄력성이 있는. —*m.* ① [전기] 코드. ② 펠트 모자.
flexión *f.* ① 굴곡, 만곡. ② [언어] 굴절, 어미 변화: ~ verbal 동사 활용.
flexional *adj.* [문법] 굴절의, 어미 변화의.
flexionar *tr.* (체조로 몸을) 굴신(屈伸)시키다(hacer flexiones).
flexivo, va *adj.* =**flexional.**
flexo *m.* 구부릴 수 있는 전기 스탠드.
flexor, ra *adj.* 구부리는, 구부러지게 하는. —*m.* [해부] 굴근(屈筋).
flexuoso, sa *adj.* ① 물결 모양의. ② =**blando, condescendiente.**
flexura *f.* =**pliegue, curva, doblez.**
flipar *intr.* ① 마약으로 환각 상태에 있다. ② 열광하다, 심취하다. ③ 무척 좋아하다. ~**se** ① 열광하다, 심취하다. ② =**drogarse.**
flipearse *r. Ecuad.* 마리화나 담배를 피우다.
flipero, ra *adj. Hond.* 코카인 중독의. —*mf. Hond.* 코카인 중독자.
flirtear *intr.* =**coquetear.**
flirteo *m.* (남녀의) 희롱, 시시덕거림, 연애 유희.
flogosis *f.* [의학] 염증.
flojamente *adv.* 느슨하게, 약하게.
flojear *intr.* ① 게을러지다, 게을리 일하다. ② =**flaquear.**
flojedad *f.* =**flojera.**
flojel *m.* ① (천 등의) 잔털, 보푸라기. ② =**plumón.**
flojera *f.* ① =**debilidad, cansancio.** ② =**pereza, negligencia, descuido.**
flojeritis *f. Méj.* =**flojera.**
flojo, ja *adj.* ① 느슨한, 느슨해진. ② 무기력한, 빌빌거리는, 야무지지 못한, 칠칠치 못한. ③ 약한. ④ 게으른, 나태한. ⑤ 겁이 많은. ⑥ *Cuba, CRica.* 확신이 없는 (사람). —*mf.* 게으른 사람. —*m. Cuba.* 동성애자.
flojuelo *m. Al., Rioja.* =**tamo.**
flojura *f.* =**flojera.**
flor *f.* ① 꽃: ~ nacional 국화. ② (정점에 달하기 전의) 한창때, 최성기. ③ 정화(精華), 정수(~ y nata): ~ de la literatura 문학의 정수. ④ 정선품. ⑤ [주로 *pl.*] 우아한 말, 사랑의 이야기. ⑥ 처녀성. ⑦ (포도주 등의 표면에 생기는) 피막. ⑧ (피부의) 표피. ⑨ [화학] 화(華). ⑩ =**cacho.** ⑪ *Arg.* 샤워의 구멍 뚫린 부분. ⑫ *Chile.* 손톱의 흰 반점. ⑬ [드묾] (여성의) 월경. ¶ ~ ***de estufa*** 허약하고 자주 앓는 사람. ~ ***de la vida*** =**juventud.**
flora *f.* ① [집합] (한 나라·한 지방의) 식물(군). ② 식물지. ③ 식물 도감.
Flora *f.* [신화] 꽃의 여신.
floración *f.* 개화, 개화기.
floral *adj.* 꽃의, 꽃에 관한.
florar *intr.* 꽃이 피다(florecer).
floreado, da *adj.* ① 꽃 모양의. ② (문체 등이) 미려(美麗)한.
florear *tr.* ① 꽃으로 장식하다. ② (밀가루를) 아주 가는 체로 치다. ③ 칼끝을 떨게 하다. ④ *Ar., Sal.* …의 가장 좋은 것을 고르다. —*intr.* ① 기타를 마구치다. ② *Amér.* 꽃이 피다. ③ *Cuba.* 완곡한 말투로 말하다, 빙빙 돌려서 말하다.
florecedor, ra *adj.* 꽃이 피는.
florecer (31) *intr.* ① 꽃이 피다. ② (사람·사물이) 번영하다, 번창하다, 꽃피다. ③ 활약하다. ~**se** (빵·치즈에) 곰팡이가 슬다.
florecido, da *adj.* =**mohoso.**
floreciente *adj.* ① 꽃이 피는. ② =**favorable, venturoso, próspero.**
florecimiento *m.* ① 개화. ② 번영.
florentín *adj., mf.* =**florentino.**
florentino, na *adj., mf.* ① 플로렌시아(Florencia, 이탈리아의 도시)의 (사람). ② 플로렌시아(Florencia, 콜롬비아의 도시)의 (사람).
florentísimo, ma *adj.* 멋지게 번영하는.
floreo *m.* ① 잡담. ② (스페인 무용에서) 한 발로 하는 선회 동작. ③ [펜싱] 칼끝 돌리기[움직이기]. ④ 기타를 두 줄 세 줄 치는 일.
florería *f.* 꽃(과 장식용 식물을 파는) 가게.
florero, ra *adj.* 익살스럽고 아부하는 말을 하는. —*mf.* 꽃 장수, 꽃 파는 사람. —*m.* ① 꽃을 꽂는 잔. ② 화분. ③ 꽃병. ④ 꽃 보관용 선반[상자·장소]. ⑤ 꽃 그림.
florescencia *f.* ① =**eflorescencia.** ② [식물] 꽃이 핌, 개화. ③ (식물의) 개화기(開花期).
floresta *f.* ① 숲, 삼림(森林), 나무가 무성한 땅. ② 기분 좋은 모임.
florete *m.* ① 검술. ② 연습용 칼. ③ 중급 무명베.
floretear *tr.* (…을) 꽃으로 장식하다. —*intr.* florete를 다루다.
floricultor, ra *mf.* 화초 재배자, 화훼 원예가, 화훼 원예 애호가.
floricultura *f.* 화초 재배, 화훼 원예.
floridamente *adv.* 화려하게.
floridez *f.* 꽃이 만발함.
florido, da *adj.* ① 꽃이 핀, 꽃이 만발

한. ② 매우 정선된, 엄선된. ③ (언어·문체가) 화려한. ④ [은어] 부유한.
florífero, ra *adj.* 꽃이 피는, 꽃이 많은.
florígero, ra *adj.* [시어] =**florífero.**
florilegio *m.* 사화집, 선집(選集).
florín *m.* ① 플로린 화(貨) ((여러 나라의 화폐 단위)). ② 스페인의 옛 은화. ③ 플로린 금화 ((플로렌시아의 플로린과 두까도를 모방하여 아라곤 왕들이 주조한 금화)).
florista *mf.* 꽃집 주인; 꽃장수.
floristería *f.* =**florería.**
florístico, ca *adj.* flora에 관한.
floritura *f.* ① [음악] 장식음. ② 장식.
florón *m.* ① [건축·회화] (방의 천정 중심의) 큰 꽃 모양으로 된 장식. ② 명예, 공적.
flota *f.* ① (한 나라·한 회사에 속하는) 배, 선박. ② 선단. ③ 함대. ④ 항공기대. ⑤ [집합] 회사의 차량. ⑥ *Bol., Col.* (도시·주 사이를 왕래하는) 버스. ⑦ *Chile, Ecuad., Hond., Méj.* 군중, 군집. ⑧ *Col.* =**fanfarronada.** ⑨ *Cuba.* (미장이의) 흙손(llana).
flotabilidad *f.* 부력(浮力).
flotable *adj.* ① 뜰 수 있는. ② 뗏목을 띄울 수 있는 (강).
flotación *f.* ① 뜨게 함, 부력. ② 부유선광. ③ (외환) 변동제. ④ 흘수선.
flotador, ra *adj.* 액체에 뜨는. —*m.* ① 부낭, 튜브. ② 낚시찌. ③ (수량 조절 등의) 부표.
flotadura *f.* =**flotación.**
flotamiento *m.* =**flotación.**
flotante *adj.* ① 뜨는, 떠 있는. ② 유동의, 일정치 않은. ③ [경제] (자본 등이) 고정되어 있지 않은, 유동하는; (통화·외환이) 변동하는. —*m. Cuba.* =**flotador.**
flotar *intr.* ① (몸이) 물의 표면에 뜨다. ② (몸이 액체·가스로) 뜨다. ③ 나부끼다, 펄럭거리다. ④ (환율이) 변동하다.
flote *m.* =**flotadura.** ¶*a* ~ ㉮ (물에) 떠서. ㉯ 무사히, 안전하게, 탈없이, 위험[어려움·역경]에서 벗어나; (사업 등이) 순조롭게.
flotilla *f.* 소형 선단, 작은 함대; 편대.
fluctuación *f.* ① 변동; 물가 변동. ② 정신적 동요.
fluctuante *adj.* 변동[동요]하는, 오르내리는.
fluctuar (15) *intr.* ① 오르내리다, 변동하다. ② (정신적으로) 동요하다, 갈피를 못 잡다. ③ 파도에 흔들리다.
fluctuoso, sa *adj.* =**fluctuante.**
fluencia *f.* ① 흐름. ② 액체가 흐르기 시작한 곳.
fluente *adj.* =**fluyente.**
fluidez *f.* ① 유동성. ② 유창함.
fluidificación *f.* 흘러나오게 함.
fluidificante *adj.* 흐르게 하는. —*mf.* 흐르게 하는 사람. —*m.* 끈끈한 분비물을 더 많이 흐르게 하는 약제.
fluidificar (7) *tr.* (…을) 흐르게 하다, 흘러나오게 하다, 유동화[유체화]하다.
fluidización *f.* 유동화, 유체화.
fluido, da *adj.* ① 유동하는, 잘 흐르는, 유동성의. ② (문체가) 매끄러운. —*m.* ① [물리] 유체(流體). ② 전류.
fluir (77) *intr.* ① 흐르다, 흘러나오다. ② (생각·말이) 술술[줄줄·척척·거침없이] 나오다.
flujo *m.* ① 유동, 유출, 흘러 넘침. ② 밀물: ~ y reflujo 밀물과 썰물. ③ [물리] 유속. ④ [화학] 융제, 용제. ¶ ~ ***blanco*** [의학] 백대하. ~ ***de fondos*** [경제] 기업 활동에 의한 자금의 유출입, 현금 유출입, 현금 자금. ~ ***de palabras*** 다변. ~ ***de reír*** 지나치게 웃는 버릇. ~ ***de risa*** 폭소, 깔깔거리고 웃음. ~ ***de vientre*** [의학] 설사. ~ ***luminoso*** [물리] 광속(光束).
fluminense *adj.* ① (브라질의) 리우데자네이루(Río de Janeiro) (출신)의. ② 보바오요(Bobahoyo, 에꾸아도르의 Los Ríos 주의 주도) (출신) 의. —*mf.* ① (브라질의) 리우데자네이루 사람. ② 보바오요 사람.
flúor *m.* ① 용제(溶劑). ② [화학] 불소.
fluoración *f.* [화학] 불화(弗化).
fluorar *tr.* …에 불소를 첨가하다, 불화물을 첨가시키다.
fluorescencia *f.* [물리] 형광, 형광성.
fluorescente *adj.* 형광성의, 형광을 발하는. —*m.* 형광등.
fluorhídrico, ca *adj.* 불화 수소의.
fluorina *f.* [광물] =**fluorita.**
fluorita *f.* [광물] 형석(螢石).
fluorización *f.* 불소 첨가.
fluoruro *m.* 불화물.
fluvial *adj.* 하천(河川)의.
flux *m.sing.pl.* [트럼프] 플러시.
fluxión *m.* [의학] ① 카타르, 염증. ② 코감기.
FMI *m.* *F*ondo *M*onetario *I*nternacional 국제 통화 기금, IMF.
F.O.B. =**FAB.**
fobia *f.* [심리] 공포증, 병적인 공포[혐오]: ~ al agua 공수증.
foca *f.* [동물] 해표(海豹), 물범.
focal *adj.* 초점의.
focalización *f.* 초점에의 집중.
focha *f.* [조류] 쇠물닭.
foco *m.* ① [물리] 초점; 초점 거리. ② 중심, 근원. ③ 스포트라이트. ④ [의학] 병소(病巢). ⑤ *Arg., Cuba, Ur.* 헤드라이트(faro). ⑥ *CRica.* 배터리로 작동하는 원통형 손전등.
fofo, fa *adj.* 푸석푸석한, 흐늘흐늘한.
fogaje *m.* ① (옛날의) 가옥세. ② *Can.* 피부 발진(發疹). ③ *Col., Cuba., Pan., PRico., Salv., Ven.* 무더위. ④ *Col.* 연정을 일으키는 홍분. ⑤ 얼굴을 붉힘, 무안. ⑥ *Cuba, Ven.* 낮은 열. ⑦ *Ecuad.* 불꽃, 화염.
fogarada *f.* 화염(llamarada).
fogarata *f.* =**fogarada.**
fogarear *tr.* *Ar., Sal.* 불꽃을 내면서 태우다. ~**se** *Sal.* =**abochornarse.**

F

fogata *f.* ① 많은 화염을 일으키는 불. ② 화톳불.
fogón *m.* ① (부엌에서) 불을 피워 요리하기 적당한 곳. ② (포의) 화문. ③ (보일러 등의) 연소실. ④ *Amér.* 모닥불. ⑤ *Arg., Bol., Chile, Cuba, Par., RDom.* (목장에서) 요리하기 위해 불을 피우는 곳. ⑥ *Ur.* (불 옆에서) 친구들의 모임. ⑦ *Arg., Ven.* 친구들이 빙 둘러앉음.
fogonazo *m.* ① 불꽃, 섬광. ② *Méj.* 알코올 음료의 한 모금.
fogonero, ra *m.f.* 화부, 보일러공.
fogosidad *f.* 열정, 격정.
fogoso, sa *adj.* 정열적인, 열정적인, (성미가) 불 같은, 괄괄한, 욱하는.
foguear *tr.* ① (총포를) 버리다. ② (일・직업에) 익숙하게 하다, 단련시키다. ③ (군인을) 포화에 익숙하게 하다, 전투 훈련을 시키다. ~**se** 포화 세례를 받다.
fogueo *m.* ① 포화 세례. ② 고생. ¶ *de* ~ 공포(空砲)의; 연습 시합의.
foguerear *tr. Cuba.* =**fogarear.**
foie-gras, foie gras *m.* (닭・돼지의) 간에 개어 만든 밀가루 반죽 (식품).
foja[1] *f. Méj.* (서류의) 낱장.
foja[2] *f.* [새] =**focha.**
fol. folio 매수(枚數), 장수(張數).
folclor *m.* =**folclore.**
folclore *m. ing.* ① 민간 전승 ((전설, 민요 등)). ② 민속학.
folclórico, ca *adj.* 민간 전승의; 민속학적인: canción ~*ca* 민요. —*m.f.* 플라멩코 음악의 연주가[연구가].
folclorista *m.f.* 민속학자.
foliación *f.* ① (책・공책의) 페이지 수(를 매김). ② [식물] 잎을 냄, 발엽(發葉); 발엽 시기.
foliador, ra *adj.* (책・공책의) 페이지를 매기는 데 사용하는: números ~*es* 연속 번호. —*m.* 번호기, 넘버링.
foliar[1] (11) *tr.* (책・공책의) 페이지를 매기다[넣다].
foliar[2] *adj.* [식물] 잎의.
foliatura *f.* =**foliación.**
folicular *adj.* folículo 모양의.
folículo *m.* ① [해부] 소낭(小囊), 여포(濾胞); 난포. ② [식물] 자루 모양의 과실 ((붓순나무・모란 등의 열매)).
folio *m.* ① (책・공책 등의) 한 장 ((안팎으로 두 쪽)). ② [인쇄] A4 사이즈, 전지(全紙)의 2절 ((4쪽분)). ③ [인쇄] A4 용지. ④ 2절판. ¶ ~ ***atlántico*** 전판(全判). ~ ***índico*** 계피나무의 잎. ~ ***recto*** 겉 페이지. ~ ***verso*** =**folio vuelto.** ~ ***vuelto*** 안 페이지. ***al primer*** ~ 한눈에, 쉽게, 즉시. ***de a*** ~ 커다란, 무척 큰. ***en*** ~ ㉮ A4 사이즈로[의], A4 용지의[로], 2절판의[으로]. ㉯ 33센티미터나 그 이상의 높이의 (책).
foliolo *m.* =**folíolo.**
folíolo *m.* [식물] (겹잎의) 작은 잎; 꽃받침.
folk *adj.* ① 민속 음악에 영향을 받은 (현대 음악). ② 포크송의, 포크송에 관한. —*m.* 포크송, 민속 음악.
folla *f.* ① 혼전, 난타전. ② 혼란.
follaje *m.* ① [집합] (식물의) 잎. ② 잎으로 더덕더덕 장식함. ③ (강연 등의) 여담, 탈선.
follajería *f.* 잎으로 하는 장식.
follar[1] *tr.* [드묾] 풀무로 바람을 내다, 풀무질하다. —*intr.* 소리나지 않게 방귀를 뀌다.
follar[2] *tr.* (…을) 잎으로 만들다.
follar[3] ① *tr.* [고어] =**hollar.** ② *tr.* [고어] =**talar, destruir.**
follar[4] *tr.* ① [속어] 성교하다. ② =**fastidiar, molestar.** —*intr.* 성교하다.
follero *m.* 풀무 제조자[장수].
folletín *m.* ① (신문 하단의) 연재란. ② (신문・잡지의) 연재 소설, 신문 소설. ③ 대중 소설. ④ [텔레비전] 멜로드라마.
folletinesco, ca *adj.* 대중 소설 같은, 멜로드라마풍의.
folletinista *m.f.* 연재 소설 작가, 대중 소설 작가.
folletista *m.f.* folleto 쓰는 사람.
folleto *m.* 소책자, 팸플릿, 안내서.
folletón *m.* 신문 소설(folletín).
follisca *f. AmérC., RDom., PRico., Col.* =**pendencia, contienda.**
follón[1], **na** *adj.* ① [드묾] =**flojo, perezoso, negligente.** ② [드묾] =**vano, arrogante, cobarde.** —*m.* ① 소리 안 나게 쏘는 불꽃. ② 소리 나지 않는 방귀. ③ 번거로운 일.
follón[2] *m.* ① 소동. ② 혼란, 무질서.
follonero, ra *adj., m.f.* 소동을 일으키는 (사람).
fome *adj. Chile.* =**aburrido.**
fomentación *f.* ① [의학] 찜질, 습포. ② [의학] =**fomento.**
fomentador, ra *adj., m.f.* 장려[촉진・조장]하는 (사람).
fomentar *tr.* ① (활력 등을) 자극하다, 조장하다, 촉진하다. ② 불을 휘저어서 일으키다, 불에 연료를 더 넣다. ③ [의학] 찜질하다, 온습포하다.
fomento *m.* ① 조성, 조장, 진흥. ② 산업부. ③ 도움, 조력. ④ 보호. ⑤ 습포제(濕布劑).
fon *m.* [물리] =**fonio.**
fonación *f.* 발성, 발음.
fonador, ra *adj.* 발성의, 발성 기관의.
fonazo *m. Méj., Salv.* 전화 호출.
fonda[1] *f.* ① 여인숙, 싼 호텔. ② 상선의 선실・식당・주방의 시설. ③ *Bol., Chile, Cuba, Ecuad., Méj., Perú.* 선술집, 목로주점, 싸구려 음식점.
fonda[2] *f. Ven.* =**tirachinas.**
fondable *adj.* 배가 정박하기에 적당한, 정박할 수 있는.
fondeadero *m.* (배의) 정박지.
fondeado, da *adj. Amér.* 부유한, 재력이 있는(rico, acaudalado).
fondear *tr.* ① 수심을 재다. ② (밀수품

의 유무를 확인하기 위해 배 안을) 조사[점검]하다. —*intr.* ① 닻을 내리다, 정박하다. ② *Salv.* 곤하게 자다. ~**se** 자금을 모으다, 부자가 되다.
fondeo *m.* ① (밀수품을 찾기 위해) 배의 조사[점검]. ② 수심 측량. ③ 정박, 투묘(投錨).
fondero, ra *m.f.* =fondista[1].
fondillo m. ① *CRica.* =trasero. ② *pl. Col., Cuba, Guat., PRico., Salv.* =trasero. ③ *pl.* (팬티·바지의) 뒷[엉덩이] 부분.
fondista[1] *m.f.* fonda 주인.
fondista[2] *m.f.* [운동] 장거리 주자.
fondo *m.* ① 바닥, 밑. ② 깊숙한 곳. ③ 배경: música de ~ 배경 음악. ④ 근본, 핵심; 속마음, 본심. ⑤ 내용. ⑥ [주로 *pl.*] 자본, 돈; 기금, 적립금. ⑦ [주로 *pl.*] (도서관 등의) 장서; (출판사의) 자사 출판물. ⑧ [법률] (법률 행위의) 실질; (소송의) 본안. ⑨ [운동] 지구력, 내구력. ⑩ *pl.* [선박] 선저(船底), 배의 밑바닥, 최하층. ⑪ *Arg., Ecuad., Ur., Ven.* (집의) 안뜰, 뒷뜰. ⑫ 다이아몬드의 두께. ¶***Fondo de la Infancia de las Naciones Unidas*** 유니세프(UNICEF), 국제 연합 [유엔] 아동 기금. ***Fondo Monetario Internacional*** 국제 통화 기금, IMF. ***a*** ~ 완전히, 철저하게, 잘. ***en*** ~ 줄지어. ***en el*** ~ 실제로, 사실; 본질적으로. ***echar a*** ~ 침몰시키다, 격침시키다. ***irse a*** ~ 물에 가라앉다(hundirse en el agua).
fondón[1] *m.* ① (양조용 통에 가라앉은) 포도주의 앙금[침전물]. ② (금·은색 실로 수놓은 비단 등의) 바탕.
fondón[2]**, na** *adj.* (몸이 살이쪄서) 굼뜬, 느린.
fonema *m.* [언어] 음소(音素).
fonemática *f.* [언어] 음소론.
fonendoscopio *m.* [의학] 청진기.
fonético, ca *adj.* [언어] 음성의, 음성학의: —*f.* ① 음성학. ② [집합] (한 언어 전체의) 발음.
fonetismo *m.* (언어의) 음성적 특징.
foniatra *m.f.* 언어 요법사.
foniatría *f.* 언어 요법.
fónico, ca *adj.* 음의, 음성의.
fonio *m.* [물리] 폰 ((소리의 강도의 단위)).
fonje *adj.* [드묾] =blando, muelle.
fono *m. Arg., Bol., Chile, Ecuad., Perú.* (전화의) 수화기(auricular).
fono- *pref.*「소리, 음(音)(voz)」의 뜻: *fono*logía 음성학.
-fono, na *suf.*「소리」의 뜻: *telé*fono 전화.
fonocaptor *m.* (전축의) 픽업.
fonografía *f.* 표음식 표기법[철자법]; 표음 속기법[속기술].
fonográfico, ca *adj.* 축음기의; 녹음에 의한.
fonógrafo *m.* (구식의) 축음기, 레코드 플레이어.
fonograma *m.* 표음 문자.
fonología *f.* [언어] 음운론, 음운학.
fonológico, ca *adj.* 음운론의.
fonólogo, ga *m.f.* 음운학자.
fonometría *f.* 음파 측정(법).
fonómetro *m.* 측음기(測音器).
fonoproyector *m.* 발성 영사기.
fonóptico, ca *adj.* 영상[음성] 기록의, 비디오 (테이프)의.
fonoteca *f.* (레코드 등의) 녹음 자료 보관소, 레코드 보관소.
fonsadera *f.* ① (옛날의) 군복무. ② (옛날의) 전역세(戰役稅).
fonsado *m.* ① =fonsadera. ② 구멍 파기.
fontana *f.* [시어] 샘(fuente).
fontanal *adj.* 샘의. —*m.* 샘이 많은 곳.
fontanela *f.* [해부] (젖먹이의) 숫구멍, 정문(頂門).
fontanero, ra *m.f.* ① 배관공. ② (가스·전기·유리 등의) 공사자, 수리공.
footing *m. ing.* 조깅.
foque *m.* ① (뱃머리의) 삼각돛. ② 빳빳하게 풀 먹인 와이셔츠 칼라.
forado *m. Amér.* 벽에 난 구멍.
forajido, da *adj.* (주로 법망에서) 빠져나간. —*m.f.* 도망자.
foral *adj.* 특권의: derecho ~ 특권.
foráneo, a *adj.* 외국의, 타국의.
forastero, ra *adj.* 외국의, 타국의, 외지의. —*m.f.* 외지 사람, 외국인, 타국인.
forcejar *intr.* ① 힘을 쓰다, 용을 쓰다. ② 저항하다, 반대하다.
forcejear *intr.* =forcejar.
forcejeo *m.* ① 몸부림침, 발버둥침, 안달. ② 저항, 반항.
fórceps *m.sing.pl.* [의학] 겸자(鉗子).
forense *adj.* ① 법정(法廷)의. ② 법의학의. —*m.f.* 법의학자(médico ~).
forestal *adj.* 삼림(森林)의.
forestación *f.* 식림(植林), 조림(造林).
forestar *tr.* 식림하다, 조림하다.
forfait *m. fr.* ① 청부 계약. ② (스포츠·여행 등의) 세트 가격[요금]. ③ (스키 리프트 등의) 이용권, 패스. ¶***a*** ~ 청부 (금액)의, 도급의[으로]; 청부로, 미리 정한 가격으로: viaje (turístico) *a* ~ 패키지 여행, 패키지 투어.
forillista *m.f.* 장치가(裝置家).
forillo *m.* [연극] 작은 배경막.
forja *f.* ① 단조(鍛造) 공장. ② 단조(鍛造). ③ 형성, 도야.
forjado *m.* 단조(鍛造); 날조(捏造).
forjar *tr.* ① (금속을) 불리다, 벼리다, 단련하다, 단조하다. ② (미장이들이) 제조하다, 만들다. ③ (회반죽을) 반죽하다. ④ 회반죽을 바르다, 회벽칠하다. ⑤ 만들어 내다, 날조하다. ~**se** (자신을 위해) 만들어 내다, 생각해 내다.
forma *f.* ① 모양, 형, 형상. ② 형태, 양식. ③ 형식, 표현 방법. ④ 몸의 상태. ⑤ (주로 여성의 허리·가슴의) 체형, 몸매. ⑥ *pl.* 예절, 예의 범절, 행동거지, 예의. ⑦ [인쇄] 조판, 판형. ⑧ [법률] 정규 수속. ⑨ [철학] 형상(形相); 형식. ⑩ [문법] 형: ~ plural 복수형.

F

~ singular 단수형.
formable *adj*. 형성할 수 있는.
formación *f*. ① 형성, 성립. ② 대형, 진형. ③ 육성, 양성, 트레이닝, 교육, 훈련, 단련, 연습: ~ profesional 직업 훈련. ~ universitaria 대학 교육. ④ 지식, 교양, 소양. ¶ ~ *vegetal* [식물] 군계(群系).
formador, ra *adj*. 형성하는, 만들어 내는, 모양을 만드는. —*mf*. 구성자, 조직자. —*m*. *Méj*. (책 · 잡지의) 조판자, 판형 짜는 사람.
formaje *m*. 치즈 만드는 틀.
formal *adj*. ① 형식의, 형식적인. ② 형태 중심의. ③ 정식의 (수속을 밟은). ④ 진지한, 책임감이 있는, 착실한.
formaldehído *m*. [화학] 포름알데히드.
formalidad *f*. ① 진지함, 착실함, 책임감이 있음. ② [주로 *pl*.] 형식. ③ [주로 *pl*.] 수속.
formalismo *m*. 형식주의.
formalista *adj*. 형식에 치우친, 형식주의의. —*mf*. 형식주의자.
formalizar (9) *tr*. 형식을 갖추다, 서식을 작성하다, 정식으로 하다, 격식에 맞게 하다, 수속을 밟다. ~**se** 진지해지다, 책임감이 있다.
formar *tr*. ① 형성하다, 만들다. ② 설립하다, 결성하다; 구성하다, 조직하다. ③ 육성하다, 양성하다. —*intr*. ① 열[대형]을 짓다. ② 구성 요소가 되다. ~**se** ① 육성되다, 양성되다. ② 만들어지다, 형성되다. ③ (생각 · 감정 등을) 품다: ~*se* la idea 생각을 품다.
formatear *tr* [컴퓨터] 포맷하다, …의 포맷을 지정하다.
formateo *m*. [컴퓨터] 포맷하기.
formativo, va *adj*. ① 형성하는. ② 양성하는: manual ~ 교과서.
formato *m*. ① (책의) 판형; (일반적으로) 크기. ② [컴퓨터] 포맷, 서식.
formiato *m*. [화학] 개미산염.
fórmico, ca *adj*. [화학] 개미산의.
formidable *adj*. ① 두려운, 무서운, 겁나는. ② 거대한. ③ 굉장한, 멋진, 훌륭한, 근사한.
formol *m*. [화학] 포르말린.
formón *m*. (끝이 얇고 넓은) 끌.
fórmula *f*. ① (정해진) 서식, 양식; 상투어, 틀에 박힌 말. ② 방식, 방책. ③ (수학 등의) 식, 공식. ④ (약제의) 처방. ¶*por* ~ 형식적으로, 의례적으로.
formulación *f*. ① 공식화. ② 표명.
formular[1] *tr*. ① 식으로 나타내다; 공식화하다. ② (생각 · 감정을) 표현하다, 표명하다. ③ (서식에 따라) 작성하다. ④ 처방하다.
formular[2] *adj*. 서식의, 식(式)의.
formulario, ria *adj*. ① 공식적인. ② 형식적인, 의례적인. —*m*. ① 용지, 신청서: ~ de suscripción 구독 신청 용지. ② 서식집. ③ 공식집. ④ 처방전.
formulismo *m*. 형식주의, 공식주의.
formulista *adj*. 형식주의의. —*mf*. 형식주의자.
fornicación *f*. 간음(姦淫).
fornicador, ra *adj*. 간음하는. —*mf*. 간음자.
fornicar (7) *tr*. 간음하다.
fornicario, ria *adj*. ① 간음에 관한. ② =fornicador.
fornicio *m*. =fornicación.
fornido, da *adj*. 늠름한, 씩씩한.
fornitura *f*. ① (시계 · 라디오 등의) 예비 부품. ② (단추 · 호크 등) 옷의 부속품. ③ (부족해) 주조된 활자. ④ [주로 *pl*.] [군사] 탄약대.
fórnix *m*. [해부] 뇌궁(腦弓).
foro *m*. ① 공개 토론(회), 포럼. ② 법정; 변호사업, 사법. ③ (무대의) 정면 뒤쪽. ④ 토지 임대; 토지 임대료. ⑤ (고대 로마의) 공공 광장.
forofo, fa *adj*., *mf*. =hincha.
forraje *m*. ① (특히 봄에) 짐승들에게 주는 꼴. ② (짐승 먹이용으로 보존된) 건초. ③ (짐승 먹이용) 곡식. ④ 꼴 베기. ⑤ 가벼운 허섭스레기.
forrajeador *m*. 꼴 베러 가는 병사.
forrajear *intr*. ① 꼴을 베어 모으다. ② [군사] 말먹이용 목초를 베러 나가다. ③ *Cuba*. 시장에서 부족한 상품을 구하기 위해 온갖 수단을 다하다.
forrajero, ra *adj*. 꼴로 사용하는, 사료용의: planta ~*ra* 사료용 식물.
forrar *tr*. ① (…에) 안감을 대다. ② …에 커버를 씌우다. ~**se** ① 부자가 되다, 부유해지다. ② =hartarse.
forrazo *m*. *Méj*. 매우 잘생긴 사람.
forrear *intr*. (말이) 콧김을 내놓다.
forro *m*. ① (옷의) 안감 대기. ② 안감(천). ③ (책 · 공책 등의) 종이 커버. ④ 선체의 겉 판자. ⑤ 배 바닥에 대는 판자[동 철판]. ⑥ [속어] *Arg*., *Ur*. 음경 덮개. ⑦ *CRica*. 커닝 페이퍼. ⑧ *CRica*., *Cuba*. (특히 도박에서) 사기, 속임수. ⑨ *Nic*. 엉덩이가 큰 여자.
fortachón, na *adj*. 늠름한, 씩씩한.
fortalecedor, ra *adj*. 강화하는, 강하게 하는, 단련하는.
fortalecer (31) *tr*. 강하게 하다, 강화시키다, 튼튼하게 하다, 단련하다, 연마하다. ~**se** 튼튼해지다, 단련되다.
fortalecimiento *m*. 강화(强化).
fortaleza *f*. ① 강함, 튼튼함, 건강함. ② 요새, 성채. ③ *pl*. 칼집에 생긴 흠.
forte *interj*. 정지!
fortepiano *m*. [악기] =piano.
fortificación *f*. ① 강화(强化). ② 요새화, 진지 구축. ③ [집합] 요새, 성채, 보루. ¶ ~ *de campaña* 야전 진지. ~ *permanente* 영구[튼튼한] 진지.
fortificador, ra *adj*. ① 강화하는. ② 요새화하는.
fortificar (7) *tr*. ① 강하게 하다, 강화하다, 튼튼하게 하다. ② 요새화하다. ~**se** ① 단단해지다, 튼튼해지다. ② 요새화되다.
fortín *m*. ① 토치카. ② 작은 성채.
fortísimo, ma *adj*. 매우 강한.
fortuito, ta *adj*. 우연의, 우발적인. ¶

caso ~ [법률] 불가항력.
fortuna[1] *f.* ① 행운, 운명. ② 재산, 부, 자본. ③ 호평. ¶*correr* ~ 배가 폭풍우를 만나 좌초 위기에 있다. *por* ~ 다행히; 우연히. *probar* ~ 운을 시험하다, 흥하든 망하든 해보다, 운을 하늘에 맡기고 해보다. *soplar la* ~ a alguien (누구에게) 일이 잘 진척되다.
Fortuna[2] *f.* 행운의 여신.
fortunado, da *adj.* [고어] 운이 좋은.
fórum *m.* ① 공개 토론(회). ② 공개 토론장.
forúnculo *m.* [의학] 옹(癰).
forzadamente *adv.* 강제로, 폭력으로, 무리하게.
forzado, da *adj.* ① 강제적인, 억지로 시킨, 폭력에 의한. ② 자발적이 아닌, 부자연스러운. —*m.* (옛날의) 노 젓는 죄수.
forzador *m.* (특히 여자에게) 폭행자.
forzamiento *m.* 폭력 행위.
forzar (9) (24) *tr.* ① (비틀어) 억지로 열다, 억지로 들어가다. ② 부녀 폭행을 하다, 강간하다. ③ 강행하다, 억지로 하다. ④ [+a+*inf.* · +a+que+*subj.*] (억지로 …하는 것을) …에게 강요하다.
forzolento, ta *adj. Ecuad.* =forzudo.
forzosa *f.* ☞forzoso.
forzosamente *adv.* ① =por fuerza. ② =violentamente. ③ 불가피하게, 필히, 반드시, 꼭.
forzosidad *f.* 강제성.
forzoso, sa *adj.* ① 불가피한, 피할 수 없는, 할 수 없는, 어쩔 수 없는, 부득이한, 필연적인. ② 강제적인. ③ [ser ~+*inf.* · que+*subj.*] 강제로 …하다.
forzudamente *adv.* 강력하게, 힘있게.
forzudo, da *adj.* 강력한, 힘센.
fosa *f.* ① 묘, 무덤. ② 무덤 구멍, 묘혈: ③ 성채 주변에 깊게 판 구덩이. ④ [해부] (동물의 몸에 있는) 구멍. ⑤ [해부] 뼈의 표면의 함몰 부분. ⑥ *Sal.* 과수 농장. ¶ ~ *común* (신원 미상자나 빈민의) 임시 묘지, 공동 묘지. ~ *séptica* 정화조. ~ *tectónica* [지질] 지구(地溝).
fosado *m.* [군사] (성채를 둘러싸고 있는) 참호, 호(壕).
fosal *m.* 묘지(cementerio).
fosar[1] *m.* [고어] =cementerio.
fosar[2] *tr.* (…의 주위에) 구멍을 파다.
fosco, ca *adj.* ① =hosco. ② 어두운 색의, 검은 색이 도는. ③ (머리카락이) 한 쪽으로 자는 버릇이 있는. —*f.* ① 분위기가 어두움. ② *Mur.* 엷은 구름에 덮인 숲[밀림].
fosfatado, da *adj.* 인산염을 함유한.
fosfático, ca *adj.* 인산염의[에 관한].
fosfatar *tr.* 인산(염)으로 처리하다.
fosfatina *f.* [드묾] 인산염과 석회·설탕·전분 및 다른 재료의 혼합. ¶ *convertir en* ~ =hacer fosfatina. *hacer* ~ 육체적[정신적] 타격을 입히다. *hecho* ~ ㉮ =destrozado, muy dañado. ㉯ 녹초가 된, 노그라진.
fosfato *m.* [화학] 인산염.
fosfaturia *f.* [의학] 인산염 요증(尿症).
fosfeno *m.* 안내(眼內) 섬광.
fosfito *m.* [화학] 아린산염(亞燐酸鹽).
fosforado, da *adj.* 인을 함유한.
fosforecer (31) *intr.* =fosforescer.
fosforero, ra *adj.* 성냥(fósforo)의[에 관한]. —*m.f.* 성냥 장수. —*f.* ① 성냥갑. ② *Cuba.* 라이터(encendedor).
fosforescencia *f.* ① 인광. ② 발광성.
fosforescente *adj.* 인광의, 인광을 발하는: color ~ 형광색.
fosforescer *intr.* 인을 발하다.
fosfórico, ca *adj.* 인의, 인을 함유한.
fosforito, ta *adj.* =fosforescente. —*f.* 인회토(燐灰土).
fósforo *m.* ① [화학] 인(燐). ② 성냥. ③ 샛별, 계명성, 금성. ④ =meollo, entendimiento, agudeza, ingenio. ¶ ~ *rojo* 적린(赤燐).
fosforoscopio *m.* [물리] 인광계.
fosforoso, sa *adj.* ① 인(fósforo)의. ② 인을 함유한.
fósil *m.* ① 화석(化石). ② *Méj.* 뒤처진 학생. —*adj.* ① 화석의, 화석화된. ② =viejo, anticuado. —*m. Méj.* 뒤처진[미진한] 학생.
fosilífico, ca *adj.* 화석을 함유한 (땅).
fosilización *f.* 화석화(化石化).
fosilizar (9) *intr.* 화석이 되다, 화석으로 변하다. ~**se** ① 화석이 되다. ② 뼈마디가 굳어지다, 마비되다.
fosique *m.* =fusique.
foso *m.* ① =hoyo. ② 무대의 아래층[지하실]. ③ (자동차 정비용) 구덩이. ④ [군사] (성채를 둘러싸고 있는) 참호, 호(壕).
fosquera *f.* 벌집의 오물[더러움].
fosura *f.* [고어] =excavación.
foto[1] *m.* [고어] =confianza.
foto[2] *f.* [fotografía의 생략형] 사진: ~ de carné 증명(서 크기) 사진. salir bien en las ~ 사진이 잘 나오다. sacar [hacer] una ~ 사진을 찍다.
foto- *pref.* 「빛, 광(光)」의 뜻: *fotó*lisis 광분해.
fotobiología *f.* 광생물학.
fotocélula *f.* 광전지, 광전관(光電管).
fotocomponedora *f.* 사진 식자기.
fotocomposición *f.* 사진 식자, 사식.
fotoconductividad *f.* 광전도(성).
fotocopia *f.* 사진 복사, 카피.
fotocopiador, ra *adj.* 사진 복사하는.
fotocopiadora *f.* 복사기.
fotocopiar (11) *tr.* …의 복사를 하다.
fotoelectricidad *f.* [물리] 광전기.
fotoeléctrico, ca *adj.* [물리] 광전기의.
fotofobia *f.* 광공포증(光恐怖症).
fotófobo, ba *adj.* 광공포증에 걸린. —*m.f.* 광공포증 환자.
fotogenia *f.* 사진을 잘 받음, 촬영 효과.
fotogénico, ca *adj.* 촬영에 적합한, 사진을 잘 받는.
fotógeno, na *adj.* 발광성(發光性)의.

fotograbado *m.* 사진 제판; 그라비어 인쇄, 그라비아 사진.
fotograbador, ra *m.f.* 사진 제판사, 그라비어 인쇄공. —*f.* 사진 제판기, 그라비어 인쇄기.
fotograbar *tr.* 사진 제판하다, 그라비어 인쇄하다.
fotografía *f.* ① 사진: ~ en blanco y negro 흑백 사진. ~ en color 천연색 사진, 컬러 사진. ② 사진 촬영. ③ 촬영소. ④ (사진에 의한) 충실한 재현, 정확한 묘사.
fotografiar (12) *tr.* ① …의 사진을 찍다. ② 사실적으로 묘사하다. —*intr.*, ~**se** 사진을 찍다.
fotográficamente *adv.* 사진을 통해서.
fotográfico, ca *adj.* 사진의, 사진 같은.
fotógrafo, fa *m.f.* 사진가, 카메라맨.
fotograma *m.* [영화] 한 장면, 한 토막, (필름의) 한 단락.
fotogrametría *f.* (항공 사진에 의한) 사진 측량[제도]법.
fotolisis *f.* =fotólisis.
fotólisis *f.sing.pl.* [물리] 광분해.
fotolito *m.* [화학] 광해질(光解質).
fotolitografía *f.* 사진 석판술[평판].
fotolitografiar *tr.* 사진 석판으로 하다.
fotolitográficamente *adv.* 사진 석판으로, 평판으로.
fotolitográfico, ca *adj.* 사진 석판의.
fotolitografista *m.f.* =fotolitógrafo.
fotolitógrafo, fa *m.f.* 사진 석판공.
fotoluminiscencia *f.* [광학] 광(光)루미네센스.
fotomatón *m.* 스피드 사진 촬영 박스.
fotomecánico, ca *adj.* 사진 제판법의.
fotometría *f.* ① 광도 측정. ② 측광학.
fotométrico, ca *adj.* 광도계의; 광도 측정의.
fotómetro *m.* ① 광도계. ② 노출계.
fotomicrografía *f.* 현미경 사진(술).
fotomontaje *m.* ① 합성 사진, 몽타주 사진. ② 몽타주 사진 제작법.
fotón *m.* [물리] 광자(光子).
fotónico, ca *adj.* 광자의, 광양자의.
fotonovela *f.* 사진 소설.
fotoquímico, ca *adj.* 광화학의.
fotorrobot *m.* (범인의) 몽타주 사진.
fotosensible *adj.* [의학] 광선과민증의.
fotosfera *f.* [천문] 광구(光球).
fotósfera *f.* *Amér.* =fotosfera.
fotosíntesis *f.sing.pl.* [생물] 광합성.
fototeca *f.* 사진 보관소.
fototerapia *f.* 광선 요법.
fototipia *f.* 포토타이프, 사진 철판.
fototípico, ca *adj.* 포토타이프의, 사진 철판의.
fototipografía *f.* 사진 식자[제판술].
fototipográpico, ca *adj.* 사진 식자의, 사진 제판술의.
fototropismo *m* [생물] 굴광성(屈光性).
fotovoltaico, ca *adj.* 광전지(光電池)의.
fotuto *m.* ① *Cuba, PRico., Ven.* 포뚜또 ((나팔이나 소라고둥처럼 길고 세게 소리를 내는 취주 악기)). ② *Cuba.* (자동차의) 클랙슨.
fovismo *m.* [미술] 포비슴, 야수파.
fox terrier *m.* [개] 폭스테리어.
foxtrot, fox-trot *m.* ① 폭스트롯. ② 폭스트롯 곡. ③ *Ven.* =alboroto.
FP *f.* *F*ormación *P*rofesional 직업훈련.
fra. factura 송장, 인보이스
frac *m.* [*pl.* fraques] [복식] 연미복.
fracasado, da *adj.* 실패한. —*m.f* 실패자, 패배자.
fracasar *intr.* [+en] (…에) 실패하다.
fracaso *m.* 실패; 패배: tener [sufrir] un ~ 실패하다; 패배하다.
fracción *f.* ① 분할. ② (분할된) 부분, 단편. ③ [수학] 분수. ④ (당파 내의) 분파, 소수파.
fraccionamiento *m.* ① 분할. ② *Méj.* 주택 단지.
fraccionar *tr.* ① 분할하다, 세분하다. ② 분열시키다. ③ [화학] 분별하다.
fraccionario, ria *adj.* ① [수학] 분수의. ② 편파적인. ¶***moneda ~ria*** ㉮ 보조 화폐. ㉯ 잔돈.
fractura *f.* ① [의학] 골절. ② [지질] 단층(斷層).
fracturar *tr.* ① (뼈를) 부러뜨리다. ② 억지로 열다, 부수다, 파괴하다.
fragancia *f.* ① 향기로움; 향기, 방향(芳香). ② [드묾] 명성(fama).
fragante[1] *adj.* 향기로운, 향기를 발하는: rosa ~ 향기로운 장미.
fragante[2] *adj.* 불타는, 빛나는. ¶***en ~*** =en flagrante.
fragata *f.* 프리깃함(艦). ¶ ~ ***ligera*** = corbeta.
frágil *adj.* ① 깨지기 쉬운, 쉽게 부서지는. ② (몸 등이) 약한, 허약한. ③ 죄에 쉽게 빠지는, (특히) 순결을 잃기 쉬운. ④ 덧없고 허망한.
fragilidad *f.* 깨지기[부서지기] 쉬움.
frágilmente *adv.* 덧없고 허망하게.
fragmentación *f.* ① 분열, 파쇄. ② [컴퓨터] 프래그멘테이션. ¶ ~ ***nuclear*** [물리] 원자핵 분열.
fragmentar *tr.* 산산이 부수다[분해하다], 해체하다. ~**se** 산산조각이 되다, 부서지다.
fragmentario, ria *adj.* ① 파편의, 단편으로 이루어진. ② 표면적인, 단편적인. ③ 불완전한.
fragmento *m.* ① 파편, 부서진 조각. ② (문장·작품 등의) 단편(斷片), 일절(一節), 부분 원고, 미완성 유고.
fragor *m.* 굉음(轟音).
fragoroso, sa *adj.* 시끄러운.
fragosidad *f.* ① 험난(함), 험준(함). ② 험난[험준]한 길[땅].
fragoso, sa *adj.* ① (지형이) 험한, 험준한. ② 시끄러운(estrepitoso).
fragrante *adj.* =fragante[1,2].
fragua *f.* ① (대장간의) 노(爐). ② 노가 설치된 공장.
fraguado *m.* 회반죽 굳히기.
fraguador, ra *adj., m.f.* 생각해 내는 (사람), 꾸며대는 (사람).

fraguar (10) *tr.* ① 쇠를 벼리다. ② 생각해 내다, 꾸며대다, 날조하다. —*intr.* [건축] (회반죽 등이) 굳다, 굳어지다.
fraile *m.* ① [종교] 수도사. ② [인쇄] 잉크가 묻지 않는 곳. ③ *And.* =**prepucio.**
frailesco, ca *adj.* 수도사(fraile)의.
frailego, ga *adj.* =**frailengo.**
frailengo, ga *adj.* fraile의[에 관한].
fraileño, ña *adj.* fraile의[에 관한].
frailería *f.* [집합] 수도사들.
frailero, ra *adj.* 수도사들 자신의.
frailesco, ca *adj.* fraile의[에 관한].
frailuco *m.* 얼치기 수도사.
frailuno, na *adj.* 수도사 자신의.
frambuesa *f.* 나무딸기[산딸기]의 열매.
frambueso *m.* 나무딸기, 산딸기.
francachela *f.* 먹고 마시면서 즐기기 위한 모임, 술잔치.
francamente *adv.* ① 솔직히 말해, 터놓고, 숨김없이. ② 무세로, 면세로.
francés, sa *adj.* ① 프랑스(Francia) 태생의. ② 프랑스의, 프랑스에 관한. —*mf.* 프랑스 사람. —*m.* ① 프랑스 말. ② *Guat.* 프랑스 빵조각. ¶*a la ~ sa* ㉮ 프랑스 식으로. ㉯ 갑자기, 작별의 말도 없이.
francesada *f.* 1808년 프랑스의 스페인 침입.
francesismo *m.* ① 프랑스 말의 독특한 말투. ② 다른 언어에서의 프랑스 말 [단어, 말투]. ③ 다른 언어에서의 프랑스 말 사용.
francesista *mf.* 프랑스 말과 프랑스 문화 연구가.
franchote *mf.* [경멸] =**francés.**
franchute, ta *mf.* [경멸] =**francés.**
Francia *f.* [국명] 프랑스, 불란서.
francio *m.* [화학] 프랑슘.
franciscano, na *adj.* ① 샌프란시스코회(la Orden de San Francisco)의. ② 샌프란시스코 회에 관한. —*mf.* 샌프란시스코회 수도사[수도녀].
francisco, ca *adj.* 샌프란시스코 회의. —*mf.* 샌프란시스코회 수도사[수도녀].
fracmasón, na *mf.* francmasonería의 회원.
francmasonería *f.* [역사] 프리메이슨단(團), (중세의) 숙련 석수(石手) 조합원.
francmasónico, ca *adj.* francmasonería의[에 관한].
franco, ca *adj.* ① 솔직한, 숨김없는. ② 자유로운, 방해 없는. ③ 무세(無稅)의, 무료의, (부담 등을) 면한: entrada ~ 입장 무료. zona *~ca* 면세 구역[지역]. ④ 명백한, 의심의 여지없이. ⑤ (아프리카 해안에서) 유럽의. ⑥ 프랑크족(Franconia, 프랑스를 정복해서 그 이름을 얻은 라인강 하류의 게르만계 원주민)의. ⑦ 프랑크족 언어의. ⑧ 프랑스의. ⑨ 군복무를 면제한. ⑩ =**desembarazado.** —*mf.* ① 유럽 사람. ② 프랑스 사람. —*m.* ① [역사] 프랑크족. ② 프랑크 말 (프랑크족이 사용했던 언어)). ③ 프랑 ((프랑스의 전화폐; 여러 나라의 화폐 단위)).
franco- *pref.* 「프랑스의(francés)」의 뜻: *franco*filo 프랑스를 좋아하는.
francocanadiense *adj., mf.* 프랑스계 캐나다 사람(의).
francofilia *f.* 친불(親佛), 프랑스에 호감을 가지는 일.
francófilo, la *adj.* 프랑스를 좋아하는, 친불(파)의. —*mf.* 친불파 사람.
francofobia *f.* 프랑스 공포[혐오].
francófobo, ba *adj., mf.* 프랑스를 싫어하는[무서워하는] (사람).
francofonía *f.* 프랑스 말 사용.
francófono, na *adj., mf.* 프랑스 말을 하는 (사람).
francote *adj.* 솔직한, 숨김없는.
francotirador, ra *mf.* ① 저격병, 유격대원. ② 독불장군.
franela *f.* ① 플란넬. ② [투우] =**muleta.** ③ *Ven.* 내의, 운동복(camiseta).
frangible *adj.* 부서질[쪼개질] 수 있는.
frangir (4) *tr.* 산산조각을 내다.
franhueso *m.* [새] =**quebrantahuesos.**
franja *f.* ① (옷 등의) 가장자리[테두리] 장식. ② 끈, 띠(faja, lista, tira).
franjar *tr.* franja로 장식을 달다.
franjear *tr.* =**franjar.**
franqueable *adj.* 통과할[넘을] 수 있는.
franqueadora *f.* 우편 요금 지불 압인기(máquina ~).
franquear *tr.* ① (길을) 개방하다, 열다, (통행 등을) 자유로이 하다. ② (장애 등을) 극복하다, 넘다, 건너다. ③ (편지의) 우편요금을 지불하다, (우편물에) 우표를 붙이다. ④ (세금 등을) 면제하다. ⑤ (…을) 관대하게 양보하다. ⑥ 노예에게 자유를 주다. ~**se** ① 하자는 대로 하다, 다른 사람의 소원을 쉽게 들어주다. ② 다른 사람에게 속내를 털어놓다.
franqueo *m.* ① 우편 요금 (지불): ~ concertado 우편 요금 별납. ② 우표[인지] 첨부.
franqueza *f.* ① 면제, 면세. ② 관대함, 대범함. ③ 솔직함. ④ 성실(함).
franquía *f.* [항해] 선박 조종 여지.
franquicia *f.* ① (세관 등의) 면제, 면세: ~ postal 우편 요금 면제. ② [상업] 프랜차이즈, 독점 판매권, 체인점 영업권.
franquismo *m.* ① 프랑코주의. ② 프랑코(Francisco Franco) 체제 ((스페인, 1939-1975)).
franquista *adj.* 프랑코파(派)의. —*mf.* 프랑코주의자, 프랑코파.
frasca[1] *f.* 낙엽과 잔 가지.
frasca[2] *f.* (포도주를 담는 바닥이 네모지고 목이 낮은) 투명한 유리병.
frasco *m.* ① (화장품·술 등의) 작은 병. ② 뿔로 만든 총에 장전하는 화약통. ③ 한 병의 내용물.
frase *f.* ① 구, 어군: ~ adjetiva 형용사구. ② 글; 문장. ③ 어구: ~ hecha 성구(成句). ~ proverbial 속담. ④ 공

허한 문구. ⑤ [음악] 악구.
frasear *intr., tr.* ① 글을 짓다. ② [음악] (악구를) 단락을 지어 연주하다[노래하다].
fraseo *m.* [음악] 악구 연주.
fraseología *f.* ① 어법, 표현법. ② 호언장담, 미사여구.
fraseológico, ca *adj.* 어법의, 말씨의.
fraternal *adj.* 형제의, 자매의.
fraternalmente *adv.* 형제처럼, 형제같이, 친밀하게(con fraternidad).
fraternidad *f.* ① 형제애; 우애; 동포애. ② 형제 관계.
fraternizar (9) *tr.* ① 형제처럼 지내다. ② 친하게 지내다.
fraterno, na *adj.* =**fraternal.** —*f.* 엄한 질책[꾸중].
fratría *f.* (고대 희랍의) 씨족.
fratricida *adj.* 형제[자매] 살해(殺害)의. —*mf.* 형제[자매] 살해자.
fratricidio *m.* 형제[자매] 살해.
fraude *m.* 부정 행위, 사기 행위.
fraudulencia *f.* 부정(不正).
fraudulentamente *adv.* 부정으로.
fraudulento, ta *adj.* 부정의, 거짓의.
fray *m.* ① …사(師) ((수도사 fraile의 이름 앞에 붙이는 경칭)). ② =**frey.**
frazada *f.* (침대용) 털이 많은 모포.
frazadero *m.* frazada 제조자.
freático, ca *adj.* ① 지하에 모여 있어 샘으로 이용할 수 있는. ② (물이 있는) 지하층의: capa *~ca* 지하수 층.
frecuencia *f.* ① 빈발; 빈도. ② [물리] 진동수; 주파수.
frecuencímetro *m.* [물리] 진동 주파수 계량기.
frecuentación *f.* ① 잦은 반복 행동. ② 잦은 방문.
frecuentador, ra *adj., mf.* 자주 방문하는, 내왕이 빈번한 (사람).
frecuentar *tr.* ① (행동을) 자주 반복하다. ② (장소에) 자주[뻔질나게 · 빈번히] 가다[다니다]. ③ (…와) 자주 교제하다, 잘 만나다.
frecuentativo, va *adj.* [문법] 반복을 나타내는.
frecuente *adj.* 빈번한, 잘 일어나는; 흔히 있는, 있기 쉬운.
frecuentemente *adv.* 빈번히, 자주.
free lance *adj.* 자유 계약[투고(投稿)]의. —*mf.* 자유 (계약) 작가, 프리랜서.
fregada *f.* ☞**fregado.**
fregadazo *m.* [속어] *Méj.* 큰 타격, 세게 침(golpe fuerte).
fregadero *m.* ① 설거지통. ② (주방의) 설거지대, 싱크대.
fregado, da *adj.* ① *AmérC., AmérM.* =**exigente, severo.** ② *AmérM., CRica, Guat., Hond.* =**majadero, enfadoso, importuno.** ③ *Bol., Col., Ecuad., Perú.* =**terco, pertinaz.** ④ *Col., Salv., Ven.* 곤란한, 힘든, 무척 어려운. ⑤ *CRica, Ecuad., Hond., Méj., Nic., Salv.* =**bellaco, perverso.** ⑥ *Col., CRica, Hond., Salv.* = **astuto, taimado.** ⑦ *Guat., Nic.* 육체적[경제적 · 정신적]으로 망가진. —*m.* ① 문질러 닦기. ② 분규, 얽히고 설킴. ③ 말다툼, 입씨름. ④ 흉계. —*f.* ① *Cuba.* =**regañina.** ② *Hond., Salv.* 지독한 행위. ③ [속어] *Méj., Salv.* = **engaño.**
fregador, ra *adj., mf.* 문질러 닦는 (사람). —*m.* ① =**fregadero.** ② 수세미솔(estropajo).
fregajo *m.* 마룻솔, 걸레(estropajo).
fregadura *f.* 문질러 닦기(fregado).
fregar (8) (19) *tr.* ① 힘껏 문지르다. ② (물 · 비누 · 세제 등을 사용해 솔 · 수세미 등으로) 문질러 씻다[닦다]. ③ *Amér.* 애먹이다, 귀찮게 굴다, 괴롭히다. ④ [속어] (…에게) 손해를 끼치다. **~se** ① 귀찮다, 괴롭다, 애먹다. ② 손해를 보다.
fregasuelos *m.sing.pl.* 자루걸레.
fregatriz *f.* =**fregona** ②.
fregón, na *adj. CRica, Ecuad., Guat., Hond., Méj., Nic.* 애먹이는, 귀찮은, 골치를 썩히는. —*f.* ① 자루걸레. ② [경멸] 설거지와 청소 당번 하녀.
fregotear *tr.* 잽싸게 대충 닦다[씻다].
fregoteo *m.* 잽싸게 대충 닦음[씻음].
freidera *f.* ① *Cuba.* (별로 깊지 않은 꾸바 요리용) 토제 냄비. ② *Hond.* = **sartén.**
freidor, ra *mf. And.* (판매용) 생선을 튀기는 사람. —*f.* 튀김용 가정 전기 제품.
freidura *f.* 기름에 튀김, 프라이.
freiduría *f.* 생선 튀김 가게.
freila *f.* [고어] (승병단의) 수도녀.
freile *m.* ① (승병단의) 기사. ② (승병단의) 수도사.
freír (44) *tr.* ① 기름에 튀기다, 프라이하다. ② 애먹이다, 진절머리나게 하다, 지긋지긋하게 하다. ③ 상처투성이로 만들다, 난도질하다. ④ *Cuba.* 죽이다, 살해하다. —*intr.* (기름 · 프라이팬이) 튀겨지다. **~se** ① 기름에 튀겨지다, 프라이되다. ② =**asarse.** ¶***Al ~ sera el reír*** (속담) 최후에 웃는 자가 이긴다.
freira *f.* (승병단의) 수도녀.
freire *m.* =**freile.**
freiría *f.* [집합] =**freires.**
frejol *m. Ext.* =**fréjol.**
fréjol *m.* ① [식물] 강낭콩(judía). ② 강낭콩 열매[씨].
frejón *m. Ext.* =**fréjol.**
fréjul *m. Ext.* =**fréjol.**
frémito *m.* =**bramido.**
frenada *f.* ① *Amér.* =**frenazo.** ② *Arg., Bol., Cuba, Ur.* =**regañina.**
frenado *m.* 제동, 억제, 억지(抑止).
frenar *tr.* ① …에 제동을[브레이크를] 걸다, 제동을[브레이크를] 걸어 멈추게 하다. ② 억제하다, 억지하다, 제지하다. —*intr.* 제동이[브레이크가] 걸리다, 제동을[브레이크를] 걸다. **~se** ① 제동이[브레이크가] 걸리다. ② 자신을

억제하다: ~*se* en la bebida 음주를 삼가다.

frenazo *m.* ① 급브레이크. ② 급격한 억제.

frenería *f.* (말의) 재갈 제조소[가게].

frenero *m.* ① (말의) 재갈 제조자[장수]. ② (열차의) 제동수(制動手).

frenesí *m.* ① 열광. ② 광란, 광포.

frenéticamente *adv.* 열광적으로, 열렬히(con frenesí).

frenético, ca *adj.* 열광적인, 열렬한, 광란의: ponerse ~ 열광하다.

frenetizar (9) *tr.* =**encolerizar, poner frenético.** ~**se** =**encolerizarse.**

frenillar *tr.* [선박] 밧줄로 묶다.

frenillo *m.* ① [해부] (혀의) 소대(小帶). ② [해부] (표피의) 소대(小帶). ③ (개의 입에 물지 못하게 물린) 망, 멍에. ④ (배의 여러 가지 용도로 쓰이는) 밧줄. ⑤ *AmérC., Cuba, RDom. Ven.* 연줄. ⑥ *CRica, Nic., Salv., Ur., Ven.* 치열 교정 기구. ¶*no tener* alguien ~ **(*en la lengua*)** (누가) 주책없이 지껄이다, 아무렇게나 말하다, 두려움 없이 말하다.

freno *m.* ① 브레이크, 제동기. ② (말의) 재갈. ③ 억제: poner ~ a las pasiones 감정을 억제하다.

frenología *f.* 골상학(骨相學).

frenológico, ca *adj.* 골상학의.

frenólogo *m.* 골상학 전문가.

frenópata *m.f.* 정신병 의사.

frenopatía *f.* 정신병학(siquiatría).

frenopático, ca *adj.* 정신 의학(精神醫學)의. —*m.* 정신과 병원(hospital ~).

frental *adj.* [해부] =**frontal.**

frentazo *m. Méj.* =**chasco.**

frente *f.* ① 이마: ~ ancha [alta] 넓은 이마. fruncir la ~ 눈살을 찌푸리다, 상을 찡그리다. ② 표정, 얼굴(의 생김새). ③ (물건의 옆면에 대해) 앞부분. ④ (편지·서류에서) 처음에 남겨 두는) 공백. ⑤ (건물의) 정면. —*m.* ① (건물 등의) 정면. ② [군사·정치] 전선(前線). ③ 전선, 싸움터. ④ [기상] 전선(前線). ⑤ (동전의) 표면(cara). ⑥ (건물의) 정면. ⑦ (정당·조직체 등의) 동맹, 연합. ⑧ 책의 첫 페이지. —*adv.* ① 맞은편에, 정면에. ② =**en contra, en pugna.** ¶~ ***calzada*** 좁은 이마. ~ ***de batalla*** 싸움터. ~ ***de onda*** [물리] 파두(波頭)(면). ~ ***único*** (다른 세력간의) 통일 전선. ***segundo*** ~ *Méj., Salv.* 첩, 정부. ***al*** ~ ㉮ 앞에. ㉯ 앞으로, 앞을 향해. ***al*** ~ ***de*** …의 정면에, 선두에. ***arrugar*** alguien ***la*** ~ (누가) 눈살을 찡그리다, 상을 찌푸리다. ***con la*** ~ ***levantada*** [***muy alta***] ㉮ 조용히, 침착하게, 냉정히. ㉯ 거만하게. ***dar el*** ~ a alguien =**plantar cara.** ***de*** ~ ㉮ 단호히, 결연히, 당당히. ㉯ 정면에서, (바로) 정면에서. ㉰ 솔직히. ***en*** ~ 정면에, 앞에. ~ ***a*** ㉮ …의 앞에, 정면에, 마주 보고. ㉯ …에 직면해서; …에 반(反)해서. ~ ***a*** ~ ㉮ 마주 대놓고, 마주 보고(cara a cara). ㉯ 정면에서, 정면으로. ~ ***por*** ~ 마주 보고, 바로 정면에. ***hacer*** ~ 대처하다, 직면하다, 대항하다, 맞서다.

frentero *m.* (넘어질 때 다치지 않도록 아이들의 이마에 붙인) 이마 받이(천).

frentón, na *adj.* ① 이마가 넓은. ② *Amér.* 머리의 앞부분의 머리카락이 빠진 (원주민). ③ *Amér.* 머리의 앞부분의 머리카락이 빠진 원주민의[에 관한].

freo *m.* (섬과 섬·섬과 육지 사이의) 좁은 해협, 좁은 운하(canal estrecho).

freón *m.* (특히 냉동용) 불소 포함 불가연성 가스[액체].

fresa[1] *f.* ① [식물] 딸기나무. ② [과실] 딸기. —*adj.* 딸기색의. —*m.* 딸기색.

fresa[2] *f.* [기계] (시계 톱니바퀴의 톱니를 깎는) 프레이즈.

fresado *m.* 프레이즈 절삭(切削).

fresador *m.* 프레이즈 공(工).

fresadora *f.* 프레이즈 반(盤).

fresal *m.* 딸기밭.

fresar[1] *tr.* ① 프레이즈로 깎아내다. ② *Alb.* 반죽하기 전에 밀가루를 물에 섞다. —*intr.* [고어] =**gruñir, regañar.**

fresar[2] *tr.* 술(franjas)로 장식하다.

fresca *f.* ☞**fresco.**

frescachón, na *adj.* 건장하고 혈색이 좋은, 원기 왕성해 보이는.

frescales *m.f.sing.pl.* 철면피한 사람, 뻔뻔스러운 사람.

fresco, ca *adj.* ① 시원한, 서늘한. ② (식료품이) 신선한, 싱싱한. ③ 최근의, 새로운. ④ 갓 만든[잡은]. ⑤ 냉동되지 않은, 보존 가공되지 않은. ⑥ 혈색이 좋은, 터질 듯한, 생기가 도는, 젊고 싱싱한. ⑦ 아주 차분한, 침착한, 동요하지 않는. ⑧ 피로한 기색이 없는. ⑨ (천이) 얇고 가벼운. ⑩ 뻔뻔스러운, 낯가죽이 두꺼운, 철면피한. ⑪ *Nic.* =**descuidado, negligente.** —*m.f.* 뻔뻔스러운 사람, 철면피한 사람. —*m.* ① 서늘함, 시원함. ② 싱싱함. ③ (간하지 않은) 신선한 생선. ④ (소금 따위에) 절인 신선한 돼지고기. ⑤ 프레스코화(畵). ⑥ *AmérC., Bol., Ecuad., Perú, Ven.* 찬 음료수, 청량음료. —*f.* ① 서늘함, 시원함. ② (무더울 때 아침과 밤 등의) 서늘한 바람. ③ 무례한 말[표현].

frescolín, na *adj. Chile.* =**despreocupado, sinvergüenza.**

frescor *m.* ① =**frescura, fresco.** ② [회화] (건강하고 싱싱한) 살색, 살빛.

frescote, ta *adj.* 터질 듯하고 혈색이 좋은.

frescura *f.* ① 시원함, 서늘함. ② (신록이 우거진 곳의) 기분이 상쾌함. ③ 뻔뻔스러움, 철면피, 파렴치함. ④ 부주의, 나태, 태만. ⑤ 침착함, 차분함. ⑥ [드묾] 언짢은 말, 싫은 소리, 빈정거림: ~ una ~ 언짢은 말을 하다.

fresero, ra *m.f.* 딸기 장수. —*f.* [식물] 딸기나무.

fresnal *adj.* fresno의.

fresneda *f.* fresno 숲.
fresno *m.* ① [식물] 물푸레나무. ② 물푸레나무 목재.
fresón *m.* (칠레 원산의) 딸기 비슷한 열매.
fresquería *f. Amér.* 청량 음료 제조소[판매소].
fresquero, ra *mf.* 신선한 생선 운반인[장수]. —*f.* (환기 장치를 한 곳에 두는) 음료[먹거리] 상자.
fresquilla *f.* 복숭아의 일종.
freudiano, na *adj.* 프로이드(Freud) 학설(의). —*mf.* 프로이드 학파의 사람.
freudismo *m.* 프로이드 학설.
frey *m.* 탁발 수도사들 사이에 사용되는 경칭.
freza[1] *f.* ① (어류의) 산란. ② (산란용 땅이 제한되어 있을 때를 대비해 물고기들이 남겨둔) 도랑. ③ 산란기. ④ 물고기의 알. ⑤ 치어(稚魚). ⑥ (동물의) 똥. ⑦ (동물이 파거나 후벼서 만든) 표시, 구덩이.
freza[2] *f.* 누에가 뽕잎을 먹는 시기.
frezar[1] (9) *tr.* 벌집의 오물을 씻다. —*intr.* ① (동물이) 똥을 누다. ② (벌집에서) 오물을 치우다. ③ 산란하다. ④ (물고기가) 산란을 위해 물 바닥을 문지르다. ⑤ (동물이) 콧등으로 후벼 구덩이를 파다, 구덩이를 파기 위해 후비다.
frezar[2] *intr.* (누에가) 뽕잎을 먹다.
friabilidad *f.* 부서지기 쉬움, 약함, 무름, 나약함.
friable *adj.* 쉽게 부서지는, 부서지기 쉬운, 무른, 약한.
frialdad *f.* ① 냉기(冷氣), 차가움. ② 불감증. ③ 무관심, 냉담함, 냉정함, 쌀쌀함. ④ [드묾] =**flojedad, descuido.** ⑤ [드묾] =**necedad.** ⑥ [드묾] 싱거운 말.
fríamente *adv.* 차게, 냉담하게; 멋없이.
friático, ca *adj.* ① =**friolero.** ② =**frío, necio, sin gracia.**
fricación *f.* 마찰(음).
fricandel *m. Cuba.* 강추위.
fricandó *m.* [요리] 프리캉도 ((송아지 넓적다리 살에 베이컨을 끼워 찐 요리)).
fricar *tr.* 닦다, 문지르다.
fricasé *m.* [요리] 프리카세 ((흰 살코기나 닭고기·양고기·생선 살을 소스에 익힌 스튜의 일종)).
fricativo, va *adj., f.* 마찰음(의).
fricción *f.* ① 마찰. ② 마사지, 안마. ③ 불화, 알력, 마찰.
friccionar *tr.* 마찰하다, 마사지하다.
fridera *f. Hond.* =**sartén.**
friega *f.* ① 마사지. ② 구타. ③ *Amér.* 번거로움, 귀찮음, 성가심. ④ *Méj.* 알코올 음료 한 모금.
friegaplatos *m.sing.pl.* 식기 세척기. —*mf.* 식기를 씻는 사람.
friera *f.* =**sabañón.**
frigidez *f.* ① =**frialdad.** ② [의학] (여성의) 불감증.
frigidísimo, ma *adj.* 매우 찬[추운].
frígido, da ① 불감증의. ② [시어] =**frío.** —*mf.* 불감증에 걸린 사람.
frigoría *f.* 프리고리 ((냉각 때의 열량의 단위)).
frigorífico, ca *adj.* 냉동[냉장·냉각]하는: barco ~ 냉동선. —*m.* 냉장고: ~ congelador 냉동 냉장고.
frijol *m.* ① *Amér.* [식물] 강낭콩. ② *Amér.* [열매] 강낭콩. ③ *Amér.* 강낭콩의 씨. ④ *Méj.* =**alimento.** ¶ ***buscarse los ~es*** *Cuba, Ecuad., Guat.* =**ganarse la vida.** ***echar ~es*** *Méj.* 꾸짖다, 나무라다, 책망하다. ***ganarse los ~es*** *Guat., Hond.* =**ganarse la vida.**
fríjol *m.* =**fréjol.**
frijolar *m.* 강낭콩밭.
frijolero, ra *mf.* 강낭콩 재배자[장수].
frijón *m. And., Ext.* =**fréjol.**
frío, a *adj.* ① 찬, 추운, 차가운, 차게 한, 식은(채 먹은): el agua fría 찬물, 냉수. cuarto ~ 찬 방. país ~ 추운 나라. sudor ~ 식은땀. tiempo ~ 추운 날씨. viento ~ 찬바람, 추운 바람. ② [미술] 한색(寒色)의: color ~ 한색, 찬 색 ((청색 계통의 색채)). ③ 불감증의. ④ 무관심한. ⑤ 냉담한, 쌀쌀한, 무정한, 냉정한, 냉철한, 냉혹한. ⑥ 마음이 내키지 않는, 멋없는. —*m.* ① 추위; 냉기: hacer ~ 날씨가 춥다. tener ~ 몸이 춥다. Hace mucho ~ hoy en Seúl 오늘 서울 날씨는 무척 춥다. No tengo mucho frío 나는 지금 별로 춥지 않다. ② *Cuba.* 냉각실, 냉장고. ③ *Col., Cuba, Guat., Méj., RDom.* 맥주.
friolento, ta *adj.* =**friolero.**
friolero, ra *adj., mf.* 추위를 잘 타는 (사람). —*f.* ① 사소한 일, 하찮은 일. ② 큰돈, 대금(大金).
frisa *f.* ① (안감·시골 아낙네들의 옷감용) 보통의 양모 천. ② *PRico.* (침대·여행용) 모포(manta).
frisar[1] *tr.* ① 보풀을 일으키다. ② (선체의) 판자 이음새를 메우다. ③ [드묾] =**disminuir.** —*intr.* ① 마음이 맞다. ② (일반적으로 나이가) 가깝다, 거의 되어 가다.
frisar[2] *tr.* ① =**refregar.** ② *Ven.* (끝마무리로 벽·담에) 시멘트 혼합 층을 만들다.
frisca *f. Chile.* =**zurra, tunda.**
friso *m.* ① (벽의 아랫부분에 여러 가지 색으로 그려진) 무늬 띠. ② [건축] 허리 사개. ③ *Ven.* (끝마무리로 벽·담에 만든) 시멘트 혼합 층.
frísol *m.* =**judía.**
frisolero, ra *mf.* =**frijolero.**
frisuelo *m.* =**judía.**
fritada *f.* ① [집합] 튀김, 프라이한 것. ② *Ecuad.* (한 입에 먹을 수 있는 크기로 토막낸) 돼지고기 튀김.
fritadería *f. Ecuad.* fritada 만들어 파는 가게.
fritandera *f. Ecuad.* fritada 만들어 파

는 여자.
fritanga *f.* (기름기가 많은) 튀김.
fritanguería *f. Chile.* 튀김 생선 장사.
fritanguero, ra *m.f. Méj., Nic.* (팔기 위해) 음식을 볶는 사람.
fritar *tr. Sal., Bol., Col., Ur.* =**freír.**
fritero, ra *m.f. Cuba.* (팔기 위해) 음식을 볶는 사람.
frito, ta *adj.* 기름에 튀긴, 프라이한: pescado ~ 튀긴 생선. —*m.* ① 튀김, 튀긴 식품. ② *CRica.* 돼지 머리와 내장탕. ③ *Cuba.* 햄버거의 일종. ¶ ***dejar*** a alguien ~ (누구를) 죽이다. ***estar*** ~ *Amér.* 어려운 처지에 있다. ***quedarse*** alguien ~ =**dormirse.** ***tener*** [***traer***] a alguien ~ (누구를) 집요하게 괴롭혀 귀찮게 하다.
fritura *f.* ① [집합] 튀김, 프라이한 것. ② *Cuba.* [요리] 프리뚜라 ((뇌·호박·옥수수·생선 등 여러 가지를 조합해 밀가루 반죽과 달걀로 만든 요리)).
frívolamente *adv.* 경망스럽게, 경솔하게, 방정맞게.
frivolidad *f.* 경망함, 경솔함, 방정맞음.
frívolo, la *adj.* 경박한, 천박한.
friz *f.* 너도밤나무의 꽃(flor del haya).
fronda *f.* ① 식물의 잎. ② [식물] 양치류의 잎 ((미나리, 고사리)). ③ [집합] 밀생(密生)한 가지나 잎.
frondosidad *f.* 밀생(密生), 총생(叢生).
frondoso, sa *adj.* 가지나 잎이 밀생한 [빽빽한], 무성한.
frontal *adj.* ① 정면(에서)의. ② 전두(前頭)의. —*m.* ① 제단 장식. ② [해부] 전두골(hueso ~).
frontenis *m.* [운동] 뻴로따(pelota).
frontera *f.* ① 국경. ② 경계; 한계. ③ (건물의) 정면.
fronterizo, za *adj.* ① 국경의: ciudad ~*za* 국경 도시. conflictos ~*s* 국경 분쟁. ② [+con·de] (…과) 국경을 접하는. ③ 국경 수비의. ④ (다른 것의) 앞에 있는.
frontero, ra *adj.* [+a·con·de] (…의) 정면의, 맞은편의, 마주 보는.
frontino, na *adj.* 이마에 어떤 표가 있는 (동물).
frontis *m.sing.pl.* ① (건물의) 정면. ② [운동] pelota 코트의 정면 벽.
frontispicio *m.* ① (건물·가구 등의) 정면. ② (책의 제목이 포함된) 속표지. ③ 얼굴. ④ [건축] =**frontón.**
frontón *m.* ① 뻴로따(pelota) 던지는 벽. ② 뻴로따(pelota) 코트[경기장]. ③ 뻴로따 놀이. ④ (해안의) 벼랑.
frontudo, da *adj.* 이마가 넓은.
frotación *f.* 마찰.
frotador, ra *adj.* ① 문지르는. ② 문지르는 데 쓰는. —*m.f.* 문지르는 사람.
frotadura *f.* =**frotación.**
frotamiento *m.* =**frotación.**
frotar *tr.* 문지르다, 비비다, 마찰하다. ~**se** 자신의 몸을 비비다[문지르다].
frote *m.* =**frotamiento.**
frotis *m.sing.pl.* (현미경의) 도말 표본.
fructíferamente *adv.* 열매가 열려.
fructífero, ra *adj.* 열매가 열리는.
fructificable *adj.* 열매를 맺을 수 있는.
fructificación *f.* 결실.
fructificador, ra *adj.* 열매를 맺는.
fructificar (7) *intr.* ① 열매를 맺다. ② 이익이 생기다, 이익을 낳다.
fructosa *f.* [화학] 과당(果糖).
fructuario, ria *adj.* ① =**usufructuario.** ② 수익에 기초를 둔.
fructuosamente *adv.* 유리하게, 효과적으로.
fructuoso, sa *adj.* ① 열매를 맺는. ② 이익을 내는, 유리한.
frufú *m.* 사그락사그락 비단옷 스치는 소리.
frugal *adj.* ① 소식(小食)의, 적게 먹는. ② (식사가) 검소한.
frugalidad *f.* ① 소식(小食). ② 검소함.
frugalmente *adv.* 검소하게.
frugífero, ra *adj.* [시어] 열매를 맺는.
frugívoro, ra *adj.* 과실을 먹는 (동물).
frui *f.* 너도밤나무 열매(fruto del haya).
fruición *f.* 열락(悅樂), 환희.
fruir (77) *intr.* =**gozar.**
frumentario, ria *adj.* 밀의, 곡물의.
frunce *m.* (잔)주름.
fruncia *f. Chile.* 복잡하고 골치 아픈 상황.
fruncido, da *adj.* =**afectado, picajoso, receloso, disgustado, colérico.** —*m.* =**frunce.**
fruncidor, ra *adj., m.f.* 눈살을 찌푸리는 (사람), 얼굴을 찡그리는 (사람).
fruncimiento *m.* 눈살을 찌푸림, 찡그린 얼굴.
fruncir (2) *tr.* ① 눈살을 찌푸리다, 얼굴을 찡그리다. ② (천에) 주름을 잡다. ③ 뾰족하게 하다. ④ [드묾] 진실을 얼버무려 버리다. ~**se** ① 시무룩하다, 새침하다. ② *Ven.* (사람·열매가) 성장을 멈추다. ③ *Ven.* =**asustarse.** ④ [+de] 매우 …한 상태다.
fruslería *f.* ① 하찮은 것, 가치가 없는 것, 시시한 것. ② 내용이 별로 없는 말, 시시한 이야기, 하찮은 짓.
frustración *f.* 좌절; 실망; 욕구 불만.
frustrado, da *adj.* 좌절한, 실패한, 실망한: golpe de estado ~ 쿠데타 미수. quedar ~ 좌절하다, 실망하다.
frustrar *tr.* ① 좌절시키다, 실패하게 하다. ② (기대 등에) 어긋나다. ③ 욕구불만을 가지게 하다. ~**se** ① 좌절하다, 실패하다. ② 미수로 그치다.
fruta *f.* ① 과일, 과실. ② (식물의) 열매. ③ …의 산물, 결과, 성과, 결실. ¶ ~ ***del cercano ajeno*** 남의것이기에 더 욕심이 나는 것. ~ ***del país*** 국산품. ~ ***del tiempo*** ㉮ 제철 과일. ㉯ (겨울철의 감기 등) 계절성이 있는 것. ***máquina de*** ~***s*** 슬롯머신.
frutaboma *f.* ① *Cuba.* =**papayo.** ② *Cuba.* =**papaya.**
frutado, da *adj. Arg.* =**afrutado.**

frutaje *m.* 과일과 꽃의 그림[정물화].
frutal *adj.* ① 열매를 맺는. ② 과실의. —*m.* 과실나무, 과수, 과목(果木).
frutar *intr.* 열매가 열리다(dar fruto).
frutear *intr. Méj.* =**frutar.**
frutecer (31) *intr.* =**fructificar.**
frutería *f.* ① 과일 가게, 과일 파는 곳. ② (왕실의) 과일 담당 부서. ③ (왕실의) 과일 보관소.
frutero, ra *adj.* 과일 운반용의, 과일을 담는. —*m.f.* 과일 장수[판매자]. —*m.* ① 과일 접시. ② (위생상 탁자 위에 있는 과일을 덮는) 삼베. ③ 여러 가지 과일 그림[그려진 삼베]. ④ 모조 과일의 바구니.
frutícola *adj.* 과실의; 과수 재배의.
fruticultura *f.* ① 과수 재배. ② 과수 재배법[재배 기술].
frutilla *f.* ① 염주알, 로사리오, 묵주. ② *AmérM.* =**fresón.** ③ *CRica.* =**triquina.** ④ *CRica.* =**triquinosis.**
frutillar *m. AmérM.* frutilla 밭.
frutillero, ra *m.f. AmérM.* frutilla 행상.
fruto *m.* ① [식물] 과실, 열매. ② 성과. ③ [주로 *pl.*] 산물, 수확물. ④ 아들. ¶~ ***de bendición*** (결혼에 의한) 합법적인 아들.
fu *interj.* ① 으르렁으르렁 ((고양이가 으르렁거리는 소리흉내말)). ② [경멸] 쳇! ¶***hacer*** ~ ***(como un gato)*** 도망쳐 나가다. ***ni*** ~ ***ni fa*** 좋지도 나쁘지도 않게.
fua *interj. Cuba.* =**zas.**
fuácata *interj. Cuba.* =**zas.** ¶***estar en la*** ~ *Cuba.* 빈털터리다.
fuco *m.* 황갈색의 바닷말.
fudre *m.* 큰 포도주 그릇.
fuego[1] *m.* ① 불: apagar [extinguir] el ~ 불을 끄다. encender el ~ 불을 피우다. poner ~ a …에 불을 붙이다, 점화하다. ② 화재, 불. ③ 포화, 사격. ④ *pl.* 꽃불, 폭죽. ⑤ 정열, 열기. ⑥ (몸의) 뜨거움, (흥분·분노·수치심 등으로 얼굴이) 달아오름, 화끈거림, 빨개짐. ⑦ 가족, 세대. ⑧ (가스 등의) 화구, 불을 내뿜는 아가리. ¶***a*** ~ ***lento [manso]*** 약한 불에, 뭉근한 불에, 조금씩 조금씩 소리 없이: cocer *a* ~ *lento* 약한 불에 삶다. ***a*** ~ ***vivo [fuerte·rápido]*** 센 불에, 괄한 불에. ***a medio*** ~ 뭉근한 불과 괄한 불의 중간 정도의 센 불에. ***hacer*** ~ [군사] 사격하다, 발포하다. ***pegar*** ~ 방화하다, 불을 지르다. ***romper el*** ~ 발포하기 시작하다. ***tocar a*** ~ (종을 쳐서) 화재를 알리다. ***Donde no se hace ~s, no sale humo / Donde fuego se hace, humo sale*** (속담) 아니 땐 굴뚝에 연기 나랴.
fuego[2] *interj.* ① 불이야! ② [군사] 사격!, 발사!: Preparen, apunten, ¡~! 준비, 조준, 발사!
fuel *m. ing.* 연료 기름.
fuelle *m.* ① 풀무. ② 갈리시아 뿔나팔의 가죽 주머니. ③ (옷의) 주름. ④ [자동차] 접는 포장[덮개]. ⑤ (카메라·가방·차량 연결부 등의) 주름상자. ⑥ 기력, 스태미나. ⑦ (스커트의) 아코디언 모양의 주름. ⑧ [집합] (산에 걸린) 구름. ⑨ 호흡 능력. ⑩ 고자쟁이. ⑪ *Ast.* (제분소에서 밀가루용) 가죽 자루. ⑫ *Arg., Ur.* [악기] =**bandoneón.**
fuéllega *f. And.* (땅에 난) 발자국.
fuentada *f.* 접시 하나에 들어갈 수 있는 음식의 양.
fuente *f.* ① 샘: ~ termal 온천. ② 분수. ③ 급수전(給水栓), 공동 수도. ④ 수도꼭지. ⑤ (영세의) 성수반. ⑥ 기원, 근원, 원천. ⑦ [주로 *pl.*] (정보의) 출처. ⑧ (식사용) 큰 접시. ⑨ 큰 접시에 들어갈 수 있는 음식의 양. ¶~***s de información*** 정보원, 뉴스 출처. ***beber*** alguien ***en buenas ~s*** (누가) 좋은 스승으로부터[작품에서] 지식을 얻다, 믿을 만한 사람[곳]으로부터 소식을 입수하다.
fuera *adv.* 밖에서, 밖에, 밖으로: comer ~ 외식하다. abrirse hacia ~ 바깥쪽으로 열리다. ¶***de*** ~ 외부에서, 표면적으로, 겉으로(는). ***de*** ~ ***a*** ~ =**superficial, aparente.** ~ ***de*** ㉮ …과 다른 장소에서. ㉯ …을 제외하고, …이외에는. ㉰ … 외에(도), … 밖에(도), … 말고도. ㉱ … 없이. —*interj.* 나가!, 쫓아내라! —*m.* ① [운동] (선 바깥) 아웃, 파울, 오프사이드. ② [통신] 통신 끝.
fueraborda *m.* ① 배 밖에 엔진이 달린 보트. ② 배 밖에 설치된 엔진.
fuereño, ña *adj., m.f. Col., CRica., Guat., Hond., Méj.* =**forastero.**
fuerero, ra *adj., m.f. CRica.* 외국 태생의, 외국에서 온.
fuero *m.* ① [역사] (중세 도시의) 특권, 특별법. ② 재판, 재판권. ③ 법전(法典). ④ 건방짐, 거만함.
fuerte *adj.* ① 강한, 튼튼한, 실한, 저항력이 큰. ② 강한, 힘센. ③ (의지·성격 등이) 강한, 굳은. ④ (능력이) 뛰어난, 잘하는, 자신 있는, 강한. ⑤ 유력한. ⑥ 건강한. ⑦ (다이아몬드·강철처럼) 강한, 단단한. ⑧ (땅이) 험한. ⑨ (장소가) 견고한, 요새화된. ⑩ (금은 세공사·조폐공이, 법정 한도를) 초과한. ⑪ (색·맛이) 강렬한, 산뜻한, 선명한, 진한: café ~ 진한 커피. ⑫ 권력[세력]이 있는: país ~ 강국. ⑬ (차 등이) 강한; (술·담배 등이) 독한; 알코올을 함유한; (약 등이) 효력이 강한: vino ~ 독한 포도주. tabaco ~ 독한 담배. ⑭ [문법] 강세가 있는. ⑮ 지독한. —*m.* ① 강한 것, 장기, 특기. ② 절정기, 최성기. ③ 요새, 성채, 보루. ④ [음악] 강음부. —*adv.* ① 세게, 힘차게, 맹렬히. ② 많이, 풍부하게, 풍족하게.
fuertemente *adv.* ① 강하게, 세게. ② 비상히, 심하게.

fuerza *f.* ① (몸의) 힘, 기운, 체력: con toda ~ 힘껏. ② 폭력: ~ bruta (도덕적·정신적인 힘에 대해) 폭력, 완력. ③ 정신력, 기력. ④ 활력. ⑤ (물건의) 견고(함), 단단함, 강함, 힘. ⑥ 효력, 효과, 효능, 효험; (표현 등의) 힘. ⑦ [주로 *pl.*] (집단·조직의) 힘, 세력; (특히) 병력, 전력(戰力); 군, 부대: ~(*s*) aérea(s) 공군. ~*s* armadas (3군을 합한) 군대, 국군; 무력. ⑧ 전기, 전류. ⑨ [물리] 힘. ¶***a la fuerza*** =por fuerza. ***a viva*** ~ 폭력으로, 억지로, 있는 힘을 다해. ***cobrar*** ~***s*** un enfermo (환자가) 조금씩 회복되다. ***de por*** ~ =por fuerza. ***en*** ~ ***de*** … 때문에. ~ ***a*** ~ 있는 힘[전력]을 다해. ***hacer*** ~ =forcejear, obligar, forzar, violentar. ***írsele*** a alguien ***la*** ~ ***por la boca*** …은 입에 발린 소리뿐이다. ***por*** ~ ㉮ 폭력으로, 억지로, 의지에 반해서. ㉯ 필요에 의해, 필연적(必然的)으로, 의심(疑心)할 여지 없이. ***sacar*** alguien ~***s de flaqueza*** 사력을 다하다, 있는 힘을 다 내다. ***ser*** ~ 필요하다, 필연이다.

fufar *intr.* (고양이가) 으르렁거리다.

fufo *m.* 고양이의 으르렁거리는 소리.

fuga *f.* ① 도주, 도망, 도피. ② (액체·기체 등의) 샘, 유출: ~ de capitales 자본 유출. ~ de cerebros 두뇌 유출. ~ de divisas 외화 유출. ③ 절정, 최고조. ④ [음악] 푸가, 둔주곡.

fugacidad *f.* 없어지기 쉬움, 눈 깜박하는 사이.

fugada *f.* 돌풍, 일진 광풍.

fugar (8) *tr.* [고어] 도망시키다. ~**se** 도망하다, 도주하다, 달아나다.

fugaz *adj.* ① 빨리 도망치는, 빨리 사라지는, 즉시 없어지는. ② 눈 깜박하는 사이의. ¶***estrella*** ~ 유성(流星).

fugazmente *adv.* 덧없이, 허망하게.

fugible *adj.* 도망할 수 있는, 도망해야 하는.

fúgido, da *adj.* [시어·고어] 도망하는, 없어지는.

fugitivo, va *adj.* ① 도망하는, 달아나는, 도망가서 숨는. ② 도망치듯 빨리 지나가는. ③ 덧없는, 짧은 시간에 쉽게 사라지는. —*m.f.* 도망자, 탈주자.

fuguillas *m.f.* 성미가 조급한 사람, 인내력이 없는 사람.

fuina *f.* [동물] 담비(garduña).

ful *adj.* [은어] =falso, fallido.

fulano, na *m.f.* ① 모인(某人), 아무개, 어떤 사람. ② 애인, 연인. —*f.* 매춘부.

fular *m.* ① 얇은 비단. ② 엷은 비단 손수건[목도리].

fulastre *adj.* =chapucero. —*m.f.* 믿을 수 없는 사람.

fulastrería *f. Cuba.* 어울리지 않은 행동, 야비한 행동, 속임수가 많은 행동. ¶***jugar*** ~ *Cuba.* 속이다, 사기치다.

fulbito *m.* ① *Arg.* =futbolín. ② *Arg.* 비공식 친선 축구 시합. ¶ ~ ***de mano*** *Perú.* =futbolín.

fulcro *m.* (지레의) 받침점.

fulero, ra *adj.* ① =falso, embustero. ② =chapucero, inaceptable.

fulgente *adj.* =fúlgido.

fúlgido, da *adj.* =brillante, resplandeciente.

fulgir *intr.* =resplandecer.

fulgor *m.* (눈부시게) 빛남.

fulgoroso, sa *adj.* =fulguroso.

fulguración *f.* ① 섬광, 눈부시게 빛남. ② 벼락에 의한 사고.

fulgurante *adj.* 눈부시게 빛나는.

fulgurar *intr.* 눈부시게 빛나다, 반짝거리다: *Fulguran* las estrellas 별들이 반짝거린다.

fulgúreo, a *adj.* =resplandeciente.

fulguroso, sa *adj.* 눈부시게 빛나는.

fúlica *f.* [새] =focha.

fuliginosidad *f.* 거무잡잡함.

fuliginoso, sa *adj.* 거무잡잡한.

fuligo *m.* ① 그을음, 매연. ② 설태.

fulla *f.* ① *Hues.* =mentira, falsedad. ② *Vizc.* =barquillo de pasta de harina.

fulleresco, ca *adj.* 교활한.

fullería *f.* ① (도박의) 속임수, 사기: hacer ~*s* en el juego 도박에서 속이다[속임수를 쓰다]. ② 교활함, 앙큼한 흉계.

fullero, ra *adj., m.f.* 교활한 (사람), 간사한 (사람), 사기꾼.

fullona *f.* 큰소리로 대판 싸움.

full time *adj. ing.* 상근(常勤)의, 전임(專任)의. —*adv.* 상근으로, 전임으로.

fulmicotón *m.* [화학] 면화약.

fulminación *f.* ① 낙뢰. ② 폭발. ③ 비난. ④ (파문 등의) 선고.

fulminador, ra *adj., m.f.* 비난하는 (사람).

fulminante *adj.* ① 폭발성의. ② 돌발적인. —*m.* 기폭약(起爆藥).

fulminar *tr.* ① 벼락을 치다. ② 폭발시키다. ③ (병이) 급사시키다. ④ 매섭게 노려보다. ⑤ 격렬하게 비난하다[나무라다], 힐책하다. ⑥ [종교] (파문 등을) 선고하다. ⑦ (유도탄·무기가) 죽이다, 다치다. ⑧ (지나친 빛이) 상하다, 다치다, 해치다, 상처를 주다.

fulminato *m.* [화학] 뇌산염.

fulmínico, ca *adj.* [화학] 폭음성의.

fuma *f.* ① *Cuba.* 담배 공장에서 담배 제조자에게 매일 공짜로 제공하는 담배의 양. ② *Cuba.* 담배 피우는 습관.

fumable *adj.* 담배 피울 수 있는.

fumada *f.* 담배 한 모금.

fumadero *m.* 끽연실(喫煙室).

fumado *m. CRica., Cuba.* 담배 피우는 습관. ¶***sección de no*** ~ *CRica.* 금연 구역.

fumador, ra *adj.* 담배 피우는 습관을 가진. —*m.f.* 흡연자, 애연가, 골초: ~ indirecto 간접 흡연자. vagón de no ~*es* 금연차. ¶ ~ ***pasivo, fumadora pasiva*** *m.f.* 간접 흡연자.

fumante *adj.* ① 연기를 내는. ② 담배

를 피우는. ③ [화학] (눈에 보이는) 연기를 내는.
fumar *intr.* ① 연기를 내뿜다. ② (담배·아편 등의) 연기를 들이마시다, 담배 피우다, 끽연하다. —*tr.* ① (담배·아편 등을) 피우다: ~ un cigarrillo 담배를 피우다. ~ un opio 아편을 피우다. ② *Bol.* 놀리다. ~**se** ① (담배를) 피우다, 피워 버리다. ② 낭비하다, 소비하다, 다 써버리다. ③ (일·학업을) 태만히 하다, 게으름 피우다: *~se* la clase 학교를 (꾀부려) 쉬다. *~se* la oficina 회사를 (꾀부려) 쉬다.
fumarada *f.* 한 번에 나오는 연기의 양; 파이프에 넣을 수 있는 담배의 양.
fumarola *f.* ① (화산·용암에서) 가스와 증기의 분출. ② (유황 가스 등에 의한) 땅의 균열.
fumata[1] *f.* (바티칸에서) 교황 선거에서 투표의 결과를 알리는 연기.
fumata[2] *f.* ① [은어] 그룹으로 마약을 피우는 일. ② [은어] 마약 중독자.
fumífero, ra *adj.* [시어] 연기를 내뿜는.
fumífugo, ga *adj.* 연기를 없애는.
fumigación *f.* 훈증 소독.
fumigador, ra *adj.* 훈증 소독의. —*m.* 훈증 장치.
fumigar (8) *tr.* ① 훈증 소독하다. ② (해충 박멸을 위해 약제를) 분무하다.
fumigatorio, ria *adj.* 훈증 소독의[에 관한]. —*m.* 향로.
fumista[1] *m.f.* 조리대·벽로·난로 제작자[수리공·판매자].
fumista[2] *adj., m.f.* =**burlón, bromista.**
fumistería *f.* 조리대·난로 가게[공장].
fumívoro, ra *adj.* 완전 연소식의.
fumón, na *adj. Ecuad.* 마리화나에 중독된(adicto a fumar mariguana).
fumorola *f.* =**fumarola.**
fumosidad *f.* 연기를 내는 재료.
fumoso, sa *adj.* 연기를 많이 내뿜는.
funambulesco, ca *adj.* ① funámbulo의[에 관한]. ② =**extravagante, exagerado, llamativo, grotesco.** ③ 다른 성향이나 반대 의견을 유리하게 만드는 솜씨가 있는.
funambulismo *m.* ① funámbulo의 기술. ② 다른 성향이나 반대 의견 사이에서 유리하게 만드는 능숙한 솜씨.
funámbulo, la *m.f.* ① 줄타기 곡예사. ② (사회·정치 생활에서) 능숙하게 행동하는 사람.
funcar (7) *intr. Ar., Chile., Ur.* = **funcionar, ir bien.**
funche *m. Cuba, PRico.* 옥수수 가루 죽의 일종.
función *f.* ① 기능. ② [때때로 *pl.*] 직무, 직분, 임무: desempeñar *su* ~ 직무를 수행하다. ③ [종교] 의식. ④ [연극] 공연: ~ de medianoche 심야 쇼. ~ de noche 야간 공연. ⑤ [영화] 상영: ~ de medianoche 심야 상영. ⑥ [수학] 함수. ⑦ [언어] 기능. ¶ ~ ***de demanda*** 수요 함수. ~ ***lineal*** 일차 함수. ***en ~, en funciones*** 대행의, 대리의. ***en ~ de*** …에 따라서, …에 의거해서, …을 보아, …에 준해.
funcional *adj.* ① 기능의, 기능적인. ② [수학] 함수의: relación ~ 함수 관계.
funcionalidad *f.* 기능성.
funcionalismo *m.* 기능주의.
funcionamiento *m.* ① 기능을 함, 작동. ② 영업, 조업.
funcionar *intr.* ① 기능을 (발휘)하다, 작동하다, 작용하다, 움직이다. ② 잘 나가다, 결과가 좋다.
funcionariado *m.* ① 공무원의 조건. ② [집합] 공무원; 직원.
funcionarial *adj.* 공무원 직의[에 관한].
funcionario, ria *m.f.* ① 공무원, 관리 (~ público): ~ del Estado 국가 공무원. ~ municipal 지방 공무원. ② (국제 기관의) 직원.
funcionarismo *m.* =**burocracia.**
funda *f.* ① (보존하고 보호하기 위해 싸는 가죽·천·삼베 및 다른 재료로 된 가구 등의) 덮개, 커버: ~ del sillón 의자 커버. ② 베갯잇(~ de almohada). ③ 케이스, 자루, 부대, 봉지: ~ de la raqueta 라켓 케이스.
fundación *f.* ① 창설, 설립, 창립. ② 기금(基金). ③ (기금에 의한) 시설, 재단: *Fundación* Cervantes 세르반떼스 재단.
fundacional *adj.* ① 창설의, 창립의, 설립의. ② 기금의. ③ 재단의.
fundadamente *adv.* 근거로, 토대로, 정당한 이유를 가지고.
fundado, da *adj.* ① 창립된, 설립된, 창설된. ② 근거가 있는, 정당한.
fundador, ra *adj.* 창설의, 창립의, 설립의. —*m.f.* 창시자, 창설자, 설립자, 시조: Francisco Romero es el ~ de la tauromaquía moderna 프란시스꼬 로메로는 근대 투우술의 시조다.
fundamental *adj.* ① 기본적인: piedra ~ 초석. ② 근본적인. ③ 중요한.
fundamentalismo *m.* 원리주의.
fundamentalista *adj.* 원리주의(原理主義)의. —*m.f.* 원리주의자.
fundamentalmente *adv.* ① 기본적으로. ② 본디부터, 본래. ③ 근본적으로.
fundamentar *tr.* ① [+en] (…에) 근거[기초]를 두다. ② …의 토대를 구축하다[놓다].
fundamento *m.* ① (건물의) 토대. ② [주로 *pl.*] 기본, 기초. ③ 근거, 이유. ④ 성실(함), 착실(함). ⑤ *pl.* (학문·예술의) 기초 지식, 초보.
fundar *tr.* ① 창설하다, 설립하다, 창립하다: ~ una asociación 협회를 창립하다. ② [+en·sobre] (…에) 기초[근거]를 두다. ~**se** …에 기초[근거]를 두다, 입각하다.
fundible *adj.* 용해될 수 있는.
fundíbulo *m.* 투석기(投石器).
fundición *f.* ① 용해(溶解). ② 주조(소), 주물 공장. ③ 주철(鑄鐵). ④ [인쇄] 크기·서체가 같은 활자의 한 벌.
fundido, da *adj. Amér.* 매우 지친[피

곤한], 맥이 빠진, 기력이 없는. —*m.* [영화·텔레비전] 페이드 ((영상·음량이 흐려짐)).
fundidor *m.* 주조공(鑄造工), 주물공.
fundidora *f.* 금속 용해 기계, 인쇄 활자 주조기.
fundillo *m.* ① *Hond., Méj., RDom, Nic., Ven.* 엉덩이 ((참고: *Méj., Pan.* 에서는 *pl.* 로도 사용함)). ② *Nic.* (잔·병의) 아랫부분. ③ *pl. Arg.* = fondillos. ④ *Chile, RDom.* =**calzón.**
fundir *tr.* ① (금속 등을) 녹이다, 용해하다. ② 주조하다. ③ 합병시키다, 융합시키다, 융화시키다. ④ (퓨즈가 끊어져 전기 기구를) 작동하지 못하게 하다. ⑤ [영화·텔레비전] 페이드시키다. ⑥ 낭비하다, 허비하다. ⑦ 망가뜨리다, 파산시키다. —*intr.* 녹다, 용해되다. ~**se** ① 녹다, 용해되다. ② (전기 기구가) 망가지다. ③ 합병되다, 융화되다, 융합되다. ④ 파산되다, 망하다, 망가지다, 침체되다. ⑤ *Arg., Col., Cuba, Ecuad., Ur.* (엔진·차량이) 쓸모없게 되다, 사용할 수 없게 되다. ⑥ *Cuba, Ecuad.* 정신 능력이 바뀌다. ⑦ [영화·텔레비전] 페이드하다.
fundo *m.* 대지, 부동산(heredad, finca).
fúnebre *adj.* ① 장례식의: coche ~ 영구차. ② 매우 슬픈, 구슬픈, 음울한.
fúnebremente *adv.* 구슬프게, 슬피, 음울하게, 음산하게.
funeral *adj.* 장례의, 장례식의: carroza ~ 장의차. —*m.* [주로 *pl.*] 장례식, 장의(葬儀): ~(*es*) del Estado 국장.
funerala *a la* ~ (조의의 표시로) 창구를 아래로 향해.
funerario, ria *adj.* 장례식의, 매장의. —*f.* ① 장의사. ② *Ven.* =**tanatorio.**
funéreo, a *adj.* [시어] 장례의; 구슬픈.
funestamente *adv.* 운수 나쁘게, 불길하게; 가슴 아프게.
funesto, ta *adj.* 불길한, 불행한 결과를 가져온: día ~ 불길한 날.
fungible *adj.* 써서 없애는, 소모성의.
fungicida *adj.* 살균성의, 균류(菌類)를 죽이는. —*m.* 살균제.
fúngico, ca *adj.* 균류의[에 관한].
fungiforme *adj.* 버섯 모양의, 진균상(眞菌狀)의: nube ~ 버섯구름.
fungir *intr.* ① 직무[임무]를 수행하다. ② *Ven.* (직무·임무를) 대행하다.
fungo *m.* [의학] 균상종, 해면종.
fungología *f.* 균류학(菌類學).
fungosidad *f.* [의학] 균상 증식.
fungoso, sa *adj.* 균상의, 해면상의.
funguicida *m.* =**fungicida.**
funicular *adj.* 밧줄로 움직이는, 케이블의. 삭조(索條)의, 강삭(鋼索)의: ferrocarril ~ 케이블카, 강삭 철도. —*m.* 케이블카, 강삭 철도(tren ~).
funículo *m.* ① [해부] 삭조(索條), 탯줄, 로프. ② [식물] (씨앗의) 주병(珠柄). ③ [건축] 노끈 모양의 장식.
fuñido, da *adj. Cuba.* =**raquítico, fuñingue.**
fuñingue *adj.* ① *Chile, Cuba.* =**débil, tímido, enclenque.** ② *Cuba.* 별로 가치가 없는.
furcia *f.* [경멸] =**prostituta.**
furgón *m.* ① 유개(有蓋) 트럭[운반차]. ② [철도] 유개 화차, 화물차. ¶ ~ ***de cola*** (열차의) 마지막[끝] 차량. ***ser*** alguien ***el ~ de cola*** (누가) 최하위다, 꼴찌다.
furgoneta *f.* 소형 화물차, 왜건, 소형 밴: ~ familiar 스테이션 왜건.
furia *f.* ① 격노, 분노, 노함. ② 격렬(함), 맹위, 성남: ~ del mar 성난 바다. ③ 격정, 열정. ④ 유행의 정점. ⑤ [신화] 보복의 여신. ¶***a toda*** ~ 맹렬히; 부랴부랴, 서둘러, 황급히.
furibundo, da *adj.* ① 노기를 띤. ② 열광적으로 지지하는. ③ 격렬한.
fúrico, ca *adj. Méj., Salv., Ven.* 미쳐 날뛰는, 격노한.
furiosamente *adv.* 격노해, 미쳐 날뛰어; 격렬히, 무시무시하게; 굉장히.
furioso, sa *adj.* ① 격노한, 미쳐 날뛰는: ponerse ~ 격노하다, 미쳐 날뛰다. ② 광란의, 광포한. ③ (자연 현상 등이) 격렬한, 맹렬한, 무시무시한. ④ 막대한, 굉장한: ~ caudal 막대한 자금.
furor *m.* ① 분노, 격분, 분격. ② 맹렬함. ③ 광기, 발광, 광란. ④ 시적 감흥, 시정(詩情). ¶ ~ ***uterino*** [의학] (여자의) 색정광, 색정증. ***hacer*** ~ 대유행 중이다.
furriel *m.* ① [군사] 보급계 하사관. ② (왕실 기병단의) 보급 및 말먹이 담당 장교.
furriela *f.* =**furriera.**
furrier *m.* (왕실 기병단의) 보급 담당 장교.
furtivamente *adv.* 살그머니, 남이 모르게, 남몰래(ocultamente).
furtivo, va *adj.* ① 살그머니[숨어서] 하는. ② (주인 모르게 남의 농장에서) 사냥·낚시질·나무를 하는, 남몰래 하는. —*m.f.* (남의 농장에서 주인 몰래) 사냥[낚시질·나무]하는 사람.
furúnculo *m.* [의학] =**forúnculo.**
fusa *f.* [음악] 32분 음부.
fuselaje *m.* (비행기의) 동체, 기체.
fusibilidad *f.* 가용성, 가융성.
fusible *adj.* 녹기 쉬운, 가용성의: metal ~ 가융 합금. —*m.* [전기] 퓨즈.
fusiforme *adj.* 북(huso) 모양의.
fusil *m.* 총, 소총. ¶ ~ ***ametrallador*** 연발식 총. ~ ***automático*** 자동 소총. ~ ***de repetición*** (자동) 연발총.
fusilamiento *m.* ① 총살. ② 표절.
fusilar *tr.* ① 총살하다. ② 표절하다.
fusilería *f.* ① [집합] 총; 소총병 부대. ② 총화(銃火), 포화(砲火).
fusilero *m.* 소총병, 저격병(狙擊兵).
fusión *f.* ① 융해, 용해: punto de ~ 융해점. ② 융합, 융화: ~ nuclear 핵융합. ③ (대등한 기업끼리의) 합병.
fusionar *tr.* 융합시키다, 합병시키다. ~**se** 융합되다, 합병되다.

fusta *f.* ① (승마용) 채찍. ② 모직물의 일종. ③ 작은 배의 일종. ④ [드룹] 잔가지 땔감.
fustán *m.* ① 두꺼운 면직물 천. ② *AmérM, Hond., Nic., Salv.* =**enagua, combinación.**
fuste *m.* ① =**madera.** ② 작대기. ③ (창의) 손잡이, 자루. ④ =**vástago.** ⑤ 안장 틀. ⑥ [시어] 안장. ⑦ (연설·문장·글의) 별로 구체성이 없는 뼈대. ⑧ 활력, 실질, 중요성. ⑨ [건축] (기둥의 장식 머리와 주춧돌 사이에 있는) 기둥 부분.
fustigación *f.* ① 채찍질, 태형. ② 격렬한 비난, 심한 꾸중.
fustigador, ra *adj., mf.* ① 채찍질하는 (사람). ② 심하게 꾸짖는 (사람).
fustigar (8) *tr.* ① 채찍질하다. ② 심하게 꾸짖다, 책망하다.
futbito *m.* 미니 축구.
futbol *m.* =**fútbol.**
fútbol *m.* [운동] 축구. ¶ ~ *americano* 미식 축구. ~ *sala* 미니 축구.
futbolero, ra *adj.* 축구의, 축구에 관한. —*mf.* 축구를 좋아하는 사람; 축구를 하는 사람.
futbolín *m.* (탁상의) 인형으로 하는 축구 경기 놀이 기구.
futbolista *mf.* 축구 선수.
futbolístico, ca *adj.* 축구의, 축구에 관한: equipo ~ 축구팀.
futbolito *m. Ur., Ven.* =**futbolín.**
futesa *f.* =**fruslería, nadería.**
fútil *adj.* 하찮은, 별로 중요하지 않은, 쓸모없는.
futilidad *f.* ① 별로[전혀] 중요성이 없음. ② 무익한 것, 별로 중요성이 없는 것, 쓸모없는 것.
futón *m. jap.* (까는) 요: dormir en el ~ 요에서 자다.
futraque *m.* =**levita, casaca.**
futre *m.* ① *And., AmérM.* 멋쟁이 젊은이. ② *And., AmérM.* 옷을 맵시 있게 잘 입는 사람.
futurario, ria *adj.* 장래 상속에 속하는.
futurible *adj.* 장래성[가능성]이 있는. —*mf.* 장래성 있는 사람.
futuridad *f.* 장래성.
futurismo *m.* 미래파, 미래주의.
futurista *adj.* ① 미래파의, 미래주의의. ② 미래의. —*mf.* 미래파 예술가.
futurizo, za *adj.* 미래를 향해 계획된.
futuro, ra *adj.* 미래의, 장래의, 앞으로 올: en lo ~ 미래에, 장래에. —*mf.* 약혼자, 미래의 남편[아내]. —*m.* ① 미래, 장래: en un ~ cercano [próximo] 가까운 장래에. ② 장래성, 성산, 성취할 가능성. ③ [문법] 미래 시제, 미래형. ④ [상업] 선물(先物): mercado de ~s 선물 시장. ¶ ~ *compuesto* [문법] 완료 미래형. ~ *imperfecto* [문법] =**futuro simple.** ~ *perfecto* [문법] =**futuro compuesto.** ~ *simple* [문법] 단순 미래형, 불완료 미래형.
futurología *f.* 미래학.
futurólogo, ga *mf.* 미래학자.
fututo, ta *adj.* ① *CRica.* =**infortunado, desgraciado, difícil.** ② *CRica.* 술 취한. ③ *CRica.* (줄이) 팽팽한. —*m.* ① *CRica.* 종이 두루마리; (때때로) 원추형 종이 두루마리. ② *Pan.* 갈대 피리; 소라고둥 나팔.

G g

g *f.* 헤 ((스페인어 알파벳의 여덟 번째 문자)).
g. gramo(s) 그램.
G gauss 가우스.
G. gracia(s) 지불 유예 기간; guaraní 구아라니 말.
g/. giro 환어음.
Ga. galio 갈륨.
gaba *f.* (모로코에서) 고지대의 목초지.
gabacha *f.* ☞**gabacho.**
gabachada *f.* 프랑스 사람 티가 남.
gabacho, cha *adj.* ① 피레네 지방 출신의. ② 피레네 지방의. ③ 크고 발에 털이 있는 (비둘기). ④ [경멸] 프랑스의. —*mf.* ① 피레네 지방 출신 사람. ② [경멸] 프랑스 사람. —*m.* 프랑스어투투성이인 스페인어. —*f.* ① *Zam.* (시골에서 사용하는) 천으로 만든 짧은 망토의 일종. ② *Salv.* 가운.
gabán *m.* ① 외투. ② (때로는 두건 달린) 소매가 있는 망토. ③ *Ur., PRico.* =**chaquetón.**
gabarda *f.* ① *Hues.* [식물] 들장미. ② *Hues.* 들장미의 열매.
gabardina *f.* ① 능직의 질긴 천. ② (능직의 질긴 천으로 만든) 비옷, 레인코트. ③ (음식물에 묻혀 기름에 튀기는) 밀가루나 강판에 간 빵과 달걀. ④ [드룹] (몇몇 지방에서 농부들이 사용하는) 소매가 꽉 조인 겉옷.
gabarra[1] *f.* ① (대형의) 거룻배, 바지선. ② (소형의) 운반선.
gabarra[2] *f. And.* =**molestia.**
gabarrero *m.* ① 거룻배 운전자. ② 거룻배 인부. ③ 산에서 땔감을 해 팔기 위해 운반하는 사람.
gabasa *f.* =**prostituta.**
gabata *f. And.* 한 살 미만의 새끼 암사슴[암산토끼].
gábata *f.* (옛날의 병사·죄수의) 나무 밥그릇.
gabato *m. And.* 한 살 미만의 새끼 수사슴[수토끼].
gabela *f.* ① [역사] 세(稅), 세금. ② 부담(負擔). ③ *Col., Ecuad., PRico., RDom.* =**provecho, ventaja.** ¶ *dar* ~ *PRico.* 기회를 주다.

G

gabina *f. And.* =sombrero de copa.
gabinete *m.* ① 응접실; 진료실; (변호사 등의) 사무소, 사무실. ② 서재; 연구실, 실험실. ③ 전시실, 진열실. ④ (큰방에 딸린) 작은 방: ~ de lectura 열람실. ⑤ 내각: reunión del ~ 각의(閣議). formar un ~ 조각(組閣)하다.
gablete *m.* [건축] 박공, 박공널, 박풍.
Gabón *m.* [국명] 가봉.
gabonés, sa *adj.* ① 가봉 태생의. ② 가봉의[에 관한]. —*mf.* 가봉 사람.
gabrieles *m.pl.* 삶은 이집트콩.
gacel *m.* [동물] 수영양.
gacela *f.* [동물] (아프리카・근동 산의) 영양(antílope).
gaceta[1] *f.* ① (예술・화학・경제 등에 관한 전문의) 신문, 정기 간행물. ② (스페인에서 수년간 간행된) 관보, 공보 ((참고: 현재는 Boletín Oficial). ③ 수다쟁이. ¶*mentir más que la* ~ 거짓말을 많이 하다(mentir mucho).
gaceta[2] *f.* (가열된 잔 포석(鋪石)을 가마 안에 넣어 두는 데 사용되는) 내화성 상자.
gacetero, ra *mf.* ① gaceta에 글을 쓰는 사람. ② gaceta 판매자.
gacetilla *f.* ① (신문의) 단신란, 가십난, 만평란. ② 단신(短信). ③ (습관적으로) 소문내기 좋아하는 사람.
gacetillero, ra *mf.* ① gacetilla 편집자[기자]. ② [경멸] 신문 기자.
gacetista *mf.* ① gaceta를 즐겨 읽는 사람. ② 뉴스거리를 늘 말하는 사람.
gacha *f.* ① [요리] 죽, 죽처럼 묽은 음식. ② *Col., Ven.* 질그릇, 사발. ③ *pl.* [요리] 가차 ((물과 소금을 넣고 삶은 밀가루 음식으로 우유・꿀 혹은 다른 조미료로 양념할 수 있음)). ④ =lodo, barro. ⑤ *And.* =halagos, caricias, mimos.
gacheta[1] *f.* 풀(engrudo).
gacheta[2] 멈춤쇠・잠그개 등의 연결용 금속.
gachí *f.* [속어] 여자, 소녀.
gacho, cha *adj.* ① 굽은, 구부러진, 땅을 향해 구부러진. ② 뿔의 하나 혹은 둘이 아래쪽으로 굽은 (소). ③ 머리를 가슴에 처박은 (말). ④ 아래쪽으로 굽은 (뿔). ⑤ *Méj.* =malo, feo, desagradable. ¶*a ~chas* =a gatas.
gachó *m.* [속어] 사내; (특히 여자의) 정부, 연인, 애인.
gachón, na *adj.* ① 매력이 넘치는, 매력적인, 성적 맥력이 있는, 색시한. ② (어린아이가) 응석받이로 자란.
gachonada *f.* =donaire, atractivo.
gachonería *f.* ① =donaire, atractivo, gracia. ② *And.* =mimo, halago.
gaditano, na *adj.* 까디스(Cádiz, 스페인 서남 해안의 주・주도)의. —*mf.* 까디스 사람.
gadolinio *m.* [화학] 가돌리늄.
gaélico, ca *adj.* 게일족의, 게일 말의. —*m.* 게일 말.
gafa *f.* ① 안경(anteojos) ((참고: *pl.*로도 같은 뜻으로 씀)): ~*s* de oro 금테안경. ~*s* de sol 선글라스. ponerse las ~*s* 안경을 끼다. quitarse las ~*s* 안경을 벗다. ② 안경테. ③ 갈고랑이. ④ 꺾쇠. ⑤ 갈고랑이 장대[그물].
gafar[1] *tr.* ① 갈고리로 잡아끌다. ② 갈고리로 고정시키다. ~**se** *Col.* (편자가 없는 말이) 너무 많이 걸어서 발이 아프다.
gafar[2] *tr.* (…에게) 악운을 가져오다.
gafe *adj., mf.* 악운을 가져오는 (사람), 흥을 깨는 (사람).
gafo, fa *adj., mf.* ① 손가락과 발가락이 굽어 마비된[저린] (사람). ② 한센병에 걸린 (사람). ③ *Col., CRica., Hond., PRico., Salv.* (말이 편자 없이 많이 걸어서) 발이 아픈. ④ *Ven.* 둔한, 아둔한.
gag *m. ing.* [*pl.* ~s] 익살, 개그.
gagá *adj., mf.* 노망한, 망령든 (사람).
gago, ga *adj.* =tartamudo.
gaguear *intr.* ① =tartamudear. ② *Sal.* =susurrar. ~**se** *Sal.* 소문이 퍼지기 시작하다(empezar a divulgar).
gaguera *f.* =tartamudez.
gaita *f.* ① [악기] 가이따 ((길이가 약 40센티미터의 피리 비슷한 악기)). ② [악기] 백파이프의 일종. ③ 목, 목덜미. ④ 어려운 일, 골치 아픈 일. ⑤ 불쾌한 것, 귀찮은 일. —*mf.* (스페인의) 갈리시아에서 태어난 사람; 스페인에서 태어난 사람.
gaitería *f.* 강렬하고 경쾌한 색깔의 복장[장식・옷차림].
gaitero, ra *adj.* ① [드묾] 너무 칙칙한[촌스러운] (복장・치장). ② [드묾] 너무 칙칙한[촌스러운] 옷을 입은[치장한] (사람). —*mf.* gaita 연주자.
gajes *m.* ① [주로 *pl.*] 급료; 수당. ② [고어] 도전을 받아들이는 표시.
gajo *m.* ① (귤・레몬・석류처럼) 몇몇 열매의 속이 자연적으로 나누어진 부분. ② 과실이 주렁주렁 열린 송이. ③ (줄기에서 나온) 나뭇가지. ④ 포도의 곁송이. ⑤ (농기구의) 보습 끝. ⑥ (산의 주 산맥에서 나온) 지맥.
gal *m.* [물리] 갤 ((가속도 단위; 1 gal $=1\ cm/s^2$)).—*mf.* GAL의 구성원.
GAL *m. G*rupos *A*ntiterroristas de *L*iberación (ETA에 대항한) 반(反)테러리스트 해방단(解放團).
gala *f.* ① [주로 *pl.*] 나들이옷, 외출복, 성장(盛裝). ② [주로 *pl.*] 장식품. ③ 특별 파티; 특별 상연. ④ 스타, 꽃, 최고의 것. ⑤ *pl.* 결혼 축하 선물. ⑥ *Méj., PRico., RDom.* 팁. ¶~ *de Francia* [식물] 봉선화. *cantar la* ~ 칭찬하다, 칭송하다, 찬양하다. *de* ~ 성장(盛裝)의, 성장으로; 나들이옷[외출복] 차림으로. *de media* ~ 약식으로 차려 입은[입고]. *hacer ~ de* …을 자랑하다, 영광스럽게 생각하다, 뽐내다. *tener a* ~ =hacer gala de.
galáctico, ca *adj.* 은하의, 은하계의.
galactita *f.* [광물] 갈락타이트, 유석.

G

galactites *f.* =galactita.
galacto- *pref.* 「우유」의 뜻: *galactógeno* 유분비의.
galactóforo, ra *adj.* =lactífero.
galactógeno, na *adj.* 유분비(乳分泌)의. —*m.* 유분비(secreción de leche).
galactómetro *m.* 검유기(檢乳器).
galactosa *f.* [화학] 갈락토오스.
galaico, ca *adj.* 갈리시아(Galicia)의[에 관한]: literatura ~*ca* 갈리시아 문학.
galaicoportugués, sa *adj., m.* =gallegoportugués.
galaico-portugués, sa *adj. m.* =gallegoportugués.
galán *adj.* =galano. —*m.* ① 미남, 미남자. ② 여자에게 치근덕거리는 남자. ③ [연극·영화] 주연 배우.
galana *f.* ☞galano.
galanamente *adv.* ① 화려하게, 사치스럽게. ② 우아하게.
galancete *m.* 청년 주연 역의 배우.
galano, na *adj.* ① 잘 장식된, 잘 꾸민. ② 잘 차려 입은, 성장한, 말쑥한. ③ (문체 등이) 세련된. ④ *Zam., CRica.* (식물이) 싱싱한, 아름다운. ⑤ *Cuba.* 얼룩덜룩한 (소). —*f. Sal.* 들국화꽃.
galante *adj.* ① (특히 여자에게) 예의 바른, 친절한, 정중한. ② (여성이) 아양떨기 좋아하는. ③ (여성이) 방탕한, 난잡한, 멋대로 놀아나는. ④ (주제가) 애정에 관한, 애정을 다룬.
galanteador *adj.* 여자에게 치근덕거리는 (남자).
galantear *tr.* ① (여자를) 구슬리다, 치근덕거리다. ② 여자의 애정을 얻으려고 애쓰다, 여자를 유혹하려고 애쓰다. ③ 부지런히 손에 넣으려고 애쓰다, 열심히 구하다.
galantemente *adv.* 상냥하게, 친절하게, 예의 바르게; 관대하게.
galanteo *m.* 구슬리기, 치근덕거리기; 애정의 호소.
galantería *f.* ① 상냥함, 친절함, 예의 바름. ② =**liberalidad, bizarria.**
galantina *f.* [요리] 갈랑틴 ((양념을 넣어서 삶은 고기를 굳힌 것)).
galanura *f.* ① =**gracia, gentileza.** ② (표현이) 우아하고 세련됨.
galapagar *m.* 바다거북이 많은 곳.
galápago *m.* ① [동물] 바다거북. ② 바닥이 납작한 도르래. ③ 쟁기의 보습. ④ 기와틀. ⑤ (영국식의) 가볍고 밋밋한 안장. ⑥ *Ecuad.* 바다거북의 일종. ⑦ *Hond., Salv., Ven.* (부인용) 안장.
Galápagos (las Islas) [지명] 갈라빠고스 군도.
galapaquense *adj.* 갈라빠고스 군도의. —*mf.* 갈라빠고스 군도 사람.
galardón *m.* (공적 등에 대한) 상.
galardonador, ra *adj.* 상을 수여하는.
galardonar *tr.* 상을 주다[수여하다].
galato *m.* [화학] 몰식자산염.
galaxia *f.* [천문] 은하, 은하계 우주.
galbana *f.* 태만, 나태, 안일.
galbanero, ra *adj.* =galbanoso.
galbanoso, sa *adj.* 태만한, 게으른.
galefobia *f.* 고양이 공포증.
galena *f.* [광물] 방연광(方鉛鑛).
galeno *m.* 의사(médico).
galeón *m.* 갈레온선(船).
galeota *f.* 소형 갤리선(船).
galeote *m.* (옛날에) 갤리선에서 노를 젓던 죄수.
galera *f.* ① 갤리선(船) ((옛날 노예나 죄수들에게 젓게 한 2단으로 노가 달린 돛배)). ② (옛날의) 대형 사륜 포장마차. ③ (병원의) 침대들의 줄. ④ [인쇄] 활자판 상자. ⑤ [인쇄] 교정쇄. ⑥ (목수의) 끝마무리 대패. ⑦ [수학] 나눗셈 기호 (ㄴ). ⑧ *Arg., Chile, Par., Ur.* 실크해트, 중산모. ⑨ *CRica, Guat., Hond., Méj., Nic.* 오두막. ⑩ *Cuba.* 감방. ⑪ [드묾] 여자 교도소. ¶ *sacar* algo ***de la*** ~ *Arg., Ur.* 뜻하지 않은 행동으로 …를 놀라게 하다.
galerada *f.* ① 한 마차에 들어갈 수 있는 짐. ② [인쇄] 활자판 상자에 담겨 있는 조판 활자. ③ [인쇄] 교정쇄.
galerero *m.* 마차(galera)를 끄는 노새의 마부[주인].
galería *f.* ① 회랑, 길고 넓은 방. ② 노대, 발코니, 테라스. ③ 그림 수집, 그림 수집품. ④ 직업 사진사의 스튜디오. ⑤ (광산의) 지하도, 갱도. ⑥ 지하 작업장의 길. ⑦ (극장의) 가장 높은 층의 좌석, 3등석. ⑧ 극장의 가장 높은 층에 있는 좌석의 관객, 3등석 관객. ⑨ (문·발코니 윗부분의 커튼용) 틀. ⑩ 가구 상단부의 작은 기둥 모양을 한 물건의 장식. ⑪ (예술 작품의) 전시 판매실, 화랑. ⑫ [군사] (공격·방어 목적으로 진지에 구축한) 좁은 지하 통로. ⑬ *pl.* 편의점, 가게, 상점. ⑭ 상점가, 상점가의 내부 통로. ⑮ [선박] 배의 뒤쪽 발코니; 갑판의 앞뒤쪽의 공간. ¶ ~ ***de arte*** 화랑(畵廊).
galerista *mf.* 화랑의 주인[지배인].
galerita *f.* [새] 종다리.
galerna *f.* (스페인 북쪽 해안의) 서쪽과 북서쪽 사이에서 부는 강풍.
galerno *m.* =galerna.
galero *m. Cantb.* 찌그러진 모자.
galerón *m.* ① *AmérC., Méj., Par.* =**cobertizo.** ② *Col., Ven.* 갈레론 ((민요의 일종)). ③ *Par.* 중산모.
galgo, ga *adj.* =**goloso.** —*m.* [동물] 그레이하운드. —*f.* ① 그레이하운드 암컷. ② 낙석, 굴러 떨어지는 큰 돌. ③ (물레방아의) 맷돌 ④ [의학] (목의) 종기. ⑤ (가난한 사람의 매장용) 관, 널. ⑥ (제동용) 굵고 긴 막대기. ⑦ 다리에 묶는 여자 신발에 달린 끈. ⑧ *Hond.* (재빠르게 기는) 노란 개미. ¶ ***Galgo que muchas liebres levanta, ninguna mata*** (속담) 두 마리 토끼를 쫓는 자는 한 마리도 잡지 못한다.
galgueño, ña *adj.* ① galgo의[에 관한]. ② galgo 같은[비슷한].
galguería *f.* =**golosina, chuchería.**

G

galguero *m.* galgo 돌보는 사람.
galguesco, ca *adj.* =**galgueño.**
gálgulo *m.* [새] =**rabilargo.**
galiana *f.* =**cañada.**
gálibo *m.* ① (철도의) 적재 기준 측정기. ② [선박] (부품의) 실물 크기 모형. ③ =**elegancia.**
galicano, na *adj.* ① 고올(las Galias, 프랑스 지방의 옛 이름)의[에 관한]. ② 프랑스 교회의. ③ 프랑스 영향의.
Galicia *f.* [지명] 갈리시아 ((스페인 북서부의 자치주)).
galiciano, na *adj.* 갈리시아(Galicia)의[에 관한]. —*mf.* 갈리시아 사람.
galicismo *m.* ① 프랑스어풍의 표현. ② 다른 언어에서 사용되는 프랑스어 단어[말투]. ③ 다른 언어에서 프랑스어 단어[말투]의 사용.
galicista *adj.* ① 프랑스어풍의. ② 자주 프랑스어를 사용하는. —*mf.* 자주 프랑스어를 사용하는 사람.
gálico, ca *adj.* 고올(las Galias)의[에 관한]. —*m.* [의학] 매독(sífilis).
galicoso, sa *adj.* 매독에 걸린. —*mf.* 매독 환자.
galileo, a *adj.* 갈릴리(Galilea, 팔레스티나의 북부)의. —*mf.* 갈릴리 사람. —*m.* ① 예수 그리스도. ② 기독교도. —*f.* (귀족·왕의 묘가 있는) 교회의 앞마당.
galimatías *m.sing.pl.* ① 뜻을 알 수 없는 말. ② 혼란, 혼잡.
galio[1] *m.* [식물] 갈퀴덩굴속의 풀.
galio[2] *m.* [화학] 갈륨.
galladura *f.* (알의) 배반(胚盤).
gallar *tr.* (수탉이) 암탉을 덮치다, 암탉과 교미하다.
gallardamente *adv.* 늠름하게, 씩씩하게, 날렵하게.
gallardear *intr.* 늠름하게 행동하다.
gallardete *m.* ① (삼각형의) 작은 기, 페넌트. ② (함선의) 표지기(標識旗).
gallardía *f.* 늠름함, 씩씩함, 당당한 태도, 용기.
gallardo, da *adj.* ① 늠름한, 씩씩한. ② 용감한. ③ 훌륭한, 뛰어난, 우수한. —*f.* ① 가야르다 ((16세기 스페인의 아주 경쾌한 춤의 일종)). ② 가야르다곡. ③ [인쇄] 블레비야 활자.
gallareta *f.* [새] 검은 물오리.
gallear *intr.* ① 남성다움을 자부하다, 위협조로 크게 목소리를 높이다. ② 우쭐거리며 잘난 체하다. ③ [투우] 투우사가 소 앞에서 몸을 돌려 피하는 연기를 하다. —*tr.* (수탉이) 암탉을 덮치다, 암탉과 교미하다.
gallegada *f.* 갈리시아 지방 특유의 표현[습관·춤].
gallego, ga *adj.* ① 갈리시아(Galicia) 태생의. ② 갈리시아의[에 관한], 갈리시아어의. ③ (Castilla에서) 갈리시아 지방에서 불어오는 북서풍의. ④ *Ant., Arg., Col, Ur.* 스페인 태생의, 스페인 선조의. ⑤ *CRica.* =**tonto.** ⑥ *Salv.* =**tartamudo.** —*mf.* ① 갈리시아 사람. ② *Ant., Arg., Col., Ur.* 스페인 출신 사람; 스페인 선조를 가진 사람. —*m.* ① 갈리시아 말. ② *CRica., Nic.* (강의 연안에서 사는) 작은 도가머리 도마뱀. ③ *CRica.* [곤충] 잠자리. ④ *Cuba, PRico.* [조류] 갈매기의 일종. ⑤ *Cuba.* 사탕수수를 가루로 만들기 전에 반반하게 고르는 기계 장치. ⑥ (Castilla에서) 북서풍.
gallegoportugués, sa *adj., m.* 갈리시아-포르투갈의 (말).
galleguismo *m.* ① 갈리시아 방언. ② 갈리시아의 것에 대한 애호[애착].
galleguista *adj.* 갈리시아 말투[방언]의. —*mf.* 갈리시아 방언에 호의적인 사람.
galleo *m.* ① =**jactancia, presunción.** ② [투우] 투우사가 소 앞에서 몸을 돌려 피하는 연기.
gallera *f.* ① 싸움닭[투계](gallo de pelea)이 자라는 닭장. ② 투계장. ③ 투계를 운반하는 우리. ¶***alborotarse la*** ~ *Méj.* 소동[분규]을 일으키다.
gallería *f. Amér.* =**gallera.**
gallero *adj. Amér.* 닭싸움[투계]을 좋아하는. —*mf. Amér.* 닭싸움을 좋아하는 사람. —*m.* 싸움닭을 전문으로 기르는 사람.
galleta[1] *f.* ① 비스킷. ② (보존용의) 단단한 빵. ③ 구타, 타격. ④ 무연탄의 일종 ⑤ *Chile.* (시골 농부용) 노르스름한 빵. ⑥ *Salv.* 작고 가는 벽돌. ⑦ *Salv.* 위생 가제. ⑧ *Ven.* 혼란. ⑨ *Arg., Ven.* 교통 체증.
galleta[2] *f.* ① (술 따르는) 굽은 관이 달린 작은 그릇. ② *Arg., Ur.* (마떼차용) 납작하고 둥근 호리병박으로 만든 손잡이 없는 그릇.
gallete *m.* =**úvula, garganta.**
galletería *f.* ① 비스킷 제조소. ② 비스킷 판매 가게.
galletero, ra *adj.* galleta의[에 관한]. —*mf.* galleta 만드는 일을 하는 사람. —*m.* 비스킷 보관 상자, 비스킷 그릇.
galliforme *adj.* ① 수탉 모양의. ② [동물] 꿩목(目)의. —*f.pl.* 꿩목(目).
gallina *f.* 암탉. —*mf.* 겁쟁이. ¶ ~ ***armada*** 암탉을 구워 돼지기름을 발라 만든 요리. ~ ***ciega*** ㉮ 장님놀이, 장님술래, (아이들이 눈을 가리고 하는) 숨바꼭질. ㉯ [새] 소쩍새. ~ ***de agua*** [조류] 쇠물닭. ~ ***de Guinea*** [조류] 색시닭. ~ ***de río*** [조류] 쇠물닭. ~ ***en corral ajeno*** 꾸어다 놓은 보릿자루. ~ ***guinea*** [조류] =**gallina de Guinea.** ***acostarse*** alguien ***con las ~s*** 매우 일찍 잠자리에 들다, 초저녁잠을 자다. ***cantar la*** ~ (싸움닭이 겁이 나거나 패배를 느낄 때) 크게 울다; 항복하다, 두손 들다. ***echar la*** ~ 포란기의 암탉이 알을 품도록 알을 넣어 주다.
gallináceo, a *adj.* 닭의; 순계류(鶉鷄類)의. —*f.pl.* 꿩목(目).
gallinaza *f.* 닭똥.

G

gallinazo *m. Bol., Col., Ecuad., Perú.* [새] =**zopilote.**
gallinejas *f.pl.* [요리] 닭의 튀긴 내장.
gallinería *f.* ① 닭 파는 곳. ② [집합] 닭. ③ 소심증, 겁먹은 행동.
gallinero, ra *adj.* 닭고기의 맛을 안 (맹금조). —*mf.* ① 양계가. ② 닭장수. —*m.* ① 닭장, 닭의장, 계사(鷄舍). ② [집합] 집[농장]에서 기르는 닭. ③ 팔려고 닭을 넣어 가는 바구니. ④ (극장의) 맨꼭대기 관람석, 3등석. ⑤ 무척 떠들썩한 곳. ¶*no llegar al* ~ un niño débil o enfermizo (약하거나 병약한 아이가) 완전한 발육을 못하다.
gallineta *f.* ① [조류] 쇠물닭. ② [새] 맷도요. ③ =**escorpina.** ④ *Arg., Chile, Col., Ven.* [조류] 색시닭.
gallinita *f. Ar., Burg., Córd., Rioja.* [곤충] 무당벌레(mariquita).
gallipava *f.* [조류] 보통 닭보다 큰 닭 ((안달루시아와 무르시아에 많음)).
gallipavo *m.* ① =**pavo.** ② 엉뚱한 노랫가락.
gallístico, ca *adj.* 수탉의; 싸움닭의.
gallito *adj.* 잘난 체하는. —*m.* ① 잘난 체하는 남자. ② *Col.* 과녁에 꽂는 작은 장난감 화살. ③ *CRica.* [곤충] 잠자리(libélula).
gallo *m.* ① 수탉: ~ de pelea, ~ de riña 싸움닭, 투계. pelea de ~*s*, riña de ~*s* 닭싸움, 투계. ② 힘센 남자, 용감한 남자. ③ 공격적이거나 우쭐한 마음에서 다른 사람을 위압적으로 다루는 남자. ④ 엉뚱한 노랫가락. ⑤ (집·마을·공동체에서) 전권을 휘두르는 남자. ⑥ [건축] 용마루 나무. ⑦ *And.* (그물을 친 장소를 표시하기 위한) 물에 뜬 코르크. ⑧ *Col.* =**rehilete, volante.** ⑨ *CRica.* 옥수수 부침개에 고기나 강낭콩이나 다진 야채를 넣은 샌드위치. ⑩ *CRica.* (부두에서) 기중기의 줄. ⑪ *Cuba.* 성인, 어른. ⑫ *Cuba.* 돈. ⑬ *Salv.* 헌옷. ⑭ *Salv.* 음핵. ⑮ *Méj.* =**serenata.** ¶~ ***de pelea*** ㉮ 용감해서 어느 누구한테도 겁먹지 않는 사람. ㉯ *Méj.* 경험이 풍부한 사람. ***alzar*** alguien ***el*** ~ 우쭐대다, 뽐내다, 뻐기다, 으스대다. ***cantar el*** ~ *Cuba.* (돈의) 지불 기간을 이행하다. ***levantar*** alguien ***el*** ~ =**alzar el gallo.** ***mamar*** alguien ***(el)*** ~ 놀리다. ***no cantar bien dos ~s en un gallinero*** 생각[마음·의견]이 서로 맞지 않다, 협조가 잘 되지 않다
gallofar *intr.* =**gallofear.**
gallofear *intr.* 구걸하다(pedir limosna).
gallofero, ra *adj., mf.* 빈둥빈둥 노는 (사람).
gallofo, fa *adj.* =**gallofero.**
gallogallina *adj.* ① *Nic.* =**indeciso, irresoluto.** ② *Nic.* =**cobarde.**
gallón[1] *m.* 잔디풀(tepe).
gallón[2] *m.* [건축] (장식을) 달걀 모양으로 파기; [건축] 달걀 모양 장식.
galo, la *adj.* ① 고올(la Galia, 프랑스 지방의 옛 이름)의. ② 프랑스의. —*mf.* ① 고올 사람. ② 프랑스 사람. —*m.* 고올의 고대 켈트 말.
galocha *f.* (눈·진흙탕·많이 젖은 땅에서 걷기 위해 사용한) 쇠를 댄 나무로 만든 신.
galochero *m.* galocha 제조자[판매자].
galófilo, la *adj., mf.* =**francófilo.**
galofobia *f.* =**francofobia.**
galófobo, ba *adj., mf.* =**francófobo.**
galón[1] *m.* ① (금·은) 몰, 장식 끈. ② [군사] 수장(袖章) ((고급 군인·군무원·경찰관들의 정복 소매에 금줄 등으로 관등(官等)을 표시한 표장)).
galón[2] *m.* 갤런.
galoneador, ra *mf.* 금은 몰(galón)을 붙이는 사람.
galoneadura *f.* 금은 몰 장식.
galonear *tr.* (옷 등에) 몰[장식 끈]을 붙이다.
galop *m.* ① 갤럽 ((헝가리 등의 춤)). ② 갤럽 곡(曲).
galopa *f.* =**galop.**
galopada *f.* ① 구보로 달리기, 질주. ② (사람이) 급히 달리기, 질주.
galopante *adj., mf.* ① 질주하는 (사람). ② 급속히 진행하는.
galopar *intr.* ① (말이) 질주하다. ② 질주하는 말을 타고 가다.
galope *m.* 말의 전속력 질주, 갤럽. ¶~ ***sostenido*** [승마] 말의 전속력 전진. ~ ***tendido*** [승마] 말의 전속력 질주의 최대 동작. ***medio*** ~ =**galope sostenido.** ***a*** **[*de*]** ~ 전속력으로, 부랴부랴, 급히.
galopear *intr.* =**galopar.**
galopillo *m.* 주방에서 가장 궂은 일을 하는 하인.
galopín *m.* ① 누더기를 걸친 소년. ② =**pícaro, bribón.** ③ 교활한[의뭉스런] 남자. ④ (선박의) 사환. ¶~ ***de cocina*** =**galopillo.**
galopinada *f.* 망나니 짓, 못된 짓.
galopo *m.* =**pícaro.**
galpón *m.* ① 큰 1층집. ② (아메리카의 농장에서) 농노(農奴)의 오두막. ③ *AmérM., Hond.* (벽이 있거나 없는) 커다란 결채.
galponero, ra *adj.* ① *Ur.* galpón을 짓는[관리하는] (사람). ② *Ur.* [경멸] =**rústico, grosero, zafio.**
galucha *f. Col., PRico., Ven.* =**galope.**
galuchar *intr. Col., PRico., Ven.* =**galochar.**
galvánico, ca *adj.* [물리] 갈바니 전기의, 직류 전기의.
galvanismo *m.* ① [물리] 갈바니 전기, 직류 전기. ② [의학] 직류 전기 요법.
galvanización *f.* ① 아연[전기] 도금. ② [의학] 직류 전기 요법.
galvanizado *m.* =**galvanización.**
galvanizador, ra *adj.* 전기[아연] 도금하는. —*m.* 전기[아연] 도금공.
galvanizar (9) *tr.* ① …에 전기[아연]

G

도금하다. ② …에 직류 전기 요법을 하다. ③ 활기를 돋우어 주다, 분발시키다.

galvano *m.* [인쇄] 전기판(電氣版), 전기 도금된 물건.

galvanofaradización *f.* [의학] 직류 유도 전기 치료.

galvanométrico, ca *adj.* 검류계의.

galvanómetro *m.* [전기] 검류계.

galvanoplasta *mf.* 전기 도금 전문가.

galvanoplastia *f.* ① 전기 도금법. ② 전기 제판법(製版法).

galvanoplástico, ca *adj.* ① 전기 도금법의. ② 전기 제판법의. —*f.* =**galvanoplastia.**

galvanoscopio *m.* [전기] 검류기.

galvanoterapéutica *f.* [의학] 직류 전기 요법[치료법].

galvanoterapia *f.* [의학] 직류 전기 요법.

galvanotipia *f.* [인쇄] 전기 제판법.

gama[1] *f.* ① [동물] gamo의 암컷. ② *Cantb.* 동물의 뿔(cuerno del animal).

gama[2] *f.* ① (색의) 단계. ② 범위. ③ (제품의) 시리즈. ④ [음악] 음계. ⑤ [음악] 음계표.

gamada ☞**cruz gamada.**

gamba *f.* ① 왕새우 일종. ② *CRica.* (뿌리에서 뻗은 나무 줄기의) 아래 나온 부분.

gámbaro *m.* =**camarón.**

gamberra *f.* ☞**gamberro.**

gamberrada *f.* 비행(非行), 폭력 행위.

gamberrear *intr.* 비행을 저지르다, 무례한 행동을 하다.

gamberrismo *m.* 비행, 폭력 행위.

gamberro, rra *adj.* ① 방종한, 방탕한, 난잡한, 퇴폐한. ② 무례한, 버릇 없는. *mf.* ① 방탕자. ② 무례한 사람. —*f.* 성매매 여성, 매춘부, 창녀.

gambeta *f.* ① [무용] 도약(跳躍). ② =**corveta.** ③ *Arg., Ur.* (때리거나 넘어질 때) 날쌔게 몸을 피하는 동작. ④ *Arg., Ur.* 핑계, 구실(evasiva). ⑤ [축구] *Amér.* =**regate.**

Gambia *f.* [국명] 감비아.

gambiano, na *adj.* ① 감비아 태생의. ② 감비아의. —*mf.* 감비아 사람.

gambiense *adj., mf.* =**gambiano.**

gamella *f.* ① 구유통. ② 씻는 통. ③ (논·밭의) 이랑.

gameto *m.* [생물] 배우자(配偶子).

gametogénesis *f.sing.pl.* [생물] 배우자 형성(配偶子形成).

gamezno *m.* 새끼 사슴.

gamitar *intr.* ① 사슴이 울다. ② 사슴의 울음소리를 흉내내다.

gamitido *m.* 사슴의 울음소리.

gamma *f.* 감마 (Γ, γ) ((라틴어 g에 해당하는 그리스 자모 세 번째 문자)). ¶***rayos*** ~ 감마선.

gammaglobulina *f.* 감마 글로불린.

gamo *m.* [동물] 담황갈색 사슴.

gamogénesis *f.* 유성 생식(有性生殖).

gamón *m.* [식물] 아스포델.

gamonal *m.* ① gamón이 많이 자라는 땅. ② *AmérC., AmérM.* =**cacique.**

gamonalismo *m.* *AmérC., AmérM.* =**caciquismo.**

gamonita *f.* =**gamón.**

gamonoso, sa *adj.* gamón이 풍부한.

gamuno, na *adj.* 담황갈색 사슴 가죽(piel del gamo)의.

gamuza *f.* ① [동물] 영양. ② 영양의 가죽. ③ 영양의 가죽과 비슷한 촉감의 양모 직물[천]. ④ (영양의 가죽과 비슷한 직물이나 다른 비슷한 것으로 만든) 걸레.

gana *f.* 의욕(意慾), 욕망, 하고자 하는 의지 ((참고: *pl.*도 *sing.*와 같은 뜻으로 쓰임)): ~*s* de comer 식욕. ~*s* de dormir 졸음. perder las ~*s* 식욕을 잃다. tener ~*s* 식욕이 있다, 공복이다. ¶***abrir(se) las ~s de comer*** 식욕을 일으키다. ***con ~s*** 과도하게, 많이. ***de buena ~*** 기꺼이, 자진해서. ***de ~*** ㉮ 전력을 다해, 열심히. ㉯ =**de buena gana.** ㉰ *Ecuad.* 이유 없이, 단순한 변덕으로. ***de mala ~*** 마지못해. ***tener*** alguien ***~ de fiesta*** (누가) 다른 사람에게 싸움을 부추기다[선동하다]. ***tenerle ~s*** a alguien (누구에게) 반감을 가지다.

ganable *adj.* 얻을[손에 넣을] 수 있는.

ganada *f.* ☞**ganado.**

ganadería *f.* ① 가축. ② 목축, 축산.

ganadero, ra *adj.* 목축의, 축산(畜産)의. —*mf.* ① 목축업자. ② 목장주. ¶~ ***de mayor hierro [señal]*** 많은 가축을 소유한 목축업자[목장주].

ganado, da *adj.* ① 돈벌이를 하는, 버는. ② 돈벌이가 되는. —*m.* ① [집합] 가축: ~ cabrío 산양. ~ ovino 양(떼). ~ vacuno 소. ② [집합] 벌떼, 봉군(蜂群). ③ [집합] 사람의 무리. ¶~ ***bravo*** 길들이지 않은 동물, (특히) 투우용 황소. ~ ***de cerda*** [집합] 돼지. ~ ***de pata,*** ~ ***de pezuña,*** ~ ***hendida*** 유제류(有蹄類) ((소·양·염소·돼지로 이루어진 동물)). ~ ***en pie*** ㉮ *Cuba.* 소비용으로 아직 희생되지 않은 가축. ㉯ *Ven.* 팔려고 내놓은 소. ~ ***en vena*** 거세되지 않은 동물. ~ ***mayor*** (소·노새·말 등) 머리가 큰 네 발 짐승. ~ ***menor*** (양·염소 등) 머리가 작은 네 발 짐승. ~ ***menudo*** [집합] 동물의 새끼. ~ ***moreno*** =**ganado de cerda.**

ganador, ra *adj.* ① 돈을 버는. ② 이긴, 이기는. —*mf.* ① 승자. ② 당첨자.

ganancia *f.* ① 이익, 벌이: ~*s* y pérdidas 손익, 손득. ② [전기] 이득 ((입력에 대한 출력의 비율)). ③ *Bol.* =**añadidura.**

ganancial *adj.* ① 벌이가 되는, 이득이 되는, 벌이[이익]와 관계되는. ② 이득[소득]의. —*m.* 취득 재산.

ganancioso, sa *adj* ① 돈벌이하는. ② 벌이가 되는, 이가 남는.

ganapán *m.* ① 여기저기 뛰어다니며

심부름하는 사람[짐을 옮기는 사람]. ② 촌스럽고 천한 사람.

ganar *tr.* ① 벌다. ② 돈벌이하다, 이문을 보다: ~ la vida 생활비를 벌다. ③ 얻다, 손에 넣다. ④ 취득하다, 획득하다, 타다, 받다. ⑤ 정복하다, 점령하다. ⑥ 이기다. ⑦ (…에) 이르다, 도달하다. ⑧ (호의 등을) 얻다, 받다. ⑨ (…보다 …에서) 낫다, 뛰어나다. —*intr.* ① 돈을 벌다: ~ para vivir 생활비를 벌다. ② (…에) 이기다. ③ 진보하다, 좋아지다. ④ 승진되다, 지위가 높아지다. ~**se** ① …을 벌다. ② …을 자기편으로 만들다, 마음을 끌어당기다.

ganchero, ra *adj. Ur.* 매춘을 중개하는. —*mf. Ur.* 뚜쟁이.

gancho *m.* ① 갈고리. ② 가지가 부러질 때 나무에 남아 있는 부러진 부분. ③ 윗부분이 갈고리 모양인 지팡이[몽둥이]. ④ =**sacadilla.** ⑤ 손님을 끄는 호객꾼, 바람잡이. ⑥ 팔꿈치로 꾹꾹 찌르기. ⑦ (어떤 목적을 위해) 다른 사람을 끌어들이는 사람. ⑧ =**rufián.** ⑨ 낙서. ⑩ (여자의) 매력. ⑪ [농구] 훅샷 ((머리 위로 팔을 뻗쳐 손목을 꺾어 넣는 슛)). ⑫ *Ar.* [연장] 호미. ⑬ *Zam.* 가지가 다섯 개인 쇠스랑. ⑭ *Amér.* 머리핀. ⑮ *CRica., Hond., Salv., Ven.* 옷걸이. ¶*echar* a alguien *el* ~ (술책을 써서) (누구를) 유혹하다, 끌어들이다. *hacer mal* ~ *Chile.* (…를) 증오하다, 악감정을 품다.

ganchoso, sa *adj.* 갈고리가 있는, 갈고리 닮은.

G

ganchudo, da *adj.* 갈고리 모양의, 갈고리처럼 휜[굽은]: nariz ~*da* 매부리코.

gándara *f.* 낮고 잡초가 많은 땅.

gandujar *tr.* =**escoger, fruncir.**

gandul[1] *m.* ① *Col., CRica., Cuba., Hond., Nic., PRico.* =**guandú.** ② *Cuba, PRico.* 구안두콩나무의 씨, 구안두콩.

gandul[2]**, la** *adj.* 태만한, 나태한, 게으른, 빈둥빈둥 노는. —*mf.* 태만한 사람, 게으름뱅이.

gandulear *intr.* 무위도식하다, 빈둥빈둥 놀며 지내다, 나태한 생활을 하다.

gandulería *f.* 태만, 안일(安逸).

gang *m. ing.* (악한들의) 일단, 패거리, 한패; 폭력단, 갱단.

ganga[1] *f.* ① [조류] 고방오리. ② 싸구려, 바겐세일, 의외로 싸게 산 물건.

ganga[2] *f.* ① [광산] 폐석(廢石). ② *Alm., Córd, Gran, Jaén.* 말 한 마리가 끄는 쟁기.

ganga[3] *f. PRico.* 평판이 나쁜 거리의 불량배[악당].

ganglio *m.* ① [해부] 신경절. ② [해부] 림프샘, 림프선(腺), 림프절(節). ③ [의학] 절종(癤腫).

ganglionar *adj.* 신경절의; 림프샘의.

gangoso, sa *adj.* 콧소리 내는. —*mf.* 코맹맹이.

gangrena *f.* [의학] 괴저(壞疽), 탈저.

gangrenarse *r.* 괴저에 걸리다.

gangrenoso, sa *adj.* 괴저성의.

ganguear *intr.* 콧소리를 내다, 콧소리로 말하다.

gangueo *m.* 콧소리.

ganoso, sa *adj.* …을 하고 싶어 못견디는.

gansa *f.* ① 암거위. ② 야생 거위. ③ 게으른 여자. ④ 버릇없는 여자, 미련한 여자. ⑤ 답답한 여자. —*adj.* (여자가) 게으른, 미련한, 버릇없는.

gansada *f.* 어처구니없는 짓[말], 멍청이 짓, 멍청이 같은 말.

gansarón *m.* ① 야생 거위. ② 꺽다리.

gansear *intr.* 어처구니없는 짓[말]을 하다.

ganso *m.* ① [조류] 거위. ② 게으른 남자. ③ 버릇없는 남자, 미련한 남자. ④ 답답한 남자. ⑤ (옛날 사람들 사이에서) 아이들의 가정 교사[양육자]. ⑥ *Cuba.* 동성애자. ⑦ *Ecuad.* 욕심꾸러기. —*adj.* (남자가) 게으른, 버릇없는, 미련한, 답답한. ¶~ *bravo* 야생 거위. *hacer el* ~ (웃음을 자아내게 하는) 바보 같은 짓[말]을 하다.

gánster *m. ing.* 갱 단원, 폭력단원(의 한 사람): cine de ~*s* 갱 영화.

gansterismo *m.* 악당 행위.

ganzúa *f.* ① 자물쇠 여는 기구. ② 도둑. ③ 남의 비밀을 교묘히 캐내는 사람. ④ [은어] 사형 집행인.

gañido *m.* ① (괴롭힘을 당할 때) 개가 짖는 소리. ② 동물들의 비명 소리.

gañín *m. Ast.* =**hipócrita.**

gañir (52) *intr.* ① (괴롭힘을 당할 때) 개가 마구 짖어대다. ② (다른 동물들이) 개가 짖는 것과 비슷하게 소리를 질러대다. ③ (새가) 까악까악 울다. ④ (사람이) 가쁜 숨을 쉬다.

garabatear *intr.* ① 갈고리를 걸치다. ② 낙서하다, 난잡하게 쓰다, 갈겨쓰다. ③ 돌려서 말하다. —*tr.* 낙서하다.

garabato *m.* ① 낙서, 갈겨쓰기. ② 갈고리. ③ 호미. ④ *pl.* 갈겨쓴 글씨.

garaje *m.* ① 차고(車庫). ② (자동차의) 수리 공장. ③ *PRico.* 주유소.

garante *adj.* 보증하는. —*mf.* 보증인.

garantía *f.* ① 보증(서): ~ de calidad 품질 보증. ~ de pago 지불 보증. ② 담보. ③ [법률] 보석금(fianza).

garantir *tr.* 보증하다.

garantizador, ra *adj.* 보증하는.

garantizar (9) *tr.* 보증하다.

garañón *m.* ① [동물] 씨나귀, 씨말, 씨낙타. ② 성적으로 매우 강한 남자. ③ *Can.* 씨산양.

garapacho *m.* ① 거북·게의 등껍질. ② 거북의 등껍질처럼 견고한 목기[코르크 마개].

garapiña *f.* ① (액체가) 엉긴 상태. ② 장식끈. ③ *Cuba.* 파인애플의 껍질과 설탕물로 만든 강장 음료.

garapiñar *tr.* ① 액체를 엉긴 상태로 두다. ② (식품에) 당밀을 치다.

garata *f.* =**pelea.**

garatero, ra *adj., m.f.* =**peleador.**
garbancero, ra *adj.* 이집트콩의. —*m.f.* ① 이집트콩 취급자. ② 불에 볶은 이집트콩 장수. ③ 보통 사람[물건].
garbanzal *m.* 이집트콩 밭.
garbanzo *m* [식물·열매] 이집트콩.
garbear[1] *intr.* 산책하다(pasear).
garbear[2] *tr.* 도둑질하다. —*intr.* 속이다(trampear).
garbeo *m.* 산책(paseo).
garbías *m.pl.* [요리] 가르비아스 ((지치·색비름·신선한 치즈·가는 양념·정제 밀가루·소금 넣지 않은 돼지기름·삶은 달걀 노른자를 함께 섞어 삶은 후 전병을 만들어 튀긴 것)).
garbo *m.* ① 우아(함). ② (여성의) 육체적 매력; 풍채가 늠름함. ③ (문체 등이) 우미함. ④ 무욕(無慾).
garbosamente *adv.* 늠름하게; 날쌔게; 대범하게.
garboso, sa *adj.* 늠름한; 날렵한; 대범한; 욕심이 없는.
garcía *f. And., Rioja.* [동물] 여우.
gardenia *f.* [식물] 치자나무.
garduña *f.* ① [동물] 담비. ② *Salv.* 사람들의 무질서한 그룹. ③ *Salv.* 물건을 던져 서로 빼앗는 아이들의 놀이.
garduño, ña *m.f.* 들치기, 날치기. —*m.* [동물] 담비(garduña).
garfio *m.* ① 쇠갈고리. ② *Arg., Cuba, Ur.* 사람의 손가락(dedo de la mano).
gargajeada *f.* =**gargajeo.**
gargajear *intr.* 가래침을 뱉다.
gargajeo *m.* 가래침을 뱉는 행위.
gargajiento, ta *adj., m.f.* 가래침을 자주 뱉는 (사람).
gargajo *m.* (목구멍에서 토한) 가래.
garganta *f.* ① 목구멍. ② 협곡. ③ 산골짜기의 길. ④ [등산] 협곡, 암벽 사이의 좁은 협곡. ⑤ (물건의) 잘록한 부분. ⑥ 다리와 연결되어 있는 발의 윗부분, 발목. ⑦ (가수의) 목소리.
gargantilla *f.* ① 목걸이. ② (목걸이용 실을 꿸 수 있는) 염주.
gárgaras *f.pl.* 양치질.
gargarismo *m.* ① 양치질하기. ② 양치질용 액체.
gargarizar (9) *intr.* 양치질하다.
garguero *m.* ① 숨통[기관(氣管)]의 윗부분. ② 숨통, 기관(氣管)(tráquea).
gargüero *m.* =**garguero.**
garia *f. Seg.* =**bielda.**
garieta *f. Seg.* =**bielda.**
garita *f.* ① (성벽 위의) 작은 망루. ② [군사] 작은 초소. ③ 수위실, 관리인실. ④ *Méj.* 도시의 입구.
garito *m.* ① 도박장. ② 도박장에서 딴 돈. ③ (평판이 나쁜) 오락장.
garlito *m.* ① (망이 촘촘한 고기잡이용) 광주리의 일종. ② 덫, 함정.
garra *f.* ① (사자·독수리와 같은 날카로운) 발톱. ② (사람의) 손. ③ =**fuerza, empuje.** ④ [선박] (닻의) 갈고리. ⑤ *Ar., Nav.* (사람의) 다리. ⑥ *Col.* 가죽 포대. ⑦ *Ur.* 질이 나쁜 물건. ⑧ *Ven.* 아주 적은 양. ¶*echar* a alguien o algo ***la*** ~ (누구·무엇을) 잡다, 붙잡다, 체포하다.
garrapata *f.* ① [곤충] 진드기. ② [군사] 쓸모없는 말. ③ [군사] 쓸모없는 말을 거두고 쓰는 군대.
garrapatear *tr., intr.* 글을 갈겨쓰다, 낙서하다.
garrapato *m.* ① 낙서, 글을 갈겨쓰기. ② *pl.* 갈겨쓴 글자.
garrideza *f.* =**galanura, elegancia.**
garrido, da *adj.* ① (사람이) 늠름한, 씩씩한, 강인한. ② (여자가) 발랄하고 잘생긴.
garrocha *f.* ① 끝에 갈고리가 달린 장대. ② [투우] (picador의) 긴 창. ③ [운동] =**pértiga.**
garrochar *tr.* garrocha로 찌르다.
garrochazo *m.* ① garrocha로 찌르기. ② garrocha로 난 상처.
garrochear *tr.* garrocha로 찌르다.
garronear *tr.* ① *Arg., Ur.* =**sablear.** ② *Arg., Ur.* =**aprovecharse, sacar provecho.**
garrota *f.* ① =**garrote.** ② 윗부분이 구부러진 지팡이[막대기].
garrotazo *m.* garrote로 때리기.
garrote *m.* ① 작대기, 막대기, 몽둥이. ② (특히 올리브의) 꺾꽂이. ③ 주리틀기. ④ 주리 트는 나무.
garrotear *tr.* garrote로 때리다.
garrotillo *m.* [의학] 위막성 후두염, 크루프.
garrotín *m.* 가로띤 ((19세기 말에 매우 유행한 춤)).
garrucha *f.* 도르래(polea).
garrulador, ra *adj.* 수다스러운.
garrulería *f.* 수다(스러움).
garrulo, la *adj., m.f.* 촌스런 (사람), 거친 (사람).
gárrulo, la *adj.* ① (새가) 많이 지저귀는. ② (사람이) 수다스런. ③ (물건이 바람·시냇물처럼) 계속 소리를 내는, 졸졸거리는.
garúa *f. Amér.* 가랑비, 이슬비, 보슬비.
garuar (15) *intr. Amér.* 가랑비[이슬비·보슬비]가 내리다(lloviznar).
garza *f.* [조류] 백로, 해오라기.
garzo, za *adj.* ① (특히 눈이) 푸른: ojos ~ 푸른 눈. ② 눈이 푸른 (사람).
gas *m.* ① 기체, 가스: ~ perfecto 이상 기체. ② (광열용) 가스: ~ propano 프로판 가스. calefacción de [a] ~ 가스 난방. cocina de [a] ~ 가스 레인지. tubo de ~ 가스관(管). cerrar el ~ 가스를 끄다. encender el ~ 가스를 켜다. ③ 독가스. ④ *pl.* 장(腸)가스, 체내 가스. ⑤ [자동차] (엔진을 원활하게 하기 위한) 액화 탄화수소 연료와 공기의 혼합. ⑥ 힘, 에너지, 격렬함. ⑦ 석유, 가솔린. ¶~ ***ciudad*** 도시 가스. ~ ***mostaza*** (전쟁 무기로 사용되는 노르스름한 색깔의) 독가스. ~ ***natural*** 천연 가스. ~ ***noble*** 희(稀)가스. ***a todo*** ~ 전속력으로. ***dar*** ~ 속

G

도를 올리기 위해 자동차의 가속 페달 [액셀러레이터]를 밟다.
gasa *f.* ① 아주 엷은 비단천[실]. ② 거즈, 가제.
gasear *tr.* 가스로 처리하다, 독가스로 공격하다.
gaseiforme *adj.* 가스 모양의.
gaseoducto *m.* =gasoducto.
gaseoso, sa *adj.* ① 기체의. ② 가스(상)의. —*f.* 탄산 음료, 소다수.
gasfitero *m. Perú.* 가스 취급자[공].
gasificación *f.* 가스화(化).
gasificar (7) *tr.* 가스화하다.
gasista *m.* 가스공(工).
gasoducto *m.* (천연) 가스 파이프라인, 가스 연료 파이프.
gasógeno *m.* 가스 발생로[발생기].
gasoil *m. ing.* =**gasóleo.**
gasoleno *m.* =gasolina.
gasóleo *m.* 경유, 가스유; 디젤 오일.
gasolero, ra *adj.* (연료로) 디젤 오일을 사용하는. —*mf.* 디젤 오일을 사용하는 사람. —*m. AmérM.* 디젤차.
gasolina *f.* 가솔린: ~ súper 슈퍼 가솔린. bomba de ~ 가솔린 펌프, 가솔린 스탠드. estación de ~ 주유소, 가솔린 스탠드. echar ~ un coche 자동차에 가솔린을 넣다.
gasolinera *f.* ① (판매용) 가솔린 저장소. ② 주유소, 가솔린 스탠드. ③ 모터 보트.
gasometría *f.* ① 가스 계량(법). ② 가스 정량(定量).
gasométrico, ca *adj.* gasometría의.
gasómetro *m.* ① 가스 계량기. ② 가스 저장기, 가스 탱크. ③ 가스 탱크가 있는 곳.
gastable *adj.* 쓸[소비할] 수 있는.
gastado, da *adj.* ① 닳아 빠진, 써서 지워진, 더 이상 쓸 수 없는: coche ~ 고물차. ② 힘이 다한, 심신이 지쳐 버린: mujer muy *~da* 심신이 지친 여자. vista muy *~da* 무척 나빠진 시력.
gastador, ra *adj.* 쓰임새[씀씀이]가 헤픈, 낭비벽이 심한. —*mf.* 씀씀이가 헤픈 사람, 낭비벽이 심한 사람. —*m.* ① 노역을 하는 사람. ② [군사] (도로·참호 등을 파는) 공병(工兵). ③ [군사] 선두에서 행진하는 동료들보다 키가 더 큰 병사.
gastamiento *m.* 소비(하는 일).
gastar *tr.* ① [+en] (…에) 돈을 쓰다. ② 사용으로 망가뜨리다. ③ 소모하다, 소비하다. ④ 습관적으로 가지고 있다. ⑤ 사용하다. ⑥ 소유하다. ⑦ 입고[신고·쓰고·차고·달고·가지고] 있다. **~se** ① 소비되다. ② 파손되다, 망가지다, 손상되다. ③ (체력 등이) 약해지다, 쇠약해지다, 쇠퇴하다.
gastero- *pref.* ☞ gastr-.
gastópodo *adj.* [동물] 복족류(腹足類)의. —*m.pl.* [동물] 복족류 (동물).
gasto *m.* ① 소비, 소비량. ② [주로 *pl.*] 지출. ③ [주로 *pl.*] 비용.
gastivo, va *adj. Ven.* =gastoso.
gastizo, za *adj.* =gastoso.
gastoso, sa *adj.* 많이 사용하는[지출하는], 낭비벽이 심한, 쓰임새가 거친.
gastr- *pref.* 「위(胃)의, 복부의」의 뜻: *gástr*ico 위의. *gastr*itis 위염.
gastralgia *f.* [의학] 위통(胃痛).
gastrágico, ca *adj.* 위통의[에 관한].
gastrectomía *f.* [의학] 위 절제 (수술).
gástrico, ca *adj.* [의학] 위(胃)의[에 관한]: jugo ~ 위액.
gastritis *f.sing.pl.* [의학] 위염(胃炎).
gastro- *pref.* ☞ gastr-.
gastroduodenal *adj.* 위와 십이지장의.
gastroenteritis *f.sing.pl.* [의학] 위장염.
gastroenterología *f.* 위장병학, 소화기병학.
gastroenterológico, ca *adj.* 위장병학[소화기병학]의[에 관한].
gastroenterólogo, ga *mf.* 위장병학자.
gastrohisterotomía *f.* 제왕 절개술.
gastrometrotomía *f.* 제왕 절개.
gastrointestinal *adj.* 위장(胃腸)의.
gastronomía *f.* ① 미식(美食), 미식학. ② 요리법, 요리술.
gastronómico, ca *adj.* 미식에 관한, 요리법의, 요리술의.
gastrónomo, ma *mf.* 미식가, 요리의 맛에 정통한 사람.
gastropatía *f.* [의학] 위병(胃病).
gastroscopia *f.* [의학] 위경 검사(법).
gastroscopio *m.* [의학] 위경(胃鏡), 위내시경(胃內視鏡).
gastrovascular *adj.* [동물] 소화 순환의, 위수관(胃水管)의.
gata *f.* ① [동물] 암고양이. ② =**gatuña.** ③ 산에 붙어 기어오르듯이 올라가는 구름[수증기]. ④ 마드리드 태생 여자. ⑤ (군대의) 모포. ⑥ 큰 모충(毛蟲). ⑦ *Ast.* 배추의 나비 모충. ⑧ *AmérC., Bol., Chile, Ecuad., Perú.* 잭(gato) ((기중기의 일종)). ⑨ *AmérC., Cuba.* [어류] 가따 ((상어 비슷한 물고기)). ¶ ~ ***parida*** 마르고 기운이 없는 여자. ***hacer la*** ~ [***la*** ~ ***ensogada · la*** ~ ***muerta***] 얌전한 체하다.
gatada *f.* 약은 짓, 앙큼함; 간계, 흉계.
gatallón, na *adj, mf.* 게으른 (사람).
gatas ***a*** ~ 네 발로 기어, 기면서, 기어가면서. ¶***salir*** alguien ***a*** ~ (누가) 위험[역경]에서 간신히 벗어나다.
gatear *intr.* ① 고양이처럼 기다, (특히) 팔과 다리를 이용해 나무줄기를 올라가다. ② 기엄기엄하다. —*tr.* ① (고양이가) 할퀴다. ② 슬쩍 훔치다, 날치기하다.
gatera[1] *mf.* 들치기 소년[소녀].
gatera[2] *f. Ecuad.* 야채 장수.
gatera[3] *f.* ☞**gatero.**
gatería *f.* ① 고양이 떼. ② 개구장이 떼. ③ (무엇을 달성하려고) 딴전 피우기.
gatero, ra *adj.* 고양이가 사는, 고양이가 자주 가는. —*mf.* ① 고양이 장수. ② 고양이 기르기[가지기]를 좋아하는 사람. —*f.* (고양이가 들락거리도록 혹

G

은 다른 목적으로 벽·지붕·문에 만들어진) 구멍.

gatesco, ca *adj.* =gatuno.

gatillo *m.* ① (총의) 방아쇠. ② (이를 뽑는) 집게. ③ =gatera[1]. ④ *Pal.* 아카시아꽃. ⑤ *Chile.* (말의) 긴 갈기.

gatito, ta *mf.* 새끼 고양이.

gato[1] *m.* ① [동물] 고양이. ② 돈지갑. ③ 돈지갑의 돈. ④ 잭 ((기중기의 일종)). ⑤ 쥐덫. ⑥ (포문 등의) 검사기. ⑦ 날치기, 좀도둑. ⑧ 영악한 사람. ⑨ 마드리드 태생의 남자. ⑩ *Arg., Ur.* 가또((동작이 빠른 춤의 일종)). ⑪ *Arg., Ur.* 가또 춤곡. ⑫ *CRica.* 직사각형으로 잘려진 케이크. ⑬ *Salv.* 이두박근. ⑭ *Méj., Salv.* 하인, 종. ⑮ ¶ ~ ***casero*** *Nic.* 알고 있는 집을 턴 도둑. ~ ***cerval,*** ~ ***clavo*** 살쾡이의 일종. ~ ***de agua*** 쥐덫의 일종. ~ ***de algalia*** 사향고양이. ~ ***de Angora*** 앙고라 고양이. ~ ***de clavo*** =gato cerval. ~ ***de monte*** *Hond.* 퓨마. ~ ***marino*** [어류] 상어. ~ ***montés*** 살쾡이. ~ ***onza*** *Arg.* =ocelote. ~ ***romano*** 도둑고양이. ~ ***siamés*** 샴고양이. ***cuatro ~s*** 극히 소수의 (보잘 것 없는) 사람들. ***correr como ~ por ascuas [brasas]*** 위험[손해·장애물]에서 재빨리 달아나다. ***dar ~ por liebre*** 비슷한 질이 떨어진 물건으로 속이다, 양두구육 식으로 팔다. ***ir como ~ por ascuas*** =correr como gato por ascuas. ***pasar como ~ por ascuas*** =correr como gato por ascuas. ***vender ~ por liebre*** =dar gato por liebre.

gato[2] *m. quechua. Perú.* 노천 시장.

gato[3]**, ta** *adj. CRica., Nic.* 눈이 초록빛[하늘색]인 (사람).

gatopardo *m.* [동물] 가또빠르도 ((표범 비슷한 동물)).

GATT, G.A.T.T. *m.* [*ing.* General Agreement on Tariffs and Trade] Acuerdo General sobre Aranceles y Comercio 관세 및 무역에 관한 일반 협정, 가트.

gatunero *m. And.* 암거래 고기 장수.

gatuno, na *adj.* 고양이의[같은].

gauchada *f.* ① *AmérM., CRica.* 호의, 친절. ② *Guat.* 교활한 행동.

gauchaje *m. Arg., Ur.* [드묾] 가우초[목동]들.

gauchear *intr. Arg., Ur.* 가우초[목동]의 풍습을 따르다.

gauchesco, ca *adj.* 가우초[목동]의[에 관한].

gaucho, cha *adj.* ① 가우초족(族)의[에 관한]. ② *Arg., Ur.* 고상하고 용감하고 관대한. ③ *Arg.* (동물·물건이 그 능률 때문에) 만족감을 주는. ④ *Arg.* [드묾] 교활한, 앙큼한. —*m.* ① 가우초 족(族) ((18-19세기에 아르헨띠나·우루구아이·브라질의 남 리오 그란데에 살았던) 메스티소. ② *Arg., Ur.* 가우초 ((전통적인 목축 일에 능숙한 시골 남자)).

gauss *m.* [물리] 가우스.

gaveta *f.* ① (책상·재봉틀 등의) 미끄럼식 서랍. ② 미끄럼식 서랍이 달린 가구. ③ *Cuba.* (운전석 옆의 장갑 등을 놓는) 상자.

gavetero *m. Cuba., Pan., PRico.* 미끄럼식 서랍 달린 가구.

gavia[1] *f.* ① [선박] 돛(대). ② *Sal., Zam.* (나무를 심기 위한) 구멍, 도랑.

gavia[2] *f.* [새] =gaviota.

gavial *m.* [동물] 인도 악어.

gaviero *m.* 돛대 꼭대기에서 감시하는 선원.

gavilán *m.* ① [조류] 새매. ② 활자 끝에 만들어진 선. ③ 펜 끝의 한 쪽. ④ (칼의) 십자형의 날밑. ⑤ 엉겅퀴의 꽃.

gavilla *f.* ① (밀·보리·사탕수수·가지·풀 등의) 다발, 단. ② 질이 낮은 사람의 무리.

gavina *f.* [새] =gaviota.

gavinote *m* 갈매기 새끼.

gaviota *f.* [새] 갈매기.

gay *adj.* 동성 연애의. —*m.* 동성 연애자, 호모, 게이(hombre homosexual).

gayata *f. Hues., Ter.* 목동의 지팡이.

gayo, ya *adj.* =alegre, vistoso. —*f.* ① 바닥과 다른 색의 무늬 줄. ② 승자에게 주는 승리 기장[배지]. ③ [새] 까치. ¶***gaya ciencia*** (음유 시인풍의) 시(詩).

gayola *f.* ① =jaula. ② 교도소. ③ *And.* (포도밭의) 원두막.

gaza[1] *f.* 밧줄 고리.

gaza[2] *f.* [새] 까치(urraca).

gazpacho *m.* [요리] 가스빠초 ((빵 조각·기름·식초·소금·마늘·양파 및 다른 첨가물로 만든 냉수프)).

gazpachuelo *m. And.* [요리] 가스빠추엘로 ((달걀을 풀고 식초나 레몬을 친 뜨거운 수프)).

gazuza *f.* 공복, 배고픔(hambre).

ge *f.* 헤 ((문자 g의 명칭)).

géiser *m.* 간헐 온천.

geisha *f. jap.* (일본의) 게이샤, 기생.

gel *m.* [화학] 겔.

gelado, da *adj.* ① *CRica.* 비쩍 마른 (사람). ② *CRica.* =pasmado.

gelatina *f.* 젤라틴, 갖풀.

gelatinoso, sa *adj.* ① 젤라틴질의[에 관한]. ② 젤라틴 모양의.

gélido, da *adj.* ① 매우 추운, 얼어 붙는 듯한, 살을 에는. ② 쌀쌀한, 서먹서먹한, 데면데면한.

gema *f.* ① 보석. ② 껍질 부분이 남은 목재. ③ [식물] (채소의) 싹.

gemación *f.* [식물] 무생아 생식.

gemebundo, da *adj.* 훌짝훌짝 우는.

gemela *f.* [식물] 아라비아 자스민.

gemelar *adj.* 쌍둥이의.

gemelo, la *adj.* ① 쌍둥이의. ② 쌍의: barco ~ 자매선. —*mf.* 쌍둥이. —*m.* ① 커프스단추. ② [해부] 쌍둥이근(筋). —*m.pl.* 쌍안경. ¶ ***~s de campo*** (휴대용) 소형 쌍안경. ***~s de teatro***

G

오페라글라스. *~s prismáticos* 프리즘 쌍안경(anteojos prismáticos).
gemido *m.* 신음(소리).
gemidor, ra *adj.* ① 신음하는. ② 사람의 신음소리 같은 소리를 내는.
geminación *f.* [수사] 같은 단어 반복.
geminado, da *adj.* [생물] 갈라진, 나누어진(partido, dividido).
geminar *tr.* =**duplicar, repetir.**
geminiano, na *adj.* *Arg., Salv., Ur.* 쌍둥이궁 별자리에서 태어난.
géminis *adj.* 쌍둥이궁 별자리에서 태어난. —*m.f.* 쌍둥이궁 별자리 태생.
Géminis *m.* ① [천문] 쌍둥이자리. ② [점성] 쌍둥이궁 별자리.
gemíparo, ra *adj.* [생물] 발아 생식의.
gemiquear *intr.* *And.* 신음을 되풀이하다, 반복해서 신음하다.
gemiqueo *m.* 반복하는 신음(소리).
gemir (42) *intr.* ① 신음하다, 앓다. ② (동물·물건이) 사람의 신음소리처럼 울다, 소리내다.
gemología *f.* 보석학.
gemológico, ca *adj.* 보석학의.
gemólogo, ga *m.f.* 보석학자.
gen *m.* [생물] 유전자, 유전 인자.
gendarme *m.* (프랑스 등의 치안·경찰 활동을 하는) 헌병.
gendarmería *f.* ① 헌병대. ② 헌병대 본부. ③ 병사(兵舍).
genealogía *f.* ① 가계, 가계도(家系圖), 족보. ② (개·고양이 등의) 혈통서.
genealógico, ca *adj.* 가계의, 가계도의.
genealogista *m.f.* 족보학자, 계보학자.
generación *f.* ① (혈통의) 대(代); 세대(世代) ((한 세대는 사람이 나서 자식을 낳을 때까지의 기간으로 약 25-30년간)). ② [생물] ㉮ 발생. ㉯ 생식(生殖). ③ (전기·열·가스 등의) 발생; 발전. ④ [수학] 생성(生成).
generacional *adj.* 세대의, 세대간의.
generador, ra *adj.* ① 발생(發生)시키는: planta *~ra* 발전소. ② [수학] 점·선의 이동으로 선(線)·면(面)을 생성하는. —*m.* ① 발전기. ② (가스 등의) 발생기.
general *adj.* ① 일반적인. ② 전반적인, 전체의: asamblea [junta] ~ 총회. ③ 개괄적인, 총괄적인. ④ 전체를 통괄하는, 총(總): administración ~ 총무부. gerente ~ 총지배인. ⑤ [의학] 전신의: parálisis ~ progresiva 진행성 전신 마비. —*m.* [종교] 총회장, 당회장. —*m.f.* [육군·공군] 장군: ~ brigada [육군·해병대·공군] 준장(准將), 여단장 ((해군은 contraalmirante)). ~ de división [육군·해병대·공군] 소장, 사단장 ((해군은 vicealmirante). ~ en jefe 원수, 총사령관. capitán ~ [육해공군] 대장. teniente ~ [육군·공군] 중장 ((해군은 almirante)). ¶***en*** ~, ***por lo*** ~ 보통, 일반적으로, 대개, 전반적으로.
generala *f.* ① (북·나팔 등의) 전투 준비 신호. ② [드묾] 장군의 부인.
generalato *m.* ① [종교] 총회장[당회장]의 직[지위]. ② [종교] 총회장[당회장]의 임기. ③ [군사] 장성단. ④ [군사] 장군의 직[지위].
generalidad *f.* ① 일반성, 보편성. ② *pl.* 개요(槪要), 개론; 일반론, 막연한 말: *~es* de la física 물리학 개론. ③ 대다수(의 사람).
Generalidad *f.* (까딸루냐·발렌시아의) 자치주 정부.
generalísimo *m.* (삼군의) 총사령관, 대원수; 총통 ((특히 프랑코 장군)).
generalista *m.f.* (전문의에 대한) 일반의(一般醫).
Generalitat *f.* 까딸루냐 자치주 정부.
generalización *f.* 일반화, 보급; 확대.
generalizar (9) *tr.* ① 일반화[보편화]시키다, 보급시키다. ② 개괄하다; (문제를) 일반화해서 말하다. **~se** 일반화되다, 보급되다.
generalmente *adv.* 일반적으로, 보통, 대개.
generar *tr.* ① (전기·열·가스 등을) 발생시키다. ② (결과적으로 반응을) 일으키다. ③ 낳다.
generatiz *f.* ① [수학] 모선. ② 발전기.
genérico, ca *adj.* ① [생물] 속(屬)의. ② [문법] 성(性)의, 총칭의.
género *m.* ① 종류. ② 분야(分野). ③ 짓, 처사, 하는 방식[태도]: ~ de hablar 말하는 방식. ④ [상업] [때때로 *pl.*] 물건, 물품, 상품: *~s* extranjeros 수입품. *~s* del país 국산품. ⑤ 천(의 종류): ~ de algodón 무명 천. ~ de punto 니트, 메리야스 천. ⑥ (예술의) 장르, 부문: ~ cómico 코미디. ~ novelesco (장르로서의) 소설. ⑦ [생물] 속(屬): ~ humano 인류. ⑧ [문법] 성(性). ¶ ~ ***de chico*** [연극] (1·2막의) 경희가극. ~ ***femenino*** [문법] 여성. ~ ***literario*** ㉮ 문학 장르. ㉯ =**subgéero.** ~ ***masculino*** [문법] 남성. ~ ***neutro*** [문법] 중성. ***de*** ~ ㉮ 풍속의: cuadro *de* ~ 풍속화. ㉯ 풍속을 그리는: pintor *de* ~ 풍속화가.
generosamente *adv.* 관대하게, 후하게; 비상히, 많이.
generosidad *f.* 관대함, 너그러움, 후함; 고결함.
generoso, sa *adj.* ① 관대한, 너그러운, 선심을 잘 쓰는. ② 고결한, 희생정신이 강한. ③ 풍부한, 푸짐한. ④ 넓은, 확 트인, 풍만한: escote ~ (옷의) 확 트인 앞가슴. ⑤ (그 종류에서) 우수한, 뛰어난, 명품의. ⑥ [드묾] (태생이) 명문의.
genesiaco, ca *adj.* =**genésico.**
genesíaco, ca *adj.* =**genésico.**
genésico, ca *adj.* 생식(生殖)의.
génesis *f.sing.pl.* ① 기원, 생성 과정. ② [생물] 발생.
-génesis *suf.* 「기원(起源)(origen)·시초(principio)·생성 과정(proceso de formación)」의 뜻: endo*génesis* 내생

G

(內生).
Génesis *f.* [성경] 창세기.
genetiista *m.f.* 유전학자.
genético, ca *adj.* ① 생성 과정의. ② 유전의, 유전학의. —*f.* 유전학.
genetista *m.f.* 유전학자.
genial *adj.* ① 천재적인. ② 기지가 풍부한, 훌륭한, 멋진, 굉장한.
genialidad *f.* ① 천분(天分), 천재적인 재능. ② 기행(奇行).
genialmente *adv.* 천성적으로; 천재적으로; 기발하게.
geniazo *m.* 근성(根性), 다부진 성미.
génico, ca *adj.* 유전자의[에 관한].
geniecillo *m.* 작은 요정.
genio *m.* ① 기질, 성질, 성격. ② 급한 성미. ③ 기분: estar de mal ~ 기분이 나쁘다. ④ 근성: tener ~ 근성이 있다. ⑤ (시대 · 국민 등의) 정신, 풍조. ⑥ (언어 등의) 특질. ⑦ 천분, 천부의 재능. ⑧ 천재. ⑨ 요정, 정령. ⑩ 수호신. ¶*corto de* ~ 소심한, 겁이 많은(corto, tímido, encogido).
genipa *f.* =**jagua.**
genista *f.* =**retama.**
-génita *suf.* ☞**-génito.**
genital *adj.* 생식의. —*m.pl.* 외부 생식기(órganos sexuales extremos).
genitivo, va *adj.* [문법] 속격(屬格)의. —*m.* [문법] 속격.
-génito, ta *suf.* 「생산하는 · 낳은」의 뜻: primo*génito* 처음에 낳은, uni*génito* 외아들, 그리스도
genitor, ra *adj.* 낳은, 생산하는. —*m.f.* 낳은 자, 생산자, 친부모.
genocidio *m.* (민족) 대학살.
genitourinario, ria *adj.* [해부] 비뇨 생식기의.
genocida *adj.* 대학살의. —*m.f.* 대량 학살자[학살범].
genoma *m.* [생물] 게놈.
genotípico, ca *adj.* [생물] 유전자형의.
genotipo *m.* [생물] 유전자형(型).
gentarada *f.* 많은 사람.
gente *f.* ① [집합] 사람들. ② 직원, 인원, 사원. ③ (사회에서) 구별되는 사람. ④ 가족. ⑤ *Amér.* 사람, 개인. ⑥ *Amér.* 예의 바른 사람, 품위 있는 사람. ¶ ~ *bien* 사회적 지위가 있고 경제적으로 풍족한 사람들. ~ *de paz* (누가 문을 두드릴 때 묻는 사람에게 대답하여) 우리편이다!, 아군이다! ~ *de pluma* 문인, 문필가. ~ *del bronce* 대담하고 툭하면 싸우려 드는 사람들. ~ *gorda* 중요한 위치에 있는 [지위가 높은] 사람들. ~ *menuda* ㉮ 어린이들. ㉯ [드묾] 최하층 계급. ~ *non sancta* (상습) 범죄자들, 수상쩍은 패거리. ~ *perdida* 떠돌이, 게으름뱅이, 범죄자들. *hacer* alguien ~ (누가) 떼지어 모이다, 군집(群集)하다. *ser* alguien *como la* ~ *Amér.* (누가) 예의 바른 사람이다.
gentecilla *f.* 천박한 사람들, 오합지졸.
gentil *adj.* ① (유대인이 보는) 이교도(異教徒)의. ② =**pagano²**. ③ =**brioso, galán, gracioso.** ④ =**notable.** ⑤ =**amable, cortés.** ⑥ *Perú.* 잉카 사람 이전의 주민의. —*m.f* ① (유대인이 보는) 이교도. ② 우상숭배자. —*m.pl. Perú.* 잉카 사람들 이전의 주민.
gentileza *f.* ① 고상함, 우아함. ② 우쭐거림, 으스댐. ③ 예의 바름(cortesía).
gentilhombre *m.* [*pl.* gentil*es*hombres] ① [역사] 시종. ② 신사.
gentilicio, cia *adj.* ① 민족의, 국가의, 지명을 나타내는. ② 가계의. —*m.* 지명 형용사(adjetivo ~).
gentílico, ca *adj.* 이교도(異教徒)의.
gentilidad *f.* ① [집합] 이교도. ② 이교도들의 종교(religión de los gentiles).
gentilismo *m.* [드묾] =**gentilidad.**
gentilizar (9) *tr.* (…에) 이교도의 표적을 하다. —*intr.* 이교도들의 의식을 행하다[따르다].
gentillal *m. Nic.* =**gentío.**
gentilmente *adv.* 고상하게, 우아하게; 친절하게, 예의 바르게.
gentío *m.* 많은 군중, 사람들로 붐빔, 혼잡(한 곳).
gentleman *m. ing.* 신사.
gentualla *f.* [경멸] 최하층민들.
gentuza *f.* [경멸] =**gentualla.**
genuflexión *f.* (일반적으로 존경의 표시로) 무릎을 꿇는 일.
genuflexo, xa *adj.* 무릎을 꿇은.
genuino, na *adj.* ① 진짜의, 합법적인. ② 독특한, 특징적인, 특유의.
geo *m.f.* GEO 대원.
GEO *m.* *G*rupo *E*special de *O*peraciones (대 테러 조직의) 특수 작전 부대.
geo- *pref.* 「땅, 지구」의 뜻: *geo*grafía 지리학. *geo*física 지구 물리학.
geobiología *f.* 지구 생물학.
geobotánica *f.* 지구 식물학.
geocéntrico, ca *adj.* 지구 중심에서 측정한, 지심의, 지구를 중심으로 한.
geocentrismo *m.* 천동설.
geodesia *f.* 측지학(測地學).
geodésico, ca *adj.* 측지학의.
geodinámica *f.* 지구 역학.
geoestrategia *f.* 전략(戰略) 지정학.
geoestratégico, ca *adj.* 전략 지정학(상)의.
geofagia *f.* [의학] 흙을 먹는 병적인 습관, 영양가가 없는 흙 비슷한 것을 먹는 버릇.
geófago, ga *adj., m.f.* [의학] 흙을 먹는 (사람).
geofísico, ca *adj.* 지구 물리학의[에 관한]. —*f.* 지구 물리학.
geogenia *f.* 지구 기원 · 형성학.
geogénico, ca *adj.* 지구 기원[형성학]의[에 관한].
geognosia *f.* 지구 구조학.
geognosta *m.f.* 지구 구조학자.
geognóstico, ca *adj.* 지구 구조학의[에 관한].
geogonía *f.* =**geogenia.**

G

geogónico, ca *adj.* =geogénico.
geografía *f.* ① 지리학(地理學). ② =territorio, paisaje. ¶ ~ *astronómica* 우주 형성지. ~ *física* 자연 지리학. ~ *histórica* 역사 지리학. ~ *humana* 인문 지리학. ~ *lingüística* 언어 지리학. ~ *política* 정치 지리학. ~ *zoológica* 동물 지리학.
geográficamente *adv.* 지리학상으로, 지리(학)적으로.
geográfico, ca *adj.* 지리학(地理學)의.
geógrafo, fa *m.f.* 지리학자.
geoide *m.* [지구물리] 지오이드.
geología *f.* 지질학.
geológico, ca *adj.* 지질학의.
geólogo, ga *m.f.* 지질학자.
geomagnético, ca *adj.* 지자기의.
geomagnetismo *m.* 지자기(학).
geomancia *f.* 흙 점(占).
geomancía *f.* =geomancia.
geomántico, ca *adj.* 흙 점의[에 관한]. —*m.f.* 흙 점쟁이.
geómetra *m.f.* 기하학자. —*m.* [곤충] 자벌레.
geometría *f.* 기하학. ¶ ~ *algorítmica* 산술 기하학. ~ *analítica* 좌표 기하학, 해석 기하학. ~ *del espacio* 입체 기하학. ~ *descriptiva* 도형 기하학. ~ *plana* 평면 기하학.
geométricamente *adv.* 기하학적으로.
geométrico, ca *adj.* 기하학의, 기하학적인: figuras ~*cas* 기하학 모양.
geomorfía *f.* 지형학(地形學).
geomorfología *f.* [지질] 지각 연구.
geonomía *f.* 식물 지질학.
geonómico, ca *adj.* 식물 지질학의.
geopolítica *f.* ☞geopolítico.
geopolíticamente *adv.* 지정학적으로.
geopolítico, ca *adj.* 지정학의. —*f.* 지정학(地政學).
geoponía *f.* =agricultura.
geopónica *f.* =geoponía.
geopónico, ca *adj.* geoponía의.
geópono, na *m.f.* geoponía 전문가.
geoquímico, ca *adj.* 지구 화학의. —*f.* 지구 화학. —*m.f.* 지구 화학자.
georama *m.* 지오라마.
georgiano[1], na *adj.* 그루지아 공화국(태생)의. —*m.f.* 그루지아 사람. —*m.* 그루지아 말.
georgiano[2], na *adj.* ① [건축] (영국과 미국에 있는 18세기의) 조지 왕조 양식의. ② 조지아(Georgia, 미국 남동부의 주)의[에 관한]. —*m.f.* 조지아 주 사람.
geórgica *f.* [주로 *pl.*] 전원시(田園詩).
geosinclinal *adj.* [지질] 지향사(地向斜)의. —*m.* [지질] 지향사.
geórgico, ca *adj.* 시골의[에 관한].
geotectónico, ca *adj.* 지질 구조의, 지각 변동의.
geotermia *f.* ① 지열. ② 지구 열학.
geotérmico, ca *adj.* 지열의.
geotropismo *m.* [생물] 굴지성(屈地性).
geranio *m.* ① [식물] 제라늄, 양아욱. ② 제라늄 꽃.
gerbo *m.* [동물] 날쥐.
gerencia *f.* ① 지배인 직무; 관리직. ② 지배인의 사무실[사무소]. ③ 관리(管理), 경영(經營).
gerente, ta *m.f.* 지배인, 지점장, 관리 책임자; 경영자; (유한・합명 회사의) 중역: ~ de publicidad 선전 부장.
geriatra *m.f.* 노인병 전문의(專門醫).
geriatría *f.* 노인병학.
geriátrico, ca *adj.* 노인병학의.
gerifalte *m.* ① [조류] 큰 매. ② 어떤 활동에서든지 뛰어난 사람. ③ (옛날의) 대포. ④ 유력자, 실력자, 보스. ⑤ [은어] 날치기, 들치기.
germán *adj.* =germano.
germanesco, ca *adj.* germanía의[에 관한].
germanía *f.* ① 은어(隱語)(jerga). ② =amancebamiento. ③ (옛 Valencia 왕국에서) =hermandad, gremio. ④ *Alb., And., Cuen.* 소년들의 패거리.
germánico, ca *adj.* ① 게르만의, 게르만 민족의. ② 독일(계)의. ③ 게르만 말속(屬)의. —*m.* 게르만 말.
germanio *m.* [화학] 게르마늄.
germanismo *m.* 독일어에서 차용해 온 말; 독일어풍의 표현.
germanista *m.f.* ① 독일 어문학에 정통한 사람. ② 독일(어・문학) 연구자[전문가].
germanización *f.* 독일화(獨逸化).
germanizar (9) *tr.* 독일화시키다.
germano[1], na *adj.* ① 게르만(Germania, 옛 중부 유럽 지방) (태생)의. ② 독일의. —*m.f.* ① 게르만 사람. ② 독일 사람.
germano[2], na *adj.* [고어] =propio, legítimo, natural.
germano- *pref.*「독일의(alemán)」의 뜻: *germano*filia 독일 숭배.
germanofilia *f.* 독일 숭배.
germanófilo, la *adj.* 독일을 숭배하는[예찬하는]. —*m.f.* 독일 숭배자[예찬자], 친독파.
germanofobia *f.* 독일 혐오증[공포증].
germanófobo, ba *adj.* 독일을 혐오하는. —*m.f.* 독일 혐오자[공포자].
germanófono, na *adj., m.f.* 독일어를 말하는 (사람).
germen *m.* [*pl.* gérmenes] ① [생물] 병원균. ② [생물] 생식 세포. ③ [식물] 배아(胚芽). ④ 기원, 근원.
germicida *adj.* 살균제(殺菌劑)의; 살균성의. —*m.* 살균제.
germinal *adj.* 배(胚)의, 배아(胚芽)의; 발아 단계의.
germinación *f.* [식물] 발아(發芽).
germinador, ra *adj.* 발아시키는. —*m.* 발아력 시험기.
germinar *intr.* ① 싹트다, 움트다, 발아하다. ② (생각 등이) 싹이 트기 시작하다, 일어나기 시작하다.
germinativo, va *adj.* 발아하는[시키는].
gerodermia *f.* 노령에 의한 피부 변질.

G

gerontocracia *f.* 노인 정치, 노인 지배; 장로제(長老制).
gerontología *f.* 노인학.
gerontólogo, ga *mf.* 노인학 학자.
gerovital *m.* 노화 방지약.
gerundio *m.* [문법] 현재 분사.
gerusía *f.* (고대 스파르타의) 재판관.
gesta *f.* [집합] (영웅 한 사람의) 무훈.
gestación *f.* 임신(姙娠).
gestacional *adj.* 임신 (기간)의.
gestalt *f.* [심리] 형태, 게슈탈트 ((경험의 통일적 전체)).
gestante *f.* 임부(姙婦), 임신부(姙娠婦).
Gestapo *f.* 게슈타포 ((옛 나치스 독일의 비밀 국가 경찰)).
gestar *tr.* ① 임신 중이다. ② 준비하다. ~**se** 준비되다.
gestatorio, ria *adj.* 들어 나를 수 있는.
gesticulación *f.* 몸짓, 손짓.
gesticulador, ra *adj.* 몸짓[손짓]을 하는[하기 좋아하는].
gesticulante *adj.* 몸짓[손짓]을 하는[하기 좋아하는].
gesticular[1] *adj.* 몸짓의, 손짓의, 제스처를 쓰는.
gesticular[2] *intr.* 제스처를 쓰다, 몸짓[손짓]을 하다(hacer gestos).
gestión *f.* ① 수속, 처리. ② 관리, 경영. ③ (개인의) 일, 직무.
gestionar *tr.* ① (…을 얻기 위한) 수속을 하다, 수단을 취하다. ② (업무 등을) 수행하다; 관리하다.
gesto *m.* ① 몸짓, 손짓, 제스처: hacer un ~ 신호를 하다, 손짓을 하다. ② 표정: fruncir el ~ 상[얼굴]을 찡그리다. ③ (친절함 등의) 표명. ④ (습관·병으로 인한) 과장된 동작. ⑤ 행동. ⑥ 얼굴. ⑦ 찡그린 얼굴. ¶***estar de buen*** ~ 기분이 좋다. ***estar de mal*** ~ 기분이 나쁘다. ***hacer*** ~***s*** a algo (무엇에) 싫은 표정을 짓다, 불만을 보이다. ***poner*** ~ 상[얼굴]을 찡그리다, 성난 표정이다. ***torcer el*** ~ = poner ~.
gestor, ra *adj.* (등록 수속 등을) 대행하는. —*mf.* ① (등록 수속 등의) 대행자, 사법 서사, 행정 서사. ② (안·계획의) 입안자, 제안자. ③ 부장, 임원. ¶ ~ ***administrativo*** 상무 이사, 행정 담당 중역. ~ ***de negocios*** 영업 부장, 영업 담당 중역.
gestoría *f.* ① 사법[행정] 서사 사무소. ② 부장실, 임원실.
gestual *adj.* ① 표정의. ② 몸짓[손짓·제스처]을 하는.
géyser *m.* 간헐천(間歇川).
Ghana *f.* [국명] 가나.
ghaneano, na *adj., mf.* =ghanés.
ghanés, sa *adj.* 가나(Ghana)의. —*mf.* 가나 사람.
ghetto *m.* =**gueto.**
giba *f.* ① 곱사등. ② =molestia, incomodidad.
gibado, da *adj.* 새우등[곱사등]의.
gibar *tr.* ① 구부리다, 휘다. ② 괴롭히다, 진절머리나게 하다, 지긋지긋하게 하다, 싫증나게 하다.
gibón *m.* [동물] 긴팔원숭이.
gibosidad *f.* 곱사등 모양의 혹[돌기]; 척추 후만증.
giboso, sa *adj.* 곱사등[새우등]의, 등이 굽은. —*mf.* 곱사등이.
gibraltareño, ña *adj.* 지브롤터(Gibraltar, 스페인 남단의 항구 도시; 영국 영토)의. —*mf.* 지브롤터 사람.
giga- *pref.* 「10억·무수」의 뜻: *giga*bit 기가비트.
gigabit *m.* [컴퓨터] 기가비트.
gigabayte *m.* [컴퓨터] 기가바이트.
gigahertzio *m.* [전기] 기가헤르츠.
giganta *f.* ① (정상적인 여자보다) 몸집이 큰 여자. ② [식물] 해바라기.
gigante *adj.* ① =**gigantesco.** ② 정상적인 것보다 훨씬 큰. —*m.* ① (신화·전설 등의) 거인. ② (카니발 등에서 등장하는) 커다란 인형. ③ 큰 사나이, 거한. ④ (비범한 재능 등을 지닌) 거장, 대가, 위인, 걸출한 사람. ⑤ [의학] 거인증 환자. ¶ ~ ***en tierra de enanos*** ㉮ 키가 작은 사람. ㉯ (자신이 잘나서가 아니라 주변의 별 볼일 없는 사람 중에서는) 빼어난 사람.
giganteo, a *adj.* [드묾] =**gigantesco.** —*f.* [식물] 해바라기(girasol).
gigantesco, ca *adj.* ① 거인 같은, 거인에 관한. ② 거대한, 커다란: árbol ~ 거목.
gigantez *f.* 거대함, 웅대함.
gigantilla *f.* ① 몸에 어울리지 않는 머리와 손발이 달린 인형. ② 판지로 만든 머리가 큰 인형. ③ 땅딸막한 여자. ④ *pl.* 히간띠야스 ((다른 아이의 어깨 위에 걸터 앉아 있는 어린이 놀이·장난)).
gigantillo *m.* 머리가 큰 난쟁이 인형.
gigantismo *m.* [의학] 거인증.
gigantón, na *mf.* (어떤 행렬에서 자주 등장하는) 커다란 인형. —*m.* [식물] 달리아(dalia)의 일종.
gigote *m.* ① 잘게 다져 버터에 볶은 고기 요리. ② 잘게 다진 음식. ¶ ***hacer*** ~ algo (무엇을) 잘게 썰다.
gijonense *adj., mf.* =**gijonés.**
gijonés, sa *adj.* ① 히혼(Gijón, 스페인 아스뚜리아스 주의 항구 도시) (태생)의. ② 히혼에 관한. —*mf.* 히혼 사람.
gilbert *m.* [전기] 길버트.
gilí *adj., mf.* =**tonto, lelo.**
gilipollas *adj., mf.* [속어] =**gilí.**
gilipollez *f.* [속어] 어리석음, 바보 짓.
gilipuertas *adj., mf.sing.pl.* =**gilipollas.**
gillete, gillette *f.* [상표] 일회용 면도날.
gimnasia *f.* 체조: hacer ~ 체조를 하다. ¶ ~ ***artística*** (신체조에 대한) 체조. ~ ***rítmica*** 신체조, 리듬 체조. ~ ***sueca*** 스웨덴 체조.
gimnasio *m.* ① 체육관. ② (독일·스위스·이탈리아 등의) 고등학교.
gimnasta *mf.* 체조 선수.

G

gimnástico, ca *adj.* 체조의: hacer ejercicios ~*cos* 체조를 하다. —*f.* 체조(gimnasia).
gimnospermas *f.pl.* [식물] 겉씨식물, 나자식물(裸子植物).
gimotear *intr.* 훌쩍훌쩍[흐느껴] 울다.
gimoteo *m.* 훌쩍훌쩍[흐느껴] 울기.
gin *m. ing.* =ginebra².
ginebra¹ *f.* ① [악기] 목금의 일종. ② 트럼프[카드] 놀이. ③ 혼잡, 혼란, 무질서. ④ 두런거리는 소리.
ginebra² *f.* [술] 진, 두송주(杜松酒).
ginebrés, sa *adj., m.f.* =**ginebrino.**
ginebrino, na *adj.* 제네바(Ginebra, 스위스의 도시)의. —*m.f.* 제네바 사람.
ginecocracia *f.* 여성에 의한 통치.
ginecología *f.* [의학] 부인과(학).
ginecológico, ca *adj.* 부인과(학)의.
ginecólogo, ga *m.f.* 부인과 의사.
ginecomania *f.* 성욕 항진(性慾亢進).
ginefobia *f.* 여성 공포증, 여성에 대한 강박 관념.
ginesta *f.* [식물] 금작화(retama).
gin-fizz *m. ing.* 진피즈.
ginger-ale *m. ing.* 진저에일.
gingival *adj.* 잇몸의.
gingivitis *f.sing.pl.* [의학] 잇몸 염증.
ginseng *m.* 한국 인삼.
gin-tonic *m. ing.* 진토닉.
gira *f.* ① 일주 여행, 주유(周遊). ② 지방 공연. ③ 소풍, 원족, 당일치기 (왕복 여행). ④ (정치가의) 유세.
girada *f.* (스페인 무용의) 발끝 선회.
giradiscos *m.sing.pl.* ① 레코드 판, 유성기 판, 전축 판. ② 레코드[CD] 플레이어, 전축, 유성기(tocadiscos).
girado, da *m.f* [상업] 어음 수신인.
girador, ra *m.f.* [상업] 어음 발행인.
giralda *f.* (사람 · 동물 모양의) 탑의 바람개비[풍향계].
Giralda *f.* (세비야의) 히랄다 탑.
girándula *f.* ① 회전 꽃불[폭죽]. ② 회전식 분수(噴水).
girar *intr.* ① 돌다, 회전하다, 선회하다. ② [+hacia · a] (길 · 차 등이 …로) 구부러지다, 돌다, 방향을 바꾸다, 꺾어지다. ③ (화제 · 관심이) 둘러싸다. ④ (수가) 전후(前後)하다. ⑤ [상업] 어음을 발행하다. —*tr.* ① (우편환 · 전신환으로) 송금하다. ② (어음을) 발행하다. ③ 회전시키다, 돌리다.
girasol *m.* [식물] 해바라기.
giratorio, ria *adj.* 회전하는, 선회하는: asiento ~ 회전의자. puerta ~*ria* 회전문. silla ~*ria* 회전의자.
girino *m.* [곤충] 물매암이.
giro¹ *m.* ① 회전, 선회: radio de ~ 회전 반경. dar un ~ 돌다, 회전하다, 선회하다. ② 국면, 되어 가는 형편[과정]. ③ [상업] (어음 · 수표의) 발행, 송금; 환, 환어음: enviar por ~ postal [telegráfico] 우편환[전신환]으로 보내다. ④ 표현. ⑤ 문체(文體).
giro², ra *adj.* ① *And., Can., Mur., Amér.* 목과 날개에 노란 깃이 있는 거무튀튀한 색의 (닭). ② *Chile, Col.* 흑백이 배합된 (닭). —*m.* ① 위협, 엄포, 허세, 호언장담. ② =**chirlo.**
girocompás *m.* 자이로컴퍼스, 회전 나침반.
girocho, cha *adj.* =campante, ufano, satisfecho.
girómetro *m.* 자이로 선회계(旋回計), 회전 속도계.
giroscópico, ca *adj.* 자이로스코프의[에 관한].
giroscopio *m.* [물리] 자이로스코프, 회전의(回轉儀).
girostático, ca *adj.* 자이로 안정 장치의[에 관한].
girostato *m.* =**giróstato.**
giróstato *m.* 자이로 안정 장치.
gis *m.* 백묵, 백악(clarión).
giste *m.* 맥주 거품.
gitanada *f.* ① 집시식 방법. ② 아부, 아첨, 사기.
gitanamente *adv.* 집시풍으로, 교묘한 말로.
gitanear *intr.* ① (원하는 것을 얻기 위해) 아부하다, 아첨하다, 간살(을) 떨다, 간살(을) 부리다. ② (물건을 사고 팔 때) 속이려고 애쓰다.
gitanería *f.* ① (집시 여인들처럼) 달콤한 말로 간살을 부림. ② [집합] 집시들, 집시의 집단. ③ [경멸] 집시식 언동[행동].
gitanesco, ca *adj.* 집시식[풍]의.
gitanismo *m.* ① 집시의 풍속. ② [집합] 집시들. ③ 집시의 말[은어].
gitano, na *adj.* ① 집시족의. ② 집시의. ③ 집시 같은. ④ (특히 여자에게) 간살 떠는[부리는]. ⑤ 속이는. —*m.f.* ① 집시. ② (특히 여자에게) 간살 떠는 사람. ③ 사기꾼. —*m.* =**caló.**
glabro, bra *adj.* 대머리의, 머리가 벗겨진(calvo, lampiño).
glaciación *f.* ① 빙하 작용. ② 빙기(氷期), 빙하기(氷河期).
glacial *adj.* ① 얼음 같은, 얼어 붙은 듯한, 매우 찬. ② 얼게 하는; 얼려진. ③ 냉담한, 쌀쌀맞은, 차디찬. ④ [지질] 한대에 있는: zona ~ 한대. ⑤ 빙하의. ⑥ [화학] 빙상(氷狀)의.
glacialmente *adv.* 차게, 냉담하게.
glaciar *adj.* 빙하의. —*m.* 빙하.
glaciarismo *m.* 빙하 현상.
glaciología *f.* 빙하학.
glaciológico, ca *adj.* 빙하학의.
glaciólogo, ga *m.f.* 방하학자.
glacis *m.sing.pl.* ① [지리] 완만한 사면(斜面). ② (성의) 비스듬한 제방[둑].
gladiador *m.* (고대 로마의) 검투사.
gladiator *m.* =**gladiador.**
gladiatorio, ria *adj.* 투사[검투사]의.
gladio *m.* [식물] 큰 부들(espadaña).
gladiolo *m.* =**gladíolo.**
gladíolo *m.* [식물] 글라디올러스.
glamour *m. ing.* 요염한 매력, 매혹, 육체파.
glamouroso, sa *adj.* 매혹적인, 육체파

G

의: mujer ~*sa* 육체파 여인.
glamuroso, sa *adj.* =gramouroso.
glande *m.* [해부] 귀두(龜頭).
glandífero, ra *adj.* 도토리를 맺는.
glandígero, ra *adj.* =glandífero.
glándula *f.* [해부] 샘, 선(腺).
glandular *adj.* glándula의, 선질(腺質)의, 선상(腺狀)의.
glanduloso, sa *adj.* 샘[선]이 있는, 샘[선]으로 구성된.
glasé *m.* 광택이 많은 호박직(琥珀織).
glaseado, da *adj.* glasé를 모방한[흉내 낸], glasé 비슷한.
glasear *tr.* ① (…의 표면에) 광택[윤]을 내다. ② (제과점에서) …에 당의(糖衣)를 바르다[입히다]. ③ (식품이) 번쩍거리게 하다, 광택 나게 만들다.
glauco, ca *adj.* 연녹색(軟綠色)의: ojos ~*s* 연녹색 눈.
glaucoma *m.* [의학] 녹내장(綠內障).
galucomatoso, sa *adj.* 녹내장의.
gleba *f.* ① 쟁기로 일군 흙더미. ② (특히) 경작된 땅. ③ *Hues.* 잔디 덮인 땅(terreno cubierto de césped).
glera *f.* ① =cascajar. ② =arenal.
glía *f.* [해부] =neuroglia.
glial *adj.* [해부] glía의[에 관한].
glicérido *m.* [화학] 글리세리드 ((글리세린의 지방산 에스테르의 총칭)).
glicerina *f.* [화학] 글리세린.
glicina *f.* [식물] 등(藤).
glicol *m.* [화학] 글리콜.
glíptica *f.* (보석 등의) 조각술.
gliptografía *f.* 보석 조각학.
gliptoteca *f.* ① 보석 조각품 수집. ② 보석 조각품 미술관.
global *adj.* ① 전체의, 전체적인, 포괄적인, 광범위한. ② 지구 전체의, 세계적인: aldea ~ 지구촌.
globalización *f.* (기업 등의) 세계화.
globalizador, ra *adj.* 세계화한, 전 세계적으로 하는.
globalizar (9) *tr.* 세계적으로 확대하다, 전 세계적으로 하다, 세계화하다.
globalmente *adv.* ① 전체적으로, 포괄적으로. ② 세계적으로.
globero, ra *adj. Cuba., Ur.* 거짓말하는 버릇이 있는. —*mf.* 거짓말쟁이, 거짓말하는 버릇이 있는 사람. —*m. Ur.* =chicle globero.
globo *m.* ① 구(球), 구체(具體), 구형. ② 지구. ③ 기구: ~ anunciador 광고 풍선, 애드벌룬. ④ (아이들이 가지고 노는) 풍선. ⑤ (유리로 된) 전구의 갓. ⑥ (어린이 만화에서) 대사를 써 넣기 위한 둥근 테두리. ⑦ [운동] 로브, 로빙. ⑧ *Cuba.* 거짓말. ¶ ~ ***aerostético*** 기구, 경기구. ~ ***celeste*** 천구의(天球儀). ~ ***centrado*** =mundo centrado. ~ ***dirigible*** 비행선. ~ ***ocular*** 눈알, 안구. ~ ***sonda*** 기상 관측 기구. ~ ***terráqueo***, ~ ***terrestre*** 지구. ***en*** ~ ㉮ *adv.* 전체적으로, 통틀어, 일괄해서. ㉯ *adj.* =inseguro.
globoso, sa *adj.* 둥그스름한, 구형의.
globular *adj.* ① 둥그스름한, 구형의. ② (특히 액체의) 작은 구체(球體)로 된, 작은 방울로 된; 혈구(血球)의.
globulina *f.* [생화학] 글로불린 ((단순 단백질의 일군)), ((특히)) 혈장 단백질.
glóbulo *m.* ① 작은 구체(球體), 소구체. ② 혈구. ¶ ~ ***blanco*** 백혈구. ~ ***rojo*** 적혈구.
globuloso, sa *adj.* 작은 구체로 된.
gloria *f.* ① 영광, 영예, 명예, 명성, 칭찬, 광영. ② (큰) 즐거움, 기쁨, 낙. ③ 영광을 주는 것[사람], 영예가 되는 것[사람], 자랑거리, 명예, 긍지, 이름[명예]을 높이는 것[사람]. ④ =**majestad, esplendor, magnificencia.** ⑤ 글로리아 ((과자의 일종)). ⑥ (냄비를 데우고 요리하는 데 사용하는) 풍로. ⑦ (방을 데울 짚이나 다른 연료를 태우는) 아치형의 패인 자리. ⑧ (극장에서 막이 끝날 무렵) 배우가 관객의 환호를 받기 위해 내렸던 막을 다시 올리는 일. ⑨ [미술] 원광(圓光), 광륜(의 그림), 광배(光背), 천사나 천국을 그린 그림. ⑩ (여성의 망토용) 아주 얇고 투명한 비단 직물. ⑪ [기독교] 천상의 영광, 지복, 천국. —*m.* ① 영광의 찬가[송가] ((*Gloria* in excelsis Deo「저 높은 곳에 영광 하나님께 있으라」로 시작되는 라틴어 미사의 찬미가·기도)). ② =gloria Patri. ¶ ***vieja*** ~ (전에 어떤 활동에서) 뛰어났던 사람. ***a*** ~ =**muy bien.** ***cubrirse*** alguien ***de*** ~ = **meter la pata.** ***dar*** ~ 기쁘게 하다, 기쁨을 주다, 만족하게 하다, 만족감을 주다. ***estar*** alguien ***en la*** ~ 매우 만족스럽고 흐뭇하다. ***estar*** alguien ***en sus*** ~*s* 무척 즐겁고 만족스레 어떤 일을 하고 있다. ***hacer*** ~ ***de*** algo …을 뽐내다, 빼기다, 우쭐거리다, 자랑으로 여기다. ***que en (santa)*** ~ ***esté.*** =***que (santa)*** ~ ***haya*** =**que en gloria esté.** [고인의 이름을 말할 때 존경의 뜻으로 이름 다음에 삽입하는 문구] 고(故).
gloriado *m. AmérC., AmérM.* [술] 글로리아도 ((소주를 넣은 펀치의 일종)).
gloriapatri *m.* =**gloria Patri.**
gloria Patri *m. lat.* [라틴어 원뜻은「아버지 하나님께 영광을」; 주기도문과 아베마리아와 찬송가를 부른 후 말하는 삼위 일체를 찬양하는 라틴어 성서의 시구] 성부·성자·성신에 영광 있을 지어다.
gloriar (12) *tr.* =glorificar. ~**se** ① (…을) 너무 뽐내다, 너무 빼기다, 너무 자랑하다, 너무 우쭐거리다, 자만하다. ② 무척 기뻐하다, 만족하다.
glorieta *f.* ① (정원에 있는 주로 음료를 마시는) 둥그런 공간. ② (정원의 둥그런 공간이 있는) 작은 터[광장]. ③ (일반적으로 거리나 가로수길에 있는) 로터리. ④ *Cuba.* (공원 등에 있는 확 트인) 암자, 정자.
glorificable *adj.* 찬양[찬미]할 만한.
glorificación *f.* 찬양, 찬미, 상찬, 찬상,

찬송, 칭찬.

glorificador, ra *adj., m.f.* ① 찬미[상찬·찬상]하는 (사람). ② 지복(至福)[영생]을 주는.

glorificar (7) *tr.* ① (신 등을) 찬양[찬미·찬상·상찬]하다, 찬송하다. ② (사람·행동 등을) 칭찬[찬양]하다. ③ 영광스럽게 하다, 영광을 더하다; …에 명예를 부여하다, …의 이름을 높이다. ~**se** =gloriarse.

Gloriosa *f.* ☞glorioso.

gloriosamente *adv.* 장려하게, 훌륭히; 멋지게, 근사하게.

glorioso, sa *adj.* ① 영광스러운, 영예로운, 명예로운, 빛나는. ② 자부심이 강한, 의기 양양한. ③ [천주교] 지복을 받은. ④ [천주교] 극히 영광스러운, 거룩한. —*f.* ① [La *Gloriosa*] 성모 마리아. ② [La *Gloriosa*] 명예 혁명 ((스페인, 1868년, 9월 혁명이라고도 함)).

glosa *f.* ① (주로 행간·여백 등에 써넣는) 주석, 주해. ② 회계 감사. ③ 계산서 내역 기입. ④ 적요란.

glosador, ra *adj.* 주해[주석]를 붙이는. —*m.f.* 주석자.

glosar *tr.* ① 주석[주기]하다, (…에) 주석을 달다. ② 곡해하다, 악으로 평가[해석]하다. ③ 회계를 감사하다.

glosario *m.* (책 뒤의) 용어 해설, 어휘집, 용어 사전.

glositis *f.sing.pl.* [의학] 설염(舌炎), 혀의 염증.

glosopeda *f.* (가축의) 구제역(口蹄疫).

glotal *adj.* [음성] 성문으로 발음하는.

glótico, ca *adj.* [해부] 성문의.

glotis *f.sing.pl.* [해부] 성문(聲門).

glotología *f.* =**lingüística.**

glotón, na *adj.* 걸신들린 듯이 먹는. —*m.f.* 걸신들린 듯이 먹는 사람.

glotonamente *adv.* 게걸스레, 걸신들린 것처럼.

glotonear *intr.* 게걸스레[걸신들린 것처럼] 먹다(comer glotonamente).

glotonería *f.* ① 대식, 포식. ② 게걸스레 먹기, 걸신들린 것처럼 먹기.

glucemia *f.* [생리] 혈당.

glúcido *m.* [생화학] [주로 *pl.*] 당질.

glucógeno *m.* [생화학] 글리코겐.

glucólisis *f.sing.pl.* [생화학] 해당(解糖) (작용).

glucómetro *m.* 당분계(糖分計).

glucosa *f.* [생화학] 포도당, 글루코오스: ~ basal 혈당(血糖).

glucósido *m.* [생화학] 글루코사이드, 당원질(糖原質).

glucosuria *f.* [의학] 당뇨(糖尿).

gluglú *m.* (물의) 꿀렁꿀렁(거리는 소리), 보글보글(거리는 소리).

glutamato *m.* [화학] 글루타민 산염.

gluten *m.* [생화학] 글루텐.

glúteo, a *adj.* [해부] 둔부의, 엉덩이의. —*m.* [해부] 둔근. —*m.pl.* 엉덩이.

glutinosidad *f.* 점착성(粘着性).

glutinoso, sa *adj.* 점착성의, 끈적끈적한, 아교질의(pegajoso).

gneis *m.sing.pl.* [지질] 편마암(片麻巖).

gnéisico, ca *adj.* [지질] 편마암의.

gnómico, ca *adj.* 금언의, 격언의.

gnomo *m.* ① [북구 신화] (땅 속의 보물을 지킨다는) 땅 신령. ② (동화에서) 꼬마 도깨비, 난쟁이.

gnomon *m.* ① (해시계의) 바늘. ② 해시계. ③ [건축] =**escuadra.** ¶~ *movible* 각도자, 분도기.

gnomónico, ca *adj.* 해시계 제작법을 가르치는. —*f.* 해시계 제작법 교수학.

gnoseología *f.* ① [철학] 인식론. ② [철학] 인식 형이상학(認識形而上學).

gnoseológico, ca *adj.* gnoseología의.

gnosis *f.sing.pl.* 영적 인식, 영지(靈知).

gnosticismo *m.* 그노시스주의[설(說)]

gnóstico, ca *adj.* ① 그노시스주의의. ② 그노시스파의 (사람).

gnte. gerente 지배인, 이사, 경영자.

gnu *m.* [동물] 누.

gobelino *m.* ① 프랑스 왕 루이 14세 때 고블랭(Gobelin; 프랑스의 염색가)가(家) 직물 공장에 창설된 왕실 공장의 태피스트리 직공. ② 고블랭직(織) (벽걸이) 태피스트리[벽포].

gobernabilidad *f.* ① 통치[지배]할 수 있음. ② 통치술, 통치 방법.

gobernable *adj.* 통치[지배]할 수 있는.

gobernación *f.* ① 통치. ② 관리, 운영. ③ 조종. ④ 통치 구역, 영토. ⑤ (멕시코와 옛날 스페인의) 내무부.

gobernador, ra *adj.* 통치하는, 지배하는. —*m.f.* ① 통치자. ② 도지사; 시장. ③ (공공 기관의) 정부의 대표자, 총재, 공단장, 공사장, 이사장. —*m.* (식민지 등의) 총독. —*f.* [드묾] gobernador의 아내.

gobernalle *m.* [선박] 키(timón).

gobernamiento *m.* 통치, 다스림, 통솔.

gobernanta *f.* ① 큰 호텔의 객실 담당 여자 종업원. ② 가정이나 시설의 여자 관리 담당자.

gobernante *adj.* 다스리는, 통치하는: partido ~ 여당, 정부당. —*m.f.* (한 나라의) 통치자, 지배자, 정권 담당자, 위정자. —*m.* 간섭자, 주책바가지.

gobernar (19) *tr.* ① 통치하다, 지배하다, 다스리다. ② 억제하다. ③ (선박 등을) 조종하다, 키를 잡다. ④ (사람을) 다루다, 강력한 영향력을 행사하다. ⑤ [속어] =**componer, arreglar.** —*intr.* 통치하다, 다스리다; 관리하다, 조종이 되다. ~**se** ① 통치되다, 지배되다. ② 스스로 다스리다.

gobernativo, va *adj.* 통치의, 정치의, 정부의.

gobierna *f.* 풍신기(風信器)(veleta).

gobiernero, ra *adj.* ① *Salv.* [경멸] 정부에 아부하는. ② *Ven.* 정부의.

gobierno *m.* ① 정부(政府); 내각: ~ coreano 한국 정부. Casa de *Gobierno* 대통령 관저, 수상[국무 총리] 관저. ② 정치 형태, 정체(政體). ③ 통치. ④ 관리, 운영. ⑤ 조종. ⑥ 도지사의 지위[관저]. ⑦ 총독부. ⑧ 조타, 키, 조종

G

간. ¶ ~ *absoluto* 전제 정치(專制政治). ~ *parlamentario* 의회 정치. ~ *representativo* 대의 정치.
gobio *m.* [어류] 모래무지.
goce *m.* 즐거움, 기쁨, 낙.
gocha *f.* 암퇘지(hembra del gocho).
gochapeza *f. León.* 고차뻬사 ((공을 원에 넣는 어린이 놀이)).
gocho *m.* [동물] 수퇘지.
godeño, ña *adj.* [은어] =rico, principal.
godeo *m.* =placer, gusto, contento.
godería *f.* 식객의 초대, 식객의 음식.
godesco, ca *adj.* [드묾] =alegre, placentero.
godible *adj.* =alegre, placentero.
godizo, za *adj.* [은어] =rico.
godo, da *adj.* ① [역사] 고트족(族)의. ② *Ven.* (19세기의) 보수당 소속의, 보수적인. ③ [은어] 귀족의, 이름난, 저명한. ④ *Bol., Chile.* [경멸] 스페인 태생의. —*mf.* ① 고트 사람. ② *Can.* [경멸] 본토에서 온 스페인 사람. ③ *Bol., Chile.* 스페인 태생 스페인 사람. ¶ *hacerse de los ~s* (귀족) 가문을 자랑하다, 가문이 좋은 것을 자랑하다. *ser ~* 옛 귀족 가문이다.
goetheano, na *adj., mf.* =goethiano.
goethiano, na *adj.* 괴테(Johann Wolfgang Goethe, 독일의 시인·극작가, 1749-1832)의[에 관한], 괴테 작품의, 괴테풍의. —*mf.* 괴테 숭배자[연구자].
gofio *m.* ① *Can., Ant., Arg., CRica., Ur.* (가끔 설탕을 쳐서) 볶은 굵은 옥수수[밀·보리] 가루. ② *Ant., Ur.* 볶은 아주 고운 옥수수 가루와 설탕으로 만든 먹거리 요리. ③ *Hond., Nic., Ven.* 볶은 굵은 옥수수[밀·보리] 가루로 만든 과자. ④ [드묾] *Arg., Cuba., Ur.* 볶은 고운 옥수수 가루.
gol *m. ing.* (축구 등의) 골, 골에 넣어서 얻은 득점. ¶ ~ *en contra Arg., Ur.* [축구] 자살골. ~ *olímpico Arg.* [축구] (어떤 선수에게도 닿지 않고) 코너킥에 의한 직접 골인.
gola *f.* ① 목구멍. ② (옛날 갑옷의) 목 보호 대. ③ (목에 건 장교의) 근무장(章). ④ [건축] 반곡(선). ⑤ [축성] 인후부. ⑥ (항행할 수 있게 만든) 운하.
goleada *f.* ① 대량 득점. ② 많은 득점 차(差) 승리.
goleador, ra *mf.* 득점하는 선수.
golear *tr.* 득점하다, (특히) 연속 득점하다.
golero *m. Ur.* 골키퍼(portero).
goleta *f.* [선박] 스쿠너.
golf *m.* [운동] 골프: campo de ~ 골프장. cancha de ~ *Amér.* 골프장. club de ~ 골프 클럽. cochecita de ~ 골프 카트. jugador de ~ 골퍼, 골프 선수. palo de ~ 골프 채. pelota de ~ 골프 공. terreno de ~ 골프장. jugar al ~ 골프를 치다.
golfa *f.* ☞golfo[2].
golfán *m.* [식물] =nenúfar.
golfante *m.* =golfo, sinvergüenza.
golfear *intr.* 부랑자 생활을 하다.
golfería *f.* ① [집합] 부랑자, 떠돌이. ② 악함, 불량 행위.
golfín[1] *m.* [동물] 돌고래(delfín).
golfín[2] *m.* (옛날의) 떼도둑.
golfista *mf.* 골퍼, 골프 선수.
golfístico, ca *adj.* 골프의[에 관한].
golfo[1] *m.* ① [지리] 만(灣). ② 난바다.
golfo[2], **fa** *adj.* ① =deshonesto. ② 철면피한, 낯가죽이 두꺼운. ③ 게으른. ④ 악당 같은. —*mf.* 부랑아, 떠돌이, 게으름뱅이, —*f.* =prostituta.
golfo[3] *m. Ar.* 경첩(pernio).
Gólgota *f.* [성경] 골고다의 언덕.
golilla *f.* ① (옛날의) 천 목걸이. ② (토관의) 이음관. ③ 닭의 곤두선 목의 털. ④ *Arg., Ur.* (시골 농부들이 목에 두르는) 스카프. ⑤ *Chile.* 도르래의 수레. ⑥ *Cuba.* 연 꼬리 윗부분에 다는 장식. ⑦ *Salv.* 자만, 우쭐거림.
golillero, ra *mf.* ① 목걸이 제조자. ② *Salv.* =buscapleitos. ③ *Nic.* 거짓 탈을 쓴 사람. ④ *Ven.* 공짜로 물건을 얻으려는 사람.
golimbro, bra *adj. Bad.* =golimbrón.
golimbrón, na *And.* 단것을 좋아하는.
gollería *f.* ① 맛있는 음식. ② =delicadeza, superfluidad.
golletazo *m* ① (병을 깨뜨려 그 내용물을 꺼낼 목적으로) 병목 깨기. ② (사업을) 엉망으로 끝냄. ③ [투우] 목에서 가슴으로 찌르기.
gollete *m.* ① 목덜미. ② (주전자·병 등과 같은 그릇의) 목. ③ (승복의) 목받이. ¶ *estar* alguien *hasta el* ~ ㉮ 피곤해 녹초가 되어 있다. ㉯ 진절머리[넌더리]를 내고 있다, 지긋지긋해 하다. ㉰ 많이 먹었다. *no tener* ~ *Arg., Ur.* 무분별하다, 비상식적이다.
golletear *tr.* (누구의) 목덜미를 잡다.
gollizno *m.* =gollizo.
gollizo *m.* (장소의) 협소(함).
gollería *f.* =gollería.
golmajear *intr. Rioja.* 단것을 먹다.
golmajería *f. Rioja.* =golosina.
golmajo, ja *adj. Rioja.* =golimbrón.
golondrina *f.* ① [새] 제비. ② [어류] 비어(飛魚), 날치. ③ (바르셀로나와 다른 항구에서) 소형 여객선, 소형 연락선. ④ *Hond., Salv.* 전염성 염증. ⑤ *Chile.* [드묾] 물건 운반용 마차. ¶ *Una ~ no hace verano* (속담) 제비 한 마리가 왔다고 여름이 되는 것은 아니다, 하나를 가지고 속단해서는 안 된다.
golondrino *m.* ① 제비의 새끼. ② [어류] =golondrina. ③ (제비처럼 숙소를 바꾸면서) 여기저기 돌아다니는 사람, 방랑자. ④ 탈영병, 탈주병. ⑤ 겨드랑이의 땀샘의 전염성 염증.
golorito *m. Rioja.* =jilguero.
golosa *f. Col.* 돌 차기 놀이(rayuela).
golosamente *adv.* 맛있게, 게걸스레.
golosear *intr.* =golosinear.

golosina *f.* ① 맛있는 음식, (일반적으로) 단것, 과자. ② 욕심, 탐욕.
golosinar *intr.* =golosinear.
golosinear *intr.* 과자를 먹으면서 걷다, 과자를 찾아다니다, 과자를 먹다.
golosmear *intr.* =gulusmear.
goloso, sa *adj.* ① 단것을 (먹기를) 좋아하는. ② (…에 대한) 욕망에 사로잡힌. ③ 식욕을 돋구는, 맛있어 보이는. —*mf.* 단것을 좋아하는 사람. ¶*tener muchos ~s* algo …을 탐내고 있다.
golpazo *m.* 심한 구타, 강타.
golpe *m.* ① 타격, 구타: dar un ~ 때리다, 구타하다. ② 부딪침, 충돌. ③ 충격. ④ 습격. ⑤ 공격. ⑥ 뜻밖의 일, 불행. ⑦ (갑자기 밀려 나가는) 인파, 파도; 다량, 대량. ⑧ 심장의 고동. ⑨ (이야기 등의) 중요한 대목, 재미있는 곳. ⑩ (카드 등의) 기막힌 수. ⑪ (한 번에 넣는) 얼마 안 되는 양: un ~ de sal 약간의 소금. ⑫ [운동] ㉮ [야구] 히트. ㉯ [테니스] 타구, 한 번 치기, 샷. ㉰ [골프] 샷, 스트로크. ㉱ [축구] 킥: ~ de castigo 페널티 킥. ~ franco 프리 킥. ㉲ [권투] 펀치: ~ cruzado 크로스 카운터. ㉳ [펜싱] 히트. ㉴ [보트] 스트로크, 한 번 젓기. ⑬ 범죄 행위, 도둑질, 사기. ⑭ (정원사들이) 하나의 구멍에 넣는 식물. ⑮ 호주머니의 뚜껑. ¶~ *bajo* [권투] 로 블로((상대방의 벨트 라인 아래를 치는 반칙 행위. ~ *de aire* =**ráfaga.** ~ *de ariete* (수도꼭지 등의) 물의 분출, (밸브의 갑작스런 잠금에 의해 생긴) 수압의 심한 증가. ~ *de efecto* (갑작스러운) 극적 효과를 노리는 행위. ~ *de Estado* 쿠데타. ~ *de fortuna* 갑작스러운 행운[불행]. ~ *de gracia* 치명적인 타격, 결정타, 결정적인 일격. ~ *de mano* ㉮ [군사] 급습. ㉯ (도둑 등) 예상하지 못한 일. ~ *de mar* (배·섬·큰 바위·해안을 강타하는) 큰 파도. ~ *de pecho* (저지른 죄나 실수로 인한 후회의 표시로) 손이나 주먹으로 가슴을 치는 행위. ~ *de suerte* =golpe de pecho. ~ *de tos* 기침의 발작. ~ *de viento* 돌풍. ~ *de vista* 한 번 보는 일, 한 번 잠깐 봄, 일견. *a ~s* ㉮ 두들겨 패서. ㉯ 간헐적으로, 단속적으로. *al primer ~ de vista* 보자마자. *de ~* 갑자기, 별안간, 한꺼번에. *de ~ y porrazo, de ~ y zumbido* ㉮ 당황하여, 허둥지둥, 급히, 심사 숙고하지 않고. ㉯ 뜻밖에, 생각지도 않게, 예기치 않게, 불의에; 별안간, 갑자기, 돌연, 느닷없이. *de un ~* 단번에, 단숨에, 한 번에. *no dar* [*pegar*] *(ni) ~* 일하지 않다, 무위하게 세월을 보내다. *parar el ~* 재난을 피하다.
golpeadero *m.* ① 많이 부딪치는 부분. ② 폭포수의 물 부딪치는 곳. ③ 계속 많이 부딪칠 때 나는 소리.
golpeador, ra *adj.* 때리는, 치는. —*mf.* 때리는 사람.
golpeadura *f.* 때리기, 치기.
golpear *tr., intr.* 때리다, 두들기다: ~ una bola 공을 치다. ~ la puerta 문을 두들기다. ~**se** (자신의 …을) 때리다, 치다.
golpeo *m.* 때리기, 치기.
golpetazo *m.* 심한 구타, 강타.
golpetear *tr., intr.* 철썩철썩 때리다, 별로 강하지 않게 계속 때리다.
golpeteo *m.* 철썩철썩 때리기.
golpismo *m.* 쿠데타주의.
golpista *adj.* 쿠데타주의의. —*mf.* 쿠데타주의자.
golpiza *f. Amér.* =**paliza.**
goluba *f. Rioja.* (엉겅퀴 뽑는 데 쓰는) 조잡한 장갑.
goma *f.* ① 고무. ② 고무줄, 고무 끈. ③ 고무지우개. ④ (탄력성 있는) 고무. ⑤ 껌. ⑥ 타이어. ⑦ [속어] 콘돔. ⑧ [의학] 고무종(腫). ⑨ *AmérC.* 숙취(宿醉). ⑩ (말의) 연골 종양. ¶~ *adragante* =**tragacanto.** ~ *arábiga* 아라비아고무. ~ *de borrar* 고무지우개. ~ *de mascar* (씹는) 껌. ~ *elástica* 고무. ~ *laca* =**laca.** ~ *quino* =**quino.** *por la ~* ㉮ *Ven.* 아주 잘. ㉯ *Ven.* 질서 정연히.
gomaespuma *f.* 해면 고무.
gomera *f.* ☞**gomero**[1].
gomería *f. Arg., Bol., Par., Ur.* 타이어 판매소, 타이어 수리소.
gomero[1]**, ra** *adj.* 고무의, 고무에 관한. —*mf. Arg., Bol.* 자동차 타이어 수리 및 판매 종사자. —*m. AmérM.* 고무나무. —*f. Arg.* =**tirachinas.**
gomero[2]**, ra** *adj.* ① 라 고메라(La Gomera, 스페인에 있는 카나리아 제도의 한 섬) (태생)의. ② 라 고메라에 관한. —*mf.* 라 고메라 사람.
gomista *mf.* 고무 제품 상인.
gomita *f. Arg., Ur.* 고무줄, 고무 끈, 고무 밴드.
gomorresina *f.* 고무 수지(樹脂).
gomoso, sa *adj.* ① 고무의, 고무상(狀)의, 고무 같은. ② [의학] 고무종에 걸린. —*mf.* 고무종 환자. —*m.* =**pisaverde.**
gónada *f.* [해부] 생식선(生殖腺).
gonadal *adj.* [해부] 생식선의[에 관한].
gonádico, ca *adj.* [해부] =**gonadal.**
gonce *m.* ① =**gozne, pernio.** ② 뼈의 관절(articulación de los huesos).
goncear *tr.* 관절을 움직이다.
góndola *f.* ① 곤돌라 ((주로 베네치아에서 사용되는 지붕이 없는 작은 유람선)). ② 많은 사람이 함께 여행할 수 있는 대형 버스[차량].
gondolero *m.* 곤돌라 뱃사공.
gong *m. ing.* ① 징. ② 배의 큰 종.
gongo *m.* =**gong.**
gongorino, na *adj.* ① 공고라(Luis de Góngora, 스페인의 시인, 1561-1627)의[에 관한], 공고라 작품의[에 관한]: la poesía *~na* 공고라의 시. ② 공고라풍의: el lenguaje ~ 공고라풍의 문체.

G

③ 공고라 작품을 모방하는[좋아하는]. ④ 과식주의의, 고답주의의.
gongorismo *m.* 공고라 시법(詩法), 과식주의(誇飾主義).
gongorista *adj.* 공고라의 생애[작품]를 연구하는. —*mf.* 공고라 연구자.
gongorizar (9) *intr.* 공고라식으로 글을 쓰다[말을 하다], 알기 어려운 글을 쓰다, 문자를 써서 말하다.
goniómetro *m.* (결정체 등의 입체각을 재는) 각도계, 측각기.
gonococia *f.* [의학] 임질(淋疾).
gonocócico, ca *adj.* [의학] 임질의.
gonococo *m.* [의학] 임균(淋菌)에 의한 요도 질환.
gonorrea *f.* [의학] 임질(淋疾).
gorda *f.* ☞**gordo.**
gordal *adj.* 굵은, 커다란, 유달리 큰: dedo ~ 유달리 큰 손가락.
gordana *f.* 쇠기름(unto de res).
gordiflón, na *adj., mf.* =**gordinflón.**
gordinflas *adj., mf.* =**gordinflón.**
gordinflón, na *adj., mf.* 통통하게 살이 찐, 비곗살이 찐, 뚱뚱한.
gordo, da *adj.* ① 비만한, 뚱뚱한, 살이 많이 찐. ② 커다란, 두꺼운, 굵은. ③ 지방질이 많은, 비계가 많은. ④ (보통 느끼는 것보다) 두툼한, 굵직한, 큼직한. ⑤ (흔히 있는 것보다) 매우 큰. —*m.* (동물의) 비계, 지방(脂肪). —*f.* *Méj.* 보통 것보다 더 큰 옥수수 부침개. ¶***algo*** ~ 중대한 사건, 세상을 떠들썩하게 했던 사건. ***caer*** ~ a alguien otra persona …의 반감을 사다, 불쾌하게 만들다. ***estar*** ~***da*** una mujer *Bol., Chile.* (여자가) 임신해 있다. ***ni*** ~***da*** =**nada.** ***sin*** (***una***) ~***da*** 돈 없이(sin dinero).
gordura *f.* ① (보통 기관(器官) 사이나 내장 주변에 있는) 지방 조직. ② (사람·동물의) 비곗살, (비만과) 지방질.
gorgojarse *r.* 바구미가 들끓다.
gorgojo *m.* ① [곤충] 바구미. ② 꼬마.
gorgojoso, sa *adj.* 바구미 먹은.
gorgorear *intr.* *And., Bol., Chile.* = gorgoritear.
gorgorita *f.* ① 작은 거품. ② (특히 노래부를 때) 목이 떨리는 소리.
gorgoritear *intr.* (특히 노래부를 때) 목소리를 떨다.
gorgorito *m.* ① (특히 노래부를 때) 떨리는 목소리. ② *Sal.* 작은 거품.
górgoro *m.* ① *Sal.* =**trago, sorbo.** ② *Méj.* 작은 거품(burbuja pequeña).
gorgorotada *f.* (어떤 알코올 음료건) 한 번에 마시는 분량.
gorgotear *intr.* ① (액체·가스가 구멍 안에서 움직일 때) 부글거리다. ② (물 등이) 부글부글 끓다(borbotar).
gorgoteo *m.* 부글거림; 부글부글 끓음.
gorgotero *m.* =**buhonero.**
gorguera *f.* ① (접은 천으로 만든) 목 장식품. ② (갑옷의) 목받이.
gorila *f.* ① [동물] 고릴라. ② =**guardaespaldas.** ③ *Arg., Guat., Nic., Ur.* 인권을 난폭하게 유린하는 경찰[군인]. ④ [경멸] *Arg., Cuba, Ur., Ven.* 놈, 그 놈, 그 인간 ((거의 폭력으로 권력을 행사하는 군인)). ⑤ *Salv.* 민병.
gorja *f.* =**garganta.**
gorjal *m.* ① (승려복의) 목받이. ② (옛날 갑옷의) 목받이.
gorjeador, ra *adj.* 목을 떠는, 목소리를 떠는; (아기가) 말하기 시작하는.
gorjear *intr.* ① (사람·새가) 목[목소리]를 떨다. ② [고어] 놀리다, 조롱하다(hacer burla) ((*Amér.* 현재 사용함)). ~**se** (어린아이가) 말하기 시작하다.
gorjeo *m.* ① 울리는 소리. ② 목소리를 떠는 일. ③ 새의 지저귀는 소리. ④ (어린아이의) 혀 짧은 소리.
gormador, ra *mf.* 토하는 사람.
gormar *tr.* 토하다(vomitar).
gorra *f.* ① (차양이 있는) 모자 ② (테가 없는) 모자, 보닛. ③ [군사] 근위병 모자. ¶~ ***de plato*** (경찰관 등이 쓰는) 위가 평평한 모자. ***con la*** ~ 쉽게, 노력 없이. ***de*** ~ 거저, 무료로, 남의 비용으로, 남의 돈으로, 남의 덕에. ***hablarse de*** ~ 말없이 모자를 벗고 예의를 갖추다.
gorrada *f.* 모자로 하는 인사.
gorear *tr.* ① *CRica.* 때리다. ② *CRica.* 속이다. —*intr.* 기식하다, 남에게 빌붙어 지내다.
gorrería *f.* ① gorra [gorro] 제작 공장. ② gorra [gorro] 가게.
gorrero, ra *mf.* gorra [gorro] 제조자[판매자]. —*m.* 기식자, 남에게 빌붙어 지내는 사람.
gorretada *f.* 모자로 하는 인사.
gorriato *m.* [속어] =**gorrión.**
gorrilla *f.* *Sal.* (시골 사람들이 쓰는) 펠트 모자(sombrero de fieltro).
gorrín *m.* 돼지(cerdo).
gorrina *f.* ① 아직 4개월이 안 된 어린 암돼지. ② 암돼지. ③ 불결한 여자, 행실이 좋지 못한 여자.
gorrinada *f.* ① 더러움, 불결함. ② 불결한[더러운] 행위. —*adj.* 불결한, 더러운 (여자).
gorrinera *f.* =**pocilga, cochiquera.**
gorrinería *f.* =**gorrinada.**
gorrino *m.* ① 아직 4개월이 안 된 어린 수퇘지. ② 수퇘지. ③ 불결한 남자, 행실이 나쁜 남자. —*adj.* 불결한, 행실이 나쁜 (남자).
gorrión *m.* ① [새] 참새. ② *CRica.* [새] =**colibrí.**
gorriona *f.* [새] 참새 암컷.
gorrionera *f.* (악당·불량배의) 소굴.
gorriista *adj.* 기식하는, 남에게 빌붙어 지내는. —*mf.* 기식자, 남에게 빌붙어 지내는 사람.
gorro *m.* ① 테 없는 모자: ~ de baño 수영 모자. ~ de cocinero 요리사 모자. ② 보닛((여자나 아이들의 챙 없는 모자)). ③ (무엇의) 끝을 덮는 물건. ¶~ ***de catalán*** 까딸루냐 지방에서

쓰는 털모자. ***estar*** alguien ***hasta el*** ~ (누가) 더 이상 참지 못하다, 싫증이 나다. ***llenársele*** a alguien ***el*** ~ 인내심을 잃다.

gorrón[1] m. ① 돌멩이, 자갈. ② 비계를 뺀 돼지고기. ③ (매춘부나 행실이 나쁜 여자와 놀아나는) 망나니.

gorrón[2]**, na** *adj.* 남의 덕에 사는, 남에게 빌붙어 지내는. —*mf.* 기식자, 식객.

gorrona *f.* =prostituta.

gorronal *m.* 자갈밭(guijarral).

gorronear *intr.* 남의 덕에 살다, 남에게 빌붙어 지내다.

gorronería *f.* 남에게 빌붙어 지내기.

gospel *m. ing.* 고스펠송.

gota *f.* ① (둥그런 모양의 액체의) 방울: ~ de agua 물방울. ~ de lágrima 눈물 방울. ~ de lluvia 빗방울. ② 적은 양, 소량, 조금. ③ [의학] 통풍. ④ *Col.* (줄기가 마르는 균으로 생기는 감자 같은) 식물의 병. ⑤ *pl.* [의학] 적제(滴劑). ¶ ~ ***caduca,*** ~ ***coral*** 간질. ~ ***serena*** 흑내장. ***cuatro*** ~***s*** 지나가는 비. ***caer*** a alguien ***la*** ~ ***fría*** *Col.* 운이 나쁘다, 재수가 없다, 불운하다. ~ ***a*** ~ ㉮ *adv.* 조금씩 조금씩, 한 방울씩 한 방울씩. ㉯ *m.* 점적(点滴). ㉰ *m.* 점적기(点滴器). ***ni*** ~ =**nada.** ***sudar*** alguien ***la*** ~ ***gorda*** (누가) 피나는 노력을 하다.

goteado, da *adj.* 물방울로 얼룩진.

gotear *intr.* ① [비인칭 표현] 비가 한 방울씩 내리기 시작하다. ② (액체가) 한 방울씩 떨어지다. ③ 찔끔찔끔 주다[받다], 감질나게 주다[받다].

goteo *m.* ① 점적(点滴). ② 찔끔찔끔 주기[받기].

gotera *f.* ① 지붕에서 물이 샘, (지붕·천정에서) 비가 샘. ② 비가 새는 갈라진 틈. ③ 천정에서 물이 떨어지는 장소. ④ (노인의) 지병. ⑤ 나무의 병. ⑥ *pl. Bol., Chile, Col. Ecuad., Méj.* 교외(郊外).

gotero *m.* ① =**gota a gota.** ② *Amér.* 점안기(cuentagotas).

goterón *m.* ① 커다란 빗방울. ② [건축] (추녀 끝의) 물매.

gótico, ca *adj.* ① 고트족(los godos)의, 고트 사람의[같은], 고트 말의. ② 고딕식(式)의, 고딕풍(12세기부터 르네상스까지 유럽에서 발달한 예술)의: arquitectura ~*ca* 고딕 건축. ③ 고딕체로 쓰인[인쇄된]: letra ~*ca* 고딕 문자. ④ [문학] 고딕파의, 괴기적인. ⑤ =**noble, ilustre.** ⑥ 교양 없는, 야만의, 몰취미의, 멋없는. —*m.* ① 고트 말 ((고트족이 말했던 게르만 말)). ② 고딕 양식. —*f.* [인쇄] 고딕 활자, 고딕 서체. ¶ ~ ***flamígero*** [건축] 화염식 고딕. ~ ***florido*** [건축] (화려한 장식의 성격을 띤) 후기 고딕 미술.

gotón, na *adj.* =godo. —*mf.* 고트족 사람.

gotoso, sa *adj.* ① 통풍에 걸린. ② 병으로 다리를 쓰지 못하는 (맹금류). —*mf.* 통풍 환자.

gouache *m. fr.* ① 구아슈(aguada). ② 구아슈 수채화(법).

gourmet *mf. fr.* 음식에 밝은 사람, 식도락가, 미식가(gastrónomo).

goya *f.* ☞**goyo.**

goyesco, ca *adj.* ① 고야(Francisco de Goya, 스페인의 화가, 1746-1828)의[에 관한]. ② 고야풍의.

goyo, ya *adj. Nic.* =**sabelotodo.** —*f. Salv.* 숙취(resaca).

gozada *f.* ① 큰 기쁨. ② 즐거움을 주는 사람[것].

gozadera *f.* ① *Cuba.* 술과 춤을 동반한 소란스러운 파티. ② *Ven.* 무척 즐거운 일.

gozamiento *m.* 즐거움, 기쁨, 환희.

gozar (9) *tr.* ① 향유하다, 향수하다. ② (관능적으로) 맛보며 즐기다. ③ 여자와 육체 관계를 가지다. —*intr.* ① 즐기다, 기뻐하다, 기쁨을 맛보다. ② [+de] (…을) 향유하다, 향수하다. ¶ ***gozarla*** 즐거운 시간을 보내다.

gozne *m.* 경첩, 돌쩌귀.

gozo *m.* ① 기쁨, 즐거움. ② (잘고 마른 땔나무가 일으키는) 불꽃. ③ *pl.* 성모 마리아나 성자들을 찬양하는 시작(詩作). ¶***el*** **[*su*]** ~ ***en un pozo*** 기대에 어긋남, 예상이 빗나감. ***no caber*** alguien en sí ***de*** ~ (누가) 무상의 기쁨을 느끼다. ***saltar*** alguien ***de*** ~ (누가) 무척 기뻐하다.

gozosamente *adv.* 기쁘게, 즐겁게.

gozoso, sa *adj.* ① 기쁨[즐거움]을 느끼는. ② 기쁨[즐거움]을 낳는. ③ 성모 마리아의 기쁨에 관한.

gozque *m.* [동물] (잘 짖는) 작은 개.

G.P. giro postal 우편환.

g/p ganancias y pérdidas 손익(損益).

g(r). gramo 그램.

grabación *f.* ① 수록, 녹음, 취입; 녹화: ~ de video 비디오 녹화. ② 녹음 레코드, 녹음 테이프.

grabado *m.* ① (목판·동판의) 조각(술), 조판(彫版)(술), 제판(製版). ② 판화: ~ en cobre 동판(화). ~ en madera 목판(화). ③ 삽화, 일러스트, 일러스트레이션. ④ (레코드 등의) 취입. ¶ ~ ***de estampas,*** ~ ***en dulce*** 동요판(銅凹版), 동 오목판. ~ ***en fondo,*** ~ ***en hueco*** 그라비아 인쇄.

grabador, ra *adj.* 조판(彫版)의, 제판(製版)의, 새기는, 조각하는. —*mf.* ① 조각가; 판화가. ② 녹음자, 취입자. ③ [컴퓨터] 데이터 입력자. —*m. Arg., Ur.* 녹음기. —*f.* ① 테이프 리코더. ② [방송] 여성 리포터. ③ 녹음기.

grabadura *f.* 조각(하는 일).

grabar *tr.* ① 조각하다, 새기다. ② 수록하다, 녹음하다, 취입하다; 녹화하다. ③ [+en] (마음 등에) 새겨 넣다, 명기하다. ④ [컴퓨터] 데이터를 입력하다. —*intr.* [+en] (…에) 새기다, 조각하다.

grabazón *m.* 조각품 형태로 위에 포개 놓는 장식.

gracejada *f. AmérC., Méj.* 익살맞음.
gracejo *m.* 기지(機智), 신소리, 재담.
gracia *f.* ① (하나님의) 은총; 은혜. ② 호의; 총애. ③ 은사(恩赦), 특사, 용서. ④ 우아함, 우미함, 기품, 품위, 정숙함, 단아함. ⑤ 매력. ⑥ 재능. ⑦ 재미있음, 우스움, 농담. ⑧ [상업] (반제・지불의) 유예. ⑨ 이름, 세례명. ⑩ *Col.* 공로, 위업. ⑪ *pl.* 감사: acción de ~*s* (신에게) 감사 (기도). ¶ ~ ***de Dios*** 생활에 유익한 자연의 선물, (특히) 바람과 햇볕. ***caer de la*** ~ de alguien …의 총애를 잃다. ***caer en*** ~ 마음에 들다, 즐겁다, 기쁨을 주다. ***dar (las)*** ~***s*** 감사하다, 사의를 표하다. ***de*** ~ 거저, 공짜로, 무료로, 돈을 받지 않고. ***en*** ~ ***a*** …을 고려하여. ***gracias*** 고맙습니다, 감사합니다: Muchas ~*s* 대단히 감사합니다[고맙습니다]. Mil ~*s*, Un millón de ~*s*, Muchísimas ~*s* 정말 고맙습니다, 정말로 감사합니다. ~***s a*** … 덕분에, 덕택에. ***Gracias a Dios*** *interj.* 하나님 감사합니다!, 하나님께 감사드립니다!, 하나님 덕분입니다! ***hacer*** ~ =**caer en gracia.** ***hacer*** ~ ***de*** algo a alguien (누구를, 무엇에서) 용서하다[면해 주다]. ***por la*** ~ ***de Dios*** 하나님의 가호로.
graciable *adj.* ① 상냥스러운, 친절한. ② 무상의, 거저 주어도 되는.
grácil *adj.* 섬세한, 가느다란.
gracilidad *f.* 섬세함.
graciosamente *adv.* ① 우아하게, 상냥하게, 사랑스럽게. ② 거저, 무료로, 공짜로. ③ 익살스럽게, 우습게.
graciosidad *f.* ① 우아함. ② 우스갯짓.
gracioso, sa *adj.* ① 사랑스러운, 우아한, 품위 있는. ② 재미있는, 우스운, 우스꽝스러운, 익살이 넘치는; 기지가 풍부한. ③ 귀여운, 사랑스러운. ④ 거저의, 무료의, 공짜의, 무상의: a título ~ 무상으로, 무료로. —*m.f.* [연극] 어릿광대역, 익살꾼. —*m.* (스페인의 고전 코미디에서) 전형적인 인물, (일반적으로 재치와 교활함이 특징인) 하인.
grada[1] *f.* ① (계단의) 층계. ② 계단석. ③ 관람석. ④ (제단 아래 늘 놓이는) 대(臺), 발판. ⑤ (건독의) 선가(船架), 선가대(船架臺). ⑥ *pl.* (큰 건물의 현관 앞의) 계단. ¶ ~ ***del trono*** 왕위.
grada[2] *f.* ① (수도녀들의 수도원의) 격자(格子). ② [농업] 써레.
gradación *f.* ① 계단식 배열. ② 단계적 변화, 점차적 증가[감소]. ③ [음악] 단계적 배음, 그러데이션. ④ [수사학] 점층법. ⑤ [미술] 농담법(濃淡法).
gradado, da *adj.* 층계가 있는.
gradar *tr.* 쟁기질한 다음 써레로 흙을 고르다, 써레질하다.
gradeo *m.* 써레질.
gradería *f.* ① 계단석, 관람석, 스탠드. ② 관람석의 관중.
graderío *m.* ① (특히) 경기장[투우장]의 스탠드. ② 경기장[투우장]의 관중.
gradiente *m.* ① 변화율. ② [물리] 물매. —*f. Bol., Chile, Ecuad., Nic., Perú.* 경사, 비탈(declive, pendiente).
gradilla[1] *f.* ① 휴대용 작은 사다리. ② (실험실의) 시험관 틀.
gradilla[2] *f.* 벽돌 찍는 틀
gradiolo *m.* =**gladíolo.**
gradíolo *m.* =**gladíolo.**
grado[1] *m.* ① (화상 등의) 도: ~ de humedad 습도. sufrir quema- duras de primer ~ 1도의 화상을 입다. ② 정도, 단계: ~ de invalidez 장애의 정도. ③ (친척 관계의) 촌수: primo en segundo ~ 6촌. ④ 학위: ~ de doctor 박사 학위. ~ de licenciado 학사 학위. ~ de maestro 석사 학위. ⑤ 학년: primer ~ 1학년. segundo ~ 2학년. tercer ~ 3학년. cuarto ~ 4학년. quinto ~ 5학년. sexto ~ 6학년. alumno del primer ~ 1학년 학생, 1년생. ⑥ (군 등의) 계급. ⑦ (조직체의) 직계, 직급, 직계제. ⑧ 알코올의 도수. ⑨ [온도의 단위] 도. ⑩ (계단의) 층계. ⑪ [법률] 심급. ⑫ [수학] (방정식의) 차수. ⑬ [문법] 급(級): ~ comparativo 비교급. ~ positivo 원급. ~ superlativo 최상급. ⑭ *Ven.* 대학의 학위 수여식 행사. ⑮ [종교] 삭발식 후에 성직자가 받는 품급. ¶ ~ ***Celsius*** =**grado centígrado.** ~ ***centígrado*** 섭씨 (℃). ~ ***de temperatura*** 온도(를 재는) 단위. ~ ***Fahrenheit*** 화씨 (℉). ~ ***Kelvin*** 절대 온도. ***de*** ~ ***en*** ~ 잇따라, 계속적으로, 단계적으로, 서서히. ***en*** ~ ***superlativo*** 극도로, 과도히, 지나치게. ***en*** ~ ***treinta y tres*** *Ven.* 비밀리에.
grado[2] *m.* 의지, 기쁨. ¶***a mal de su*** ~ =**mal de su grado.** ***de (buen)*** ~ 자발적으로 기꺼이, 마음으로부터, 자진해서. ***de*** ~ ***o por fuerza*** 자발적이거나 강제로. ***de mal*** ~ 마지못해. ***de su*** ~ =**de grado.** ~ ***a Dios*** [고어] =**gracias a Dios.** ***mal (de) su*** ~ (…의) 뜻을 어겨.
graduable *adj.* ① 조절[가감]할 수 있는. ② 졸업 가능한.
graduación *f.* ① (대학의) 졸업, 학위 수여[취득]. ② 절도(節度); 측정, 검사: ~ de vista 시력 검사. ③ 도수; 알코올 도(度). ④ [군사] 계급. ⑤ [화학] 적정(滴定).
graduado, da *adj.* ① 졸업한. ② 눈금을 그려 놓은. ③ [군사] 명예 진급의. ¶***graduado, da escolar*** *m.f.* 중학교 졸업자. ***graduado escolar*** *m.* 중학교 졸업 증서.
graduador *m.* [기계] 분도기, 눈금자.
gradual *adj.* 단계적인, 점진적인: aumento ~ 점증(漸增).
gradualidad *f.* 단계성, 점진성.
gradualismo *m.* =**gradualidad.**
gradualmente *adv.* 차차, 점차로, 차츰차츰.
graduando, da *m.f.* (대학의) 졸업 예정자, 학위 취득 예정자.

graduar (15) *tr.* ① 조절하다, 조정하다. ② (각도·농도 등을) 측정하다, 재다. ③ …에 눈금을 그려 넣다; …에 등급[계급]을 매기다. ④ [+de] (학위·군대의 계급을) …에게 주다. ⑤ 점증[점감]시키다. ~**se** ① [+de·por+기관, +en+분야] (…를) 졸업하다. ② 학위를 취득하다. ③ [군사] 장교가 되다.
grafema *m.* [언어] 서기소(書記素).
grafía *f.* [언어] 서기법(書記法); 문자.
-grafía *suf.* 「쓴 것」이나 「그린[묘사한] 것」의 뜻: mono*grafía* 전공 논문, 연구 논문. mecano*grafía* 타자(술).
gráfica *f.* ☞**gráfico.**
gráficamente *adv.* 도표[그래프]로, 도형으로.
graficar (7) *tr. Arg., Chile, Cuba, Ur., Salv.* 그림[기호]으로 표시하다.
gráfico, ca *adj.* ① 그래프[도형·사진·기호]로 표시한[나타낸]: artes ~*cas* 그래픽 아트. dibujo ~ 그래픽 아트를 이용한 상업 디자인. ② 표현이 풍부한, 선명한, 눈 앞에 보는 것 같은. —*m.* 그래프, 도표, 도형(圖形). —*f.* = **gráfico.**
grafila *f.* =**gráfila.**
gráfila *f.* (동전의) 가장자리 무늬.
grafioles *m.pl.* 꿀[설탕]을 바른 비스킷의 일종.
grafismo *m.* ① 그래픽 디자인(diseño gráfico): ~ electrónico 전자 그래픽(디자인). ~ por computadora 컴퓨터 그래픽 (디자인). ② 화풍(畵風).
grafista *m.f.* 그래픽 디자이너.
grafito[1] *m.* [광물] 흑연 그래파이트, 석묵(石墨).
grafito[2] *m.* ① (옛날 사람들이 기념물에 손으로 새긴) 글씨, 그림, 디자인. ② (일반적으로 공격적이거나 항의하는) 벽보, 그림, 플래카드.
grafo *m* [언어] 서기법(grafía)을 이해하는 추상적 단위.
grafo- *suf.* 「쓰기」의 뜻: *grafo*logía 필상학. *grafo*manía 저술광.
-grafo, fa *pref.* 「쓰는(que escribe)·묘사하는」의 뜻: mecanó*grafo* 타자수. telé*grafo* 전신기. bolí*grafo* 볼펜.
grafología *f.* 필상학(筆相學), 필적학(筆跡學), 필적 관상법.
grafológico, ca *adj.* 필상학의, 필적학의[에 관한], 필적 관상학의.
grafólogo, ga *m.f.* 필상학자, 필적학자, 필적 관상가.
grafomanía *f.* 저술광(著述狂), 메모광.
grafómano, na *adj.* 저술광의, 메모광의. —*m.f.* 저술광, 메모광, 서광 환자.
grafómetro *m.* 측각기(測角器).
grafoscopio *m.* ① 쓴 것을 검사하는 큰 확대경. ② [컴퓨터] 그래포스코프.
gragea *f.* ① 정제(錠劑), 당의정(糖衣錠). ② [과자] 드롭(스).
graja *f.* [새] 갈까마귀의 암컷.
grajear *intr.* ① 갈까마귀[까마귀]가 울다. ② (아직 말하지 못하는 아이가) 목구멍소리를 내다.
grajero, ra *adj.* 갈까마귀가 모이는[사는·둥지를 트는] (장소).
grajiento, ta *adj. Col., Cuba, Perú, RRico.* 암내(grajo)가 나는.
grajo *m.* ① [새] 갈까마귀. ② *Ant., Col., Ecuad., Perú.* 암내, 액기(腋氣). ③ [드묾] =**charlatán.**
grajuno, na *adj.* ① 갈까마귀의[에 관한]. ② 갈까마귀와 비슷한[닮은].
Gral. general 장군.
grama *f.* ① [식물] 그라마 ((화본과의 풀)). ② *Ecuad., Hond., Pan., Perú, PRico.* 잔디(césped).
gramaje *m.* [인쇄] 평량(坪量).
gramar *tr. Ast., Gal.* 빵 반죽을 한 후 다시 다지다.
gramática *f.* ① 문법(文法). ② 문법책. ③ =**gramática normativa.** ④ 언어를 정확히 말하고 쓰는 기술. ⑤ [고어] 라틴어 연구. ¶ ~ *comparada* 비교 문법. ~ *descriptiva* 기술 문법. ~ *especulativa* 이론 문법. ~ *estructural* 구조 문법. ~ *funcional* 기능 문법. ~ *general* 일반 문법. ~ *generativa* 생성 문법. ~ *histórica* 역사 문법. ~ *normativa* 규범 문법. ~ *parda* 임기 응변의 재능, 빈틈없음. ~ *preceptiva* 인지 문법. ~ *tradicional* 전통 문법. ~ *transformacional*, ~ *transformativa* 변형 문법.
gramatical *adj.* ① 문법의[에 관한]. ② 문법 규칙에 맞는.
gramaticalidad *f.* [언어] 문법성.
gramaticalización *f.* [언어] 표준어법화.
gramaticalizarse *r.* [언어] 표준어법화되다, 문법에 맞게 되다.
gramaticalmente *adv.* ① 문법 규칙에 의해[따라서]. ② 문법적으로.
gramático, ca *adj.* 문법의, 문법 규칙에 맞는(gramatical). —*m.f.* 문법 학자.
gramatiquear *intr.* [경멸] 문법적으로 쓸데없이 따지고 들다.
gramatiquería *f.* [경멸] 문법 사항; 쓸데없는 문법에 관한 논쟁.
gramil *m.* 평행자.
gramilla[1] *f.* (대마 등을) 빗는 틀.
gramilla[2] *f. Arg., Bol., Hond., Perú, Ur.* 잔디(césped).
gramíneo, a *adj.* [식물] 화본과의, 벼과에 속하는. —*f.pl.* 화본과 식물.
gramo *m.* 그램 ((중량의 단위)).
gramofónico, ca *adj.* 축음기의.
gramófono *m.* (옛날의) 축음기.
gramola *f.* (옛날의 스피커가 내장된) 축음기; 주크박스, 자동 전축.
gran *adj.* [grande가 명사 앞에서 de 탈락] 큰, 위대한: ~ mujer 위인, 위대한 여인. ☞**grande.**
grana[1] *f.* ① (곡식의) 결실. ② (여러 가지 야채의) 작은 씨앗[열매]. ③ (밀 등의) 결실기.
grana[2] *f.* ① [곤충] 연지벌레. ② 붉은색. ③ 파티복용 가는 천.
granada *f.* ① [과실] 석류. ② [군사] 유탄(榴彈). ¶ ~ *de mano* 수류탄.

Granada[1] *f.* [국명] 그라나다.
Granada[2] *f.* [지명] 그라나다 ((안달루시아 지방의 주·주도)).
granadal *m.* 석류나무밭.
granadera *f.* 수류탄용 쇠가죽 자루.
granadero *m.* ① 수류탄으로 무장한 보병. ② 선발된 병사. ③ 키다리.
granadino[1]**, na** *adj.* 석류나무의, 석류의. —*m.* 석류꽃. —*f.* 석류즙 시럽.
granadino[2]**, na** *adj.* ① 그라나다시(市)[주(州)] (태생)의. ② 그라나다국(國) (태생)의. —*mf.* ① 그라나다시(市)[주(州)] 사람. ② 그라나다국(國) 사람. —*f.* ① 꼰 명주로 만든 투명한 천. ② 안달루시아의 여러 노래, (특히) 그라나다의 여러 노래.
granado[1] *m.* [식물] 석류나무.
granado[2]**, da** *adj.* ① 우수한, 빼어난, 선발된. ② =**maduro, juicioso.**
granar *intr.* 열매를 맺다, 결실하다
granate *m.* ① (붉은·검은·녹색의·노란·자줏빛의·오렌지색의) 석류석. ② 암적색, 검붉은 빛. —*adj.* 암적색의, 검붉은. ¶ ~ ***almandino*** (보석으로 많이 사용되는) 짙은 보랏빛이나 밝은 적색 석류석. ~ ***de Bohemia*** 포도주색 석류석. ~ ***noble,*** ~ ***oriental,*** ~ ***sirio*** =**granate almandino.**
granazón *f.* [식물] 결실(結實).
Gran Bretaña [국명] 대영 제국.
Gran Bretaña e Irlanda del Norte (Reino Unido de) *m.* [국명] 대영 제국(大英帝國).
grancanario, ria *adj.* ① 대 카나리아(Gran Canaria) (태생)의. ② 대 카나리아에 관한. —*mf.* 대 카나리아 군도의 사람.
Gran Colombia *f.* 대 콜롬비아국 ((오늘날 콜롬비아, 베네수엘라 및 에꾸아도르에 속한 영토로 앙고스뚜라 의회에서 볼리바르에 의해 설립된 국가)).
grancolombiano, na *adj.* 대 콜롬비아국의[에 관한].
grande *adj.* [단수 명사의 직전에 오면 gran이 됨; 비교급은 más grande, mayor] ① ㉮ (크기가) 큰, 커다란: *gran* ciudad, ciudad ~ 대도시. ㉯ 널찍한: habitación ~ 널찍한 방. ㉰ 높은, 큰: árbol ~ 큰 나무. ㉱ (수량·정도가) 큰: *gran* ruido 큰 소음. ② 어른의, 성인의, 나이가 많은. ③ [+명사] 위대한: *gran* hombre 위대한 남자, 위인. *gran* mujer 위대한 여인, 위인. *gran* escritor 대작가. ④ 훌륭한, 굉장한, 멋진, 대단한. —*m.* 고관, 거물. ¶ ~ ***de España*** *mf.* 대공작 ((스페인의 최고 귀족)). ***a lo*** ~ 호화롭게, 사치스럽게. ***en*** ~ ㉮ 대규모로, 크게, 대대적으로, 대국적으로. ㉯ 훌륭하게, 멋지게, 근사하게, 굉장하게, 행복하게.
grandemente *adv.* ① =**mucho, muy bien.** ② =**extremadamente.**
grandevo, va *adj.* [시어] 노령의, 나이 많은, 고령의(de mucha edad).
grandeza *f.* ① 큰 것, 커다람, 장대함. ② 위대함, 훌륭함. ③ 권세. ④ [집합] 대공작들. ⑤ 대공작의 지위[신분]. ⑥ =**extensión, tamaño, magnitud.**
grandillón, na *adj.* (불균형으로) 정상 크기를 넘은.
grandilocuencia *f.* ① 호언장담, 큰소리, 과장된 표현. ② 명문.
grandilocuente *adj.* 큰소리치는, 호언장담하는, 과장된.
grandilocuo, cua *adj.* =**grandilocuente.**
grandiosamente *adv.* 장대하게, 웅대하게, 훌륭하게.
grandiosidad *f.* 장대함, 웅대함, 훌륭함, 당당함.
grandioso, sa *adj.* 웅대한, 장대한, 훌륭한, 당당한: catedral ~*sa* 장엄한 성당. paisaje ~ 웅대한 경치.
grandisonar *intr.* [시어] 우렁차게[장엄하게] 울리다, 울려 퍼지다.
grandísono, na *adj.* [시어] 울려 퍼지는, 우렁차게[장엄하게] 울리는.
grandón, na *adj.* (특히 소년이) 나이에 비해 많이 자란.
grandor *m.* (어떤 것의) 크기(tamaño).
grandullón, na *adj.* (특히 소년들이 나이에 비해) 매우 큰, 많이 자란. —*mf.* (나이에 비해) 매우 큰 소년.
grandulón, na *adj.* =**grandullón.**
grandura *f.* [드묾] =**grandor.**
graneado, da *adj.* ① 입상(粒狀)의, 알갱이로 부서진. ② 반점이 있는.
graneador *m.* (화약 공장에서 사용하는) 가죽 키.
granear *tr.* (낟알·씨앗을) 뿌리다.
granel *a* ~ ① 눈대중으로, 눈어림으로. ② 낱개로, 용기[그릇·자루]에 넣지 않고, 포장하지 않고. ③ 많이, 넉넉히, 다량으로, 충분히, 흥청망청, 펑펑. ((①②③ 모두 *adj.* 로도 사용함)).
granelero *adj., mf.* 포장하지[묶지] 않은 채로 짐을 옮기는 (사람).
granero *m.* 곡물 창고; 곡창 지대.
granítico, ca *adj.* ① 화강암의. ② 화강암 같은.
granito *m.* [광물] 화강암.
granívoro, ra *adj.* (동물이) 곡식을 먹이로 하는: ave ~*ra* 곡식 먹는 새.
granizado, da *adj.* (알코올 음료나 과실 즙 등을 첨가해) 아주 잘게 부순 얼음으로 만든. —*m.* 얼음 넣은 음료수, 빙수. —*f.* ① 우박이 쏟아짐. ② 우박처럼 많이 쏟아져 내리는 것. ③ *And., Chile.* =**granizado.**
granizar (9) *intr.* ① [비인칭] 우박이 내리다. ② 우박처럼 심하게 쏟아지다. —*tr.* [+de] 우박이 내린 것처럼 …에게 던지다[떨어뜨리다].
granizo *m.* ① [기상] 우박. ② 우박이 쏟아짐. ③ 우박처럼 많이 쏟아져 내리는 것. ④ (눈에 생기는) 별.
granja *f.* ① 농장, 농원. ② 가축 사육장. ③ 우유 제품 판매소. ④ 착유장. ¶ ~ ***escuela*** 실습 농장.
granjeable *adj.* 이익을 얻을 수 있는;

얻을 수 있는, 취득할 수 있는.

granjear *tr.* ① (목축의 거래로) 돈을 벌다, 이익을 얻다. ② 얻다, 취득하다. ③ 사로잡다, 매혹시키다, 마음을 사로잡다. ④ [선박] 바람 부는 쪽으로 나가다. ~**se** (우정·신뢰 등을) 받다, 얻다.

granjeo *m.* 돈벌이, 이득; 취득.

grangería *f.* ① (농장에서 얻은) 수익, 소득. ② 가축 사육. ③ (장사로 얻은) 이익, 이득. ④ *Ven.* (판매용으로 집에서 만든) 작은 과자[단것] ((*pl.* 로도 사용함)).

granjero, ra *m.f.* 농장 관리인[노동자].

grano *m.* ① (밀·보리 등의) 낟알: 곡물: almacenar (el) ~ 곡물을 저장하다. ② (여러 식물의) 작은 열매[씨]: ~ de mostaza 갓 씨, 겨자 씨. ③ (다른 것과 붙어서 이루어진) 씨앗, 열매. ④ (어떤 것의) 적은 분량[부분], 가루: ~ de arena 모래알. ⑤ (담배 등의) 가루. ⑥ 그레인 ((약량의 단위: 48 mg)). ⑦ (보석에서) 4분의 1 캐럿. ⑧ (무두질한 가죽의) 표면, 겉. ⑨ [의학] (얼굴에 나는) 발진, 여드름. ⑩ [사진] (유제 중의) 입자. ¶ ~ ***de arena*** 자그마한 도움[원조], 빈자일등(貧者一燈). ~***s del paraíso*** 양하(蘘荷)의 씨. ***apartar el ~ de la paja*** 진짜로 가치 있는 인물을 찾아내다, 어떤 것 속에서 실질적인 것과 그렇지 않는 것을 구별하다. ***con su ~ de sal*** 신중히. ***ir*** alguien ***al*** ~ (군더더기를 생략하고) 바로 본론으로 들어가다. ***no ser ~ de anís*** 중요하다, 중요성이 있다. ***sacar*** ~ de algo …에서 이익을 얻다.

granoso, sa *adj.* (피부에) 좁쌀알 같은 것이 돋아난.

granuja *f.* ① (송이에서 떨어진) 포도. ② (포도와 다른 과실의) 속 알갱이, 씨. ③ [집합] 불량배. —*m.* ① 떠돌이 소년, 악동. ② 불량 소년.

granujado, da *adj.* [드묾] 불량배 같은, —*f.* 못된 짓, 불량배 짓, 비행(非行).

granujería *f.* ① [집합] 불량배. ② 못된 짓, 비행.

granujiento, ta *adj.* 여드름이 많은, 좁쌀알 같은 것이 많이 난.

granujo *m.* 여드름, 습진.

granujoso, sa *adj.* 여드름투성이의, 좁쌀알 같은 것이 많이 돋아난.

granulación *f.* ① 알갱이로 만들기. ② 과립 (형성), 입상(화). ③ [의학] 발진.

granulado, da *adj.* 입상(粒狀)의, 과립상(顆粒狀)의. —*m.* 과립상의 약.

granular[1] *adj.* 입상(粒狀)의, 좁쌀알 같은: erupción ~ 좁쌀알 같은 발진.

granular[2] *tr.* ① [화학] 고운 가루로 만들다. ② 아주 작은 알갱이로 부수다[빻다]. ~**se** (여드름·부스럼 같은) 종기가 나다, 발진이 나다.

granulia *f.* 속립 결핵.

gránulo *m.* ① (작은 알의) 환약. ② 작은 알갱이, 고운 가루.

granulocito *m.* [해부] 과립성 백혈구.

granulocitosis *f.* [의학] (혈액에) 과립성 백혈구 수의 비정상 증가.

granulometría *f.* ① 입자 (크기) 분석기계. ② (입자를 이루고 있는) 돌·곡류·모래 등의 크기.

granulométrico, ca *adj.* granulometría 의[에 관한].

granuloso, sa *adj.* 작은 알갱이 모양의, 입상(粒狀)의.

granza[1] *f.* [식물] 꼭두서니.

granza[2] *f.* ① 분탄(粉炭). ② *CRica.* 쌀알의 껍질. ③ *pl.* (밀이나 보리를 탈곡한 후 남은) 길고 두터운 지푸라기 찌꺼기; (특히 껍질이 벗겨지지 않은) 알갱이. ④ *pl.* (체로 칠 때 생기는 석고의) 무거리, 부스러기. ⑤ *pl.* 광재.

granzoso, sa *adj.* 찌꺼기가 많은.

grañón *m.* ① 밀죽. ② 밀죽에 든 밀 알갱이.

grao *m.* 부두로 사용하는 바닷가.

grapa[1] *f.* ① 꺾쇠; 꺾쇠 모양의 고리. ② 호치키스의 바늘. ③ [의학] 봉합 클립 ((외과에서 상처를 봉합하기 위해 사용하는 호치키스 바늘 모양의 것)). ④ (포도알을 따고 남은) 포도송이 가지. ⑤ [수의학] 말의 뒷다리 관절 앞 부분과 무릎 뒷부분에 생기는 종기[궤양].

grapa[2] *f.* *Arg., Ur.* 포도의 껍질에서 얻어지는 증류주, 저질 포도주.

grapadora *f.* 호치키스.

grapar *tr.* 호치키스로 박다.

grapo *m.f.* GRAPO 대원[구성원].

GRAPO *m.pl.* Grupos de Resistencia Antifascista Primero de Octubre 10월 1일 반파시스트 저항단 ((반파시스트 레지스탕스 조직)).

grasa *f.* ① 지방; 비계, 기름기: ~ animal 수지(獸脂), 짐승의 기름. ~ vegetal 식물성 지방. ② 기름때. ③ 윤활유. ④ 두송의 나무진. ⑤ 번지는 것을 막는 약제. ⑥ *pl.* 광재(鑛滓).

grasera *f.* 기름통; 기름받이 ((취사용)).

grasería *f.* 양초 공장.

grasero *m.* 광재(鑛滓) 버리는 곳.

grasiento, ta *adj.* 지방분이 많은, 비계가 많은, 비곗살이 많은, 기름기가 많은: cara ~*ta* 기름기가 도는 얼굴.

grasilla *f.* (잉크의) 번지는 것을 막는 약제 (가루).

graso, sa *adj.* ① 지방질의. ② 기름기가 있는, 지방질이 많은; 지방 체질의, 살갗이 기름진. ③ 살찐: cerdo ~ 살찐 돼지. —*m.* =**grasa.**

grasones *m.pl.* 밀가루 죽.

grasoso, sa *adj.* =**grasiento.**

grasura *f.* 기름기.

grata *f.* 쇠솔.

gratamente *adv.* 마음 편하게, 한가로이, 조용히.

gratar *tr.* 쇠솔질을 하다, 쇠솔로 깨끗이 하다.

gratarola *adv.* *Ur.* =**gratuitamente.**

gratén *al* ~ =**al gratín.**

gratificación *f.* ① 보답하는 것. ② 상

여(금), 위로금. ③ 팁(propina).

gratificador, ra *adj.*, *m.f.* 보답하는 (사람).

gratificante *adj.* 만족감을 주는.

gratificar (7) *tr.* ① 보답하다, 상여금[위로금·팁]을 주다. ② [드묾] 기쁘게 하다, 즐겁게 하다.

gratil *m.* =**grátil.**

grátil *m.* 돛의 가장자리.

gratín *m.* *fr.* [요리] 그라탱 ((가루 치즈와 빵가루를 입힌 다음 노랗게 구운 요리)). ¶*al* ~ 그라탱을 만들기 위해 삶은 후 오븐에 넣은.

gratinado, da *adj.* 오븐에 볶은. —*m.* ① 오븐에 볶은 것. ② 그라탱(gratín)처럼 노랑색 엷은 껍질이 생김.

gratinador *m.* 음식을 노랗게 하기 위해 오븐 윗부분에 놓인 장치, 오븐 윗부분의 히터.

gratinar *tr.* 그라탱으로 하다, 음식이 오븐 위에서 볶아지게 하다.

gratiñán *adv.* *Cuba., Ven.* =**gratuitamente.**

gratis *adj.* 무료의: pase ~ 무료 입장권. —*adv.* 무료로, 무보수로, 거저, 공짜로, 돈을 받지 않고.

gratisdato, ta *adj.* [드묾] 무료[공짜]의.

gratitud *f.* 감사(의 마음): expresar *su* ~ 사의(謝意)를 표하다.

grato, ta *adj.* ① 즐거운, 기쁜, 유쾌한, 기분 좋은, 상쾌한. ② …의 마음에 드는. ③ [통신문에서] 귀하의 (고마운), 귀(貴) (서신): su *grata* (carta) 귀한(貴翰), 귀하의 서신. su *grata* orden 귀하의 주문(서). ¶*persona grata* ㉮ 마음에 드는 사람. ㉯ [외교] 주재국 정부로서 받아들일 수 있는 외교관. *persona no* [*non*] *grata* ㉮ 호감이 가지 않는 사람. ㉯ [외교] 주재국 정부로서 받아들일 수 없는 외교관.

gratuidad *f.* 무료, 무료성; 근거 없음.

gratuitamente *adv.* ① 무료로, 무보수로, 거저, 공짜로, 돈을 받지 않고. ② 근거 없이.

gratuito, ta *adj.* ① 무료의, 무보수의, 공짜의, 무상의: billete ~ 무료 입장권. servicio ~ 무료 봉사, 무보수 봉사. ② 임의의, 근거[이유·까닭] 없는: acusación ~*ta* 근거 없는 비난.

gratulación *f.* [드묾] 축하, 축사.

gratular *tr.* [드묾] 축하하다. ~**se** [드묾] 기뻐하다, 즐거워하다.

gratulatorio, ria *adj.* 축하의, 축하를 보내는: discurso ~ 축하 연설.

grava *f.* ① [집합] 돌멩이. ② (길바닥에 까는) 자갈. ③ [광산] 자갈과 모래가 혼합된 층.

gravamen *m.* [*pl.* gravámenes] ① (무거운) 부담, 책임. ② 세금. ③ 과징금.

gravar *tr.* ① (…에(게)) 부담을 주다. ② 과세하다, 세금[관세]을 부과하다: ~ con impuestos 중세를 부과하다.

gravativo, va *adj.* [드묾] 짐스러운, 부담이 가는.

grave *adj.* ① 무거운, 중량이 있는. ② 큰, (아주) 중요한, 중대한, 심각한: enfermedad ~ 큰 병, 중병. error ~ 중대한 오류. negocio ~ 큰 사업. ③ (병이) 중태의, 중증의: enfermedad ~ 중병. síndrome respiratorio agudo (y) ~ 중증 급성 호흡기 증후군, 사스. ④ 엄숙한, 진지한. ⑤ (문체가) 장중한. ⑥ 저음(低音)의: voz ~ 저음, 낮은 소리. ⑦ =**arduo, difícil.** ⑧ =**molesto, enfadoso.** ⑨ [언어] 뒤에서 두 번째 음절에 악센트가 있는. —*m.* ① 무거운 것. ② [음악] 저음역. ③ [물리] 중량 있는 물체.

gravedad *f.* ① [물리] 중력: leyes de la ~ 중력의 법칙. ② [물리] 지구 인력. ③ 커다람, 중대함, 심각함. ④ 엄숙함, 진지함, 침착함. ⑤ (병의) 중태, 중증: ~ de la enfermedad (병의) 중태, 중증. enfermo de ~ 중병인. herido de ~ 중상자. ⑥ [드묾] =**enormidad, exceso.** ¶*centro de* ~ 중심.

gravedoso, sa *adj.* [드묾] 진지한, 엄숙한, 침착한.

gravedumbre *f.* [드묾] =**aspereza, dificultad.**

gravemente *adv.* ① 중대하게; 심각하게; 진지하게. ② 대단히, 매우, 몹시, 심히.

gravera *f.* 자갈과 모래가 혼합된 광맥.

gravidez *f.* ① 무게가 있음. ② (여자의) 임신(한 상태).

gravídico, ca *adj.* gravidez의[에 관한].

grávido, da *adj.* ① 무거운, 무게가 있는. ② (여자가) 임신한. ③ [시어] 넘친, 가득한(cargado, lleno, abundante).

gravilla *f.* (포장용이나 시멘트 공장에서 많이 사용되는) 자디잔 자갈.

gravimetría *f.* ① [물리] 중량[밀도] 측정. ② [물리·화학] 중량 분석.

gravimétrico, ca *adj.* ① 중량 측정의, 중량에 의해 측정된. ② 비중계[중력계]의[에 관한].

gravímetro *m.* ① (고체·액체의) 밀도계, 비중계. ② [물리] 중력계(重力計).

gravitación *f.* ① 짓누름; 부담을 줌; 영향을 미침. ② [물리] 중력, 인력.

gravitacional *adj.* =**gravitatorio.**

gravitar *intr.* ① 인력에 끌리다. ② (부담·책임 등이) …에게 걸려 있다, …의 책임이다. ③ (…에) 무게가 실려 있다, 얹혀[받쳐져] 있다, 기대다. ④ …에 영향을 끼치다.

gravitatorio, ria *adj.* 중력의, 인력 (작용)의. ¶*masa ~ria* 중력 질량.

gravoso, sa *adj.* ① 귀찮은, 성가신, 부담이 가는. ② 값이 엄청난.

graznador, ra *adj.* (까마귀·거위 등이) 까욱까욱 우는.

graznar *intr.* (까마귀·거위 등이) 까욱까욱 울다.

graznido *m.* ① (까마귀·거위 등이) 까옥까옥 우는 울음 소리. ② 귀에 거슬리는 노래.

greba *f.* (옛날 투구 등의) 무릎받이.

greca *f.* ☞**greco.**

Grecia *f.* [국명] 희랍, 그리스.
grecismo *m.* 희랍 어원의 말.
greco, ca *adj., mf.* =**griego.** —*f.* [미술] 뇌문(雷紋), 번개무늬, 돌림무늬.
grecochipriota *adj.* 그리스계 키프로스의[에 관한]. —*mf.* 그리스계 키프로스 사람.
grecolatino, na *adj.* 그리스-라틴의.
grecorromano, na *adj.* 그리스-로마의.
greda *f.* 점토(粘土).
gredal *m.* 점토 채취장.
gredoso, sa *adj.* 점토질의.
green *m.* [골프] 그린.
gregal[1] *m.* 북동풍(北東風).
gragal[2] *adj.* 무리[떼] 지어 사는.
gregario, ria *adj.* ① [생물] 군생의, 군집의, 집단의. ② 부화뇌동하는.
gregarismo *m.* ① [생물] 군생(群生). ② 군집 본능. ③ 부화뇌동성.
gregoriano, na *adj.* ① 로마 교황 그레고리우스 1세(Gregorio)에 의해 개혁된 (성가). ② 그레고리우스 13세가 개혁한: calendario ~ 그레고리오력(曆).
greguería *f.* =**gritería.**
greguescos *m.pl.* =**gresgüescos.**
gregüescos *m.pl.* (16-17세기에 입었던) 통이 넓은 바지[반바지].
grelo *m. Gal.* [주로 *pl.*] 무 줄기의 먹을 수 있는 부드러운 잎.
gremial *adj.* 동업 조합(同業組合)의, 길드의. —*mf.* 동업 조합원.
gremialismo *m.* 동업 조합주의.
gremialista *adj.* gremialismo의. —*mf.* 동업 조합주의자.
gremio *m.* ① 동업 조합, 동업자 단체. ② [역사] 길드. ③ (취미 등이 같은) 동아리.
greña *f.* ① [주로 *pl.*] 헝클어진 머리카락. ② (쉽게 풀 수 없는 다른 것과) 얽힌 것. ③ *And., Méj.* 탈곡된 익은 곡물. ④ *And.* 첫 잎을 내는 덩굴. ⑤ *And.* 2년된 포도나무 조림지. ¶***andar a la*** ~ ㉮ 머리채를 잡고 싸우다. ㉯ 심하게 말다툼하다.
greñudo, da *adj.* 머리카락을 산발한 [풀어 헤친]. —*m.* (객줏집에서) 암말을 발정케 하는 수말.
gres *m.* (모래가 섞인) 도토(陶土).
gresca *f.* 소동, 소란; 싸움, 말다툼.
grey *m.* ① (양·산양 등의) 떼. ② (소·말 등의) 큰 가축. ③ [기독교] 신도단. ④ 집단, 그룹.
grial *m.* 성배(聖杯)(Santo Grial).
griego, ga *adj.* ① 그리스[희랍](Grecia) 태생의. ② 그리스[희랍]의[에 관한]: filosofía *~ga* 그리스 철학, 희랍 철학. ③ 그리스[희랍] 정교(正敎)의. —*mf.* 그리스 사람, 희랍 사람. —*m.* ① 그리스 말, 희랍어. ② 난해한 말, 이해할 수 없는 말. ③ [드묾] =**tahúr, fullero.**
grieta *f.* ① 갈라진 금[틈], 균열. ② (빙하의) 크레바스. ③ [등산] 바위의 갈라진 틈. ④ 틈. ⑤ *pl.* (손발의) 튼 곳, (추위로) 손발이 틈.
grietado, da *adj.* 금이 간, 틈[균열]이 생긴.
grietarse *r.* [드묾] (몸이) 금이 가다, 갈라지다, 터지다.
grietearse *r.* [드묾] =**grietarse.**
grietoso, sa *adj.* 사방이 금이 간[갈라진], 균열투성이인(lleno de grietas).
grifa[1] *f.* ☞ **grifo.**
grifa[2] *f.* =**letra aldina.** ☞ **letra.**
grifarse *r.* ① =**empinarse, enarmonarse.** ② *CRica.* 닭살이 돋다. ③ *CRica.* 마리화나를 피우다.
grifería *f.* ① [집합] 수도꼭지. ② 수도꼭지와 배수 용품 판매 가게.
grifo, fa *adj.* ① 곱슬곱슬해진, 오므라든, 얽힌, 꼬인 (머리카락). ② *Ant.* (흑백 인종의 혼합을 가리키는) 머리카락이 말린. ③ *Col.* =**entonado, presuntuoso.** ④ *CRica.* 닭살이 돋은. ⑤ *CRica., Hond., Méj., Salv.* 마리화나에 중독된. ⑥ *Cuba.* 깃털이 오그라든 (새·닭). ⑦ *Hond., Méj.* 술에 취한. —*mf.* ① 흑백 혼혈로 머리카락이 말린 사람. ② 마리화나 중독자. ③ 취객, 주정뱅이. —*m.* ① [희랍 신화] 상반신은 독수리에 하반신은 사자인 괴수. ② 수도꼭지; 꼭지, 전(栓): agua del ~ 수돗물. abrir un ~ 수도꼭지를 열다[틀다]. cerrar un ~ 수도꼭지를 잠그다[닫다]. ③ *Perú.* 주유소. —*f.* ① =**llave grifa.** ② 인도 삼.
grifón *m.* (수도 등의) 꼭지.
grill *m ing.* ① 석쇠. ② 그릴 ((호텔 등의 간이 식당)). ③ =**gratinador.**
grilla *f.* 귀뚜라미의 암컷.
grillado, da *adj.* ① 싹이 튼. ② 미친.
grillarse *r.* ① (밀 등의) 줄기가 뻗다. ② 미치다(chiflarse).
grillera *f.* ① 귀뚜라미의 구멍. ② 귀뚜라미 가두는 통[집]. ③ 왁자지껄한 곳, 너무 떠들어 알아들을 수 없는 곳.
grillero *m.* (죄수의 발에 족쇄를 끼우고 푸는) 간수, 교도(矯導).
grilete *m.* ① (고대 로마의 죄수에게 채우는) (쇠로 만든) 족쇄. ② [선박] 닻에 달린 쇠사슬.
grillo[1] *m.* [곤충] 귀뚜라미. ¶ ~ ***cebollero,*** ~ ***real*** [곤충] 땅강아지. ***andar a ~s*** 쓸모없는[하찮은] 것에 종사하다[신경을 쓰다].
grillo[2] *m.* 땅속줄기의 싹(tallo).
grillos *m.pl.* ① 족쇄. ② (움직임의) 방해물.
grillotalpa *f.* [곤충] 땅강아지.
grima *f.* ① 불쾌(감). ② 혐오(감). ③ *Hond.* 매우 강한 공포(감).
grimillón *m. Chile.* 떼, 많음, 다수.
grimorio *m.* 마법서(魔法書).
grimoso, sa *adj.* 불쾌감을 주는, 혐오감을 주는.
grímpola *f.* ① [선박] 돛대의 맨 꼭대기의 기, 장두기(檣頭旗). ② (삼각형의) 작은 기, 페넌트.
grinalde *m.* (옛날의) 투척탄.
gringada *f.* ① *Arg., Hond., Nic.* [집

합] 미국인들 ((*Arg.* 에서는 드물게 사용함)). ② *Hond.* 미국인들의 말[행동].

gringo, ga *adj.* ① (특히 영어를 말하는, 또 일반적으로 스페인어가 아닌 외국어를 말하는) 외국인의. ② 외국어의. ③ *AmérM., Cuba, Hond., Nic., Salv.* 미국인의. ④ *Ur.* 영국 태생의. ⑤ *Ur.* 러시아 태생의. —*mf.* ① (스페인어를 사용하지 않는) 외국인. ② 미국인. ③ 영국 사람. ④ 러시아 사람. ⑤ *Bol., Hond., Nic., Perú.* 금발 백인. —*m.* ① 외국어. ② 이해할 수 없는[알아들을 수 없는] 말.

griñón[1] *m.* (수녀들의) 두건.

griñón[2] *m.* (작고 맛있는 변종) 복숭아.

gripa *f. Col., Méj.* =**gripe.**

gripal *adj.* 유행성 감기의[에 관한].

gripar *tr.* (연동 장치나 엔진이) 움직이지 않게 하다. ~**se** (연동 장치나 엔진이) 움직이지 않다.

gripe *f.* [의학] 유행성 감기, 인플루엔자: estar con ~ 감기에 걸려 있다. coger la ~ 감기에 걸리다.

gripo *m.* 화물선의 일종.

griposo, sa *adj.* ① 유행성 감기에 걸린. ② 유행성 감기와 같은 증상의. —*mf.* 유행성 감기 환자.

gris *adj.* ① 회색의, 잿빛의: blusa ~ 회색 블라우스. ② 매력이 없는, 특이성이 없는, 특성이 없는. ③ 구름 낀. —*m.* ① 살을 에는 듯한 추위; 찬바람, 한풍(寒風), 매운바람. ② [조류] 다람쥐의 일종. ③ [*pl.* 로도 사용] (회색 제복을 입은) 옛 무장 경찰관. ¶ ~ ***marengo*** ㉮ *adj.* 암회색(暗灰色)의, 검은 잿빛의. ㉯ *m.* 암회색, 검은 잿빛. ~ ***perla*** ㉮ *adj.* 엷은 잿빛의, 진주색을 띤 회색의. ㉯ *m.* 엷은 잿빛, 진주색을 띤 회색.

grisáceo, a *adj.* 회색이 도는 색의.

grisalla *f.* [미술] 그리자유.

grisapa *f. Ven.* =**bulla, gritería.**

grisear *intr.* 회색으로 되어 가다.

gríseo, a *adj.* 회색의(de color gris).

griseta *f.* ① 잔 무늬가 든 비단천. ② (물이 스며 생기는) 나무의 병.

grisgrís *m.* (무어 사람들의) 부적.

grisma *f. Guat., Hond., Nic., Salv.* = **pizca.**

grisú *m.* 갱내 가스.

grita *f.* ① 크고 거친 목소리. ② 항의의 절규. ③ [사냥] 매추리가 나올 때 사냥꾼이 새매에게 외치는 소리. ¶ ***dar*** ~ 야유하면서 놀리다[조롱하다].

gritadera *f. Col., Cuba, Hond., Salv., Ven.* =**gritería.**

gritador, ra *adj., mf.* 외치는 (사람).

gritar *intr.* ① 평상시보다 더 소리를 지르다. ② 외치다, 소리치다, 소리를 크게 지르다. ③ (연극 등의 관람 중에) 소리를 질러 불쾌감을 나타내다, 아우성치다, 야유를 보내다. ④ 소리쳐 나무라다[꾸중하다]. —*tr.* ① 큰소리로 말하다, 외치다. ② 야유하다.

gritería *f.* 아우성 소리.

griterío *m.* 아우성 소리, 떠들썩함.

grito *m.* ① 외침, 큰소리, 절규: dar un ~ 외치다. ② 격렬한 성명. ③ (빙하의 얼음이 깨지려고 할 때 나는) 굉음. ¶***a ~ herido*** [***limpio · pelado***] 큰 소리로, 목청껏. ***alzar el ~*** 소리치다, 목소리를 높이다. ***estar en un ~*** 그치지 않은 격통으로 울부짖다. ***levantar el ~*** =**alzar el grito.** ***pedir*** [***estar pidiendo***] algo ***a ~s*** otra cosa (…을) 무척 필요로 하다, (…이) 매우[긴급히] 필요하다. ***poner el ~ en el cielo*** 격렬하게 불평하면서 큰 소리로 하소연하다.

gritón, na *adj., mf.* 아주 큰 소리로 외치는 (사람).

gritonear *intr.* ① *Chile, Hond.* 큰 소리로 말하다. ② *Chile, Hond.* 큰 소리로 나무라다.

groar *intr.* =**croar.**

groenlandés, sa *adj.* ① 그린란드 태생의. ② 그린란드의[에 관한]. —*mf.* 그린란드 사람.

grog *m. ing.* 그로그주(酒).

groguí *adj. ing.* ① [권투] (얻어맞아) 비쓱거리는, 그로기가 된. ② (피로 등으로) 얼이 빠진. ③ (졸려서) 눈이 감기는.

grosella *f.* [과실] grosellero의 열매.

grosellero *m.* [식물] 범의귀과의 구즈베리와 비슷한 낙엽 관목.

groseramente *adv.* 버릇없이, 무례하게, 상스럽게, 저속하게.

grosería *f.* ① 무례함, 버릇없음. ② 조잡함, 투박함, 품위 없음, (손일에서) 정교함이 부족함[없음]. ③ 촌스러움, 거침, 무식함.

grosero, ra *adj.* ① 조잡한, 거친, 투박스러운. ② 무례한, 버릇없는, 예의가 없는. —*mf.* 무례한 사람, 버릇없는 사람, 예의가 없는 사람.

grosísimo *adj.* 매우 두꺼운, 매우 굵은.

grosor *m.* (몸의) 굵기, 두께.

grosso modo *lat.* 대충, 대강.

grotescamente *adv.* 괴상하게, 우스꽝스레, 별스럽게.

grotesco, ca *adj.* ① 우스꽝스러운. ② 괴상한, 그로테스크한, 괴기한: historia ~*ca* 괴담. ③ 인공 동굴의[에 관한]. ④ [건축 · 미술] 그로테스크풍(風)의. —*m.* [건축 · 미술] 그로테스크풍(風).

grúa *f.* ① 기중기, 크레인. ② 레커차, 구난차(救難車). ③ (옛날에 성채 공격에 사용된) 군용 기계. ④ [영화 · 텔레비전] 카메라와 촬영 기사의 자리가 놓인 단을 받치는 받침.

gruero *m. Cuba, Ven.* 기중기[크레인] 운전수.

gruesa *f.* ☞**grueso.**

gruesamente *adv.* ① 큰[굵은] 사이즈로. ② =**ligeramente, por encima.** ③ =**toscamente.**

grueso, sa *adj.* ① 비만한, 살찐: señora ~*sa* 비만한 여인. ② 굵은: cuello ~ 굵은 목. ③ 두꺼운: libro ~

두꺼운 책. papel ~ 두꺼운 종이. ④ 커다란: cabeza ~ 커다란 머리. ⑤ (이해력·재능이) 둔한, 무딘, 멍청한, 어리석은. —*m.* ① 비만. ② 두께. ③ 주력 부대, 본대: el ~ del ejército 군의 주력 부대. ④ (문자의) 획이 굵은 부분[선]. —*f.* [상업] 그로스 ((특히 작은 것 12 다스, 144개)). ¶*en* ~ ㉮ 도매로. ㉯ 다량으로.

gruir (77) *intr.* (학이) 울다.

gruista *mf.* 기중기[크레인] 운전수.

gruja *f.* 잔돌·모래·시멘트 콘크리트.

grujidor *m.* (유리 다루는 사람들이 사용하는) 네모 유리 닦기 ((기구)).

grujir *tr.* (다이아몬드로 유리를 자른 후) 유리 닦기로 유리의 끝을 고르게 하다.

grulla *f.* ① [새] 학. ② (옛날의 성채 공격용) 군용 기계. ③ *Hond.* (어떤 장소나 이벤트에) 뜻밖에 나타난 사람들. ④ *pl.* [은어] 각반(polainas).

grullada *f.* ① 뻔한 일, 두 말 할 필요도 없는 일. ② (시장이 순시 때 자주 따라 다니는) 경찰관들.

grullero, ra *adj.* 학 사냥용으로 쓰이는 (맹금류): halcón ~ 학 사냥용 매.

grullo *adj.* 회색의, 잿빛의. —*m.* ① *And.* =**paleto, cateto, palurdo.** ② Ven. 1온스 은화.

grumete *m.* ① 견습 선원. ② [은어] 사다리를 이용하는 도둑.

grumo *m.* ① 엉긴[응고된] 덩어리, 응괴(凝塊): ~ de sangre 핏덩어리. ② 송이, 포기. ③ (나무의) 싹. ④ (새의) 날갯죽지의 끝.

grumoso, sa *adj.* 엉긴 덩어리투성이의 (lleno de grumos).

gruñente *m.* [은어] 돼지.

gruñido *m.* ① (돼지의) 꿀꿀거리는 소리. ② (개나 다른 짐승들이 위협할 때) 으르렁거리는 소리. ③ (일반적으로 기분이 나쁠 때 사람들이 내는) 불평 (소리), 투덜투덜, 툴툴.

gruñidor, ra *adj.* ① (돼지가) 꿀꿀거리는. ② (개 등이) 으르렁거리는. ③ (사람이) 툴툴거리는, 투덜투덜하는. —*m.* [은어] 돼지 도둑.

gruñimiento *m.* ① (돼지가) 꿀꿀거림. ② (개 등이) 으르렁거림. ③ (사람이) 툴툴거림, 투덜거림.

gruñir (52) *intr.* ① (돼지가) 꿀꿀거리다; (개·짐승 등이) 으르렁거리다. ② (사람이) 툴툴거리다, 투덜거리다. ③ (물건이) 삐걱거리다.

gruñón, na *adj.* 자주 꿀꿀거리는; 자주 으르렁거리는; 자주[마냥] 투덜거리는 [툴툴거리는].

grupa *f.* (말의) 엉덩이

grupada *f.* 비바람이 몰아치는 돌풍.

grupal *adj.* 그룹의[에 관한].

grupo *m.* ① 떼, 무리, 그룹, 집단. ② (정계·학회·재계 등 공통된 목적·이익을 가진) 집단, 단체, 동호회; 파(派), 단(團). ③ [문법] 언어군(言語群). ④ [수학] 군(群). ⑤ [군사] (포병·공군 등의) 대대(大隊). ⑥ [화학] 기(基), 단(團), (주기표의) 족(族): ~ amino 아미노기(基). ⑦ (혈액의) 형(型): ~ A [B·AB·O] 에이[비·에이비·오] 형. ⑧ *Arg., Cuba, Ur.* [집합] 같은 수업을 듣는 학생. ¶*en* ~ 단체로, 집단으로: viaje *en* ~ 단체 여행.

grupuscular *adj.* [정치] 소집단의, 파벌의[에 관한].

grupúsculo *m.* [경멸] [정치] 소집단, 파벌: ~*s* extremistas 과격파.

gruta *f.* ① (자연·인공의) 동굴, 동혈(洞穴). ② (자연의 바위들을 본뜬) 인공 지하 암굴.

grutesco, ca *adj.* ① 인공 지하 암굴의. ② [건축·미술] 그로테스크풍의. —*m.* [건축·미술] 그로테스크풍.

gruyer *m.* (스위스 원산의) 부드러운 치즈.

G.T. giro telegráfico 전신환.

gtos. gastos 비용, 경비.

gua[1] *m.* ① (소년들이 작은 공이나 구슬을 던지면서 놀기 위해 땅에 판) 구멍. ② 구슬 치기 놀이.

gua[2] *interj. Bol., Col., Par., Perú, Ven.* 어머나!, 아이구!, 우아! ((두려움·감탄을 나타낼 때)).

guabina *f.* ① *Ant., Col., Hond., Salv., Ven.* [어류] 구아비나 ((부드럽고 맛있는 식용 민물고기)). ② *Col.* 산악 지방의 민요. ③ *Cuba.* [경멸] (자주 의견·정당을 바꾸는) 철새 정치인. ④ *Cuba.* [경멸] 겁쟁이(persona cobarde).

guaca *f.* ① (자주 귀중품이 발견되는 Perú와 Bolivia의) 옛 인디오 무덤. ② (중앙 아메리카와 남아메리카 대부분에서) 옛 일반 인디오 무덤. ③ *Amér., Hond.* 숨겨진 보물, 묻혀 있는 보물, 매장된 보물. ④ *CRica, Nic.* [집합] 숨겨진 물건, 보관된 물건. ⑤ *CRica, Cuba, Hond., Nic.* 익지 않은 풋과실을 익히기 위해 보관하는 구덩이. ⑥ *CRica., Cuba.* 저금통, 현금 상자. ⑦ *Cuba.* 집에 보관된 저금. ⑧ *Pan., Salv.* (원주민 무덤에서 출토된) 질그릇. ⑨ *Nic.* 숨기는 장소, 숨는 장소.

guacharro *m.* 동물의 새끼.

guacia *f.* ① [식물] 아카시아. ② 아카시아의 수지(樹脂).

guadal *m. Arg.* (비가 올 때) 물이 고이는 황무지.

guadalajarense *adj., mf.* ① =**guadalajareño.** ② =**tapatío.**

guadalajareño, ña *adj.* ① 구아달라하라(Guadalajara, 스페인 중부에 있는 주·도시; 멕시코 할리스꼬 주의 주도) 태생의. ② 구아달라하라의[에 관한]. —*mf.* 구아달라하라 사람.

guadaña *f.* (자루가 긴) 낫.

guadañador, ra *adj.* guadaña로 베는. —*mf.* guadaña로 풀을 베는 사람. —*f.* 풀 베는 기계.

guadañar *tr.* (낫으로 풀을) 베다.

guagua[1] *f.* ① 하찮은 것, 싸구려 물건. ② *Can., Ant.* 시내 버스, 시외 버스.

③ *Cuba, RDom.* [곤충] (귤 같은 것에 생기는) 깍지벌레. ¶*de* ~ 거저, 공짜로, 무료로.

guagua[2] *f.* ① *Andes* 젖먹이. ② *Perú.* 어린이 모양의 단 빵. —*m.f. Ecuad.* 젖먹이.

guaira *f.* ① (뻬루의 인디오가 은을 정련하는) 작은 도가니. ② 삼각 돛. ③ *AmérC.* [악기] 구아이라 ((여러 개의 피리로 된 원주민의 취주 악기)).

gualda *f.* [식물] (노란 꽃이 피는) 물푸레나무.

gualdo, da *adj.* 노란(amarillo).

gualdrapa *f.* 말의 궁둥이 덮개.

guama *f.* ① *Col., Ven.* 구아모(guamo)의 열매. ② *Col.* [식물] =**guamo.** ③ *Salv.* (사람의) 발(pie).

guame *m. PRico.* 하기 쉬운 일.

guamo *m.* [식물] 구아모 ((아메리카산 콩과식물; 높이 8-10미터; 커피나무에 그늘을 만들어 주기 위해 심음; 열매는 guama)).

guandú *m. Col., CRica., Pan., PRico, Ven.* [식물] 구안두콩나무.

guanero, ra *adj.* 구아노(guano)의. —*f.* 구아노 저장소, 구아노가 있는 곳.

guano[1] *m.* ① 구아노 ((바닷새의 똥이 퇴적된 것으로 비료로 쓰임; 뻬루와 칠레의 북쪽 연안과 여러 섬에 산재함)). ② 구아노를 본뜬 광물성 비료. ③ *Arg., Bol., Chile, Ecuad., Perú.* (주로 동물의) 똥(estiércol).

guano[2] *m.* ① *Cuba.* (일반적으로 가지가 없고, 잎이 부채꼴이며 몸통이 높고 둥그런) 야자나무. ② *Cuba., RDom.* 야자나무의 마르거나 두꺼운 잎. ③ *Cuba.* 돈, 유통 화폐.

guantada *f.* 손바닥으로 때리기.

guantazo *m.* =**guantada.**

guante *m.* ① 장갑: ~*s* de algodón 면장갑. ~*s* de goma 고무 장갑. ~*s* de piel 가죽 장갑. un par de ~*s* 장갑 한 켤레. llevar ~*s* 장갑을 끼고 있다. ponerse (los) ~*s* 장갑을 끼다. quitarse (los) ~*s* 장갑을 벗다. ② (야구・권투 등의) 글러브. ③ [드뭄] 덤. ¶***arrojar el*** ~ a alguien (누구에게) 결투를 신청하다, 도전하다, 도발하다. ***asentar*** a alguien ***el*** ~ = asentar la mano. ☞mano. ***colgar los*** ~***s*** ㉮ [운동] 권투에서 은퇴하다. ㉯ *Arg., Cuba, Guat., Pan., Ur.* = desistir, apartarse de una empresa. ㉰ *Col.* 죽다. ***echar el*** ~ a alguien =arrojar el guante. ***echar un*** ~ (일반적으로 자선의 목적을 위해 여러 사람한테서 돈을 모으다. ***recoger el*** ~ ㉮ 도전을 받아들이다. ㉯ 다른 사람의 언급에 답하다.

guantear *tr. And., Amér.* 손바닥으로 때리다(dar guantadas).

guantelete *m.* (갑옷의) 토시.

guantera *f.* ☞guantero.

guantería *f.* ① 장갑 공장. ② 장갑 판매 가게. ③ 장갑 제조업자의 직[기술].

guantero, ra *m.f.* 장갑 제조업자[장수]. —*f.* (자동차의) 장갑이나 다른 물건을 넣어 두는 상자.

guapamente *adv.* ① 용감하게. ② 아주 잘. ③ 변명하지 않고.

guapetón, na *adj.* =**valentón.**

guapeza *f.* ① 잘생김. ② 옷에 우쭐거림. ③ 멋짐. ④ 호기, 용감함.

guapo, pa *adj.* ① 잘생긴: hombre ~ 미남. mujer ~*pa* 미녀. ② 활기찬, 힘찬, 활발한. ③ 몸치장을 한, 성장을 한, 과시하는 듯한, 지나치게 화려한. ④ [호격에서] (친한 사람・아이들을 부를 때나 때로 초조한 어조로) 어이, 얘. —*m.f.* ① 미남, 미녀. ② 활발한 사람. —*m.* ① 툭하면 싸움질이나 하고 허세부리는 남자. ② 여자에게 추근거리는 남자, 여자를 잘 구슬리는 호남. ③ *pl.* [속어] 축제날이나 아주 뜻깊은 때에 입는 옷.

guapote, ta *adj.* 스타일이 좋은, 스마트한. —*m. CRica., Guat., Nic.* [어류] 식용 담수어.

guaraní *adj.* 구아라니족(族)의. —*m.f.* 구아라니족 사람. —*m.* ① 구아라니말. ② 구아라니 ((빠라구아이의 화폐 단위)).

guaranismo *m.* 스페인어에 도입된 구아라니어에서 온 차용어.

guarda *m.f.* 수위, 파수꾼, 관리인, 경비원; 감시원. —*f.* ① 경비, 초계, 감시, 망보기. ② 보호, 후견. ③ (책의) 면지(面紙), 책 앞뒤 표지의 안쪽의 지면. ④ (자물쇠통의) 열쇠 끝에 새긴 금. ⑤ (칼의) 날 밑. ⑥ (카드에서) 끝까지 아껴 두는 패. ⑦ [주로 *pl.*] (부채의) 으뜸살. ⑧ (머리빗의 양쪽) 어미살. ⑨ 보관, 보존.

guardabarrera *f.* (철도의) 건널목지기.

guardabarros *m.sing.pl.* (자동차 바퀴의) 흙받이.

guardabosque *m.* 산림 감시원.

guardabosques *m.sing.pl.* =**guardabosque.**

guardable *adj.* 보존[보호・보관]할 수 있는.

guardacantón *m.* ① (공원・한길 가・건물 모퉁이에 세운) 돌 말뚝. ② 경계 표석.

guardacoches *m.* 주차장 경비원.

guardacostas *m.sing.pl.* 연안 경비정. —*m.f.* 연안 경비대원.

guardador, ra *adj.* 지키는. —*m.f.* 지키는 사람, 보초, 파수꾼, 감시원

guardaespaldas *m.f.sing.pl.* 보디가드.

guardafango *m.* =**guardabarros.**

guardafangos *m.* =**guardabarros.**

guardafrenos *m.* [철도] 제동담당자.

guardagujas *m.* [철도] 전철수(轉轍手).

guardainfante *m.* (옛날 부인복의) 허리통 펴개.

guardalíneas *m.f.sing.pl.* [운동] 선심.

guardameta *m.* [운동] 골키퍼, 문지기.

guardamonte *m.* (총의) 방아쇠 울.

guardamuebles *m.sing.pl.* 가구 창고,

가구 저장소.

guardapelo *m.* 로켓(medallón).

guardapolvo *m.* ① 작업복. ② (차의) 흙받이. ③ (창문 등의) 챙. ④ 먼지가 끼지 않게 덮는 덮개.

guardapolvos *m.* =**guardapolvo.**

guardapuerta *f.* 문앞에 치는 커튼.

guardapuntas *m.* 연필심 보호 덮개.

guardar *tr.* ① 지키다. ② 보호하다. ③ 준수하다, 지키다. ④ 망보다, 감시하다, 지키다, 경비하다. ⑤ 보관하다, 보존하다. ⑥ [컴퓨터] 보존(保存)하다. —*intr.* ① 물건을 보존하다, 물건을 소중히 하다: Quien *guarda,* halla. 물건을 소중히 하는 사람은 궁색함을 모른다. ② 인색하게 굴다. ~**se** ① 자신을 지키다, 자신을 보호하다: *~se del* frío 추위로부터 몸을 지키다. ② 보관하다, 보존하다: *Guárdese* (en lugar) fresco 찬 곳에 보관하십시오. ③ 피하다, 삼가다, 비키다: Guárdese contra humedad 습기 엄금. ④ [+de] …을 사양하다. ⑤ (자신을 위해) 챙겨 넣다: *Guárdese* la vuelta para usted. 거스름돈은 가지세요.

guardarrío *m.* [새] =**martín pescador.**

guardarropa *f.* ① (공공 장소의) 휴대품 보관소. ② [집합] (개인의) 의상. ③ 옷장. ④ [연극] 의상실. —*f.* (궁전의) 의상 취급소. —*mf.* ① 휴대품 보관소 직원. ② [연극] 의상 담당자.

guardarropía *f.* ① [영화·연극] [집합] 촬영·공연용 의상. ② [영화·연극] 의상실. ¶*de* ~ 겉치레만의.

guardarruedas *m.* =**guardacantón.**

guardasellos *m.sing.pl.* ① 국새(國璽) 관리 공무원. ② (어떤 나라에서는) = **canciller.** ③ 국새 보관함.

guardasilla *f.* (의자의 등으로 벽에 흠이 가지 않게 하기 위한) 넓은 나무판.

guardasol *m.* [드뭄] 양산(quitasol).

guardatimón *m.* [선박] 함미포(艦尾砲).

guardatojo *m. Bol.* [광산] 보호 철모.

guardavalla *f. Amér.* [운동] 골키퍼.

guardavecino *m. Cuba.* 인접한 집의 발코니나 옥상을 나누는 철책.

guardavía *m.* [철도] 보선 담당자.

guardería *f.* ① guarda의 직업[일]. ② (농장의) 감시인의 비용. ③ =**guardería infantil.** ¶~ *infantil* 탁아소, 보육원.

guardés, sa *mf.* ① 집 지키는 사람, (별장 등의) 관리인. ② =**guardabarrera.** —*f.* guarda의 아내.

guardia *f.* ① 감시, 경비. ② 당직. ③ [집합] 위병(衛兵): ~ entrante 당직 위병. ~ saliente 난번 위병. puesto de ~ 위병 대기소. ④ 경비대, 수비대, 기병대, 근위병, 호위병. ⑤ [운동] (펜싱·권투에서) 방어 자세, 가드. —*mf.* ① 경비대원, 경찰관. ② 경비병, 호위병, 경비원, 호송병.¶ ~ ***civil*** ㉮ 치안 경비대. ㉯ *mf.* 치안 경비대원. ~ ***de asalto*** ㉮ 스페인 공화국 경비대. ㉯ *m.* 스페인 공화국 경비대원. ***Guardia de Corps*** 근위대, 친위대. ~ ***de honor*** [군사] 의장병. ~ ***de lancilla*** 기마대. ***Guardia de la persona del rey*** 왕족 경호단. ~ ***de seguridad*** *mf.* 치안 유지 경찰관. ~ ***de tráfico*** *mf.* 교통 경찰관. ~ ***marina*** *m.* ㉮ (해군 소위로 임관 전 2년간의) 해군 사관 학교 생도. ㉯ *Arg., Par.* (해군 사관 학교의 과정을 마칠 때 계급과 하급 직을 받는) 장교. ~ ***municipal*** ㉮ *f.* (주로 치안 담당의) 시경찰대. ㉯ *mf.* 시경찰대의 경찰관. ~ ***pretoriana*** [집합] (정치가 등의) 호위관(護衛官). ~ ***tumbado*** *m.* 과속 방지(過速防止) 턱. ~ ***urbano, na*** *mf.* =**guardia municipal.** ***bajar la*** ~ 감시[방어]를 소홀히 하다; [운동] 가드를 내리다. ***de*** ~ 당직의, 경비의. ***en*** ~ ㉮ [운동] 방어 태세(防禦態勢)의. ㉯ 경계하는. ***entregar*** alguien ***la*** ~ ㉮ *Ven.* 사건을 관여하지 않다. ㉯ *Ven.* 자다. ***montar la*** ~ ㉮ 당직을 서다. ㉯ 경계 태세를 취하다.

guardiamarina *mf.* =**guardia marina.**

guardián, na *mf.* 파수꾼, 관리인, 감시원, 경비원, 수위: ~ de una fábrica 공장의 수위[경비원]. —*m.* [종교] 샌프란시스코파 관구장.

guardianía *f.* [종교] 샌프란시스코파 관구장 직[관구].

guardilla[1] *f.* =**buhardilla.**

guardilla[2] *f.* ① (바느질에서) 홀친 데 감치기. ② (빗의) 어미살.

guarecer (31) *tr.* ① 감싸다, 숨기다. ② 비호하다, 보호하다. ③ 치료하다, 약을 쓰다. —*intr.* 건강을 회복하다. ~**se** [+de] (…에서) 피하다, 대피하다, 피난하다.

guarén *m. Chile.* 큰 쥐.

guares *m.pl. PRico.* 쌍둥이 형제.

guargüero *m. Cuba.* (사람의) 목구멍.

guarida *f.* ① (동물의) 숨는 굴, 은신처. ② (피해·위험의) 도피처, 피난처. ③ (범인 등의) 은신처, 아지트.

guarimiento *m.* ① [고어] =**curación.** ② =**amparo, refugio, acogida.**

guarisapo *m. Chile.* 올챙이(renacuajo).

guarismo *m.* ① 아라비아 숫자. ② 두 자리수 이상으로 구성된 수량의 표현. ¶*no tener* ~ 셀 수 없다, 헤아릴 수 없다, 무수하다.

guarnecer (31) *tr.* ① [+de·con] (…의) 장식을 …에 대다. ② =**colgar, vestir, adornar.** ③ =**dotar, proveer, equipar.** ④ [건축] 건물의 벽에 덧칠을 하다. ⑤ (맹금류에) 방울을 달다. ⑥ [군사] 병력[수비대]을 배치 중이다.

guarnición *f.* ① (옷에 놓는) 장식. ② [요리] 첨가물, 곁들이는 것 ((주가 되는 요리에 주로 육류나 생선과 함께 곁들이는 야채류)). ③ (보석을 고정하는) 금·은·금속 받침. ④ (칼의) 날밑. ⑤ [군사] 수비대, 주둔 부대. ⑥

pl. [집합] 마구(馬具) (한 벌).
guarnicionar *tr.* (성채에) 수비대를 주둔시키다.
guarnicionería *f.* ① 마구 제작소[판매소]. ② 가죽 제품 제조소[판매소].
guarnicionero, ra *mf.* (가방·핸드백·혁대 등의) 가죽 제품 제조 기술자. —*m.* 마구 제작자[판매자].
guarnir *tr.* =**guarnecer.**
guaro[1] *m.* [새] 구아로 ((작은 앵무새의 일종)).
guaro[2] *m. AmérC.* 사탕수수 술.
guaroso, sa *adj. Nic.* =**borracho.**
guarra[1] *f.* ① [동물] 암돼지. ② 더럽고 단정하지 못한 여자. ③ 무례한 여자, 예의가 없는 여자. ④ 천박스런 여자. —*adj.* ① 더럽고 단정하지 못한 (여자). ② 예의가 없는 (여자). ③ 천박스런 (여자).
guarra[2] *f. Ecuad.* =**guarro**[2].
guarrada *f.* ① 불결(함). ② 불결하고 음탕한 행동. ③ 비열한 행위.
guarrazo *m. And., Sal.* (넘어질 때) 강타, 세게 부딪침.
guarrear *intr.* ① (멧돼지가) 꿀꿀거리다. ② (늑대가) 울부짖다. ③ (다른 동물이) 소리지르다. ④ (아이들이) 시끄럽게 울다. ⑤ 불결하다.
guarrería *f.* =**porquería, guarrada.**
guarrero *m.* =**porquerizo.**
guarrido *m.* ① 멧돼지의 꿀꿀거리는 소리. ② 여우의 울부짖는 소리. ③ (다른 동물의) 내지르는 소리. ④ (아이들의) 시끄러운 울음 소리.
guarrilla *f. Al.* 작은 독수리의 일종.
guarro *m.* ① [동물] 돼지, 수퇘지. ② 더럽고 단정치 못한 남자. ③ 무례한 [예의가 없는] 남자. ④ 천박스런 남자. —*adj.* ① 더럽고 단정치 못한 (남자). ② 무례한, 예의가 없는 (남자). ③ 천박한 (남자).
guarura *m. Col., Ven.* (경적처럼 사용하는) 소라고둥.
guaruso *adj.* ① *CRica, Nic.* 사탕수수 술을 (마시기를) 좋아하는. ② *CRica, Nic.* =**borracho, alcohólico.**
guasa *f.* ① 농담, 신소리, 장난. ② 촌스러움. ③ *Cuba, Ven.* [어류] 농어의 일종. ④ *Salv.* 소란, 소동. ¶***estar de*** ~ 농담을 하다, 농담으로 말하다 (hablar en broma).
guaso, sa *adj.* ① *Arg., Bol., Ecuad., Par., Perú, Ur.* =**incivil, grosero.** ② *Chile.* =**vergonzoso.** —*mf.* ① 칠레의 시골 사람. ② *Chile.* 대도시 생활에 익숙하지 않은 사람.
guasón, na *adj.* ① 촌스러운. ② 농담을 좋아하는. —*mf.* ① 촌스런 사람. ② 농담을 좋아하는 사람.
guata *f.* ① (침구·의복 등에 넣는) 솜. ② *NO Arg., Bol., Chile, Ecuad., Perú.* 올챙이배, 똥배.
guatear *tr.* (침구·의복에) 솜을 넣다.
Guatemala *m.* [국명] 구아떼말라, 과테말라 ((중앙 아메리카의 공화국; 수도 Guatemala)).
guatemalense *adj., mf.* =**guatemalteco.**
guatemalteco, ca *adj.* ① 구아떼말라 태생의. ② 구아떼말라의, 구아떼말라에 관한. —*mf.* 구아떼말라 사람.
guatemaltequismo *m.* 구아떼말라 사투리[말씨].
guau *interj.* 멍멍 ((개 짖는 소리)).
guay[1] *interj.* [시어] 아아!(ay).
guay[2] *adj.sing.pl. Esp.* 아주[매우] 좋은. —*adv. Esp.* 매우 잘(muy bien).
guayabal *m.* guayabo 밭.
guayabo *m.* [식물] 난석류.
Guayana *f.* [지명] 기아나 ((베네수엘라의 주)).
Guayana Francesa [지명] 프랑스령 기아나.
Guayana Holandesa [지명] 화란령 기아나 ((현재의 Surinam)).
Guayana Inglesa [지명] 영령 기아나 ((현재의 Guyana)).
guayanés, sa *adj.* 기아나의. —*mf.* 기아나 사람.
guayaquil *adj.* 구아야낄(Guayaquil, 에꾸아도르의 주요 항구 도시) (태생)의. —*m.* 구아야낄 산 코코아.
guayaquileño, ña *adj.* ① 구아야낄 태생의. ② 구아야낄의[에 관한]. —*mf.* 구아야낄 사람.
gubernamental *adj.* ① 통치의, 행정의: autoridades ~es 행정 당국. ② 정부 지지의: organización no ~ 비정부 기구, NGO. partido ~ 여당. prensa ~ 정부계 신문, 어용 신문.
gubernativamente *adv.* 행정적으로, 정치적으로.
gubernativo, va *adj.* ① 정부의. ② 행정의, 행정적인.
gubia *f.* ① 둥근 끌. ② 포문 검사기.
guedeja *f.* ① 장발. ② =**mechón.** ③ 사자의 갈기.
guedejado, da *adj.* 사자의 갈기 모양의(en forma de guedeja o melena).
guepardo *m.* [동물] 치타.
güero[1]**, ra** *adj.* =**huero.**
güero[2]**, ra** *adj., mf. Méj.* 금발을 가진 (사람).
guerra *f.* ① 전쟁(戰爭), 싸움, 무력 충돌: ~ bacteriológica 세균 전쟁. ~ comercial 무역 전쟁. ② 무장 투쟁, 내전(Guerra Civil Española, 1936-39). ③ 싸움, 다툼, 반목. ④ (도덕적인) 투쟁, 싸움. ⑤ (다른 사람과) 대립(對立), 반대. ¶ ~ ***a muerte*** 결사전(決死戰). ~ ***campal*** 야전. ~ ***de nervios*** = **guerra psicológica.** ~ ***de posiciones*** =**guerra de trincheras.** ~ ***de precios*** 가격 전쟁. ~ ***de trincheras*** 진지전. ~ ***electrónica*** 전자전. ~ ***fría*** 냉전. ~ ***psicológica*** 심리전. ~ ***santa*** 성전. ~ ***sin cuartel*** =**guerra a muerte.** ***de antes de la*** ~ 매우 오래된. ***declarar la*** ~ ㉮ 선전 포고를 하다. ㉯ 공공연히 적대(敵對)하다.

publicar ~ =declarar la guerra.
Guerra Civil Española *f.* 스페인 내전.
Guerra de Cien Años *f.* 백년 전쟁.
Guerra de Religión *f.* 종교 전쟁.
Guerra de Seis Días *f.* 6일 전쟁.
Guerra del Golfo *f.* 걸프 전쟁 ((이라크와 유엔간의 전쟁, 1991년)).
Guerra Hispanonorteamericana *f.* 미서(美西) 전쟁 (1898년).
guerreador, ra *adj.* 싸우는, 호전적인. —*mf.* 전투원.
guerrear *intr.* ① 싸우다, 전쟁하다. ② 저항하다, 반격하다.
guerrera *f.* ☞guerrero.
guerreramente *adv.* 전쟁 식[모양]으로.
guerrero, ra *adj.* ① 전쟁의, 전쟁에 관한. ② 싸우는, 전쟁을 하는. ③ 호전적인, 전쟁에 강한: pueblo ~ 호전적인 민족. ④ (아이들이) 짓궂은 장난을 좋아하는, 장난이 심한, 다른 사람을 괴롭히는. —*mf.* 전사(戰士). —*f.* 군복의 웃옷[상의].
guerrilla *f.* ① 승강이. ② 게릴라 ((부대, 그룹)). ③ 게릴라전. ④ (두 그룹 아이들의) 석전(石戰), 돌팔매질로 다투는 편싸움. ⑤ (옛날의) 트럼프 놀이. ¶*en* ~ ㉮ 몇 명 되지 않는 무리로. ㉯ 격리되어, 고립되어, 서로 흩어져, 산개되어.
guerrillero, ra *mf.* 게릴라병(兵).
gueto *m.* (유태인 등의) 거주 지구, 유태인 거리.
güey *adj.* 멍청한. —*m.* 멍청한 사람.
guía *mf.* ① 안내인, 안내원, 가이드. ② 지도자: ~ espiritual 정신적 지도자. —*m.* [군사] 향도(嚮導). —*f.* ① 안내: ~ turística 관광 안내. ② 안내서, 가이드북. ③ [기술] 유도 장치. ④ (운송 등의) 허가서. ⑤ [자전거] 핸들. ⑥ (부채의) 어미살. ⑦ [광물] 광맥. ⑧ [음악] (둔주곡의) 주창(主唱).
guiar (12) *tr.* ① 안내하다, 인도하다: ~ al asiento 자리로 안내하다. ② (탈것을) 운전하다: ~ el coche con mucha habilidad 자동차 운전을 능숙하게 하다. ③ 지도하다, 지침을 주다. ④ 정지(整枝)[가지고르기]하다. ~**se** ① [+de · por] (…를) 손을 잡고 데리고 가다. ② (…을) 따르다: ~*se por* [*de*] *su* consejo (…의) 충고에 따르다.
guija *f.* ① (강 · 하천에 있는) 매끄럽고 작은 돌멩이. ② [식물] 흰 완두.
guijarral *m.* 자갈[돌멩이]이 많은 땅.
guijarrazo *m.* 돌멩이로 때리기.
guijarreño, ña *adj.* ① 돌멩이의. ② 돌멩이가 많은. ③ 체격이 강인한.
guijarro *m.* 돌멩이, 자갈.
guijarroso, sa *adj.* 돌멩이가 많은.
guijo *m.* ① (길에 까는) 자갈, 쇄석(碎石). ② (회전축의) 머리.
guijón *m.* 충치(neguión).
guijoso, sa *adj.* 자갈(guijo)이 많은.
güila *f.* ① *CRica.* [곤충] (위는 검고 뒤쪽은 노란) 큰 풍뎅이. ② *CRica.* = pene. ③ [속어] *Méj.* =prostituta. ④ *CRica.* =niño.
guileña *f.* =aguileña.
guilla *f.* 풍작. ¶*de* ~ ㉮ *adj.* 결실이 좋은. ㉯ *adv.* 충분히, 풍부하게.
guilladura *f.* 광기(狂氣), 노망(함).
guillarse *r.* ① 가버리다, 도망치다. ② (감각 · 의식 등이) 흐려지다.
guillotina *f.* ① 기요틴, 단두대. ② 종이 재단기.
guillotinar *tr.* ① 단두대에 앉히다, 죄수의 목을 기요틴으로 자르다, 참수하다. ② (종이를) 종이 재단기로 자르다.
guinda[1] *f.* [과실] 앵두.
guinda[2] *f.* [선박] 돛대의 높이[꼭대기].
guindar *tr.* ① 매달아 올리다, 감아 올리다. ② 목매달다, 교살하다, 교수형에 처하다. ③ 경쟁에서 이기다. ④ *Can., Amér.* =**colgar, suspender.** ⑤ *Cuba.* =**catear.** ⑥ *Ecuad.* 묶다. —*intr. Ven.* 자다. ~**se** ① 높이 오르다. ② 목매어 죽다. ③ 따라서 내리다. ④ *Ven.* 서로 치고 받다.
guindilla *f.* ① 긴디야 ((guindillo de Indias의 열매; 고추의 일종)). ② 무척 매운 작은 후추. —*m.* ① [경멸] 시경찰 대원. ② [경멸] [드묾] 경찰관.
guindillo ~ *de Indias* [식물] 고추나무(의 일종).
guindo[1] *m.* [식물] 앵두나무.
guindo[2] *m. Nic., Salv.* 낮은 벼랑.
guinea *f.* ☞guineo.
Guinea *f.* [국명] 기니.
Guinea Bissau *f.* [국명] 기니비사우.
Guinea Ecuatorial (República de) *f.* [국명] 적도 기니 공화국.
guineano, na *adj.* ① 기니 · 기니비사우 · 적도 기니 태생의. ② 기니 · 기니비사우 · 적도 기니의[에 관한]. —*mf.* 기니 · 기니비사우 · 적도 기니 사람.
guineo, a *adj.* =**guineano.** —*m.* ① 기네오 ((흑인들에게서 유래된 격렬하고 코믹한 춤)). ② 기타로 연주된 기네오 춤의 음색[소리]. ③ 바나나. —*mf.* =**guineano.**
guinga *f.* 무명베의 일종.
guinilla *f.* [고어] 눈동자(niña).
guinja *f.* =**azufaifa.**
guinjo *m.* =**azufaifo.**
guínjol *m.* =**azufaifo.**
guinjolero *m.* =**azufaifo.**
guiñada *f.* ① =**guiño.** ② [선박] 뱃머리의 기우뚱거림.
guiñador, ra *adj.* 눈짓하는, 윙크하는.
guiñadura *f.* 눈짓, 윙크.
guiñapiento, ta *adj.* =**guiñaposo.**
guiñapo *m.* ① 누더기, 넝마. ② 누더기를 걸친 사람. ③ 비열한 사람. ④ 허약한 사람. ⑤ 타락한 사람. ⑥ 폐인.
guiñaposo, sa *adj.* 누덕누덕한.
guiñar *tr.* ① 눈짓하다, 윙크하다. ② (불빛 등으로) 눈꺼풀을 반쯤 닫다. —*intr.* (배가) 몹시 흔들리다. ~**se** ① 서로 눈짓하다. ② [은어] 가버리다, 도망치다.
guiño *m.* 눈짓, 윙크.

guiñol *m.* 손(을 움직이는) 인형극.
guiñolesco, ca *adj.* 손 인형극의.
guión *m.* ① [영화·라디오·텔레비전] 시나리오, 대본. ② (시청각 교육의) 교수용 자료. ③ 강연의 요지. ④ [문법] 하이픈 (-), 대시 (—). ⑤ (데모 행진의 선두가 드는) 기(旗). ⑥ 왕의 깃발. ⑦ (댄스에서) 선도자. ⑧ 무리의 선두에서 나는 새. ⑨ 선두에 가는 십자가. ⑩ 사냥개의 선두 개. ⑪ 선각자. ⑫ 정자법 부호(-) ((줄 끝에 오는 단어가 그 줄에 들어갈 수 없어 분철할 때 필요한 부호)). ⑬ [선박] 노의 가장 가는 부분. ⑭ [음악] 반복 기호.
guionaje *m.* 안내역, 안내업.
guionista *mf.* [영화·라디오·텔레비전] 시나리오 작가.
guipar *tr.* [속어] =percibir.
güira *f.* ① [식물] 호리병박나무. ② 호리병박나무의 열매.
guirnalda *f.* ① (머리를 동여매는) 꽃[잎·가지] 장식. ② 꽃과 가지의 장식 끈. ③ [식물] 천일홍(perpetua).
güiro *m.* ① *AmérC., Ant., Col, Méj.* [식물] 호리병박나무. ② *Ant., CRica, Méj.* [악기] 구이로 ((원주민의 민속 악기)).
guisa *f.* =modo, manera, semejanza.
guisado *m.* 스튜, 끓인 요리(guiso).
guisador, ra *adj.* 음식을 조리하는[끓이는]. —*mf.* 조리사, 조리하는 사람.
guisamiento *m.* =aderezo, disposición, compostura.
guisandero, ra *mf.* 음식 조리사, 음식 조리하는 사람.
guisantal *m.* 완두밭.
guisante *m.* ① [식물] 완두. ② [열매] 완두(콩).
guisar *tr.* ① 조리하다, 요리를 만들다. ② 푹 끓이다. ③ =ordenar, componer.
guiso *m.* ① 스튜, 끓인 요리. ② 요리.
guisote *m.* 맛없는 요리.
güisqui *m. ing.* 위스키.
guita *f.* ① 가느다란 삼 줄. ② =caudal, hacienda, bien. ③ 현금.
guitar *tr.* 삼 줄(guita)로 깁다.
guitarra *f.* ① 기타: tocar la ~ 기타를 켜다. ② (석고를 부수거나 빻는 데 쓰는) 공이. —*mf.* 기타 연주자. ¶ ~ *electrónica* 전자 기타.
guitarrazo *m.* 기타로 때리기.
guitarreo *m.* 기타의 단조로운 연주.
guitarrería *f.* ① 기타 제조 공장. ② 기타 판매점.
guitarrero, ra *mf.* ① 기타 제작자[판매자]. ② 기타를 켜는 사람.
guitarresco, ca *adj.* 기타의[에 관한].
guitarrillo *m.* ① 네 줄의 소형 기타. ② 고음을 내는 소형 기타.
guitarrista *mf.* 기타 연주자.
guitarro *m.* 소형 기타.
guitarrón *m.* 빈틈없는 사람.
guitero, ra *mf.* 삼 줄 제조자[판매자].
güito *m.* ① 모자. ② (아이들이 가지고 노는) 과실의 씨, (특히) 살구 씨.
guitón, na *adj., mf.* =vagabundo.
guitonear *intr.* =vagabundear.
guitonería *f.* 건달 생활.
gula *f.* 폭식, 과식, 과음.
gular *adj.* [동물] 목구멍의.
gulay *m. Filip.* =verdura.
gules *m.* (문장(紋章)에서 바탕이) 붉은색, 적색.
gulusmear *intr.* ① =golosinar. ② (삶은 것을) 자꾸 냄새 맡아 보고 먹어 보다. ③ =curiosear, husmear.
gumía *f.* (무어인들이 사용하는) 휜 단도[칼].
gurdo, da *adj.* =necio, simple.
gurí *m. Arg., Ur.* =niño, muchacho.
gurisa *f. Arg., Ur.* =niña, muchacha.
gurriato[1] *m.* 참새의 새끼.
gurriato[2] *m. León, Sal., Zam.* 어린 돼지(cerdo pequeño).
gurrumino, na *adj.* ① 비열한, 인색한. ② *Bol.* [드묾] 겁이 많은. ③ *Nic.* 작은. —*m.* [드묾] 아내에게 지극히 정성스러운 남자. —*f.* ① *Ext., Cuba.* = pequeñez, fruslería. ② *Ecuad.* = cansera, molestia. ③ [드묾] 아내에게 지극 정성임.
gusanear *intr.* =hormiguear.
gusanera *f.* ① 구더기가 끼는 곳[부분]. ② 정열. ③ 닭 모이용 구더기[유충]를 만들어낼 목적으로 짚과 쓰레기로 채워진 도랑. ④ *And., Ar.* 머리 부상.
gusanería *f.* 구더기가 들끓음, 많은 구더기.
gusaniento, ta *adj.* 구더기가 낀.
gusanillo *m.* ① (삼베 직물 등으로 만들어진) 가는 수예품. ② (수예용) 꼰 금실, 은실, 명주실. ③ 하고 싶은 욕망. ④ (제본용) 철사[플라스틱] 나선.
gusano *m.* ① (곤충·모충의) 구더기, 유충. ② 지렁이. ③ 비열한 사람. ④ [속어] 모충. ¶ ~ *de la conciencia* 양심의 가책. ~ *de la seda* = gusano de seda. ~ *de luz* 개똥벌레. ~ *de San Antón* 쥐며느리. ~ *de sangre roja* [동물] 노래기. ~ *de seda* 누에. ~ *revoltón* (포도나무에 끼는) 잎말이벌레.
gusanoso, sa *adj.* 구더기가 낀.
gusarapa *f.* (액체에 끼는 구더기 모양의) 작은 벌레.
gusarapiento, ta *adj.* ① gusarapa가 낀. ② gusarapa 투성이의. ③ 매우 지저분한, 썩어 문드러진.
gusarapo *m.* =gusarapa.
gustable *adj.* 미각의, 맛볼 수 있는.
gustar *tr.* ① 맛보다: ~ la sopa 국을 맛보다. ② 경험하다, 체험하다, 맛보다, 몸소 겪어 보다. —*intr.* ① 마음에 들다, 좋아하다: Me *gusta* la salsa 나는 살사가 마음에 든다. A mí me *gusta* la paella (다른 사람은 모르지만) 나는 빠에야를 좋아한다. No me *gusta* la corrida de toros 나는 투우를 싫어한다. ② (다른 사람에) 반하다, 매

료되다: ¿Te *gusto*? −Sí, me *gustas* 너 내가 좋으니? −그래, 좋아. ③ [+de] (…을) 좋아하다: ~ *de* correr 달리기를 좋아하다. ~ *de* jugar 놀기를 좋아하다. *Gusto de* viajar en tren 나는 기차 여행을 좋아한다.

gustativo, va *adj.* 미각의, 맛에 관한.

gustazo *m.* 큰 기쁨, 큰 만족.

gustillo *m.* 뒷맛(dejo): Esta uva tiene un ~ agrio 이 포도는 뒷맛이 시다.

gusto *m.* ① 맛: ~ dulce [amargo · agrio · salado · picante] 단[쓴 · 신 · 짠 · 매운] 맛. helado de cinco ~*s* 다섯 가지 맛이 나는 아이스크림. tener buen ~ 맛이 좋다. tener mal ~ 맛이 없다. tener poco ~ 맛이 별로다. ② 미각(味覺). ③ 기쁨, 즐거움: El ~ es mío ['반갑습니다', '처음 뵙겠습니다'에 대한 대답으로] 제가 오히려 더 반갑습니다. ④ 취미(afición). ⑤ 기호(嗜好). ⑥ 미적 감각. ⑦ 좋은 질. ⑧ 감상안(鑑賞眼). ⑨ =**capricho, antojo, diversión.** ¶*a* ~ 편한 대로, 좋을 대로, 마음 편하게, 기쁘게. ***al*** ~ (음식의 양념을) 입맛에 맞게: huevos *al* ~ 입맛에 맞는 달걀. ***coger el*** ~ a algo =**tomar el gusto.** ***con mucho*** ~ [부탁에 대해] 기꺼이 (하겠습니다): Te acompañaré *con mucho* ~ 기꺼이 너와 함께 가겠다. ¿Se puede usar el móvil [*Amér.* el celular]? − *Con mucho* ~ 휴대 전화 좀 쓸 수 있을까요? − 기꺼이 (쓰십시오). ***dar*** ~ ㉮ 만족하게 하다, 탄복[감탄]하게 하다. ㉯ (…에게) 기쁨[즐거움]을 주다. ***encontrarle*** ~ a algo (…을) 좋아하다, (…이) 좋아지다. ***mucho*** ~ ㉮ [누구의 소개에 대한 대답으로] 처음 뵙겠습니다, 반갑습니다. ㉯ [누구와 작별할 때 예의 형식으로] 반가웠습니다. ***para su*** ~ (…의) 생각으로는. ***tanto*** ~ =**mucho gusto.** ***tomar el*** ~ a algo (…을) 좋아하다, (…이) 좋아지다.

gustosamente *adv.* 기꺼이(con gusto).

gustoso, sa *adj.* ① 맛있는, 구미에 맞는: comida ~*sa* 맛있는[구미에 맞는] 음식. ② 즐거운, 유쾌한. ③ 진심의, 기꺼운.

gutagamba *f.* ① [식물] (인도의) 고추나물과 나무. ② 고추나물과 나무의 수지(樹脂).

gutapercha *f.* ① 수액을 말린 고무질 물질. ② 수액을 말린 고무질 물질을 칠한 천.

gutiámbar *m.* (조명 · 세밀화용) 황색 고무질.

gutífero, ra *adj.* [식물] 고추나물과의. —*f.pl.* 고추나물과 식물.

gutural *adj.* ① 목구멍의. ② 목구멍에서 나오는. ③ 후음(喉音)의. —*f.* 후음 자음(consonante ~).

guturalmente *adv.* 목구멍 소리[발음]로, 후음(喉音)으로.

guzgo, ga *adj. Méj.* =**glotón.**

Guyana *f.* [국명] 가이아나.

guyanés, sa *adj.* 가이아나의. —*mf.* 가이아나 사람.

guzla *f.* [악기] 구슬라 ((단 한 줄의 violín 비슷한 악기)).

guzpátaro *m.* [은어] 구멍(agujero).

g. y p. ganancias y pérdidas 손익.

H h

h *f.* 아체 ((스페인어 알파벳의 아홉 번째 문자)).

h. habitantes 주민, 인구; hora 시간.

ha ☞**haber.**

ha hectárea 헥타르.

haba *f.* [단수 관사: el · un(a)] ① [식물] 잠두, 누에콩. ② 잠두[누에콩]의 열매[씨]. ③ (커피 · 코코아 등의) 열매의 씨. ④ (돌의) 작은 혹, 옹어리. ⑤ (동물의 몸에 난) 잠두 모양의 작은 혹. ⑥ 귀두. ⑦ [광산] 폐석 부스러기. ⑧ (말의) 앞니의 바로 뒤 입천정에 생기는 종기. ¶ ~ ***de Egipto*** 토란. ~ ***de las Indias*** 스위트피. ~ ***marina*** 조개의 석회 조각. ~***s verdes*** 까스띠야와 레온의 민속 음악과 춤. ***echar las*** ~***s*** 잠두로 점을 치다. ***En todas partes (se) cuecen,*** ~***s*** (속담) 어디에 가도 고생은 있게 마련이다; 어느 곳이고 사람 사는 곳은 똑같다; 사람들은 어디서고 먹고, 자고, 죽고, 일하고, 똑같은 행동을 한다. ***Son*** ~***s contados*** 그것은 확실하다[분명하다 · 틀림없다].

habado, da *adj.* ① 잠두 모양의 혹이 있는 (동물). ② (피부에) 잠두 모양의 반점이 있는. ③ (새 · 닭의 깃이) 여러 가지 색깔로 섞인.

Habana, Ciudad de La [지명] 시우다드 데 라 아바나(Cuba의 주; 주도 La Habana).

Habana, La [지명] ① 라 아바나(Cuba의 동쪽에 있는 주). ② 라 아바나(Cuba의 수도, Ciudad de La Habana · La Habana의 주도).

habanero, ra *adj.* ① 라 아바나(La Habana, Ciudad de La Habana의 주도 · Cuba의 수도) 태생의. ② 시우다드 데 라 아바나(Ciudad de La Habana, Cuba의 주) 태생의. ③ 아바나(La Habana, Cuba의 주) 태생의. ④ 라 아바나 · 시우다드 데 라 아바나 · 아바나의[에 관한]. ⑤ (중남미에서 부자가 되어) 스페인에 돌아온. —*mf.* ① 라 아바나 사람. ② 시우다드 데 라 아바나 사람. ③ 아바나 사람. ④ (중남미

H

에서 부자가 되어) 스페인에 돌아온 사람. —*f.* ① [무용] 아바네라 ((2/4박자에 느린 동작의 쿠바에서 유래된 춤)). ② [음악] 아바네라 음악[곡].

habano, na *adj.* ① 라 아바나(La Habana)의[에 관한]: tabaco ~ (라) 아바나 여송연. ② 쿠바(Cuba)의[에 관한]. ③ 밝은 담배 색깔의. —*m.* ① (쿠바산 담배로 만든) 여송연. ② *Col.* (날로 먹는) 바나나.

habar *m.* 잠두(haba) 밭.

hábeas corpus *m. lat.* [법률] 인신 보호 영장, 구속 적부 심사.

haber[1] (64) *aux.* ① [+과거 분사 =완료형] Yo *he amado* 나는 사랑해 왔다. Tú *habrás leído* 너는 다 읽을 것이다. Ella *había comido* cuando yo llegué a casa 내가 집에 도착했을 때 그녀는 이미 식사를 했었다. ② [+de+*inf.*] …할 예정이다, …하기로 되어 있다, …해야 한다: *He de* salir temprano 나는 일찍 떠날 예정이다[떠나기로 되어 있다 · 떠나야 한다]. *Habré de* conformarme 나는 따를 것이다. —*tr.* ① 자기의 것으로 만들다, 자기의 손에 넣다. ② [현재는 사용하지 않음] 소유하다, 가지다. ③ [무인칭으로 3인칭 단수로만 사용] (일 · 사건이) 일어나다. ④ [무인칭] 개최되다, 열리다, 행해지다, 실시되다. ⑤ [무인칭 haber que+*inf.*] (사람들이) …해야 한다, …하지 않으면 안 된다: *Hay que* tener paciencia 참아야 한다. ⑥ (어떤 곳에 실제로) 있다: ~ diez personas en una reunión 모임에 10명이 있다. ⑦ (실제로 · 비유적으로) 있다, 존재하다: *Hay* hombres sin caridad 자비심이 없는 사람들이 있다. ⑧ [ha+시간, 시간+ha] …전에, … 되었다: poco tiempo ha 얼마 전에. Mi madre murió seis años *ha* 모친께서는 6년 전에 돌아가셨다. **~se** (잘잘못) 행동하다, 처신하다.

haber[2] *m.* ① [주로 *pl.*] 재산. ② [주로 *pl.*] 급료, 봉급. ③ [상업] 대변(貸邊). ④ [상업] 자산. ⑤ 장점, 좋은 점. ¶ ~ ***monedado*** 돈.

háber *m. hebr.* (유대인 간에) 현자(賢者), 박사.

habichuela *f.* ① [식물] 강낭콩. ② [열매] 강낭콩.

habidero, ra *adj.* 가질 수 있는.

habiente *adj.* [법률] 소유하는.

hábil *adj.* ① 유능한: fotógrafo ~ 유능한 카메라맨. ② [+con] (…에) 솜씨가 좋은. ③ 빈틈없는. ④ 생활력이 있는. ⑤ [+para] (장소가 …에) 적당한. ⑥ [법률] 자격이 있는, 유효한, …하기에 적절한. ¶***día*** ~ 영업일, 평일.

habilidad *f.* ① 숙련, 숙달, 익숙함. ② 솜씨. ③ 능력. ④ 교활함, 간교함.

habilidoso, sa *adj.* 솜씨가 좋은.

habilindroso, sa *adj. Ecuad.* =**habilidoso.**

habilitación *f.* ① 자격[능력] 부여. ② (장소의) 이용, 사용. ③ habilitado의 직. ④ habilitado의 사무소. ⑤ *Cuba.* 담배 상자의 끝을 덮는 석판 인쇄된 끈. ⑥ *Cuba.* (여자들의) 혼수감.

habilitado, da *m.f.* (재무부의) 회계관, 지불 주임.

habilitador, ra *adj., m.f.* 제공하는 (사람).

habilitar *tr.* ① 자격[능력]을 주다. ② [+para] (장소를 …으로) 사용하게 하다, 정돈하다. ③ [경제] 돈을 지급하다. ④ (여행 등에 필요한 것을) 제공하다. ⑤ [법률] 갚다, 변상하다. **~se** (여행 등에 필요한 것이) 제공되다, 제공받다.

hábilmente *adv.* 솜씨 좋게, 유능하게.

habiloso, sa *adj. Chile, Ecuad., Perú.* =**habilidoso.**

habitabilidad *f.* 거주할 수 있음.

habitable *adj.* 거주할 수 있는, 거주하기에 적합한.

habitación *f.* ① 거주, 주거. ② 가옥, 주택, 거주지. ③ 방. ④ 침실. ⑤ [법률] 거주권. ⑥ [생태학] =**hábitat.**

habitáculo *m.* ① 주거지. ② (사람 · 동물의) 소규모의 거주 구획, 거주 부분. ③ [생태학] =**hábitat.**

habitador, ra *adj., m.f.* (어떤 장소 · 집에) 사는 (사람).

habitante *adj.* 사는, 거주하는, 주거하는. —*m.* 주민, 거주자.

habitar *intr., tr.* ① 살다, 거주하다. ② 서식하다.

hábitat *m.* (동 · 식물의) 서식지.

hábito *m.* ① 의복, 복장; (특히) 승려복, 수사복, 수녀복. ② 습관, 버릇. ③ (군대의 훈장이 나타내는) 기장, 배지(insignia). ④ (군대의) 훈장. ⑤ [의학] (마약에 대한) 의존 상태. ⑥ [의학] 계속된 투약으로 생기는 약효의 감소. ⑦ *pl.* (학생 · 승려의) 긴 도포. ¶***ahorcar los*** ~ ㉮ 환속하다. ㉯ 전직(轉職)하다. ***colgar los ~s*** =ahorcar los ~s. ***tomar el*** ~ 군인이 되다, 승려[수사 · 수녀]가 되다, 수도회에 들어가다. ***El ~ no hace al monje*** (속담) 사람을 외모로 판단해서는 안 된다.

habituación *f.* 습관, 익숙해짐, 순화.

habitual *adj.* 습관적인, 버릇된, 상습적인: delincuente ~ 상습범.

habitualidad *f.* 습관성.

habitualmente *adv.* 습관적으로, 늘.

habituar (15) *tr.* [+a] (…에) 길들이다, 순응시키다, 환경에 익숙하도록 하다. **~se** [+a] (…에) 길들다, 순응하다, (환경에) 익숙해지다.

habitud *f.* [드묾] 관계.

habiz *m.* (회교 사원이나 회교 단체에 어떤 조건하에 하는) 부동산 기증.

habla *f.* [단수 관사: el · un(a)] ① 언어 능력. ② 말하는 태도. ③ 말하는 특별한 법. ④ 언어, 말: países de ~ española 스페인어 사용국들. ⑤ [언어] 말. ¶***al*** ~ ㉮ 연락을 취하여. ㉯ 말이 들리는 거리에, 전화에 나와: ponerse *al* ~ 전화에 나오다, 전화를

H

받다. Ella va a ponerse *al* ~ 그녀에게 바꿔 드리겠습니다. Kim *al* ~, dígame 여보세요, 김입니다. **estar [dejar] en** ~ algo …에 대해 절충[의논] 중이다. **quedarse sin** ~ 말할 수 없을 정도로 놀라다, 할 말을 잃다, 말문이 막히다. **quitar el** ~ a alguien (누구를) 너무 놀라 말문이 막히게 하다, 말문이 막히도록 놀라게 하다.

hablada *f.* ☞**hablado.**

habladera *f.* ① *CRica., Cuba, Hond., Nic., Salv.* 말을 너무 많이 하는 행위, 말이 많음. ② *Méj.* =**chisme.**

hablado, da *adj.* 화제에 잘 오르는. —*m. Salv.* 말하는 법. —*f.* ① =**chisme.** ② =**fanfarronada.** ¶**bien** ~ ㉮ 말을 적절하게 하는, 말을 가려 할 줄 아는, 말을 적재적소에 쓰는. ㉯ 말이 정중한, 정중히 말하는. **echar ~das** *Méj.* ㉮ 떵떵거리다, 호언장담하다. ㉯ *Méj.* 거짓말하다. **mal** ~ 말버릇이 나쁜, 말이 점잖지 않은.

hablador, ra *adj., m.f.* ① 말이 많은, 수다스러운 (사람). ② 보고 들은 것을 모두 경솔하게[귀찮게] 말하는 (사람). ③ *Ecuad., Méj., RDom.* 뻐기는, 으스대는, 뽐내는, 허세를 부리는(사람), 거짓말을 잘 하는 (사람)(mentiroso).

habladuría *f.* ① 무례한 말[표현], 험담. ② (근거 없는) 뜬소문.

hablanchín, na *adj., m.f.* [드묾] 해서는 안될 것을 말하는 (사람).

hablante *adj.* 말하는, 이야기하는; 연설하는. —*m.f.* 말하는 사람, 화자(話者).

hablantín, na *adj.* ① 해서는 안될 것을 말하는. ② *CRica., Salv.* =**parlanchín.** —*m.f.* 해서는 안될 것을 말하는 사람.

hablantina *f. Col., Ven.* ① 난잡한 말. ② 실속 없는 말.

hablantinoso, sa *adj. Col., Ven.* 말이 많은, 수다스러운. —*m.f.* 수다쟁이, 말 많은 사람.

hablar *intr.* ① 말하다: ~ en español 스페인어로 말하다. ② 연설하다. ③ [전화에서] 말하다: ¿Quién *habla*? —*Habla* Kim 누구십니까? —김입니다. ¿Con quién *hablo*? —(*Habla*) Con Kim. 누구십니까? —김입니다. ④ [+de] (…에 대해) 말하다. ⑤ 이야기하다. ⑥ 이야기하다, 쓰다. ⑦ [+a] …에게 말하다. ⑧ (말 이외의 수단으로) 표현하다: ~ con gestos 몸짓으로 나타내다. ~ por señas 신호로 나타내다. ⑨ 소문을 퍼뜨리다, 험담하다. ⑩ 연인 관계에 있다, 사랑하는 사이이다. ⑪ …를 위해 중재하다. —*tr.* ① [+무관사 언어] 말하다, 쓰다, 사용하다: ~ coreano 한국 말을 사용하다[말하다]. Ella *habla* español e italiano 그녀는 스페인어와 이탈리아어를 말한다[사용한다]. ② (어떤 것을, 특히 좋은 것이나 나쁜 것을) 말하다. ~**se** ① 상의하다, 서로 이야기하다, 말을 교환하다, 말을 주고받다. ② [부정문에서] (적대감으로) 말하지 않다: Los dos no *se hablan* 두 사람은 말을 하지 않고 있다. ③ [표시] *Se habla* español [가게에서] 스페인어 합니다. ¶~ **bien criado** 가정 교육이 좋은 사람처럼 말하다, 예의를 갖추어 말하다. ~ **fuerte** =**hablar recio.** ~ **gordo** 엄포를 놓다. ~ **por** ~ 근거도 없는 말을 하다. ~ **recio** 큰소리로 말하다. **hablárselo** alguien **todo** 혼자만 말하다, 말을 혼자 독차지하다. ***De sabios es ~ poco y bien*** (속담) 많이 아는 사람은 말을 가장 적게 한다, 침묵은 현명한 사람들의 행동 방침이다. ***Habla poco, escucha más y no errarás*** (속담) 가장 적게 말하는 것이 더 낫다, (실수하지 않기 위해) 말은 적을수록 좋다. ***Quien mucho habla mucho yerra*** (속담) 말이 많은 사람은 실수가 많다, 지나치게 말하는 것은 피해야 한다, 말이 많으면 쓸 말이 적다. ***El que sabe mucho, habla poco*** (속담) 많이 아는 자는 말수가 적다. ***El ~ bien no cuesta dinero*** (속담) 말은 돈이 들지 않는다, 말 한 마디에 천 냥 빚도 갚는다.

habliila *f.* =**habladuría.**

hablista *m.f.* 순화되고 우아한 말을 사용하는 사람.

hablistán *adj., m.f.* [드묾] 해서는 안 될 말을 하는 (사람).

habón *m.* (벌레에 물려 생긴 피부에 나타나는) 잠두 모양의 종기.

habr- ☞**haber** (64).

habús *m.* (모로코에서) =**habiz.**

haca *f.* [사용하지 않음] =**jaca.** ¶***qué ~ (morena)*** [누가 말하는 것을 거절할 때] Dame el dinero. —¡Qué dinero ni *qué* ~! 돈 줘. —돈은 무슨 돈!

hacán *m.* (유대인들 사이에서) 현자(賢者), 박사(博士).

hacedero, ra *adj.* 할 수 있는, 하기 쉬운: trabajo ~ 할 수 있는 일, 하기 쉬운 일.

Hacedor *m.* 조물주, 창조주, 신, 하나님. ¶***el Supremo*** ~ =**el Hacedor.**

hacedor, ra *adj.* 만드는. —*m.f.* 제조자, 제작자. —*m.* 농장 관리인.

hacejero, ra *m.f.* (다른 연장을 쓰지 않고 손으로 몰래) 땔나무를 훔치는 자.

hacendado, da *adj.* ① (부동산으로) 농장을 가진. ② 농장을 많이 가진. —*m.f.* ① 농장주. ② 지주. ③ *Amér.* 목장주. —*m. Chile, Ven.* 시골 농장주.

hacendar (19) *tr.* …에게 재산[부동산]을 주다. ~**se** (어떤 곳에 정착하기 위해) 농장을 사다.

hacendera *f.* ☞**hacendero.**

hacendería *f.* [고어] 부역, 육체 노동.

hacendero, ra *adj.* 집안일을 열심히 하는. —*m.* (스페인 Almadén 광산에서) 국가가 고용해 날일을 했던 고용원. —*f.* (주민이 총출동하는) 부역, 노역.

hacendista *m.f.* 재정(財政) 전문가.

hacendístico, ca *adj.* 공동 농장의.

H

hacendoso, sa *adj.* 가사에 열심인.

hacer (69) *tr.* ① ㉮ 만들다: ~ un mueble 가구를 만들다. ㉯ (재봉으로) 옷을 짓다. ㉰ 제작하다, 창작하다: ~ un programa de TV 텔레비전 프로그램을 제작하다. ㉱ 제정하다, 설립하다. ㉲ 창조하다. ② ㉮ 하다, 행하다: ~ yoga 요가를 하다. ㉯ (활동을) 하다: ~ un trabajo 일을 하다. ㉰ 상연하다, 상영하다. ㉱ 연기하다. ③ (소리 등을) 내다. ④ [+목적격 보어] …을 …하게 하다: Yo te *haré* feliz 나는 당신을 행복하게 하겠다. ⑤ [동사의 대용] 하다: ~ un viaje 여행하다(viajar). ⑥ (수량이) …이 되다: Dos y diez *hace* doce 2 + 10 =12. ⑦ (자동차 등이 거리를) 주행하다, 나아가다, 전진하다. ⑧ 씻다; 소제하다, 청소하다. ⑨ [+a] (…에) 길들이다, 익게 하다, …의 트레이닝을 하다. ⑩ [사역 동사] ㉮ [+*inf.*] …하게 하다. ㉯ [+que+*subj.*] …하게 하다. ⑪ [단인칭 동사] [날씨] (날씨가) …이다: *Hace* calor 날씨가 덥다. *Hace* frío 날씨가 춥다. ⑫ [단인칭 동사] [시간] ㉮ [+que+*ind.*] …한 지 … 되었다: *Hace* un año *que* estudio el español 나는 스페인어를 공부한 지 1년 되었다. ㉯ [전치사적] [시간] …전(前)(에): *hace* diez años 10년 전(에). ㉰ [과거의 한 시점을 기준할 경우는 hacía] ⓐ …전(에): Yo vivía en el campo *hacía* treinta años 나는 30년 전에 시골에서 살고 있었다. ⓑ …한 지 … 되었다: *Hacía* seis meses *que* yo aprendí el italiano 내가 이태리어를 배운 지 6개월 되었었다. ㉱ [미래를 기준할 경우는 hará] …이 되다: Mañana hará treinta y cinco años de nuestra boda 내일이면 우리들이 결혼한 지 35년이 된다. —*intr.* ① 하다: *Haga* usted como quiera 하고 싶은 대로 하십시오. ② [+de] (직업·역할을) 맡다, 다하다, (무대에서) 연기를 하다: ~ de maestro 교사로 일하다. ③ [+por+*inf.*] …하려 하다, …하기 위해 노력하다. ④ [+a+사람] (…에게) 그런 마음이 있다: Si te *hace*, vamos a salir ahora mismo 그렇다면 지금 당장 출발하자. ⑤ [+a+사물] (…에) 적합하다, 관련이 있다: Este corcho no *hace a* la botella 이 코르크 마개는 병에 맞지 않다. ~**se** ① 만들어지다: El pan *se hace* de trigo 빵은 밀로 만든다. ② 성장하다, 자라다, 크다. ③ [+주격 보어] (자신의 의지·노력으로) …이 되다: José *se hizo* diplomático 호세는 외교관이 되었다. ④ [+정관사+형용사] …체[척]하다: ~*se* el mudo 벙어리인 척하다. ⑤ [+a+사람] (…에게) …처럼 생각되다[보이다]. ⑥ (자기의 몸의 것을) 자르다, 깎다: ~*se* las uñas 손톱을 깎다. ⑦ (변하여) …이 되다: El vino *se hizo* vinagre 포도주가 식초가 되었다. ⑧ [+*inf.*] 자신을 …시키다: ~*se* atar las manos 자신의 손을 묶다. ⑨ [+a] (…에) 익숙해지다, 길들다, 익다. ⑩ [+con] (…을) 자기의 것으로 만들다. ⑪ [+장소의 부사] (그쪽으로) 물러나다, 가다: *Hazte* allá 저리 가(거라). ¶~ ***de las suyas*** 멋대로[자기 식대로] 해치우다. ~ ***de menos*** 깔보다, 무시하다, 경멸하다. ~ ***presente*** =representar, informar, declarar, referir. ~ ***duro*** algo o alguien 믿기 어렵다. ***Donde fueres haz lo que vieres*** (속담) 입향순속(入鄕循俗), 다른 지방에 들어가서는 그 지방의 풍속을 좇음.

hacera *f.* =acera.

hacha[1] *f.* [단수 관사: el · un(a)] ① [연장] 도끼. ② [무용] 아차 ((스페인의 옛날의 춤)). ¶~ ***de abordaje*** [선박] 작은 도끼. ~ ***de armas*** (옛날 전쟁에서 사용한) 도끼 모양의 무기. ***desenterrar*** alguien ***el*** ~ ***de guerra*** 전투 준비를 하다. ***ser*** alguien ***un*** ~ 명인이다, 명수다.

hacha[2] *f.* ① 커다란 초. ② (바람에도 꺼지지 않도록) 역청과 알파 풀로 만든 심지. ③ (오두막 지붕을 이고 시골에서 다른 건축물에 사용하도록 띠처럼 묶은) 짚단. ¶~ ***de viento*** = hacha[2] ②.

hachar *tr.* 도끼로 패다[쪼개다].

hachazo *m.* ① 도끼로 치기. ② [투우] (소가 측면에서) 뿔로 받음. ③ *Arg., Ur.* 날선 무기로 세게 치기. ④ *Arg.* 날선 무기에 의한 부상과 흉터. ⑤ *Col.* 말의 갑작스런 움직임.

hache *f.* 아체 ((문자 h의 명칭)). ¶ ***no decir*** alguien ~***s ni erres*** (누가) 말해야 할 때 같은데[적당한 때에] 말하지 않다. ***por*** ~ ***o por be*** 이럭저럭.

hachear *tr.* 도끼로 깎다[패다]. —*intr.* 도끼로 때리다.

hachemí *adj.* =hachemita.

hachemita *adj.* ① 마호메트(Mahoma)와 친척이 되는 왕조의[에 관한]. ② 요르단(Jordania)의[에 관한].

hachero[1] *m.* 촛대(candelero).

hachero[2] *m.* ① 도끼로 일하는 사람. ② [군사] (도랑·도로를 만드는) 공병.

hachís *m.sing.pl.* 대마(大麻).

hacho[1] *m.* ① 봉화용 짚 다발. ② 송진을 바른 봉화용 장작. ③ (해안 가까이에 있었던) 봉화대. ④ [은어] 도둑놈.

hacho[2] *m.* 작은 도끼.

hachón *m.* ① 커다란 초. ② 역청과 알파 풀로 만든 심지. ③ (축제의 표시로 사용하는 불꽃을 일으키는 물질이 타는) 높은 화로.

hachote *m.* (선박에서 사용하는) 짧고 두꺼운 초.

hachuela ~ ***de abordaje*** =hacha de abordaje. ☞hacha[1].

hacia *prep.* ① …쪽으로: ~ abajo 아랫쪽으로. ② [막역한 지점] …쪽에. ③ [막연한 시점] …경에(alrededor de, cerca de).

H

hacienda *f.* ① 농장, 농원. ② 재산. ③ [H~] 재무부. ④ 국가 재정. ⑤ [집합] (주인·농장의) 가축. ⑥ [드묾] [주로 *pl.*] 집안일. ¶*derramar la* ~ 재산을 헤프게 쓰다[탕진하다].
hacina *f.* ① [집합] 차곡차곡 쌓은 다발. ② [집합] 아무렇게나 쌓아진 더미.
hacinación *f.* =**hacinamiento.**
hacinador, ra *mf.* (차곡차곡) 쌓는 자.
hacinamiento *m.* 차곡차곡 쌓기.
hacinar *tr.* ① 다발을 차곡차곡 쌓다. ② 축적하다, 쌓아 올리다, (아무렇게나) 모으다, (아무렇게나) 가득 처넣다[밀어 넣다]. ~**se** ① 산적하다, 쌓이다. ② 구름같이 모여들다.
hada *f.* [단수 관사: el · un(a)] 요정, 선녀: país de las ~*s* 동화의 나라.
hadado, da *adj.* ① 운명의[에 관한]. ② 운명[숙명]을 지닌. ③ 불가사의한, 경이적인, 매혹적인.
hado *m.* ① 운명(의 신), 숙명. ② 인과(因果).
hadrubado, da *adj.* =jorobado.
hafiz *m.* 수위, 파수꾼, 관리인.
hafnio *m.* [화학] 하프늄.
haga ☞**hacer (69)**
haga- ☞**hacer (69)**
hagiografía *f.* 성인 연구; 성인전.
hagiográfico, ca *adj.* ① 성인 연구의. ② 성인전의.
hagiógrafo, fa *mf.* 성인전 작가.
hagiónimo *m.* 성인의 이름.
haiga *m.(f.)* [드묾] 대형 고급 자동차.
Haití *m.* [국명] 아이티.
haitiano, na *adj.* ① 아이티 태생의. ② 아이티의[에 관한] —*mf.* 아이티 사람.
hala *interj.* ① [기운을 북돋우기 위해] 자, 어서, 잘해라!, 힘내라!, 이겨라!: ¡*Hala*! ¡A jugar! 자, 경기하자! ② [부를 때] 여!, 어이!, 이봐! ③ [행진에서] 나가자!, 계속해라!, 잘한다!
halagador, ra *adj.* 즐겁게 하는; 아부하는.
halagar (8) *tr.* ① …에게 애정을 표시하다. ② 만족스럽게 하다, 우쭐하게 만들다. ③ 아부하다, 알랑거리다, 간살 떨다. ④ 즐겁게 하다, 기쁘게 하다. ¶ ***Quien halaga engaña*** (속담) 아부하는 자는 속인다.
halago *m.* ① 즐거운 일, 기쁜 일. ② [주로 *pl.*] 아첨, 아부, 간살. ③ 애정의 표현.
halagüeñamente *adv.* 상냥하게, 다정하게; 아부로, 아첨으로, 간살 떨며.
halagüeño, ña *adj.* ① 즐겁게 하는, 기쁘게 하는. ② 아부하는, 아첨하는, 간살을 떠는. ③ 상냥스러운, 다정한.
halar *tr.* ① (밧줄을) 끌다, 예인하다. ② *And., CRica., Cuba, Hond., Nic., Pan., Ven.* (…을 자기쪽으로) 끌다. ③ *Cuba.* (빨대·다른 관으로) 액체를 빨다. ④ *Cuba.* (기계가) 기름[전기]을 소비하다. ⑤ *Ven.* 억지로 끌다. —*intr.* ① *Cuba., Ven.* 잡다, 쥐다. ② *Cuba.* 담배 연기를 들이마시다. ③ *Cuba.* (화덕·굴뚝이) 연기를 내다. ~**se** *Cuba.* (병·피로로) 얼굴을 찡그리다.
hálala *f.* (조류의 알 속의) 얇은 막.
halcón *m.* ① [새] 매. ② [정치] 매파(派). ¶ ~ ***campestre*** (닭이나 가금류를 따라 다니는 시골에서 자란 길들여진) 매. ~ ***coronado*** =**arpella.** ~ ***garcero*** 해오라기 사냥 매. ~ ***gentil*** 매의 일종. ~ ***grullero*** 학 사냥용 매. ~ ***lanero*** [새] 흰수리부엉이. ~ ***letrado*** 매의 변종. ~ ***marino*** 가장 길들이기 쉬운 매의 일종. ~ ***montano*** (어릴 때 길들이지 않아 길들이기 어려운 산에서 자란) 들매, 야생매. ~ ***niego*** ㉮ 둥지에서 잡힌 매. ㉯ 둥지에서 갓 나온 매, 새끼 매. ~ ***peregrino*** [새] =**halcón.** ~ ***ramero*** 둥지에서 갓 나온 새끼 매.
halconado, da *adj.* 매 같은[모양의].
halconear *intr.* [드묾] 남자를 꼬이러 다니다.
halconera *f.* ☞**halconero.**
halconería *f.* 매사냥.
halconero, ra *adj.* [드묾] 남자를 낚으러 다니는 (여자). —*m.* 매사냥꾼. —*f.* 매를 두는 장소. ¶ ~ ***mayor*** 매사냥꾼 감독[지휘자].
halda *f.* [단수 관사: el · un(a)] ① (포장용) 올이 굵은 삼베[마포]. ② 삼베에 들어가는 것. ③ *Ar., Sal., Vizc.* 스커트의 (접어 올린) 무릎. ④ *Ar., Sal., Vizc.* 스커트 무릎을 이루는 몸의 부분. ⑤ [드묾] 스커트.
haldada *f.* halda에 들어간 것.
haldear *intr.* [드묾] 스커트 자락을 펄럭이며 걷다, 급히 걷다.
haldeta *f.* (허리부터 약간 더 아래까지 걸린) 옷의 부분, (옷의) 허리통 부분
haldinegro, gra *adj.* =**faldinegro.**
haldudo, da *adj.* =**faldudo.**
¡hale! *interj.* =**¡hala!**
halieto *m.* [새] 물수리.
hálito *m.* ① =**aliento.** ② 김, 수증기. ③ [시어] 미풍(微風).
halitosis *f.sing.pl.* 입내, 구취(口臭), 호흡 악취(fetidez del aliento).
hall *m. ing.* 현관의 넓은 방, 홀, (호텔의) 로비.
hallaca *f. Ven.* [요리] 아야까 ((특히 크리스마스 때 먹는 음식으로, 생선이나 각종 고기와 건포도, 땅콩, 달걀, 양파 등을 바나나 껍질에 싸서 증기에 찐 밀가루 케이크)).
hallado, da *adj.* ① 발견된: cosa ~*da* 습득물. ② 어울리는: bien ~ 적합한, 잘 어울리는. mal ~ 부적합한, 잘 어울리지 않는.
hallador, ra *adj., mf.* ① 발견하는 (사람). ② (바다에서) 배나 짐의 잔해를 줍는 (사람).
hallar *tr.* ① 찾다, 찾아내다, 발견하다 Buscad, y *hallaréis* 찾으라 그러면 찾을 것이요 ((누가복음 11:9)). ② 알(아차리)다, 생각나다, 깨닫다; 판단하다:

H

¿Cómo lo *hallas*? 어떻게 알고 있느냐? ③ 확실히 하다, 분명히 하다, 확인하다. **~se** ① [+en] (…에) 있다. ② [상태] …이다, 있다. ③ 자신을 …로 간주하다, …로 간주되다. ④ [+con] (…와) 우연히 만나다, 마주치다, 부닥치다, 맞닥뜨리다. ¶ ~ *menos* = echar menos. ☞echar. *~se bien con* algo …에 만족하(고 있)다. *~se con* algo …을 가지고 있다. *~se* alguien *en todo* 아무 데나 말참견하다, 부르지도 않았는데 어디에고 가다. *hallárselo* alguien *todo hecho* ㉮ 힘 안 들이고 해내다, 얻으려고 애쓰지도 않고 원하는 것을 얻다. ㉯ 손쉽게[재빨리·신속히·눈 깜짝할 사이에] 해치우다. *no ~se* alguien ㉮ (사람이 어떤 장소나 상황에) 적합하지 않다, 어울리지 않다. ㉯ 번거롭다, 귀찮다.

hallazgo *m.* ① 발견, 찾(아내)는 일, 발굴. ② 습득물, 우연히 얻은 물건. ③ [법률] (남의 물건의) 습득.

hallulla *f.* ① [요리] 아유야 ((재 속의 숯불·벽돌·아주 뜨거운 돌에 구운 빵)). ② *Bol., Chile, Ecuad.* [요리] 아유야 ((비교적 가는 반죽 덩어리로 만든 둥근 모양의 빵)).

hallullero, ra *m.f. Chile, Ecuad.* 아유야(hallula) 제조자[판매자].

hallullo *m.* =hallulla.

halo *m.* ① (태양·달의) 무리. ② (성상(聖像) 등의) 후광, 원광, 광배. ③ 발광체 주변의 희미한 빛의 원. ④ [사진] 헐레이션 ((강한 광선으로 흐릿해지는 일)). ⑤ (명성이나 권위를 주는) 영예, 영광.

halo- *pref.* 「소금·염(鹽)(sal)」의 뜻: *haló*geno 할로겐. *halo*ideo 할로겐화된.

halófilo, la *adj.* [식물] 염생(鹽生)의, 염분이 많은 땅에서 사는.

halógeno, na *adj., m.* 할로겐(의).

haloideo, a *adj.* 할로겐의, 할로겐화된.

halón *m. And., Amér.* 예항(曳航).

haloque *m.* (옛날의) 소형 배.

halotecnia *f.* [화학] 제염술(製鹽術).

haloza *f.* 나막신(calzado de madera).

haltera *f.* [운동] 아령.

halterofilia *f.* [운동] 역도.

halterófilo, la *adj.* 역기의, 역기에 관한. *—m.f.* 역도 선수.

hamaca *f.* ① 해먹. ② 갑판 의자, 휴대용 의자, 접의자. ③ *Arg., Ur.* =mecedora. ④ *Arg., CRica., Cuba, Ur.* =columpio. ¶ ~ *paraguaya Arg., Ur.* =hamaca ①.

hamacar (7) *tr.* =hamaquear. **~se** *Arg., Ur.* 어려운 상황을 노력으로 맞서다.

hamadría *f.* [신화] =hamadríade.

hamadriada *f.* [신화] =hamadríade.

hamadríade *f.* [신화] 숲의 요정.

hámago *m.* =ámago.

hamaquear *tr.* ① *Amér.* 흔들다, (특히) 해먹에서 흔들다. ② *Cuba.* (…를) 조종하다, 이리저리 계속 가게 하다.

hamaquero, ra *m.f.* ① 해먹 제조자. ② (해먹 안에 있는 사람을) 해먹으로 옮기는 사람. *—m.* 해먹을 벽에 매는 고리.

hambrazón *m. Ven.* 심한 공복[허기].

hambre *f.* [단수 관사: el·un(a)] ① 공복, 배고픔: quejarse de ~ 공복을 호소하다. satisfacer el ~ 공복을 채우다. tener ~ 배고프다, 시장하다. ② (보급 부족으로) 기본 식량 부족, 기근, 기아, 굶주림. ③ 갈망, 열망, 욕망, …욕: ~ de gloria 명예욕. tener mucha ~ de éxito 출세욕이 넘치다. ¶ ~ *calagurritana* 아주 심한 공복, 허기. ~ *canina* ㉮ =bulimia. ㉯ 심한 공복, 허기. ㉰ 아주 강한 욕망. ~ *estudiantina* 항상 넘치는 식욕. *andar* alguien *muerto de* ~ 쪼들린 생활을 하다, 옹색한 생활을 하다. *apagar el* ~ =matar el hambre. *matar de* ~ 먹을 것을 거의 주지 않다, 여위게 만들다. *matar el* ~ 포식시키다, 공복을 채워 주다. *morir(se) de* ~ ㉮ 무척 궁핍하다, 극빈 상태에 있다. ㉯ 허기져 있다, 참을 수 없이 배가 고프다, 배가 고파 죽을 지경이다[찰나에 있다]. *perecer* [*rabiar*] *de* ~ =morir de hambre. *A buen ~ no hay pan duro, A ~s buenas no hay pan malo, Méj. A buena ~ no hay gordas duras* (속담) 시장이 반찬.

hambreada *f. Hond.* 심한 공복, 허기.

hambrear *tr.* [드묾] 굶주리게[배고프게] 하다. *—intr.* 굶주려 있다, 허기로 고생하다.

hambriento, ta *adj.* ① 굶주린, 허기진. ② 배고픈, 먹고 싶은. ③ *Ecuad.* 인색한. *—m.f.* 굶주린[허기진] 사람. ¶ *Más discurre un ~ que cien letrados* (속담) 궁하면 통한다.

hambrina *f. And.* 심한 공복.

hambrón, na *adj.* 몹시 허기진. *—m.f.* 몹시 허기진 사람, 배고파 다 죽어 가는 사람.

hambruna *f.* 식량 부족, 기아.

hamburgués, sa[1] *adj.* ① 함부르크 (Hamburgo, 독일의 도시) 태생의. ② 함부르크의[에 관한]. *—m.f.* 함부르크 사람.

hamburguesa[2] *f.* ① [요리] 암브르게사 ((튀기거나 구운 여러 가지 재료를 넣은 다진 고기 부침개)). ② 암브르게사로 만든 샌드위치.

hamburguesería *f.* 햄버거 가게.

hampa *f.* [단수 관사: el·un(a)] [집합] 불량배, 깡패, 범죄 조직; 사기단.

hampesco, ca *adj.* 범죄 조직의, 도적단의, 사기단의.

hampón, na *adj.* ① =valetón, bravo. ② =meleante, haragán.

hamponil *adj. Ven.* hampa의[에 관한].

hámster *m.* [동물] 햄스터, 비단털쥐 ((큰 쥐의 일종)).

handicap *m. ing.* 핸디캡:

hanega *f.* =fanega.

H

hanegada *f.* =fanegada.
hangar *m.* (비행기의) 격납고.
hannoveriano, na *adj.* ① 하노버(Hannover, 독일의 도시) 태생의. ② 하노버의[에 관한]. ③ 하노버 왕국의[에 관한]. ④ 하노버 사람.
Hansa *f.* [역사] 한자 동맹.
hanseático, ca *adj.* 한자 동맹의.
hápax *m.* [언어] (자료 등에서) 한 번밖에 사용하지 않은 어구(語句).
haplografía *f.* 다른 부분과 같거나 비슷한 단어[행]가 탈락하는 현상 ((예 el Quijote, II, 32에서 dejarse lavar ← dejarse lavar la barba)).
haploide *adj.* [생물] (염색체가) 단수성(單數性)의, 반수성(半數性)의.
haploidía *f.* [생물] 반수성(半數性).
haplología *f.* ① =**haplografía.** ② (같은 단어에 또 하나의 이어진) 비슷한[같은] 음절 탈락[제거] ((예 cejunto ←ce*ji*junto, impudicia ←impudi*ci*cia.
hará ☞**hacer (69).**
harán ☞**hacer (69).**
haragán, na *adj.* 태만한, 나태한, 게으른. *—mf.* 태만한 사람, 나태한 사람, 게으름뱅이. *—m. Cuba, Ven.* 바닥 문지르는 도구.
haraganamente *adv.* 게을리, 빈둥빈둥.
haraganear *intr.* 빈둥빈둥 지내다.
haraganería *f.* 무위(無爲); 태만, 나태.
haraganoso, sa *adj.* =**haragán.**
harambel *m.* =**arambel.**
harán ☞**hacer (69)**
harapiento, ta *adj.* 누더기를 걸친.
harapo *m.* [주로 *pl.*] ① 누더기, 넝마. ② (마지막으로 나오는) 도수가 아주 낮은 소주. ¶***andar* [*estar*]** alguien ***hecho un*** ~ (누가) 너덜너덜한 옷을 입고 있다.
haraposo, sa *adj.* 너덜너덜한.
haraquiri *m. jap.* 할복(割腹).
haras *m. Arg., Perú, Ur., Ven.* 말 사육장.
harás ☞**hacer (69).**
harbar *intr.* =**jadear.**
harbullar *tr.* =**farfullar.**
harbullista *adj.* [드뭄] =**farfullador.**
harda[1] *f.* =**ardilla.**
harda[2] *f. And.* =**costal, saco.**
hardido, da *adj.* =**ardido.**
hardware *m. ing.* [컴퓨터] 하드웨어.
haré ☞**hacer (69).**
haréis ☞**hacer (69).**
harem *m.* =**harén.**
haremos ☞**hacer (69).**
harén *m.* ① 하렘 ((이슬람교도들의 집의 아내들의 방)). ② [집합] (이슬람교도 간에) 가장의 예속 아래 살고 있는 여자들. ③ [동물] (사슴처럼) 번식기에 단 한 마리의 수컷과 함께 서식하는 암컷의 무리.
haría ☞**hacer (69).**
haría- ☞**hacer (69).**
harina *f.* ① (일반적으로) 가루: ~ de maíz 옥수수 가루. ~ de trigo 밀가루. ~ de pescado 어분(魚粉) ② 밀가루, 맥분, 소맥분. ③ (곡물의) 가루. ④ 알뿌리와 야채의 가루. ⑤ 단단한 물질의 가는 가루. ¶~ ***abalada*** 빵 반죽통에서 떨어진 밀가루. ~ ***de flor*** 체질된 잘 정제된 밀가루, 특등 (밀)가루. ~ ***fósil*** 규조토. ~ ***integral*** 밀기울이 포함되어 체로 치지 않은 밀가루. ~ ***lacteada*** (유아기의) 영양 분유. ***hacer buena*** ~ 일을 잘하다, 잘 만들다. ***hacer mala*** ~ 일을 망치다, 엉망으로 만들다. ***meterse*** alguien ***en*** ~ 아주 열심히 집요하게 하다, 일에 열중해 있다. ***metido en*** ~ ㉮ (빵이) 말랑말랑하지 않은. ㉯ (사람이) 토실토실 살찐. ***ser*** algo ***de otro costal*** 아주[전혀] 다르다. ***Donde no hay*** ~ ***todo es mohína*** (속담) 가난은 불화를 일으킨다, 집에 돈이 없으면 분란이 끊이지 않는다.
harinado *m.* 물에 푼 (밀)가루.
harinear *intr. And., Ven.* [무인칭] 보슬비[가랑비]가 내리다.
harinero, ra *adj.* (밀)가루의[에 관한]: cedazo ~ (밀)가루 체. molino ~ 제분기, 맷돌. saco ~ 밀가루 부대[포대]. *—m.* ① 밀가루 중개 상인. ② 밀가루 보관 궤[장소].
harinoso, sa *adj.* ① 가루가 많은. ② 가루 모양의, 분말상(粉末狀)의.
harinudo, da *adj. Méj.* =**harinoso.**
harmonía *f.* =**armonía.**
harmónicamente *adv.* =**armónicamente.**
harmónico, ca *adj.* =**armónico.**
harmonio *m.* [음악] =**armonio.**
harmoniosamente *adv.* =**armoniosamente.**
harmonioso, sa *adj.* =**armonioso.**
harmonizable *adj.* =**armonizable.**
harmonización *f.* =**armonización.**
harmonizar (9) *tr.* =**armonizar.**
harnal *m.* 큰 밀가루 상자, (특히) 제분소의 큰 궤.
harneadura *f. Chile.* 체질, 키질.
harnear *tr. Chile.* 체[키]로 치다, 체질[키질]하다.
harnerero *m.* 키[체] 제조자[장수].
harnero *m.* 체[키](criba)의 일종. ¶***estar*** alguien ***hecho un*** ~ 여러 곳을 다치다, 많이 다치다.
harón, na *adj.* ① 게으른, 나태한, 태만한. ② 일하기 싫어하는.
haronear *intr.* 게으름피우다.
haronía *f.* =**pereza, flojedad.**
harpa *f.* =**arpa.**
harpado[1]**, da** *adj.* =**arpado**[1].
harpado[2]**, da** *adj.* [시어] (새가) 아름답게 지저귀는.
harpía *f.* ① =**arpía.** ② [동물] (아메리카 밀림에 사는 깃이 희고 납빛을 띤) 독수리.
harpillera *f.* =**arpillera.**
harre *interj.* =**arre.**
harrear *tr.* =**arrear**[1].

H

harria *f.* [집합] 짐 싣는 동물(recua).
harriería *f.* =arriería.
harriero *m.* ① 마부. ② [새] (Cuba 섬에서 사는) 딱따구리.
hartada *f.* ① 포식, 배가 가득 참. ② 배를 채우기에 충분한 양. ③ *CRica.* 비평.
hartadera *f.* *Nic.* =comilona.
hartamente *adv.* *Hond.* =muy, mucho.
hartar *tr.* ① 포식시키다, 실컷 먹이다, 과식시키다, 과음시키다. ② 만족시키다. ③ 물리게 만들다, 신물나게 하다, 지긋지긋하게 하다, 진절머리나게 하다. ④ (…에게) 지나치게 많이 주다[공급하다 · 먹이다]: ~ *de* palos 몽둥이 찜질을 하다. ~**se** ① 포식하다, 실컷 먹다, 과식하다, 과음하다. ② 만족하다. ③ 신물이 나다, 물리다, 지긋지긋하다, 진절머리가 나다.
hartazgo *m.* 포식, 물림, 싫증남, 지긋지긋함. ¶***darse*** alguien ***un*** ~ 포식하다, 물리도록 먹다. ***darse*** alguien ***un*** ~ ***de*** algo (누가 무엇을) 지나치게[과하게 · 물리도록 · 싫증나도록] 하다: *darse un* ~ *de* hablar 말을 너무 많이 하다.
hartazón *m.* =hartazgo.
hartera *f.* =hartazgo.
harto, ta *adj.* ① (…에) 물린, 싫증이 난, 신물이 난, 진절머리가 난, 지긋지긋한. ② 배부른, 포식한. ③ 충분한, 넉넉한, 흔한. —*adv.* 여분으로, 많이, 충분히. —*m.f.* ① (먹어서) 물린 사람. ② 포식한 사람.
hartón, na *adj.* *AmérC., Méj., RDom.* =**comilón, glotón.** —*m.* =**hartazo.** —*m.f.* *AmérC., Méj., RDom.* 먹보, 식충이, 대식가.
hartura *f.* ① =**hartazgo.** ② 풍부함. ③ 만족.
has ☞**hacer (69)**
hasaní *adj.* ① (주로) 모로코 황제 하산(Hasán)이 주조한 (동전). ② 모로코 화폐의.
hassio *m.* [화학] 하슘.
hasta *prep.* ① [장소 · 시간 · 수량 · 행동] …까지: ~ la página cincuenta 50쪽까지. ② [인사] 만납시다, 봅시다: *Hasta* pronto 곧 또 만납시다. *Hasta* mañana 내일 만납시다. —*conj.* ① [+cuando · 현재 분사] …하면서, …까지: Canta ~ *cuando* come[comiendo] 먹으면서 노래를 불러라. ② [+que] 드디어 …하다: Canta ~ *que* come 노래를 부르고 먹어라. —*adv.* *AmérC., Ecuad., Méj.* [시간] … 이후. ¶***Hasta ahora, Hasta después, Hasta la vista, Hasta luego, Hasta más ver*** (곧 · 같은 날에) 또 봅시다, 나중에 봅시다. ***Hasta nunca*** (헤어지는 사람에게 화가 나거나 노여워) 다시는 만나지 않겠다! ~ ***que,*** ~ ***tanto que*** …할 때까지: Correré ~ *que* me canse 지칠 때까지 달리겠다.
hastial *m.* ① [건축] 합각머리, 맞배지붕. ② (갱도의) 측면, 측벽(側壁). ③ 촌스럽고 거친 남자. ④ *pl.* *Al., Vizc.* (도로변의 대중용) 추녀 끝 지붕.
hastiar (12) *tr.* …에게 혐오감을 일으키게 하다, 싫증나게 하다, 구역질나게 하다, 진절머리나게 하다. ~**se** [+de] (…에) 싫증이 나다, 진절머리가 나다, 구역질이 나다.
hastío *m.* ① (음식에 대한) 혐오감, 불쾌감. ② 권태, 싫증, 지루함, 지겨움.
hastiosamente *adv.* 싫증이 나서, 지겨워서, 지루하게(con hastío).
hastioso, sa *adj.* =**fastidioso.**
hataca *f.* 큰 반죽 방망이.
hatajo *m.* ① 작은 가축 떼. ② [경멸] 사람[물건]의 무리, 떼, 그룹.
hatería *f.* ① (목동 · 날품팔이 · 광부에게 지급되는) 2–3일 먹을 식량. ② 목동 · 날품팔이 · 광부가 지참한 옷 · 개인 용품 · 식량 비축분.
hatillo [hato의 축소사] ***echar*** alguien ***el*** ~ ***el mar*** (누가) 노하다, 성내다, 화내다. ***coger*** **[*tomar*]** alguien ***el*** ~ [***su*** ~] (누가) 떠나다, 가버리다.
hato *m.* ① 옷 보따리, 허드레 물건을 넣는 꾸러미. ② 가축 떼. ③ 좋지 않은 사람[별 볼일 없는 사람]의 무리[모임]. ④ 사람[물건]의 떼(hatajo). ⑤ =**junta, corillo.** ⑥ 목동들이 마을 밖에서 가축과 머무르는 동안 숙식을 위해 고른 장소, 목동의 야외 캠프[천막]. ⑦ =**hatería.** ⑧ *Col., Hond., RDom., Ven.* (모든 가축, 특히 소나 말처럼 큰 가축을 사육하는) 시골 농장. ¶***andar*** alguien ***con el*** ~ ***a cuestas*** (누가) 자주 거처를 바꾸다, 일정한 거처 없이 떠돌아다니다. ***liar*** alguien ***el*** ~ (누가) 떠날 채비를 하다. ***menear el*** ~ a alguien (누구를) 때리다. ***revolver el*** ~ 불화를 일으키다. ***traer*** alguien ***el*** ~ ***a cuestas*** =andar con hato a cuestas.
havo *m.* =panal.
hawaiano, na *adj.* ① 하와이 섬(las islas Hawai) 태생의. ② 하와이의[에 관한]. ③ 하와이 군도의[에 관한]. ④ (하와이에서 사용하는) 말레 · 폴리네시아 어의[에 관한]. —*m.f.* 하와이 사람. —*m.* 말레 · 폴리네시아 말.
hay 있다: *Hay* un libro en la mesa 책상 위에는 한 권의 책이 있다. *Hay* muchos libros en la librería 도서관에는 많은 책들이 있다. ☞**haber** ⑥⑦.
haya[1] *f.* [단수 관사: el · un(a)] ① [식물] 너도밤나무. ② 너도밤나무 재목.
haya[2] *f.* [단수 관사: el · un(a)] (스페인의 무용 학교에서 제자들이 스승들에게 크리스마스와 다른 축제에서 하는 선물.
haya[3] ☞**haber (64).**
haya- ☞**haber (64).**
hayaca *f.* ① *Cuba.* =**tamal.** ② *Ven.* =**hallaca.**
hayal *m.* 너도밤나무 숲.

H

hayedo *m.* =hayal.
hayo *m.* ① *Col., Ven.* =coca[1]. ② *Col.* 아요 ((인디오들이 씹는 코카 잎과 석회질염이나 소다 가끔은 재와의 혼합물)).
hayuco *m.* 너도밤나무(haya)의 열매.
haz[1] *m.* ① (밀·땔감 등의) 다발: ~ de leña 장작 다발. . ② [물리] 속(束), 빔: ~ luminoso 광선속(光線束).
haz[2] *m.* ① [군사] 군단(軍團). ② [군사] 열을 지은 군대.
haz[3] *f.* [단수 관사: el·un(a)] ① 얼굴. ② (천 등의) 겉. ③ [식물] (잎의 더 번쩍거리고 미끈미끈한) 윗면. ¶~ *de la Tierra* 지표. *a dos haces* 악한 마음을 품고, 저의(底意)를 가지고. *a sobre* ~ 겉보기에, 표면적으로, 얼핏 보아. *ser* alguien *de dos haces* (누가) 속과 겉이 다르다, 속마음과 하는 말이 다르다.
haz[4] 해라, 만들어라. ☞**hacer (69).**
haza *f.* 밭, 경작지.
hazana *f.* (여자의) 집안일.
hazaña *f.* 위업, 수훈, 공훈, 공적.
hazañería *f.* (두려움·칭찬 등의) 놀란 표정[얼굴]: hacer ~ 뽐내다, 거드름 피우다, 젠체하다.
hazañero, ra *adj., mf.* 젠체하는 (사람).
hazañosamente *adv.* [드묾] 남자답게, 용감하게.
hazañoso, sa *adj.* ① 공로가 있는, 수훈을 세운. ② 영웅적인(heroico); 용감한; (일이) 용기가 필요한.
hazmerreír *m.* 어릿광대, 익살꾼.
HB *Herri Batasuna* 인민 전선 ((바스크의 정당)).
Hda hacienda 농장.
he *adv.* [haber의 직설법 현재·1인칭·단수; aquí, ahí, allí와 함께 쓰이기도 하고, 대명사 me, te, la, le, lo, las, los와도 함께 쓰인다] …에 있다: *He aquí* la verdad 여기에 진실이 있다. —*interj.* [누구를 부를 때] 이봐, 애, 어이: *Hete aquí* … 이봐, ….
hebdómada *f.* ① 7년간. ② 주(週).
hebdómadamente *adv.* 주마다, 매주.
hebdomadario, ria *adj.* 주(週)의, 주간의, 1주일의. —*mf.* [종교] 주번, 주무자. —*m.* 주간지(semanario).
hebijón *m.* 걸쇠(hebilla) 고리.
hebilla *f.* 걸쇠, 버클.
hebillaje *m.* (옷 한 벌의) 걸쇠, 버클.
hebillero, ra *mf.* 걸쇠 제조자[판매자].
hebra *f.* ① (바느질용) 실. ② (동식물의) 섬유질. ③ 사프란 꽃의 암술머리. ④ 고기의 힘줄. ⑤ 직물의 섬유. ⑥ (섬유상의) 잘게 썬 담배. ⑦ 나뭇결. ⑧ [광산] 광맥. ⑨ 연설의 줄거리. ⑩ *pl.* [시어] 모발(毛髮) ((*sing.* 로도 사용됨)). ¶*cortar* a alguien *la* ~ *de la vida* (누구의) 생명을 빼앗다, (누구를) 죽이다. *de una* ~ *Chile.* 단숨에. *estar* alguien *de buena* ~ 건장하다, 기골이 장대하다. *pegar la* ~ 잡담을 시작하다, 긴 잡담을 하다. *ser* alguien *de buena* ~ =estar de buena hebra.
hebraico, ca *adj.* =hebreo.
hebraísmo *m.* ① 유대교, 모세교, 유대 사상. ② 히브리 말 특유의 어법. ③ 히브리 말의 어법 사용.
hebraísta *mf.* 히브리어[문학] 연구자, 히브리 말 학자.
hebraizante *adj.* ① 히브리 말을 사용하는. ② 히브리 말 연구의. ③ 유대교를 믿는. —*mf.* ① 히브리 말[문학] 연구자, 히브리 말 학자. ② 유대교인.
hebraizar (9) (16) *tr.* 히브리 말을 사용하다.
hebreo, a *adj.* ① (팔레스타인을 정복해 거주했던) 셈족[이스라엘 민족·유대 민족]의. ② 셈족에 관한. ③ (이스라엘과 세계의 다른 유대 사회에서 사용하는) 셈어의[에 관한]. ④ 모세교를 믿는. ⑤ 모세교를 믿는 신도의[에 관한]. —*mf.* ① 셈족. ② 모세교도. —*m.* ① 셈어. ② =mercader. ¶~ *rabínico* 고대와 중세 문학에서 사용된 히브리 말.
hebroso, sa *adj.* 힘줄[섬유질]이 많은.
hebrudo, da *adj. And., León., CRica.* =hebroso.
hecatombe *f.* ① 대학살. ② 재난, 재앙, 대참사, 대재해. ③ 고대인들이 신에게 바친 소 백 마리나 다른 희생물의 산 제물. ④ 희생물의 숫자가 큰 장엄한 산 제물.
hechiceresco, ca *adj.* 주술(hechicería)의[에 관한].
hechicería *f.* ① 주술(呪術). ② 주문(呪文). ③ 주술을 부리는 미신적인 행위.
hechicero, ra *adj.* ① 주술의, 주문의, 주문을 외는, 주술을 행하는. ② 매혹적인, 매력적인. —*mf.* 주술사(呪術師).
hechizar (9) *tr.* ① 푸닥거리를 하다. ② 매혹시키다, …의 마음을 사로잡다.
hechizo, za *adj.* ① 속이는, 거짓의. ② 떼었다 붙일 수 있는. ③ 규격 제품의, 표준 규격의: muebles ~s 표준 규격의 가구. ④ *Méj., Salv.* 손으로 만든, 수제(手製)의. —*m.* ① 푸닥거리, 주문(呪文), 주술(呪術). ② 푸닥거리에 사용하는 물건. ③ 매혹시키는 사람[것].
hecho, cha *adj.* ① 성숙한, 완성한, 다 된, 다 자란: hombre ~ 성인. ropa ~*cha* 기성복. ② [+명사: 명사의 성·수에 일치함] … 비슷한, … 같은: ~ un león 사자 같은. ~*cha* una fiera 맹수 같은, 미친 듯이 몹시 성낸. ③ (사람이) 만들어진: cuerpo bien ~ 균형이 잘 잡힌 몸매. hombre bien ~ 이목구비가 반듯한 남자. —*m.* ① 행위, 행동, 업적. ② 사실. ③ 일, 사건, 일어난 일, 당면 문제. ¶~ *consumado* 기정 사실. ~ *de armas* 무훈. *Hechos de los Apóstoles* (신약 성경의) 사도 행전. *a* ~ ㉮ 계속해서, 잇달아, 끝날 때까지 중단 없이. ㉯ 일괄하여, 전체적으로, 한데 섞어서, 구별 없이. *de* ~

H

㉮ *adv.* 사실상, 실제(로). ㉯ *adv.* 진심으로, 진정으로, 정말로. ㉰ *adj.* 사실상의. ((*adv.* 로도 사용됨. *en ~ de verdad* 진실로. *hacer* alguien *su ~* =hacer su negocio. ☞negocio. *~ y derecho* ㉮ (사람이) 완벽한, 완전무결한, 결점이 없는, 뛰어난, 탁월한, 우수한: hombre *~ y derecho* 완벽한 남자[사람]. ㉯ (일이) 완전한, 완전히 행해진. ㉰ 진실한, 참된, 진정한. ㉱ (사람이) (…에) 밝은, 정통한. *—interj.* (동의·의견이 일치할 때) 좋아!, 찬성이다!, 오케이! (vale): ¿Vamos de compras? —*¡Hecho!* 우리 장보러 갈까? —좋아!

hechor, ra *m.f. And., Chile.* =malhechor. *—m. Arg., Col., Perú, Ven.* 씨말, 종마; 씨나귀.

hechura *f.* ① [주로 *pl.*] 제작, 가공. ② 만드는 방법; (하는) 방식, 방법. ③ (사람·물건이, …의) 작품; (신의) 창조물. ④ (권세가 등으로부터) 비호를 받는 사람, 마음에 든 사람, 좋아하는 사람. ⑤ 형상(形狀): *~* de estrella 별 모양. ⑥ (나무 등으로 만든) 도형, 장식품. ⑦ 외견, 겉모양, 외관, 겉보기. ⑧ 체격, 몸매. ¶*no tener ~* algo 할 수 없다, 불가능하다, 쉽지 않다.

hect. hectárea 헥타르.

hectárea *f.* [면적의 단위] 헥타르.

héctico, ca *adj.* =hético. *—f.* 소모열.

hectiquez *f.* [의학] (폐병과 소모열의 특성이 나타나는) 만성 질병 상태.

hecto- *pref.* 「백(百)」의 뜻: *hectárea* 헥타르.

hectógrafo *m.* 젤라틴판 복사기.

hectogramo *m.* [중량의 단위] 헥토그램, 100그램 ((hg)).

hectolitro *m.* 헥토리터 ((100리터: hl)).

hectómetro *m.* [길이의 단위] 헥토미터 ((100미터: hm)).

hedentino, na *adj.* [드묾] =hediondo. *—f.* ① 고약한 냄새. ② 고약한 냄새가 나는 곳.

heder (20) *intr.* 고약한 냄새가 나다; 불쾌해지다; 지치다, 귀찮아지다.

hediento, ta *adj.* =hediondo.

hediondamente *adv.* 역겹게, 구역질나게, 더럽게(con hedor).

hediondez *f.* ① 역겨운 것, 구역질 나는 것. ② 악취, 썩은 냄새, 액취(腋臭).

hediondo, da *adj.* ① 악취가 나는. ② 귀찮은, 번거로운, 골치 아픈, 성가신; 불쾌한, 싫은. ③ (표현이) 더러운, 구역질나는, 외설의.

hedónico, ca *adj.* ① 쾌락주의의. ② 쾌락을 얻게 하는. ③ 쾌락과 관계된.

hedonismo *m.* [철학] 쾌락주의.

hedonista *adj.* 쾌락주의의. *—m.f.* 쾌락주의자.

hedonístico, ca *adj.* 쾌락주의의; 쾌락을 얻게 하는; 쾌락과 관계되는.

hedor *m.* 악취, 역겨운[썩은] 냄새.

hegelianismo *m.* 헤겔(Hegel) 철학.

hegeliano, na *adj.* 헤겔 (철학)의.

hegemonía *f.* ① (국가간의) 패권. ② (일반적으로) 주도권, 헤게모니.

hegemónico, ca *adj.* 패권주의적인.

hégira *f.* 헤지라, 회교 기원.

héjira *f.* =**hégira.**

helable *adj.* 얼[동결할] 수 있는.

helada[1] *f.* ☞**helado.**

heladera[1] *f.* ☞**heladero.**

heladería *f.* 아이스크림을 만들어 파는 곳, 아이스크림 가게.

heladero, ra[2] *adj.* (얼음이) 어는, 기온이 영하로 내려갈 때가 많은. *—m.f.* 아이스크림 제조자[판매자], 아이스크림 가게 주인. *—m.* 지독히 추운 곳. *—f.* ① 냉장고. ② 지독히 추운 곳.

heladizo, za *adj.* 쉽게[잘] 어는.

helado, da[2] *adj.* ① 매우 찬, 얼어 붙을 것 같은, 매우 추운. ② (놀라) 망연한, 망연자실한, 멍한, 어리둥절한. ③ 무뚝뚝한, 붙임성 없는. *—m.* ① 얼린 음식, 얼린 음료. ② 아이스크림, 얼음과자, 빙과. *—f.* 동결(凍結), 얼어붙음, 빙결(氷結). ¶*~da blanca* 서리. *~ al corte, ~ de corte* 삼각형으로 잘라 파는 아이스크림. *caer una ~da* (물이) 얼다.

helador, ra *adj.* (물이) 어는. *—f.* ① 아이스크림 제조기. ② 냉장고.

heladura *f.* 추위로 인한 감각 마비.

helaje *m. Col.* 혹한(酷寒)(frío intenso).

helamiento *m.* 빙결(氷結), 동결(凍結).

helar (19) *tr.* ① (물을) 얼리다, 동결시키다. ② 오싹하게 만들다. ③ 실망하게 만들다, 기를 죽이다. *—intr.* [비인칭 표현] 기온이 영하로 내려가다, 얼음이 얼다. *~***se** ① (사람·물건이 추위로) 굳어지다, 경직되다, 얼어붙다. ② 엉기다, 응결되다. ③ (야채·과실이) 냉해를 입다, 서리를 맞아 시들다, 상해(霜害)[서리 해]를 입다.

helechal *m.* 양치식물 군생지(群生地).

helecho *m.* [식물] 양치식물.

helénico, ca *adj.* (고대) 희랍의.

helenio *m.* [식물] 금불초(金佛草).

helenismo *m.* ① [역사] 헬레니즘. ② 희랍 어원의 말. ③ 희랍어 특유의 말[표현].

helenista *m.f.* ① 고대 희랍어[문학] 연구자. ② 희랍화된 유대인. ③ 유대교를 믿는 희랍 사람.

helenístico, ca *adj.* 고대 희랍어[문학] 연구의; [역사] 헬레니즘 시대의.

helenización *f.* 희랍화(化), 그리스화.

helenizante *adj.* 희랍풍의.

helenizar (9) *tr.* 희랍화시키다. *~***se** 희랍화되다.

heleno, na *adj.* ① (고대) 희랍 태생의. ② (고대) 희랍의[에 관한]. *—m.f.* (고대) 희랍 사람.

helero *m.* ① 만년설의 아래층 얼음. ② 빙하(glaciar).

helgado, da *adj.* 이(齒) 사이가 벌어진: dientes *~s* 이 사이가 벌어진 이.

helgadura *f.* ① [드묾] 이와 이 사이. ② [드묾] 이의 불균형.

hélice *f.* ① 프로펠러, 추진기, 스크루: avión de ~ 프로펠러 비행기. ② [수학] 나선(螺旋). ③ [해부] 귓바퀴.
helico- *pref.*「나사 모양의」의 뜻: *helico*idal 나사 모양의.
helicoidal *adj.* 나사 모양의, 나선형의.
helicoide *m.* [기하] 나선면, 나선체.
helicón *m.* [악기] 헬리콘 ((나선형의 큰 나팔)).
helicóptero *m.* 헬리콥터.
helio *m.* [화학] 헬륨.
helio- *pref.*「태양(sol)」의 뜻: *helio*céntrico 태양 중심의. *helio*terapia 일광 요법.
heliocéntrico, ca *adj.* ① 태양의 중심에서 측정한[본]. ② 태양 중심설의[에 관한], 태양을 중심으로 하는: teoría ~*ca* (코페르니쿠스의) 천동설.
heliocentrismo *m.* 태양 중심설.
heliofila *f.* [식물] 양성(陽性) 식물.
heliofísica *f.* 태양 물리학.
heliofísico, ca *adj.* 태양 물리학의. —*f.* 태양 물리학자.
heliogábalo *m.* 대식가(大食家).
heliograbado *m.* 그라비어, 사진 요판(寫眞凹版), 사진 요판술.
heliografía *f.* ① 회광 신호법. ② =**heliograbado.** ③ [천문] 태양면 기술.
heliográfico, ca *adj.* 일광 반사 신호기의, 회광 신호법의.
heliógrafo *m.* 일광 반사 신호기, 회광 통신기(回光通信機)
heliograma *m.* 일광 반사 신호[통신].
heliómetro *m.* 태양의(太陽儀).
heliomotor *m.* 기계 에너지에서 태양 에너지로 변형시키는 기구.
helión *m.* =**partícula alfa.**
helioscopio *m.* 태양 관측 망원경.
heliosis *f.* [의학] =**insolación.**
heliostático, ca *adj.* 회광경(helióstato)의[에 관한].
heliostato *m.* =**helióstato.**
helióstato *m.* [물리] 회광경(回光鏡), 헬리오스탯, 일광 반사 장치.
heliotecnia *f.* 태양 에너지를 전기로 바꾸는 기술.
heliotelegrafía *f.* 일광 반사 장치에 의한 전신(술).
helioterapia *f.* 일광 요법.
heliotropio *m.* =**heliotropo.**
heliotropismo *m.* [생물] 향일성.
heliotropo *m.* ① [식물] 헬리오트로프. ② [광물] 혈석(血石) ((석영의 일종)). ③ 일광 반사기, 회광경.
helipuerto *m.* 헬리콥터 발착장.
helitransportado, da *adj.* 헬리콥터로 운반하는.
helmintiasis *f.* [의학] 기생충병.
helmíntico, ca *adj.* ① helmito의[에 관한]. ② 구충(驅蟲)하는. —*m.* (기생충) 구충제.
helminto *m.* (사람 · 동물의) 기생충.
helmintología *f.* 기생충학.
helmitológico, ca *adj.* 기생충학의[에 관한].
helor *m.* 혹한, 살을 에는 추위.
helvecio, cia *adj.* ① 헬베티아(Helvecia, 오늘날의 스위스) 태생의. ② 헬베티아의[에 관한]. —*mf.* 헬베티아 사람.
helvético, ca *adj., mf.* =**helvecio.**
hema- *pref.* ☞**hemato-.**
hemacrimo *adj.* =**poiquilotérmico.**
hemangioma *f.* 혈관종(血管腫).
hemat- *pref.* ☞**hemato-.**
hematemesis *f.* [의학] 토혈(吐血).
hematermo *adj.* =**homeotermo.**
hemático, ca *adj.* [의학] 혈액의.
hematíe *m.* 적혈구(赤血球).
hematites *f.sing.pl.* [광물] 적철광.
hemato- *pref.*「피(血)(sangre)」의 뜻: *hemato*logía 혈액학. *hematófago* 흡혈 동물. *hemo-*, *hema-*, *hamat-* 형으로도 사용함 (예 *hemo*rragia 출혈(出血). *hema*termo 온혈의. *hema*toma 혈종.
hematófago *m.* 흡혈 동물.
hematogénesis *f.* 조혈(造血).
hematógeno, na *adj.* 조혈(造血)의.
hematología *f.* 혈액학, 혈액병학.
hematológico, ca *adj.* 혈액학의.
hematólogo, ga *mf.* 혈액학자.
hematoma *m.* [의학] 혈종(血腫).
hematopoyesis *f.sing.pl.* [생리] 혈액 형성, 조혈(造血).
hematopoyético, ca *adj.* 혈액 형성의[에 관한], 조혈의[에 관한].
hematosis *f.* 혈액 산화.
hematozoario, ria *adj.* 혈액에 기생하는. —*m.* 혈액에 기생하는 기생충.
hematuria *f.* [의학] 혈뇨(血尿).
hembra *f.* ① [동물] 암컷. ② 여성 ((성별의 기입 등, 특히 여성인 것을 나타낼 때 사용)): Tengo un varón y tres ~*s* 나는 아들 하나에 딸 둘이다. ③ [식물] 자성 식물(雌性植物). ④ (혹 · 나사 · 브로치 · 열쇠 등의) 암고리, 암나사, 암단추, 암너트. ⑤ 장붓구멍. ⑥ 잘 말리지 않은 말의 꼬리. —*adj.* ① 암컷의 ((어미형으로 암수를 나타내지 못할 경우에 사용함)). ② 여성의. ③ 가는: pelo ~ 가는 머리카락.
hembraje *m.* ① *AmérM.* [집합] (가축의) 암컷. ② *Arg., Par., Ur.* [집합] 여자들; 여자들의 떼[무리].
hembrear *intr.* ① [동물] (수컷이) 암컷을 그리워하다. ② 암컷만 낳다, 수컷보다 암컷을 더 많이 낳다.
hembrilla *f.* ① 작은 장붓구멍. ② 열쇠구멍. ③ 쇠고리, 쇠바퀴. ④ *Rioja, Ar.* 알맹이가 작은 하얀 밀의 변종.
hembrón *m.* *Cuba, Ven.* 굉장한 육체적 매력이 있는 여자.
hembruno, na *adj.* 암컷의[에 관한].
hemerálope *adj.* [의학] 야맹증을 앓은. —*mf.* 야맹증 환자.
hemeralopía *f.* [의학] 야맹증.
hemeroteca *f.* ① (도서관의) 신문 잡지 열람실. ② 정기 간행물 도서관.
hemi- *pref.*「반(半)」의 뜻: *hemi*sferio 반구(半球). *hemi*stiquio 반행(半行).
hemiciclo *m.* ① 반원, 반원형. ② (계

H

단식의) 반원형 회의장[관람석].
hemicránea *f.* [의학] [드묾] 편두통.
hemiplejia *f.* =hemiplejía.
hemiplejía *f.* [의학] 반신 불수.
hemipléjico, ca *adj.* 한쪽 마비의, 반신 불수의. *—mf.* 반신 불수 환자.
hemíptero, ra *adj.* [곤충] 반시류의.
hemisférico, ca *adj.* 반구형(半球形)의.
hemisferio *m.* ① [지리] 반구(半球). ② [기하] 반구체. ¶~ ***austral*** [천문] 남반구. ~ ***boreal*** [천문] 북반구. ~ ***cerebral*** [해부] 대뇌(大腦) 반구. ~ ***continental*** [지리] (대략 프랑스의 북부에 위치한) 대륙 반구. ~ ***occidental*** [천문] 서반구. ~ ***oceánico*** [지리] 오세아니아 반구. ~ ***oriental*** [천문] 동반구.
hemistiquio *m.* [시법] 반행(半行); 불완전행.
hemo- *pref.* ☞hemato-.
hemoaglutinación *f.* 적혈구 응집.
hemocianina *f.* 혈색소, 헤모시아닌.
hemodiálisis *f.* [의학] 혈액 투석.
hemodinámico, ca *adj.* 혈행 역학의. *—f.* 혈행 역학.
hemofilia *f.* [의학] 혈우병(血友病).
hemofílico, ca *adj.* 혈우병의. *—mf.* 혈우병 환자.
hemoglobina *f.* 헤모글로빈, 혈색소.
hemoglobinuria *f.* [의학] 혈색소 요증(尿症), 혈구소 요증.
hemograma *m.* [의학] 혈상도, 혈액상.
hemolisina *f.* [생물] 용혈소(溶血素).
hemolisis *f.* [생물] 용혈 반응 현상.
hemolítico, ca *adj.* [의학] 용혈성(溶血性)의. *—m.* 용혈 반응 현상제(劑).
hemolizar (9) *tr.* 용혈을 일으키다.
hemopatía *f.* [의학] 혈액 질환, 혈액병.
hemopático, ca *adj.* 혈액 질환의, 혈액병의.
hemopoyesis *f.* =hematopoyesis.
hemoptísico, ca *adj.* [의학] 객혈(喀血)의[을 일으키는]. *—mf.* 객혈 환자.
hemoptisis *f.sing.pl.* [의학] 객혈(喀血).
hemoptoico, ca *adj.* [의학] 객혈의[에 관한].
hemorragia *f.* [의학] 출혈(出血): ~ cerebral 뇌일혈. ~ interna 내출혈.
hemorrágico, ca *adj.* ① 출혈의, 출혈에 관한. ② 출혈성의, 출혈을 일으키는. *—m.* 출혈제(出血劑).
hemorroida *f.* [의학] =homorroide.
hemorroidal *adj.* 치핵의, 치질의.
hemorroide *f.* [의학] [주로 *pl.*] 치핵(痔核), 치질.
hemorroidectomía *f.* 치질 수술.
hemorroisa *f.* =hemorroísa.
hemorroísa *f.* 출혈 과다증 여성.
hemos ☞haber (64)
hemostasia *f.* [의학] 지혈; 울혈(鬱血).
hemostasis *f.sing.pl.* =hemostasia.
hemostático, ca *adj.* 지혈의. *—m.* 지혈제, 지혈약.
hemotórax *m.* [의학] 혈흉증(血胸症).
henal *m.* 건초 창고, 건초 보관소.
henar *m.* 목초지(牧草地).
henasco *m.* *Sal.* (여름에 초원이나 풀섶에 남아 있는) 마른 풀(hierba seca).
henazo *m.* *Sal.* 노천 짚[건초] 가리.
henchido, da *adj.* 가득 찬, 충만한.
henchidor, ra *adj.* 채우는. *—mf.* 채우는[채워 넣는] 사람.
henchidura *f.* 채우기, 채워 넣기.
henchimiento *m.* ① 채우기. ② 채워 넣는 물건.
henchir (48) *tr.* ① 채우다, 채워 넣다. ② [드묾] (사람이) 당당히 자리[직]를 차지하다. ③ 듬뿍 주다, 철철 넘치도록 주다. ~**se** 포식하다.
hendedor, ra *adj.* 쪼개는, 가르는.
hendedura *f.* =hendidura.
hender (20) *tr.* ① 빠개다, 쪼개다, 가르다. ② (공기·물 등을) 가르다, 관통하다, 가로지르다, 가르며 날다[가다]. ③ 군중을 헤치고 나아가다. ~**se** 빠개지다, 쪼개지다.
hendíadis *f.* =endíadis.
hendible *adj.* 갈라질[쪼개질] 수 있는.
hendido, da *adj.* ① 갈라진, 쪼개진, 빠개진. ② (동물이) 발[입술]이 갈라진[벌어진], 우제류(偶蹄類)의, 유제류(有蹄類)의. ③ [식물] (잎이) 갈라진.
hendidura *f.* 균열, 갈라진 금.
hendija *f.* 작은 균열, 갈라진 금[곳·틈], 터진 곳, 금.
hendimiento *m.* 가름, 쪼갬, 갈라짐
hendir (21) *tr.* =hender.
henequén *m.* ① [식물] 용설란. ② 용설란 섬유.
henequenero, ra *adj.* *Méj.* 용설란의[에 관한]. *—mf.* *Méj.*, *Salv.* 용설란 재배자[판매자].
henequero, ra *adj.* *Cuba.*, *Méj.* 용설란의[에 관한]. *—m.* 용설란 재배자[장수·취급자·연구가].
hénide *f.* [시어] 초원의 요정(妖精).
henificar (7) *tr.* (건초로 보존하기 위해) 꼴을 베어 볕에 말리다.
henil *m.* 건초(heno) 창고, 건초 보관소.
heno *m.* ① [식물] 꼴 ((길이 약 20센티미터의 가는 줄기와 잎이 좁은 화본과 식물)). ② (사료로서의) 건초(乾草).
henrio *m.* [물리] 헨리 (H).
henry *m.* [물리] =henrio.
heñir (49) *tr.* (빵의 반죽덩이를) 개다, 반죽하다. ¶***Hay mucho que*** ~ (끝내려면) 아직 할 일이 태산 같다.
hepático, ca *adj.* ① [식물] 이끼류의. ② [의학] 간장(hígado)의[에 관한]. ③ [의학] 간장병의[에 걸린]. *—mf.* 간장병 환자. *—f.* [식물] 우산이끼속(屬).
hepatisis *f.sing.pl.* [의학] 간염.
hepatización *f.* [의학] 간변(肝變).
hepato- *pref.* 「간(肝)(hígado)」의 뜻: *hepato*megalia 간종(肝腫).
hepatocarcinoma *f.* [의학] 간암(肝癌).
hepatocartinogénico, ca *adj.* 간암 발생의.
hepatocelular *adj.* 간세포의.
hepatocito *m.* 간세포(肝細胞).

hepatología *f.* 간질환학(肝疾患學).
hepatológico, ca *adj.* 간질환학의[에 관한].
hepatólogo, ga *mf.* 간질환 전문의.
hepatoma *f.* [의학] 간암(肝癌).
hepatomegalia *f.* [의학] 간종(肝腫).
hepta- *pref.*「7(siete)」의 뜻: *heptá*gono 칠각형. *hepta*sílabo 7음절어.
heptacordo *m.* ① [음악] 7음 음계 ((do, re, mi, fa, sol, la, si)). ② [음악] (음계에서) 7음 음정.
heptaedro *m.* [수학] 칠면체(七面體).
heptagonal *adj.* [수학] 칠각형의.
heptágono, na *adj., m.* 칠각형(의).
heptámetro *m.* [시법] 7음각, 7보격.
heptarquía *f.* 7왕국으로 나누어진 나라.
heptasilábico, ca *adj.* 7음절어의.
heptasílabo, ba *adj.* 7음절의, 7음절로 이루어진: verso ~ 7음절 시. —*m.* ① 7음절어. ② 7음절 시행.
heptatlón *m.* [운동] 칠종 경기.
heracleo, a *adj.* =**hercúleo.**
Heracles *m.* [인명] [희랍 신화] 헤라클레스 ((Zeus 신의 아들)).
heraclida *adj.* 헤라클레스의 자손의.
heráldico, ca *adj.* 문장(紋章)의, 문장학의. —*f.* 문장학.
heraldista *mf.* 문장학자(紋章學者).
heraldo *m.* ① =**mensajero.** ② 전조, 조짐, 예고: el ~ de la muerte 죽음의 전조. ③ =**rey de armas.** ☞**rey.**
herbáceo, a *adj.* 초본(草本)의, 풀 같은: plantas ~*as* 초본 식물.
herbada *f.* [식물] =**jabonera.**
herbajar *tr.* (가축에게) 풀을 먹이다, 방목하다. —*intr.* (가축이) 풀을 뜯다.
herbaje *m.* 목초(牧草)(pasto).
herbajear *tr., intr.* =**herbajar.**
herbajero *m.* ① 목초지 소작인. ② 목초지 소유자[주인].
herbal *adj. Sal.* =**cereal.**
herbar *tr.* 가죽을 풀로 무두질하다.
herbario, ria *adj.* 풀의: zona ~*ria* 초원 지대. —*m.* ① 식물 표본(집). ② (표본 등으로 쓰려고) 책갈피 등에 끼워 말린 잎[꽃]. ③ (되새김 동물의) 첫번째 위. —*mf.* [드묾] 식물학자. ¶ ~ *seco* [식물] 식물 표본(herbario).
herbato *m.* =**servato.**
herbazal *m.* 목초지(牧草地).
herbero *m.* (되새김 동물의) 식도(食道), 밥줄(esófago).
herbicida *adj.* 초본 식물의 성장을 막는. —*m.* 제초제(除草劑).
herbívoro, ra *adj.* 초식성(草食性)의. —*m.pl.* 초식 동물.
herbolar *tr.* ① …에 독을 타다, …을 독으로 부패시키다. ② 독살하다.
herbolario, ria *adj.* [드묾] 경망스러운. —*mf.* ① 약초 채취자[판매자]. ② 약초 가게 주인. —*m.* 약초 가게.
herbología *f.* 본초학(本草學).
herborista *mf.* 약초 채취자.
herboristería *f.* 약초 가게[판매점].
herborización *f.* 식물[약초] 채집.
herborizador, ra *adj.* 식물[약초]을 채집하는. —*mf.* 식물[약초] 채집자.
herborizar (9) *tr.* 식물[약초] 채집하다.
herboso, sa *adj.* 풀이 난.
herciano, na *adj.* 헤르츠(H.R.Hertz, 독일의 물리학자, 1857-1894) 파의[에 관한]: onda ~*na* 헤르츠파, 전자파.
herciniano, na *adj.* [지질] 헤르시니아 조산기(造山期)의.
hercio *m.* 헤르츠.
hercúleo, a *adj.* ① 헤라클레스의[에 관한]. ② 헤라클레스 같은.
hércules *m.* 괴력의[힘이 장사인] 남자.
Hércules *m.* [인명] [신화] 헤라클레스 ((Heracles의 로마 이름)).
herculino, na *adj.* 헤라클레스의.
heredable *adj.* 상속[계승] 가능한.
heredad *f.* ① 같은 주인의 소유 경작지. ② 시골 농장, 부동산, 소유지, (집을 짓기 위한) 땅, 대지, 토지.
heredado, da *adj.* ① 부동산을 물려받은. ② 상속받은. —*mf.* 부동산 상속자.
heredamiento *m.* ① [법률] (결혼의 경우에서) 유산 분배[계승] 협정. ② [드묾] 시골 농장. ③ [고어] =**herencia.**
heredar *tr.* ① [+de] (…로부터 재산을) 상속하다. ② 계승하다, (대를) 잇다. ③ (오래 사용하여 낡아진 것을) 물려받다.
heredero, ra *adj.* ① (유언이나 법에 의해) 상속한. ② 부동산 주인의. ③ 부모의 재산을 가지는. —*mf.* ① (재산의) 상속인, 상속자. ② 계승자, 후계자. ¶ ~ *forzoso* [법률] 유류분 상속인. *instituir (por)* ~ a alguien [법률] (누구를) 유언장에[유언으로] 상속인을 지명하다.
hereditario, ria *adj.* ① 세습의, 세습제의, 상속의. ② 유전성(遺傳性)의.
hereje *mf.* ① 이단자. ② (협회・아카데미・조직 등의) 이탈자. —*adj.* ① 뻔뻔스러운, 파렴치한. ② *Ven.* (불쾌하거나 해로운 결과를 가져오는) 커다란, 풍부한, 강력한.
herejía *f.* ① (천주교 교의에서 벗어난) 이단. ② 사설(邪說), 이설(異說). ③ 모욕, 약자를 따돌림. ④ 빗나간 언동.
herencia *f.* ① 유산, 상속 재산. ② [생물] 유전.
heresiarca *mf.* [종교] 이단의 창시자.
herético, ca *adj.* 이단의, 이단자의.
herido, da *adj.* 다친, 부상당한. —*f.* ① 다침, 부상: ~ grave 중상. ~ leve 경상. ② 무기로 침. ③ 모욕. ④ (정신적인) 심한 타격[손해]. ⑤ [사냥] 맹금류에 쫓겨 매사냥 새가 날아 내려오는 곳. —*mf.* 부상자. ¶ ~ *contusa* [의학] 타박상. ~ *penetrante* [의학] 관통상. ~ *punzante* 예리한 칼[무기]에 의한 상처. *manifestar la* ~ (다친 정도를 잘 알아 더 안전하게 치료하기 위해) 상처를 열어 보다. *renovar la* ~ 묵은 상처를 회상시키다[생각하게 하다]. *resollar [respirar] por la* ~ 속내를 밝히다. *tocar* a alguien *en la*

H

~ (누구의) 아픈 곳을 찌르다.
heridor, ra *adj.* 다친(que hiere).
heril *adj.* 주인(amo)의[에 관한].
herir (54) *tr.* ① 상처를 입히다, 부상을 입히다. ② (정신적으로) 상처를 입히다, 마음 아프게 하다. ③ (눈·귀에) 고통[불쾌감]을 주다. ④ (광선이) …에 쬐다, 닿다, 미치다. ⑤ (과녁 등에) 적중하다, 맞다. ⑥ (현악기를) 연주하다, 치다, 켜다. ⑦ (병이 누구를) 침범하다. ~**se** 다치다, 부상당하다.
hermafrodismo *m.* =hermafroditismo.
hermafrodita *adj.* 암수 동체의, 양성 구유(兩性具有)의. —*m.f.* 양성 구유자.
hermafrodítico, ca *adj.* 암수 동체의.
hermafroditismo *m.* 암수 동체 현상.
hermanado, da *adj.* 꼭 닮은.
hermanamiento *m.* 조화, 우호 관계.
hermanar *tr.* ① 모으다, 합하다, 한 가지 모양으로 하다, 짝을 이루다. ② 의형제를 맺다, (기관 사이에) 자매 관계를 맺다. ③ 우호 관계를 맺다, 사이를 좋게 하다. ~**se** ① 모이다, 합해지다, 짝을 이루다. ② 사이가 좋아지다, 우호 관계를 맺다. ③ 의형제를 맺다.
hermanastro, tra *m.f.* 이복형제, 이복자매, 이복동생; 이부(異父) 형제[자매].
hermandad *f.* ① 형제애. ② 우애, 우정. ③ (동업자 등의) 조합, 단체, 협회. ④ [종교] 신자회(信者會), 신자 단체. ⑤ (의견 등의) 일치. ⑥ 조화(調和).
hemandarse *r.* ① 의형제가 되다. ② [고어] 모이다, 합해지다.
hermandino *m.* (15세기 말과 16세기 초에 갈리시아에서 봉건 영주 통치에 반기를 든) 민간 조합원.
hermanear *tr.* [드묾] 형제[자매] 취급을 하다.
hermanecer (31) *intr.* …의 형제[자매]로 태어나다.
hermanito, ta *m.f.* ① [애칭] 형제, 자매, 동생, 누이. ② [연인 등이 친밀감을 주는 호칭] 형, 오빠, 누나, 동생.
hermano, na *m.f.* ① 형, 오빠, 남동생, 누이, 언니, 여동생 ((특히 구별할 경우: ~ mayor 형, 오빠. ~ menor 남동생. ~*na* mayor 누나, 언니. ~*na* menor 여동생)). ② (결혼에 의해 맺어진 형제자매간의 경칭으로) 매형, 매부, 자형, 형부, 처남, 동서, 처형, 처제. ③ 같은 종(宗)의 승려; 수도사, 수도녀; (호칭으로) 브러더, 시스터. ④ [종교] 형제, 자매. ⑤ 동지, 동료: ~ de armas 전우. ⑥ (종교 단체의) 회원. ⑦ 유사한 것, 공통성이 있는 것. ⑧ 한 쌍으로 이루어진 것의 한 쪽. ¶~ *bastardo,* ~*na bastarda m.f.* 사생아 형제[자매] ((부부 이외에서 태어난 형제자매)). ~ *carnal m.f.* 친형제. ~ *consanguíneo, a m.f.* =hermano de padre. ~ *de leche m.f.* 젖형제 ((같은 젖을 먹고 자란 남남끼리)). ~ *de madre m.f.* 이부형제(異父兄弟). ~ *de padre m.f.* 이복형제, 이모형제. ~ *del trabajo m.* 짐꾼, (부두 등의)짐을 나르는 인부. ~ *mayor m.f.* (종교 단체의) 회장. ~ *pobre m.f.* 가난한 친척. ~ *uterino, na m.f.* =hermano de madre. *ciudades* ~*nas* 자매 도시. *medio, dia* ~ *m.f.* 부모의 한쪽이 같은 형제. *lenguas* ~*nas* 자매어.
hermanuco *m.* [경멸] =donado.
hermaneuta *m.f.* 원전(原典) 해석학자.
hermenéutico, ca *adj.* 원전 해석의, 해석학적인. —*f.* (원전·성서의) 해석학(解釋學).
herméticamente *adv.* 단단하게; 신비적으로.
hermeticidad *f.* =hermetismo.
hermético, ca *adj.* ① 완전 밀봉의, 밀폐된. ② (사람이) 마음을 열지 않는. ③ (작품 등이) 난해한.
hermetismo *m.* 밀폐성.
hermetizar (9) *tr.* 단단히 밀폐[밀봉]시키다.
hermodátil *m.* =quitameriendas.
hermoseador, ra *adj., m.f.* 아름답게 꾸미는 (사람).
hermoseamiento *m.* 아름답게 꾸미기, 미화(美化).
hermosear *tr.* (사람·물건을) 아름답게 하다[꾸미다], 미화시키다.
hermoso, sa *adj.* ① 아름다운, 예쁜, 고운: flor ~*sa* 아름다운 꽃. ② 훌륭한, 뛰어난, 아름다운, 칭찬할 만한. ③ (날씨가) 맑게 갠, 구름 한 점 없는, 화창한, 산뜻한, 좋은. ④ (장소가) 넓고 쾌적한. ⑤ (아이가) 체격이 건장한, 건강한.
hermosura *f.* ① 아름다움, 미(美): ~ de la arquitectura 건축미. ② 미인, 미녀: concurso de ~ 미인 대회. ③ 아름다운 물건[것](cosa hermosa).
hernia *f.* [의학] 헤르니아, 탈장(脫腸).
herniado, da *adj.* 헤르니아에 걸린. —*m.f.* 헤르니아 환자.
herniario, ria *adj.* 헤르니아의[에 관한], 헤르니아성의.
herniarse *r.* ① 헤르니아를 앓기 시작하다. ② 온갖 노력을 다하다.
hernioide *adj.* 헤르니아 모양의.
herniolaparotomía *f* [의학] 헤르니아 절개 개복술.
herniología *f.* 헤르니아학(學).
herniopuntura *f.* 헤르니아 천자(穿刺).
herniorrafia *f.* [의학] 헤르니아 봉합술.
hernioso, sa *adj.* 헤르니아에 걸린, 헤르니아를 앓는. —*m.f.* 헤르니아 환자.
herniotomía *f.* [의학] 헤르니아 절개술.
hernista *m.f.* 헤르니아 전문의.
herodes *m.* 어린이에게 잔인한 사람.
Herodes *m.* [성경] [인명] 헤롯 ((아기 예수를 죽이기 위해 베들레헴 어린이를 모두 죽이기로 했던 잔인한 유대왕)). ¶*andar* [*ir*] *de* ~ *a Pilatos* ㉮ 이 사람 저 사람에게 가다. ㉯ 일이 점점 나빠지다.
herodiano, na *adj.* 헤롯의[에 관한].
héroe *m.* ① 영웅, 용사. ② 주인공, 주

H

역: ~ del momento 화제의 인물. ③ (고대 희랍의) 신인(神人), 반신(半神)의 용사.
heroicamente *adv.* 용감하게, 영웅답게, 용맹스럽게, 장렬하게, 늠름하게.
heroicidad *f.* ① 용맹성. ② 영웅다움, 영웅적 행위(acción heroica).
heroico, ca *adj.* ① 영웅의, 용사의. ② 용맹스러운, 씩씩한, 장렬한; 대담한; 모험적인; 극단적인, 과감한. ③ [시학] 신인(神人)[영웅]을 읊은, 영웅을 다룬: poesía *~ca* 영웅시, 사시(史詩). ④ (문체·음성 등이) 웅대한, 장중한, 당당한. ¶ *verso* ~ ㉮ 영웅시, 사시. ㉯ 영웅시격(格), 사시격(格).
heroida *f.* 여걸이나 유명한 여성 주인공[인물]을 나타내는 시작(詩作).
heroína[1] *f.* ① 큰 업적으로 유명한 여자. ② 여자 영웅, 여걸. ③ (픽션 작품의) 여주인공, 여자 주역(protagonista). ④ (고대 희랍의) 반신녀(半神女).
heroína[2] *f.* [화학] 헤로인.
heroinómano, na *adj.* 헤로인 중독의. *—mf.* 헤로인 중독자.
heroísmo *m.* 영웅적 행위[정신], 용기 있는 행동.
herpe *m.(f.)* [의학] =**herpes.**
herpes *m.(f.)sing.pl.* ① [의학] 포진, 헤르페스. ② [의학] =**herpes zóster.** ¶ ~ *zóster* [의학] 대상 포진.
herpético, ca *adj.* 헤르페스의, 포진성의. *—mf.* 포진 환자, 헤르페스 환자.
herpetología *f.* 파충류학.
herpetólogo, ga *adj.* 파충류학에 정통한. *—mf.* 파충류학자.
herpil *m.* (짚·참외 등을 나르는 밧줄로 만든) 망태기.
herrada *f.* (밑바닥이 더 넓은) 나무 통.
herradero *m.* ① (가축의) 소인(燒印). ② 가축 소인 장소[시기].
herrado *m.* ① 편자를 박는 일. ② (가축의) 소인(燒印).
herrador *m.* 말편자공(工).
herradura *f.* ① 편자. ② 말굽형의 물건. ③ [동물] 박쥐의 일종.
herraj *m.* =**erraj.**
herraje[1] *m.* ① [집합] 쇠붙이로 만든 연장. ② [집합] 편자, 말편자; 편자의 못. ③ *Cantb.* (소의) 치열(齒列).
herraje[2] *m.* =**erraj.**
herramental *adj.* 도구를 넣는 (자루·상자). *—m.* 공구(工具)[도구] 한 벌.
herramienta *f.* ① 연장. ② 공구, 도구. ③ 무기, 단도, 접는 주머니칼(navaja), 대검. ④ (소·사슴 같은 동물의) 뿔. ⑤ (사람·동물의) 이. ⑥ =**herraje**[1].
herrar (19) *tr.* ① (말에) 편자를 박다. ② (가축에) 소인을 찍다. ③ 쇠테를 끼우다.
herrén *m.* (가축에게 주는, 귀리·보리·밀 등의) 꼴. *—f.* =herrenal.
herrenal *m.* herrén 밭.
herrenar *tr. Sal.* 가축에게 꼴을 주다.
herreñal *m.* =**herrenal.**
herrera *f.* 대장장이(herrero)의 아내.
herrería *f.* ① 대장장이 직. ② 철공소, 제철소. ③ 대장간. ④ 대장장이의 가계. ⑤ 소란, 시끄러움.
herrero *m.* 대장장이. ¶ ~ *de grueso* (발코니·쟁기·차의 쇠바퀴처럼) 굵은 일을 하는 대장장이.
herrerón *m.* 서툰 대장장이.
herreruelo[1] *m.* [새] 할미새.
herreruelo[2] *m.* 목이 있고 두건이 없는 망토.
herrete *m.* (노끈 등의) 끝 쇠.
herretear *tr.* (노끈 같은 것이 풀리지 않도록) 끝 쇠를 달다[대다].
herrezuelo *m.* 작은 쇳조각.
herrumbrar *tr.* 녹슬게 만들다. **~se** 녹슬다.
herrumbre *f.* ① 쇠의 녹. ② 철분 맛. ③ =roya.
herrumbroso, sa *adj.* ① 녹슨, 철분이 들어 있는. ② 적황색(赤黃色)의.
hertz *m.* [물리] =**hercio.**
hertziano, na *adj.* =**herciano.**
hertzio *m.* [물리] =**hercio.**
herver *intr.* [속어] =**hervir.**
hervidero *m.* ① (액체가 끓을 때) 내는 소리, 끓는 소리, 움직임. ② (물이 콸콸 솟는) 샘. ③ 사람[동물]의 무리[떼]. ④ *Nic.* =**solfatara.**
hervido, da *adj.* *—m.* ① 끓음, 비등. ② *Cat., Val.* 에르비도 ((감자와 삶은 풋 강낭콩에 기름과 식초로 양념한 요리)). ③ *AmérM.* 고기·절인 돼지고기·채소로 만든 음식(olla).
hervidor *m.* (액체를 끓이는) 주방 기구(utensilio de cocina).
hervir (56) *intr.* ① (액체가) (펄펄) 끓다: romper a ~ 끓기 시작하다. ② (발효되어) 거품이 일다. ③ (바다가) 거칠어지다. ④ [+de·en] (감정으로) 흥분하다, 격분하다, 분격하다, 격앙하다. ⑤ [+de] (…으로) 가득하다, 북적거리다, 밀치락달치락 웅성대다. *—tr.* ① (액체를) 끓게 하다, 끓이다. ② 데치다, 삶다.
hervor *m.* ① 끓어오름, 비등(沸騰). ② (젊은이의) 혈기, 열정. ¶ ~ *de la sangre* [의학] 발진(發疹). **alzar [levantar] el** ~ 끓어오르기[삶기] 시작하다. *dar un* ~ 가볍게[잠깐] 끓이다.
hervoroso, da *adj.* ① 열렬한, 혈기 왕성한, 성미가 불 같은, 팔팔한, 욱하는 (fogoso). ② 끓는, 끓는 것 같은.
hesitación *f.* =**duda.**
hesitar *intr.* [드묾] =**dudar, vacilar.**
hespérico, ca *adj.* ① (스페인·이탈리아) 두 반도의 각각의. ② (스페인·이탈리아) 두 반도의[에 관한].
hespéride *adj.* 금우궁(金牛宮) 별자리의 별들인 Hespérides의[에 관한].
hesperidio *m.* [식물] 귤 모양의 과실 ((귤과 레몬 같은 두툼한 껍질의 살이 많은 열매)).
hespérido, da *adj.* ① [시어] =**hespéride.** ② [시어] =**occidental.**
hespirse *r.* ① *Cantb.* =**engreírse.** ②

Cantb. (빵 반죽덩이가) 발효되다.
hetaira *f.* =hetera.
hetera *f.* =prostituta.
hetero- *pref.* 「다른, 이(異), 타(他)」의 뜻: *hetero*géneo 이질(異質)의. *hetero*sexual 이성애(異性愛)의.
heterocerca *adj.* (물고기의 꼬리지느러미가) 똑같지 않은.
heteroclisis *f.* [문법] 명사[동사]의 어미 변화.
heteróclito, ta *adj.* ① 불규칙한, 잡다한, 어수선한. ② [문법] heteroclisis 의[에 관한]. ③ [문법] 불규칙 변화의, 변격의 (명사).
heterodoxia *f.* 이단, 이설; 이교(異教).
heterodoxo, xa *adj.* 이단의, 이교의, 비정통설의. —*mf.* 이단자.
heterogeneidad *f.* 이종, 이류(異類), 이질성, 불균질(不均質).
heterogéneo, a *adj.* 이종의, 이질적인, 이류의; 잡다한, 불균질의, 혼성의.
heteromancia *f.* =heteromancía.
heteromancía *f.* 새점(占).
heteronimia *f.* [언어] 이근 동류(異根同類) ((예 caballo와 yegua)).
heterónimo *m.* ① [언어] 이근 동류어. ② (작가 등의) 필명, 아호, 펜네임.
heteronomía *f.* 타율, 타율성.
heterónomo, ma *adj.* 타율적인, 타율의.
heteroplastia *f.* [의학] 이종(異種) 조직 이식(술).
heterosexual *adj.* ① 이성애를 하는. ② 이성간에 에로틱한 관계의. ③ 이성애의[에 관한]. —*mf.* 이성 연애자.
heterosexualidad *f.* 이성애.
heterosfera *f.* (대기의) 이질권(異質圈).
heterósfera *f.* *Amér.* =heterosfesra.
heterotrófico, ca *adj.* [생물] 이형의.
heterótrofo, fa *adj.* [생물] 유기 영양의. —*m.pl.* 유기 영양 생물.
hético, ca *adj.* ① 폐결핵에 걸린. ② 폐결핵 환자의[에 관한]. ③ 무척 여위어 뼈만 남은, 말라빠진, 깡마른. —*mf.* ① 폐결핵 환자. ② 말라깽이. —*f.* = **fiebre héctica.** ☞**héctica.**
hetiquez *f.* [의학] =**hectiquez.**
hetita *adj., mf.* =**hitita.**
heurístico, ca *adj.* 학습을 돕는, 관심을 높이는; 학생으로 하여금 스스로 발견하게 하는, 발견적인 (학습법 등): método ~ 발견적 학습법. —*f.* ① 발견적 방법. ② 발견적 교수법[학습].
hevea *f.* [식물] 파라고무나무 ((대극과 고무나무의 일종)).
hevicultivo *m.* 파라고무나무[고무나무] 재배.
hevicultor, ra *adj.* 파라고무나무[고무나무]를 재배하는. —*mf.* 파라고무나무[고무나무] 재배자.
hexa- *pref.* 「6(seis)」의 뜻: *hexá*gono 육각형. *hexa*sílabo 6음절.
hexacordo *m.* [음악] 6음 음계, 6성(聲) 음계. ¶ ~ *mayor* [음악] 장6음 음계. ~ *menor* [음악] 단6음 음계.
hexadecimal *adj.* [컴퓨터] 16진법의.
hexaedro *m.* [기하] 육면체. ¶ ~ *regular* [기하] 정육면체(cubo).
hexagonal *adj.* ① [기하] 육각형의, 육각형 같은. ② [광물] 6방정계의.
hexágono *adj.* [기하] 육각형[육변형]의. —*m.* 육각형, 육변형.
hexámetro *m.* [시법] 6보격(步格)[음각(音脚)](의 시)(verso ~).
hexángulo, la *adj., m.* =**hexágono.**
hexápeda *f.* (옛날의) 6피트 자.
hexápodo *adj.* [동물] (동물, 특히 곤충이) 6각(脚)의, 다리가 여섯 개인. —*m.* 6각 곤충.
hexasílabo, ba *adj.* ① 6음절의. ② 6음절 시행(詩行)의. —*m.* ① 6음절. ② 6음절 시행.
hez *f.* ① [주로 *pl.*] (포도주 등의) 침전물, 앙금, 찌꺼기, 무거리. ② (각종 사회의) 쓰레기, 폐물, 가장 쓸모없는 것[인간]. ③ *pl.* =**excrementos.**
hg hectogramo 헥토그램.
hialina *f.* [물리] 유리질(琉璃質).
hialino, na *adj.* [물리] 유리처럼 투명한; 유리 같은.
hialoideo, a *adj.* 유리 같은; 유리질의.
hiante *adj.* hiato가 있는.
hiato *m.* ① [언어] 모음 연속[충돌] ((예 púa의 u와 a. 같은 음의 경우는 귀에 거슬리게 됨: de *e*ste, *a* *á*rabe)). ② (연속하는 강약 두 모음의) 약모음 분립 ((예 d*í*a, a*ú*n, pa*í*s, ba*ú*l)). ③ (일 · 행동 등의) 중단, 끊어짐. ④ [해부] 열공(裂孔). ⑤ [시학] (시를 길게 하기 위해 시의 파격에 의한) 약음절의 분해. ⑥ [드묾] 틈, 벌어진 틈, 갈라진 금, 균열.
hibernación *f.* 동면(冬眠).
hibernal *adj.* 겨울의(invernal).
hibernar *intr.* ① 동면하다, 겨울잠을 자다. ② 피한하다, 월동하다, 겨울을 보내다. —*tr.* ① 인공 동면시키다. ② (시체를) 냉동 보존하다.
hibernés, sa *adj.* ① 이베르니아(Hibernia, 오늘날의 아일랜드) 태생의. ② 이베르니아의[에 관한].
hibérnico, ca *adj.* =**hibernés ②.**
hibernizo, za *adj.* 겨울의[에 관한].
hibridación *f.* 교잡(交雜), 잡종 형성.
hibridar *tr.* 잡종을 만들어 내다. —*intr.* 교잡되다.
hibridismo *m.* 잡종성(雜種性).
híbrido, da *adj.* ① [생물] 잡종의, 혼혈종의, 튀기의. ② [언어] 혼성(混成)의. —*m.* ① 잡종(의 동물 · 식물). ② [언어] 혼종어(混種語).
hice ☞**hacer (69).**
hici- ☞**hacer (69).**
hicotea *f.* (아메리카에서 자라는 길이 30센티미터 정도의) 식용 거북.
hidalgamente *adv.* 관대하게, 품위 있게, 고상하게.
hidalgo, ga *adj.* ① 양반의[에 관한], 시골[하급] 귀족의[에 관한]. ② (사람이) 기품이 있는, 품위 있는, 겸손하고 정중한. ③ 기품[품위] 있는 사람의[에 관한]. —*mf.* 이달고 ((혈통이 귀족[양반]이고 가문이 뛰어난 사람)); 시골 양반, 하급 귀족. ¶ ~ *de sangre mf.* 혈통이 귀족인 사람(hidalgo)

hidalguense *adj.* ① 이달고(Hidalgo, 멕시코의 주·멕시코의 여러 소도시) 태생의. ② 이달고의[에 관한]. —*mf.* 이달고 사람.

hidalguez *f.* =**hidalguía.**

hidalguía *f.* ① hidalgo 가문[출신]. ② hidalgo 신분. ③ 귀족다움, 고결함, 기품[품위] 있음.

hidátide *f.* ① [동물] 수포체(水疱體). ② [의학] 포충낭(包蟲囊).

hidatídico, ca *adj.* 포충낭의.

hidra *f.* [동물] 히드라.

Hidra *f.* [신화] Lerna 호수의 괴물 ((머리가 일곱 개로 Hércules가 살해함)).

hidrácido *m.* [화학] 수소산(水素酸).

hidratación *f.* 수화 작용.

hidratante *adj.* 수분[습기]을 주는; 수화시키는.

hidratar *tr.* ① (피부 등에) 수분을 주다. ② [화학] 수화(水化)[수화(水和)]시키다. ~**se** 수분을 보급하다.

hidrato *m.* [화학] 수화물(水化物), 수화물(水和物): ~ de carbono 탄수화물.

hidráulico, ca *adj.* ① 수력의: energía ~*ca*, fuerza ~*ca* 수력. ② 유압의. ③ 수리(水利)에 관한, 급수(給水)에 관한: obras ~*cas* 수리 시설. ④ 수경성(水硬性)의. ⑤ 수력학의, 수력학자의. —*f.* 수력학, 수공학(水工學).

hídrico, ca *adj.* 물(agua)의.

hidro- *pref.* 「물(水)」의 뜻: *hidró*geno 수소. *hidro*avión 수상 비행기.

hidroala *m.* 수중익선(水中翼船).

hidrocarburo *m.* [화학] 탄화수소.

hidrocefalia *f.* [의학] 수두증, 뇌수종.

hidrocéfalo, la *adj.* 수두증의, 뇌수종의. —*mf.* 수두증 환자, 뇌수종 환자.

hidrodinámica *f.* 유체 역학.

hidrodipsomanía *f.* 구갈증(口渴症).

hidroelectricidad *f.* 수력 전기.

hidroeléctrico, ca *adj.* 수력 전기의.

hidrófilo, la *adj.* ① 친수성(親水性)의, 흡수성의. ② [생물] 수성(水性)의.

hidrofobia *f.* ① 물 공포증. ② 광견병, 공수병.

hidrófobo, ba *adj.* ① 물 공포증의. ② 광견병의. —*mf.* ① 물 공포증 환자, ② 광견병 환자.

hidrofoil *m.* 수중익선.

hidrófugo, ga *adj.* 방습성[내수성]의.

hidrogenar *tr.* 수소와 화합시키다, 수소로 처리하다.

hidrógeno *m.* 수소(水素).

hidrogeología *f.* 수문 지질학.

hidrografía *f.* ① 수권학, 수계학(水界學), 수계 지리학; 수로학. ② (한 나라·한 지방의) 수권(水圈), 수리.

hidrográfico, ca *adj.* 수권학의.

hidrólisis *f.sing.pl.* [화학] 가수 분해.

hidrolizar (9) *tr.* 가수 분해하다.

hidrología *f.* 수문학, 수리학.

hidrometra *mf.* 액체 비중 측정[유속 측정] 전문가.

hidrometría *f.* [물리] 액체 비중 측정; 유속(流速) 측정.

hidrométrico, ca *adj.* 유속 측정의.

hidrómetro *m.* 액체 비중계, 유속계.

hidronimia *f.* 하천(河川) 이름 연구.

hidronímico, ca *adj.* 하천 이름 연구의[에 관한].

hidrónimo *m.* 하천 이름.

hidrópata *mf.* 물 치료사.

hidropatía *f.* 물치료법(hidroterapia).

hidropático, ca *adj.* 물치료법의.

hidropesía *f.* [의학] 수종, 수증(水症).

hidrópico, ca *adj.* [의학] 수종성(水腫性)의. —*mf.* 수종 환자.

hidroplano *m.* ① 수중익선(水中翼船). ② 수상 비행기.

hidroponía *f.* [농업] 물재배, 수경법.

hidropónico, ca *adj.* 물재배[수경법]의.

hidroquinona *f.* 하이드로키논.

hidrosfera *f.* [지리] 수권(水圈), 수계.

hidrosoluble *adj.* 수용성(水溶性)의.

hidrostática *f.* 유체 정력학(流體靜力學), 정수력학(靜水力學).

hidroterapia *f.* 물치료법.

hidrotermal *adj.* 열수(熱水)의; 온천의.

hidrotropismo *m.* [생물] 수굴성(水屈性), 굴수성(屈水性).

hidróxido *m.* [화학] 수산화물.

hidroxilo *m.* [화학] 수산기(水酸基).

hidruro *m.* [화학] 수산화물.

hiedra *f.* [식물] 덩굴손.

hiel *f.* ① 쓸개즙, 담즙(bilis). ② =**amargura, aspereza, desabrimiento.** ③ *pl.* 노고, 역경. ¶*luna de* ~ (luna de miel에 대해, 결혼 생활의) 권태기. *echar* alguien *la* ~ 피땀을 흘리다, 대단한 노력을 하다, 지나치게 일하다. *no tener* alguien ~ (성격이) 솔직하고 온순하다. *sudar* alguien *la* ~ = **echar la hiel.**

hielera *f.* ① *Arg., CRica., Nic., Ur., Ven.* (차게 하기 위해 마실 것에 넣는) 얼음 조각 그릇. ② *Arg., CRica., Salv.* 휴대용 냉동 박스. ③ *Arg., Chile.* 얼음에 음식을 보존하는 장치. ④ *Cuba.* 얼음 덩이 생산 공장.

hielo *m.* ① 얼음. ② 얼림, 빙결(氷結). ③ 냉담, 무관심; 무감동. ¶ ~ *seco* 드라이아이스. *dar* ~ a alguien *Cuba.* (누구를) 무관심하게 취급하다. *estar* alguien *hecho un* ~ 매우 차다. *quedarse de* ~ 어리둥절하다, 멍하다, 망연자실하다. *romper el* ~ 어색함을 풀다, 분위기를 누그러뜨리다.

hiemal *adj.* ① [드묾] 겨울의(invernal). ② *Astr.* =**cuadrante hiemal.**

hiena *f.* [동물] 하이에나.

hierático, ca *adj.* ① (표정이) 엄한. ② (주로 고대의) 성직의, 사제의. ③ 전통 양식에 구애된 종교 문화와 회화의.

hierba *f.* ① 풀; 초본: ~ artificial 인공 잔디. ~*s* medicinales 약초. haz de ~ segada 벤 풀의 단. malas ~*s* 잡초.

H

② [집합] 풀, 잡초. ③ 에메랄드의 흠[얼룩]. ④ [주로 *pl.*] (독초의) 독. ⑤ 마리화나와 같은) 마약. ⑥ *pl.* (승려들 사이에서) 야채 요리. ⑦ *pl.* (목장에 있는 가축용) 목초. ⑧ (목초를 먹고 자란 동물의) 나이. ¶ ~ *buena* = hierbabuena. ~ *del Paraguay* 마떼 차. ~ *mate* 마떼 차. ~ *santa* = hierbabuena. *~s del señor San Juan* 세례 요한 축제날 파는 모든 향초와 약초들. *en* ~ (빵이나 다른 씨앗이) 아직 덜 익고 연한. *haber pisado* alguien *buena* ~ (…이 …에게) 잘되다[성공하다]. *haber pisado* alguien *mala* ~ ㉮ (…이 …에게) 잘못되다, 실패하다. ㉯ 불쾌하다, 언짢다, 불만스럽다, 기분이 나쁘다. *sentir* alguien *crecer* [*nacer*] *la* ~ 통찰력이 있다, 영리하다, 똑똑하다, 빈틈이 없다. *y otras ~s* 이 밖의 등등. *Hierba ~ nunca muere* (속담) 악초는 결코 죽지 않는다, 미움받는 사람이 세상에 나가서는 오히려 행세한다.

hierbabuena *f.* [식물] 박하(menta).

hierbajo *m.* [경멸] 풀, 잡초.

hierbal *m. Bol., Chile.* 풀로 덮인 땅.

hierbatero, ra *adj., m.f. Chile, Col., Ecuad., Méj., Perú.* 풀로 치료하는 (의사). —*m. Chile.* 꼴을 파는 사람.

hierbazal *m. Cuba.* 풀로 덮인 땅.

hierbería *f. Chile.* =**herboristería.**

hierbero, ra *m.f. Cuba, Méj.* (풀, 특히) 약초 재배자[판매자].

hieroscopia *f.* (동물의) 내장 점(占).

hierosolimitano, na *adj.* ① 예루살렘(Jerusalén, 이스라엘의 도시) 태생의. ② 예루살렘의[에 관한]. —*m.f.* 예루살렘 사람.

hierra *f.* ① *Amér.* 가축에게 소인[낙인] 찍는 일. ② *Amér.* 가축에게 소인[낙인] 찍는 시기. ③ *Amér.* 소인[낙인]을 찍기 위해 열린 파티.

hierro *m.* ① 철(鐵), 쇠: ~ dulce 연철(軟鐵). barra de ~ 철봉. carencia de ~ [의학] 철분 부족. ② (가축에게) 낙인[소인] 찍는 철제 기구[쇳조각]. ③ (가축에게 하는) 소인(燒印). ④ 싸움소 생산. ⑤ (창·화살 같은 무기 끝에 다치게 할 목적으로 꽂는) 쇳조각, 철편. ⑥ 무기. ⑦ (창·쟁기의 날 같은) 쇠[강철] 기구, 금속 부분. ⑧ [골프] 아이언. ⑨ *Ven.* 다리미, 인두; *pl.* 수갑, 족쇄. ⑩ *pl. Cuba.* =**aperos.** ¶ ~ *albo* 시뻘겋게 달은 쇠. ~ *colado* 주철. ~ *forjado* 연철. ~ *fundido* = **hierro colado.** ~ *quemador Ven.* 가축의 소인용[낙인용] 철제 기구(hierro). *agarrarse* alguien *a* [*de*] *un ~ ardiendo* =**agarrarse a un clavo ardiendo.** ☞**clavo.** *a* ~ 무기로. *a ~ y fuego, a ~ y sangre* =**a sangre y fuego.** ☞**sangre.** *de* ~ ㉮ 강력한, 강철 같은, 굳은. ㉯ *Arg., Ur.* 어려운 상황에 언제나 협력할 준비가 갖춰진. *machacar* [*majar · martillar*] *en ~ frío* 쓸데없는 노력을 하다. *quitar* ~ (사람의 발언·신념 등에) 찬물을 끼얹다, …의 흥(興)을 깨다. *Al ~ caliente, batir de repente* (속담) 쇠뿔도 단김에 빼랬다, 물실호기. *Quien* [*El que*] *a ~ mata, a ~ muere* (속담) 인과응보(因果應報), 칼로 흥하는 자는 칼로 망한다.

hietografía *f.* 우량학(雨量學).

hietógrafo *m.* 우량도(雨量圖).

hietometría *f.* 우량 측정(雨量測定).

hietómetro *m.* 우량계(雨量計).

hifa *f.* [생물] 균사(菌絲).

hi-fi *adj. ing.* 하이파이의.

higa *f.* ① (저주로부터 아이들을 구한다는 의도로 아이들에게 달아 주는 주먹 모양의) 보석[산호] 장식물. ② (사람들에게 욕하거나 무시하는 표시로) 검지와 장지 사이로 엄지를 보이면서 주먹을 쥐고 하는 손짓. ③ =**burla, desprecio.** ¶*dar ~s* (…을) 경멸하다, 멸시하다, 비웃다. *no dar por* algo *dos ~s* (…을) 경멸하다, 멸시하다.

higadilla *f.* =**higadillo.**

higadillo *m.* (작은 동물의) 간.

hígado *m.* ① [해부] 간장(肝臟). ② [요리] 간(肝). ③ [주로 *pl.*] 용기, 기력; 양심의 가책이 없는 일. ④ [경멸] *Cuba.* 귀찮고 싫은 사람. ¶*malos ~s* 나쁜 뜻[의도]. *caer* alguien o algo *como un* ~ a alguien *Cuba.* =**darle cien patadas.** ☞**patada.** *echar* alguien *los ~s* =**echar la hiel.** *echar* alguien *los ~s por* algo (…을 달성하기 위해) 굉장히 노력하다.

higiene *f.* ① 위생, 위생학; 보건학: ~ de los alimentos 식품 위생. ② 대청소. ¶ ~ *privada* 개인 위생. ~ *pública* 공중 위생.

higiénico, ca *adj.* 위생적인.

higienista *adj.* 위생학의. —*m.f.* 위생사.

higienización *f.* 위생적으로 하기.

higienizar (9) *tr.* 위생적으로 하다, 깨끗이 하다.

higo *m.* ① [과실] 무화과. ② (무화과 같은) 항문 주변에서 생기는 혹. ③ 하찮은 것, 사소한 것, 별 가치 없는 것, 아무 가치가 없는 것. ¶*de ~s a brevas* 드문드문, 어쩌다가, 이따금. *estar hecho un* ~ (천 등이) 구김살 투성이다.

higrófilo, la *adj.* 습지를 좋아하는.

higrófobo, ba *adj.* 습지를 싫어하는.

higrometría *f.* 습도 측정(법).

higrométrico, ca *adj.* 습도 측정의; 흡습성(吸濕性)의.

higrómetro *m.* 습도계.

higroscopia *f.* =**higrometría.**

higroscopicidad *f.* 눅눅해짐; 감습성.

higroscópico, ca *adj.* 흡습성의.

higroscopio *m.* 검습기(檢濕器).

higuera *f.* [식물] 무화과나무. ¶ ~ *chumba,* ~ *de Indias,* ~ *de pala,* ~ *de tuna* =**nopal.** ~ *del diablo,* ~ *del infierno,* ~ *infernal* =

H

ricino. *estar en la* ~ =estar en Babia.
higuana *f.* [동물] =iguana.
higueral *m.* 무화과나무 숲[밭].
higuereta *f.* =ricino.
higuerilla *f.* =ricino.
hijadalgo *f.* [*pl.* hijasdalgo] =**hidalga.**
hijastro, tra *m.f.* 의붓아들, 의붓딸.
hijato, ta *m.f.* =retoño, renuevo.
hijear *intr. CRica., Cuba, Hond., Salv.* 싹이 나오다(echar retoños o hijos).
hijo, ja *m.f.* ① 아들, 딸: ~ mayor 장남. ~ menor 막내아들. ~ único 외아들, 독자. ② 혈연자. ③ (나라·도·시·읍·면·시골 등의) 출신자. ④ 산물, 작품. ⑤ 사위, 며느리. ⑥ (식물의) 싹. ⑦ *m.pl.* 자손. ¶ ~ ***adoptivo, va*** *m.f.* 양자, 양녀. ~ ***bastardo, da*** *m.f.* 서자, 서녀. ~ ***de algo*** *m.f.* = hidalgo. ~ ***de bendición*** *m.f.* 정식 결혼으로 낳은 자녀. ~ ***de la cuna*** *m.f.* =**expósito.** ~ ***de la piedra*** *m.f.* =**expósito.** ~ ***de la tierra*** *m.f.* 사고무친한 사람. ~ ***del diablo*** *m.f.* 교활한 사람. ~ ***de leche*** *m.f.* 유모가 키운 아이. ***Hijo del Hombre*** *m.* [기독교] 예수 그리스도. ~ ***de madre*** *m.f.* =**hijo de su madre.** ~ ***de padre*** *m.f.*=**hijo de su padre.** ~ ***de puta*** *m.f.* [속어] 호래자식!, 후레자식! ~ ***de su madre*** *m.f.* 어머니 닮은 자식. ~ ***de su padre*** *m.f.* 아버지 닮은 자식. ~ ***de vecino*** *m.f.* 시골 태생 사람. ~ ***ilegítimo, ma*** *m.f.* 사생아(私生兒). ~ ***legítimo, ma*** *m.f.* 적출자. ~ ***natural*** 사생아. ~ ***único, ca*** *m.f.* 독자, 외아들; 독녀, 외동딸. ***cada*** ~ ***de vecino*** *m.* 어떤 사람이나. ***cualquier*** ~ ***de vecino*** =**cada hijo de vecino.**
hijodalgo *m.* [*pl.* hijosdalgo, *f.* hijadalgo] [고어] =**hidalgo.**
hijuela *f.* ① 부속물, 종속물. ② 덧대는 천[베]. ③ (침대의) 가늘고 좁은 방석. ④ (상속의) 재산 목록. ⑤ [집합] 상속 재산. ⑥ 종려의 씨. ⑦ *And.* (소매용) 잔 장작 단. ⑧ *Chile, CRica., Ecuad., Perú.* 분할된 땅.
hijuelar *tr. Chile.* (소유지를) 분할하다.
hijuelo *m* 어린 가지.
hila[1] *f.* ① 가는 창자, 소장(小腸). ② (종기·부상 치료용) 푼 실.
hila[2] *f.* 실을 잣는 일.
hilacha *f.* ① 실보무라지. ② 쓸모없는 부분. ③ =**resto, residuo, vestigio.**
hilacho *m.* =hilacha.
hilachoso, sa *adj.* 실보무라지가 많은.
hilachudo, da *adj.* =**hilachoso.**
hilada *f.* ① 열[줄]의 형성. ② (건물에서 벽돌·돌의) 가로 일련(一連).
hiladillo *m.* ① 풀어낸 실. ② 실로 만든 좁은 끈.
hiladizo, za *adj.* 실로 자을 수 있는.
hilado *m.* ① 실을 잣는 일. ② 방적. ③ 실, 원사(原絲), 방적사.
hilador, ra *m.f.* 실을 푸는 직공, 실을 잣는 사람. —*f.* 실 푸는 기계.
hilandería *f.* ① 방적, 제사(製絲). ② 방적 공장, 제사 공장.
hilandero, ra *m.f.* 방적공(工). —*m.* 방적 공장(紡績工場).
hilar *tr.* ① 잣다, 실로 잣다, 실로 자아 만들다, 자아내다. ② (곤충·거미, 특히 누에가) (자신의 몸에서) 섬유를 내다. —*intr.* 실을 잣다.
hilaracha *f.* [드묾] (천에서 나오는) 실보무라지.
hilarante *adj.* 우스운, 웃겨 주는.
hilaridad *f.* (주로 많은 사람의) 폭소.
hilatura *f.* ① 방적, 제사(製絲). ② [주로 *pl.*] 방적 공장, 제사 공장.
hilaza *f.* ① (주로 두꺼운·질이 나쁜) 실. ② [집합] 찌꺼기 실. ¶***descubrir la*** ~ 본성[결점]을 드러내다.
hilemorfismo *m.* [철학] 질료 형상론.
hilemorfista *adj.* ① [철학] 질료 형상론의[에 관한]. ② [철학] 질료 형상론을 추종하는. —*m.f.* 질료 형상론자.
hilera *f.* ① 연속; 열, 줄. ② (철사 제조용) 다이스 판, 압축 링. ③ [군사] 일렬 종대. ④ [건축] =**parhilera.** ⑤ *pl.* (거미의) 방적 돌기(紡績突起).
hilo *m.* ① 실(絲). ② 삼베 옷, 리넨 옷. ③ (쇠에서 뽑은) 아주 가는 철사. ④ (거미·누에 등이 만드는) 실, 섬유. ⑤ =filo[1]. ⑥ 끝, 가, 물가. ⑦ (물·피 등의 가는) 흐름, 줄기. ⑧ (연설·행동·감정·몸짓·손짓 등의) 연속, 계속, 줄거리, 맥락. ¶ ~ ***bramante*** 가는 삼끈. ~ ***de conejo*** =alambre conejo. ~ ***de empalomar*** 가는 삼끈. ~ ***de la vida*** 생명줄. ~ ***de perlas*** 실에 꿴 진주. ~ ***de uvas*** 포도 걸어 말리기. ~ ***de velas*** [선박] (배의 돛을 깁는, 보통 것보다) 굵은 삼실. ~ ***de voz*** 아주 약한[생기가 없는] 목소리. ~ ***musical*** 음악 유선 방송. ~ ***primo*** (고급 구두 깁는) 희고 가는 실. ~ ***volatín*** [선박] =**hilo de velas.** ***a*** ~ ㉮ 그치지 않고, 끊임없이, 잇달아, 중단 없이, 면면히. ㉯ (…의) 방향에 따라, 평행선으로. ***al*** ~ ㉮ 실의 올[나무의 결]을 따라. ㉯ *Perú.* =**a hilo** ㉮. ㉰ *Cuba, Méj.* 아주 잘, 정확히. ***al*** ~ ***de*** =al filo de: ***al*** ~ ***de*** la medianoche 정확히 자정에. ***al*** ~ ***del viento*** [사냥] (새의 날아가는 것이) 바람과 같은 방향으로. ***andar al*** ~ ***de la gente*** =**irse al hilo de la gente.** ***coger el*** ~ ***de*** algo (…의 테마·사건 등을) 알다. ***colgar de un*** ~ =**pender de un hilo.** ***cortar el*** ~ 가로막다, 저지하다; (말 등을) 중지시키다, 가로막다. ***cortar el*** ~ ***de la vida*** 죽이다, 살해하다. ***cortar el*** ~ ***del discurso*** 연설을 중지시키다. ***de*** ~ 계속해서, 그치지 않고. ***irse al*** ~ [***tras el*** ~] ***de la gente*** 남이 장간다고 하니 거름 지고 나선다, 덩달아 남을 모방한다. ***pender de un*** ~ 풍전등화와 같다. ***perder el*** ~ (대화·

연설에서) 잊어버리다. *Por el ~ se saca el ovillo* (속담) 하나를 보면 열을 안다, 겉을 보면 속을 안다.
hilomorfismo *m.* =hilemorfismo.
hilorio *m. León, Pal.* =filandón.
hilozoísmo *m.* 물활론(物活論).
hilván *m.* ① 시침바느질, 가봉(假縫). ② 바늘땀, 재봉 땀. ③ 시침바느질용 실. ④ *Ven.* =dobladillo, pliegue. ¶ *hablar de* ~ 허겁지겁 말하다.
hilvanado *m.* 시침바느질, 시침질.
hilvanar *tr.* ① 시침질하다, 가봉하다. ② (어구·말·생각을) 정리하다, 정돈하다, 연결하다, 맥락을 잡다. ③ (…을) 급히 계획[준비]하다.
himalayo, ya *adj.* 히말라야산(山)의.
himen *m.* [*pl.* hímenes] [해부] 처녀막.
himeneal *adj.* [해부] 처녀막의.
himeneo *m.* ① 결혼, 혼인. ② 축혼가.
himenóptero, ra *adj.* [곤충] 막시류(膜翅類)의.
himnario *m.* 찬송가집, 성가집.
himno *m* ① (축전 등에서 부르는) 노래, 찬가: ~ nacional 국가. ~ de la escuela 교가. ② (영웅 등을 찬양하는) 송시(訟詩). ③ [종교] 찬미가, 찬송가, 성가(聖歌).
himpar *intr.* 딸꾹질(hipo)로 신음하다.
himplar *intr.* ① (표범 등이) 포효하다. ② =himpar.
hincadura *f.* (…에 무엇을) 박아 넣음.
hincapié *m.* (발을) 버팀. ¶ *hacer* ~ …을 버티다, 견디어 나가다; (끝까지) 우겨대다, 고집하다, 버티다.
hincar (7) *tr.* ① (…에 …을) 넣다, 박아 넣다. ② …을 단단히[꽉] 버티다. ③ *Rioja.* 심다. —*intr.* [고어] 장소에 남다. ~**se** =arrodillarse.
hincha *f.* 증오(감), 적대감, 적의(敵意). —*mf.* ① (운동 팀의) 팬, 서포터. ② (운동 선수 등의) 팬, 서포터.
hinchable *adj.* 수를 늘릴 수 있는.
hinchadamente *adv.* 우쭐해서, 으스대면서; 과장해서.
hinchado, da *adj.* ① 으스대는, 뽐내는, 우쭐대는, 자랑하는. ② [언어] 과장된. ③ 부은. —*f.* 팬, 응원단.
hinchahuevos *adj., mf.* [속어] *Arg., Ur.* 귀찮게 하는, 진절머리나게 하는 (사람).
hinchamiento *m.* 부어오름, 부기.
hinchapelotas *adj., mf.* =hinchahuevos.
hinchar *tr.* ① (물건을) 부풀리다, 부풀게 하다, 불룩하게 하다. ② (몸을) 부어오르게 하다. ③ (강물·냇물을) 붇게[불어나게] 하다. ④ (소식·사건을) 부풀리다, 과장하다. ⑤ *Arg., Méj., Par., Ur.* 귀찮게 하다, 성가시게 하다. —*intr. Arg., Ur.* 운동 팀을 열심히 응원하다. ~**se** ① (물건이) 부풀다. ② (몸이) 붓다, 부어 오르다. ③ (강물·냇물이) 불어나다. ④ 귀찮다, 진절머리나다. ⑤ (몸의 일부분이, 부상당하거나 맞아서[부딪쳐서]) 붓다, 부어 오르다. ⑥ (식사·술·일 등을) 과하게[지나치게·심하게] 하다, 포식하다, 과식하다, 과음하다, 과로하다. ⑦ 뽐내다, 우쭐거리다, 젠체하다, 잘난 체하다.
hinchazón *m.* ① 부어오름, 부기, 종창. ② 뽐냄, 우쭐거림, 젠체함, 잘난 체함. ③ (과장된 문체의) 해악, 결점.
hinchir *tr. Sal.* =henchir.
hinco *m.* 땅에 박힌 기둥[버팀대].
hincón *m.* ① 강의 가장자리에 박은 갈래 모양의 각재(角材). ② *Sal.* (땅에 경계 표지를 하는) 이정표, 경계석.
hindi *m.* 힌두어.
hindú *adj.* ① 인도(India) 태생의. ② 인도의[에 관한]. ③ 힌두교의[에 관한]. —*mf.* ① 인도 사람. ② 힌두교 신자.
hinduismo *m.* 힌두교.
hinduista *adj.* 힌두교의, 힌두교에 관한. —*mf.* ① 힌두교 신자. ② 힌두교 추종자.
hiniesta *f.* [식물] =retama.
hinojal *m.* 회향풀 밭.
hinojar *intr.* [드묾] 무릎을 꿇다.
hinojo[1] *m.* [식물] 회향풀.
hinojo[2] *m.* 무릎(rodilla).
hintero *m.* (빵의) 반죽판.
hiñir *tr. And.* =heñir.
hiogloso, sa *adj.* 설골(舌骨)[혀]의.
hioideo, a *adj.* [해부] 설골(舌骨)의.
hioides *m.sing.pl.* [해부] 설골(舌骨).
hipafrodisia *f.* 성욕 감퇴.
hipálage *f.* [문법] 대환(代換)(법).
hipar *intr.* ① (자주) 딸꾹질을 하다, 잦은 딸꾹질로 괴로워하다. ② (개가 사냥감을 쫓아가면서) 코를 킁킁거리다. ③ 과로로 피곤하다. ④ (딸꾹질하는 것처럼) 훌쩍거리며 울다. ⑤ 열망하다, 갈망하다.
híper *m.* =hipermercado.
hiper- *pref.* 「초(超)」의 뜻: *hiper*tensión 고혈압. *hiper*sónico 초음속의.
hiperactividad *f.* 활동 항진(亢進).
hiperactivo, va *adj.* 극도로 활동적인.
hiperbático, ca *adj.* [수사학] 전치법(前置法)의.
hipérbato *m.* =hipérbaton.
hipérbaton *m.* [수사학] 전치법.
hipérbola *f.* [수학] 쌍곡선.
hipérbole *f.* ① [수사학] 과장법. ② (상황·이야기·소식의) 과장(誇張).
hiperbólicamente *adv.* 과장하여, 호들갑스럽게.
hiperbólico, ca *adj.* ① [수학] 쌍곡선의[에 관한]. ② 쌍곡선 모양의, 쌍곡선 같은. ③ 과장의, 과대의.
hiperboloide *m.* [수학] 쌍곡면.
hiperbóreo, a *adj.* 극북 (지대)의.
hiperclorhidria *f.* [의학] 과염산증.
hiperclorhídrico, ca *adj.* ① 과염산증의[에 관한]. ② 과염산증을 앓는.
hipercolesterolemia *f.* [의학] (혈액에) 콜레스테롤의 과다함.
hipercorrección *f.* [언어] (발음·표현의) 과잉 정정(訂正).

H

hipercrisis *f.* [의학] 위독(危篤).
hipercrítico, ca *adj.* 위독한, 위독한 사람의. —*m.* 혹평자, 혹평가. —*f.* 과장된 비평(crítica exagerada).
hiperémesis *f.* [의학] 심한 구토, (특히) 임신 구토증.
hiperemia *f.* [생물] (몸의 한 부분에) 충혈(증).
hiperespacio *m.* 초공간(超空間).
hiperestesia *f.* [의학] 지각 과민.
hiperestesiar *tr.* 지각 과민을 일으키다. ~**se** 지각 과민이 일어나다.
hiperestésico, ca *adj.* 지각 과민의.
hiperexigencia *f.* 과대한 요구.
hiperfunción *f.* 분비 기관의 정상 기능 증가.
hiperglucemia *f.* [의학] 고혈당증.
hiperglucémico, ca *adj.* ① [의학] 고혈당증의. ② [의학] 고혈당증을 앓는.
hipermercado *m.* 대형 슈퍼마켓.
hipermétrope *adj.* [의학] 원시(遠視)의. —*m.f.* 원시(遠視)인 사람.
hipermetropía *f.* [의학] 원시(遠視).
hiperpotencia *f.* 초강대국, 초대국.
hiperrealismo *m.* [예술] 초사실주의.
hiperrealista *adj.* 초사실주의의. —*m.f.* 초사실주의 화가.
hipersensibilidad *f.* 과민증.
hipersensible *adj.* [의학] 과민증의.
hipersexuado, da *adj.* 성욕 과잉의.
hipersomnia *f.* [의학] 기면증(嗜眠症).
hipersónico, ca *adj.* 초음속의.
hipertensión *f.* [의학] 고혈압.
hipertensivo, va *adj.* 고혈압의.
hipertenso, sa *adj.* 고혈압을 앓는, 고혈압 증세가 있는. —*m.f.* 고혈압 환자.
hipertermia *f.* [의학] 고체온, 고열.
hipertiroideo, a *adj.* [의학] 갑상선 기능 항진증에 걸린. —*m.f.* 갑상선 기능 항진증 환자.
hipertiroidismo *m.* [의학] 갑상선 기능 항진증.
hipertropia *f.* [의학] 비대, 비대증.
hipertropiarse *r.* 비대하다.
hipertrópico, ca *adj.* [의학] 비대한, 비대성의, 비후성의.
hiperventilación *f.* [의학] 호흡 항진.
hiperventilar *tr., intr.* 호흡 항진하다.
hipervitaminosis *f.sing.pl.* [의학] 비타민 과민증.
hípico, ca *adj.* ① 말의. ② 마술(馬術)의. —*f.* ① 경마 스포츠 ((마술, 폴로 등)), 마술 경기. ② 경마장.
hipido *m.* 딸꾹질.
hipismo *m.* 마술(馬術); 마술 스포츠.
hípnico, ca *adj.* 최면의.
hipnolepsia *f.* [의학] 기면증(嗜眠症).
hipnología *f.* 최면학.
hipnólogo, ga *m.f.* 최면술사.
hipnosis *f.sing.pl.* 최면 상태.
hipnótico, ca *adj.* [의학] 최면의, 최면술의. —*m.* 최면약, 최면제.
hipnotismo *m.* 최면술.
hipnotizable *adj.* 최면술에 쉬 걸리는.
hipnotizador, ra *adj.* 최면술의. —*m.f.* 최면술사.
hipnotizar (9) *tr.* …에 최면술을 걸다; 도취시키다.
hipo *m.* ① 딸꾹질. ② (사람에 대한) 반감(反感).
hipo- *pref.* ①「아래의, 하의」의 뜻: *hipo*dérmico 피하의. *hipó*crita 위선자. ②「말」의 뜻: *hipo*dromo 경마장.
hipoalergénico, ca *adj.* =hipoalérgico.
hipoalérgico, ca *adj.* (식품・화장품 등이) 저알레르기 유발성의.
hipoalimentación *f.* 영양 부족.
hipoamnios *m.pl.* 양수(羊水) 감소.
hipocalórico, ca *adj.* 저칼로리의.
hipocampo *m.* ① [해부] (뇌의) 해마. ② [동물] 해마. ③ [희랍 신화] 해마.
hipocentro *m.* ① (지진의) 진원(震源). ② (핵폭발의) 폭심지(爆心地).
hipocondría *f.* [의학] 심기증(心氣症).
hipocondríaco, ca *adj., m.f.* =hipocóndrico.
hipocóndrico, ca *adj.* 심기증의. —*m.f.* 심기증 환자.
hipocondrio *m.* [해부] 계륵부.
hipocorístico, ca *adj.* [언어] 애칭의. —*m.* 애칭어 ((예 Lola ←Dolores, mi negra ←mi amada)).
hipocrático, ca *adj.* 히포크라테스(Hipórates, 그리스의 의사, 의사의 시조로 불림) 학설의.
hipoclénides *f.pl.* =musas.
hipocresía *f.* 위선(僞善).
hipócrita *adj.* 위선적인. —*m.f.* 위선자.
hipodérmico, ca *adj.* [해부] 피하(皮下)의: inyección ~*ca* 피하 주사.
hipodermis *f.sing.pl.* [해부] 피하 조직.
hipodromo *m.* 경마장.
hipófisis *f.sing.pl.* [해부] 하수체(下垂體), 뇌하수체.
hipogástrico, ca *adj.* [해부] 하복부의.
hipogastrio *m.* [해부] 하복부.
hipogeo, a *adj.* [식물] 지하에서 성장하는. —*m.* [고고학] (고대 이집트 등의) 지하 매장실, 현실(玄室).
hipogloso, sa *adj.* [해부] 설하(舌下)의, 혀밑의: nervio ~ 혀밑 신경.
hipoglucemia *f.* [의학] 저혈당증.
hipoparatiroidismo *m.* [의학] 상피 소체 기능 저하증.
hipopótamo *m.* [동물] 하마.
hiposexualidad *f.* 성욕 감퇴.
hiposo, sa *adj.* 딸꾹질을 하는
hipóstilo, la *adj.* [건축] 기둥을 많이 세운.
hiposulfito *m.* [화학] 차아유산염.
hipotálamo *m.* [해부] 시상하부.
hipotaxis *f.sing.pl.* [언어] 종속, 종위.
hipoteca *f.* ① (부동산의) 저당(권), 담보. ② 장애, 곤란.
hipotecable *adj.* 저당잡힐 수 있는.
hipotecar (7) *tr.* ① (부동산을) 저당잡히다. ② (생명 등을) 내던지다, 팽개치다, 포기하다.
hipotecario, ria *adj.* 저당(권)에 관한:

acreedor ~ 저당권자. deudor ~ 저당권 설정자. préstamo ~ 담보 대출.
hipotensión *f.* [의학] 저혈압(증).
hipotenso, sa *adj.* [의학] 저혈압의. —*mf.* 저혈압자, 혈압이 낮은 사람.
hipotenusa *f.* (직각 삼각형의) 빗변.
hipotermia *f.* [의학] ① 저체온증. ② 저체온법.
hipotérmico, ca *adj.* 저온증[저온법]의.
hipótesi *f.* =hipótesis.
hipótesis *f.sing.pl.* ① 가설, 가정. ② 추측, 억측.
hipotéticamente *adj.* 가정적으로, 상상으로.
hipotético, ca *adj.* 가정[가상·가설]의.
hipotiposis *f.sing.pl.* [수사학] 박진법(迫眞法), 언어를 통한 생생한 묘사법.
hipotrofia *f.* [의학] 영양 장애성 발육 부전, 영양 불량.
hipotroideo, a *adj.* 갑상선 기능 부전증의. —*mf.* 갑상선 기능 부전증 환자.
hipotroidismo *m.* [의학] 갑상선 기능 저하(증).
hippie *adj., mf. ing.* 히피(의).
hippy *adj., mf. ing.* =hippie.
hipsometría *f.* 측고법(測高法).
hipsométrico, ca *adj.* 측고법의.
hipsómetro *m.* 비점 측고계.
hirco *m.* [동물] 산양.
hiriente *adj.* ① 모욕적인. ② 감정을 해치는. ③ 다치는, 상처를 입히는. ④ 슬프게 하는, 괴롭히는.
hirma *f.* (피륙의) 모서리(orillo).
hirmar *tr.* 단단히 하다[고정시키다].
hirsutismo *m.* [의학] (남성형) 다모증.
hirsuto, ta *adj.* ① (머리카락이) 빳빳한. ② 빳빳한 털로 덮인. ③ 성미가 까다로운(de carácter áspero).
hisopada *f.* 관수기로 성수를 뿌리기.
hisopadura *f.* [드묾] =hisopada.
hisopar *tr.* (관수기로) 성수를 뿌리다.
hisopear *tr.* =hisopar.
hisopo *m.* ① [종교] 관수기. ② *Arg., Méj., Ur., Ven.* (개인 위생용으로 사용되는) 끝에 솜으로 싼 가는 막대기. ③ *Chile.* 면도 솔. ④ *Col., Méj.* (벽을 칠하는) 용설란 섬유로 만든 솔.
hispalense *adj., mf.* =sevillano.
hispalio, lia *adj.* [드묾] =sevillano.
Hispania *f.* [지명] [역사] 이스빠니아.
hispánico, ca *adj.* ① 스페인의[에 관한]. ② 옛 이스빠니아의[에 관한]. ③ 옛 이스빠니아 주민의[에 관한]. ④ 스페인 말과 문화의[에 관한].
hispanidad *f.* ① 스페인어권인 모든 나라. ② 스페인계 문화. ¶***Día de la Hispanidad*** 민족의 날 ((신대륙 발견의 날[기념일](10월 12일); 현재의 명칭은 Fiesta Nacional de España)).
hispanismo *m.* ① 스페인 말의 독특한 표현. ② (다른 언어에서) 차용된 스페인 말. ③ (다른 언어에서) 스페인어 사용. ④ 스페인 어[문학·문화] 연구 취미[열중·애호].
hispanista *mf.* 스페인 어[문학·문화] 연구자[정통한 사람].
hispanización *f.* 스페인화(化).
hispanizante adj. 스페인화하는.
hispanizar (9) *tr.* 스페인풍으로 하다, 스페인화하다. ~**se** 스페인화되다.
hispano, na *adj.* ① 이스빠니아의[에 관한]. ② 스페인의. ③ 중남미 국가의[에 관한]. ④ 미국에 사는 중남미 태생 주민의[에 관한]. —*mf.* ① 스페인 사람. ② 미국에 사는 중남미 사람.
hispano- *pref.* 「스페인의(español)」의 뜻: *hispanó*filo 스페인을 좋아하는 (사람). *hispano*americano 스페인계 아메리카의.
Hispanoamérica *f.* [지명] 스페인계 아메리카, 스페인어권 중남미.
hispanoamericanismo *m.* ① 스페인계 아메리카 사람간의 연대. ② 스페인계 아메리카와 스페인 간의 연대. ③ 중남미 특유의 표현(americanismo).
hispanoamericano, na *adj.* ① 스페인 사람과 아메리카 사람의[에 관한]. ② 스페인계 아메리카의. ③ 스페인어 사용의 아메리카 제국의. ④ 아메리카 제국에서 태어난[귀화한] 스페인어 사용의 국민의. —*mf.* 아메리카 제국에서 태어난[귀화한] 스페인어 사용의 국민.
hispanoárabe *adj.* ① (중세의) 이슬람교도 통치하의 스페인 태생의. ② 이슬람 스페인의[에 관한]. —*mf.* (중세의) 이슬람 스페인 사람.
hipanocolonial *adj.* (중남미 예술에 대해) 스페인 (식민지) 풍의.
hispanofilia *f.* 스페인 것에 대한 애정[호감].
hispanófilo, la *adj.* 스페인 것을 좋아하는. —*mf.* 스페인 것을 좋아하는 사람, 친(親)스페인파.
hispanofobia *f.* 스페인 것에 대한 반감[증오·거부감].
hispanófobo, ba *adj.* 스페인 것에 대한 반감을 느끼는, 스페인 것을 거부하는. —*mf.* 스페인 것에 대한 반감을 품은 사람, 스페인 것을 거부하는 사람, 반(反)스페인파.
hispanohablante *adj., mf.* 스페인 말을 모국어로 말하는 (사람).
hispanojudío, a *adj.* 유대인 통치하의 스페인(la España judía)의[에 관한].
hispanomusulmán, na *adj., mf.* =hispanoárabe.
hispanoparlante *adj., mf.* =hispanohablante.
hispanorromano, na *adj.* ① 로마 통치하의 이스빠니아의. ② 로마 제국의 이스빠니아 영토의[에 관한]. —*mf.* 로마 통치하의 이스빠니아 사람.
híspido, da *adj.* =hirsuto.
hispir *tr.* =esponjar, ahuecar.
histamina *f.* [생화학] 히스타민 ((자궁 수축·혈압 저하에 쓰이는 약)).
histamínico, ca *adj.* 히스타민의.
histerectomía *f.* [의학] 자궁 적출, 제왕 절개술.
histeria *f.* [의학] 히스테리.

histérico, ca *adj.* ① 히스테리의, 히스테리성의, 히스테릭한. ② 자궁(子宮)의. —*mf.* ① 히스테리 환자. ② 히스테리성의 사람.

histerismo *m.* =histeria.

histerografía *f.* 자궁 엑스선 사진.

histo- *pref.*「유기 조직(有機組織)」의 뜻: *histo*logía 조직학.

histocompatibilidad *f.* [의학] 조직 적합성(組織適合性).

histograma *m.* [통계] 막대 그래프.

histología *f.* [생물·의학] 조직학.

histológico, ca *adj.* 조직학의.

histólogo, ga *mf.* 조직학 전문가.

historia *f.* ① 역사: ~ antigua 고대사. ~ de la literatura 문학사. ② 역사학. ③ 역사서, 역사책. ④ 내력, 전통. ⑤ 경력. ⑥ 이야기 ((참고: historia는 실제로 있었던 이야기나 만들어낸 이야기, cuento는 만들어낸 이야기)). ⑦ 만들어낸[꾸며낸] 이야기. ⑧ [주로 *pl.*] 소문, 험담, 얽힌 이야기. ⑨ [미술] 역사적·전설적인 사건을 다룬 그림[벽걸이 융단]. ¶~ *clínica* 의료 기록. ~ *natural* 박물학(博物學), 박물지(博物誌). ~ *sacra*, ~ *sagrada* (성경을 기술하는) 성사(聖史). ~ *universal* 세계사. *dejarse* alguien *de* ~*s* 바로[빙빙 돌리지 말고] 본론으로 들어가다. *hacer* ~ ㉮ 역사를 쓰다. ㉯ (사람·물건이 지나온) 변천 과정을 설명하다. ㉰ 기억될 만한 필요한 중요성을 얻다. *pasar* algo *a la* ~ ㉮ 대단히 중요하다. ㉯ 현실성[관심]을 완전히 잃다. *picar en* ~ algo 생각했던 것보다 중대[중요]하다.

historiable *adj.* 역사를 쓸 수[말할 수] 있는; 역사물을 그릴 수 있는.

historiado, da *adj.* 장식(裝飾) 과다의.

histoiador, ra *mf.* 역사가, 역사학자.

historial *adj.* 역사의[에 관한]. —*m.* ① 연대적 기술. ② 경력, 이력.

historiar (11) *tr.* ① 역사[이야기]를 말하다[쓰다·짓다]. ② (사람·물건이) 지나온 변천을 설명하다. ③ (그림에) 역사적인[전설적인] 사건을 그리다[나타내다] ④ *Amér.* =complicar, confundir, enmarañar.

históricamente *adv.* 역사적으로.

historicidad *f.* 역사성, 사실성.

historicismo *m.* 역사주의.

historicista *adj.* 역사주의적인. —*mf.* 역사주의자.

histórico, ca *adj.* ① 역사적인. ② 역사학의. ③ 역사상의, 실재의: hecho ~ 사실(史實). novela ~*ca* 역사 소설. ④ 역사에 남는, 역사상 중요한.

historieta *f.* ① 만화. ② (재미있는) 일화(逸話), 우스운 이야기.

historiografía *f.* ① 수사(修史), 정사, 역사 문헌. ② 사료 편찬, 역사 기술.

historiográfico, ca *adj.* 사료 편찬의.

historiógrafo, fa *mf.* 사료 편찬자.

historiología *f.* 역사 이론.

historismo *m.* =historicismo.

histrión *m.* ① 연극 배우. ② (과장된 연기를 하는) 광대[배우]. ③ (고전 희극이나 비극에서) 변장하는 사람. ④ (변장으로 관중을 즐겁게 하는) 마술사, 요술쟁이, 곡예사, 광대.

histotome *m.* 조직도(刀).

histriónico, ca *adj.* historión 의.

histrionisa *f.* (극장에서) 연기하는[춤추는] 여자, 연극 배우, 무희.

histrionismo *m.* ① histrión 직. ② [집합] histrión 직에 종사하는 사람, 배우. ③ histrión의 과장된 연기. ④ [의학] 연극증(演劇症).

hita *f.* ☞hito.

hitación *f.* 경계표 세우기.

hitamente *adv.* =atentamente.

hitar *tr.* =amojonar.

hitleriano, na *adj.* 히틀러(Hitler, 독일의 정치가)주의의, 독일 국가 사회주의의. —*mf.* 히틀러주의자.

hitlerismo *m.* 히틀러주의, 독일 국가 사회주의.

hito *m.* 경계석(境界石), 경계표, 이정표. ¶*a* ~ 꼼짝 않고. *dar en el* ~ 적중하다, 멋들어지게 맞추다. *mirar de* ~, *mirar de* ~ *en* ~ 뚫어지게 쳐다보다, 응시하다. *mirar en* ~ = mirar de hito en hito.

hitón *m.* 네모진 머리 없는 큰 못.

hizo ☞hacer (69).

hl hectolitro 헥토리터.

hm hectómetro 헥토미터.

HMG hora Media de Greenwich 그리니치 표준시, GMT.

hnos. hermanos 형제 상회.

hobachón, na *adj.* 살이 많이 쪄서 일할 힘이 별로 없는 (사람).

hobachonería *f.* 게으름, 나태(pereza).

hobby *m. ing.* 취미.

hocicar (7) *tr.* ① 코로 땅을 파다. ② =besuquear. —*intr.* ① 콧등을 부딪치다. ② 장애물[극복하기 어려운 난관]에 부딪치다. ③ 부득이 불쾌한 일을 참아내다. ④ 뱃머리가 가라앉다.

hocico *m.* ① (동물의) 주둥아리, 콧등. ② (사람의) 두툼한 입술 (부분). ③ (사람의) 얼굴. ④ 뾰로통한 표정. ¶ *caer* [*dar*] *de* ~*s* =caer de bruces. ☞bruces. *meter el* ~ *en todo* (모든 것을 알고 싶어) 지나친 호기심으로 사방에 끼어들다[간섭하다]. *salir a los* ~*s* =salir a la cara. ☞cara.

hocicón, na *adj.* =hocicudo.

hociconear *intr. Chile.* 경솔하게 말을 많이 하다.

hocicudo, da *adj.* ① (사람이) 입이 튀어나온. ② (동물이) 주둥이가 튀어나온(de mucho hocico).

hocino[1] *m.* ① (땔감 베는) 낫. ② (원예가들이 이식용으로 사용하는) 도구.

hocino[2] *m.* 협곡.

hociquear *tr.*, *intr.* =hocicar.

hockey *m. ing.* [운동] (필드)하키(~ sobre hierba): ~ sobre hielo 아이스하키. ~ sobre patines 롤러 스케이트.

hodierno, na *adj.* ① 오늘의, 금일의; 현재의. ② =moderno, actual. ③ (빵이) 부드러운, 갓 구운.
hodómetro *m.* =odómetro.
hogañazo *m.* [드묾] =hogaño.
hogaño *adv.* 금년에; 지금, 현재.
hogar *m.* ① 아궁이. ② 가정, 집(casa, domicilio): artículos para el ~ 가정용품. violencia en el hogar 가정 폭력. ③ 가족(familia). ④ 보호소, 수용소, 양로원, 복지관(asilo). ⑤ 여가 센터, 쉼터, 회관: ~ de pensionistas, ~ del pensionista, ~ del jubilado 노인 복지 센터, 경로 회관, 노인 회관, 노인정. ~ del estudiante 학생 회관.
hogareño, ña *adj.* ① 가정적인. ② 가정의[에 관한]: paz ~*ña* 가정의 평화.
hogaril *m. Mur.* =hogar, fogón.
hogaza *f.* ① (무게가 2파운드 이상인) 대형 빵. ② (밀기울이 섞인) 저질 밀가루 빵.
hoguera *f.* 모닥불, 화톳불.
hogueril *m.* [속어] 아궁이(hogar).
hoja *f.* ① (나뭇)잎; [집합] 잎: ~*s* caídas 낙엽, 떨어진 나뭇잎. árbol de ~ caediza 낙엽수. árbol de ~ perenne 상록수. caída de la ~ 낙엽. ② 꽃잎(pétalo). ③ (금속·나무·종이 등의) 얇은 조각, 박편(薄片). ④ (종잇조각 모양의) 서류, 문서; 인쇄물: ~ de estudios 성적표. ⑤ (책의) 한 장, 두 쪽: pasar la ~ 책장[페이지]을 넘기다. ⑥ (문·창문·칸막이·가리개·병풍 등의) 한 짝, 한 장, 문짝. ⑦ 신문. ⑧ (쇠를 두드릴 때 일어나는 비늘 같은) 엷은 쪼가리. ⑨ (무기·연장의) 날: ~ de navaja 면도날. ⑩ 칼, 검. ⑪ (겹 비스킷에서처럼 잘 나누어지는) 얇은 층. ⑫ (1년 경작하거나 마소를 사육하고 1-2년 동안 휴경하는) 경작에 적합한 목초지. ¶~ *compuesta* [식물] 겹잎, 복엽(複葉). ~ ***de afeitar*** 안전 면도날. ~ ***de cálculo*** [컴퓨터] 스프레드시트, 표 계산. ~ ***de lata*** = hojalata. ~ ***de parra*** ㉮ [성경] 무화과나무 잎. ㉯ [성경] 덮어 가리는 것. ~ ***de ruta*** 여행 일정표. ~ ***de servicios*** (공무원 등의) 공적표. ~ ***de vida*** =currículum vitae. ~ suelta (5페이지 이하의) 팸플릿. ~ ***volante*** =papel volante. ***ser todo ~, y no tener fruto*** 말은 많이 하지만 알맹이가 없다. ***volver la*** ~ ㉮ 의견을 바꾸다. ㉯ 약속을 어기다. ㉰ 화제를 바꾸다.
hojalata *f.* 양철(판).
hojalatería *f.* 양철 공장; 양철 판매점.
hojalatero *m.* 양철 제조자[장수].
hojalde *m.* =hojaldre.
hojaldra *f. Amér.* =hojaldre.
hojadrado, da *adj.* ① hojaldre 같은. ② hojaldre로 만든. ③ 한 장 한 장 벗겨지는 (과자·케이크).
hojadrar *tr.* 반죽덩이를 파이 모양으로 하다[만들다].
hojadre *m.(f.)* ① (가마에 쩔 때 여러 겹으로 포개 놓은) 버터와 잘 반죽한 밀가루 반죽덩이. ② 파이.
hojaldrero, ra *mf.* hojaldre 제조자.
hojaldrista *mf.* =hojaldrero.
hojarasca *f.* ① [집합] 낙엽. ② (나무·식물의) 지나치게[쓸데없이] 무성한 잎. ③ 쓸데없는 것, 실속[내용]이 없는 것, (특히) 요설(饒舌).
hojear *tr.* ① (책·공책의 페이지를 가볍게 넘기다. ② (구를 급히 읽으면서) 책장을 넘기다. —*intr.* ① (금속이) 엷은 쪼가리가 생기다. ② (나뭇잎이) 움직이다, 흔들리다.
hojecer (31) *intr.* (나무가) 잎이 나다.
hojilla *f. Ur.* 담배 마는 종이.
hojoso, sa *adj.* 잎이 많은[무성한].
hojudo, da *adj.* =hojoso.
hojuela *f.* ① [요리] 오후엘라 ((밀가루 반죽에 달걀·설탕·소금 등을 넣고 버터나 기름에 아주 얇게 튀긴 것)). ② 짜낸 올리브 열매에 남아 있어 다시 짜는 껍질. ③ (금·은 등의 장식용) 길고 가늘게 펼친 얇은 조각. ④ [식물] 복엽의 일부를 이루는 잎.
hola *interj.* ① (친한 사이에서 인사로) 안녕(하세요), 여어, 어이, 야, 잘 있었니. ② [드묾] (이상하거나 즐겁거나 불쾌할 때) 아니, 어머나, 이런, 저런.
holán *m.* 얇은 삼베(holanda).
holanda *f.* ① (셔츠·홑이불 등을 만드는) 엷은 삼베. ② (제과점에서 장식용으로 사용하는) 네모진[둥근] 종이. ③ [남성 *pl.*로도 씀] 올란다주(酒) ((최대 65도인 순수 포도주에서 직접 증류해 얻은 증류주)).
Holanda *f.* [국명] 네덜란드, 화란(和蘭).
holandés, sa *adj.* ① 네덜란드 태생의. ② 네덜란드의[에 관한]. —*mf.* 네덜란드 사람. —*m.* 네덜란드 말. —*f.* 28×22 센티미터의 글 쓰는 종이. ¶***a la ~sa*** ㉮ *adj.* 배혁(背革)의, 네덜란드 클로스[헝겊 표지의]. ㉯ *adv.* 네덜란드식[풍]으로.
holding *m. ing.* 지주 회사(持主會社).
holear *intr.* hola를 반복해서 사용하다.
holgachón, na *adj.* 별로 하는 일 없이 잘 지내는, 빈둥거리는.
holgadamente *adv.* 마음 편히, 느긋이.
holgadero *m.* (사람들이 규칙적으로 즐기기 위해) 모이는 곳.
holgado, da *adj.* ① 한가로운, 직업이 없는. ② 헐거운, 낙낙한, 넓고 여유가 있는: vestido ~ 낙낙한 옷. zapatos ~*s* 낙낙한 구두. ③ (경제적으로) 여유가 있는, 넉넉한.
holganza *f.* ① 휴식. ② 한가로움; 태만. ③ 기쁨, 만족, 기분 전환.
holgar (8) (24) *intr.* ① 한가하다, 일하지 않다. ② 쉬다, 한숨 돌리다. ③ 즐겁다, 기쁘다, 기뻐하다. ④ 방치하다. ⑤ 여분이다, 남다, 불필요하다, 소용없다. ~**se** ① 기쁘다, 기뻐하다, 좋아하다, 즐겁다. ② 즐기다(divertirse).
holgazán, na *adj.* 게으른, 나태한, 일

하기 싫어하는. —*mf.* 게으름뱅이.
holgazanear *intr.* 게으름을 피우다.
holgazanería *f.* 게으름, 나태, 태만.
holgón, na *adj.* 놀기 좋아하는, 게을러터진, 게을러빠진. —*mf.* 게으름뱅이.
holgorio *m.* =jolgorio.
holgueta *f.* =holgura.
holgura *f.* ① (지나갈·들어갈·움직일) 충분한 공간, 여유. ② 지나친 폭[넓이]. ③ =**huelgo.** ④ 기쁨, 환희, 오락, 여흥. ⑤ 안락, 복지, 충분한 자원의 향유, 여유.
holladura *f.* ① 짓밟음, 유린. ② 목축통행세.
hollar (24) *tr.* ① 밟다. ② 발로 무엇을 짓밟다. ③ 굴복시키다, 혼내다, 멸시하다, 경멸하다, 업신여기다.
hollejo *m.* (포도·강낭콩처럼 어떤 과실과 열매를 덮는) 얇은 껍질.
hollejudo, da *adj.* 껍질이 단단한.
hollín *m.* ① 그을음, 매연. ② 소란, 소요(alboroto).
holliniento, ta *adj.* 그을음이 있는.
holmio *m.* [화학] 홀뮴.
holo- *pref.* 「모든(todo)」의 뜻: *holo*ceno 완신세(完新世). *holo*grafía 레이저 광선 사진술.
holocausto *m.* ① (고대 유대교의) 번제. ② 헌신. ③ (특히 이스라엘 사람들이 모든 희생물을 태우는) 산 제물.
Holocausto *m.* (유대인의) 대학살.
holoceno, na *adj., m.* [지질] 완신세(完新世)(의).
holoedro *m.* [광물] 완면상(完面像).
holografía *f.* 레이저 광선 사진술.
holográfico, ca *adj.* holografía의.
hológrafo, fa *adj.* 자필의. —*m.* 자필유언[문서].
holograma *m.* [광학] 홀로그램.
holómetro *m.* 고도각 측정의.
holostérico *adj.* 견고한, 완전한.
holoturia *f.* [동물] 해삼 무리.
hombracho *m.* 몸집이 큰 남자, 거한.
hombrada *f.* 사나이다움.
hombre *m.* ① 사람, 인간. ② 인류. ③ (주로 성인의) 남자: el ~ y la mujer 남자와 여자. ④ 성인이 된 남자 ((18세 이상)). ⑤ 사람의 한정된 그룹: el ~ de Cromañón 크로마뇽인. el ~ de la edad media 중세인(中世人). ⑥ 남자다운 남자. ⑦ 남편. ⑧ 애인, 정부(情夫). ⑨ 부하(部下): el general y sus ~*s* 장군과 그의 부하들. ⑩ [+de+명사] ㉮ (직업·신분 등) 사람: ~ de ciencia 과학자. ㉯ (특징·성질 등) 사람: ~ de suerte 운이 좋은 사람. —*interj.* ① [기쁨·놀람·달래는 듯한 표현] 어머나!, 아이구!, 야!, 여어!, 이 사람아! ② [재촉] 어서, 자. ③ [대답의 강조] 물론. ¶~ ***bueno*** [법률] 조정 위원, 조정자. ~ ***de guerra*** 군인, 무인. ~ ***de letras*** 문인, 문학자. ~ ***medio*** 평균적인 사람, 일반 대중. ~ ***objeto*** 단순한 성교 상대로서의 남자. ***como un solo*** ~ 일제히, 만장일치로. ***de*** ~ ***a*** ~ ㉮ 솔직히, 진심으로. ㉯ 대등하게. ***hacer*** a alguien ~ …를 효과적으로 보호하다. ***hacerse*** alguien ***un*** ~ 성인이 되어 자기 행동에 책임을 지다. ***ser*** alguien ~ ***al agua*** 절망적인 상태에 있다, 어찌할 바를 모르다. ***ser*** alguien ***mucho*** ~ 재능이 많은 사람이다. ***ser*** alguien ***muy*** ~ 정말 남자답다. ***ser*** alguien ***poco*** ~ 비겁하다, 남자답지 못하다. ***ser*** alguien ***todo un*** ~ 사나이 중의 사나이다.
hombrea[1] *intr.* ① 어른스러워지다. ② 어깨를 겨루다, 경쟁하다.
hombrear[2] *intr.* (받치거나 밀기 위해) 어깨에 힘을 주다, 어깨로 받치다.
hombrecillo *m.* [식물] 호프(lúpulo).
hombredad *f.* =**hombría.**
hombre-mono *m.* [인류학] 원인(猿人).
hombrera *f.* ① (슬립·브래지어 등의) 어깨 끈, 견장(肩章). ② (군복의) 견장, 어깨 장식. ③ 양복 어깨에 넣는 심. ④ (어깨를 지나가 옷을 단단히 해 주는) 천 조각. ⑤ (갑옷의) 어깨받이.
hombría *f.* ① 남성다움. ② 남자의 훌륭하고 빼어난 성질. ¶~ ***de bien*** 성실, 정직.
hombrillo *m.* ① 어깻바대. ② 어깨 위에 대는 명주[장식물]. ③ *Ven.* (도로의) 대피선.
hombro *m.* ① 어깨. ② (옷의) 어깨. ③ [인쇄] (활자의) 어깨 ((활자 본바탕 외의 판판한 부분)). ④ (극장에서 보이는 무대에 이어지는 관객에게 안 보이는) 무대 측면의 두 공간의 하나. ¶***a*** ~***s*** 어깨에 메고; 목말을 태우고. ***al*** ~ 어깨 위에, 어깨에 메고[걸치고]. ***arrimar el*** ~ 활발하게 일하다, 열을 내다; (목적을 달성하도록) 돕다, 공헌하다, 기여하다. ***cargado de*** ~ =**cargado de espaldas.** ☞**espalda.** ***echar(se)*** alguien ***al*** ~ algo …에 책임을 지다. ***encoger*** alguien ***los*** ~***s*** 불쾌한 것을 참아 내다. ***encogerse*** alguien ***de*** ~***s*** ㉮ (공포로·싫어서) 어깨를 움칫하다. ㉯ 질문에 대답할 줄 모르다[대답하기를 싫어하다]. ㉰ 듣는[보는] 것에 무관심하다[냉담한 태도를 보이다]. ㉱ =**encoger los hombros.** ***en*** ~***s*** =**a hombros.** ***escurrir el*** ~ =**hurtar el hombro.** ***estar*** ~ ***a*** ~ =**codearse.** ***hurtar el*** ~ (목적 달성을 위한) 일[협력]을 피하다, 책임을 회피하다. ***meter el*** ~ *And., Cuba, Méj., Ven.* =**arrimar el hombro.** ***mirar*** a alguien ***por encima del*** ~ (…를) 멸시하다, 업신여기다, 경멸하다. ***poner el*** ~ =**arrimar el hombro.** ***poner*** a alguien ~ ***a*** ~ ***con*** otra persona (…를 다른 사람)의 지위[계급]까지 승진시키다. ***ponerse*** ~ ***a*** ~ =**codearse.** ***sacar*** alguien ***a*** ~***s*** a otra persona (누가 다른 사람을, 위험이나 고통에서 호의·권력·자신의 비용으로) 구하다, 안전하게 하다, 보호하다.

hombrón *m.* 용감한 남자.
hombruno, na *adj.* ① (여자가) 남자 같은. ② 남자다운.
home *m. Sev.* =hombre.
homenaje *m.* ① (…의) 경의를 표하는 행사, 축하 행사. ② (…에게 보내는) 경의, 존경. ③ (왕·영주에게 하는) 신하로서의 충성의 맹세.
homenajeado, da *adj., m.f.* homenaje를 받는(사람).
homenajear *tr.* (…에게) 경의를 표하다, 충성을 맹세하다.
homeo- *pref.*「비슷한·같은」의 뜻: *homeo*patía 동독 요법.
homeópata *adj.* homeopatía 의. —*m.f.* homeopatía 의사.
homeopatía *f.* [의학] 동독 요법(同毒療法), 동종 요법(同種療法).
homeopáticamente *adv.* 동종 요법으로, 미량으로, 아주 조금씩.
homeopático, ca *adj.* homeopatía 의.
homeostasia *f.* =homeóstasis.
homeostasis *f.* =homeóstasis.
homeóstasis *f.* [생물] 항상성(恒常性).
homeostático, ca *adj.* homeóstasis의.
homeotermia *f.* [동물] 정온성, 항온성.
homeotérmico, ca *adj.* =homeotermo.
homeotermo, ma *adj.* [동물] 정온성의, 항온성의, 온혈(溫血)의.
homérico, ca *adj.* 시성 호메로스[호머](Homero, 고대 희랍 시인)의[에 관한], 호메로스풍의.
homicida *adj.* 살인의: arma ~ 흉기. propósito ~ 살의. —*m.f.* 살인자[범].
homicidio *m.* 살인, 살인죄.
homilía *f.* [천주교] (미사 중의 복음서 해설을 주로 하는) 설교.
hominicaco *m.* 자그맣고 보잘것없는 남자.
homínido *adj.* [동물] 사람과(科)의 동물의. —*m.pl.* 사람과 동물, 원인(原人).
hominización *f.* [인류학] 사람화(化).
homo- *pref.*「같은, 동(同)(igual)」의 뜻: *homó*fono 발음이 같은, 동음(同音)의. *homo*sexual 동성애의.
homocerca *adj.* [어류] 꼬리 상하 두 쪽이 같은 모양의.
homo erectus *lat.* 직립 원인.
homoerótico, ca *adj.* 동성애의.
homófilo, la *m.f.* 동성애 옹호자.
homofobia *f.* 동성애 혐오[공포].
homofóbico, ca *adj.* 동성애 혐오[공포]의[에 관한].
homófono, na *adj.* ① [언어] 발음이 같은, 동음의, 동음 이의(同音異義)의. ② [음악] 제창법의; 단음의, 단선율의.
homogeneidad *f.* 균질성, 등질성; 통일.
homogeneizar (9) *tr.* 균질화하다.
homogéneo, a *adj.* 동종의, 동질의, 동성의, 등질의, 균질의; 균등질의.
homógrafo, fa *adj.* 동철 이의의.
homologable *adj.* 인가할 수 있는.
homologación *f.* 인가; 공인(公認).
homologar (8) *tr.* ① [법률] 인가하다, 허가하다. ② [운동] (기록을) 공인하다. ③ [+con] (…과) 동등하게 인정하다. ④ [교육] (외국에서 취득한 단위를) 인정하다.
homología *f.* 상응(相應), 상응 관계.
homólogo, ga *adj.* ① 상응한, 동등의: A cargos ~*s*, sueldos ~*s* 동일 노동, 동일 임금. ② [화학] 동족의. ③ [수학] 위상 합동의. ¶***órganos ~s*** [생물] 상동 기관.
homonimia *f.* 동음 이의(성).
homónimo, ma *adj.* ① [언어] 동음 이의(同音異義)의 ((예 명사의 vino (포도주)와 동사의 vino (venir의 부정 과거 3인칭 단수))). ② 동명 이인의. —*m.f.* 동명 이인. —*m.* 동음 이의어.
homo sapiens *lat.* 호모사피엔스, 사람 ((현세인)); 인류.
homosexual *adj.* 동성애의. —*m.f.* 동성애자(同性愛者).
homosexualidad *f.* 동성애.
honda *f.* ① 투석기(投石器). ② 물건을 매다는 줄. ③ *Arg., Ur.* =tirachinas.
hondable *adj.* ① 배가 측량할 수 있도록 허락하는. ② [고어] 깊은.
hondada *f.* =hondazo.
hondamente *adv.* 깊이, 높이.
hondarras *f.pl. Rioja.* 알코올을 담았던 그릇에 남은 앙금[침전물·찌꺼기].
hondazo *m.* 투석기의 일격(一擊).
hondear[1] *tr.* ① (측심추로 바다의) 깊이를 재다. ② 배에서 짐을 꺼내다.
hondear[2] *intr.* 투석기를 발사하다.
hondero *m.* (옛날의) 투석병, 투탄병.
hondijo *m.* (옛날의) 투석기.
hondillos *m.pl.* 바지의 허벅지받이.
hondo, da *adj.* 깊은: herida ~*da* 깊은 상처, 중상. —*m.* 깊이; 바닥(fondo). ¶*lo* ~ 가장 깊은 곳[부분].
hondón *m.* ① 어떤 것이든 움푹 패인 것의 안쪽 바닥. ② 가장 높은 땅으로 둘러싸인 깊은 곳. ③ 바늘귀(ojo). ④ (등자의) 발을 딛는 부분.
hondonada *f.* 움푹 팬 땅, 협곡.
hondonal *m.* ① *Sal.* 낮고 습한 목장[초원]. ② *Sal.* 골풀 자라는 곳.
hondura *f.* 깊이. ¶***meterse*** alguien ***en ~s*** (누가) 충분히 알지도 못하면서 어려운 것에 손대다.
Honduras *m.* [국명] 온두라스 ((중미의 공화국; 수도 Tegucigalpa)).
hondurense *adj. Hond.* 온두라스의.
hondureñismo *m.* 온두라스 방언.
hondureñizar (9) *tr. Hond.* 온두라스화하다.
hondureño, ña *adj.* ① 온두라스 태생의. ② 온두라스의[에 관한]. —*m.f.* 온두라스 사람.
honestamente *adv.* 정직하게, 성실하게, 공정하게, 청렴하게.
honestar *tr.* ① =honrar. ② 둘러대다, 그럴싸하게 보이다.
honestidad *f.* ① 정직, 성실. ② 정절.
honesto, ta *adj.* ① 정직한, 성실한. ② 신중한, 조심성이 많은, 정숙한. ③ 타

당한: precio ~ 타당한 가격.

hongarina *f.* 투박한 비옷.

hongkonés, sa *adj.* ① 홍콩(Hong Kong) 태생의. ② 홍콩의[에 관한]. —*mf.* 홍콩 사람.

hongo *m.* ① [식물] 버섯: ~ venenoso 독버섯. ciudad ~ (인구 급증의) 신흥 도시. ② 버섯구름, 원자구름. ③ [의학] 균상종, 진균. ④ 중산모자. ⑤ *Ur.* [완곡 어법] 항문, 똥구멍. ⑥ *Ur.* 궁둥이. ⑦ *pl.* 균류.¶ ~ *marino* 말미잘.

hongoso, sa *adj.* 버섯처럼 푹신푹신한[퍼석퍼석한].

honor *m.* ① 명예, 영예, 명성. ② 체면, 면목. ③ 신의(信義), 절조. ④ (여성의) 정절, 정조. ⑤ [주로 *pl.*] 명예가 있는 지위, 고위직, 높은 지위, 현직(顯職), 고관. ⑥ *pl.* 의례(儀禮). ¶*con ~es de* …에서 가까운. *campo del* ~ 결투의 장소; 전장(戰場). *palabra de* ~ 서언(誓言), 맹세의 말. *saque de* ~ (야구 등의) 시구식. *con ~es de* …에서 가까운. *en ~ de [a]* …를 위하여, …에게 경의(敬意)를 표하여; 기념하여. *hacer ~ a* algo …에 어울리는 행동을 하다. *hacer los ~es* ㉮ (파티 등에서) 주인역[접대역]을 맡다, (주인역이) 초대 손님을 접대하다. ㉯ (초대 손님이) 내놓은 음식을 충분히 먹고 고마움[경의]을 표하다.

honorabilidad *f.* 경의를 표할 가치가 있는 것; 신망(信望).

honorable *adj.* ① 존경할 만한, 경의를 표할 만한. ② 훌륭한, 고결한, 지조 있는. ③ 명예로운, 영광스러운. ④ [+명사] [경칭] … 각하.

honorablemente *adv.* 장하게, 명예롭게, 훌륭히.

honorar *tr.* [드묾] =**honrar, ensalzar.**

honorario, ria *adj.* 명예직의: cónsul ~ 명예 영사. miembro ~ 명예 회원. presidente ~ 명예 총재. —*m.pl.* (의사·변호사 등에게 주는) 사례금.

honoríficamente *adv.* 명예스레, 경의를 표하여.

honorificar (7) *tr.* [드묾] 명예를 주다.

honorífico, ca *adj.* 명예를 주는[표하는]; 경의를 표하는, 명예직의: cargo ~ 명예직. catedrático ~ 명예 교수.

honoris causa *adj. lat.* 명예를 위한: doctor ~ 명예 박사.

honra *f.* ① 체면, 면목: ② 명성; 영예, 자랑, 긍지, 명예로움. ③ 고결함; (여성의) 정절(貞節). ④ *pl.* 장례식(~*s* fúnebres). ¶*tener* alguien *a mucha* ~ algo (…을) 자랑[명예]으로 여기다, 으스대다, 우쭐거리다.

honradamente *adv.* 정직하게; 성의를 다해; 솔직히 말해서.

honradero, ra *adj.* [드묾] 명예를 주는.

honradez *f.* 정직(함); 성실함; 고결함, 청렴함; 정숙(함).

honrado, da *adj.* ① 정직한: hombre ~ 정직한 남자. mujer ~*da* 정직한 여자. ② 성실한: vida ~*da* 성실한 생활. ③ 고결한. ④ (여성이) 정숙한. ⑤ 명예로운.

honramiento *m.* 명예[영예·영광]를 줌, 예우함, 대접함.

honrar *tr.* ① (…를) 존경하다, 공경하다. ② (장점을) 칭찬하다, 찬양하다, 높이 받들다. ③ 명예[영광·영예]를 주다. ④ (참석·가맹 등을 높이 칭찬하기 위해) 황공하옵게도 …하여 주시다. ~**se** [+con+사물/+con·de+*inf.*] …을 명예[영광·영예]로 여기다[알다], …을 영광으로 생각하다.

honrilla *f.* 자존심, 체면.

honrosamente *adv.* 자랑스레, 명예롭게, 훌륭하게; 기품 있게, 품위 있게.

honroso, sa *adj.* ① 자랑스러운, 명예스러운, 훌륭한, 존경할 만한: acción ~*sa* 훌륭한 행동. ② 우아한, 청초한, 기품 있는, 남부끄럽지 않은, 품위 있는, 단정한.

hontana *f.* ① 물이 나오도록 하는 기구. ② 물이 나오도록 하는 공장 일.

hontanal *adj.* (이교도들의) 샘에 바치는. —*f.* (이교도들의) 샘 축제. —*m.* =**hontanar.**

hontanar *m.* 물이 솟아나는 곳.

hooligan *m. ing.* (축구 시합 등의) 난폭한[난동 부리는] 영국 관객, 훌리건. —*adj.* 훌리건의, 난폭한, 난동 부리는.

hopa *f.* ① 긴 도포, 두루마기. ② 사형 집행인의 옷.

hopalanda *f.* [주로 *pl.*] (특히 대학교에 가는 학생들이 입었던, 소매가 넓은) 외투.

hopear *intr.* ① (여우를 쫓을 때 여우가) 꼬리를 흔들다. ② 쏘다니다.

hoplita *f.* (옛 희랍의) 장갑 보병.

hoploteca *f.* 옛날 무기 박물관.

hopo *m.* ① 앞 머리칼, 머릿단. ② (여우·양 등처럼) 털이 많은 꼬리(rabo, cola). —*interj.* 나가!, 꺼져!(¡largo!). ¶*sudar el* ~ 애쓰다, 고생하다.

hoque *m.* (판매에 관여한 사람에게 주는) 판매 위로금.

hora *f.* ① 시간: media ~ 반시간, 30분. un cuarto de ~ 15분. ② 시각: preguntar a *alguien* la ~ …에게 시간을 묻다. ¿Qué ~ es? / *Amér.* ¿Qué ~*s* son? 몇 시입니까? ¿Qué ~ tiene usted? (당신의 시계로) 몇 시입니까? ¿A qué ~ llegas a Seúl? 서울에 몇 시에 도착하니? ③ [여러 가지 시간·시각] ㉮ 시간: ~ de acostarse 취침 시간. ~ de comer 식사 시간. ~ de descansar 휴식 시간. ~ libre 한가한 시간, 자유 시간. ㉯ [지리·천문] 시, 시간: ~ de Greenwich 그리니치 (표준)시. ~ local 지방 시간, 현지 시간. ④ (의사·미용사 등의) 예약. ⑤ 임종, 죽을 때. ⑥ [드묾] 한 레루아(legua)의 거리 ((5,572 미터)). ⑦ *pl.* 예기치 않은[흔치 않은·적당하지 않은] 시간. —*adv.* =**ahora.** ¶~ *de verano* =**horario de verano.** ~ oficial 표준시. ~ *pico Amér.* =hora punta. ~ *punta* ㉮ 러시아워, 교통 혼잡 시간. ㉯ (몇몇 산업에서 물과 전기 공급에서) 소비가 가장 많은 날의 시간대, 최대 소비 시간대. ~ *santa* ㉮ (감람나무 밭에서 행한 예수의 기도와 고통을 회상하여) 목요일마다 밤 11시부터 12시까지 행하는 기도. ㉯ 성체화된 예수 앞에서 행하는 특별 기도. ~ *solar* 천문시. ~ *suprema* 임종, 죽음의 시간. ~ *tonta* 헛되이 보내는 시간, 모르는 사이에 지나쳐 버리는 시간. ~ *valle* 교통량이 제일 적은 시간. *la ~ de la modorra* 날 새기 직전의 순간. *~s muertas* 아무 일도 하지 않고 보낸 (긴) 시간들. *a toda ~* = cada hora. *a última ~* 마지막 순간에, 끝날 즈음에; 늦게. *a una ~ avanzada* 아주 늦게, 거의 새벽에. *cada ~* 늘, 항상, 언제나; 계속해서. *dar ~* (…을 위해) 기간을 지정하다, 정확한 시간을 약속하다 *dar la ~* ㉮ (시계가) 시간을 알리다, 시간을 치다. ㉯ (법정·사무실·강의실 등에서) 끝나는 시간을 알리다. ㉰ (사람·일이) 완전하다, 결함이 없다. *de buena ~* 일찍(temprano) *en buena ~* =en ~ buena. *en ~ buena* 다행히. *hacer ~* =hacer tiempo. ☞tiempo. *hacer ~s* 잔업을 하다. *no dar* alguien *ni la ~* 매우 인색하다. *pedir ~* (직업적인 목적으로, 병원 등에) 예약을 하다. *poner en ~* 시계의 시간을 맞추다. *por ~* 시간마다, 매 시간에. *por ~s* 시간당. *tener* alguien *muchas ~s de vuelo* (활동·문제·사업 등에) 풍부한 경험을 가지다. *tener* alguien sus *~s contadas* 목숨이 얼마 남지 않았다, 임종이 가깝다, 죽음이 임박하다. *No se ganó Zamora en una ~* (속담) 로마는 하루에 이루어지지 않았다, 큰 일은 단시일에 되는 것이 아니다.

horaciano, na *adj.* 호라티우스(Horacio, 고대 로마의 시인) (풍)의.

horadable *adj.* 구멍을 뚫을 수 있는.

horadación *f.* 구멍 뚫기.

horadado *m.* 양쪽으로 구멍이 뚫린 누에고치.

horadador, ra *adj., mf.* 구멍을 뚫는 (사람).

horadar *tr.* (…에) 구멍을 뚫다.

horado *m.* ① 양쪽으로 뚫린 구멍. ② 동굴(caverna).

hora-hombre *f.* 1인 1시간 일의 양.

horario, ria *adj.* 시간의, 시간에 관한. —*m.* ① 근무 시간, 영업 시간: ~ comercial (회사·상점의) 영업 시간. ~ de oficina (회사·관공서의) 영업 시간, 접수 시간. ~ de visitas (병원의) 면회 시간, 진료 시간. ② 공부 시간, 수업 시간표. ③ 시간표: ~ [guía] de ferrocarriles 열차 시간표 책자. llegar a ~ 정각에 도착하다. ④ (시계의) 시침, 짧은 바늘. ¶~ *de verano* 서머 타임, 하기 시간, 일광 절약 시간.

horca *f.* ① 교수대. ② [형구] 칼. ③ (밭에 못 들어가도록 개나 돼지의) 목에 매는 나무. ④ (Y자 모양의) 갈래 나무. ⑤ (농부의) 쇠스랑. ¶~ *de ajos* 마늘 줄기 엮음. ~ *de cebollas* 양파 줄기 엮음. *pasar* alguien *por las ~s caudinas* 어쩔 수 없이 굴욕적인 조건을 받아들이다, 원하지 않은 것을 강제로 하는 수모를 당하다.

horcado, da *adj.* horca 모양의.

horcadura *f.* ① (가지로 나누어지는) 나무의 몸통 부분. ② (같은 점에서 나오는) 두 가지를 이루는 각.

horcajadas *a ~ adv.* (올라타거나 말을 타거나 앉을 때) 걸터앉아, 걸터타, 말 탄 것같이 양다리로 깔고 앉아.

horcajadillas *a ~* =a horcajadas.

horcajadura *f.* 사타구니.

horcajo *m.* ① (일하기 위한) 노새의 멍에. ② (강·내의) 합류점. ③ (산·언덕의) 합류점.

horchata *f.* 오르차따 ((사초의 뿌리 (chufa)나 다른 과실로 만든 음료)).

horchatería *f.* ① horchata 만드는 집[곳]. ② horchata 파는 집[곳].

horchatero, ra *mf.* horchata 제조자[판매자].

horco[1] *m.* =horca de ajos. ☞horca.

horco[2] *m.* =orco[2].

horcón *m.* ① (농부의) 큰 쇠스랑. ② *Arg., Bol., Chile.* (나무 가지를 받치는 Y자 모양의) 갈래 나무. ③ *Bol., Col., Cuba, Nic., Pan., Ven.* (허술한 집에서 서까래·지붕의 추녀를 받치는 기둥으로 쓰이는) 각재. ④ *Cuba.* 한 집안의 기둥.

horconada *f.* ① horcón으로 때리기. ② (큰 쇠스랑으로 한 번에 모으는) 건초[짚] 등의 양.

horconadura *f.* [집합] 큰 쇠스랑.

horda *f.* ① [역사] 유목민. ② 부정규군. ③ (폭도 등의) 무리.

hordiate *m.* ① 보리쌀. ② 쌀보리(로 만든) 음료.

horita *adv. Cuba, Méj.* =ahorita.

horitita *adv. Méj., Salv.* =ahorita.

horizontal *adj.* 지평선상의, 수평선상의. —*f.* [수학] 수평선.

horizontalidad *f.* 수평 (상태).

horizontalmente *adv.* 수평으로.

horizonte *m.* ① 지평선, 수평선: línea de ~ 지평선, 수평선. ② [주로 *pl.*] (지식 등의) 영역, 시야; 장래성. ③ 경계, 국경. ④ (연구 등을 위한 예견된) 임시 기간. ⑤ [주로 *pl.*] 장소, 경치. ⑥ [지질] 지평층, 층위(層位). ¶~ *artificial* ㉮ 인공 수평기. ㉯ [항공] (항공기의 경사를 재는) 인공 수평의. ~ *sensible* ㉮ [천문] 지평선, 지평면. ㉯ [천문] 수평선, 수평면.

horma *f.* ① (구두·모자 등의) 골, 목형(木型), 나무 골. ② 돌담. ③ *Bol., Col., Hond., Perú, Ven.* 설탕 빵 제조용 그릇[틀]. ¶*encontrar* [*hallar*] alguien *la ~ de* su *zapato* ㉮ 찾던 것

을 발견하다. ㉯ 호적수를 만나다.

hormaza *f.* 돌담.

hormazo[1] *m.* 골(horma)로 때리기.

hormazo[2] ① 흩어져 있는 돌 무더기. ② *Córd., Gran.* =carmen[2].

hormero *m.* horma 제조자[판매자].

hormiga *f.* ① [곤충] 개미. ② 옴. ¶ ~ *blanca* [곤충] 흰개미. ~ ***león*** [곤충] 명주잠자리, 개미귀신. ~ ***obrera*** 일개미. ***ser*** alguien ***una*** ~ 근면하다.

hormigante *adj.* 근질근질한, 가려움증을 일으키는.

hormigo *m.* ① (일반적으로) 옥수수 가루 죽. ② 수은 정련용 재. ③ *pl.* 편도 과자.

hormigón[1] *m.* ① 콘크리트: ~ armado 철근 콘크리트. edificio de ~ 콘크리트 건물. puente de ~ 콘크리트 다리. ② *Ur.* =calzada.

hormigón[2] *m.* ① 소의 병. ② (뿌리와 줄기를 갉아먹는 곤충 때문에 생기는) 식물의 병.

hormigonera *f.* 콘크리트 믹서.

hormigoso, sa *adj.* [드묾] 개미의[에 관한]; 개미가 해를 입힌.

hormigueamiento *m.* =hormigueo.

hormiguear *intr.* ① 저리다, 마비되다. ② 꾸역꾸역 모여들다.

hormigueo *m.* ① 근질근질함. ② 우글거리는 군중[떼]. ③ 저림, 마비. ④ [의학] 의주감(蟻走感).

hormiguero, ra *adj.* 옴(hormiga)의[에 관한]. —*m.* ① [집합] (같은 장소에 사는) 개미. ② 개미집, 개밋둑. ③ 사람들이 많이 모인 곳[우글거리는 곳]. ④ [새] =torcecuello. ⑤ [농업] 태우기 위해 쌓아둔 건초 더미.

hormiguesco, ca *adj.* 개미의[에 관한].

hormiguilla *f.* =cosquilleo, picazón.

hormiguillar tr. 혼효(混淆)하다.

hormiguillo *m.* ① 말발굽 병. ② (일을 하기 위해) 재료를 손에서 손으로 넘겨 보내는 사람의 줄. ③ 편도 과자. ④ =cosquilleo, picazón, prurito. ¶ *parecer que* alguien ***tiene*** ~ 부글부글 끓다, 마음이 편안하지 못하다.

hormiguita *f.* 부지런한 사람.

hormilla *f.* 단추를 씌우는 작고 둥근 나무[뼈] 조각.

hormona *f.* [생화학] 호르몬.

hormonal *adj.* 호르몬의[에 의한].

hormonoterapia *f.* [의학] 호르몬 요법.

hornabeque *m.* [군사] 각보(角堡).

hornablenda *f.* [광물] 각섬석(角閃石).

hornacero *m.* hornaza 담당 관리.

hornacho *m.* (채석장 · 채광장 등의) 패인 구멍[움푹 패인 곳].

hornacuela *f.* 오두막의 일종.

homacina *f.* 벽감(壁龕).

hornada *f.* ① 한 번에 가마솥에서 찌는 빵[케이크 · 다른 물건]의 양, 한 솥 분량의 빵 등. ② [집합] (같은 시기에 과정을 수료하거나 동시에 승진 · 취임한) 그룹, 동기생.

hornado *m.* *Ecuad.* 가마솥에 찐 돼지.

hornaguear *tr.* ① 채탄하다, 석탄을 캐다, 채굴하다. ② *And.* (간신히 들어갈 수 있는 장소에 들어가게 할 목적으로) 물건을 이리저리 움직이다. ~**se** *And., Chile.* (자신의 몸을) 이리저리 움직이다(moverse a un lado y otro).

hornagueo *m.* ① 채탄, 석탄 채굴. ② 물건[몸]을 이리저리 움직임.

hornaguera *f.* 석탄(carbón de piedra).

hornaguero, ra *adj.* ① =flojo, holgado, espacioso. ② 석탄이 있는.

hornalla *f.* *Arg., Ur.* 풍로.

hornaza *f.* ① (금은 세공사의) 작은 도가니. ② (유리 그릇에 바르는) 연노랑.

hornazo *m.* ① (성주간 등에 구운) 달걀 장식한 나선형 빵. ② (주민들이 부활절 등에) 설교사에게 주는 선물.

horneada *f.* ① *Arg., Cuba, Méj., Ur.* 오븐에 음식을 빨리 찌기. ② *Arg., Cuba.* 한 번에 찌는 빵의 양.

horneado, da *adj.* 오븐에 구운(hecho al horno). —*m.* *Bol.* 밀빵.

hornear *tr.* 오븐에 넣다, 오븐으로 굽다. —*intr.* hornero 직을 수행하다.

hornecino, na *adj.* =fornecino, bastardo, adulterino.

hornera *f.* ☞hornero.

hornería *f.* hornero의 직.

hornero, ra *m.f.* 빵 굽는 사람. —*m* ① 오븐 담당 직공. ② *Arg., Bol., Ur.* [새] 가마 새 ((가마 모양의 흙집을 만드는 새)). —*f.* ① 오븐의 밑바닥. ② hornero의 아내.

hornija *f.* 오븐용 잔 땔감[장작].

hornijero, ra *m.f.* hornija 운반자.

hornilla *f.* ① 가마의 속. ② 비둘기 집이 있는 벽의 움푹 들어간 곳.

hornillo *m.* ① (실험실 · 주방 · 공업용으로 사용되는) 내화성 수동 질 화덕. ② 풍로, 레인지: ~ de gas 가스 풍로. ③ [광산] 화약갱.

horno *m.* ① 화덕, 노(爐), 요(窯): ~ de panadero 빵 굽는 화덕. ② (요리용) 오븐, 레인지. ③ (화덕 안처럼) 푹푹 찌는 곳. ④ 빵 굽는 곳, 빵집. ⑤ 벌집 밖에서 벌이 자라는 곳[구멍]. ⑥ [은어] 감방(calabozo). ¶ ~ *alto* = alto horno. ~ *crematorio* 화장로. ~ ***de campaña*** 군 야영지 화덕. ~ ***de carbón*** 숯가마. ~ ***de microondas*** 전자 레인지. ~ ***de reverbero,*** ~ ***de tostadillo*** 반사로. ***alto*** ~ 고로, 용광로. ***calentarse el*** ~ =enardecerse, irritarse. ***encender el*** ~ 화덕을 덥히기 위해 장작에 불을 붙이다. ***no estar el*** ~ ***para bollos*** [***para tortas***] (무엇을 할) 기회가 없다.

horópter *m.* [광학] 동시권(同視圈).

horoptérico, ca *adj.* [광학] 동시권의.

horóptero *m.* =horópter.

horóscopo *m.* ① 별점(占), 점성술. ② 징조, 전조, 예언. ③ 십이궁도.

horqueta *f.* ① (농부의) 쇠스랑. ② (나무의) 갈래. ③ *Arg.* (강 · 내의) 굽이, 합류점. ④ *Arg.* (강 · 내의) 합류점의

땅. ⑤ *Arg., Chile.* 길이 갈라지는 곳, 분기점. ⑥ *Chile.* (목초·짚·건초용) 가래.

horquilla *f.* ① (농부의) 쇠스랑. ② 쇠스랑 모양의 갈퀴. ③ 갈래, 갈래진 것. ④ 화기를 받치는 발. ⑤ 머리핀. ⑥ (자전거·오토바이의) 훅. ⑦ 분기점.

horrendamente *adv.* 무섭게, 처참하게.

horrendo, da *adj.* 두려운, 무서운, 처참한, 소름이 끼치는.

hórreo *m.* (아스뚜리아스와 갈리시아 지방의) 고가식 창고 [곡물 창고].

horrible *adj.* ① 무서운, 무시무시한, 끔찍한, 소름 끼치는. ② 매우 못생긴, 아주 추한. ③ 아주 강한, 심한. ④ 매우 나쁜, 최악의, 극악한.

horriblemente *adv.* 무시무시하게, 끔찍히, 지독히, 심하게.

horridez *f.* 무서움.

hórrido, da *adj.* 무서운, 소름 끼치는.

horrífico, ca *adj.* [시어] 무서운, 소름 끼치는.

horripilación *f.* 무서움; 오한, 한속.

horripilante *adj.* ① 무서운, 소름 끼치는. ② 매우 못생긴(muy feo).

horripilar *tr.* ① 소름 끼치게 하다, 머리카락을 곤두서게 하다. ② 무섭게 만들다. ~**se** ① 소름이 끼치다, 머리카락이 곤두서다. ② 무섭다.

horrizonante *adj.* [드묾] =**horrísono.**

horrísono, na *adj.* 무서운 소리를 내는: ~ trueno 울려 퍼지는 천둥소리.

horro, rra *adj.* ① (노예가) 해방된. ② (암말·암나귀·암양이) 새끼를 배지 못하는. ③ [+de] (…을) 면한, …이 없는. ④ (담배의) 질이 나쁜.

horror *m.* ① 공포, 두려움, 전율. ② 혐오, 증오, 싫은 사람[물건·일]. ③ [주로 *pl.*] 터무니없는 일, 엄청난 일, 어처구니없는 일, 괴이한 일, 극악 무도한 일, 잔인함, 악독함, 막대함, 굉장함. ④ 대량, 다수. ⑤ [주로 *pl.* 부사적] 매우, 무척, 굉장히.

horrorizar (9) *tr.* 무서워하게[두려워하게] 하다, 무섭게[두렵게] 만들다, 벌벌 떨게 만들다, 공포로 떨게 하다. ~**se** 벌벌 떨다, 소름이 끼치다; [+de] (…을) 무서워하다.

horrorosamente *adv.* 공포로, 증오로; 몹시, 무척, 매우, 심히.

horroroso, sa *adj.* =horrible.

hortal *m.* [드묾] =huerto.

hortaliza *f.* ① [주로 *pl.*] 야채, 채소. ② *Cuba.* =huerto.

hortelano, na *adj.* 채소밭의[에 관한]. —*m.f.* 원예가, 채소를 경작하는 사람. —*m.* [새] (일반적으로 스페인에서 사는) 촉새, 멧새. —*f.* 원예가의 아내.

hortense *adj.* =hortelano.

hortensia *f.* ① [식물] 수국, 자양화. ② 수국 꽃, 자양화 꽃.

hortera *f.* 종바리. —*m.* (마드리드에서) 가게 점원의 별명. —*adj.* 악취미의, 취미가 나쁜, 악취미를 가진. —*m.f.* 악취미를 가진 사람.

horterada *f.* 악취미.

hortícola *adj.sing.pl.* 원예의[에 관한]: cultivos ~*s* 원예 재배, 야채 재배.

horticultor, ra *m.f.* 원예가, 야채[과수] 재배업자.

horticultura *f.* ① 원예, 야채 재배, 과수 재배. ② 원예술, 원예학.

hortofrutícola *adj.* 야채[과수]의.

horuelo *m.* *Ast.* 남녀 젊은이들이 축제일 오후에 모이는 마을의 장소.

hosanna *m.* ① [성경] 호산나 ((하나님을 찬송하는 외침)). ② (성주간에 시작하는) 사순절의 마지막 일요일에 부르는 찬미가, 호산나 성가.

hosco, ca *adj.* ① 거무잡잡한. ② 인상이 고약한, 무뚝뚝한, 비사교적인. ③ (날씨·장소·환경이) 별로 아늑하지 않은, 포근한 맛이 없는, 호감이 가지 않는, 마음에 들지 않는.

hospedador, ra *adj.* 숙박하는, 묵는. —*m.f.* 숙박자. —*m.* [생물] 숙주.

hospedaje *m.* ① 숙박. ② 숙박료. ③ [드묾] 숙박 장소(hospedería).

hospedante *adj., m.f., m.* =**hospedador.**

hospedar *tr.* 숙박시키다, 손님을 받다, 체류시키다, 묵게 하다. ~**se** 숙박하다, 묵다, 체류하다, 머물다, (집에) 손님으로 있다.

hospedería *f.* ① 손님방, 객실. ② (개인·기관·회사가 설립한 방문객·여행자를 위한) 숙박 시설. ③ (수도원의) 숙박소. ④ (누구를) 숙박시키는 일. ⑤ 여관, 여인숙, 싸구려 호텔. ⑥ [고어] 손님의 수, 숙박 기간.

hospedero, ra *m.f.* 여관 주인. —*m.* [생물] 숙주(宿主).

hospiciano, na *adj., m.f.* 어린이 보호 시설에 수용된, 어린이 보호 시설에서 자란 (아이).

hospicio *m.* ① (순례자·가난한 사람을 숙박시키기 위한) 집[시설] ② (아동의) 보호 시설, 수용소, 보호소, 고아원. ③ *Bol., Chile, Perú.* 빈민 수용소. ④ *Chile, Ecuad.* 정신병자·노인 수용소. ⑤ [드묾] 숙박. ⑥ [드묾] (수도원의) 숙박소(hospedería).

hospital *m.* ① 병원 ((참고: hospital은 주로 공립 병원, clínica는 사립 병원임)): ~ clínico 종합 병원. ~ de campaña 야전 병원. ingresar en un ~ 입원하다. salir del ~ 퇴원하다. ② 가난한 사람과 순례자를 한시적으로 수용하기 위한 집[수용소·보호 시설]. ¶ ~ *de la sangre* 가난한 친척. ~ *de (primera) sangre* [군사] 야전 구급 병원. ~ *robado* 가구 없는 집. *estar hecho un* ~ ㉮ 많은 지병을 앓고 있다. ㉯ 많은 환자가 일시에 집에 모이다.

hospitalariamente *adv.* ① 자선으로. ② 친절하게, 극진히, 관대하게.

hospitalario, ria *adj.* ① 자선(慈善)의. ② 손님 접대를 잘하는, 대접이 좋은, 친절한, 환대하는. ③ (자연 등이) 기분이 상쾌한, 보호하는. ④ 병원의[에 관한]. ⑤ 무료 숙박소의.
hospitalero, ra *m.f.* 병원 일 전담자.
hospitalicio, cia *adj.* 자선의[에 관한].
hospitalidad *f.* ① 자선. ② 환대, 친절한[극진한·융숭한] 접대, 후대. ③ (환자의 병원) 입원.
hospitalización *f.* 입원(入院).
hospitalizar (9) *tr.* 입원시키다. **~se** 입원하다.
hospitalmente *adv.* 극진히, 융숭하게, 친절히(con hospitalidad).
hosquedad *f.* 어두움, 우울함, 언짢음.
hostal *m.* 작은 호텔, 싼 호텔, 오스딸(hostería): ~ residencia 식사는 안 하고 잠만 자는 호텔.
hostalero *m.* [드묾] hostal의 주인.
hostelaje *m.* [고어] =**mesón.**
hostelería *f.* 호텔·요식업점.
hostelero, ra *adj.* 호텔·요식업의. —*m.f.* 여관 주인, hostal 주인.
hostería *f.* 작은 호텔, 여관.
hostia *f.* ① [기독교] 성체의 빵. ② 산제물로 바치는 것. ③ [속어] =**golpe, trastazo, bofetada.**
hostiario *m.* ① hostia 보관 상자. ② hostia 만드는 틀.
hostiero, ra *m.f.* hostia를 만드는 사람. —*m.* hostia 보관 상자.
hostigador, ra *adj., m.f.* 매질하는 (사람), 때리는 (사람).
hostigamiento *m.* 매질, 채찍질.
hostigar (8) *tr.* ① (말 등을) 채찍으로 때리다. ② (사람을) 괴롭히다, 귀찮게 하다, 끈질기게 놀리다. ③ (…을) 하도록 끈질기게 부추기다[사주하다]. ④ (적을) 공격하다. —*intr.* ① *And., Chile, Col., Ecuad., Méj., Perú.* (음식·마실 것이) 위에 부담을 주다. ② *Bol., Chile, Col., Perú.* (사람이) 귀찮다, 골치 아프다, 번거롭다.
hostigo *m.* ① 몽둥이 구타, 채찍 구타. ② 비바람이 침. ③ 비바람을 정면으로 받는 벽.
hostigoso, sa *adj.* ① *And., Chile, Guat., Méj., Nic.* (음식·마실것이) 무척 위에 부담이 가는. ② *Bol., Chile, Col., Perú.* (사람이) 귀찮은, 골치 아픈, 번거로운(molesto, fastidioso).
hostil *adj.* 적의(敵意)가 있는, 적대적인: actitud ~ 적의가 있는 태도.
hostilidad *f.* ① 적의(가 있는 태도). ② *pl.* 전쟁 행위.
hostilizar (9) *tr.* 공격하다, …에게 적대하다.
hostilmente *adv.* 적대감[적개심]을 품고, 적대적으로
hotel *m.* ① 호텔. ② =**hotelito.**
hotelería *f.* =**hostelería.**
hotelero, ra *adj.* 호텔의. —*m.f.* 호텔 경영자, 호텔 업자.
hotentote *adj.* 호텐토트족의. —*m.f.* 호텐토트 사람 ((남아프리카의 미개한 인종)). —*m.* 호텐토트 말.
hoto *m.* =confianza, esperanza. ¶ *en* ~ =confiadamente.
hove *m. Al.* 너도밤나무의 열매.
hovero, ra *adj.* =**overo.**
hoy *adv.* ① 오늘: ~ mismo 오늘 당장. periódico de ~ 오늘의 신문. desde ~ 오늘부터. hasta ~ 오늘까지. ¿A cuántos estamos ~? 오늘은 며칠입니까? *Hoy* estamos a seis de febrero. 오늘은 2월 6일입니다. ② 현재. ¶*de ~ en adelante, de ~ más* 오늘부터, 금후. *de ~ en mañana* 곧, 조속히, 한시라도 빨리. ~ *por* ~ 현재, 요즈음. *por* ~ 현재로는.
hoya *f.* ① (땅에 만들어진) 큰 구멍. ② 무덤 구멍. ③ 무덤, 묘. ④ (산으로 둘러싸인) 평원, 분지. ⑤ 못자리. ¶ *plantar a* ~ [농업] 구멍을 파 심다.
hoyar *intr. Cuba, Hond., Nic., Salv.* (식물을 심기 위해) 땅에 구멍을 파다.
hoyita *f. Cuba, Hond.* =**hoyuela.**
hoyo *m.* ① (땅에 만들어진) 구멍, 구덩이. ② 표면에 결점으로 나 있는 오목한 곳. ③ 시체 묻을 구멍, 무덤 구덩이. ④ 무덤. ⑤ 턱의 한가운데 오목한 곳. ⑥ 보조개. ⑦ [골프] 홀. ¶ *~s de viruelas* (얼굴의) 마맛자국.
hoyoso, sa *adj.* 구멍이 있는.
hoyuela *f.* (가슴이 시작하는) 목구멍의 아랫부분에 있는 움푹 패인 곳.
hoyuelo *m.* ① 턱의 한가운데 오목한 곳. ② 보조개. ③ 목구멍 아랫부분의 움푹 패인 곳.
hoz[1] *f.* [*pl.* hoces] (반원형의) 낫.
hoz[2] *f.* 깊은 계곡, 협곡.
hozada *f.* ① 낫으로 때리기. ② 낫으로 한 번에 베는[잡는] 풀의 분량.
hozadero *m.* (돼지·멧돼지가) 콧등으로 흙을 파려고 하는 곳.
hozador, ra *adj.* 돼지·멧돼지가 콧등으로 흙을 파는.
hozadura *f.* 돼지·멧돼지가 콧등으로 판 구덩이[흔적].
hozar (9) *tr., intr.* (돼지·멧돼지가) 콧등으로 땅을 파다[후비다].
hta. hasta …까지.
hub- ☞**haber (64).**
hubie- ☞**haber (64).**
hucha *f.* ① 저금통. ② 저금.
hueco, ca *adj.* ① 속이 빈. ② 굵고 탁한 소리가 나는. ③ (부드럽고) 푹신푹신한, 퍼석퍼석한. ④ 헐렁헐렁한, 너무 큰. ⑤ 우쭐거리는, 자만심이 강한, 뽐내는, 빼기는, 으스대는, 득의양양한. ⑥ (표현이) 허식적인, 내용이 없는, 공허한. ⑦ *Guat.* 동성애(同性愛)의, 동성애를 하는. —*m.f. Guat.* 동성애자(同性愛者). —*m.* ① 속이 빈 공간, 우묵한 곳, 움푹 팬 곳. ② (문·창문·굴뚝으로 쓰기 위한) 구멍[공간]. ③ 빈 곳, 틈. ④ 여가, 짬, 틈, 한가로운 시간. ⑤ 빈 일자리, 빈 자리. ¶ ~ *supraclavicular* [해부] 쇄골 위 움푹한 곳. *hacer un* ~ 빈 자리[결원(缺員)]를 만들다. *llenar un* ~ 비어 있던 자리를 차지하다. *ponerse* ~ 아첨[관심의

표시]에 만족감을 느끼다.

huecograbado *m.* [인쇄] 요판(凹版), 요판술(凹版術).

huel- ☞oler (26)

huelga[1] *f.* ① (누가) 일 없이 있는 기간, 실업 기간. ② (동맹) 파업, 스트라이크: ~ intermitente (점점 다른 부분으로 행하는) 부분 파업. ~ patronal 공장 폐쇄. ~ por solidaridad 연대 파업. derecho de ~ 파업권. ③ = **huelga revolucionaria.** ④ 땅을 경작하지 않는 기간, 휴경 기간. ⑤ [드뭄] (보통 야외·환락가에서 갖는) 레크리에이션, 오락. ¶ ~ ***a la japonesa*** 일본식 파업 ((노동자들이 기업의 생산 초과 달성을 위해 자신의 노동 시간을 늘리면서 하는 동맹 파업)). ~ ***de brazos caídos*** 연좌 파업, 농성 파업, 직장 점거. ~ ***de celo*** 준법 파업, 준법 투쟁. ~ ***de hambre***, ~ ***del hambre*** 단식 농성, 단식 투쟁. ~ ***general*** 총파업. ~ ***revolucionario*** 혁명 파업 ((경제적이나 사회적 문제점의 요구보다는 정치적 혼란에 목적을 둔 동맹 파업)). ~ ***salvaje*** 와일드캣 스트라이크, 무모한 파업.

huelga[2] *f.* 특히 비옥한 경작지.

huelgo *m.* ① 호흡, 내 쉬는 숨. ② (무엇을 위한) 충분한 공간. ③ 벌어진 틈; (기계의) 노는 틈, 여유. ¶***tomar*** ~ ㉮ (한숨 돌리면서 쉬기 위해) 약간 멈추다, 한숨 돌리다. ㉯ (다른 활동이나 일을) 잠깐 쉬다.

huelguista *mf.* 파업 참가자.

huelguístico, ca *adj.* 파업의[에 관한].

huella *f.* ① 발자국, 족적; (자동차 등의) 자국, 흔적: dejar ~*s* 흔적을 남기다. ② 지문: dejar *sus* ~*s* por …에 지문을 남기다. imprimir las ~*s* 지문을 찍다. ③ (계단의) 디딤판, 발판. ¶ ~ ***dactilar*** =**impresión dactilar.** ***a la*** ~ =**a la zaga.** ***seguir las*** ~***s de*** alguien (누구의) 발자취를 더듬다, (누구의) 예를 따르다.

huelveño, ña *adj.* ① 우엘바(Huelva, 안달루시아 지방 서부의 주·주도) 태생의. ② 우엘바의[에 관한]. —*mf.* 우엘바 사람.

huemul *m.* [동물] 사슴의 일종.

huerca *f. Méj.* =**muchacha.**

huérfano, na *adj.* ① (미성년자가) 부모를 여읜, 부모 중 한 사람을 여읜, (특히) 아버지를 여읜. ② [시어] 자식을 잃은. ③ [+de] (…이) 없는, (특히) 도움이 없는, 돌보아 줄 사람이 아무도 없는. ④ [고어] =**expósito.** (Bolivia, Chile, Perú에서는 현재 사용됨). —*mf.* 고아(孤兒).

huero[1], **ra** *adj.* 헛된, 비어 있는, 실속 없는. ¶***salir*** ~ algo 실패하다, 실패로 끝나다(frustarse).

huero[2], **ra** *adj. Méj.* =**güero**[2].

huerta *f.* ① 야채밭. ② 과수원. ③ (발렌시아·무르시아의) 관개 농지.

huertero, ra *m.f. Sal., Arg., Nic., Perú.* [드뭄] huerta 경작자.

huerto *m.* 채소밭, 과수원 ((huerta보다 작음)). ¶***llevar(se)*** a alguien ***al*** ~ ㉮ (누구를) 납득시키려고 애쓰다. ㉯ [속어] 성적으로 홀리다[유혹하다].

huesa *f.* 묘혈(墓穴)(fosa común).

huesero, ra *mf. Méj., Ur.* 접골사, 접골의. —*m. Ven.* 뼈의 양. —*f.* ① *León., Bol., Chile.* 죽은 사람의 뼈를 버리는[보관하는] 곳. ② *Salv.* 자동차와 다른 기계의 부속품 판매처.

huesillo *m. AmérM.* 볕에 말린 복숭아 (durazno secado al sol).

hueso *m.* ① (인간·척추동물의) 뼈 ((참고: 생선의 뼈는 espina)): ~*s* del pie 발뼈. carne con huesos 뼈가 붙은 고기. ② (복숭아·올리브 등의) 씨. ③ 석회 안에 들어 있는 타다 남은 돌멩이. ④ 골치 아픈 일, 귀찮은 일, 불편한 일. ⑤ 요구가 많은 선생. ⑥ 황색이 도는 흰색. ⑦ 쓸모없는 것, 별 가치가 없는 것, 조악한 제품. ⑧ 다루기 쉽지 않은 사람, 성격이 괴팍한 사람; [운동] 난적(難敵). ⑨ *CRica., Guat., Méj., Nic., Salv.* 일, 보수를 받는 직업. ⑩ *Ecuad.* 인색한 사람. ⑪ *pl.* (사람의) 유골. —*adj.* 황색이 도는 흰색의. ¶ ~ ***coronal*** [해부] =**hueso frontal.** ~ ***de la alegría*** *Col., Cuba.* = **cóccix.** ~ ***de santo*** (만성절에 먹는 뼈 모양의) 편도 반죽 롤빵. ~ ***dulce*** [해부] =**cóccix.** ~ ***escafoides*** [해부] 주상골. ~ ***frontal*** 이마 뼈. ~ ***hioides*** [해부] 설골. ~ ***intermaxilar*** [해부] 악간골. ~ ***maxilar*** [해부] 턱뼈. ~ ***navicular*** [해부] =**hueso escafoides.** ~ ***palomo*** =**cóccix.** ~ ***parietal*** [해부] 두정골. ~ ***piramidal*** [해부] 추체골. ~ ***sacro*** [해부] 천골. ~ ***temporal*** [해부] 측두골. ***la sin*** ~ 혀. ***a*** ~ [건축] (시멘트 등을 사용하지 않고) 완전하게 연결하여[쌓아]. ***dar en*** ~ 장애에 부딪치다, 반대에 직면하다, 의도한 것에 어려움을 만나다. ***estar*** alguien ***en los*** ~***s*** (누가) 뼈와 가죽만 남다, 삐쩍 마르다. ***hasta los*** ~***s*** 뼛속까지, 완전히. ***molerle*** a alguien ***los*** ~***s*** (…를) 때리다, 몽둥이 찜질을 하다. ***podérsele contar*** a alguien ***los huesos*** =**estar en los huesos.** ***ponerse*** [***quedarse***] alguien ***en los*** ~***s*** =**estar en los huesos.** ***romperle*** a alguien ***un*** ~ [***los*** ~***s***] (…를) 세게 때리다.

huesoso, sa *adj.* ① 뼈의, 뼈에 관한. ② 뼈가 굵은.

huésped, da *mf.* ① 하숙인: casa de ~*es* 하숙집. cuarto de ~*es* 객실. ② (호텔 등의) 숙박인. ③ [드뭄] 여인숙 주인, 객줏집 주인. ④ [드뭄] 자기 집에 다른 사람을 숙박시키는 사람. ⑤ [생물] 숙주(宿主).

hueste[1] *f.* ① [주로 *pl.*] 야전군. ② [집합] (정당 등의) 지지자.

hueste[2] *adj.* ① *Hond.* 잘 빻은, 잘 찧

은, 아주 가는. ② *Hond.* (옥수수 반죽이) 잘 저어 부침개용으로 준비된.
huesudo, da *adj.* ① 뼈가 앙상한: manos *~das* 뼈만 앙상한 손. ② 뼈가 굵은. *—f. Méj., Salv.* 해골 형상. ¶ *pelarse* alguien *con la ~ Méj.* 죽다.
hueva *f.* ① (물고기의) 알, 어란(魚卵). ② *Guat., Méj.* 나태, 게으름(pereza).
huevada *f. Chile.* =**cosa, asunto, situación.**
huevar *intr.* 알을 갖기 시작하다.
huevear *tr.* ① *Chile.* =**molestar.** ② *Guat., Hond., Salv.* =**hurtar.** *—intr. Chile., Méj.* =**haraganear.**
huevera *f.* ☞**huevero.**
huevería *f.* 달걀 가게.
huevero, ra *m.f.* 계란 장수. *—m.* 반숙란을 담아서 식탁에 놓는 그릇. *—f.* ① 달걀 장수 아내. ② 반숙란을 담아서 식탁에 놓는 그릇. ③ 달걀 나르는[보관하는] 각종 그릇.
huevo *m.* ① (동물의) 알: poner un ~ 알을 낳다. ② 달걀, 계란. ③ (구두 수선공이 바닥 가는 데 쓰는) 단단하고 가운데 구멍이 뚫린 나무 조각. ④ [속어] [주로 *pl.*] 고환, 불알. ⑤ [생물] =**cigoto.** ⑥ [생물] =**óvulo.** ⑦ *Salv., Ur.* 어려운 상황, 어려운 일. ⑧ *Ur.* 바보, 둔한 사람. *—adj.* ① *Perú.* (값이) 지불하기 편한. ② *Perú.* (일이) 이행하기 쉬운. ¶ *~ batido* (설탕・우유・포도주 등을) 휘저어 먹는 달걀. *~ chimbo* ㉮ *Salv.* 계란 노른자와 파인애플 즙으로 만들어진 청량음료. ㉯ *Guat.* 작은 잎 모양의 밀가루와 달걀로 만들어진 과자. ㉰ *Nic.* (붉은 꿀을 듬뿍 바른 유리 구슬 모양의) 쌀・우유・설탕으로 만든 과자. ***~ de Colón*** 콜럼버스의 달걀, 매우 어려운 것은 분명하지만 알고 보면 아주 쉬운 일. ***~ de faltriquera*** 달걀 노른자에 설탕・우유・포도주 등을 섞은 과자. ***~ de Januelo*** =**huevo de Colón.** ***~ de Pascua*** (부활절 동안 몇몇 장소에서 먹는) 달걀 모양의 초콜릿 과자. ***~ duro*** 삶은 달걀. ***~ en cáscara*** =**huevo pasado por agua.** ***~ encerado*** 단단하지 않은 삶은 달걀. ***~ frito*** 두 개의 달걀을 깨어 프라이팬에 놓아 지진 프라이. ***~ pasado por agua*** 반숙란. ***~ tibio*** *Amér.* =**huevo pasado por agua.** ***~s a la perica*** *Pan.* =**huevos revueltos.** ***~s al plato*** 버터나 기름 위에 약한 불로 구운 달걀. ***~s pericos*** *Col.* =**huevos revueltos.** ***~s revueltos*** 휘저어 부친 달걀, 스크램블드 에그. ***parecerse*** dos o más personas o cosas ***como un ~ a otro*** (사람이나 물건이) 아주 닮다, 빼닮다, 같다.
huevón, na *adj.* ① [속어] 게으른. ② [속어] 우둔한, 멍청한. ③ *Hond., Nic.* 용감한. *—m.f.* ① 게으름뱅이. ② 바보, 멍청이.
huevonada *f. Col., Guat., Hond., Méj., Ven.* =**necedad.**
huf *interj.* =**uf.**
huida *f.* ☞**huido.**
huidizo, za *adj.* ① 자주 도망치는, 도망치는 경향이 있는. ② 도망쳐 빨리 사라지는.
huido, da *adj.* ① 도망한, 탈옥한: preso ~ 탈옥수. ② 여기저기 도망쳐 다니는. *—f.* ① 도망, 탈주. ② 회피.
huincha *f. Bol., Chile, Perú.* 양모 끈, 목화 끈.
huipil *m.* ① *Guat., Hond., Méj., Salv.* 원주민 의상으로 장식된 블라우스의 일종. ② *Salv.* 원주민 여인들이 입는 속치마[스커트].
huir (77) *intr.* ① [+de] (…에서) 도망치다, 도주하다, 달아나다: ~ *de* casa 가출하다. ~ *de* la cárcel 탈옥하다. ② (사물이) 빨리 멀어지다. ③ (시간의 단위가) 빨리 흐르다[지나가다]: *Huyen* los siglos 세월이 빨리 지나간다. ④ (나쁜 것・해로운 것을) 피하다, 벗어나다: ~ de la tentación 유혹에서 피하다. ~ *de* los vicios 악습에서 벗어나다. *—tr.* [아주 드물게] (…에서) 피하다, 도망치다. **~se** 달아나 버리다, 도망치다, 도주하다.
huiro[1] *m. Bol.* 풋 옥수수 줄기.
huiro[2] *m.* (칠레 연안에서 많이 나는) 해초(alga marina).
huisachero, ra *m.f. Méj.* 면허 없이 변호사 행세를 하는 사람, 가짜 변호사.
hule *m.* ① 고무, 생고무. ② 방수포(防水布). ③ *Méj.* 고무 채취 나무들의 이름. ¶ *haber* ~ [투우] (황소・주 투우사의) 부상[죽음]이 있다.
hulero, ra *adj.* ① 고무의[에 관한]. ② 고무 산업의[에 관한]. *—m.f. Amér.* 고무 채취 노동자. *—f. Méj.* =**tirachinas.**
hulla *f.* 석탄: gas de ~ 석탄 가스. yacimiento de ~ 탄층(炭層). ¶ *~ blanca* (동력으로 사용되는) 수력.
hellero, ra *adj.* 석탄(hulla)의[에 관한]: industria *~ra* 석탄 사업. minero ~ 탄갱부.
humanal *adj.* 인간의[에 관한].
humanamente *adv.* ① 인간적으로. ② 인력으로는.
humanar *tr.* [드묾] 인간답게 만들다. **~se** ① 인간다워지다. ② (하나님의 말씀으로) 사람[인간]이 되다.
humanidad *f.* ① 인간성; [종교] 인성(人性). ② 인류. ③ [집합] 인간, 사람들(personas). ④ 인간의 연약함. ⑤ 동정, 자선 행위. ⑥ 인간애, 인간미, 인정, 자비, 인자함, 다정함, 상냥함: con ~ 인간적으로, 인자하게, 다정하게, 상냥하게. ayudar por ~ 인정으로 돕다. ⑦ 사람의 몸, 인체. ⑧ *pl.* =**letras humanas.** ☞**letra.**
humanismo *m.* ① 인문주의, 인간(중심)주의, 인도주의, 휴머니즘. ② 인문학 ((특히 14-16세기의 고전 문학 연구)); 인문 과학[연구]. ③ [철학] 인본주의.
humanista *adj.* =humanístico. —*mf.* ① 인간(중심)주의자, 인도주의자, 휴머니스트. ② 인문주의자. ③ 인문학 연구자. ④ [철학] 인본주의자.
humanístico, ca *adj.* ① 인문주의의. ② 인간성 연구의, 인본주의적인. ③ 인문학의. ④ 고전 문학적인. ⑤ 인도주의적인.
humanitario, ria *adj.* ① 인도주의의, 인도주의적인, 박애의, 인간애의. ② [신학] 그리스도 인간설의.
humanitarismo *m.* ① 인도주의, 박애(주의). ② 그리스도 인간설.
humanización *f.* 인간화, 인간다워짐.
humanizar (9) *tr.* ① 인간화하다, 인간성을 부여하다, 인간미를 갖게 하다. ② 교화하다; 다정하게 하다: ~ la pena 형을 완화하다. **~se** ① 인간다워지다, 인정 있게 되다. ② 완화되다.
humano, na *adj.* ① 사람의, 인간의, 인간[사람]에 관한: condición *~na*, consideraciones *~nas* 인간의 조건, 인간으로서 피할 수 없는 숙명. cuerpo ~ 인체. fuerza *~na* 인력. ② 인간의 모습을 한; 인간과 같은. ③ 인간다운, 인간적인; 인도적인. ④ 인간에게 흔히 있는: Errar es ~ 과오는 인간의 상사(常事)다. ⑤ 인간성의, 인간의 감정에 관한. ⑥ 인정의 미묘함을 느끼는, 인정 있는, 인정미가 있는. ⑦ 자연스러운. —*m.* ① 인간. ② [집합] 모든 사람들(todos los hombres).
humanoide *adj.* (형태·행동 등이) 인간에 가까운, 로봇의. —*mf.* ① 원인(原人). ② 인간형 로봇.
humar *intr.* [드묾] 연기를 피우다.
humarada *f.* =**humareda.**
humarascal *m. CRica., Nic.* =**humareda.**
humarasco *m. CRica., Nic.* =**humareda.**
humarazo *m.* =**humazo.**
humareda *f.* 자욱한 연기.
humaza *f.* =**humazo.**
humazga *f.* (아궁이나 굴뚝의 숫자로 영주에게 지불했던) 세금.
humazo *m.* ① 짙은 연기. ② (처방으로 코·입으로 내는, 가끔은 속임수로) 불 붙은 양모[종이]의 연기. ③ (배에서 쥐를 잡거나 쫓아내기 위해 해치를 닫고 내는) 질식성[독성] 연기. ④ (여우·살쾡이 등을 나가게 하기 위해) 짐승의 굴로 들어가게 하는 연기. ¶ *dar* ~ a alguien (누구를 쫓아내기 위해) 불쾌한 말[행동]을 하다, 불편을 주어 자주 다니는 곳에서 나가게 하다.
humazón *m. Nic., Salv.* =**humareda.**
humeante *adj.* ① 연기가 나는. ② 김[수증기]이 나는.
humear *intr.* ① 연기를 내다. ② 김[수증기·훈기]을 내다. ③ 전에 있었던 소동[싸움·적개심]으로 생긴 감정을 오래 끌다, (싸운) 감정이 남아[맺혀] 있다, 풀리지 않다. ④ 우쭐거리다, 뽐내다, 거만을 떨다. —*tr. Amér.* =fumigar. **~se** 연기가 나다.
humectación *f.* 가습하기.
humectador *m.* 가습기, 급습기.
humectante *adj.* 가습시키는. —*m.* 습윤제, 희석제.
humectar *tr.* ① =**humedecer.** ② 희석제를 넣다[첨가시키다].
humectativo, va *adj.* 습하게 하는, 습기를 내는.
húmeda *f.* ☞**húmedo.**
humedad *f.* 습기, 습도: ~ relativa 상대 습도. Hay mucha ~ 습기가 많다.
humedal *m.* 습지(terreno húmedo).
humedecer (31) *tr.* 습하게 하다, 축축하게 하다, 약간 적시다. **~se** 축축해지다, 눅눅해지다, 습기 차다, 습해지다; 습하다, 축축하다, 젖다.
húmedo, da *adj.* 습한, 축축한, 질퍽질퍽한, 습도가 높은, 습윤(濕潤)한, 눅눅한: aire ~ 눅눅한 공기. clima ~ 습윤한 기후. —*f.* [속어] 혀(lengua).
humera *f.* =**jumera.**
humeral *adj.* 상완골[상박골]의[에 관한]: arteria ~ 상완골[상박골] 동맥. —*m.* =**velo humeral.** ☞**velo.**
humero *m.* ① 굴뚝의 관. ② *Sal.* 도살한 돼지를 훈제하는 방. ③ *CRica.* (양봉가가 연기를 피워 벌로부터 자신을 보호하는) 깡통 도구. ④ *Ven.* 자욱한 연기(humareda).
húmero *m.* [해부] 상박골, 상완골.
húmico, ca *adj.* [농업] humus의.
humidificación *f.* 가습(加濕).
humidificador *m.* 가습기(加濕器).
humidificar (7) *tr.* (공기에) 습기를 주다, 가습하다.
húmido, da *adj.* [시어] =**húmedo.**
humiento, ta *adj. Sal.* =**ahumado, tiznado.**
humífero, ra *adj.* (토양이) 부식질(humus)이 많은.
humildad *f.* ① 겸허, 겸손, 비하(卑下), 스스로를 낮춤: con ~ 겸허하게, 겸손하게, 비하해서. ② (신분의) 비천(卑賤)(bajeza). ③ 굴종, 굴복, 복종, 비굴함. ¶ **~ *de garabato*** 겉치레에 불과한 겸허, 외관상으로만 하는 겸손.
humilde *adj.* ① 겸허한, 겸손한, 얌전한, 조신하는, 조심스러운. ② 비천한, 신분이 낮은. ③ 검소한: comida ~ 검소한 식사. ropa ~ 검소한 옷.
humildemente *adv.* 겸손[겸허]하게.
humildoso, sa *adj.* [드묾] =**humilde.**
humillación *f.* 굴욕, 불명예, 면목 없음; 모욕: sufrir una ~ 굴욕을 당하다[맛보다·겪다].
humilladamente *adv.* [드묾] =**humildemente.**
humilladero *m.* 마을 출입구나 길 옆에 예수 상이 있는 경건한 장소.
humillador, ra *adj., mf.* 머리를 수그리는 (사람), 무릎을 꿇는 (사람).
humillante *adj.* 모욕적인; 굴욕적인: sufrir una derrota ~ 굴욕적인 패배

를 맛보다[당하다].
humillar *tr.* ① (복종·존경의 표시로, 머리를) 숙이다: ~ la cabeza 머리를 숙이다. ② (…의 자존심·거만함을) 꺾다, 굴복시키다. ③ (…의 자존심·긍지에) 상처를 입히다, 창피[굴욕·망신]를 주다. ④ [투우] (소가 공격을 위하거나 방어 예방 조치로) 머리를 숙이다. —*intr.* [투우] (소가) 머리를 수그리다. ~**se** ① 몸[머리]을 숙이다, 겸손해 하다. ② 창피[굴욕·망신]를 당하다. ③ [투우] (소가) 머리를 수그리다.
humillo *m.* ① [주로 *pl.*] 자만, 허영(심), 오만, 불손. ② (어미의 젖이 좋지 않을 때 새끼 돼지들이 자주 걸리는) 병.
humilmente, húmilmente *adv.* [드뭄] =**humildemente.**
humita *f.* ① *Arg., Ur., Chile, Ecuad., Bol., Perú.* [요리] 우미따 ((옥수수 반죽으로 만든 토착 음식)). ② *Chile.* 연한 옥수수 요리.
humitero, ra *m.f. Bol., Perú.* humita를 만들어 파는 사람.
humo *m.* ① 연기: dar [echar] ~ 연기를 뿜다. ② [집합] 증기, 김, 수증기. ③ *pl.* =**hogares, casas.** ④ 자만(심), 자부심, 거만, 오만, 불손, 허영심. ¶ ***bajarle*** a alguien ***los ~s*** (누구의) 콧대를 꺾어주다, (…의) 체면을 잃게 하다, (…를) 망신을 시키다. ***hacerse*** alguien o algo ~ (누가·무엇이) 사라지다, 없어지다. ***irse al humo** Arg., Par., Ur.* =**venirse al humo. *subírsele*** a alguien ***el ~ a la cabeza*** 우쭐거리다, 으스대다, 거만하게 굴다, 뽐내다, 자만하다. ***subírsele*** a alguien ***el ~ a la chimenea*** =**embriagarse. *subírsele*** a alguien ***el ~ a las narices*** 화내다, 성내다. ***subírsele*** a alguien ***los ~s a la cabeza*** = **subírsele el humo a la cabeza. *venirse al ~** Arg., Par., Ur.* (누구에게) 빨리 바로 가다. ***Por el ~ se sabe dónde está el fuego*** (속담) 아니 땐 굴뚝에 연기 날까.
humor *m.* ① 기분: buen ~ 매우 좋은 기분. mal ~ 나쁜 기분, 불쾌함. ponerse de mal ~ 불쾌해지다, 기분이 좋지 않다. ② 기질. ③ 유머 (감각): tener un gran sentido de ~ 유머 감각이 대단하다. ④ [의학] 체액(體液). ¶ ***~ negro*** 블랙 유머 ((풍자적·냉소적 무시무시한 유머)).
humorado, da *adj.* 기분을 가진: bien ~ 기분이 좋은. mal ~ 기분이 나쁜. —*f.* 유머가 있는 언동
humoral *adj.* [의학] 체액(humor)의.
humorismo *m.* 유머 (감각); 만담.
humorista *m.f.* 코미디언; 유머 작가; 유머 감각이 있는 사람, 해학가.
humorísticamente *adv.* 익살스레, 해학적으로, 재미있게, 우습게.
humorístico, ca *adj.* 익살스러운, 해학적인, 재미있는, 우스운, 유머러스한.
humus *m.* [농업] 부식질, 부식토.
hunche *m. Col.* 옥수수와 다른 곡물의 껍질.
hundible *adj.* 가라앉을 수 있는.
hundido, da *adj.* 가라앉은, 침몰된: barco ~ 침몰선.
hundimiento *m.* 침몰, 침하, 함몰; 도괴(倒壞): ~ de un barco 선박의 침몰. ~ de la bolsa 시세의 하락. ~ de una empresa 기업의 도산.
hundir *tr.* ① (바닥에) 가라앉히다, 침몰시키다, 침전시키다: ~ un barco 배를 침몰시키다. ~ la mano en el agua 손을 물에 담그다. ② (표면을) 일그러뜨리다, 형태를 무너뜨리다. ③ (지면을) 함몰시키다, 침하시키다. ④ (건물을) 도괴시키다. ⑤ 억누르다, 억압하다. ⑥ 부수다, 파괴하다, 망가뜨리다. ~**se** ① 가라앉다, 침몰되다, 침전되다: *Se hundió* un barco 배 한 척이 침몰되었다. ② (표면이) 일그러지다. ③ (건물이) 도괴되다, 무너지다: *Se ha hundido* el tejado 지붕이 무너졌다. ④ (회의 등이) 혼란에 빠지다, 대소동이 벌어지다.
húngaro, ra *adj.* 헝가리(Hungría) 태생의; 헝가리의[에 관한]; 헝가리 사람[어]의. —*m.f.* 헝가리 사람. —*m.* 헝가리 말. ¶***a la ~ra*** 헝가리식으로.
huno, na *adj., m.* [역사] 훈족(族)(의). —*m.f.* 훈족 사람.
hura *f.* ① (머리에 나는) 종기. ② 작은 구멍, (동물의) 소굴.
huracán *m.* (특히 카리브해·멕시코만의) 허리케인, 폭풍.
huracanado, da *adj.* 태풍의[같은].
huracanarse *r.* 강해져서 폭풍으로 변하다.
huraco *m.* 구멍(agujero)
hurañamente *adv.* 비사교적으로.
hurañía *f.* 비사교성.
huraño, ña *adj.* 사람을 싫어하는, 비사교적인, 사람으로부터 도망쳐 숨는.
hurera *f.* 구멍(hura, agujero).
hurgador, ra *adj.* 휘젓는, 휘저어 찾는. —*m.* 부지깽이.
hurgamiento *m.* 휘저음.
hurgar (8) *tr.* ① 불길이 일게 하다. ② 휘젓다, 휘저어 찾다. ③ 닿다, 터치하다. ④ (다른 사람의 일에) 냄새를 맡고 다니다, 엿보다. ⑤ 부추기다.
hurgón, na *adj.* 휘젓는. —*m.* ① 부지깽이. ② 다치게 하는 칼.
hurgonada *f.* ① 불을 휘저어 찾기. ② 칼로 치기.
hurgonazo *m.* 칼로 치기.
hurgonear *tr.* ① 부지깽이로 불을 휘젓다. ② [드뭄] 칼로 마구 찌르다.
hurgonero *m.* 부지깽이.
hurguete *adj., m.f. Arg., Chile.* 숨겨진 것을 찾는 (사람), 비밀을 캐는 (사람).
hurguetear *intr. Amér.* =**hurgar, escudriñar, huronear.**
hurguillas *m.f.* 재촉이 심한 사람.

hurí *f.* [이슬람교] 천녀(天女).
hurón *m.* ① [동물] 바위족제비, 흰족제비. ② 비밀을 캐는 사람, 냄새 맡고 다니는 사람. ③ 비사교적인 사람.
hurona *f.* 바위족제비 암컷.
huronear *intr.* ① 바위족제비로 사냥하다. ② 냄새 맡고 다니다.
huroneo *m.* (남의) 냄새 맡고 다니기.
huronera *f.* ① 바위족제비 넣는[가두는] 곳. ② (누가) 숨어 있는 곳.
huronero *m.* 바위족제비 사육자.
hurra *interj.* 만세!, 와!
hurraco *m.* (여자들이 머리에 장식했던) 장신구.
hurtadillas *a* ~ 살짝, 살그머니, 몰래.
hurtadineros *m.* 진흙 저금통[헌금함].
hurtador, ra *adj., m.f.* 훔치는 (사람).
hurtagua *f.* (바닥에 구멍이 있었던) 물뿌리개의 일종.
hurtar *tr.* ① (다른 사람의 재산을) 사취하다, 훔치다. ② (장수가) 저울눈[무게 · 치수]을 속이다, 정확한 무게[치수]를 주지 않다. ③ 표절하다. ④ = desviar, apartar. **~se** 숨다, 피하다. ¶*Quien hurta la onza, hurta la arroba* (속담) 바늘 도둑이 황소 도둑된다.
hurto *m.* ① 사취, 도둑질. ② 표절. ¶ *a* ~ =a hurtadillas.
húsar *m.* 경기병(輕騎兵).
husero *m.* 한 살 먹은 양의 곧은 뿔.
husillo[1] *m.* (방적 기계의) 추, 방추.
husillo[2] *m.* 배수구.
husma *f.* [드묾] 냄새 맡고 다니기. ¶ *andar* alguien *a la* ~ 남의 뒤를 캐고 다니다.
husmeador, ra *adj., m.f.* 냄새를 맡는 (사람); 남의 뒤를 캐고 다니는 (사람).
husmar *tr.* 남의 뒤를 캐고 다니다.
husmear *intr.* ① 냄새를 맡다. ② (남의 뒤를) 캐고 다니다. —*intr.* (물건, 특히 고기가) 썩은[고약한] 냄새가 나기 시작하다.
husmeo *m.* ① 냄새 맡기. ② 남의 뒤를 캐고 다니기.
husmo *m.* (고기 등의) 썩기 시작한 냄새. ¶*andarse* alguien *al* ~ ㉮ 후각으로 뒤를 밟다. ㉯ 조사하다. *estar* alguien *al* ~ (…을) 할 기회를 노리고 있다. *venirse* alguien *al* ~ =andarse al husmo.
huso *m.* ① 물레의 가락, 북, 방추. ② 실패 모양의 물건. ③ 긴 마름모꼴. ④ (비행기의) 동체(胴體).
huta *f.* 사냥꾼들이 숨는 장소.
hutía *f.* [동물] (서인도 제도에 많은) 들쥐의 일종.
huy *interj.* [고통 · 놀라움의 표시] 아이구!, 저런!
huya ☞huir (77).
huyáis ☞huir (77).
huyamos ☞huir (77).
huyan ☞huir (77).
huyas ☞huir (77).
huyo ☞huir (77).
huyuyo, ya *adj.* *Cuba.* =arisco, huraño, huidizo.
Hz hertz, hercio 헤르츠.

I i

i ① 이 ((스페인어 알파벳의 열 번째 문자)). ② 로마 숫자의 1. ③ [논리] 특수 긍정 명제의 기호. ④ [수학] 허수의 단위 ($\sqrt{-1}$). ¶ ~ ***griega*** 문자 y의 명칭.
i- *prep.* 「무(無) · 불(不)」 ☞-in[1], -in[2]
-í *suf.* [국명 · 지명(地名)의 형용사화] iraquí 이라크의, marroquí 모로코의.
-ia *suf.* ① [대부분 라틴어에서 온 것으로 여성 명사이며 대개 추상 명사들임] Vigil*ia* 여자 이름, eficac*ia* 효과, ignomin*ia* 수치. ② [도시 · 영토 · 나라 등의 이름에 나타남] Murc*ia* 무르시아, Austral*ia* 오스트레일리아.
-ía *suf.* ① [형용사의 추상 명사화] cercan*ía* 근접, alegr*ía* 기쁨. ② [학문 · 기술 · 직업 등의 이름] astronom*ía* 천문학. ③ [공장 · 가게] panader*ía* 빵집, carnicer*ía* 정육점, librer*ía* 서점.
-iatría *suf.* [치료를 연구하는 의학 부문] pedi*atría* 소아과 의학.
iatrogénico, ca *adj.* [의학] (병이) 의사의 치료[진단]에 의해 생기는, 의사에게 원인이 있는.
IB Iberia 이베리아. Líneas Aéreas de España, S.A. 이베리아 항공.
iba ☞ir (40).
ibas ☞ir (40).
íbamos ☞ir (40).
iban ☞ir (40).
ibas ☞ir (40).
Iberia *f.* [지명] 이베리아 ((희랍인들에 의한 이베리아 반도의 옛 이름)).
ibérico, ca *adj.* ① 이베리아 태생의. ② 이베리아 반도의[에 관한].
ibérico, ca *adj.* ① 이베리아 태생의. ② 이베리아의[에 관한]. —*m.* 옛 이베리아 말.
iberio, ria *adj.* ① 이베리아 태생의. ② 이베리아의[에 관한].
iberismo *m.* ① 이베리아 사람의 성격. ② 이베리아 (종족) 연구. ③ 다른 언어에서 받아들인 옛 이베리아 사람들의 말이나 언어학적 흔적. ④ 이베리아주의((19-20세기 때 자유주의자들이 주장한 스페인과 포르투갈의 합병에 의한 이베리아 반도의 정치적 통일)).

I

ibero, ra *adj.* ① 유럽 이베리아(Iberia europa, 오늘날의 스페인과 포르투갈) 태생의. ② 옛 코카서스 이베리아(antigua Iberia caucásica) 태생의. ③ 이베리아 사람[종족]의. ④ 이베리아의[에 관한]. *—m.f.* ① 유럽 이베리아 사람. ② 옛 코카서스 이베리아 사람. ③ 옛 이베리아 사람 ((페니키아와 희랍의 통치 전에 이베리아 반도에 거주했던 종족)). *—m.* ① 옛 이베리아 말. ② *pl.* 이베리아 종족.

íbero, ra *adj., m.f.* =ibero.

ibero- *prep.* 「이베리아 반도의」의 뜻: *ibero*rrománico 이베리아 로마 어군.

Iberoamérica *f.* [지명] ① 중남미 ((스페인어 사용국과 브라질)). ② 중남미 제국과 스페인 및 브라질.

iberoamericano, na *adj.* ① 중남미의. ② 중남미 제국과 스페인 및 브라질의. *—m.f.* 중남미 사람.

iberorromance *adj., m.* [언어] =iberorrománico.

iberorrománico, ca *adj.* [언어] 옛 이베리아 영토에서 사용된 라틴어에서 유래된 언어학적 변화의. *—m.* 이베리아 로마 어군(語群).

íbice *m.* [동물] 아이벡스 ((야생 염소의 일종)).

ibíd ibídem. 동서(同書)[동장(同章)·동절(同節)]에.

ibídem *adv. lat.* 동서(同書)[동장(同章)·동절(同節)]에.

ibis *m.sing.pl.* [새] 따오기.

-ible *suf.* [-er·-ir 동사에서 가능성 형용사] mover 움직이다 →mov*ible* 움직일 수 있는.

ibón *m. Ar.* 피레네 산맥 지대의 호수.

ICE *m.* *I*nstituto de *C*iencias de la *E*ducación 교육 과학 협회.

iceberg *m. ing.* ① 빙산(氷山). ② 빙산의 일각.

icnografía *f.* [건축] 평면도법; 평면도.

icnográfico, ca *adj.* 평면도의[같은].

icnología *f.* 족적 화석학(足跡化石學).

ICONA *m.* *I*nstituto *N*acional para la *C*onservación de la *N*aturaleza 자연 보호청.

icónico, ca *adj.* 상(像)의, 초상(肖像)의, 우상의; 성상(聖像)의.

icono *m.* ① [그리스정교] 성화상(聖畵像), 성상 ((그리스도·성모·성인·순교자 등의 상)). ② (그림·조각의) 상, 초상. ③ [논리·언어] 이콘, 아이콘, 도상, 유사 기호. ④ [컴퓨터] 아이콘.

ícono *m.* =icono.

iconoclasia *f.* 성상 파괴, 우상 파괴.

iconoclasta *adj.* ① 성상 파괴의. ② 인습[권위] 타파의. *—m.f.* ① 성상 파괴주의자. ② 인습[권위] 타파주의자.

iconógeno *m.* [사진] 현상액.

iconografía *f.* ① 도해(법); 도상법. ② 초상[조상(彫像)] 연구, 도상학(圖像學). ③ 초상화, 초상화집.

iconográfico, ca *adj.* 도해의; 도상(圖像)의, 도상학(圖像學)의.

iconolatría *f.* 성화상[우상] 숭배.

iconología *f.* [조각·미술] 도상학(圖像學), 성상학(聖像學).

iconológico, ca *adj.* 도상학[성상학]의.

iconómaco *adj., m.f.* =iconoclasta.

iconoscopio *m.* [텔레비전] 송상관(送像管), 송상기, 아이코노스코프.

iconostasio *m.* [건축] 성장(聖障), 성화벽.

icor *m.* [의학] 농장(膿漿).

icoroso, sa *adj.* 농장성(膿漿性)의.

icosaedro *m.* [수학] 20면체(面體).

ictericia *f.* ① [의학] 황달. ② [식물] (보리 등의) 황화병.

ictericiado, da *adj.* =ictérico ②.

ictérico, ca *adj.* ① 황달의. ② 황달에 걸린. *—m.f.* 황달 환자.

icterodes *adj. gr.* 노르무레한. ¶ ***tifus*** ~ 황열(병).

ictíneo, a *adj.* 물고기 같은. *—m.* [드묾] 잠수함(buque submarino).

ictiófago, ga *adj.* 물고기를 주식으로 하는[상식하는]. *—m.f.* 물고기를 주식으로 하는[상식하는] 사람.

ictiografía *f.* 어류 기재학(記載學), 어류지(魚類誌), 어류학, 어론(魚論).

ictiología *f* 어류학(魚類學).

ictiológico, ca *adj.* 어류학의[에 관한].

ictiólogo, ga *m.f.* 어류학자.

ictiosauro *m.* [고생물] 어룡(魚龍).

ictiosis *f.sing.pl.* [의학] 어린선.

id[1] *m.* [심리] 이드, 원아(原我).

id[2] 너희들 가거라 ((ir 동사의 2인칭 복수 명령형)).

ida *f.* ☞ido.

-ida *suf.* [-er·-ir 동사의 명사화] 「동작(acción)·결과(efecto)」 acoger → acog*ida*, partir →part*ida*, sacudir → sacud*ida*.

-idad *suf.* [형용사의 추상 명사화] feliz →felic*idad*, activo →activ*idad*.

IDE *f.* *I*niciativa de *D*efensa *E*statégica 전략적 방위 구상.

idea *f.* ① 생각, 의도. ② 아이디어, 착상, 문득 생각이 남: Es una buena ~ 좋은 착상이다, 좋은 생각이다. ③ 개념. ④ 의견, 견해(opinión). ⑤ *pl.* 사상: ~*s* revolucionarias 혁명 사상. ⑥ 관념, 이념. ¶ ~ ***fija*** 고정[강박] 관념. ***~s universales*** 보편적 관념. ***mala ~*** 악의(惡意). ***con ~ de*** …의 의도로. ***hacerse a la ~ de*** algo (무엇을) 받아들이다. ***no tener ni ~*** 완전히 모르다.

ideal *adj.* ① 이상적인, 완벽한: belleza ~ 이상적인 아름다움. mujer ~ 이상적인 여자. ② 관념적인, 상상의, 가공의, 비현실적인. ③ [철학] 관념론적인, 관념에 관한, 유심론의, 이데아의, 이상주의의. *—m.* ① 이상(理想): ~ del político 이상적인 정치가, 정치가의 이상상(理想像). realizar *su* ~ 이상을 실현하다. ② *pl.* 가치 체계, 주의 주장.

idealismo *m.* ① [철학] 관념론. ② 이상주의.

idealista *adj.* ① 관념론적인. ② 이상주의적인. *—mf.* ① [철학] 관념론자. ② 이상주의자.
idealización *f.* 이상화(理想化).
idealizador, ra *adj.* 이상화하는.
idealizar (9) *tr.* 이상화하다.
idealmente *adv.* ① 이상적으로, 아주 잘. ② 관념적으로.
idear *tr.* 생각하다, 생각해 내다, 고안하다, 연구하다.
ideario *m.* 이념, 주장, 생각.
ideático, ca *adj. Amér.* =**venático, maniático.**
ídem *pron. lat.* (반복을 피해) 동상(同上), 동전(同前); (학술서 등에서) 같은 저자. ¶ *~ de ~* 이미 말한 것과 같은 것.
idempotencia *f.* 멱등성(冪等性).
idempotente *adj.* [수학] 멱등(冪等)의 ((예 a・a =a)).
idénticamente *adv.* 똑같게, 같은 모양으로, 마찬가지로.
idéntico, ca *adj.* ① 똑같은, 동일한. ② 유사한, 매우 닮은, 매우 비슷한: La niña ha salido *~ca* a su madre 여아는 어머니와 빼닮았다. *—mf.* 동일인, 본인.
identidad *f.* ① 동일함, 일치, 동일성. ② 동일한 사람[물건]임, 본인(임); 정체, 신원: probar su ~ 신분을 증명하다. probar la ~ del ladrón 도둑의 신분을 확인하다. ③ [수학] 항등식. ¶ ***carné de*** ~ 신분 증명서. ***cédula de*** ~ 신분 증명서, 거주 증명서. ***tarjeta de*** ~ 신분증, 신분 증명서.
identificable *adj.* ① 동일함을 증명할 수 있는. ② 식별할 수 있는.
identificación *f.* ① 식별; (경찰의) 감식: ~ genética 디엔에이(DNA) 감정. número de ~ (personal) (현금 인출 카드를 쓸 때의) 비밀 번호. 아이디(ID) 번호. ② 신원을 증명하는 것. ③ 동일시.
identificador, ra *adj., mf.* 동일인[동일물]임을 증명하는 (사람).
identificar (7) *tr.* ① 식별하다, 동일인임을 증명하다[입증하다], (신원을) 확인하다. ② [+con] (…과) 동일시하다. **~se** ① [+con] (…에) 찬성이다, 같은 의견이다; 연대(連帶)하다. ② 자신의 신분을 증명하다.
identificativo, va *adj.* 동일인[동일물]임을 증명하는[인정하는].
identificatorio, ria *adj.* =**identificativo.**
ideografía *f.* 표의 문자 사용, 상징에 의한 표의(表意).
ideográfico, ca *adj.* ① 표의 문자의[에 관한]. ② 표의 문자 사용의[에 관한].
ideograma *m.* 표의 문자.
ideología *f.* 이데올로기.
ideológico, ca *adj.* 이데올로기의.
ideologización *f.* 이데올로기적인 분석; 관념적인 표현.
ideologizado, da *adj.* 이데올로기적으로 분석된; 관념적으로 표현된.
ideologizar (9) *tr.* 이데올로기적으로 분석하다; 관념적으로 표현하다; 특정 이데올로기를 따르게 하다. **~se** 이데올로기적으로 분석되다; 관념적으로 표현되다.
ideólogo, ga *mf.* 이론가, 사상가.
idílico, ca *adj.* 전원(田園) 연애시의, 목가적(牧歌的)인, 한가로운.
idilio *m.* 전원 연애시; 연애 관계.
idiocia *f.* [의학] 가벼운 지적 장애.
idiolecto *m.* [언어] 개인 언어.
idioma *m.* (한 나라의) 언어(言語): ~ coreano 한글. ~ moderno 현대어.
idiomático, ca *adj.* ① 관용적인; 관용어법에 맞는[에 관한・이 많은・을 포함한]: expresión *~ca* 관용 표현, 숙어. frase *~ca* 관용구. ② (어떤 언어의) 특징을 나타내는, (어떤 언어에) 특유한, 꼭 그 나라 말 같은.
idiosincrasia *f.* ① 특이한 기질, 성벽. ② [의학] 특이 체질.
idiota *adj.* ① 저능한, 우둔한, 멍청한, 바보의. ② [의학] 정도가 가벼운 지적 장애의, 정신이 박약한. *—mf.* ① 천치, 바보, 얼간이. ② 정신이 박약한 사람, 백치 ((지능 정도가 세 살짜리를 넘지 않는 사람)).
idiotez *f.* ① [의학] =**idiocia.** ② 우둔함, 우둔한 행동[언동].
idiotismo *m.* ① =**ignorancia.** ② =**idiocia.** ③ [언어] (문법 규칙으로는 부정확하지만) 관용적인 표현, 숙어 ((예 *a ojos vistas* 눈에 띄게, 분명히)).
idiotizar (9) *tr.* 바보[백치]로 만들다. **~se** 바보가 되다, 멍청해지다.
ido, ida *adj.* 머리가 돈. *—f.* ① 가기, 감, 목적지를 향해 감; 왕로(往路), 가는 길: *ida* y vuelta 왕복. billete de *ida* 편도 승차권. billete de *ida* y vuelta 왕복표, 왕복 승차권. ② 격렬함, 과격함, 사나움; 무모한[경솔한・지각없는] 행동. ③ [사냥] (땅에 발로 만든) 표시, 흔적. ④ [펜싱] 찌르기, 습격, 공격(acontecimiento). ¶***en dos ~s y venidas*** 재빨리, 날래, 날쌔게, 민첩하게, 신속히. ***no dar [no dejar] la ~ por la venida*** 효과적으로 열심히 해보려고 하다.
-ido, da *suf.* ① [-er・-ir 동사의 과거분사] comer →com*ido*, vivir →viv*ido*. ② [-er・-ir 동사의 명사와 동사의 형용사화 및 명사화] dolor →dolor*ido*, sufrir →sufr*ido*, flor →flor*ido*. ③ [소리(sonido)를 뜻하는 명사형] bal*ido* (양의) 울음소리, buf*ido* (동물의) 으르렁거리는 소리, cruj*ido* 삐걱거리는 소리, estall*ido* 폭발(음).
idólatra *adj.* ① 우상 숭배의, 우상을 숭배하는. ② (사람・사물을) 지나치게 좋아하는, 심취하는, …에 홀딱 빠진. *—mf.* ① 우상 숭배자. ② (사람・사물을) 지나치게 좋아하는 사람, (…에) 빠진 사람.

I

idolatrar *tr.* ① 우상을 숭배하다. ② (사람·사물을) 열광적으로 좋아하다[칭찬하다], 심취하다, 홀딱 빠지다, 심취하다, 맹목적으로 사랑하다. 익애(溺愛)하다, 우상시하다.
idolatría *f.* ① 우상 숭배. ② 지나친 사랑, 익애(溺愛), 우상화; 심취.
idolátrico, ca *adj.* ① 우상 숭배의. ② 익애(溺愛)하는, 맹목적으로 사랑하는, 우상시하는, 심취한, 홀딱 빠진.
ídolo *m.* ① [종교] 우상(偶像). ② 우상시되는[숭배 받는] 사람[물건], 숭배물, 숭배의 대상, 우상.
idología *f.* 우상 연구.
idoneidad *f.* 적절함, 어울림, 알맞음.
idóneo, a *adj.* 적절한, 적재 적소의, 적임의, 적격한, 어울린, 알맞은.
idos[1] 너희들 가거라 ((irse 의 2인칭 복수 명령형; 단수형은 *vete*)).
idos[2] *m.pl.* =**idus.**
idus *m.pl.* (고대 로마의 계산에서) 3월·5월·7월·10월의 15일과 그 이외의 달의 13일.
iglesia *f.* ① [기독교] 교회. ② 교회 조직; 교파; 종파: *Iglesia* Anglicana 영국 국교회. *Iglesia* Luterana 루터 교회. *Iglesia* Presbiteriana 장로(파) 교회. *Iglesia* Protestante 신교(新敎). ③ 그리스도교. ④ 천주교, 가톨릭교. ⑤ [집합] 그리스도 교도. ⑥ [집합] 성직자, 승려. ⑦ 승적, 성직. ⑧ 교권. ¶ ~ ***catedral*** (천주교의) 대성당, 주교좌 성당. ~ ***católica*** 천주 교회, 가톨릭 교회, 성당. ~ ***colegial*** (주교 없이) 참사회가 관리하는 교회. ~ ***mayor*** 각 마을의 본당 교회, 주석 교회. ~ ***metropolitana*** 대주교 교회, 본당. ~ ***oriental*** 동방 교회. ~ ***parroquial*** 교구 교회. ~ ***purgante*** 연옥의 기독교도. ~ ***triunfante*** 구원 받은 기독교회, 개선(凱旋) 교회.
iglesiero, ra *adj., m.f. Méj.* 교회에서 살다시피 하는 (사람).
iglú *m.* (에스키모의) 얼음집, 이글루.
ignaro, ra *adj.* 무식한, 무지한, 무지몽매한.
ignavia *f.* =**pereza, desidia, flojedad de ánimo.**
ignavo, va *adj.* =**indolente, flojo, cobarde.**
ígneo, a *adj.* ① 불(火)의. ② 불의 열기의. ③ [지질] 불로 생성된, 화성의. ¶***roca*** ~***a*** [지질] 화성암.
ignición *f.* ① 연소. ② 점화, 발화: punto de ~ 발화점. ③ (엔진 등의) 점화 장치(encendido).
ignífero, ra *adj.* [시어] 불을 뿜어내는.
ignifugación *f.* 불연성, 내화성(耐火性).
ignífugo, ga *adj.* 불연성의, 내화성의: pintura ~*ga* 내화 페인트.
ignipotente *adj.* [시어] 불에 강한.
ignito, ta *adj.* 불타고 있는, 불타는.
ignívomo, ma *adj.* [시어] 불을 토하는[내뿜는].
ignografía *f.* =icnografía.
ignominia *f.* 모욕, 치욕, 굴욕, 불명예.
ignominiosamente *adv.* 굴욕적으로, 불명예스럽게, 치욕스레, 비열하게.
ignominioso, sa *adj.* 굴욕적인, 불명예스러운, 치욕스런, 비열한.
ignorancia *f.* 무지, 무식; 무학(無學); 부지(不知), (어떤 일을) 모름. ¶ ~ ***del derecho*** [법률] 법에 대한 무지. ~ ***supina*** 게으름으로 인한 무지. ***no pecar*** alguien ***de*** ~ 알고 죄를 범하다. ***pretender*** alguien ~ 무지를 내세우다[증거로 삼다].
ignorante *adj.* 무지한; 무식한, 모르는. —*m.f.* 무학자, 무식한 사람.
ignorantemente *adv.* 무식하게, 모르고, 무지해서, 부지불식간에.
ignorar *tr.* ① 모르다, 알지 못하다: Nadie lo *ignora* 아무도 그것을 모른다. ② 무시하다, 묵살하다.
ignoto, ta *adj.* (나라·토지가) 미지의, 미답의.
igual *adj.* ① 같은, 동일한, 동등한, 똑같은; 같은 모양의: ejemplo ~ 같은 예. ② 대등한, 평등한: oportunidad ~ 기회 균등. Todos somos ~*es* ante la ley 우리 모두는 법 앞에서 평등하다. ③ 한결같은, 변함없는. ④ 매우 비슷한, 같은. ⑤ 평평한, 평탄한: terreno ~ 평평한 땅. —*m.f.* 대등한 사람, 동등한 사람. —*m.* ① [수학] 등호. ② *pl.* [운동] 동점. ③ *pl.* [테니스] 동점. ④ (ONCE의) 복권. —*adv.* ① [+que] (…와) 같은 모양으로. ② *Arg., Ur.* 그럼에도 불구하고. ③ 아마, 혹시. ¶***al*** ~ 같게, 동등하게, 평등하게. ***dar*** ~ a alguien (…는) 상관없다, 아랑곳없다. ***de*** ~ ***a*** ~ 대등하게, 동등한 입장에서. ***en*** ~ ***de*** [드묾] … 대신에. ***por*** ~, ***por un*** ~ 동등하게, 대등하게, 똑같이. ***sin*** ~ =**sin par:** belleza *sin* ~ 비길 데 없는 아름다움. ☞**par.**
iguala *f.* ① (의사 등의) 계약, 계약금. ② [건축] 수준기(水準器).
igualación *f.* ① 평등화, 균등화. ② 평평하게 함. ③ =**iguala.**
igualada *f.* ☞**igualado.**
igualado, da *adj.* ① (새가) 솜털을 벗어 버리고 깃털이 다 난. ② *AmérC., Bol., Méj., Par., Perú.* =**confianzudo.** —*f.* ① 동점. ② [투우] 소가 네 발을 적절하게 놓고 죽어 가게 하기.
igualador, ra *adj., m.f.* 같은, 대등한, 동등한 (사람).
igualamiento *m.* 대등, 동등, 평등.
igualanza *f.* ① [고어] =**igualdad.** ② =**iguala.**
igualar *tr.* ① [+a] (…과) 같게 하다, 동등하게 하다, 균등하게 하다. ② [+a·en] (…으로) …에 필적하다. ③ (지면을) 고르다, 평평하게 하다: ~ los caminos 길을 고르다. ~ el terreno 땅을 고르다. ④ [투우] 소가 네 발을 적절하게 놓고 죽어 가게 하다. —*intr.* ① (물건이) 다른 것과 같다, 같은 모양이다. ② [운동] 동점이 되다. ~**se**

① 서로 동등[대등]하게 되다. ② 평등[대등 · 동등]하게 다루다.

igualdad *f.* ① 평등, 동등; 같음: ~ de oportunidades 기회 균등. ② [수학] 등식(等式). ¶ ~ *ante la ley* 만민이 법 앞에서 평등 (원칙).

igualitario, ria *adj.* ① 평등주의의. ② 평등을 지향하는. —*mf.* 평등주의자.

igualitarismo *m.* 평등주의.

igualmente *adj.* ① 동등하게, 평등하게, 같게, 균등하게. ② 역시, 또한. ③ [인사] 당신도: Recuerdos a su familia —*Igualmente*. 가족에게 안부 전해 주십시오 —당신도. Buen fin de semana —*Igaulmente*. 주말을 즐겁게 보내십시오 —당신도.

igualón, na *adj.* (메추리가) 이미 어미만큼 자란.

iguana *f.* ① [동물] 이구아나. ② *Hond.* 가욋일, 임시 일.

iguanal *m. Méj.* 이구아나 서식지.

iguanero, ra *adj. Méj., Nic.* 이구아나의[에 관한]. —*m. Méj., Nic.* =**iguanal.**

igüedo *m.* (두 살 정도의) 수산양.

ijada *f.* ① 옆구리, 허구리. ② 옆구리의 통증[병]. ③ (물고기의) 앞부분과 밑부분.

ijadear *tr.* (피로 때문에) 옆구리를 많이 빨리 흔들다.

ijar *m.* (사람이나 포유 동물의) 옆구리.

ikastola *f.* [el País Vasco에서] 바스크말로 수업을 하는 학교.

ikurriña *f.* el País Vasco의 공식 기(公式旗).

ilación *f.* (논리 · 말의) 연관, 맥락.

ilativo, va *adj.* 연결된, 연관이 있는.

ilegal *adj.* 불법의, 위법의, 비합법적인, 반칙의, 법으로 금지된; 부당한: acto ~ 위법 행위. detención 불법 감금. entrada ~ 밀입국.

ilegalidad *f.* 위법, 불법; 위법성, 불법 행위; 비합법 (행위).

ilegalización *f.* 불법[위법]화, 비합법화.

ilegalizar (9) *tr.* 불법화하다, 위법화하다, 비합법화하다.

ilegalmente *adv.* ① 불법으로, 위법적으로, 비합법적으로. ② 법에 반(反)해.

ilegibilidad *f.* 판독 불능.

ilegible *adj.* ① (문자가) 읽기 어려운, 판독하기 어려운: escritura ~ 읽기 어려운 문자. ② (작품이 문학적으로) 읽기에 견디기 어려운; (내용이 부도덕 등의 이유로) 읽을 수 없는.

ilegislable *adj.* 입법 불가능한, 입법화하기 어려운.

legítimamente *adv.* 불법으로, 부정하게 (sin legitimidad).

ilegitimar *tr.* 불법화하다, 위법화하다, 비합법화하다.

ilegitimidad *f.* 불법(不法), 위법(違法).

ilegítimo, ma *adj.* ① 위법의, 불법의, 비합법의, 법으로 용인되지 않은; 부당한: competencia ~*ma* 부당한 (판매) 경쟁. ② 서출의, 사생의, 정당한 결혼에 의하지 않은: alianza ~*ma* (정치적인) 야합. hija ~*ma* 서녀(庶女). hijo ~ 사생아, 서자(庶子).

íleo *m.* [의학] 장폐색(腸閉塞).

ileocecal *adj.* [해부] 회장과 맹장의.

íleon[1] *m.* [해부] 회장, 장골(腸骨).

íleon[2] *m* [해부] =**ilion.**

ileso, sa *adj.* (사람 · 동물이) 다치지 않은: salir ~ del peligro 위험을 무사히 피하다.

iletrado, da *adj.* 문맹의, 낫 놓고 기역자도 모르는(analfabeto).

iliaco, ca *adj.* =**ilíaco.**

ilíaco, ca *adj.* 장골(íleon)의[에 관한].

iliberal *adj.* [드묾] 인색한, 구두쇠의, 째째하게 아끼는.

ilícitamente *adv.* 불법으로, 부도덕하게.

ilícito, ta *adj.* 불법의, 위법의, 불의의, 금제(禁制)의; 무허가의, 무면허의; 도덕[논리]적으로 인정받지 못하는: ganancia ~*ta* 부당 이득. tenencia ~*ta* de armas 무기 불법 소지.

ilimitado, da *adj.* 무한(無限)의, 끝없는, 무제한의: espacio ~ 끝없는 공간[우주]. huelga ~*da* 무기한 파업. responsabilidad ~*da* 무한 책임.

ilion *m.* [해부] 장골(腸骨).

-illo, lla *suf.* [축소 · 애칭의 접미어] arbol*illo*, libr*illo*, guap*illo*, mentiro*silla*.

-ilo *suf.* 「화학의 기(radical químico)」의 뜻: acet*ilo*, ac*ilo*, et*ilo*.

Ilmo. Ilustrísimo 예하(猊下).

ilocalizable *adj.* 국한할 수 없는.

ilógico, ca *adj.* 비논리적인, 논리에 반(反)하는; 부조리한, 조리에 맞지 않는.

ilota *mf.* ① (고대 스파르타의) 노예. ② 시민권을 박탈당한 사람.

ilotismo *m.* 노예 상태.

iludir *tr.* =**burlar.**

iluminación *f.* ① 조명(照明), 조도(照度): bomba de ~ 조명탄. ② *pl.* 전광 장식(電光裝飾). ③ (사본 등의) 채식(彩飾), 장식 모양. ④ [종교] 계발(啓發), 천계(天啓).

iluminado, da *adj.* ① 조명된. ② [종교] 천계를 받은, 조명파의. —*mf.* 천계를 받았다고 자칭하는 사람. —*mpl.* 조명파 ((1776년 Adán Weishaupt가 창설한 하늘의 계시를 받았다는 이단 종파)).

iluminador, ra *adj.* 비추는, 조명하는. —*mf.* ① 조명 담당자. ② 사본 채식사(寫本彩飾師).

iluminancia *f.* [물리] 조도(照度).

iluminar *tr.* ① 비추다, 조명하다, 밝게 하다. ② 조명 장식을 달다, 조명등으로 장식하다. ③ (사본(寫本) 등을 빛깔 · 무늬 · 장식 글자 등으로) 꾸미다, 채색하다. ④ 계몽하다, 계발하다; (하나님이) 계시[천계]를 주다. ⑤ …을 명백히 하다, 해명하다.

iluminativo, va *adj.* 밝게 하는, 비추는, 조명의; 계몽적인.

iluminismo *m.* [종교] 조명파 이론[운

I

동], 천계설(天啓說).
ilusamente *adv.* 거짓으로, 속여서, 허위로, 틀리게.
ilusión *f.* ① 착각, 환각: ~ óptica 착시(錯視). ② 환상, 몽상; 희망, 꿈: ~ dulce 달콤한 환상. con ~ 꿈을 가지고, 희망을 품고. ③ 기대, 만족, 기쁨. ④ 열심: estudiar con gran ~ 아주 열심히 공부하다. ⑤ [복식] (여성용 베일 등에 사용되는) 투명한 명주 망사: tul ~ de seda 비단으로 된 얇은 망상의 천.
ilusionar *tr.* (…에게) 환상을 품게 하다, 환상에 젖게 하다, 착각을 일으키게 하다. ~**se** [+con] (…에) 환상을 품다[그리다], 꿈을 가지다.
ilusionismo *m.* 요술(妖術).
ilusionista *mf.* 요술쟁이.
ilusivo, va *adj.* =**falso, engañoso, aparente.**
iluso, sa *adj.* ① 속임수에 넘어간, 유혹당한, 피인. ② 망상[환상]에 빠지기 쉬운, 망상적인, 몽상적인(soñador).
ilusorio, ria *adj.* ① =**engañoso, irreal, ficticio:** promesa ~*ria* 거짓 약속. ② 착각하기 쉬운; 덧없는, 허망한(nulo).
ilustración *f.* ① 삽화, 도해, 일러스트레이션 ((도판, 사진도 포함)): libro sin *ilustraciones* 삽화가 있는 책, 글자만 있는 책. ② 설명, 해설, 예증. ③ 학식, 교양: no tener ninguna ~ 전혀 교양이 없다.
Ilustación *f.* (18세기의) 계몽 운동.
ilustrado, da *adj.* ① 사진[삽화·도해]를 넣은: diccionario ~ 도해 사전. libro ~ 그림책. ② 학식 있는, 교양이 풍부한. —*mf.* 계몽파, 계몽주의자.
ilustrador, ra *adj.* 삽화[사진·도해]를 넣은. —*mf.* 삽화가, 일러스트레이터, 설명자, 도해자.
ilustrar *tr.* ① (책 등에) 삽화[사진·도판]를 넣다, 도해하다. ② (예시 등을 들어) 설명하다, 예증하다. ③ 계몽하다, 계발(啓發)하다, 교화하다; [+sobre] (…에 대해) …에게 교시하다. ~**se** 지식을 얻다, 알다.
ilustrativo, va *adj.* 설명적인, 실례(實例)가 되는, 예증하는.
ilustre *adj.* ① 저명한, 유명한, 뛰어난: escritor ~ 저명한 작가. escuela ~ 명문 학교. familia ~ 명문가. ② [경칭] 고명하신: ~ señor director 고명하신 교장 선생님.
ilustrísmo, ma *adj.* [주교·귀족 등의 존칭에 붙임] … 전하, … 예하, … 각하: ~ señor obispo 주교 예하. ~ gobernador 총독 각하.
im- *pref.* ☞-in[1], -in[2].
imagen *f.* ① (거울 등에 비치는) 상, 영상; (텔레비전 등의) 화상, 화면: ~ consecutiva, ~ restante 잔상(殘像). cultura por *imágenes* 영상 문화. ② 자태, 모양; 양상. ③ 심상(心像), 이미지. ④ 비유; 상징. ⑤ 성상(聖像), 성화. ¶*ser la viva* ~ *de* alguien (누구를) 빼닮다.
imaginable *adj.* 상상할 수 있는.
imaginación *f.* ① 상상, 상상력, 공상력: falta de ~ 상상력의 결여. ② [주로 *pl.*] (근거가 없는) 공상, 몽상.
imaginar *tr.* ① 상상하다. ② 생각하다. ③ 고안하다. ~**se** 상상하다.
imaginaria *f.* ☞**imaginario.**
imaginariamente *adv.* 상상해서.
imaginario, ria *adj.* 상상상(想像上)의, 가상의, 가공의: enemigo ~ 가상 적국. figura ~*ria* 가공 인물. —*f.* [군사] 예비 위병.
imaginativo, va *adj.* 상상의, 상상력이 풍부한. —*f.* 상상력; 상식.
imaginería *f.* 성상 조각하기[그리기].
imaginero, ra *mf.* 성상 조각사[화가].
imago *m.* [동물] 성체, 성충(成蟲).
imam *m.* =**imán**[2].
imán[1] *m.* ① 자석: ~ de barra 막대자석. ~ de herradura 마제형 자석. ~ permanente 영구 자석. ~ temporario 일시 자석. ② 매력.
imán[2] *m* ① (이슬람교의) 이맘, 도사(導師) ((이슬람교 사원에서 집단 예배를 인도하는 자)). ② (이슬람 사회에서 정신적·종교적) 지도자; (때로는 정치적) 지도자.
imanación *f.* 자화(磁化).
imanador, ra *adj., mf.* 자화(磁化)하는 (사람).
imanar *tr.* =**imantar.**
imantación *f.* =**imanación.**
imantar *tr.* 자화하다. ~**se** 자화되다.
imbancable *adj. Arg., Ur.* =**insoportable, molesto, intolerable.**
inbatibilidad *f.* 무적, 불패.
imbatible *adj.* ① 무적(無敵)의, 불패의: equipo ~ 무적 팀. ② 깨뜨릴 수 없는: récord ~ 깨뜨릴 수 없는 기록.
imbatido, da *adj.* ① 무적의, 불패의. ② [운동] 골을 먹지 않은 적이 없는.
imbécil *adj.* ① 우둔한, 멍청한, 바보의, 천치의: ¡No seas ~! 바보짓을 하지 마라!. ② [의학] 정신 박약의. ③ [드묾] 여윈, 약한. —*mf.* ① 우둔한 사람, 바보, 멍청이, 천치. ② 정신 박약자, 정신 장애자.
imbecilidad *f.* ① 저능, 우둔함. ② 바보짓, 어리석은 말: decir ~*es* 바보 같은 말을 하다. ③ 정신 장애, 정신 박약. ④ [드묾] 허약, 약함.
imbécilmente *adv.* 우둔하게, 어리석게.
imbele *adj.* [시어] 전투할 능력이 없는, 힘이 없는, 약한.
imberbe *adj., mf.* (청년이) 아직 수염이 나지 않은 (젊은이).
imbibición *f.* 흡수.
imbornal *m.* (갑판의) 배수구; 물매.
imborrable *adj.* ① 지울 수 없는, 지워지지 않는: tinta ~ 지워지지 않는 잉크. ② 잊을 수 없는, 기억에서 사라지지 않는: dejar un recuerdo ~ 잊을 수 없는 추억을 남기다.

I

imbricación *f.* ① 비늘 모양으로 겹침[포갬]. ② [건축] 물고기 비늘을 모방한 건축 장식.
imbricado, da *adj.* (잎 · 씨앗 · 비늘이 지붕의 기와처럼) 포개어 놓은.
imbricar (7) *tr.* (물고기의 비늘처럼) 부분적으로 포개어 놓다.
imbuir (77) *tr.* 충분히 가르쳐 주다, 철저히 주입시켜 가르치다, 머리 속에 주입시키다, 일깨워 주다. **~se** [+de] (사상 등에) 완전히 물들다.
-imento *suf.* ☞**-mento.**
-imiento *suf.* ☞**-mento.**
imilla *f. Bol.* 원주민 소녀[처녀].
imitable *adj.* 모방할 수 있는, 본받을 만한.
imitación *f.* ① 모방, 흉내; 모조, 모사: a ~ de …을 흉내내어[모방하여 · 본떠서]. joyas (de) ~ 모조 보석. perlas de ~ 모조 진주. ② 모조품, 모방 작품, 비슷하게 만든 것; 위조품, 가짜. ¶*mono de* ~ (다른 사람이 하는 것을) 모방하는 사람, 모방자.
imitador, ra *adj.* 모방하는, 흉내내는; 위조하는, 모조하는. *—mf.* 모방자; 위조자.
imitamonas *adj., mf.sing.pl* =**imitamonos.**
imitamonos *adj., mf.sing.pl.* 다른 사람의 흉내를 잘 내는 (사람), 원숭이 흉내를 내는 (사람).
imitar *tr.* ① 모방하다, 흉내내다; 본받다, 본보기로 하다. ② 모사하다, 모조하다, …와 비슷하게 하다, 위조하다. ③ 다른 사람[스타일]과 똑같이 하려고 하다[노력하다].
imitativo, va *adj.* ① 흉내내기 좋아하는. ② 모방의, 모방적인; 모조의, 모사의, 위조의: artes *~vas* 모방 예술 ((회화 · 조각 등)). poesía *~va* 모방시. ③ 의음적인, 의성적인: capacidad *~va* 모방 능력. música *~va* 의성 음악. palabras *~vas* 소리흉내말.
imitatorio, ria *adj.* [드묾] =**imitativo.**
imoscapo *m.* [건축] 기둥의 아랫부분.
impaciencia *f.* 성급함; 조급, 안달, 초조(감), 조바심; (고통 · 압박 등을) 참을 수 없음: con ~ 성급하게, 조바심하며, 초조하게.
impacientar *tr.* 초조하게 하다, 조바심이 나게 하다, 안달하게 하다. **~se** 초조해 하다, 조바심이 나다, 안달하다, 인내심을 잃다: *~se* por un retraso 지연[지체]으로 초조해 하다.
impaciente *adj.* ① 성급한, 조급한, 참을성 없는: No seas tan ~ 그렇게 성급하게 굴지 마라. ② 안달하는, 조바심하는, 초조해 하는, 안타까워하는; 몹시 …하고 싶어하는, 갈망하는: estar ~ *con* [*de* · *por*] la tardanza 늦어서 초조해 하다.
impacientemente *adv.* 성급하게, 조바심하며(con impaciencia).
impactante *adj.* 충격적인.
impactar *tr.* ① 물리적 충격을 일으키게 하다. ② …에게 정신적 충격을 주다. *—intr.* [+en] (…에) 충격을 주다.
impacto *m.* ① 착탄(着彈). ② 탄흔(彈痕): Hay *~s* de bala en la pared 벽에 탄흔이 남아 있다. ③ (물리적 · 정신적인) 충격. ④ (강한) 영향(력), 충격. ¶*~ ambiental* 환경에 주는 영향, 환경 충격.
impagable *adj.* ① 지불할 수 없는. ② 아주 중요한, 극히 귀중한.
impagado, da *adj.* 미불의, 미반제(未返濟)의, 아직 갚지 않은. *—m.* 아직 갚지 않은 빌린 돈, 미반제 차금.
impago, ga *m.* 미불(未拂), 미반제(未返濟). *—adj. Bol., Chile, Ecuad., Perú.* (사람이) 정해진 지불금을 아직 받지 못한.
impajaritable *adj.* ① *Chile, Ecuad.* = **inevitable.** ② *Ecuad.* =**forzoso, obligado.** *—adv. Chile.* 예외 없이.
impala *m.* [동물] 임팔라 ((아프리카산 영양(羚羊)))
impalpable *adj.* ① 만져서 알 수 없는, 실체가 없는, 무형의. ② 간신히 만져서 알 수 있는. ③ 미세한, 희미한, 미약한, 엷은: niebla ~ 엷은 안개. nube ~ 엷은 구름.
impar *adj.* ① 홀수의, 기수의: día ~ 홀수날, 기수일. ② 비류(比類)가 안 된. *—m.* ① 홀수, 기수(número ~). ② *pl.* 홀수 번호의 것.
imparable *adj.* 멈출[제지할] 수 없는.
imparcial *adj.* 공평한, 공명 정대한, 편견이 없는, 불편부당한, 치우치지 않는: juez ~ 공명정대한 재판관. *—mf.* 공명정대한 사람.
imparcialidad *f.* 공평무사, 불편부당, 공명정대, 탕탕평평(蕩蕩平平).
imparisílabo, ba *adj.* 홀수의 음절을 가진.
impartible *adj.* 나누어질 수 없는.
impartición *f.* 나누어 줌.
impartir *tr.* ① 주다, 나누어 주다. ② (지식 · 비밀 등을) 전하다, 알리다, 가르치다: ~ (las) clases 수업을 하다.
impasibilidad *f.* 고통을 느끼지 않음, 무감각; 무감동(無感動), 평정(平靜).
impasible *adj.* ① 고통을 느끼지 않는; 상처를 입지 않는. ② 무감각한, 무신경한, 감정이 없는, 둔감한.
impasiblemente *adv.* 무감각하게, 감성 없이, 둔감하게.
impávidamente *adv.* 대담하게, 침착하게, 겁내지 않고.
impavidez *f.* 대담함, 침착함.
impávido, da *adj.* 대담한, 침착한, 겁내지 않는.
impecabilidad *f.* 과오가 없음, 결점이 없음, 완전 무결함; 죄가 없음.
impecable *adj.* ① 죄를 범하지 않는, 죄 없는, 과실 없는. ② 흠 없는, 결점 없는, 나무랄 데 없는, 완전 무결한, 완벽한: comportamiento ~ 나무랄 데 없는 행동.
impecablemente *adv.* 나무랄 데 없이,

I

완전 무결하게, 완벽하게.
impecune *adj.* 돈[재산]이 없는.
impedancia *f.* ① [전기] 임피던스 ((교류 회로에서 전류에 대한 전압의 비(比))). ② 방해물, 장애물.
impedido, da *adj., m.f.* 수족이 부자연스러운, 불구가 된 (사람). —*m.f.* 신체 장애인, 불구자.
impedidor, ra *adj.* 방해하는. —*m.f.* 방해자.
impediente *adj.* 방해하는.
impedimenta *f.* [군사] 운반하는 양식[탄약류], 보급품.
impedimento *m.* 방해(물), 장애[장해], 지장: ~ en el habla 언어 장애.
impedir (42) *tr.* ① 막다, 방지하다, 저지하다: ~ el paso a *alguien* …의 가는 길을 저지하다[막다]. ② 방해하다: ~ un plan 계획을 방해하다.
impeditivo, va *adj.* 방해하는, 막는, 저지하는, 장애가 되는.
impelente *adj.* 밀어대는, 밀어내는, 몰아내는, 추진하는; 다그치는, 재촉하는.
impeler *tr.* ① 밀다, 밀어대다, 밀어내다. ② =**incitar, estimular.**
impender *tr.* [드묾] 돈을 낭비하다, 돈을 투자하다.
impenetrabilidad *f.* ① 꿰뚫기 어려움. ② [물리] 불가입성(不可入性). ③ 불가해(不可解), 이해할 수 없는 것.
impenetrable *adj.* ① 꿰뚫을 수 없는; 꿰뚫고 들어갈 수 없는: bosque ~ 사람이 들어갈 수 없는 숲. cuerpo ~ a los rayos 엑스선이 투과하지 않는 물체. oscuridad ~ 칠흑 같은 어둠. ② (신비로움 등이) 헤아릴 수 없는, 불가해한; 이해할 수 없는: actitud ~ 이해할 수 없는 태도, 불가해한 태도. misterio ~ 불가해한 신비. rostro ~ 수수께끼 같은 얼굴 생김새. secreto ~ 불가해한 비밀. ③ [물리] 불가입성의.
impenetrablemente *adv.* 꿰뚫을 수 없게, 무감각하게.
impenitencia *f.* 뉘우치지 않음, 개전의 정이 없음.
impenitente *adj.* ① [종교] 회개하지 않는, 개전의 정이 없는. ② 나쁜 습관[행동]의, 악습에 젖은, 악습을 끊지 못하는; 완고한, 고집이 센, 옹고집의.
impensable *adj.* ① 상상할 수도 없는, 감히 생각도 할 수 없는, 도저히 있을 법하지 않은. ② =**irrealizable.**
impensadamente *adv.* 예기치 않게, 뜻밖에, 의외로.
impensado, da *adj.* 예기치 않은, 생각지도 않은, 뜻밖의, 의외의, 생각 밖의: respuesta ~*da* 뜻밖의 대답. viaje ~ 예기치 않은 여행.
impepinable *adj.* 의론의 여지가 없는, 명백한.
impeque *adj. Chile.* 완전한, 완전 무결한, 완벽한, 흠 없는, 결점 없는
imperador, ra *adj.* [드묾] 명령하는.
imperante *adj.* 군림(君臨)하는, 지배적인: clase ~ 지배 계급.
imperar *intr.* (왕 등이) 군림하다, 통치하다, 지배적이다.
imperativamente *adv.* 명령조로, 강압적으로(con imperio).
imperativo, va *adj.* 명령적인, 강제력을 가진: frase ~ [문법] 명령문. —*m.* ① (지상) 명령, 절대적인 필요성. ② [문법] 명령법(modo ~).
imperatorio, ria *adj.* ① 황제의[에 관한]. ② [고어] =**imperioso.**
imperceptibilidad *f.* 감지할 수 없음; 극미, 미세.
imperceptible *adj.* ① 알아챌 수 없을 만큼의, 지각[감지]할 수 없는, 알 수 없는: sonido ~ al oído humano 인간의 귀에는 감지할 수 없는 소리. ② 미소한, 경미한, 희미한, 어렴풋한: huella ~ 희미한 흔적.
imperceptiblemente *adv.* 지각[감지]할 수 없게; 미세하게, 희미하게.
imperdible *adj.* 손해가 없는; 없어지지 않는, 지는 일이 없는. —*m.* 안전핀.
imperdonable *adj.* 용서할 수 없는, 보아넘길 수 없는: error ~ 용서할 수 없는 잘못.
imperdonablemente *adv.* 용서할 수 없게, 보아넘길 수 없게.
imperecedero, ra *adj.* ① 죽지 않는, 없어지지 않는. ② 불멸의, 불후의, 영원의: fama ~*ra* 불후의 명성.
imperfección *f.* ① 미완성, 불완전. ② (가벼운) 결함, 결점, 단점.
imperfectamente *adv.* 불완전하게.
imperfectivo, va *adj.* [문법] 불완료의, 미완료(未完了)의.
imperfecto, ta *adj.* ① 불완전한, 불비한: trabajo ~ 불완전한 일. ② 미완성의. —*m.* ① [문법] 단순미래. ② [문법] 불완료 과거. ¶***futuro (~) de indicativo*** [문법] 직설법 (단순) 미래.
imperforación *f.* [의학] 폐색(閉塞).
imperial *adj.* 황제(皇帝)의[에 관한], 제국(帝國)의[에 관한]: familia ~ 황실. —*f.* (버스 · 전차 등의) 2층 자리.
imperialismo *m.* 제국주의.
imperialista *adj.* 제국주의의; 제정파(帝政派)의. —*m.f.* 제국주의자, 제정파.
impericia *f.* (직업상의) 무능, 미숙: ~ al volante 운전 미숙.
imperio *m.* ① 제국(帝國): Imperio Romano 로마 제국. Sacro Imperio 신성 로마 제국. ② 제정(帝政), 제정기(帝政期), 제위(帝位). ③ 지배, 통치, 제압: ~ de la ley y la justicia 법과 정의의 지배. ~ sobre el mar 제해권(制海權). ④ 한 황제의 통치 기간. ⑤ (정해진 나라에서) 황제들이 제위한 기간. ⑥ 나폴레옹 제국 기간 동안 미술과 장식에 나타난 양식. ⑦ 독일 제국에서 온 삼베의 일종. ⑧ 오만, 거만, 교만. ¶***valer un*** ~ alguien o algo (누가 · 무엇이) 우수하다, 훌륭하다, 장점이 많다, 대단히 가치가 있다.
imperiosamente *adv.* 거만하게, 오만하게, 교만하게.

imperioso, sa *adj.* ① 전제적(專制的)인. ② 건방진, 거만한, 오만한: gesto ~ 거만한 제스처. voz *~sa* 거만한 목소리. ③ 강하고 피할 수 없는. ④ 필요한. ⑤ 긴급한.
imperitamente *adv.* 서툴게, 어설프게.
imperito, ta *adj* 미숙한, 서툰, 어설픈.
impermeabilidad *f.* 방수성, 불침투성(不浸透性), 불투과성(不透過性).
impermeabilización *f.* 방수 처리[가공].
impermeabilizante *adj.* 방수 처리[가공]한. —*m.f.* 방수 처리[가공]하는 사람. —*m.* 방수 재료.
impermeabilizar (9) *tr.* ① …에 방수 처리를 하다. ② 접근을 막다: ~ las fronteras 국경 접근을 막다.
impermeable *adj.* ① 방수의, 방수 가공[처리]의: tela ~ 방수포. ② 스며[배어]들지 않는, 불투과성의, 불침투성의. ③ 지각[감각]이 없는. —*m.* 비옷, 레인코트.
impermutabilidad *f.* 교환 불가능.
impermutable *adj.* 교환할 수 없는.
impersonal *adj.* ① 비인격적인, 개성이 없는: estilo ~ 개성이 결여된 문체. ② [문법] 비인칭의, 주어가 없는 ((㉮ 단인칭 [동사가 3인칭 단수형만 사용됨]: 예 *llover, nevar, escarchar* 등. ㉯ [3인칭 복수형의 동사를 사용함]: 예 *Llaman* a la puerta 누가 문을 두드린다. —*m.* 단인칭[비인칭·무인칭] 동사(verbo ~). ¶*en ~, por ~* = **impersonalmente.**
impersonalidad *f.* 비인격성; 비인칭성.
impersonalizar (9) *tr.* [문법] 비인칭[무인칭] 동사로 사용하다.
impersonalmente *adv.* ① 비인격적으로, 비인간성으로. ② [문법] 비인칭[무인칭]으로.
impersuasible *adj.* [드묾] 설득할 수 없는, 고집 불통의.
impertérrito, ta *adj.* (어떤 일에도) 동요하지 않는, 안색 하나 변하지 않는.
impertinencia *f.* ① 무례, 예의에서 벗어남, 버릇없음; 건방짐, 주제넘음. ② 무례한 행동[말]: decir una ~ 무례한 말[행동]을 하다.
impertinente *adj.* 주제넘은, 건방진, 뻔뻔한, 무례한, 버릇없는. —*m.f.* 주제넘은 사람, 건방진 사람, 무례한 사람. —*m.pl.* (여자들이 사용하는) 손잡이 달린 안경(anteojos con manija).
impertinentemente *adv.* 주제넘게, 건방지게, 뻔뻔스레, 무례하게, 버릇없이.
imperturbabilidad *f.* 침착, 냉정, 태연자약, 태연함.
imperturbable *adj.* 침착한, 냉정한, 태연한, 동요하지 않는: sonrisa ~ 언제나 변하지 않는 미소. permanecer ~ 태연 자약하게 하고 있다.
impétigo *m.* [의학] 농가진(膿痂疹).
impetra *f.* [드묾] =**licencia, permiso.**
impetración *f.* 출원, 간원, 탄원.
impetrador, ra *adj., m.f.* 출원[간원·탄원]하는 (사람).
impetrar *tr.* ① 기원[기도]하여 얻다, 탄원하여 얻다. ② 출원[간원·탄원]하다, 간청하다.
impetratorio, ria *adj.* 기원[탄원]하여 얻기 위해 사용하는: epístola *~ria* 탄원서, 신청서.
ímpetu *m.* ① 충동, 자극. ② 격렬함, 과격함, 격정적임. ③ 기세, 힘, 폭력. ④ 열렬함, 열심. ⑤ [기계] 운동량.
impetuosamente *adv.* 맹렬히, 격렬히; 열렬히; 성급히; 충동적으로.
impetuosidad *f.* 충동적임, 자극적임; 맹렬함, 격렬함; 열렬함.
impetuoso, sa *adj.* ① (바람·흐름·속도 등이) 맹렬한, 격렬한: ataque ~ 맹렬한 공격. viento ~ 열풍, 폭풍. ② (기질·행동 등이) 열렬한, 성급한, 충동적인: decisión *~sa* 성급한 결정.
impiadoso, sa *adj.* 신앙심이 없는.
impíamente *adv.* ① 믿음 없이, 신앙(심) 없이, 종교 없이, 경건하지 못하게. ② 무정하게, 인정 없이, 무례하게; 잔인하게.
impiedad *f.* ① 무정함, 자비심이 없음, 인정이 없음. ② 신앙심이 없음. ③ 종교에 대한 모독[적대 행위]. ④ 신앙심이 없는[불경한·사악한] 행위[표현].
impiedoso, sa *adj.* ① 불경(不敬)한, 자비심이 없는. ② [드묾] 신앙심이 없는, 종교가 없는.
impío, a *adj., m.f.* ① 불경(不敬)한 (사람). ② 믿음이 없는, 신앙심이 없는, 종교가 없는 (사람) ③ 종교를 모독하는, 종교를 적대시하는 (사람).
impla *f.* ① (옛날에 사용한) 두건, 면사포. ② (옛날의) 두건[면사포]을 만든 천(tela).
implacabilidad *f.* 누그러뜨릴 수 없는 일, 달랠 수 없는 일.
implacable *adj.* 달랠 수 없는, 누그러뜨릴 수 없는.
implacablemente *adv.* 달랠 수 없이, 누그러뜨릴 수 없이.
implantación *f.* ① 도입, 설치; 정착. ② [의학] 이식(移植). ③ [의학] (수정란의) 착상.
implantador, ra *adj.* ① 도입하는. ② 이식하는.
implantar *tr.* ① 도입하다, 설치하다. ② [의학] 이식하다. ~**se** 정착하다.
implante *m.* ① [의학] 신체에 이식되는 조직 조각. ② [의학] (모발의) 식모(植毛).
implementar *tr.* (무엇을 실현하기 위해 수단 등을) 이용하다; (계획을) 실현하다.
implemento *m.* [주로 *pl.*] 도구, 용구(한 벌)(utensilio).
implicación *f.* ① 연루, 연좌; 밀접한 관계, 관련. ② (뜻의) 포함, 함축, 내포, 암시, 언외(言外)의 의미. ③ *pl.* 영향, 결과.
implicancia *f.* ① *Amér.* =**consecuencia, secuela.** ② *Chile., Ur.* 법적[도덕적] 상반. ③ [드묾] 언외의 의미.

I

implicar (7) *tr.* ① (범죄 등에) 관련시키다, 휩쓸리게 하다, 연루시키다, 휩쓸어 넣다. ② 포함시키다, 함축시키다, 내포시키다, 의미하다, 여러 가지의 뜻을 가지고 있다. ~**se** ① 말려들다, 휩쓸려들다: *~se* en un enredo 분쟁에 말려들다. ② 연루되다, 연좌되다, 연대성을 갖다.

implicatorio, ria *adj.* 의미하는, 뜻하는; 언외(言外)의 의미가 있는, 뜻이 있는.

implícitamente *adv.* 암시적으로, 함축적으로.

implícito, ta *adj.* 내재하는, 잠재하는, 함축적인, 분명히 표현하지 않은, 암시적인, 암묵의: acuerdo ~ 암묵의 합의.

imploración *f.* 간원, 애원, 탄원.

implorador, ra *adj.* 간원[애원]하는.

implorante *adj.* 간원[애원·탄원]하는: tono ~ 애원조.

implorar *tr.* 간원하다, 애원하다, 탄원하다, 눈물로 호소하다: ~ el perdón 용서를 눈물로 호소하다.

implosión *f.* ① 안쪽으로 향한 폭발. ② [천문] 폭축(爆縮) ((천체의 크기를 갑작스레 축소시키는 우주 현상)). ③ [언어] (파열음의) 내파(内波).

implosivo, va *adj.* [언어] (파열음이) 내파(内破)의 (㊀ a*c*to의 c, a*p*to의 p 등). —*f.* 내파음(内破音).

implume *adj.* 날개가 없는.

impluvio *m.* (고대 로마 시대에) 집 뜰에 설치해 놓은 빗물통.

impolítica *f.* ☞**impolítico.**

impolíticamente *adv.* 정치와 관계없이, 비정치적으로.

impolítico, ca *adj.* 정치와 관계없는, 비정치적인; 정치에 관심이 없는. —*f.* [드묾] 무례함, 버릇없음.

impoluto, ta *adj.* 깨끗한, 맑은, 흠이 없는, 티없는.

imponderabilidad *f.* 무게를 달 수 없음; 평가할 수 없는 가치.

imponderable *adj.* ① 무게를 달 수 없는, 분량을 알 수 없는. ② 말할 수 없이 과장된, 평가할 수 없는, 헤아릴 수 없는, 예측 불능의. —*m.* ① 양을 잴 수 없는 것 ((열·빛 등)). ② [주로 *pl.*] 예측할 수 없는 요인, 불확정 요소: Hay muchos *~s* en la política 정치의 세계는 예측 불능 요인이 많다.

imponderablemente *adj.* ① 무게를 달 수 없이. ② 헤아릴 수 없이.

imponedor, ra *adj., m.f.* [드묾] =**imponente.**

imponencia *f.* ① *Chile, Col., RDom., Ven.* 위용, 장엄함, 숭고함. ② *Guat.* =**soberbia, altivez.**

imponente *adj.* ① 당당한, 위압적인; 아주 인상적인: edificio ~ 당당한 건물. ② (수량 등이) 압도적인, 굉장한, 대단한: frío ~ 대단한 추위. mujer ~ 대단한 미인.

imponer (61) *tr.* ① ㉮ [+a+사람] …에게 과하다, 강요하다: ~ una multa 벌금을 과하다. ㉯ [+sobre] 과세하다: ~ un gravamen sobre el juego 도박에 과세하다. ㉰ …에게 존경[외경(畏敬)]의 마음을 일으키게 하다. ㉱ 수여하다. ㉲ 명명(命名)하다. ② [+en] (…에) 예금하다: ~ diez millones wones en un banco 은행에 천만 원을 예금하다. ③ [+en·de] (…을) …에게 (충분히) 가르치다. ④ [종교] (의식에서, …을 누구의 … 위에) 놓다: ~ (las) manos 안수하다. ⑤ [인쇄] 정판하다. **~se** ① (억지로) 짊어지다, 강제되다, 강요되다. ② [+*inf.*·que+*subj.*] (…하는 것이) 필요하다, …해야 한다. ③ 자신에게 과(課)하다. ④ 영향력을 미치다[행사하다], 우위에 서다, 우위를 점하다, 뛰어나다. ⑤ [운동] 이기다, 승리하다.

imponible *adj.* 과세되는, 과세 대상이 되는: líquido [ingreso] ~ 과세 대상.

impopular *adj.* 인기 없는.

impopularidad *f.* 인기 없음.

importable *adj.* ① 수입할 수 있는. ② [고어] 견딜 수 없는, 참을 수 없는.

importación *f.* ① 수입(輸入): ~ de capital(es) 자본 수입. ~ de petróleo 석유 수입. ~ libre 면세 수입. ~ secreta 밀수입. ~ temporal 임시 수입. ② [집합] 수입품(artículos de ~).

importador, ra *adj.* 수입하는: compañía *~ra* de automóviles 자동차 수입 회사. —*mf.* 수입업자.

importancia *f.* ① 중요성(重要性), 중대함. ② (지위·신분 등에 의한) 세력, 권위: hombre de ~ 세력가, 유력자(有力者), 중요 인물. posición de ~ 중요 지위. ¶***darse*** alguien ~ 우월성[세력]을 뽐내다, 젠 체하다, 재다. ***ser*** algo ***de la*** ~ de alguien (…이 …에게) 관계가 있다.

importante *adj.* ① 중요한, 중대한, 소중한, 의의있는: ~ lesión en el cerebro 뇌에 입은 중대한 손상. ser ~ que + *subj.* …하는 것이 중요하다. ② 지위가 높은, 신분이 높은; 인망이 두터운: escritor ~ 대작가. periodista ~ 대기자. persona muy ~ 요인, 중요 인물, VIP. ③ 대량의, 상당한 양의: una importante suma de dinero 제법 큰 돈. ¶***lo*** ~ ***es*** ***+inf.*** ·***que+subj.*** 중요한 것은 …이다.

importantemente *adv.* 중요하게, 소중하게(con importancia).

importar *tr.* ① (어떤 액·양에) 이르르다, 총계 …이 되다. ② 수입하다: ~ materias primas del extranjero 외국에서 원료를 수입하다. ③ 내포하고 있다, (자신의) 안에 가지고 있다. ④ [고어] =**contener, ocasionar, causar.** —*intr.* ① 중요하다. ② 관계가 있다, 상관이 있다: No *importa* 상관없다, 괜찮다, 천만에요.

importe *m.* 대금, 금액, 요금.

importunación *f.* 귀찮게 조름, 끈질긴 부탁, 거추장스러움.

importunadamente *adv.* 거추장스레.

importunamente *adv.* ① 끈질기게, 집

요하게, 귀찮게. ② 제철이 아닌 때에, 엉뚱하게.

importunar *tr.* 귀찮게 조르다, 애를 먹이다, 괴롭히다.

importunidad *f.* ① 철이 지남. ② 졸라대서 귀찮음.

importuno, na *adj.* ① 제철이 아닌, 철이 지난, 시기가 지난. ② 귀찮은, 골치 아픈: trabajo ~ 귀찮은[성가신] 일.

imposibilidad *f.* 불가능(성); 불가능한 일, 있을 수 없는 일. ¶*imposible de toda* ~ 절대 불가능.

imposibilitado, da *adj.* (신체가) 부자유한(tullido). —*mf.* 신체 장애자

imposibilitar *tr.* 불가능하게 하다. ~**se** (손발이) 부자유스럽다, 불구가 되다.

imposible *adj.* ① 불가능한, 있을 수 없는: amor ~ 이루기 어려운 사랑, 불가능한 사랑. ② 극히 어려운. ③ 참을 수 없는, 감당할 수 없는, 몹시 싫은: ponerse ~ 어찌할 수 없다, 감당할 수 없다. —*m.* 불가능한 것, 극히 어려운 일. ¶*hacer los ~s* (목적 달성을 위해) 모든 방법을 다 쓰다, 온갖 노력을 다하다.

imposiblemente *adv.* 불가능하게, 있을 것 같지도 않게.

imposición *f.* ① (벌금 등을) 과함; 과세(課税): ~ directa 직접 과세. ~ indirecta 간접 과세. ② 강압, 강요, 내리누름, 밀어붙임. ③ 예금: ~ a plazo 정기 예금. ④ 사기 행위(impostura). ⑤ [인쇄] 정판. ¶ ~ *de manos* [종교] 안수(按手).

impositivo, va *adj.* 과세의: carga ~*va* 조세 부담. política ~*va* 조세 정책.

impositor, ra *mf.* 예금자(預金者).

imposta *f.* [건축] 홍예굽, 아치굽 ((홍예 밑을 받치는 돌)).

impostación *f.* [음악] (소리를) 일정한 높이로 발함.

impostar *tr.* [음악] (소리를) 일정한 높이로 발하다.

impostergable *adj.* 미룰 수 없는, 늦출 수 없는.

impostor, ra *adj.* ① 속이는, 사기적인. ② 모략하는, 중상하는. —*mf.* ① 사기꾼, 협잡꾼. ② 중상자, 모략자.

impostura *f.* ① 사기 행위, 속임수. ② 중상, 모략.

impotable *adj.* 마실 수 없는.

impotencia *f.* ① 무력(無力), 무기력, 무능(無能). ② [의학] (남성의) 성교 불능, 발기 부전, 음위(陰萎).

impotente *adj.* ① 무력한, 무기력한. ② 무능한, (…할) 능력이 없는. ③ [의학] 성교 불능의, 발기 부전의, 음위의. —*m.* 성교 불능자.

impracticabilidad *f.* 실행 불가능(함).

impracticable *adj.* ① 실행할 수 없는, 실행 불가능한: La operación fue ~ 수술은 불가능했다. ② (도로·장소가 편리하게) 걸을 수 없는, 지나갈 수 없는, 통행할 수 없는: camino ~ 통행할 수 없는 길.

imprecación *f.* ① (재난 등의) 기원. ② 저주(의 말).

imprecar (7) *tr.* ① (재난·저주 등을) 빌다, 기원하다. ② 저주하다.

imprecatorio, ria *adj.* 저주하는: exclamación ~*ria* 저주의 외침[절규]. fórmula ~*ria* 저주의 문구.

imprecisión *f.* 부정확(함), 불명확(함).

impreciso, sa *adj.* ① 정확하지 않은, 부정확한. ② 애매한, 애매 모호한, 부정한(vago, indefinido).

impredecibilidad *f.* 예언할 수 없음.

impredecible *adj.* 예언[예측]할 수 없는(que no se puede predecir).

impregnable *adj.* 수정[수태] 가능한; 침투 가능한, 스며들 수 있는.

impregnación *f.* ① 침투, 스며듦. ② =**impronta.**

impregnar *tr.* ① 깊이 스며들게 하다, 배어들게 하다. ② 흠뻑 적시다. ③ 깊숙이 영향을 미치다[작용하다].~**se** ① 깊이 스며들다. ② (사상 등이) 물들다, 영향을 받다.

impremeditación *f.* 조심성이 없음, 사려가 깊지 못함, 경거 망동.

impremeditado, da *adj.* ① 사전 계획이 없는, 준비 없는. ② =**irreflexivo.**

imprenta *f.* ① 인쇄술. ② 인쇄 공장, 인쇄소. ③ 인쇄, 인쇄물. ④ 작품에 인쇄된 글자 형태. ⑤ 인쇄 출판(물): ~ literatura 문학 출판(물). ~ política 정치 관계 출판물. leyes de ~ 출판법. libertad de ~ 출판의 자유.

imprescindible *adj.* ① 묵과[무시·배제]할 수 없는. ② 필요한, 필요 불가결한, 없어서는 안 될: lo (más) ~ 절대로 필요한 것. cosas ~*s* para la vida 생활 필수품.

imprescriptibilidad *f.* 기한에 관계 없음, 시효에 걸리지 않음, 절대적임.

imprescriptible *adj.* [법률] (권리·의무 등이) 시효로 소멸되지 않는, 시효에 걸리지 않는, 기한에 관계 없는, 절대적인.

impresentable *adj.* 남의 앞에 내놓을 수 없는, 남의 앞에 나타날 수 없는.

impresión *f.* ① 인쇄, 인쇄물. ② 인상(印象), 느낌. ③ 감상, 감명. ④ 흔적, 표시, 도장. ⑤ 의견. ⑥ =**impronta.** ¶ ~ *dactilar*, ~ *digital* 지문. *de la primera* ~ [드묾] (물건의) 처음의, 새로운.

impresionabilidad *f.* ① 감수성이 민감함, 감수성, 감동성, 민감성. ② 감광도.

impresionable *adj.* ① 감동하기 쉬운, 감수성이 예민한, 감수성이 강한, 민감한, 다감한: niño muy ~ 감수성이 무척 예민한 아이. ② [사진] 감광성의.

impresionante *adj.* ① 인상적인, 감동적인; 놀랄 만한. ② 아주 큰, 당당한: un incendio ~ 큰 화재.

impresionar *tr.* ① 크게 감동시키다, 강한 인상을 주다. ② 촬영하다. ③ 녹음하다. —*intr.* 강한 인상을 주다, 인상지우다: ~ mucho 강한 인상을 주

I

다. ~ mal 나쁜 인상을 주다. **~se** [+por · de · con] (…에) 감동되다.
impresionismo *m.* [미술] 인상파[주의].
impresionista *adj.* 인상파의, 인상주의의. —*mf.* 인상파 예술가.
impresivo, va *adj.* [언어] =apelativo.
impreso, sa *adj.* 인쇄된. —*m.* ① [우편] 인쇄물, 서적 소포: *Impresos* 인쇄물 재중(在中). enviar [mandar] como ~*s* 서적 소포로 보내다. ② 기입 용지: ~ de solicitud 신청 용지.
impresor, ra *adj.* 인쇄하는. —*mf.* 인쇄업자; 인쇄공. —*f.* 앤쇄기, 프린터: ~ (de) láser 레이저 프린터.
imprestable *adj.* 빌려 줄 수 없는.
imprevisibilidad *f.* 예견할 수 없음; 예측할 수 없음.
imprevisible *adj.* 예견할 수 없음; 예측할 수 없는.
imprevisión *f.* 예견[예측] 불능, 선견지명의 결여(falta de previsión).
imprevisor, ra *adj.* 선견지명이 없는, 앞을 내다보지 못하는, 소견이 좁은. —*mf.* 선견지명이 없는 사람.
imprevistamente *adv.* 의외로, 뜻밖에.
imprevisto, ta *adj.* 의외의, 생각 밖의, 뜻밖의: viaje ~ 갑작스런 여행. visita ~*ta* 뜻밖의 방문. —*m.pl.* 임시비, 예비비, 예상치 않은 비용.
imprimación *f.* ① (그림 등의) 사전 준비, 초벽칠. ② [집합] (그림 등의) 사전 준비물, 초벽칠 재료.
imprimadera *f.* (그림 · 문 · 벽 등에 그리거나 칠하기 위해 필요한, 날이 넓은 칼이나 반달 모양의) 쇠[나무] 주걱.
imprimador, ra *adj., mf.* 초벽칠하는 (사람).
imprimante *m. Perú.* (벽 등의) 초벽칠, 밑그림.
imprimar *tr.* ① (그림 등의) 사전 준비[초벽칠]를 하다. ② *Col., Perú.* 비포장 도로를 아스팔트로 덮다.
imprimátur *m.sing.pl.* (교회가 주는) 출판 인가.
imprimir *tr.* ① 인쇄하다, 출판하다: ~ diez mil ejemplares 만 부 인쇄하다. ~ en [sobre] papel 종이에 인쇄하다. ~ en redondas 로마체로 인쇄하다. ② 인쇄된 작품을 수집하다. ③ [섬유] 프린트하다, 날염하다. ④ (흔적을) 남기다, (도장 등을) 찍다, 누르다, 각인(刻印)을 누르다. ⑤ 마음에 새기다[주입시키다]. ⑥ (조직체의) 진로를 정하다, 특징짓다: ~ un nuevo estilo a una empresa 회사를 새로운 방향으로 진로를 정하다.
improbabilidad *f.* 사실 같지 않음, 있음직하지 않음, 일어남직하지 않음.
improbable *adj.* 일어날 듯하지 않은, 있음직하지 않은, 사실 같지 않은.
improbablemente *adv.* 있음직하지 않게(con improbabilidad).
improbar *tr. Amér.* =desaprobar.
improbidad *f.* 불성실, 정직하지 못함, 부도덕함; 사악함.
ímprobo, ba *adj.* ① 성실하지 못한, 곧지[정직하지] 못한; 사악한. ② (일 · 노력이) 과중한, 심한: esfuerzo ~ 대단한 노력. trabajo ~ 과중한 일.
improcedencia *f.* 근거 부족; 부당성; 부적절함.
improcedente *adj.* 부당한, 형편이 좋지 않은: despido ~ 부당 해고.
imprductivo, va *adj.* 불모의, 비생산적인: tierras ~*vas* 불모지.
improfanable *adj.* 신성(神聖)한, 더럽힐 수 없는
improlongable *adj.* 연장할 수 없는; 늘릴 수 없는.
impromptu *m.* [음악] 즉홍곡, 즉석 연주(improvisación).
impronta *f.* ① 틀, 본(本), 형(型), 거푸집. ② (정신적인) 흔적, 각인(刻印), 영향. ③ [심리] 첫 인상 각인.
impronunciable *adj.* ① 발음할 수 없는, 발음이 불가능한; 발음이 매우 어려운: palabra ~ 발음이 매우 어려운 낱말. ② (도덕 · 좋은 맛 등을 나쁘게 하지 않기 위해) 말해서는 안 되는. ③ [드묾] 말로 표현할 수 없는, 말로 다 할 수 없는.
improperar *tr.* [드묾] (…에게) 욕하다, 악담하다, 잡소리를 하다.
improperio *m.* ① [주로 *pl.*] 비난, 비방, 모욕(적인 말), 욕설, 욕지거리. ② [천주교] 임프로페리아 곡(曲) ((유태인 · 불신자들의 구세주에 대한 모욕 · 천대를 힐난하는 교송(交誦); 십자가 장식 동안 성금요일 제식에서 불려지는 곡)).
imporpiamente *adv.* 부적절하게, 부적당하게.
impropiar *tr.* [고어] 말을 부적절하게 사용하다.
impropiedad *f.* ① 부적절. ② (말의) 오용(誤用), 부적절한 표현.
impropio, pia *adj.* ① 부적절한, 부적당한: palabra ~*pia* 부적절한 말. ② 가짜의, 모조의. ③ 다른, 이상한.
improporción *f.* 부조화, 불균형.
improporcionado, da *adj.* 균형이 잡히지 않은, 정돈되지[가지런하지] 않은.
improrrogable *adj.* 연장할 수 없는, 연기할 수 없는.
impróspero, ra *adj.* [드묾] 불경기의.
improsulto, ta *adj.* ① *Ven.* (남자가) 매우 충성스런, 충실한(muy real). ② *Ven.* (여자가) 매우 아름다운. ③ *Ven.* =excelente.
impróvidamente *adv.* 아무 준비 없이, 불쑥(sin previsión).
impróvido, da *adj.* [드묾] 아무 준비 없는(desprevenido, desapercibido).
improvisación *f.* ① 즉석(에서 하는 일), 즉홍(적으로 하는 일), 임기 응변: a la ~ 즉홍적으로, 즉석에서. ② 즉홍곡, 즉홍시, 즉홍극, 즉홍 연주. ③ 벼락부자, 벼락 출세(medra rápida).
improvisadamente *adv.* 사전 준비 없이, 즉석에서.

I

improvisador, ra *adj.* 즉흥적으로 짓는, 즉석에서 짓는. *—mf.* 즉흥 시인, 즉흥 연주가, 즉흥 연설가.
improvisamente *adv.* 갑자기, 별안간, 사전 준비 없이.
improvisar *tr.* 즉흥적으로 짓다, 즉석에서 하다: ~ un discurso 즉흥 연설을 하다.
improviso, sa *adj.* 갑작스런, 즉흥의, 즉석의, 사전 준비 없는. ¶*al [de]* ~ 사전 준비 없이, 즉석에서, 즉흥적으로.
imprudencia *f.* ① 신중하지 못함, 경솔, 경망(스러움). ② 경솔한 행동[언행]: cometer una ~ 경솔한 짓을 하다. ③ [법률] 과실: homicidio por ~ 과실 치사. ¶ ~ ***temeraria*** [법률] (중대한) 과실, 주의 의무를 태만히 함.
imprudente *adj.* 경솔한, 신중하지 못한: conductor ~ 신중하지 못한 운전수. *—mf.* 경솔한[신중하지 못한] 사람.
imprudentemente *adv.* 경솔히, 신중하지 못하게.
impte. importe 금액, 대금(代金).
impto. impuesto 세금(稅金).
impúber *adj.* 미성년(未成年)의: edad ~ 미성년. *—mf.* 미성년자.
impúbero, ra *adj., mf.* =impúber.
impudencia *f.* =desvergüenza.
impudente *adj.* =desvergonzado.
impúdicamente *adv.* ① =deshonestamente. ② =descaradamente.
impudicia *f.* 파렴치, 후안무치.
impudicicia *f.* =impudicia.
impúdico, ca *adj.* 수를 모르는, 부끄러운 줄 모르는, 신중하지 못한.
impudor *m.* ① 수치심이 없음. ② 후안무치, 파렴치(함).
impuesto[1] *m.* 세금(稅金) ((주로 지방세)): pagar el ~ municipal 시세(市稅)를 납부하다. ¶ ~ ***al valor agregado [añadido]***, ~ ***sobre el valor agregado [añadido]*** 부가 가치세, 소비세. ~ ***directa*** 직접세. ~ ***estatal*** 국세. ~ ***indirecta*** 간접세. ~ ***local*** 지방세. ~ ***revolucionario*** 혁명세, 헌금 ((테러 조직이 강탈이나 협박으로 비용을 내게 하는 제도)). ~ ***sobre donaciones*** 증여세(贈與稅). ~ ***sobre herencia*** 상속세. ~ ***sobre la renta*** 소득세. ~ ***sobre las utilidades [los beneficios]*** 법인 소득세. ~ ***sobre terrenos*** 토지세. ***tienda libre de*** ~ 면세점.
impuesto, ta[2] *adj.* ① *Cuba, Méj.* 길든, 버릇된. ② [+en · de] (…에) 숙달된: estar ~ *en* botánica 식물학에 정통하다. estar ~ *de su* oficio 일에 익숙해 있다.
impugnable[1] *adj.* 반론(反論)할 수 없는, 공격[비난]할 수 없는.
impugnable[2] *adj.* 정복할 수 없는.
impugnación *f.* 항의, 반론.
impugnador, ra *adj., mf.* 반론[비난 · 공격]하는 (사람).
impugnar *tr.* 항의하다, 반론하다: ~ la decisión de un juez 판정에 항의하다. ~ una teoría 이론에 반론하다.
impulsar *tr.* =impeler.
impulsión *f.* [기술] 추진(impulso).
impulsivamente *adv.* 충동적으로.
impulsividad *f.* 충동(적임); 추진(력).
impulsivo, va *adj.* ① 충동적인: compra ~*va* 충동 구매. ② 직정적(直情的)인, 자주 생각 없이 말하는[행동하는], 생각한 것을 꾸밈없이 그대로 나타낸 (사람): niño ~ 직정적인 아이.
impulso *m.* ① 밂, 밀쳐내기, 추진, 추진력: ~ ascencional 상승력. ② 충동, 자극: ~ instintivo 본능적인 충동. ~ suicida 자살 충동. por ~ 발작적으로, 충동적으로. ③ [전기] 펄스, 임펄스, 충격 전류: generador de ~ 임펄스 발생기. modulación de ~ 펄스 변조. ¶***coger [tomar]*** ~ (도약을 위해) 탄력을 돋우다.
impulsor, ra *adj.* 추진하는. *—mf.* 추진자.
impune *adj.* 벌을 받지 않는: crimen ~ 벌을 받지 않는 범죄.
impunemente *adv.* 벌을 받지 않고.
impunidad *f.* 처벌하지 않음, 벌을 받지 않음.
impuntual *adj.* 시간을 지키지 않는.
impuntualidad *f.* 시간을 엄수하지 않음.
impuramente *adv.* 불순하게; 더럽게, 불결하게; 부정하게, 음탕하게.
impureza *f.* ① 불순. ② [주로 *pl.*] 불순물: ~*s* del agua 물의 불순물. ③ 잡종, 순수성의 결여. ¶ ~ ***de sangre*** 잡종(雜種).
impuridad *f.* =impureza.
impurificación *f.* ① 불순함, 혼탁(混濁). ② 오욕(汚辱). ③ (스페인의 19세기의) 공직 추방.
impurificar (7) *tr.* 불순하게 하다.
impuro, ra *adj.* ① 불순한, 불순물이 있는: acción ~*va* 부도덕한 행위, 동기가 불순한 행위. ② 부정한, 음란한.
imputabilidad *f.* 책임 지울 수 있음, 전가시킬 수 있음.
imputable *adj.* (…의 탓으로) 돌릴 수 있는, 책임을 지울 수 있는, 전가할 수 있는.
imputación *f.* ① (죄 · 책임 등을 …에게) 돌림, 전가. ② 혐의. ③ 비난.
imputar *tr.* (죄 · 책임 등을) …에게 돌리다, 씌우다, 전가하다, …의 탓으로 하다: ~ un error *a* la mala suerte 실수를 불운으로 돌리다.
imputrescible *adj.* 쉬 부패하지 않는.
in *prep. lat.* 속으로, 안으로: *in* partibus 이름만으로. *in* promptu 아무런 준비 없이.
in-[1] *pref.* [b · p 앞에서는 *im-*, l · r 앞에서는 *i-* 로 변함]「안에 · 안으로」의 뜻: *in*cluir 포함시키다, *im*portar 수입하다, *ir*rumpir 침입하다.
in-[2] *pref.* [b · p 앞에서는 *im-*, l · r 앞에서는 *i-* 로 변함]「무(無) · 부(不)」의 뜻: *in*acabable 한이 없는, 끝없는,

I

*in*comunicar 고립시키다, *in*acción 활동하지 않음, *im*paciencia 초조, *i*legal 불법의, *ir*real 비현실적인.

inabarcable *adj.* 포함할 수 없는.

inbordable *adj.* 가까이 할 수 없는, 접근할 수 없는: persona ~ 가까이 할 수 없는 사람. tema ~ 난해한 주제.

in absentia *lat.* 부재중(不在中)에.

inacabable *adj.* 끝날 수 없는, 한없는, 끝없는: trabajo ~ 끝없는 일.

inacabado, da *adj.* 미완성의, 하다 만: obra ~*da* 미완성 작품.

inaccesibilidad *f.* 가까이 가기[접근하기 · 도달하기 · 얻기] 어려움.

inaccesible *adj.* ① 가까이 가기[접근하기] 어려운: persona ~ 접근하기 어려운 사람. ② 이해할 수 없는: tema ~ *a* los profanos 문외한에게는 이해하기 어려운 주제.

inaccesiblemente *adv.* 가까이[접근]하기 어렵게.

inacceso, sa *adj.* [드뭄] 지금까지 접근한 적이 없는.

inacción *f.* 활동 중지, 활동하지 않음; 무위; 게으름, 나태: política de ~ 소극적 정책.

inacentuado, da *adj.* (모음 · 음절 · 낱말이) 악센트 없이 발음되는, 악센트(부호)가 없는: palabra ~*da* 악센트가 없는 단어.

inaceptable *adj.* 수락[승낙]할 수 없는, 받아들일 수 없는: propuesta ~ para cualquiera 어느 누구도 수락할 수 없는 제안.

inactividad *f.* 활동하지[활발하지] 않음.

inactivo, va *adj.* 활동하지 않는, 움직이지 않는, 비활동적인, 활발하지 않은: mercado ~ 활기가 없는 시장.

inadaptable *adj.* 적응할 수 없는: niño ~ a la vida escolar 학교 생활에 적응할 수 없는 아이.

inadaptación *f.* 적응하지 못함.

inadaptado, da *adj.* (환경 등에) 적응하지 못하는, 부적응한. —*mf.* 사회에 적응하지 못하는 사람.

inadecuación *f.* 부적절(함).

inadecuado, da *adj.* 부적절한.

inadmisible *adj.* 용납할 수 없는, 승인할 수 없는, 받아들이지 못하는: conducta ~ 용납할 수 없는 행위. teoría ~ 받아들일 수 없는 이론.

inadoptable *adj.* 채택할 수 없는, 받아들이기 어려운.

inadvertencia *f.* 부주의: por ~ 부주의로, 무심코, 깜박.

inadvertidamente *adv.* 부주의로, 방심하여

inadvertido, da *adj.* ① 부주의한, 태만한: persona ~*da* 부주의한 사람. ② 모르는, 익숙하지 못한, 노련하지 못한.

inafectado, da *adj.* 꾸밈이 없는, 자연 그대로의, 거짓이 없는.

inagotable *adj.* 없어지지 않는, 바닥이 나지 않는, 무진장한: recursos ~*s* 무진장한 자원.

inaguantable *adj.* 참을 수 없는, 견딜 수 없는: dolor ~ 참을 수 없는 고통.

inalámbrico, ca *adj.* 무선의: teléfono ~ 무선 전화. telégrafo ~ 무선 전신.

in albis *adv. lat.* ① 바라고 있던 것을 얻지 못하고, 본래 상태 그대로. ② (듣거나 읽은 것을) 이해하지 못하고.

inalcanzable *adj.* 달성할 수 없는, 도달 불능의: objetivo ~ 달성할 수 없는 목표.

inalienabilidad *f.* 양도 불능.

inalienable *adj.* 양도할 수 없는, 양도 불능의.

inalterabilidad *f.* 변경할 수 없음, 불변성, 불역성(不易性).

inalterable *adj.* 변경할 수 없는, 불변(성)의; 변질되지 않는, 변하지 않는: amistad ~ 변하지 않는 우정. color ~ a la luz 빛에 변색되지[바래지] 않는 색.

inalterado, da *adj.* 변질되지 않는, 변하지 않는, 변화를 받지 않는.

inameno, na *adj.* 기분이 좋지 않은.

inamisible *adj.* 잃어버릴 것이 없는.

inamovible *adj.* 움직일 수 없는; 파면되지 않는, 종신 신분 보장의.

inamovilidad *f.* 움직일 수 없음; 파면 불능, 종신 신분 보장.

inanalizable *adj.* 분석할 수 없는.

inane *adj.* ① 헛된: esfuerzo ~ 헛된 노력. ② 쓸모없는, 무익한.

inanición *f.* 기아(飢餓)에 의한 쇠약.

inanidad *f.* =**vacuidad, futilidad.**

inanimado, da *adj.* ① [ser+] 생명이 없는: objetos ~*s* 무생물. ② [estar+] 의식을 잃은.

in ánima vili *adv. lat.* (약의 효력을 시험하기 위해) 인간보다 먼저 비이성 동물(非理性動物)에서.

inánime *adj.* 의식[생명]이 없는.

inapagable *adj.* 꺼지지[사라지지] 않는.

inapeable *adj.* ① 내릴 수 없는. ② =**intransitable.** ③ 이해할 수 없는, 알 수 없는. ④ 완고한, 고집 센.

inapelable *adj.* ① [법률] 상소 불가능한, 확정 판결의. ② 불가피한, 확실한.

inapetencia *f.* 식욕 감퇴, 식욕 부진.

inapetente *adj.* 식욕이 감퇴한[부진한].

inaplazable *adj.* 연기할 수 없는.

inaplicable *adj.* 적용[응용]할 수 없는.

inaplicación *f.* =**desaplicación.**

inaplicado, da *adj.* =**desaplicdado.**

inapreciable *adj.* (가치 · 장점 · 하찮음 등으로) 평가할 수 없는: ayuda ~ 절대적인 도움[원조]. diferencia ~ 하찮은 차이, 적은 차이.

inaprensible *adj.* ① 잡을 수 없는. ② 이해가 불가능한, 이해하기 어려운.

inaprensivo, va *adj.* 집착하지 않는, 구애받지 않는, 성격이 활달한.

inapropiable *adj.* 적용할 수 없는, 자기 것으로 만들 수 없는.

inapropiado, da *adj.* 부적당한, 부적절한, 어울리지 않는.

inaprovechado, da *adj.* 이용이 안 된.

I

inarmónico, ca *adj.* 잘 조화되지 않는.
inarrugable *adj.* (천 등이) 구겨지지 않는: tela ~ 구겨지지 않는 천.
inarticulable *adj.* 발음할 수 없는.
inarticulado, da *adj.* ① (음성이) 불명료한. ② 관절이 없는.
in articulo mortis *adv. lat.* (특히 결혼에 대해) 죽는 순간에, 임종에, 임종 시간에, 임종을 맞아. ¶*matrimonio* ~ 임종 결혼.
inasequible *adj.* 손이 닿지 않는, 도달할 수 없는.
inasible *adj.* (붙)잡을 수 없는.
inasistencia *f.* 결석, 불참(不參).
inasistente *adj.* 불참하는, 참가하지 않는, 결석하는. —*mf.* 불참자, 결석자.
inastillable *adj.* ① 산산조각을 낼 수 없는. ② 부서질 때 날카롭게 부서지지 않는 (유리).
inatacable *adj.* 공격할 수 없는, 난공불락(難攻不落)의.
inatención *f.* 부주의(不注意).
inatento, ta *adj.* 신중하지 못한, 부주의한.
inaudible *adj.* 들을 수 없는.
inaudito, ta *adj.* ① 들어본 적이 없는, 전대 미문의. ② 굉장한, 대단한, 거창한, 심한(monstruoso).
inauguración *f.* ① 개회식, 낙성식, 제막식: ~ del congreso 의회의 개회식. ~ de una autopista 고속 도로 개통식. ~ de una tienda 개점식, 개점 축하식. ② 개시(開始), 단서(端緖).
inaugural *adj.* 개시의, 개회식의, 제막식의, 낙성식의: discurso ~ 개회사.
inaugurar *tr.* ① …의 개회식[낙성식 · 제막식]을 거행하다[열다]: ~ una exposición 전람회의 개회식을 거행하다. ② 개시하다; 창시하다; 개막되다.
inaveriguable *adj.* 조사할 수 없는.
inaveriguado, da *adj.* 조사되지 않은.
INB *m. Esp* *I*nstituto *N*acional de *B*achillerato 국립[공립] 고등 학교.
inca *adj.* 잉카 (사람)의: Imperio *Inca* 잉카 제국. —*mf.* 잉카 사람. —*m.* ① 잉카 말. ② 잉카 황제. ③ 뻬루의 금화. ④ *pl.* 잉카족.
incachable *adj. Salv.* 재간[재주 · 솜씨]이 없는.
incaico, ca *adj.* 잉카족의[에 관한].
incalculable *adj.* ① 셀 수 없는, 계산할 수 없는, 헤아릴 수 없는. ② 매우 큰, 매우 많은, 수많은: fortuna ~ 운수 대통, 행운.
incalificable *adj.* ① 언어 도단의, 말로 다할 수 없는, 형용할 수 없는. ② 무척 나무랄 만한.
incanato *m.* 잉카 제국.
incandescencia *f.* ① 백열(白熱) (상태): lámpara de ~ 백열등. ② 열광.
incandescente *adj.* 백열의: lámpara ~ 백열등.
incansable *adj.* 피로를 모르는, 지구력이 있는, 근기(根氣)가 좋은.
incapacidad *f.* ① 능력 부족, (육체적 · 정신적인) 불능: ~ laboral 노동 불능. ② [법률] 무능력.
incapacitado, da *adj.* (법적) 자격이 없는. —*mf.* 무자격자.
incapacitar *tr.* 부적격하다.
incapaz *adj.* ① [+de] (…을) 할 수 없는, 불가능한: Ella es ~ *de* mentir 그녀는 거짓말을 할 수 없다. Ella es ~ *de* matar una mosca 그녀는 모기도 죽일 수 없다. ② [+para] (…에) 부적격한: Ella es ~ *para* ese trabajo 그녀에게는 그 일이 무리다. ③ 무능한, 재능이 없는: hombre ~ 무능한 남자. ④ [법률] 행위 능력이 없는, 무능력한. ⑤ [+para] 수용 능력이 없는. —*mf.* ① 쓸모없는 사람. ② [법률] 무능력자.
incardinación *f.* (성직자를) 교구에 입적시킴.
incardinar *tr.* (성직자를) 교구에 입적시키다.
incario *m.* 잉카 제국.
incasable *adj.* ① 결혼할 수 없는. ② 결혼 기피의. ③ 배우자(cónyuge)를 찾기가 어려울 것 같은.
incásico, ca *adj. Ecuad.* =incaico.
incasto, ta *adj.* [드묾] =**deshonesto.**
incausto *m.* 불에 태우기.
incautación *f.* 압수, 압수품.
incautamente *adv.* 신중성이 없이, 부주의하게, 방심하여.
incautarse *r.* [+de] (…을) 압수하다: La policía *se incautó de* una pistola 경찰은 권총을 압수했다.
incauto, ta *adj.* ① 신중하지 못한, 조심성이 없는, 부주의한. ② 솔직한, 천진스러운, 악의가 없는.
incendaja *f.* 가연물(可燃物), 방화 재료.
incendiar (11) *tr.* 방화하다, 불을 지르다: ~ un edificio 건물에 불을 지르다. ~**se** 불이 나다, 타다, 타서 없어지다: *Se incendió* la fábrica 공장에 불이 났다, 공장에 불이 나 타버렸다.
incendiario, ria *adj.* ① 화재를 일으키는: botella ~*ria* 화염병. ② 선동적인, 도발적인: discurso ~ 선동적인 연설. —*mf.* 방화범.
incendio *m.* ① 화재, 큰 불: causar ~ 불을 내다. ~ provocado 방화(放火). ② (애정 등의) 격정, 불타오름.
incensación *f.* 향 피우기; 아첨, 아부.
incensada *f.* 향로 흔들기; 아부, 아첨.
incensar (19) *tr.* ① (…에게) 향연(香煙)[향을 피우는 연기]을 보내다. ② 아부하다, 아첨하다(lisonjear, adular).
incensario *m.* [종교] (매다는) 향로.
incensurable *adj.* 비난할 수 없는.
incentivar *tr.* 자극하다.
incentivo, va *adj.* 자극적인, 고무하는. —*m.* 자극물, 미끼, 유인, 동기: ~ para invertir 투자 유인.
incentro *m.* [수학] 내심(內心).
incerteza *f.* [드묾] =**incertidumbre.**
incertidumbre *f.* ① 불확실성. ② 반신반의(半信半疑).
incertísimo, ma *adj.* 매우 불확실한.

I

incesable *adj.* 쉬지 않는, 중지하지 않는, 쉴 수 없는, 중지할 수 없는.
incesablemente *adv.* 쉬지 않고, 끊임없이, 쉴 사이가 없이.
incesante *adj.* 쉬지 않는, 끊임없는, 쉴 사이가 없는, 그치지 않는, 계속되는, 부단한: ~*s* peticiones 쉴 새 없는 청구. lluvia ~ 계속 내리는 비, 그치지 않는 비.
incesantemente *adv.* 쉬지 않고, 쉴 새 없이, 끊임없이, 계속(sin cesar).
incestar *intr.* [고어] 근친 상간을 범하다(cometer incesto).
incesto *m.* 근친 상간(近親相姦).
incestuosamente *adv.* 근친 상간으로.
incestuoso, sa *adj.* ① 근친 상간을 범하는. ② 근친 상간의[에 관한]. —*mf.* 근친 상간자.
incidencia *f.* ① (사소한 · 우발적인) 일, 사건, 사고: La vida está llena de ~*s* 인생은 사소한 일들로 가득하다. ② 영향, 파급 효과, 파장. ③ (죄 · 과실 등에) 빠짐. ④ [물리] 입사(入射), 투사(投射). ⑤ [경제] (간접세 등의 최종적인) 전가, 귀착. ⑥ [의학] (병의) 발생숫자, 발생률, 이병률, 이환율. ¶*por* ~ 우연히(por casualidad).
incidental *adj.* ① 부대적인, 부수의: gastos ~*es* 모든 경비, 모든 잡비. ② 우발적인: detención ~ del trabajo 일시적인 작업 중지. ③ [문법] 삽입의: oración ~ 삽입문.
incidentalmente *adv.* 부수적으로; 우발적으로(incidentemente).
incidente *m.* ① 사소한[하찮은] 일. ② 지장, 혼란, 트러블: ~ diplomático 외교 분쟁. ③ (폭동 등의) 사건, 사변(事變), 큰 변고. ④ (두 사람이나 두 사람 이상의) 승강이, 다툼, 싸움. —*adj.* ① =**incidental.** ② [물리] 입사(入射)의, 투사(投射)의: rayo ~ 입사 광선.
incidir[1] *intr.* ① (죄 · 과실에) 빠지다, 물들다, 잘못하다, 실수를 저지르다: ~ *en* un vicio 악습에 물들다. ② 강조하다: ~ *en* la necesidad de *algo* …의 필요성을 강조하다. ③ 영향을 미치다. ④ (광선 등이) 비치다.
incidir[2] *tr.* ① 자르다, 베다, 잘라내다, 부수다, 가르다. ② 새기다, 새겨 넣다(inscribir, grabar). ③ 나누다(separar, apartar). ④ [의학] 절개(切開)하다, 째다, 째어서 열다.
incienso *m.* ① (종교 의식에서 사용하는) 향, 유향(乳香): quemar ~ 향을 피우다. ② 향연(香煙), 향의 연기. ③ 아첨, 아부.
inciente *adj.* [고어] 모르는.
inciertamente *adv.* 불확실하게; 불안하게; 불안정하게.
incierto, ta *adj.* ① 불확실한, 확실하지 않은: información ~*ta* 불확실한 정보. ② 불안정한. ③ 모르는.
incinerable *adj.* (특히 은행권의) 소각된: billetes ~*s* 폐기 태환권, 폐기 은행권.
incineración *f.* ① 소각. ② 화장(火葬).
incinerador, ra *adj.* 재로 만든, 소각하는. —*m.* (주로 시체의) 소각로.
incineradora *f.* =incinerador.
incinerar *tr.* 소각하다; (특히 시체를) 화장하다.
incipiente *adj.* 초기의, 시작의, 발단의: día ~ 새벽, 여명. la fase [la etapa] de cáncer 암의 초기 단계.
incipit *m.* (중세의 사본(寫本) 등의) 모두(의 말).
incircunciso, sa *adj.* 할례(割禮)를 받지 않은.
incircunscripto, ta *adj.* =incircunscrito.
incircunscrito, ta *adj.* 한계 밖의, 테두리 밖의.
incisión *f.* ① [의학] 절개(切開), 절단: hacer una ~ 절개하다. ② =**cesura.**
incisivo, va *adj.* ① 자르기[열기]에 적당한. ② =**punzante, mordaz.** —*m.* 앞니(diente ~).
inciso, sa *adj.* (문체가) 자주 끊어진: estilo ~ 자주 끊어진 문체. —*m.* (문장의) 절, 항; [문법] 삽입구, 구두점.
incisorio, ria *adj.* (특히 외과 기구가) 절단하는, 절단할 수 있는.
incisura *f.* [의학] =**escatodura, fisura, hendidura.**
incitación *f.* ① 격려, 고무. ② [+a] (…에의) 선동, 교사: ~ *a* la revuelta 교란의 선동. ~ *al* asesinato 살인 교사.
incitador, ra *adj.* 꼬드기는, 부추기는, 교사하는. —*mf.* 선동자; 교사자.
incitamento *m.* 자극물, 자극하는 것.
incitamiento *m.* =**incitamento.**
incitante *adj.* 자극하는; 욕정을 유발시키는, 흥분시키는.
incitar *tr.* 자극하다, 선동하다, 부추기다, 꼬드기다.
incivil *adj.* 버릇없는; 촌스러운, 교양없는: comportamiento ~ 촌스런 행동. hombre ~ 교양 없는 사람.
incivilizado, da *adj.* 버릇없는; 미개한.
inclasificable *adj.* 분류할 수 없는.
inclemencia *f.* ① 냉혹, 무정함, 무자비. ② [주로 *pl.*] (기후, 특히 추위의) 험함, 혹독함. ¶*a la* ~ 노천에, 야외에, 비바람에 내맡겨져.
inclemente *adj.* ① 무정한, 냉혹한. ② (날씨가) 험한, 거칠고 궂은; (기후가) 혹독한, 추운.
inclín *m.* ① *León, Sal.* =**inclinación, propensión.** ② *León, Sal.* =**índole, carácter, temperamento.**
inclinación *f.* ① 기울어짐, 기울기, 경사: ~ de un tejado 지붕의 물매[경사도]. ② (머리 · 몸으로 하는) 인사, 절. ③ 애정, 사랑, 성향, 경향. ④ *pl.* 기질, 성벽: *inclinaciones* conservadoras 보수적 경향[기질] sentir ~ por …에 애정을 느끼다. tener ~ por los niños 아이들을 좋아하다. tener ~ a mentir 거짓말을 하는 벽이 있다. ⑤ [지리] 경각. ¶~ ***de la aguja magnética***

[물리] 복각(伏角), 경각(傾角).

inclinado, da *adj.* ① 경사진: plano ~ 사면(斜面). ② [+a] (…의) 경향[성향]이 있는.

inclinador, ra *adj., m.f.* 기울이는, 구부리는, 인사하는 (사람).

inclinar *tr.* ① 기울이다, 경사지게 하다, (몸을) 구부리다: ~ el cuerpo hacia atrás 몸을 뒤로 기울이다. ~ la cabeza 머리를 숙이다, 머리를 숙여 인사하다. ② …하게 하다, …하는 마음이 내키게 하다. —*intr.* [드묾] 많이 닮다. ~**se** ① 경사지다, 기울다. ② 몸을 굽히다[구부리다]: ~*se hacia* adelante 몸을 앞으로 구부리다. ③ [a+*inf.*] (…하는) 경향이 있다, 곧잘 …하다, …하기 쉽다: *Me inclino a* creerle 나는 그를 믿는 경향이 있다. ④ [+por] (…에) 찬성하다, 편들다. ⑤ [+a] (…을) 약간 닮다.

ínclito, ta *adj.* 저명한, 유명한, 훌륭한.

incl(s) incluso(s) 동봉물.

incluir (77) *tr.* ① (…을) 안에 넣다, 포함시키다; (편지에) 동봉하다: ~ un cheque en una carta 편지에 수표를 동봉하다. ② 포함하다, 함유하다: IVA *incluido, incluido* IVA 소비세 포함해서. ~**se** 자기 자신을 포함시키다.

inclusa *f.* (아동의) 양호 시설, 고아원.

inclusero, ra *adj.* 양호 시설에서 자란[자라는]. —*m.f.* 양호 시설에서 자라는 아이, 고아.

inclusión *f.* ① 포함, 함유. ② [광물] 함유물. ③ [드묾] (다른 사람과의) 관계, 우정.

inclusivamente *adv.* 포함해(서), 포함시켜, 한데 묶어.

inclusive *adv.* 포함하여, 한데 묶어서 : hasta el día quince (15일을 포함하여) 15일까지. desde el lunes al sábado, ambos ~ (월요일과 토요일을 포함하여) 월요일부터 토요일까지.

inclusivo, va *adj.* 포함하는, 포함시킬 수 있는.

incluso *adv.* ① 그 위에, 게다가. ② 포함하여, 봉해 넣어, 뭉뚱그려. ③ …까지도, …조차(hasta, aun): *Incluso* a los enemigos amó 그는 적까지도 사랑했다. *Incluso* los niños lucharon por la libertad 아이들까지도 자유를 위해 싸웠다.

incoación *f.* (심리 등의) 개시, 시작.

incoar *tr.* (심리 등을) 개시하다.

incoativo, va *adj.* [문법] 기동(起動)의.

incobrable *adj.* 받을 수 없는, 회수 불능의, 회수가 매우 의심스러운: deudas ~*s* 떼인 돈, 불량 채권.

incoercible *adj.* 억제[제압]할 수 없는.

incógnito, ta *adj.* 모르는, 미지의: regiones ~*tas* 비경(秘境). tierra ~*ta* 아직 발견되지 않은 땅, 지도상의 공백. —*m.* 신분을 숨김. —*f.* ① [수학] (보통 X로 표시되는) 미지수. ② (…의) 불명의 원인[이유], 내막. ¶*de incógnito* 신분을 숨기고, 암행으로, 익명으로, 가명으로.

incognoscible *adj.* 인식할 수 없는, 감지할 수 없는, 불가지(不可知)의, 알아채지 못하는.

incoherencia *f.* ① 조리가 서지 않음, 논리가 맞지 않음, 지리멸렬(함), 횡설수설(함): decir ~*s* 횡설수설하다, 지리멸렬한 것을 말하다. ② 모순된 말[생각]: discurso lleno de ~*s* 모순투성이의 연설.

incoherente *adj.* (의논 등이) 조리가 서지 않는, 논리가 일관되지 않는, 지리멸렬한; 모순된; 결합력[점착력]이 없는, 흐트러진; (구성 요소에) 통일이 없는, 조화가 없는: frases ~*s* 지리멸렬한 문장.

incoherentemente *adv.* 지리멸렬하게, 두서 없이, 엉망으로, 엉망진창으로.

íncola *m.* [드묾] 마을의 주민, (어떤 곳의) 주민.

incoloro, ra *adj.* ① 무색(無色)의, 색채감이 없는: cristal ~ 착색되지 않은 유리, 무색 유리. ② 총기가 없는: personaje ~ 총기가 없는 사람[인물]. ③ 광채[윤기]가 없는.

incólume *adj.* 건전한, 흠이 없는, 완전무결한; 손상을 입지 않은, 다치지 않은: salir ~ de una prueba 만점으로 시험을 통과하다.

incolumidad *f.* 건전한 상태, 손상이 없는 상태, 흠이 없음.

incombinable *adj.* 짜맞출 수 없는, 조합할 수 없는, 결합할 수 없는.

incombustibilidad *f.* 불연성, 내화성.

incombustible *adj.* ① 불연성의, 태울 수 없는. ② (기후 등에도) 마멸되지 않는, 닳지[손상되지] 않는. ③ [드묾] 정열이 없는, (감정이) 타오르지 않는.

incomerciable *adj.* 매매할 수 없는, 금제(禁制)의.

incomestible *adj.* 먹을 수 없는.

incomible *adj.* (특히 간이 맞지 않아) 먹을 수 없는.

incomodador, ra *adj., m.f.* 귀찮은, 불쾌하게 하는, 화나게 하는 (사람).

incómodamente *adv.* 불편하게, 거북하게(con incomodidad).

incomodar *tr.* ① 불편하게 하다. ② 괴롭히다, 화나게[성나게] 하다, 기분 나쁘게 하다: Siento ~le 괴롭혀서 미안합니다, 실례했습니다. ~**se** ① 불편하다. ② 괴롭다, 화나다, 성나다, 기분이 상하다[나쁘다].

incomodidad *f.* ① 불편(함). ② 번거로움, 귀찮음, 괴로움, 폐. ③ [드묾] 기분 나쁨, 화남, 성남, 노함, 노여움.

incomodo *m.* 불편.

incómodo, da *adj.* ① 불편한; (입기에·신기에) 거북한, 사용이 불편한: Los asientos de aquí son ~*s* 이곳의 좌석은 불편하다. ② 어색한, 불편한. ③ 귀찮은, 언짢은, 불쾌한.

incomparable *adj.* 비교할 수 없는, 비할[길] 데 없는, 견줄 길[데] 없는, 유례가 드문.

incomparablemente *adv.* 비길[할] 데 없이, 유례가 드물게.
incomparado, da *adj.* 비교가 안 되는.
incomparecencia *f.* (법정 등에) 출두하지 않음.
incompartible *adj.* 공유할 수 없는, 분할할 수 없는.
incompasible *adj.* [드묾] 동정할 수 없는, 불쌍히 여길 수 없는.
incompasivo, va *adj.* [드묾] 인정이 없는, 무정한, 무자비한.
incompatibilidad *f.* ① 양립할 수 없음, 상반, 불일치: ~ de caracteres 성격의 불일치. ② 겸직 금지. ③ [컴퓨터] 호환성이 없음.
incompatible *adj.* ① 성미가 맞지 않는, 서로 용납하지 않는: caracteres ~*s* 서로 맞지 않는 성격. ② [논리] 양립할 수 없는, 모순된: funciones ~*s* 모순되는 기능. ③ (색 등이) 조화되지 않는: colores ~*s* 조화되지 않는 색깔. ④ (임무 등이) 겸직할 수 없는. ⑤ (컴퓨터 등이) 호환성이 없는. ⑥ [약학] (약제가) 배합 금기의.
incompensable *adj.* 보상할 수 없는.
incompetencia *f.* ① 무능력, 부적격; [법률] 무자격. ② 권한이 없음, (직무상의) 관할이 다름.
incompetente *adj.* ① 무능한, 부적격한: persona ~ para abogado 변호사로서의 부적격한[무능한] 사람. ② (법원 등이) 관할 밖의, 관할이 다른.
incomplejo, ja *adj.* 단순한; 뿔뿔이 흩어진, 서로 연관성이 없는, 상반된.
incompletamente *adv.* 불완전하게, 미완성으로: problema ~ resuelto 불완전하게 해결된 문제.
incompleto, ta *adj.* 불완전한, 불충분한, 미완(성)의, 미비한, 불비(不備)한: novela ~*ta* 미완의 소설.
incomponible *adj.* 고칠 수 없는.
incomportable *adj.* 참을 수 없는.
incomposibilidad *f.* 조화[타협]할 수 없는 일.
incomposible *adj.* =incomponible.
incomposición *f.* 구성[조립]이 안 됨.
incomprehensibilidad *f.* =incomprensibilidad.
incomprehensible *adj.* =incomprensible.
incomprendido, da *adj.* ① 이해되지 않는. ② (장점이) 일반적으로 평가되지 않은 (사람).
incomprensibilidad *f.* 이해할 수 없음, 불가해성(不可解性).
incomprensible *adj.* 이해할 수 없는.
incomprensión *f.* 이해력 부족, 몰이해.
incomprensivo, va *adj.* 몰이해의.
incompresibilidad *f.* 압축할 수 없음.
incompresible *adj.* [무리] 압축할 수 없는.
incomunicabilidad *f.* 전달[연락] 불가능, 커뮤니케이션의 단절.
incomunicable *adj.* 전달[연락]할 수 없는; 교통·통신할 수 없는.
incomunicación *f.* 전달 불능, 연락 불능, 접견 금지, 출입 금지.
incomunicado, da *adj.* 격리된, 감금된, 면회를 금지당한.
incomunicar (7) *tr.* ① 전달[연락] 불능하게 하다, 고립시키다, 교통을 두절시키다. ② [법률] (체포한 사람을) 접근 금지시키다; (지역을) 출입 금지시키다. ~**se** (사람이) 고립되다, 연락을 끊다.
inconar *tr. Salv., Ven.* =enconar.
inconcebible *adj.* 생각할 수 없는, 상상할 수 없는, 믿을 수 없는.
inconciliable *adj.* 화해할 수 없는; 양립할 수 없는.
inconcino, na *adj.* =desordenado, descompuesto.
inconcluso, sa *adj.* 미완성의, 미완의.
inconcreción *f.* 애매함, 모호함.
inconcreto, ta *adj.* 애매한, 모호한, 불명확한.
inconcusamente *adv.* 확실히, 분명히.
inconcuso, sa *adj.* 확실한, 분명한, 의심의 여지가 없는.
incondicionado, da *adj.* 무제한의, 무조건의.
incondicional *adj.* ① 무조건의: amigo ~ 전면적으로 신뢰할 수 있는 친구. obediencia ~ 절대적 복종. ② 무조건으로 지지하는[신봉하는], 맹신하는, 열광적인. —*m.f.* 열광적인 지지자[팬].
incondicionalmente *adv.* 무조건으로.
inconducente *adj.* [드묾] 무익한, 쓸모없는.
inconexión *f.* 연관성[일관성]이 없음.
inconexo, xa *adj.* 연관성이 없는, 처음과 끝이 일관(一貫)하지 않은.
inconfesable *adj.* 털어놓고 이야기할 수 없는, 입에서 나오지 않는, 고백할 수 없는.
inconfesado, da *adj.* (죄를) 실토하지 않는, 인정하지 않는.
inconfeso, sa *adj.* (죄를) 자백하지 않는: reo ~ 죄를 자백하지 않는 죄인.
inconfidencia *f.* =desconfianza.
inconfidente *adj.* [드묾] 신뢰할 수 없는, 불신의.
inconformarse *r. Méj.* 반체제적이다, 반체제 성격을 보이다.
inconforme *adj., m.f.* 반체제적인, 비순응주의(非順應主義)의 (사람)
inconformidad *f.* 반체제성.
inconformismo *m.* 비순응주의.
inconformista *adj.* 비순응주의(非順應主義)의. —*m.f.* 비순응주의자.
inconfundible *adj.* 틀림없는, 분명한.
incongruamente *adv.* [드묾] =incongruentemente.
incongruencia *f.* ① 부적절. ② 일관성이 없음.
incongruente *adj.* ① 부적절한, 적합하지 않은: ~ con su ideal 이상과 맞지 않는. ② 시종일관하지 않는, 수미일관(首尾一貫)하지 않는: relato ~ 앞뒤가 맞지 않는 이야기.

I

incongruentemente *adv.* 부적절하게.
incongruidad *f.* [드묾] 부적절(함).
incongruo, grua *adj.* =incongruente.
inconmensurabilidad *f.* 무제한.
inconmensurable *adj.* ① 헤아릴 수 없는. ② 막대한, 크기를 잴 수 없는, 광대한: espacio ~ 광대한 공간. ¶ *números ~s* [수학] 무리수.
inconmovible *adj.* 흔들리지 않는, 변함없는, 움직일 수 없는, 견고한: amistad ~ 변함없는 우정. cimientos ~*s* 튼튼한 기초.
incomutabilidad *f.* 불변, 불변성.
incomutable *adj.* 변하지 않는.
inconquistable *adj.* 정복할 수 없는, 난공 불락의.
inconsciencia *f.* ① 무의식, 의식 상실: estar en estado de ~ 무의식 상태에 있다. ② 무자각, 무분별.
inconsciente *adj.* ① 무의식의: gesto ~ 무의식적인 동작. ② 무자각의, 경솔한. —*mf.* 의식[자각]이 없는 사람: ser un ~ al volante 운전이 난폭하다. —*m.* [심리] 무의식. ¶ ~ *colectivo* [심리] 집합 무의식.
inconscientemente *adv.* 무의식적으로, 부지중에: moverse ~ 무의식적으로 움직이다.
inconsecuencia *f.* 일관성이 없음, 무정견(無定見).
inconsecuente *adj.* 일관성이 없는, 언행이 일치하지 않는 (사람), 무정견한 (사람).
inconsideración *f.* 사려가 없음, 무분별(無分別).
inconsideradamente *adv.* 경솔히, 지각없이.
inconsiderado, da *adj., mf.* ① 경솔한, 지각없는 (사람). ② 무모한, 분별없는 (사람).
inconsiguente *adj.* [드묾] 한결같지 않은, 모순된.
inconsistencia *f.* 찰기가 없음, 무름.
inconsistente *adj.* (물질이) 찰기가 없는, 끈기가 없는, 무른, 약한: crema ~ 부드러운 크림.
inconsolable *adj.* ① 위로할 길 없는, 달랠 길 없는. ② 비탄에 잠긴, 슬픔에 잠긴: viuda ~ 슬픔에 잠긴 미망인.
inconsolablemente *adv.* ① 위로할 길 없이. ② 비탄[슬픔]에 잠겨.
inconstancia *f.* ① 변하기 쉬움, 부정(不定). ② 변덕, 변덕스러운 행위: ~ del tiempo 날씨의 변덕.
inconstante *adj.* ① 불안정한. ② 변하기 쉬운, 일정하지 않은.
constantemente *adv.* ① 불안정하게. ② 일정하지 않게(con inconstancia).
inconstitucional *adj.* 위헌(違憲)의, 헌법에 반(反)하는.
inconstitucionalidad *f.* 헌법 위반.
inconstruible *adj.* 건설할 수 없는, 건조할 수 없는.
inconsultamente *adv.* [드묾] =inconsideradamente.
inconsulto, ta *adj. Arg., Cuba.* [드묾] =inconsiderado.
inconsútil *adj.* (일반적으로 예수 그리스도의 긴 도포가) 꿰맨[이은] 데가 없는(sin costura).
incontable *adj.* ① 셀 수 없는, 헤아릴 수 없는. ② 무수한, 세기가 아주 어려운: estrellas ~*s* 무수한 별.
incontaminado, da *adj.* 오염[전염]되지 않는(no contaminado).
incontenible *adj.* (감정 등을) 억누를 수 없는, 참을 수 없는.
incontestabilidad *f.* 논쟁의 여지가 없음, 명백함.
incontestable *adj.* 논의의 여지가 없는, 논쟁할 필요가 없는, 명백한, 부정할 수 없는.
incontinencia *f.* ① 자제할 수 없음, 부절제(不節制). ② [종교] 음란(淫亂). ③ [의학] =incontinencia de orina. ¶ ~ *de orina* [의학] 요실금(尿失禁).
incontinente *adj.* ① 무절제한, 자제[억제]할 수 없는. ② 음란한. ③ 요실금에 걸린, 오줌을 싸는: ser ~ 오줌을 싸다. —*mf.* 요실금 환자.
incontinentemente *adv.* ① 무절제하게, 참을성 없이. ② 음란하게.
incontinenti *adv.* [드묾] 재빨리, 곧장, 즉시.
incontinuo, nua *adj.* 그치지 않은, 계속되는, 중단 없는, 연달은.
incontrarrestable *adj.* 막을 수 없는, 방지할 수 없는.
incontrastable *adj.* ① 비교가 안 되는. ② 이길 수 없는, 상대가 되지 않는. ③ 반론의 여지가 없는.
incontrastablemente *adv.* ① 비교가 되지 않게. ② 이길 수 없이, 상대가 되지 않게, 정복할 수 없이. ③ 반론의 여지가 없이.
incontratable *adj.* =intratable.
incontrito, ta *adj.* 뉘우치지 않는.
incontrolable *adj.* 통제할 수 없는.
incontrolado, da *adj.* 조절[통제]되지 않는, 억제하지 못하는.
incontrovertible *adj.* 논쟁의 여지가 없는, 부정할 수 없는, 명백한.
inconvencible *adj.* 설득할 수 없는, 완고한.
inconveniencia *f.* ① 불편, 부자유; 폐, 귀찮음. ② 불편한 것, 귀찮은 일, 폐가 되는 일. ③ 무례(한 언동): cometer una ~ 무례한 짓을 하다. decir una ~ 무례한 말을 하다.
inconveniente *adj.* ① 불편한, 부자유스런, 부적절한. ② 형편이 마땅치 않은, 폐가 되는. ③ 무례한: comportamiento ~ 무례한 행동[행실]. —*m.* ① 지장, 방해. ② 난점, 단처, 단점, 결점.
inconversable *adj.* [드묾] =intratable.
inconvertible *adj.* ① 바꿀 수 없는, 전환할 수 없는, 태환할 수 없는. ② [컴퓨터] 호환할 수 없는.
incoordinación *f.* [의학] 운동 실조증.

I

incordia *f. Col.* =aversión, antipatía.
incordiar (11) *tr.* =molestar, importunar.
incordio *m.* ① 가래톳. ② 귀찮은 사람[것]: Es un ~ tener que salirme con este tiempo 이런 날씨에 외출해야 하다니 귀찮다.
incorporación *f.* ① 결합, 합동, 합병, 편입, 배속(配屬): ~ de los nuevos empleados 신입 사원의 배속. ② 혼성, 혼합. ③ [언어] 포합(抱合).
incorporal *adj.* ① =**incorpóreo.** ② 만져 볼 수 없는(impalpable).
incorporalmente *adv.* 형체도 없이.
incorporar *tr.* ① 합체(合體)시키다, 합치다, 통합하다, 합병하다; 가입시키다, 넣다, 집어넣다. ② (가로놓인·눕혀진 것을) 일으키다, 세우다, 앉히다, 기대어 놓다. ~**se** ① 상체를 일으키다, 일어나다. ② 합체되다, 합해지다, 합병되다. ③ 가입하다: ~*se a* un equipo 팀에 가입하다. ~*se a* su nuevo cargo 새로운 직무에 종사하다. ④ (군에) 입대하다.
incoporeidad *f.* 실체가 없음, 무형(無形), 무형물; 비물질성; 무형적 존재.
incorpóreo, a *adj.* 형체가 없는, 무형의: bienes ~*s* [법률] 무형 재산.
incorporo *m.* =**incorporación.**
incorrección *f.* ① 부정확(한 것), 틀림. ② 부정확한 말[행동], 무례(함), 버릇없음: cometer una ~ 무례한 짓을 하다, 버릇없는 행동을 하다.
incorrectamente *adv.* 부정확하게; 버릇없이, 무례하게, 예의에 벗어나.
incorrecto, ta *adj.* ① 부정확한, 틀린. ② 버릇없는, 무례한.
incorregibilidad *f.* 고칠 수 없음, 교정불능(矯正不能).
incorregible *adj.* ① (사람·성격 등이) 교정(矯正)할 수 없는, 구제[선도]할 수 없는. ② 다루기 힘든, 제멋대로 구는, 방자한, 버릇없는: niño ~ 방자한[버릇없는] 아이.
incorregiblemente *adv.* ① 교정할 수 없이, 고칠 수 없이. ② 버릇없이.
incorrupción *f.* 부패하지 않음; 청렴결백함.
incorruptamente *adv.* 부패함이 없이, 청렴 결백하게.
incorruptibilidad *f.* 청렴함, 부패하지 않음, 매수되지 않음.
incorruptible *adj.* 부패하지 않은, 청렴한, 매수되지 않은.
incorrupto, ta *adj.* ① 부패하지 않은, 매수되지 않은, 타락하지 않은. ② (여성이) 순결한.
incrasar *tr.* [의학] =**encrasar.**
increado, da *adj.* 창조[창작]된 것이 아닌.
incredibilidad *f.* 믿어지지 않음, 신용할 수 없음.
incrédulamente *adv.* ① 깊은 의심을 품고 (쉽게) 믿지 않고, 신용하지 않고. ② 신을 믿지 않고, 신앙심이 없이.
incredulidad *f.* ① 의심이 많음. ② 신앙이 없음.
incrédulo, la *adj.* ①의심이 많은, 쉽게 믿지 않는. ② 신을 믿지 않는, 신앙심이 없는. —*mf.* ① 의심이 많은 사람. ② 무신앙자(無信仰者).
increíble *adj.* ① 믿을 수 없는. ② 매우 믿기 어려운(muy difícil de creer).
increíblemente *adv.* 믿을 수 없을 만큼, 거짓말같이.
incrementar *tr.* ① 증가시키다: ~ las importaciones 수입을 증가시키다. ② 발전[진전]시키다. ~**se** 증가되다.
incremento *m.* ① 증가(aumento): ~ del sueldo 임금의 증액. ② 발전, 확대: ~ del comercio exterior 무역의 확대. ③ [문법] 음절 증가.
increpación *f.* ① 힐책, 견책. ② 비난.
increpador, ra *adj., mf.* 힐책[견책]하는 (사람).
increpar *tr.* ① 나무라다, 힐책하다, 견책하다. ② 비난하다, 욕을 퍼붓다.
incriminación *f.* 기소, 고발.
incriminar *tr.* 기소하다, 고발하다.
incruento, ta *adj.* 무혈(無血)의, 희생자가 없는: golpe de estado ~ 무혈 쿠데타.
incristalizable *adj.* 결정될 수 없는.
incruentamente *adv.* 피를 흘리지 않고, 무혈의.
incruento, ta *adj.* 피를 흘리지 않는.
incrustación *f.* ① 상감(象嵌), 겉치장. ② 겉껍질로 씌우기.
incrustar *tr.* ① 상감하다, 끼우다, 끼워 넣다: ~ un diamante *en* la sortija 반지에 다이아몬드를 끼워 넣다. ② 단단한 버캐가 표면을 덮게 하다. ③ (생각 등을) 침투시키다. ~**se** 박히다, 끼워지다, 새겨지다; 들러붙다.
incubación *f.* ① 포란, 부화; 배양(培養). ② [의학] (병의) 잠복: período de ~ 잠복기.
incubadora *f.* 부란기(孵卵器); 배양기; (미숙아의) 보육기, 인큐베이터.
incubar *tr.* (새가 알을) 품다, 까다; 부화시키다. —*intr.* =**encobar.** ~**se** ① (병이) 잠복하다. ② (생각 등이) 구체화되다.
íncubo *adj., m.* 잠자는 여자를 범한다는 상상 속의 (몽마(夢魔)).
incuestionable *adj.* 의심의 여지가 없는, 확실한: Es ~ que cederá ella 그녀가 양보할 것은 확실하다.
inculcación *f.* 주입시킴, 터득시킴, 설득함, 가르쳐 줌.
inculcador, ra *adj., mf.* 터득시키는 (사람), 설득하는 (사람).
inculcar (7) *tr.* ① (사상·감정·지식 등을) 주입시키다, 심어 주다, 고취시키다: ~ las ideas constitucionales 입헌 사상을 고취시키다. ② 자주 열심히 반복하다. ③ 억지로 짓누르다. ④ [인쇄] 글자를 너무 붙이다.
inculpabilidad *f.* 죄가 없음, 결백.
inculpable *adj.* 죄가 없는, 결백한.

inculpablemente *adv.* 죄 없이, 잘못 없이, 결백하게.
inculpación *f.* ① 고소. ② 혐의, 용의.
inculpadamente *adv.* 죄 없이.
inculpado[1], da *adj.* [드묾] 죄 없는.
inculpado[2], da *adj.* [법률] (형사 소송에서) 연루시키는.
inculpar *tr.* ① (…에게) 죄를 뒤집어씌우다, 잘못을 전가하다. ② [법률] 연루시키다.
inculpatorio, ria *adj.* 죄를 뒤집어씌우는, 연루시키는.
incultamente *adv.* 교양 없이, 거칠게, 천하게.
incultivable *adj.* 경작할 수 없는: tierra ~ 경작할 수 없는 땅.
inculto, ta *adj.* ① 교양 없는, 천박한. ② (문체가) 세련되지 않은, 거친. ③ (토지가) 경작되지 않은, 미개간의.
incultura *f.* ① 교양 없음. ② 경작 불능(耕作不能).
incumbencia *f.* ① (일 등의) 영역, 범위. ② 의무, 책임, 책무.
incumbir *intr.* (의무·책임 등이) …에게 있다, 속하다, 연관이 있다.
incumplido, da *adj.* 의무를 다하지 않은, 약속한 것을 이행하지 않은.
incumplimiento *m.* 불이행, 위반: ~ del contrato 계약 불이행[위반].
incumplir *tr.* (의무·약속 등을) 이행하지 않다, 불이행하다; (명령 등에) 따르지 않다, 거역하다, 반역하다.
incunable *adj.* 활판 인쇄술 발명기(期)(1436-1500)의, 인쇄 초기 시대의. —*m.* 요람기 본(搖籃期本).
incurabilidad *f.* 불치(不治), 교정 불능.
incurable *adj.* ① 고칠 수 없는, 불치의: enfermedad ~ 불치병. ② 고치기가 매우 어려운, 난치의. ③ 교정 불능의. —*mf.* 불치병 환자.
incuria *f.* 태만, 부주의.
incurrir *intr.* ① [+en] (과오·죄 등에) 빠지다, 범하다, 저지르다: ~ *en* un delito [en un error] 죄[잘못]를 범하다. ② [+en] (증오·분노·멸시 등을) 받다, 당하다, 입다: ~ *en su* odio [*en* ira · *en su* desprecio · *en* sospecha] 증오[노여움·멸시·의심]를 사다. ~ en un castigo 벌을 받다. ③ [드묾] (어떤 일에) 가벼운 간섭을 하다.
incursión *f.* ① (일시적인) 침입, 침략; 난입: hacer una ~ en el territorio enemigo 적지(敵地)를 침범하다. ② (남의 일에) 간섭.
incursionar *intr.* ① (…에) 침입하다. ② *Amér.* 늘 하는 것과 다른 행동을 하다.
incurso *m.* [드묾] =acometimiento.
incurvar *tr.* [드묾] (…을) 구부리다.
incusar *tr.* [드묾] =acusar, imputar.
incuso, sa *adj.* (동전·메달이) 앞뒤에 똑같은 무늬로 요철의 각인된.
indagación *f.* 탐구, 탐사, 조사, 연구: ~ de Marte 화성 탐사. hacer una ~ domiciliaria 가택 수사를 하다.
indagador, ra *adj.* 탐구[탐사·조사]하는. —*mf.* 탐구자, 탐사자, 조사자.
indagar (8) *tr.* 탐구하다, 탐사하다, 연구하다, 조사하다; 수사하다: ~ los misterios de la vida 생명의 신비를 찾다[연구하다]. ~ las causas de un accidente 사고의 원인을 조사하다.
indagatorio, ria *adj.* 조사의: comisión ~*ra* 조사 위원회. estudio ~ 조사 연구. —*f.* [법률] (심문) 조서.
indebidamente *adv.* ① 부당히. ② = ilícitamente.
indebido, da *adj.* ① 의무적이지 않은, 강제하지 않는. ② 불법적인(ilícito): uso ~ 불법 사용, 무허가 사용. ③ 부당한, 도리에서 벗어난: discriminación ~*da* 부당한 차별. ④ 부적당한, 빗나간, 핵심을 벗어난: contestación ~*da* 빗나간 대답.
indecencia *f.* ① 신중하지 못함, 조심성이 없음. ② 부끄러운[수치스러운] 언동[행위], 상스러운 행동[언동], 외설.
indecente *adj.* ① 버릇없는, 점잖치 못한, 꼴불견의, 신중하지 못한: muchacha ~ 신중하지 못한 소녀. ② 외설의, 상스러운: película ~ 외설 영화.
indecentemente *adv.* 신중하지 못하게; 버릇없이; 상스레.
indecible *adj.* 말(로 표현)할 수 없는, 필설로 다할 수 없는, 설명할 수 없는: dolor ~ 말로 표현할 수 없는 고통.
indeciblemente *adv.* 벙어리 냉가슴으로, 필설로 다할 수 없어.
indecidible *adj.* (제안이 사실인지 아닌지) 증명[입증]할 수 없는.
indecisión *f.* 우유부단, 주저.
indeciso, sa *adj.* ① 결정적이 아닌, 아직 결정을 내리지 못한. ② 결단성이 없는, 우유부단한, (태도가) 미지근한: árbitro ~ 결단력이 없는 심판. ③ 윤곽이 뚜렷하지 않은, 분명치 않은.
indeclarable *adj.* 단언할 수 없는.
indeclinable *adj.* ① 거절할 수 없는, 회피할 수 없는: deber ~ 회피할 수 없는 의무. ② [법률] (재판권을) 기피할 수 없는. ③ [문법] 격[어미] 변화를 하지 않는: palabras ~*s* 격[어미]이 변하지 않는 단어.
indecoro, ra *adj.* [고어] 품위 없는. —*m.* 품위 없음.
indecorosamente *adv.* 품위 없이.
indecoroso, sa *adj.* 품위 없는, 버릇없는, 무례한, 보기 흉한, 꼴사나운, 모양사나운: lenguaje ~ 무례한 말. postura ~ 보기 흉한 자세. vestido ~ 보기 흉한 옷, 꼴사나운 옷.
indefectibilidad *f.* 불멸성, 영원성.
indefectible *adj.* 불멸의, 영원한, 쇠(퇴)하지 않는: ~ buen humor 언제나 좋은 기분.
indefectiblemente *adv.* 반드시, 영원히, 늘(de un modo indefectible).
indefendible *adj.* 방어될 수 있는, 막아질 수 없는, 변호할 수 없는.
indefensable *adj.* =indefendible.

I

indefensión *f.* 무방비 (상태).
indefensible *adj.* =indefendible.
indefenso, sa *adj.* 무방비의, 방어[보호]할 수 없는.
indeficiente *adj.* [드묾] 부족함이 없는, 결점이 없는.
indefinible *adj.* 정의할 수 없는, 형용하기 어려운, 말로 표현하지 못하는: ~ sensación de bienestar 말로 표현하기 어려운 행복감.
indefinición *f.* 불분명, 애매함.
indefinidamente *adv.* 무한정으로.
indefinido, da *adj.* ① 부정(不定)의, 확정되지 않은. ② 정해진 기한이 없는. ③ [문법] 부정(不定)의: artículo ~ 부정 관사. pretérito ~ 부정 과거. pronombre ~ 부정 대명사.
indeformable *adj.* 변형시킬 수 없는, 형태를 바꿀 수 없는.
indehiscente *adj.* [식물] 벌어지지 않는(no dehiscente).
indeleble *adj.* 지울 수 없는, 지워지지 않는: tinta ~ 지워지지 않는 잉크.
indeleblemente *adv.* 지울 수 없게, 지워지지 않게.
indelegable *adj.* 위임할 수 없는.
indeliberación *f.* 경솔함, 심사숙고하지 않음, 반성함이 없음.
indeliberadamente *adv.* 경솔하게, 생각없이.
indeliberado, da *adj.* 경솔한, 심사숙고하지 않은, 경망스러운.
indelicadeza *f.* ① 투박스러움, 엉성함, 거침. ② 상스러운 행동.
indelicado, da *adj.* (말이나 행동 등이) 거칠고 천한, 상스러운; 버릇없는.
indemne *adj.* 손해를 입지 않은, 상처입지 않은, 무사한, 아무 탈 없는: Todos salieron ~*s* del accidente 전원이 사고에서 무사했다.
indemnidad *f.* 안전함, 무사함.
indemnización *f.* 배상, 보상; 배상금 (지급): ~ por daños y perjuicios 손해 배상금.
indemnizar (9) *tr.* [+por · de] (…에) 배상[변상 · 보상]하다.
indemorable *adj.* 지체할 수 없는, 지연할 수 없는.
indemostrable *adj.* 증명할 수 없는.
independencia *f.* 독립, 자립: declaración de ~ 독립 선언. espíritu de ~ 독립 정신. Guerra de la *Independencia* [역사] 독립 전쟁 ((스페인과 나폴레옹의 전쟁, 1808-14)).
independentismo *m.* 독립 운동.
independentista *adj.* 독립파의. —*m.f.* 독립파.
independiente *adj.* ① 독립된, 자립한, 독립심이 강한: mujer ~ 자립한 여자. nación ~ 독립국. periodista ~ 프리저널리스트. ② 관계가 없는, 별개의: cuarto ~ (전용 입구가 있는) 독립된 방. —*m.f.* 무소속 후보자.
independientemente *adv.* 독립해서, 자주적으로; 관계없이, 무관하게, 별개로.
independizar (9) *tr.* [+de] (…에서) 독립시키다. ~**se** 독립하다, 자립하다, 홀로 서다: ~*se de* los padres 부모로부터 자립[독립]하다. ~*se de su* familia 가족으로부터 자립[독립]하다.
indescifrable *adj.* 해독[해명]할 수 없는: inscripción ~ 판독 불능한 비문.
inderogabilidad *f.* 폐기할 수 없음.
inderogable *adj.* 폐기[폐지]할 수 없는.
indescifrable *adj.* 판독할 수 없는.
indescriptible *adj.* 말로 표현할 수 없는, 형언할 수 없는: alegría ~ 말할 수 없는 기쁨. dolor ~ 말로 표현할 수 없는 고통. escena ~ 형언할 수 없는 광경[장면].
indeseable *adj., m.f.* 바람직하지 못한, 달갑지 않은 (사람).
indeseado, da *adj.* 바람직하지 못한, 바라지 않는.
indesignable *adj.* 지시하기 불가능한 [매우 어려운].
indestructibilidad *f.* 파괴할 수 없음, 불멸성.
indestructible *adj.* 파괴할 수 없는, 불멸의: alianza ~ 견고한 동맹.
indeterminable *adj.* 결정[확정]할 수 없는.
indeterminación *f.* ① 불확정, 불명확, 애매함: Nos preocupa la ~ de la fecha 날짜가 불확실해 걱정이다. ② 우유부단, 결단력 부족: Pierdo mucho por mi ~ 나는 결단력이 없어 많이 손해본다.
indeterminadamente *adv.* [드묾] 결정 없이, 결정되지 않아.
indeterminado, da *adj.* 결정되지 않은, 확정되지 않은, 불명확한, 애매한. ¶ *artículo* ~ 부정 관사. ***pronombre*** ~ 부정 대명사.
indevoción *f.* 신앙심 결여, 불경.
indevoto, ta *adj.* 신앙심이 없는.
indexación *f.* ① [경제] (전면적) 물가연동제, 지수화(指數化) 방식에 의한 가치 수정. ② [컴퓨터] 인덱세이션, 인덱스를 붙임.
indexar *tr.* 인덱스를 붙이다[달다].
indezuelo, la *m.f.* indio[1]의 축소사.
India *f.* ① [국명] 인도: las *Indias* ㉮ (카리브해의) 서인도 제도(las *Indias* Occidentales). ㉯ (신대륙 발견 때에는) 중남미. las *Indias* Orientales 동인도. ② [주로 *pl.*] 풍부한 재산.
indiada *f.* 인디오 집단[무리].
indiana *f.* ☞indiano
indianés, sa *adj.* 동인도(las Indias Orientales) 태생의.
indianista *m.f.* 인도 언어[문화] 연구자.
indiano, na *adj.* ① (아메리카 · 동인도 태생이 아닌) 원주민의(nativo). ② 아메리카 · 동인도의[에 관한]. ③ 아메리카에서 부자가 되어 돌아온. —*m.f.* ① 원주민. ② 아메리카에서 돌아온 부자. —*f.* 아마로[면으로] 짠 천, 아마와 면의 혼합 천. ¶~ ***de hilo negro*** 깍쟁이, 인색한 사람.

indicación *f.* ① 표시, 인(印); 표지(標識). ② [주로 *pl.*] 지시; 명령: por ~ de *alguien* …의 지시에 따라, 지시대로. dar a *alguien* las *indicaciones* …에게 지시를 하다. seguir las *indicaciones* 지시에 따르다. ③ 주해(註解); 개정(改訂). ④ (약의) 효능. ¶ ~ *de procedencia* (식료품의) 원산지 표시.
indicador, ra *adj.* 지시하는, 표시하는: lámpara ~*ra* 표시등. señal ~*ra* 방향 지시기. —*m.* ① 표지(標識). ② 지시기, 지침: ~ de dirección 방향 지시기. ~ de la temperatura 온도계. ~ de velocidad 속도계. ~ económico 경제 지표.
indicante *adj.* [드묾] 지시하는.
indicar (7) *tr.* ① 가리키다, 나타내다; 표시하다: Mi reloj *indica* las doce 내 시계는 12시를 가리킨다. ② 가르치다, 알리다. ③ (날짜·시간·장소를) 정하다, 지정하다. ④ (의사가 치료법·약을) 지시하다. ⑤ (사물이) …의 징조를 보이다.
indicativo, va *adj.* ① 지시하는, 나타내는, 표시하는. ② 직설법의. —*m.* ① [문법] 직설법(modo ~). ② (전신의) 호출 부호, 콜 사인.
índice *m.* ① (책 등의) 색인(索引), 인덱스: ~ temático, ~ de materias 내용 색인. consultar un ~ 색인을 찾다. ② 표시, 지침, 지표, 인(印). ③ 지수, 율: ~ del coste de (la) vida 생계비 지수. ~ Dow Jones 다우 존스 지수. ④ [수학] 지수, (대수의) 지표, 율. ⑤ 집게손가락(dedo ~). ⑥ [컴퓨터] 인덱스. ⑦ [천주교] [el I~] 금서 목록. ¶ ~ *de precios al consumo* 소비자 물가 지수. ~ *de refracción* [물리] 굴절률. ~ *expurgatorio* [천주교] 금서 목록.
indiciación *f.* =**indexación.**
indiciado, da *adj.* 죄의 혐의를 받는. —*mf.* 용의자.
indiciador, ra *adj.* 지시하는, 징조를 보이는.
indiciar *tr.* 지시하다, 징조를 보이다, 가리켜 보이다.
indiciario, ria *adj.* 증거의[에 의한].
indicio *m.* ① 징후. ② 미량, 아주 적은 양: detectar ~*s* de veneno 미량의 독을 검출하다. ③ 단서, 실마리. ④ [법률] 증거. ¶ ~***s vehementes*** 상황 증거.
indicioso, sa *adj.* [드묾] 의심하는, 의심을 일으키는.
índico, ca *adj.* 인도의: Océano *Indico* 인도양.
indiferencia *f.* 무관심; 무감동; 냉담: afectar [fingir] ~ 냉담을 가장하다, 무관심한 체하다. saludar con ~ 냉담하게 인사하다.
indiferenciado, da *adj.* 구별하지 않고, 차이를 두지 않고.
indiferente *adj.* ① 중요하지 않은, 아무래도 좋은: artículos ~s 재미없는 기사. ② 무관심한, 아랑곳하지 않는; 냉담한: mirada ~ 냉랭한[쌀쌀한] 시선. —*mf.* 무관심한 사람.
indiferentemente *adv.* 무관심하게, 냉담하게.
indiferentismo *m.* 무관심주의.
indígena *adj.* ① 토착의, 선주민(先住民)의. ② 현지인의. —*mf.* ① 선주민, 원주민. ② 현지인. ③ 인디오(indio).
indigenado *m. Ecuad.* [집합] 원주민, 선주민.
indigencia *f.* 빈궁, 극빈(極貧): vivir en la ~ 극빈 생활을 하다.
indigenismo *m.* ① 인디오에 관한 민족학. ② 인디헤니스모 ((빼루의 사상가 José Carlos Mariátegui (1894-1930)가 제창한 인디오와 메스티소(mestizo)를 위한 정치·사회·경제적 복권 운동)) ③ 현지어 식 표현, 현지어로부터의 전입어(轉入語). ④ 문학과 예술에서 아메리카 원주민의 주제에 대한 질의 향상.
indigenista *adj.* indionismo의[에 관한]. —*mf.* indigenismo 지지자.
indigente *adj.* 매우 가난한, 빈궁한, 극빈의. —*mf.* 생활 곤궁자.
indigerible *adj.* 소화시킬 수 없는, 소화가 잘 안되는.
indigerido, da *adj.* [드묾] 소화가 안되는, 소화가 잘 안 되는.
indigestarse *r.* ① 소화 불량이 되다, (음식이) 위에 부담을 주다. ② (어떤 이유로 다른 사람에게) 호감이 가지 않다, 궁합이 맞지 않다.
indigestión *f.* 소화 불량, 뱃속이 거북함, 위에 부담이 감.
indigesto, ta *adj.* ① 소화가 안되는, 소화시키기 어려운: alimento ~ 소화시키기 어려운 음식. ② (사람이) 소화 불량의: estar ~ 소화 불량을 일으키고 있다. ③ 무질서한, 혼란한. ④ 무뚝뚝한(áspero, difícil en el trato)
indignación *f.* (부정 등에 대해) 분개, 분노.
indignamente *adv.* 성을 내서, 노해서, 화가 나서, 분연히.
indignar *tr.* 분개시키다, 화나게[성나게·노하게] 하다. ~**se** [+con+사람 …와/+por+사물 …에] 분개하다, 화내다, 성내다, 노하다.
indignidad *f.* ① 경멸, 모욕, 무례. ② 모욕적인 대우, 냉대. ③ 수치스런 행위, 불명예. ④ [고어] =**enojo, ira.**
indigno, na *adj.* ① 가치가 없는: Esta obra es ~*na de* elogio 이 작품은 칭찬할 가치가 없다. ② 어울리지 않는, 걸맞지 않은. ③ (행위 등이) 저열한, 용렬한, 부끄럽게 여겨야 할: gesto ~ 용렬한 행동, 경멸할 만한 행동, 깔볼 만한 행동.
índigo *m.* ① [식물] 쪽(añil). ② [염료] 인디고. ③ 남, 남빛, 검푸른 빛. —*adj.* 남빛의, 검푸른 빛의: color ~ 남색, 남빛.
indiligencia *f.* 나태, 태만, 부주의.

indinar *tr.* [속어] =indignar.

indino, na *adj.* ① 품위가 없는, 어울리지 않는. ② 심술궂은; 뻔뻔스러운, 낯가죽이 두꺼운(descarado).

indio[1], dia *adj.* ① 인도(India) 태생의. ② 인도의[에 관한]. ③ 인디오의[에 관한]: lengua *india* 인디오 말. traje ~ 인디오 의상. ④ 인디언의. ⑤ 남색의. ⑥ [경멸] *Guat., Nic.* 교양이 없는(inculto). —*mf.* ① 인도 사람. ② 인디오. ③ 인디언. —*m. Cuba.* 태양(sol). ¶~ ***sangley*** *mf.* =sangley. ***caer de*** ~ *RDom.* 속임수에 떨어지다. ***hacer el*** ~ 익살스러운 소리를 하다, 우스갯소리로 남을 즐겁게 하다.

indio[2], dia *adj.* 푸른 (빛깔의), 청색의. —*m.* [화학] 인듐.

indiófilo, la *adj.* 인디오를 보호하는[좋아하는·편드는].

indirecta *f.* ☞indirecto

indirectamente *adv.* ① 간접적으로. ② 에둘러, 빗대어.

indirecto, ta *adj.* 간접의, 간접적인: elección ~*ta* 간접 선거 iluminación ~*ta* 간접 조명. —*f.* 넌지시 비침, 빈정거림, 빗댐: decir [lanzar·soltar] una ~*ta* 넌지시[에둘러] 말하다

indiscernible *adj.* 식별할 수 없는, 분간하기 어려운.

indisciplina *f.* 규율이 없음, 훈련의 결여, 무질서(한 행동).

indisciplinable *adj.* 훈련할 수 없는.

indisciplinado, da *adj.* 규율을 지키지 않는, 반항적인.

indisciplinarse *r.* 규율을 어기다[문란하게 하다].

indiscreción *f.* ① 무분별, 지각 없음, 신중하지 못함. ② 무분별한 행동[말].

indiscreto, ta *adj.* 지각없는, 분별없는, 경솔한. —*mf.* 경솔한 사람, 분별없는 [지각없는] 사람.

indiscriminadamente *adv.* 무차별로.

indiscriminado, da *adj.* 무차별의.

indisculpable *adj.* 용서할 수 없는, 변명의 여지가 없는.

indiscutible *adj.* 의론(議論)의 여지가 없는, 확실한.

indiscutiblemente *adv.* 의론의 여지가 없이, 확실히, 명백히.

indiscutido, da *adj.* 의심의 여지가 없는, 이론의 여지가 없는, 만인이 인정하는.

indisimulado, da *adj.* 모른 척하지 않는, 명백히 밝히는.

indisociable *adj.* 분리할 수 없는, 나눌 수 없는, 불가분의.

indisolubilidad *f.* 비용해성, 비분해성, 영구성, 불변성.

indisoluble *adj.* ① 녹지 않는, 용해되지 않는: ~ en agua 물에 녹지 않는. ② 해소[파기]할 수 없는, 영속적인: amor ~ 변함없는 사랑.

indispensable *adj.* ① 용서할 수 없는. ② 없어서는 안 되는, 필요 불가결한: lo (más) ~ 최소한 필요한 것.

indispensablemente *adv.* 없어서는 안 되게, 필수적으로, 꼭 (필요해서).

indisponer (61) *tr.* ① [+con·contra] (…에) 악감정을 …에게 품게 하다, 사이를 나쁘게 하다, …의 기분을 해치다. ② 몸의 상태를 나쁘게 하다: El calor me *indispone* 나는 더위로 컨디션이 안 좋다. ~**se** ① 악감정을 품다: ~*se* con *su* jefe 상사에게 악감정을 품다. ② 몸 상태가 좋지 않다, 기분이 나쁘다.

indisposición *f.* ① (일시적인) 몸의 부조, 가벼운 병: *indisposiciones por* la menopausia 갱년기 장애. ② 마음이 내키지 않음, 싫증. ③ [+con] (…에 대한) 불쾌감, 악감정.

indispuesto, ta *adj.* ① [+con·contra] (…와) 사이가 나쁜, 불화가 있는: Ella está ~*ta con* su amiga 그녀는 친구와 사이가 나쁘다. ② 몸 상태가 나쁜, 기분이 언짢은: Estoy algo ~ 나는 약간 기분이 언짢다, 몸 상태가 약간 좋지 않다.

indisputable *adj.* 의론의 여지가 없는.

indisputablemente *adv.* 의론의 여지가 없이, 명백히.

indistinción *f.* 무차별, 불분명.

indistinguible *adj.* 식별할 수 없는, 불분명한.

indistintamente *adv.* ① 구별 없이. ② 불명료하게: A lo lejos se oyen ~ unas voces 멀리서 희미하게 소리가 들린다.

indistinto, ta *adj.* ① (형상·기억 등이) 뚜렷하지 않은, 희미한, 흐릿한: colores ~*s* 흐릿한[희미한] 빛깔. memorias ~*tas* 희미한 기억. ~*s* sonido ~ 희미한 소리. ② 아무래도 좋은, 어느 쪽이건 상관없는, 아랑곳하지 않는.

individua *f.* ☞individuo

individuación *f.* 개별화(個別化).

individual *adj.* ① 개인의, 개인적인: caracteres ~*es* 개성. ② (침대·방이) 1인용의, 개인용의, 싱글의: habitación ~ 개인용 방, 1인용 방. —*m.* [운동] 개인, 단식, 싱글스: ~ femenino, ~ damas 여자 단식. ~ masculino, ~ caballero 남자 단식.

individualidad *f.* ① 개성; 개별성, 개체성. ② 개인적인 사람, 개성이 풍부한 사람.

individualismo *m.* 개인주의.

individualista *adj.* 개인주의의. —*mf.* 개인주의자.

individualización *f.* 개별화; 개성화.

individualizar (9) *tr.* ① =individuar. ② =particularizar.

individualmente *adv.* 개인적으로.

individuamente *adv.* 단결해서, 한 덩어리가 되어, 굳게 결합해서.

individuar *tr.* ① =especificar. ② 낱낱이[하나하나] 구별하다.

individuo, dua *adj.* ① =individual. ② 나누어질 수 없는. —*mf.* ① (누구인지 모르는·말하고 싶지 않은) 사람.

② [경멸] (신용할 수 없는·좋아하지 않는) 사람, 놈, 녀석, 자식. —*m.* ① (사회·집단에 대한) 개인: Todo ~ tiene derecho a una vida digna 모든 개인은 인간답게 살 권리가 있다. ② (단체 등에 속한) 개인, 일원, 회원: ~ del Consejo de Estado 국무원의 일원. ~ de la Academia Española 스페인 한림원 회원. ③ [생물] 개체(個體). ④ (다른 사람에 대한 추상적인) 나, 자기, 자신. —*f.* [경멸] 천박한 여자.

indivisamente *adv.* 나누지 않고, 분할하지 않고.

invisibilidad *f.* ① 불가분성(不可分性), 불분할성(不分割性), 분할할 수 없음. ② [수학] 나눌 수 없음.

indivisible *adj.* ① 분할할 수 없는; 불가분(不可分)의. ② [수학] 나눌 수 없는: número ~ por tres 3으로 나누어지지 않는 수.

indivisiblemente *adv.* ① 불가분으로, 분할할 수 없이. ② 나눌 수 없이.

indivisión *f.* ① 분할할 수 없음. ② [법률] (재산의) 공유.

indiviso, sa *adj.* ① 분할되지 않는: La colección se vende ~*sa* 컬렉션은 일괄 판매합니다. ② [법률] 공유의: bienes ~*s*, bien pro ~ 공유 재산. finca ~*sa* 공유 토지. —*mf.* 공유자.

indiyudicable *adj.* [고어] 판결 내릴 수 없는, 판결 내려서는 안 되는.

indización *f.* =indexación.

indizar (9) *tr.* =indexar.

indo, da *adj., mf.* ① 인도(la India) 태생의. ② 인도의[에 관한]. —*mf.* 인도 사람.

indoamericano, na *adj., mf.* =amerindo.

indoantillano, na *adj.* 안틸리스 제도(las Antillas, 서인도 제도의 일부)의 원주민의. —*mf.* 안틸리스 제도 원주민(indio de las Antillas).

indoario, ria *adj.* ① 인도아리아 (사람)의. ② 인도아리아 말의. —*m.* 인도아리아 말.

indoblegable *adj.* (의견·의지·행동 등을) 꺾지 못하는.

indochino, na *adj.* ① 인도차이나 태생의. ② 인도차이나의[에 관한]: Península *Indochina* 인도차이나 반도. —*mf.* 인도차이나 사람.

indócil *adj.* 순종하지 않는, 말을 잘 듣지 않는, 교육하기 힘든.

indocilidad *f.* 순종치 않음, 가르치기 힘듦, 교육하기 힘듦.

indoctamente *adv.* 무지하게, 무식하게.

indocto, ta *adj.* 무학(無學)의, 무지한. —*mf.* 무학자, 무식한 사람.

indoctrinar *tr.* =doctrinar.

indocubano, na *adj.* 꾸바섬 원주민의. —*mf.* 꾸바섬 원주민.

indocumentado, da *adj.* ① 신분증을 소지[휴대]하지 않은. ② 자격이 없는. ③ 전문 지식이 없는. ④ (자료·증거 등의) 뒷받침[증명]이 없는. ⑤ 무식한, 교양 없는. —*mf.* 신분증을 소지하지 않은 사람.

indoeuropeo, a *adj.* 인도유럽 어(족)의: lenguas ~*as* 인도유럽어. pueblos ~*s* 인도유럽 어계(語系) 민족. —*mf.* 인도유럽 어계 사람.

indogermánico, ca *adj., mf.* =indoeuropeo.

indoiranio, nia *adj.* 인도이란 어의, 인도이란 어계에 속한. —*m.* 인도이란어.

indo-iranio, nia *adj., m.* =indoiranio.

índole *f.* ① (사물의) 특징(特徵), 성질: problema de ~ económica 경제적 문제. ② (사람의) 성격, 기질: Ella es de ~ perezosa 그녀는 게으른 성격이다.

indolencia *f.* ① 무기력, 나태, 게으름. ② 무통성(無痛性).

indolente *adj.* ① (마음이) 움직이지 않는, 감동되지 않는: mirada ~ 울적한 표정, 마음이 내키지 않는 표정. ② 게으른, 나태한, 태만한. ③ 무감각한. ④ 통증이 없는, 무통(성)의.

indolentemente *adv.* 마음이 내키지 않아; 게을리, 태만하게; 무감각하게; 통증이 없이, 무통으로(con indolencia).

indoloro, ra *adj.* 아프지 않은, 무통성(無痛性)의, 통증 없는: operación ~*ra* 무통 수술.

indomabilidad *f.* 길들일 수 없음; 억제할 수 없음.

indomable *adj.* ① (동물을) 길들일 수 없는, 거친: caballo ~ 거친 말, 길들일 수 없는 말. ② (사람이) 말을 듣지 않는, 고분고분하지 않는, 감당할 수 없는, 어찌할 수 없는: niño ~ 감당할[어찌할] 수 없는 아이.

indomado, da *adj.* 길들어 있지 않은, 난폭한: fiera ~*da* 난폭한 맹수.

indomeñable *adj.* =indomable.

indomesticable *adj.* =indomable.

indomesticado, da *adj.* 길들여지지 않은.

indoméstico, ca *adj.* 길들어 있지 않은, 야생 그대로의, 야생적인, 거친.

indómito, ta *adj.* ① 길들여지지 않은. ② =indomable. ③ 억제하기 어려운, 참기 어려운, 억누르기 어려운.

Indonesia *f.* [국명] 인도네시아.

indonesio, sia *adj.* ① 인도네시아 태생의. ② 인도네시아 (사람)의[에 관한]. ③ 인도네시아 말의[에 관한]. —*mf.* 인도네시아 사람. —*m.* 인도네시아 말.

indostanés, sa *adj.* 인도스탄(el Indostán; 북쪽으로 히말라야산과 남쪽으로 벵갈만과 오만해(el mar de Omán)를 이루는 인도양 사이에 포함된 영토) 태생의. —*mf.* 인도스탄 사람.

indostaní *m.* 인도스타니 말 ((인도의 공용어)).

indostánico, ca *adj.* 인도스탄의[에 관한]. —*mf.* 인도스탄 사람.

indubitable *adj.* 의심의 여지가 없는,

확실한, 명백한: Es ~ que lo dijo ella 그녀가 그렇게 말한 것은 확실하다.

indubitablemente *adv.* =**indudablemente.**

indubitadamente *adv.* 확실히, 의심없이(cietamente, sin duda).

indubitado, da *adj.* =**indubitable.**

inducción *f.* ① [논리] 귀납, 귀납법. ② 추론, 추정(推定). ③ 교사(教唆). ④ [전기] 유도, 감응: bobina de ~ 유도 코일, 감응 코일. ⑤ [생물] 유도; 유발. ¶~ *electromagnética* [전자] 전자 유도. ~ *electrostática* [물리] 정전 유도. ~ *magnética* [물리] 자기 유도. ~ *mutua* [전자] 상호 유도.

inducia *f.* [드묾] =**tregua, dilación.**

inducido *m.* [전기] 전기자.

inducidor, ra *adj.* 도입하는, 유도하는; 귀납하는. —*mf.* 도입자, 유도자.

inducir (71) *tr.* ① [+a] (…에) 도입하다, 이끌어들이다, 부추기다, 꼬드기다, 교사하다. ② [+de] (…에서) 귀납하다, 결론을 유도하다[꺼내다], 추론하다. ③ [의학] 진통을 일으키게 하다, 분만시키다. ④ [전기] 유도하다, 감응 작용을 일으키게 하다.

inductancia *f.* [전기] 인덕턴스, 유도 계수(誘導係數).

inductivo, va *adj.* ① [논리] 귀납적인. ② [전기] 유도성의: circuito ~ 유도 회로. corriente ~*va* 유도 전류.

inductor, ra *adj.* ① [전기] 유도(誘導)하는: campo ~ 유도 전사계. ② 꼬드기는, 교사하는. —*m.* [전기] 유도자.

indudable *adj.* ① 의심의 여지가 없는. ② =**evidente, claro, patente.**

indudablemente *adv.* 의심의 여지가 없이; 확실히, 명백히.

indulgencia *f.* ① 관용, 관대(한 조치). ② [천주교] 사면. ③ [역사] 면죄부.

indulgente *adj.* 관대한, 멋대로 하게 하는, 엄하지 않은.

indulgentemente *adv.* 관대하게, 너그럽게, 관용으로.

indultar *tr.* ① [+de] (죄를) 사면하다: ~ a un reo 죄인에게 은사를 주다, 죄인을 사면하다. ② (의무·지불 등을) 면제하다.

indulto *m.* ① 사면, 은사: pedir un ~ 사면을 요청하다. ② 면제(免除).

indumentaria[1] *f.* ① [집합] 의상, 의류: llevar una ~ ridícula 기묘한 의상을 입고 있다. ② 의상사(衣裳史), 의상사학(衣裳史學).

indumentario, ria[2] *adj.* 의상(衣裳)의, 복식(服飾)의.

indumento *m.* 의복, 옷.

induración *f.* [의학] 견고함, 단단함, 튼튼함.

industria *f.* ① 교지(巧智), 술책, 교묘한 재주와 지혜. ② [집합] 재료의 운용. ③ (재료의 운용을 위한) 시설, 공장, 제조 회사. ④ 산업, 공업(工業): ~ artesanal 수공업. ~ casera 가내 공업, 영세 기업. ~ de la alimentación 식품 산업. ~ fábril 제조 공업, 공장제 공업. ~ familiar 가내 공업, 영세 기업. ~ ligera 경공업. ~ pequeña y mediana 중소 기업. ~*s* primarias 제일차 산업. ¶~ *pesada* 중공업. *de* ~ =**de intento, de propósito.**

industrial *adj.* 산업의, 공업의: aguas residuales ~*es* 공업 폐수. alcohol ~ 공업용 알코올. ~ 산업용 로봇. banco ~ 산업 은행. contaminaciones ~*es* 산업 공해(公害). diseño ~ 산업[공업] 디자인. diseñador ~ 산업 디자이너. espía ~ 산업 스파이. espionaje 산업 스파이 행위. país ~ 공업국. política ~ 산업 정책. producción ~ 공업 생산. residuos ~*es* 산업 폐기물. robot ~ 산업용 로봇. —*mf.* 생산업자, 제조업자.

industrialismo *m.* 산업주의, 공업화 우선(工業化優先).

industrialista *adj.* 산업주의의, 공업화 우선의.

industrialización *f.* 산업화, 공업화.

industrializar (9) *tr.* 산업화[공업화]시키다: país industrializado 공업국. ~ una región 지역을 공업화[산업화]시키다. ~**se** 산업화되다, 공업화되다.

industriar *tr.* =**instruir, adiestrar, amaestrar.** ~**se** =**ingeniarse, bandearse.**

industriosamente *adv.* 근면하게, 부지런히; 솜씨 있게, 교묘히.

industrioso, sa *adj.* ① 근면한, 부지런한, 애쓰는. ② 일에 열심히 진념하는. ③ 숙련된.

INE *m. I*nstituto *N*acional de *E*stadística 통계국.

inebriar *tr.* [드묾] =**embriagar, emborrachar.**

inecuación *f.* [수학] 부등식(不等式).

inedia *f.* 충분한 급식 부족.

inédito, ta *adj.* ① 미간(未刊)의, 미발표의: obra ~*ta* 미발표 작품. ② 전대미문(前代未聞)의.

ineducación *f.* ① 무례, 버릇없음, 예의에서 벗어남. ② 무학, 무교육.

ineducado, da *adj.* 교육을 받지 못한, 배우지 못한; 무례한, 버릇이 없는.

INEF *m. I*nstituto *N*acional de *E*ducación *F*ísica 체육 협회.

inefabilidad *f.* 말로 표현할 수 없음, 필설로 다할 수 없음.

inefable *adj.* 말로 표현할 수 없는, 말로 다할 수 없는: alegría [tristeza] ~ 말로 표현할 수 없는 기쁨[슬픔]. belleza ~ 형용할 수 없는 아름다움. misterio ~ 필설을 다해도 표현할 수 없는 신비의 세계.

inefablemente *adv.* 말로 표현할 수 없이, 필설로 다할 수 없이.

ineficacia *f.* 효과[효험·효력]가 없음.

ineficaz *f.* 효과[효력·효험]가 없는: medicina ~ 효험이 없는 약. remedio ~ 효력이 없는 조치.

ineficazmente *adv.* 효험[효과·효력]

없이(sin eficacia).
ineficiencia *f.* 능률이 오르지 않음, 비능률; 무능함.
ineficiente *adj.* 능률이 오르지 않는, 비능률적인; 무능한; (사물이) 효과[효능]가 없는.
inelegancia *f.* 우아하지 못함, 멋없음, 몰취미, 무뚝뚝함; 운치 없는 행위[말].
inelegante *adj.* 우아하지 못한, 운치 없는, 멋없는; 세련되지 못한.
inelegible *adj.* (…에 선출될) 자격이 없는, 부적당한, 부적격한.
ineluctable *adj.* 불가항력의, 불가피한, 면치 못할: hado ~ 피할 수 없는 숙명. muerte ~ 피할 수 없는 죽음.
ineludible *adj.* 피할 수 없는, 불가피한.
ineludiblemente *adv.* 불가피하게, 피할 수 없이.
INEM *m.* *I*nstituto *N*acional de *Em*pleo 공공 직업 안정소.
inembargable *adj.* [법률] 차압의 대상이 될 수 없는.
inenarrable *adj.* =inefable: experiencia ~ 말로 다할 수 없는 경험.
inepcia *f.* ① 어리석음. ② 어리석은 말[행동]. ③ =ineptitud.
ineptamente *adv.* 어리석게; 무능하게.
ineptitud *f.* ① 어리석음. ② 어리석은 행위[말]. ③ 부적당함, 부조리.
inepto, ta *adj.* ① [+para] (…에) 부적격한: ser ~ para este cargo 이 직에는 부적격하다. ② 무능한, 어리석은. —*mf.* 무능한 사람, 어리석은 사람.
inequívocamente *adv.* 의심할 바 없이, 명백히, 틀림없이.
inequívoco, ca *adj.* 의심할 바 없는, 명백한, 틀림없는.
inercia *f.* ① [물리] 관성, 타성, 타력(惰力). ② 무기력, 활발치 못함. ③ [의학] 무력(증), 이완. ¶*fuerza de* ~ 관성력(慣性力).
inercial *adj.* ① 무기력한, 활발치 못한. ② 관성[타성 · 타력]의.
inerme *adj.* ① 무장하지 않은, 무방비의. ② [식물] 가시가 없는. ③ [동물] 침이 없는.
inerrable *adj.* 틀리지 않는, 실수[잘못]할 수 없는.
inerrancia *f.* 잘못[틀림]이 없음.
inerrante *adj.* [천문] 움직이지 않는.
inerte *adj.* ① 둔한, 완만한, 활발치 못한, 느린, 효과[효력]가 없는. ② 움직이지 않는, 마비된: mano ~ 마비된 손, 움직이지 않는 손. rostro ~ 마비된 얼굴. ③ 생기가 없는, 활력이 없는, 무기력한: cuerpo ~ 녹초가 된 몸, 축 늘어진 몸. ④ [화학] 비활성의, 활성이 없는, 화학 작용을 일으키지 않는: gas ~ 비활성 기체. ⑤ [의학] (환약 등이) 비활성의, 약리 작용을 보이지 않는. ⑥ 게으른, 태만한.
inervación *f.* [의학 · 생리] 신경 분포, 신경 지배.
inervador, ra *adj.* 신경 지배를 낳는.
inervar *tr.* 신경을 분포시키다, 신경 지배를 하다.
inescrupuloso, sa *adj.* ① 세심한 주의가 없는. ② 세심한 주의가 없는 말[행동].
inescrutable *adj.* 헤아릴 수 없는, 짐작[추측]할 수 없는, 불가해(不可解)한, 탐지 불능의, 조사할 수 없는.
inescudriñable *adj.* 꼬치꼬치 따질[물을] 수 없는.
inesperable *adj.* 기대할 수 없는.
inesperadamente *adv.* 뜻하지 않게, 뜻밖에, 불의에, 생각지도 않게.
inesperado, da *adj.* 생각지도 않은, 예상 밖의, 불의의, 뜻밖의: desgracia ~*da* 생각지도 않은 재난. visita ~*da* 불의의 방문.
inestabilidad *f.* 불안정, 불안정성: ~ política 정치적 불안정.
inestable *adj.* 불안정한, 변하기 쉬운: gobierno ~ 불안정한 정부. tiempo ~ 변하기 쉬운 기후, 불안정한 기후.
inestancable *adj.* 독점할 수 없는.
inestimabilidad *f.* 평가할 수 없음, 귀중함.
inestimable *adj.* 평가할 수 없는, 더할 나위 없이 귀한, 매우 귀중한.
inestimado, da *adj.* 아직 평가받지 못한, 미평가의.
inevitable *adj.* 피할 수 없는, 면하기 어려운, 부득이한, 필연적인, 당연한.
inevitablemente *adv.* 불가피하게, 피할 수 없이.
inexactamente *adv.* 부정확하게.
inexactitud *f.* ① 부정확, 오류, 잘못, 실수: ~ en los datos 데이터의 오류[잘못]. ② 부정확한 말[행동], 거짓 행동, 거짓말.
inexacto, ta *adj.* ① 부정확한, 틀린: reloj ~ 정확하지 못한 시계. ② 허위의, 거짓의.
inexcogitable *adj.* 고안할 수 없는.
inexcusable *adj.* ① (변명으로) 회피할 수 없는, 면할 수 없는: deber ~ 피할 수 없는 의무. ② 핑계 댈 수 없는. 변명할 도리가 없는: un error ~ 변명할 도리가 없는 잘못[실수]. ③ 용서받을 수 없는.
inexcusablemente *adv.* 불가피하게, 피할 수 없이.
inexequible *adj.* 할[얻을] 수 없는.
inexhausto, ta *adj.* 무진장한, 고갈되지 않는, 다함이 없는: suministro ~ 무진장한 공급.
inexistencia[1] *f.* [드뭄] (어떤 것에 다른 것의) 존재.
inexistencia[2] *f.* 존재하지 않는 것.
inexistente[1] *adj.* [고어] 다른 사람 안에 존재하는[있는].
inexistente[2] *adj.* ① 존재하지 않는, 실재하지 않는. ② 있지만 없는 것 같은.
inexorabilidad *f.* 가혹함, 준엄함.
inexorable *adj.* ① 피할 수 없는. ② 가혹한, 준엄한, 무정한: padre ~ 준엄한 아버지.
inexorablemente *adv.* 피할 수 없이;

가혹하게, 준엄하게, 용서없이.
inexperiencia *f.* 경험이 없음, 익숙하지 않음, 서투름, 미숙함.
inexperto, ta *adj.* 경험이 없는, 미숙한, 익숙하지 않은, 서투른: conductor ~ 서툰 운전수. técnico ~ 경험이 없는 기사, 미숙한 기사. —*m.f.* 경험이 없는 사람, 미숙한 사람.
inexpiable *adj.* 보상할 수 있는, 메울 수 있는, 속죄할 길 없는, 죄 많은.
inexplicable *adj.* 설명[해석]할 수 없는, 불가해한: enigma ~ 풀리지 않는 수수께끼.
inexplicablemente *adv.* 불가해하게, 설명할 수 없는 일이지만, 알 수 없는 일이지만.
inexplicado, da *adj.* 해명할 수 없는, 불명(不明)한, 설명이 없는.
inexplorado, da *adj.* 전인미답(前人未踏)의: bosque ~ 전인미답의 산림. selva virgen ~*da* 전인미답의 처녀림.
inexpresable *adj.* 표현할 수 없는.
inexpresado, da *adj.* 말로 표현하지 못하는(no expresado).
inexpresividad *f.* 무표정함; 말이 없음.
inexpresivo, va *adj.* ① 무표정한, 말없는, 뚱한: rostro ~ 무표정한 얼굴. ② 말로 표현할 수 없는, 겨우 표현하는, 표현력이 부족한.
inexpugnable *adj.* ① 정복할 수 없는, 난공불락의, 견고한. ② 접근할 수 없는, 가까이할 수 없는; 접근하기 무척 어려운, 가까이 하기 어려운. ③ 막무가내로 듣지 않는, 설득할 수 없는.
inextensible *adj.* 넓힐 수 없는, 확장할 수 없는, 길어지지 않는.
inextenso, sa *adj.* 넓지 않은, 면적이 없는.
in extenso *adv. lat.* =**por extenso.**
inextinguible *adj.* ① 사라지지 않는. ② 영원한, 불멸의, 오래 지속하는.
in extremis *adj. lat.* ① 임종의, 죽음의 순간의: testamento ~ 임종 유언. ② 마지막의, 위험한 상황[난처한 입장]의 마지막 순간의. —*adv. lat.* 마지막에, 위험한[난처한] 입장의 마지막 순간에, 최후의 순간에, 극단적 상황에서, 최후의 수단으로. ¶*matrimonio* ~ 임종 결혼.
inextricable *adj.* 풀 수 없는, 해결할 수 없는; 뒤얽힌, 얽히고설킨, 복잡한, 풀리지 않는.
inf. informe 보고서; infinitivo 부정사.
in facie ecclésiae *adj.* (결혼을) 교회법에 따라 거행한. —*adv.* 교회법에 따라 거행하여.
infacundo, da *adj.* ① 말이 없는, 말솜씨가 없는. ② 설명할 말이 빨리 나오지 않는, 설명할 말을 쉽게 찾지 못하는.
infalibilidad *f.* 무류(無謬), 무류성(無謬性): ~ del Papa 로마 교황의 무류.
infalible *adj.* 무류의, 절대 오류[잘못]가 없는, 절대 확실한: método ~ 절대 확실한 방법.
infaliblemente *adv.* 절대 확실하게, 절대 오류[잘못]가 없이.
infalsificable *adj.* 위조할 수 없는.
infamación *f.* 모략, 중상, 헐뜯기.
infamadamente *adv.* 모략으로, 중상으로, 헐뜯어.
infamador, ra *adj.* 모략하는, 중상하는, 헐뜯는. —*m.f.* 모략자, 중상자.
infamante *adj.* 명예를 손상하는.
infamar *tr.* 헐뜯다, 중상하다, 명예를 손상시키다. ~**se** 명예가 손상되다.
infamativo, va *adj.* 명예를 손상시키는, 명예를 손상시킬 수 있는.
infamatorio, ria *adj.* 중상하는, 명예훼손의, 헐뜯는.
infame *adj.* ① 평판이 나쁜, 악명 높은, 체면이 서지 않는, 불명예스러운. ② 파렴치한: crimen ~ 파렴치죄. ③ 천한, 비열한: traición ~ 비열한 배반. ④ 아주 나쁜(muy malo): tiempo ~ 악천후. pintura ~ 서툰 그림. ⑤ 더러운, 추한. —*m.f.* 평판이 나쁜 사람, 비열한 사람.
infamia *f.* ① 불명예, 치욕, 오욕. ② 악의, 사악; 비열함, 비열한 행위.
infancia *f.* ① 유년기: amigo de *su* ~ 죽마고우. recuerdos de la ~ 유년기[어린 시절]의 추억. ② [집합] 아동, 어린이: ~ marginada 학력이 처져서 수업을 따라갈 수 없는 아동. ③ 초기, 여명기, 요람기: ~ de un reino 왕국의 초기. ~ de una institución 협회의 초기. ~ del mundo 세계의 여명기. ~ de la Humanidad 인류의 여명기.
infando, da *adj.* 꺼림칙한.
infantado *m.* 왕자[왕녀]의 위[영지].
infantazgo *m.* =**infantado.**
infante, ta *m.f.* ① (아직 일곱 살이 안 된) 아이, 아동. ② 왕자, 공주. —*m.* ① (왕위 계승자인 황태자나 황녀 이후 태생의) 왕자. ② (후안 1세 시대까지) 왕의 첫째 아들: ~ heredero 왕위 계승 왕자. ~ primero heredero 왕위 계승 1순위 왕자. ③ [군사] 보병: ~ de marina 해병대원. ④ =**infante de coro.** —*f.* ① [고어] 공주(infanta real). ② 왕위 상속녀가 아닌 공주. ③ 왕자의 아내. ¶~ ***de coro*** (몇 성당의) 합창단 소년.
infantejo *m.* (몇 성당의) 합창단 소년.
infantería *f.* 보병대: soldado de ~ 보병. ¶~ ***de línea*** 주력 보병 부대. ~ ***de Marina*** 해병대. ~ ***ligera*** 경(장)보병대. ***ir [quedar] de*** ~ (말 타고 가는 사람에 대해) 걸어가다.
infanticida *adj.* 유아(幼兒)[영아(嬰兒)] 살해의. —*m.f.* 유아[영아] 살해범.
infanticidio *m.* 유아[영아] 살해.
infantil *adj.* ① 유아의, 영아의: enfermedad ~ 유아[영아]의 병. lenguaje ~ 유아어. literatura ~ 아동 문학. ropa ~ 아동복, 유아복. ② 순진한, 악의가 없는. ③ (어른이) 어린아이 같은, 소아적(小兒的)인: mentalidad ~ 어린아이 같은 사고 방식. ¶***parálisis*** ~

[의학] 소아마비.
infantilidad *f.* 유아성(幼兒性).
infantilismo *m.* ① 어린아이 같은 성격[언행]. ② [의학] 유치증(幼稚症).
infantillo *m.* (성당의) 유아[어린이] 합창 단원.
infantina *f.* infanta의 축소사.
infanzón, na *m.f.* (영주권에 제한이 있는) 양반[귀족].
infanzonado, da *adj.* infanzón의.
infanzonazgo *m.* infanzón의 영토.
infanzonía *f.* 귀족성(性), 양반성(性).
infartado, da *adj.* [의학] 경색(infarto)에 걸린. —*m.f.* 경색 환자.
infartar *tr.* 경색을 일으키다. ~**se** 경색이 일어나다, 경색되다.
infarto *m.* ① [의학] 경색(梗塞): ~ cerebral 뇌경색. ~ de un ganglio 신경절 경색. ~ del hígado 간경색. ② (기관의) 괴사. ③ [의학] 심근 경색.
infatigable *adj.* ① 피로를 모르는, 지구력이 있는. ② 쉬 지치지 않는.
infatigablemente *adv.* ① 피로를 모르고, 지칠 줄 모르고, 피로의 기색도 없이. ② 열심히, 꾸준히.
infatuación *f.* 자부, 자만, 잘난 체함.
infatuar (15) *tr.* 자부[자만]하게 하다. ~**se** 자부[자만]하다, 잘난 체하다.
infaustamente *adv.* 불행[불운]하게.
infausto, ta *adj.* 불행한, 불운한: un día ~ 불행한[비참한] 하루.
infebril *adj.* 열이 없는(sin fiebre).
infección *f.* ① 감염(증), 전염. ② 화농.
infeccionar *tr.* [드묾] =**infectar.**
infeccioso, sa *adj.* (병이) 전염성의, 전염병의; (공기·물·의복·벌레 등이) 병을 옮기는, 전염력을 가진: enfermedad ~*sa* 전염병.
infectar *tr.* ① (생물·인간에게) (병을) 전염시키다, 감염시키다. ② (공기·물 등에) 병독[병균]을 퍼뜨리다, (유해물 등으로) 오염시키다. ③ (사람을 …로) 타락시키다, (나쁜 버릇에) 물들이다, 젖게 하다. ~**se** ① 전염되다, 감염되다. ② 오염되다. ③ 타락하다, 물들다, 젖다.
infecto, ta *adj.* ① [+de] (…에) 감염된, 오염된, 물든: ~ de herejía 사교(邪敎)에 심취된[물든]. ② 더러운, 악취를 내는, 고약한 냄새가 나는, 부패한, 썩은: asunto ~ 흉칙한 사건. negocio ~ 더러운 장사[거래].
infecundidad *f.* ① 불임(증). ② 불모(不毛). ③ 빈약함.
infecundo, da *adj.* ① 불임(증)의. ② 불모의. ③ 빈약한. ④ 과작(寡作)의: escritor ~ 과작(하는) 작가.
infelice *adj.* [시어] =**infeliz.**
infelicidad *f.* 불행.
infeliz *adj.* ① 불행한: suerte ~ 불행한 운명. consolar a una ~ hermana 불행한 누이를 위로하다. ② 불쌍한. ③ 사람이 좋은, 호인의, 우직한.
infelizmente *adv.* 불행하게; 불쌍하게.
inferencia *f.* 추론, 추리(推理), 결론.
inferior *adj.* ① (위치가) 아래의, 하위의, 낮은. ② (계급·신분·등급 등이) 아래쪽의, 하등(下等)의: animales ~*es* 하등 동물. cursos ~*es* 저학년(低學年). familia ~ *a* la clase media 중류 이하의 가정. ③ (품질이) 열등한, 하급의, …보다 못한, 이류의: obra ~ a la precedente 앞 작품보다 못한 작품. ④ (수량이) 적은: Mi sueldo es muy ~ *al* de ellos 내 급료는 그들보다 매우 적다. —*m.f.* 하급자, 아랫사람; 부하: tratar a los ~*es* con respeto 부하에게 정중히 대하다.
inferioridad *f.* 하위, 열등, 하급, 열세: complejo de ~ 열등감, 열등 콤플렉스. estar en ~ de condiciones 불리하다, 불리한 조건을 떠맡고 있다.
inferir (54) *tr.* ① [+de·por] (…에서) 추론하다, 추리하다, 결론하다. ② (결과로서) 가져오다: Estos fríos *han inferido* las heladas 이 추위로 얼음이 얼었다. ③ (해·모욕·상처 등을) 입히다, 가하다: ~ a *alguien* una grave herida …에게 중상을 입히다. ~**se** 추론되다.
infernáculo *m.* (어린이의) 돌차기놀이.
infernal *adj.* ① 지옥의[에 관한]. ② 아주 나쁜, 극악 무도; 유해(有害)한, 해로운(dañoso, perjudicial). ③ 무시무시한, 굉장한, 대단한, 격심한, 지독한, 정말 싫은, 지긋지긋한, 매우 화난: ruido ~ 무시무시한 소리.
infernar *tr.* ① 지옥의 고통을 받게 하다, 지옥에 빠지게 하다. ② 불안하게 하다, 동요시키다, 화나게 하다. ~**se** ① 지옥에 떨어지다. ② 불안하다, 동요되다, 화나다, 성내다, 노하다.
infernillo *m.* =**infiernillo.**
inferno, na *adj.* [시어] =**infernal.**
infértil *adj.* =**estéril.**
infertilidad *f.* =**esterilidad.**
infestación *f.* ① (병균·해충 등의) 침입, 유행. ② (해적 등의) 횡행. ③ 황폐, 잡초의 무성함.
infestar *tr.* ① (쥐·해충·해적·병 등이) 황폐케하다, 휩쓸다, 망치다, …에 만연하다, 횡행하다, 판치다, 창궐하다. ② 오염시키다: Los gases de escape *infestan* el aire de la ciudad 배기 가스가 도시의 공기를 오염시킨다.
infesto, ta *adj.* [시어] =**dañoso.**
infeudación *f.* =**enfeudación.**
infeudar *tr.* =**enfeudar.**
infibulación *f.* (성교의 방해를 위한) 생식기 봉쇄.
infibular *tr.* 성교를 방해하기 위해 생식기에 링이나 다른 장애물을 끼우다.
infición *f.* [드묾] =**infección.**
inficionar *tr.* [드묾] =**infectar.**
infidelidad *f.* ① 불충실, 불성실. ② 부정(不貞), 바람기.
infidelísimo, ma *adj.* [드묾] 매우 불충실한[불성실한], 매우 정확치 못한.
infidencia *f.* 믿을 수 없음, 신용할 수 없음, 불성실.

infidente *adj.* 믿을 수 없는, 신뢰[신용] 할 수 없는. *—mf.* 믿을[신뢰할] 수 없는 사람.

infiel *adj.* ① [+a] (…에) 충실하지 못한, 성실하지 못한: amigo ~ 불성실한 친구. conducta ~ 불성실한 행위. Su marido le es ~ 그녀의 남편은 바람기가 있다. ② (기독교에서 보는) 이단의, 이교도의. ③ 정확하지 않은: copia ~ 원화에 충실하지 못한 모사(模寫). intérprete ~ 정확하지 않은 통역관[통역자]. *—mf.* 이교도, 이단자.

infielmente *adv.* 충실치 않게, 불성실하게; 정확하지 않게.

in fieri *adj. lat.* …을 하는 과정에 있는.

infiernillo *m.* ① (물을 덥히고 끓이는 알코올 램프가 부착된) 탁상 풍로. ② 휴대용 전기 풍로.

infiernito *m. Méj.* 작은 폭죽.

infierno *m.* ① 지옥: irse al ~ 지옥에 떨어지다. ② (대립과 불안으로 가득 찬) 수라장, 생지옥. ③ 지옥 같은 곳. ¶*el quinto* ~ 매우 깊은 곳, 아득히 먼 곳. ***los quintos ~s*** =el quinto infierno. ***¡Vete [Anda] al ~!*** (귀찮게 조르고 괴롭히는 사람에게 화가 나서 거절할 때) 꺼져!, 저리 가!

infigurable *adj.* 형체로 나타낼 수 없는, 무형의.

infijo, ja *adj.* [문법] 속가지의, 접중어의. *—m.* [문법] 속가지, 접중사, 접중어 ((예 humareda 의 ar)).

infiltración *f.* [+en] ① (…에의) 침투; 잠입: ~ de espías 스파이의 잠입. ② [의학] 침윤: ~ de pulmón [의학] 폐침윤(肺浸潤).

infiltrado, da *mf.* (적의 땅에) 잠입자.

infiltrar *tr.* ① (견고한 가는 구멍 사이에) 스며들게 하다; 침투시키다: ~ el agua *en* la tierra 지면에 물을 스며들게 하다. ② [군사] 잠입시키다. ③ (사상 등을) 주입시키다, 침투시키다. ④ [의학] (상처 관절·통증을 느끼는 근육에 염증 제거 약제를) 주입시키다, 주사하다, 침윤시키다. **~se** ① (물 등이) 스며들다, 침투하다: La humedad *se infiltró* en la pared 습기가 벽에 스며들었다. ② 잠입하다: *~se en* las filas del enemigo 적군에 잠입하다. ③ (사상 등이) 주입되다, 침투하다. ④ [의학] (조직·세포 등에) 침윤하다.

ínfimo, ma *adj.* (계층·가격·품질 등이) 최하급의, 최저의: precio ~ 최저 가격, 초저가. de *~ma* calidad 열악한 품질의, 최저 품질의.

infinible *adj.* [드묾] 끝나지 않는, 끝이 없는, 무한의.

infinidad *f.* ① 무한, 무한대. ② 무수.

infinitamente *adv.* ① 무한히, 한없이, 수없이. ② 훨씬, 매우: ser ~ mejor 훨씬 더 좋다.

infinitesimal *adj.* [수학] 미소(微小)의, 무한소(無限小)의. ¶*cálculo* ~ [수학] 미적분학.

infinitivo *m.* ① [문법] 부정사. ② [문법] 부정법. ¶~ *compuesto* [문법] 완료형.

infinito, ta *adj.* ① 무한의, 한이 없는, 끝이 없는: alegría *~ta* 무한한 기쁨. espacio ~ 무한 우주 공간. ② 무수한, 셀 수 없는, 막대한. *—m.* ① 무한한 곳: mirar al ~ 허공을 바라보다. ② [사진] 무한대, 무한 거리 ((기호 ∞)). ③ [수학] 무한대. ④ [수학] 무한대 기호 ((∞)). *—adv.* 한없이, 무척, 매우, 대단히, 퍽: Lo siento ~ 대단히 죄송합니다[미안합니다]. Se lo agradezco ~ 대단히 고맙습니다. Les agradecemos ~ 여러분께 심심한 사의를 표합니다.

infinitud *f.* 무한(성), 무궁(성).

infirmar *tr.* ① [법률] [드묾] 무효화하다. ② [고어] (가치와 효과를) 줄이다.

inflable *adj.* =**hinchable.**

inflación *f.* ① 팽창, 부풀어오름. ② 자만심; 과장. ③ 지나치게 많음, 넘쳐남. ④ [경제] 인플레이션, 통화 팽창: ~ producida por la presión de la demanda 수요 인플레이션. ~ de palabras extranjeras 외래어의 범람.

inflacionario, ria *adj.* [경제] 인플레이션의, 통화 팽창의, 인플레이션 경향의: política ~ 인플레이션 정책.

inflacionismo *m.* 인플레이션 정책, 통화 팽창론.

inflacionista *adj.* =**inflacionario.**

inflamable *adj.* ① 불타기 쉬운, 가연성의, 인화성의: gas ~ 가연성 가스. ② (감정·성질이) 격분하기 쉬운, 흥분하기 쉬운.

inflamación *f.* ① 인화, 발화: punto de ~ 발화점. ② [의학] 염증: ~ de las amígdalas 편도선염.

inflamador, ra *adj.* 불태우는; 흥분하는, 격분하는.

inflamar *tr.* ① 불태우다. ② (사람을) 흥분시키다, 노하게 하다; (감정·식욕 등을) 자극하다. ③ (흥분 등으로 얼굴 등이) 새빨개지게 하다. ④ [의학] 염증을 일으키다. **~se** ① 불타다, 불타오르다. ② [+de·en] (…로) 격노하다, 흥분하다. ③ 빨갛게 부어 오르다. ④ [의학] 염증이 생기다, 붓다: *Se* me *ha inflamado* el pie 내 다리는 부어 올랐다.

inflamatorio, ria *adj.* [의학] 염증을 일으키는, 염증성의.

inflamiento *m.* 팽창.

inflar *tr.* ① (공기·가스로) 부풀리다: ~ un balón 공을 부풀리다. ② (행위·소식 등을) 과장하다, 과장해서 이야기하다. ③ 거만하게[우쭐거리게·뻐기게] 하다. ④ (…를) 반복해서 때리다: ~ a bofetadas 따귀를 반복해서 때리다. **~se** ① 부풀다. ② 거만하게 굴다, 우쭐거리다. ③ [+de] (…로) 배불리[실컷] 먹다[마시다].

inflativo, va *adj.* 부풀리는, 팽창하는.

inflexibilidad *f.* ① 굽힐 수 없음, 휘어지지 않음, 불굴성. ② 불굴, 강직.

inflexible *adj.* ① (물건이) 굽혀지지 않는, 휘지 않는. ② 확고한, 꿋꿋한, 불굴의, 강직한, 완고한: persona ~ 완고한 사람.

inflexiblemente *adv.* 완고하게, 강직하게, 꿋꿋이, 굽히지 않고.

inflexión *f.* ① (선 등이) 굽음, 구부러뜨림. ② 방향의 변화. ③ (빛의) 굴절. ④ (소리의) 억양, 음성의 조절. ⑤ [문법] 어형 변화, 변화 어미, 굴절 어미.

infligir (4) *tr.* ① (해를) 주다, 입히다: ~ una derrota al equipo enemigo 상대 팀을 완전히 이기다. ② (벌 등을) 주다, 과(課)하다: Le *infligieron* un castigo 그는 벌을 받았다.

inflorescencia *f.* [식물] 꽃차례, 화서(花序): ~ centrífuga 취산 꽃차례.

influencia *f.* ① 영향(影響), 감화(력), 작용, 효과: sentir la ~ viciosa de sus amigos 친구한테서 나쁜 영향을 받고 있다. ② [주로 *pl.*] 세력, 권세; 연고; 명망, 위력: hombre de muchas ~*s* 유력자, 실력자. rivalidad de ~ 세력 싸움. ③ 영향을 끼치는 사람, 실력자, 세력가, 유력자, 권세가.

influenciable *adj.* 감화되기 쉬운.

influenciar (11) *tr.* =**influir.**

influente *adj.* =**influyente.**

influenza *f.* 인플루엔자, 유행성 감기, 돌림감기, 독감(gripe).

influir (77) *intr.* [+en] (…에) 영향을 미치다: hombre que *influye en* el gobierno 정부의 실력자. —*tr.* 감화시키다, 영향을 끼치다; 좌우하다, 움직이다. ~**se** [+de] (…에게서) 감화되다, 영향을 받다.

influjo *m.* ① 영향. ② 만조(滿潮).

influyente *adj.* ① 영향을 미치는. ② 세력 있는, 영향력을 가진, 권위 있는, 유력한.

infografía *f.* ① 컴퓨터 그래픽. ② 컴퓨터 그래픽으로 얻어진 영상[이미지].

infográfico, ca *adj.* infografía의.

infolio *m.* [인쇄] 2절판(의 책).

información *f.* ① 정보; 정보 수집; 통보: ~ de crédito 신용 조사 보고. ~ secreta 비밀 보고. solicitud de ~ 조회, 문의. teoría de la ~ 정보 이론. ② 뉴스, 보도: ~ mercantil 상품 시황. ~ periodística 신문 보도(新聞報道). *informaciones* meteorológicas 일기 개황. Ministerio de *Información* 정보부. servicio de ~ 보도부(報道部). ③ 안내, 안내소: ~ telefónica 전화번호 안내. oficina [centro] de ~ turística 관광 안내소. ④ [법률] 예심, 증인 심문. ⑤ [컴퓨터] 정보, 정보량, 인포메이션. ¶ ~ ***de sangre*** (자격 증명을 위한) 계보 조사. ~ ***genética*** [생물] =**información génica.** ~ ***génica*** [생물] 유전 정보.

informado, da *adj.* ① 정보에 밝은: según una fuente ~*da*, según dicen los bien ~*s* 소식통에 의하면. ② 신원이 확실한, 신원 보증이 있는. ¶ ***consentimiento*** ~ (수술·의학 실험에 대한 환자의) 고지(告知)에 입각한 동의[승낙].

informador, ra *adj.* 정보를 제공하는. —*mf.* 홍보 담당자; 정보 제공자; 보도 기자: ~ gráfico 보도 카메라맨.

informal *adj.* ① 형식[격식]을 따지지 않는, 탁 터놓은; 평상복의. ② 약식의, 비공식의 ③ (말 등이) 평이한. —*mf.* 무책임한 사람, 시간을 엄수하지 않는 사람.

informalidad *f.* 비공식, 약식 (행위).

informante *adj.* 알리는, 보고하는, 통지하는. —*mf.* 보고자, 자료 제공자.

informar *tr.* ① 알리다, 보고하다, 통지하다. ② 만들다, 형성하다, …의 특징이 되어 있다. —*intr.* ① 정보를 주다. ② (검사·변호사가) 진술하다. ~**se** ① 알다, 정보를 얻다. ② 조회하다, 문의하다.

informática *f.* 정보 과학, 정보 처리.

informático, ca *adj.* ① 정보 과학의[에 관한], 정보 처리의[에 관한]: virus ~ 컴퓨터 바이러스. ② 정보 과학 분야에서 일하는[조사하는]. —*mf.* 정보 과학[처리] 전문가.

informativista *mf. Ur.* (라디오·텔레비전의) 뉴스 담당자.

informativo, va *adj.* ① 정보를 주는, 지식을 주는: hoja ~*va* 통지 전단. revista ~*va* 정보지. tratamiento ~ 통신 취급. ② …의 모양을 만드는. —*m.* 뉴스 프로그램(boletín ~), 보도 프로그램(programa ~).

informatización *f.* 정보화, 컴퓨터화(化), 전산화.

informatizar (9) *tr.* 정보화시키다, 컴퓨터화시키다, 전산화하다. ~**se** 정보화되다, 컴퓨터화되다, 전산화되다.

informe[1] *m.* ① 알림, 통지, 정보: pedir ~*s* a alguien …에게 조회[문의]하다. ② 보고(서), 리포트: ~ presidencial 대통령 교서. ③ *pl.* 신원 보증: el ama de llave con buenos ~*s* 신원이 확실한 가정부.

informe[2] *adj.* ① 형[모양]이 갖추어지지 않은, 형태가 이루어지지 않은. ② 윤곽이 희미한, 희미한 모양의.

informidad *f.* 형[모양·형태]이 갖추어지지 않음.

informulable *adj.* 문서[서식]로 나타낼 수 없는, 말로 표현할 수 없는.

inforticable *adj.* 방비[강화]할 수 없는.

infortuna *f.* (별의 영향으로 인한) 나쁜 운세, 불운.

infortunadamente *adv.* 운수 나쁘게, 재수 없이(sin fortuna, con desgracia).

infortunado, da *adj., mf.* =**desafortunado.**

infortunio *m.* ① 역경: aguantar en el ~ 역경에 견디다[버티다]. ② 불운, 불행. ③ 불행한 행동[사건].

infra *f. lat.* 하기(下記)에.

infra- *pref.* 「아래의(inferior·debajo)」의 뜻: *infra*humano 인간 이하의, 인간

같지 않은. *infra*scrito 아래에 적은 이름의.

infracción *f.* (규칙 등에 대한) 위반, 위배: ~ del contrato 계약 위반, 위약.

infracto, ta *adj.* [드묾] 견고한, 쉽게 흔들리지 않는.

infractor, ra *adj.* (법 등을) 위반하는. —*m.f.* 위반자: ~ de las normas de circulación 교통 위반자.

infradotado, da *adj.* 신체 장애의, 정신 장애의.

infraestructura *f.* ① 지하 공사, 기초 공사[부분]: ~ de un puente 교량의 지하[기초] 공사. ② (단체 등의) 하부 구조[조직]. ③ (사회의) 기본적 시설; 인프라, 기초적 경제 기반: ~ aérea (항공상의) 지상 시설, 영구 기지. ~ económica 경제 기반. ~ sociopolítica 사회 경제 기반.

infraganti *adv.* =**in fraganti.**

in fraganti *adv. lat.* [법률] 현행범으로.

infrahumano, na *adj.* 인간 이하의, 인간 같지 않은: condiciones de vida ~*na* 인간 이하의 생활 조건.

infrangible *adj.* 범할 수 없는, 불가침(不可侵)의.

infraqueable *adj.* 넘어서지 못할, 지나가지 못할; 이겨낼 수 없는, 극복하기 어려운.

infraoctavo, va *adj.* 팔일제의. —*f.* 팔일제(八日祭).

infraorbitario, ria *adj.* 눈 아랫부분에 위치한, 눈 바로 아래의.

infrarrojo, ja *adj.* 적외선의: fotografía ~*ja* 적외선 사진. rayos ~*s* 적외선.

infrascripto, ta *adj.* =**infrascrito.**

infrascrito, ta *adj., m.f.* 아래 서명한 (사람), 하기(下記)의 (사람).

infrasónico, ca *adj.* 초저주파 불가청음의[에 관한].

infrasonido *m.* 초저주파 불가청음.

infrautilización *f.* (사람·물건의 능력·가능성을) 충분히 이용하지 못함.

infrautilizado, da *adj.* 충분히 이용하지 못한.

infrautilizar (9) *tr.* (사람·물건의 능력·가능성을) 충분히 이용하지 않다[못하다].

infravaloración *f.* 과소 평가.

infravalorar *tr.* 과소 평가하다.

infravivienda *f.* 주거하기에 최소한의 상태도 안 되는 주거.

infracuencia *f.* 드문 일, 희소함, 좀처럼 없음.

infrecuente *adj.* 드문, 희소한, 좀처럼 없는: Esas cosas no son ~*s* en el país 그런 일은 국내에서 드문 일이 아니다[잦은 일이다].

infringir (3) *tr.* (법률·계약·권리 등을) 침해하다, 어기다, 범하다, 위반하다: ~ la ley 법을 위반하다. ~ el precepto 계율(戒律)을 어기다. ~ los derechos humanos 인권을 침해하다.

infructífero, ra *adj.* ① 열매를 맺지 않는, 불모의. ② 무익한.

infructuosamente *adv.* 성과 없이, 헛되이, 무익하게, 공연히.

infructuosidad *f.* 결실이 없음; 헛됨, 효과 없음, 무익함.

infructuoso, sa *adj.* ① 결실이 없는, 열매가 맺지 않는: esfuerzo ~ 헛된 노력. trabajo ~ 결실이 없는 일, 헛수고. ② 효과가 없는, 무익한.

infrugífero, ra *adj.* =**infructífero.**

ínfula *f.* ① [주로 *pl.*] (승려·희생자들이) 머리에 감아 끝이 양쪽으로 내려뜨려진 하얀 양털 장식 ((옛날에는 몇몇 왕들도 사용함)). ② 주교관(主教冠)에 달아 늘어뜨린 장식. ③ *pl.* 자부심, 자만심(presunción, vanidad).

infumable *adj.* ① (담배가 질이나 제조의 결점으로) 최악의(pésimo). ② 받아들일 수 없는, 질이 나쁜, 이용이 불가능한.

infundadamente *adv.* 합리적인 근거 없이(sin fundamento racional).

infundado, da *adj.* (사실적·합리적인) 근거가 없는, 이유가 없는, 사실무근한: rumor ~ 사실무근한 풍문.

infundibuliforme *adj.* [식물·해부] 깔때기 모양의(en forma de embudo).

infundíbulo *m.* [해부] 깔때기.

infundio *m.* 거짓말, 허위 보고, 허보.

infundioso, sa *adj.* 거짓말의, 근거 없는, 자주 허위 보고를 하는.

infundir *tr.* ① (감정 등을) 일으키게 하다, 느끼게 하다, 품게 하다: ~ miedo [fe·cariño] a *alguien* …에게 공포[믿음·애정]를 느끼게 하다. ~ respeto a todo el mundo 모든 사람에게 경의를 품게 하다. ② [종교] 감응하게 하다. ③ [드묾] 그릇에 액체를 붓다.

infurción *f.* (영주에게 지불하는) 주택 부지세.

infurcioniego, ga *adj.* 주택 부지세에 따른[준하는].

infurtir *tr.* [드묾] =**enfurtir.**

infuscar *tr.* [드묾] =**ofuscar.**

infusibilidad *f.* 불용해성, 녹일 수 없음.

infusible *adj.* 녹일 수 없는.

infusión *f.* ① (감정 등을) 일으킴. ② 탕제, 탕약, 달인 음료 ((커피·차·등과 마찬가지로 여러 가지 과실이나 향초를 펄펄 끓는 물에 넣어 달인 음료)). ③ [종교] (세례식에서) 세례를 받는 사람의 머리에 물을 뿌리는 행위. ④ 우려냄. ⑤ 우려낸 물[액체]. ⑥ [의학] (정맥에) 주입, 점적. ⑦ [의학] 주입액.

infuso, sa *adj.* 천부(天賦)의, 선천적인.

infusorio *m.* [동물] 적충류(滴蟲類).

ingenerable *adj.* [드묾] 낳을 수 없는, 생산할 수 없는.

ingeniar (11) *tr.* 고안하다, 생각해 내다: ~ un aparato para ahorrar gasolina 가솔린을 절약하는 장치를 고안하다. ~**se** 궁리하다, 머리를 쓰다: ~se a vivir 살기 위해 궁리하다, 살 궁리를 하다.

ingeniatura *f.* ① 머리를 씀, 궁리함. ② 처세술.
ingeniería *f.* ① 공학, 엔지니어링: ~ civil 토목 공학. ~ mecánica 기계 공학. ② 엔지니어의 직업 활동. ¶ ~ *genética* 유전자 공학.
ingenieril *adj.* 공학(工學)의[에 관한].
ingeniero, ra *m.f.* 기사, 기술자, 엔지니어: ~ agrícola 농업 기사. ~ civil; ~ de caminos, canales y puertos 토목 기사. ~ mecánico 기계 기사. ~ naval 조선 기사. ¶ ~ *técnico, ca m.f.* 전문 지식으로 공식적인 기사 도우미, 대학 졸업 기사.
ingenio *m.* ① 독창력, 재능: ser un hombre de ~ prodigioso 뛰어난 재능이 있다, 경이로운 재능을 가진 사람이다. ② 재사, 재인. ③ 기지(機智), 위트: respuesta llena de ~ 기지가 풍부한 대답. ④ [집합] 기계 장치: ~ espacial 우주선. ⑤ [집합] 무기, 병기: ~ nuclear 핵병기. ⑥ (제본의) 제단기. ⑦ =**ingenio de azúcar.** ¶ ~ *de azúcar* ㉮ (사탕수수를 빻아 설탕을 얻기 위한) 제당기. ㉯ 사탕수수 농장. *afilar* [*aguzar*] alguien *el* ~ (곤경에서 나오기 위해) 신중하게 지혜를 짜내다, 정신을 가다듬어 궁리하다.
ingeniosamente *adv.* 영리하게, 재치있게, 솜씨 있게, 교묘히.
ingeniosidad *f.* ① 교묘함. ② 재치, 영특한 재간.
ingenioso, sa *adj.* ① 창의력이 풍부한, 재능이 있는, 영리한. ② 교묘한, 정교한. ③ 독창적인, 착상이 뛰어난.
ingénito, ta *adj.* ① 낳지 못하는, 생산하지 못하는. ② 선천적인, 타고난.
ingente *adj.* 거대한, 위대한: ~ labor 위대한 업적.
ingenua *f.* ☞ingenuo.
ingenuamente *adv.* 솔직히, 천진난만하게, 순진하게.
ingenuidad *f.* ① 솔직함, 천진난만(함), 악의가 없음, 지나치게 고지식함, 우직함. ② 천진난만한 행동[말].
ingenuo, nua *adj.* 솔직한, 천진난만한, 지나치게 고지식한, 우직한: muchacha ~*nua* 천진난만한 소녀.
ingerir (54) *tr.* (입에서) 섭취하다: ~ gran cantidad de alcohol 대량의 알코올을 섭취하다.
ingesta *f.* 섭취된 물질(dieta).
ingestión *f.* 섭취.
Inglaterra *f.* [국명] 영국.
ingle *m.* [해부] 샅.
inglés, sa *adj.* ① 영국 태생의. ② 영국의[에 관한]: historia *inglesa* 영국사. ③ 영국 사람의. ④ 영어의. —*m.* ① 영어. ② (옛날에 사용된) 어떤 천. ③ 채권자. —*m.f.* 영국 사람. ¶*a la inglesa* ㉮ 영국 식[풍]으로. ㉯ =**a escote.** ㉰ (제본에서) 가죽[천] 장정 표지로: libro de *a la inglesa* 가죽[천] 장정된 책.
inglesismo *m.* 영어식 말[말투].
inglete *m.* ① (삼각자의) 45도의 각. ② [목공] 연결: caja de ~ 연결 상자.
ingletear *tr.* [목공] 연결하다.
inglosable *adj.* 주석을 달 수 없는.
ingobernabilidad *f.* 통치할 수 없음.
ingobernable *adj.* 통치할 수 없는.
ingratamente *adv.* 배은망덕하게도.
ingratitud *f.* 배은망덕함, 은혜를 모름.
ingrato, ta *adj.* ① 배은망덕한: hijo ~ 불효자식, 불효자. ② 불쾌한, 불쾌감이 드는, 언짢은. ③ 일한 보람이 없는, 애쓴 보람이 없는: trabajo ~ 애쓴 보람이 없는 일.
ingravidez *f.* 가벼움; 무중력 (상태).
ingrávido, da *adj.* ① 무중력(無重力)의, 무중력 상태의. ② 가벼운, 얇은: gasa ~*da* 얇은 가제. niebla ~*da* 얇은 안개.
ingrediente *m.* ① (음식물 등의) 성분(成分), 재료, 원료, 원재료. ② (작품을 구성하는) 요소. ③ *Arg.* 안주, (마실 것에 딸려 나오는) 가벼운 먹거리.
ingresar *tr.* ① (은행 계좌 등에) 입금하다: Hoy *he ingresado en* el banco un millón de wones 나는 오늘 은행에 백만 원을 입금했다. ② (환자를) 입원시키다: Le *ingresaron* en la unidad de cuidados intensivos 그는 집중 치료실에 입원했다. ③ (정기적으로 일정액을) 받다, 수취하다, 수입이 있다. —*intr.* ① (어떤 장소에) 들어가다. ② (조직체에) 들어가다, 입회[가입]하다, 입학하다: ~ en la Academia Militar. 육군 사관 학교에 들어가다. ~ en un partido 입당하다. ③ (치료를 위해) 입원하다: ~ en un hospital 병원에 입원하다.
ingresivo, va *adj* [문법] 기동(起動)의.
ingreso *m.* ① 입학; 입회, 가입; 입원: discurso de ~ 입회 인사말. ② [주로 *pl.*] 수입, 소득: ~*s* adicionales 추가 소득. ~*s* familiares 가계 소득. ~ nacional 국민 소득. ~*s* adicionales 부수입. ~*s* por turismo 관광 수입. ~*s* y gastos 수입과 지출. política de ~*s* 소득 정책. ③ 유입: ~ de capitales 자본 유입. ④ 예금, 입금: hacer un ~ 예금하다, 입금하다.
ingrido, da *adj. Nic., Salv.* =**concentrado, muy atento.**
íngrimo, ma *adj. AmérC., Col., Ven., Ecuad.* =**solitario, abandonado.**
inguinal *adj.* [해부] 샅의[에 관한].
inguinario, ria *adj.* =**inguinal.**
ingurgitación *f.* 삼키기, 마시기.
ingurgitar *tr.* =**engullir.**
ingustable *adj.* 악취 때문에 좋아할 수 없는, 먹지 못할.
inhábil *adj.* ① 서툰, 솜씨가 없는: sastre ~ 솜씨 없는[서툰] 재단사. ② [+para] (…에) 적합하지 않는: ~ para trabajar 일하기에 적당하지 않은. ③ [법률] 능력[자격] 없는. ④ (관청·직장에서) 집무하지 않는, 근무 외의: día ~ 휴일. hora ~ 근무 외 시간.

inhabilidad *f.* ① 솜씨가 서투름. ② 부적당. ③ 무능력, 무자격.
inhabilitación *f.* 능력[자격] 박탈[상실].
inhabilitar *tr.* [+para] 무능력[무자격]하게 만들다: La enfermedad le *inhabilita para* el cargo 그는 병 때문에 직무를 수행할 수 없다. ~**se** 무능하다, 자격이 없다.
inhabitable *adj.* 사람이 살 수 없는.
inhabitado, da *adj.* 사람이 살지 않는, 사람이 없는(no habitado).
inhacedero, ra *adj.* 실행하기 어려운, 실행할 수 없는.
inhalación *f.* 흡입: ~ de pegamento 시너 흡입.
inhalador *m.* 흡입기: ~ de oxígeno 산소 흡입기.
inhalar *tr.* ① (자발적이건 아니건 가스 등과 같은 물질을) 들이마시다, 흡입하다. ② [의학] (치료를 목적으로 어떤 가스나 분말 액체를) 흡입하다.
inhallable *adj.* 발견이 불가능한, 발견이 어려운.
inherencia *f.* ① 고유, 타고남, 천부. ② [철학] 내속(內屬).
inherente *adj.* ① 고유의, 본래부터의, 타고난. ② [철학] 내속(內屬)의.
inhesión *f.* ① [철학] =**inherencia.** ② [드묾] =**apego.**
inhestar *tr.* [드묾] =**enhestar.**
inhibición *f.* ① [심리 · 생리] 억제, 억압. ② (육체적 · 정신적인) 불능 상태. ③ 저항감.
inhibidor, ra *adj.* 억제하는, 삼가는; 중지하는. —*m.* 억제제, 방지제: ~ del apetito 식욕(食慾) 억제제. ~ del crecimiento 성장 억제제.
inhibir *tr.* ① [심리 · 생리] 억제[억압]하다: ~ el crecimiento 성장을 억제하다. ② [법률] (심리를) 중지시키다. ~**se** [+de · en] (…에서) 하려던 일을 그만두다, 삼가다, 물러나다.
inhibitorio, ria *adj.* 억제하는.
inhiesto, ta *adj.* [드묾] =**enhiesto.**
inhonestable *adj.* [드묾] 정직[성실]하지 못한(sin honestidad).
inhonestamente *adv.* [드묾] 부정직하게, 불성실하게.
inhonestidad *f.* 정직하지 못함, 불성실.
inhonesto, ta *adj.* ① 신중하지 못한, 조심스럽지 못한. ② 정직하지 못한, 성실하지 못한.
inhospedable *adj.* =**inhospitalario.**
inhospitable *adj.* =**inhospitalario.**
inhospital *adj.* =**inhospitalario.**
inhospitalario, ria *adj.* ① 푸대접하는, 대접이 나쁜, 손님을 냉대하는, 불친절한, 무뚝뚝한. ② (토지 등이) 주거하기에 적당치 않은, 황량한, 을씨년스러운: playa ~*ria* 황량한 해변.
inhospitalidad *f.* 푸대접, 냉대.
inhóspito, ta *adj.* ① =**inhospitalario.** ② =**incómodo, poco grato.**
inhumación *f.* 매장(埋葬).
inhumanamente *adv.* 비인간적으로, 비인도적으로, 무자비하게.
inhumanidad *f.* 잔인함; 야만성; 몰인정(falta de humanidad).
inhumano, na *adj.* 무정한, 비인간적인, 비인도적인, 냉혹한: mujer ~*na* 박정한[무정한] 여자. tratamiento ~ 냉혹한[비인도적] 대우.
inhumar *tr.* (시체를) 매장하다.
INI *m.* *I*nstituto *N*acional de *I*ndustria 산업 공사(産業公社).
iniciación *f.* ① 개시, 창시, 창업: ~ de las obras 기공, 착공. ② 초보 지도, 입문 지도; (학문 · 기술의) 초보, 첫걸음: ~ a la filosofía 철학 입문. ③ 입회식, 입문식; 성인식, 성년식: ~ de la muchacha 여자의 성년식.
iniciado, da *adj.* ① 초보 지도를 받은. ② 비법을 전수받은. —*mf.* ① 초보 지도를 받은 사람. ② 비법을 전수받은 사람. ③ 입회자. ④ 비밀 결사[단체] 회원.
iniciador, ra *adj.* ① 개시하는, 시작하는. ② 선구적인. —*mf.* (처음으로) 시작하는 사람, 발기인, 선구자, 선도자; 초심자.
inicial *adj.* ① 처음의, 최초의, 시초의. ② [문법] 어두(語頭)의, 낱말 첫머리에 있는. —*f.* 머리글자, 두문자(頭文字), 이니셜(letra ~).
inicialar *tr.* *Cuba, PRico.* 공식 서류에 성명의 머리글자로만 서명하다.
inicializar (9) *tr.* [컴퓨터] (프로그램의 실행을 위해) 초기값을 설정하다.
inicialmente *adv.* 처음에, 첫머리에.
iniciar (11) *tr.* ① 시작하다, 개시하다: 일으키다, 창시하다: ~ la marcha 행진을 시작하다. ~ la sesión 개회하다. ~ las negociaciones 교섭을 시작하다. ② [+en] (…의) 초보[원리]를 가르치다: ~ a un niño *en* las matemáticas 아이들에게 수학의 초보를 가르치다. ③ (종교 단체 · 비밀 결사에) 입회[가입 · 입문]시키다. ④ (비법 · 비결을) 전수하다, 전하다. ⑤ (법령 등을) 제안하다, 발의하다. ⑥ [컴퓨터] 기동(起動)하다: volver a ~ 다시 기동하다. ~**se** ① 시작되다, 개시되다: *Se inició* el curso en marzo 3월에 개강했다. ② 초보를 몸에 익히다: ~*se en* una profesión 일의 요령을 익히다[배우다]. ③ (비밀 결사에) 가입하다, 입회하다, 입당하다.
iniciático, ca *adj.* 입회[입문]의.
iniciativo, va *adj.* 시작하는, 발단의. —*f.* ① 자발성, 독창력: lleno de ~ 독창력[자발성]이 풍부한, 결단력이 있는. tener ~ 독창력이 있다. ② 시작, 발의; 솔선, 주창; 주도, 주도권: tomar la ~ 주도권을 장악하다. tomar la ~ de *algo* 솔선해서 …을 하다, …의 주도권을 잡다. ③ [군사] 기선, 선제(先制).
inicio *m.* 시작, 최초, 모두(冒頭).
inicuamente *adv.* 불공정하게, 불공평하게, 부당하게, 옳지 못하게.
inicuo, cua *adj.* ① 불공정한, 불공평

한. ② 사악한, 흉악한, 잔혹한; 부당한.
inidentificable *adj*. 동일인임을 증명할 수 없는, 신원 미상(身元未詳)의.
inigualable *adj*. 탁월한, 비교될 수 없는, 비길 데 없는.
inigualado, da *adj*. 비길 데 없는, 필적할 것이 없는.
in illo témpore *adv*. *lat*. ① 전에, 이전에, 옛날에. ② 오래 전에. ③ (문자 그대로는) 그 때에(en aquel tiempo).
inimaginable *adj*. 상상할 수 없는, 믿을 수 없을 만한: aventura ~ 상상할 수 없는 모험. espectáculo ~ 믿기 어려운 광경.
inimicísimo, ma *adj*. [드묾] 매우 적대적인, 아주 싫어하는.
inimitable *adj*. 흉내낼 수 없는, 모방할 수 없는, 독특한.
inimputabilidad *f*. (죄 등을) 받게 할 수 없음.
inimputable *adj*. (죄 등을) 받게 할 수 없는, 씌울 수 없는.
ininflamable *adj*. 불연성(不燃性)의.
in íntegrum *lat*. 완전히(por entero).
inteligibilidad *f*. 해독 불능, 난해함.
ininteligible *adj*. 이해[해독] 불능의, 난해한: escrituras ~*s* 해독 불능 문자.
interrumpidamente *adv*. 끊기지 않고, 중단되는 일없이, 계속해서, 쉬지 않고.
interrumpido, da *adj*. 중단 없이 계속되는, 끊기는 일이 없는, 연속되는.
iniquidad *f*. 불공정, 불공평; 사악함.
in itínere *adj*. *lat*. (노동자가 안전 사고 같은 것으로 휴직하는 동안) (고통) 받는(sufrido).
injerencia *f*. 간섭, (말)참견: ~ en la política nacional 내정 간섭.
injeridura *f*. (나무가) 접목된 부분, 잘린 접목 눈.
injerir (54) *tr*. ① (식물을) 접목하다(injertar). ② (물건을 다른 것에) 넣다, 끼우다(meter). ③ (쓴 것에 단어 · 주 · 인용문 등을) 삽입하다(introducir). ~**se** [+en] (…에) 간섭하다, 끼어들다, (말)참견하다: Será mejor no ~*te en* su trabajo 그의 일에 참견하지 않는 것이 더 나을 것이다.
injerta *f*. (식물의) 접목.
injertable *adj*. 접목할 수 있는.
injertador, ra *adj., m.f*. 접목하는 (자).
injertar *tr*. ① 접목하다: ~ un peral en manzano 배나무를 사과나무에 접목하다. ② (피부 · 뼈 등을) 이식하다: ~ piel 피부를 이식하다.
injertera *f*. 묘목 밭.
injerto *m*. ① (식물의) 싹 튼 부분. ② 접목. ③ 접목된 식물. ④ [의학] (부상 치료나 미용을 목적으로 몸의 일부에 이식되는) 생조직(生組織) 조각, 이식 조직편(組織片), 이식편(移植片).
injundia *f*. [드묾] =**enjundia**.
injuria *f*. ① 모욕(agravio). ② 욕지거리, 상소리. ③ 상스러운 행동[말]. ④ 손해, 해(daño). ⑤ [법률] 권리 침해, 위법 행위, 명예 훼손(죄).
injuriador, ra *adj., m.f*. 모욕하는 (사람), 상소리하는 (사람).
injuriamiento *m*. 모욕하기, 상소리하기.
injuriante *adj*. 모욕하는, 상소리하는.
injuriar (11) *tr*. ① 모욕하다, 욕하다, 욕을 퍼붓다, 매도하다. ② 해치다, 중상하다, 흠을 내다.
injuriosamente *adv*. 모욕해서, 꼴사납게, 상스럽게.
injurioso, sa *adj*. 모욕적인.
injustamente *adv*. 부당하게, 불공평하게, 부정하게.
injusticia *f*. 부정 (행위), 부당, 불공평: con ~ 부정하게, 부당하게.
injustificable *adj*. 정당화할 수 없는: acción ~ 변명의 여지가 없는 행위.
injustificado, da *adj*. 정당화될 수 없는, 근거 없는(no justificado).
injusto, ta *adj*. 부정한, 부당한, 불공평한: acto laboral ~ 부당 노동 행위. salario ~ 불공평한 임금. sentencia ~*ta* 부당한 판결. cometer un acto ~ 부정을 저지르다[범하다].
INLE *m*. *I*nstituto *N*acional del *L*ibro *E*spañol 스페인 서적 협회.
Inmaculada *f*. 무원죄(無原罪)의 성모.
inmaculado, da *adj*. 티없는, 티없이 맑은; 때묻지 않은, 오점이 없는, 무구(無垢)한: nieve ~*da* 새하얀 눈, 눈부시게 흰 눈. vestido ~ 순백의 드레스.
inmadurez *f*. ① 익지 않음. ② 미성숙, 미숙(未熟), 무경험.
inmaduro, ra *adj*. ① 익지 않은. ② = **inexperto**.
inmancable *adj*. *Ven*. =**infalible**.
inmanejable *adj*. 다루기 어려운, 취급하기 어려운, 조작하기 어려운, 벅찬.
inmanencia *f*. 내재(內在), 내재성.
inmanente *adj*. [철학] 내재하는, 내재적인: causa ~ 내재인(內在因).
inmanentismo *m*. [철학] 내재 철학.
inmarcesible *adj*. 시들 수 없는.
inmarchitable *adj*. =**inmarcesible**.
inmaterial *adj*. 실체가 없는, 무형(無形)의; 비물질적인.
inmaterialidad *f*. 무형(無形); 비물질성.
inmaterialismo *m*. 비실체성.
inmaturo, ra *adj*. [드묾] 익지 않은.
inmediación *f*. ① 근접, 인접. ② *pl*. 부근, 교외: en las *inmediaciones* de la capital 수도 부근에(서).
in medias res *adv*. *lat*. 사건 중심으로, 사건 도중에서.
inmediatamente *adj*. ① 다른 것의 삽입[게재]없이. ② 즉시, 즉각, 곧, 바로.
inmediatez *f*. 당면성, 직접성.
inmediato, ta *adj*. ① 직접의, 매개 없는, 중개 없는: causa ~*ta* 직접 원인. consecuencia ~*ta* 직접적 결과. jefe ~ superior 직속 상관. ② [+a] (…에) 인접한: casa ~*ta a* la vía del tren 선로에 인접한 집. ③ 즉시의, 임박한, 절박한, 급한: paga ~*ta* 즉시불. tener un efecto 즉효성이 있다. ¶*de* ~ = **inmediatamente**: Cuando llegue, voy

de ~ a verte 도착하면 바로 당신을 만나러 가겠다.
inmejorable *adj.* 최상의, 나무랄 데 없는, 더할 나위 없는: notas ~s 더할 나위 없는 성적.
inmejorablemente *adv.* 나무랄 데 없이, 더할 나위 없이.
inmemorable *adj.* 먼 옛날의, 호랑이 담배 먹을 적의.
inmemorablemente *adv.* 먼 옛날에, 호랑이 담배 먹을 적에.
inmemorial *adj.* 먼 옛날의, 옛날부터의: costumbre ~ 옛날부터의 습관. de tiempo ~ 태고의, 아주 먼 옛날의.
in memóriam *adv. lat.* 기념[추도]하여.
inmensamente *adv.* 무한히; 널찍하게; 심하게, 비상히, 무척, 매우: ser ~ rico 매우 부자다.
inmensidad *f.* ① 무한, 무변, 광대함: ~del mar 바다의 광대함. ② 무수함, 막대함: una ~ de cartas 무수한 편지.
inmenso, sa *adj.* ① 매우 큰, 재기[헤아릴 수]가 매우 어려운. ② 광대한, 무한의, 끝없는, 한없는: alegría *~sa* 비상한 기쁨. cielo ~ 끝없는[한없는] 하늘. continente ~ 광대한 대륙.
inmensurable *adj.* ① 헤아릴 수 없는. ② 무척 헤아리기 어려운.
in mente *adv. lat.* 심중으로, 심적으로, 마음속으로.
inmerecidamente *adv.* 어울리지 않게, 걸맞지 않게, 과분하게, 부당하게.
inmerecido, da *adj.* 어울리지 않는, 걸맞지 않는, 분에 넘친, 부당한.
inméritamente *adv.* [드묾] 장점 없이, 공적 없이.
inmérito, ta *adj.* [드묾] =**inmerecido, injusto.**
inmeritorio, ria *adj.* 칭찬할 수 없는, 상을 받을 만한 가치가 없는.
inmersión *f.* ① 가라앉힘, 침몰, 수몰; 잠수. ② 열중, 몰두; 집중 강좌. ③ [천체] 성식(星蝕). ④ [기독교] 침례: ~ total 전신 침례.
inmerso, sa *adj.* ① (물에) 잠긴. ② [+en] (…의) 상황에 있는: estar ~ *en* una crisis 위기 상황에 있다.
inmigración *f.* ① 이주, 이민. ② (도시에의) 인구 이동.
inmigrado, da *m.f.* 이주자, 이민; 출가자(出稼者).
inmigrante *adj.* 이주[이민]하는; 출가하는. —*m.f.* 이주자, 이민자; 출가자.
inmigrar *intr.* [+en] (타국・타향에) 이주하다.
inmigratorio, ria *adj.* 이주(移住)의.
inminencia *f.* 절박.
inminente *adj.* (위기 등이) 절박한.
inmiscuir (77) *tr.* 혼합하다, 섞다. **~se** [+en] (…에) 간섭하다, 참견하다.
inmisericorde *adj.* 비정한, 냉혹한.
inmobiliario, ria *adj.* 부동산(不動産)의: agente ~ 부동산 업자. —*f.* 건설 회사, 부동산 회사(sociedad *~ria*).
inmoble *adj.* ① 움직일 수 없는. ② 움직이지 않는. ③ [드묾] 확고한.
inmoderación *f.* 절제함이 없음.
inmoderadamente *adv.* 무절제하게, 절제함이 없이.
inmoderado, da *adj.* 무절제한, 절제함이 없는, 절도가 없는, 과도한.
inmodestamente *adv.* 낯가죽 두껍게, 뻔뻔스레, 철면피하게.
inmodestia *f.* 철면피, 뻔뻔스러움.
inmodesto, ta *adj.* 낯가죽 두꺼운, 뻔뻔스러운, 철면피한, 파렴치한.
inmódico, ca *adj.* =**excesivo, inmoderado.**
inmodificable *adj.* 변경[수정]할 수 없는, 바꿀 수 없는.
inmolación *f.* 공희(供犧); (자기) 희생.
inmolador, ra *adj., m.f.* 희생시키는 (사람).
inmolar *tr.* ① (희생물을) 희생시키다. ② 공물로 희생물을 바치다: ~ un cordero a los dioses 어린 양을 신에게 바치다. **~se** 희생되다, 자신을 희생하다: *~se* por la patria 조국을 위해 자신을 희생하다.
inmoral *adj.* 부도덕한, 품행이 나쁜; 음란한, 외설적인.
inmoralidad *f.* 부도덕; 음란, 외설.
inmortal *adj.* 불멸의, 불후의, 불사(不死)의: amor ~ 변하지 않는 사랑.
inmortalidad *f.* ① 불사(不死). ② 불후, 불멸. ③ 불후의 명성.
inmortalizar (9) *tr.* ① 불멸[불후]하게 하다. ② (…에게) 불후의 명성을 주다. **~se** 불후하다, 불멸하다.
inmortalmente *adv.* 영원히, 영구히.
inmortificación *f.* 안일; 변덕스러움; 방종함.
inmortificado, da *adj.* 안일한; 변덕스러운; 방종한.
inmotivadamente *adv.* 까닭[이유・근거・동기] 없이.
inmotivado, da *adj.* 까닭[이유・근거・동기] 없는.
inmoto, ta *adj.* 움직이지 않는; 동요하지 않는.
inmovible *adj.* =**inmoble.**
inmóvil *adj.* ① 부동(不動)의, 움직이지 않는. ② 확고한(firme, invariable).
inmovilidad *f.* 부동(의 상태), 정지.
inmovilismo *m.* (양보・타협에 의한) 현상 유지 정책, 극단적 보수주의.
inmovilista *adj.* 현상 유지의, 보수주의의. —*m.f.* 보수주의자.
inmovilización *f.* ① 부동, 고정. ② (자본 등의) 고정화.
inmovilizado *m.* 고정 자산.
inmovilizar (9) *tr.* ① 움직이지 않게[못하게] 하다, 고정시키다. ② [경제] 고정 자산으로 만들다, 부동산화하다. **~se** 움직이지 않다, 정지하다.
inmudable *adj.* =**inmutable.**
inmueble *adj.* 부동산의. —*m.* ① 빌딩, 맨션. ② *pl.* 부동산(bienes *~s*).
inmundicia *f.* ① 더러운 것. ② 오수, 오물: estar lleno de *~s* 오물로 가득

차 있다. ③ =impureza.
inmundo, da *adj.* ① 더럽고 역겨운: aguas *~das* 오수. ② =impuro.
inmune *adj.* ① [+a · contra] (…에 대한) 면역(성)의: estar ~ *a*l cólera [a las críticas] 콜레라[비판]에 면역되어 있다. ② (과세 · 형벌 · 공격 등에서) 면제된, …을 당할 염려가 없는, 특권의. ③ 영향을 받지 않는. ④ [컴퓨터] (바이러스에 대해) 안전한, 면역의.
inmunidad *f.* ① (책임 · 의무 등의) 면제. ② (교회 · 성직자 · 외교관 등의) 특권: ~ diplomática [parlamentaria] 외교관[국회 의원] 특권. ③ (전염병 등에 대한) 면역, 면역성, 면역질: ~ artificial 인공 면역.
inmunitario, ria *adj.* [생물 · 의학] 면역성의[에 관한]: respuesta *~ria* 면역 반응. suero ~ 면역성 혈청.
inmunización *f.* 면역성을 줌.
inmunizador, ra *adj.* 면역성을 주는.
inmunizante *adj.* 면역성을 주는.
inmunizar (9) *tr.* [+contra] (…에 대해) 면역성을 주다, 예방 접종[주사]을 놓다: ~ al niño *contra* la polio 아이들을 소아마비에 대해 면역시키다. **~se** 면역되다.
inmuno- *pref.* 「면역」의 뜻: *inmuno*terapia 면역 요법.
inmunodeficiencia *f.* 면역 부전, 면역 결여: virus de la ~ humana 에이즈 바이러스, VIH.
inmunodeficiente *adj.* [의학] 면역 부전[결여]의[에 걸린].
inmunodepresión *f.* 면역 억제.
inmunodepresor, ra *adj.* 면역 억제의. —*m.* 면역 억제제.
inmunodeprimido, da *adj.* [생물] 면역 억제를 받은.
inmunoglobulina *f.* [생화학] 면역 글로불린 항체.
inmunología *f.* 면역학.
inmunológico, ca *adj.* 면역학의[에 관한].
inmunólogo, ga *mf.* [생물 · 의학] 면역학자.
inmunosupresión *f.* [의학] 면역 억제.
inmunosupresor, ra *adj.* 면역 억제의. —*m.* 면역 억제제.
inmunosuprimido, da *adj.* 면역 억제를 받은.
inmunoterapia *f.* [의학] 면역 요법, 면역제 치료법.
inmutabilidad *f.* 불변(성), 불역(不易).
inmutable *adj.* ① 변하지 않는, 불변의: leyes *~s* 불변의 법칙. ② 냉정한, 움직이는 않는: permanecer ~ 냉정히 하고 있다, 침착해 있다.
inmutación *f.* 변화; 안색이 변함; 정신적 동요.
inmutar *tr.* 변화시키다, 바꾸다(alterar, variar). **~se** 안색이 변하다.
inmutativo, va *adj.* 변화의.
innatismo *m.* [철학] 생득성(生得性).
innato, ta *adj.* ① (성질 등을) 타고난, 천부의, 선천적인: característica *~ta* 타고난 특성. instinto ~ 타고난 본능. ② 본질적인. ③ [철학] 본유적(本有的)인: conceptos *~s*, ideas *~tas* 본유(本有) 관념.
innatural *adj.* 부자연한, 자연스럽지 못한, 이상한.
innavegable *adj.* ① 항행하지 못하는. ② (배가) 항행할 수 없는.
innecesariamente *adv.* 불필요하게.
innecesario, ria *adj.* 불필요한, 쓸데없는, 무익한
innegable *adj.* 부정할 수 없는, 명백한.
innegablemente *adv.* 부정할 수 없이, 명백히.
innegociable *adj.* 거래할 수 없는.
innoble *adj.* 천한, 야비한, 비열한.
innocuidad *f.* =inocuidad.
innocuo, cua *adj.* =inocuo.
innombrable *adj.* 이름을 말해서는 안 되는, 이름을 말할 수 없는.
innominable *adj.* [드묾] =innombrable.
innominado, da *adj.* 특별한 이름을 가지지 않은, 무명의. —*m.* [주로 *pl.*] = hueso innominado. ☞hueso.
innovación *f.* ① 신기축(新機軸), 새 제도; 새로 도입한 것. ② 혁신, 쇄신, 일신: *innovaciones* técnicas [tecnológicas] 기술 혁신.
innovador, ra *adj.* 개혁하는, 혁신하는. —*mf.* 개혁자, 혁신자.
innovamiento *m.* =innovación.
innovar *tr.* 개혁하다, 혁신하다, 쇄신하다, 일신하다: ~ el método de fabricación 생산 방법을 일신하다.
innumerabilidad *f.* 다수(多數), 무수.
innumerable *adj.* ① 무수한, 셀 수 없는, 헤아릴 수 없는: *~s* riquezas 막대한 부. estrellas *~s* 셀 수 없는 별. ② =copioso.
innumerablemente *adv.* 무수히, 셀 수 없이, 헤아릴 수 없이.
innúmero, ra *adj.* =innumerable.
inobediencia *f.* 불복, 반항, 항거.
inobediente *adj.* 불복하는, 불복종하는, 항거하는, 고분고분하지 않는.
inobjetable *adj.* 반대할 수 없는.
inobservable *adj.* 지킬 수 없는.
inobservancia *f.* 불이행, 준수하지 않음, 위반, 반칙.
inobservante *adj.* 이행하지 않은, 준수하지 않은, 위반하는.
inocencia *f.* ① 때묻지 않음, 무구(無垢), 순결; (도덕적) 무해(無害), 악의가 없음. ② 무죄, 결백: probar *su* ~ 자신의 결백(함)을 증명하다. proclamar *su* ~ 자신의 결백을 주장하다. ③ 순진, 천진난만: ~ de un niño 어린아이의 천진난만함. comportarse con ~ 천진난만하게 행동하다[처신하다].
inocentada *f.* ① 유아 기념일에 행하는 농담. ② 천진난만함; 악의 없는 장난.
inocente *adj.* ① 순진한, 순진무구한, 천진난만한, 악의 없는, 사람 좋은: ~

criatura 순진무구한 갓난아이[젖먹이]. broma ~ 악의 없는 농담. cara ~ 천진난만한 얼굴. muchacha ~ (남자를 모르는) 순진한 처녀, 숫처녀. ② 때묻지 않은, 흠 없는, 순결한; 죄 없는, 무죄의, 결백한. ③ 해롭지 않은, 무해한. ④ (어린아이가) 분별력이 있는 나이에 이르지 못한, 젖먹이의, 유아(乳兒)의. ⑤ =**ignorante.** *—mf.* ① 결벽한 사람. ② 천진난만한 아이, (아직) 분별력이 없는 어린아이, 유아. ③ 호인.

inocentemente *adv.* 순진하게, 천진난만하게, 악의 없이(con inocencia).

inocentón, na *adj.* 무척 순진한[천진난만한](muy inocente, cándido).

incuidad *f.* 무해(無害), 무해성(無害性).

inoculación *f.* ① [의학] (예방) 접종, 종두: ~ antitifoidea 장티푸스 예방 접종[주사]. ② (사상 등의) 부식, 주입, 감화. ③ [의학] 세균 감염, 체내 침입.

inoculador, ra *adj., mf.* 접종하는 (자).

inocular *tr.* ① [의학] (병균을) 접종하다; (사람에게 백신 등을) 접종하다: ~ la vacuna a *alguien* …에게 백신을 접종하다. ② (사상 등을) 심다, 불어넣다, 부식하다.

inóculo *m.* [의학] 접종물의 적은 양.

inocultable *adj.* 숨길 수 없는.

inocuo, cua *adj.* ① 해롭지 않은, 독이 없는: insectos *~s* 해가 없는 곤충. ② 자극이 없는, 재미없는, 맛이 없는: película *~cua* 지루한 영화.

inodoro, ra *adj.* 냄새가 없는, 무취(無臭)의: insecticida ~ 무취[냄새 없는] 살충제. *—m.* 수세식 변소[변기].

inofensivo, va *adj.* ① 해가 없는, 무해(無害)한: juguete ~ 안전한 장난감. perro ~ 물지 않는 개. ② 악의 없는: travesura *~va* 악의가 없는 장난.

inoficioso, sa *adj.* (유언 등이) 인륜에 반(反)한.

inolvidable *adj.* 잊을 수 없는, 잊혀지지 않는, 기억에 남을: acontecimiento ~ 기억에 남을 사건. maestro ~ 잊을 수 없는 스승, 잊혀지지 않는 스승.

inope *adj.* [드묾] =**pobre, indigente.**

inoperable *adj.* ① (환자가) 수술 받을 수 없는, 수술 불능의: enfermo ~ 수술 불능 환자. ② (병이) 외과 수술로 다룰 수 없는.

inoperancia *f.* 무효.

inoperante *adj.* 효과가 없는: medicina ~ 효과가 눈에 띄지 않는 약.

inoperatividad *f.* =**inoperancia.**

inopia *f.* [드묾] 빈곤, 궁핍.

inopinable *adj.* 예기치 않은, 생각하지 못한, 불의의: visita ~ 불의의 방문.

inopinadamente *adv.* 뜻밖에, 불의에, 예기치 않게, 생각지도 않게.

inopinado, da *adj.* 예기치 않은, 생각지도 않은, 뜻밖의, 불의의.

inoportunamente *adv.* 시의 적절치 않게, 기회[시기]를 놓쳐.

inoportunidad *f.* 시의 적절치 않음, 기회[시기]를 놓침.

inoportuno, na *adj.* 시의 적절치 않은, 시기가 나쁜, 시기를 놓친, 형편이 좋지 않은: decisión *~na* 시기를 놓친 결정.

inordenadamente *adv.* 무질서하게, 어지러이, 어지럽게.

inordenado, da *adj.* 무질서한, 어지러운(desordenado).

inordinado, da *adj.* =**inordenado.**

inorgánico, ca *adj.* ① 생활 기능이 없는, 무생물의: mundo ~ 무생물계. ② (사회 등이) 유기 조직이 없는, 비유기적인; 인위적인. ③ [화학] 무기의, 무기성의: compuesto ~ 무기 화합물.

inoxidable *adj.* 산화되지 않는, 녹슬지 않는, 스테인리스의: acero ~ 스테인리스강(鋼).

in pártibus *adj. lat.* (명예직과 같은) 이름만의, 명의만의, 명목뿐인.

in pártibus infidélium *adj. lat.* =**in pártibus.**

in péctore *adj. lat.* (임지 · 지위의) 내정된: cardenal ~ 내정된 추기경.

in perpétuum *adv. lat.* =**perpetuamente.**

in promptu *adv. lat.* 아무런 준비 없이, 불의에, 돌연, 즉석에서.

in púribus *adj. lat.* 나체로.

input *m. ing.* ① [경제] 투입(량). ② [컴퓨터] [집합] 입력 (신호), 입력 조작, 입력 자료. ③ [기계 · 전자] 입력. ④ (기술적 문제 해결을 위한) 정보, 데이터(dato).

inquebrantable *adj.* (추상적인 뜻으로) 부술 수 없는; (의지 · 약속 등이) 견고한: fe ~ 굳은 신념.

inquietación *f.* [드묾] =**desasosiego.**

inquietador, ra *adj.* 소란을 떠는, 조바심나게 하는, 안달나게 하는. *—mf.* 소란[소요]을 일으키는 사람.

inquietamente *adv.* 불안하게, 좌불안석으로, 침착성을 잃고.

inquietante *adj.* 불안한, 우려되는, 어쩐지 기분이 나쁜.

inquietar *tr.* 불안하게 하다, 걱정[근심]스럽게 하다, 교란시키다: ~ al pueblo 민심을 교란시키다. **~se** [+por · con] (…을) 걱정하다, 우려하다.

inquieto, ta *adj.* ① 불안한, 걱정스러운: pasar una noche *~ta* 불안한 밤을 보내다. ② (바다 등이) 거친, 사나운: mar ~ 거친 바다. ③ (마음 · 행동이) 차분하지 못한, 침착성을 잃은.

inquietud *f.* ① [주로 *pl.*] 불안, 걱정, 근심: tener *~es* por el futuro 장래에 불안감을 가지다. ② 차분하지 못함: persona de *~es* 차분하지[침착하지] 못한 사람. ③ 소란, 소요. ④ *pl.* 지적 욕구, 탐구심; 사회적 욕망, 야심.

inquilinaje *m.* ① *Chile.* [집합] (큰 농장에서 일하는) 농민들. ② *Chile.* (큰 농장에서 일하는) 농민들의 시골 노동 제도.

inquilinato *m.* ① (가옥 · 가옥의 일부의) 임대차. ② 집세. ③ 방세. ④

Arg., Col., Ur. 아파트, 공동 주택. ⑤ *Chile.* 농민들에 의한 농장 개발 제도.
inquilino, na *mf.* ① 세든 사람. ② 소작농, 소작인. ③ *Chile.* 한 집에 살면서 소작하는 사람.
inquina *f.* 증오, 반감, 악의.
inquinamento *m.* 오염시킴, 못쓰게 함.
inquinar *tr.* 더럽게 만들다, 오염시키다. ~**se** 더러워지다, 오염되다.
inquiridor, ra *adj.* 조사하는. —*mf.* 조사자.
inquirir (23) *tr.* 조사하다, 문의하다, 구명하다: ~ las causas del accidente 사고의 원인을 구명하다.
inquisición *f.* ① 조사, 취조, 심문, 심리(審理). ② 옛날 종교 재판소에 속한 죄수들의 감옥. ¶*hacer* ~ 서류를 정리 소각하다.
Inquisición *f.* [역사] 종교 재판소.
inquisidor, ra *adj.* 조사하는, 취조하는. —*mf.* 조사자. —*m.* 종교 재판관.
inquisitivo, va *adj.* 탐색하는 듯한, 꼬치꼬치 캐는: mirada ~*va* 탐색하는 듯한 시선.
inquisitorial *adj.* ① (옛날) 종교 재판소의[에 관한]. ② 종교 재판소 같은, 엄한, 용서 없는: medida ~ 가혹한 조치[대책].
inquisitorio, ria *adj.* ① 조사할 능력이 있는. ② 조사의[에 관한].
inri *m.* ① *lat.* *I*esus *N*azarenus *R*ex *I*udaeórum 유대왕 나사렛의 예수 ((예수 그리스도의 십자가에 새긴 글)). ② 능욕, 모욕. ¶*para más* [*mayor*] ~ 더욱 모욕적으로.
insabible *adj.* 알 수 없는, 알아볼 수 없는, 조사할 수 없는.
insaciabilidad *f.* 만족할 줄 모름, 탐욕.
insaciable *adj.* 만족할 줄 모르는, 탐욕스러운: curiosidad ~ 만족할 줄 모르는 호기심. persona ~ de dinero 돈에 만족할 줄 모르는 사람.
insaciablemente *adv.* 만족할 줄 모르고, 탐욕스레.
insaculación *f.* (추첨 구슬을) 넣는 일.
insaculador *m.* (추첨 구슬을) 넣는 자.
insacular *tr.* ① (추첨 구슬을) 자루[병·상자]에 넣다. ② 비밀 투표를 자루에 넣어 나중에 개표하다.
insalivación *f.* (씹는 음식물에) 침을 섞음.
insalivar *tr.* (씹는 음식에) 침을 섞다.
insalubre *adj.* 건강에 해로운, 비위생적인: clima ~ 건강에 해로운 기후.
insalubridad *f.* 건강치 못함; 비위생.
INSALUD *m.* *I*nstituto *N*acional de la *Salud* 국민 건강 기관.
insalvable *adj.* 구조할 수 없는.
insanable *adj.* 치료할[고칠] 수 없는.
insania *f.* =**locura.**
insano, na *adj.* ① 건강에 해로운. ② =**loco, demente.**
insatisfacción *f.* 불만, 불만족.
insatisfactorio, ria *adj.* 만족하지 않은, 성에 차지 않는.
insatisfecho, cha *adj.* 불만의, 만족하지 못한: estar ~ *con* el resultado 결과에 불만이다.
insaturado, da *adj.* 포화되지 않은.
inscribible *adj.* 등록[등기]할 수 없는.
inscribir *tr.* ① [+en] (돌·금속 등에) 새기다, 조각하다, 새겨 넣다: ~ un epitafio en una lápida 묘석(墓石)에 비문을 새기다. ② (이름을) 기입하다, 등기하다, 등록하다. ③ [수학] 내접(內接)시키다. ~**se** ① (자신의 이름을) 기입하다, 등록하다, 신청하다: ~*se* en el seguro 보험에 가입하다. ② [+dentro de] (…에) 포함되다.
inscripción *f.* ① 등록, 신청: ~ para un concurso 콩쿠르 참가 신청. plazo de ~ 신청 기간. ② 비문, 비명(碑銘). ③ [수학] 내접. ④ (동전·메달의) 명각. ⑤ (책의) 제명(題名).
incripto, ta *adj. Arg., Ur.* =**inscrito.**
inscrito, ta *adj.* ① 등록된: corredores ~*s* 출장 주자. ② [수학] 내접(內接)의: círculo ~ 내접원.
insculpir *tr.* =**esculpir.**
insecable[1] *adj.* [드묾] 말릴 수 없는, 말리기가 매우 어려운.
insecable[2] *adj.* [드묾] 자를 수 없는, 나눌 수 없는.
insectario *m.* ① *Chile, Ur.* [집합] 곤충(insectos). ② *Chile.* (학교에서 사용하는) 곤충 표본 정리 상자.
insecticida *adj.* 살충제의. —*m.* 살충제.
insectil *adj.* 곤충의 종류에 속한.
insectívoro, ra *adj.* [생물] 식충성(食蟲性)의: planta ~*ra* 식충 식물. —*m.pl.* 식충류(食蟲類).
insecto *m.* 곤충, 벌레.
insectología *f.* 곤충학.
insectólogo, ga *mf.* 곤충학자.
inseguramente *adv.* 불안정하게, 불확실하게(sin seguridad).
inseguridad *f.* 불안정; 불확실: ~ ciudadana 도시의 치안 악화. contestar con ~ 자신 없이 대답하다.
inseguro, ra *adj.* ① 확실치 못한, 불확실한: noticia ~*ra* 불확실한 뉴스. ② 확신이 없는, 확신이 안 가는, 불안한, 걱정스러운. ③ 안전하지 못한, 불안정한: situación ~*ra* 불안정한 상황.
inseminación *f.* [생물] 수정, 수태: ~ artificial [생물·의학] 인공 수정.
inseminar *tr.* 수정시키다.
insenescencia *f.* 불로성(不老性).
insensatez *f.* ① 바보 짓, 멍청이 짓, 어리석은 짓(necedad). ② 분별없는[몰상식한] 말[행동].
insensato, ta *adj.* ① 우둔한, 멍청한, 어리석은(tonto). ② 무분별한, 몰상식한. —*mf.* ① 어리석은 사람. ② 무분별한 사람, 분별이 없는 사람. ③ [성경] 둔한 사람.
insensibilidad *f.* ① 무감각, 둔감, 마비; 무의식, 인사 불성. ② 무신경, 무관심, 태연(함), 냉담(함).
insensibilización *f.* 무감각함, 마비.

insensabilizar (9) *tr.* 무감각하게 하다, 마비시키다. ~**se** 감각이 없다, 무감각하다, 마비되다.

insensible *adj.* ① 무감각한, 마비된: ~ *al* frío 추위에 무감각한. ② 의식이 없는, 인사 불성의. ③ 감수성이 없는, 무신경한, 무관심한, 냉담한: ~ *a* las bellas artes 미술에 관심이 없는, 미술을 이해하지 못하는. ~ al sufrimiento ajeno 남의 고통에 무관심한[냉담한]. ④ (변화 등이) 눈에 띄지[보이지] 않을 정도의: movimiento ~ 감지하기 어려울 정도의 움직임.

insensiblemente *adv.* 무감각하게; 냉담하게; 눈에 띄지 않을 정도로.

inseparabilidad *f.* 분리할 수 없음, 불가분성(不可分性).

inseparable *adj.* ① 분리할 수 없는, 나눌 수 없는. ② (물건이) 어렵게[간신히] 분리되는[나누어지는]. ③ (두 사람·두 사람 이상이 우정·사랑의 인연으로) 서로 떨어질 수 없는, 떨어지고는[헤어지고는] 못 사는, 죽고 못 사는: amigos ~*s* 서로 떨어지고는 못 사는 친구들. novios ~*s* 떨어지기 어려운 연인들, 죽고 못 사는 사이의 연인들. ④ [언어] (접두어 등의) 나눌 수 없는, 분리할 수 없는. ¶*preposición* ~ 접두어(prefijo).

inseparablemente *adv.* 분리할 수 없이; 어렵게 분리되어; 떨어질 수 없이.

insepulto, ta *adj.* (시체가) 아직 매장되지 않은(no sepultado aún).

inserción *f.* ① 삽입, 끼워 넣음. ② 게재(揭載). ③ [해부] 유착(癒着). ④ [식물] 착생(着生): punto de ~ 착생점.

inserir *tr.* =**injerir.**

INSERSO *m.* *I*nstituto *N*acional de *Se*rvicios *So*ciales 국립사회사업협회.

insertar *tr.* ① [+en] (…에) 삽입하다, 끼워 넣다. ② (기사 등을) 게재하다, 싣다: ~ un anuncio *en* el periódico 신문에 광고를 싣다. ~**se** ① 삽입되다, 박히다. ② [해부] 유착하다. ③ [생물] 착생하다.

inserto *m.* [영화] 삽입 자막.

inservible *adj.* ① [estar+] 사용할 수 없는, 쓸 수 없는(no servible): paraguas ~ 사용할 수 없는 우산. Mi ordenador ya está ~ 내 컴퓨터는 이제 사용할 수 없다. ② 쓸모없는.

insidia *f.* ① =**asechanza.** ② 악의[나쁜 의도]가 있는 말[행동].

insidiador, ra *adj.* 함정을 만드는, 계략을 꾸미는. —*mf.* 함정을 파는 사람.

insidiar *tr.* [드묾] 함정을 만들다.

insidiosamente *adv.* 음험하게, 음흉하게, 교활하게.

insidioso, sa *adj.* ① 함정을 만드는. ② 음험한, 음흉한, 교활한: personaje ~ 교활한[음흉한] 인물. proceder ~ 음험한[음흉한] 행동. ③ [의학] 잠복성의: enfermedad ~*sa* 잠복성 병.

insigne *adj.* =**célebre.**

insignemente *adv.* 저명하여, 명성이 자자하여, 유명하게.

insignia *f.* ① (지위·단체 등을 표시하는) 기장, 표장, 배지, 표지: llevar la ~ de la policía en el pecho 가슴에 경찰 배지를 달고 있다. ② (민간·군·종교 그룹의) 기, 상징물, 메달. ③ [선박] 함장기: buque ~ 기함(旗艦). ④ (가게에서 파는 종류를 문 위에 표시하는·집의 문 위·방·사무소에 전문이나 직업을 나타내는) 간판, 표지.

insignificancia *f.* 적음, 하찮음, 사소함, 대수롭지 않음: una ~ de tiempo 극히 짧은 시간. costar una ~ 아주 조금밖에 돈이 들지 않다.

insignificante *adj.* 대수롭지 않은, 하찮은, 시시한, 무의미한, 적은: cantidad ~ 푼돈. persona ~ 신통치 않은 자.

insinceridad *f.* 불성실, 무성의, 위선.

insincero, ra *adj.* 성실치 못한, 성의 없는; 꾸민, 가짜의, 허위의, 거짓의.

insinuación *f.* ① 암시, 풍자, 빗댐, 귀띔. ② 교묘히 환심을 삼; (사상 등을) 교묘히 불어넣음.

insinuador, ra *adj.* ① 암시하는, 넌지시 비추는[말하는]. ② 교묘히 환심을 사는, 간사한. —*mf.* ① 넌지시 말하는 사람. ② 알랑쇠.

insinuante *adj.* 암시하는, 넌지시 비추는, 은근한, 비위를 맞추는: palabra ~ 비위를 맞추는 말.

insinuar (15) *tr.* 암시하다, 넌지시 말하다[비추다], 에둘러[빗대어] 말하다, 귀띔하다. ~**se** ① 넌지시 추파를 던지다, 곁눈을 주다, 넌지시 마음을 떠보다. ② (기분·감정 등이) 깊이 스며들다[배어들다]. ③ 엷게[어렴풋이·듬성듬성] 나타나기 시작하다.

insinuativo, va *adj.* ① 넌지시 말하는. ② 교묘히 환심을 사는, 간사한.

insípidamente *adv.* 무미 건조하게.

insipidez *f.* 무미건조; 맛없음.

insípido, da *adj.* ① 맛없는: potaje ~ 맛없는 스튜. ② 김빠진, (음료·과실 등이) 본래의 맛이나 향기가 없어진: café ~ 향이 없는 커피. cerveza ~*da* 김빠진 맥주. ③ 무미건조한, 재미없는, 활기 없는, 따분한, 지루한, 무료한, 평범한: comedia ~*da* 재미없는 코미디. conversación ~*da* 지루한 대화. poeta ~ 평범한 시인.

insipiencia *f.* ① [드묾] 무지(無知). ② [드묾] 저능(低能), 우둔.

insipiente *adj., mf.* ① 무지한 (사람). ② 저능한 (사람), 우둔한 (사람).

insistencia *f.* 주장, 고집, 끈질김, 끈덕짐, 강조, 역설: pedir con ~ 집요하게 요구하다.

insistente *adj.* 집요한, 끈질긴, 끈덕진, 억지스러운: No seas ~ 억지부리지 마라.

insistentemente *adv.* 집요하게, 끈질기게, 끈덕지게, 고집 세게.

insistir *intr.* ① [+en] (…에) 고집하다, 집착하다, 집요하게 부탁하다. ② 역설하다, 강조하다, 주장하다: ~ *en su*

inocencia 무죄를 강력히 주장하다.
ínsito, ta *adj.* 본래의, 선천적인.
in situ *adv. lat.* 본래의 장소에, 원위치에, 현지에: comprobación ~ 추출 검사. reportaje ~ 현장[현지] 리포트.
insobornable *adj.* 매수할 수 없는, 뇌물이 통하지 않는: político ~ 뇌물로 통하지 않는 정치가.
insociabilidad *f.* 비사교성(非社交性).
insociable *adj.* 비사교적인, 무뚝뚝한, 사귀기 어려운.
insocial *adj.* =**huraño.**
insolación *f.* ① 볕에 바램. ② 일사병: coger [agarrar · pillar] una ~ 일사병에 걸리다. ③ 표면에 받는 태양 에너지의 양. ④ [기상] 일조 시간.
insolar *tr.* (풀 · 식물 등을 말리기 위해) 볕에 널다, 볕에 쪼이다. ~**se** 일사병에 걸리다.
insoldable *adj.* (쇠가) 용접될 수 없는.
insolencia *f.* ① 거만스러움, 건방짐, 철면피함. ② 건방진 말[행동]. ③ 무모한 행동.
insolentar *tr.* 건방지게[거만스레] 만들다. ~**se** 건방져지다, 거만해지다, 건방지게[거만스레] 굴다.
insolente *adj.* ① 무례한, 건방진, 거만스러운, 오만한: actitud ~ 오만한 태도. chico ~ 건방진 아이. ② = **orgulloso, soberbio, desvergonzado.** —*m.f.* 무례한 사람, 건방진 사람, 거만한 사람, 오만한 사람.
insolentemente *adv.* ① 거만하게, 오만하게, 건방지게. ② 철면피하게, 낯가죽 두껍게.
insolidaridad *f.* 연대 책임이 없음.
insolidario, ria *adj.* 연대 책임이 없는.
in sólidum *adv. lat.* [법률] 완전히, 모두, 전부, 연대하여: deudores ~ 연대 채무자.
insólito, ta *adj.* 이상한, 기묘한, 기발한, 보기 드문, 회소한, 유별난: belleza ~*ta* 절세 미인.
insolubilidad *f.* ① 불용해성. ② 해결할 수 없음.
insoluble *adj.* ① 녹지 않는, 불용해성의. ② 해결할 수 없는.
insoluto, ta *adj.* [드묾] 지불하지 않는.
insolvencia *f.* 지불[변제] 불능, 채무 초과, 파산.
insolvente *adj.* 지불 불능의, 변제 불능의: declararse ~ 파산 선고를 하다. —*m.f.* 지불[변제] 불능자, 파산자.
insomne *adj.* 자지 않는, 불면의, 불면증의: pasar ~ toda la noche 밤새 한잠도 자지 못하다.
insomnio *m.* 불면, 불면증: medicamento contra el ~, remedio para el ~ 수면제.
insondable *adj.* ① (바다의) 깊이를 잴 수 없는. ② 깊이를 조사할 수 없는, 깊이를 알 수 없는; 헤아릴 수 없는.
insonoridad *f.* 울리지 않음; 방음성.
insonorización *f.* 방음 (공사).
insonorizar (9) *tr.* 방음하다, 방음 공사[장치]를 하다: cuarto *insonorizado* 방음실.
insonoro, ra *adj.* 울리지 않는, 방음의: material ~ 방음재(防音材).
insoportable *adj.* ① 참을 수 없는: el dolor ~ 참을 수 없는 고통. ② 불편한, 화난, 노한, 성난.
insoslayable *adj.* 불가피한, 피할 수 없는, 할 수 없는, 어쩔 수 없는.
insospechable *adj.* 의심할 수 없는; 예상 외의, 생각지도 못한.
insospechado, da *adj.* 생각지도 않은, 예상하지 않은, 예상 밖의: situación ~*da* 생각지도 않은 상황.
insostenible *adj.* ① 지지할 수 없는, 찬동할 수 없는. ② 지탱할 수 없는, 지탱하지 못하는.
inspección *f.* ① 검사, 점검; 검열; 시찰: ~ comercial 영업 상태의 점검. ~ de cuentas 회계 검사. ~ sanitaria 위생 상태의 검사. ~ técnica, ~ de vehículos 차량 검사. ② 검사소, 감독국. ¶ ~ ***ocular*** [법률] 실지 검증.
inspeccionar *tr.* 검사하다, 검열하다; 시찰하다: ~ los trabajos de construcción 건설 공사를 시찰하다.
inspector, ra *adj.* 검사하는, 검열하는. —*m.f.* 검사관, 검열관, 감사역, 시찰관: ~ de aduanas 세관 검사관. ~ de correos 우편 검사관. ~ de enseñanza 장학사. ¶ ~ ***general*** 총감독관.
inspectoría *f.* ① inspector의 집[사무소]. ② *Chile.* inspector 지휘 아래 있는 경찰대. ③ *Chile.* inspector 지휘 아래에 있는 경찰대가 감시하는 구역.
inspiración *f.* ① 영감. ② 시사(示唆), 권유, 권장. ③ 들어마시는 숨, 숨을 들어마심: Haz una ~ más fuerte 더 크게 숨을 들이마셔라. ④ 영감에 의한 착상, 신통한 생각. ⑤ [기독교] 성령 감응, 감화: ~ bíblica 성경, 성서. ¶ ***de*** ~ …의 영향을 받은, …풍의.
inspiradamente *adv.* 영감을 받아(서).
inspirado, da *adj.* 영감을 받은.
inspirador, ra *adj.* ① 영감을 주는. ② [해부] (근육이) 호흡 작용의. —*m.f.* 영감을 주는 사람.
inspirar *tr.* ① (공기 등을) 빨아들이다, 흡입하다: ~ profundamente 숨을 깊이 들이마시다. ② (사상 · 감정 등을) 불어넣다, 고취하다. ③ (사람에게 사상 · 감정을) 일어나게 하다. ④ 고무하다, 격려하다. ⑤ 영감을 주다. ~**se** ① 숨을 들이쉬다. ② [+en] (…에서) 영감을 받다[얻다], 감흥을 일으키다. ③ 암시를 받다.
inspirativo, va *adj.* 숨을 들이마시는.
inspiratorio, ria *adj.* [의학] 흡기(吸氣)의: órgano ~ 흡기 기관.
instabilidad *f.* =**inestabiilidad.**
instable *adj.* =**inestable.**
instalación *f.* ① 입주(入住), 정착. ② 설치: ~ de un equipo estereofónico 스테레오 장치의 설치. ③ 설비: ~ de una fábrica 공장 설비. ④ *pl.* 시설:

instalaciones deportivas 스포츠 시설. ⑤ [컴퓨터] 인스톨.

instalador, ra *adj*. 설치하는. —*mf*. 설치 업자.

instalar *tr*. ① [+en] (…에) 설치하다, 장치하다, 장착하다; 설비를 정돈하다: ~ el teléfono 전화를 설치하다. ② (사람을) 입주시키다, 정착시키다. ③ (사람을) (지위에) 앉히다. ④ [컴퓨터] 인스톨하다. ~**se** ① 자리잡다, 정착하다, 살다: ~*se en* el segundo piso 3층에 살다. ② 앉다: ~*se* en un sofá 소파에 앉다. ③ (변호사·의사 등이) 개업하다.

instancia *f*. ① 간원(懇願), 간절한 원함, 소원. ② 청원서: dirigir una ~ al rector 학장에게 청원서를 제출하다. ③ *pl*. 권력 기관. ④ [법률] 심급, …심: (tribunal de) primera ~ 일심. ¶ ***a ~*** 권고로, 요청으로. ***a ~s de*** …의 요청[권고]으로. ***en primera ~*** ㉮ 단번에, 한숨에, 한 번에. ㉯ 최초에, 처음에. ***en última ~*** 결정적으로, 종국적으로, 마지막으로, 마지막 수단으로.

instantánea *f*. ☞**instantáneo**

instantáneamente *adj*. 순간적으로, 즉시, 바로, 즉각적으로.

instantaneidad *f*. 순간성(瞬間性).

instantáneo, a *adj*. 순간적인, 잠시의, 즉시의, 즉석의, 즉시 일어나는: dolor ~ 순간적인 고통. efecto ~ 즉석 효과. muerte ~*a* 즉사. reacción ~*a* 즉석 반응. —*f*. 스냅[즉석] 사진: sacar una ~*a* 즉석[스냅] 사진을 찍다.

instante *m*. 순간, 순식간, 일순, 일순간, 눈 깜짝할 사이: Espere usted un ~ 잠깐 기다려 주십시오. ¶***a cada ~***, ***cada ~*** 자주, 여러 번, 누차, 늘, 항상, 언제나. ***al ~*** 곧, 즉시, 지체 없이. ***en un ~*** 곧, 즉시. ***por ~s*** ㉮ 늘, 언제나, 항상, 부단히, 끊임없이, 계속, 중단없이. ㉯ 순간순간, 시시각각(時時刻刻)으로(de un momento a otro).

instantemente *adv*. ① [드묾] 요청으로, 권고로. ② [고어] 즉시, 순식간에.

instar *tr*. 간원하다, 간청하다, 절망(切望)하다, 간절히 바라다: ~ la pronta solución 조속한[빠른] 해결을 바라다. —*intr*. [+a+*inf*.·que+*subj*.] (…을) 집요하게 부탁하다[당부하다·청하다·의뢰하다]: ~ *a* cantar 노래를 청하다.

in statu quo *adv*. *lat*. 현상 유지로, 원상태로.

instauración *f*. 창립, 창설, 설립, 수립: ~ de una república 공화국 수립.

instaurador, ra *adj*. 창립하는, 창설하는, 수립하는. —*mf*. 창립자, 창설자, 설립자, 수립자, 창시자.

instaurar *tr*. (조직·제도 등을) 창립하다, 창시하다, 창설하다, 설립하다, 수립하다: ~ una universidad 대학교를 설립하다. ~ relaciones amistosas entre dos países 양국 간에 우호 관계를 수립하다.

instaurativo, va *adj*. 설립의, 창설의.

instigación *f*. 선동, 교사(教唆).

instigador, ra *adj*. 선동하는, 교사하는, 꼬드기는. —*mf*. 선동자, 교사자.

instigar (8) *tr*. [+a] (…하도록) 선동하다, 교사하다, 꼬드기다, 부추기다.

instilación *f*. ① 한 방울씩 떨어뜨림, 적하(滴下). ② [의학] 점적(點滴), 점적법(點滴法). ③ [드묾] =**destilación.**

instilar *tr*. ① 한 방울씩 떨어뜨리다, 적하(滴下)하다. ② (주의·사상 등을) 스며들게 하다, 서서히 가르쳐 주다.

instintivamente *adv*. 본능적으로.

instintivo, va *adj*. 본능적인, 직관적인; 충동적인.

instinto *m*. ① 본능(本能): ~ de conservación 자기 보존 본능. ~ de rebaño 군집 본능. ~ sexual 성본능. ② (천부의) 재능, 소질. ③ 직관, 직감. ¶ ***por ~*** 본능적으로, 무의식적으로.

institor *m*. =**factor.**

institución *f*. ① 조직, 기구, 기관: ~ benéfica 자선 단체. ~ educacional 교육 기관. ② 제도: ~ familiar 가족 제도. ~ feudal 봉건 제도. ③ 협회; (학교·병원·클럽 등의) 공공 기관. ④ *pl*. (한 나라의) 정치 제도, 체제. ⑤ 학회, 학원, 학교, 병원. ⑥ 제정, 설립. ¶***ser*** alguien ***una ~*** (누가 지역·회사·모임 등의) 대표적 인물이다.

institucional *adj*. ① 제도상의, 제도적인: reforma ~ 제도 개혁. ② (공공) 시설의, (공공) 단체[기관]의, 회(會)의.

institucionalidad *f*. 제도성(制度性).

institucionalización *f*. ① 제도화, 조직화. ② 합법화.

institucionalizar (9) *tr*. ① 제도화하다, 조직화하다. ② 합법화하다.

institucionalmente *adv*. 제도적으로.

institucionista *adj*. ① 자유 교육 제도(Institución Libre de Enseñanza)(1876년에 설립된 크라우제 철학 경향의 스페인 교육 제도)의[에 관한]. ② 자유 교육 제도의 영향을 받은. —*mf*. 자유 교육 제도의 영향을 받은 사람.

instituidor, ra *adj*. 설립[창설]하는, 제정하는. —*mf*. 설립자, 창설자, 제정자.

instituir (77) *tr*. ① 제정하다, 설립하다, 창설하다: ~ una ley 법률을 제정하다. ~ un premio literario 문학상을 제정하다. ② 지정하다, 지명하다, 임명하다. ③ [고어] =**determinar.**

Instituta *f*. (Justiniano 황제의 명령으로 제정된 로마인들의) 민법 요강.

instituto *m*. ① 국립 중등 교육 센터. ② (과학·문화 등의) 단체, 협회. ③ (특별 서비스를 하는) 공공 시설. ④ 연구소: *Instituto* de Biología 생물학 연구소. ⑤ (군사·종교적인) 단체.

institutor, ra *adj*. 제정하는, 설립하는, 창설하는. —*mf*. 제정자, 설립자, 창설자. —*m*. *Col*. 선생, 교수, 교육자.

institutriz *f*. 가정 교사.

instrucción *f*. ① 교육: ~ militar 군사 교육, 교련, 훈련. ~ primaria 초등 교육. ~ secundaria 중등 교육. ~

superior 고등 교육. ② 교양, 지식: hombre de poca ~ 교양이 없는 남자. ③ *pl.* 지시, 지령. ④ *pl.* (상품의) 사용법; 설명서. ⑤ [컴퓨터] 명령. ¶ ~ *del sumario* [법률] 예심.
instructivamente *adv.* 교육적으로, 교훈적으로.
instructivo, va *adj.* 교육적인; 교훈적인; 유익한: juguete ~ 교육 장난감.
instructor, ra *adj.* 교육하는, 가르치는. —*m.f.* 교사, 가르치는 사람, 교육자, 교관: ~ de esquí 스키 교사. ¶*juez* ~ [법률] 예심 판사.
instruido, da *adj.* 교양이 있는, 학식이 있는.
instruir (77) *tr.* ① [+en] (…을) …에게 교육시키다, 가르치다. ② [군사] 교련하다, 훈련하다. ③ [+sobre] (…에 관해서) 알게 하다, 통지하다, 보고하다. ④ (…에) 훈령[지령]을 내리다. ⑤ [법률] 예심하다, 심리하다, 조서를 꾸미다. ~**se** 배우다, 학문을 닦다.
instrumentación *f.* 편곡, 악기 편성.
instrumental *adj.* ① 악기의[에 관한], 악기용의: música ~ 기악. ② 도구로 사용되는, 기계의[를 사용하는]. ③ [법률] 문서의. —*m.* ① [집합] 기구: ~ quirúrgico 수술용 기구. ② [집합] 악기. ③ [문법] 구격(具格)(caso ~).
instrumentalización *f.* 도구화, 기계화.
instrumentalizar (9) *tr.* (사람 등을) 도구화하다, 기계화하다.
instrumentalmente *adv.* 수단[방편]으로서.
instrumentar *tr.* ① (기악용으로) 편곡하다; 편성하다. ② (계획·수단 등을) 실행하다, 만들다, 구성하다, 조직하다. ③ [의학] 기구를 준비하다. ④ [투우] 싸움의 여러 수를 쓰다.
instrumentista *m.f.* ① 악기 연주자. ② 악기 제작자. ③ 기악 편성자. ④ [의학] 수술실 간호사.
instrumento *m.* ① 도구, 기구; 기계: tablero de ~*s* 계기반, 계기판. ② = instrumento musical. ③ 수단, 도구. ④ [법률] 증서(證書), 문서: ~ de ratificación 비준서. ⑤ (조약의) 원본. ⑥ [상업] 채권. ¶ ~ *de cuerda* 현악기. ~ *de percusión* 타악기. ~ *de viento* 관악기, 취주 악기. ~ *de viento-madera* 목관 악기. ~ *de viento-metal* 금관 악기. ~ *musical* 악기. ~ *neumático* =instrumento de viento. *hacer* alguien *hablar a un* ~ 악기를 훌륭하게 연주하다.
insuave *adj.* [드묾] (감각적으로) 기분이 나쁜, 불쾌한: voz ~ 불쾌한[기분 나쁜] 목소리.
insuavidad *f.* [드묾] 기분 나쁨, 불쾌함.
insubordinación *f.* 불복종, 반항: ~ con *su* superior 상관에 대한 반항.
insubordinado, da *adj.* 반항적인, 복종하지 않은. —*m.f.* 반항적인 사람.
insubordinar *tr.* 반항하게 하다. ~**se** [+contra] (…에게) 반항하다, 대들다, 복종[순종]하지 않다: ~*se contra su* jefe 상사에게 대들다.
insubsistencia *f.* 변하기 쉬움, 아무 근거가 없음.
insubsistente *adj.* 변하기 쉬운, 아무 근거가 없는.
insubstancial *adj.* =insustancial.
insubstancialidad *f.* =insustancialidad.
insubstancialmente *adv.* =insustancialmente.
insubstituible *adj.* =insustituible.
insudar *intr.* [드묾] 땀을 흘리다, 애쓰다, 노력하다.
insuficiencia *f.* ① 부족: ~ de la alimentación 영양 부족. ② 불충분. ③ *pl.* 약점, 결함. ④ [의학] (기능) 부전, 박약: ~ cardíaca 심부전.
insuficiente *adj.* ① 불충분한, 부족한: preparación ~ 준비 부족. ② (성적 평가가) 불가의. —*m.* (성적 평가의) 불가, 불합격.
insuflación *f.* [의학] 통기법, 취입법.
insuflador *m.* (의료 기구의) 취입기, 공기 흡입기.
insuflar *tr.* ① [의학] (가스 등을) 통기(通氣)시키다, 취입[흡입]시키다: ~ oxígeno en los pulmones 폐에 산소를 취입[흡입]시키다. ② (감정 등을) 고무하다: ~ ánimo a las tropas 부대의 사기를 고무하다.
insufrible *adj.* ① 참을 수 없는, 견딜 수 없는: humillación ~ 참을 수 없는 굴욕. ② 참기[견디기]가 매우 어려운: dolor ~ 참기 어려운 고통.
insufriblemente *adv.* 참을[견딜] 수 없을 만큼, 참을[견딜] 수 없어.
ínsula *f.* ① (돈 끼호떼에서 산초에게 맡겨진 것 같은) 작은 곳, 실체가 없는 정부. ② [고어] =**isla.**
insulano, na *adj., m.f.* =**isleño.**
insular *adj.* ① 섬 태생의. ② 섬의[에 관한]: prejuicios ~*es* 섬나라 식 편견. —*m.f.* 섬사람, 섬 태생 사람.
insularidad *f.* ① 섬 같은 점. ② = **aislamiento.**
insulina *f.* ① [생화학] 췌장 호르몬. ② 인슐린: inyección de ~ 인슐린 주사. shock de ~ 인슐린 쇼크.
insulinemia *f.* [의학] 인슐린 혈증.
insulinización *f.* [의학] 인슐린 요법.
insulinoma *m.* [의학] 도세포종.
insulsamente *adv.* 풍미(風味)가 없이; 따분하게, 무료하게.
insulsez *f.* 감칠[고상한] 맛이 없음, 풍미가 없음.
insulso, sa *adj.* ① 감칠 맛이 없는, 풍미(風味)가 없는: vino ~ 감칠맛이 없는 포도주. ② 따분한, 지루한, 무료한, 재미 없는: película ~*sa* 지루한 영화. persona ~*sa* 따분한 사람.
insultada *f.* *Amér.* 아주 심한 모욕.
insultador, ra *adj.* 모욕하는. —*m.f.* 모욕하는 사람.
insultante *adj.* ① 모욕하는. ② (말이

나 행동에서) 모욕적인 (언사를 사용하는): tono ~ 모욕적인 말투.
insultar *tr*. 모욕하다, 매도하다, 욕을 퍼붓다. ~**se** *Cuba*. =encolerizarse.
insulto *m*. 모욕(적인 말).
insumable *adj*. ① 셈에 넣을 수 없는, 합할 수 없는. ② 셈하기가 어려운, 합하기가 어려운.
insumergible *adj*. 가라앉지 않는.
insumir *tr*. [경제] (자본·자원 등을) 투입하다.
insumisión *f*. ① 불복종. ② 병역 거부.
insumiso, sa *adj*. ① 복종[순종]하지 않는, 귀순하지 않는, 반항적인. ② 병역 거부의. —*mf*. 병역 거부자.
insumo *m*. [경제] 투입(投入).
insuperable *adj*. 능가할 수 없는, 극복할 수 없는: calidad ~ 최고 품질. dificultad ~ 극복할 수 없는 난관.
insurgencia *f*. ① (당국에 대한) 반란, 폭동, 모반: ~ militar 군사 반란. ② 반란을 일으킨 단체[그룹].
insurgente *adj*. 반란을 일으킨, 봉기한: tropas ~*s* 반란군. —*mf*. 반도(叛徒).
insurgir *intr*. =insurreccionarse.
insurrección *f*. 반란, 봉기.
insurreccional *adj*. 반란의[에 관한], 봉기의[에 관한].
insurreccionar *tr*. 봉기시키다, 반란을 일으키게 하다. ~**se** 봉기하다, 반란을 일으키다.
insurrecto, ta *adj*., *mf*. =insurgente.
insustancial *adj*. ① 실체가 없는, 비현실적인, 내용이 없는, 박약한, 가공의: comedia ~ 재미없는 코미디. ② (먹거리가) 맛없는.
insustancialidad *f*. ① 내용이 없음. ② 형체가 없음.
insustancialmente *adv*. 공허하게, 비현실적으로, 실체 없이, 내용 없이.
insustituible *adj*. 바꿀 수 없는, 교체할 수 없는: La vida es ~ 목숨은 무엇과도 바꿀 수 없다.
int. interés 이자, 금리(金利).
intachable *adj*. 나무랄 데 없는, 흠잡을 데 없는, 완벽한: una persona de una conducta ~ 품행이 방정한 사람.
intacto, ta *adj*. ① 아직 손대지 않은, 본래 그대로: tema ~ 아직 손도 안 댄 테마. ② 흠이 없는, 훼손되지 않은. ③ 순수한, 완전한. ④ 토의되지 않은.
intangibilidad *f*. 감지할 수 없음.
intangible *adj*. ① 손으로 만질 수 없는, 감지할 수 없는; 실체가 없는, 무형의: ayuda tangible e ~ 유형 무형의 원조. patrimonio ~, propiedad cultural ~ 무형 문화재. ② 만져서는 안 되는, 침범해서는 안 되는.
integérrimo, ma *adj*. 매우 완전한, 매우 고결한[순결한].
integrable *adj*. [수학] 적분할 수 있는, 적분 가능한.
integración *f*. ① [+a · en] (…에의) 통합, 집성(集成); 완전, 완성; 동화: ~ europea 유럽 통합. ② [수학] 적분법.
integracionista *adj*. (정치적·인종 차별 철폐에 의한) 통합의. —*mf*. 통합주의자.
integrador, ra *adj*. 통합하는.
integral *adj*. ① 완전한, 완전체의, 결여된 부분이 없는; 전면적인: belleza ~ [표시] 전신 미용. desnudo ~ 완전 나체. educación ~ 전인 교육. ② [수학] 적분의: cálculo ~ 적분학. ③ 일관 생산의. —*f*. [수학] 적분.
integralmente *adv*. 완전한 형태로, 고스란히, 완전체로.
íntegramente *adv*. ① =enteramente. ② 완전히(con integridad).
integrante *adj*. ① (전체의) 일부분을 이루는. ② 구성 요소의, 성분의; 완전한. —*mf*. 구성원, 일원.
integrar *tr*. ① 완전한 것으로 만들다, 완전하게 하다, …의 전체를 구성하다. ② [+a · en] (…에) 통합하다; 동화시키다: ~ Europa 유럽을 통합하다. ③ [수학] 적분하다. ~**se** 동화되다.
integridad *f*. ① 완전(함), 흠 없음, 보전; 본래의 모습: ~ física 몸의 안전. ~ territorial, ~ de un territorio 영토 보전. ② 고결함, 성실, 청렴함, 공명정대: hombre de ~ 청렴 결백한 사람. ③ [컴퓨터] 보전.
integrismo *m*. 보수 완전주의 (운동).
integrista *adj*. 보수 완전주의의; 교권당의. —*mf*. 보수 완전주의자; 교권당원. ¶ ~ ***islámico*** 이슬람 원리주의자.
íntegro, gra *adj*. ① 전부의, 완전한: reembolso ~ 빌린 돈의 완제(完濟), 채무의 완전 변제. texto ~ de la conferencia 연설 전문. conservar ~ el territorio 영토를 보전하다. ② 고결한, 성실한: hombre ~ 고결한 사람.
integumento *m*. ① [해부·동물·식물] 외피, 포피. ② (일반적으로) 외피, 씌우개. ③ =**disfraz, ficción, fábula.**
intelección *f*. 이해력, 지적 작용.
intelectivo, va *adj*. 이해하는 능력이 있는, 지성의. —*f*. 이해력.
intelecto *m*. 지성, 이해력.
intelectual *adj*. ① 지적인, 지력의, 지능의: fenómeno ~ 지적 현상. nivel ~ 지적 수준, 지능 정도. propiedad ~ 지적 재산. ② 두뇌[머리]를 쓰는, 지능을 요하는: trabajo ~ 두뇌 노동, 지적 노동. ③ 마음[정신]의. ④ 지력이 발달한, 이지적인: cara ~ 이지적인 얼굴. clase ~ 지식 계급. —*mf*. ① 지식인, 식자. ② 두뇌 노동자.
intelectualidad *f*. ① 지력, 지성. ② 총명. ③ [집합] 지식인 (계급·그룹).
intelectualismo *m*. ① 지적 작업. ② 지성 편중, 지성주의. ③ [철학] 주지주의(主知主義), 이지주의(理智主義).
intelectualista *adj*. ① [철학] 주지주의[이지주의]의[에 관한]. ② [철학] 주지주의[이지주의]를 추종하는. —*mf*. 주지주의자, 이지주의자.
intelectualizar (9) *tr*. ① 지적으로 하다, 지성적으로 처리[분석]하다. ② (감

정적·심리적 의미를 무시하고) (문제를) 이치로 설명하다.

intelectualmente *adv.* 지적으로, 마음으로: trabajar ~ 지적으로 일하다.

inteligencia *f.* ① 지능, 이해력, 사고력: nivel de ~ 지능 정도. tener mucha ~ 이해력이 있다, 머리가 좋다. ② 지성, 총명, 지혜: hombre de ~ 총명한 사람. ③ 지성이 높은 사람, 머리가 좋은 사람. ④ (서로의) 양해. 미리 짬. ⑤ 정보, 보도; 첩보 기관; 정보 수집: servicio de ~ 정보 기관. ⑥ [집합] 지식인, 식자. ¶ ~ *artificial* [컴퓨터] 인공 지능, 제5세대 컴퓨터. *en (la) ~ de que* …라는 의미로, 가정으로.

inteligenciado, da *adj.* 아는, 지식이 있는, 지적인.

inteligente *adj.* ① 지적인, 이해력이 있는, 이성적인: ser ~ 지적 존재. ② 총명한, 머리가 좋은, 영리한, 현명한, 재치있는: alumno ~ 머리가 좋은 생도. decisión muy ~ 현명한 결단. respuesta ~ 재치 있는 답변. ③ [컴퓨터] 정보 처리 기능을 가진. ④ 컴퓨터화된: edificio ~ 컴퓨터화된 건물. —*mf.* 영리한 사람; 사정에 밝은 사람; 지식인, 식자.

inteligibilidad *f.* ① 이해할 수 있음. ② 이해하기 쉬움. ③ 명료함.

inteligible *adj.* ① 이해할 수 있는. ② 이해하기 쉬운: libro ~ 이해하기 쉬운 책. ③ 분명히 들리는.

inteligiblemente *adv.* 이해할 수 있게, 이해하기 쉽게, 분명히.

intemperado, da *adj.* [드묾] =**inmoderado, excesivo.**

intemperancia *f.* 절도가 없음, 무절제, 방종, 과도.

intemperante *adj.* 절도 없는, 무절제한, 폭음[폭식]하는.

intemperie *f.* 악천후, 기후 불순. ¶***a la*** ~ 야외[노천]에서.

intempestivamente *adv.* 제철이 아닌 때에, 좋지 않은 시기에.

intempestivo, va *adj.* 제철이 아닌, 시기에 맞지 않는: visita ~*ta* 시기가 좋지 않은 방문.

intemporal *adj.* 시간을 초월한, 시기를 넘긴, 시간이 아닌.

intemporalidad *f.* 시간의 초월, 시간을 넘김.

intención *f.* ① 의도, 의향: ~ oculta 진의. con ~ 고의로, 일부러. buena ~ 선의. mala ~ 악의. ② (미사를 올리는) 목적. ③ (마소의) 나쁜 버릇: caballo [toro] de ~ (나쁜) 버릇이 있는 말[황소]. ¶*primera* ~ 고지식함. *segunda* ~ 저의, 꿍심, 악한 음모. *curar de primera* ~ 응급 치료를 하다. *dar* ~ =**dar esperanza.** *de primera* ~ 우선 첫째로, 첫 순간에.

intencionadamente *adv.* 일부러, 고의적으로(con intención).

intencionado, da *adj.* 고의의, 의도적인: bien ~ 선의의. mal ~ 악의의.

intencional *adj.* ① 의지의. ② 고의의.

intencionalidad *f.* 의도성(意圖性).

intencionalmente *adv.* 일부러, 고의로, 저의를 가지고(de modo intencional).

intendencia *f.* ① (보급의) 관리, 지배, 지휘, 감독(국). ② intendente의 관할 지역. ③ intendente의 직. ④ intendente의 집[사무소]. ⑤ [군사] 보급 부대, 병참부. ⑥ *Arg.* =**intendencia municipal.** ¶ ~ *municipal* ㉮ *Arg., Ur.* 시정부(市政府)의 최고 기관. ㉯ *Arg., Ur.* 시정부의 최고 기관의 본부(가 있는) 건물.

intendente, ta *m.f.* (경제 부처의) 국장. —*m.* ① (국책 공장이나 회사의) 사장. ② [육군·해군] 보급 국장. ③ *Arg., Ur.* 시장(市長). ④ *Ecuad.* 주 경찰 당국. ¶ ~ *municipal Ur.* 시정부 최고 기관장.

intensamente *adv.* 강렬히, 격렬히, 세게(con intensidad).

intensar *tr.* [드묾] =**intensificar.**

intensidad *f.* ① 세기, 강도(强度): ~ de capital 자본 집약도. ~ del amor 애정의 깊이. ~ del terremoto 진도(震度). ② 강렬(함), 격렬(함): llover con gran ~ 비가 억수로 내리다.

intensificación *f.* 강화, 격화.

intensificador *m.* 보강 장치.

intensificar (7) *tr.* 세게 하다, 강화시키다, 강렬하게 만들다. **~se** 강화되다, 격렬해지다, 세어지다.

intensión *f.* =**intensidad.**

intensivamente *adv.* =**intensamente.**

intensivista *m.f.* 집중 치료 전문의.

intensivo, va *adj.* ① 강한, 격렬한: entrenamiento ~ 맹훈련, 맹연습. ② 철저한, 집중적인: curso ~ 집중 강의. ③ [경제] 집약적인. ④ [문법] 강의(强意)의, 강조의. ⑤ [논리] 내포적인. ⑥ [의학] 점진적인. ¶*cuidados ~s* 집중 치료. *cultivo* ~ 집약 농업.

intenso, sa *adj.* ① 강한, 격렬한: calor ~ 혹서(酷暑). dolor ~ 격통. frío ~ 혹한. luz ~*sa* 강렬한 빛. ② (감정 등이) 열정적인, 격앙된. ③ 긴장된, 집중한; 일사 분란한. ④ (성격이) 감정적인. ⑤ [사진] (명암도가) 강한. ⑥ (색이) 매우 짙은.

intentar *tr.* ① 의도하다, 기도하다, 꾀하다, 시도하다. ② [+*inf.*] (…할) 작정이다, (…하려고) 생각하다: ~ salir de viaje 여행할 생각이다. ③ [과거형 +*inf.*] 기도했다가 실패했다.

intento, ta *adj.* [고어] =**atento.** —*m.* ① 시도, 기도: ~ de homicidio 살인 미수. ② [운동] 시기(試技). ③ 목적(propósito). ¶*de* ~ =**de propósito.**

intentona *f.* (주로 실패로 끝난) 무모한 기도: ~ golpista 쿠데타 미수 사건.

ínter *adv.* [드묾] =**entre tanto.**

inter- *pref.* ①「사이(entre)·안에(en medio)」의 뜻: *inter*costal 늑골 사이의. ②「여럿 사이에, 서로」의 뜻: *inter*ministerial 부처(部處)간의, 부처

간의 인사 교류의.
interacción *f.* 상호 작용.
interaccionar *intr.* 상호 작용을 하다.
interactividad *f.* 상호 작용.
interactivo, va *adj.* ① 서로 작용하는, 상호 작용의. ② [컴퓨터] 대화식의; [통신] 쌍방향의.
interamericano, na *adj.* 미대륙 (국가들) 간의.
interandino, na *adj.* ① 안데스 산맥에 있는 국가들[주민들]에 관한. ② 두 안데스 산맥 사이에 위치한.
interanual *adj.* 수년간의.
interarticular *adj.* 관절 사이에 위치한.
interbancario, ria *adj.* 은행간의.
intercadencia *f.* 건강 불량; 맥박 불순.
intercadente *adj.* 맥박이 고르지 못한.
intercadentemente *adv.* 맥박이 고르지 못해.
intercalación *f.* 삽입.
intercaladura *f.* =intercalación.
intercalar[1] *adj.* (사이에) 삽입된: año ~ 윤년. día ~ 윤일.
intercalar[2] *tr.* 삽입하다, 사이에 넣다.
intercambiable *adj.* 교환 가능한, 호환성이 있는.
intercambiador *m.* [교통] 접속역, 연락역. ¶ ~ *de calor* 열교환기.
intercambiar *tr.* (정보 등을) 교환하다. ~**se** 서로 교환하다.
intercambio *m.* ① 교환: ~ cultural entre dos países 양국간 문화 교류. ~ de prisioneros 포로 교환. becario de ~ 교환 학생. profesor de ~ 교환 교수. ② 교역, 무역. ③ [테니스 등] 랠리 ((계속 공을 쳐 넘기기)).
interceder *intr.* 중개[중재]하다.
intercelular *adj.* [생물] 세포간의.
interceptación *f.* ① 도중에서 잡음[빼앗음], 가로챔. ② (통신의) 방수(傍受), 제삼자가 수신함, 도청. ③ 차단, 저지. ④ [운동] 인터셉트. ⑤ [군사] 요격, 저지.
interceptar *tr.* ① 도중에서 빼앗다[잡다], 가로채다. ② (통신 등을) 방수하다, 제삼자가 수신하다, 도청하다: ~ las comunicaciones telefónicas 전화의 도청을 하다. ③ (진로·교통 등을) 차단하다, 저지하다: ~ el tráfico 교통을 차단하다. ④ [군사] 요격[영격(迎擊)]하다: ~ un avión 비행기를 요격하다.
interceptor, ra *adj.* ① 차단하는, 저지하는. ② 방수하는. ③ 가로채는. ④ 요격하는: avión ~, caza ~*ra* 요격기. —*m.* 요격기.
intercesión *f.* 중재, 조정, 주선, 중개.
intercesor, ra *adj.* 중개[중재]하는, 조정하는. —*mf.* 조정자, 중개자.
intercesoriamente *adv.* 조정[중개]에 의해서.
interclasista *adj.* 사회 각계 각층의, 계층 간의; 사회 각 계층 간에 일어나는.
intercolumnio *m.* [건축] 두 기둥 사이 이의 공간.
intercolunio *m.* =intercolumnio.
intercomunicación *f.* 상호간 통신[교통], 교제.
intercomunicador *m.* 인터폰.
intercomunitario, ria *adj.* 여러 공동체 간에 생기는.
interconectado, da *adj.* 서로 연결된.
interconectar *tr.* =conectar.
interconexión *f.* 상호 연결[연락].
intercontinental *adj.* 대륙 간의; (특히) 유럽과 아메리카 사이에: proyectil balístico ~ 대륙 간 탄도탄.
intercostal *adj.* [해부] 늑골 간의: neuralgia ~ 늑골 신경통.
intercurrente *adj.* [의학] (병이) 병발성의, 개입성의: enfermedad ~ 병발증.
intercutáneo, a *adj.* 피하(皮下)의.
interdecir *tr.* =vedar, prohibir.
interdental *adj.* [언어] 잇사잇소리의, 치간음의: sonido ~ 잇사잇소리, 치간음. —*f.* [언어] 잇사잇소리, 치간음.
interdepartamental *adj.* 각 부(部)[국(局)] 간의, (특히 교육 기관의) 각 학과[학부] 간의.
interdependencia *f.* 상호 의존.
interdependiente *adj.* 상호 의존의.
interdicción *f.* [법률] 금지(禁止): ~ de residencia [lugar] 거주 제한. ¶ ~ *civil* 금치산, 시민권 박탈.
interdicto *m.* ① =entredicho. ② [법률] 소유 판결.
interdigital *adj.* 손가락 사이의.
interdisciplinar *adj.* =interdisciplinario.
interdisciplinariedad *f.* 분야가 다른 전문가의 협업(協業).
interdisciplinario, ria *adj.* 분야가 다른 전문가의 협업의, 여러 과학에 의한 협동적·종합적.
interés *m.* ① 이익, 이점(利點): ~ del Estado, ~ estatal, ~ nacional 국익, 국가 이익. ~ público 공익, 공공의 이익. ② *pl.* 이해 (관계): coincidencia de *intereses* 이해의 일치. oposición de *intereses* 이해의 대립. ③ 중요성, 가치, 의의(意義): invento de gran ~ 중요한 발명. ④ 이자, 이식: ~ bancario 은행 이자. ~ sobre el depósito, ~ de captación 예금 금리. ~ sobre el crédito, ~ de colocación 대출 금리. sin ~ 무이자로. ⑤ *pl.* (투자의) 수익. ⑥ *pl.* 재산(bienes). ⑦ [+por] (…에의) 관심, 흥미: tener ~ por [en] …에 관심이 있다. ⑧ 불안. ⑨ 희망. ¶ ~ *compuesto* 복리. ~ *legal* 법정이자. ~ legítimo 법으로 (인정하고) 보호받는 이자. ~ *simple* 단리(單利). *intereses creados* 기득 권익.
interesable *adj.* =interesado, codicioso.
interesadamente *adv.* ① 흥미를 가지고, 관심있게. ② 이해 관계에 따라.
interesado, da *adj.* ① [estar+, +en · por] (…에) 관심[흥미] 있는. ② 이해 관계가 있는. ③ [ser+] 이해 타산이 빠른, 제 욕심만 차리는. —*mf.* ① 관

심이 있는 사람. ② 이해 관계가 있는 사람, 관계자, 당사자, 본인. ③ 이해 타산이 빠른 사람.
interesal *adj.* =interesado, codicioso.
interesante *adj.* 재미있는, 흥미있는, 관심 있는, 흥미[관심]를 가질 만한: hombre ~ 재미있는 사람. libro ~ 재미있는 책.
interesar *tr.* [+en] ① (…에 관해서) …의 관심을 끌다, …에게 흥미를 가지게 하다. ② (거래 등에) 참가시키다. ③ …에 관계를 미치다, 흠이 가게 하다, 상하게 하다. *—intr.* 이해 관계의 원인[이유]이다, 관계[이해 관계]가 있다. **~se** [+en · por · con] (…에) 관심[흥미]을 갖다[두다 · 보이다].
interestatal *adj.* 각 국가 간의, 각 주 간의.
interestelar *adj.* 별과 별 사이의.
interétnico, ca *adj.* 다른 인종 간의.
interface *m. ing.* [컴퓨터] 인터페이스, 접속 장치.
interfaz *f.* [컴퓨터] =interface.
interfecto, ta *adj.* 살해된. *—mf.* ① [법률] (사고 · 살인 등의) 죽은 사람, 피해자. ② 당사자.
interferencia *f.* ① 간섭, 참견, 방해, 저촉. ② [운동] 불법 방해. ③ [통신] 전파 장애[방해], 혼신. ④ [언어] (2개 국어 사용으로 상호 어법의) 간섭, 중합. ⑤ [물리] (음파 · 전파 등의) 간섭.
interferencial *adj.* interferencia의[에 관한].
interferir (54) *tr.* 방해하다. *—intr.* ① 간섭하다, 참견하다. ② 전파 장애를 일으키다; (광선 · 음파 등이) 간섭하다. **~se** [+en] (…에) 간섭하다, 참견하다, 끼어들다.
interferómetro *m.* [물리] 간섭계.
interferón *m.* [생화학] 인터페론 ((바이러스 증식 억제 물질)).
interfijo, ja *adj., m.* [문법] =infijo.
interfoliar *tr.* 백지를 철하다.
interfono *m.* 인터폰.
intergaláctico, ca *adj.* [천문] 은하계 사이에 있는.
interglaciar *adj.* 간빙기(間氷期)의.
intergubernamental *adj.* 정부간의.
interin *m.* [드묾] 대행 기간. *—adv.* 그럭저럭하는 사이에(entre tanto).
interina *f.* ☞interino.
interinamente *adv.* ① 대행으로, 대리로. ② 그 사이에.
interinar *tr.* [드묾] 대행하다.
interinato *m.* ① *Amér.* 대리[대행] 기간. ② *Amér.* 대리직.
interinidad *f.* ① 대리, 대행. ② 대리[대행] 기간.
interino, na *adj.* 대행의, 대리의, 권한 대행의: gobierno ~ 잠정 내각[정부]. maestro ~ 교육 실습생, 교생(敎生). médico ~ 인턴. rector ~ 학장 대행. presidente ~ 대통령 권한 대행. *—mf.* 대리, 대행, 대행자, 권한 대행자. *—f.* (출퇴근) 파출부, 가정부.
interinsular *adj.* 섬 사이에 행해지는.
interior *adj.* ① 내부의, 속의, 안쪽의, 가운데의: habitación ~ 안방. mar ~ 내해. región ~ 내륙 지방. ② 국내의: cambio ~ 내국환. política ~ 내정, 국내 정책. ③ 사적인. ④ (호텔 등에서 방이) 거리에 면하지 않은. ⑤ 내심의: voz ~ 내심의 소리. vida ~ 정신 생활. *—m.* ① 내부: decoración de ~*es* 실내 장식, 인테리어 디자인. ② (해양 · 국경 지역에 대해) 내륙 지역, 중앙부. ③ 내심, 속마음. ④ [축구 등] 인사이드 포워드: ~ derecho 인사이드 포워드 라이트. ~ izquierdo 인사이드 포워드 레프트. ⑤ *pl.* [영화] 실내 세트 장면. ⑥ (세 칸 차의) 가운데 칸. ⑦ (국가의) 오지. ⑧ [주로 *pl.*] *Ven.* =calzoncillo. ⑨ *pl.* =entrañas.
interiorano, na *adj.* ① *Ecuad.* 오지 태생의. ② *Pan.* 시골 태생의. ③ *Pan.* 시골의. *—mf. Pan.* 시골 사람.
interioridad *f.* ① 내면성(內面性). ② *pl.* 사사(私事), 사삿일, 집안 일.
interiorismo *m.* 실내 장식, 인테리어 디자인.
interiorista *mf.* 실내 장식가, 인테리어 장식가.
interiorización *f.* (감정 등의) 내면화(內面化); (사상 등의) 내재화(內在化).
interiorizado, da *adj.* 내부 사정에 밝은(volcado hacia el interior).
interiorizar (9) *tr.* (감정 등을) 내면화하다, 겉으로 나타내지 않다; (사상 등을) 내재화하다, 소화시켜 자신의 것으로 만들다.
interiormente *adv.* 마음속에서, 내심으로는.
interjección *f.* [문법] 감탄사, 간투사.
interjectivamente *adv.* 감탄사적으로.
interjectivo, va *adj.* [문법] 감탄사의[에 관한].
interlínea *f.* ① (글의) 행간. ② [인쇄] 인테르(regleta).
interlineación *f.* 행간에 써 넣음.
interlineado *m.* 행간(行間).
interlineal *adj.* ① 행간에 쓴[인쇄된]. ② (번역의) 원문의 행간에 써 넣은.
interlinear *tr.* ① 행간에 써 넣다. ② [인쇄] (행간에 인테르를 끼워) 조판의 행간을 띄우다.
interlocución *f.* 대화(diálogo).
interlocutor, ra *mf.* 대화자, 대담자, 이야기 상대: ~ válido 공식 대변인.
interlocutoriamente *adv.* [법률] 확정 판결 전에, 중간 판결에.
interlocutorio, ria *adj.* [법률] 확정 판결 전의, 중간 판결의.
intérlope *adj.* ① [드묾] 밀매의, 밀거래의. ② (선박이) 허가 없이 밀거래하는.
interludio *m.* [음악] 간주, 간주곡.
interlunio *m.* [천문] 달이 보이지 않는 기간, 무월(無月) 기간.
intermareal *adj.* 간조와 만조 사이의.
intermaxilar *adj.* [해부] 턱뼈 사이에 있는. *—m.* 턱뼈(hueso intermaxiliar).

intermediación *f.* 중개.
intermediado, da *adj.* [고어] 둘의 중간[사이]에 있는.
intermediador, ra *adj.* 중개하는, 중재하는, 매개하는. *—mf.* 중개자, 중재자, 매개자.
intermediar *intr.* ① (다른 것의) 중간에 있다[들어가다]. ② 중재하다, 중개하다.
intermediario, ria *adj.* 중개하는, 중재하는; (생산자와 소비자의) 거래 알선의, 중간 역할을 하는: comercio ~ 중개 무역. *—mf.* 중재자, 중개자; (생산자와 소비자간의) 중간 상인: ~ financiero 금융 중개인.
intermedio, dia *adj.* (장소·시간·질·크기 등의) 중간의: calidad *~dia* 중간 품질, 중질. color ~ 중간색. curso ~ 중급 (과정). directivo ~ 중견 간부, 중간 관리직. petróleo ~ 중질유. tamaño ~ 중간 크기. zona ~*dia* 중간 지대. *—m.* ① 사이, 틈. ② [연극] 막간, 휴게. ③ [연극] 막간 음악. ¶*por ~ de* …의 중개로, …를 통해서.
interminable *adj.* 끝없는, 한없는.
interminación *f.* [드묾] =amenaza, conminación.
interministerial *adj.* 각 부처간의, 각 장관 간의: reorganización ~ 부처 간의 인사 교류.
intermisión *f.* 휴지(休止), 중지, 중단.
intermitencia *f.* 간간이 중단됨, 단속(성), 간헐(성), 단속[간헐] 상태: con [por] *~s* 단속적으로, 간헐적으로.
intermitente *adj.* 때때로[간간이] 중단되는, 단속적인, 간헐적인, 단속성의, 간헐성의: fiebre ~ [의학] 간헐열, 말라리아열. fuente ~ 간헐천. *—m.* ① (자동차의) 깜박등, 점멸등. ② (자동차의) 점멸 장치, 단속기.
intermitir *tr.* ① 일시 멈추다[중단하다]. ② 중단시키다.
intermolecular *adj.* 분자(分子) 간의.
intermuscular *adj.* [해부] 근육 사이에 있는, 근육간의.
internación *f.* ① 오지로 들어감. ② 입원. ③ 수용(收容).
internacional *adj.* ① 국제적인, 국제(상)의, 국제간의, 만국의: casamiento ~ 국제 결혼. comercio ~ 무역. conferencia ~ 국제 회의. conflicto ~ 국제 분쟁. derecho ~ 국제법. ② 국제간에 정해진, 국제 신호의. ③ (조직 등이) 국제적으로 회원을 가진; 국제적으로 활동하는. ④ [항공] 국제편의. ⑤ (운동 선수가) 국가를 대표해 국제 대회에 참가하는[참가한]. *—mf.* 국가 대표 선수, 국제 경기 출전 선수. *—f.* ① [I~] 국제 노동자 동맹, 인터내셔널. ② 유사한 이념을 가진 각국의 정당이 모인 정치 조직. ③ 모든 국제 사회주의 및 공산주의 정당가(政黨歌), 인터내셔널 가(歌).
internacionalidad *f.* 국제성(國際性).
internacionalismo *m.* ① 국제주의, 세계주의, 인터내셔널리즘. ② 국제성, 세계성, 국제 협력[관리].
internacionalista *adj.* 국제주의(자)의. *—mf.* ① 국제주의자. ② 국제법 전문가, 국제법 학자.
internacionalización *f.* 국제화, 세계화; 국제 관리화.
internacionalizar (9) *tr.* ① 국제화하다, 세계화하다. ② 국제 관리 아래 두다. **~se** 국제화되다, 세계화되다, 국제적이 되다.
internacionalmente *adv.* 국제적으로, 세계적으로.
internada *f.* (특히 축구에서) 상대 진영을 향해 공을 잡은 선수의 빠른 전진.
internado *m.* ① 수용, 격리: ~ de un hospital 입원 생활, 병원 수용[격리]. ② 기숙 학교, 기숙사. ③ [집합] 기숙생. ④ [집합] 기숙 제도. ⑤ [의학] 인턴 기간, 임상 연수 기간, 인턴 신분. ¶*medio* ~ =semiinternado.
internamente *adv.* =interiormente.
internamiento *m.* ① 오지로 들어감. ② 입원(入院), 수용(收容).
internar *tr.* ① 내부에 들이다, 오지로 보내다. ② [+en] (병원 등에) 수용하다, 입원시키다. **~se** ① 깊숙이 들어가다: *~se en* la selva 밀림 속으로 들어가다. ② [운동] 상대 팀 안으로 들어가다.
internet *m. ing.* 인터넷: página de ~ 홈페이지. conectar a ~ 인터넷에 접속하다.
internista *adj.* 내과(內科)의, 내과 전문의. *—mf.* 내과의(內科醫).
interno, na *adj.* ① 내부의, 내적(內的)인(interior): asuntos *~s* del partido 당내 사정. estructura *~na* 내부 구조. factor ~ 내적 요인. medicina *~na* 내과(內科). oído ~ [해부] 내이(內耳). ② (가정부 등이) (고용주의 집이나 일터에서) 침식하는; 기숙하는: colocarse como ~ 침식 제공으로 고용하다. ③ (의과 대학생이) 수련의 과정의. *—mf.* ① 기숙생. ② (병원 등의) 레지던트, 전공의(médico residente). ③ (형무소의) 피수용자, 재감자(在監者).
internodio *m* [식물] 두 마디 사이에 있는 공간.
inter nos *adv. lat.* 우리들 사이에, 우리끼리 말인데, 우리 두 사람만의 이야기인데(entre nosotros).
internuncio *m.* ① 대변자. ② 로마 교황 대리 사절[공사]. ③ 콘스탄티노플에 주재했던 오스트리아 황제의 공사. ④ 대리(代理).
interoceánico, ca *adj.* 두 대양 사이의, 두 대양을 잇는: canal ~ 두 대양을 연결하는 운하.
interóseo, a *adj.* [해부] 뼈 사이의.
interpaginar *tr.* =interfoliar.
interparlamentario, ria *adj.* 각국 의회 간의: Unión *Interparlamentario* 국제 의회 연맹.

interpelación *f.* (국회에서 장관에 대한) 질문, 질의, 설명 요구.
interpelar *tr.* (국회에서 장관에게) 질의하다, 질문하다, 설명을 요구하다.
interpersonal *adj.* 개인 사이의, 대인 관계의, 인간 사이에 존재하는[일어나는]: relaciones ~*es* 대인 관계.
interplanetario, ria *adj.* [천문] 행성(行星)[혹성(惑星)] 간의: espacio ~ 행성간의 우주 공간. viaje ~ 우주 여행.
Interpol *f.* [*ing. Inter*national Criminal *Pol*ice Organization의 약자] 인터폴, 국제 형사 경찰 기구.
interpolación *f.* ① 써넣음, 가필, 개찬(改竄), 삽입. ② 써넣은 어구[사항]. ③ [수학] 보간법(補間法), 내삽법(內挿法).
interpoladamente *adv.* 가필[삽입·개찬]으로(con interpolación).
interpolador, ra *adj.* 삽입하는, 가필하는. —*mf.* 가필자, 삽입하는 사람.
interpolar *tr.* ① 가필하다, 삽입하다; 개찬하다: ~ unos comentarios en el texto 원문에 주를 달다. ② [수학] 보간하다, 내삽하다.
interponer *tr.* ① [+entre] (…의) 사이에 놓다[넣다·끼우다·두다]: ~ una pantalla en la puerta y la mesa 문과 책상 사이에 칸막이를 놓다. ② [권력 등을, +con] (…에 대하여) 개재시키다. ③ [법률] (공소를) 신청하다. ④ 말참견하다. ~**se** 사이에 끼어들다, 간섭하다: si no *se hubiera interpuesto* la guerra 전쟁이 가로막지 않았다면.
interposición *f.* ① 사이에 넣음, 삽입, 개재. ② 삽입물. ③ 공소 신청.
interpósita persona *f. lat.* [법률] 제삼자: por ~ 제삼자를 통해서.
interprender *tr.* [드묾] 급습하여 빼앗다[점령하다].
interpresa *f.* ① 급습으로 점령[강탈]. ② 갑작스런 군사 행동.
interpretable *adj.* 해석할 수 있는, 연주할 수 있는.
interpretación *f.* ① 해석(解釋): ~ de un texto 텍스트의 해석. ~ de los sueños 해몽, 꿈 점. ② 연주: ~ de una sinfonía 교향곡 연주. ③ 연기. ④ 통역: ~ simultánea 동시 통역.
interpretador, ra *adj.* ① 해석하는. ② 연주하는. ③ 연기하는. ④ [고어] = traductor. —*mf.* ① 해석자. ② 연주자. ③ 연기자.
interpretar *tr.* ① 해석하다: ~ en un sentido amplio 넓은 의미로 해석하다. ② 연주하다, 노래하다: ~ el himno nacional 국가를 연주하다. ③ (역을) 연기하다. ④ 통역하다; 번역하다. ⑤ 대변하다.
interpretariado *m. Chile.* 동시 통역.
interpretativamente *adv.* 해석상으로.
interpretativo, va *adj.* 해석의.
intérprete *mf.* ① 통역, 통역관. ② 해석자, 주석자. ③ 대변자. ④ 연주가. ⑤ 연기자, 연출자.
interprofesional *adj.* 각 직업 공통의.
interprovincial *adj.* 주(州)[도(道)]간의: llamadas ~*es* 주[도]간의 통화.
interpuesto, ta *adj.* 사이에 둔[낀·놓은], 사이에 들어간.
interracial *adj.* (다른) 민족 간의, (다른) 민족 간에 생기는, 민족 간에 일어나는: problemas ~*es* 민족 간의 문제.
interregional *adj.* 지방간의: comercio ~ 지방간의 거래. solidaridad ~ 지방간의 단결[결속].
interregno *m.* (왕 등의) 공위(空位) 기간; 정지적 공백 기간; (일반적으로) 휴지(休止) 기간. ¶ ~ *parlamentario* 국회 휴회 기간
interrelación *f.* ① 상호 관계. ② 계열.
interrelacionado, da *adj.* 상호 관계를 가진.
interrelacionarse *r.* 상호 관계를 갖다.
interrogación *f.* ① 질문(pregunta): responder a una ~ 질문에 답하다. ② 신문(訊問). ③ [문법] 의문(문): ~ directa [indirecta] 직접[간접] 의문. ④ [문법] 의문 부호(signos de ~).
interrogador, ra *adj.* ① 질문하는. ② 심문하는. —*mf.* ① 질문자. ② 심문자.
interrogante *adj.* 질문하는, 심문하는: mirada ~ 의아스러운 표정. —*m.* ① 의문 부호(interrogación). ② [때때로 *f.*] 질문, 심문. ③ 의문점, 문제점.
interrogar (8) *tr.* ① 질문하다(preguntar). ② 신문하다, 문초하다.
interrogativamente *adv.* 묻는 투로, 신문하는 투로(con interrogación).
interrogativo, va *adj.* [문법] 의문의, 의문을 나타내는: adjetivo ~ 의문 형용사. pronombre ~ 의문 대명사.
interrogatorio *m.* ① 신문, 문초, ② 조서. ¶ ~ *de identidad* 인정 신문.
interrumpidamente *adv.* 간헐적으로, 띄엄띄엄.
interrumpir *tr.* ① 중단하다, 중지하다, 그만두다: ~ *su* paseo 산책을 그만두다. ~ los estudios 학업을 중단하다. ~ la corriente 전류를 끊다. ② (남의 말을) 가로채어 중단시키다. ~**se** 중단되다, 끊기다.
interrupción *f.* ① 중단, 차단, 두절, 끊김, 불통: ~ del trabajo 작업 중단. ~ eléctrica 정전. ~ (voluntaria) del embarazo 임신 중절. ② (말의) 방해. ¶ *sin interrupciones* 띄엄띄엄. *sin* ~ 늘, 끊임없이, 간단(間斷) 없이.
interruptor, ra *adj.* 중단하는, 중지하는, 막는, 저지하는; (말을) 가로막는. —*m.* [전기] 스위치, 차단기.
intersecarse (7) *r.* (선·면이) 교차되다, 엇갈리다.
intersección *f.* ① 교차, 횡단. ② (도로의) 교차점. ③ [수학] 교점, 교선.
interserir *tr.* [고어] (다른 것 사이에) 넣다, 끼우다.
intersexual *adj.* ① 이성간의, 이성에 관한: amor ~ 이성애. ② [생물] 간성의. —*mf.* 간성인 사람, 간성의 생물.
intersexualidad *f.* 간성(間性).

intersticial *adj.* ① 틈의, 갈라진 틈의, 틈이 있는. ② [해부] 간질(間質)의: célula ~ 간질 세포.
intersideral *adj.* [천문] 천체간의: espacio ~ 우주 공간.
intersindical *adj.* 조합간의.
intersticio *m.* ① (빈) 틈, 틈새; 갈라진 데[금], 균열. ② (시간의) 간격, (장소의) 공간.
intersubjetividad *f.* [철학] 상호 주관.
intersubjetivo, va *adj.* 상호[공동·집합] 주관적인, 간(間) 주관적인.
interterritorial *adj.* (여러) 지방[지역] 간의: cooperación ~ 지역 간의 협조.
intertidal *adj.* ① 만조와 간조 사이의, 한사리와 조금 사이의. ② (생물이) 조간대(潮間帶) 해안에 서식하는.
intertrigo *m.* [의학] 간찰진(間擦疹).
intertropical *adj.* 두 회귀선 사이의; 열대의: países ~*es* 열대 국가들.
interurbano, na *adj.* 도시(都市) 간의: conferencia ~*na* 시외 통화.
intervalo *m.* ① (장소·시간의) 간격. ② 기간. ③ [음악] 음정: ~ mayor 장음정. ~ menor 단음정. ④ (연극·콘서트 등의) 막간, 휴식[휴게] 시간. ¶ ~ *claro*, ~ *lúcido* [의학] 정신 이상자가 제정신으로 돌아가는 평정기(平靜期). *a* ~*s* 띄엄띄엄, 여기저기에; 이따금, 때때로.
intervención *f.* ① 개입, 간섭; 중재, 주선, 조정: ~ militar 군사 개입. ~ política 내정 간섭. ② 참가, 출동: ~ de los bomberos 소방대의 출동. ③ 출연: ~ televisiva 텔레비전 출연. ④ [의학] 처치; (특히) 외과 수술. ⑤ 회계 검사, 감사. ⑥ 회계 검사관의 직[사무소]. ⑦ 도청. ⑧ 압수.
intervencionismo *m.* (내정) 간섭주의, 개입주의.
intervencionista *adj.* 간섭주의의, 개입주의의. —*mf.* 간섭주의자.
intervenidor, ra *adj.* =**interventor.**
intervenir (60) *intr.* ① 개입하다, 간섭하다, 참견하다: ~ en los asuntos ajenos 남의 일에 참견하다. ~ en los asuntos políticos internos 내정에 간섭하다. ② 중재하다, 주선하다, 조정하다: ~ en una pelea 싸움의 중재를 하다. ~ en la paz entre los dos países 양국의 평화를 중재하다. ③ 참가하다. ④ 출연하다. —*tr.* ① 회계 감사하다; (세관 등을) 감사하다. ② (국가가) 관리하다, 통제하다. ③ (경찰이) 도청하다. ④ (우편물 등을) 검열하다. ⑤ (금제품을) 압수하다. ⑥ (국제적으로) …에 간섭하다. ⑦ [의학] 외과 수술하다.
interventor, ra *adj.* ① 검사[감사]하는. ② 간섭[개입]하는. ③ 중재[주선·조정]하는. —*mf.* ① 회계 검사관, 감사역. ② (투표·개표의) 입회인. ③ [철도] 개찰 담당자.
intervertebral *adj.* [해부] 두 척추[척추뼈·추골] 사이에 있는, 척추간의.
interviú *m.*(*f.*) =**entrevista.**
interviuvar *tr.* 인터뷰하다(entrevistar).
ínter vivos *adj. lat.* [법률] (특히 증여·신탁이) 당사자의 생존 중 효력이 있는: donación ~ 생존 중 효력이 있는 기부[증여].
intervocálico, ca *adj.* [언어] 모음 사이의, (자음이) 모음 사이에 있는.
interyacente *adj.* 중간[사이]에있는.
intestado, da *adj.* [법률] 효력이 있는 유언 없이 죽은: morir ~ 유언을 남기지 않고 죽다. —*mf.* 유언 없이 죽은 사람. —*m.* 유언 없이 죽은 자의 유산.
intestar *intr.* ① (다른 것 사이에) 끼우다, 넣다. ② …과 접하고 있다.
intestinal *adj.* 장의[에 관한]: lombriz ~ 장내 기생충. tubo ~ 장(의 전체).
intestino, na *adj.* ①안의, 속의, 내부의(interior, interno). ② 민간의, 집안의: divisiones ~*nas* 집안 불화, 집안 싸움. —*m.* [해부] 장(腸) ((*pl.*로도 사용됨)). ¶ ~ *ciego* 맹장. ~ *delgado* 소장(小腸). ~ *grueso* 대장(大腸).
inti *m. quechua.* [원뜻은 잉카족의 신, 태양신(el Sol, dios de los incas)] 인띠 ((1985년부터 1990년까지 Perú의 화폐 단위; 현재는 nuevo sol)).
intima *f.* [드뭄] =**intimación.**
íntima *f.* ☞**intimo**
intimación *f.* 친하게 지냄; 통지, 통고.
íntimamente *adv.* 친하게, 친밀히; 긴밀히; 집안끼리, 자기들끼리.
intimar *tr.* 통지하다, 통고하다, 알리다, 명령하다. —*intr.* [+con] (…과) 친해지다. ~**se** 친해지다; 안에 스며들다.
intimatorio, ria *adj.* [법률] 통고의, 통지의, 알리는: carta ~*ria* 통지서.
intimidación *f.* 위협, 협박, 엄포, 위압.
intimidad *f.* ① 친밀함, 친밀한 관계. ② 사생활; *pl.* 사생활에 속한 일: derecho a la ~ 사생활에 대한 권리.
intimidar *tr.* 위협하다, 협박하다, 위압하다, 겁주다. ~**se** 겁먹다.
intimidatorio, ria *adj.* 위협하는, 협박하는, 위압하는, 겁주는, 위협적인, 협박투의.
intimismo *m.* [문학·미술] 앵티미즘.
intimista *adj.* ① 앵티미즘의[에 관한]. ② (작가가) (소설에서) 심리를 그린. ③ (화가가) 개인적인 정감을 강조하여 그리는. —*mf.* 앵티미스트.
íntimo, ma *adj.* ① 마음속으로부터의, 충심의, 내심의. ② (우정이) 매우 긴밀한, 친밀한: amistad ~*ma* 친교. país ~ 우방. ③ (친구에 대해) 매우 사랑하고 믿음이 두터운: amigo ~ 친구 ((육체 관계가 있는 상대방에 대해서도 사용함)). ④ 집안의, 집안에 관한: fiesta ~*ma* 집안 잔치. cena ~*ma* 가족끼리의 식사. ⑤ (장소가) 작지만 아담한, 아담하게 꾸민: restaurante ~ 아담한 식당. —*f. Cuba.* =**compresa higiénica.**
intitulación *f.* ① [고어] =**título, inscripción.** ② 인쇄된[육필] 작품의 헌정(獻呈).

intitular *tr.* ① (쓴 것에) 제목을 붙이다. ② (사람·사물에) 특별한 제목[칭호]을 부여하다. ~**se** …라고 칭하다, …라고 이름 붙이다.
intocable *adj.* 만질 수 없는, 손 댈 수 없는. —*mf.* (인도의) 최하층민.
intocado, da *adj.* =intacto.
intolerabilidad *f.* 참을[견딜] 수 없음.
intolerable *adj.* 참을 수 없는, 견딜 수 없는: dolor ~ 견딜[참을] 수 없는 통증. ofensa ~ 견딜 수 없는 모욕.
intolerancia *f.* ① (특히 종교상의) 이교 배척, 편협. ② [의학] (식물·약에 대한) 과민증, 알레르기.
intolerante *adj.* [+(para) con] (…에 대해) 옹졸한, 편협한, 배타적인. —*mf.* 편협한 사람, 배타적인 사람.
intonso, sa *adj.* ① 봉두난발의. ② 무식한, 무지한, 배우지 못한. ③ (책을) 가제본한.
intoxicación *f.* ① 중독: ~ alimenticia 식중독. ~ por alcohol 알코올 중독. ② (정보의) 교란, 조작.
intoxicar (7) *tr.* ① 중독시키다. ② (정보를) 조작하다, 조작된 정보를 주다. ~**se** 중독되다.
intra- *pref.* 「속·안·내(內)(dentro de, en el interior de)」를 뜻함: *intra*muros 시내에. *intra*venoso 정맥 내의.
intracelular *adj.* 세포 안의.
intradérmico, ca *adj.* 피부 안에 있는, 피내(皮內)의.
intradós *m.* ① [건축] 아치[둥근 천정·둥근 지붕]의 안둘레. ② [건축] 아치 안 표면의 홍예석 외형.
intraducibilidad *f.* 번역 불능.
intraducible *adj.* 번역할 수 없는, 번역 불능의.
intrahistoria *f.* 내적(內的) 역사 ((스페인의 작가 Miguel de Unamuno가 소개함)).
intrahistórico, ca *adj.* 내적 역사의.
intramuros *adj.* 도시[마을·장소] 안에서: vivir ~ 시내에서 살다.
intramuscular *adj.* 근육 내의: inyección ~ 근육 주사.
intranquilidad *f.* 불안, 근심, 걱정.
intranquilizador, ra *adj.* 걱정시키는.
intranquilizar (9) *tr.* 걱정시키다, 불안하게 하다, 초조하게 하다, 안절부절 못하게 하다. ~**se** 걱정되다, 불안하다, 초조해지다, 안절부절 못하다.
intranquilo, la *adj.* 불안한, 걱정스런.
intransferible *adj.* 양도할 수 없는, 양도 불가능한.
intransigencia *f.* 비타협성, 외고집, 옹고집, 융통성이 없음.
intransigente *adj.* 타협할 줄 모르는, 비타협적인, 강경파의, 융통성이 없는, 완고한. —*mf.* 타협할 줄 모르는 사람, 강경한 사람, 완고한 사람.
intransitable *adj.* (길 등이) 다닐 수 없는, 통행할 수 없는.
intransitividad *f.* 자동사적임.
intransitivo, va *adj.* [문법] 자동사의: verbo ~ 자동사.
intransmisible *adj.* 전달할 수 없는, 전달 불능한.
intransmutabilidad *f.* 불변.
intransmutable *adj.* 바꿀 수 없는.
intraocular *adj.* 안구 속의: presión ~ 눈압력, 안내압(眼內壓).
intrascendencia *f.* 탁월하지[뛰어나지·빼어나지] 못함; 중요성이 없음.
intrascendental *adj* 중요하지 않은.
intrascendente *adj.* 탁월하지 못한, 뛰어나지 못한, 빼어나지 못한; 중요하지 않은.
intrasmisible *adj.* 전달할 수 없는, 옮길 수 없는.
intratabilidad *f.* 다루기 어려운 일.
intratable *adj.* ① 다루기 어려운. ② 사귀기 어려운, 비사교적인(insociable).
intrauterino, na *adj.* [의학] 자궁 안에 있는[안의]: dispositivo ~ 피임 링.
intravenoso, sa *adj.* [의학] 정맥 안의: inyección ~*sa* 정맥 주사.
intrépidamente *adv.* 대담하게, 앞뒤를 가리지 않고.
intrepidez *f.* 대담함, 용맹함, 겁없음.
intrépido, da *adj.* 대담한, 무서움[두려움]을 모르는.
intributar *tr.* [고어] (특히 부동산에) 세금을 부과하다(imponer tributo).
intricación *f.* =intrincación.
intricadamente *adv.* =intrincadamente.
intricar (7) *tr.* =intrincar.
intriga *f.* ① 음모, 책모: ~ política 정치적 음모. armar [fraguar · fraguar · maquinar · tramar · urdir] ~*s* 음모를 꾸미다. ② (이야기·극·소설 등의) 구상, 줄거리. ③ (강한) 관심, 호기심.
intrigante *adj.* ① 음모를 꾸미는, 술책을 쓰는, 음모 꾸미기를 좋아하는. ② 호기심을 자극하는. —*mf.* 음모가, 책략가, 책사(策士).
intrigar (8) *tr.* 호기심[흥미]을 돋우다. —*intr.* 음모[책략]를 꾸미다.
intrincable *adj.* 뒤얽힐 수 있는.
intrincación *f.* 복잡함, 뒤얽힘, 얽히고 설킴.
intrincadamente *adv.* 복잡하게, 얽히고 설켜.
intrincado, da *adj.* 복잡한, 얽히고 설킨: asunto ~ 복잡한 사건. camino ~ 뒤얽힌 길, 번잡한 길.
intrincamiento *m.* =intrincación.
intrincar (7) *tr.* 복잡하게 만들다, 얽히게 하다.
intríngulis *m.* (밖에서는 보이지 않는 어떤) 곤란성, 복잡함, 내막.
intrínsecamente *adv.* 본질적으로.
intrínseco, ca *adj.* ① 본래 갖추어진, 고유의, 본질적인. ② [해부] (근육·신경 등에) 내재(內在)하는.
introducción *f.* ① 삽입. ② (사람의) 소개, 피로: carta de ~ 소개장. ③ (새로운 사물·사상의) 도입, 소개. ④ [+a] (…에의) 입문, 입문서, 개론. ⑤

서문, 서설. ⑥ [음악] 서곡, 서주, 전주곡, 도입부(導入部).

introducidor, ra *adj.* ① [고어] 안내하는; 소개하는; 도입하는. ② [고어] = contrabandista.

introducir (71) *tr.* ① 끼워 넣다, 찔러 넣다, 삽입하다: ~ la llave en la cerradura 자물쇠에 열쇠를 끼워 넣다. ② (사람을) 안내하다, 손짓으로 불러 맞아들이다. ③ 소개하다(presentar). ④ 도입하다, 들여오다, 가지고 들어오다. **~se** ① 끼어들다, 안에 들어가다. ② (회 등에) 끼다, 한 동아리가 되다. ③ [+con] (유력자에) 아첨하여 마음에 들게 하다. ④ 도입되다, 소개되다.

introductor, ra *adj.* 안내하는; 도입하는; 소개하는. —*m.f.* 안내자. ¶*introductor de embajadores* (외교상의) 의전관.

introductorio, ria *adj.* 머리말[권두언]의, 서언(序言)의.

introito *m.* ① (논문 등의) 서문. ② [천주교] 입제문(入祭文). ③ (고대극의) 서사(序辭)

intromisión *f.* 간섭.

introspección *f.* [심리] 내관(內觀), 내성(內省), 자기 반성

introspectivo, va *adj.* 내관의, 내성의, 내성적인.

introversión *f.* 내향(內向), 내향성.

introverso, sa *adj.* 내향적[내성적]인.

introvertido, da *adj.*, *m.f.* [심리] 내향적인 (사람).

intrusamente *adv.* 억지로, 우격다짐으로, 무리하게.

intrusarse *r.* (권능 · 직무 등을) 강제로 박탈하다.

intrusear *intr.*, *tr.* *Chile.* (남의 일에) 간섭하다, 끼어들다.

intrusete *adj.* *Chile.* [경멸] 남의 일에 끼어드는[간섭하는] 버릇이 있는.

intrusión *f.* ① 침입, 밀고 들어가기. ② (권력 등의) 박탈. ③ 불법 점유.

intrusismo *m.* 무면허 영업, 무자격 취업.

intruso, sa *adj.* ① 침입하는, 난입하는. ② 무면허 영업의. —*m.f.* ① 침입자, 난입자. ② 무면허 영업자.

intubación *f.* [의학] 삽관(법).

intubar *tr.* [의학] …에 관(管)을 삽입하다, 삽관하다.

intuición *f.* 직관, 직관력, 직감력: por ~ 직관적으로, 직감적으로.

intuicionismo *m.* [철학] 직관주의.

intuir (77) *tr.* 직관하다, 직각하다; 추량(推量)하다.

intuitivamente *adv.* 직관적으로; 직관에 의해.

intuitivo, va *adj.* ① 직관적인. ② 직관에 의한. ③ 직관에 의해 인식되어진. ④ 직관적으로 이해[지각] 가능한.

intuito *m.* [드묾] =vistazo.

intumescencia *f.* =hinchazón.

intumescente *adj.* (점점) 부어 오르는, 팽창하는.

intususcepción *f.* ① [생물] 섭취 (작용). ② (사상의) 섭취, 동화(同化).

inulto, ta *adj.* [시어] ① 보복이 없는, 죄과에 대한 갚음이 없는. ② 나무랄 데 없는, 잘못이 없는.

inundación *f.* ① 홍수, 큰물. ② 범람, 침수: ~ de la huerta 밭의 침수. ③ 충만, 쇄도, 풍부, 홍수, 범람: ~ de papeles 서류의 홍수. ~ de productos estadounidenses 미국 제품의 범람.

inundado *m.* [선박] (탱크 · 객실 · 배에) 물이 참.

inundar *tr.* ① (토지 · 마을을) 물에 잠기게 하다, 침수시키다, 범람시키다, …에 홍수를 일으키다. ② (탱크 · 객실 · 배를) 물로 채우다. ③ (나라를) 외국인[외래품]으로 가득 채우다. ④ 가득 채우다(saturar). **~se** ① 홍수가 나다, 큰물이 지다, 침수되다, 물에 잠기다. ② 넘쳐 나다, 범람하다, 쇄도하다. ③ 가득 차다.

inurbanamente *adv.* 버릇없이, 함부로.

inurbanidad *f.* [드묾] =**desatención.**

inurbano, na *adj.* 버릇없는, 예의를 모르는.

inusado, da *adj.* [드묾] =**inusitado.**

inusitadamente *adv.* 예사롭지 않게, 이상하게.

inusitado, da *adj.* 예사롭지 않은, 예삿일이 아닌, 보통 일이 아닌, 이상한.

inusual *adj.* 이상한, 보통이 아닌.

inútil *adj.* ① 무익한, 쓸모없는, 무용한, 소용없는, 헛된: esfuerzo ~ 헛된 노력. resultar ~ (결과가) 헛되다, 소용없이 되다. ② (사람이 신체의 장애로) 일할 수 없는, 움직일 수 없는. ③ (사람이) 군복무에 부적격한. —*m.f.* ① 쓸모없는 사람. ② 지체[신체] 장애인. ③ 군복무[병역]에 부적격자.

inutilidad *f.* ① 무익함, 쓸데없음, 무용(함). ② 쓸모없는 물건[사람], 무익한 물건[사람].

inutilizable *adj.* 무익할 수 있는, 쓸모가 없을 수 있는.

inutilización *f.* 무익함, 쓸모없음, 무용지물, 폐물.

inutilizado, da *adj.* ① 쓸 수 없는, 일부러 쓰지 않고 둔. ② 사용할 수 있는 상태지만 사용하지 않는. ③ 신체의 장애로 일할 수 없는[움직일 수 없는].

inutilizar (9) *tr.* 무익하게[쓸모없이] 만들다. **~se** 무익하게[쓸모없이] 되다.

inútilmente *adv.* 무익하게, 쓸모없이; 헛되이.

invadeable *adj.* 건널 수 없는.

invadir *tr.* ① 침략하다, 침입하다, 난입하다, 강제로 들어가다. ② (비정상적으로 · 불규칙적으로) 장소를 차지하다. ③ 충만하게 하다, 가득하게 하다, 넘치게 하다. ④ (…에) 밀어닥치다, 몰려들다. ⑤ (감정이) 엄습하다. ⑥ [생물 · 의학] (기관에) 침입하다, 퍼지다.

invaginación *f.* ① 칼집에 넣음. ② [의학] 장(腸)의 비정상적인 삽입. ③ 장(腸) 접합 수술.

invaginar *tr.* (칼집·관·방광·다른 비슷한 것의) 끝을 안으로 접다[넣다].
invalidación *f.* 무효로 함; 실효(失效).
invalidado, da *adj.* 무효화된: voto ~ 무효표.
inválidamente *adv.* 무효로.
invalidar *tr.* 무효로 하다.
invalidez *f.* ① 무효: ~ del contrato 계약 무효. ② 장애, 폐질.
inválido, da *adj.* ① 힘[기력]이 없는, 노쇠한. ② 병약한. ③ 신체가 움직이지 않는, (특히 군인이 복무 중) 불구가 된: militar ~ 불구가 된 군인. ④ [법률] 무효의: acuerdo ~ 무효가 된 협정. ⑤ (지능 등이) 박약한, 저능한. ⑥ (의론 등이) 박약한, 근거[설득력]가 없는. —*mf.* (신체) 장애자, 폐질자: silla de ~ 휠체어.
invalorable *adj.* =**invaluable.**
invaluable *adj.* 값을 헤아릴 수 없는, 평가 못할 만큼의, 매우 귀중한.
invar *m.* 인바 ((철과 니켈의 합금)).
invariabilidad *f.* 불변(不變), 불변성.
invariable *adj.* ① 변하지 않는, 불변의, 변할 수 없는. ② 일정한, 똑같은. ③ [문법] 변화하지 않는, 어형 변화가 없는: palabra ~ 변화하지 않는 단어 ((전치사, 접속사, 부사 등)). ④ [수학] 일정한 상수의.
invariablemente *adv.* 변함없이.
invariación *f.* 변함없음.
invariadamente *adv.* =**variablemente.**
invariado, da *adj.* 변함없는, 불변의.
invariancia *f.* [수학] 불변량.
invariante *adj.* [수학] 불변의.
invasión *f.* ① 침략, 침입, 침공(侵攻): ~ estadounidense de Iraq 미국의 이라크 침입. ② (권리 등의) 침해.
invasivo, va *adj.* [생물·의학] 침투하는, 침투할 양을 가진.
invasor, ra *adj.* 침략하는. —*mf.* 침략자; 침략군.
invectiva *f.* (심한) 욕설.
invehír *tr.* [고어] 욕설을 퍼붓다.
invencibilidad *f.* ① 극복하기 어려운 일. ② 불패, 무적(無敵).
invencible *adj.* ① 억제할 수 없는, 극복하기 어려운. ② 무적의, 불패의: Armada *Invencible* 무적 함대.
invenciblemente *adv.* ① 억제[극복]할 수 없게. ② 무적으로, 불패로.
invención *f.* ① 발명, 발명품: ~ de la imprenta 인쇄술의 발명. ② 날조, 조작, 꾸민 일, 꾸민 이야기, 허구. ③ [수사학] (내용의) 선택, 배치.
invendible *adj.* 팔 수 없는, 살 사람이 없는, 작자가 없는, 사는 사람이 없는.
invenible *adj.* [고어] 발견할 수 있는.
invenir *tr.* [고어] =**hallar, descubrir.**
inventar *tr.* ① 발명하다, 창안하다, 고안하다. ② (시인·예술가가) 창작하다: ~ una obra 작품을 창작하다. ③ 만들어내다, 날조하다, 조작하다: historia inventada 만들어낸 이야기. ④ 허풍을 떨다. ~**se** …을 날조하다.
inventariar (11) *tr.* (재산·재고 등의) 목록을 만들다; 재고 정리[조사]를 하다.
inventario *m.* (새산·재고 등의) 목록, 일람표; 재고 정리, 재고 조사; 재고. ¶***libro de*** **~s** 품목 일람표, 목록.
inventivo, va *adj.* 발명의 (재능이 있는), 창의력이 풍부한, 독창적인. —*f.* 창조력, 발명의 재능.
invento *m.* ① 발명, 발명품, 창안물. ② 날조, 조작, 꾸며낸 일, 조작[날조]한 것, 허구. ¶***libro de*** ~ 품목 일람표, 목록.
inventor, ra *adj.* ① 발명하는, 창안하는. ② 꾸며낸, 조작한, 날조한. —*mf.* 발명가, 발명자, 창안자, 고안자.
inverecundia *f.* =**desvergüenza.**
inverecundo, da *adj., mf.* 파렴치한, 뻔뻔스러운 (사람).
invernáculo *m.* 온실(invernadero).
invernada *f.* ① 동계(冬季), 겨울철. ② (겨울 동안의 한 장소에) 체류. ③ *Amér.* (방목 가축의) 겨울 목장.
invernadero *m.* ① 온실. ② 겨울 목장. ③ 피한지. ¶***efecto*** ~ 온실 효과.
invernal *adj.* 겨울의[에 관한]: frío ~ (겨울 같은) 엄동(嚴冬). temporada ~ 동기(冬期), 겨울철, 겨울 동안. —*m.* (가축의) 겨울 축사.
invernar *tr. Ur.* 좋은 목초로 가축을 살찌우다. —*intr.* ① (한 장소에서) 겨울을 보내다, 피한하다, 월동하다. ② 동면하다(hibernar). ③ *Arg., Chile.* (가축을) 겨울 목장에서 사육하다.
invernazo *m.* ① *PRico., RDom.* (7월·8월의) 우기(período de lluvias). ② *PRico.* 제당 공장의 쉬는 기간.
invernizo, za *adj.* ① 겨울의[에 관한]. ② 겨울 같은.
inverosímil *adj.* 거짓말 같은, 미덥지 못한, 진실성이 없어 보이는: historia ~ 거짓말 같은 이야기.
inverosimilitud *f.* 거짓말 같은 일, 미덥지 못한 일, 진실성이 없어 보임.
inverosímilmente *adv.* 거짓말처럼, 미덥지 못하게.
inversamente *adv.* 반대로, 거꾸로, 역으로, 역비례하여.
inversión *f.* ① 투자: ~ directa 직접투자. ~ en maquinaria [en instalaciones] y equipos 설비 투자. ② 역전, 반전. ③ =**homosexualidad.** ④ [음악] 자리바꿈, 전회(轉回). ⑤ [문법] 도치, 도치법. ⑥ [전기] 역변환. ⑦ [화학] 전화(轉化). ⑧ [컴퓨터] 반전 ((말속의 각 비트 위치 값을 역으로 하는 연산)). ⑨ [통신] (엿듣기 방지를 위한 주파수 스펙트럼의) 반전(反轉).
inversionista *adj.* 자본 투자를 하는. —*mf.* (자본) 투자가.
inverso, sa *adj.* ① 역(逆)의, 반대의, 거꾸로 된: diccionario ~ 역순 사전. ir en sentido ~ [al de las agujas del reloj] (시계의 바늘과) 반대 방향으로 나아가다. ② [수학] 역수의, 역함수의,

반비례의. ¶*a* [*por*] *la* ~*sa* 거꾸로, 반대로, 역으로(al contrario).

inversor, ra *adj.* ① 투자의(inversionista): compañía ~*ra* 투자 회사. ② 역의, 반대의, 역전(逆轉)의. —*mf.* 투자가; 출자자: ~ institucional 기관 투자가. ~ privado 개인 투자가. —*m.* [전기] 인버터, 변환 장치.

invertasa *f.* [생화학] 자당[전화] 효소.

invertebración *f.* 척추가 없음.

invertebrado, da *adj.* ① [동물] 척추가 없는, 무척추의. ② 활기[생기]가 없는: ciudad ~*da* 활기[생기]가 없는 도시. —*m.pl.* 무척추동물.

invertible *adj.* ① 투자할 수 있는. ② 뒤집을 수 있는, 전화될 수 있는, 도치할 수 있는.

invertido, da *mf.* =**homosexual.**

invertir (55) *tr.* ① 거꾸로[반대로] 하다, 역전[반전]시키다. ② (자본을) 투자하다. ③ (시간을) 쓰다, 낭비하다. ④ [수학] 반전(反轉)하다.

investidura *f.* (관직 등의) 수여, 임관, 서임: ~ de Doctor Honoris Causa 명예 박사 학위 수여.

investigable *adj.* 연구[조사]할 수 있는.

investigación *f.* 연구, 조사, 수사: ~ arqueológica 고고학적 조사. ~ de la policía 경찰 수사. ~ y desarrollo 연구 개발. ¶~ ***básica*** 기초 연구[조사].

investigador, ra *adj.* 연구의, 연구하는; 조사의, 조사하는: espíritu ~ 연구심. comisión ~*ra* 조사단. —*mf.* 연구자, 연구소원: ~ privado 사립 탐정.

investigar (8) *tr.* 연구하다, 조사하다.

investir (43) *tr.* [+con · de] (높은 지위 · 위계 등을) …에게 주다[수여하다]: ~ a *alguien con* una medalla …에게 훈장[메달]을 수여하다.

inveteradamente *adv.* 고질적으로, 만성적으로, 상습적으로.

inveterado, da *adj.* (병 · 습관 따위가) 뿌리깊은, 고질적인, 만성적인, 상습적인, 인습적인: ~*da* costumbre 뿌리깊은 습관[풍습]. enfermedad ~*da* 고질적인 병, 만성적인 병.

inveterarse *r.* =**envejecer.**

inviabilidad *f.* ① 현실성이 없음. ② (유전적으로) 생존 불가능함.

inviable *adj.* ① 실현 가능성이 없는, 현실성이 없는. ② [의학] (특히 갓난 아이가 유전적으로) 생존 불능한.

invictamente *adv.* 상승적으로, 승리감에 도취하여, 패하는 일 없이.

invicto, ta *adj.* 패배를 모르는, 상승의, 불패의: tropa ~*ta* 상승군. —*mf.* 상승자, 불패자.

invidencia *f.* ① 시력 상실, 눈이 멂. ② [드묾] =**envidia.**

invidente *adj., mf.* =**ciego.**

ínvido, da *adj.* [드묾] =**envidioso.**

invierno *m.* ① 겨울: ~ nuclear 핵겨울. deportes de ~ 겨울 스포츠. Juegos Olímpicos de ~ 동계 올림픽 경기 대회. vacaciones de ~ 겨울 방학, 겨울 휴가. ② (계절 감각이 없는 적도 지대에서, 약 6개월 동안 계속되는) 우기(temporada de lluvias). ③ 연중 가장 추운 시기. ④ *Ven.* 소나기.

inviolabilidad *f.* ① 불가침(성), 신성. ② (스페인 헌법에서 선언한) 국왕의 개인 특권. ¶~ ***parlamentaria*** 국회의원의 불체포 특권.

inviolable *adj.* ① (신성하여) 침범할 수 없는, 불가침의, 신성한. ② 특권을 누리는.

inviolablemente *adv.* ① 불가침으로, 신성하게. ② [드묾] 반드시, 틀림없이.

inviolado, da *adj.* 고결한, 순결한, 흠이 없는.

invisibilidad *f.* 눈에 보이지 않음[않는 것], 나타나 있지 않음, 불가시성.

invisible *adj.* ① 눈에 안 보이는, 눈에 띄지 않는: mérito ~ 눈에 보이지 않는 공적. ② 얼굴을 보이지 않는, 모습을 나타내지 않는. ③ 분간[구별 · 분별]이 잘 안가는. [경제] 무역 외의, 무역 수지 외의. ¶***en un*** ~ 순식간에.

invisiblemente *adv.* 보이지 않게.

invitación *f.* ① 초대, 초청: aceptar [rehusar] la ~ a un baile 무도회의 초대에 응하다[거절하다]. ② 초대장 (carta · tarjeta de ~). ③ (정해진 행사에 참석하기 위해) 구입(하는) 쿠폰[카드]. ④ 한턱냄: Esta ~ es mía 이번은 내가 한턱낸다.

invitado, da *mf.* 초대객, 손님: ~ de piedra 마음에 들지 않는 손님, 호감이 안 가는 손님.

invitador, ra *adj.* 초대하는, 초청하는. —*mf.* 초대하는 사람, 초청하는 사람.

invitar *tr.* ① (어떤 행사에 참가하도록) 초대하다, 초청하다, 부르다. ② (다른 사람이 낼) 비용을 지불하다, 한턱내다: Estás *invitado* 내가 한턱낸다. Te *invito* 내가 한턱내겠다. ③ (…에게 …하도록) 권유하다, 자극하다, 선동하다, 부추기다, 꼬드기다. ④ (어떤 것을 하도록) …에게 정중히 부탁하다[간청하다]; 권하다; 촉구하다.

invite *m. Hond.* 초대, 초청(invitación).

invocación *f.* ① 기원(의 말). ② 인용.

invocador, ra *adj.* 기도하는, 기원하는. —*mf.* 기도자, 기원자.

invocar (7) *tr.* ① (신에게 가호를) 기원하다; (원조 등을) 요구하다. ② (법률 등을) 인용하다, 원용(援用)하다. ③ (영을) 불러내다, 부르다.

invocatorio, ria *adj.* 기원(祈願)의.

involución *f.* ① (정치적) 후퇴, 반동화. ② [생물 · 의학] 퇴행, 퇴축 ((자궁 수축 등)). ¶~ ***senil*** [의학] 노화(老化), 노쇠성 퇴축. ~ ***uterina*** [의학] (출산 후의) 자궁 퇴축.

involucionar *tr.* (생물 · 정치 · 문화 · 경제적 면에서) 후퇴하다(retroceder).

involucionismo *m.* 후퇴주의, 반동적 자세.

involucionista *adj.* (발전 · 진보 등에) 역행한, 퇴보적인, 반동적인. —*mf.* (정

치·문화에서) 반동적인 사람.

involucrar *tr.* ① [+en] (사건 등에) 끌어넣다. ② (문제를) 복잡하게 하다. ③ (본제와 무관한 것을) 끼워 넣다. ~**se** [+en] (…에) 관계하고 있다.

involucro *m.* [식물] 총포(總苞).

involuntariamente *adv.* 본의 아니게, 부지불식간에, 모르는 사이에.

involuntariedad *f.* 무의식성.

involuntario, ria *adj.* ① 무의식중의, 부지불식간의: acto ~ 무의식적인 행위. error ~ 과실. ② 본의 아닌, 마음이 내키지 않는: de manera *~ria* 본의가 아니게, 무심코. ③ [해부] 불수의의: músculo ~ [해부] 불수의근.

involutivo, va *adj.* 퇴행성(기)의.

invulnerabilidad *f.* 상처를 줄 수 없는 일; 불사신(不死身).

invulnerable *adj.* ① 상처를 줄 수 없는, 불사신의. ② 굴하지 않는, 동요하지 않는.

inyección *f.* ① 주사, 주입; 관장: ~ de penicilina 페니실린 주사. ② 주사액, 주입약, 관장약. ③ [우주 과학] (인공 위성이나 우주선을) 궤도에 진입시킴. ④ [기계] (연료·공기 등의) 분사. ⑤ [수학] 단사 함수(單射函數).

inyectable *adj.* (물질·약이) 주사용의. —*m.* 주사액, 주사약, 앰플.

inyectador, ra *mf.* *Méj.* 주사 놓는 것이 업인 사람. —*f.* *Ven.* 주사기.

inyectar *tr.* ① (가스·액체 등을) 주입하다. ② 주사하다, 주사를 놓다. ③ (활기 등을) 불어넣다.

inyector *m.* 주입기, 분사 급수기; 연료 분사 장치.

iñiguista *adj.*, *mf.* =**jesuita.**

ion *m.* =**ión.**

ión *m.* [화학] 이온: ~ pesado 중이온.

iónico, ca *adj.* [화학] 이온의.

ionización *f.* [화학] 이온화, 전리(電離).

ionizador, ra *adj.* [전기] 이온화하는. —*m.* 이온화 장치.

ionizar (9) *tr.* [화학] 이온화하다, 전리시키다.

ionosfera *f.* 전리층, 전리권(電離圈).

ionósfera *f.* *Amér.* =**ionosfera.**

iota *f.* 요타 ((라틴어의 i에 해당하는 희랍어 자모의 아홉 번째 문자: Ι, ι)).

IPC *m.* índice de *p*recios al *c*onsumo 소비자 물가 지수.

ipecacuana *f.* ① [식물] 토근(吐根). ② 토근의 뿌리.

ipegüe *m.* *Nic.* =**añadidura.**

iperita *f.* [화학] =**gas mostaza.**

ipseidad *f.* *Fil.* =**mismidad.**

ipsi *m.* *Bol.* [어류] 입시 ((띠띠까까 호수의 식용 작은 물고기)).

ípsilon *f.* 입실론 ((희랍어 자모의 스무 번째 문자: Υ,υ)).

ipso facto *adv.* *lat.* ① 사실 그 자체에 의해. ② 즉시, 당장.

ipso iure *adv.* *lat.* =**ipso jure.**

ipso jure *adv.* *lat.* [법률] 법률의 힘으로, 법률상, 법률 그 자체로.

iqueño, ña adj. ① 이까(Ica, 뻬루의 도시·주) 태생의. ② Ica의[에 관한]. —*mf.* Ica 사람.

iquiqueño, ña *adj.* ① 이끼께(Iquique, 칠레의 Tarapacá 주의 주도) 태생의. ② Iquique의[에 관한]. —*mf.* Iquique 사람.

iquiteño, ña *adj.* ① 이끼또스(Iquitos, 뻬루의 Manaos 주의 도시) 태생의. ② Iquitos의[에 관한]. —*mf.* Iquitos 사람.

ir *intr.* ① 가다: ㉮ [+a] (…에) ¿*A* dónde *va* usted? —*Voy al* hospital 어디 가십니까? —병원에 갑니다. ㉯ [+탈 것] (…로) *ir en* coche [autobús · taxi · tren · avión · bicicleta] 자동차[버스·택시·기차·비행기·자전거]로 가다. ((*ir* a pie 걸어 가다. 교통 수단이 특별히 지정된 경우에는 정관사를 사용함: *Voy en* el autobús 나는 그 버스로 간다)). ㉰ [+a+명사] (…하러) ¿*Vas al* cine? 너 영화 보러 가니? ㉱ [+de+동작 동사] (…하러) *ir de* visita 방문하러 가다. *ir de* bares 한 잔 하러 가다, 마시러 가다. ㉲ [+con+사람] (…와) ¿Vienes conmigo? —Sí, *voy contigo*. 나하고 가겠니? —응, 너하고 가겠다. ㉳ [상대가 말하는 사람이 있는 곳에] 오다: ¿No *vas a* mi casa mañana? 내일 내 집에 오지 않겠니? ㉴ [행렬·줄에서] ¿Quién *va* ahora? 누가 마지막입니까? ② 이르다, 달하다, 향해 가다, 통하다, 도달하다, 가다. ③ [a+사람] (건강·경영 상태 등이) …이다: ¿Cómo te *va* (a ti)? —(Me *va*) Muy bien 건강은 어떻니?[어떻게 지내니?] —아주 좋습니다. ④ [+a] ㉮ (…에) 적합하다, 맞다, 걸맞다, 어울리다: No me *va* bien esta blusa 이 블라우스는 나한테 어울리지 않는다. ㉯ [+a] (…의) 마음에 들다: No me *va* esta casa 이 집은 내 마음에 들지 않는다. ⑤ [+a por] ㉮ …을 가지러[데리러·찾으러] 가다: *ir a por* agua 물을 뜨러 가다. ㉯ …을 노리다, 추구하다: *ir a por* el puesto de director 사장 자리를 노리다. ⑥ [+con] ㉮ …을 입고, 몸에 걸치고: Ella *va con* gabardina 그녀는 레인코트를 입고 간다. ㉯ …과 조화를 이루다, 어울리다: Esta corbata no *va con* ese traje 이 넥타이는 그 옷과 어울리지 않다. ㉰ (말 등을) 꺼내다, 시작하다, 제기하다. ㉱ (사람에게) 관계가 있다. ㉲ [모습] …하고 있다 *ir con* cuidado 조심[주의]하고 있다. ⑦ [+de] ㉮ …을 입고 있다: *ir de* rojo 붉은 옷을 입고 있다. ㉯ [역할] …이다, …을 하다: *ir de* intérprete 통역을 하다. ⑧ [+en] (…에) 운명이 걸려 있다: Nos *va en* ese partido nuestro porvenir 우리의 미래는 그 시합에 달려 있다. ⑨ [+por] ㉮ …을 가지러[데리러·찾으러] 가다: *ir por* el niño 아이를 부르러[데리러] 가다. ㉯ (사람에게) 관계가 있다. ⑩ [트

럼프 게임 등에서] 플레이에 참가하다; (순번이) 해당하다, 차례다; (금액이) 걸리다. ⑪ [조동사적] [+a+*inf.*] ㉮ [가까운 미래] …하려 하다, …할 것이다: Parece que *va a* nevar [llover] 눈[비]이 내릴 것 같다. ㉯ [미래형의 대용] Mañana *va a* hacer frío [calor] 내일은 추울[더울] 것이다. ㉰ [의지] *Voy a* telefonearle a ella ahora mismo 지금 당장에 그녀에게 전화를 걸겠다. ㉱ [명령] ¿No te *vas a* callar? 입 닥쳐라, 조용히 해라. ㉲ [Vamos a+*inf.*] …하자: *Vamos a* cantar juntos 우리 다 같이 노래 부릅시다. ~**se** ① 가다, 가버리다, 떠나다, 출발하다, 돌아가다: *Vámonos* 갑시다. ¡*Vete!* 가버려!, 꺼져! ② (액체가) 새다, 흘러나오다: Este vaso *se va* 이 잔은 샌다. ③ 죽다, 죽어 가다. ④ 미끄러지다, 미끄러져 넘어지다, 쓰러지다. ⑤ (물건 등이) 없어지다, 사라지다. ⑥ (천이) 찢어지다, 째지다, 헐다. ⑦ (무의식적으로) 방귀를 뀌다, 대소변이 나오다. ⑧ (카드의 불필요한) 패를 버리다. ⑨ 다하다, 떨어지다. ¶***ir alto*** (강물·냇물이) 불어나다. ***ir a más*** 번영하다, 성장하다, 증가하다, 부자가 되다, 부유해지다. ***ir a menos*** 쇠퇴해지다, 몰락하다, 감소하다, 가난해지다. ***irse abajo*** 붕괴하다. ***¡Vaya con Dios!*** 안녕히 가십시오.

ira *f.* ① 격노, 노여움, 화, 성. ② *pl.* (맹렬하고 집요한) 공격. ③ (자연 등의) 맹위(猛威). ¶***descargar la ~ en*** *alguien* (누구에게) 노여움을 폭발시키다. ***llenarse*** alguien ***de ~*** (누가) 매우 노하다. ***montar en ~*** 격노하다, 불끈 화내다. ***¡Ira de Dios!*** 지긋지긋하다!, 화가 치민다!, 분하다!

iracundia *f.* ① 화를 잘 내는 경향. ② 격노, 노함, 성냄, 화남(cólera, enojo).

iracundo, da *adj.* ① 성을 잘 내는. ② [시어] (비·바람 등이) 성난.

Irán *m.* [국명] 이란.

iraní *adj.* ① 이란(Irán) 태생의. ② 이란의[에 관한]. —*m.f.* 이란 사람. —*m.* 이란 말.

iranio, nia *adj.* ① 고대 이란(Irán antiguo) 태생의. ② 고대 이란의[에 관한]. ③ 인도 이란 어족[어군]의. —*m.f.* 고대 이란 사람. —*m.* 인도 이란 말.

Iraq *m.* [국명] 이라크.

iraquí *adj.* ① 이라크(Iraq) 태생의. ② 이라크의[에 관한]. —*m.f.* 이라크 사람.

irascibilidad *f.* 성을 잘 냄, 성미 급함.

irascible *adj.* 성을 잘 내는, 성을 잘 내는 경향이 있는.

irasco *m. Al., Ar., Nav.* 수산양.

irayol *m. Hond., Salv.* =**jagua.**

iridio *m.* [화학] 이리듐.

iridiscente *adj.* ① 무지개 빛깔을 띤. ② 빛나는, 반짝이는.

iridología *f.* [의학] 홍채학[진단법].

iridólogo, ga *m.f.* 홍채학자.

iris *m.* ① 무지개(arco ~). ② [광물] 단백석(蛋白石). ③ [해부] (눈의) 홍채.

irisación *f.* ① 무지개 빛깔로 반짝임. ② *pl.* 무지개 빛깔[광택].

irisar *intr.* 무지개 빛깔로 빛나다.

iritis *f.* [의학] 홍채염(虹彩炎).

Irlanda *f.* [국명] 아일랜드: República de ~ 아일랜드 공화국. ~ del Norte 북아일랜드.

irlandés, sa *adj.* ① 아일랜드(Irlanda) 태생의. ② 아일랜드의[에 관한]. ③ 아일랜드 사람[말]의. —*m.f.* 아일랜드 사람. —*m.* 아일랜드 말.

irlandesco, ca *adj.* ① [고어] 아일랜드 태생의. ② 아일랜드의[에 관한].

ironía *f.* ① 비꼼, 빈정거림, 야유. ② 반어(법): ~ socrática 소크라테스식 반어법.

irónicamente *adv.* ① 빈정거리는 투로, 비꼬아. ② 반어적으로.

irónico, ca *adj.* ① 빈정거리는, 비꼬는. ② 반어(反語)의, 반어적인.

ironista *m.f.* 잘 빈정거리는 사람; 풍자작가.

ironizar (9) *tr.* 빈정거리다, 비꼬다; 야유하다. —*intr.* 빈정거리는 말을 하다.

irracionabilidad *f.* [드묾] 이성에 맞지 않음, 사리에 밝지 못함.

IRPF *m.* *I*mpuesto sobre la *R*enta de las *P*ersonas *F*ísicas 개인 소득세.

irracional *adj.* ① 이성이 없는, 비이성적인. ② 이성에 반하는, 불합리한: conducta ~ 이성에 반하는 행동. ③ [수학] 무리수의. ¶***ecuación ~*** 무리 방정식. ***número ~*** [수학] 무리수.

irracionalidad *f.* ① 이성이 없음. ② 불합리, 부조리; 비합리성.

irracionalismo *m.* 비합리주의.

irracionalista *adj.* 비합리주의자의. —*m.f.* 비합리주의자.

irracionalmente *adv.* 불합리하게.

irradiación *f.* 발광, 방사; 조사(照射): ~ de cobalto [의학] 코발트 조사.

irradiador, ra *adj.* 방사[조사]하는.

irradiar (11) *tr.* ① (빛·열 등을) 발하다, 방사하다: ~ calor 방열하다. ② …에 방사선을 조사(照射)하다. ③ 전파하다, 유포하다, 보급시키다, 퍼뜨리다. ~**se** (영향 등이) 널리 퍼지다.

irrazonable *adj.* 무분별한, 비이성적인; 부당한.

irreal *adj.* 실존하지 않는, 비현실적인.

irrealidad *f.* 비현실성, 비실존성.

irrealizable *adj.* 실현 불가능한.

irrebatible *adj.* 반론(反論)할 수 없는.

irreconciliable *adj.* 화해할 수 없는; 양립할 수 없는: enemigo ~ 불구대천의 적. teorías ~*s* 서로 양립할 수 없는 이론.

irreconocible *adj.* 인정할 수 없는.

irrecordable *adj.* 기억해 낼 수 없는, 생각해 낼 수 없는.

irrecuperable *adj.* 회복 불가능한, 돌이킬 수 없는.

irrecusable *adj.* 거부할 수 없는.

irredentismo *m.* (이탈리아) 민족 통일

주의; 실지 회복주의.
irredentista *adj.* (이탈리아) 민족 통일주의의. —*m.f.* 민족 통일주의자.
irredento, ta *adj.* 아직 해방되지 않은; (영토를) 되찾지 못한, 미회수의.
irredimible *adj.* 되찾을 수 없는.
irreducible *adj.* ① 축소[삭감]할 수 없는. ② 환원할 수 없는. ③ 불굴의, 타협이 안 되는: castillo ~ 난공 불락의 성. rival ~ 벅찬 상대, 만만치 않은 상대. ④ [수학] 약분할 수 없는: fracción ~ 기약분수.
irreductibilidad *f.* 이러지도 저러지도 못함; 환원할 수 없음.
irreductible *adj.* =irreducible.
irreductiblemente *adv.* 마지못해, 이러지도 저러지도 못해.
irreemplazable *adj.* 바꿀 수 없는, 교체할 수 없는.
irreflexión *f.* 무분별, 경솔함.
irreflexivamente *adv.* 경솔하게, 무분별하게.
irreflexivo, va *adj.* 분별이 없는, 분별력이 없는, 경솔한.
irreformable *adj.* 개혁할 수 없는.
irrefragable *adj.* 저항할 수 없는, 압도적인.
irrefragablemente *adv.* 압도적으로, 다툴 여지가 없이, 분명히.
irrefrenable *adj.* 억제할 수 없는, 억누를 수 없는.
irrefutable *adj.* 반론할 수 없는, 명백한: prueba ~ 명백한 증거.
irreglamentable *adj.* 규제할 수 없는, 규칙으로 정할 수 없는.
irregular *adj.* ① 불규칙한, 변칙적인: vida ~ 불규칙한 생활. ② 고르지 못한, 같지 않은, 갖추지 못한; (길 등이) 울퉁불퉁한: terreno ~ 울퉁불퉁한 땅. ③ (행위 등이) 불법의, 반칙의, 무효의. ④ 규율이 없는, 난잡한: conducta ~ 규율이 없는 행실. ⑤ 정규가 아닌: tropas ~*es* 비정규군. ⑥ [수학] (다각형 · 다면체가) 부등변의: polígono ~ 부등변 다각형. ⑦ [문법] 불규칙 변화의: verbo ~ 불규칙 동사.
irregularidad *f.* ① 불규칙(성), 변칙: ~ mensual 월경 불순. ② 고르지 못함, 울퉁불퉁함. ③ 부정 행위[사건]: cometer las ~*es* 부정 행위를 하다.
irregularmente *adv.* 불규칙적으로; 고르지 않게; 부정기적으로.
irreivindicable *adj.* 회복할 수 없는, 돌이킬 수 없는.
irrelevancia *f.* 중요성이 없음, 의미가 없음.
irrelevante *adj.* 중요성이 없는, 무의미한, 부적절한.
irreligión *f.* 종교가 없음, 무종교, 무신앙; 반종교(적임), 불경.
irreligiosamente *adj.* 종교 없이, 무종교로(de manera irreligiosa).
irreligiosidad *f.* 신앙심이 없음, 종교심의 결여, 무종교성.
irreligioso, sa *adj.* ① 신앙이 없는, 무종교의. ② 종교에 반하는, 반종교적인.
irremediable *adj.* 치료할 수 없는, 불치의; 돌이킬 수 없는, 회복할 수 없는: enfermedad ~ 불치병.
irremediablemente *adv.* 손을 쓸 수 없게, 돌이킬 수 없이, 회복할 길 없이.
irremisible *adj.* =imperdonable.
irremisiblemente *adv.* 용서할 수 없이.
irremunerado, da *adj.* 보수가 없는, 무보수의.
irrenunciable *adj.* 거절할 수 없는, 물러설 수 없는: deber ~ 절대 의무.
irreparable *adj.* 수리[수선]할 수 없는; 보상받을 수 없는, 돌이킬 수 없는, 회복할 수 없는: daño ~ 회복할 수 없는 손해.
irreparablemente *adv.* 돌이킬 수 없게, 회복할 수 없게.
irrepetible *adj.* 되풀이될 수 없는, 일생에 한 번 있을, 두 번 다시 없을: oportunidad ~ 두 번 다시 없을 기회.
irreprensible *adj.* 비난받지 않아도 되는, 나무라지 않아도 되는, 비난받을 점이 없는, 나무랄 데 없는.
irreprensiblemente *adv.* 나무랄 데 없이(sin motivo de reprensión).
irrepresentable *adj.* (연극이) 무대 공연에 적합하지 않은.
irreprimible *adj.* 억누를 수 없는, 억제할 수 없는: cólera ~ 억누를 수 없는 분노.
irreprochabilidad *f.* 나무랄 데 없음.
irreprochable *adj.* ① 나무랄 데 없는. ② (비난받을 만한) 결점[흠]이 없는.
irrescindible *adj.* 취소할 수 없는.
irresistible *adj.* ① 저항할 수 없는: fuerza ~ 불가항력. ② 매력이 넘치는, 뇌쇄시키는: atractivo ~ 뇌쇄시키는 매력. ③ 참을 수 없는: dolor ~ 참을 수 없는 고통.
irresistiblemente *adv.* 할 수 없이, 부득불, 참을 수 없어, 억누를 수 없어.
irresoluble *adj.* 해결할 수 없는, 결단을 내릴 수 없는: problema ~ 해결할 수 없는 문제.
irresolución *f.* 우유부단, 결단력 부족; 미해결.
irresoluto, ta *adj.* ① 우유부단한, 결단력이 없는. ② (문제가) 미해결의.
irrespetar *tr. Col., Pan., Ven.* 존경심이 없다.
irrespeto *m. Cuba., Pan., Salv., Ven.* 불경, 무례(falta de respeto).
irrespetuosamente *adv.* 불경스레, 무례하게.
irrespetuosidad *f.* 불경스러움, 무례함.
irrespetuoso, sa *adj.* 불경스러운, 무례한: palabras ~*sas* 무례한 말.
irrespirable *adj.* ① 숨을 쉴 수 없는, 호흡할 수 없는: gas ~ 질식성 가스. ② 간신히[겨우] 숨 쉴 수 있는[호흡할 수 있는], 호흡 곤란의. ③ (사회 환경이) 참을 수 없는, 숨이 막히는, 혐오감을 느끼는: ambiente ~ 숨이 막히는 환경.

irresponsabilidad *f.* ① 무책임. ② 무책임한 행동. ③ [법률] 면책.
irresponsable *adj.* ① 무책임한, 책임감이 없는. ② 책임이 없는, 면책의. ③ [법률] 책임 능력이 없는. —*mf.* 책임감이 없는 사람, 무책임한 사람.
irrestañable *adj.* 막을 수 없는, 정지시킬 수 없는.
irrestricto, ta *adj.* *Méj.*, *Ur.* =**ilimitado.**
irresuelto, ta *adj.* [드묾] =**irresoluto.**
irretractable *adj.* [드묾] 취소할 수 없는, 철회할 수 없는.
irretroactividad *f.* 불소급성.
irreverencia *f.* ① 불경(不敬), 모독: cometer [decir] una ~ 불경스런 행동[말]을 하다. ② 불경스러운 말[행동].
irreverenciar (11) *tr.* [드묾] …에 불경스러운[무례한] 짓을 하다.
irreverente *adj.*, *mf.* 불경스러운 (사람), 불손한 (사람), 천벌을 받을 (사람), 천벌을 받아 마땅한 (사람), 무례한 (사람).
irreverentemente *adv.* 불경스레, 무례하게(sin reverencia).
irreversibilidad *f.* 불가역성(不可逆性).
irreversible *adj.* ① 거꾸로 할 수 없는, 뒤집을 수 없는, 역행[역전]할 수 없는, 불가역적인. ② 취소[철회]할 수 없는.
irrevocabilidad *f.* 취소[철회]할 수 없음, 변경 불능.
irrevocable *adj.* 취소[철회]할 수 없는, 변경할 수 없는: carta de crédito ~ 취소 불능 신용장.
irrevocablemente *adv.* 취소[철회]할 수 없이(de manera irrevocable).
irrigación *f.* ① 관개, 물을 끌어들임. ② [의학] (혈액 등의) 순환; 관주(灌注), 세척, 세정; 관주액, 관주법.
irrigador *m.* 관주기, 세척기, 세정기.
irrigar (8) *tr.* ① (땅에) 물을 대다, 관개하다. ② [의학] (혈액 등을 몸에) 순환시키다, 공급하다. ③ [의학] 관주하다, 세척하다, 세정하다.
irrisible *adj.* 웃어 버릴 수 없는; 경멸할 만한.
irrisión *f.* ① 조소거리, 웃음거리. ② 웃음거리가 된 사람[것].
irrisoriamente *adv.* 비웃는 듯이, 멸시하는 듯이, 웃음거리로.
irrisorio, ria *adj.* ① 우스운, 웃음을 자아내게 하는. ② 경멸적인, 조소적인. ③ 하찮은, 아주 적은: cuento ~ 말 같잖은 이야기, 시시한 이야기. precio ~ 아주 싼 값.
irritabilidad *f.* 화를 잘 냄, 성마름, 성미가 급함, 급한 성미.
irritable[1] *adj.* ① 성미가 급한. ② 화를 잘 내는: genio ~ 화를 잘 내는 성질[천성]. ③ [의학] 과민한, 흥분성의.
irritable[2] *adj.* [드묾] [법률] 무효화할 수 없는, 취소할 수 없는.
irritación[1] *f.* ① 화를 냄, 역정[성]을 냄; 초조함, 애가 탐: sentir ~ 신경질이 나다, 짜증이 나다, 안달복달하다, 초조해 하다. ② [의학] 염증.
irritación[2] *f.* [드묾] [법률] 무효화할 수 없음, 취소할 수 없음.
irritador, ra *adj.*, *mf.* 성난 (사람), 화난 (사람).
irritamente *adv.* [드묾] [법률] 무효화[취소]할 수 없이.
irriamiento *m.* [드묾] =**irritación**[2].
irritante *adj.* 화나게 하는, 역정[성] 나게 하는; 초조한, 애타는: respuesta ~ 초조한 대답.
irritar[1] *tr.* ① 화나게 하다, 역정[성]나게 하다. ② (감정을) 일으키다, 자극하다: ~ los celos 질투를 일으키다. ~ el apetito 식욕을 자극하다. ③ [의학] 염증을 일으키게 하다, 따끔따끔 아프게 하다. ~**se** ① 약이 오르다, 성나다, 역정나다, 화나다, 노하다, 짜증이 나다. ② (감정이) 자극되다. ③ [의학] 염증이 일어나다, (상처가) 따끔따끔 아프다.
irritar[2] *tr.* [드묾] [법률] =**anular, invalidar.**
írrito, ta *adj.* [드묾] [법률] =**inválido, nulo, sin fuerza ni obligación.**
irrogación *f.* (해를) 가함, 입힘.
irrogar (8) *tr.* (해·손해를) 입히다, 가하다, 주다. ~**se** (해·손해를) 입다.
irrompible *adj.* 깨지지 않는, 부서지지 않는: vaso ~ 깨지지 않는 잔.
irruir (77) *tr.* 공격하다, 침략하다.
irrumpir *intr.* 난입하다, 난폭하게 들어오다.
irrupción *f.* ① 급습. ② 난입.
irruptor, ra *adj.* 난입하는. —*mf.* 난입자; 급습자.
irrunés, sa *adj.* ① 이룬(Irún, 스페인 Guipúzcoa 주의 도시) 태생의. ② Irún 의[에 관한]. —*mf.* Irún 사람.
IRTP *m.* *I*mpuesto sobre el *R*endimiento del *T*rabajo *P*ersonal 원천 과세.
IRYDA *m.* *I*nstituto Nacional para la *R*eforma *y* *D*esarrollo *A*grarios 국립 농업 개혁 촉진 협회.
isa *f.* 이사 ((스페인의 카나리아 제도의 대표적인 노래·춤)).
isabelino[1], **na** *adj.* ① 스페인의 이사벨 여왕[영국의 엘리자베스 여왕]의[에 관한]. ② (스페인의) 이사벨 2세의 흉상이 있는 (동전). ③ 왕위 찬탈을 기도한 돈 까를로스에 반대해 왕위를 방어한 (군대). ④ (말이) 진주 빛깔의, 흰색과 노랑 사이의 빛깔의. ⑤ [건축·예술] (스페인의) 이사벨 1세·2세 양식의[풍의]; (영국의) 엘리자베스 1세·2세 양식의[풍의]. —*mf.* 이사벨[엘리자베스] 파 사람.
isabelino[2], **na** *adj.* ① 이사벨라(Isabela, 뿌에르또 리꼬의 도시) 태생의. ② Isabela의. —*mf.* 이사벨라 사람.
isabelo, la *adj.* (말이) 진주 빛깔의, 흰색과 노랑 사이의 색.
isagoge *f.* =**introducción, preámbulo.**
isagógico, ca *adj.* 서문의, 입문의.

isalóbara *f.* [기상] 기압 등변화선.
ísatis *m.* [동물] 북극 여우.
isba *f.* (북쪽 나라, 특히 러시아의) 통나무집.
ISBN *m. ing.* *I*nternational *S*tandard *B*ook *N*umber 국제 표준 도서 번호.
isidoriano, na *adj.* ① 성 이시도로(San Isidoro, 7세기 초 교회의 박사)의[에 관한]. ② (세비야에 San Isidoro del Campo의 집을 가진) 성 헤로니모파의. —*mf.* 성 헤로니모파 승려.
isidro, dra *mf.* (마드리드에서) 촌사람, 시골뜨기, (특히 성 이시드로(San Isidro) 축제 때문에 마드리드로 몰려든) 시골 사람.
-ísimo, ma *suf.* [형용사나 일부 부사의 절대 최상급]「매우」의 뜻: facil*ísimo* 매우 쉬운. balanqu*ísimo* 새하얀. -ble →-bilísimo: amabi*lísimo*, notabi*lísimo*.
isla *f.* ① 섬. ② (길로 경계된 도시의) 구획(manzana). ③ (공항·역·공도 등에서 둘러싸인 공간에서 나누어진) 구역: ~ peatonal, ~ de peatones 보행자 전용 도로, 차량 금지 구역. ~ de seguridad 안전 지대. ④ [집합] (섬처럼 고립된) 초원 속의 숲, 강 옆에 있지 않은 고립된 작은 산[숲]. ⑤ *Chile.* (전에 물에 잠겨 있었거나 현재 많이 불어난 물속에 있는) 강에 인접한 땅뙈기. ¶ ***~s adyacentes** f.pl.* 국토에 속한 대륙에서 떨어진 섬들. ***en ~*** =**separadamente.**
islam *m.* ① =**islamismo.** ② [집합] 이슬람교도. ③ 이슬람 세계.
islámico, ca *adj.* 이슬람교의[에 관한]: civilización *~ca* 이슬람 문명. cultura *~ca* 이슬람 문화.
islamismo *m.* 이슬람교, 마호메트교.
islamista *adj.* 이슬람 통합 운동의[에 관한]. —*mf.* 이슬람 통합 운동주의자.
islamita *adj., mf.* =**musulmán.**
islamizar (9) *tr.* 이슬람화시키다, 이슬람교[풍습·관례]를 보급시키다[전파하다]. —*intr.* 이슬람화되다.
islán *m.* (옛 여인들이 머리를 덮는) 베일의 일종.
islandés, sa *adj.* ① 아이슬란드(Islandia) 태생의. ② 아이슬란드의[에 관한]. —*mf.* 아이슬란드 사람. —*m.* 아이슬란드 말.
Islandia *f.* [국명] 아이슬란드.
islándico, ca *adj.* 아이슬란드의.
islario *m.* ① 섬[대륙·나라]의 연구(기록). ② 섬[대륙·나라]의 지도.
isleño, ña *adj.* ① 섬 태생의. ② 섬의[에 관한]. ③ *Ant., Ven.* 카나리아 제도 출신 이민자의. ④ *Col.* 산 안드레스(San Andrés) 섬과 쁘로비덴시아(Providencia) 섬 태생의. ⑤ *Col.* 꼴롬비아의 산 안드레스와 쁘로비덴시아 다도해의[에 관한]. ⑥ *RDom.* 수도에 있는 산 까를로스(San Carlos) 구에 사는. —*mf.* ① 섬사람. ② *Col.* 산 안드레스 섬과 쁘로비덴시아 섬 사람.
isleo *m.* ① (큰 섬 옆에 있는) 작은 섬. ② 주위와는 다른 땅이나 바위나 여러 장애물로 둘러싸인 땅뙈기.
isleta *f. Arg.* 평원 가운데 있는 나무의 그룹.
islilla *f.* ① [드뭄] 겨드랑이. ② [드뭄] 쇄골.
islote *m.* ① 작은 무인도. ② 바다에 돌출된 큰 바위.
ismaelita *adj.* ① (성경의 인물인) 이스마엘(Ismael)의 후손의. ② =**agareno, sarraceno.** —*mf.* ① 이스마엘의 후손. ② 아랍 사람.
-ismo *suf.* ①「주의·제도·학파·동작」의 뜻: social*ismo* 사회주의, plato*nismo* 플라톤 철학, impresion*ismo* 인상파. ②「행동」의 뜻: ego*ísmo* 이기주의, individual*ismo* 개인주의, purita*nismo* 엄정주의, 청교주의. ③「스포츠 활동」의 뜻: atlet*ismo* 운동 경기, alpin*ismo* 등산. ④「학술 용어」의 뜻: trop*ismo* 향성(向性), 굴성(屈性), astigmat*ismo* 난시, le*ísmo* lo 대신 le 사용.
iso- *pref.*「동(同)·같은(igual)」의 뜻: *iso*morfo 동형의.
isobara *f.* =**isóbara.**
isóbara *f.* ① [기상] 등압선(línea ~). ② [물리] 동중체[핵].
isobárico, ca *adj.* ① [기상] 등압의, 등압을 나타내는: línea *~ca* 등압선. ② [물리] 동중 원소의, 동중핵의: isótopo ~ 동중 동위 원소.
isobaro, ra *adj.* ① =**isobárico.** ② [화학] 동중체의.
isóbata *f.* [지리] (해저의) 등심선.
isobático, ca *adj.* 등심선의[에 관한].
isoca *f. Arg., Ur.* (곡물을 해치는) 모충, 벌레: ~ de algodonero 목화 벌레, ~ del maíz 옥수수 애벌레.
isoclina *f.* [지리] 등사선(等斜線).
isoclinal *adj.* [지리] 등사(等斜)의.
isocronía *f.* 등시성(等時性).
isocronismo *m.* 등시 운동.
isócrono, na *adj.* ① 등시(等時)의. ② [지리] 등시선의.
isodinámico, ca *adj.* [전기] 등력의.
isófono, na *adj.* 같은 소리의.
isoglosa *f.* [언어] 등어선(等語線).
isógono, na *adj.* [수학] 등각형의. —*f.* [지리] 등편각선.
isomería *f.* 이성(異性).
isómero, ra *adj.* [화학·물리] 이성(異性)의, 이성체의. —*m.* 이성체.
isomorfismo *m.* 동형, 동형성.
isomorfo, fa *adj.* [광물] (결정이) 동형의: lenguas *~fas* [언어] 동형 언어.
isoperímetro, tra *adj.* [기하] 등주의.
isópodo *adj.* [동물] 등각류의. —*m.pl.* [동물] 등각류.
isoquimena *f.* =**isoquímena.**
isoquímena *f.* [기상] 겨울 등온선(等溫線), 등한선.
isóscles *adj.* [수학] 이등변의: trapecio ~ 이등변 사다리꼴. triángulo ~ 이

등변 삼각형. triángulo rectángulo ~ 이등변 직삼각형.
isosilábico, ca *adj.* [언어] 등음절의, 음절의 수가 같은.
isosilabismo *m.* ① 등음절성. ② 등음절 시에 기초한 작시법.
isótera *f.* [기상] 여름 등온선, 등서선.
isoterma *f.* ☞isotermo
isotérmico, ca *adj.* ① 등온의. ② 언제나 일정한 온도를 유지하는.
isotermo, ma *adj.* ① =**isotérmico.** ② [물리] 등온의. —*f.* 등온선(等溫線).
isotónico, ca *adj.* [화학] (용액이) 등침투압의, 등장(等張)의.
isotópico, ca *adj.* [물리] 등위체의.
isotopo *m.* =**isótopo.**
isótopo *m.* [물리] 등위체, 등위 원소.
isotropía *f.* [물리] 등방성(等方性).
isótropo, pa *adj.* 등방성의.
isoyeta *f.* [기상] 등우량선(等雨量線).
isquemia *f.* [의학] 허혈, 핍혈(乏血).
isquémico, ca *adj.* [의학] 허혈의, 핍혈의.
isquiático, ca *adj.* [해부] 좌골의.
isquion *m.* [해부] 좌골.
Israel *m.* [국명] 이스라엘.
israelí *adj.* ① 이스라엘 태생의. ② 이스라엘의. —*mf.* 이스라엘 사람.
israelita *adj.* ① =**hebreo.** ② 모세의 법을 신봉하는 사람의[에 관한]. ③ 이스라엘 태생의. ④ 고대 이스라엘 왕국의. —*mf.* ① (팔레스타인을 정복하여 살았던) 셈족. ② 이스라엘 사람.
israelítico, ca *adj.* 고대 이스라엘 왕국의[에 관한].
-ista *suf.* ① (명사화되는 형용사로, 접미어 -ismo와 같은 어간에 붙어)「주의(主義)의 · …을 신봉하는(자)」의 뜻: comun*ista* 공산주의의, 공산주의자, europe*ísta* 유럽 패권의, 유럽 패권주의자, optim*ista* 낙천주의의, 낙천주의자. ② [특정한 직업을 가지는 사람을 지정하는 명사형] almacen*ista* 백화점 점원, period*ista* 신문 기자, tax*ista* 택시 기사.
istmeño, ña *adj.* ① 지협(istmo) 태생의. ② 지협의[에 관한]. —*mf.* 지협 태생자.
ístmico, ca *adj.* 지협의[에 관한].
istmo *m.* ① [지리] 지협(地峽): ~ de Panamá 파나마 지협. ② [해부 · 동물 · 식물] 협부(峽部).
istulte *adj. Salv.* 반 익은 (과실).
itacate *m. Méj.* 도시락; 양식.
Italia *f.* [국명] 이탈리아, 이태리.
italianismo *m.* ① 이탈리아 어원의 말. ② 이탈리아어에서 차용해온 말. ③ 다른 언어에서 이탈리아어 사용.
italianista *mf.* 이탈리아의 말과 문화에 능통한 사람, 이탈리아 연구자.
italianizante *adj.* 이탈리아풍의.
italianizar (9) *tr.* 이탈리아화시키다, 이탈리아풍으로 하다. ~**se** 이탈리아화되다.
italiano, na *adj.* ① 이탈리아 태생의. ② 이탈리아의[에 관한]. —*mf.* 이탈리아 사람. —*m.* 이탈리아어, 이태리어, 이탈리아 말. ¶*a la ~na* 이탈리아식으로.
italianófilo, la *adj.* 이탈리아를 좋아하는[편드는]. —*mf.* 이탈리아를 좋아하는 사람.
itálica *f.* ☞**itálico.**
italicense *adj.* ① 이딸리까(Itálica, 안달루시아의 옛 이름인 Bética의 도시) 태생의. ② 이딸리까(Itálica)의[에 관한]. —*mf.* 이딸리카 사람.
itálico, ca *adj.* ① (특히) 고대 이탈리의[에 관한]: escuela ~*ca* 이탈리아 학파. ② =**italicense.** ③ 이탤릭체의: letra ~*ca* 이탤릭체 글자. —*f.* 이탤릭체 글자(letra bastardilla).
ítalo, la *adj.* =**italiano.** —*m.* [시어] 이탈리아어.
italo- *pref.*「이탈리아의[에 관한](italiano)」의 뜻: *italo*rrománico.
italorromance *adj., m.* [언어] =**italorrománico.**
italorrománico, ca *adj.* [언어] (고대 이탈리아 영토에서 사용된) 라틴어 기원의 여러 언어의[에 관한]. —*m.* [언어] (고대 이탈리아 영토에서 사용된) 라틴어 기원의 여러 언어군(言語群).
ítem *adv. lat.* 하나… ((항목을 차례로 열거할 때)); 또 마찬가지로, 또한. —*m.* ① 항목, 조목, 조항; 종목, 품목, 세목. ② 부가, 첨가. ③ [컴퓨터] 데이터 항목. ④ [심리] 증거[시험 · 질문]의 부분[단위]. ¶ ~ ***más*** *adv.* =**ítem.**
iterable *adj.* 반복될[반복할] 수 있는.
iteración *f.* 되풀이, 반복.
iterar *tr.* =**repetir.**
iterativo, va *adj.* ① 반복되는. ② (단어의) 반복을 나타내는 ((예) gotear, goteo)). ¶***prefijo*** ~ 반복 접두어. ***verbo*** ~ 반복 동사.
iterbio *m.* [화학] 이테르븀.
itericia *f.* [드묾] =**ictericia.**
itinerante *adj.* =**ambulante**: exposición ~ 순회 전시회.
itinerario, ria *adj.* 길(camino)의[에 관한]. —*m.* ① 여정, 행정, 멀리 가는 길, 도정(道程): recorrer ~ 여정에 오르다. seguir ~ 여정을 계속하다, 길을 계속 가다. ② 여행 스케줄. ③ 여행 안내서. ④ [군사] 선발대. ⑤ [드묾] =**derrotero.**
-itis *suf.*「염증(inflamación)」의 뜻: hepat*itis* 간염, ot*itis* 귀 염증.
-ito¹, ta *suf.*「산염(酸鹽)」의 뜻: fosf*ito* 아린산염, sulf*ito* 아황산염.
-ito², ta *suf.* ①「광물(鑛物)의 이름」의 뜻: graf*ito* 흑연, magnet*ita* 자철광, pir*ita* 황철광. ②「폭발물 이름」의 뜻: dinam*ita* 다이너마이트. ③「여러 가지 목적에 유익한 지방족 알코올」의 뜻: man*ita* 감로당.
-ito³, ta *suf.*「축소 · 애칭」의 뜻: ahor*ita* 지금 당장, 금방, herman*ito* 형제, pajar*ito* 작은 새, pequeñ*ito* 아주 작은,

prontito 바로, 곧. [어떤 경우에는 -ecito, -ececito -cito 형을 취함: solecito, piececito, corazoncito, mujercita].
ITP *m.* *i*mpuesto sobre *t*ransmisiones *p*atrimoniales 양도세, 유산세.
itria *f.* [화학] 이트륨 산화.
itrio *m.* [화학] 이트륨. ¶***metal de*** ~ 이트륨족(族) 금속.
ITV *f.* *I*nspección *T*écnica de *V*ehículos 차량 검사.
IVA *m.* *i*mpuesto sobre el *v*alor *a*ñadido 부가 가치세, 소비세.
-iva *suf.* ☞**-ivo**
ivernar *intr.* [드묾] =**invernar.**
ivierno *m.* =**invierno.**
-ivo, va *suf.* ① [형용사형] : reflex*ivo* 반사의, combat*ivo* 투쟁적인, defens*ivo* 방어의. ② [명사형] alternat*iva* 교대, defens*iva* 수세.
I. y D., I&D *I*nvestigación *y* *D*esarrollo 연구 개발 ((I+D로도 표시함)).
iza *f.* [은어] =**prostituta.**
izada *f.* 게양, 높이 올림.
izado *m.* =**izada.**
izamiento *m.* =**izada.**
izar (9) *tr.* (기 등을) 게양하다, 달다; (무거운 것을) 올리다: ~ la bandera nacional 국기를 게양하다. ~ una vela 돛을 올리다.
izote *m.* [식물] 실난초.
izq. izquierdo, da 왼쪽.
izquierda *f.* ☞**izquierdo.**
izquierdear *intr.* 바른 길에서 벗어나다, 나쁜 길로 빠지다, 못된 짓을 하다.
izquierdismo *m.* 좌익[급진]주의(의 사상[운동]).
izquierdista *adj.* 좌파의, 좌익의, 급진파의: ideas ~*s* 좌익 사상. —*mf.* 좌익 (사람), 좌파, 급진파, 혁신파.
izquierdo, da *adj.* ① 왼쪽의, 좌측의: lado ~ 왼편, 왼쪽. mano ~*da* 왼손. ojo ~ 왼쪽 눈. pie ~ 왼발, 왼쪽 발. ② 왼쪽으로 향한. ③ (움직이는·전진하는 물건의) 왼쪽에 위치한: el faro ~ del autobús 버스의 왼쪽 헤드라이트. ④ =**zurdo.** ⑤ (말이) 다리가 바깥쪽으로 나온, 무릎이 안쪽으로 굽은. ⑥ =**torcido, no recto.** —*f.* ① 왼손 (mano ~). ② 왼쪽 (방향): doblar [torcer] a la ~ 좌회전하다, 왼쪽으로 돌다. mantenerse a la ~ 좌측 통행을 하다. ③ [집합] (의회에서) 좌파 대표 ((프랑스 혁명 의회에서 구성원이 차지한 자리 때문에 생긴 뜻)). ④ [집합] 개혁 성향의 사람들, 좌익(의 사람): partido de ~ 좌익 정당. ⑤ (무대의) 왼쪽. ⑥ [감탄사적] 좌향좌! ¶***a ~das*** 시계 바늘의 반대 방향으로. ***de ~da, de ~das*** 좌익 사상의. ***por ~da*** *Arg.* 불법적으로, 바르지 않게, 의뭉스레, 꿍심을 가지고.
izquierdoso, sa *adj.* (정치적으로) 좌익에 가까운, 좌익에 관련된.

J j

j 호따 ((스페인어 알파벳의 열한 번째 문자)).
J julio[2], joule 줄.
ja *inter.* [웃음·조소·의아 등을 나타냄; 주로 반복 사용] ¡Ja, ja, ja! 하, 하, 하!
jaba *f.* ① *Amér.* (특히 병·도자기·깨지기 쉬운 물건을 나르기 위해 적당히 만들어진) 큰 상자. ② *Cuba.* 골풀[대왕 야자]의 섬유로 결은 광주리. ③ *Cuba.* (들고 다니는 천[플라스틱] 등으로 만든) 자루, 부대, 통. ④ *Cuba.* (아이들의 허리 부분에 생기는) 거무스레한 반점(mancha oscura).
jabalcón *m.* [건축] (기운 것을 받치는) 받침 기둥목, 끼워 맞춘 나무, 버팀 나무.
jabalconar *tr.* ① 지붕의 경사면을 받침 기둥목으로 버티다. ② 건물의 돌출부를 버팀 나무로 받치다.
jabalí *m.* [동물] 멧돼지.
jabalín *m.* *And., Sal.* [드묾] =**jabalí.**
jabalina[1] *f.* [동물] 암멧돼지.
jabalina[2] *f.* ① (사냥용) 작살, 투창. ② [운동] 창: lanzamiento de la ~ 창던지기, 투창. lanzar la ~ 창을 던지다.
jabalinero, ra *adj.* *Sal.* 멧돼지 사냥용으로 길들여진 (개).
jabalón *m.* [건축] =**jabalcón.**
jabalonar *tr.* =**jabalconar.**
jabaluna *f.* *And.* =**piedra jabaluna.**
jabardear *intr.* (꿀벌이) 분봉하다.
jabardillo *m.* ① (곤충·새의) 큰 떼. ② 군중, 인파(remolino de gente).
jabardo *m.* ① 작은 벌떼. ② 인파(人波). ③ [속어] *Tol.* 버려진 옷.
jabato, ta *adj.* 용감한, 대담한. —*mf.* 용감한 사람, 대담한 사람. —*m.* 멧돼지 새끼(cría de jabalí).
jabeba *f.* 모로인의 피리.
jábeca *f.* =**jábega**[1]**.**
jabega *f.* =**jabeca.**
jábega[1] *f.* 후릿그물.
jábega[2] *f.* jabeque보다 작은 어선.
jabegote *m.* 후릿그물 어부.
jabeguero, ra *adj.* jábega[2]의. —*m.* jábega[2]의 어부.
jabeque[1] *m.* (지중해의) 돛이 셋 달린 돛단배[범선].
jabeque[2] *m.* (얼굴에 난) 칼자국.
jabera *f.* 하베라 ((안달루시아 민요의 일종)).
jabí[1] *adj., m.* ① 작은 야생 사과(의). ② 옛 그라나다 왕국에서 자란 알이 작은 포도(의).

jabí² *m.* [식물] 하비 ((중남미산 단단한 콩과 식물)).

jabillo *m.* [식물] 하비요 ((열대 아메리카의 파라고무의 일종)).

jabón *m.* ① 비누: ~ de baño 목욕용 비누. ~ de lavar 세탁 비누. ~ de olor [tocador] 화장 비누. ~ en crema 샤워용 샴푸. ~ en polvo 가루 비누. una pastilla [barra] de ~ 비누 한 개. lavar con ~ 비누로 씻다. ② (일반 비누처럼 만들어지지는 않았지만) 비슷한 용도의 덩이. ③ [의학] 약용 비누. ④ *Arg., Ur.* =susto. ¶ ~ *blando* 부드러운 비누, 칼리 비누. ~ *de piedra* =jabón duro. ~ *de sastre* (제봉용) 초크. ~ *duro* 소다 비누. *dar* ~ a alguien (누구에게) 아부하다, 알랑거리다. *dar* a alguien *un* ~ (누구를) 호되게 벌하다[꾸중하다 · 나무라다].

jabonada *f.* ① 비누칠. ② 호된 꾸중.

jabonado *m.* ① 비누칠, 비누 세탁. ② [집합] 세탁물, 빨랫감; 세탁한 옷.

jabonador, ra *adj., mf.* ① 세탁하는 (사람). ② 꾸중하는 (사람).

jabonadura *f.* ① 비누 세탁. ② *pl.* 비눗물. ③ 비누 거품. ¶ *dar* a alguien *una* ~ =dar un jabón. ☞jabón.

jabonallo *m. Nic.* (세척제가 없어 사용하는) 비누 같은 물.

jabonar *tr.* ① (옷 등을) 비누와 물로 씻다[빨다]. ② 물과 비누로 몸을 문지르다. ③ 면도하기 위해 비눗물로 수염을 적시다. ④ =dar un jabón. **~se** ① 비누와 물로 몸을 씻다. ② 비눗물로 면도하다.

jaboncillo *m.* ① (향기로운 물질이 섞인) 화장용 비누. ② [식물] (아메리카산) 비누나무, 무환자나무. ③ *Cuba.* [식물] 하본시요 ((조미료로 사용되는 비름과 나무)). ④ [의학] 약용 비누. ¶ ~ *de sastre* =jabón de sastre.

jabonear *tr. Ur.* =asustar. **~se** = asustarse.

jabonera *f.* ☞jabonero.

jabonería *f.* 비누 공장; 비누 가게.

jabonero, ra *adj.* ① 비누의[에 관한]. ② (소가) 옅은 황색의. —*mf.* 비누 제조자[장수]. —*f.* ① 화장 비누곽. ② [식물] 비누풀. ¶ *jabonera de la Mancha* [식물] =jabonera.

jaboneta *f.* 화장 비누.

jabonete *m.* =jaboneta.

jabonoso, sa *adj.* ① 비누의, 비누 같은: agua ~*sa* 비눗물. ② 비누 거품투성이의. ③ 비누가 섞여져 있는.

jabrir *tr. Ar.* 땅을 개간하다.

jabuco *m. Cuba.* (물건을 보관하거나 운반하기 위한) 얼망 상자.

jabugo *m.* 하부고 햄 ((스페인 우엘바의 하부고(Jabugo)에서 생산된 햄)).

jaca *f.* ① 조랑말 ((키가 1미터 반에 이르지 못한 말)). ② =yegua. ③ *And., Can., Amér.* 싸움닭, 투계(鬪鷄).

jacal *m. Hond., Méj.* 움막[오두막] (choza)의 일종.

jacalear *intr. Méj.* =camadrear.

jacalero, ra *adj.* ① *Méj.* 움막(jacal)의[에 관한]. ② *Méj.* (사람이) 움막에 사는. —*mf. Méj.* 움막에서 사는 사람.

jácara *f.* ① 연가(戀歌). ② 노래하거나 춤추기 위한 음악. ③ jácara 곡에 맞추어 추는 춤의 일종. ④ (야간에 거리에서 소란을 피우고 노래부르며 다니는) 유쾌한 사람들의 모임. ⑤ = molestia, enfado. ⑥ =mentira, patraña. ⑦ 이야기.

jacarando, da *adj.* jácara의[에 관한]. —*m.* =guapo, baladrón, jácaro.

jacarandoso, sa *adj.* =donairoso, alegre, desenvuelto.

jacarear *intr.* ① jácara를 노래하다. ② 거리를 노래하고 소란을 피우며 다니다. ③ 무례하고 불쾌한 말로 귀찮게 하다.

jacarero, ra *mf.* ① 길거리를 노래 부르고 떠들며 다니는 사람. ② 명랑하고 신소리 잘 하는 사람.

jacarista *mf.* =**jacarero.**

jácaro, ra *adj.* 잘생기고 젠체하는[우쭐거리는], 허세부리는. —*m.* 잘생기고 젠체하는 남자.

jácena *f.* ① [건축] =viga maestra. ② *Bal.* (중심 도리처럼 쓰이는) 굵은 소나무 도리(viga gruesa de pino).

jacha *f. Hond., Salv.* [주로 *pl.*] (특히 크고 보기 흉한) 이(diente).

jachamenta *f. Hond.* =dentadura.

jachón, na *adj. Hond.* [경멸] 큰 이를 가진 (사람).

jachudo, da *adj. Salv.* =**jachón.**

jacintino, na *adj., m.* =violado.

jacinto *m.* ① [식물] 히아신스 ((백합과의 여러해살이풀)). ② 히아신스 꽃. ③ =circón. ¶ ~ *de Ceilán* =circón. ~ *de Compostela* 암적색 결정 수정. ~ *occidental* =topacio. ~ *oriental* =rubí.

jaco¹ *m.* ① 소매 짧은 그물코 셔츠. ② (옛날 군인들이 사용한 산양털로 만든) 투박한 천 조끼.

jaco² *m.* ① 작고 쓸모없는 말. ② [은어] 헤로인.

jacobeo, a *adj.* 사도 Santiago(스페인의 수호 성인)의[에 관한].

jacobinismo *m.* ① 자코뱅주의. ② (정치적) 과격 급진주의.

jacobino, na *adj.* ① 자코뱅당의. ② 과격 급진주의의. —*mf.* ① 자코뱅 당원[주의자]. ② 과격 급진주의자.

jacoibo, ba *mf.* [경멸] 유대인.

jactancia *f.* 자만, 으스대기, 허장성세: hablar con ~ 으스대며 말하다.

jactanciosamente *adv.* 자만해서, 허풍을 떨며, 으스대며.

jactancioso, sa *adj.* 자만하는, 으스대는, 젠체하는, 잘난 체하는.

jactar *tr.* [고어] =mover, agitar. **~se** [+de] (…을) 자만하다, 뻐기다,

J

으스대다.
jaculatorio, ria *adj.* 짧고 감격적인, 짧고 열렬한. —*f.* 짧고 감격적인 기도.
jáculo *m.* =dardo.
jacuzzi *m.* *ing.* 저쿠지 ((분류식 기포 욕조; 상표 이름)).
jada *f.* *Ar.* =azada.
jade *m.* [광물] 비취, 옥.
jadeante *adj.* 헐떡이는, 숨찬.
jadear *intr.* (숨을) 헐떡이다, 헐떡거리다, 허덕거리다, 숨차다.
jadeo *m.* 헐떡임, 숨참.
jadiar *tr.* *Ar.* 곡괭이(jada)로 파다.
jaecero, ra *m.f.* 마구(jaez) 제조자.
jaén *adj.* 하엔 포도(uva jaén)의. —*f.* 하엔 포도.
jaenero, ra *adj.* ① 하엔(Jaén, 스페인의 도시・주) 태생의. ② Jaén의.
jaenés, sa *adj.* ① Jaén 태생의. ② Jaén의[에 관한]. —*m.f.* Jaén 사람.
jaez *m.* ① 말의 갈기를 엮는 끈 장식. ② [주로 *pl.*] 마구(馬具). ③ 성질, 성미, 종류.
jaezar (9) *tr.* =enjaezar.
jaguar *m.* [동물] 재규어.
jaguareté *m.* *Arg., Ur.* =jaguar.
jaguarundí *m.* *Par.* [동물] 퓨마(puma).
jagüel *m.* *AmérM.* =jagüey.
jagüey *m.* 물웅덩이(balsa).
jagüilla *f.* *Hond.* (높은 산의) 멧돼지.
jai *f.* [속어] 젊고 매력적인 여자.
jai alai *m.* *vasco.* [운동] 하이알라이 (pelota vasca) ((핸드볼 비슷한 스페인 북부의 바스크 지방의 놀이)).
jaiba *m.f.* ① *PRico., RDom.* 영악한 사람. ② [경멸] *Cuba.* 겁쟁이.
jaibería *f.* *PRico., RDom.* =astucia, marrullería.
jaima *f.* 아프리카 북부의 유목민의 야영 천막.
jaimitada *f.* 철면피한 아이의 말[행동].
jaimito[1] *m.* 나이에 걸맞지 않은 철면피한 아이.
jaimito[2] *m.* *Méj., Salv.* =caimito.
jaique *m.* 하이크 ((아랍 여성들이 머리에서 발까지 질질 끄는 하얀 베일)).
jajajear *intr.* *Chile.* 조롱하듯이 웃다.
jajay *interj.* 하하!, 헤헤!, 호호! ((조롱・웃음소리의 소리흉내말)).
jalada *f.* ☞jalado.
jaladera *f.* ① *Cuba.* =borrachera. ② *Méj.* (무엇을) 잡아당기는 손잡이.
jalado, da *adj.* ① *Cuba.* =ebrio. ② *Nic.* =pálido. —*f.* *Méj.* =tirón.
jalador, ra *adj.* *Ven.* =adulador.
jalapa *f.* [식물] 할라빠 뿌리 ((강력 하제(下劑)로 사용)).
jalar *tr.* ① (밧줄을) 끌어당기다. ② 끌기 위해 힘을 쓰다. ③ 게걸스레 먹다. ④ *Cuba., Hond.* 담배 연기를 힘껏 빨아들이다[들이마시다]. ⑤ *Cuba.* = emborrachar. ⑥ *Perú.* =esnifar. ⑦ *Perú.* (수험자를) 낙제시키다. —*intr.* ① *And., Amér.* 재빨리 달리다[걷다]. ② *AmérC.* 애정 관계를 유지하다. ③ *Col.* 성교를 하다. ④ *Hond.* 알코올 음료를 섭취하다. ⑤ *Hond.* 어떤 장소로 향하다. ~**se** *Col., Cuba., Méj.* 만취하다, 대취하다.
jalbegador, ra *adj., m.f.* 하얗게 칠하는 (사람).
jalbegar (8) *tr.* =enjalbegar.
jalbegue *m.* ① 벽을 하얗게 칠하기. ② (하얗게 칠하기 위해 준비된) 회반죽, 석회 도료.
jalda *f.* ① 스커트. ② *PRico.* 산기슭.
jaldado, da *adj.* [드묾] =jalde.
jalde *adj.* 샛노란(amarillo subido).
jaldo, da *adj.* [드묾] =jalde.
jaldre *m.* 샛노란 색(color jalde).
jale *m.* ① *Perú.* =carisma. ② *Perú.* =fichaje.
jalea *f.* ① 젤리, 잼. ② [의학] 젤리제(劑). ③ 젤리 모양의 것: ~ real 로열젤리. ¶*hacerse una* ~ 사랑을 하다.
jaleador, ra *adj., m.f.* 응원[성원]하는 (사람), 갈채를 보내는 (사람).
jalear *tr.* ① 응원하다, 성원하다, 갈채를 보내다. ② (사냥을 위해) (개를) 큰소리로 부르다. ③ (사냥에서 짐승을) 몰아내다(ojear).
jalencia *f.* *Hond., Nic.* 애정 관계.
jaleo *m* ① 응원, 성원, 갈채. ② 할레오 ((안달루시아의 민속 춤)). ③ jaleo 노랫가락. ④ 떠들썩한 여흥. ⑤ 소란. ⑥ 혼란, 무질서. ⑦ *And.* (사냥에서) 몰아내기.
jaletina *f.* ① 질이 좋은 젤리. ② [드묾] =gelatina.
jalifa *f.* ① [역사] (모로코 보호령의) 고위 당국. ② [역사] (모로코 보호령의) 부총독.
jalifato *m.* jalifa의 지위[관할지].
jalifiano, na *adj.* jalifa 당국의, jalifa에 속한.
jalma *f.* [드묾] =enjalma.
jalmería *f.* 길마 제조자의 기술[작품].
jalmero *m.* [드묾] =enjalmero.
jalón[1] *m.* ① =hito. ② 물미가 달린 장대.
jalón[2] *m.* ① =tirón[2]. ② *Hond., Nic.* =novio, pretendiente. ¶*dar* ~ *Salv.* 길에서 기다리고 있는 사람을 차에 태우다. *de un* ~ =de un tirón. *ir al* ~ *CRica., Salv.* =hacer dedo. ☞dedo
jalona *f.* [경멸] *Hond.* =prostituta.
jalonamiento *m.* 푯말 세우기.
jalonar *tr.* 푯말을 세우다.
jalonazo *m.* *CRica.* =calambre.
jalonear *tr.* ① *Bol., Guat., Hond., Méj.* =tironear. ② *Méj.* =regatear.
jaloneo *m.* *Méj.* 에누리, 값 깎기.
jaloque *m.* [기상] 남동풍(南東風).
jama *f.* *Cuba, Nic.* =alimento.
Jamaica *f.* [국명] 자메이카.
jamaicano, na *adj., m.f.* =jamaiquino.
jamaiquino, na *adj.* ① 자메이카(Jamaica) 태생의. ② 자메이카의[에 관

한]. —*m.f.* 자메이카 사람.
jamar *tr.* =comer, tomar alimento.
jamás *adv.* ① [동사 앞에 오면 no가 필요없음] 결코 (…이 아니다), 한 번도 … 아니다: No te veré ~ 다시는 너를 만나지 않겠다. ② [고어] =siempre. ③ [고어] =alguna vez. ¶*en ~ de los jamases, ~ de los jamases, ~ por ~, por ~* =nunca.
jamba *f.* [건축] 문설주.
jambaje *m.* ① [건축] [집합] (문과 창의 틀을 이루는) 두 문설주와 문미. ② [건축] 문설주와 문미의 장식물에 속한 것 전부.
jambarse *r. Méj.* =hartarse, comer con exceso.
jámbico, ca *adj.* =yámbico.
jamelgo *m.* (못 먹어서) 삐쩍 여윈 말.
jámila *f.* =alpechín.
jamón *m.* ① 햄, 소금에 절이거나 통째 훈제한 돼지 뒷다리. ② 돼지 뒷다리 고기. ③ [고어] =anca, pierna. ¶ *~ de pata negra* 발톱이 검은 돼지 햄. *~ de York, ~ de york* 훈제한 햄. *~ en dulce* 백포도주에 삶아 차게 먹는 햄. *~ serreno* 소금에 절인 생 햄. *~ york* =jamón de York.
jamona *adj.* (여자가) 나이깨나 먹은. —*f.* ① 나이깨나 먹은[든] 여자. ② *PRico.* 노처녀(solterona).
jamoncillo *m. Méj.* 하몬시요 ((호박씨를 빻아 만든 과자)).
jamonero, ra *adj.* ① *CRica.* 쉬운 일[힘들지 않는 일]을 좋아하는. ② *CRica.* 가장 약한 사람을 이용하는. ③ [경멸] *Cuba.* =tocón[2].
jamúas *f.pl. León.* =jamugas.
jamuga *f.* =jamugas.
jamugas *f.pl.* (걸터앉지 않고 두 발을 한 쪽으로 몰아 타도록 마구 위에 놓아 등과 팔을 기대게 만든) 접는 안장.
jamurar *tr.* 물을 퍼내다.
jamuscar (7) *tr.* [경멸] =chamuscar.
janano, na *adj. Salv.* =janiche.
jangua *f.* (동양의) 소형 전함.
janiche *adj.* ① *Salv.* =gangoso. ② *Hond.* 언청이의. ③ *Hond.* 이가 빠진.
janicho *adj.* ① *Hond.* 언청이의. ② *Hond.* 이가 빠진.
jansenismo *m.* 얀센(C. Jansen, 네덜란드의 신학자, 1585-1638)주의[파].
jansenista *adj.* ① 얀센주의를 추종하는. ② 얀센주의의[에 관한]. —*m.f.* 얀센주의자.
januche *adj.* 언청이의(janiche).
jaño, ña *m.f.* ① *Nic.* =novio. ② *Nic.* =querido.
Japón[1] *m.* [국명] 일본.
japón[2]**, na** *adj.* [드묾] 일본 태생의.
japonense *adj., m.f.* =japonés.
japonés, sa *adj.* ① 일본 태생의. ② 일본의[에 관한]. ③ 일본 사람의, 일본어의. —*m.f.* 일본 사람, 일본인. —*m.* 일본어. ¶*papel ~* 일본 종이.
japonización *f.* 일본화(化).
japonizar (9) *tr.* 일본화하다. **~se** 일본화되다.
japonófilo, la *adj.* 친일파의.
japonófono, na *adj.* 일본을 싫어하는[배척하는].
japonología *f.* 일본학, 일본 연구.
japonólogo, ga *m.f.* 일본학자, 일본 연구가.
jaque[1] *m.* ① [장기] 장군: dar ~ 장군을 부르다. ② 공격, 위협, 협박, 공갈, 으름장: dar ~ 협박[위협]하다. poner [tener · traer] en ~ 으름장을 놓다. ③ 허세를 부리는 사람. —*interj.* 비켜! ¶ *~ mate* 외통 장군(mate).
jaque[2] *m.* (옛날 여자들이 사용했던) 머리 땋는 모양.
jaquear *tr.* ① [장기] 장군을 부르다 (dar jaques). ② 적을 괴롭히다.
jaqueca *f.* 편두통. ¶*dar* a alguien ~ (누구를) 귀찮게 굴다, 성가시게 하다, 괴롭히다, 넌더리나게 만들다.
jaquecoso, sa *adj.* 귀찮은, 진절머리가 나는, 성가신.
jaquelado, da *adj.* ① 바둑판 무늬로 나누어진. ② (보석이) 네모나게 면이 잘린.
jaquero *m.* (옛날 여자들이 머리 땋는 데 사용한) 작고 가는 빗.
jaquetilla *f.* 보통 것보다 짧은 웃옷.
jaquetón[1] *m.* [어류] 상어.
jaquetón[2] *m.* 보통 것보다 큰 웃옷.
jaquetonería *f.* 허세, 으스댐, 우쭐거림.
jáquima *f.* 껑거리끈 ((마구)). —*m.f. Méj.* =ebrio.
jaquimazo *m.* 껑거리끈으로 때리기.
jaquimero *m.* 껑거리끈 제조자[장수].
jaquinicuil *m. Méj.* =guama.
jaquir *tr.* [고어] =dejar, desamparar.
jarabe *m.* ① 시럽: ~ para la tos 기침을 멎게 하는 시럽, 진해제(鎭咳劑), 기침약. ② 당밀. ③ *Méj.* 하라베 ((호따(jota)처럼 스페인 춤의 영향을 받은 멕시코의 대표적 민속 춤)). ¶ *~ de palo* 벌로 몽둥이찜질. *~ de pico* ㉮ 빈말, 헛된 약속, 공약. ㉯ *Cuba.* = pico de oro. *~ tapatío Méj.* 하라베 따빠띠오 ((발장단에 맞추어 추는 춤)).
jarabear *tr.* [드묾] (의사가) 자주 jarabe를 주다, jarabe로 처방하다. **~se** 규칙적으로 jarabe를 먹다.
jaraíz *m.* =lagar.
jarana *f.* ① 소란스러운 여흥. ② 싸움, 말다툼, 언쟁; 소요, 소동. ③ 함정. ④ 사기, 속임수. ⑤ *CRica., Hond., Nic., Salv.* 빚, 채무. ⑥ *Cuba.* 농담투의 조롱[놀림]. ⑦ *Méj.* [악기] 하라나 ((작은 기타 비슷한 현악기)).
jaranear *intr.* 떠들어대다.
jaranero, ra *adj.* ① 떠들썩한 것을 좋아하는. ② *Salv.* =tramposo.
jaranista *adj, m.f.* =jaranero.
jarano *m.* =sombrero jarano.
jarapa *f.* ① 여러 가지 색깔로 짠 융단. ② *And., Mur.* (융단 · 담요 · 커튼 등을 만드는) 두꺼운 양모 천.

J

jardín *m.* ① 정원: ~ de flores 화원. ② (특히 숲 속의) 변소. ③ 에메랄드의 얼룩[상처]. ④ [야구] 외야 (포지션). ⑤ *pl.* 외야 전체. ¶ ~ ***botánico*** 식물원. ~ ***de infancia*** 유치원. ~ ***de infantes*** *Arg., Bol., Nic., Par., Ur.* =**jardín de infancia.** ~ ***de niños*** *Méj., Salv.* (네 살에서 여섯 살까지) 유아원, 어린이 학교. ~ ***zoológico*** = **parque zoológico.**

jardinear *intr. Chile., Salv., Ven.* 취미로 정원 일을 하다.

jardinera *f.* ☞**jardinero.**

jardinería *f.* 원예, 조원(造園), 조원술.

jardinero, ra *mf.* ① 정원사, 원예가. ② [야구] 외야수: ~ central [centro] 센터. ~ derecho 라이트. ~ izquierdo 레프트. —*f.* ① 정원사의 아내. ② (땅·화분에 직접 장식 식물을 놓기 위한) 고정 설치물. ③ (좌석이 네 개인) 사륜 무개 마차.

jargonza *f.* [고어] =**circón.**

jaripeada *f. Méj.* 로데오 참가.

jaripear *intr. Méj.* 로데오에 참가하다.

jaripeo *m. Hond., Méj., Salv.* 로데오.

jarra *f.* ① (손잡이 하나나 둘과 넓은 목과 주둥이를 가진) 물 항아리, 물병, 물주전자, 큰 맥주 잔. ② 물 항아리[물병·물주전자]에 든 액체. ③ (헤레스에서, 술창고에 있는 포도주를 바꾸어 넣는 데 사용되는) 12.5리터 용량의 양철 용기. ¶***de ~s, en ~, en ~s*** 두 손을 허리에 받치고.

jarrazo *m.* 물 항아리로 치기: dar ~*s* 물 항아리로 치다.

jarrear[1] *intr.* ① [무인칭 표현] 비가 억수처럼 내리다. ② jarro로 물[포도주]을 자주 퍼내다. ③ (막히지 않도록) 샘에서 물을 자주 퍼내다. ④ [드묾] =**golpear, dar jarrazos.**

jarrear[2] *tr.* [드묾] 벽에 석고[모르타르 회반죽]를 바르다.

jarrer, ra *mf.* [고어] =**tabernero.**

jarrero, ra *mf.* jarro 제조자[장수].

jarretar *tr.* ① [드묾] =**enervar, debilitar.** ② [고어] =**desjarretar.**

jarrete *m.* ① (무릎의) 오금. ② (네 발 짐승의) 뒷다리의 무릎. ③ (오금 쪽 장딴지의) 살이 많은 부분.

jarretera *f.* ① 양말 대님. ② (영국의) 가터 훈장.

jarro *m.* ① (손잡이가 하나인 jarra 모양의) 물병, 물주전자. ② jarro에 들어가는 물의 양. ¶***a ~s*** =**a cántaros:** llover ***a ~s*** 비가 억수처럼 내리다. ***echarle*** a alguien ***un ~ de agua [de agua fría]*** (누구를) 실망시키다, 환멸감을 느끼게 하다.

jarrón *m.* ① (건물·통로·계단·정원 등 장식용) jarro 모양의 건축물. ② (벽의 내민 부분·벽로 등의 장식용) 예술적으로 만들어진 자기 잔.

jaspe *m.* ① [광물] 벽옥(碧玉). ② 결이 있는 대리석.

jaspeado, da *adj.* 벽옥 모양으로 결이 있는, 무늬 모양의. —*m.* 벽옥 장식, 벽옥 칠.

jaspear *tr.* 벽옥 색으로 칠하다, 벽옥 결처럼 무늬를 넣다.

jaspón *m.* 붉거나 노란 흠이 있는 흰 결이 거친 대리석

jata *f.* =**becerra, ternera.**

jateo *m.* =**perro jateo.**

jato *m.* =**becerro, ternero.**

jaudo, da *adj. Rioja.* 맛이 없고 싱거운(insípido y sin sal).

jauja *f.* 도원경(桃源境0.

jaula *f.* ① 새장. ② (동물의) 우리. ③ 감옥, 교도소. ④ (엘리베이터의) 사람 타는 칸. ⑤ [투우] =**toril.** ⑥ (짐을 꾸리는 커다란) 나무틀. ⑦ *Méj.* 양옆에 쇠창살이 달린 소형 화물차. ¶ ~ ***de grillos*** =**olla de grillos.** ☞**olla.**

jaulero, ra *adj.* 새장[우리]의[에 관한]. —*mf.* jaula 제작자. —*m. And.* 미끼새로 메추리를 잡는 사람.

jaulilla *f.* (옛날 그물 모양으로 만든) 머리 장식물.

jauría *f.* [집합] (한 사람의 사냥꾼이 이끄는) 사냥개(의 무리).

jauto, ta *adj. Ar.* 맛이 없고 싱거운.

javanés, sa *adj.* ① 자바(Java, 인도네시아의 섬) 태생의. ② 자바의[에 관한]. —*mf.* 자바 사람. —*m.* 자바 말.

javera *f.* 하베라 ((안달루시아의 민요)).

javo, va *adj., mf.* =**javanés.**

jayán, na *mf.* ① 몸집이 크고 강한 사람. ② *Nic., Salv.* 말이나 행동이 저속하고 투박한 사람.

jazmín *m.* ① [식물] 재스민. ② 재스민 꽃. ¶ ~ ***amarillo*** ㉮ 노랑재스민. ㉯ 노랑재스민 꽃. ~ ***de España*** ㉮ 스페인 재스민 ((주로 Cataluña, Valencia, Murcia에서 자람)). ㉯ 스페인 재스민 꽃. ~ ***de la India*** 치자나무. ~ ***real*** =**jazmín de España.**

jazminero *m. And.* =**jazmín.**

jazz *m.* ① [음악] 재즈: banda [conjunto] de ~ 재즈 밴드. ② 재즈 오케스트라.

jazzista *mf.* 재즈 연주가.

jazzístico, ca *adj.* 재즈의.

J.C. Jesucristo 예수 그리스도.

JCT *f.* *J*unta de *C*ooperación *T*écnica 기술 협력 회의.

J.D. *j*unta *d*irectiva 임원[간부] 회의.

je *interj.* 헤 ((웃음소리의 소리흉내말)).

jeans *m.pl. ing.* 진바지.

jebe *m.* ① =**alumbre.** ② *Amér.* = **hevea.**

jediondo, da *adj.* [은어] [드묾] = **maloliente.**

jedrea *f.* =**ajedrea.**

jeep *m. ing.* 지프차(todo terreno).

jefa *f.* ① (단체·직의) 여자 우두머리, 장. ② [드묾] jefe의 아내.

jefatura *f.* ① jefe의 직[직위]. ② jefe가 되는 일. ③ 리더십. ④ 본부: ~ de policía 경찰 본부.

jefe *mf.* ① (단체·정당·직장 등의)

J

장(長), 우두머리, 보스, 상사, 상관, 국장, 부장, 과장, 소장, 서장: ~ de bomberos 소방서장. ~ de cocina 주방장. ~ de departamento 부장, 국장. ~ de estación 역장. ~ de familia 가장. ~ de la oposición 야당 당수. ~ de redacción 편집장, 편집부장, 주필. ~ de sección 과장. ~ de taller 공장장. ~ de ventas 영업 부장, 판매부장. redactor ~ 편집장. ② [군사] 영관 ((소령·중령·대령의 총칭)): ~ de batallón 대대장. *Jefe* Supremo 최고 사령관. —*m.* 문장(紋章)의 윗부분. ¶ ~ ***de Administración*** 국장(局長). ~ ***de día*** [군사] (감시 초소의) 교대병, 당번병. ~ ***de escuadra*** [군사] (함대의) 사령관. ~ ***de Estado*** 국가원수. ~ ***de Gobierno*** *m.f.* 국무 총리, 수상, 각료 회의 의장; 대통령. ~ ***de negociado*** 과장. ~ ***político*** (옛날의) 주지사, 도지사. ~ ***superior de Administración*** 차관보, 청장. ***en*** ~ 총, 수석의, 장(長에) 있는, 주임의: comandante *en* ~ 총사령관. general *en* ~ 총사령관.

Jehová *m.* 여호와: testigo de ~ 여호와의 증인 ((그리스도교의 한 종파)).

jeito *m.* (대서양에서 사용되는) 멸치[정어리] 잡이 그물.

jején *m.* [곤충] 피를 빨아먹는 곤충, 작은 모기.

jemal *adj.* 엄지손가락과 집게손가락을 편 길이[거리]의: herida ~ 한 뼘 길이의 상처.

jeme *m.* ① 엄지손가락과 집게손가락을 편 길이[거리]. ② =**palmito**[2]. ③ *Hond.* 헤메 ((약 12센티미터에 해당하는 식물의 길이의 단위)).

JEN *f.* *J*unta de *E*nergía *N*uclear 원자력 위원회.

jengibre *m.* ① [식물] 생강. ② 생강의 뿌리 (줄기).

jeniquén *m.* *Col., PRico.* [식물] = **pita.**

jenízaro, ra *adj.* ① 혼혈의. ② [드묾] (두 물건의) 혼합의. —*m.f.* 혼혈, 트기. —*m.* (옛날 터키의) 근위병.

jeque *m.* (이슬람교 나라에서) 장로, 족장(族長).

J

jerarca *m.* ① 고승(高僧), 교단장. ② (조직체·기업의) 고위직, 상급 간부.

jerarquía *f.* ① (조직체의) 직급, 계급, 직제, 직계, 계급 조직; (성직자 등의) 위계(位階). ② =**jerarca.**

jerárquicamente *adv.* 계급제로.

jerárquico, ca *adj.* 계급제의[에 관한]: organización ~*ca* 계급 조직.

jerarquización *f.* 계급 조직, 계층화.

jerarquizar (9) *tr.* 계급 조직으로 하다, 계층화하다.

jerbo *m.* [동물] 날쥐.

jeremiaco, ca *adj.* =**jeremíaco.**

jeremíaco, ca *adj., m.f.* 슬퍼하는 (사람), 통곡하는 (사람).

jeremiada *f.* 통곡, 탄식, 비탄, 한탄, 넋두리, 푸념.

jeremías *m.f.sing.pl.* 계속 탄식[한탄]하는 사람.

Jeremías *m.* ① [성경] [인명] 예레미야 ((헤브루의 예언자)). ② [성경] 예레미야서(書).

jeremiquear *intr.* *And., Amér.* =**lloriquear, gimotear.**

jerez *m.sing.pl.* 헤레스, 셰리 ((스페인의 헤레스 데 라 프론떼라(Jerez de la Frontera) 산 질 좋은 백포도주; 알코올 성분 15–23%)).

jerezano, na *adj.* ① 헤레스(Jerez) 태생의. ② Jerez (이름을 가진 모든 곳)의[에 관한]. —*m.f.* Jerez 사람.

jerga[1] *f.* ① 두껍고 투박한 천. ② 짚[풀]을 넣은 요[방석]. ¶***estar*** **[*dejar* · *poner*]** algo ***en*** ~ (무엇이) 시작만 되어 있다, 미완성으로 두다.

jerga[2] *f.* 은어; 알아듣기 어려운 말.

jergal *adj.* 은어(jerga)의.

jergón[1] *m.* ① 짚[풀]을 넣은 방석[요]. ② 두툼하고 귀찮고 투박하고 게을러 빠진 사람. ③ [경멸] *Ur.* 지저분한 옷, (특히) 지저분한 침대 커버. ④ [드묾] 잘못 만들어져 몸에 잘 맞지 않는 드레스. ¶***llenar el*** ~ 많이 먹다.

jergón[2] *m.* [광물] 녹색 백수정.

jeribeque *m.* [주로 *pl.*] =**guiño, visaje, contorsión.**

jericalla *f.* *Hond., Méj.* 헤리까야 ((우유·달걀·바닐라·캐러멜로 만들어진 과자)).

jericaya *f.* *Hond., Méj.* =**hericalla.**

jerigonza *f.* ① 은어(jerga). ② 알아듣기 어려운 말. ③ [드묾] 이상하고 우스운 행동, 기묘한 행동.

jeringa *f.* ① 주사기, 관장기, 세정기. ② (크림 등을) 짜는 튜브. ③ [주로 *Amér.*] =**molestia, pejiguera, importunación.** ④ [속어] 귀찮은[골치아픈] 사람. —*adj.* 귀찮은, 골치아픈.

jeringación *f.* ① 주사 놓기, 관장. ② 화냄, 노함, 애먹임.

jeringador, ra *adj., m.f.* ① 주사 놓는 (사람), 관장하는 (사람). ② 화내는[성내는·노하는] (사람).

jeringar (8) *tr.* ① 주사 놓다. ② 관장하다, 주입하다. ③ 괴롭히다, 애먹이다, 귀찮게 하다, 성가시게 하다 (molestar). ④ 화나게 하다, 성나게 하다, 노하게 하다. ~**se** ① 주입되다. ② 귀찮다, 성가시다; 화내다, 성내다.

jeringatorio *m.* *Amér.* =**jeringación.**

jeringazo *m.* ① 주사(注射). ② 주사액.

jeringón, na *adj.* ① *Cuba.* =**chistoso.** ② *Cuba.* =**latoso, fastidioso.**

jeringonza *f.* =**jerigonza.**

jeringuilla *f.* (소형의) 주사기.

jeroglífico, ca *adj.* 상형 문자의. —*m.* ① (고대 이집트 등의) 상형 문자, 그림 문자. ② 수수께끼, 퀴즈. ③ *pl.* 상형 문자체. —*f.* =**mote.**

jeronimiano, na *adj.* ① San Jerónimo (성서의 라틴어역 Vulgata를 만들었다

는 성인)의[에 관한]. ② San Jerónimo 종단(la Orden)의[에 관한].
jerónimo, ma *adj.* ① San Jerónimo 종단의: monje ~ 성 헤로니모 승려. ② San Jerónimo의[에 관한]. *—m.f.* San Jerónimo 종단의 승려[수도사].
jerosolimitano, na *adj.* ① 예루살렘(Jerusalén, 이스라엘의 도시) 태생의. ② 예루살렘의[에 관한]. *—m.f.* 예루살렘 사람.
Jerusalén *m.* [지명] 예루살렘.
jersey *m.* [*pl.* ~s, jerséis] (주로 두툼한) 뜨개 스웨터.
Jesucristo *m.* 예수 그리스도: antes de ~ 기원전. después de ~ 기원후, 서기. *—interj.* 야아!, 맙소사!, 저런!, 이런!, 이크!, 제기랄! ((감탄 · 이상함을 나타냄)).
jesuita *adj.* ① 예수회(la Compañía de Jesús, 1540년 San Ignacio de Loyola가 창립)의. ② 위선적인, 교활한, 영악한. *—m.f.* ① 예수회의 일원, 예수회의 수도사. ② (*Amér.* 의 일부 국가에서) 위선자, 교활한 사람.
jesuítico, ca *adj.* ① 예수회의[에 관한]. ② 위선적인; 위장하는, 시치미를 떼는(disimulado).
jesuitina *adj.* 예수 수도녀회의. *—f.* 예수 수도녀회 수도녀.
jesuitismo *m.* ① 예수회주의[운동 · 교의 · 활동 · 관행 · 조직]. ② 위선적인 행동[활동].
Jesús *m.* ① [인명] 예수: el Niño ~ 아기 예수상(像). Compañía [Sociedad] de ~ 예수회 ((Ignacio de Loyola가 창설한 수도회)). ② [인명] 헤수스. *—interj.* [감탄 · 고통 · 놀람 · 슬픔 등을 나타냄] 아이구!, 제기랄!, 이크!, 이럴 수가! ¶ ~ ***Nazareno*** *m.* =**Jesús.** ***en un decir*** **~,** ***en un*** **~** 즉시, 바로. ~, ***María y José*** *interj.* =**Jesús.**
jesusear *intr.* 예수의 이름을 자주 반복하다.
jet[1] *m. ing.* [*pl.* ~s] 제트기(reactor).
jet[2] *f. ing.* [jet set의 약자] 제트족
jeta *f.* ① 뾰족 내민 입. ② 돼지의 콧등. ③ (수도 등의) 꼭지. ④ 사람의 얼굴. ⑤ 파렴치, 몰염치, 뻔뻔스러움. ⑥ *Ar.* 술통의 꼭지. ⑦ [경멸] *AmérC., Col., Méj., Ur.* 입, 주둥이. *—m.f.* 파렴치한 사람, 낯가죽이 두꺼운 사람, 뻔뻔스러운 사람.
jetazo *m. Ar., Man., Mur., Hond.* 손으로 얼굴을 때리기.
jetón, na *adj.* ① (동물이) 주둥이가 큰. ② *CRica.* 거짓말 잘 하는.
jetonada *f. CRica.* =**mentira.**
jetonear *intr. CRica.* 거짓말을 하다, 근거 없는 말을 하다.
jet set *f. ing.* =**jet**[2]**.**
jetudo, da *adj.* =**jetón ①.**
jgo juego 놀이.
JHS *J*esus *H*ominum *S*alvator 구주 예수 그리스도.
ji[1] *f.* 카이 ((희랍어 자모의 스물두 번째 글자; Χ, χ)).
ji[2] *interj.* =**ja.**
jibia *f.* ① 오징어: ~ seca 마른 오징어. ~ secada 말린 오징어. ② 오징어 등껍질(concha de la ~).
jibión *m.* ① 오징어 껍질. ② *Cantb.* 오징어(calamar).
jícara *f.* ① (코코아용) 작은 잔. ② *Amér.* 호리병박나무의 열매 껍질로 만든 작은 목재 잔. ③ *AmérC., Méj.* 호리병박나무 열매. ④ *Nic., Salv.* (사람의) 머리(cabeza).
jícaro *m.* [식물] 호리병박나무(güira).
jicota *f. Salv.* [곤충] =**jicote.**
jicote *m.* ① *AmérC. Méj.* [곤충] 호박벌. ② *Hond., Nic.* 호박벌 집[통].
jicotear *intr. Méj.* 호박벌의 꿀을 찾다.
jicotera *f.* ① *Méj.* 호박벌 통[집]. ② *Méj.* =**bullicio, alboroto.**
jienense *adj., m.f.* =**jaenés.**
jiennense *adj., m.f.* =**jaenés.**
jifia *f.* [어류] =**pez espada.**
jilguera *f.* jilguero의 암컷.
jilguero *m.* [새] 검은방울새, 금시작.
jilote *m.* ① *AmérC., Méj.* 아직 알이 여물지 않은 옥수수 이삭. ② *Méj.* [집합] jolote의 섬유.
jilotear *intr. Hond., Méj., Salv.* 옥수수가 여물기 시작하다.
jimagua *adj. Cuba.* =**mellizo.**
jimia *f.* jimio의 암컷.
jimio m. [동물] 원숭이(mono).
jincho, cha *adj.* ① *Salv.* =**campesino, inculto.** ② *PRico.* =**pálido, descolorido.**
jinda *f.* =**jindama.**
jindama *f.* =**miedo, cobardía.**
jineta[1] *f.* [동물] 사향고양이.
jineta[2] *f.* ① 경마용 말 타는 법. ② 단창(短槍) ((옛날 보병 대위용 기장)). ③ (옛날의) 목축세. ④ *And., Amér.* 말을 타는 여자.
jinete *m.* ① 승마에 노련한 사람. ② 기수, 말 타는 사람. ③ jineta 용 말. ④ 혈통이 순수한 말. ⑤ (옛날의) 기마병.
jinetear *tr.* ① (사나운 말을) 길들이다. ② *Arg., Bol., Ur.* 재주를 뽐내면서 조랑말을 타다. ③ *Méj.* 이득을 취할 목적으로 돈을 늦게 지불하다. *—intr.* ① 말을 타고 다니다. ② *Cuba.* 외화를 얻을 목적으로 외국인과 불법 거래를 하다. ③ *Cuba.* (여자가) 외국 손님과 매춘을 하다.
jínjol *m.* 대추(azufaifa).
jinjolero *m.* [식물] 대추나무(azufaifo).
jipi *m.* 파나마모자.
jipiar (11) *intr.* ① =**hipar, gemir, gimotear.** ② 신음하는 듯한 목소리로 노래하다.
jipido *m.* 신음 (소리).
jipijapa *m.* ① [식물] 파나마풀 ((잎은 파나마모자의 재료)). ② 파나마모자.
jira[1] *f.* 길쭉한 천조각.
jira[2] *f.* ① 야외 놀이, 소풍: ir de ~ 소

풍 가다, 피크닉 가다. ② 야외에서 먹는 식사, 야외 연회. ③ (각지의) 순회 여행.
jirafa *f.* ① [동물] 기린. ② 키가 크고 빼빼한 사람. ③ [영화·텔레비전] 마이크를 움직이게 하는 신축식 봉(棒).
jirón *m.* ① 덧대는 천. ② 옷의 자투리 천. ③ 전체의 작은 부분. ④ 삼각기.
jit *m. ing.* [야구] 히트.
jitomatal *m. Méj.* jitomate 밭.
jitomate *m. Méj.* 토마토(tomate).
jitomatero, ra *adj. Méj.* jitomate의[에 관한]. —*f.* 토마토나무.
JJ.OO. *m.pl.* Juegos Olímpicos 올림픽 경기 대회.
jo *interj.* ① 워, 워! ((말을 세울 때의 소리)). ② 호, 호! ((웃음·조롱·불신을 나타낼 때의 소리)).
Job *m.* 인내심이 무척 강한 사람.
jocó *m.* [동물] =**chimpancé.**
jocundidad *f.* 환희, 기쁨, 즐거움.
jocundo, da *adj.* 기쁜, 즐거운.
jofaina *f.* 세면기.
jogging *m. ing.* 조깅.
jolgorio *m.* 기쁨, 환희, 잔치, 소란스러운 여흥.
jolote *m. Hond., Méj., Salv.* [조류] 칠면조(pavo).
Jordania *f.* [국명] 요르단.
jordano, na *adj.* ① 요르단(Jordania) 태생의. ② 요르단의[에 관한]. —*m.f.* 요르단 사람.
jornada *f.* ① 하루, 1일(día, 24 horas): tercera ~ de la conferencia 회의 3일째. ② 하루의 노동 시간 (동안): ~ (laboral) de ocho horas 하루 여덟 시간 노동. ③ 하루의 여정: tener una ~ de treinta kilómetros 1일 30킬로미터 나아가다. ④ 도정(道程). ⑤ 군사 원정. ⑥ 외교단이 이동하는 여름 기간. ⑦ (스페인 고전 연극에서) 막: drama en tres ~ 3막 구성의 극. ⑧ 일생, 생애. ⑨ *pl.* 회의, 강습회. ¶ ~ ***intensiva*** 단시간의 휴식까지도 계속하는 근무. ***a grandes*** [***largas***] ~***s*** 몹시 서둘러, 급히.
jornal *m.* ① 일급. ② 일용 노동, 날품팔이 일, 날품, 계절 노동. ③ 하루의 노동량, 노동일: trabajo que necesita ocho días 일주일이 필요한 일. ④ (스페인의 여러 주의 다른 지적(地積) 단위. ¶***a*** ~ 일급으로.
jornalar *tr.* [드묾] =**ajornalar.** —*intr.* 일급으로 일하다, 날품(을) 팔다.
jornalear *intr.* 날품(을) 팔다.
jornalero, ra *m.f.* 날품팔이.
joroba[1] *f.* ① 곱사등. ② (물건의) 툭 튀어나온 부분. ③ 귀찮은 일, 성가신 일, 번거로운 일, 골치 아픈 일.
joroba[2] *interj.* 큰일났다!, 아아 난처하다!, 에이 참!
jorobado, da *adj.* 곱사등의. —*m.f.* 곱사등이, 곱사등인 사람.
jorobadura *f.* 등이 굽음; 귀찮음, 골치 아픔, 번거로움.
jorobar *tr.* 귀찮게 하다, 골치 아프게 하다, 성가시게 하다. ~**se** 귀찮다, 골치 아프다, 성가시다.
jorobeta *m.* 곱사등이. —*adj.* 곱사등의.
jorongo *m. Méj.* =**sarape.**
joropear *intr.* ① *Col., Ven.* joropo를 추다. ② *Col., Ven.* 즐기다(divertirse).
joropo *m.* ① 호로뽀 ((베네수엘라의 민속 음악·춤)). ② *Ven.* 가정 파티.
jota[1] *f.* ① 문자 j의 명칭. ② [부정어와 함께] 최소, 겨우, 전혀 (…않음): no ver ni ~ 아무 것도 보이지 않다. ¶ ***no entender*** [***saber***] alguien ~ [***ni*** ~ · ***una*** ~] (누가) 아무 것도 모르다, 판무식이다, 일자무식이다.
jota[2] *f.* ① 호따 ((아라곤의 민속 춤; 스페인의 다른 지역에서도 사용됨)). ② 호따 춤곡. ③ (네 8음절 시로 구성된) jota 곡으로 부르는 노래.
jota[3] *f. AmérM.* =**ojota.**
jota[4] *f.* 호따 ((비름·지치·양념된 다른 야채로 만든 짙은 수프)).
jote *m. Arg., Chile.* =**zopilote.**
jotero, ra *m.f.* jota[2] 가수[댄서·작곡가].
joto *m.* ① 작은 짐[꾸러미]. ② [경멸] *Hond., Méj.* 동성애자.
joule *m.* [물리] =**julio**[2]**.**
joven *adj.* ① [ser+] 젊은; [estar+] 젊디젊은, 아주 젊은: árbol ~ 어린나무. país 신흥 국가. rostro ~ 젊디젊은 얼굴. desde (muy) (아주) 젊을 때부터. ② 미숙한, 익숙하지 못한, 경험이 없는. —*m.f.* 젊은이, 청년.
jovencito, ta *m.f.* 젊은이, 청년.
jovial *adj.* ① 쥬피터 신(Júpiter)의[에 관한]. ② 명랑한, 유쾌한, 쾌활한.
jovialidad *f.* 명랑함, 유쾌함, 쾌활함.
jovialmente *adv.* 명랑하게, 유쾌하게, 활발하게, 쾌활하게.
joviano, na *adj.* [천문] 목성(木星)의.
joya *f.* ① (장신구로서의) 보석, 귀금속, 장신구. ② 답례품, 감사[봉사]의 답례로 주는 물건. ③ (부인의 앞가슴에 장식하는) 커다란 브로치. ④ 귀중한 물건[사람], 소중한 것[사람], 보물, 귀중품. ⑤ [건축] 기둥 장식 끈. ⑥ [군사] (옛날의) 대포의 장식(물). ⑦ *pl.* (여자가 결혼 때 차거나 단) 의류와 패물[보석].
joyel *m.* 작은 보석[장신구].
joyelero *m.* 왕 부처의 보석[장신구] 담당자.
joyería *f.* ① 보석 장사[사업]. ② 보석상, 보석 상점. ③ 보석 가공 공장.
joyero, ra *m.f.* 보석상, 보석 장수, 보석 가공자. —*m.* 보석함, 보석 상자. —*f.* 여성 장식품을 만들고 수놓았던 여자.
joyón *m.* 크기만 하고 값이 없는 보석.
juan *m.* ① *Méj.* 병사, 군인. ② [은어] 교회의 헌금함. ¶ ~ ***dorado*** [은어] 금화(金貨)(moneda de oro).
Juan *m.* ① [인명] 후안. ② [인명] [성경] 요셉. ¶ ~ ***de buen alma*** =buen Juan. ~ ***lanas*** 의지가 약한 남자. ~

J

Palomo (누구한테도·아무 데도) 쓸모없는 남자. ***buen*** ~ 호인, 단순해서 속이기 쉬운 사람, 세상 물정에 어두운 사람. ***don*** ~ 돈 후안, 바람둥이. ***ser*** algo ~ ***y Manuela*** (물건이) 아무짝에도 쓸모가 없다.

juana *f. Méj.* 마리화나. ¶***y la*** ~ *Salv.* 그리고 약간: cinco colones *y la* ~ 5꼴론에 약간.

juanete *m.* ① 엄지발가락의 튀어나온 뼈. ② 매우 큰 광대뼈, 불쑥 튀어나온 광대뼈. ③ 주 돛 위를 가로지른 돛대.

juanillo *m. Perú.* 팁(propina).

juanramoniano, na *adj.* ① 후안 라몬 히메네스(Juan Ramón Jiménez, 스페인의 시인, 1881-1958)의[에 관한]. ② 후안 라몬 히메네스의 작품의[에 관한]. ③ 후안 라몬 히메네스의 특성의. ④ 후안 라몬 히메네스의 작품 특성의.

jubilación *f.* ① 퇴직: ~ anticipada (정년 전의) 조기 퇴직. ② 퇴직금, 퇴직 연금.

jubilado, da *adj.* 퇴직한. —*mf.* 퇴직자, 연금 생활자.

jubilar[1] *adj.* jubileo의[에 관한].

jubilar[2] *tr.* ① (노령·질병 등으로 연금을 주어) 퇴직시키다. ② (물건을) 폐기시키다, 사용하지 못하게 하다. **~se** 퇴직하다.

jubileo *m.* ① [천주교] (교황의) 특사. ② (많은 사람들의) 출입. ③ (이스라엘 사람들의) 50년제(祭). ④ (유대인들의) 50년간. ¶***ganar el*** ~ 특사를 얻기 위해 필요한 청원을 하다. ***ganar*** una mujer ***el*** ~ ***de la pestaña*** (여자가) 축제가 있을 때 호기심으로 나가다. ***por*** ~ 드물게(rara vez).

júbilo *m.* 환희, 큰 기쁨.

jubilosamente *adv.* 환희에 넘쳐, 크게 기뻐하여.

jubiloso, sa *adj.* 환희에 넘치는, 크게 기뻐하는.

jubón *m.* ① (어깨부터 허리까지 덮는) 조끼. ② =**jubón de azotes.** ¶ ~ ***de azotes*** (등을 때리는) 태형.

judaico, ca *adj.* 유대의, 유대 민족의, 유대 식의, 유대인의.

judaísmo *m.* ① 유대교. ② 유대주의, 유대 문화, 유대인 기질.

judaización *f.* 유대 교율에 따름, 유대인[유대교] 식으로 하기.

judaizante *adj., mf.* 유대 교율을 지키는 (사람), 유대교 식으로 하는 (사람)

judaizar (9) *tr.* 유대교의 교율에 따르다, 유대인[유대교] 식으로 하다.

judas *mf.sing.pl.* ① 배반자, 배신자. ② (섶에 오를 때 걸려) 고치를 만들지 못하고 죽는 누에. ③ (성 주간 동안 길에 놓였다가 주간이 끝난 후 태워지는) 짚 인형.

judeoconverso, sa *adj., mf.* (근대 스페인의, 유대교에서 기독교로) 개종한 (사람), 개종자.

judeocristiano, na *adj.* 유대교의 뿌리를 가진 기독교의[에 관한].

judeoespañol, la *adj., m.* 유대계 스페인어(의).

judería *f.* ① (중세의) 유대인 거리. ② 유대인 사회. ③ (옛날의) 유대인 세(稅).

judía *f.* ① [식물] 강낭콩. ② [열매] 강낭콩. ③ 강낭콩 씨.

judiada *f.* 나쁜[부정한] 행위.

judiar *m.* 강낭콩 밭.

judicante *adj., mf.* [시어] =**juzgador.**

judicatura *f.* ① 재판관 직[임기]. ② [집합] (한 나라의) 재판관.

judicial *adj.* 사법의, 사법상의, 재판의: derecho ~ 사법권, 재판권.

judío, a *adj.* ① 히브리의. ② 모세 율법을 신봉하는. ③ 유대 태생의. ④ 고대 유대의[에 관한]. —*mf.* ① 히브리 사람. ② 유대인. —*m.pl.* 유대 민족.

judión *m.* (잎이 크고 더 둥근) 강낭콩의 변종.

judo *m. jap.* =**yudo.**

judoca *mf.* 유도를 하는 사람, 유도 선수, 유도 사범.

judoísta *mf.* =**yudoca.**

jue. jueves 목요일.

juego *m.* ① 놀이, 유희: ~ de palabras 낱말 놀이. sala [salón] de ~*s* 놀이 센터; (호텔·선박 등의) 오락실. ② (트럼프·체스 등의) 게임, 놀이: ~ de baraja [cartas·naipes] 트럼프 놀이. ~ de envite 내기 트럼프. ③ (운동의) 경기, 시합: ~ de balón (축구 등 큰 공의) 구기. ~ limpio 페어 플레이. ~ sucio 더티 플레이, 거친 경기. campo de ~(*s*) 경기장, 놀이터. ④ (승부의) …회; (테니스 등) 게임: partido de tres ~*s* 3회 승부. ⑤ 내기, 도박, 노름: casa [lugar] de ~ 도박장, 카지노. ⑥ (기구 등의) 한 벌, 한 세트, 일습: ~ de café 커피 세트. ~ de cama 시트와 베갯잇. ⑦ (기계 등의) 기능, 작용; (부품 간의) 여유. ⑧ 책략, 속셈, 꿍꿍이속. ⑨ [트럼프] 수, 패. ⑩ [테니스 등] 세트의 분류[조]. ⑪ *pl.* (아동 유원지의) 놀이 도구. ¶ ~ ***de manos*** 요술. ***los Juegos Olímpicos de Invierno*** 동계 올림픽 경기 대회. ***los Juegos Olímpicos de Verano*** 하계 올림픽 경기 대회. ***los Juegos Olímpicos de Verano de Seúl*** 서울 하계 올림픽 경기 대회. ***abrir (el)*** ~ 경기[게임]를 시작하다.

juerga *f.* ① 축제[잔치] 소동. ② =**juerga flamenca.** ¶ ~ ***flamenca*** (안달루시아에서) 노래 부르고, 마시고, 플라멩코를 추는 떠들썩한 모임[술잔치]. ***correr(se) una*** ~ juerga에 참가하다. ***tomar a*** ~ algo (무엇을) 농담으로 하다.

juerguearse *r.* 회음(會飮)하다.

juerguista *adj., mf.* juerga를 좋아하는 (사람).

jueves *m.sing.pl.* 목요일: (todos) los ~ 매주 목요일, 목요일마다. ¶ ~ ***de comadres*** 사육제의 목요일 1주일 전 목요일. ~ ***de compadres*** 사육제의

J

목요일 2주일 전 목요일. ~ *gordo,* ~ *lardero* 사육제의 목요일 ((사육제의 화요일에 앞선 목요일)). *Jueves Santo* 성목요일 ((부활절에 앞선 목요일)).

juey *m. PRico.* (육지의) 게. ¶*hacerse el* ~ *dormido PRico.* 바보가 되다.

juez *m.f.* ① 재판관, 판사. ② (운동의) 심판(원); (콩쿠르 등의) 심사원: ~ árbitro 주심. ~ de campo (육상 경기의) 필드 심판원. ③ 판단을 내리는 사람, 심판자, 중재자: *Juez* Supremo 신(神). libro de los *Jueces* [성경] 사사기(士師記). ¶ ~ *arbitrador* 중재 판사; 중재자, 조정관. ~ *árbitro* [법률] 지방 법원 판사. ~ *de línea* 선심. ~ *de paz* 치안 판사. ~ *de primera instancia* (민사의) 일심 담당 판사. ~ *de silla* (테니스·배구 등의) 주심. ~ *ordinario* 일심 담당 판사.

jueza *f.* ① 여자 심판(원). ② [드묾] juez의 아내.

jugada *f.* ☞**jugado.**

jugadera *f.* =**lanzadera.**

jugado, da *adj.* ① *CRica., Salv.* 경험이 많은. ② *CRica.* =**vivo, astuto, audaz.** ③ *Salv.* =**distraído.** —*f.* ① (시합 등을 하는) 회, 한 수. ② 거래. ③ 간계. ¶*hacer* alguien *su jugada* (누가) 좋은 사업을 하다.

jugador, ra *adj.* ① 경기하는. ② 도박하는 나쁜 버릇이 있는. ③ 도박에 능숙한. —*m.f.* ① (구기·게임 등의) 경기자, 선수: ~ de fútbol 축구 선수. ② 노름꾼. ¶ ~ *de manos* 요술쟁이. ~ *de ventaja* 야바위꾼, 사기꾼.

jugar (29) *intr.* ① 놀다: ~ en el parque 공원에서 놀다. ② 경기[게임]를 하다, (구기 등의) 운동을 하다. ③ [+a+도구·놀이·경기] …을 하고 놀다, … 경기를 하다: ~ *a* las casitas 소꿉질을 하다, 소꿉질을 하고 놀다. ~ *al* fútbol 축구를 하다, 공을 차다. ④ [+de+위치] …으로 경기를 하다. ⑤ (카드 등으로) 도박[노름]을 하다. ⑥ 투기하다. ⑦ 내기하다. ⑧ [+con] …을 가지고 놀다, 조롱하다, 우롱하다. ⑨ [+con] (…과) 조화를 이루다, 어울리다. ⑩ [+en] (거래 등에) 참가하다, 손을 대다. ⑪ (물건이) 자유롭게 움직이다, 작동하다. ⑫ [+de] (언어 기교를) 잘 다루다. —*tr.* ① (게임·시합을) 하다, 플레이하다: ~ tenis *Amér.* 테니스를 하다(~ al tenis). ② (금액을) 걸다, 내기하다. ③ (판돈을) 잃다. ④ (역할을) 다하다, 완수하다, 달성하다, 몸을 사용하다. ⑤ (무기·기계 등을) 사용하다, 조작하다, 작동시키다, 돌리다. ~**se** ① (자신의 …을) 걸다, 위험에 드러내다. ② (시합·내기가) 행해지다. ③ [과거 시제에서] (판돈을) 잃다. ¶ ~ alguien *de peligroso* [*de vivo*] *CRica.* =**presumir, engreírse.** ~ *fuerte,* ~ *gordo* 크게[대담하게] 걸다[내기를 하다]. ~ alguien *la vuelta CRica., Salv.* (누가) 지름길을 이용하여 다른 사람보다 더 빨리 도착하다. ~ *limpio* ㉮ 정정당당하게 경기를 하다, 페어플레이를 하다. ㉯ 충실하게 사업을 하다. ~ *sucio* (경기·사업 등에서) 속임수를 쓰다, 비열하게 경기를 하다, 불법적으로 사업을 하다. *jugársela* [*jugársela*s] a alguien (누구에게) 나쁘게[불충실하게] 행동하다, 악랄한 일을 하다.

jugarreta *f.* 간계, 비열한 수단.

juglar *m.* (중세의) 지방 순회 연예인, 음유 시인.

juglaresa *f.* 여자 음유 시인, 여자 지방 순회 연예인.

juglaresco, ca *adj.* juglar의[같은].

juglaría *f.* 음유 시인들의 예술[솜씨]. ¶*mester de* ~ 음유 시인의 문예.

juglería *f.* =**juglaría.**

jugo *m.* ① (동물질·식물질의 증류로·삶아·압력으로 짠) 즙, 육즙: ~ de zanahoria 당근 즙. ② 주스: ~ de naranja 오렌지 주스. ③ 관심[흥미]이 많은 내용. ④ 이익. ¶ ~ *gástrico* 위액. ~ *pancreático* 췌장액.

jugosidad *f.* ① 즙이 많음, 물기가 많음. ② 자양분이 풍부함.

jugoso, sa *adj.* ① 즙이 많은. ② 자양분이 풍부한. ③ =**valioso.** ④ (색채가) 건성이 없는. ⑤ (디자인이) 표정이 없는, 딱딱한.

juguera *f.* ① *Arg., Ur.* (과실 즙을 내기 위한) 가전 제품. ② *Chile.* 믹서(licuadora). ③ *Cuba.* 과실 즙 판매소.

juguería *f. Méj.* 과실 즙 판매소.

juguete *m.* ① 장난감, 완구. ② 농담, 신소리, 익살, 조소, 우롱, 야유. ③ 간단한 작곡, 경연극 작품, 촌극. ④ 노리갯감, 놀림감, 노리개. ¶*por* ~ 농담으로, 오락으로, 재미로.

juguetear *intr.* [+con] (…을) 가지고 놀다, 만지다, 장난하다, 장난치다.

jugueteo *m.* 장난, 가지고 놂.

juguetería *f.* ① 장난감 가게, 완구점. ② 장난감[완구] 사업[장사].

juguetero, ra *adj.* 장난감의[에 관한]. —*m.f.* 장난감 제조자[판매자]. —*m.* 장난감 보관 상자[함·가구].

juguetón, na *adj.* 장난을 좋아하는. —*m.f.* 장난꾸러기.

juiciero *m.* [고어] 근거 없이 판단하는 사람.

juicio *m.* ① 판단. ② 견해, 의견. ③ 판단력: hombre de mucho ~ 분별 있는 사람. carecer de ~ 판단력이 부족하다[모자라다]. tener poco ~ 판단력[의식]이 거의 없다. ④ 재판: ~ civil 민사 재판. ~ criminal 형사 재판. ganar en el ~ 재판에 이기다. perder en el ~ 재판에 지다. ⑤ [운동] 판정. ⑥ [논리] 판단. ¶ ~ *de Dios* (중세의) 신명(神命) 재판. ~ *de faltas* (간이 재판소의) 약식 수속. ~ *divino* (사후 영혼에의) 신(神)의 심판. *Juicio Final* 최후의 심판. ~ *oral* (증언이

J

행해지는) 공판, 심리. ~ ***sumario*** 간이 재판. ~ ***temerario*** 중상, 선동, 유언 비어. ~ ***universal*** (신에 의한) 최후의 심판.
juiciosamente *adv.* 현명하게, 생각 깊게, 분별 있게.
juicioso, sa *adj.* ① 분별 있는, 현명한, 생각이 깊은. ② 적절한. —*m.f.* 분별력이 있는 사람, 현명한 사람.
jul. julio 7월.
julandrón *m.* 남자 동성애자, 남색가.
julay *m.* 남자 동성애자.
julepe *m.* ① (단) 물약. ② 트럼프 게임의 일종. ③ 과도한 노력[일], 애씀, 고생. ④ 과도한 사용, 소모, 마모. ⑤ 구타. ⑥ 꾸중, 질타, 벌. ⑦ [주로 *AmérM.*] 놀람; 무서움, 두려움. ⑧ *Pan., PRico.* =**desorden, problema, fastidio.**
julepear *intr.* julepe (트럼프)를 하다. —*tr.* ① *Arg., Bol., Par., Ur.* 놀라게 하다. ② *Col.* 괴롭히다, 성가시게 하다, 귀찮게 하다. ③ *Col.* =**insistir, urgir.** ④ *Cuba.* =**apremiar, dar prisa.** ⑤ *PRico.* =**embromar.** ~**se** 놀라다(asustarse).
juliano, na *adj.* 율리우스 시저(Juilio César)의[에 관한]. ¶***calendario*** ~ 율리우스력(曆).
julio[1] *m.* 7월.
julio[2] *m.* [물리] 줄((joule, 일과 에너지의 절대 단위)).
juma *f.* ☞**jumo.**
jumareda *f. Hond., Ven.* =**humareda.**
jumarse *r.* [주로 *Amér.*] =**embriagarse.**
jumas *adj. CRica.* =**ebrio.**
jumbo *m. ing.* 점보 (제트)기.
jumear *intr. Hond., Ven.* =**humear.**
jumenta *f.* [동물] 암당나귀.
humental *adj.* 당나귀의[에 관한].
humentil *adj.* [드묾] =**jumental.**
jumento *m.* [동물] 당나귀.
jumera *f.* =**borrachera, embriaguez.**
jumil *m. Méj.* 말려 튀겨 먹는 곤충, 식용 곤충.
jumilla *m.* 후미야 ((스페인의 무르시아 지방의 Jumilla 산 보통 포도주)).
jumo, ma *adj. CRica., Ven.* =**ebrio.** —*f.* =**jumera.**
jun. junio 6월.
juncal *adj.* ① junco의[에 관한]. ② =**gallardo, bizarro, esbelto.** —*m.* junco 밭.
juncar *m.* junco 밭.
junco[1] *m.* ① [식물] 골풀, 등심초. ② 골풀[등심초] 줄기. ③ 지팡이. ④ [식물] 수선. ¶ ~ ***común*** [식물] =**junco**[1]. ~ ***de esteras*** [식물] =**junco**[1]. ~ ***de Indias*** [식물] 등. ~ ***marinero***, ~ ***marino***, ~ ***marítimo*** [식물] 부들.
junco[2] *m.* (동인도 제도에서 사용된) 작은 배, 정크.
juncoso, sa *adj.* ① junco 비슷한. ② junco를 만드는[생산하는].
junene *m. Salv.* 항문, 똥구멍(ano).
jungla *f. ing.* 밀림, 정글(selva).
junio *m.* 6월, 유월.
junior *adj. ing.* (일반적으로 아버지와 같은 이름을 가진) 2세의, 다른 사람보다 더 젊은.
júnior *m. lat.* 견습 수도사.
junípero *m.* [식물] 노간주나무.
junquera *f.* [식물] =**junco.**
junqueral *m.* junco 밭.
junquillo *m.* ① [식물] 황수선. ② [식물] 장다리. ③ [건축] 둥글고 가느다란 사개.
junta *f.* ① 회의: ~ directiva 중역 회의, 이사회. ~ general (주주) 총회. celebrar [hacer · tener] ~ 회의를 열다. ② 위원회: ~ de educación 교육 위원회. ③ [역사] 훈따 ((나폴레옹 전쟁 때의 스페인 지방 의회)). ④ 연합, 결합. ⑤ [건축] (금속 · 목재 등의) 이은 부분, 이음매.
juntamente *adv.* ① 함께, 한데 어울려, 함께 하여. ② [고어] =**unánimemente.** ③ [고어] 일제히, 동시에.
juntamento *m.* ① [고어] 함께 함, 모임. ② [고어] =**junta, asamblea.** ③ [고어] =**juntura.**
juntar *tr.* ① 합치다, 잇다, 붙이다, 연결하다, 접합하다: ~ la mesa a la pared 탁자를 벽에 붙이다. ② (같은 장소에) 모으다, 놓다: ~ datos 자료를 모으다. ~ sellos [monedas · billetes] 우표[동전 · 지폐]를 수집하다. ③ (양으로) 모으다, 축적하다: ~ dinero 돈을 모으다. ④ (좌우 여닫이식의) 문[창문]을 닫다. ⑤ *CRica.* (바닥의 물건을) 모으다. ⑥ *CRica.* (숯 저장소에서) 숯을 꺼내다. ~**se** ① (같은 장소에) 모이다. ② =**arrimarse, acercarse mucho a alguien.** ③ =**acompañarse, andar con alguien.** ④ 성관계를 가지다. ⑤ (결혼하지 않고) 동거하다(amancebarse).
juntera *f.* ☞**juntero.**
junterilla *f.* 작은 대패. ¶ ~ ***de rebajos*** =**junterilla.**
juntero, ra *adj.* [역사] junta 의. —*m.* junta (스페인, 바르셀로나에서 1843년 9월에 같은 해 11월에 끝난 혁명을 장려했던 의회)의 의원. —*f* (끝마무리용) 대패.
junto, ta *adv.* 모인, 함께한, 가까운. —*adv.* ① [+a] (…의) 바로 근처에[가까이에], 옆에: ~ *a su* escuela 학교 바로 옆에. ② [+con · a] (…과) 함께; …의 지도 아래: ~ *con* los demás libros 다른 책과 함께. ¶***de por*** ~ =**por mayor.** ***en*** ~ ㉮ 총, 합계, 총계, 모두해서. ㉯ =**por mayor.** ***por*** ~ =**por mayor:** Tengo *por* ~ el aceite 나는 식용유를 대량으로 가지고 있다. ***todo*** ~ 함께, 일제히, 동시에.
juntorio *m.* (옛날의 어떤) 세금.
juntucha *f. Bol.* 나중에 먹기 위해 한

동안 보관하는 음식.
juntura *f.* ① (둘·둘 이상의 물건을) 이은 부분[장소], 이음매. ② [고어] = junta. ③ [고어] =**unión, mezcla.**
jupa *f. CRica., Nic.* (사람의) 머리.
jupear *intr. RDom.* (몇몇 동물이) 소리를 내다.
júpiter *m.* [광물] =**estaño.**
Júpiter *m.* ① [천문] 목성. ② [신화] 주피터.
jupiterino, na *adj.* 주피터 신(神)의.
jupón, na *adj. CRica.* =**testarudo.**
juquear *tr. Bol.* 광물을 훔치다.
juquearse *r. Hond.* (음식이) 상하다.
juquencia *f. Hond.* 고약한 냄새.
jur *m.* [고어] =**derecho, poder.**
jura *f.* 선서, 선서식. ¶ ~ ***de la bandera*** 국기 선서식.
jurado, da *adj.* 맹세[선서]를 한. —*m.* ① [법률] 배심원: tribuna del ~ 배심원석. ② 심사원; 심사회. ¶ ~ ***de empresa*** 노사 협의회. ~ ***mixto*** 노사 조정 위원회. ***(censor)*** ~ ***de cuentas*** 공인 회계사.
juramentar *tr.* 선서시키다. ~**se** 선서하다, 맹세하다.
juramento *m.* ① 선서, 선서문; 맹세(의 말): ~ de Hipócrates 히포크라테스의 선서. ~ falso 위증, 위증죄. ② 모독적인 말, 욕, 저주: soltar ~*s* 욕설을 퍼붓다. ¶ ~ ***a la bandera*** [군사] =**jura de la bandera.** ~ ***decisorio*** 결정적 선서. ***prestar*** ~ 선서하다.
jurar *tr.* ① 맹세하다, 선서하다: ~ decir la verdad 진실을 말할 것을 맹세하다[선서하다]. ~ *por* Dios 하나님에 걸고 맹세하다. ② 강하게 단언하다. —*intr.* (성이 나서) 욕설을 퍼붓다, 저주하다. ¶ ~ ***en falso*** 허위로 맹세[선서]하다. ***jurársela*** [***jurárselas***], alguien a otra persona (누가, 누구에게) 복수할 것을 맹세하다.
jurásico, ca *adj.* [지질] 쥐라기(紀)[계(系)]의. —*m.* 쥐라기[계], 쥐라기 층.
jurco *m.* 땅에 쟁기가 만드는 고랑.
jurel *m.* [어류] 전갱이.
jurdano, na *adj., m.f.* =**hurdano.**
jurdía *f.* 어망의 일종.
jurero, ra *adj. Chile, Ecuad.* 허위 맹세하는[선서하는].
jurguina *f.* =**hechicera.**
jurídicamente *adv.* 법률상, 사법상, 법률에 따라.
jurídico, ca *adj.* 법적인, 법률(상)의: problema ~ 법률 문제.
jurificar (7) *tr.* (관습을) 법률로 만들다, 성문화하다.
jurisconsulto, ta *m.f.* 법률가[고문].
jurisdicción *f.* ① 재판권, 사법권: ~ militar 군사 법정, 군법 회의. ② 관할권, 권한. ③ 관할 구역.
jurisdiccional *adj.* 재판권의, 재판 관할권의: mar ~ 영해(領海).
jurispericia *f.* =**jurisprudencia ①.**
jurisperito, ta *m.f.* [드묾] =**jurista.**
jurisprudencia *f.* ① 법학, 법률학. ② [집합] 판례; 법해석.
jurista *m.f.* 법학자, 법률가.
juro *m.* [역사] 국채(國債).
jurungar (8) *tr. Ven.* =**hurgar.**
jurutungo *m. PRico.* 먼 곳.
jusbarba *f.* =**brusco.**
jusello *m.* 후세요 ((고기 수프·미나리·치즈·달걀로 만든 짙은 수프)).
justa *f.* ① 1대 1 기마 창 싸움. ② (중세의) 기마 창 시합, 기마전. ③ 콩쿠르, 경연: ~ literaria 문학 콩쿠르.
justador *m.* ① 말 타고 창 싸움하는 사람. ② [고어] =**ajustador.**
justamente *adv.* ① 공정하게, 공평히. ② 틀림없이, 정확히. ③ 꼭, 조금도 어김없이.
justar *intr.* 기마 창 싸움을 하다.
justedad *f.* ① 공정함. ② 공평함.
justeza *f.* =**justedad.**
justicia *f.* ① 정의(正義): ~ social 사회 정의. ② 공정함, 공평함. ③ 재판, 사법; 사직(司直), 경찰: Ministerio de *Justicia* 법무부. ¶***en*** ~ 공평히 보아, 공평히 말하면. ***ser de*** ~ 공정하다, 공평하다. ***tomarse la*** ~ ***por su mano*** 함부로 제재(制裁)를 가하다.
justiciable *adj.* 재판에 돌려야 할, 처벌해야 할.
justiciador *m.* [고어] 재판 담당자.
justicialismo *m.* 사회적 정의(社會的正義) ((아르헨띠나의 뻬론(Perón) 대통령이 제창한 정책)).
justicialista *adj.* ① 사회적 정의의[에 관한]. ② 사회적 정의파의. —*m.f.* 사회적 정의파.
justiciar *tr.* =**ajusticiar.**
justiciazgo *m.* 사법 당국, 사직 당국.
justiciero, ra *adj.* 엄정한, 정의의, 정의파의: espada ~*ra* 정의의 칼.
justificable *adj.* 정당화할 수 있는, 변명할 수 있는.
justificación *f.* 정당화; 변명, 해명.
justificadamente *adv.* ① 정당하게, 올바르게. ② 정확히, 틀림없이.
justificado, da *adj.* ① 정의에 따른. ② 정당한, 이유가 있는.
justificador *m.* =**santificador.**
justificante *adj.* 정당화한; 증명하는. —*m.* 증명서: ~ de ausencia 결석계, 결근계. ~ de pago 지불 증명서.
justificar (7) *tr.* ① 정당화하다. ② (서류에 의해) 증명하다. ③ [인쇄] 행간[자간]을 조정하다. ~**se** [+con·de] (…의 일을) 변명하다, 석명(釋明)하다.
justificativo, va *adj.* 정당화하는; 증거가 되는: documento ~ 증거 서류.
justillo *m.* 소매 없는 짧은 조끼.
justipreciación *f.* 평가, 견적.
justipreciar (11) *tr.* (엄밀히) 평가하다, 견적하다.
justiprecio *m.* 평가, 견적.
justo, ta *adj.* ① 올바른, 정당한; 정의감이 강한: sentencia ~*ta* 정당한 판결. ② 공정한, 공평한: sociedad ~*ta*

J

공정한 사회. ③ 신앙이 두터운, 독신(篤信)한, 계율을 지키는. ④ [estar+] (분량·시간 등이) 정확한, 빠듯한: cien euros *~s* 정확히 백 유로. ⑤ [estar+] (치수 등이) 꼭 맞는, 꼭 들어맞는. *—adv.* ① 올바르게; 당연히; 정확히, 마침, 막: ~ ahora 지금 막. ② 꼭, 꼭 맞게, 꼭 들어맞게. *—mf.* ① 올바른 사람, 정의감이 강한 사람. ② 독신자(篤信者), 신앙이 두터운 사람. ¶ ***al*** ~ ㉮ 꼭 맞게. ㉯ 정확히, 완전히, 어김없이. ***en justo creyente*** 즉시, 갑자기, 서둘러, 급히. ***pagar ~s por pecadores*** (순진한 사람이) 다른 사람이 범한 잘못을 (대신) 받다, 정직한 사람이 손해만 보다[어이없는 꼴을 당하다].

jutía *f.* [동물] *Cuba, RDom.* =**hutía.**

juvenal *adj.* =**juvenil.**

juvenca *f.* [고어] =**novilla.**

juvenco *m.* [드묾] =**novillo.**

juvenecer (31) *tr.* =**rejuvenecer.**

juvenil *adj.* ① 청춘의[에 관한]. ② 젊은, 젊디젊은, 젊은이 특유의: en *sus* años *~es* (…의) 젊은 시절에.

juventud *f.* ① 청춘 (시대), 청춘기, 젊은 시절. ② 젊음, 젊디젊음; 젊은 에너지. ③ [집합] 청년 ④ *pl.* (정당의) 청년 조직.

juzgado *m.* ① 재판소, 법원, 법정: ~ de familia 가정 법원[재판소]. ② 사법 관구. ③ 단일 재판관 법정. ④ 사법관의 지위. ¶***de ~ de guardia*** 참을[용서할] 수 없는, 받아들일 수 없는.

juzgador, ra *adj.* 재판하는; 심판하는; 판정을 내리는. *—mf.* 심판자, 판정자. *—m.* [고어] =**juez.**

juzgaduría *f.* [드묾] 재판관의 지위.

juzgamiento *m.* [드묾] 재판; 심판.

juzgamundos *mf.sing.pl.* 험담가; 불평객, 불평가, 불평꾼.

juzgar (8) *tr.* ① 재판하다, 심리하다, 심판하다: ~ a un criminal 범죄자를 재판(에 회부)하다. ② 판단하다, 비난하다, 비판하다. ③ 판정하다. ④ [철학] =**afirmar.**

K k

k 까 ((스페인어 알파벳의 열두 번째 문자; 외래어에서 사용됨)).

ka *f.* 문자 k의 명칭.

kafkiano, na *adj.* ① 카프카(Franz Kafka, 체코의 소설가, 1883-1924)의[에 관한]. ② 카프카의 작품의[에 관한]. ③ 카프카 식[풍]의, 카프카적인. ④ 불합리한, 이치에 맞지 않는, 부조리하고 악몽 같은.

káiser *m.* 카이저 ((독일과 오스트리아의 황제들의 칭호)).

kaki[1] *m.* =**caqui**[2]**.**

kaki[2] *m.* =**caqui**[1]**.**

kamikaze *m. jap.* ① 카미카제. ② 무모한 행동을 하면서 사는[앞뒤를 가리지 않고 생활하는] 사람. ③ 무모한 행동. ④ 자폭 테러리스트.

kan *m. turco.* 칸, 한(汗).

kantiano, na *adj.* ① 칸트(Immanuel Kant, 독일의 철학자, 1724-1804)의[에 관한]: la doctrina *~na* 칸트 학설. ② 칸트의 작품의[에 관한]. ③ 칸트파의, 칸트 철학의. *—mf.* 칸트학파 사람, 칸트 철학자.

kantismo *m.* 칸트 철학.

kappa *f.* 캅파 ((희랍어 자모의 열 번째 문자; Κ,κ)).

karaoke *m. jap.* ① 반주 음악만을 수록한 테이프나 레코드. ② 반주 음악만을 수록한 테이프나 레코드를 틀기 위한 기술 장비. ③ 노래방.

karate *m. jap.* [운동] =**kárate.**

kárate *m. jap.* [운동] 당수.

karateca *m.* 당수가(家), 당수 선수, 당수를 배우는 사람.

karma *m.* ① (인도의 몇몇 종교에서) 갈마(羯磨), 카르마, 업(業). ② [불교] 인과응보, 인연(因緣).

karst *m.* [지질] 카르스트 지형.

kárstico, ca *adj.* 카르스트 지형의.

KAS *f. vasco.* Coordinadora Patriota Socialista 사회주의 조국 연락 회의.

kasba *f. ár.* (북아프리카 도시들의) 구 지역(barrio antiguo).

kastila *adj. Filip.* 스페인의. *—mf. Filip.* 스페인 사람. *—m. Filip.* 스페인어.

katiuska *f. ruso.* (고무 제품의) 장화.

kayak *m. ing.* ① 카약 ((에스키모인의 가죽을 입힌 카누)). ② [운동] 카약. ③ [운동] 카약의 속도 시험.

kazako, ka *adj.* ① 카자흐스탄 (공화국) (Kazajstán, 서아시아 서부에 있는 독립국; 수도 Alma-Ata) 태생의. ② 카자흐스탄의[에 관한]. *—mf.* 카자흐스탄 사람.

kazajistano, na *adj., mf.* =**kazako.**

k/c. kilociclos 킬로사이클.

kcal kilocaloría 킬로칼로리.

kebab *m. ár.* 케밥 ((산적(散炙) 요리)).

kéfir *m.* 케피르, 마유주(馬乳酒).

kelvin *m.* [물리] 켈빈 (온도), 색온도.

Kelvin *m.* [인명] 켈빈 ((William. T. Kevin, 영국의 물리학자·수학자, 1824-1907)). ¶***grado*** ~ 켈빈 온도.

kendo *m. jap.* 검도(劍道).

keniano, na *adj., mf.* =**keniata.**

keniata *adj.* ① 케냐(Kenia, 동아프리카의 영연방 공화국; 수도 Nairobi) 태생의. ② 케냐의. *—mf.* 케냐 사람.

kermes *m.* [곤충] =**quermes.**

kermés *f. fr.* ① (야외에서 열리는) 민속 축제. ② 민속 축제가 열리는 장소.

keroseno *m.* =queroseno.
ketchup *m. ing.* 케첩.
kg. kilogramo 킬로그램.
kibutz *m.* 키부츠.
kif *m.* =**quif.**
kiko *m.* 튀긴 옥수수 알.
kili- *pref.* ☞**kilo-.**
kiliárea *f.* 1,000 아르 ((10 헥타르)).
kilo *m.* ① [kilogramo의 약자] 킬로그램. ② 백만 빼세따.
kilo- *pref.*「1,000」을 뜻함: *kilo*hercio 천 헤르츠. ((참고: kili- 형을 취할 수도 있고, 가끔 quilo- 로 쓰임)).
kilobyte *m.* [컴퓨터] 킬로바이트.
kilocaloría *f.* 킬로칼로리.
kilociclo *m.* [전기] 킬로사이클.
kilográmetro *m.* [일의 단위] 킬로그램미터.
kilogramo *m.* ① [무게의 단위] 킬로그램. ② =**kilopondio.** ③ 1킬로그램의 무게. ④ 1킬로그램 무게의 양. ¶ ~ *fuerza* [물리] =**kilopondio.**
kilohercio *m.* [전기] 킬로헤르츠.
kilohertz *m.* [전기] =**kilohercio.**
kilolitro *m.* 킬로리터 ((천 리터)).
kilometraje *m.* ① 킬로미터로 재기. ② (자동차·철도 열차 등의) 총 킬로 수, 주행 거리.
kilometrar *tr.* 킬로미터로 재다.
kilométrico, ca *adj.* ① 킬로미터의. ② 아주 긴. —*m.* (철도의) 회유권.
kilómetro *m.* [길이의 단위] 킬로미터.
kilopondio *m.* [무게의 단위] 킬로폰드.
kilotex *m.* 킬로텍스.
kilotón *m.* 킬로톤.
kilovatio *m.* [전력의 단위] 킬로와트. ¶ ~ *hora* 킬로와트시(時).
kilovoltio *m.* [전압의 단위] 킬로볼트.
kimono *m.* =quimono.
kindergarten *m. al.* 유치원.
kinesiología *f.* =quinesiología.
kinesiólogo, ga *mf.* =quinesiólogo.
kinesioterapia *f.* =quinesioterapia.
kinesioterápico, ca *adj.* =quinesioterápico.
kinesiterapia *f.* =quinesioterapia.
kinesiterápico, ca *adj.* [의학] =quinesioterápico.
kinético, ca *adj.* 운동의, 동적(動的)인.
kion *m. Perú.* =jengibre.
kiosco *m.* =quiosco.
kiosquero, ra *mf.* =quiosquero.
kirguís *adj.* ① 키르기스탄(Kirguistán, 중앙 아시아의 공화국; 수도 Bishkek) 태생의. ② 키르기스탄의, 키르기스탄에 관한. —*mf.* 키르기스탄 사람. —*m.* 키르기스탄 말.
kiribatiano, na *adj.* ① 키리바시(Kiribati, 태평양 중서부의 공화국; 수도 Tarawa) 태생의. ② 키리바시의[에 관한]. —*mf.* 키리바시 사람.
kirie *m.* (미사 시작 때 하나님께 하는) 기도 ((‘주여, 가엾이 여기소서’의 기도문)). ¶*echar los ~s And.* 토하다. *llorar los ~s* 많이 울다.
kirieleisón *m.* ① =**kirie.** ② 장송가. ¶*cantar el* ~ 자비를 구하다, 동정을 애원하다(pedir misericordia).
Kirsch *m. al.* 버찌 브랜디.
kit *m. ing.* 도구 한 벌.
Kitsch *adj. al.* 취미가 나쁜, 저속한, 유행이 지난. —*m.* 키치 ((예술적 가치가 떨어지는 작품)), 저속한[대중 영합적] 작품, 감상적인 통속물.
kivi *m.* =**kiwi.**
kiwi *m.* ① [동물] 키위. ② [식물] 키위. ③ [과실] 키위.
kleenex *m.sing.pl.* [상표] 클리넥스.
klystron *m. ing.* [물리] 클라이스트론, 속도 변조관(速度變調管).
km. kilómetro 킬로미터.
km/h. kilómetro por hora 시속 … 킬로미터.
koala *m.* [동물] 코알라.
kodzito *m. maya. Méj.* 옥수수 부침개.
koiné *f.* [언어] (알렉산더 대왕의 사망 후, 기원전 5-3세기의) 표준 희랍어; 공통어.
kopec *m.* =copeca.
krausismo *m.* 프리드리히 크라우제 (Friedrich Krause, 독일의 철학자)의 철학.
krausista *adj.* ① 크라우제 철학의[에 관한]. ② 크라우제 철학파의. —*mf.* 크라우제 철학파 학자.
kremlin *m.* 크렘린 궁전.
kremlinología *f.* 옛 소련학[소련 연구].
kremlinólogo, ga *mf.* 옛 소련학 학자 [연구자].
kril *m.* [동물] [집합] 크릴 (새우).
krill *m.* 크릴 새우 떼.
kriptón *m.* (원자 무기의 폭발에 쓰이는) 고속 고체 소자(素子) 전환 기기.
kris *m.* (필리핀의) 굽은 단도(daga).
kung-fu *m. china.* 쿵후(功夫).
kurchatovio *m.* [화학] =**rutherfordio.**
kurdo, da *adj., mf.* =**curdo.**
kuwaití *adj.* ① 쿠웨이트(Kuwait, 아라비아 동북부의 페르시아 만에 면한 이슬람 군주국; 수도 Kuwait) 태생의. ② 쿠웨이트의. —*mf.* 쿠웨이트 사람.
kV. kilovoltio 킬로볼트.
kW. kilovatio 킬로와트
kW/h. kilovatios por hora 킬로와트시.

L l

l 엘레 ((스페인어 알파벳의 열세 번째 문자)).
l. litro 리터.
L. lira (italiana) 리라.
L/. letra de cambio 환어음.
£ libra(s) esterlina(s) 영국 파운드화.

la[1] art. [정관사 여성 단수형. ☞el] *la* luna 달, *la* sal 소금, *la* mano 손. ¶*a la* +「**여성 형용사**」…풍[식]의[으로]: casa *a la* coreana 한국식 주택. *la de* +「**명사**」 대량의, 다수의: *la de* veces 여러 번.

la[2] *pron.* [인칭 대명사 3인칭 단수형. ☞lo] [직접 목적] 그녀를, 당신을; [여성 명사를 받아서] 그것을: No *la* he visto 나는 그녀를[당신을 · 그것을] 못 보았다.

la[3] *m.sing.pl.* [음악] 라 ((장음계의 여섯째 음; 가(A) 음의 이탈리아의 음 이름)).

lábaro *m.* ① (로마의 콘스탄틴 대제의) 황제의 기. ② 바로 이 결합 문자. ③ 결합 문자 없는 십자가.

labe *f.* [드묾] =**mancha, deshonra.**

labeo *m.* [드묾] =**mancha, deshonra.**

laberíntico, ca *adj.* ① 미로[미궁]의, 미로[미궁]에 관한. ② 뒤얽힌, 꼬인, 어수선한, 혼잡한, 미로 같은.

laberinto *m.* ① 미궁, 미로. ② 뒤얽힘, 꼬임, 어수선한 일, 혼잡, 착잡, 복잡한 관계, 몹시 복잡한 사건. ③ 거꾸로 읽혀질 수 있게 지은 시작(詩作). ④ [해부] 내이(內耳).

labia *f.* 설득력 있는 수다, 먹혀 들어가는 말, 교묘한 변설, 재치 있는 말솜씨.

labiado, da *adj.* [식물] 순형 화관의, 입술꽃부리의. —*f.pl.* 순형과 식물.

labial *adj.* ① 입술의[에 관한]: lápiz ~ 입술 연지. ② [언어] 입술음의, 순음(脣音)의: sonido ~ 입술소리. —*f.* [언어] 입술 자음.

labialización *f.* 순음화, 입술소리화(化).

labializar (9) *tr.* 순음[입술소리]화하다.

labiérnago *m.* [식물] 쥐똥나무.

labihendido, da *adj.* 윗입술이 찢어진, 언청이의.

lábil *adj.* ① 쉽게 미끄러지는, 미끄러지기 쉬운. ② 깨지기 쉬운, 약한. ③ 별로 안정적이지 않은, 결심이 별로 확고하지 못한. ④ [화학] (화합물이) 불안정한.

labilidad *f.* ① 쉽게 미끄러짐. ② 약함, 깨지기 쉬움. ③ 별로 확고하지 못함. ④ [화학] 불안정성.

labio *m.* ① 입술: ~ inferior 아랫입술. ~ superior 윗입술. ② (어떤 물건의) 가장자리, 모서리, 끝: los *~s* de la herida 상처 자리. ~ de un vaso 잔의 가장자리. ③ [주로 *pl.*] (말하는 기관으로서의) 입: ~ de elocuencia 능변(能辯), 능란한 말씨. ④ [해부] 음순(陰脣). ¶ ~ ***leporino*** 언청이, 선천적으로 찢어진 윗입술. ~ ***vaginal*** [해부] 질의 피부 주름, 여자의 음부 피부 주름. ***lápiz de ~s*** 입술연지, 립스틱. ***cerrar los ~s*** ㉮ 입을 다물다, 조용히 하다, 침묵하다. ㉯ 느낀[아는] 것을 말하기를 삼가다. ***estar*** alguien ***colgado [pendiente] de los ~s*** de otra persona (누가 다른 사람의 말에) 귀를 기울이다, 경청하다. ***morderse*** alguien ***los ~s*** ㉮ =morderse la lengua. ☞ lengua. ㉯ 웃음을[말을] 억제하기 위해 참다. ***no descoser [despegar]*** alguien ***los ~s [sus ~s]*** (누가) 침묵하다, 조용히 하다, 입을 다물다, 대답하지 않다. ***sellar el ~ [los ~s]*** 조용히 하다, 침묵하다, 입을 다물다, 잠자코 있다, 말을 중지하다.

labiodental *adj.* [언어] 순치음(脣齒音)의: sonido ~ 순치음. —*f.* 순치음.

labioso, sa *adj.* ① *CRica., Ecuad.* 말솜씨가 좋은. ② *Ecuad.* =**zalamero.** ③ *Hond.* =**adulador.**

labiovelar *adj.* [언어] 입술과 목젖의. —*f.* 입술과 목젖 소리.

labor *f.* ① 노동: ~ artística 예술 활동. ~ de manos 수작업. ② [주로 *pl.*] 수예, 자수, 편물: *~es* de gancho 코바늘 뜨기, 코바늘 편물. ③ 바느질: hacer *~es* 바느질하다, 편물을 하다. ④ [집합] 일의 성과, 업적. ⑤ [주로 *pl.*] 농사일, 경작. ⑥ [주로 *pl.*] 담배 제품. ⑦ 누에알. ⑧ (전에, 소녀들의) 자수[수예] 학교. ⑨ *pl.* 가사(家事). ⑩ =**excavación.** ¶***estar por la ~*** [주로 부정문으로] 지시받은 일을 할 준비가 되어 있다, 찬성하다, 마음이 내키다. ***meter en ~ la tierra*** 땅을 경작하다[갈다], 땅에 파종 준비를 하다.

laborable *adj.* 경작할 수 있는, 경작이 가능한. —*m.* 평일(día ~).

laborador *m.* [드묾] =**labrador.**

laboral *adj.* 노동의: contrato ~ 노동 계약. derecho ~ 노동법.

laboralista *adj.* 노동법 전문의. —*m.f.* 노동법 전문 변호사, 노동 변호사, 노동법 전문가.

laborar *tr.* =**labrar.** —*intr.* 일하다, 노력하다.

laboratorio *m.* ① 실험실; 시험소, 연구소. ② [사진] 현상소. ¶ ~ ***de idiomas*** 언어 실습실.

laborear *tr.* ① 경작하다. ② 채굴하다.

laboreo *m.* ① 경작. ② 채굴.

laborera *adj.* [드묾] (여자가) 바느질 솜씨가 좋은.

laborío *m.* [드묾] =**labor, trabajo.**

laboriosamente *adv.* ① 부지런히, 근면하게. ② 힘들게, 어렵게.

laboriosidad *f.* ① 근면함. ② 곤란함.

laborioso, sa *adj.* ① 근면한, 부지런한: estudiante ~ 열심히 공부하는 학생. ② 어려운, 힘드는, 수고스러운.

laborismo *m.* 노동당의 사회주의 (운동), 노동당의 주의[정책].

laborista *adj.* ① (영국의) 노동당의: partido ~ 노동당. ② 노동당의 정책[주의]의. —*m.f.* 노동당원.

laborterapia *f.* (정신병자의) 작업 요법.

labra *f.* (돌 · 나무 등에의) 세공.

labrada *f.* ☞**labrado.**

labradero *adj.* [드묾] =**labrantío.**

labradío, a *adj., m.* =**labrantío.**

labrado, da *adj.* 자수를 놓은. —*m.* ① 세공, 자수. ② [주로 *pl.*] 경작된 밭.

L

—*f.* 휴경지(休耕地).
labrador, ra *adj.* ① 땅을 경작하는. ② 일하는, 일할 목적인. —*mf.* ① 경작자. ② 농장주, 자작농. —*m. Arg., Nic., RDom.* (통나무를 만들기 위해 잘려진 나무의 껍질을 벗기는) 나무 다듬는 사람.
labradorita *f.* [광물] 회장석(灰長石).
labrantín *m.* 소농, 빈농.
labrantío, a *adj.* 경지의, 경작 가능한. —*m.* 경지(耕地).
labranza *f.* ① (밭의) 경작. ② 파종된 땅. ③ 농장. ④ 세공.
labrar *tr.* ① (나무·가죽·보석 등을) 세공하다, 가공하다, 조각하다, 새기다. ② 밭을 갈다, 경작하다. ③ 임대로 땅을 관리하다. ④ 만들다, 점진적으로 야기시키다. ⑤ 직업으로 일하다. ⑥ 건물을 만들다. ⑦ 바느질하다, 수를 놓다. —*intr.* 강한 인상이 남다.
labrero, ra *adj.* 고기잡이용의 (어망).
labriego, ga *mf.* 농민.
labro *m.* ① 곤충의 입의 위턱. ② [고어] =labio.
labrusca *f.* 야생 포도나무.
laburador, ra *adj., mf. Arg., Ur.* = empeñoso.
laburante *mf. Arg., Ur.* =trabajador.
laburar *intr. Arg., Ur.* =trabajar.
laburo *m. Arg., Ur.* =trabajo.
laca *f.* ① 칠, 옻. ② 래커. ③ 칠기. ④ 매니큐어용 에나멜. ⑤ 머리 분무기, 헤어 스프레이. ⑥ 연지(臙脂). ¶ ~ *de uñas* 매니큐어용 에나멜.
lacado, da *adj.* 래커를 칠한. —*m.* 래커 칠.
lacar (7) *tr.* …에 칠[래커]을 칠하다.
lacayo, ya *adj.* =servil, rastrero. —*m.* ① (옛날의, 주로) 주인을 수행한 하인, 방자. ② (옛날의, 기사를 따라다녔던) 보병. ③ (부인의 셔츠나 조끼의 소매에 장식한) 늘어뜨린 술. ④ (주인의 말 앞을 걸어가는) 하인.
lacayuno, na *adj.* lacayo의.
lacear *tr.* ① 매듭으로 장식하다, 매듭으로 묶다. ② 밧줄로 잡다. ③ *Bol., Chile, Perú.* 동물을 줄로 묶다.
lacena *f.* =alacena.
laceración *f.* [의학] 열상(裂傷).
lacerado, da *adj.* ① =infeliz, desdichado. ② [드묾] 상피병(象皮病)에 걸린. ③ [고어] =mezquino, miserable, roñoso. —*mf.* [드묾] 상피병 환자.
lacerante *adj.* ① (쿡쿡) 쑤시는, 찌르는. ② 강한 고통을 주는, 무척 고통스러운.
lacerar *tr.* ① 몸에 상처를 입히다. ② 슬프게 하다. ③ 해치다, 손상시키다. —*intr.* =padecer, pasar trabajos.
laceria *f.* ① [드묾] 빈궁, 곤궁(miseria, pobreza). ② [드묾] =trabajo, fatiga, molestia. ③ [고어] =elefantiasis.
lacería *f.* (장식) 매듭.
lacerioso, sa *adj.* 빈궁한, 가난한.
lacero, ra *mf.* ① (소·말 등을 잡기 위해) 밧줄을 잘 쓰는 사람. ② 밧줄(을 사용하는) 사냥꾼. ③ 떠돌이 개 포획 담당 시청 직원.
lacha[1] *f.* =alacha.
lacha[2] *f.* =vergüenza, pundonor.
lacho *m.* ① *Chile.* =amante, galán. ② *Chile.* 쉽게 사랑에 빠지는 남자.
lacio, cia *adj.* ① 시든. ② 약(弱)한, 힘이 없는. ③ (머리카락이) 축 늘어진.
lacón *m.* ① 돼지의 넓적다리. ② 소금에 절인 넓적다리 살.
lacónico, ca *adj.* ① =laconio ②. ② 간단한, 간결한. ③ 간단하게[간결하게] 말하는[쓰는].
laconio, nia *adj.* ① 라코니아(Laconia, 고대 희랍의 한 지방) 태생의. ② 라코니아의[에 관한]. —*mf.* 라코니아 사람.
laconismo *m.* 간결함, (특히) 간결한 표현(법).
lacra *f.* ① 병의 결과[흔적]. ② 육체적[정신적] 악습. —*mf. Cuba, Ur., Ven.* 타락한 사람.
lacrar[1] *tr.* ① [드묾] (병에 걸려) 건강을 해치다. ② [드묾] (이익에서) …를 해치다, 손해 보게 하다. ~**se** ① 병들다. ② 손해 보다.
lacrar[2] *tr.* 봉랍으로 막다.
lacre *m.* 봉랍. —*adj.* [주로 *Amér.*] 붉은빛의, 적색의(de color rojo).
lacrimación *f.* [고어] 눈물을 흘림.
lacrimal *adj.* 눈물의[에 관한]: canal ~ [해부] 눈물관, 누관(淚管). glándula ~ [해부] 눈물샘, 누선(淚腺).
lacrimar *intr.* [고어] 눈물을 흘리다.
lacrimatorio *m.* =vaso lacrimatorio.
lacrimógeno, na *adj.* ① 최루의, 최루성의: bomba ~*na* 최루탄. gas ~*na* 최루 가스. ② =lacrimoso.
lacrimosamente *adv.* 눈물을 머금고, 눈물을 흘리며.
lacrimoso, sa *adj.* ① 눈물이 흔한. ② 눈물이 나는. ③ 자주 한탄하는.
lactación *f.* 수유(授乳), 포유(哺乳).
lactancia *f.* ① 수유(授乳): ~ artificial 인공 수유. ② 수유기.
lactante *adj.* ① 유아의. ② 젖을 먹이는, 수유하는. —*mf.* ① 유아(乳兒). ② 젖을 먹이는[수유하는] 여성.
lactar *tr.* ① 젖을 먹이다, 수유하다. ② 젖으로 기르다. ③ [드묾] 젖을 빨다.
lactato *m.* [화학] 유산염(乳酸鹽).
lacteado, da *adj.* 젖을 함유한.
lácteo, a *adj.* ① 젖의[에 관한]. ② 젖 같은. ③ 젖에서 나온. ¶ ***Vía Láctea*** 은하, 은하수, 우리 은하.
lactescencia *f.* 유즙질(乳汁質).
lactescente *adj.* 유즙질의.
lacticíneo, a *adj.* [드묾] 젖의.
lacticinio *m.* ① =leche. ② 우유를 넣은 음식[식품].
lacticinoso, sa *adj.* =lechoso, lácteo.
láctico, ca *adj.* [화학] 젖[우유]의, 젖[우유]에 관한: ácido ~ 유산.
lactífero, ra *adj.* [해부] 젖이 젖꼭지까지 이를 때까지 지나가는.

lactobacteria *f.* [생물] 유산균.
lactodensímetro *m.* 유즙 비중계.
lactómetro *m.* 검유기(檢乳器).
lactosa *f.* [화학] 유당(乳糖), 락토오스.
lactucario *m.* [의학] 상추즙.
lactumen *m.* [의학] 유아 발진.
lacunario *m.* [건축] (고대 로마의) 격천장의 체경판.
lacustre *adj.* ① 호수의[에 관한]. ② 호수[호숫가]에 사는[있는], 호상(湖上)의, 호수 위의, 호반의. ③ 호수 같은.
LADE *f.pl.* Líneas Aéreas del Estado (아르헨띠나의) 국영 항공.
ladeado, da *adj.* [식물] 한쪽으로만 기운[향한].
ladear *tr.* 옆으로 수그리다[기울이다]: ~ la cabeza 고개를 갸웃하다. —*intr.* ① 기울다. ② 산기슭을 걷다. ③ 오른쪽에서 기울다. ~**se** ① 기울다. ② …의 옆에 걷다[서다]. ③ …를 증오하기 시작하다. ④ (물건·사람이) (…과) 동등하다, 어깨를 나란히 하다. ⑤ *Chile.* 반하다, 사랑하다(enamorarse).
ladeo *m.* (한쪽으로) 기울어짐.
ladera *f.* ☞ladero.
ladería *f.* (산기슭의) 작은 고원[평원].
ladero, ra *adj.* 옆의. —*m.* (다른 사람, 특히 정치적 보스를) 돕는[후원하는] 사람. —*f.* ① 산비탈, 산기슭. ② [고어] =lado.
ladilla *f.* ① [동물] 찰거머리. ② 보리, 대맥. ③ [속어] *Arg., Cuba, Ur., Ven.* 매우 귀찮은 사람[물건]. ④ *Ven.* = **fastidio, enfado.**
ladillar *tr., intr.* (끈질기게) 귀찮게 하다, 성가시게 하다, 괴롭히다.
ladillo *m.* ① (마차 문 옆에 있는 안에 탄 사람들의 팔을 덮는) 안쪽 부분. ② [인쇄] 방주(傍註).
ladino, na *adj.* ① 교활한, 앙큼한. ② *AmérC.* =**mestizo.** ③ 스페인어를 말하는 혼혈의. ④ 고대 로망스어의, 고대 스페인어의. —*m.* ① [언어] 라틴어 ((옛날 스위스 남동부에서 쓰인 말)). ② [언어] (중세에, 스페인에서) 유대인이 사용한 스페인어. ③ [언어] 스페인계 유대인들의 종교 언어.
lado *m.* ① 옆, 곁, 측면. ② (사람·동물의) 옆구리. ③ (천·동전 등의) 두 면 중의 한 면. ④ (일의) 측면, 면: ~ bueno 좋은 면, 장점, 미점(美點). ~ malo 나쁜 면, 단점. ⑤ 장소. ⑥ 여지, 공간. ⑦ 가계, 혈통. ⑧ 자기편, 우방, 우군. ⑨ [수학] 변: tres ~*s* del triángulo 삼각형의 세 변. ¶*al* ~ ㉮ 가까이에, 가까운 데서, 별로 떨어지지 않은 곳에서. ㉯ (바로) 옆에. *al* ~ *de* ㉮ …의 가까이에, …에서 멀지 않은 곳에서. ㉯ …의 (바로) 옆에. ㉰ …과 비교해서. ㉱ =**del lado de.** *de* ~ 옆으로, 비스듬히: tumbarse [ponerse] *de* ~ 옆으로[비스듬히] 눕다. *de* ~ *a* ~ 한쪽 끝에서 다른 쪽의 끝까지. *del* ~ *de* …을 위해서; …에 따라, …에 의거하여. *de medio* ~ ㉮ *adv.* =de lado. ㉯ *adj.* 옆의, 옆면의. *de un* ~ *para otro* 쉬지 않고, 멈추지 않고, 계속. *ir cada uno por su* ~ ㉮ 다른 길을 계속하다, 각자 자기의 길을 가다. ㉯ 사이가 틀어지다.
ladrador, ra *adj.* (개가) 짖는. ¶*Perro* ~*, poco mordedor* (속담) 짖는 개는 거의 물지 않는다, 말수가 없는 사람을 경계해라.
ladrar *intr.* ① (개가) 짖다. ② 공격 없이 위협하다, 으름장을 놓다, 겁을 주다. ③ 욕을 퍼붓다, 비난하다, 딱딱거리다, 으드등거리다. ¶*Ladrar a la luna* (속담) 공연스레 떠들다, 헛수고를 하다. *El perro viejo no ladra en vano* (속담) 늙은 개는 공연히 짖지 않는다.
ladrería *f. Cuba, Méj.* 계속 짖는 소리.
ladrerío *m. Cuba, Méj.* =**ladrería.**
ladrido *m.* ① 개 짖는 소리: dar ~s (개가) 짖다. ② 비방, 불평, 험담.
ladrillado *m.* 벽돌 포장[포석(鋪石)].
ladrillador *m.* =**solador.**
ladrillar[1] *m.* 벽돌 공장.
ladrillar[2] *tr.* [드묾] =**enladrillar.**
ladrillazo *m.* 벽돌로 때리기.
ladrillero, ra *m.f.* 벽돌 제조자[판매자]. —*f.* 벽돌 틀[거푸집·모형].
ladrillo *m.* ① 벽돌: ~refractario 내화(耐火) 벽돌. casa de ~ 벽돌집. ② 다른 재료로 만든 벽돌 비슷한 건축 재료. ③ 약간의 결이 있는 벽돌 모양의 자수(품). ④ 지루한 일. ¶ ~ *azulejo* 아라비아 타일, 화장 타일. ~ *de chocolate* 벽돌 모양의 초콜릿. *ser* alguien *un* ~ (누가) 매우 부지런하다, 매우 근면하다, 열심히 공부하다, 공부벌레다.
ladrilloso, sa *adj.* ① 벽돌로 된. ② 벽돌 비슷한.
ladrón, na *adj.* 훔치는, 도둑질하는. —*m.f.* 도둑, 도적: *¡Ladrones!,* ¡Al ~! 도둑이야! —*m.* ① 전기의 비밀 소켓. ② 여러 개의 전기 소켓용 콘센트. ③ 용수로의 작은 수문. ④ 불량 소년. ¶ *Cree el* ~ *que todos son de su condición* (속담) 도둑이 제 발 저리다. *La ocasión hace al* ~ (속담) 견물생심.
ladronamente *adv.* 시치미를 떼고, 모른 척하고, 살그머니.
ladronear *intr.* [드묾] 도둑질로 살다.
ladronera *f.* ① 도둑 소굴. ② 용수로의 작은 수문. ③ 속임수. ④ 저금통.
ladronería *f.* =**latrocinio.**
ladronzuelo, la *m.f.* 좀도둑.
lady *f. ing.* 부인, 여사.
lagaña *f.* =**legaña.**
lagañoso, sa *adj.* =**legañoso.**
lagar *m.* ① (포도주를 만들기 위해) 포도를 으깨는 통. ② (포도를 짜기 위한) 압착기. ③ 올리브 기름을 짜는 장소, 압착소, 압착 공장. ④ 소금에 간한 생선 보관소. ⑤ 작은 올리브 밭.
lagareta *f.* ① 작은 lagar. ② 물웅덩이.

③ *Córd.* 돼지우리(pócilga de cerdos).
lagarta *f.* ① [동물] 도마뱀 암컷. ② 떡갈나무 벌레. ③ 교활한[의뭉스러운] 여자. ④ [경멸] 창녀, 매춘부. —*adj.* (여자가) 교활한, 의뭉스러운.
lagartado, da *adj.* 도마뱀 가죽 색깔 비슷한.
lagartera *f.* ☞lagartero.
lagartero, ra *adj.* 도마뱀을 잡는 (새·동물). —*f.* 도마뱀 굴[소굴].
lagartija *f.* [동물] 도마뱀붙이, 수궁.
lagartijero, ra *adj.* 도마뱀붙이를 잡아먹는.
lagarto *m.* ① [동물] 도마뱀. ② (어깨와 팔꿈치 사이의) 팔의 큰 근육. ③ 교활한[의뭉스러운] 남자. ④ 산티아고 기사단의 깃발. ⑤ *Nic., Salv.* 폭식하는 사람. ⑥ *Nic.* 욕심꾸러기, 욕심쟁이. ⑦ *Cuba.* 일부러 팔을 꼬집어 고통을 주는 일. ⑧ *Cuba.* 맥주. ⑨ [은어] 시골의 도둑. ¶ ~ ***de Indias*** [동물] 아메리카 악어(caimán).
lagarto *interj.* (미신을 믿는 사람들이, 악운을 쫓기 위해) 도와 주소서!
lagartón, na *adj.* 교활한, 의뭉스러운. —*mf.* 교활한 사람. —*f.* [경멸] 창녀.
lago *m.* 호수. ¶ ~ ***de leones*** 사자를 가두는 지하 장소[굴].
lagomorfo *adj.* [동물] 토끼목(目) 포유동물의. —*m.pl.* 토끼목 (포유 동물).
lagopo *m.* [식물] 클로버의 일종.
lagotear *tr.* (무엇을 얻기 위해) 알랑거리다, 아첨하다, 아부하다.
lagotería *f.* 알랑거림, 아첨, 아부.
lagotero, ra *adj.* 알랑거리는, 아첨하는, 아부하는. —*mf.* 아부자, 아첨자.
lágrima *f.* ① 눈물: derramar ~*s* 눈물을 흘리다. enjugarse las ~*s* 눈물을 닦다[훔치다]. ② 눈물 방울 모양의 물건, (특히 눈물 방울 모양의 늘어뜨리는 장식 ((귀고리·목걸이 등)). ③ 전정(剪定)[가지치기] 후 포도나무와 다른 나무에서 흘러나오는 진[즙·물방울]. ④ =**vino de lágrima.** ⑤ *pl.* 고뇌, 괴로움, 고통. ¶ ~ ***de Batavia,*** ~ ***de Holanda*** 유리알, 비취. ~***s de cocodrilo*** 거짓 눈물. ~***s de David,*** ~***s de Job*** [식물] 율무. ~***s de Móises*** [고어] 돌팔매. ~***s de San Pedro*** [고어] =**lágrimas de Móises.** ***deshacerse*** alguien ***en*** ~*s* 실컷 사무치게 울다. ***llorar*** alguien ***a*** ~ ***viva*** 몸부림치며 울다. ***llorar*** alguien ~***s de sangre*** 심한 고통을 느끼다, 피눈물을 흘리다. ***saltarle*** [***saltásele***] a alguien ***las*** ~***s*** 눈물을 머금다, 갑자기 울기 시작하다.
lagrimable *adj.* 눈물이 날 만한, 슬픈.
lagrimal *adj.* 눈물의. —*m.* 눈두덩.
lagrimar *intr.* 눈물을 흘리다.
lagrimear *intr.* ① 눈물을 흘리다[머금다]. ② 방울방울 떨어지다. —*tr.* 방울방울 떨어뜨리다.
lagrimeo *m.* 눈물을 흘림.
lagrimón[1] *m.* 커다란 눈물.
lagrimón[2]**, na** *adj.* [고어] =**lagrimoso, legañoso, pitarroso.**
lagrimoso, sa *adj.* ① 눈물을 글썽거리는, 축축한 (눈). ② (사람·동물이) 눈에 눈물을 머금은. ③ (식물이) 즙[진]이 나오는.
lagua *f.* *Bol.* [요리] 라구아 ((옥수수가루나 밀가루 혹은 다른 곡물로 쑨 텁텁한 수프)).
laguna *f.* ① 늪; 작은 천연 연못. ② 빠뜨리고 쓰기. ③ [인쇄] 여백, 공백. ④ (지식 등의) 결함, 공백. ⑤ (시리즈의) 중지. ⑥ (기억의) 망각, 잊음.
lagunajo *m.* (비온 뒤·홍수 뒤에 생긴) 물웅덩이.
lagunar *m.* =**charco.**
lagunato *m.* ① *Cuba, Hond.* 작은 늪, 작은 연못. ② *Cuba.* (비온 뒤·홍수 뒤에 생긴) 물웅덩이.
lagunazo *m.* =**charco.**
lagunear *intr.* *Méj.* 작은 연못에서 낚시질하다[고기를 잡다].
lagunería *f.* *Méj.* [집합] 늪; 작은 연못.
lagunero, ra *adj.* 늪의[에 관한].
lagunoso, sa *adj.* 늪(laguna)이 많은.
laicado *m.* [집합] 일반 신도.
laicidad *f.* 세속성.
laicismo *m.* 세속주의.
laicista *adj.* 세속주의의, 비교권주의의. —*mf.* 세속주의자, 비교권주의자.
laicización *f.* 세속화, 비종교화.
laicizar (9) *tr.* 비종교화하다.
laico, ca *adj.* ① 교파가 없는. ② (조직·교파에서) 독립된. —*mf.* 교파가 없는 사람.
laísmo *m.* [문법] le, les 대신에 la, las의 불규칙적 사용.
laísta *adj., mf.* [문법] le, les 대신에 la, las를 쓰는 버릇이 있는 (사람).
laja *f.* =**lancha.**
lajazo *m.* *Nic.* =**pedrada.**
lama[1] *f.* ① (바다·강바닥에 있는) 부드럽고 진득거리는 진흙. ② =**prado, pradería.** ③ =**alga, ova.** ④ [광산] 광니(鑛泥). ⑤ *And.* (석회에 섞는) 매우 가늘고 부드러운 모래. ⑥ *Bol., Col., Méj.* =**moho.** ⑦ *Chile, Col., Hond.* 물이끼. ⑧ [식물] *Chile, Col., Hond., Méj.* =**musgo.**
lama[2] *f.* ① 쇠 다리미. ② 번쩍거리는 금[은]으로 수놓은 천.
lama[3] *m.* 티벳의 라마승.
lamaísmo *m.* [종교] 라마교.
lamaísta *adj.* 라마교의, 라마교를 믿는. —*mf.* 라마교도.
lamasería *f.* 라마교 승원[성전].
lambda *f.* 람다 ((희랍어 자모의 열한번째 문자; Λ, λ)).
lambeplatos *mf.sing.pl.* ① *Hond., Méj., Ur.* 아부자, 아첨자. ② *Méj.* 구걸하는 사람.
lamber *tr.* *Méj., Ur.* 알랑거리다, 아부하다, 아첨하다(adular).
lambetada *f.* *Méj.* 아부, 아첨.
lambetazo *m.* ① =**lenguarada.** ②

L

Méj. 아부, 아첨.
lambiche *m.f. Méj.* 아부자, 아첨자.
lambida *f.* [드묾] 핥기.
lambiscar (7) *tr.* 급히 열심히 핥다.
lambiscacón, na *adj. Hond., Méj., Salv.* =**adulador.**
lambisconear *tr. Hond., Méj., Salv.* 알랑거리다, 아부하다, 아첨하다.
lambisconería *f. Méj.* 아부, 아첨.
lamé *m. fr.* 라메 ((금은 등의 금속 실을 짜 넣은 직물)).
lameculos *m.f.sing.pl.* [속어] 아첨꾼.
lamedal *m.* 진흙(lama)이 많은 곳.
lamedor, ra *adj.* 핥는. *—m.f.* 핥는 사람. *—m.* ① 설탕물. ② 아부, 아첨.
lamedura *f.* 핥기.
lamehibranquio *adj.* [동물] 판새류(瓣鰓類)의. *—m.* 판새류 동물. *—m.pl.* [동물] 판새류 ((굴·홍합 등)).
lamentable *adj.* ① 슬픈, 슬퍼할: suerte ~ 슬픈 운명. ② 유감스러운, 한탄스러운. ③ [드묾] 구슬픈.
lamentablemente *adv.* 슬프게; 유감스레, 한탄스레; 구슬피.
lamentación *f.* [주로 *pl.*] 탄식(의 소리·말), 비탄, 애도; 푸념, 게정.
lamentar *tr.* ① 슬퍼하다, 비탄하다, 애도하다. ② 유감스럽다, 애석히 여기다, 안타까워하다, 아쉽다, 딱하다, 가엾다, 미안하(게 생각하)다. *—intr.*, ~**se** (…을) 한탄하다, 탄식하다, 슬퍼하다, 애도하다, 언짢다, 유감이다.
lamento *m.* 한탄, 비탄, 애도, 슬픔.
lamnetoso, sa *adj.* 슬픈, 한탄스러운, 언짢은, 측은한, 가엾은.
lameplatos *m.sing.pl.* ① 단것을 즐겨 먹는 사람. ② 먹다 남은 밥을 얻어먹는 사람. ③ *Méj.* 알랑거리는 사람, 아부[아첨]하는 사람. *—m. Méj.* 집게손가락(dedo índice).
lamer *tr.* ① 핥다. ② 가볍게 스치다, (파도가 해안 등을) 찰싹거리다, 출렁거리다, (물결이) 밀려왔다 밀려가다 하다. ~**se** (자신의 몸의 일부를) 핥다: El niño *se lame* los dedos 아이가 손가락을 핥는다.
lamerón, na *adj.* ① 단것을 좋아하는. ② [드묾] 알랑거리는, 아부하는, 아첨하는. *—m.f.* 단것을 좋아하는 사람.
lametada *f.* =**lametón.**
lametazo *m.* =**lametón.**
lametear *tr.* 반복해서 핥다.
lametón *m.* ① 핥기. ② 아부, 아첨. ③ 아첨하는 사람.
lamia¹ *f.* [희랍 신화] 사녀(蛇女), 여자 괴물 ((상반신은 여자, 하반신은 뱀)).
lamia² *f.* [어류] 상어(tiburón)의 일종.
lamido, da *adj.* ① 여윈, 빼빼 마른. ② 무척 창백한, 핏기가 없는. ③ 깨끗이 면도한. ④ [그림] 평면적인 느낌의. ⑤ [드묾] 닳은.
lámina *f.* ① 엷은 금속판, 박판(薄板). ② (책의) 도판, 금속판. ③ [미술] 동판. ④ [미술] 동판화, 판화. ⑤ (사람·동물의) 몸, 몸매. ⑥ [생물] 엷은 막[층]. ¶*buena* ~ (어떤 동물의) 좋은 외모. *mala* ~ (어떤 동물의) 나쁜 외모.
laminación *f.* =laminado.
laminado, da *adj.* 엷은 판[금속판]을 댄[장식한]; 동판[철판]을 씌운. *—m.* 압연(壓延), 압연 공정, 압연 제품.
laminador, ra *adj.* 압연하는, 판을 댄, 동판[철판]을 씌운. *—m.f.* 압연공(工). *—m.* 압연기. *—f.* 압연기(laminador).
laminar¹ *adj.* ① lámina 모양의. ② 층상(層狀)의.
laminar² *tr.* ① 압연하다, 압연기로 엷은 판[금속판·철판·봉(棒)]을 만들다. ② lámina로 대다[씌우다·장식하다].
laminar³ *tr.* [속어] =**lamer, golosear, gulusmear.**
laminero¹, ra *adj., m.f.* ① lámina를 만드는 (사람). ② 금속 유골함에 lámina를 대는 (사람).
laminero², ra *adj., m.f.* 단 것을 좋아하는 (사람)(goloso).
laminoso, sa *adj.* 엷은 층의, 층상 구조의: tejido ~ 층상 직물.
lamiscar (7) *tr.* 실컷 핥다.
lamoso, sa *adj.* lama¹가 있는.
lampa *f. aimará. Bol., Chile, Ecuad., Perú.* 괭이(azada).
lampacear *tr* (갑판을 걸레로) 닦다.
lampaceo *m.* (갑판을 걸레로) 닦기.
lampada *f. Ecuad.* 괭이로 긁어모은 양.
lampalagua *f. Arg.* 람빠라구아 ((보아[왕뱀]과의 뱀)).
lampante *adj.* ① 조명용의, 램프용의: queroseno ~ 램프용 등유. ② *And.* 가장 순수한 (올리브유).
lámpara *f.* ① 램프: ~ de alcohol 알코올 등, 알코올 램프. ~ de gas 가스 램프, 가스등. ~ de petróleo 석유등, 석유 램프. ② 전등: ~ colgante 매다는 조명[전등]. ~ de bolsillo, ~ de mano 회중 전등. ~ de mesa 전기 스탠드. ~ de techo 천장에 매단 전등[조명]; (자동차의) 실내등. ③ 전구, 전등알. ④ 진공관. ⑤ 기름때. ⑥ 발광체. ⑦ San Juan 날 아침에 젊은이들이 집의 문에 놓는 나뭇가지. ⑧ *Cuba, Nic., Salv.* 영악한[교활한] 사람. ⑨ *Nic.* 믿을 수 없는 사람. ¶ ~ ***de arco*** 아크등, 아크 라이트. ~ ***de esmaltador*** (용접용) 취관(吹管). ~ ***de los mineros***, ~ ***de seguridad*** [광산] 안전등. ***atizar la*** ~ (마시기 위해) 다시 잔에 술을 따르다.
lamparear *tr. Méj.* 램프를 이용해 사냥하다[고기를 잡다].
lamparería *f.* ① lámpara 공장. ② lámpara 판매소[가게·보관소].
lamparero, ra *m.f.* ① lámpara 제작자[판매자]. ② lámpara (닦고 불을 켜는) 담당자.
lamparilla¹ *f.* ① 심지. ② 등잔, 심지가 놓인 접시[잔·그릇]. ③ [식물] 고리버들. ④ (게의) 망태기 그물.
lamparilla² *f.* 가늘고 가벼운 양모 직물.

lamparín *m.* (교회에서 램프가 놓이는) 램프대(臺).
lamparista *mf.* =lamparero.
lamparón *m.* ① 옷의 기름때[얼룩]. ② [의학] 목의 나력. ③ [수의학] 단제류(單蹄類) 동물의 병.
lamparoso, sa *adj. Salv.* lamparón 이 있는.
lampazo *m.* ① [식물] 우엉. ② (화덕용) 큰 빗자루. ③ [선박] (갑판용) 자루 걸레. ④ *Arg., Nic.* 마루 걸레. ⑤ *Ur.* 마루 걸레.
lampear *tr. Bol., Ecuad., Perú.* 괭이로 땅을 파다[흙을 제거하다].
lampiño, ña *adj.* ① (남자가) 수염이 없는. ② 털이 거의 없는. ③ [식물] 털이 없는: tallo ~ 털이 없는 줄기.
lampista *mf.* =lamparero. —*m.* = hojalatero.
lampistería *f.* =lamparería.
lampistero, ra *mf.* =lamparero.
lampo *m.* [시어] (번개와 같은) 광채, 섬광(閃光).
lamprea *f.* ① [어류] 민물 장어의 일종. ② [어류] 민물 장어 비슷한 물고기.
lampreada *f.* 회초리로 때리기.
lamprear *tr.* (처음에는 튀기거나 굽고, 다음에 설탕이나 꿀과 함께 포도주나 물에 다시 삶아) 음식물을 조리하다.
lampreazo *m.* =latigazo.
lamprehuela *f.* =lampreílla.
lampreílla *f.* lamprea 같은 민물 고기.
lampuga *f.* [어류] 고등어의 일종.
lampuguera *f.* 광주리와 어망의 혼합 어로법.
LAN *f. Línea Aérea Nacional* (칠레의) 국영 항공.
lana *f.* ① 양털, 양모: ~ en rama 원모. pura ~ 순모. batir la ~ 양털을 깎다. ② 동물의 털. ③ 모사(毛絲). ④ 모직물: traje de ~ 모직물 옷. ⑤ 모직물 옷: vestir ~ 모직물 옷을 입다. ⑥ [경멸] [주로 *pl.*] (특히 단정하지 못할 때) 긴 머리카락. ⑦ 돈(dinero). ⑧ *CRica.* 이끼. —*m.* ① *Guat.* 하층민. ② *Hond.* (속여서) 다른 사람의 이익을 빼앗는 사람. ¶ ~ ***de caídas*** 가축의 발에 난 털. ~ ***en barro*** (천 공장에서) 잣기 전에 빗에서 나오는 가장 품질이 좋은 양모. ***cardarle*** a alguien ***la*** ~ ㉮ (누구를) 심하게 꾸중하다[나무라다]. ㉯ 노름에서 많은 돈을 따다. ***lavar la*** ~ a alguien 사실을 밝힐 때까지 의심스러운 행동을 조사하다, 의심스러운 행동을 조사하여 사실을 밝히다. ***ir por ~ y salir [volver] trasquilado*** 혹 떼러 갔다 혹 붙여 온다.

L

lanada *f.* [군사] (포구 청소용) 작은 막대기.
lanar *adj.* ① (가축 등이) 털이 있는. ② 양모의[에 관한].
lance *m.* ① 던지기. ② 어망 투척[던지기]. ③ 한 번에 잡은 어업. ④ 위기. ⑤ (극시・소설・사건 등에서) 재미있는[괄목할 만한] 상황, 장면, 국면. ⑥ 충돌, 대립, 싸움. ⑦ (트럼프 등의) 수. ⑧ [투우] 싸우는 기술, 몸을 살짝 피하기. ¶ ~ ***de fortuna*** 우연(한 사건). ~ ***de honor*** 결투. ***a pocos ~s*** 이내, 곧, 잠깐 사이에, 어떤 장애도 난관도 없이. ***de*** ~ 중고의. ***tener pocos ~s*** 별로 즐겁지 않다, 별로 재미가 없다.
lanceado, da *adj.* =lanceolado.
lancear *tr.* 창으로 상처를 내다.
lancéola *f.* [식물] 질경이.
lanceolado, da *adj.* [식물] (잎 등이) 창의 칼끝[바늘] 비슷한.
lancera *f.* 창걸이.
lancería *f.* ① [집합] 창. ② 창기병 부대(tropa de lanceros).
lancero *m.* ① 창기병. ② (카우보이・투우사처럼) 창을 사용하는 남자. ③ 창 제작자. ④ =lancera. ⑤ rigodón과 아주 비슷한 스퀘어 댄스. ⑥ 스퀘어 댄스 음악.
lanceta *f.* [의학] 란셋, 피침, 바소.
lancetada *f.* 란셋으로 상처 내기.
lancetazo *m.* =lancetada.
lancetero *m.* lanceta (넣는) 곽[상자].
lancha[1] *f.* 둥그스름한 꽤 큰 돌.
lancha[2] *f.* ① 큰 돛단배. ② 거룻배. ③ 보트: ~ a [de] motor 모터보트. ~ rápida 고속정. ~ salvavidas, ~ de salvamento 구명정, 구명보트. ④ (강・바다의) 연락선, 고기잡이배. ⑤ 메추리 사냥용 덫. ¶ ~ ***bombardera***, ~ ***cañonera***, ~ ***obusera*** 박격포・대포・곡사포의 운반용 배.
lancha[3] *f. Ecuad.* (식물, 특히 감자의) 해로운 균.
lanchada *f.* lancha[2]가 한 번에 실어나르는 짐.
lanchaje *m.* lancha[2]나 작은 배로 상품 운반.
lanchar *m.* ① lancha[1]의 채석장. ② lancha[1]로 지붕하는 운임.
lanchazo *m.* lancha[1]로 때리기.
lanchero *m.* lancha[2]의 주인[선장].
lanchón *m.* 큰 거룻배.
lancinante *adj.* 쿡쿡 쑤시는.
lancinar *tr.* (고기를) 토막내다. **~se** 토막나다.
lancurdia *f.* 작은 송어.
landa *f.* 황야, 초원(草原).
landgrave *m.* ① (중세 독일의) 백작. ② (제정 독일의) 영주(領主).
landgraviato *m.* ① landgrave의 작위. ② landgrave 령(領).
-landia *suf.* 「…의 장소(sitio de, lugar de)」의 뜻: Zumo*landia*, Foto*landia*.
landó *m.* 사륜 포장 마차.
landra *f.* =landre.
landre *f.* [의학] 샘병(病), 부증(浮症), 임파선종(腺腫).
lanería *f.* 양모 파는 집[가게].
lanero, ra *adj.* 양모의[에 관한]: industria ~*ra* 모직물 산업. —*mf.* 양모 장수. —*m.* 양모 보관 창고.
langosta *f.* ① [곤충] 메뚜기. ② [동물]

가재. ③ 다른 것을 파괴하거나 소모하는 것[사람].

langostero, ra *adj.* ① 가재잡이 담당의. ② 가재잡이에 종사하는. *—m.f.* 가재잡이 어부.

langostín *f.* =langostino.

langostino *m.* [동물] 가재.

langostón *m.* [곤충] 왕메뚜기.

languarico, ca *adj.* *Méj.* =lenguaraz.

langüetear *intr.* *Chile.* =lamer.

lánguidamente *adv.* 기운 없이, 풀이 죽어, 맥이 빠져(con languidez).

languidecer (31) *intr.* 쇠약하다, 기운[원기 · 활기]이 없어지다.

languidez *f.* ① =fraqueza, debilidad. ② 힘[정신 · 맥]이 없음.

lánguido, da *adj.* ① 쇠약한, 약한, 지친. ② 활기가 없는, 기운[맥]이 없는.

languor *m.* [드묾] =languidez.

LANICA *f.* *L*íneas *A*éreas de *N*icaragua 니카라구아 항공.

lanífero, ra *adj.* [시어] 양모로 덮인; 털이 있는.

lanificación *f.* =lanificio.

lanificio *m.* 양모 가공술[작품].

lanilla *f.* ① 보푸라기, 잔털. ② 엷은 천 모직물. ③ (옛날 여자들이 사용했던) 화장품의 일종.

lanío, a *adj.* [드묾] =lanar.

lanolina *f.* [화학] 라놀린.

lanosidad *f.* (식물의) 솜털.

lanoso, sa *adj.* 솜털이 많은.

lansquenete *m.* [역사] (16-17세기경 독일의) 용병(傭兵).

lantano *m.* [화학] 란탄.

lanteja *f.* =lenteja.

lantejuela *f.* =lentejuela.

lanudo, da *adj.* 털[솜털]이 많은.

lanuginoso, sa *adj.* [식물] 솜털이 있는(que tiene pelusa o vello).

lanuza *f.* 하층민.

lanza *f.* ① 창(槍). ② (수레의) 채. ③ 소화 호스의 끝에 달린 금속관. ④ 창기병. ⑤ *pl.* 병역 대신 내는 세금. ⑥ *Méj.* 믿을 수 없는 사람. ⑦ 군인, 무인. ¶ ~ ***castellana*** 군인, 무인. ***no haber*** [***no quedar***] ~ ***enhiesta*** 적을 완전히 쳐부수다.

lanzacohetes *m.sing.pl.* 로켓 발사기; 로켓 발사 장치.

lanzada *f.* ① 창으로 찌르기. ② 창에 찔린 상처, 창상(創傷).

lanzadera *f.* ① (베틀의) 북. ② (우주선의) 왕복선. ¶ ~ ***espacial*** 우주 왕복선.

lanzado, da *adj.* ① 매우 빠른, 신속한. ② =impetuoso, decidido, arrojado. *—m.* 던질낚시(pesca al ~).

lanzador, ra *adj.* 던지는. *—m.f.* ① 던지는 사람: ~ de martillo 해머던지기 선수. ② [야구] 투수. *—m.* ① 우주선 발사 로켓. ② *Ant. Méj., Nic., Ven.* [야구] 투수.

lanzafuego *m.* =botafuego ①.

lanzagranadas *m.sing.pl.* [군사] 척탄통(擲彈筒)(tubo ~).

lanzagua *f.* ① *Chile.* 소형 이동 대포. ② *Ur.* 소형 이동 대포 운반 차량.

lanzallamas *m.sing.pl.* [군사] 화염 방사기.

lanzamiento *m.* ① 던지기. ② 투하. ③ 발사: base [campo] de ~ (로켓의) 발사장. ④ [운동] 던지기, 투척(投擲): ~ de disco [jabalina · martillo · peso] 원반[창 · 해머 · 포환]던지기. ⑤ (배의) 진수: ceremonia de ~ 진수식. ⑥ (회사 등의) 설립, 창시, 창설. ⑦ 매출. ⑧ [법률] 강제 퇴거.

lanzamisiles *adj.* 미사일 발사대를 실은. *—m.sing.pl.* 미사일 발사대[방치].

lanzaplatos *m.sing.pl.* (발사장의) 표적 방출기.

lanzar (9) *tr.* ① [+a · contra] ((…에(게)) 던지다. ② 발사하다: ~ un cohete 로켓을 발사하다; 꽃불[폭죽]을 쏘아 올리다. ~ un satelite artificial 인공 위성을 쏘아 올리다. ③ 놓아주다: ~ un ave 새를 놓아주다. ④ 가하다: ~ un golpe 일격을 가하다. ⑤ 분출하다, 내뿜다. ⑥ (소리 · 명령 등을) 발하다, 쉬다, 내뱉다. ⑦ (몸의 일부를) 급속히 움직이다. ⑧ (배를) 진수시키다. ⑨ (물건을) 내어 팔다, 팔기 시작하다, 매출하다, 선전하다. ⑩ [농업] =echar, brotar. ⑪ [드묾] =vomitar. ~**se** ① 뛰어나가다, 뛰어들다; 돌진하다: ~*se al* agua 물로 뛰어들다. ~*se sobre* el ladrón 도둑에게 덤벼들다, 도둑을 덮치다. ② [+a] (…에) 착수하다, 시작하다: ~*se al* ataque 공격을 시작하다. ③ 서두르다. ④ [+a+*inf.*] 급히[서둘러 · 경솔히 · 결연히] …하다: ~*se a* correr 갑자기[서둘러] 달리다.

lanzatorpedos *m.sing.pl.* 어뢰 발사관.

lanzazo *m.* =lanzada.

laña *f.* ① (꺾쇠 모양의) 고리, 꺾쇠, 경첩(grapa). ② [의학] 봉합용 클립. ③ 풋 야자 열매.

lañador *m.* (laña로) 깨진 물건 수선하는 사람, (특히) 도자기 수선하는 사람.

lañar *tr.* ① laña로 잇다[연결하다]. ② (내장을 꺼내 깨끗이 씻기 위해) 생선의 배를 가르다.

laosiano, na *adj.* ① 라오스(Laos) 태생의. ② 라오스의[에 관한]. *—m.f.* 라오스 사람.

lapa[1] *f.* (액체에 뜨는) 곰팡이 막.

lapa[2] *f.* ① [동물] 갑각류 ((새우 · 게 등)). ② [식물] 우엉.

lapa[3] *f.* ① *Col., Ven.* [동물] =paca. ② *CRica, Hond.* [새] 금강앵무새의 변종.

lapacha *f.* =charco.

lapachar *m.* 수렁, 웅덩이, 습지.

lapachero *m.* =lapachar.

laparoscopia *f.* [의학] 복강경(腹腔鏡) 검사(법), 복강경을 쓰는 수술.

laparoscópico, ca *adj.* 복강경에 의한.

laparoscopio *m.* 복강경(腹腔鏡).

laparotomía *f.* [의학] 개복술.
La Paz *f.* [지명] 라빠스 ((남미 볼리비아의 수도)).
lapicera *f.* ① *Arg., Bol., Ur.* =portaplumas. ② *Arg., Ur.* =pluma estilográfica. ③ *Ur.* =bolígrafo.
lapicero *m.* ① 샤프펜슬. ② 연필. ③ *CRica., Guat., Hond.* 볼펜(bolígrafo). ④ *Méj.* =portaminas.
lápida *f.* ① 돌비(碑), 석비(石碑). ② 비석, 묘석(墓石).
lapidación *f.* 투석(에 의한) 사형.
lapidar *tr.* …에게 돌을 던져 죽이다.
lapidario, ria *adj.* ① 보석의[에 관한]. ② 비명(碑銘)의. ③ 간결한. —*mf.* ① 보석 세공사. ② 보석 장수. ③ (비석을 만드는) 석공.
lapídeo, a *adj.* 돌의, 석재(石材)의.
lapidificación *f.* [화학] 석화(石化), 화석(化石).
lapidificar (7) *tr.* [화학] 돌로 변화시키다, 석화(石化)시키다.
lapidíico, ca *adj.* 석화시키는, 돌로 변화시키는.
lapidoso, sa *adj.* =lapídeo.
lapislázuli *m.* [광물] 유리(琉璃), 청금석(青金石).
lápiz *m.* ① 연필: ~ de mina 샤프펜슬 (lapicero). escribir a [con] ~ 연필로 쓰다. ② 흑연. ③ 연필화. ¶ ~ ***de cejas*** 눈썹연필, 눈썹먹. ~ ***de color*** 색연필. ~ ***de labios***, ~ ***labial*** = pintalabios. ~ ***de ojos*** 아이라이너 ((속눈썹 끝에 줄을 긋는 화장품)). ~ ***de plomo*** =grafito[1]. ~ ***encarnado*** =almagre. ~ ***plomo*** =grafito[1]. ~ ***de tinta*** =lápiz tinta. ~ ***rojo*** = almagre. ~ ***tinta*** 수성(水性) 펜.
lapizar[1] *m.* 흑연광(鑛), 흑연 채석장.
lapizar[2] (9) *tr.* 연필로 그리다.
lapo *m.* ① =cintarazo, latigazo, bastonazo, varazo. ② =bofetada. ③ 마시는 액체의 양.
lapso *m.* ① (시간·세월의) 경과, 흐름, 기간. ② 실패.
lapsus *m.sing.pl.* 부주의로 인한 잘못.
lapsus cálami *m. lat.* 잘못 쓰기, 오기(誤記), 쓸 때 범하는 기계상의 오류.
lapsus linguae *m. lat.* 실언(失言), 말할 때 범하는 무의식적 잘못.
laqueado, da *adj.* =lacado.
laquear *tr.* =lacar.
laquista *mf.* 에나멜[래커] 칠장이[칠공], 칠장이, 칠공(漆工).
lar *m.* ① 아궁이. ② [신화] 집[가정]을 지키는 신, 가정의 수호신. ③ 자기의 집[가정].
larda *f.* (고래·향유고래·다른 동물들의) 지방질, 기름.
lardáceo, ca *adj.* lardo 같은[비슷한].
lardar tr. =lardear.
lardear *tr.* ① (구울 것에) 기름을 바르다. ② 펄펄 끓는 기름을 붓다.
lardo *m.* ① 돼지 비곗살의 살찐 부분. ② 동물의 기름[지방].
lardón *m.* ① [인쇄] (용지 사이에 끼어 인쇄면에 공백을 남기는) 파지. ② [인쇄] 교정쇄[원고] 여백의 추가 기입.
lardoso, sa *adj.* =grasiento.
larga *f.* ☞largo.
largada *f.* ① *Arg., Ur.* [운동] (달리기 경주에서) 시작, 출발. ② *Arg., Ur.* [운동] (달리기 경주에서) 출발 장소.
largamente *adv.* ① 길게, 늘여, 연장하여. ② 충분히, 여유 있게. ③ 후하게, 후한 인심을 써서, 물건을 아끼지 않고. ④ 오래, 오랫동안.
largar (8) *tr.* ① 놓아주다. ② (부적절하게·싫은 소리로) 말하다. ③ 늦추다, 조금씩 조금씩 놓아주다. ④ (타격을) 주다. ⑤ [선박] (깃발이나 돛을) 펴다. ~**se** ① 가버리다, 줄행랑치다, 빵소니치다. ② 출범하다, 육지[다른 배]에서 멀어지다.
largavista *m.* ① *Arg., Ven.* 망원경. ② *Arg., Ur., Ven.* 프리즘 쌍안경.
largo, ga *adj.* ① 긴: ㉮ [공간] corredor ~ 긴 복도. novela ~*ga* 장편 소설. pelo ~ 장발. ㉯ [시간] viaje ~ 긴 여행. por ~ tiempo 오랫동안. ② 키가 큰. ③ 충분한, 넘칠 만큼 많은. ④ [수사+] …보다 상회하는. ⑤ 물건을 아끼지 않는, 선심 잘 쓰는. ⑥ 빈틈이 없는. ⑦ [언어] 장음(長音)의. ⑧ [선박] 느슨해진, 풀린. —*m.* ① 길이. ② [수영] (경영로의) 1왕복. ③ [음악] 라르고, 완서곡. ④ [천의 길이의 단위] 폭. ⑤ [운동] 몸 하나의 차, 1정신(艇身), 보트의 전장(全長), 1마신(馬身). —*f.* ① 가장 긴 당구의 큐. ② [투우] =pase. ③ [주로 *pl.*] [자동차] (헤드라이트의) 상향등, 하이빔. —*adv.* ① 길게, 장황하게. ② 멀리. —*interj.* 나가!, 빨리 가! ¶***a la ~ga*** ㉮ 길이로, 길게. ㉯ 드디어, 마침내; 길게 보면, 언젠가는. ㉰ 느리게, 천천히, 조금씩 조금씩. ㉱ 넓게. ***a lo ~ de*** …동안. ***a lo más ~*** 힘껏, 열심히, 최대한으로. ***de ~ a ~*** 끝에서 끝까지. ***largo de ahí, largo de aquí*** 나가!, 빨리 가! ***largo y tendido*** 길게, 장황하게.
largometraje *m.* 장편 영화.
largomira *m.* =catalejo.
largor *m.* =longitud.
larguero, ra *adj.* ① [고어] =largo, liberal, dadivoso. ② [고어] =largo, abundante, dadivoso. —*m.* ① [건축] 도리, 횡목(横木). ② (침대의) 옆널. ③ (골포스트의) 크로스바, (골문의) 가로대. ④ 긴 베개. ⑤ [항공] 날개 도리.
largueza *f.* 길이; 적선; 대범함.
larguirucho, cha *adj.* 길쭉한.
largura *f.* =largor.
largurucho, cha *adj. Ven.* [경멸] = larguirucho.
lárice *m.* [식물] 낙엽송.
laricino, na *adj.* 낙엽송의[에 관한].
laringe *f.* [해부] 후두(喉頭).
laríngeo[1], a *adj.* 후두의.

L

laríngeo², a *adj.* ① 후두(부)의[에 관한]. ② [언어] 성대의 진동으로 나오는 (소리).
laringitis *f.sing.pl.* [의학] 후두염.
laringología *f.* 후두학.
laringólogo, ga *m.f.* 후두병 전문의.
laringoscopia *f.* 후두경 검사.
laringoscopio *m.* 후두경(喉頭鏡).
laringotomía *f.* 후두 절개(술).
larra *f. Al., Vizc.* =**prado.**
larva *f.* ① [동물] 구더기, 유충(幼蟲). ② [고어] 유령, 요괴.
larvado, da *adj.* ① 공개적으로 나타내지 않는, 잠재적인 (감정). ② [의학] 잠복성의, 잠재의, 가면성(假面性)의.
larval *adj.* =**larvario.**
larvario, ria *adj.* 유충(幼蟲)의.
las¹ *art.* [정관사 여성 복수형. ☞el] *las* cejas 눈썹. *las* niñas 여아들.
las² *pron.* [인칭 대명사 3인칭 복수 여성형. ☞lo] ① [직접 목적] ㉮ 그녀들을, 당신들을: *Las* miraré 나는 그녀들[당신들]을 볼 것이다. ㉯ [여성 복수 명사를 받아서] 그것들을. ② [명사에 관계 없이 뜻의 강조] Me *las* pagarás 너는 내 보복을 받을 것이다.
lasaña *f.* (리본 형의) 이탈리아식 파이.
lasarse *r.* [고어] =**fatigarse.**
lasca *f.* ① 돌 부스러기, 돌 조각. ② *And.* 부스러기, 조각.
lascar (7) *tr.* [선박] 아주 조금씩 밧줄을 느슨하게 하다.
lascivamente *adv.* 호색적으로, 음탕하게(con lascivia).
lascivia *f.* 호색, 음탕.
lascivo, va *adj.* 호색의, 음탕한, 음란한, 외설의, 난잡한, 추잡스런.
láser *m.* 레이저: rayo ~ 레이저 광선. operar con ~ 레이저로 수술하다.
lasitud *f.* 피로, 힘이 없음.
laso, sa *adj.* ① 느슨한. ② 꼬지 않은, 꼬여 있지 않은. ③ [드묾] 피곤한, 힘이 없는.
lástima *f.* ① 불쌍히 여김, 동정, 유감스러움: ¡Qué ~! 유감입니다, 안됐습니다. ② 비참(함), 참혹(함). —*interj.* 애석하다!, 유감스럽다!, 안됐다! ¶*dar* [*hacer*] ~ 슬픔[동정]을 야기시키다. *llorar* ~*s* 탄식하다, 한탄하다. *poner* ~ =**dar lástima.**
lastimada *f. Cuba, Méj.* =**lastimadura.**
lastimado *m. Ecuad.* =**lastimadua.**
lastimador, ra *adj.* 상처를 입히는, 다치게 하는.
lastimadura *f.* 상처를 입힘; 모욕함.
lastimar *tr.* ① 다치게 하다, 상처를 입히다, 아프게 하다. ② 모욕하다, 창피를 주다. ③ [드묾] =**compadecer.** ~**se** ① 다치다, 상하다. ② [드묾] 애석해 하다, 슬퍼하다. ③ [드묾] 고통[슬픔]을 하소연하다.
lastimeramente *adv.* 가엾게, 슬프게.
lastimero, ra *adj.* ① 동정할 만한. ② 다치게 하는, 상하게 하는.
lastimosamente *adv.* 가엾게도, 슬프게도, 안쓰럽게도, 불쌍하게도.
lastimoso, sa *adj.* 가엾은, 안쓰러운, 불쌍한.
lastón *m.* [식물] 화본과 식물의 일종.
lastra *f.* =**lancha¹.**
lastrar *tr.* ① 배에 바닥짐을 싣다. ② (무거운 것을 실어 물건을) 고정시키다. ③ *Arg., Ur.* (…을) 걸신들린 것처럼 먹다. —*intr. Arg. Ur.* 걸신들린 것처럼 먹다. ~**se** (물건이) 고정되다.
lastre¹ *m.* (채석장 곁에 있는) 질이 나쁜 돌.
lastre² *m.* ① (배 밑바닥·기구에 놓는) 바닥짐. ② 분별력, 판단력. ③ =**rémora** ②.
lasún *m.* =**locha¹.**
lata *f.* ① 양철. ② 양철로 만든 용기[그릇], 양철 깡통. ③ (통조림의) 깡통. ④ 기와를 고정시키는 가느다란 판자. ⑤ 각목보다 작은 다듬지 않은 각재. ⑥ 진저리가 난 연설[말]. ⑦ 지루하고 [따분하고·무료하고] 불쾌한 일. ¶*dar (la)* ~ a alguien (…를) 괴롭히다, 귀찮게 하다, 성가시게 하다.
latamente *adv.* ① 확대하여, 넓게, 길게. ② 넓은 의미로.
latazo *m.* =**lata** ⑥.
latear *tr. Chile.* =**aburrir, causar.**
latencia *f.* 잠복, 잠복기.
latente *adj.* ① 숨어 있는, 보이지 않는, 잠재적인: habilidad ~ 잠재력, 잠재능력. ② [의학] 잠복성의, 잠복기의. ¶*calor* ~ [물리] 잠열(潛熱). *dolor* ~ 둔통(鈍痛).
lateral *adj.* ① 옆의, 옆으로의, 옆으로부터의; 측면(側面)의, 가로의: luz ~ (배 등의) 옆 등. puerta ~ 옆 문. ② 측면적인, 주요하지 않은. ③ (가계 등이) 방계(傍系)의. ④ [언어] 측음(側音)의. —*m.f.* (축구 등의) 날개. —*m.* ① 옆쪽, 측면. ② 곁길, 옆길. ③ [운동] 골대, 골포스트. ④ [연극] 무대 옆. —*f.* [언어] 측음(側音) ((예 la *l*, la *ll*)).
lateralidad *f.* 좌우차(左右差), 편측성(偏側性) ((대뇌, 손 등 좌우 한 쌍인 기관의 좌우의 기능 분화)).
lateralización *f.* [언어] 측음화(側音化).
lateralizar (9) *tr.* [언어] 측음화시키다. ~**se** 측음화되다.
literalmente *adv.* ① 옆에서, 옆으로. ② 여기저기에. ③ 방계(傍系)로.
latería *f.* ① [집합] 통조림 깡통. ② *And., Amér.* =**hojalatería.**
laterío *m. Méj.* =**latería.**
latero, ra *adj.* (특히 *Amér.*에서) 귀찮은, 성가신, 번거로운. —*m.f. And., Amér.* =**hojalatero.**
látex *m.sing.pl.* ① (식물의) 유액(乳液), 라텍스. ② látex로 만든 물질.
laticífero, ra *adj.* látex를 함유한, 유액이 있는.
latido *m.* ① (심장의) 고동(鼓動), 맥박, 동계(動悸). ② 욱신욱신거리는 통증,

동통(疼痛). ③ (사냥 때, 이어졌다 끊겼다 하는) 개 짖는 소리.
latifundio *m.* 광대한 사유 농지, 큰 농원(農園); 미개발 큰 사유지.
latifundismo *m.* 대토지 소유 제도.
latifundista *adj.* 대토지 소유의. —*mf.* 대토지 소유자, 큰 농장주.
latigazo *m.* ① 채찍질. ② 채찍질 소리. ③ 채찍질 같은 타격. ④ 예기치 않은 손해. ⑤ 엄한 질책[꾸중]. ⑥ 알코올 음료의 한 모금.
látigo *m.* ① (특히 말의) 채찍. ② (추를 묶는) 끈. ③ (말의) 배 띠의 끈[줄], 조임 가죽, 가죽 끈. ④ (유원지의) 급정거[방향 전환]를 하는 탈것. ⑤ 모자의 챙 장식용 깃.
latigudo, da *adj.* ① 부드럽고 신축성 있는. ② *Chile.* 위에 부담을 주는. ③ *Chile.* 귀찮은, 성가신, 골치 아픈.
latiguear *intr.* 채찍으로 휙휙 소리내다.
latigueo *m.* 채찍으로 소리내기.
latiguero, ra *mf.* látigo 제조자[장수]. —*f.* =**látigo, correa, cuerda.**
latiguillo *m.* ① (대화에서) 불필요하게 반복되는 말. ② (딸기 등의) 가지눈. ③ 두 관을 연결하는 가늘고 신축성이 있는 관. ④ (배우·웅변가의) 과장된 연기[힘찬 호소].
latín *m.* ① 라틴어: ~ clásico 고전 라틴어. ~ moderno 근대 라틴어. ② 스페인어 글에 사용된 라틴어 단어.
latinajo *m.* ① [경멸] 서툴고 문법적으로 엉망인 라틴어. ② [경멸] [주로 *pl.*] 까스띠야 말에 사용된 라틴어 단어.
latinamente *adv.* 라틴어로.
latinar *intr.* [드묾] 라틴어로 말하다[쓰다](hablar o escribir en latín).
latinazgo *m. Chile.* =latinajo ②.
latinear *intr.* ① [드묾] =**latinar.** ② (스페인어로 말하거나 쓸 때) 라틴어 단어를 사용하다.
latinidad *f.* ① 라틴성(性). ② 라틴어. ③ 라틴 문화 전통. ④ 라틴어[문학] 전문가[학자].
latiniparla *f.* 스페인어나 라틴어가 아닌 다른 언어로 말할 때 라틴어 단어를 사용하는 말
latinismo *m.* (주로 다른 언어에서 사용되는) 라틴어 특유의 어법.
latinista *adj.* 라틴어 특유 어법의[에 관한]. —*mf.* 라틴어[문학] 연구자[학자].
latinización *f.* 라틴(어)화.
latinizador, ra *adj.* 라틴(어)화하는.
latinizar (9) *tr.* ① 라틴(어)화하다. ② (어떤 곳에) 라틴 문화를 도입하다.
latino, na *adj.* ① 라티움(Lacio, 고대 이탈리아의 한 지방) 태생의. ② 라티움 주민의[에 관한]. ③ 라틴어의[에 관한]. ④ 라틴어 특유의. ⑤ (희랍 교회와 구별하기 위해) 서방 교회의, 로마 가톨릭 교회의. ⑥ 로마 가톨릭 교회에 속한[관한]. ⑦ 라틴어에서 파생된 언어를 사용하는 유럽과 아메리카 태생의. ⑧ 라틴계의; 라틴 민족의: América *Latina* 라틴 아메리카. ⑨ [선박] 삼각돛의. ⑩ [드묾] 라틴어를 아는. —*mf.* ① 라티움 사람. ② (옛날에) 라틴어를 아는 사람. ③ (미국에서) 라틴계 사람, 스페인어 사용자.
Latinoamérica *f.* [지명] 라틴 아메리카.
latinoamericano, na *adj.* 라틴 아메리카의, 라틴어 사용국인 스페인·포르투갈·프랑스에 의해 식민지가 된 아메리카 제국의: países ~s 라틴 아메리카 제국. —*mf.* 라틴 아메리카 사람.
latir *intr.* ① (개가) 짖다. ② (심장이) 고동치다, 맥박 치다. ③ (상처가) 욱신거리다. ④ 잠재되다, 소용돌이치다.
latitud *f.* ① 위도(緯度): ~ norte 북위. ~ sur 남위. ② *pl.* (위도적으로 보아) 지역, 장소; 기후, 풍토. ③ (영토 등의) 넓이, 범위. ④ 자유, 허용 범위. ⑤ [천문] 황위(黃緯).
latitudinal *adj.* ① 위도의. ② 가로의, 횡단면의.
latitudinario, ria *adj.* ① (사상·행동 등이) 자유주의의, 관용적인. ② [기독교] 교의에 사로잡히지 않은, 광교파(廣敎派)의. —*mf.* ① 자유주의자. ② [기독교] 광교파의 사람.
latitudinarismo *m.* 자유주의; 광교주의.
lato, ta *adj.* ① 넓은, 광범위한. ② 넓은 의미의, 넓은 뜻의, 광의(廣義)의.
latón[1] *m.* 놋쇠.
latón[2] *m.* ① rur. *Ar.* [식물] 팽나무의 일종. ② rur. *Ar.* 팽나무 열매.
latonería *f.* ① 놋쇠 공장. ② 놋쇠 가게.
latonero[1] *m.* 놋쇠 제조자[장수].
latonero[2] *m.* rur. *Ter.* [식물] 팽나무의 일종.
latoso, sa *adj.* ① 귀찮은, 성가신, 골치 아픈. ② *Ecuad.* =**embustero.** ③ *Ecuad.* =**pedante.**
latréutico, ca *adj.* 일신 숭배의.
latría *f.* 일신 숭배.
-latría *suf.* 「예배·숭배(adoración)」의 뜻: icono*latría* 우상 숭배, 성상 예배.
latrocinio *m.* 도둑질; 사기(詐欺).
latvio, via *adj.* ① 라트비아(Latvia, 유럽의 국가) 태생의. ② 라트비아의[에 관한]. —*mf.* 라트비아 사람.
laucha *f.* ① *Arg., Bol., Chile, Par., Ur.* [동물] 쥐. ② *Arg.* 영악한[교활한] 사람(persona astuta).
laúd *m.* ① [악기] 라우드 ((만돌린 비슷한 악기)). ② (돛대 하나인) 지중해의 범선. ③ [동물] (대서양의) 바다 거북의 일종.
lauda *f.* =**laude**[1].
laudable *adj.* 칭찬할 만한, 훌륭한.
laudablemente *adv.* 칭찬할 만하게, 훌륭하게, 갸륵하게.
láudano *m.* ① 아편제. ② 아편 진액[엑스트랙트]. ③ [고어] 아편(opio).
laudatorio, ria *adj.* 칭찬하는.
laude[1] *f.* 묘비(墓碑).
laude[2] *f.* ① [고어] =**alabanza.** ② *pl.* [종교] 성무 일과(聖務日課)의 하나.
laudo *m.* [법률] (중재) 재정(裁定).
launa *f.* ① 금속판. ② (안달루시아의

L

여러 지방에서) (기와 대신 쓰이는) 편암토(片巖土).
lauráceo, a *adj.* ① 월계수 같은. ② [식물] 녹나무(과)의. *—f.pl.* [식물] 녹나무과 식물.
laureado, da *adj.* ① 월계관을 쓴, 수상한, 영예를 수여받은: poeta ~ 계관 시인. ② (특히) 성 페르난도 훈장을 받은. *—mf.* ① 수상자, 수훈자. ② 성 페르난도 훈장 수훈 군인.
laureando *m.* =**graduando.**
laurear *tr.* ① 월계관을 씌우다. ② [+con] (상을) 수여하다, 수상하다.
lauredal *m.* 월계수 숲.
laurel *m.* ① [식물] 월계수: corona de ~ 계관(桂冠), 월계관. hoja de ~ 월계수 잎. ② [주로 *pl.*] 영예, 영관(榮冠); 승리; 상. ¶ ~ ***alejandrino*** 백합과의 늘푸른 관목. ~ ***cerezo,*** ~ ***real*** =**lauroceraso.** ~ ***rosa*** 협죽도. ***dormirse*** alguien ***sobre*** [***en***] ***los*** ~***s*** 과거의 영광 위에 안주하다.
laurencio *m.* [물리] =**lawrencio.**
láureo, a *adj.* 월계수의; 월계수 잎의.
laureola *f.* =**lauréola.**
lauréola *f.* ① =**adelfilla.** ② =**aureola.** ③ (상으로 받은) 월계관.
laurífero, ra *adj.* [시어] 월계관[영예・승리]을 얻은.
lauríneo, a *adj.* [식물] =**lauráceo.**
laurino, na *adj.* [드묾] 월계수의.
lauro *m.* ① [식물] =**laurel.** ② =**gloria, alabanza, triunfo.**
lauroceraso *m.* [식물] 월계수의 일종.
laus Deo *adv. lat.* 작품이 끝날 때.
lautamente *adv.* =**espléndidamente.**
lautista *mf.* laúd 연주자.
lauto, ta *adj.* [드묾] =**rico, espléndido, opulento.**
lava[1] *f.* 용암, 화산암.
lava[2] *f.* [광물] 광석 세척 작업.
lavable *adj.* 씻을[세탁할] 수 있는.
lavabo *m.* ① 세면대. ② [때때로 *pl.*] 세면소. ③ [때때로 *pl.*] 화장실, 변소. ④ [천주교] 세수식, 세지식(洗指式). ⑤ 세수식에 사용하는 타월.
lavacara *f. Ecuad.* [드묾] =**jofaina.**
lavacaras *mf.sing.pl.* [드묾] 아부자, 아첨자, 알랑거리는 사람.
lavación *f.* =**lavadura.**
lavacoches *mf.sing.pl.* (차고・서비스 센터의) 세차원.
lavada *f.* ☞**lavado.**
lavadedos *m.sing.pl. Méj.* (손가락을 씻기 위한 식탁 위에 놓는) 물이 든 용기[그릇].
lavadero *m.* 세탁장; 세탁실.
lavadientes *m.sing.pl.* [드묾] 씻는 물.
lavado, da *adj. Cuba.* (물라또 (mulato)의) 피부가 아주 밝은. *—m.* ① 씻기, 세탁; 세정(洗淨): ~ automático 자동 세차. ~ de estómago, ~ gástrico 위 세척. ② *Ur.* [집합] (고객이 세탁소에 가져다 주는) 세탁물. *—f.* =**lavado ①.**
lavador, ra *adj.* 씻는; 세탁하는. *—mf.* 씻는 사람; 세탁하는 사람. *—m.* ① 포문 세척기. ② [고어] 세탁장, 세탁실 (lavadero). *—f.* 세탁기.
lavadora-secadora *f.* 탈수기 부착 세탁기.
lavadura *f.* ① 씻기, 세탁, 세정. ② =**lavazas.** ③ 가죽 무두질용 약제.
lavafrutas *m.sing.pl.* 과실을 씻기 위해 식탁에 놓인 물그릇.
lavaje *m.* ① 양모 세척. ② *Amér.* 씻기, 세탁, 세정.
lavajo *m.* 마른 빗물 연못.
lavaloza *m. Chile.* =**lavalozas.**
lavalozas *m.pl. Chile.* =**lavavajillas.**
lavamanos *m.sing.pl.* ① 세숫대야, 세면기. ② =**palanganero.** ③ 손가락을 씻기 위해 식탁 위에 놓인 물그릇.
lavamiento *m.* ① 씻기, 세탁. ② (항문) 세정제(洗淨劑).
lavanco *m.* 들오리(pato salvaje).
lavanda *f.* ① =**lavándula.** ② lavándula에서 채취한 향수.
lavandera *f.* ☞**lavandero**
lavandería *f.* ① 세탁소. ② [고어] =**lavadero.**
lavandero, ra *mf.* 세탁소 직공[주인]; 세탁하는 사람. *—m. Ven.* 세탁장, 세탁실. *—f.* [새] 할미새.
lavandina *f. Arg., Bol., Par., Ur.* 잿물, 표백제(lejía).
lavándula *f.* [식물] 라벤더.
lavaojos *m.sing.pl.* 세안(洗眼)용 작은 유리컵[그릇].
lavaplatos *m.sing.pl.* ① *Bol., Chile, Col., Ven.* 설거지통, 개수통. ② 그릇 세척기. *—mf.* 설거지 담당자.
lavar *tr.* ① (물・액체로) 씻다, 세탁하다: ~ platos 식기를 씻다. ~ la ropa 빨래하다, 옷을 세탁하다. ~ un coche 세차하다. ② (죄・오명 등을) 씻다, 씻어 없애다. ③ (미장이가) 반질반질하게 마지막 손질을 하다. ④ [미술] 스케치에 그림물감으로 색칠하다. ⑤ [광산] 세광하다. *—intr.* ① (의복이) 세탁이 잘 되다. ② 세탁을 하다. ~**se** 자신의 몸을 씻다, (자신의 몸의 일부를) 씻다: *Me lavo* con jabón 나는 비누로 몸을 씻는다.
lavarropa *m.(f.)* =**lavarropas.**
lavarropas *m.sing.pl. Arg., Ur.* 세탁기 (lavadora).
lavasecadora *f.* 전자동 건조 세탁기.
lavativa *f.* ① [의학] 관장(灌腸). ② [의학] 관장기, 관장제. ③ =**molestia, incomodidad.**
lavatorio *m.* ① 씻기, 씻는 일. ② (신체 외부용) 약 달임. ③ [천주교] 세족식. ④ [천주교] 세지식(洗指式). ⑤ =**lavamanos.** ⑥ *Amér.* 세숫대야. ⑦ *Amér.* 세면대. ⑧ *Amér.* 화장용 방.
lavatrastos *m. Hond.* 개수통, 설거지통(fregadero).
lavavajilla *m.(f.) Arg.* =**lavaplatos②.**
lavavajillas *m.sing.pl.* ① 그릇 씻는 액

체 세척제, 식기용 세제(洗劑). ② = lavaplatos ②.
lavazas *f.pl.* ① 오물(汚物), 더러운 물. ② 오물로 씻어 불순물이 섞인 물.
lave *m.* =**lava**[2].
lavija *f. And., Can., Ext.* =**clavija.**
lavotear *tr.* 급히 대강 씻다. ~**se** 자주 정성들여 씻다.
lavoteo *m.* ① 급히 대강 씻음. ② 자주 정성들여 씻음.
lawrencio *m.* [물리] 로렌슘.
laxación *f.* ① 이완. ② 완화제 사용.
laxamiento *m.* =**laxación.**
laxante *adj.* 이완하는, 느슨하게 하는. —*m.* 완화제(緩和劑).
laxar *tr.* ① 느슨하게 하다, 늦추다, 완화시키다. ② 배변(排便)을 쉽게 하다, 변비를 치료하다. ~**se** 완화제를 먹다.
laxativo, va *adj.* 설사하게 하는, 사하성(瀉下性)의. —*m.* 완화제.
laxidad *f.* =**laxitud.**
laxismo *m.* 관용주의.
laxista *adj.* 관용주의의. —*m.f.* 관용주의자.
laxitud *f.* ① 완화, 느슨해짐. ② [의학] 이완(弛緩).
laxo, xa *adj.* ① 풀린, 느슨해진, 이완된. ② (도덕적으로) 타락한, 불건전한, 해이해진: conducta ~*xa* 타락한 행동.
lay *m.* (일반적으로 단시(短詩)에서 연가(戀歌)에 관계된) 시작(詩作).
laya[1] *f.* [농기구] 가래.
laya[2] *f.* =**calidad, especie, clase.**
layador, ra *m.f.* 가래질하는 사람.
layar *tr.* 가래(laya)로 흙을 파다.
lazada *f.* ① 줄 매기. ② 끈[나비] 매듭[장식]: doble ~, dos ~*s* 나비매듭.
lazar (9) *tr.* 줄을 던져 잡다.
lazareto *m.* ① 전염병 환자[의심 환자] 격리소. ② 한센병 병원.
lazarillo *m.* ① 장님 안내 소년 ((16세기의 소설 Lazarillo de Tormes의 주인공)). ② 안내 도우미, 안내 동물.
lazarino, na *adj.* 상피병(mal de San Lázaro)에 걸린. —*m.f.* 상피병 환자.
lazarista *adj.* 성 라사로 자선회(Orden hospitalaria de San Lázaro)의. —*m.* 성 라사로 자선회 일원.
lázaro *adj.* [고어] =**lazarino.** —*m.f.* Ven. [고어] 상피병 환자. —*m.* 매우 가난한 사람. ¶***estar hecho un*** ~ 부스럼[종양]투성이다.
lazaroso, sa *adj., m.f.* =**lazarino.**
lazo *m.* ① (옷·머리카락 등의) 리본 장식. ② 나비매듭: ~ de zapatos 구두끈. ③ 나비넥타이(corbata de ~). ④ (나비 매듭을 한) 완장. ⑤ 올가미, 올무. ⑥ 올가미 모양의 덫. ⑦ 계략. ⑧ [주로 *pl.*] 유대, (끊기 어려운) 정, 인연, 굴레, 정리(情理). ⑨ 속박. ⑩ (길 등의) 커브, 곡선: ~ cerrado [철도] 커브선(線). ⑪ [피겨스케이트] 빙상의 규정의 원을 그림, 또, 그 그려진 선. ¶***armar*** ~ a alguien (…에게) 계략을 쓰다, 덫을 놓다, (…를) 속이기 위해 책략[계략]을 쓰다. ***caer*** alguien ***en el*** ~ (…가) 속임수에 걸리다. ***con el*** ~ ***a la garganta*** =con la soga a la garganta. ☞soga. ***meter el*** ~ ***al pie*** [고어] =armar lazo. ***roer*** alguien ***el*** ~ (있었던) 위험[곤경]에서 피하다. ***tender*** a alguien ***un*** ~ 손해를 주기 위해 속임수로 유인하다.
lazurita *f.* =**lapislázuli.**
lb. libra 파운드.
Ldo. Licenciado 학사(學士).
le *pron.* [인칭 대명사 3인칭 단수] ① ㉮ [간접 목적] 그[그녀·당신]에게; 그것에게: Yo *le* escribiré 나는 그[그녀·당신]에게 편지하겠다. ㉯ [중성] 그것에. ② [주로 스페인에서] [사람[남성]을 나타내는 직접 목적] 그를, 당신을: Yo *le* esperaba mucho tiempo 나는 그[당신]를 오랫동안 기다렸다.
leal *adj.* 충실한, 성실한: amigo ~ 성실한 친구. corazón ~ 충성심. perro ~ 충견.
lealmente *adv.* 충실히, 충심으로.
lealtad *f.* 충실, 성실.
leasing *m. ing.* 리스, 물품 임대.
lebeche *m.* (지중해 연안에서) 남서풍.
lebrada *f.* 토끼 요리의 일종.
lebrancho *m. Can., Cuba.* =**mújol.**
lebrasta *f.* =**lebrato.**
lebrastón *m.* =**lebrato.**
lebrato *m.* 새끼 토끼, 어린 토끼.
lebratón *m.* 큰 새끼 토끼.
lebrero, ra *adj.* 토끼 사냥을 좋아하는. —*m.* 토끼 사냥용 개.
lebrillo *m.* 도제(陶製) 수세 주발[사발].
lebrón *m.* 겁쟁이.
lebroncillo *m.* 어린 토끼.
lebruno, na *adj.* ① 토끼의[에 관한]. ② 토끼 비슷한[같은]. ③ *Ven.* (네 발 짐승이) 희누르스름한.
lecanomancia *f.* =**lecanomancía.**
lecanomancía *f.* 음향점(音響占).
lección *f.* ① 학과(學課): ~ primera [una] 제1과. ② 수업, 강의. ③ 교훈: ~ histórica 역사 교훈. ④ [종교] 독송문(讀誦文). ¶~ ***inaugural*** 개강일의 첫 강의. ~ ***magistral*** 특별 강연. ***dar la*** ~ un discípulo (생도가) 학과를 암송해 보이다. ***dar*** ~ un maestro (선생님이) 학과를 설명하다. ***dar*** a alguien ***una*** ~ 범한 잘못을 …에게 이해시키다; …에게 교훈을 일깨워 주다. ***echar*** ~ 학생들에게 교훈을 보이다. ***tomar la*** ~ ㉮ 수업을 받다. ㉯ (선생이 학생 등에게 대해) 배운 것을 확인하다, 복습시키다. ***tomar*** ~ (배우고 있는 기술을 익히기 위해 선생님과) 시행하다, 복습하다.
leccionario *m.* [종교] 독송본(讀誦本).
leccionista *m.f.* 가정 교사.
lecha *f.* ① 물고기의 정액. ② (물고기의) 정액 주머니, 정액낭(囊).
lechada *f.* ① [건축] (천장이나 벽 등에 바르는) 회반죽. ② (제지의) 엷은 액상(液狀) 펄프.

L

lechal *adj.* ① 포유기의 (동물·새끼 양). ② 젖 같은 수액이 나오는 (식물). —*mf.* 포유기 동물, 포유기 양. —*m.* (식물의) 유즙(乳汁).

lechar[1] *adj.* ① 포유기의 (동물). ② 젖 같은 수액이 나오는 (식물). ③ 유방에서 젖이 나오는 (암컷). ④ 젖으로 키우는.

lechar[2] *intr.* ① *Ecuad.* (동물의 암컷이) 젖을 주다. ② *Ecuad.* (동물의 새끼가) 젖을 빨다.

lechar[3] *tr. Hond., Méj.* 회반죽으로 하얗게 칠하다.

lechaza *f.* ① 물고기의 정액. ② (물고기의) 정액 주머니, 정액낭(精液囊).

lechazo[1] *m.* 유음기(乳飲期) (생후 4주간 전후)의 새끼 양.

lechazo[2] *m. Ven.* [속어] 생각지도 않은 행운.

leche *f.* ① 젖: criar con la ~ de la madre 모유로 기르다. ② (동물의) 젖, 우유(~ de vaca): ~ de cabra 산양 젖. ③ (식물·열매·씨에서 얻어진) 하얀 액, 식물유(植物乳), 유액. ④ 흰색 유액 화장품, 유상액(乳狀液): ~ hidrantante 수화(水化) 유액. ⑤ [속어] 정액. ⑥ [속어] 구타, 타격. ⑦ [속어] 얼굴 구타, 따귀를 때림. ⑧ *Ecuad., Salv., Ven.* 행운. ⑨ [드묾] (…에게 주어지는) 첫 교육. —*interj.* [놀람·감탄] 어머나; 이런; 저런; 야. ¶ ~ ***condensada*** 연유(煉乳). ~ ***de canela*** (술에 푼) 계피유. ~ ***de gallina*** [식물] 백합과 다년생 화초. ~ ***de los viejos*** =vino. ~ ***de pájaros*** =leche de gallina. ~ ***de tierra*** = magnesia. ~ ***en polvo*** 분유(粉乳). ~ ***entera*** (탈지유에 대해) 전유(全乳). ~ ***evaporada*** 농축 살균 전유. ~ ***frita*** 밀가루에 우유와 설탕을 넣어 끓여 튀긴 과자. ~ ***limpiadora*** 클린징 유액, (씻어) 깨끗이 하는 유액. ~ ***merengada*** 달걀 흰자위·설탕·계피로 만든 아이스크림. ***mala*** ~ ㉮ [속어] 꿍심, 나쁜 의도. ㉯ [속어] 나쁜 기분. ***a toda*** ~ [속어] ㉮ 황급히, 전속력으로. ㉯ 큰 소리로, 음량을 크게. ***como la*** ~ *adj.* (삶거나 구운 먹거리가) 아주 연한. ***de*** ~ ㉮ (동물의 새끼가) 아직 젖을 떼지 않은, 이유(離乳)하지 않은. ㉯ (동물 암컷이) 유용(乳用)의, 젖의 생산을 위한. ***echando ~s*** [속어] 황급히. ***estar*** alguien ***con la ~ en los labios*** ㉮ 젊어서 지식[경험]이 부족하다, 미숙하다, 유취(乳臭)하다, 젖내나다. ㉯ (직업에) 신출내기다, 초보자다. ***estar en*** ~ una planta o un fruto (식물·열매가) 아직 익지 않다. ***la*** ~ [속어] 많이. ~***s*** *interj.* [놀람·감탄] =**¡leche!** ***mamar*** alguien algo ***con*** [***en***] ***la*** ~ (누가 무엇을) 어려서 배우다. ***pedir ~ a las Cabrillas*** 불가능한 것을 요구하다. ***ser*** alguien o algo ***la*** ~ [속어] 이상하다. ***tener*** ~ *Arg., Hond., Nic., Ur.* 운이 좋다. ***tener*** [***traer***] alguien ***la ~ en los labios*** =estar con la leche en los labios.

lechecillas *f.pl.* ① (주로 송아지의) 췌장·흉선(胸線). ② 동물의 내장.

lechera[1] *f.* ☞**lechero.**

lechera[2] *f.* ① [고어] (옛날에, 한 사람이나 두 사람을 태우는) 들것, 담가, 가마. ② [고어] 관(棺)(andas).

lechería *f.* ① 우유 가게. ② *Arg.* 유제품(乳製品) 판매점.

lechero, ra *adj.* ① 젖의. ② 우유의. ③ 낙농의. ④ 채유용(採乳用)의, 젖을 짜는: vaca ~*ra* 젖소. ⑤ [식물] 유액을 함유한. ⑥ =**logrero, cicatero.** ⑦ *CRica., Cuba, Hond., Nic., Ven.* = **suertero.** —*mf.* 우유 장수, 우유 판매자. —*f.* 우유 병, 우유 그릇, 우유 컵.

lecherón *m.* (낙농 업자가) 젖 짜는 통, 젖 수집 통.

lechetrezna *f.* [식물] 등대풀.

lechiga *f.* ① [고어] 널, 관(棺). ② [고어] 침대(cama).

lechigada *f.* ① [집합] 한배 새끼. ② [드묾] 악당[하층민] 패거리.

lecho *m.* ① 침대. ② (동물의) 잠자리. ③ 하상(河床). ④ 해저. ⑤ 호수 바닥. ⑥ (물건을 위에 놓는·까는) 대(臺), 상(床). ⑦ [지질] 지층. ⑧ [고어] 널, 관(棺). ¶***abandonar el*** ~ 일어나다.

lechón *m.* ① 아직 젖이 떨어지지 않은 새끼 돼지. ② 수퇘지. ③ 불결한 남자, 더러운 남자. —*adj.* 더러운, 불결한.

lechona *f.* ① 암퇘지. ② 불결한 여자, 더러운 여자. —*adj.* 더러운, 불결한.

lechoso, sa *adj.* ① 젖 같은, 유액상(乳液狀)의. ② 젖 같은 유액(乳液)을 내는 (식물·열매). ③ *Ven.* =**suertero.** —*m. Hond., RDom., Ven.* [식물] =**papayo.** —*f. RDom., Ven.* [열매] =**papaya.**

lechucero, ra *adj., mf. Ecuad.* 밤에만 영업을 하는 (택시 기사).

lechuga *f.* ① [식물] 상추. ② [드묾] 셔츠의 소맷부리[깃]. ③ 상추잎 비슷하게 천에 만들어진 주름. ¶***como una*** ~ ㉮ *adj.* 생기가 넘치는, 발랄한. ㉯ *adv.* 생기 넘치게, 발랄하게. ***ser más fresco que una*** ~ 아주 뻔뻔스럽다, 낯가죽이 두껍다, 철면피다.

lechuguilla *f.* ① 야생 상추. ② (펠리페 2세와 3세 시대에 입었던) 상추잎 모양의) 매우 큰 셔츠의 소맷부리[깃].

lechuguino *m.* ① 상추 모. ② [집합] 모판의 상추. ③ 어른 티를 내는 소년. ④ 멋쟁이. —*adj.* ① 어른 티를 내는. ② 맵시를 내는, 멋을 부리는.

lechuza *f.* ① [새] 부엉이. ② 부엉이의 어떤 면과 닮은 여자. —*m. Ur.* (식료품 시장의) 중개인, 중개 업자. —*mf. Ur.* [경멸] 남의 일을 캐고 다니기를 좋아하는 사람.

lechuzo *m.* ① 수금원. ② 부엉이의 어떤 면과 닮은 남자.

lechuzo, za *adj., mf.* 아직 한 살이 안

L

된 (노새).
lecitina *f.* [화학] 레시틴.
lectivo, ra *adj.* 수업의, 수업 기간의: día ~ 수업이 있는 날. período ~ 수업 기간 ((4-7월, 9-12월)).
lector, ra *adj.* 독서의. —*mf.* ① 독자. ② 열람자. ③ (어학의) 외국인 강사. ④ (출판사에서) 원고를 읽고 출판 가부를 판단하는 사람. —*m.* ① [컴퓨터] 스캐너: ~ óptico 광학 스캐너. ② [천주교] 독경승.
lectorado *m.* ① 외국어 강사 직. ② 독경사의 지위.
lectura *f.* ① 독서, 읽기: ~ rápida, ~ veloz 속독(速讀). sala de ~ 열람실. sumergirse en la ~ 독서에 골몰하다. ② 낭독: ~ de los poemas 시낭독. ③ 독해, 해석; 해독: libro de ~ 독본. ④ 읽을거리: ~ para los niños 어린이용 책. ⑤ (계기의) 표시 도수. ⑥ [컴퓨터] 간파. ⑦ [주로 *pl.*] (독서에 의한) 교양. ¶*dar* ~ a un escrito (쓴 것을) 큰 소리로 공개적으로 읽다.
ledamente *adv.* [주로, 시어에서] 즐겁게, 흐뭇하게.
ledo, da *adj.* [주로, 시어에서] 즐거운, 유쾌한, 만족스러운, 흐뭇한(plácido).
leer (78) *tr.* ① 읽다: ~ un periódico 신문을 읽다. ② 소리내어 읽다, 낭독하다. ③ 해독하다, 헤아려 알다, 간파하다, 알아차리다, 꿰뚫어 보다. ④ [컴퓨터] 간파하다. —*intr.* 읽다, 독서하다: ~ mucho 다독하다.
legación *f.* ① 사절의 임무, 부탁 받은 메시지. ② 사절단. ③ 공사(公使)의 직무. ④ 공사관(公使館).
legado *m.* ① 유산. ② 사절, 특사. ③ [역사] (로마 제국의) 지방 총독.
legador *m.* 네발짐승의 다리 묶는 종.
legadura *f.* (묶는) 끈, 줄.
legajo *m.* [집합] 일건 서류, 서류철.
legal *adj.* ① 법에 규정된, 법정(法定)의: precio ~ 법정 가격. ② 법률의, 법률상의, 법률에 관한, 법적인, 합법적인. ③ (직무 수행에) 성실한, 충실한. ④ *Esp.* (행동에) 충실한, 성실한.
legalidad *f.* 합법성, 적법성.
legalismo *m.* 법률 존중주의, 법률 만능주의; 관료적 형식주의.
legalista *adj.* 법률 존중주의의. —*mf.* 법률 존중주의자.
legalizable *adj.* 합법화될 수 있는.
legalización *f.* ① 합법화. ② (문서의) 증명, 사증(査證).
legalizar (9) *tr.* ① 법률상 정당하다고 인정하다, 합법화하다. ② (서명 등의) 진위를 증명하다. ③ [상업] 사증하다.
legalmente *adv.* 법률적으로, 법률상; 합법적으로.
légamo *m.* ① 진흙. ② 점토질 땅.
legamoso, sa *adj.* 진흙이 있는.
leganal *m.* [드묾] 수렁.
légano *m.* [드묾] =**légamo.**
leganoso, sa *adj.* =**legamoso.**
legaña *f.* 눈곱: ojos llenos de ~*s* 눈곱투성이의 눈.
legañoso, sa *adj.* 눈곱투성이의. —*mf.* 눈곱쟁이.
legar (8) *tr.* ① [+a] (…에게) 유증(遺贈)하다; (후세·외국 등에) 전하다. ② (사절·대리로) 파견하다.
legatario, ria *mf.* 수유자(受遺者).
legenda *f.* 성인(聖人) 생활사[언행록].
legendario, ria *adj.* 전설(상)의[에 관한]. —*m.* ① [종교] 성인전(聖人傳). ② 전설 모음집, 전설서(傳說書).
legibilidad *f.* (문자가) 읽기 쉬움, 가독성(可讀性).
legible *adj.* 읽어서 이해할 수 있는, 읽을 수 있는, 읽기 쉬운.
legión *f.* ① (고대 로마의) 군단(軍團). ② (선별된) 부대: ~ extranjero 외인부대. ③ 다수, 많은 사람, (동물의) 떼.
legionario, ria *adj.* 군단[부대]의[에 관한]. —*mf.* ① (현대 군에서) 군단 병사. ② (로마 군단의) 병사(soldado). ¶*enfermedad del* ~ 재향 군인병.
legionella *f.* ① 재향 군인병 병원(病源) 박테리아. ② [의학] =**legionelosis.**
legionelosis *f.* [의학] 재향 군인병.
legionense *adj.* ① 레온(León, 스페인의 도시) 태생의. ② 레온의[에 관한]. —*mf.* 레온 사람.
legislable *adj.* 법제화할 수 있는, 법제화해야 할.
legislación *f.* ① [집합] (한 나라·한 분야의) 법률, 법: ~ bancaria 은행법. historia de la ~ 법제사(法制史). ② 입법, 법률 제정. ③ 법학(法學).
legislador, ra *adj.* 입법의. —*mf.* 입법자, 법률 제정자.
legislar *intr.* 입법(立法)하다, 법률을 제정하다.
legislativo, va *adj.* 입법의; 입법부의; (기관이) 입법권이 있는: asamblea ~*va* 입법 의회. —*f.pl.* 의회 선거.
legislatura *f.* ① 입법기(立法期) ((입법 의회의 임기 존속 기간)). ② (의회의) 상임 위원회 회기.
legisperito *m.* =**jurista.**
legista *mf.* 법률가, 법률 학자.
legítima *f.* ☞**legítimo.**
legitimación *f.* 합법화; 인지(認知).
legitimador, ra *adj.* 합법화하는.
legítimamente *adv.* 합법적으로.
legitimar *tr.* ① 합법화하다, 정당한 것으로 인정하다. ② (자신의 자식으로) 인지하다, 입적시키다, 적출자로 하다. ③ (서류·서명 등을) 진짜로 인정하다. ④ (자격·책임을) 주다, 부여하다.
legitimario, ria *adj.* ① [법률] (유산의) 유류분의[에 관한]. ② [법률] 유류분 권리를 가진. —*mf.* 유류분 소유자.
legitimidad *f.* ① 합법성, 정당성. ② (왕위 계승의) 정당성.
legitimismo *m.* 정통 왕조주의.
legitimista *adj.* 정통 왕조파의. —*mf.* 정통 왕조파.
legítimo, ma *adj.* ① 합법적인, 정당한 : esposa ~*ma* 정실(正室), 정처(正妻).

L

hijo ~ 적출자. en defensa *~ma* 정당방위로. ② 진짜의: oro ~ 순금. —*f.* (유산의) 유류분(遺留分).
lego, ga *adj., m.f.* ① (성직자에 대해) 일반 신도(의), 속인(의), 수계(受戒)가 없는 (사람). ② 문외한(의).
legón *m.* 괭이(azadón)의 일종.
legra *f.* 소파기(搔爬器).
legrado *m.* [의학] 소파(搔爬).
legradura *f.* 소파(搔爬)하기.
legrar *tr.* 소파(搔爬)하다.
legrón *m.* (보통 것보다 큰) 소파기.
legua *f.* [옛날의 거리의 단위] 레구아 ((약 5572 m)). ¶ ~ ***de posta*** 리(里) ((약 4 km)). ~ ***marina***, ~ ***marítima*** 해리(海里) ((약 5555미터)). ***a ~, a la ~, a ~s, de cien ~s, de mil ~s, de muchas ~s, desde media ~*** 아주 멀리서, 아주 먼 곳에서.
leguario, ria *adj.* legua의[에 관한].
legui *m.* 가죽[천] 각반.
leguleyo, ya *adj. Nic.* =**discutidor.** —*m.f.* 악덕 변호사.
legumbre *f.* ① [식물] 콩류. ② 야채, 채소, 청과류. ③ 콩과 식물의 열매.
leguminoso, sa *adj.* [식물] 콩과(科)의. —*f.pl.* 콩과 식물.
lehendakari *m. vasco.* 바스크 자치 정부 수반.
leíble *adj.* [드묾] =**legible.**
leída *f.* ☞**leído.**
leído, da *adj.* 많이 읽는. —*f.* 읽기, 독서. ¶ ~ ***y escribido*** 해박한, 해박한 것 같은, 해박한 척하는.
leísmo *m.* lo 대신 le를 사용하는 일.
leísta *adj.* leísmo를 사용하는. —*m.f.* léismo 사용자.
leimotiv *m. al.* [음악] 시도 동기(示導動機); (작품·연설의) 반복되는 주제, 중심 사상.
lejanamente *adv.* ① 가볍게. ② 멀리, 멀리서. ¶***ni*** ~ =**en absoluto, de ningún modo.**
lejanía *f.* 먼 곳, 먼 거리: en la ~ 멀리에, 먼 곳에.
lejano, na *adj.* ① 먼, 먼 곳의: país ~ 먼 나라. pariente ~ 먼 친척. ② 요원한, 아득한: en épocas *~nas* 아득히 먼 옛날에. en siglos *~s* 호랑이 담배 먹을 적에, 아득히 먼 옛날에.
lejía *f.* ① 잿물, 표백분. ② 호된 꾸지람, 질책.
lejío *m.* (세탁소에서 사용되는) 잿물, 표백분.
lejísimos *adv.* 매우 멀리(muy lejos).
lejitos *adv.* 약간 멀리(algo lejos).
lejos *adv.* [+de] (…에서) 멀리(에): estar muy ~ *de* la escuela 학교에서 무척 멀다. —*m.* ① 멀리 봄. ② [미술] 원경(遠景). ¶***a lo*** ~ 멀리(에), 멀리서. ***de ~, de muy ~, desde ~*** ㉮ =**a lo lejos.** ㉯ 분명히, 명백히. ~ ***de*** …하기는커녕. ***ni de*** ~ =**en absoluto, de ningún modo.**
lelo, la *adj.* 미련한. —*m.f.* 미련퉁이.
lema *m.* ① 표어, 모토, 슬로건: ~ publicitario 선전 표어[슬로건]. ② (책·장의) 제사(題詞). ③ (문장 등의) 명(銘). ④ (사전의) 표제어(entrada). ⑤ (콩쿠르에 사용하는) 가명. ⑥ [수학·논리] 보조 정리(補助定理).
lempira *m.* 렘삐라 ((온두라스의 화폐 단위)).
lencería *f.* ① [집합] (여성용) 란제리. ② (셔츠 등의) 리넨 제품. ③ 란제리[리넨류] 가게[매장].
lencero, ra *m.f.* 란제리 제조자[장수].
lendakari *m. vasco.* 바스크 자치 주정부의 대표.
lendrera *f.* 얼레빗.
lengua *f.* ① 혀: sacar la ~ 혀를 내밀다[꺼내다]. ② 혀 모양의 물건. ③ 언어, 국어: ~ coreana 한글, 한국어. ~ de Cervantes 세르반떼스 (시대의) 말, 스페인어. ~ española 스페인어. ~ estánder 표준어. ~ extranjera 외국어. ~ materna, ~ natural 모국어. ④ (독특한) 말, 표현. ⑤ (종의) 혀.
lenguado *m.* [어류] 혀가자미, 넙치, 참서대(suela).
lenguaje *m.* ① 말씨, 말투, 어조, 언어: ~ cifrado 암호. ~ coloquial 구어. ~ cotidiano 일상어. ~ de los códigos 코드 언어. ~ literario 문어, 문어체. ~ hablado 구어, 보통 쓰는 말. ~ vulgar 속어. ② 용어: ~ comercial 상업 용어. ~ técnico 기술 용어. ③ 언어 능력. ④ [컴퓨터] 언어. ¶ ~ ***artificial*** [컴퓨터] 인공 언어. ~ ***de alto nivel*** [컴퓨터] 고수준 언어, 고급 언어. ~ ***ensamblador*** [컴퓨터] 어셈블리 언어. ~ ***máquina*** [컴퓨터] 기계 언어.
lenguaraz *adj., m.f.* 입이 험한 (사람).
lengüeta *f.* ① [해부] 후두개. ② 혀 모양의 물건. ③ 저울의 바늘. ④ (구두의) 혀 모양의 가죽 조각. ⑤ [악기] 리드.
lengüetada *f.* 혀로 한 번 핥기.
lengüetazo *m.* =**lengüetada.**
lengüetear *intr.* ① 혀로 핥다. ② *Cuba.* =**chismorrear.** —*tr.* (…을) 혀로 핥다.
lengüetero, ra *adj., m.f. Ven.* =**chismoso, murmurador.**
lengüilargo, ga *adj.* =**lenguarza.**
lenidad *f.* 과도한 관용.
lenificación *f.* 진정(鎭靜).
lenificar (7) *tr.* 진정시키다, 완화시키다, 부드럽게 하다.
lenificativo, va *adj.* 부드럽게 할 수 있는, 완화시킬 수 있는.
leninismo *m.* 레닌(Lenin)주의.
leninista *adj.* 레닌주의의. —*m.f.* 레닌주의자.
lenitivo, va *adj.* ① [의학] 진통성의. ② 고통을 완화시키는, 진정의. —*m.* 진통제, 진정제.
lenizar (9) *tr.* [드묾] =**lenificar.**
lenocinio *m.* ① 매춘 알선. ② 뚜쟁이

L

직, 포주 직.

lentamente *adv.* 느리게, 천천히.

lente *f.* [때때로 *m.*] ① 렌즈: ~ acromática 색지움 렌즈. ② 확대경(~ de aumento). ③ 외알 안경. —*m.pl.* ① [주로 *Amér.*] 안경. ② (때때로 옛날의) 코안경. ¶ ~ ***de contacto*** 콘택트 렌즈(lentilla). ***mirar*** algo ***con ~s de aumento*** (무엇을) 과대 평가하다.

lenteja *f.* ① [식물] 렌즈콩. ② [열매] 렌즈콩. ③ (시계의) 흔들이 추(pesa). —*m.f.* *Ur.* (젊은이들의 말로) 목사(目四), 안경 낀 사람.

lentejar *m.* 렌즈콩 밭.

lentejuela *f.* (옷의) 장식용 작고 둥그스름한 금속 쪼가리.

lentejuelar *tr.* *Méj.* 장식용으로 lentejuela를 달다.

lenticular *adj.* 렌즈콩 열매 모양 같은.—*m.* [해부] 렌즈 모양 뼈.

lentigo *m.* =peca.

lentilla *f.* *fr.* =lente de contacto.

lentisco *f.* [식물] 유향수(乳香樹).

lentitud *f.* 느림, 더딤, 완만함.

lento, ta *adj.* ① 느린, 더딘: marcha ~*ta* 느린 행진. río ~ 흐름이 완만한 강. a paso ~ 느린 걸음으로. ser ~ en el trabajo 일이 느리다. ser ~ en comprender 이해력이 부족하다. ② 둔한. ③ [의학] 끈적끈적한, 접착성의, 접착성이 있는. ④ 별로 효능이 없는, 효능이 더딘: veneno ~ 효능이 더딘 독, 효능이 거의 없는 독. ⑤ (화력 등이) 약한. —*m.* [음악] 라르고[아주 느린] 악곡[악장·악절]. —*adv.* 느리게, 천천히, 느릿느릿.

leña *f.* ① (잘게 자른) 땔나무, 장작: hacer ~ 장작을 만들다. ir por ~ 땔나무를 하러 가다. ② 벌, 구타: dar [repartir] ~ 구타하다; [운동] 거친 경기를 하다. ¶ ~ ***de oveja*** *Arg.* (불붙이는 데 사용하는) 마른 양의 똥. ~ ***de vaca*** *Arg., Ur.* (연료로 사용하는) 마른 쇠똥. ***añadir ~ al fuego*** = echar leña al fuego. ***echar ~ al fuego*** 불에 기름을 붓다; 기세 좋은 것에 더욱 기세를 가하다. ***llevar ~ al monte*** 쓸데없는 짓[일]을 하다. ***poner ~ al fuego*** =echar leña al fuego.

leñador, ra *m.f.* ① 땔나무꾼. ② 땔나무 장수, 장작 장수.

leñar *tr.* rur. *Ar.* 땔나무를 만들다, 장작을 패다.

leñatear *intr.* *Col.* 들에서 땔나무를 줍다.

leñatero, ra *m.f.* 장작을 패는 사람.

leñazo *m.* ① 장작[몽둥이]으로 두드리기[때리기]: dar un ~ 몽둥이로 때리다. ② 경악: darse ~ 무척 놀라다, 경악하다.

leñero, ra *adj.* [운동] 거친 경기를 하는: equipo ~ 경기가 거친 팀. —*m.* ① 땔나무[장작] 장수. ② 집안에서 필요한 것을 사는 담당자. ③ 장작 보관소. —*f.* 장작 보관소(leñero).

leño *m.* ① 통나무. ② 목재. ③ [선박] (중세의) 돛단배. ④ [시어] 배(barco). ⑤ 재능이 별로 없는 사람. ⑥ 골치 아픈 사람, 귀찮은 사람. ¶***dormir como un*** ~ 푹 자다, 깊이 자다.

leñoso, sa *adj.* 목질(木質)의, 목부(木部)의: planta ~*sa* 목본, 목본 식물.

leo *adj.* 사자궁 띠의. —*m.f.* 사자궁 띠로 태어난 사람.

Leo *m.* ① [천문] 사자자리. ② 사자궁(宮) ((황도 십이궁의 다섯째)).

león *m.* ① [동물] 사자. ② [곤충] 잠자리. ③ 대담하고 용감한 사람. ④ *AmérC., Col., Perú, Ven.* [동물] 표범(puma). ¶ ~ ***marino*** [동물] 바다사자. ~ ***miquero*** *AmérC.* [동물] 표범. ~ ***pardo*** [고어] =leopardo. ~ ***real*** [동물] 사자.

leona *f.* ① 암사자. ② 대담하고 용감한 여자, 여걸.

leonado, da *adj.* 황갈색의.

leonera *f.* ① 사자 우리. ② 도박장. ③ 어지러운 방. ④ *Méj.* 떠들썩한 술판을 벌이는 집.

leonería *f.* =bizarría, bravata.

leonero *m.* ① 우리에 있는 사자를 돌보는 사람. ② *Méj.* 떠들썩한 술판을 벌이는 집. ③ [드뭄] =tablajero, garitero.

leonés, sa *adj.* ① 레온(León, 스페인 북부 지방의 주·주도) 태생의. ② 레온의[에 관한]. ③ 옛 레온 왕국의[같은]. ④ (라틴 아메리카에 있는 도시·지방·주들의 이름에서) 태생의. ⑤ (라틴 아메리카에 있는) 레온의[에 관한]. ⑥ 옛 레온 영토에서 사용된 스페인어의. —*m.f.* 레온 사람. —*m.* 레온 (지방의) 방언.

leonesismo *m.* ① 레온 사람들의 말투. ② 레온 지방 것의 사랑[애착].

leonino[1], na *adj.* ① 사자의[에 관한]. ② *Arg., Salv., Ur.* 사자궁 띠로 태어난. ③ 치우친, (나누는 방법 등이) 불공평한, 일방적인, (계약이) 편무(片務)의: contrato ~ 편무 계약, 일방적 계약. —*m.f.* 사자궁 띠에 태어난 사람. —*f.* 한센병의 일종.

leonino[2], na *adj.* 레온이라는 이름이 붙은 감자의[에 관한].

leontina *f.* 회중시계의 줄.

leopardo *m.* [동물] 표범.

leotardo *m.* ① [주로 *pl.*] 타이츠. ② (곡예사·댄서 등이 입는) 몸에 착 붙는 옷.

lepasil *m.* *Hond.* [동물] 표범.

Lepe ***saber más que ~, saber más que ~, Lepino y su hijo*** 총명하고 빈틈이 없다.

leperada *f.* ① *AmérC., Méj.* 품위 없음, 천박함. ② *AmérC., Méj.* 거친 말[표현](dicho o expresión grosera).

lépero, ra *adj.* ① *AmérC., Méj.* 품위 없는, 천박한, 보통의. ② *Cuba.* 교활한, 영악한. ③ *Ecuad.* 매우 가난한.

④ *Nic.* 도둑의. —*mf.* 품위 없는 사람.
lepidóptero *adj.* 인시류(鱗翅類)의, 인시를 가진, 나비 무리의. —*m.pl.* 인시류(의 곤충) ((나비·나방)).
leporino, na *adj.* 토끼(liebre)의[에 관한]. ¶*labio* ~ 언청이.
lepra *f.* ① [의학] 한센병. ② [수의학] (자루벌레에 의해 생기는) 돼지의 병. ¶~ *blanca* [의학] 백나병(albarazo).
leprocomio *m. Ecuad., Ven.* 한센병 병원(leprosería).
leprosario *m. Ecuad., Ur.* 한센병 병원 (leprosería).
leprosería *f.* 한센병 병원.
leprosero, ra *adj., m.f. Méj.* 한센병 환자를 돌보는 (사람).
leproso, sa *adj.* 한센병에 걸린. —*mf.* 한센병 환자.
leprosorio *m. Cuba, Méj.* 한센병 병원 (leprosería).
leptón *m.* [물리] 경입자(輕粒子).
lerda *f.* ☞**lerdo.**
lerdamente *adv.* 둔하게, 어리석게, 바보같이.
lerdear *intr.* ① *AmérC., Arg., Bol.* 시간이 걸리다, 지체하다. ② *AmérC., Arg., Bol., Ur.* 더디게 움직이다. ③ *AmérC., Arg.* 늦게 도착하다. ~**se** *CRica., Nic.* 시간이 걸리다.
lerdera *f. CRica.* 지체(遲滯).
lerdez *f.* [고어] =**pesadez, tardanza.**
lerdo, da *adj.* ① (짐승이) 굼뜬. ② (이해가) 늦은, 더딘, 어리석은, 둔한, 바보 같은. —*f.* [수의학] (말의 무릎 근처에 생기는) 종양(tumor).
lerdón *m.* [수의학] (말의) 무릎 관절 종양.
leridano, na *adj.* ① 레리다(Lérida, 스페인의 주·도시) 태생의. ② 레리다의[에 관한]. —*mf.* 레리다 사람.
les *pron.* [인칭 대명사 3인칭 복수. ☞ le] ① [간접 목적] 그들에게, 그녀들에게, 당신들에게; 그것들에게: *Les* avisaré 당신들에게[그들에게·그녀들에게] 알려 주겠다. ② [주로 *Esp.*] 그들을, 당신들을 (los): Voy a visitar*les* mañana 내일 그들을[당신들을] 방문하겠다.
lesbiana *f.* ☞**lesbiano.**
lesbianismo. *m.* 여성 동성애.
lesbiano, na *adj.* =**lesbio.** —*f.* 여성 동성애자.
lésbico, ca *adj.* =**lesbio.**
lesbio, bia *adj.* ① 레스보스(Lesbos, 지중해의 섬) 태생의. ② 레스보스의[에 관한]. ③ 동성애의[에 관한], 레스비안의[에 관한]. —*mf.* 레스보스 사람.
lesear *intr.* ① *Chile.* =**tontear.** ② *Chile.* 즐길[괴롭힐] 목적으로 바보 같은 행동을 하다.
leseo *m. Chile.* 바보 같은[재미있는·우스운] 행동.
lesera *f.* ① *Chile.* =**tontería.** ② *Chile.* 대수롭지 않은 일.
lesión *f.* ① 부상: sufrir una ~ en la pierna 다리에 부상을 입다. ② 손상, 상처; 장애: ~ cerebral 뇌손상. ~ de corazón 심장 장애. ③ 병으로 일어나는 육체적[생리적] 변화. ④ 손해, 침해.
lesionado *adj.* 부상당한; 손상을 입은. —*mf.* 부상자.
lesionador, ra *adj.* 부상[상처]을 입힌; 손해[손상]를 주는(que lesiona).
lesionar *tr.* ① 상처를 입히다, 부상을 입히다: ~ el hígado 간장 장애를 일으키다. ② 손해[손상]를 주다. ~**se** 부상당하다.
lesivo, va *adj.* [+para] (…에) 유해한, 해로운; 해로울[유해할] 수 있는.
lesna *f.* [드묾] =**lezna.**
lesnordeste *m.* ① 동쪽과 북동쪽 사이의 바람. ② 동쪽과 북동쪽 사이의 바람이 부는 장소 쪽으로 위치한 부분.
leso, sa *adj.* ① 상처 입은, 해를 입은, 침해당한: delito de *lesa* majestad 대역죄, 불경죄. delito de *lesa* patria [nación] 반역죄. ② 기능[정신] 장애가 있는. ③ *Chile.* 어리석은, 둔한, 멍청한(tonto, necio).
lesothense *adj.* ① 레소토(Lesotho, 남아프리카 공화국 사이에 둘러싸인 왕국; 수도 Maseru) 태생의. ② 레소토의[에 관한]. —*mf.* 레소토 사람.
lessueste *m.* =**lesueste.**
leste *m.* [선박] 동쪽(este).
lesueste *m.* ① 동쪽과 남동쪽 사이의 바람. ② 동쪽과 남동쪽 사이의 바람이 부는 장소를 향해 위치한 부분.
letal *adj.* 치사의: dosis ~ 치사량.
letalidad *f.* ① 치사성. ② 사망률.
letanía *f.* ① [종교] 연도. ② (잇대어 쓴) 명단, 리스트. ③ (괴로운 사정이나 심정을) 지루하게 되뇌는 일.
letárgico, ca *adj.* 혼수 (상태)의, 기면성의: encefalitis ~*ca* 기면성 뇌염. estado ~ 혼수 상태.
letargo *m.* ① 기면, 혼수, 혼수병, 혼수상태: caer en ~ 기면 상태에 빠지다. ② 마비 상태. ③ 무기력. ④ [동물] 동면. ⑤ [식물] 휴면(休眠).
letífico, ca adj. 즐겁게[기쁘게] 하는.
letón, na *adj.* ① 라트비아(Letonia, 발틱해에 면한 독립국; 수도 Riga) 태생의. ② 라트비아의[에 관한]. —*mf.* 라트비아 사람. —*m.* 라트비아 말.
letra *f.* ① 글자, 문자: ~ manuscrita, ~ de mano 손으로 쓴 글자. ② 자체(字體). ③ 필적. ④ 활자: imprimir con ~ grande 큰 활자로 인쇄하다. ⑤ 서체. ⑥ (내용·정신에 대해) 글자[문자] 그대로의 뜻, 문면, 자구, 자의(字意). ⑦ 가사: autor de la ~ 작사자. escribir la ~ 작시(作詩)하다. ⑧ *pl.* [주로 L~] 문학, 문예: ~*s* puras (자연 과학과 관계가 없는) 순수 학문. facultad de *Letras* 문학부, 문과 대학. licenciado en *Letras* 문학사(文學士). ⑨ *pl.* 학문, 학식(學識): ~*s* humanas

인문 과학. hombre de ~*s* 박학[박식]한 사람, 교양인, 학자. primeras ~*s* 초등 교육 ((특히 독서)). ⑩ [상업] 어음: ~ de cambio 환어음. girar una ~ 어음을 발행하다. protestar una ~ 어음 지불을 거절하다. ⑪ [상업] 차입금. ⑫ 짧은 편지, 단신(短信). ¶ ~ *agrifada* =letra aldina. ~ *aldina* (르네상스의 인쇄업자들에 의해 사용된) 인쇄체. ~ *bastardilla* 이탤릭체. ~ *doble* 복문자, 이중 문자 ((ch, ll, rr)). ~ *capital* =letra mayúscula. ~ *chupada* 보통 글자보다 더 높고 좁은 글자. ~ *consonante* 자음자. ~ *continua* =semivocal. ~ *corrida* 휘갈겨 쓴 글자. ~ *cursiva* ㉮ 이탤릭체. ㉯ 초서체, 흘려 쓴 글자. ㉰ = letra bastardilla. ~ *de imprenta* = letra de molde. ~ *de molde* 활자체. ~ *gótica* 고딕체. ~ *inglesa* 이탤릭체보다 더욱 기운 서체. ~ *itálica* = letra bastardilla. ~ *mayúscula* 대문자. ~ *menuda* =astucia, sagacidad. ~ *minúscula* 소문자. ~ *muerta* (법률 등의) 사문(死文), 공문(空文). ~ *negrilla*, ~ *negrita* 볼드체. ~ *pequeña* 잔글씨 부분 ((계약서 등에서 본문보다 작은 글자로 인쇄된 사항·숨은 불리한 조건)). ~ *tirada* 흘려 쓴 글자, 초서체. ~ *versal* =letra mayúscula. ~*s divinas* =letras sagradas. ~*s humanas* 고전 문학, 인문학(人文學); 인문 과학[연구]. ~*s sagradas* 성서, 성경. *bellas* ~*s*, *buenas* ~*s* 문학(文學). *cuatro* ~*s*, *dos* ~*s* 짧은 문장. *a la* ~ =al pie de la letra. *al pie de la* ~ 글자[문자] 그대로. *seguir* alguien *las* ~*s* (누가) 공부에 전념하다, 면학에 힘쓰다(dedicarse al estudio).

letrado, da *adj.* ① 학문이 있는, 박식한, 해박한. ② 아는 척하는. —*m.f.* ① 변호사(abogado). ② 판사(juez).

letrero, ra *adj.* [고어] =letrado. —*m.* 간판; 게시, 팻말.

letrilla *f.* [시법] 가사(歌詞).

letrina *f.* ① (야영지 등의 간이) 화장실, 변소. ② 더럽고 역겨운 장소. ③ [드묾] 가정에 있는 오물 버리는 곳.

letrista *m.f.* 작사자(作詞者).

leu *m.* [*pl.* lei] 레우 ((루마니아의 화폐 단위)).

leuc- *pref.* ☞leuco-.

leucemia *f.* [의학] 백혈병.

leucémico, ca *adj.* ① 백혈병의[에 관한]. ② 백혈병에 걸린. —*m.f.* 백혈병 환자.

L

leuco *m. Ur.* =esparadrapo.

leuco- *pref.* ①「흰(blanco)·밝은[엷은]의」의 뜻: *leuco*cito 백혈구, *leuco*ma 백반(白斑). ②「(의약 용어에서) 백혈구」의 뜻: *leuco*penia 백혈구 감소증.

leucocito *m.* [의학] 백혈구.

leucocitosis *f.* 백혈구 증가(증).

leucoma *m.* [의학] (각막의) 백반.

leucopenia *f.* [의학] 백혈구 감소(증).

leucoplaquia *f.* [의학] 백반증.

leucorrea *f.* [의학] 백대하(白帶下).

leudante *m. Ur.* =levadura.

leudar *tr.* (효모로) 부풀리다, 발효시키다. ~**se** 발효되다.

leudo, da *adj.* [드묾] 효모로 발효된.

lev *m.* =leva[3].

leva[1] *f.* ① 출항, 출범. ② 징병, 동원. ③ 지레, 지렛대. ④ [기계] 전동자. ⑤ =trampa, ardid. ⑥ (물레방아의) 물받이. ⑦ [기계] 편심기.

leva[2] *f. Cuba, Ecuad.* =americana, chaqueta.

leva[3] *f.* 레브 ((불가리아의 화폐 단위)).

levadizo, za *adj.* 올렸다 내렸다 할 수 있는: (다리의) 개폐가 자유로운.

levadura *f.* 이스트(균), 효모(균): ~ de cerveza 맥주 효모. ~ en polvo 베이킹파우더.

levantada *f.* ☞levantado.

levantadamente *adv.* 높게.

levantado, da *adj.* 높은, 고양(高揚)의. —*f.* ① (누워 있던 사람이) 일어남, 기상. ② (아파 있던 사람이) 일어남, 자리를 뜸.

levantador, ra *adj.* ① 일으키는, 세우는. ② [드묾] 선동하는. —*m.f.* ① 일으키는 사람. ② 선동자.

levantamiento *m.* ① 올리기, 세우기: ~ de cejas 눈썹 세우기. ② 기상, 일어나기: hora de ~ 기상 시간. ③ 봉기, 궐기: ~ militar 군부 반란. ~ popular 민중 봉기. ④ 제거, 취소.

levantar *tr.* ① ㉮ (높이) 올리다, 높게 하다: ~ una caja 상자를 올리다. ~ los brazos 양팔을 올리다. ㉯ (강하게) 올리다: ~ el tono de la voz 음성을 높이다. ㉰ (사기 등을) 높이다. ㉱ 칭찬하다. ② 세우다; (사람을) 일으키다, 일으켜 세우다: ~ un pilar 기둥을 세우다. ③ (건물 등을) 짓다, 세우다, 건조하다, 설립하다; 창설하다: ~ una casa 집을 짓다. ~ una estatua 상을 세우다. ~ un negocio 사업을 시작하다. ④ 일으키다, 야기시키다, 발생시키다. ⑤ 봉기시키다, 궐기시키다. ⑥ (부대를) 소집하다. ⑦ (지도·도면을) 작성하다. ⑧ (장소를) 철수하다; 철거하다: ~ un sitio 포위를 풀다. ⑨ (책임을) 지우다, 탓으로 돌리다. ⑩ 치우다, 제거하다, 없애다. ⑪ 훔치다, 도둑질하다. ~**se** ① (자리에서) 일어나다: ~*se* de la silla 의자에서 일어나다. *Levántese* 일어나십시오. ② (침대에서) 일어나다. ③ 오르다, 올라가다: *Se levantó* el polvo 먼지가 올라왔다. ④ 세워지다, 건축되다, 건립되다: ~*se* un edificio grande 큰 건물이 세워지다. ⑤ 발생하다, 일어나다. ⑥ 봉기하다, 궐기하다, 일어나다.

levantavidrios *m.sing.pl. Arg.* (차의) 자동 (개폐) 유리.

levante[1] *m.* ① 동, 동쪽(este). ② 동풍. ③ [지명] [L~] ㉮ (스페인의) 레반떼,

동부 지방(Levante español, 특히 옛 Valencia 와 Murcia 왕국에 해당되는 지역). ㉯ 중근동(中近東), 레반떼(*Levante* mediterráneo). ④ [드묾] 지중해의 동부에 위치한 나라들.

levante[2] *m.* ① *Arg., Ur.* 폭동. ② 중상, 모략: armar un ~ 중상하다, 모략하다. ③ *Ur.* =**puntapié.**

levantisco, ca *adj.* 소란을 좋아하는, 불온한.

levar *tr.* (닻을) 올리다. —*intr.* 출항하다, 출범하다.

leve *adj.* ① 가벼운. ② 엷은, 가는: velo ~ 엷은 베일. ③ 사소한, 하찮은, 경미한, 별로 중요하지[중대하지] 않은: error ~ 경미한 오류. herida ~ 경상. ④ (죄가) 가벼운: pecado ~ 가벼운 죄. ⑤ 약한, 희미한, 어렴풋한, 미미한, 초라한: brisa ~ 약한 산들바람. toque ~ 가벼운 접촉.

levedad *f.* ① 가벼움. ② 경미함.

levemente *adv.* ① 가볍게. ② 부드럽게. ③ (죄를) 경미하게, 가볍게.

leviatán *m.* ① [성경] 거대한 바다 괴물. ② (통제하기 어려운) 커다란 것.

levidad *f.* [드묾] =**levedad.**

levigación *f.* (잔 알갱이를) 액체 속에서 선별함.

levigar (8) *tr.* (잔 알갱이를) 액체 속에서 선별하다, 분말을 물에 풀어 위에 뜨는 것을 떠내다.

levita[1] *m.* ① 레위 부족의 이스라엘 사람. ② 사제 보조.

levita[2] *f.* 프록 코트. ¶*tirar de la* ~ a alguien (누구에게) 알랑거리다.

levitación *f.* 공중 부양(浮揚).

levitar *intr.* [심령] (특히 초자연적인 힘에 의해) 공중에 떠돌다.

levítico, ca *adj.* ① [성경] 레위족[사람]의[에 관한]. ② 교회를 좋아하는, 종교적인, 승려 티가 많이 나는.

Levítico *m.* [성경] 레위기(記).

levitín *m.* [경멸] =**levita**[2]**.**

levitón *m.* 입는 프록 코트보다 더 큰 프록 코트.

levógiro, ra *adj.* [화학 · 물리] 좌선성(左旋性)의.

levosa *f.* =levita[2]**.**

levudo *adj., m.f. Bol.* =tonto, incauto.

lexema *m.* [언어] 어휘소(語彙素).

lexical *adj.* [언어] =**léxico.**

lexicalización *f.* [언어] 어휘화, 항목화.

lexicaliar (9) *tr.* [언어] 어휘화하다, 항목화하다.

léxico, ca *adj.* 어휘의[에 관한]; 사전의[에 관한], 사전 편찬의. —*m.* ① [집합] 어휘: ~ español 스페인어 어휘. ② [집합] 어휘집, 사전, 사서(辭書): ~ agrícola 농업 어휘집[용어 · 사전]. ③ 작가의 풍부한 어휘 · 관용어 문구. ④ [드묾] 희랍어 사전.

lexicografía *f.* 사전 편찬법; 어휘 연구, 어휘 조사.

lexicográfico, ca *adj.* 사전 편찬법의; 어휘 연구[조사]의.

lexicógrafo, fa *m.f.* ① 사전 편찬자. ② 사전에 들어갈 어휘 수집자.

lexicología *f.* 사전학, 어휘론, 어휘학.

lexicológico, ca *adj.* 사전학의, 어휘론의, 어휘학의.

lexicólogo, ga *m.f.* 사전 편집자.

lexicón *m.* (희랍어 · 히브리어 · 아랍어 등의) 사전.

ley *f.* ① 법률, 법: ~ de divorcio 이혼법. ~ social 사회 보장법. hombre de ~*es* 법률가. estudiar ~*es* 법률학을 배우다[공부하다]. respetar la ~ 법을 준수하다. violar la ~ 법을 위반하다. ② 법안: aprobar una ~ 법안을 가결하다. ③ 법의 지배. ④ 법칙: ~ de la gravedad 중력의 법칙. ~ de la oferta la demanda 수요 공급의 법칙. ~*es* de Mendel 멘델의 법칙. ⑤ 규칙: ~ de la ventaja 어드밴티지 룰. ⑥ [종교] 계율, 가르침, 교훈. ⑦ (화폐의) 금위, 은위. ¶ ~ ***antigua*** =**ley de Moisés.** ~ ***de bases*** 기본법. ~ ***de Dios*** (하나님이 모세에게 준) 율법, 하느님의 법. ~ ***de gracia*** 예수의 가르침. ~ ***de la trampa*** =**embuste, engaño.** ~ ***de Moisés*** 모세의 율법. ~ ***escrita*** 성문법. ~ ***evangélica*** = **ley de gracia.** ~ ***fundamental*** 기본법. ~ ***marcial*** 계엄령. ~ ***natural*** 자연법, 자연 법칙, 자연율. ~ ***nueva*** = **ley de gracia.** ~ ***orgánica*** 구성법. ~ ***seca*** 금주법. ~ ***suntuaria*** 사치 금지령. ~ ***vieja*** =**ley de Moisés.**

leye- ☞**leer (78).**

leyenda *f.* ① 읽기. ② 읽힌 작품. ③ 성인 이야기, 성인전(聖人傳). ④ 전설. ⑤ (도면 · 삽화 · 그림 등이 딸린) 제명, 제목; 설명문, 설명서; (지도 등의) 범례. ⑥ (전설 · 민화 등의) 우상, 주인공, 전설적 인물. ⑦ (메달 · 동전 · 기념비 등의) 명(銘), 새긴 글귀. ¶ ~ ***negra*** ㉮ 검은 전설 ((중남미 정복에 얽힌 잔학한 이야기; 16세기부터 퍼진 스페인적인 것에 대한 반대 평판)). ㉯ (일반적으로 근거 없는) 나쁜 소문[평판].

leyendario, ria *adj.* [드묾] 전설(상)의.

leyó 그[그녀 · 당신]는 읽었다 ((leer의 직설법 부정 과거 3인칭 단수)).

lezda *f.* (옛날, 특히 상품의) 세금.

lezdero *m.* lezda 징수자.

lezna *f.* (구두 수선공이 구멍을 뚫고 꿰매는 등에 사용하는) 송곳, 돗바늘.

lía[1] *f.* (알파풀로 만든) 줄, 끈.

lía[2] *f.* [주로 *pl.*] 찌꺼기, 무거리(haces). ¶***estar*** alguien ***hecho una*** ~ (누가) 곤드레가 되도록 취해 있다, 만취되어 있다.

liana *f.* [식물] 칡(bejuco).

liante *adj., m.f.* 자주 말썽을 일으키는 (사람), 문제를 만드는 (사람).

liar (12) *tr.* ① (끈으로) 묶다, 매다: ~ leña 장작을 묶다. ② 싸다, 포장하다: ~ unos libros en papel 책을 종이에

L

싸다. ③ (담배를 담배 종이에) 말다: ~ un cigarrillo 담배를 말다. ④ (…를) 속이다, 말려 들게 하다. ⑤ (문제를) 복잡하게 하다. ~**se** ① 속다, 사기 당하다. ② [+a+*inf.*] …하기 시작하다. ③ [+a+타격의 명사] 때리다, 구타하다: ~*se a* golpes con *alguien* …를 구타하(기 시작하)다. ④ [+con] (즐거운 것을) 시작하다: ~*se con* la radio 라디오를 만지작거리기 시작하다. ⑤ 정을 통하다. ⑥ 몸을 휩싸다[감싸다], 뒤집어쓰다: ~*se* en la manta 모포를 뒤집어쓰다. ¶ ~***la*** ㉮ =meter la pata. ☞**pata.** ㉯ 분쟁을 일으키다, 사태를 곤란하게 만들다. ~***las*** ㉮ 도망가다, 줄행랑(을) 놓다. ㉯ 죽다.

liara *f.* 뿔 잔(vaso de cuerno).

liásico, ca *adj.* ① [지질] 리아스통의, 흑쥐라통의. ② 리아스통[흑쥐라통] 기(期)의[에 관한]. —*m.* [L~] 리아스통 기[계], 흑쥐라통 기[계].

liatón *m.* [드룹] 알파풀 끈[줄].

liaza *f.* ① [집합] =**lía.** ② =**mimbre.**

libación *f.* ① 시음(試飮). ② 살주식(撒酒式) ((옛날 사람들이 신을 기리기 위해 술을 마신 다음 땅에 뿌린다는 제식)).

libamen *m.* 희생 제물(犧牲祭物).

libamiento *m.* ① (옛날 사람들의) 희생 제물에 쓸 물건[종류]. ② [고어] =**libación.**

libán *m.* [드룹] 알파풀 끈[줄].

libanés, sa *adj.* ① 레바논(Líbano) 태생의. ② 레바논의[에 관한]. —*m.f.* 레바논 사람.

Líbano *m.* [국명] 레바논.

libar *tr.* ① (즙을, 특히 벌이 꿀을) 빨다. ② 희생물을 위해 시음하다. ③ (옛날 사람들이) 살주식(libación)을 하다. ④ 시음(試飮)하다. —*intr.* (벌이) 꿀[즙]을 빨다.

libatorio *m.* (옛날 사람들이) 살주식을 행했던 잔.

libela *f.* (고대 로마의) 작은 은화.

libelista *m.f.* 중상[모략] 문서 집필자.

libelo *m.* ① 중상[모략] 문서. ② [고어] 작은 책. ¶ ~ ***de repudio*** (옛날의) 이혼장, 절연장. ~ ***infamatorio*** = **libelo.** ***dar*** ~ ***de repudio*** a algo (…을) 포기하다, 단념하다

libélula *f.* [곤충] 잠자리.

líber *m.* [식물] 내피(內皮).

liberación *f.* ① 해방: ~ de esclavos 노예 해방. ~ de la mujer 여성 해방(운동). ② 석방. ③ 면제. ④ 해제. ⑤ (문제·곤란의) 해결.

liberador, ra *adj., m.f.* =**libertador.**

liberal *adj.* ① (정치·종교상의) 자유주의의: ideas ~*es* 자유주의 사상. régimen ~ 자유주의 체제. ② 자유당의: partido ~ 자유당. ③ (귀족제·군주제에 대해) 대의제 정치의. ④ (사법·행정상) 개인의 자유를 존중하는; (개인의 신앙·사상·표현에 있어) 활동의 자유를 인정하는; (의사·변호사 등 지적으로 독립된) 자유업의. ⑤ 관대한, 도량이 넓은, 개방적인, 편견 없는. ⑥ 활수한, 후한, 너그러운. ⑦ 자유로운, 자의(字義)에 구애되지 않는. ⑧ 일반 교양의, (교육 등이) 신사에게 어울리는. ⑨ [역사] 반(反)까르리스따의. —*m.f.* ① 자유주의자. ② 자유당원. ③ 반(反)까를리스따파.

liberalesco, ca *adj.* [경멸] 자유주의의.

liberalidad *f.* ① 활수함, 인색하지 않음, 후함. ② 관대함, 너그러움; 공평무사.

liberalismo *m.* ① 자유주의. ② 관용.

liberalista *adj.* 자유주의의. —*m.f.* 자유주의자.

liberalización *f.* 자유화.

liberalizador, ra *adj.* 자유주의의: política ~*ra* 자유주의 정책. —*m.f.* 자유주의자, 자유주의 신봉자.

liberalizar (9) *tr.* 자유화하다.

liberalmente *adv.* 자유롭게; 관대하게; 개방적으로, 편견 없이, 공평하게.

líberamente *adv.* [고어] 자유로이.

liberar *tr.* ① 해방시키다, 자유의 몸으로 만들다, 석방하다. ② [+de] (…을) …에게 면제하다. ③ (기체·열 등을) 발하다, 내다. ④ …의 규제를 해제하다. ~**se** [+de] (…에서) 자신을 해방하다.

liberatorio, ria *adj.* (의무 등을) 면제하는, 해제의.

liberiano, na *adj.* ① 리베리아(Liberia, 서아프리카의 공화국; 수도 Monrovia) 태생의. ② 리베리아의[에 관한]. —*m.f.* 리베리아 사람.

libérrimo, ma *adj.* 매우 자유로운.

liber judiciorum [역사] (서 고드 시대의 이베리아 반도의) 재판법.

líbero *m. it.* [축구] 리베로.

libérrimo, ma *adj.* 매우 자유로운.

libertad *f.* ① 자유: ~ de expresión 표현의 자유. ② 석방: poner a *alguien* en ~ …를 석방하다. ③ 자유로운 시간, 여가, 짬, 틈. ④ 소탈함; *pl.* 허물없음. ⑤ 방종, 방일(放逸); 무절조, 뻔뻔스러움, 철면피함. ¶ ~ ***condicional*** 가석방. ~ ***de comercio*** 자유 무역. ~ ***de cultos*** 신앙의 자유. ~ ***provisional*** 보석(保釋).

libertadamente *adv.* ① 자유롭게. ② 뻔뻔스레, 철면피하게.

libertado, da *adj.* ① 대담한. ② 자유로운, 속박 없는.

libertador, ra *adj.* 해방하는. —*m.f.* 해방자.

Libertador *m.* 라틴 아메리카 해방자 시몬 볼리바르(Simón Bolívar).

libertar *tr.* ① [+de] (…에서) 해방시키다, 자유를 주다: zona *libertada* 해방 지구. ~ a los esclavos 노예를 해방하다. ② [+de] (…을) …에게 면제하다: Le *han libertado de* su deuda 그는 채무를 면제받았다[빚을 탕감받았다]. ~**se** 자신을 해방하다; …을 면하다: ~*se de* la muerte 죽음을 면하다. ~

se del peligro 위험을 면하다.
libertario, ria *adj.* 절대 자유주의의, 무정부주의의. —*mf.* 절대 자유주의자, 무정부주의자.
liberticida *adj.* 자유를 파괴하는, 자유를 해치는, 자유를 말살시키는.
libertinaje *m.* 방탕, 방종: vivi en el ~ 방탕 생활을 하다.
libertino, na *adj., mf.* 방탕한 (사람).
liberto, ta *adj.* 해방된, 자유의 몸이 된. —*mf.* (고대 로마의) 해방 노예, 자유민.
líbico, ca *adj.* ① 고대 리비아의[에 관한]. ② =**libio.** —*mf.* 리비아 사람.
libídine *f.* [드묾] =**lujuria.**
libidinosamente *adv.* 난잡하게, 음란하게, 호색적으로.
libidinoso, sa *adj.* 호색한, 음란한, 외설한, 난잡한. —*mf.* 엽색꾼, 엽색가.
libido *m.* ① [의학] 성적 충동, 성욕. ② 호색, 음란.
libio, bia *adj.* ① 리비아(Libia, 북아프리카의 독립국; 수도 Trípoli) 태생의. ② 리비아의[에 관한]. —*mf.* 리비아 사람.
libra *f.* ① [영국의 화폐 단위] 파운드 (~ esterlina). ② [중량의 단위] 파운드. ③ 100 뻬세따(peseta).
Libra *f.* [천문] 저울자리.
libracho *m.* [경멸] =**libraco.**
libración *f.* ① (몸의) 진동 운동. ② [천문] (혹성・위성의) 칭동(秤動).
libraco *m.* [경멸] 값어치 없는 책, 시시한[하찮은] 책.
librado, da *mf.* (어음 등의) 지불인, 수취인, 수신인.
librador[1]**, ra** *mf.* (어음 등의) 발행인. —*m.* ① 말구종. ② 서양 주걱.
librador[2]**, ra** *adj., mf.* 해방하는 (사람), 구하는 (사람).
libramiento *m.* ① 구출, 구조. ② [상업] 지불 명령(서).
librancista *mf.* 환어음 소지자.
libranza *f.* (제3자에의) 지불 명령(서), 환어음.
librar *tr.* ① (곤란・속박에서) 해방시키다, 구출하다; 벗어나게 하다, 면제하다: ~ *de* un peligro 위험에서 구하다. ~ *del* impuesto 세금을 면제하다. ② [상업] (어음 등을) 발행하다: ~ un cheque 수표를 발행하다. ③ [법률] (판결 등을) 언도하다, 선고하다. ④ (싸움을) 걸다. —*intr.* ① 출산하다. ② (산모가) 태반이 나오다. ③ [+en] (…을) 신용하다, 믿다. ④ (일이) 휴일이다. ~**se** 자신을 해방하다, 도망치다. ¶*a bien* [*buen*] ~ (생각했던 것보다) 그런 대로, 아쉬운 대로(는). ~ *bien* (사업 등이) 성공하다. ~ *mal* (사업 등이) 실패하다.
libre *adj.* ① ㉮ 자유로운, 구속되지 않는: ~ cambio, ~ comercio 자유 무역. ~ empresa, ~ mercado 자유 시장. hombre ~ 자유인. mundo ~ 자유 세계. ㉯ [+de・para+*inf.*] 자유롭게 …할 수 있는. ㉰ [운동] 자유형의: los 100 metros ~s 100미터 자유형. pistola ~ [사격] 자유 권총. ② [+de] (…을) 면제받은, (…이) 없는: ~ *del* servicio militar 병역이 면제된, 병역을 면제받은. ~ *de* derechos, ~ *de* aduana (관세가) 면세(免稅)의. ~ *de* deudas 빚이 없는. ③ (장소가) 빈, 사람이 없는: asiento ~ 빈자리, 공석. habitación ~ 빈 방, 사람이 들어 있지 않는 방. ④ (도로 등이) 자유로이 다닐 수 있는. ⑤ (일・선약 등이 없이) 한가한: día ~ 비번 날, 쉬는 날. ⑥ 거리낌 없는, 자유 분방한. ⑦ 방종한: vida ~ 방종한 생활. ⑧ 독신의, 아직 결혼 약속을 하지 않은. ¶ *entrada* ~ 무료 입장.
librea *f.* ① (급사・하인・호텔의 현관 안내인 등의) 제복, 유니폼. ② 제복 입은 하인[급사・근시].
librear[1] *tr.* (…을) 파운드로 팔다[분배하다].
librear[2] *tr.* [드묾] 아름답게 장식하다[꾸미다]. ~**se** 자신의 몸을 아름답게 하다.
librecambio *m.* 자유 무역.
librecambismo *m.* 자유 무역주의.
librecambista *adj.* 자유 무역론의, 자유 무역의. —*mf.* 자유 무역론자, 자유 무역 주의자.
librejo *m.* [경멸] =**libraco.**
libremente *adv.* 자유롭게.
librepensador, ra *adj.* 자유 사상(自由思想)의. —*mf.* 자유 사상가.
librepensamiento *m.* 자유 사상.
librera *f.* ☞**librero.**
librería *f.* ① 도서관. ② [집합] 도서관의 책들. ③ 책방, 서점. ④ 서적 판매업. ⑤ 책장. ⑥ *Amér.* 문방구.
libreril *adj.* 서적 판매의[에 관한].
librero, ra *mf.* ① 서점 주인. ② 서점 점원. ③ *Cuba, Ecuad., Hond., Méj.* 책장. ④ 책 제본사. —*f. Guat., Pan.* 책장(librería).
libresco, ca *adj.* ① 책의[에 관한]. ② 독서에서 영감을 받은: conocimientos ~*s* 책에서 얻은 지식.
libreta[1] *f.* 1파운드의 빵.
libreta[2] *f.* ① 수첩, 메모장. ② 예금 통장. ③ 하인 수첩. ④ *Ur.* (모터 장착 탈것의) 운전 면허증. ¶ ~ ***de banco*** [***depósito・ahorros(s)***] 예금 통장. ~ ***de cheques*** 수표장.
libretazo *m. Cuba, Nic.* 상관과 상의 없이 취해진 결정.
librete *m.* 발 녹이는 도구.
libretear *intr. Nic.* 상관과 상의 없이 결정을 내리다.
libretista *mf.* 대본 작가, 작사자.
libreto *m.* ① (가극 등의) 대본(臺本). ② *Cuba, Ur.* (영화・라디오 프로그램・텔레비전 프로그램의) 대본.
libriano, na *adj. Arg., Salv., Ur.* 저울자리 띠의 (태생).
librillo[1] *m.* 주발 씻는 그릇(lebrillo).

librillo[2] *m.* ① 담배 마는 종이 다발. ② (반추 동물의) 세 번째 위. ③ (아주 작은 상자용) 작은 경첩.

libro *m.* ① 책: ~ de cocina 요리책. ~ de cuentos 동화책, 이야기 책. ~ de segunda mano 헌책, 고서. ~ electrónico 전자책. ~ usado 헌책, 고서. ② [상업] 장부: ~ de pedidos 주문 장부. ③ 기록, 자료집: ~ de actas 의사록. ④ (분책의) 권(卷). ⑤ 대본. ⑥ 조세, 세금. ⑦ (표지가 없는 49쪽 내외의) 모든 비정기 인쇄물. ⑧ [동물] (반추 동물의) 세 번째 위. ⑨ 구약 성서의 책. ¶ ~ ***amarillo*** =**libro blanco.** ~ ***azul*** =**libro blanco.** ~ ***blanco*** 백서(白書). ~ ***de caballerías*** 기사도 이야기 ((소설의 한 장르)). ~ ***de caja*** 현금 출납부. ~ ***de cuentas*** 장부. ~ ***de fondo*** (서점의) 자가 출판본. ~ ***de oro*** (방문객의) 방명록; 베네치아 귀족 등록 장부. ~ ***de surtido*** (서점의) 위탁 판매 책. ~ ***de texto*** 교과서. ~ ***diario*** 분개 일기장. ~ ***maestro*** 장부. ~ ***mayor*** =**libro maestro.** ~ ***moral*** 도덕서(道德書) ((잠언, 전도서, 아가, (경외전의 하나인) 솔로몬의 지혜, (경외전의 하나인) 예수의 지혜 중의 하나)). ~ ***rojo*** = **libro blanco.** ~ ***sagrada*** [주로 *pl.*] 교회에서 받은 성서, 교회가 인정한 성서. ~ ***sapiencial*** [주로 *pl.*] =**libro moral.** ~ ***talonario*** (수표장처럼 반쪽이 남는) 할부장, 절취장. ~ ***verde*** (개인이나 국가 등의 특이한 것을 적는) 메모장, (특히, 개인의) 신상서. ***ahorcar* [*colgar*] *los* ~*s*** 학업을 포기하다[중단하다]. ***de*** ~ 완벽한, 완전한, 전혀 흠 잡을 데가 없는.

lib(s) libra 파운드.

Lic. Licenciado 학사(學士).

licantropía *f.* ① (민간 신앙에서) 인간이 늑대로 변하는 일. ② 환자가 늑대가 되었다고 믿고 늑대의 행동을 하는 정신 장애(障碍)[정신병]. ③ [의학] = **zoantropía.**

licantrópico, ca *adj.* licantropía의.

licántropo *m.* ① 늑대 인간(hombre lobo). ② [의학] licantropía 환자.

liceísta *mf.* ① 동호회 회원(socio de un liceo). ② *Ven.* 중학생, 고등 학생.

licencia *f.* ① 허가, 인가, 라이센스 (permiso): ~ de exportación 수출 허가. ~ de importación 수입 허가. ~ de obras 건축 허가. ② 허가서, 허가장, 면허장: ~ de armas 총포 소지 허가증. ~ de conducción [de conducir · de conductor] 운전 면허증. ③ [군사] 휴가. ④ 학사 학위(licenciatura). ⑤ 자유 분방, 방종. ⑥ [상업] 대리권, 판매권. ⑦ [천주교] 미사 허가, 종교 서적 출판 허가. ⑧ [고어] 자유. ¶ ~ ***absoluta*** [군사] 제대(除隊). ~ ***fiscal*** (의사 · 변호사 등의) 개업세. ~ ***poética*** [시법] 운문에만 허용되는 문법상의 파격(破格). ***tomarse*** alguien ***la*** ~ (허락 없이) 멋대로 굴다.

licenciado, da *adj.* ① 허가필의, 허가를 받은. ② 자유의 몸이 된. —*mf.* ① 학사, 대학 졸업자. ② 변호사 님 ((경칭)). —*m.* ① 긴 가운[학생복]을 입었던 남자. ② 제대병(除隊兵). ¶ ~ ***vidriera*** 지나치게 소심한 사람.

licenciador, ra *adj.* 특허권 사용 허가를 받은. —*mf.* 특허권 소유자.

licenciamiento *m.* ① 면제. ② [드묾] =**licenciatura.**

licenciar (11) *tr.* ① 허가하다, 면허하다(dar permiso o licencia). ② 학사 학위를 주다. ③ (병사를) 제대시키다, 제대증을 주다. ④ (…를) 해고시키다. ⑤ 특허권을 양도하다. ~**se** ① 학사 학위를 받다. ② [드묾] 방종해지다.

licenciatorio, ria *mf.* 라이센스 계약자, 기술 도입자.

licenciatura *f.* ① 학사 학위. ② 학사 학위 취득. ③ 학사 학위 취득에 필요한 연구.

licenciosamente *adv.* 방탕하게, 방종하게, 난잡하게, 자유 분방하게.

licencioso, sa *adj.* 방탕한, 방종한, 행실이 나쁜, 단정치 못한: cuentos ~*s* 음담(淫談), 음란한[추잡한] 이야기. mujer ~*sa* 행실이 나쁜 여자. vida ~*sa* 방종한[방탕한] 생활.

liceo *m.* ① (문학 등의) 동호회, 문학회, 협회, 레크리에이션 모임. ② (몇몇 나라에서) 중학교, 고등 학교. ③ 아리스토텔레스 학파.

licitación *f.* 경매, 입찰: ~ pública 공개 입찰. fase de ~ 입찰 기간.

licitador, ra *mf.* 입찰자.

licitante *mf.* =**licitador.**

lícitamente *adv.* 합법적으로, 정당하게.

licitar *tr.* 경매에 붙이다[내놓다], 입찰하다.

lícito, ta *adj.* ① 정당한, 허가받은. ② 적법한, 합법적인.

licitud *f.* 적법성, 정당성.

licnobio, bia *adj., mf.* 밤을 낮으로 알고 일하는 (사람).

licopodio *m.* [식물] 습지에서 나는 은화 식물.

licor *m.* ① 알코올 음료; 술, 독주; 증류주 ((위스키, 브랜디, 럼주 등)). ② 액체. ③ [화학] 용액(溶液).

licorera *f.* ① 술병[유리잔] 놓는 탁자. ② 주류 보관용 장식이 있는 유리병. ③ 술병[다른 주류] 보관용 작은 찬장. ④ *Col., CRica.* 주류 판매점.

licorería *f.* ① 주점. ② 양조장. ③ 주류 조제[정제]. ④ [집합] 주류.

licorista *mf.* 주류 제조자[판매자].

licoroso, sa *adj.* (술 · 포도주가) 훈감한, 방순(芳醇)한, 향기롭고 진한, 맛이 진하고 냄새가 좋은, 알코올 성분이 많고 향기로운.

licuable *adj.* 용해할 수 있는.

licuación *f.* ① (고체의) 용해. ② (기체의) 액화. ③ (금속의) 용리(熔離).

licuado *m. Arg., Hond., Méj., Salv.,*

Ur. 우유[물]를 넣고 만든 과일 음료.
licuadora *f.* 믹서.
licuar (15) *tr.* ① (과실·야채를) 주스로 만들다. ② (고체를) 용해하다. ③ (기체를) 액화하다. ④ [금속] 용리(熔離)하다. ~**se** ① 주스가 되다. ② 액화되다. ③ 용해되다. ④ 용리되다.
licuefacción *f.* =licuación.
licuefactible *adj.* =licuable.
licuefactivo, va *adj.* 용해[액체화]의.
licuor *m.* [드묾] =licor.
licurgo, ga *adj.* ① [드묾] =inteligente, astuto, hábil. ② [드묾] =legislador.
lid *f.* ① 싸움, 전투, 격투. ② 논쟁, 논전, 입씨름, 언쟁. ③ *pl.* 업무, 활동. ¶*en buena* ~ 정정당당히.
líder *m.f. ing.* ① 지도자, 리더: ~ de la oposición 야당 당수. ② [운동] 1위 선수, 1위 팀: ~ de torneo 토너먼트 1위 (선수·팀). ③ [형용사적] 수위의, 톱의: marca ~ 톱 브랜드. ④ (신문의) 사설.
liderar *tr.* …의 지도적 지위에 있다, 수위[톱]를 차지하고 있다.
liderato *m.* 통솔력, 지도력, 리더십; 지도자의 지위.
liderazgo *m.* =liderato.
lideresa *f.* [주로 *Amér.*] (정당·사회단체·기타 집단의) 여자 장(長), 여자 지도자, 당수, 수령, 회장.
liderizar *tr. Ven.* =liderar.
lidia *f.* ① 투우(를 하는 일): toros de ~ 투우용 황소. ② 투쟁.
lidiadero, ra *adj.* 투우용의: toro ~ 투우용 황소.
lidiador, ra *m.f.* 투우사(torero).
lidiar (11) *tr.* (소와) 싸우다, 투우하다. —*intr.* ① [+con·contra] (…와) 싸우다. ② (사람·문제에) 직면하다, 당면하다. ~**se** 투우를 하다.
liebre *f.* ① [동물] 산토끼. ② [운동] 페이스메이커. ③ 겁쟁이. ④ *Salv.* 영악한[교활한] 사람. ⑤ *Chile.* 마이크로버스. ⑥ [비어] 여자의 음부. ¶ ~ ***de mar,*** ~ ***marina*** [동물] 군소 ((군솟과의 연체 동물)). ***agarrar una*** ~ = coger una liebre. ***coger una*** ~ 다치지 않고[가벼운 상처만 입고] 땅에 넘어지다. ***comer*** alguien ~ 겁이 많다, 겁쟁이다. ***correr la*** ~ *Arg., Ur.* (빈한해서) 굶주리다, 경제적으로 어렵게 보내다. ***levantar*** alguien ***la*** ~ 긁어 부스럼이 되다. ***saltar la*** ~ 예기치[생각지] 않은 일이 일어나다. ***Donde menos se piensa [se espera], salta la liebre*** (속담) 아닌 밤중에 홍두깨 (내밀 듯). ***Galgo que muchas ~s levanta, ninguna mata / Quien sigue dos ~s ambas pierde*** (속담) 토끼 둘을 잡으려다가 하나도 못 잡는다. ***Al mejor cazador se le escapa la*** ~ (속담) 원숭이도 나무에서 떨어진다.
liechtensteiniano, na *adj.* ① 리히텐슈타인 공국(Liechtenstein, 오스트리아와 스위스 사이에 위치한 공국; 수도는 Vaduz) 태생의. ② 리히텐슈타인의[에 관한]. —*m.f.* 리히텐슈타인 사람.
liechtenstiense *adj., m.f.* =liechtensteiniano.
lied *m. al.* [음악] 리드, 가곡(歌曲).
liego, ga *adj.* 파종에 쓸모없는.
liencillo *m. Ven.* 엷고 거친 면포.
liendra *f. Ven.* =liendre.
liendre *f.* 서캐(huevo de piojo).
lientera *f.* [의학] =lientería.
lientería *f.* [의학] 소화 안된 음식물의 설사.
lientérico, ca *adj.* ① 설사의[에 관한]. ② 설사에 걸린.
liento, ta *adj.* [드묾] =**húmedo.**
lienza *f.* 천의 가는 토막[끈].
lienzo *m.* ① 아마포, 삼베, 면포(綿布). ② [미술] 화폭(畵幅), 캔버스. ③ [미술] lienzo 위에 그려진 그림. ④ (건물·벽의) 정면, 한 면. ⑤ (콧물·땀을 닦는) lienzo 손수건. ⑥ [군사] 성의 막벽(幕壁).
lifting *m. ing.* 주름 제거 수술, 미용 정형.
liga[1] *f.* ① 연맹, 동맹. ② [운동] 리그(전): ~ coreana de fútbol 축구 K 리그. campeón de ~ 리그 챔피언. ③ 양말대님. ④ (새·곤충을 잡는) 끈끈이. ⑤ [식물] =**muérdago.** ⑥ 본드. ⑦ [금속] 합금. ⑧ (동전을 주조할 때, 금이나 은과 혼합된) 동의 양. ⑨ *Cuba.* (담배의 질을 향상시키기 위해) 다른 담배 농장의 담배 잎과의 혼합.
liga[2] *f.* ① [식물] 기생목, 겨우살이. ② (새를 잡기 위해) 기생목의 즙으로 만든 반죽.
ligación *f.* 연계, 결합, 혼합.
ligado *m.* ① 문자와 문자와의 연결(부). ② [인쇄] 합자(合字). ③ [음악] 연결선.
ligadura *f.* ① 묶기, 연결. ② [주로 *pl.*] 묶는 끈[줄]: desatar las ~s 줄[끈]을 풀다. ③ [음악] 연결선. ④ [의학] 봉합용의 실, 붕대, 테이프; 결찰(結紮) ((외과 수술에서 혈관 따위를 묶어서 내용물이 통하지 않게 하는 것)).
ligamaza *f.* 점막(粘膜).
ligamentario, ria *adj.* [해부] 인대의.
ligamento *m.* ① 결합, 결속. ② [해부] 인대.
ligamentoso, sa *adj.* 인대가 있는.
ligamiento *m.* ① 이어 맞추기, 연결. ② 결속, 결합(unión).
ligar (8) *tr.* ① 묶다, 결박하다: ~ un paquete 소포를 묶다. ② (관계 등을) 맺다, 결속시키다. ③ 연관시켜 생각하다, 맥락을 함께 하다. ④ 속박하다, 구속하다. ⑤ [요리] 약간 걸쭉[되직]하게 하다. ⑥ (금·은을) 합금시키다, 혼합하다, 섞다: ~ cobre con oro 동과 금을 섞다. ⑦ [트럼프] (수를) 만들다. ⑧ [투우] (기술을) 끊어지지 않도록 하다, 중단하지 않다. ⑨ [속어] (마약을) 손에 넣다, 입수하다. ⑩ [속어] 체포하다. ⑪ *Arg., Cuba, Ur., Ven.* (내기에서) 이기다, 들어맞다, 적중시키다. —*intr.* ① (트럼프에서) 적당한 두세 개를 모으다. ② (이성과) 애정 관계를 시작하다, 일시적인 성관계를 맺다. ~**se** ① 동맹하다, 연합하다, 제휴하다(aliarse). ② *Arg., Ur.* 벌을 받다, 질책을 받다. ③ *Arg., Ur., Ven.* (통신에서, 전파 등을) 간섭하다, 방해하다.

ligaterna *f. Burg., Cuen., Pal.* =**lagartija.**

ligatura *f.* [드묾] =**ligadura.**

ligazón *m.* 관련, 연관, 결합, 연결.

ligeramente *adv.* ① 가볍게. ② 사뿐히, 날쌔게. ③ 경솔히. ④ 심사 숙고 없이. ⑤ [고어] 쉽게, 용이하게.

ligereza *f.* ① 민첩함, 신속함. ② 가벼움. ③ 불안정함. ④ 경박함, 경솔함.

ligero, ra *adj.* ① (무게·정도·내용 등이) 가벼운: el arma ~*ra* 가벼운 무기. castigo ~ 가벼운 벌. comida ~*ra* 가벼운 식사. conversación ~*ra* 싱거운 회화. dolor ~ 가벼운 통증, 미미한 통증. enfermedad ~*ra* 가벼운 병(病). equipaje ~ 가벼운 짐[하물]. herida ~*ra* 경상(輕傷). industria ~*ra* 경공업. música ~*ra* 경음악. ② 민첩한, 날쌘, 날랜, 재빠른, 경쾌한: paso ~ 경쾌한[재빠른] 걸음걸이. tren ~ 급행 열차. ③ 아주 작은 소리에도 쉬 방해가 되는 (잠): sueño ~ 선잠, 얕은 잠. ④ (농도·재질 등이) 엷은: abrigo ~ 엷은[가벼운] 외투. café ~ 연한[맛이 담박한] 커피. niebla ~*ra* 엷은 안개. vino ~ 알코올 도수가 낮은 포도주. ⑤ 별로 중요하지 않은. ⑥ (음식이) 빨리 소화되는: comida ~*ra* 소화가 잘 되는 음식. ⑦ 경솔한, 경박한, 경거망동하는, 지조가 없는; 품행이 좋지 않은: conducta ~*ra* 경솔한[가벼운] 행동. mujer ~*ra* 바람기가 있는 여자, 가벼운 여자. ser muy ~ habalndo 입이 매우 가볍다. ⑧ [운동] 경량급의: peso ~ 경량급. ⑨ (빵이) 충분히 발효된, 말랑말랑한. —*m.* [권투] 라이트급(peso ~). ¶*a la ~ra* ㉮ 가볍게, 경쾌하게, 민첩하게. ㉯ 경솔히, 경거망동해서, 심사숙고하지 않고, 가볍게. *de* ~ =**a la ligera** ㉯.

light *adj. ing.* ① (마실 것·가공 식품이) 저칼로리의, 당분이 적은. ② (담배가) 타르가 적은. ③ 온건한.

lignario, ria *adj.* ① 목재(木材)의. ② 나무의[에 관한].

lignificación *f.* 목질화, 목화(木化).

lignificar (7) *tr.* [식물]목질(화)시키다. ~**se** 목질화되다.

lignito *m.* 아탄(亞炭), 갈탄(褐炭).

lígnum crucis *m. lat.* 그리스도가 못박혔던 십자가의 성유물(聖遺物).

ligón[1] *m.* =**legón.**

ligón[2]**, na** *adj. m.f.* [속어] 애정 관계[성관계]를 시작한 (사람).

ligona *f.* rur. *Ar.* =**legón.**

lígrime *adj. Sal.* =**lígrimo.**

lígrimo, ma *adj.* ① *Các.* 여윈, 약한, 깨지기 쉬운. ② *Sal.* =**puro.** ③ *Sal.* =**limpio.** ④ *Sal.* =**apto, dispuesto.** ⑤ *Sal.* =**sano, gallardo, fuerte.**

ligue *m.* ① 애정 관계[일시적 성관계]의 시작. ② 애정 관계[일시적 성관계]를 시작한 사람.

liguero, ra *adj.* [운동] 리그(전)의: partido ~ 리그전. —*m.* (여자들의) 가터 벨트.

liguilla *f.* ① [운동] (몇 개의 팀이 참가한) 리그 비슷한 경기. ② [운동] 예선 리그.

lígula *f.* ① [식물] 소설편(小舌片). ② [해부] 후두개, 목젖(epiglotis).

ligústico, ca *adj.* =**ligurino.**

ligustre *m.* 쥐똥나무의 꽃.

ligustrino, na *adj.* 쥐똥나무의.

ligustro *m.* [식물] 쥐똥나무(alheña).

lija *f.* ☞**lijo.**

lijado *m.* 줄질, 윤나게 닦거나 깨끗이 하기.

lijadora *f.* [연장] 줄.

lijadura *f. Canth.* (몸의) 상처(lesión).

lijar[1] *tr.* (뿔상어 가죽·샌드페이퍼로) 문지르다, 윤을 내다, 깨끗이 하다.

lijar[2] *tr.* [고어] [주로 Cantabria에서] =**lisiar, lastimar.**

lijo, ja *adj.* [고어] 더러운, 추한(sucio). —*m.* [고어] 더러움, 오물. —*f.* ① [어류] 뿔상어. ② 뿔상어 가죽. ③ 샌드페이퍼. ¶*dar lija RDom., Ven.* 알랑거리다, 아부하다, 아첨하다. ***darse lija*** *Cuba, RDom.* 거드름피우다.

lijosamente *adv.* [고어] 더럽게.

lijoso[1]**, sa** *adj.* [고어] 더러운, 추한.

lijoso[2]**, sa** *adj.* ① =**rasposo.** ② *Cuba.* =**vanidoso.**

lila[1] *f.* ① [식물] 라일락. ② 라일락 꽃. —*adj.* (라일락 꽃처럼) 연보라의, 엷은 보랏빛의. —*m.* 연보라.

lila[2] *f.* (여러 가지 색깔의) 양모 천.

lila[3] *adj., m.f.* =**tonto, fatuo.**

lilac *f.* [식물] =**lila.**

lilaila[1] *f.* 모로인들의 외침[절규].

lilaila[2] *f.* ① 양모[비단] 엷은 천. ② [주로 *pl.*] 간책, 흉계, 간계.

lilao *m.* 쓸데없는 허영(심).

liliáceo, a *adj.* [식물] 백합(과) 식물의. —*f.pl.* 백합과 식물.

lililí *m.* 모로인들의 외침[절규].

lilio *m.* [드묾] =**lirio.**

Liliput *m.* 난쟁이 나라 ((J. Swift 작 Viajes de Gulliver (걸리버의 여행기)에 나오는 상상의 나라)): habitantes de ~ 난쟁이 나라의 사람들[주민].

liliputiense *adj.* ① 난쟁이 나라의. ② 아주 작은. —*m.f.* ① Liliput 사람. ② 난쟁이.

lilo *m.* [식물] =**lila.**

lima[1] *f.* ① 라임(limero)의 열매 ((라임 주스의 열매)). ② 라임 주스. ③ [식물] =**limero.**

lima[2] *f.* ① [연장] 줄: ~ de uñas 손톱

줄. ~ plana 납작 줄. ② 윤[광]을 내는 줄 비슷한 연장. ③ 줄질(하기). ④ 정정, 작품의 수정[교정·손질]. ¶ *comer como una* ~, *comer más que una* ~ 많이 먹다.

Lima *f.* [지명] 리마 ((뻬루의 수도)).

limaco *m.* [동물] =**babosa.**

limado, da *adj.* ① 줄로 윤[광]이 난. ② (작품이) 다듬어진, 손질된, 교정된. —*m.* 줄질(하기).

limador, ra *adj., mf.* ① 줄질하는 (사람). ② (직업으로) 줄질하는 (일꾼).

limadura *f.* ① 줄질(하기). ② *pl.* 줄밥.

limalla *f.* [집합] 줄밥(limaduras).

limar *tr.* ① 줄질을 하다, 줄로 갈다. ② 작품을 다듬다[끝마무리하다·손질하다]. ③ =**debilitar, cercenar.**

limatón *m.* ① (자물쇠 제조자용의) 둥글고 두꺼운 줄. ② *Col., Hond.* 줄.

limaza *f.* [동물] =**babosa.**

limazo *m.* =**viscosidad, babaza.**

limbo *m.* ① [성경] 지옥의 변방. ② (천·의복 등의) 가장자리. ③ (분도기 등의) 눈금 가장자리, 분도권(分度圈). ④ [천문] (태양 등의) 주변, 둘레. ⑤ [식물] 잎몸, 엽신(葉身), 엽편(葉片).

limeño, ña *adj.* ① 리마(Lima, Perú의 수도·주) 태생의. ② 리마(Lima, Paraguay의 San Pedro 주의 도시) 태생의. ③ 리마의. —*mf.* 리마 사람.

limero, ra *mf.* 라임 열매 장수. —*m.* [식물] 라임.

liminar *adj.* 전제(前提)의(preliminar).

limitable *adj.* 한정[제한]할 수 있는.

limitación *f.* ① 제한, 한도: ~ de velocidad 속도 제한. ② [주로 *pl.*] (능력의) 한계. ③ [드묾] =**término, distrito.**

limitado, da *adj.* ① 제한이 있는, 한정된: edición ~*da* 한정판. oferta ~*ta* 한정 판매. dentro del tiempo ~ 한정된 시간 내에. ② 아주[극히] 적은. ③ 지능이 모자란, 머리가 둔한.

limitar *tr.* ① (…의) 경계를 정하다. ② [+a] (…으로) 제한하다, …의 범위 안으로 한정시키다: ~ los gastos *a sus* ingresos 지출을 수입의 범위 내로 억제하다. —*intr.* [+con] (…과) 경계를 접하다. ~**se** [+a+*inf.*] …만으로 하다[한정하다].

limitativo, va *adj.* 제한하는, 한정적인.

límite *m.* ① 경계: tierra sin ~ 끝없는 대지. ② *pl.* 국경. ③ 한계, 제한; 범위, 한도: ~ presupuestario 예산 범위[제한]. velocidad ~ 제한 속도. ④ [상업] (매매를 위탁할 때의) 지정 가격. ⑤ (도박의) 제한액. ⑥ [수학] 극한, 극한치. ¶ ***sin*** ~, ***sin*** ~***s*** ㉮ *adj.* 끝없는. ㉯ *adj.* 매우 큰, 광대한. ㉰ *adv.* 과도하게.

limítrofe *adj.* [+de·con] (…과) 인접한: Portugal es un país ~ de España 포르투갈은 스페인의 인접국이다.

limnología *f.* ① 호소학(湖沼學). ② 육수학(陸水學).

limo *m.* =lodo, cieno.

limón[1] *m.* ① [과실] 레몬. ② [식물] 레몬. ¶ ~ ***ceutí*** 향기가 진한 레몬 ((레몬의 변종)).

limón[2] *m.* 마차의 채.

limonado, da *adj.* 레몬 색의. —*f.* 레몬수.

limonar *m.* 레몬 밭.

limonaria *f.* ① *Hond., Salv.* [식물] 리모나리아 ((귤과의 아시아 원산 재배수)). ② *Hond., Salv.* 리모나리아 꽃.

limonario *m. Salv.* =**limonaria.**

limoncillo *m.* [식물] 도금양과 식물 ((잎은 약간 레몬 냄새가 나고, 목재는 노란색으로 가구류로 사용함)).

limoncito *m. Filip.* [식물] 귤과 식물 ((열매는 시금털털함)).

limonense *adj.* ① 리몬(Limón, Costa Rica의 주·군·해항(海港)) 태생의. ② 리몬의[에 관한]. —*mf.* 리몬 사람.

limonero[1], **ra** *adj.* 레몬(**limón**[1])의[에 관한]. —*mf.* 레몬 장수. —*m.* [식물] 레몬 ((열매는 **limón**[1])).

limonero[2], **ra** *adj., mf.* 마차의 두 채 사이에 가는 (사람). —*f.* 마차의 두 채 중의 하나 ((*m.pl.*로도 사용됨)).

limonita *f.* [광물] 갈철광(褐鐵鑛).

limosidad *f.* ① 진흙투성이. ② 이똥.

limosín *adj., mf.* [드묾] =**lemosín.**

limosna *f.* ① 보시(普施), 시혜(施惠), 기부; 구걸, 비럭질: hacer ~*s* 남에게 은혜를 베풀다, 보시하다, 동냥을 주다. pedir ~ 구걸하다, 비럭질하다. vivir de ~*s* 비럭질[구걸]로 살다. ② 헌금. ③ (가난한 사람들에게 주는) 돈, 식품, 의류. ④ 기부금.

limosnear *intr.* 구걸을 하다.

limosnero, ra *adj.* ① 자비심이 많은, 동냥을 잘 주는, 기부[보시]를 자주 하는. ② 얻어먹는, 동냥하는, 비럭질하는. —*mf. And., Amér.* 거지, 걸인. —*m.* ① 기부금 담당자. ② (왕궁의) limosna 분배 담당자. ③ =**limosnera.** —*f.* 헌금[시주] 돈자루[돈주머니].

limoso, sa *adj.* 진흙이 많은.

limpia[1] *f.* ☞**limpio.**

limpia[2] *m.* =**limpiabotas.**

limpiabarros *m.sing.pl.* 매트 ((신의 흙을 털기 위해 현관이나 방 입구 같은 곳에 놓아두는 깔개)).

limpiabotas *mf.sing.pl.* 구두닦이.

limpiabrisas *m.sing.pl. AmérM.* =**limpiaparabrisas.**

limpiachimeneas *m.* 굴뚝 청소부.

limpiacristales *m.* 유리 닦는 도구.

limpiada *f. Arg., Méx., Ur.* =**limpiadura.**

limpiadera *f.* ① 목수의 대패. ② (쟁기 청소용) 쇠꼬챙이.

limpiadientes *m.sing.pl.* 이쑤시개.

limpiador, ra *adj.* 깨끗이 하는, 청결하게 하는, 청소하는. —*mf.* 청소하는 사람, 청소부: ~ de cristales 창유리 청소부. —*m.* ① 청소 도구, 청소기, 세제. ② (배에서) 기계 청소 담당자. ③

Méj. =limpiaparabrisas.

limpiadura *f.* ① 청소, 소제. ② *pl.* [드묾] 청소 쓰레기.

limpiahogares *m.sing.pl.* 가정용 세제.

limpiamente *adv.* ① 깨끗이, 청결하게. ② (운동・행동에서) 아주 민첩하게, 쉽게, 감쪽같이. ③ 솔직히. ④ 정직하게, 고지식하게.

limpiametales *m.* 금속용 광택제.

limpiamuebles *m.sing.pl.* 가구 광택제.

limpiaparabrisas *m.* [자동차] 와이퍼.

limpiaplumas *m.sing.pl.* (쓰는) 펜 청소용 솔[천], 만년필 소제 도구.

limpiar (11) *tr.* ① 청소하다, 소제하다, 깨끗하게 하다, 닦다, 쓸다, 씻다: ~ la mesa 상을 닦다. ~ los platos 접시를 닦다, 설거지를 하다. ~ los zapatos 구두를 닦다. ② (생선의) 비늘[가시]을 제거하다. ③ (야채에서) 마른 잎을 없애다. ④ 결점을 제거하다[없애다]. ⑤ [+de] (여분 등을, …에서) 제거하다[없애다・일소하다]. ⑥ (나무의) 가지를 치다, 전정하다. ⑦ 훔치다, 도둑질하다. ⑧ (트럼프에서) …의 돈을 전부 따다. ⑨ *Arg., Ur.* 살해하다. **~se** (몸을) 깨끗이 하다: *~se* las narices 코를 풀다.

limpiauñas *m.sing.pl.* 손톱 소제 기구.

limpidez *f.* [시어] 청징(淸澄)함.

límpido, da *adj.* [시어] 청징한, 깨끗한, 흠이 없는.

limpieza *f.* ① 깨끗함, 청결함. ② 청소, 소제, 세탁: ~ general 대청소. artículo de ~ 청소 도구. ③ 순수함, 청정함, 순결함. ④ 완전함. ⑤ 정확함, 완벽함. ⑥ (경기에서) 규칙의 엄격한 준수: jugar con ~ 페어 플레이를 하다. ¶ ~ ***de bolsa*** 돈 부족. ~ **de corazón** 고결함. ~ ***de manos*** 사업에서 완전함. ~ ***en seco*** 드라이크리닝.

limpio, pia *adj.* ① 깨끗한, 청결한, 티 없이 맑은: aire ~ 맑은[깨끗한] 공기. cielo ~ 맑은 하늘. cristal ~ 맑은 유리. ② (곡물이) 티가 없는, 다른 것과 섞이지 않은. ③ 청결을 좋아하는 버릇이 있는, 말쑥한: mujer *~pia* 옷차림이 말쑥한 여자. ④ 청초한. ⑤ 공정한; 조심성이 있는, 조심스런; 책임이 없는, 죄가 없는: vida *~pia* 성실한 삶. ⑥ 선명한, 또렷한: imagen *~pia* 선명한 화면. silueta *~pia* 또렷한 윤곽. ⑦ (여분 등을) 없앤, 제거한, 혼합물이 없는, 정미의: beneficio ~ 순익(純益). ⑧ (도박에서) 돈을 몽땅 잃은. ⑨ 무지(無知)의. ⑩ (시험에서) 준비 부족의. —*adv.* 정정당당히, 깨끗하게: jugar ~ 깨끗한 시합을 하다, 페어플레이를 하다. —*m.* ① 청소, 소제, 깨끗이 하기: ~ de los pozos 우물 청소. ② *CRica., Cuba.* 파종하기 위해 땅 고르기. ③ *CRica.* 파종하기 위해 땅 고르는 시기. ¶***en limpio*** ㉮ 모든 비용을 공제하고. ㉯ 정미로.

limpión *m.* ① 가벼운 청소[소제]. ② 청소 담당. ③ *Col., CRica., Ecuad., Ven.* 행주.

limusina *f.* ① 리무진. ② 뒷좌석 부분이 막히고 운전석 부분이 터진 옛 마차.

lín. línea 항로(航路).

lináneo, a *adj.* [식물] 아마과(科)의. —*f.pl.* [식물] 아마과 식물.

linaje *m.* ① 가계(家系): ilustre ~ 명문 (혈통). ② 종류: personas de todo ~ 모든 부류의 사람들. ③ *pl.* 명문의 사람들. ¶ ~ ***humano*** 인류(人類).

linajista *m.f.* 가계 연구가, 계보 학자, 족보 학자, 족보 연구가.

linajudo, da *adj.* 명문의; 가문을 자랑하는. —*m.f.* 명문가의 사람; 가문을 자랑하는 사람.

lináloe *m.* ① [식물] 알로에, 노회(蘆薈)(áloe). ② 알로에 즙.

linar *m.* lino 밭.

linaza *f.* 아마인(亞麻仁), 아마의 씨

lince *m.* [동물] 살쾡이. —*m., adj.* ① 통찰력이 예리한 (사람). ② 총명한 (사람).

linchamiento *m.* 사형(私刑), 린치.

linchar *tr.* …에게 사형을 가하다.

lindamente *adv.* 훌륭하게, 뛰어나게, 완전히.

lindante *adj.* 인접한, 경계를 접한.

lindar[1] *m.* [드묾] =**umbral.**

lindar[2] *intr.* ① [+con] (…과) 경계를 접하고 있다. ② [+con] (…과) 인접하다. ③ [+con] (…에) 가깝다.

linde *f.* [가끔 *m.*] ① (왕국・주의) 경계: en la ~ del bosque 숲의 경계에. ② 한계. ③ (경작지의) 경계선.

lindera *f.* ☞**lindero.**

lindería *f.* [드묾] (두 땅의) 경계(선).

lindero, ra *adj.* (…과) 경계를 접한, 인접한. —*m.* (두 땅의) 경계(선). —*f.* ① 경계. ② [집합] (한 땅의) 경계(선)(lindes).

lindeza *f.* ① 아름다움, 미; 사랑스러움, 귀여움. ② 귀여운[사랑스러운] 행동[말]. ③ 욕, 모욕적인 언동.

lindo, da *adj.* ① 예쁜, 고운, 아름다운; 귀여운, 사랑스러운: *~da* letra 예쁜 글자. muchacha *~da* 예쁜 소녀. nene ~ 귀여운 아기. vestido ~ 아주 멋진[근사한] 드레스. ② 완전한. ③ 훌륭한, 뛰어난. —*m.* (몸을 가꾸고 치장하는 데 너무 신경을 쓰는) 여자 같은 남자. ¶ ~ ***don Diego*** *m.* =**lindo.** ***de lo*** ~ ㉮ 아주 사랑스레, 아주 멋지게. ㉯ 많이, 과도하게.

lindón *m.* 밭두렁, 이랑.

lindura *f.* ① 아름다움; 사랑스러움. ② 귀여운 사람[물건].

línea *f.* ① ㉮ 선(線): ~ central (도로의) 중앙선. ~ de montaje (공장의) 조립 라인. trazar una ~ 선을 긋다. ㉯ (교통・통신의) 선(線)(~ de comunicación): ~ aérea 항공로. ~ de abastecimiento 보급로. ~ marítima 항로(航路). *~s* aéreas 항공 회사, (한 나라의) 항공 업계. buque de ~ 정기

선. final de ~ 종점(終點). cambiar a la ~ 5 지하철 5호선으로 바꿔[갈아] 타다. ㉰ 전선(電線): ~ de alta tensión 고압선. ② 전화선. ③ 경계선. ④ 윤곽, 스타일; *pl.* 얼굴의 윤곽: cara de ~*s* angulosas 모난 얼굴. guardar [mantener · conservar] la ~ 몸의 선[윤곽]을 유지하다. perder la ~ 몸의 선이 무너지다, 살찌다. ⑤ 열(列): ~ de casas 집이 즐비함. ⑥ ㉮ (문장의) 행(行), 줄(renglón). ㉯ *pl.* 짧은 편지[인쇄물]. ⑦ ㉮ 방침, 방향, 경향. ㉯ 길, 생활 방식. ㉰ 기준: ~ de crédito [상업] 신용[외상] 한도액, 신용장 개설 한도, 신용 한도. ⑧ 가계(家系): ~ materna 모계. ~ paterna 부계. ⑨ (상품 등의) 종류, 형: ~ blanca (냉장고 등, 주로 하얀) 대형 가전제품. ~ deportiva 스포츠 타입. ~ marrón (텔레비전 등, 다색의) 가전제품. ⑩ (색에 대한) 선(線). ⑪ [천문] 주야 평분선. ⑫ [손금] 선(線): ~ de la cabeza 두뇌선. ~ de la salud 건강선. ~ de la vida 생명선. ⑬ [종종 *pl.*] 전선(戰線). ⑭ [운동] 선, 라인: ~ de centro 센터 라인. ~ de partida, ~ de salida 출발선, 스타트 라인. ~ de ataque 공격진, 포워드 진. ⑮ [빙고] 줄, 선. ¶ ~ ***abscisa*** [기하] 횡좌표. ~ ***colateral*** 방계. ~ ***coordenada*** [기하] 좌표. ~ ***curva*** 곡선. ~ ***de agua*** =**línea de flotación.** ~ ***de flotación*** (배의) 흘수선(吃水線). ~ ***de fuego*** 화선(火線), 포열(砲列). ~ ***delantera*** 포워드 진, 전위진, 공격진. ~ ***directa*** ㉮ 직선. ㉯ 직계. ~ ***eléctrica*** 전선(電線). ~ ***equinoccial*** [천문] 주야 평분선. ~ ***férrea*** =**vía férrea.** ~ ***maestra*** 지준선. ~ ***ordenada*** [기하] 종좌표. ~ ***quebrada*** 절선(折線). ~ ***recta*** =**línea directa.** ~ ***telefónica***, ~ **telegráfica** 전화선. ~ ***transversal*** ㉮ =**línea colateral.** ㉯ [기하] 횡단선. ***primera*** ~ 전선(前線), 최전선. ***de primera*** ~ 일류의, 일급의, 우수한. ***en*** ~ ㉮ 일렬로. ㉯ [컴퓨터] 온라인의: servicio *en* ~ 온라인 서비스. sistema *en* ~ 온라인 시스템. ***en toda la*** ~ 완전히.

lineal *adj.* ① 선의[에 관한]. ② [수학] 일차의, 선형(線形)의. ③ [생물] 사상(絲狀)의, (거의 선처럼) 길고 가는. ④ [컴퓨터] 선형(線形)의, 리니어: motor ~ 리니어 모터. ⑤ (임금의) 일률적인: subida [aumento] ~ de cien euros (임금의) 일률적인 100 유로 인상. ¶ ***dibujo*** ~ 선화(線畫), 선묘화(線描畫). ***echar*** ~***s*** 수단을 강구하다, (…을) 얻기 위해 조치를 취하다. ***medida*** ~ (면적 · 체적에 대해) 길이의 척도. ***tirar*** ~***s*** =**echar líneas.**

lineamento *m.* 얼굴 모양, 생김새; 윤곽, 외형.

lineamiento *m.* ① =**lineamento.** ② *Arg., Cuba, Ur.* 방침, 방향, 경향. ③ *Méj.* 특징(rasgo característico).

linear[1] *adj.* [식물 · 동물] 선형(線形)의, 선 모양의, 선 같은, 가늘고 긴.

linear[2] *tr.* ① =**echar líneas.** ② =**bosquejar.**

líneo, a *adj.* [식물] =**lináceo.**

linero, ra *adj.* lino의[에 관한].

linf- *pref.* ☞**linfo-.**

linfa *f.* ① [의학] 임파, 임파액. ② (소의) 두창의 고름. ③ 종두용 바이러스. ④ [시어] 물(agua).

linfangitis *f.* [의학] 임파관 염증.

linfático, ca *adj.* 임파(액)의: glándula ~*ca* 임파선. vasos ~*s* 임파관(管).

linfatismo *m.* [의학] 임파질, 점액질.

linfo- *prep.* ①「임파의 뜻: *info*cito 임파구. ②「임파구(linfocito)」의 뜻: *linfo*penia. ((참고: *linf*-형도 있음, *linf*angitis 임파관의 수)).

linfocito *m.* 임파구(球), 임파 세포.

linfocitosis *f.* [의학] 임파구의 과다로 혈액에 생기는 변화.

linfogranulomatosis *f.sing.pl.* 악성 임파 육아종(肉芽腫).

infoide *adj.* [의학] 임파계의[에 관한].

linfoma *m.* [의학] 임파종(腫).

linfopenia *f.* (혈액에서 정상보다 적은) 임파 세포의 수.

lingotazo *m.* (술을) 한 입에 들이킴.

lingote *m.* 잉곳, 지금(地金), 연봉(延棒), (금속의) 괴(塊): ~ de oro 금괴. ~ de plata 은괴.

lingotera *f.* 잉곳용 주형(鑄型).

lingual *adj.* ① 혀(lengua)의[에 관한]: músculos ~*es* 혀 근육, 설근(舌筋). ② [언어] 설음의, 혓소리의, 혀끝에서 나오는. —*f.* [언어] 설음, 혓소리.

lingüista *m.f.* 언어학자.

lingüístico, ca *adj.* ① 언어학의[에 관한]. ② 언어의[에 관한]: estructura ~*ca* 언어 구조. política ~*ca* 언어 정책. —*f.* 언어학. ¶ ~ ***aplicada*** 응용언어학. ~ ***comparada*** 비교 문법. ~ ***computacional*** [컴퓨터] 전산 언어학, 컴퓨터 언어학. ~ ***contrastiva*** 대조언어학. ~ ***del texto*** 텍스트 언어학. ~ ***diacrónica*** 통시 언어학. ~ ***evolutiva*** =**lingüística diacrónica.** ~ ***general*** 일반 언어학. ~ ***histórica*** 역사 언어학.

lingüista *m.f.* 언어학자.

linier *m. ing.* [운동] 선심(線審).

linimento *m.* [의학] (근육통 등을 완화시키는) 도포제(塗布劑).

linimiento *m.* [의학] =**linimento.**

lino *m.* ① [식물] 아마(亞麻). ② [섬유] 아마(의 줄기에서 추출한) 섬유질. ③ 아마포, 리넨. ④ [시어] 배의 돛.

linografía *f.* 천에 하는 인쇄.

linóleo *m.* 리놀륨 ((바닥에 까는 것)): suelo de ~ 리놀륨 바닥[마루].

linóleum *m.* =**linóleo.**

linón *m.* [섬유] 한랭사(寒冷紗).

linotipia *f.* ① [인쇄] 라이노타이프, 주조 식자기. ② [인쇄] 라이노타이프 인쇄(법), 라이노타이프 조판술.
linotipista *mf.* 라이노타이프 취급자.
linotipo *m.* [인쇄] =linotipia ①.
lintel *m.* (문・창문의) 상인방.
linterna *f.* ① 칸델라, 랜턴, 등(燈), 각등(角燈), 제등(提燈), 초롱. ② 회중 전등. ③ [건축] (건물의) 꼭대기 탑; 채광창. ④ 연안 등대. ¶ ~ *flamenca* =linterna sorda. ~ *mágica* 환등기. ~ *sorda* 채광식 초롱.
linternazo *m.* ① 등으로 때리기. ② 무엇이든 다른 기구로 때리기.
linternear *tr. Méj.* 등으로 사냥하다[낚시질하다].
linternero, ra *mf.* 등 제조자.
linternón *m.* 고물의 등(farol de popa).
linyera *f. Arg., Ur.* [드묾] (유랑자의) 옷 꾸러미, 개인용품 보따리. —*mf. Arg., Bol., Ur.* 유랑자, 방랑자.
lío *m.* ① (의류 등의) 꾸러미, 보따리, 다발. ② 분규, 말썽거리, 분쟁, 혼란: meterse en un ~ 궁지에 빠지다. ③ 번잡, 난잡함, 소란, 무질서. ④ 불륜 관계, 부정. ¶*armar un* ~ 분쟁을 일으키다, 말썽을 일으키다, 시끄럽게 하다, 혼란하게 하다, 복잡하게 만들다. *hacerse* alguien *un* ~ (정신이) 혼란하다, 일이 얽히고설키다, 말썽이 되다, 시끄러워지다, 복잡해지다.
liofilización *f.* 동결 건조(凍結乾燥).
liofilizador, ra *adj., mf.* 동결 건조시키는 (사람).
liofilizar (9) *tr.* 동결 건조시키다.
lioso, sa *adj.* ① (이해・해결이) 어려운, 곤란한, 까다로운. ② 어수선한, 혼잡한, 분규를 일으키는.
lipa *f. Ven.* (척추동물의, 특히 부피가 커진) 배, 복부
lipemanía *f.* [의학] 우울증.
lipemaniaco, ca *adj.* 우울증에 걸린. —*mf.* 우울증 환자.
lipemaníaco, ca *adj.* =lipemaniaco.
lipendi *adj.* [속어] 멍청한, 우둔한, 바보의(tonto, bobo).
lipídico, ca *adj.* [생화학] 지질(脂質)의[에 관한].
lípido *m.* [생화학] 지질(脂質).
lipiria *f. Chile.* =indigestión.
lipo- *pref.*「지질・지방(grasa)」의 뜻: *lipo*succión 지방 제거 미용 수술의 한 기법. *lipo*proteína 지(脂) 단백질.
lipoide *m.* [생화학] 유지질(類脂質).
lipoideo, a *adj.* [생화학] 유지질의.
lipólisis *f.* [화학] 지방 분해.
lipoma *m.* [의학] 지방종(脂肪腫).
lipoproteína *f.* [생화학] 지단백질(脂蛋白質), 리포 단백질.
liposolubilidad *f.* [생화학] 지용성(脂溶性).
liposoluble *adj.* [생화학] 지용성의.
liposoma *m.* [화학] 리포솜 ((인지질(燐脂質)의 현탁액에 초음파 진동을 가하여 생기는 미세한 피막 입자)).
liposucción *f.* (지방 제거를 위한) 미용[성형] 수술의 한 기법 ((지방질 부분을 절개하여 진공 펌프로 지방질을 뽑아냄)).
lipotimia *f.* [의학] 기절, 졸도, 실신.
liq. liquidación 결산, 청산.
liquen *m.* [식물] 지의류(地衣類).
liquidabilidad *f.* =liquidez.
liquidable *adj.* ① 액화할 수 있는. ② 청산[결산]할 수 있는.
liquidación *f.* ① (부채의) 청산, 결제(계정), 정리: ~ de una sociedad 회사의 청산[해산]. ② 투매, 덤핑, 바겐세일: comprar en ~ 바겐세일로 사다. vender en ~ 바겐세일을 하다. ③ (부동산 등의) 매각. ④ (관계의) 해소(解消). ⑤ (활동의) 종료(終了). ⑥ = licuación. ⑦ *AmérC.* 해고 (수당).
liquidador, ra *adj.* ① 결산[청산]하는. ② 파산 정리하는. —*mf.* (파산) 청산인(清算人): ~ de avería 해상 손해 청산인. ~ judicial 법정 청산인.
liquidámbar *m.* [식물] 소합향(蘇合香).
líquidamente *adv.* 청산으로, 결제로, 정리로; 바겐세일로, 덤핑으로.
liquidar *tr.* ① 청산하다, 결제하다: ~ una deuda 빚을 전액 반제하다. ~ una sociedad 회사를 청산하다[해산하다]. ~ una cuestión difícil 어려운 문제를 해결하다. ② (부동산 등을) 매각하다, 현금화하다. ③ (돈을, 단기간에) 다 써버리다. ④ 싸게 팔다, 바겐세일하다, 덤핑하다, 투매하다. ⑤ (사업・노력을) 포기하다, 단념하다. ⑥ (개인 관계를) 청산하다. ⑦ [속어] (…를) 죽여 제거하다. ⑧ 액화되다, 녹다. ~**se** ① 액화되다. ② 다 써버리다, 탕진하다.
liquidez *f.* ① [상업] 유동성(流動性): ~ monetaria 유동 자금. bonos con una gran ~ 환금성이 높은 채권. Falta ~ 현금이 부족하다. ② (물질의) 유동성.
líquido, da *adj.* ① 액체의, 유동체의: alimento ~ 유동식(流動食). ② [상업] 유동성이 있는, 즉시 현금화할 수 있는: activo ~ 유동 자산. dinero ~ 현금. ③ [상업] 정미(正味)의: saldo ~ 정미 잔고. ④ [언어] 유음(流音)의: letra ~*da* 유음 문자. —*m.* ① 액체: ~ seminal 정액(精液). ② 음료, 마실 것. ③ 유동식. ④ [상업] 순익, 순소득. ⑤ [상업] 청산 잔고. ⑥ 현금. —*f.* [언어] 유음. ¶ ~ *amniótico* 양수(羊水). ~ *imponible* 과세 대상 소득. *aire* ~ 액체 공기.
liquilique *m. Col., Ven.* (목에서부터 단추를 잠그는) 면(綿) 블라우스.
lira[1] *f.* ① [악기] (옛날 사람들이 사용한) 수금, 칠현금. ② 서정시의 일종. ③ (시인의) 시적 감흥, 인스피레이션.
lira[2] *f.* 리라 ((이탈리아의 전 화폐 단위)).
lirado, da *adj.* 악기 lira 형의.
lírica *f.* ☞lírico.
lírico, ca *adj.* ① 수금[칠현금]의[에 관한]. ② 서정적인. ③ 서정시의. ④ [연

극] 노래와 음악이 있는, 오페라의: compañía ~*ca* 가극단. ⑤ 열정적인. —*m.f.* 서정 시인. —*f.* 서정시.

lirio[1] *m.* [식물] 붓꽃, 창포(菖蒲). ¶ ~ ***blanco*** [식물] 백합. ~ ***cárdeno*** [식물] =**lirio.** ~ ***de los valles*** [식물] 은방울꽃.

lirio[2] *m. Gal.* [어류] 전갱이의 일종 .

lirismo *m.* ① 서정성(抒情性), 서정미. ② 열정, 감정의 유출.

liróforo *m.* 시인(詩人)(poeta).

lirón[1] *m.* ① [동물] 동면쥐. ② 잠꾸러기, 잠보, 잠을 많이 자는 사람, 잠이 매우 많은 사람. ¶***dormir como un*** ~ 많이 자다, 계속 자다.

lirón[2] *m.* [식물] 질경이(alisma).

lirón[3] *m.* ① [식물] 팽나무의 일종. ② 팽나무의 열매.

lironero *m.* rur. *Mur.* [식물] 팽나무의 일종(almez).

lis *f.* [*pl.* ~es] ① [식물] =**lirio**[1]**.** ② [문장학] 붓꽃의 꽃 모양.

lisa *f.* ① [어류] 미꾸라지. ② [어류] = **mújol.**

lisamente *adv.* 매끄럽게. ¶***lisa y llanamente*** 알기 쉽고 분명하게, 빙빙 돌리지 말고 단도직입적으로.

lisboeta *adj.* ① 리스본(Lisboa, 포르투갈의 수도) 태생의. ② 리스본의[에 관한]. —*m.f.* 리스본 사람.

lisbonense *adj. m.f.* =**lisboeta.**

lisbonés, sa *adj. m.f.* =**lisboeta.**

lisiado, da *adj.* (특히, 손발에) 영구 장애가 있는, 신체 장애의. —*m.f.* 신체 장애자, 불구자.

lisiadura *f.* 신체 장애, (영구) 불구.

lisiar (11) *tr.* 상처를 입히다, 부상을 입히다, 불구로 만들다. ~**se** 상처를 입다, 부상당하다, 불구가 되다.

lisis *f.sing.pl.* ① [의학] 병의 열이 서서히 내림. ② [화학] (화학 결합의 파괴에 의한) 물질의 분해.

-lisis *suf.* 「분해」의 뜻: electro*lisis* 전기 분해. foto*lisis* 광분해(光分解). hidro*lisis* 가수 분해(加水分解).

liso, sa *adj.* ① 편편한, 평평한, 평탄한: mar ~ 고요한 바다. pecho ~ 편편한 가슴. terreno ~ 평탄한 토지. ② 매끄러운, 반들반들한, 구김살이 없는: cara ~*sa* 반들반들한 얼굴. cutis ~ 매끄러운 피부, 구김살이 없는 피부. ③ (천이) 무늬가 없는: camisa ~*sa* 무늬가 없는 와이셔츠. ④ (옷이) 주름 없는, (술)장식 없는: falda ~*sa* (디자인이) 단순한[단조로운] 스커트. vestido ~ 단조로운[장식 없는] 드레스. ⑤ (주점에서, 잔이) 바닥처럼 주둥이가 넓은. ⑥ (천·의류가) 단색(單色)의: tela ~*sa* 단색 천. ⑦ 낯가죽이 두꺼운, 뻔뻔스러운, 철면피한. ⑧ 말대꾸를 잘 하는. —*m.* ① (주점의) 바닥처럼 주둥이가 넓은 잔. ② 바위의 편편하고 넓은 면. ③ *Ur.* (바·맥줏집에서 사용하는) 맥주 잔. ④ *pl.* =**holanda, aguardiente.** ¶ ~ **y llano, na** (사업이) 어려움이 없는, 아주 쉬운.

lisol *m.* 리졸 ((살균·살충제)).

lisonja[1] *f.* 아첨, 아부, 알랑거리기.

lisonja[2] *f.* [문장학] =**losange.**

lisonjeador, ra *adj. m.f.* =**lisonjero.**

lisonjear *tr.* ① 알랑거리다, 아부하다, 아첨하다. ② 자만의 동기를 부여하다. ③ 즐겁게[기쁘게] 하다. ~**se** ① 자만하다, 뽐내다. ② 즐기다.

lisonjeramente *adv.* ① 아부로, 아첨으로, 알랑거려. ② 즐겁게, 흐뭇하게, 듣기 좋게.

lisonjero, ra *adj.* ① 알랑거리는, 아부하는, 아첨하는. ② 마음을 즐겁게 하는, 귀를 즐겁게 해 주는, 듣기 좋은: música ~*ra* 듣기 좋은 음악. voz ~*ra* 듣기 좋은[즐거운] 목소리, 미성(美聲). perspectiva ~*ra* 밝은 전망. —*m.f.* 알랑쇠, 아첨꾼.

lista *f.* ① 표, 명부, 리스트: ~ de precios 가격표. ~ de viajeros 승객 명부. ~ electoral 선거인 명부. segunda ~ [군사] 불시 점호, 재점호. hacer una ~ 표[명부·리스트]를 작성하다. ② 띠, 테이프, (천·종이·가죽·가는 물건의) 끈. ③ 줄무늬. ¶ ~ ***civil*** (국가 예산에서) 국왕과 그 가족의 특별 세비, 왕실 비용. ~ ***de boda*** 결혼 예물 리스트. ~ ***de correos*** 유치우편(留置郵便). ~ ***grande*** (복권의) 전 당첨 번호표. ~ ***negra*** 블랙리스트. ***pasar*** ~ 점호를 하다.

listado, da *adj.* ① 리스트[명부]에 오른. ② 줄무늬가 있는: tela ~*da* 줄무늬 천. —*m.f.* 명부에 오른 사람.

listar *tr.* [드묾] 명부에 올리다(alistar).

listeado, da *adj.* =**listado.**

listel *m.* [건축] =**filete.**

listero, ra *m.f.* (직원·인부 등의) 명부 작성자[작성 담당자].

listeza *f.* 기민함, 날렵함.

listín *m.* 주소·전화 번호 수첩.

listo, ta *adj.* ① 민첩한, 기민한, 재빠른, 부지런한. ② 준비가 된: estar ~ 준비가 되어 있다. Todo está ~ 만반의 준비가 되어 있다, 모든 것이 준비되어 있다. ③ 영리한, 똑똑한, 머리 회전이 빠른, 빈틈없는. —*m.f.* 영리한 사람, 머리 회전이 빠른 사람. ¶***estar*** [***ir***] ~ alguien 확실히 실패하다[기대가 어긋나다].

listón *m.* ① (폭이 두 손가락 이하의) 명주 끈[리본]. ② [건축] =**filete.** ③ (틀[테]이나 기타 용도로 사용할) 좁은 널판지. ④ [운동] (높이뛰기·장대높이뛰기의) 가로대, 바. ⑤ 목표, 수준. ¶***poner el*** ~ ***alto*** 요구 사항을 늘리다, 목표를 아주 높게 잡다. ***poner el*** ~ ***bajo*** 요구 사항을 줄이다, 목표를 아주 낮게 잡다.

listonado *m.* 좁은 널판지 제품.

listonar *tr.* …에 널판지(listón)를 대다.

listonería *f.* [집합] =**cinta, listón.**

listonero, a *m.f.* listón 제작자.

lisura *f.* ① (표면이) 편편함, 매끄러움.

② 천진함, 솔직함. ③ *Bol., Ecuad., Guat., Hond., Pan., Perú.* 거칠고 무례한 말이나 행동. ④ *Bol., Ecuad., Hond., Pan., Perú.* 겁이 없음, 물불을 가리지 않음. ⑤ *Peru.* =**gracia, donaire.**

litarge *m.* =**litargirio.**

litargirio *m.* 일산화염.

lite *m.* [법률] =**pleito.**

litera *f.* ① (배·기차·병영·침실 등의) 간이 침대, 2단 침대. ② (옛날의) 들것, 담가, 가마, 들것 모양의 것.

literal *adj.* ① 글자[문자]대로의. ② (번역·해석 등이) 축어적(逐語的)인, 원문 어구에 충실한: traducción ~ 축어역, 축자역, 직역. ③ (설명·정보·기술 등이) 정확한, 엄밀한, 있는 그대로의. ④ 융통성 없는. ⑤ (문자 그대로) 정확한.

literalidad *f.* 글자대로임, 글자대로의 해석[뜻].

literalmente *adv.* ① 글자[문자]대로, 글자 뜻대로. ② 축어적으로; 문자에 구애되어: traducir ~ 축어역하다, 직역하다. ③ (과장하여) 문자대로, 정말로, 사실상.

literariamente *adv.* 문학적으로.

literario, ria *adj.* ① 문학의, 문학적인, 문필의, 문예의: círculo [mundo] ~ 문단. historia *~ria* 문학사. premio ~ 문학상. propiedad *~ria* 저작권. obra *~ria* 문학 작품, 저작물. revista *~ria* 문예 잡지. ② 문어(文語)의, 문어적인: estilo ~ 문어체. ③ 문과계(文科系)의.

literato, ta *adj.* 문학에 조예가 깊은, 문학에 정통한. *—m.f.* 문학자, 문필가, 문인, 문단인, 학자.

literatura *f.* ① 문학, 문예: ~ clásica 고전 문학. ~ coreana 한국 문학. ~ española 스페인 문학. dedicarse a la ~ (직업으로) 문학을 하다, 문필업에 종사하다. vivir de la ~ 글을 써서 먹고 살다, 문학으로 생계를 꾸리다. ② [집합] (국가·시대·장르의) 문학 작품[저작물]; 문학 연구: libro de ~ universal 세계 문학 연구서. ③ (예술·과학에 밝은[정통한·조예가 깊은]) 작품; 문헌: médica ~ 의학에 관한 문헌, 의서(醫書). ~ jurídica 법률에 관한 문헌, 법률서. ④ [집합] 문학(에 관한) 지식: saber mucha ~ 문학에 관한 지식이 많다, 문학에 조예가 깊다. ⑤ 문학 논문, 문학 저술(著述). ¶ ~ *de cordel* =**pliegos de cordel.**

literero *m.* ① 들것[가마·담가] 판매자. ② 가마꾼.

litería *f.* 왕가의 litera 담당 직.

litiásico, ca *adj.* 결석증의[에 관한].

litiasis *f.sing.pl.* [의학] 결석증. ¶ ~ *biliar* [의학] 담석(膽石).

lítico[1], ca *adj.* ① 돌의[에 관한]. ② [역사] 석기의, 석기 시대의. ③ [화학] 요산(尿酸)의.

lítico[2], ca *adj.* [화학] lisis의[에 관한].

litigación *f.* 소송, 제기.

litigante *adj.* 싸우는, 소송하는, 제소하는: punto ~ 쟁점. *—m.f.* 소송인, 소송 제기자, 소송 당사자.

litigar (8) *tr.* 소송을 걸다, 소송을 제기하다. *—intr.* 말다툼하다, 논쟁하다, 싸우다, 다투다.

litigio *m.* ① [법률] 소송: en ~ 소송 중인. ② 말다툼, 논쟁, 싸움.

litigioso, sa *adj.* ① 소송 중인: cuestión *~sa* 소송 중인 문제. ② 분쟁 중인, 논쟁 중인. ③ 소송하기[논쟁하기] 좋아하는.

litina *f.* 리튬 산(ácido de litio).

litio *m.* [화학] 리튬.

litis *f. lat.* [법률] =**pleito.**

litisconsorte *m.f.* [법률] 공동 소송인.

litisexpensas *f.pl.* [법률] 소송 비용.

litispendencia *f.* 미결 소송.

lito- *pref.* 「돌(piedra)·화석(fósil)」의 뜻: *lito*grafía 석판 인쇄(술).

-lito *suf.* 「돌(piedra)·화석(fósil)」의 뜻: mega*lito* 거석. osteo*lito* 뼈 화석.

litocálamo *m.* 갈대 화석(caña fósil).

litoclasa *f.* [지질] 암석 균열.

litocola *f.* (보석 접합용) 시멘트.

litófago, ga *adj.* 천석류(穿石類)의, 바위에 구멍을 뚫고 사는.

litofografía *f.* =**fotolitografía.**

litografiar (12) *tr.* =**fotolitografiar.**

litofotográficamente *adv.* =**fotolitográficamente.**

litogenesia *f.* 암석 생성학.

litografía *f.* ① 석판 인쇄(술). ② 석판화. ③ 석판 인쇄 공장.

litografiar (12) *tr.* 석판으로 인쇄하다.

litográfico, ca *adj.* 석판술[인쇄]의.

litógrafo, fa *m.f.* 석판공, 석판 인쇄공.

litología *f.* 암석학(巖石學).

litológico, ca *adj.* 암석학의[에 관한].

litólogo, ga *m.f.* 암석학자[연구가].

litoral *adj.* 해변의[에 관한], 연안의[에 관한]. *—m.* 연안 지대[지방]: país sin ~ 내륙국(內陸國).

litosfera *f.* [지질] 암석권(巖石圈).

litósfera *f. Amér.* =**litosfera.**

litote *f.* =**lítotes.**

lítotes *f.sing.pl.* [수사학] 곡언법.

litotomía *f.* [의학] 방광 결석 제거 수술(talla).

litotricia *f.* [의학] 방광 결석 쇄석술.

litotritor *m.* [의학] 방광 결석 쇄석기.

litráceo, a *adj.* [식물] 부처꽃과(科)의. *—f.pl.* 부처꽃과 식물.

litrarieo, a *adj.* [식물] =**litráceo.**

litreado *m. Chile.* (병에 넣지 않고) 포장하지 않고 파는 포도주.

litro *m.* ① [용량의 단위] 리터. ② 리터 되에 들어갈 수 있는 액체 양.

litrona *f.* 1리터들이 맥주병.

lituano, na *adj.* ① 리투아니아(Lituania, 발트해 연안의 유럽 국가; 1991년까지 소비에트 연방의 한 공화국; 수도 Vilnius) 태생의. ② 리투아니아의[에 관한]. *—m.f.* 리투아니아 사람. *—m.* 리투아니아 말.

liturgia *f.* ① 예배 의식. ② 전례(典禮), 종교적이지 않은 의식.
litúrgico, ca *adj.* 전례의[에 관한]. —*f.* 전례학(典禮學).
liturgista *mf.* 전례[예배] 학자.
liudar *intr. Chile, Col.* =**leudar.**
liudo, da *adj.* [고어] *And., Col., Chile.* =**leudo.**
liviana *f.* ☞**liviano.**
livianamente *adv.* ① 부정직하게. ② 가볍게, 경솔하게, 근거 없이. ③ 표면적으로.
liviandad *f.* ① 가벼움. ② 경박함, 경솔함. ③ 경솔한 행위[행동].
liviano, na *adj.* ① 가벼운: comida ~*na* 가벼운 식사. ② (차·커피 등이) 진하지 않은: café ~ 엷은 커피. té ~ 엷은 차. ③ 변하기 쉬운, 불안정한, 흔들리는. ④ 하찮은, 사소한, 시시한, 별로 중요하지 않은. ⑤ (여자가 남자 관계에서) 품행이 단정하지 못한, 몸가짐이 헤픈. ⑥ [드묾] 음란한, 음탕한, 호색의. —*m.* ① [주로 *pl.*] (주로 식용 짐승의) 폐(肺). ② 가축 떼를 선도하는 당나귀. —*f.* 리비아나 ((안달루시아의 민요)).
lividecer (31) *intr.* 얼굴이 창백해지다.
lividez *f.* (얼굴의) 창백(함).
lívido, da *adj.* ① 보랏빛의, 자색(紫色)의, 자줏빛의, 암자색(暗紫色)의, 어두운 자줏빛의, 흙빛의, 거무죽죽한. ② (얼굴이) 핏기가 없는, 무척 창백한: ponerse ~ 얼굴이 창백해지다.
living *m. ing.* 거실(cuarto de estar).
livor *m.* ① 심홍색(深紅色). ② 악의; 질투, 시새움, 증오(odio).
liza[1] *f.* [어류] 숭어(mújol).
liza[2] *f.* ① 시합장, 투기장. ② =**lid.**
liza[3] *f. Ar.* 두꺼운 삼실.
lizo *m.* [주로 *pl.*] 강한[굵은] 날실.
ll 에예 ((1803년부터 스페인어 알파벳의 열네 번째 문자; 이름은 elle; 글 쓸 때 분리될 수 없음)).
llábana *f. Ast.* 매끄러운 평석(平石).
llaga *f.* ① (사람·동물의) 궤양, 종양. ② 자국, 흔적, 낙인. ③ 고뇌, 심통; 유한(遺恨). ④ [건축] 같은 줄의 두 벽돌 사이의 이음매. ¶***indignarse la*** ~ *Ar.* 성내다, 화내다.
llagar (8) *tr.* 궤양을 일으키다.
llagoso, sa *adj.* [고어] 궤양이 있는.
llajua *f. quechua. Bol.* [요리] 야후아 ((고추·토마토·향초로 만든 소스)).
llama[1] *f.* 화염, 불꽃: ~ olímpica 올림픽 성화. ¶***salir de las ~s caer en las brasas*** (속담) 갈수록 태산, 일난거이우일난(一難去而又一難).
llama[2] *f.* [동물] 야마 ((낙타과의 송아지만한 동물. 남아메리카에 삶. 낙타와 비슷하나 육봉이 없고, 털은 양털 같은데 수컷은 타기도 하고 짐을 나르기도 함. 털은 직물, 지방은 등유, 가죽은 구두의 원료로 쓰고, 고기는 식용임)).
llamada *f.* ① 호출, 부르기; 부르는 소리: ~ de socorro 조난 신호. ② 통화, 전화 호출: ~ a cobro revertido 콜렉트 콜. ~ internacional 국제 통화[전화]. ~ interurbana 장거리 통화. ~ personal 지명 통화. ~ urbana 시내 통화. ③ 출석 부르기, 점호. ④ [군사] 소집, 집합. ⑤ 유혹, 꾐: ~ del mar 바다의 매력. ⑥ (난외 기사에) 보내는 기호. ⑦ [컴퓨터] 호출: instrucción de ~ 호출 명령. ¶***batir*** ~ 소집 나팔을 불다[북을 울리다].
llamadera *f.* =**aguijada.**
llamado *m.* =**llamamiento.**
llamador, ra *mf.* 부르는 사람. —*m.* ① (문의) 노커(aldaba). ② 초인종의 버튼[누름단추]. ③ (중개 전신소에서) 다른 호출의 알림 장치. ④ [드묾] =**avisador.**
llamamiento *m.* ① 호소. ② 호출, 소환. ③ [군사] 소집(~ a filas).
llamar *tr.* ① 부르다: ~ a *su* perro 개를 부르다. ~ un taxi 택시를 부르다. ② (구두·정신적으로) 구원을 청하다. ③ 소집하다: ~ a Cortes 의회를 소집하다. ④ 이름 붙이다, (이름으로) 부르다. ⑤ 끌다, 끌어당기다. ⑥ [군사] 소집하다. ⑦ [드묾] (물건을 옆으로) 기울다. ⑧ [드묾] (물건을 한쪽으로) 끌어당기다. —*intr.* ① 전화를 걸다, 전화하다; 전화기 앞에 불러내다: ~ a casa 집에 전화하다. ~ al cero noventa y uno *Esp.* 091로 전화하다. Te *llaman* 너한테 전화다. ② (건물의 출입구에서) 노크하다, 초인종을 울리다: *Llaman* a la puerta 누가 문을 두드린다, 누가 문에서 부른다. Están *llamando* a la puerta 누가 문을 두드리고 있다. Pasar sin ~ [게시] 노크하고 들어오십시오. ③ 좋아하다. ④ [드묾] (특히 맵고 짠 음식을 먹을 때) 갈증을 일으키다, 갈증이 나다. ~**se** ① 이름이 …이다, …이라는 이름이다, …라 불리다: ¿Cómo *se llama* usted? —*Me llamo* Kim Kildong (귀하의) 성함은 어떻게 되십니까? —김길동입니다. ② 바람 부는 방향이 바뀌다.
llamarada *f.* ① 불꽃, 화염. ② (얼굴이) 화끈하게 달아오름. ③ 불길처럼 일어나는 정열.
llamarón *m. And., Col., Ecuad.* 큰 불꽃[화염].
llamativo, va *adj.* ① 지나치게 남의 주목을 끄는, 몹시 강렬한, 몹시 칙칙한, 몹시 짙은: adornos ~*s* 몹시 칙칙한 장식. colores ~*s* 몹시 짙은[강렬한] 색, 화려한 색. trajes ~*s* 화려한 옷, 남의 눈을 끄는 옷. ② 목이 타는, 갈증이 나는.
llameante *adj.* 불길이 타오르는[솟아오르는].
llamear *intr.* 불길이 타오르다[솟아오르다], 불길이 일다(echar llamas).
llamingo *m. Ecuad.* =**llama**[2]**.**
llana *f.* ☞**llano.**
llanada *f.* 평원(campo llano).
llanamente *adv.* ① 솔직히, 털어놓고,

꾸밈없이. ② 반반하게, 납작하게.

llande *f.* =bellota.

llaneador, ra *adj., mf.* (비탈길을 피해) 평지를 걷는.

llanear *intr.* (비탈길을 피해) 평지를 걷다(andar por lo llano).

llanero, ra *mf.* 평원의 주민.

llaneza *f.* ① 소탈함. ② 평이함, 쉬움. ③ (문장이) 단조로움.

llano, na *adj.* ① 반반한, 평탄한: camino ~ 평탄한 길. tierra *~na* 평지. ② 꾸밈없는, 소탈한: modales *~s* 소탈한 태도. ③ (표현이) 쉬운, 평이한: decir en lenguaje ~ 이해하기 쉬운 말로 하다. ④ [언어] 마지막에서 두 번째 음절에 악센트가 있는. —*m.* 평원, 평지. —*f.* ① (미장이의) 흙손. ② (종잇장의) 한 면(面). ③ =llanura.¶ *canto* ~, *música ~na* 단선율 성가. *pueblo* ~ 평민. *a la ~na* 털어놓고, 꾸밈없이; 쉽고도 분명하게. *de* ~, *de* ~ *en* ~ 명백하게.

llanque *m. Perú.* =ojota.

llanta[1] *f.* ① 식물, (특히 묘상의) 식물. ② 양배추의 일종.

llanta[2] *f.* ① (수레·차바퀴의) 쇠테. ② 넓은 쇳조각. ③ *Amér.* 타이어. ④ [Costa Rica에서는 *pl.*] 몸의 어느 부분의 비곗살. ⑤ *Cuba.* (사람의) 매우 큰 발. ¶ ~ *de goma* (움직임을 부드럽게 하는) 자동차 바퀴의 고무 테.

llantén *m.* [식물] 차전초, 질경이. ¶ ~ *de agua* =alisma. ~ *mayor* = llantén.

llantera[1] *f.* =llorera.

llantera[2] *f.* ① 타이어 공장. ② *Hond.* 타이어 수리소, 타이어 펑크 수리소.

llantería *f.* (여러 사람의) 소란하고 계속되는 울음 (소리).

llanterío *m.* =llantería.

llantero *m. Ecuad.* 타이어 공장 일꾼.

llantina *f.* =llorera.

llanto *m.* 한탄, 울부짖음, 낙루, 오열. ¶ *anegarse en* ~ =llorar a lágrima viva. ☞**lágrima.**

llanura *f.* ① 평원, 평야. ② (표면이) 평평함, 평탄함.

llapa *f. AmérM.* =añadidura.

llapingacho *m. quechua. Ecuad.* 버터 바른 감자 전병[부침개].

llar[1] *f. Ast., Canth.* 부뚜막, 아궁이

llar[2] *f.* (붙박이 화로나 부뚜막 위에 걸어 놓고 임의의 위치에 냄비·주전자 등을 달아맬 수 있도록 된) 쇠갈고리.

llaulláu *m. mapuche.* [식물] 나무에서 자라는 칠레의 버섯.

llave *f.* ① 열쇠, 키: ~ de la solución 해결의 열쇠[실마리]. ~ del éxito 성공의 열쇠. ~(*s*) de oro (명예 시민에게 주는) 황금의 열쇠. abrir la puerta con ~ 문을 열쇠로 열다. cerrar la puerta con ~, poner la ~ a la puerta 문에 열쇠를 채우다. *Llave* en mano [광고] 즉시 입주가(入住可), 자동차 즉시 인도(함). ② 열쇠 모양의 물건: ~ de contacto (자동차 등의) 시동 키. ③ 스패너, 렌치 ((너트·볼트 등을 돌리는 데 쓰는 공구)). ④ (전등의) 스위치(~ de la luz). ⑤ (가스·수도의 계량기 옆에 달린) 개폐 장치; (가스 기구의) 꼭지, 마개. ⑥ [인쇄] 각 괄호, 대괄호 ([ ]); 연쇄 기호 ({ }). ⑦ [음악] (관악기의) 판(瓣), 키, 건. ⑧ [음악] 음부 기호: ~ de fa [sol] 바[사]음 기호. ⑨ 기(技), 결정적인 수. ⑩ [역도] 굳히기. ⑪ [레슬링] 조르기. ¶ ~ *de paso* (가스 기구의) 마개, 꼭지. ~ *falsa* (표절된) 결쇠, 여벌쇠. ~ *grifa* (수도 시설 등에서) 멍키 스패너 비슷한 꼭지. ~ *inglesa* 자재(自在) 스패너, 멍키 스패너. ~ *maestra* 마스터 키. *bajo* ~, *debajo de* ~ 안전한 장소에, 열쇠를 단단히 걸고. *debajo de siete ~s* 안전하게, 안전한 장소에. *doblar la* ~ =torcer la llave. *echar la* ~ ㉮ 자물쇠를 채우다. ㉯ =echar el sello. *falsear la* ~ (몰래 열기 위해) 열쇠 비슷한 것을 만들다. *recoger las ~s* alguien (장소·모임에서) 마지막으로 떠나다. *torcer la* ~ (닫거나 열기 위해) 열쇠를 자물쇠 안에서 돌리다. *tras* ~, *tras siete ~s* =bajo llave.

llavear *tr.* ① *Arg., Par.* 자물쇠를 채우다. ② *Cuba.* =atar corto. ☞**atar.**

llavero, ra *mf.* (일반적으로 열쇠로 열고 닫는 일을 하는) 열쇠 보관인[담당자·당번]. —*m.* 열쇠 고리, 키 홀더, 열쇠 다발[꾸러미]. ¶ ~ *abrepuertas por radio* (차고 등의) 리모콘 셔터.

llavín *m.* ① 작은 열쇠. ② *Cuba.* 자물쇠(cerradura).

lleco, ca *adj.* 미개간의 (땅).

llegada *f.* ① 도착: ~ a Madrid 마드리드 도착. ~ con retraso 연착. ② 도래(到來): ~ de la primavera 봄소식, 봄의 도래. ③ [운동] 골라인.

llegado, da *adj.* [고어] =cercano.

llegar (8) *intr.* ① 도착하다, 닿다: ~ *a* casa 집에 도착하다, 귀가하다. ② 도래(到來)하다, 오다: ㉮ [시간] Ya *llega* la primavera 이제 봄이다, 이제 곧 봄이 온다. ㉯ [우편물 등] Te *ha llegado* una tarjeta postal 너한테 우편엽서가 왔다. ③ 도달하다, 닿다: ㉮ [장소] ~ *a* la cima 정상에 도달하다. ~ *a su* destino 목적지에 도달하다. ~ *a* presidente 사장 자리에 오르다. ㉯ [높이·수량 등] *Llego* con la mano *al* techo 나는 천장에 손이 닿는다. Mi hija aún no *llega a* abrir el armario 나의 딸은 아직 (작아서) 찬장을 열지 못한다. ㉰ [나이·시기 등] ~ *a* viejo 노령에 달하다. ㉱ [변화의 결과] …이 되다: ~ *a* médico 의사가 되다. ④ (마음에) 닿다, 달하다, 미치다; 받아들여지다: música que *llega a* la juventud 젊은이에게 와 닿는 음악. ⑤ (비용 등이) 족하다, 충분하다. ⑥ [+a+*inf.*] (…하기에) 이르다, …하게 되

다. —*tr.* ① =arrimar, acercar. ② [드묾] =allegar, juntar. ~**se** ① …에 가까이 가다, 접근하다. ② (가까운 장소에) 가다, 들르다. ③ [드묾] = unirse, adherirse.

llegue *m.* ① *Méj.* 단검으로 찌르기. ② *Méj.* 단검으로 찔린 상처.

llena *f.* 범람.

llenado *m.* 가득 채움.

llenador, ra *adj., m.f. Ur.* 포식하는 (사람).

llenamente *adv.* 듬뿍, 가득히, 충분히.

llenar *tr.* ① 가득 채우다: ~ el depósito *de* gasolina 탱크를 가솔린으로 채우다. ② (구멍 등을) 메우다: ~ un hoyo 구멍을 메우다. ③ (공란에) 써 넣다, 기입하다: ~ un formulario 용지에 기입하다. ④ (조건 등을) 채우다, 충족시키다: ~ las condiciones 조건을 충족시키다. ⑤ 만족시키다. ⑥ 더럽히다. ⑦ *Arg., Ur.* 물리게[신물나게] 하다. ⑧ *Cuba.* 귀찮게[성가시게] 하다, 괴롭히다. —*intr.* [드묾] (달이) 보름달이 되다. ~**se** ① 가득해지다, …투성이가 되다, 메워지다: *~se de* manchas 얼룩투성이가 되다. ② 포식하다, 배가 터지도록 마시다. ③ 노하다, 성내다, 화내다.

llenazón *f. Cuba, Méj.* 포식, 물림.

lleno, na *adj.* ① [+de] (…로) 가득찬, 넘치는, 충만한: El tren está ~ 열차가 만원이다. El vaso está ~ de vino 잔은 포도주로 가득하다. ② 둥그스름한, 약간 살찐, 토실토실한: cara *~na* 둥그스름한 얼굴. mejillas *~nas* 토실토실한 볼. ③ 포식한, 싫증나게 먹은: Estoy [Me siento] ~ 많이 먹었습니다, 포식했습니다. ④ 매우 더러운, 얼룩진: estar ~ de manchas 얼룩투성이다. —*m.* ① 만원. ② 완벽함. ③ 충분함. ④ [드묾] 만월, 보름달. ¶***aguas ~nas, mar ~*** 만조. ***de ~, de ~ en ~*** 완전히, 가득히, 모조리.

llenura *f.* ① 충분함, 충만함. ② *Salv.* 위가 트릿함, 먹은 것이 잘 삭지 않아 거북함(pesadez de estómago).

llera *f.* 자갈땅, 자갈밭(cantizal).

lleudar *tr.* =leudar.

lleva *f.* =llevada.

llevada *f.* 운반, 나르기, 운송.

llevadero, ra *adj.* 견디기 쉬운, 참아내기 쉬운(fácil de sufrir).

llevar *tr.* ① ㉮ (물건들을) 지니다, 지니고 있다, 휴대하고 있다, 가지고 있다: ~ la maleta en la mano derecho 오른손에 가방을 가지고 있다. ㉯ 가지고 가다, 운반하다: *Llevo* la bolsa 자루는 내가 가지고 가겠다. ㉰ (부속품 등이) 있다. ㉱ (무게 등을) 참고 견디다. ② ㉮ (사람을) 데리고 가다. ㉯ (탈것에) 태우다. ③ (의복 등을) 입고 있다, 몸에 걸치고 있다[끼고 있다·쓰고 있다]: ~ un anillo 반지를 끼고 있다. ~ un sombrero 모자를 쓰고 있다. ④ (몸 등이 어떤 상태에) 있다; (감정·의지 등을) 품다: ~ las manos sucias 손이 더럽다. ~ el pelo largo 장발(長髮)이다. ~ una enfermedad incurable 불치병에 걸려 있다. ⑤ (영향·수확 등을) 낳다, 가져오다, 초래하다. ⑥ 인도하다; (결과에) 이르다. ⑦ (탈 것을) 조종하다, 조작하다, 운전하다, 잘 다루다. ⑧ ㉮ (일 등을) 담당하다, 관리하다: ~ una fábrica 공장을 경영[관리]하다. ㉯ (사람과) 잘[멋들어지게·솜씨 좋게] 접하다, 접촉하다. ⑨ (일시를) 보내다, 소비하다; (시간·노력이) 걸리다. ⑩ (대금을) 받다. ⑪ (리듬·박자를) 맞추다: ~ el ritmo con el pie 발로 박자를 맞추다. ⑫ [+a] (…보다) 많다, 상회하다. —*intr.* ① [+a] (…로) 통하다, 연결되다, 다니다: Esta calle lleva a la terminal de autobuses 이 길은 버스 터미널로 연결된다[가는 길이다]. ② [+현재 분사] …을 계속하고 있다: *Llevo* viviendo cuarenta años en Seúl 나는 서울에서 40년 살고 있다. ③ ㉮ [+현재 분사 +desde] (…부터) 쭉[계속해서] …하다: *Llevo* escribiendo desde por la madrugada 나는 새벽부터 쭉 글을 쓰고 있다. ㉯ [현재 분사 없이] Un amigo mío *lleva* en el hospital desde enero 내 한 친구는 1월부터 병원에 입원하고 있다. ~**se** ① …를 함께 데리고 가다; …을 가지고 가다, 휴대하다: *Llévate* al niño al parque 아이를 공원에 데리고 가거라. ② …을 획득하다, 벌다: *~se* el castigo 벌을 받다. *~se* el premio 상을 받다, 수상하다. *~se* mucho dinero con la bolsa 주식으로 많은 돈을 벌다. ③ 가지고 가다. ④ 빼앗아 가다. ⑤ (기쁨·놀람·불쾌 등을) 느끼다; 감동하다: *~se* una enorme sorpresa 크게 놀라다. ⑥ 유행하다. ⑦ (나이·외견 등이) 차이가 있다. ⑧ 몸의 상태가 …이다; 살아가다, 지내다, 살다: ¿Cómo *se lleva* usted? —Muy bien 어떻게 지내십니까? —아주 잘 지내고 있습니다. ⑨ (사태 등이) 나아지다, 증진하다. ¶ ***~las de ganar*** 유리한[유망한] 상황에 있다. ***~ las de perder*** 불리한[절망적인] 상황에 있다. ***~ los pantalones*** 남편을 깔고 뭉개다. ***~se bien*** [***mal***] ***con*** alguien (누구와) 사이가 좋다[나쁘다]. ***para ~*** (사서 식당에서 먹지 않고) 가지고 가는 (음식).

lliclla *f. NO Arg., Bol., Ecuad., Perú.* (인디오 여인들의) 숄, 어깨걸이.

llocalla *f. Bol.* 인디오 소년.

lloradera *f.* 하찮은 일로 많이 욺.

llorador, ra *adj., m.f.* 우는 (사람).

lloraduelos *m.f.sing.pl.* 불운을 자주 한탄하고 슬퍼하는 사람.

llorar *intr.* ① 울다, 눈물을 흘리다: ~ mucho 많이 울다. ~ de alegría 기쁨으로 눈물을 흘리다. ~ de despecho 분해서 눈물을 흘리다. ② 눈물이 나다. ③ (초봄에, 포도나무에서) 수액(樹

液)이 나오다. —*tr.* ① (…을) 생생하게 느끼다, 탄식하다, 한탄하다, 슬퍼하다, 애도하다: ~ la muerte de un amigo 친구의 죽음을 슬퍼하다. ② 울다, (눈물을) 흘리다. ③ (초봄에, 포도나무가 수액을) 떨어뜨리다. ¶*El que no llora no mama* (속담) 우는 아이 젖 준다.

lloredo *m.* =**lauredal.**

llorera *f.* 마냥 울기.

lloreta *f. Hond.* ① =**llorera.** ② 계속 반복되는 불평.

llorica *f.* 울보(llorón).

lloriquear *intr.* 이유도 없이 울다; 훌쩍훌쩍 울다, 훌쩍훌쩍 울다; (젖먹이가) 칭얼거리다.

lloriqueo *m.* 이유 없이 욺, 훌쩍훌쩍 욺; (젖먹이가) 칭얼거림.

llorisquear *intr. Ur.* =**lloriquear.**

lloro *m.* 울기, 우는 일.

llorón, na *adj.* ① 우는. ② 훌쩍훌쩍 우는. ③ (젖먹이가) 잘 우는. ④ 자주 불평하는[탄식하는]. —*mf.* 울보, 우지. —*m.* ① (수양버들처럼 축 처진) 깃털 도가머리. ② =**sauce de Babilonia.** —*f.* ① =**plañidera.** ② *pl.* rur. *Arg., Ur.* 박차.

llorosamente *adv.* 구슬프게, 슬프게.

lloroso, sa *adj.* ① 울어 눈물에 젖은, 울어서 퉁퉁 부은: cara ~*sa* 울어서 퉁퉁 부은 얼굴. ② 슬픈, 가엾은.

llovedera *f. Cuba, Méj., Salv.* 장마, 임우(霖雨)(lluvia persistente).

llovedizo, za *adj.* 비가 새는: techo [tejado] ~ 비가 새는 지붕.

llover (25) *intr.* ① [3인칭 단수로만 사용함] 비가 내리다: *Llueve* 비가 온다. *Llovió* mucho 비가 많이 내렸다. ② (어떤 것이 …의 위에) (비처럼) 많이 쏟아지다[떨어지다]. ~**se** 비가 새다. ¶*a secas y sin* ~ 아무 준비도 보고도 없이. *como llovido* 뜻밖에, 느닷없이, 예고 없이. *ha llovido mucho desde* cierto momento (그 때)부터 많은 시간이 흘렀다. ~ *sobre mojado* 설상가상이다, 엎친 데 덮치다, 우는 아이에게 침 주다. *seco y sin* ~ =**a secas y sin llover.**

llovida *f. Méj.* =**lluvia.**

llovido *m.* [드묾] 밀항자(polizón).

llovizna *f.* 이슬비.

lloviznar *intr.* [3인칭 단수로만 사용함] 이슬비가 내리다. ~**se** *Cuba.* 이슬비에 젖다.

lloviznoso, sa *adj.* 이슬비가 잦은.

llubina *f.* =**lubina.**

llueca *adj., f.* =**clueca:** gallina ~ 포란기의 암탉. ¶*echar una* ~ (포란기의 암탉에게) 둥지를 마련해 주어 알을 품게 하다.

lluvia *f.* ① 비: ~ nuclear, ~ radiactiva 방사능비, 방사능우. ~*s* torrenciales 호우(豪雨). agua de ~ 빗물. gota de ~ 빗방울. día de ~ 비오는 날. ② 빗물(agua ~). ③ 풍족(함), 대량, 다수, 많음: acosar con una ~ de preguntas 질문 세례를 퍼붓다. ④ *Arg., Chile, Ur.* 샤워. ¶~ *de estrellas* 유성우, 별똥비; 유성군(流星群). ~ *de oro CRica.* [식물] 작고 노란 꽃이 피는 난초의 변종. ~ *meona* =**llovizna, calabozos.**

lluvioso, sa *adj.* 비가 잦은, 비가 많은: clima ~ 우기.

lm lumen 루멘.

lo[1] *art.* ① [정관사 중성형으로 형용사·형용사구 앞에 놓여 추상 명사화] …의 것[일]: ㉮ [+형용사] *lo* grande 큰 것. *lo* pequeño 작은 것. ㉯ [+소유형용사] *lo* tuyo 네 것. ㉰ [+과거 분사] lo prohibido 금지 사항. ㉱ [이미 알고 있었던 화제; +de+명사·*inf.*] Gracias por *lo* de ayer 어제는 고마웠습니다. ② [위치] …의 곳: en lo alto de la escalera 계단 위(의 곳)에. ③ [+명사] …다움: *lo* hombre 남자다움. *lo* mujer 여자다움. ④ [+que, +형용사·부사+que] [앞 문장 전체가 선행사] 그것: Ella me dijo que no lo sabe, *lo* ~ no es verdad 그녀는 그것을 모른다고 나에게 말했는데 그것은 사실이 아니다.

lo[2] *pron.* [인칭 대명사 3인칭 단수] ① [직접 목적] 그를, 당신을 ((스페인에서는 lo·los 대신에 le·les를 사용하는 경우가 많다. ☞leímo)); [남성 명사를 받아서] 그것을: Su padre lo busca 그의 아버지가 그를 찾고 있다. Te *lo* daré 내가 너에게 그것을 주겠다. ② [중성 대명사] ㉮ 그것을: No hay clase hoy —No *lo* sabía 오늘 수업이 없다 —나는 그것을 모르고 있었다. ㉯ [+ser·estar·parecer; 이미 나온 명사·형용사의 대신 주격 보어로 사용됨] 그렇게: Ella se cree guapa, pero no *lo* es 그녀는 자신을 미녀라고 생각하지만 그렇지 않다.

loa *f.* ① 칭찬. ② (고전극에서 개막 전의) 서사(序詞). ③ 단편 극시(劇詩).

loable *adj.* =**laudable.** —*f.* =**refresco.**

loablemente *adv.* 칭찬으로.

loador, ra *adj.* 칭찬하는. —*mf.* 칭찬자, 칭찬하는 사람.

loar *tr.* =**alabar.**

loba[1] *f.* ① [동물] 암이리, 암늑대. ② 고랑 사이의 제거되지 않은 이랑. ③ *Ur.* 관능적으로 매력적인 여자.

loba[2] *f.* 승복, 법의(法衣)(sotana).

lobagante *m.* [동물] 가재(bogavante).

lobanillo *m.* ① (피부나 나무 껍질의) 혹. ② [의학] 피지 낭종(皮脂囊腫).

lobato *m.* 새끼 이리[늑대].

lobby *m.* [*pl.* lobb*ies*] ① 압력 단체, 로비스트. ② (호텔의) 로비.

lobectomía *f.* [의학] 폐엽 절제술.

lobera *f.* ☞**lobero.**

lobería *f.* ① 이리가 많음. ② 이리 소탕 수렵대. ③ 바다표범 서식지.

lobero, ra *adj.* 이리[늑대]의[에 관한].

—*m.* ① 이리[늑대] 사냥꾼. ② *Arg.* 바다표범 사냥꾼. —*f.* 이리[늑대]가 사는 산.

lobezno *m.* ① 작은 이리[늑대]. ② = lobato.

lobina *f.* =róbalo.

lobisón *m.* =hombre lobo.

lobo¹ *m.* ① [동물] 이리, 늑대. ② [어류] 미꾸라지. ③ [어류] 상어. ④ [기계] 조면기. ⑤ (성벽 높은 곳에 매달아 포위병으로부터의 방어를 위한) 강한 쇠갈고리. ⑥ *Ur.* 관능적으로 매력적인 남자. —*adj. Perú.* =astuto. ¶~ ***cerval***, ~ ***cervario*** ㉮ =lince. ㉯ =gato cerval. ~ ***de mar*** 노련한 뱃사람. ~ ***marino*** =foca. ***coger un*** ~ 술에 취하다. ***desollar*** **[*dormir*]** alguien ***el*** ~ 만취가 되어[술에 취해] 자다. ***pillar un*** ~ 술에 취하다. ***tener el*** ~ ***por las orejas*** 몹시 당황해 있다.

lobo² *m.* ① [해부] =perilla de la oreja. ② [생물] =lóbulo.

lobo³**, ba** *adj.* ① *Chile.* =arisco, huraño. ② *Méj.* =zambo.

loboso, sa *adj.* 늑대[이리]가 많이 자란 (땅).

lobotomía *f.* (대뇌의) 백질 절제(술).

lobotomizar (9) *tr.* (대뇌의) 백질 절제 수술을 하다.

lóbrego, ga *adj.* ① 어두운, 침침한, 음산한. ② 슬픈, 우울한, 울적한.

lobreguecer (31) *tr.* [드묾] 어둡게 하다, 음산하게 하다. —*intr.* [드묾] 어두워지다, 밤이 되다(anochecer).

lobreguez *f.* ① 어두움. ② 숲의 어두운 농도.

lobregura *f.* [드묾] 어두움.

lobulado, da *adj.* ① [식물] 열편(裂片) 모양의. ② [식물] 열편이 있는.

lobular *adj.* [해부] lóbulo의[에 관한].

lóbulo *m.* ① [식물] 열편(裂片). ② 귓불. ③ [건축] (아치의) 둥글게 튀어나온 부분. ④ [해부] 엽(葉), 잎: los ~*s* del pulmón 폐엽(肺葉). los ~*s* del hígado 간엽(肝葉), 간잎.

lobuno, na *adj.* ① 이리[늑대]의[에 관한]. ② *Arg., Ur.* 등에는 희끄무레하고, 하복부와 주둥이에는 더 밝고, 얼굴·갈기·꼬리·다리에는 검은 털이 있는 (말).

loca *f.* ☞loco².

locación *f.* [법률] 임대차(賃貸借).

local *adj.* ① 장소의[에 관한]. ② (특정한) 지방의, 고장의, 지구의, 지방적인, 한 지방 특유의: costumbres ~*es* 그 지방의 습관. equipo ~ 지방 팀, 홈팀. periódico ~ 지방지, 지방 신문. tren ~ 완행 열차. ③ 국지적인: fuerte nevada ~ 국지적인 폭설. guerra ~ 국지전. ④ (병 등이) 국부의, 국부적인: anestesia ~ 국부 마취. —*m.* (주로 건물 안의) 장소, 방; 시설, 점포. ¶***color*** ~ 지방색, 향토색.

localidad *f.* ① 거주 지역: en esta ~ 이 지역[지방]에서는. ② 관람석, 좌석; 입장권: reserva de ~*es* 좌석 예약. venta de ~*es* 입장권 판매; 입장권 판매소. ③ [드묾] =**local.**

localismo *m.* ① (배타적인) 지방주의, 향토주의, 지방 편애. ② 지방색, 지방성, 지방적 편협성. ③ 방언.

localista *adj.* ① 지방적인, 지방주의적인, 지방색의. ② (사물 보는 법이) 편협한. —*mf.* 지방을 주제로 하는 작가[화가], 향토 작가, 향토 화가.

localizable *adj.* 지방화할 수 있는, 국한할 수 있는.

localización *f.* ① 지방화, 국지화. ② 국한, 한정. ③ 위치 측정.

localizador *m.* [항공] 계기 착륙용 유도 전파 발신기.

localizar (9) *tr.* ① …에 지방적 특색을 주다, 지방화하다. ② (…의 위치·거처·있는 곳을) 찾아내다. ③ 한 지방[국부]에 제한하다. ~**se** (통증 등이) 위치하다, 오다.

locamente *adv.* ① 미쳐서, 실성해서. ② 지나치게, 과도히, 신중함이 없이.

locatario, ria *mf.* 세든 사람, 남의 땅을 빌린 사람(arrendatario).

locateli *adj., mf. Chile.* =**locatis.**

locatis *adj. mf.* 미친 사람 같은 (사람), 판단력이 흐린 (사람).

locativo, va *adj.* ① 임대차 계약의. ② [문법] 위치를 나타내는. —*m.* [문법] 위치격(位置格).

locato, ta *adj. Ven.* [경멸] =**locatis.**

locear *intr. Hond.* (도)자기를 제조하다[만들다].

locería *f. And., Amér.* (도)자기 공장.

locero, ra *mf. Hond., Ven.* (도)자기 제조자[판매자].

locha¹ *f.* [어류] 미꾸라지, 추어(鰍魚).

locha² *f. Ven.* (bolívar의) 12.5 센티모 가치가 있었던 동전. ¶***estar*** algo ***a tres por*** ~, ***estar*** algo ***de a tres por*** ~ *Ven.* (무엇이) 과도하게[너무 많이] 있다. ***valer*** algo ***tres*** ~***s*** *Ven.* (무엇이) 값이 아주 싸다.

loche *m. fr.* =**locha**¹**.**

loción *f.* ① 로션, 화장수, 세정액: ~ capilar 헤어 로션. ~ para después de afeitarse [del afeitado] 면도 뒤 (바르는) 로션. ② [주로 *pl.*] (의약품·화장품을 사용한) 세정, 마사지.

loco¹ *m. Chile.* [조개] 로꼬 ((살을 먹으나, 질겨 삶아 먹는 연체 동물)).

loco²**, ca** *adj.* ① 미친, 실성한, 정신이 나간, 머리가 돈: estar ~ 정신 나간 짓을 하다, 미친 짓을 하다, 미치다. volverse ~ 미치다, 정신이 돌다, 광인이 되다. ② 판단력이 흐린, 무분별한, 맹목적인: amor ~ 맹목적인 사랑. ③ (기계·장치가) 고장난. ④ 분수에 넘치는, (보통보다) 많이 초과한: cosecha ~*ca* 초과 수확. suerte ~*ca* 분수에 넘치는 운수[행운]. ⑤ (가지가) 너무 뻗은: árbol ~ 가지가 너무 뻗은 나무. ⑥ (도르래·기계의 다른 부분이) 공도는: rueda ~*ca* 공도는 바퀴. —*mf.* ① 미친 사람, 광인(狂人). ② 판단력이 흐린 사람, 무분별한 사람. ③ *Nic., Ur.* (젊은이들 사이에서 다른 사람을 부르기 위해 사용) 야, 임마!, 어이!, 이봐! —*f.* ① 동성애 남자. ② *Arg., Cuba, Ur.* [완곡] (남자 관계가) 단정치 못하고 가벼운 여자. ③ *Arg., Ur.* [완곡] =**prostituta.** ¶*a locas* = **a tontas y a locas.** *a lo* ~ 미친 것처럼, 경솔히; (아무런 계획도 없이) 그때그때 되어 가는 대로, 되는 대로. *a tontas y a locas* 엉터리로, 함부로, 아무렇게나, 되는 대로. *estar* ~ *por* [*con*] alguien · algo …에 열중하다, 미치다. *estar* alguien ~ *de contento* 무척 즐겁다[기쁘다]. *Cada* ~ *con su tema* (속담) 사람은 누구나 자기 주장이 있다.

loco citado *adv. lat.* 약속된 장소에; 인용문 중에, 앞서 인용한 곳에, 앞서 말한 곳에.

locomoción *f.* ① 이동, 수송: gastos de ~ 수송비. medios de ~ 수송 방법, 교통 수단. ② [생물] 운동.

locomotor, ra *adj.* [*f.* locomotriz도 있음] 이동의, 운동의: aparato ~ 운동 기관. —*f.* 기관차: ~ de diesel 디젤 기관차. ~ de vapor 증기 기관차. ~ eléctrica 전기 기관차.

locomotriz *adj.* [locomotor의 여성형] 운동의, 이동의: fuerza ~ 원동력.

locomovible *adj.* 이동할 수 있는.

locomóvil *adj.* (주로 증기의) 이동 가능한. —*f.* ① 이동 가능한 동력 기관. ② (옛날의) 증기 자동차.

locrio[1] *m. RDom.* (다른 재료가 들어 있지 않은) 고기 넣고 한 밥.

locrio[2] *m.* 고대 희랍 방언 중의 하나.

locro *m.* ① [요리] 로끄로 ((*AmérM.* 여러 나라에서 사용하는 고기 · 감자 · 옥수수 · 다른 재료를 넣은 요리)). ② *Bol.* [요리] 로끄로 ((빻은 옥수수가루 요리)). ③ *Perú.* [요리] 로끄로 ((감자 · 호박 · 풋 옥수수 · 다른 재료를 넣은 요리)).

locuacidad *f.* 수다(스러움), 말이 많음.

locuaz *adj.* ① 말이 많은, 수다스러운, 말이 너무 많은. ② *Méj.* 미친, 실성한. —*mf. Méj.* 광인, 미친 사람.

locución *f.* ① 말투, 말씨. ② 화법(話法), 어법, 표현법. ③ [문법] 구(句), 관용 어법, 숙어(熟語). ¶ ~ *adjetiva* 형용사구. ~ *adverbial* 부사구. ~ *conjuntiva* 접속사구. ~ *interjectiva* 감탄사구. ~ *preposicional*, ~ *prepositiva* 전치사구. ~ *pronominal* 대명사구. ~ *sustantiva* 명사구. ~ *verbal* 동사구.

locuela *f.* 각자의 말투[말씨].

locuelo, la *adj.* 덜렁대는, 덜렁덜렁하는, 경솔한. —*mf.* 덜렁이.

locura *f.* ① 광기, 정신 착란: hacer [cometer] ~(*s*) 말 같잖은 짓을 하다, 어처구니없는 짓을 하다. ② 열애, 열광: tener ~ por …에 열중하고 있다, …에 미쳐 있다. ③ 엄청난 것. ¶*con* ~ 너무 많이, 지나치게, 매우, 몹시. *de* ~ 특별한, 보통을 벗어난.

locutar *intr. Salv.* (라디오 아나운서가) 말하다.

locutor, ra *mf.* 아나운서; (뉴스의) 캐스터.

locutorio *m.* ① (교도소 · 수도원의) 면회실. ② 전화 박스. ③ (라디오 방송국의) 스튜디오, 방송실.

lodacera *f. Hond.* =**lodazal.**

lodachar *m.* [드묾] =**lodazal.**

lodazal *m.* 진창, 질퍽거리는 곳.

lodazar *m.* [드묾] =**lodazal.**

lodo *m.* 진흙탕, 수렁, 진창.

lodoso, sa *adj.* 수렁[진창]으로 가득한, 수렁길의.

lodra *f.* =**nutria.**

lofobranquio, quia *adj.* [동물] 실고기 무리의. —*m.pl.* 실고기 무리 ((해마 무리)).

loganiáceo, a *adj.* [식물] 쌍엽류(雙葉類)의. —*f.pl.* 쌍엽류 식물.

logarítmico, ca *adj.* [수학] 대수(對數)의: tabla ~*ma* 대수표.

logaritmo *m.* [수학] 대수: ~ decimal 상용 대수. tabla de ~*s* 대수표.

logia *f.* ① 프리메이슨단(團)의 회의소. ② 프리메이슨단 회의.

-logía *suf.* 「론(論) · 학문(學問) · 학」의 뜻: lexico*logía* 어휘학, 사전학.

lógica *f.* ① 논리학: ~ formal 형식 논리학. ~ matemática 수리(數理) 논리학. ② 논리, 논법; 논리성.

lógicamente *adv.* 논리적으로.

lógico, ca *adj.* ① 논리적인, 논리(상)의; (논리상) 당연한, 필연적인. ② 논리학의. ③ [컴퓨터] 논리 (회로)의. —*mf.* 논리학자.

logística *f.* ① [군사] 병참학(兵站學). ② 병참 업무, 후방 지원. ③ [경제] 물류 관리. ④ 기호 논리학.

logístico, ca *adj.* 병참의, 병참학의.

logogrífico, ca *adj.* ① logogrifo의[에 관한]. ② 이해하기 어려운.

logogrifo *m.* 문자 수수께끼.

logomaquia *f.* 말다툼, 입씨름.

logopeda *mf.* 언어 교정 전문가.

logopedia *f.* 언어 교정법.

logos *m.* ① [철학] 이성, 로고스. ② [기독교 신학] ㉮ 하느님의 말씀. ㉯ 하느님의 아들(Hijo de Dios).

logotipo *m.* (기업 · 단체 등의) 로고, 상징 마크, 심벌 마크.

logrado, da *adj.* 잘 만들어진, 성공한.

lograr *tr.* ① (의도한 것 · 원한 것을) 달성하다, 성취하다: ~ *sus* propósitos 목적을 달성하다. ② [+*inf.* · que+*subj.*] …하기에 이르다. ③ [드묾] =**gozar, disfrutar.** ~**se** (물건이) 완벽에 이르다, 완전히 성공하다.

logrería *f.* ① 고리 대금의 일. ② [고어] 고리 대금으로 얻은 이자.

logrero, ra *mf.* ① 고리 대금 업자. ②

매점 매석자. ③ 수단 방법을 가리지 않고 돈을 벌기에 혈안이 된 사람.

logro *m.* ① 달성, 성취. ② 이익, 이득, 벌이. ③ 부당한 이익[벌이].

LOGSE *f.* *L*ey de *O*rdenación *G*eneral del *S*istema *E*ducativa 보통 교육 제도 정비법.

loica *f.* [새] 찌르레기의 일종.

loina *f.* [어류] 아주 작은 민물 고기.

loísmo *m.* ① [문법] 간접 목적 인칭 대명사 *le, les*의 대신에 *lo, los*를 사용하는 일 ((예 *Lo* pegué una bofetada 나는 그의 뺨을 때렸다)). ② *Esp.* 사람이 직접 목적의 경우는 직접 목적 인칭 대명사로 *le, les*를 쓰는 경우가 있음 ((예 Ayer *le* visité 나는 어제 그를 방문했다)).

loísta *adj. m.f.* [3인칭 남성 단수 대명사의 대격으로] *le* 대신 *lo* 만을 사용하는 (사람).

lolaje *m.* [경멸] [집합] 청년, 젊은이.

lolita *f.* 젊고 매혹적인 여자.

lolo, la *adj., m.f. Chile.* =adolescente.

loma *f.* 작고 긴 언덕[구릉].

lomada *f. Arg., Par., PRico., Ur.* [드묾] =loma.

lomaje *m. Chile.* [집합] =lomas.

lomba *f. Cantb., León.* =loma.

lombarda *f.* ☞lombardo.

lombriciento, ta *adj. Cuba, Hond., Méj., Salv.* (몸에) 회충이 있는.

lombriguera *f.* 지렁이가 땅에 낸 구멍.

lombriz *f.* [동물] 지렁이. ¶ ~ ***intestinal*** 회충. ~ ***solitaria*** 요충(tenia).

lomear *intr.* (말이 등에 탄 사람을 흔들어 떨어뜨리기 위해) 등을 흔들다.

lomera *f.* ① (양장 책의) 등에 붙이는 다룸가죽. ② (안장의) 등 가죽.

lometa *f.* 작은 언덕.

lomo *m.* ① (동물의) 등. ② (책의) 등. ③ (날붙이의) 등. ④ (종이 등의) 접는 금. ⑤ (논밭의) 이랑. ⑥ [요리] 등심살, 등심: punta de ~ 엷은 등심살. ⑦ (물건의) 튀어나오고 뭉툭한 부분. ⑧ [고어] =**loma.** ⑨ *pl.* (사람의) 등. ¶ ~ ***de burro*** 과속 방지턱. ***agachar el*** ~ ㉮ 고되게 일하다. ㉯ =**humillarse.** ***a*** ~, ***a*** ~***s*** (짐승의) 등에. ***sobar el*** ~ 알랑거리다, 아부하다, 아첨하다(dar coba).

lomudo, da *adj.* ① 등(lomo)이 큰. ② *Ur.* 건장한, 튼튼한, 씩씩한.

lona *f.* ① (돛·천막·야영 텐트 등에 사용하는) 질긴 면[삼] 천. ② (권투·레슬링 자유형·그레코로만형 시합용) 매트, 깔개.

loncha *f.* ① 반반하고 엷은 돌. ② (물건의) 얇음: cortar en ~s el jamón 햄을 얇게 썰다.

lonco *m. Chile.* (마뿌체족 사이에서) 원주민 단체장.

lóndigo *m.* [드묾] =**alhóndigo.**

londinense *adj.* ① 런던(Londres, 영국의 수도) 태생의. ② 런던의[에 관한]. —*m.f.* 런던 사람.

Londres *m.* [지명] 런던.

londrina *f.* 런던에서 짰던 모직물 천.

loneta *f. Arg., Cuba, Ur.* (lona보다) 얇은 천.

longa *f.* ☞longo[1].

longanimidad *f.* ① 관대함, 도량이 넓음. ② 대범함, 통이 큼.

longánimo, ma *adj.* ① 관대한, 도량이 넓은. ② 대범한, 통이 큰.

longaniza *f.* [요리] 롱가니사 ((가늘고 긴 소시지의 일종)); 순대. ¶ ~ ***de sábado*** 피를 넣은 고기 순대.

longar *adj.* [드묾] =**largo.**

longevidad *f.* ① 장수(長壽), 장명(長命). ② 수명, 생명.

longevo, va *adj.* ① 장수의, 수명이 긴. ② 고령(高齡)의.

longincuo, cua *adj.* =distante, lejano, apartado.

longitud *f.* ① (공간·시간의) 길이: tener cinco metros de ~ 길이가 5미터다. ② 세로. ③ [지리] 경도(經度), 경선(經線). ④ [천문] 황경(黃經). ¶ ~ ***de onda*** [물리] 파장(波長).

longitudinal *adj.* ① 경도의, 경선의. ② 길이의, 세로의.

longitunalmente *adv.* 세로로, 길게.

lonja[1] *f.* 얇고 길쭉한 것; (햄·소시지의) 얇게 썬 것, 한 조각, 한 토막: ~ de cuero 가죽 끈. ~ de tocino 베이컨 조각. cortar en ~*s* el jamón 햄을 엷게 썰다.

lonja[2] *f.* ① (상품의) 시장, 거래소: ~ de pescado 어시장. ② 양털 창고. ③ (공공 건물의 입구의 약간 높은) 현관. ④ 코코아·설탕 등의 판매소.

lontananza *f.* [미술] 원경. ¶***en*** ~ 멀리(a lo lejos).

look *m. ing.* 외견, 모양; (패션의) 형.

loor *m.* =**elogio.**

López *m.* [인명] 로뻬스. ¶***Esos son otros*** ~ 그것은 다른 일이다.

lopigia *f.* =**alopecia.**

lopista *adj.* ① 로뻬 데 베가(Lope de Vega (1562-1635), 재사의 불사조로 불리는 스페인의 불멸의 시인이며 극작가)에 관한[의 작품 연구에 전념한]. ② 로뻬 데 베가를 숭배하는. —*m.f.* 로뻬 데 베가 연구자[숭배자].

loquear *intr.* ① 미친 짓을 하다, 미친 사람처럼 말하다. ② 신이 나서 떠들어 대다.

loquera *f.* ① 정신병 환자 간호인. ② 정신병 환자 수용소. ③ *Amér.* 광기.

loquería *f.* =**manicomio.**

loquerío *m.* ① *Chile.* 혼란한 상태. ② *Chile.* [집합] 정신 이상자들.

loquero *m.* ① 정신병 환자의 간호인. ② 소동(騷動), 시끄럽고 귀찮은 소란.

loquinario, ria *adj., m.f.* =**irreflexivo, alocado.**

lora *f.* ① *Amér.* [새] 앵무새. ② *Amér.* 앵무새 암컷. ③ *Amér.* 수다스러운 여

자. ④ *CRica.* 독사(毒蛇). ⑤ *Nic.* 신출내기, 미숙한 사람. ⑥ *Ven.* 선명한 녹색 뱀. ¶*dar (la)* ~ *Col.* 귀찮게[성가시게·못살게] 굴다.

lord *m.* [*pl. lores*] ① 귀족, 상원 의원. ② 경 ((영국 귀족의 경칭)).

lordosis *f.sing.pl.* [의학] 척추 전만증.

Lores *m.pl.* lord의 복수. ¶***cámara de los*** ~ (영국의) 상원, 귀족원.

loriga *f.* ① (얇은 강철로 만든) 갑옷. ② (전쟁용) 말의 갑옷, 마갑(馬甲). ③ (수레의) 둥근 쇠고리.

lorigado, da *adj., m.f.* 갑옷(loriga)으로 무장한 (사람).

lorigón *m.* 소매 달린 큰 갑옷.

loriguero, ra *adj.* 갑옷의[에 관한].

loriquillo *m.* 서향과의 상록 관목.

loro[1] *m.* ① [새] 앵무새. ② 추남. ③ *Perú, Salv., Ur.* 수다쟁이 남자. ¶ ~ ***del Brasil*** [새] =**paraguay.**

loro[2], **ra** *adj.* [드묾] 가무잡잡한. —*m.* [식물] 월계수의 일종(lauroceraso).

lorquiano, na *adj.* ① 로르까(Federico García Lorca, 스페인의 시인·극작가, 1898-1936)의[에 관한]; 로르까 작품의[에 관한]. ② 로르까풍[식]의.

lorza *f.* 옷에 만들어진 주름.

los[1] *art.* [정관사 남성 복수형. ☞el] *los árboles* 나무들.

los[2] *pron.* [인칭 대명사 3인칭 복수 남성형. ☞lo] [직접 목적] 그들을, 당신들을; [남성 복수 명사를 받아서] 그것들을: *Los* vi en la calle hace unos días 나는 며칠 전 그들을[당신들을·그것들을] 거리에서 보았다.

losa *f.* ① 판석, 평석; 포석, 부석(敷石); (바닥용) 타일. ② (평석으로 만든) 쥐덫, 새 잡이 덫. ③ 묘, 무덤.

losado *m.* 포석을 깐 땅.

losange *m. fr.* 마름모, 마름모꼴.

losar *tr.* 바닥에 포석을 깔다.

loseta *f.* ① 작은 평석(losa pequeña). ② 작은 평석으로 만든 덫. ¶***coger*** a alguien ***en la*** ~ 영악하게 속이다.

losilla *f.* 작은 평석(losa pequeña)으로 만든 덫. ¶***coger [tomar]*** a alguien ***en la*** ~ =**coger en la loseta.**

lote *m.* ① (자기가 받을) 몫, 배당, 할당. ② 당첨된 제비[복권]. ③ (상품 등의) 한 무더기, 한 벌, 한 몫: ~ de muebles 가구 한 벌. en un ~ 일괄해서, 한 덩어리로; 한 번의 선적으로. ④ 한 구획의 토지, 분양지. ¶***darse [pegarse]*** alguien ***el*** ~ [속어] (다른 사람과) 농탕치다, 새롱거리다, 는실난실하다; (입맞추고) 애무하다.

lotear *tr.* 몫으로 나누다, (땅을) 구획으로 나누다(dividir en lotes).

loteo *m.* 몫[구획]으로 나눔, 분할.

lotería *f.* ① =**lotería nacional.** ② 복권: ~ nacional 국영 복권. jugar a la ~ 복권을 사다. ③ lotería primitiva 비슷한 가정 놀이. ④ 복권 발매소. ⑤ 빙고(bingo). ¶ ~ ***nacional*** 국영 복권. ~ ***primitiva*** *Esp.* 1부터 49까지의 숫자 중 여섯 개를 뽑아 맞추는 공영 복권. ~ ***vieja*** 1부터 90까지의 숫자 중에서 다섯 개를 뽑는 일반 놀이. ***caerle [tocarle]*** a alguien ***la*** ~ ㉮ 복권이 당첨되다. ㉯ 매우 유리한[예기치 않은] 일이 생기다.

lotero, ra *m.f.* 복권 판매자.

lotificación *f. Méj., Nic., Salv., Ven.* 토지[땅] 마련[준비], 토지를 개발하여 구획 정리함.

lotificadora *f. Hond., Nic.* 토지를 개발하여 집을 지을 목적으로 구획 정리하여 판매하는 건축 회사.

lotificar (7) *tr. Guat., Hond., Méj., Nic., Salv.* 땅을 마련하다, 땅을 개발하여 집을 짓기 위해 구획으로 나누다[구획 정리를 하다].

lotiforme *adj.* [건축] 연꽃 모양의, 연꽃무늬의.

loto *m.* ① [식물] 연(蓮), 연꽃. ② 연의 꽃. ③ 연꽃의 열매, 연밥, 연화(蓮花). ④ [식물] 수련(睡蓮). ⑤ 수련의 열매. ⑥ [미술] 연화문(蓮花文). —*f. Esp.* =**lotería primitiva.** ☞**lotería.**

loxodromia *f.* [항해] 항정선 항법.

loxodrómico, ca *adj.* [항해] 항정선 항법의[에 관한].

loza *f.* ① 자토. ② [집합] 도기, 자기.

lozanamente *adv.* 싱싱하게, 생생하게, 발랄하게(con lozanía).

lozanear *intr.* ① 거만하게 보이다. ② 거만하게 행동하다. ~**se** 거만해지다.

lozanecer (31) *intr.* ① 거만하게 행동하다. ② [고어] 거만하게 보이다.

lozanía *f.* ① (식물이) 싱싱하고 무성함. ② (사람·동물이) 씩씩함, 늠름함, 발랄함. ③ 거만함, 교만함.

lozano, na *adj.* ① (식물이) 싱싱하고 무성한. ② (사람·동물이) 늠름한, 씩씩한, 발랄한. ③ 거만한, 교만한.

LP *m. ing.* (레코드의) LP판.

Lr lawrencio 로렌슘.

LRU *f. Esp.* *Ley para la Reforma Universitaria.* 대학 개혁법.

LS. locus sigilili 우표 첨부 장소.

Ltda. limitada 유한 책임의.

lúa *f.* ① (말을 문질러 줄 때 사용하는) 알파풀 장갑의 일종. ② [고어] 가죽 장갑, 천 장갑.

lubina *f.* [어류] 농어.

lubricación *f.* ① 미끄럽게 함. ② 주유, (마모 방지를 위해) 기름을 침.

lubricador, ra *adj., m.f.* 미끄럽게 하는 (사람), 주유하는 (사람).

lubricamente *adv.* ① 미끄럽게. ② 음란하게.

lubricán *m.* =**crespúsculo.**

lubricante *adj., m.* =**lubrificante:** aceite ~ 윤활유.

lubricar (7) *tr.* ① 미끄럽게 하다. ② (마모를 줄이기 위해) 기름을 칠하다.

lubricativo, va *adj.* 윤활성의, 미끄럽게 하는.

lubricidad *f.* ① 미끄럽게 함. ② 음란(함), 음탕(함), 외설.

lúbrico, ca *adj.* ① =resbaladizo. ② 나쁜 버릇이 있는. ③ 음란한, 음탕한, 외설의: mirada ~*ca* 음탕한 시선.
lubrificación *f.* =**lubricación.**
lubrificante *adj.* ① 미끄럽게 하는. ② (마모를 줄이기 위해) 기름을 칠하는: aceite ~ 윤활유. —*m.* 윤활제.
lubrificar (7) *tr.* =**lubricar.**
luca *f. Arg., Col., Ur.* 천 빼소 지폐. —*m.pl. Salv.* 지폐(dinero en billetes).
lucense *adj.* ① 루고(Lugo, 스페인의 주·주도) 태생의. ② 루고의[에 관한]. —*m.f.* 루고 사람.
lucentor *m.* (옛 여인들이 사용했던) 얼굴 분(afeite para el rostro).
lucera *f.* 천창(天窓).
lucerío *m. Hond., Salv., Ven.* 빛의 많은 양, 많은 양의 빛.
lucerna *f.* ① 큰 샹들리에. ② (환기와 빛이 들어오도록) 방에 낸 구멍, 환기구멍. ③ [어류] =**milano.** ④ [드묾] =**luciérnaga.**
lucernario *m.* ① =**claraboya.** ② [건축] =**linterna** ③.
lucérnula *f.* [식물] =**neguilla.**
lucero *adj.* (황소·말이) 털이 어둡고 이마에 흰 반점이 있는. —*m.* ① 금성. ② 가장 크고 밝게 보이는 별. ③ 빛이 들어오는 창문의 창구. ④ (몇몇 네 발 짐승의) 이마에 있는 희고 큰 반점. ⑤ 빛남, 광휘. ⑥ [시어] [주로 *pl.*] (얼굴의) 한쪽 눈. ¶***el ~ del alba*** (아무리 중요해도) 어떤 사람이든지. ***~ del alba, ~ de la mañana*** 샛별, 명성, 금성. ***~ de la tarde*** 태백성, 장경성, 금성. ***~ miguero*** (목동들 사이에서) 금성.
luceta *f. Cuba.* 문 위 창문(montante).
lucha *f.* ① 투쟁, 싸움: ~ de clases 계급 투쟁. ~ por el poder 권력 투쟁. ~ por la existencia [la vida] 생존 경쟁. ② (주로 폭력·무기를 사용하는) 싸움. ③ 레슬링: ~ americana 프로레슬링. ④ (격투기의) 기술. ¶***~ grecorromana*** [레슬링] 그레코로만형. ***~ interior*** 내부 항쟁. ***~ libre*** [레슬링] 자유형.
luchador, ra *adj.* (목적 달성을 위해) 싸우는, 투쟁하는. —*m.f.* ① 투사. ② 노력가. ③ [운동] 레슬링 선수, 레슬러; 격투기 선수.
luchar *intr.* ① (두 사람이) 팔씨름을 하다. ② ㉮ [+contra·con] (…와) 싸우다: ~ contra [con] obstáculos 장애와 싸우다. ~ con la muerte 죽음과 싸우다. ㉯ [+por] (…을 위해) 싸우다, 투쟁하다: ~ por la libertad 자유를 위해 싸우다[투쟁하다]. ③ 전투하다, 싸우다, 전쟁하다. ④ 레슬링을 하다, (격투기의) 시합을 하다.
lucidamente *adv.* 화려하게, 찬란하게.
lucidez *f.* ① 빛남, 광휘. ② 명석함. ③ (미친 사람의) 제정신.
lucido, da *adj.* ① 빛나는, 훌륭한, 화려한, 굉장한: festejo ~ 화려한 연회. ② 실패한, 실수한.
lúcido, da *adj.* ① 총명한, 명민한: mente ~*da* 총명한 두뇌. ② (설명 등이) 명쾌한: palabras ~*das* 명쾌한 말. respuesta ~*da* 명쾌한 대답. ③ [시어] =**luciente.** ¶***intervalo ~*** [의학] (본정신으로 돌아오는) 각성기.
lucidor, ra *adj.* 빛나는, 반짝이는.
lucidura *f.* 벽을 희게 칠함.
luciente *adj.* 빛나는, 번쩍이는, 번쩍번쩍 빛나는(brillante).
luciérnaga *f.* [곤충] 반딧불이.
lucifer *m.* ① [시어] =**lucero.** ② 사악한 사람.
Lucifer *m.* [성경] 마왕.
luciferino, na *adj.* 마왕의[에 관한], 마왕 같은.
lucífero, ra *adj.* [시어] 빛나는, 번쩍이는. —*m.* 금성, 샛별(lucero).
lucífugo, ga *adj.* 빛을 피하는, 배일성(背日性)의, 혐광성(嫌光性)의.
lucilina *f.* =**petróleo.**
lucillo *m.* =**lucilo.**
lucilo *m.* 돌 납골함[납골 상자].
lucimiento *m.* 빛남, 광휘, 광채. ¶***quedar*** alguien ***con ~*** 어떤 일에나 화려하게 나가다.
lucina *f.* [고어] =**ruiseñor.**
lucio[1] *m.* [어류] 창꼬치.
lucio[2] *m. Bur.* =**lución.**
lucio[3], **cia** *adj.* =**terso, lúcido.** —*m.* 바닷물이 빠진 뒤의 물웅덩이.
lución *f.* [동물] 발 없는 도마뱀.
lucir (33) *intr.* ① 빛나다, 반짝이다. ② 빼어나다, 두드러지다, 두드러져 보이다, 뛰어나다, 탁월하다, 훌륭하다. ③ (노력 등의) 보람이 있다, 쓸모있다, 도움[소용]이 되다. —*tr.* ① 밝게 하다, 비추다, 조명하다. ② 자랑해 보이다, 드러내 보이다. ③ (벽에) 회반죽을 칠하다. ~**se** ① 두드러지다, 훌륭하게 성공을 거두다, 빼어나다, 특출하다, 눈에 띄다. ② 몸치장을 하다, 성장(盛裝)하다.
lucrar *tr.* 바라는 것을 얻다[획득하다·입수하다]. ~**se** 이익을 얻다, 돈을 벌다.
lucrativo, va *adj.* ① 이득[이윤]을 내는, 이윤[이득]이 많은: negocio ~ 이익이 많은 장사. ② 영리 목적의.
lucro *m.* 벌이, 이익. ¶***~s y daños*** 손익(ganancias y pérdidas).
lucroso, sa *adj.* [드묾] 이윤을 내는.
luctuosamente *adv.* 구슬피, 비참하게, 처참하게, 참혹하게.
luctuoso, sa *adj.* 가엾은, 안쓰러운, 비참한, 처참한, 참혹한: ~ accidente aéreo 참혹한 비행기 사고.
lucubración *f.* 노심 초사, 노작(勞作), 공들인 저작[저술], 역작, 고심작.
lucubrar *tr.* 공들여 만들다[저술하다].
lúcuma *f.* ① lúcumo의 열매. ② [식물] =**lúcumo.**
lúcumo *m.* [식물] 칠레[뻬루]의 적철과 나무.

ludia *f.* ☞ludio.
ludiar *tr. Ext.* =leudar.
ludibrio *m.* 조소, 우롱.
lúdico, ca *adj.* 놀이의[에 관한].
lúdicro, cra *adj.* =lúdico.
ludimiento *m.* 문지르기, 마찰.
ludio, dia *adj. Ext.* 효모로 발효시킨 (빵·반죽덩이). —*f. Ext.* =levadura, fermento.
ludir *tr.* 문지르다, 마찰하다, 비비다.
ludismo *m.* (18-19세기, 실직을 염려한) 기계화 반대 운동.
ludista *adj.* 기계화 반대의.
ludo *m. Arg., Chile, Perú, Ur., Ven.* =parchís.
ludópata *adj.* 도박 중독의. —*mf.* 도박 중독자.
ludopatía *f.* 도박 중독(증).
ludoteca *f.* (장난감을 보관하고 빌려주고 하는) 오락 센터.
ludria *f. Hues.* [동물] =nutria.
lúe *f.* [의학] =sífilis.
luego *adv.* ① [시간] 빨리, 곧, 속히, 지체 없이. ② [순서] 뒤에, 후(後)에, 나중에, 다음에. ③ *Salv.* 일찍. ④ *Salv.* [방법] 빨리, 속히. —*conj.* 그래서, 그러므로, 그렇기 때문에, 고로: Pienso, ~ existo 나는 생각한다, 고로 존재한다. ¶*con tres ~s* 황급히. *de ~ a ~* 조속히, 즉시, 곧, 바로. desde ~ ㉮ 확실하게, (아무런) 의심없이. ㉯ [드묾] 즉시, 지체 없이. ㉰ 물론. *desde un ~ Salv.* =puesto que, pues. *~ a ~* =de ~ a ~. *~ de Arg., Méj.* =después de. *luego luego* 즉시. *~ que* …하자마자. *Hasta ~* [작별 인사] 그럼 또 만납시다, 그럼 또 나중에 뵙겠습니다.
lueguito *adv. Amér.* 즉시, 곧, 금방: Hasta ~ 금방 오겠습니다[만납시다].
luello *m. Ar.* [식물] =cizaña.
luenga *f.* ☞luengo.
luengamente *adv.* =largamente.
luengo, ga *adj.* 긴: *~gas* barbas 긴 수염. hace *~s* años 아득히 먼 옛날에. —*f.* =dilación, tardanza.
lúes *f.sing.pl.* [의학] =sífilis.
luético, ca *adj.* [의학] =sifilítico.
lugar *m.* ① 곳, 장소: ~ del suceso (사건의) 현장. ~ religioso 묘, 무덤. ~ santo 성소(聖所). Los Santos Lugares 성지, 성적(聖跡). ② 지방, 도시, 읍, 동: habitantes del ~ 그 지방의 주민. ③ 소읍(小邑). ④ 위치. ⑤ 순위: quedar en primer [segundo · tercer] ~ 제1[2·3]위가 되다. ⑥ 지위, 직(職): ocupar un buen ~ en la empresa 회사에서 상당한 지위에 있다. ⑦ 변소. ⑧ 때, 기회. ¶*~ común* 진부한 말, 상투어, 틀에 박힌 말. *~ oratorio* =lugar común. *dar ~ a* algo …의 원인[동기·구실]이 되다. *en buen ~* 높은 지위[신용·평가]의. *en ~ de* … 대신에. *en mal ~* 낮은 지위[신용·평가]의. *en su ~* …의 입장이라면. *en primer ~* 우선 첫째로, 우선. *en último ~* 최후에, 최후의 수단으로서; 급해지면. *fuera de ~* 부적당한, 장소가 틀린, 그 자리에 어울리지 않는, 예상외의, 예상 밖의. *sin ~ a duda, sin ~ a dudas* 의심 없이. *tener ~* ㉮ =tener cabida. ㉯ 한가하다, 시간이 있다. *tener ~* algo (일·사건이) 일어나다, 열리다.
lugareño, ña *adj.* ① 소읍[촌·시골] 태생의. ② 소읍[촌·시골]에 사는: costumbres *~s* 시골 풍습. —*mf.* 소읍[촌·시골] 사람.
lugartenencia *f.* lugarteniente의 직.
lugarteniente *m.* 부책임자, 차석.
lugre *m.* 돛대 세 개의 작은 범선.
lúgubre *adj.* ① 쓸쓸한, 매우 슬픈. ② 비통한, 음울한, 음산한.
lúgubremente *adv.* ① 쓸쓸히, 매우 슬프게. ② 비통하게, 음울하게, 음산하게.
lugués, sa *adj.* ① 루고(Lugo, 스페인의 주·주도) 태생의. ② 루고의[에 관한].
luis *m.* 루이스 ((프랑스의 20프랑 짜리 금화)).
luisa *f.* =hierbaluisa.
luismo *m.* [드묾] =laudemio.
lujación *f.* =luxación.
lujar *tr.* ① =bruñir, alisar. ② *Al.* 신발의 윤을 내다.
lujo *m.* ① 사치, 호화: impuesto de ~ 사치세. vivir con mucho ~ 사치스러운 생활을 하다. ② (불필요한 것이) 풍족함, 많음, 다량. ¶*~ asiático* 극심한 사치, 과도한 사치, 대단한 사치. *de ~* 호화로운, 사치스러운, 고급의: artíulos *de ~* 사치품, 고급품. coche *de ~* 고급차. edición *de ~* (책의) 호화판.
lujosamente *adv.* 호화스레, 사치스레.
lujoso, sa *adj.* 사치스러운, 호화로운.
lujuria *f.* ① 음란(함), 음탕(함), 육욕, 색욕. ② 과함, 과도함, 지나침.
lujuriante *adj.* ① (초목이) 울창한, 무성한. ② 음란한, 음탕한. ③ 과도한, 지나친.
lujuriar *intr.* ① 색욕의 죄를 범하다. ② (동물이) 교미하다.
lujuriosamente *adv.* 음란하게, 음탕하게, 육욕적으로(con lujuria).
lujurioso, sa *adj.* 음란한, 음탕한, 호색의, 외설(猥褻)의.
lulú *m.* [개] 스피츠(perro lulú).
lumbago *m.* [의학] 허리 부분의 지속적으로 꾹꾹 쑤시는 통증에 의한 병적 상태.
lumbalgia *f.* [의학] 요통(腰痛).
lumbar *adj.* [해부] 허리의[에 관한], 허리 부분의[에 관한]: región ~ 허리 부분. vértebras *~es* 요추(腰椎).
lumbrada *f.* 큰 불(lumbre grande).
lumbral *m.* 집 입구 문의 문턱.
lumbrarada *f.* 활활 타오르는 큰 불.
lumbre *f.* ① 연소성 물질. ② (아궁

이·난로 등의) 불: encender la ~ 불을 붙이다. ③ (담배를 붙이는) 불(fuego): ¿Tiene usted ~? 불 좀 가지고 계십니까?, 불 좀 빌릴 수 있을까요? ④ [집합] 부싯돌 도구 일체. ⑤ (눈부시게) 빛남, 광채, 환한 빛, 밝은 빛: ~ de los ojos 눈의 광채, 안광(眼光). ⑥ [건축] 개구부(開口部). ¶ ~ ***del agua*** 수면(水面). ***a ~ de pajas*** 눈 깜짝할 사이에, 순식간에, 즉각. ***a ~ mansa*** =a fuego lento. ***dar ~*** ㉮ 부시가 불꽃을 튀기다. ㉯ (어떤 속임수로 의도한) 목적을 달성하다. ㉰ (담배 피우는 사람에게 담배에 불을 붙이도록) 라이터[성냥·불 붙은 담배]를 빌려 주다. ***echar ~*** =**echar chispas.** ***ni por ~*** 결코 (… 아니다), 어떤 방법으로도 (… 아니다). ***ser*** alguien o algo ***la ~ de los ojos*** de una persona (…의) 사랑의 대상이 되다, 무척 호평을 받다, 무척 사랑을 받다. ***tocar*** a alguien ***en la ~ de los ojos*** =**tocarle en las niñas de los ojos.** ☞**niño.**

lumbrera *f.* ① 발광체. ② [건축] (지붕의) 채광창. ③ 걸출한 사람[지도자]. ④ 대패아가리. ⑤ [선박] 창구(艙口), 해치. ⑥ *pl.* 눈(ojos).

lumbrerada *f.* =**lumbrarada.**

lumbricultura *f.* 지렁이 사육.

lumbroso, sa *adj.* 빛을 내는[발하는].

lumen *m.* [*pl.* lúmenes] [광학] 루멘.

lumia *f.* [드묾] =**prostituta.**

lumiaco *m. Cantb.* =**babosa.**

luminancia *f.* [광학] 휘도(輝度).

luminar *m.* 발광 천체(發光天體).

luminaria *f.* ① (축제 등에) 창·발코니·탑·거리 등에 켜 놓는 (등)불. ② (교회의) 등명(燈明). ③ [주로 *pl.*] 전광 장식(電光裝飾).

lumínico, ca *adj.* 빛(luz)의[에 관한]: fenómeno ~ 발광 현상. —*m.* [물리] 발광소(發光素), 발광체.

luminiscencia *f.* [물리] 냉광(冷光).

luminiscente *adj.* 냉광을 발하는.

luminosamente *adv.* 밝게, 찬란하게.

luminosidad *f.* ① 광력, 광명, 발광(성). ② 발광물. ③ (항성의) 광도.

luminoso, sa *adj.* ① 빛을 내는, 빛나는, 반짝이는; 야광의: anuncio ~ 네온사인. bomba *~sa* 조명탄. cuerpo ~ 광체(光體). esfera *~sa* (시계의) 야광 문자반. fuente *~sa* 광원(光源); 조명 분수. letrero ~ 네온사인. onda *~sa* 광파(光波). pintura *~sa* 야광 도료. rayo ~ 광선(光線). ② (일광으로) 밝은. ③ 명석한; 명해한; 적확한. ④ 왕성한, 생동하는, 생기 넘치는: sonrisa *~sa* 생기 넘치는 미소.

luminotecnia *f.* 조명 기술.

luminitécnico, ca *adj.* 조명 기술의[에 관한]. —*m.f.* 조명 기술자.

lumpemproletariado *m. al.* [집합] 부랑 노동자.

lumpen *m. al.* =**lumpemproletariado.** —*m.f.* 부랑 생활자, 룸펜. —*adj.* 룸펜의[에 관한], 부랑 생활을 하는, 사회적 지위를 잃은 사람(들)의.

lun. lunes 월요일.

luna *f.* ① [천문학에서는 주로 L~] (천체의) 달: cara visible [oculta] de la Luna 달의 표면[이면]. Hay ~ 달이 떠 있다, 월야(月夜)다. ② 지구에서 보이는 달의 표면 부분. ③ 달빛, 월광(月光). ④ =**lunación.** ⑤ (행성의) 위성. ⑥ (사람의 전신을 볼 수 있는 크기의) 거울: armario de ~ 거울 달린 양복장. ⑦ (창문·진열창·자동차의 앞 유리 등에 사용되는) 유리[투명 물체]. ⑧ 안경의 유리, 안경알. ⑨ =**pez luna.** ⑩ 정신 착란; 변덕스러움. ⑪ *Ar.* 널찍한 뜰. ⑫ *Arg., Ur.* 나쁜 기분, 심기가 불편함. ⑬ *Chile.* 속손톱. ⑭ [은어] 셔츠, 와이셔츠. ⑮ [은어] 방패. ¶ ~ ***creciente*** [천문] 상현달. ~ ***de miel*** 밀월(蜜月), 허니문; 신혼여행; 밀월 시대. ~ ***en lleno,*** ~ ***llena*** [천문] 만월(滿月), 보름달. ~ ***menguante*** [천문] 하현달. ~ ***nueva*** ㉮ [천문] 신월(新月), 초승달. ㉯ 음력 초하루에 보이는 달. ~ ***tierna*** *Salv.* =**luna nueva.** ***media ~*** ㉮ 반달. ㉯ 반달 모양의 장식[보석·다른 물건들]. ㉰ 이슬람교. ㉱ 오스만 터키 제국. ㉲ [군사] 능보의 기본선 앞에 건축하는 보루[진지]. ***a la ~*** =**a la luna de Valencia.** ***a la ~ de Paita*** *Chile, Ecuad.* =**a la luna de Valencia.** ***a la ~ de Valencia*** 기대에 어긋나게. ***de ~s*** 미친, 정신이 이상한. ***estar con la Luna*** ㉮ *Ecuad.* 기분이 나쁘다. ㉯ *Perú.* (동물이) 발정기에 있다. ***estar*** alguien ***de buena ~*** *Amér.* 기분이 좋다. ***estar*** alguien ***de mala ~*** *Amér.* 기분이 나쁘다. ***estar en la Luna*** ㉮ 건성으로 하다, 정신이 딴 데에 있다. ㉯ 현실과 동떨어지다, 무슨 일이 일어나고 있는 지 알지 못하다. ***estar en la ~ de Paita*** *Bol., Ecuad., Perú.* =**estar en la Luna.** ***ladrar a la Luna*** 쓸데없는 짓을 하다, 쓸데없이 떠들어대다, 달 보고 짖다. ***pedir la Luna*** 불가능한 것을 요구하다, 아주 어려운 것을 요구하다. ***tener*** alguien ***~s*** 딴마음을 먹다, 터무니 없는 것을 생각하다.

lunación *f.* 태음월(太陰月), 삭망월.

lunado, da *adj.* 반달 모양의.

lunanco, ca *adj.* (말·네 발 동물이) 다른 말[동물]보다 엉덩이가 높은.

lunar[1] *m.* ① 사마귀, 혹, 점. ② 물방울 무늬. ③ [주로 *pl.*] 결점, 흠, 티.

lunar[2] *adj.* ① 달의[에 관한].: superficie ~ 달 표면, 월면. ② 태음의. ¶ ***año*** ~ 태음년. ***calendario*** ~ 태음력(太陰曆). ***eclipse*** ~ 월식.

lunarejo, ja *adj.* ① (동물이) 피부에 둥근 반점이 있는. ② *Bol., Col., Ecuad., Perú.* 얼굴에 큰 사마귀[여러 개의 사마귀]가 있는. —*m.f.* 얼굴에 큰

사마귀[여러 개의 사마귀]가 있는 사람.

lunario, ria *adj.* 삭망월의. —*m.* 달력.

lunático, ca *adj.* 미친, 정신 이상의, 미치광이 같은. —*mf.* ① 미치광이, 괴짜, 별난 사람. ② [법률] 정신 이상자, 정신병 환자.

lunch *m. ing.* (파티 등에서 나오는) 가벼운 식사(comida ligera).

lunear *intr.* 달이 떠 있을 때 사냥[낚시·산책] 가다.

lunecilla *f.* 반달 모양의 장식[보석].

lunes *m.sing.pl.* 월요일: cada ~, (todos) los ~ 월요일마다, 매주 월요일. ¶*cada ~ y cada martes* 자주; 계속해서, 부단히; 매일, 날마다.

luneta *f.* ① 안경알. ② (무대 앞의) 초승달 모양의 좌석. ③ 초승달 모양의 채광창. ④ (부인이 머리에·아이들이 신발에 장식으로 사용한) 반달 장식. ⑤ [건축] 추녀 옆 첫 번째 기와. ⑥ 반달 모양의 천정의 도리와 도리 사이의 곡선. ⑦ [군사] 작은 능보. ⑧ *Ar.* 속손톱. ⑨ *Amér.* (극장의) 1층 앞의 일등석(patio de butacas).

luneto *m.* [건축] (문 위의) 반달 모양의 채광창.

lunfa *m. Arg., Ur.* =**lunfado.**

lunfardismo *m.* [집합] 은어.

lunfardo *m.* ① (부에노스아이레스와 그 주변에서 사용되는) 슬랭, 은어. ② *Arg., Ur.* [드묾] =**delincuente.**

nunilla *f.* 반달 모양의 장식[보석].

lúnula *f.* ① 속손톱. ② 반달 모양.

lupa *f.* (일반적으로 손잡이가 달린) 확대경.

lupanar *m.* 사창굴(mancebía).

lupanario, ria *adj.* 사창굴의[에 관한].

lupercales *f.pl.* (로마인들이) 빵의 신을 기리기 위해 2월에 열었던 축제.

lupia *f.* ① =**lobanillo.** ② (말의) 발 관절 종기. ③ *Col.* 적은 양의 돈.

lupicia *f.* =**alopecia.**

lupino, na *adj.* 이리[늑대]의[에 관한]. —*m.* ① [식물] 새털부채콩. ② 새털부채콩의 열매.

lupus *m.sing.pl.* [의학] 낭창(狼瘡).

lusismo *m.* 포르투갈 말에서 차용해 온 말.

lusitánico, ca *adj.* ① 루시타니아(Lusitania, 이베리아 반도에 있던 옛 로마령; 지금의 포르투갈)의[에 관한]. ② 루시타니아 사람의[에 관한].

lusitanismo *m.* ① 포르투갈어식 발음. ② (다른 언어에 동화된) 포르투갈어. ③ (다른 언어에서) 포르투갈어 단어 사용.

lusitanista *mf.* =**portuguesista.**

lusitano, na *adj.* ① [역사] 루시타니아의[에 관한]. ② 포르투갈의. —*mf.* ① 루시타니아 사람. ② 포르투갈 말.

luso, sa *adj., mf.* =**lusitano.**

lustrabotas *m. AmérM., Hond.* =**limpiabotas.**

lustración *f.* 깨끗하게 하기, 정화; 윤내기, 광내기, 닦기.

lustrador *m. Bol., Guat., Hond., Nic., Ur.* =**limpiabotas.**

lustral *adj.* 깨끗하게 하는, 정화하는.

lustramiento *m.* =**lustración.**

lustramueble *m.* =**lustramuebles.**

lustramuebles *m.sing.pl. Arg., Chile, Ur.* 목재 가구 광택 액체.

lustrar *tr.* ① (금속·돌처럼) 윤을 내다, 번쩍번쩍하게 하다; (주로, 구두를) 닦다: ~ *sus* zapatos (…의) 구두를 닦다. ② 깨끗이 하다, 정하게 하다, 정화하다. ③ *Nic.* 알랑거리다, 아첨하다, 아부하다. ④ [드묾] (나라·지방을) 순례하다, 돌아다니다, 방랑하다, 유랑하다.

lustre *m.* ① 윤(潤), 윤기, 광택. ② =**esplendor, gloria.**

lústrico, ca *adj.* ① 정화하는, 깨끗하게 하는, 부정을 없애는. ② [시어] 5년간의.

lustrín *m.* ① *Chile.* =**limpiabotas.** ② *Chile.* (구두닦이의) 구두통.

lustrina *f.* ① (교회 장식용으로 쓰이는) 금[은]으로 수놓은 화려한 명주 천. ② 알파카 비슷한 윤이 많이 나는 비단[양모·면] 천.

lustro *m.* 5년간: dos ~*s* 10년간.

lustrosamente *adv.* 빛나게, 번쩍거리게, 윤[광]을 내어.

lustroso, sa *adj.* 번쩍거리는, 윤[광택]이 나는: zapatos ~*s* 번쩍번쩍 광이 나는 구두.

lutado, da *adj.* [고어] =**enlutado, de luto.**

lútea *f.* [새] =**oropéndola.**

lutecio *m.* [화학] 루테튬.

lúteo, a *adj.* 진흙(lodo)의.

luteranismo *m.* ① 루터(Martín Lutero, 독일의 신학자·종교 개혁의 지도자, 1483-1546) 교리, 루터주의. ② 루터 신도단[교도단].

luterano, na *adj.* ① 루터 교파(教派)의: iglesia ~*na* 루터 교회. ② 루터의, 루터에 관한. —*mf.* 루터 신봉자, 루터 교도.

luto *m.* ① 상장(喪章). ② 상복(喪服): ~ riguroso 정식 상복. aliviar el ~ 약식 상복을 입다. ponerse de ~ 상복을 입다. ③ 상(喪), 기중(忌中), 상중(喪中). ④ 슬픔, 탄식, 비탄, 비애, 비통, 고통(duelo, aflicción, pena). ⑤ *pl.* (고인의 집에 다는) 상중의 장식. ¶*medio ~* 약식 상복. *de ~* 검은, 상을 나타내는. *estar de ~* 상중[기중]이다. *ir de ~* 상복을 입(고 있)다.

lutoso, sa *adj.* =**luctuoso.**

lutria *f.* =**nutria.**

luvia *f. Sal.* 비(lluvia).

lux *m.sing.pl.* [광학] 럭스.

luxación *f.* [의학] (뼈의) 삠, 탈구.

luxar *tr.* 뼈를 삐게 하다, 탈구시키다. ~**se** 뼈를 삐다, (뼈가) 탈구되다.

luxemburgués, sa *adj.* ① 룩셈부르크(Luxemburgo, 벨기에·프랑스·독일

3국에 인접한 대공국(大公國); 그 수도) 태생의. ② 룩셈부르크의[에 관한]. —*m.f.* 룩셈부르크 사람.

luxómetro *m.* 럭스의 밝기의 강도를 재는 기구.

luz *f.* ① 빛: ~ solar, ~ del sol 햇빛, 일광, 태양 광선. ~ y sombra 빛과 그늘, 명암. ~ y sonido 빛과 소리. ② 등불, 불: apagar la ~ (등)불을 끄다. encender [dar] la ~ (등)불을 켜다. ③ 밝기, 밝음, 광명, 번쩍거림. ④ 전류. ⑤ 전등; (일반적으로) 전기: pagar la ~ 전기 요금을 내다. poner [cortar] la ~ 전등의 스위치를 넣다[끊다]. ⑥ 모범, 안내인. ⑦ *pl.* 지성, 교양, 계몽. ⑧ [건축] (건물의) 채광부(採光部). ⑨ [건축] (창 등의) 내경(內徑). ⑩ (교량의) 개구부(開口部). ⑪ [드묾] 돈(dinero). ¶ ~ *artificial* 인공 빛[불], 가스 불, 전깃불. ~ *brillante Cuba.* =**queroseno.** ~ *cenicienta* [천문] 지구 반사광. ~ *cenital* 천장으로 들어오는 빛. ~ *cinérea* =**luz cenicienta.** ~ *corta,* ~ *de cruce* [자동차] 로 빔. ~ *de Bengala* 꽃불. ~ *de carretera* [자동차] 하이 빔. ~ *de freno,* ~ *de frenado* [자동차] 브레이크 등. ~ *de la razón* 이성의 빛. ~ *de* ~ (직접적으로 들어오지 않고 다른 것을 통해) 방에 들어오는 빛. ~ *eléctrica* 전등, 전깃불. ~ *larga* = **luz de carretera.** ~ *natural* 햇빛, 일광, 태양 광선. ~ *negra* 눈에 보이지 않는 자외선 빛. ~ *primaria* 새벽, 여명. ~ *refleja,* ~ *secundaria* [미술] 반사광. ~ *zodiacal* 황도광. *media* ~ 희미한 빛. *primera* ~ 밖에서 직접 들어오는 빛, 직사광(直射光). *segunda* ~ =**luz de luz.** *a buena* ~ 주의깊게. *a la* ~ *de* algo …의 불빛 아래서, …의 빛을 비추어. *a primera* ~ 새벽에, 날 샐 무렵에. *a toda* ~, *a todas luces* ㉮ 사방에, 모든 방법으로. ㉯ 명확히, 분명히, 확실히, 의심없이. *dar a* ~ ㉮ (여자가) 출산하다, 낳다. ㉯ 작품을 출판하다. *dar* ~ ㉮ (빛나는 물체가) 밝게 하다. ㉯ (빛나지 않는 물체가) 빛을 통과하게 하다. ㉰ =**echar luz.** *echar* ~ ㉮ (약한 사람이) [주로 부정문에서] 건강을 회복하다. ㉯ =**alumbrar.** *entre dos luces* ㉮ =**al amanecer.** ㉯ =**al anochecer.** ㉰ 술에 많이 취해. *hacer dos luces* 한꺼번에 두 곳을 비추다. *sacar a (la)* ~ ㉮ =**dar a luz** ㉯. ㉯ 나타내다, 들추어내다, 표명하다, 숨겨 있던 것을 드러내 알리다. *salir a* ~ ㉮ 생산되다. ㉯ 인쇄되다, 출판되다. ㉰ (숨겨진 것이) 발견되다, 드러나다. *ver la* ~ alguien (누가) 태어나다, 탄생하다(nacer).

luzca- ☞**lucir (33).**

lx lux 럭스.

lycra *f.* (일반적으로, 옷 제조에 사용된) 탄력 있는 합성 직물.

M m

M

m, M *f.* ① 에메 ((스페인어 알파벳의 열다섯 번째 문자)). ② (로마 숫자의) 1,000: *M*CMLXXXVIII 1988.

M metro 지하철.

m. metro 미터. muy 매우.

M. Majestad 각하, 폐하.

m/ mi(s) 나의, 당방의; mes(es) 달.

m² metro cuadrado 평방 미터.

m³ metro cúbico 세제곱미터.

M-19 Movimiento 19 de Abril 4월19일 운동 ((콜롬비아의 좌익 게릴라)).

mable *f. Hond.* =**canica.**

maca[1] *f.* ① [드묾] (과실의) 흠, 상처. ② [드묾] (천 등에 생긴) 약간의 흠. ③ [드묾] 도덕적 결함. ④ [드묾] 사기, 속임수(disimulo, engaño, fraude).

maca[2] *f.* [드묾] =**hamaca.**

maca[3] *f. Perú.* (안데스의) 영양이 있는 약용 알뿌리.

macabro, bra *adj.* ① 어쩐지 기분이 나쁜, 오싹한, 소름이 끼치는. ② 소름이 끼치는 것을 즐기는[좋아하는], 스릴이 있는 것을 좋아하는.

macaca *f.* ① [동물] 늘보원숭이 암컷. ② *Chile, Cuba.* 추녀(醜女), 불구 여자. ③ *Ur.* (특히 식사에) 만족하기 어려운 여자. —*adj. Chile, Cuba.* (여자가) 못생긴, 불구의.

macacada *f. Ur.* =**monería.**

macaco[1] *m.* ① *Salv., Hond.* (19세기의) 1뻬소 값어치가 있었던 은화. ② *Nic.* =**canica.**

macaco[2] *m.* ① 늘보원숭이. ② *Bol., Chile, Cuba.* 추남, 불구 남자. ③ (특히, 식사에) 만족하기 어려운 남자. —*adj.* (남자가) 못생긴, 불구의.

macacoa *f.* ① *Col.* =**murria**[1]. ② *PRico.* [드묾] 불운(mala suerte).

macadam *m.* =**macadán.**

macadamizar (9) *tr.* 쇄석 포장하다.

macadán *m.* 쇄석 포장(碎石鋪裝).

macaense *adj.* ① 마카오(Macao, 442년간 포르투갈의 식민지였다가 1999년 12월 20일을 기해 반환된 중국 남부 해안에 위치한 중국의 특별 행정구) 태생의. ② 마카오의. —*m.f.* 마카오(태생) 사람.

macagua *f.* ① [조류] 마까구아 ((남미 밀림의 경계에 사는 맹금류)). ② [동물] 마나꾸아 ((베네수엘라의 열대 지역에 서식하는 독사)). ③ [식물] 마나

꾸아 ((꾸바 섬의 뽕나무과 야생 나무; 꽃은 하얗고, 도토리 크기와 모양을 함)). ¶ ~ *terciopelo f.* (베네수엘라 고산 지역에서 자라는) 비단결 같은 검은 독사.

macana[1] *f. Bol., Col., Ecuad.* 숄[어깨걸이]의 일종.

M

macana[2] *f.* ① (아메리카 인디오들이 사용했던) 단단한 나무로 만든 몽둥이[곤봉](모양의 공격 무기). ② (손상이나 유행이 지나가서) 잘 팔리지 않는 물건. ③ *Amér.* 단단하고 무거운 나무로 만든 굵은 몽둥이. ④ *Arg., Perú, Ur.* 불편한[기분 나쁜] 행동[상황]. ⑤ *Arg., Bol., Par., Perú, Ur.* 거짓말; 광기, 미친 짓. ⑥ *CRica., Hond., Nic., Salv.* (구멍을 파는 데 사용하는) 괭이의 일종. ⑦ *Hond.* 농담, 신소리. ⑧ *Nic.* 삽. ⑨ *CRica.* (사람의) 이(dientes).

macanazo *m.* ① macana[2]로 때리기. ② *Hond.* =**montón.**

macanche *adj. Sal.* 병약(病弱)한, 건강이 나쁜.

macancoa *f. And.* =**macacoa.**

macaneada *f. Hond., Salv.* =**paliza.**

macaneador, ra *mf. Arg., Bol., Par., Ur.* 거짓말쟁이.

macanear *tr.* ① *Ant., Hond.* manaca[2]로 때리다. ② *Col., Ven.* (낙엽 등을) 치우다, 청소하다. ③ (사업을) 잘 이끌어 나가다. ④ 때리다. —*intr.* ① *Col., Hond.* 일을 열심히 하다. ② *Arg., Bol., Chile, Par., Ur.* 거짓말을 하다. ③ *Guat., Salv.* 때리다. ~**se** *Nic., Salv.* 일을 열심히 하다.

macarro *m.* ① 무게 1파운드의 길고 작은 빵. ② 길고 가는 기름 튀김 빵.

macarrón *m.* ① [주로 *pl.*] 마카로니 ((이탈리아식 국수)). ② [과자] 마카롱 ((설탕·편도·다른 양념으로 만든 과자)). ③ (전선의) 플라스틱 피복.

macarrónicamente *adv.* 엉망진창으로, 엉터리로, 부정확하게.

macarrónico, ca *adj.* (어법이) 엉망진창의, 형편 없는, 엉터리의.

macasar *m.* (옛날의) 머릿기름.

macaurel *f.* [동물] (베네수엘라의) 독 없는 뱀.

maceador *m.* 망치질하는 사람.

macear *tr.* 망치로 때리다. —*intr.* (…를) 자주 괴롭히다.

macedón, na *adj., mf.* =**macedonio.**

macedonia *f.* ☞**macedonio.**

macedónico, ca *adj.* =**macedonio③.**

macedonio, nia *adj.* ① 마케도니아(왕국)(Macedonia, 현재 여러 나라로 나누어진 옛 희랍 왕국) 태생의. ② 마케도니아 (공화국)(Macedonia, 유고연방에서 독립; 수도 Skopje) 태생의. ③ 마케도니아 왕국의[에 관한]; 마케도니아 공화국의[에 관한]. —*mf.* ① 마케도니아 왕국 사람. ② 마케도니아 공화국 사람. —*f.* 과실 샐러드.

macegual *m.* ① *Hond., Salv.* 짐꾼. ② *Méj.* 날품팔이(peón, jornalero).

macehual *m. Hond., Méj.* =**macegual.**

macelo *m.* [드묾] 도살장(matadero).

maceo *m.* 망치로 때리기.

m/a(cep) mi aceptación 당방의 인수.

maceración *f.* ① 물에 잠김[담금]. ② 고행(苦行).

maceramiento *m.* =**maceración.**

macerar *tr.* ① (짜거나 두들겨서) 부드럽게 하다. ② [+en] (부드러워지도록 단단한 것을) (…에) 액체에 담궈두다, 담그다, 절이다. ③ 가죽을 부드럽게 하다. ④ 괴롭히다, 못살게 굴다. ~**se** ① 가죽이 부드러워지다. ② 고행하다, 괴로워하다.

maceta[1] *f.* ① (도구의) 손잡이, 자루. ② (석공 등의) 망치, 해머. ③ *Guat., Nic.* (사람의) 머리. ④ *pl. Cuba, Ur.* 여자의 굵은 다리. ⑤ 밀수로 부자가 된 사람. —*adj.* ① (말이) 낡은, 쓸모없는, 걸음이 느린. ② *PRico.* 욕심 많은, 인색한. ¶ *ser* alguien *la* ~ *Hond.* 게으름뱅이다, 게으르다.

maceta[2] *f.* ① 화분(花盆). ② (제단 등의 장식용 조화 꽃다발이 놓이는) 은[금속·채색 목재] 대(臺). ③ [식물] 산방꽃차례, 산방 화서(繖房花序).

macetazo *m. Nic.* =**cabezada.**

maceteado, da *adj.* 체격[체질]이 단단한(de constitución robusta).

macetera *f. Hond., Nic.* =**maceta**[2]**①.**

macetero *m.* ① 화분대. ② *Arg.* 식물[화분]용 선반. ③ 화분(maceta).

macetón *m.* 큰 화분(maceta grande).

macetudo, da *adj.* ① *Cuba.* (사람이) 힘센. ② *Nic.* =**inteligente.** ③ *Ur.* (여자가) 다리가 굵은. —*mf. Cuba.* 힘 센 사람. —*f. Ur.* 다리가 굵은 여자(mujer de piernas gruesas).

mach *m.* [물리] 마하.

macha *f.* (칠레와 뻬루의 바다의) 바다 조개.

machaca[1] *f.* ① 빻는 기구, 방망이, 분쇄기. ② *Cuba.* =**cantilena.** ③ 네발 짐승의 마른 고기. —*mf.* 치근치근한 사람, 집요한 사람.

machaca[2] *m.* [군사] 당번병. —*mf.* 부하, 손아랫사람.

machacadera *f.* 분쇄기, 빻는 기구.

machacador, ra *adj., mf.* 빻는 (사람), 찧는 (사람).

machacadura *f.* 빻기, 찧기.

machacante *m.* ① 당번병. ② 5뻬세따짜리 은화.

machacar (7) *tr.* ① 빻다, 찧다. ② 가루로 만들다. —*intr.* 귀찮게 굴다, 고집을 부리다(porfiar).

machacón, na *adj., mf.* 귀찮은, 성가신 (사람).

machaconería *f.* =**pesadez.**

machada *f.* ① 많은 산양 떼. ② 용감한 행위. ③ =**necedad.**

machadiano, na *adj.* ① 마차도(Antonio Machado Ruiz, 스페인의 시인,

1875-1939)의[에 관한]: el olmo ~ 마차도의 느릅나무. ② 마차도 작품의[에 관한]. ③ 마차도 기질의, 마차도 작품의 성격을 가진.

machado *m.* 목재 자르는 도끼.

machamartillo *a* ~ 단단히, 견고하게.

machanga *f., adj. Cuba.* [경멸] =marimacho.

machaqueo *m.* 빻기, 찧기.

machaquería *f.* =pesadez, importunidad.

machaquero, ra *adj., m.f.* ① *Hond.* 사탕수수를 자르는 (사람). ② *Hond.* 다른 사람한테서 불법으로 일의 대가를 받는 (신문 기자).

machar *tr.* (…을) 깨뜨리기 위해 두들기다.

machazo, za *adj.* ① *Arg., Cuba, Nic.* (남자가) 용감한. ② *Arg.* (물건이) 가치가 있는, 중요한. ③ *Cuba, Nic.* (남자가) 잘생긴, 미남의(guapo).

macheta *f.* ① 날이 매우 강하고 넓은 칼. ② *Ast., Ext., Gal., León, Sal, Zam.* 작은 도끼(hacha pequeña).

machetazo *m.* ① machete로 치기[때리기]. ② *Cuba, Nic.* machete로 맞은 상처. ③ *Cuba.* 염가 판매(saldo).

machete *m.* ① 마체떼 ((넓고 무겁고 날이 하나인 검보다 짧은 무기)). ② 마체떼 ((사탕수수를 베거나 밀림에서 길을 내거나 다른 용도로 사용하는 길다란[큰] 일자 낫[칼])). ③ *Arg., Col.* 커닝 페이퍼. ④ *Cuba.* (담배 공장에서) 담배 자르는 기계. ⑤ *Nic.* =**trabajo.** ⑥ *Ur.* 욕심쟁이, 구두쇠, 깍쟁이, 욕심 많고 인색한 사람. ⑦ *Ven.* (어떤 활동에서) 효과적인 사람. ⑧ *Ven.* 좋은 것, 적극적인 것. *—adj.* ① *Ur.* 인색한, 욕심 많은. ② *Ven.* 효과적인. ③ *Ven.* 적극적인.

macheteadera *f. Nic.* (여러 사람이 하는) machete 싸움.

machetear *tr.* ① machete로 때리다[치다]. ② 말뚝을 박다. ③ *Arg.* 커닝 페이퍼로 원문을 줄이다. ④ *Cuba.* 서두르고 부주의로 일을 잘못하다. ⑤ *Cuba.* (…의) 몸의 어느 부분을 다치다[상처 내다]. ⑥ *Méj.* (학생이) 열심히 공부하다. ⑦ *Ur.* 인색하게 굴다, 인색한 짓을 하다. *—intr. Cuba.* (…를 제외하고) 뽑다. **~se** *Arg.* (학생이) 시험 동안 커닝 페이퍼를 이용하다.

machetero, ra *adj.* ① *Méj.* (학생이) 공부에 열심히 몰두한. ② *Ven.* 교양이 없고 난폭한. *—m.f.* ① *Méj.* 열심히 공부하는 학생. ② *Ven.* 교양이 없고 난폭한 사람. ③ *Méj.* 트럭의 짐을 지키는 사람. *—m.* ① 나무로 방해가 되는 길을 machete로 내는 사람. ② (제당 공장에서) 사탕수수를 자르는 담당자.

máchica *f.* ① *Ecuad.* 볶은 보릿가루. ② *Perú.* 설탕과 계피를 섞어 볶은 옥수수 가루.

machihembrar *tr.* (상자 등에) 두 나무 조각을 끼워 맞추다.

machina[1] *f.* ① (항구와 조선소에서 사용하는) 커다란 기중기[크레인]. ② 해머(martinete). ③ *PRico.* =**tiovivo.**

machina[2] *f. Méj.* 암원숭이(mona).

machincuepa *f. Méj.* =**voltereta, pirueta, maroma.** ¶*dar [echar] la ~ Méj.* (정치가가) 당적을 옮기다. *hacer ~s Méj.* =**dar la machincuepa.**

machismo *m.* 남존여비(男尊女卑), 남자다움의 과시.

machista *adj., m.f.* 남존여비(의), 남자다움을 과시하는 (사람): sociedad ~ 남존여비의 사회.

machmetro *m.* 초음속도계.

macho[1] *m.* ① (동물의) 수컷. ② [동물] 노새. ③ 웅성 식물(雄性植物). ④ (호크의) 수고리, 수나사. ⑤ (장치 · 기계 · 도구에서) 다른 것에 들어가는 부분품. ⑥ 미련한 남자, 미련퉁이. ⑦ (네 발 짐승의) 꼬리의 밑둥. ⑧ (투우사의 바지의) 술 장식. ⑨ (플라멩코 형식의 민요 다음에 노래하는 세 절로 된 시의 연(聯). ⑩ [건축] 받침 기둥. ⑪ *Cuba.* 돼지. ⑫ 벼의 낟알. *—adj.* ① [동물] 수컷의 ((어미형으로 암수를 가릴 수 없는 경우에 사용함)): una pantera ~ 수표범. ② [식물] 웅성의, 수컷의 성질을 가진: flor ~ 수꽃. ③ (남자가) 미련한. ④ 강한, 튼튼한, 옹골찬, 질긴, 빳빳한. ⑤ 독한: vino ~ 독주, 독한 술. ⑥ 용감한. ⑦ *CRica.* 금발의. ¶ ~ ***cabrío*** [동물] 수산양. ~ ***de aterrajar*** 대가리 없는 나사. ~ ***de cabrío*** [동물] 수산양.

macho[2] *m.* ① (대장간의 쇠를 단련하는) 큰 망치. ② (대장간의) 모루가 있는 작업대. ③ 네모 모루.

machón *m.* ① [건축] 받침 기둥. ② 길이 5미터의 각재(角材).

machona *adj.* ① *Cuba, Ecuad., Ur., Hond.* (여자가) 남자 같은. ② *Cuba, Perú.* (여자가) 동성 연애하는. *—f.* ① *Cuba, Ecuad., Hond., Ur.* 남자 같은 여자. ② *Cuba, Perú.* 여자 동성 연애자.

machorro, rra *adj.* 불임의, 새끼를 배지 못하는; 열매가 열리지 않는. *—f.* ① 돌계집, 석녀, 불임 여성, 새끼를 배지 못하는 암컷. ② *Sal.* (축제 · 결혼식에서 축하하기 위해 마을에서 잡는) 양. ③ *Méj.* 남자 같은 여자.

machota[1] *f.* 망치(mazo)의 일종.

machota[2] *f.* ① 남자 같은 여자. ② *CRica.* 예쁘고 발랄한 여자.

machote[1] *m.* 힘센 남자, 용감한 남자.

machote[2] *m.* [경멸] 망치(mazo)의 일종. ¶*a ~* 망치로 두들겨.

machote[3] *m.* ① *CRica, Hond., Nic., Salv.* =**modelo, arquetipo.** ② *Méj.* (광산에서) 공사 측정용 표. ③ *Méj.* (채워 넣기 위해) 빈 공간이 있는 서

M

류.
machucador, ra *adj.* 때리는; 짓이기는, 밟는.
machucadura *f.* ① 때리기. ② 밟기, 짓이기기.
machucamiento *m.* =machucadura.
machucante *m.* *Ecuad.* =querido.
machucar (7) *tr.* ① 때리다. ② *Nic., Salv.* 밟다, 짓이기다. ③ *Nic., Salv.* (수새가) 암새를 덮치다.
machucho, cha *adj.* ① 생각[사려]이 깊은. ② 꽤 나이 먹은, 한창 때가 지난.
macilento, ta *adj.* 여윈, 수척해진, 까칠까칠한: cara ~*ta* 수척해진 얼굴. luz ~*ta* 희미한 빛.
macillo *m.* (피아노의) 해머.
macizamente *adv.* 단단히.
macizo, za *adj.* ① 채워진, 비어 있지 않은, 단단한: mueble ~ 단단한 가구. ② (사람이) 살이 단단하고 탄력이 있는. ③ 단단하고 기초가 잘 된. ④ 성적 매력이 있는. —*m.* ① 덩어리. ② 산괴(山塊). ③ 산의 융기[돌출]. ④ (낚시꾼들이 사용하는) 미끼. ⑤ 화단, 꽃밭. ⑥ [건축] 두 공간 사이의 벽 부분.
maco, ca *adj.* [은어] =**malo, pícaro.**
macona *f.* 큰 바구니, 큰 고리짝.
macro *f.*(*m.*) [약자] [컴퓨터] =**macroinstrucción.**
macro- *pref.*「큰·대(大)(grande)」의 뜻: *macro*biótica 장수법, 장수 연구. *macro*molécula 고분자(高分子).
macrobiótico, ca *adj.* ① 장수(長壽)의. ② 장수식(長壽食)의, 자연식의, 장수식을 계속하는. —*mf.* 장수식을 하는 사람. —*f.* 장수법, 장수식 연구.
macrocefalia *f.* ① [인류] 이상 대두(異常大頭). ② [의학] 대두증.
macrocéfalo, la *adj.* (몸에 비해) 머리가 너무 큰, 대두증의. —*mf.* 대두증 환자; 머리가 너무 큰 사람.
macrocosmo *m.* =**macrocosmos.**
macrocosmos *m.* [철학] 대우주.
macroeconomía *f.* 거시 경제학.
macroeconómico, ca *adj.* 거시 경제(학)의: modelo ~ 거시적 경제 모델. —*f.* 거시 경제학.
macroinstrucción *f.* [컴퓨터] 매크로 명령.
macromolécula *f.* 고분자, 거대 분자.
macromolecular *adj.* 고분자의[에 관한], 거대 분자의[에 관한].
macroscópico, ca *adj.* ① 육안에 보이는. ② [물리·수학] 거시적인.
macrospora *f.* [식물] 거대 포자(胞子); 배낭(胚囊).
macruro, ra *adj.* [동물] 꼬리가 긴 무리의. —*m.pl.* 꼬리가 긴 갑각류 ((새우 등)).
macsura *f.* (회교 사원의 imán을 위한) 성실(聖室); 수도승의 묘.
macuache *m.* 어떤 교육도 받지 못한 멕시코 인디오.
macuco, ca *adj.* ① *Bol., Chile.* =**astuto, cuco, taimado.** ② *Perú, Salv.* (사람이) 건장하고 기골이 장대한. —*mf.* 건장하고 기골이 장대한 사람. —*m.* 몸집이 거대한 남자.
mácula *f.* ① (피부의) 반점. ② 광택을 없애는 물건. ③ =**mácula lútea.** ④ 사기, 속임수, 함정. ⑤ [천문] (태양·달의) 흑점. ¶ ~ ***lútea*** [의학] 망막 황반, 각막 백반(角膜白斑).
macular[1] *tr.* (…을) 더럽히다.
macular[2] *adj.* mácula의[에 관한].
maculatura *f.* 잘못 인쇄된 종이.
maculoso, sa *adj.* [드묾] 반점투성이의(lleno de manchas).
macuto *m.* ① (특히 병사의) 배낭. ② *Ven.* (양식 등을 나르는) 망태기.
madalena *f.* 북[실패] 모양의 빵.
madama *f.* ① =**prostituta.** ② 윤락가의 여주인. ③ [식물] 봉선화. ④ [드묾] 부인, 여사.
madamisela *f.* 귀부인인 체하는 여자.
madapolán *m.* 질이 좋은 옥양목.
madefacción *f.* (약조제를 위해) 축축하게 하기.
madeja *f.* ① (쉽게 실패를 감기 위해) 얼레 위에 모은 실. ② 머리 숱, 산발한 머리카락. ③ 게을러빠진 남자. ¶ ***enredar la*** ~ 일을 뒤얽히게 하다, 일이 복잡해지게 하다. ***enredarse la*** ~ 일이 뒤얽히다, 일이 복잡해지다.
madera *f.* ① 목재, 재목: ~ de construcción 건축 용재. caja de ~ 나무 상자. casa de ~ 목조 가옥. ② 장작. ③ 소질, 재능: tener ~ de pintor 화가의 소질[재능]이 있다. ④ [골프] 우드. ⑤ 말안장의 몸체를 이루는 재료. ⑥ *pl.* [음악] 목관 악기부. ¶ ~ ***alburente*** 백목질. ~ ***anegadiza*** 물에 가라앉는 나무. ~ ***blanda*** 연재(軟材). ~ ***de hilo*** 각재(角材). ~ ***de raja*** 얇게 자른 널빤지. ~ ***de sierra*** 톱으로 잘라 놓은 목재. ~ ***del aire*** (어떤 동물의) 뿔. ~ ***dura*** 경재(硬材). ~ ***en rollo*** 통나무. ~ ***fósil*** 아탄. ~ ***pasmada*** 갈라진 금이 있는 재목. ~ ***serradiza*** =**madera de sierra.** ***aguar la*** ~ (수송을 위해) 물에 목재를 띄우다. ***no holgar la*** ~ 끊임없이 일하다. ***pesar la*** ~ =**tener mala madera.** ***saber*** alguien ***a la*** ~ 아버지를 닮다. ***ser*** alguien ***de mala*** ~, ***tener*** alguien ***mala*** ~ (누가) 소질[재능]이 없다.
maderable *adj.* 목재용(木材用)의, 용재(用材)가 되는.
maderación *f.* [드묾] =**maderamen.**
maderada *f.* [집합] 강으로 수송되는 통나무.
maderaje *m.* =**maderamen.**
maderamen *m.* [집합] (한 개의 건축에 쓰는) 용재(用材) 전체.
maderería *f.* (판매를 위한) 목재 하치장, 목재 판매소.
maderero, ra *adj.* 목재 산업[공업]의,

목재의, 제재의: industria ~*ra* 제재업, 목공업, 목재 산업[공업]. —*m.* ① 목재상. ② 강에 목재를 띄우는 사람. ③ [드묾] 목수.

maderista *m. Ar.* 강에 목재를 띄우는 사람.

madero *m.* ① 통나무. ② 각재(角材). ③ 배, 선박. ④ 바보, 얼간이, 멍청이. ⑤ *Esp.* [경멸] 경찰관.

madona *f.* ① 성모 마리아(la Virgen María). ② 성모 마리아 그림[상(像)]; 아기 예수와 성모 마리아 그림[상].

madrás *m.* (와이셔츠와 여성 옷으로 사용되는) 가는 면직물.

madrastra *f.* 계모, 의붓어머니.

madraza[1] *f.* 자식을 버릇없이 키운 어머니.

madraza[2] *f.* 이슬람교 고등 학교.

madrazo *m. Méj., Salv.* =**golpe.**

madre *f.* ① 어머니, 모친: día de la madre 어머니날. ② 수녀, 수녀원장: ~ abadesa, ~ superiora 여자 수도원장. ③ 자궁. ④ 바탕, 근원, 원천, 발상지: ~ de los vicios 악의 근원. ⑤ 하상(河床). ⑥ (용수로의) 본류, 원류. ⑦ (하수의) 본관. ⑧ (포도즙·술·식초 등의) 앙금, 침전물. ⑨ (마을의) 노파, 늙은 여자. ¶~ ***de alquiler*** [의학] 대리모. ~ ***de clavo*** [식물] =**madreclavo.** ~ ***de familia,*** ~ ***de familias*** 결혼한 여자, 기혼녀, 과부, 여자 가장. ~ ***de leche*** 유모. ~ ***de niños*** [의학] 경기 비슷한 병, 간질 비슷한 병. ~ ***futura*** 임부, 임신부. ~ ***patria*** 모국. ~ ***política*** ㉮ 장모, 시어머니. ㉯ [드묾] 계모. ~ ***soltera*** 미혼모. ~ ***suplente*** [의학] 대리모. ***aguas ~s*** 모액(母液). ***barco*** ~ 모선(母船). ***futura*** ~ =**madre futura.** ***de*** ~ ㉮ *Cuba.* 매우 큰. ㉯ *Cuba.* 매우 나쁜. ㉰ *Cuba.* 참을성이 없는. ***¡Madre mía!*** =**¡Mi madre!** ***¡Mi ~!, ¡Su ~!*** [감탄·놀람을 나타낼 때] 야!, 기가 막히군!, 맙소사!, 아이고! ***salir(se) de*** ~ un río o un arroyo (강·내가) 범람하다. ***salir(se) de*** ~ en algo (…에서) 한도를 넘다.

madrecilla *f.* 새의 난소.

madreclavo *m.* 2년생 정향나무.

madrejón *m. Arg.* 바닥이 마른 하상.

madreña *f.* 나막신(almadreña).

madreperla *f.* 진주의 모패(母貝).

madrépora *f.* [동물] 녹석(綠石).

madrepórico, ca *adj.* 녹석의.

madrero, ra *adj.* 어머니에게 애정을 느끼는.

madreselva *f.* [식물] 인동 덩굴.

Madrid *m.* [지명] 마드리드 ((스페인의 수도, 자치주; 정식 명칭 Comunidad de ~)).

madrigado, da *adj.* ① 경험이 풍부한, 노련한. ② (어떤 동물의 수컷, 특히 황소가) 교미한. ③ (여자가) 재혼한.

madrigal *m.* ① 서정 단시, 짧은 연가. ② [음악] 마드리갈 ((보통 5성부(聲部)로 된 무반주의 성악 합창)).

madrigalesco, ca *adj.* ① madrigal의[에 관한], madrigal 풍의. ② (애정 표현이) 섬세한, 정감이 풍부한.

madrigalista *mf.* ① madrigal 작곡가. ② madrigal 가수.

madrigalizar (9) *tr.* ① madrigal을 작곡[작시]하다. ② 여자를 칭찬하다, 여자의 아름다움을 칭찬하다.

madriguera *f.* ① (어떤 동물의) 굴. ② (질이 나쁜 사람들의) 소굴.

madrileñismo *m.* ① 마드리드 사람의 말씨[어투]. ② 마드리드의 것에 대한 애정.

madrileño, ña *adj.* ① 마드리드(Madrid, 시·주·마드리드 공동체·수도) 태생의. ② 마드리드의. —*mf.* 마드리드 사람.

madrina *f.* ① [천주교] 대모. ② (결혼식의) 시중 드는 여자. ③ (선박의 진수식의) 명명자. ④ 후견인, 후원자. ⑤ 목재 기둥[버팀나무]. ⑥ (나란히 가게 하기 위해) 두 말의 재갈을 연결하는 밧줄. ⑦ 말의 떼를 안내하는 노새. ¶~ ***de guerra*** 전시 대모.

madrinazgo *m.* ① 대모의 역할[후원]. ② 대모의 칭호[임무].

madroncillo *m.* 딸기(fresa).

madrota *f. Méj.* 윤락가[매춘 업소]의 여주인(madama).

madrugada *f.* ① =**amanecer**[2]**.** ② 자정 이후부터 동트기 이전까지의 시간. ③ 일찍 일어나는 일. ¶***de*** ~ ㉮ 새벽에, 동틀 때에. ㉯ 매우 이른 아침에(muy de mañana).

madrugador, ra *adj.* ① 일찍 일어나는. ② 일찍 일어나는 습관이 있는. ③ 간사한, 교활한, 영악한, 빈틈없는. —*mf.* ① 일찍 일어나는 사람. ② 일찍 일어나는 습관이 있는 사람. ③ 교활한 사람, 간사한 사람, 영악한 사람, 빈틈없는 사람.

madrugar (8) *intr.* ① 새벽에 일어나다, 아주 일찍 일어나다. ② 아주 빨리 나타나다. ③ 선수를 치다, 기선을 잡다. ¶***A quien madruga, Dios le ayuda*** (속담) 부지런해야 수가 난다, 새도 일찍 일어나야 벌레를 잡는다. ***Para prosperar,*** ~ (속담) 성공하기 위해서는 일찍 일어나야 한다.

madrugón, na *adj.* 일찍 일어나는, 새벽에 일어나는. —*m.* 일찍 일어나기.

maduración *f.* ① (과실이) 익음. ② 성숙, 무르익음. ③ [의학] (종기의) 화농, 곪아 고름이 생김.

maduradero *m.* 과실을 익히는 장소.

madurador, ra *adj.* 익히는.

maduramente *adv.* ① 성숙하여. ② 심사 숙고하여.

madurar *tr.* ① 익히다, 익게 하다. ② 숙고하다. ③ 성숙하게 하다. ④ [의학] (종기를) 곪게 하다, 화농시키다. —*intr.* ① (열매가) 익어 가다. ② 육체적[지적]으로 완전한 발전을 이루다, 원숙해지다. ③ [의학] 곪다. ¶***Fruta***

M

que pronto madura, poco dura (속담) 화무십일홍(花無十日紅), 대기만성(大器晩成).

madurativo, va *adj.* ① 익은. ② 숙성하는[용의]. ③ 곪은. —*m.* 화농제.

madurez *f.* ① (과실의) 성숙, 익음. ② 사려, 분별. ③ 성숙기, 원숙기; 장년기: estar en plena ~ 원숙기에 접어들다, 한창 때다.

M

maduro, ra *adj.* ① (과실 등이) 익은: cebada ~*ra* 익은 보리. ② 열매를 맺은, 여문. ③ 곪아터진. ④ 무르익은. ⑤ (계획 등이) 사려 깊은, 심사 숙고한, 현명한, 신중한. ⑥ (사람이) 원숙한, 성숙한, 장년의: artista ~ 원숙한 예술가. ⑦ *Nic.* (상처・곡물이) 부패된. —*m. Bol., Col., Ecuad.* 바나나의 일종.

maese *m.* [고어] 선생(maestro). ¶ ~ *coral* 마술, 요술(juego de manos).

maesil *m.* =**maestril.**

maestra *f.* ☞**maestro.**

maestral *adj.* ① maestro의[에 관한]. ② maestrazgo의[에 관한]. ③ =**magistral.** —*m.* ① =**maestril.** ② =**viento maestral.**

maestralizar (9) *intr.* (나침반이) 북서풍이 부는 쪽으로 기울다.

maestramente *adv.* 솜씨 있게, 익숙하게, 교묘히.

maestrante *m.* 승마 구락부의 기사.

maestranza *f.* ① (옛날의) 승마 구락부, 기사 양성 학교. ② [집합] 군수 공장, 병기창. ③ [집합] 군수 공장[병기창] 공원(工員).

maestrazgo *m.* maestre의 지위[관할 구역].

maestre *m.* ① 기사 단장, 기사 수도회 회장. ② (옛날 배의) 사무장. ③ [고어] 박사[선생]에 해당되는 칭호. ¶ ~ ***coral*** =**maese coral.** ~ ***de campo*** [군사] (옛날의) 연대장. ~ ***de campo general*** [군사] (옛날의) 부사령관.

maestrear *tr.* ① (교사처럼) 다른 사람에게 간섭하다. ② (포도나무를) 전정하다. —*intr.* 선생 티를 내다.

maestreescuela *f.* =**maestrescuela.**

maestresala *f.* ① (호텔・식당의 주방에서) 주방장. ② (식사를 배분하고 독이 들어 있지 않은 것을 보증하기 위해 맛을 보는) 식사 시중을 드는 사람들의 우두머리.

maestrescolía *f.* maestrescuela의 직.

maestrescuela *f.* ① (옛날에, 사원의) 신학 교사직. ② (옛날의) 대학 총장.

maestría *f.* ① 솜씨가 좋음, 교묘함. ② 석사(maestro) 직함[칭호]. ③ 석사 과정. ④ 석사 학위증, 석사 자격(증). ⑤ (정규 교단의) 교사 직.

maestril *m.* 여왕벌의 유충이 변하는 벌집 구멍.

maestro, tra *adj.* ① (사람・작품이) 뛰어난, 완전한, 대표적인: golpe ~ 뛰어난[대단한] 솜씨, obra ~*tra* 대표작, 걸작. ② 주요한: llave ~*tra* (여러 자물쇠에 맞는) 곁쇠, 맞쇠, 마스터키. ③ 훈련된, 길들여진. —*mf.* ① (학문・기술・연예 등을 가르치는) 교사, 선생, 사범: ~ de piano 피아노 선생. ② (초등・중등 학교의) 교사, 선생, 스승. ③ 대가, 거장, 명인, 명수, 달인: ~ del diccionario de la lengua española 스페인어 사전 분야의 대가. ④ (직공의) 장, 우두머리. ⑤ (공사 등의) 도급인. —*m.* ① (정규 교단의) 교사의 칭호. ② (대학에서 받은) 문학사. ③ 작곡가. ④ (배의) 주(主) 돛대, 메인 마스트. ⑤ [투우] =**matador.** ⑥ *Méj.* 석사 학위에 해당되는 학위. ⑦ [고어] =**cirujano.** ⑧ [고어] (군 계급의) 기사 단장. —*f.* ① 여왕벌. ② [주로 *pl.*] 저인망의 그물을 끄는 밧줄. ③ 가르침, 길잡이. ④ [건축] (벽을 쌓을 때 사용되는) 길다란 나무 판자. ⑤ [건축] 벽을 고르게 만드는 끈. ⑥ [건축] (돌을 깐 길을 채우는 표면을 가리키는) 돌의 열. ⑦ [드묾] 여학교. ⑧ [드묾] maestro의 아내. ¶ ~ ***aguañón*** 수도 공사의 시공자. ~ ***de armas*** 검술 선생, 검술 사범[교사]. ~ ***de caballería*** 기병 대장. ~ ***de capilla*** 사원에서 불리는 음악을 작곡하고 지휘하는 선생. ~ ***de ceremonias*** (의식의) 사회자; 의전장. ~ ***de coches*** 자동차 제작자. ~ ***de cocina*** *mf.* 주방장. ~ ***de escuela*** =**maestro de primera enseñanza.** ~ ***de esgrima*** =**maestro de armas.** ~ ***de hacha*** 조선소(에서 일하는) 목수. ~ ***de los caballeros*** =**maestro de caballería.** ~ ***de niños*** *mf.* =**maestro de primaera enseñanza.** ~ ***de obras*** ㉮ (공사장의) 미장이, 인부. ㉯ 시공자. ~ ***de primera enseñanza*** 초등[중등] 학교 교사. ~ ***de primeras letras*** =**maestro de primera enseñanza.** ~ ***en artes*** 문학사, 철학에 조예가 깊은 사람. ~ ***sastre*** 양복점 주인.

mafia *f.* ① [집합] 마피아. ② 범죄자들의 불법 조직[비밀 결사]. ③ 이익단체 ((자신들의 이익을 방어하기 위해 조직된 단체)). ④ *PRico.* 속임수, 사기, 함정, 계략, 책략.

mafioso, sa *adj.* 마피아(mafia)의[에 관한]. —*mf.* 마피아 단원[구성원].

mafufo, fa *adj. Hond.* 마리화나를 즐겨 피우는. —*mf. Hond.* 마리화나 상습 흡연자. —*m. Méj.* 미친 남자, 광인(狂人)(hombre loco).

magacín [*ing.* magazine, *fr.* magasin] *m.* ① (사진 들어 있는) 잡지. ② [텔레비전] 뉴스 프로그램.

magalla *f.* ① *Hond.* 담배꽁초(colilla). ② *Hond.* =**prostituta.**

magallánico, ca *adj.* 마젤란 해협(el estrecho de Magallanes)의[에 관한].

magancear *intr. Col.* =**haraganear.**

maganel *m.* 벽을 부수는 군대의 기계.
maganto, ta *adj.* [드묾] =pensativo, triste, macilento.
magazón, na *adj., mf. Col.* =holgazán.
magaña[1] *f.* =ardid, astucia, engaño, artificio.
magaña[2] *f. And., Cantb.* =legaña.
magañoso, sa *adj. And., Cantb.* = legañoso.
magarza *f.* =matricaria.
magarzuela *f.* =mazanilla hedionda.
magazín *m.* =magacín.
magdalena *f.* ① 죄를 회개한 여자. ② 마들렌 ((빵과자의 하나로 조가비 모양으로 구운 스펀지 케이크)).
Magdalena *f.* [인명] [성경] 막달라 마리아. ¶*estar* alguien *hecho una* ~, *llorar como una* ~ 하염없이 울다.
magdaleniense *adj.* [고고학] (구석기 시대 최후기인) 마들렌기(期)의. —*m.* 마들렌기.
magenta *adj. fr.* 진홍색의. —*m.* ① 진홍색. ② 진홍색 염료.
magia *f.* ① 마법, 마술. ② 마력, 신비한[불가사의한] 힘. ¶ ~ *blanca*, ~ *natural* 요술.
magiar[1] *adj.* 마자르족(族) (헝가리 민족)의. —*mf.* 마자르족 사람. —*m.* 마자르 말.
magiar[2] *intr. Salv.* [축구] (상대 팀 선수가 공을 빼앗게 두지 않고) 공을 능수능란하게 다루다.
mágico, ca *adj.* ① 마법의[에 관한], 마술의[에 관한]: alfombra ~*ca* 마법의 양탄자. arte [obra] ~*ca* 마술. caja ~*ca* 마술 상자. poder ~ 마력. ② 신비스러운, 불가사의한, 놀라운, 믿기 어려운, 굉장한, 대단한. —*mf.* ① 마술사, 마법사. ② 요술쟁이, 요술사. —*f.* 마법, 마술.
magín *m.* [구어] =imaginación.
magíster *m. Arg., Col., CRica., Ven.* 석사 학위에 해당되는 자격(증).
magisterial *adj.* magisterio의.
magisterio *m.* ① 교사의 교육. ② 교직. ③ [집합] (국가·지방의) 교사. ④ (옛날에 대학에서 수여한) 교사 직함[학위].
magistrado, da *mf.* ① 사법관 ((판사, 검사 등)). ② 행정관 ((영사(領事), 시장 등)). ③ 대법관.
magistral *adj.* ① 교사의, 선생의. ② 교사 같은, 스승다운. ③ 교사티를 내는. ④ 권위 있는. —*m.* ① 설교하는 수도승. ② 특별 처방약.
magistralmente *adv.* ① 교사같이, 스승답게. ② 교사 말투로, 권위 있게.
magistratura *f.* ① magistrado의 직무[권위]. ② magistrado의 임기. ③ [집합] 사법관, 행정관. ¶*Magistratura de Trabajo Esp.* (노사 분쟁을 조정하는) 노동 위원회.
magma *m.* ① (광물·유기 물질의) 연괴. ② [지질] 암장(巖漿), 마그마.
magnánimamente *adv.* 관대하게, 대범스레, 통이 크게.
magnanimidad *f.* ① 아량(이 넓음), 관대함, 대범함, 담대함. ② 관대한 행위, 아량이 있는 언동.
magnánimo, ma *adj.* 아량이 넓은, 도량이 큰, 관대한.
magnate *m.* ① 고관; 부호; 거물: ~ de las finanzas 재계의 거물. ~ petrolero 석유왕. ② [역사] (중세기 초의) 귀족.
magnavoz *m. Méj.* =altavoz.
magnesia *f.* [화학] 마그네시아, 고토(苦土), 산화 마그네슘.
magnesiano, na *adj.* 마그네시아를 함유한.
magnésico, ca *adj.* 마그네슘의.
magnesio *m.* [화학] 마그네슘.
magnesita *f.* [광물] 마그네사이트.
magnético, ca *adj.* ① 자석의[에 관한]. ② 자기(磁氣)의, 자성(磁性)[자기(磁氣)]을 띤: atracción ~*ca* 자력(磁力). ③ (금속 등이) 자화(磁化)되기 쉬운. ¶*aguja* ~*ca* 자침. *banda* ~*ca* 자기대(帶). *brújula* ~*ca* 자기 컴퍼스. *cabeza* ~*ca* (레이프 레코더의) 자기 헤드. *campo* ~ 자장, 자계(磁界). *cinta* ~*ca* 자기 녹음[녹화] 테이프; (컴퓨터의) 자기 테이프. *circuito* ~ 자기 회로. *declinación* ~*ca* 자기 편각. *disco* ~ [컴퓨터] 자기 디스크. *hierro* ~ 자철. *inclinación de la aguja* ~*ca* 자침 기울기. *inducción* ~*ca* 자속 밀도; 자기 유도. *norte* ~ 자북(磁北). *permeabilidad* ~*ca* [물리] 투자율. *pirita* ~*ca* 자기 황철광. *polo* ~ (자석의) 자극. *resonancia* ~*ca* 자기 공명. *tambor* ~ [전자] 자기 드럼. *tarjeta* ~*ca* 자기 카드. *tempestad* ~*ca* 자기 폭풍. *variación* ~*ca* 자기 편차(磁氣偏差).
magnetismo *m.* ① 자기, 자성, 자력(磁力), 자기 작용. ② 자기학. ③ 매력, 영향력. ④ 동물 자기(에 의한 최면술). ¶ ~ *terrestre* 지자기(地磁氣).
magnetita *f.* [광물] 자철광(磁鐵鑛).
magnetizable *adj.* ① 자화할 수 있는. ② 최면술에 걸리기 쉬운.
magnetización *f.* 자화(磁化).
magnetizador, ra *mf.* 끄는 힘[매력]이 있는 사람[물건].
magnetizar (9) *tr.* ① 자기를 띠게 하다, 자화(磁化)하다. ② (사람을) 끌다, 매혹하다, 매료시키다; (마음을) 움직이게 하다. ③ …에게 최면술을 걸다, 최면 상태로 하다.
magneto *f.* [전기] (내연 기관의) 마그네토, 자석 발전기.
magneto- *pref.*「자기(magnetismo)」의 뜻: *magnetó*metro 자기계, 자력계. *magneto*sfera 자기권.
magnetodiodo *m.* 반도체 소자.
magnetoelectricidad *f.* ① 전자기(電磁氣). ② 전자기학.
magnetoeléctrico, ca *adj.* ① 전자기

M

(電磁氣)의. ② =electromagnético.
magnetofón *m.* =magnetófono.
magnetofónico, ca *adj.* 자성 녹음기의, 테이프 레코더의: cinta ~*ca* 녹음 테이프. grabación ~*ca* 테이프 녹음.
magnetófono *m.* 녹음기.
magnetohidrodinámica *f.* [물리] 전자 유체 역학; 자기 유체 역학 발전; 전자 유체 발전(電子流體發電).
M
magnetómetro *m.* 자기계, 자력계, 자기 탐지기.
magnetopausa *f.* 자기 권계면.
magnetoscopio *m.* 비디오 레코더, 비디오 테이프식 녹화기, 자력 검출기.
magnetosfera *f.* (천체의) 자기권.
magnetósfera *f.* *Amér.* =magnetosfera.
magnetrón *m.* [전기] 마그네트론, 전자관(電磁管).
magnicida *m.f.* 요인 암살자. —*adj.* 요인을 암살하는.
magnicidio *m.* 요인 암살.
magnificador, ra *adj.* 확대하는.
magníficamente *adv.* ① 뛰어나게, 훌륭하게; 화려하게, 장엄하게. ② 완전하게, 완벽하게, 아주 잘.
magnificar (7) *tr.* ① 크게 하다, 확대하다. ② 칭찬하다, 찬양하다, 찬미하다. ~**se** 자찬하다, 자화자찬하다.
magníficat *m.* [천주교] 성모 마리아 송가(頌歌).
magnificencia *f.* ① 장려(壯麗), 웅대, 장엄; 장엄한 분위기. ② 관대함.
magnificente *adj.* ① =espléndido. ② =excelente.
magnífico, ca *adj.* ① 장려한, 장엄한, 장대한, 호화로운: palacio ~ 호화로운 궁전. ② 훌륭한, 근사한, 굉장히 좋은, 멋진, 비할데 없는.
magnitud *f.* ① 크기 ((길이, 무게, 속도 등)). ② 중요성. ③ [지진 규모의 단위] 매그니튜드. ④ [천문] (별의) 광도, (광도의) 등급. ⑤ [수학] 크기.
magno, na *adj.* ① 중요한, 중대한: ~ acontecimiento 중대 사건. ② 위대한: Alejandro *Magno* 알렉산더 대왕.
magnolia *f.* ① [식물] 목련(木蓮). ② 목련화, 목련꽃. ③ 목련의 열매.
magnoliáceo, a *adj.* 목련[목련과]의. —*f.pl.* 목련과 식물.
magnolio *m.* [식물] =magnolia.
mago[1]**, ga** *adj.* ① 마술[마법]에 조예가 깊은. ② 아기 예수를 경배하러 가는 동방 박사의. ③ 마니교의. —*m.f.* ① 마술사, 마법사. ② (아기 예수를 경배하러 갔던) 세 동방 박사. ③ (고대 페르시아의) 마니교 승려.
mago[2]**, ga** *adj.* *Can.* =campesino.
magrebí *adj.* ① 마그렙(Magreb, 모로코, 알제리, 튜니즈로 구성된 아프리카 북서부 지방) 태생의. ② 마그렙의[에 관한]. —*m.f.* 마그렙 사람.
magrez *f.* ① 비쩍 여윔. ② 지방분이 없음[적음].
magro, gra *adj.* 여윈, 마른; 지방이 적은, 지방이 없는. —*m.* (비계 없는) 살코기. —*f.* 길쭉한 햄 토막.
magrura *f.* =magrez.
magüeta *f.* =novilla.
magüeto *m.* =novillo.
maguey *m.* [식물] 용설란(pita).
magueyal *m.* *Cuba, Méj.* 용설란 밭.
magueyera *f.* ① *Méj.* 용설란(pita). ② *Méj.* =magueyal.
maguillo *m.* [식물] 야생 사과나무.
magujo *m.* (배의) 고인물 푸는 그릇.
magullada *f.* *Cuba, Méj.* =magulladura.
magulladura *f.* ① 타박상, 피멍. ② 구타(golpe).
magullamiento *m.* =magullamiento.
magullar *tr.* ① 타박상을 입히다, 멍들게 만들다. ② (야채・과실 등을) 흠내다, 상하게 하다.
magullón *m.* *Arg., Chile, Cuba, Méj., Ur.* =magulladura.
maharrana *f.* *And.* =tocino fresco.
mahatma *m.* [경칭] (인도의) 성자, 대성, 마하트마: *Mahatma* Gandhi 마하트마 간디.
mahometano, na *adj.* ① 마호메트의. ② 이슬람교의. —*m.f.* 이슬람교도.
mahomético, ca *adj.* 마호메트의.
mahometismo *m.* 이슬람교.
mahometista *adj.* 이슬람교를 믿는[신봉하는]. —*m.f.* 이슬람교도.
mahometizar (9) *intr.* 이슬람교를 믿다[신봉하다].
mahomía *f.* *And.* [드묾] 나쁜 행동.
mahomista *adj., m.f.* =mahometista.
mahón *m.* (중국의) 남경 목면.
mahona *f.* (터키의) 화물선의 일종.
maiceado, da *adj.* ① *Nic.* 이미 한 회분의 옥수수를 먹은 (동물). ② *Salv., Ven.* (사람・동물이) 건강한, 튼튼한, 잘 먹인. ③ *Nic.* 술에 취한.
maicear *tr.* *Salv.* 먹을 것을 잘 주다; *Méj.* (동물에게) 옥수수를 주다.
maicena *f.* 고운 옥수수 가루.
maicera *f.* ☞maicero.
maicería *f.* *Cuba, Méj.* 옥수수 판매소[보관소].
maicero, ra *adj.* ① *Col.* (먹거리로) 옥수수를 좋아하는 (사람). ② *Col.* 옥수수가 주식인 (안띠오끼아 주의 주민). ③ *Méj.* 옥수수의, 옥수수에 관한: producción ~*ra* 옥수수 생산. —*m.f.* 옥수수 재배자[장수]. —*f.* rur. *Cuba.* 옥수수 농장.
maído *m.* [드묾] =maullido.
maílla *f.* 야생 사과.
maíllo *m.* =maguillo.
maillot *m.* *fr.* ① 여자용 원피스 수영복. ② (특히 자전거 선수용) 운동 셔츠. ③ (특히 여성용) 몸에 꼭 끼는 옷, 타이츠.
maimón[1] *m.* [동물] 긴 꼬리 원숭이.
maimón[2] *m.* (안달루시아에서) 기름 친 빵 수프(sopa de pan con aceite).
mainel *m.* ① 계단의 난간. ② [건축]

세로 칸막이.
maitines *m.pl.* [천주교] 날 새기 전에 드리는 기도.
maíz *m.* ① [식물] 옥수수. ② 옥수수, 강냉이 ((알맹이)): rosetas de ~ 팝콘, 튀긴 옥수수.
maizal *m.* 옥수수 밭.
maître *m. fr.* (식당의) 주방장.
maja *f.* ① *And.* 방앗공이, 절굿공이. ② *Gal., León, Pal.* 찧기, 빻기.
majá *m.* ① *Cuba.* [동물] 마하 ((꾸바섬에서 사는 독 없는 큰 뱀)). ② *Cuba.* 게으른 사람.
majada *f.* ① 목사(牧舍). ② 짐승의 똥. ③ 사람의 똥, 인분. ④ *Arg., Ur.* 양[산양] 떼.
majadal *m.* ① 양과 산양의 목초지. ② 목사(牧舍)(majada).
majadear *intr.* ① (가축이) 목사에서 밤을 보내다. ② (양들이 목사에 있을 때) 똥으로 땅에 거름을 주다.
majaderear *tr. Amér.* (다른 사람을) 불편하게 하다. —*intr.* ① *Amér.* 불편해지다. ② 완고하게 고집부리다.
majadería *f.* 어리석은 말[행동]: decir ~*s* 어리석은 말을 하다.
majaderico *m.* (옛날에 사용되었던) 장식, 장식술.
majaderillo *m.* (레이스 편물의) 뜨개바늘.
majaderito *m.* =**majaderillo.**
majadero, ra *adj.* 어리석은, 멍청한, 바보스러운. —*m.f.* 어리석은 사람, 멍청이, 바소. —*m.* ① 절굿공이, 방앗공이. ② 빻는[찧는] 방망이. ③ =**majaderillo.**
majado *m.* ① *NO Arg., Chile.* (가끔 다진고기를 넣는) 빻은 옥수수[밀가루]로 만든 수프. ② *NO Arg., Chile.* 빻은 옥수수[밀가루] 디저트[요리].
majador, ra *adj.* 빻는, 찧는. —*m.f.* 찧는[빻는] 사람. —*m.(f.)* 빻는 도구.
majadura *f.* 빻기, 찧기.
majagranzas *m.* 귀찮은[성가신] 사람, 골치 아픈 사람.
majal *m.* 물고기 떼(banco de peces).
majamiento *m.* 찧기, 빻기.
majar *tr.* ① =**machacar.** ② (낟알을 밀짚에서 분리하기 위해) 탈곡장에서 밀 등을 도리깨로 두들기다, 탈곡하다. ③ 괴롭히다, 애먹이다.
majara *adj., m.f.* =**majareta.**
majareta *adj., m.f.* =**loco, chiflado.**
majarete *m.* ① *Cuba, Ven.* 강판에 갈아 연한 옥수수·우유·설탕으로 만든 과자; (베네수엘라에서는) 야자 속살 과자. ② *PRico.* 무질서, 혼란.
majasear *intr. Cuba.* =**holgazanear.**
maje *adj., m.f. CRica., Hond., Méj., Nic., Salv.* =**tonto.** —*m.* ① *CRica., Hond.* [은어] =**muchacho, joven.** ② *Nic.* 모인(某人). ¶***hacerse el*** ~ 바보가 되다(hacerse tonto).
majear *tr. Méj.* =**engañar.**
majencia *f.* =**majeza.**
majería *f.* [집합] 멋쟁이.
majestad *f.* ① 위엄: con ~ 위엄 있게. ~ del monte 산의 위용. ② 장엄. ③ [하나님·황제·국왕에 대한 경칭 Su·Vuestra *Majestad*] 폐하, 각하. ¶***Su Divina Majestad*** =**Dios.** ***Su Graciosa Majestad*** [영국 국왕에 대한 경칭] 폐하!
majestoso, sa *adj.* [드묾] 위엄 있는.
majestuosamente *adv.* 위엄 있게; 장엄하게(con majestad).
majestuosidad *f.* 위엄; 장엄.
majestuoso, sa *adj.* 위엄 있는; 장엄한: paisaje ~ 장엄한 경관.
majeza *f.* 화려함, 멋을 부림; 허식.
majo, ja *adj.* ① 느낌이 좋은, 매력적인. ② 세련된, 멋진, 멋을 부린, 잘 차려 입은, 호화로운, 사치스런. ③ 아름다운, 예쁜, 잘생긴. —*m.f.* ① 세련된 사람. ② 미남, 미녀.
majorca *f.* =**mazorca.**
majorette *f. fr.* 여성 악대장.
majuela[1] *f.* majuelo의 열매.
majuela[2] *f.* [드묾] 가죽 구두끈.
majuelo[1] *m.* [식물] 산사나무속(屬); (특히) 서양 산사나무.
majuelo[2] *m.* ① =**viña.** ② 구두끈. ③ *Rioja.* [식물] 새 그루터기.
mal[1] *adj.* =malo. [명사 단수 명사 앞에서 o 탈락] *mal* día 나쁜 날. *mal* libro 나쁜 책. —*m.* ① 악: el bien y el ~ 선악. ② 악행, 못된 짓. ③ 해, 해악. ④ 불행, 불운. ⑤ 재앙, 재난, 화, 참화. ⑥ 병, 질병. ⑦ 형편[사정]이 좋지 못함. ⑧ 간질 발작. ¶~ ***caduco*** =**epilepsia.** ~ ***de Alzheimer*** 알츠하이머병. ~ ***de Bright*** 브라이트병, 신염. ~ ***de Chagas*** 차가스병 ((눈병의 일종)). ~ ***de la rosa*** 이탈리아 나병. ~ ***de la tierra*** 향수병. ~ ***de madra*** 히스테리. ~ ***de montaña*** 고산병. ~ ***de piedra*** 결석병, (특히) 신장 결석. ~ ***de San Lázaro*** 상피병. ~ ***francés*** 매독. ***decir*** ~ 저주하다, 비방하다. ***de*** ~ ***a*** ~ 힘으로, 무력으로, 억지로. ***echar a*** ~ ㉮ 멸시하다, 경멸하다, 경시하다, 업신여기다. ㉯ 낭비하다, 허비하다, 탕진하다. ~ ***a*** ~ 힘으로, 무력으로, 억지로. ***menos*** ~ (참) 다행이다. ***por*** ~ 무력으로, 힘으로, 억지로. ***Del ~, el menos*** (속담) 불행중 다행이었다. ***No hay bien ni mal que cien años dure*** (속담) 쥐구멍에도 볕들 날이 있다.
mal[2] *adv.* ① 나쁘게: ㉮ 부정하게. ㉯ 서툴게: hablar ~ el español 스페인어가 서툴다. ㉰ 부적절하게, 형편이 좋지 못하게. ㉱ (몸의 상태·기분이) 나쁘게, 좋지 않게. ② 불행하게. ③ 어렵게, 간신히. ④ 불충분하게, 적게. ¶***de*** ~ ***en peor*** 점점 더 나쁘게, 더욱더 나쁘게. ~ ***que bien*** ㉮ 어려움을 극복하면서, 어렵게 헤쳐나가면서. ㉯ 아무튼, 어떻게 하든, 어떤 방법으

M

로라도.

mala[1] *f.* ① (프랑스와 영국의) 우편 행낭. ② 우편 행낭의 우편물(correo).

mala[2] *f.* ☞**malo.**

malabarismo *m.* 곡예.

malabarista *mf.* ① 곡예사. ② *Chile.* 소매치기.

M

malacara *adj., mf. Arg., Par.* 얼굴의 대부분이 하얀 (말).

malacate *m.* 권양기(捲揚機), 윈치.

malacatoso, sa *adj. Chile.* 생김새가 나쁜, 표정이 일그러진.

malacia *f. Bol.* [의학] 이물 기호증.

malacitano, na *adj., mf.* =**malagueño.**

malacología *f.* 연체 동물학.

malacológico, ca *adj.* 연체 동물학의.

malaconsejado, da *adj., mf.* 무분별한 (사람), 분별이 없는 (사람), 깊은 생각이 없는 (사람).

malacopterigio, gia *adj.* [동물] 연한 지느러미 무리의. —*m.* 연한 지느러미 무리.

malacostumbrado, da *adj.* ① 습관[버릇]이 나쁜, 나쁜 습관[버릇]에 젖은. ② 버릇없는, 응석받이로 자란.

malacrianza *f. Bol., Cuba, Méj., Ven.* =**malcriadez.**

malacuenda *f.* ① 포장용 마대. ② 부스러기 실.

malaestanza *f.* [고어] =**malestar.**

málaga[1] *m.* [술] 말라가 ((스페인 말라가산 포도로 빚은 맛이 단 포도주)).

Málaga[2] *f.* [지명] 말라가 ((스페인 남부 지방에 있는 항구 도시·주)).

malagana *f.* 기력 쇠퇴, 무기력.

malagradecido, da *adj., mf.* 배은망덕한 (사람), 은혜를 모르는 (사람).

malagueño, ña *adj.* ① 말라가(Málaga, 스페인의 도시·주) 태생의. ② 말라가의[에 관한]. —*mf.* 말라가 사람. —*f.* 말라게냐 ((fandango와 비슷한 말라가 주의 민요·무용)).

malaisio, sia *adj., mf.* =**malasio.**

malaje *adj. And.* 불쾌한, 싫은, 재미없는. —*mf.* 재미없는 사람, 무료한 사람; 악인, 사악한 사람.

malaleche *mf.* [속어] 꿍심이 있는 자.

malambo *m. Arg., Chile, Ur.* 말람보 ((zapateado와 비슷한 가우초들의 민속 무용)).

malamente *adv.* =**mal**[2]**:** Estoy ~ de salud 나는 건강이 나쁘다.

malamujer *f. Méj.* 쐐기풀의 일종.

malandante *adj.* 불행한, 불운한.

malandanza *f.* 불행, 불운, 비운.

malandar *m.* 돼지 떼 사이에 들어가지 않으려는 돼지.

malandra *f.* [경멸] *Arg., Chile, Ur.* 방자한 사람.

malandrín, na *adj.* ① 사악한, 심술궂은. ② *Perú.* 별로 값어치가 없는 물건을 훔치는, 소매치기하는. ③ *Perú.* 어렵게 사는. —*mf.* 사악한 사람, 심술궂은 사람, 악인, 악당.

malandro, dra *mf.* 범죄자. —*adj.* 죄를 지은. —*m. Ur.* 범죄자.

malanga *f.* ① *Col., Cuba, Hond., Pan., PRico., Salv.* [식물] 말랑가 감자. ② *Col., Cuba, Hond., PRico., Pan.* 말랑가 감자의 알뿌리. ③ *Salv.* 돈(dinero).

malange *adj., mf. And.* =**malaje.**

malanocharse *r. Ecuad.* 철야하다, 밤샘하다(trasnochar).

malapata *mf.* (동작이) 둔한 사람, 불운한 사람.

malaquita *f.* [광물] 공작석(孔雀石). ¶ ~ ***azul*** 감청석. ~ ***verde*** 공작석.

malar *adj.* [해부] 뺨(mejilla)의[에 관한]. —*m.* 광대뼈(pómulo).

malaria *f.* [의학] 말라리아(paludismo).

Malasia *f.* [국명] 말레이시아 (연방).

malasio, sia *adj.* ① 말레이시아(Malasia) 태생의. ② 말레이시아의[에 관한]. —*mf.* 말레이시아 사람.

malasombra *mf.* 귀찮은 사람, 잔소리 많은 사람.

malauiano, na *adj. mf.* =**malawiano.**

malavenido, da *adj.* 꼭 맞지 않는.

malaventura *f.* 불운, 불행(desventra).

malaventurado, da *adj.* 불운한, 불행한(infeliz, de mala ventura).

malaventuranza *f.* 불행, 불운.

malawiano, na *adj.* ① 말라위(Malawi, 동남 아프리카의 공화국; 수도는 Lilongwe) 태생의. ② 말라위의[에 관한]. —*mf.* 말라위 사람.

malaya *f. Chile, Perú.* 소의 갈비 살.

malayo, ya *adj.* ① 말레이 인종의. ② 말레이 사람의[에 관한]. ③ 말레이 반도의. —*mf.* 말레이 사람. —*m.* 말레이 말(lengua *malaya*).

malayo-polinesio, sia *adj.* ① 말레이 폴리네시아 어족의[에 관한]. ② 말레이 폴리네시아의[에 관한]. ③ 말레이 폴리네시아 사람의. —*mf.* 말레이 폴리네시아 사람. —*m.* 말레이 폴리네시아 말 ((인도네시아 말, 자바 말, 말레이 말, 타갈로 말, 마다가스카르 말, 마오리 말 등)).

malbaratador, ra *adj., mf.* 싸게 파는, 대매출의, 낭비하는 (사람).

malbaratar *tr.* ① 재산을 싸게 팔다. ② 재산을 탕진하다.

malbaratillo *m.* 싸구려 가게.

malbarato *m.* ① [드묾] 할인 판매. ② [드묾] 낭비(despilfarro, derroche).

malcarado, da *adj., mf.* 인상이 험한 (사람).

malcasado, da *adj., mf.* ① 부정(不貞)한 (사람): marido ~ 부정한 남편, 바람피운 남편. ② 배우자와 화목하게 살지 않는 (사람): cónyuges ~*s* 화목하지 못한 부부.

malcasar *tr.* 부부의 행복에 필요한 상황을 고려하지 않고 결혼시키다, 신분에 맞지 않는[어울리지 않는] 결혼을 시키다. —*intr.*, ~**se** 행복에 관계없이 결혼하다, 신분에 맞지 않는 결혼을 하다, 어울리지 않는 결혼을 하다.

malcomer *intr.* (질이 빈약한 음식 때문에) 깨지락깨지락 먹다.

malcomido, da *adj.* 식사가 불충분한, 깨지락깨지락거리는.

malconsiderado, da *adj.* 생각이 깊지 못한, 철없는.

malcontentadizo, za *adj.* 불만투성이의, 만족하기 어려운.

malcontento, ta *adj.* ① 불만스러운, 불평하는. ② 소동[소요]을 일으키는, 공공 질서를 문란케 하는.

malcoraje *m.* [식물] =mercurial.

malcorte *m.* 도벌(盜伐), 남벌(濫伐).

malcriadez *f. Amér.* 버릇없음, 예의 없음, 가정 교육이 나쁨; 예의 없는 짓, 무례한 짓.

malcriado, da *adj., m.f.* ① 버릇없는, 예의 없는, 가정 교육이 나쁜 (사람). ② 응석을 부리는 (아이).

malcriar (12) *tr.* (아이를) 버릇없이[어하게] 키우다, 어린애의 응석을 받으며 떠받들어 키우다, 과잉 보호하다.

maldad *f.* ① 나쁨: ~ del tiempo 날씨 불순. ② 나쁜 짓, 흉악한 일, 악사, 악행: cometer ~*es* 나쁜 짓을 하다, 악행을 저지르다.

maldadosamente *adv.* [드묾] 나쁘게, 악하게, 흉악하게.

maldadoso, sa *adj.* ① [드묾] 나쁜 짓에 버릇이 든. ② 악한 짓을 하는.

maldecido, da *adj., m.f.* 못되먹은 (사람), 질이 나쁜 (사람), 악독한 (사람). ¶ ~ *de cocer* =maldito de cocer.

maldecidor, ra *adj., m.f.* 저주하는 (사람); 중상하는 (사람).

maldecimiento *m.* [드묾] 저주.

maldecir (70) *tr.* 저주하다: ~ la guerra 전쟁을 저주하다. —*intr.* [+de] (…를) 나쁘게 말하다, 헐뜯다, 비방하다, 욕하다, 중상하다, 모략하다.

maldiciente *adj.* ① 저주하는. ② 버릇으로 남을 헐뜯는[비방하는·악담하는·욕하는]. —*m.f.* ① 저주하는 사람. ② 험구가, 험객.

maldicientemente *adv.* 저주하여, 악담으로, 헐뜯어(con maledicencia).

maldición *f.* 저주; 악담, 험담, 중상, 욕설. ¶*caer la* ~ a alguien (누구에게) 불행[궂은 일]이 계속되다[잇따르다]. *¡Maldición!* 빌어먹을!, 염병할! ((불쾌할 때나 화낼 때)).

maldispuesto, ta *adj.* ① =indispuesto. ② …을 할 마음이 나지 않는, …하고 싶은 기분이 나지 않는.

maldita *f.* ☞maldito.

malditamente *adv.* 아주 나쁘게.

maldito, ta *adj.* ① [+명사] 싫은, 지긋지긋한, 불쾌한; 사악한, 성악(性惡)한, 성질이 악한. ② 저주받은, 천벌을 받은. ③ [+관사+명사] 조금도[전혀] … 아니다: No sé ~*ta* la cosa 나는 그런 것은 전혀 모른다. ④ 질이 나쁜, 초라한, 보잘것없는. —*m.f.* ① 저주받은 사람, 천벌을 받은 사람. ② 심술쟁이, 짓궂은 사람; 악인, 악당, 불량배; 돼먹지 못한 인간. —*f.* 사람의 혀. —*m.* [연극] 엑스트라. ¶ ~ *de cocer* 고집[다른 나쁜 성질]으로 화나게 하는. *soltar* alguien *la* ~ (…가) 욕설을 퍼붓다. *¡Maldita sea!* 빌어먹을!, 염병할! ((화가 났을 때)).

maldivo, va *adj.* ① 몰디브(las islas Maldivas, 인도양의 영연방 안의 공화국; 수도 Malé) 태생의. ② 몰디브의[에 관한]. —*m.f.* 몰디브 사람.

maldivo, va *adj.* ① *CRica, Nic.* = malvado. ② *Méj.* =travieso.

maleabilidad *f.* 가단성(可鍛性), 전성(展性), 가연성(可延性); 유순성.

maleable *adj.* ① (금속을) 단련할 수 있는, 두들겨 펼 수 있는, 가단성의, 전성(展性)이 있는. ② (물건을) 부수지 않고 다른 모양을 낼 수 있는. ③ 설득하기 쉬운, 다른 사람의 영향을 쉽게 받는, 순종하는, 다소곳한.

maleante *adj.* ① 악하게 만드는, 해치는. ② 사악한, 성악(性惡)한, 성질이 악한. ③ 법을 지키지 않고 못된 짓을 하면서 사는: gente ~ 무뢰한, 파락호. —*m.f.* 파락호, 불량배, 무뢰한.

malear *tr.* ① 악하게 만들다. ② 해치다, 상하게 만들다, 망가뜨리다. ③ 썩게 하다, 부패시키다. ④ 타락시키다. ⑤ *Ecuad.* (…에게) 불운을 안기다. **~se** ① 상하다, 망가지다. ② 부패하다. ③ 타락하다.

malecón *m.* ① (물막이용) 둑, 제방. ② 큰 성벽, 단단한 성벽. ③ 방파제. ④ *Cuba, Ecuad.* 강가[물가] 산책.

maledicencia *f.* 저주(하는 말), 악담(을 하기).

maleducado, da *adj.* ① (아이들이) 응석으로 버릇없이 자란, 과잉 보호를 받은: niño ~ 응석으로 버릇없이 자란 아이, 부모의 과잉 보호 속에 자란 아이. ② 버릇없는, 예의 없는, 발칙한, 거친, 무례한. —*m.f.* ① 응석둥이, 응석받이, 응석꾸러기. ② 버릇없는 사람, 예의 없는 사람.

maleducar (7) *tr.* =malcriar.

maleficencia *f.* 나쁜 짓, 나쁜 짓을 하는 버릇[습관]; 악행; 해악, 유해(성).

maleficiar *tr.* ① 해치다, 해[해독]를 끼치다. ② =hechizar.

maleficio *m.* ① 주술에 의한 해악, 지벌(罰), 앙화(殃禍). ② 해악을 일으키는 주술, 저주. ¶*desligar el* ~ 장애를 제거하다.

maléfico, ca *adj.* ① 저주스러운, 불길한. ② 해로운, 재앙을 받은. —*m.f.* 주술사, 마술사, 요술사.

malenseñar *tr. Chile, Cuba, Ur.* (…에게) 나쁜 행동을 묵인하다.

malentender (20) *tr.* 오해하다, 잘못 이해하다.

malentendido *m.* 오해(誤解).

malentrada *f.* (옛날 감옥에 들어간 죄수들이 지불한) 세금.

M

M

malentretenido, da *m.f. Méj.* =**vago, holgazán.**
maleolar *adj.* [해부] 복사뼈의.
maléolo *m.* [해부] 복사뼈, 과골(踝骨).
malero, ra *adj. Ecuad.* =**delincuente.**
malespín *m. Salv.* 학생들의 은어.
malespino *m. CRica., Hond., Nic.* = **malespín.**
malestar *m.* (정신적 · 육체적인) 불쾌(감): sentir ~ 기분이 불쾌하다[나쁘다]; 몸 상태가 나쁘다.
maleta[1] *f.* ① (휴대용) 여행 가방. ② (양쪽 끝에서 열고, 끈으로 잠그는) 손가방. ③ *Chile, Ven.* (자동차의) 트렁크. ④ *Cuba.* (어린이용) 책가방. ⑤ *Cuba.* (사람의) 곱사등. ⑥ *Perú.* (사람의) 등. ⑦ [은어] =**prostituta.** ¶ ***andar como ~ de loco*** *Arg., Ur.* 분명한 목표[목적]가 없다, 무엇을 원하는지 잘 모르다. ***hacer la ~*** ㉮ 가방을 꾸리다. ㉯ 여행 준비를 하다. ㉰ 퇴직하다, 현역을 은퇴하다, 현역에서 물러나다.
maleta[2] *f.* [고어] 병(病)(enfermedad).
maleta[3] *m.f.* ① (직업에) 무능한 사람. ② [구어] 서툰 투우사. ③ *Guat.* 심술궂은[마음이 비뚤어진] 사람. ¶**a la ~** 기습적으로. ***andar*** alguien ***de ~s*** *Chile.* (…가) 기분이 나쁘다.
maletera *f. Méj.* =**maletero ③.**
maletero *m.* ① maleta 제조자[장수]. ② (일반적으로) 짐꾼. ③ (자동차의) 트렁크. ④ (주택에서) 가방 보관소.
maletía *f.* ① [고어] =**malicia.** ② [고어] =**enfermedad.**
maletilla *m.f.* 투우사 지원 젊은이.
maletín *m.* 작은 가방, 손가방; (소형) 서류 가방.
maletón *m.* 대형 가방, 트렁크. —*m.f.* 곱사등이.
malevaje *m. Arg., Ur.* [집합] 불량배, 깡패, 악당, 악한(malevos).
malevo, va *adj.* ① *Arg., Bol.* 시 교외의 서민의, 서민 습관의. ② *Arg.* 불량배[깡패 · 악당 · 악한]의[에 관한]. ③ *Arg.* 불량배[깡패 · 악당 · 악한] 특유의. ④ *Arg., Ur.* [드묾] 사악한, 악의가 있는. —*m.f. Arg., Ur.* [드묾] 사악한 사람, 악인. —*m. Arg.* (부에노스아이레스 교외에 살았던) 불량배, 깡패, 악당, 악한.
malevolencia *f.* 원한, 반감, 악감정, 증오; 악감정: con ~ 악의로.
malevolente *adj.* 악의가 있는, 적의(敵意)가 있는.
malévolo, la *adj.* ① 악의에 찬, 저의가 있는: mirada ~ 악의에 찬 시선. pensamiento ~ 사심, 정도에 어그러진 간사한 마음. ② 악의로 행동한[말한]. —*m.f.* 악의에 찬 사람, 저의가 있는 사람.
maleza *f.* ① (관목 · 풀이) 무성함. ② [집합] 잡초. ③ *Andes, Chile, Hond., Nic.* 악초. ④ *Cuba, RDom.* 지병, 숙환(宿患).
malformación *f.* ① [생물] 발생 이상. ② [의학] 기형(畸形).
malgache *adj.* ① 마다가스카르(Madagascar, 아프리카 남동의 섬으로 된 공화국; 수도 Antananarivo) 태생의. ② 마다가스카르의, 마다가스카르에 관한. —*m.f.* 마다가스카르 사람. —*m.* 마다가스카르 말.
malgastador, ra *adj.* 낭비하는. —*m.f.* 낭비자.
malgastar *tr.* ① (나쁜 것 · 불필요한 일로 돈을) 탕진하다, 낭비하다, 허비하다: ~ el dinero en tonterías 하찮은 일로 돈을 탕진하다[낭비하다]. ② (시간 · 인내심 등을) 낭비하다, 허비하다, (헤프게) 쓰다: ~ *su* tiempo 시간을 낭비하다. ~ la salud 건강을 상하게 하다, 건강을 남용하다.
malgeniado, da *adj. Hond., Ecuad., Bol., Col., Nic., Perú.* 성질이 나쁜, 화 잘 내는.
malgenioso, sa *adj., m.f. Amér.* 성질이 나쁜 (사람), 화 잘 내는 (사람).
malhablado, da *adj., m.f.* 말이 건방진 (사람), 말 씀씀이가 좋지 않은 (사람), 상스러운 말을 쓰는 (사람), 입이 더러운 (사람).
malhadado, da *adj.* 불행한, 운 나쁜.
malhecho, cha *adj.* [드묾] (사람이) 기형의, 불구의. —*m.* [드묾] 나쁜[흉한] 행동.
malhechor, ra *adj.* (상습적으로) 죄[악행]를 범하는, 나쁜[못된] 짓을 하는. —*m.f.* 불량배, 악당; 범죄인, 도둑.
malherir (54) *tr.* 중상을 입히다.
malhojo *m.* =**marojo.**
malhumor *m.* 불쾌함, 기분이 좋지 않음, 나쁜 기분(mal humor).
malhumorado, da *adj.* 기분 나쁜.
malhumorar *tr.* (…를) 기분 나쁘게 하다, 기분 잡치게 하다. ~**se** 기분이 나쁘다, 기분을 잡치다.
malí *adj.* ① 말리(Malí, 아프리카 서부의 공화국; 수도 Bamako) 태생의. ② 말리의[에 관한]. —*m.f.* 말리 사람.
malicia *f.* ① (의도적인) 악의, 앙심, 적의, 원한: con ~ 악의를 가지고. ② 성미가 악함, 교활함, 간교함, 능글맞음. ③ [때때로 *pl.*] 곡해, 그릇된 추측[의심]. ④ (질병의) 악성. ⑤ 빈틈없음, 총명함, 영리함, 예민함, 통찰력. ⑥ 의혹, 의심, 의구심, 혐의, 추측. ⑦ (성적인) 경험, 지식.
maliciable *adj.* [드묾] 타락할 수 있는.
maliciador, ra *adj.* [드묾] 악의적인; 타락시키는; 손상시키는.
maliciar (11) *tr.* ① 의심하다; 악의로 판단하다. ② =**malear, echar a perder.** ~**se** 의심하다.
maliciosamente *adv.* 악의를 가지고.
malicioso, sa *adj.* ① 악의[적의]가 있는, 속셈이 있는, 심술궂은, 독살스러운: niño ~ 심술궂은 아이. ② 악의를 품은. —*m.f.* 악의가 있는 사람, 심술궂은 사람.
malignamente *adv.* 악의로, 악의를 가지고, 악의에 차서.
malignar *tr.* ① [드묾] =viciar, inficionar. ② [드묾] 나쁘게 하다. ③ 신용을 떨어뜨리다. **~se** [드묾] 썩다, 부패하다; 악화되다, 나빠지다.
malignidad *f.* ① 악의, 앙심, 원한. ② 악의 있는 언동. ③ [의학] 악성(惡性); 불치(不治).
malignizarse *r.* [의학] 악성을 얻다.
maligno, na *adj.* ① 악의가 있는, 적의가 있는. ② 해로운. ③ (병이) 악성의: fiebre *~sa* 악성 열(병). gripe *~sa* 악성 감기. tumor ~ 악성 종양. —*m.* 악마(demonio).
malilla *f.* ① 트럼프의 일종. ② (트럼프에서) 두 번째로 센 패.
malinchismo *m. Méj.* 외국의 것을 좋아함, 외국의 것에 대한 호감(을 가짐), 외국의 것에 호감을 보이는 행동.
malinchista *adj. Méj.* 외국의 것을 좋아하는, 외국의 것에 호감을 보이는.
malingrar *tr.* [드묾] =**malignar.**
malintencionado, da *adj., m.f.* 악의가 있는 (사람).
malinterpretar *tr.* 오해하다.
malla *f.* ① 그물눈, 그물코: de ~ fina 그물눈이 가는. de ~ gruesa 그물눈이 성긴. ② 그물 모양의 편물[직물]. ③ 레오타드 ((곡예사·댄서가 입는 몸에 착 붙는 옷)). ④ *pl.* (몸에 꼭 끼는) 타이츠 ⑤ *pl.* 레그 워머 ((발목에서 무릎까지 싸는 뜨개질한 방한구)). ⑥ 갑옷 속에 받쳐입는 작은 미늘로 엮어 만든 속옷. ⑦ *Arg., Bol., Ur.* 수영복(bañador).
mallar[1] *intr.* ① 그물눈[그물코]을 만들다. ② (물고기가) 그물에 걸리다.
mallar[2] *tr. Ast., Sal.* =**majar.**
mallero, ra *m.f.* malla 제작자. —*m.* malla 제작 틀.
mallo *m.* ① 망치. ② 마요 ((망치로 나무공을 치는 놀이)). ③ 마요(mallo) 놀이터.
mallorca *f. Ecuad.* 아니스 소주.
mallorquín, na *adj.* ① 마요르카(Mallorca, 스페인의 발레아르 군도에 있음) 태생의. ② 마요르카의[에 관한]. —*m.f.* 마요르카 사람. —*m.* 마요르카 방언[사투리].
mallugar (8) *tr.* =**magullar.**
malmandado, da *adj., m.f.* ① 순종하지 않는 (사람), 복종하지 않는 (사람), 말을 고분고분 듣지 않는 (사람). ② 마지못해 하는 (사람).
malmaridada *adj., f.* 남편과 화목하지 못한 (여자)(malcasada).
malmarriento, ta *adj. Ter.* =**malucho.**
malmatado, da *adj.* ① *Nic.* 다친, 부상당한. ② *Nic.* 손아래의. —*f.* ① *Hond., Salv.* (사람이) 넘어지는 일. ② *Nic., Salv.* =**paliza.**
malmeter *tr.* ① (…를) 나쁜 길로 빠지게 하다, 나쁜 짓을 하게 하다. ② =**malquisar.**
malmirado, da *adj.* ① 버릇없는, 예의가 없는, 경솔한. ② 증오하는, 원망하는, 악감정을 가진(malquisto).
malmodear *tr. Ecuad.* (…를) 경멸적으로[무례하게] 대하다.
malmodiento, ta *adj., m.f. Méj.* =**zafio.**
malnacido, da *adj., m.f.* ① 바람직하지 못한, 달갑지 않은 (사람). ② 업신여기는, 멸시하는, 경멸하는 (사람).
malnutrición *f.* 영양 실조[부족].
malnutrido, da *adj.* 영양 실조의, 영양 부족의.
malo, la *adj.* [남성 단수 명사 앞에서 mal이 됨] ① 나쁜, 좋지 않은: *mala* noticia 나쁜 소식. *mala* postura 나쁜 자세. El resultado es ~ 결과는 좋지 않았다. ② 불행한: pasar una *mala* juventud 불행한 청년기를 보내다. ③ [+para] (…에) 부적절한, 사정[형편]이 나쁜: *mal* momento 부적절한 시기, 나쁜 시기[순간]. *mala* explicación 부적절한 설명. ④ 조악(粗惡)한, 거칠고 나쁜: *mala* calidad 나쁜 품질. vino ~ 품질이 나쁜 포도주. ⑤ 솜씨가 서툰: *mal* bailador 서툰 댄서. en un *mal* español 서툰 스페인어로. ⑥ 불쾌한, 싫은: *mal* olor 악취. *mal* sabor 싫은 맛. ⑦ 성악(性惡)한, 성미 나쁜, 돼먹지 못한, 못된; 부도덕한: *malas* costumbres 악습. niño ~ 못된 아이. ⑧ 아픈, 병든, 병을 앓고 있는: Ella está *mala* 그녀는 아프다. ⑨ (물건이) 상한, 파손된, 흠이 있는. ⑩ (여성이) 생리 중인. ⑪ 사이가 나쁜[틀어진]. ⑫ 해로운: *~s* libros para los niños 어린이에게 해로운 책. ⑬ [+de+ *inf.*] (…하기) 어려운. —*m.* 악마. —*f.* (트럼프에서) 두 번째로 센 패. —*m.f.* 악한 사람, 악인(惡人). —*interj.* 젠장맞을!, 빌어먹을!, 더러워서! ((불쾌하거나 기분이 나쁠 때 사용함)). ¶***a la mala** Chile.* =**a traición.** ***a malas*** 적의(敵意)를 가지고. ***de malas*** ㉮ (특히, 노름에서) 불운하게, 지고, 열세로. ㉯ 악의를 가지고, 나쁜 뜻을 품고. ㉰ 기분 나빠. ***por la mala, por las malas, por malas*** =**por fuerza.** ***por las malas o por las buenas, por malas o por buenas*** 자의건 타의건.
maloca *f.* ① *AmérM.* (약탈과 전멸로) 백인의 원주민 땅 침략. ② *Amér.* (스페인 사람들의 마을이나 다른 원주민들의 마을에) 원주민의 기습[예기치 않은 공격].
malogramiento *m.* 실패; 좌절.
malograr *tr.* (기회·때 등을) 놓치다, 이용하지 못하다: ~ ocasión 기회를 놓치다. ~ tiempo 때를 놓치다. **~se** ① 실패하다, 허사가 되다. ② 중도에서 좌절되다, 완성하지 못하다. ③ 요절하다; 유산되다.

M

malogro *m.* 실패; 좌절; 요절(夭折).
maloja *f. Cuba.* [식물] (말의 먹이로만 쓰이는) 옥수수.
malojal *m. Ven.* 옥수수(malojos) 밭.
malojero *m. Cuba.* 옥수수 장수.
malojo *m. Ven.* [식물] =**maloja.**
maloliente *adj.* 악취를 내는, 냄새가 고약한.
malón *m. AmérM.* 원주민의 기습[예기치 않은 공격].
maloquear *intr.* (인디오가) 기습하다, 급습하다, 교란하다.
maloso, sa *adj.* ① *Hond., Salv.* 간질병에 걸린, 발작 증세를 일으킨. ② *Hond.* 악한 짓을 하는. ③ *Ven.* 모두가 나쁘지 않은.
malpaís *m.* =karst.
malparado, da *adj.* 손해를 입은, 타격을 입은.
malparar *tr.* ① 학대하다, 못살게 굴다. ② 나쁜 상태로 두다.
malparida *f.* 얼마 전에 유산한 여자.
malparir *intr.* 유산(流産)하다(abortar).
malparto *m.* 유산(aborto).
malpensado, da *adj., m.f.* 남을 믿지 않는, (성질이) 비뚤어진 (사람).
malqueda *m.f.* 약속을 지키지 않는 사람, 의무를 이행하지 않는 사람.
malquerencia *f.* 악의, 악감정, 적의.
malquerer (68) *tr.* 악의[반감]를 품다.
malqueriente *adj.* (다른 사람을) 증오하는, 악의[반감]를 품은.
malquistar *tr.* [+con](…과) 사이가 틀어지게 하다, 틈이 생기게 만들다, 반목하게 하다, 티격태격하게 하다, 반감[악감정]을 품게 하다. ~**se** 사이가 틀어지다, 틈이 생기다, 반목하다, 티격태격하다, 반감[악감정]을 품다.
malquisto, ta *adj.* (다른 사람을) 좋지 않은 눈으로 보는, 미워하는.
malrotador, ra *adj., m.f.* 낭비하는, 허비하는, 탕진하는 (사람).
malrotar *tr.* 낭비[허비]하다, 탕진하다.
malsano, na *adj.* ① 건강[몸]에 해로운. ② 불건전한, 병적인, 퇴폐적인. ③ [드묾] 병약(病弱)한, 약질인, 자주 앓는, 골골하는(enfermizo).
malsín *m.* =**cizañero, soplón.**
malsinar *tr.* [드묾] =**acusar.**
malsindad *f.* [고어] 험담, 비난.
malsonancia *f.* 마음이 고약함[나쁨].
malsonante *adj.* ① 귀에 거슬리는, 듣기에 거북한: ruido ~ 귀에 거슬리는 소리. ② 추잡스러운, 차마 입에 담을 수 없는: palabra ~ 추잡스러운 말.
malta[1] *f.* ① (맥주 양조용) 맥아(麥芽), 엿기름. ② (삶기 위해 준비된) 엿기름. ③ *Cuba.* (발효시키지 않은) 볶은 보리로 만든 청량 음료, 맥아 음료.
Malta[2] *f.* [국명] 몰타. ¶***cruz de*** ~ 몰타 십자 ((십자가의 일종)). ***fiebre de*** ~ [의학] 몰타열(熱) ((몰타섬 부근의 유행성 간헐열)).
maltasa *f.* [생화학] 말타아제 ((맥아당을 포도당으로 분해하는 효소)).
malteado *m.* 엿기름[맥아]으로 만듦, 맥아[엿기름] 제조.
maltear *tr.* 엿기름[맥아]으로 만들다, 엿기름[맥아]이 되게 하다.
maltés, sa *adj.* ① 몰타(Malta) 태생의. ② 몰타의[에 관한]. —*m.f.* 몰타 사람. —*m.* 몰타 말.
maltón, na *adj., m.f. quechua.* ① *Perú.* 어린 (동물). ② *Perú.* [구어] (사람이) 어린, 청소년(의); 어린이.
maltosa *f.* [생화학] 말토오스, 맥아당.
maltrabaja *m.f.* 게으름뱅이.
maltraer (72) *tr.* ① 학대하다, 괴롭히다. ② [고어] *Arg.* 모욕하다, 엄하게 나무라다.
maltraído, da *adj. N Arg., Bol., Chile, Perú.* =**desaliñado.**
maltrapillo *m.* 이상한 옷을 입은 불량배(不良輩).
maltratador, ra *adj., m.f.* 학대하는 (사람).
maltratamiento *m.* 학대(虐待).
maltratar *tr.* ① (말·행동으로) 거칠게 다루다, 학대하다: ~ a los animales 동물을 학대하다[거칠게 다루다]. ~ a *su* mujer [a *su* hijo] 아내[자녀]에게 폭력을 휘두르다. ② 손해를 입히다[주다], 망가뜨리다.
maltrato *m.* 학대: ~ a los niños, ~ infantil 아동 학대.
maltrecho, cha *adj.* 비참한[참혹한] 상태의: edificio ~ 낡아빠진 건물.
maltusianismo *m.* 맬서스(Malthus, 영국의 경제학자, 1766-1834)주의(主義).
maltusiano, na *adj.* 맬서스주의(主義)의. —*m.f.* 맬서스주의자.
malucho, cha *adj.* 몸이 약간 불편한.
maluco, ca *adj.* [구어] =**malucho.**
maluenda *adj. Chile.* (물건이) 품질이 나쁜(de mala calidad).
malulo, la *adj.* ① *Chile.* =**travieso.** ② *Chile.* =**malvado.**
malva *f.* [식물] 당아욱, 접시꽃 ((아욱과에 속하는 식물의 총칭)). —*adj.* 연자줏빛의. —*m.* 연자줏빛, 연한 자줏빛. ¶ ~ ***arbórea,*** ~ ***loca,*** ~ ***real,*** ~ ***rósea*** [식물] 당아욱. ***criar ~s*** 이미 죽어 묻혀 있다. ***haber nacido en las ~s*** 천한 태생이다, 미천한 신분으로 태어났다. ***ser (como) una*** ~ 상냥하다, 친절하다, 차분하다.
malváceo, a *adj.* [식물] 당아욱과(科)의. —*f.pl.* 당아욱과 식물.
malvadamente *adv.* ① 아주 나쁘게, 사악하게, 극악하게. ② 부당하게.
malvado, da *adj. m.f.* 아주 나쁜, 사악한, 극악한, 극악 무도한 (사람).
malvarrosa *f.* [식물] =**malva rósea.**
malvar[1] *m.* 당아욱 밭.
malvar[2] *tr. Ar.* =**adulterar.**
malvasía *f.* ① (말바시아 원산의) 달고 향기로운 포도. ② 이 포도로 만든 포도주.
malvavisco *m.* ① [식물] (양)아욱. ② *Méj.* 양아욱 스펀지 과자.

malvender *tr.* 싸게[헐값에] 팔다.

malversación *f.* 공금 횡령(죄).

malversador, ra *adj.* 공금 횡령의, 공금을 횡령하는. —*mf.* 공금 횡령자.

malversar *tr.* (공무원이) 횡령하다, 착복하다: ~ caudales públicos 공금을 횡령하다[착복하다].

malvezar (9) *tr.* [드묾] 나쁜 습관에 물들게 하다. ~**se** 악습에 물들다.

malvinense *adj. mf.* =**malvinero.**

malvinero, ra *adj.* ① 말비나스 제도 (las islas Malvinas, 아르헨띠나의 남쪽 대서양에 있는 섬들) 태생의. ② 말비나스 제도의[에 관한]. —*mf.* 말비나스 제도 사람.

malvís *m.* [새] 개똥지빠귀.

malviviente *adj., mf.* 비참하게 사는 (사람).

malvivir *intr.* 비참하게 살다, 비참한 생활을 하다(vivir mal).

malviz *m.* [새] =**malvís.**

malvón *m. Arg., Méj., Par., Ur.* [식물] 제라늄[양아욱]의 일종.

mam *adj.* ① 맘족(族)(구아떼말라 마야족의 한 인종) 사람의. ② 맘족의[에 관한]. —*m.* 맘어(語).

mama *f.* ① 엄마 ((특히 유아어로 쓰임)). ② [해부] 유방; 젖꼭지, 유두(乳頭)(teta): cáncer de ~ 유방암.

mamá *f.* 엄마 ((특히 유아어로 쓰임)).

mamacallos *m.sing.pl.* 멍청하고 소심한 남자.

mamacona *f.* (고대 잉카에서) 태양신을 섬기는 미혼 무녀[무당].

mamada *f.* ☞**mamado.**

mamadera *f.* ① (모유의) 착유기. ② *Amér.* 젖병. ③ *Cuba, Hond., PRico.* (젖병의) 고무 젖꼭지. ④ *Cuba, Perú.* 화물 영업 이득. ⑤ *Ur.* [구어] 술에 취함, 만취, 대취(borrachera).

mamado, da *adj.* ① [속어] 술에 취한, 만취한, 대취한. ② *Col.* [구어] 피로한, 지친. —*f.* ① (아기가 한 번에 빠는) 젖의 양. ② [구어] 젖 빨기, 젖 빠는 일. ③ *Arg., Bol., Nic., Par., Ur.* [속어] 술에 취함, 만취, 대취. ④ *Méj.* =**despropósito.**

mamador, ra *adj.* ① 젖을 빠는. ② 젖을 빨려고 여자의 젖가슴을 푸는.

mamalgia *f.* [의학] 유방통(乳房痛).

mamalogía *f.* 포유 동물학.

mamalón, na *adj. Cuba, PRico.* 게으른, 나태한(holgazán).

mamancona *f. Bol., Ecuad.* 뚱뚱한 노파(mujer vieja y gorda).

mamandurria *f.* (들인 밑천이나 노력에 비해) 엄청나게 많은 이득(을 봄).

mamantón, na *adj.* (동물이) 아직 젖을 먹는.

mamar *tr.* ① (유방에서) 젖을 빨다. ② 들이마시다. ③ 어린 시절에 익히다[배우다 · 얻다]: ~ la piedad 자비심[효심]을 배우다. ④ [구어] 먹다, 통째로 삼키다. ⑤ [구어] (일반적으로 힘들이지 않고) 획득하다, 얻다, 달성하다. ~**se** ① 힘들이지 않고 획득하다. ② 술에 만취[대취]하다. ③ [구어] =**vencer, engañar.** ④ *Col.* [구어] 약속을 어기다. ¶ ~***la*** 덫에 걸리다, 속임수로 사기당하다, 계략(計略)으로 속다. ~ ***y gruñir*** 아무리 잘 해줘도 불평하다, 아무 것에도 만족하지 못하고 불평만 하다.

mamario, ria *adj.* ① (여성 · 암컷의) 젖꼭지[유두]의[에 관한]. ② (남성 · 수컷의) 젖꼭지[유두]의[에 관한]. ¶ ***cáncer*** ~ [의학] 유암. ***glándula ~ria*** [해부] 유선, 젖샘. ***neuralgia ~ria*** [의학] 유방 신경통.

mamarrachada *f.* ① 이상한 것. ② [집합] 이상한 사람들.

mamarrachento, ta *adj.* ① *Ur.* [구어] 이상한 짓을 하는. ② *Ur.* [구어] 화려하지만 우아하지 않게 차려 입은.

mamarrachero, ra *adj. Ur.* [구어] = **mamarrachento.**

mamarrachista *mf.* [드묾] [구어] 이상한 짓을 하는 사람, 기인(奇人).

mamarracho *m.* ① [구어] 흠[결함]이 있는 사람[물건]; 우스운 사람[물건]; 엉뚱한 사람[물건]. ② [구어] 불완전한 것, 완전하지 못한 물건. ③ [구어] 단정하지 못한 남자, 무성의한 남자.

mambí *m.* =**mambís.**

mambís *m.sing.pl.* (산또 도밍고와 꾸바 독립 전쟁 때의) 스페인에 반기를 든 폭도[반도]; (꾸바 공화국에서는) 독립 투사.

mambla *f.* (여자의 유방 · 젖꼭지 모양의) 작은 산(montecillo).

mambo *m.* 맘보 ((꾸바에서 유래된 민속 음악 · 춤)).

mamboretá *m. Arg.* [곤충] 사마귀.

mambrú *m.* 배의 굴뚝.

mame *m. Ecuad.* [속어] 공직; (공직자의) 15일간의 급료.

mamella *f.* (산양의) 양쪽 목 밑에 있는 육질 돌기.

mamellado, da *adj.* mamella가 난.

mamelón *m.* ① 젖꼭지 끝 모양의 언덕. ② 똑같은 모양의 산꼭대기. ③ [의학] (상처[종기]의 흉터 자리에 젖꼭지 끝 비슷한) 작은 육질 돌기.

mamelonado, da *adj.* ① [의학] mamelón이 돋은[난]. ② [의학] 젖꼭지 모양의.

mameluco *m.* ① 이집트 황제의 친위대 병사. ② [구어] 바보, 멍청이, 어리석은 사람. ③ *Arg., Cuba, Ur.* 작업복. ④ *Méj., Nic., Cuba, Hond.* 갓난 아기용 속옷(pelele).

mamey *m.* ① [식물] 물레나물과(科) 교목 ((열대 아메리카산)). ② 물레나물과 교목의 열매. ③ [식물] 적철과 식물. ④ 적철과 식물의 열매. ⑤ *Cuba.* [구어] 질이 우수한 물건. ⑥ 상냥하고 이해력이 있고 남을 거들기 좋아하는 사람. ⑦ *Ecuad.* =**mame.** ⑧ *Nic.* [구어] (사람의) 머리. —*adj.* ① 질이 우수한. ② 상냥하고 이해력이

M

있고 남을 거들기 좋아하는.
mameyal *m. Cuba, Méj., Nic.* mamey 서식지.
mameyero *m. Méj.* [식물] 물푸레과 교목(mamey).
mamía *adj.* 유방이 하나뿐인 (산양).
mamífero, ra *adj.* 포유류의: animal ~ 포유동물. —*m.pl.* 포유류.

M

mamiforme *adj.* 젖꼭지 모양의.
mamila *f.* ① [해부] (암컷의) 젖꼭지 [유방](의 주요 부분). ② [해부] (남자의) 젖꼭지(tetilla).
mamilar *adj.* ① mamila 모양의. ② mamila의[에 관한].
mamita *m. Ur.* [유아어] 겁쟁이.
mamitis *f.sing.pl.* [의학] 유선염.
mamografía *f.* [의학] 유방 엑스선 촬영(법), 유방 뢴트겐선 조영법.
mamola *f.* (일반적으로 귀여움이나 놀림의 뜻으로 소년들의) 턱밑을 손으로 만지는 일. ¶*hacer* a alguien *la* ~ ㉮ (조롱·놀림의 뜻으로) (…의) 턱밑을 쓰다듬다. ㉯ (바보 취급을 하여) 속이다(engañar).
mamón, na *adj.* ① 아직 젖을 먹는, 아직 젖이 떨어지지 않은. ② 젖을 많이 빠는. ③ 보통보다 더 오래 젖을 먹는. —*mf.* ① 아직 젖을 먹는 아이. 아직 젖이 떨어지지 않은 아이. ② 젖을 많이 먹는[빠는] 아이. ③ 보통보다 더 오래 젖을 먹는 아이. ④ 얼간이, 멍청이, 투미한 놈. —*m.* ① 젖니. ② 허드레 가지 ((과수로 열매를 맺지 못하는 가지)). ③ [식물] 마몬나무 ((열대 아메리카산 무환자나무과 식물)). ④ 마몬나무의 열매. ⑤ (멕시코에서 전분과 달걀로 만들어진) 아주 부드럽고 퍼석퍼석한 카스텔라.
mamona *f.* =mamola.
mamoncillo *m.* ① *Cuba.* 마몬시요 ((무환자과 관목; 열매가 작고 둥글며, 껍질은 단단하고, 과육은 즙이 많고, 먹을 수 있음)). ② *Cuba.* 마몬시요의 열매.
mamonearse *r. Hond.* 고되게 일하다, 노력하다.
mamoplastia *f.* [의학] 유방 성형.
mamoso, sa *adj.* ① [드묾] 젖을 잘 빨아먹는. ② 옥수수의 일종의.
mamotreto *m.* ① 크기만 하고 쓸모가 없는 물건. ② 보기 싫게 부피만 큰 책[종이 묶음].
mampara *f.* ① (유리·목재 등으로 만든) 칸막이, 가리개. ② 병풍(biombo).
mamparo *m.* (배의) 격벽(隔壁), 내부 칸막이벽.
mamporro *m.* ① 등화 집어 어로법. ② 등화 집어 어로 선박.
mampato, ta *adj. Chile.* (동물, 특히 말의) 다리가 짧은. —*mf.* 다리가 짧은 사람.
mamperlán *m.* ① (공장의 층계에 있는 디딤판의 모서리를 두르는) 나무 조각. ② *And.* (나무로 만든) 층계.
mampesada *f.* [고어] =pesadilla.
mampirlán *m. Mur.* =mamperlán.
mamplora *m., adj.* [경멸] *Hond., Nic., Salv.* 동성애 남자(의).
mamporro *m.* 구타, 주먹질, 박치기.
mampostear *tr.* [건축] 돌을 다듬다.
mampostería *f.* ① 돌 깎는 일, 석공예(石工藝). ② 석수 직.
mampostero *m.* 석수(石手).
mampuesto, ta *adj.* 석공예에 쓰이는 재료의. —*m.* ① (기초 공사용) 거친 돌, 다듬지 않은 돌. ② *Amér.* (사격 때 조준을 잘 하기 위해) 화기[총]를 받치는 물건. —*f.* ① (기초 공사용) 거친 돌의 줄. ② *Nic.* 화기[총]를 받치는 물건.
mamúa *f. Arg., Ur.* [속어] 술에 취함, 만취, 대취.
mamujar *tr.* 억지로 젖을 빨다[먹다].
mamullar *tr.* ① (젖을 빠는 듯이) 오물오물 먹다[씹다]. ② 중얼거리다.
mamut *m.* [*pl.* ~s] 매머드.
mana[1] *f.* ① [고어] [성경] 만나(maná). ② *Col.* (어떤 나무에서 흘러나오는) 단 물[액체].
mana[2] *f. Col.* =manantial.
maná *m.* ① [성경] 만나 ((기적의 먹을거리)). ② (여러 식물의 나뭇잎·나뭇가지에서 자연적으로·칼로 낸 상처 때문에 흘러나오는) 단 물[액체]. ③ 예기치 않게 거저 얻은 물건[선물]. ④ [고어] 잘게 부순 향, 거의 가루처럼 잘게 빻은 향. ¶ ~ *líquido m.* = tereniabín. *hierba del* ~ [식물] 화본과 식물.
manada *f.* ① (목동들이 돌보는 가축의) 작은 떼, 작은 무리. ② [집합] (같은 종류의) 동물 떼, 무리. ③ (벤 풀·밀·보리 등을) 한 번에 손으로 잡을 수 있는 분량. ④ [고어] 사람의 무리. ¶*a* ~*s* 무수히, 많이.
manadero[1] *m.* 소 떼의 목동.
manadero[2]**, ra** *adj.* (샘물이) 솟아나오는, 뿜어나오는. —*m.* =manantial.
mánager *mf. ing.* [*pl.* ~s] ① (회사·기업의) 경영자. ② (연예인·운동 선수의) 매니저. ③ (연예 단체·운동 팀 등의) 매니저. ④ [야구] 감독(監督).
Managua *f.* [지명] 마나구아 ((니까라구아의 수도·주)).
managuá *m. Chile.* [속어] (해군의) 병사, 수병(水兵).
managüense *adj.* ① 마나구아(Managua, 니까라구아의 수도) 태생의. ② 마나구아의[에 관한]. —*mf.* 니까라구아 사람.
manante *adj.* 콸콸 솟아나오는: agua ~ 콸콸 솟아나오는 물.
manantial *m.* ① 샘: agua (de) ~ 샘물. ② 시초, 기원, 근원, 근본, 원천, 출처.
manar *intr.* ① [+de] (…에서 액체가) 솟아나다, (뿜어)나오다. ② [드묾] 풍부하다, 많다. —*tr.* 뿜어내다.
manare *m.* (베네수엘라에서 사용되고

있는) 체, 키의 일종.
manatí *m.* [동물] 바다소, 해우(海牛).
manato *m.* [동물] =manatí.
manazas *mf.* 손재주가 없는 사람.
manazo *m. Ven.* [구어] =manotazo.
mancamiento *m.* ① 불구(가 된 것). ② =falta, privación, defecto.
mancar *tr.* ① (손·신체의 다른 부분에) 상처를 입히다, 불구로 만들다, 못쓰게 만들다. ② 상처를 입히다. ③ [드묾] 불구자를 만들다, 손발을 병신으로 만들다. —*intr.* [고어] =faltar. ~**se** 불구자가 되다, 손발을 못쓰다.
mancarrón, na *adj.* =matalón.
manceba *f.* ☞mancebo.
mancebez *f.* [고어] =mancebía ④.
mancebía *f.* ① 사창가, 매음굴, 매춘굴. ② (젊은이들의) 방종. ③ 외도. ④ [고어] =juventud, mocedad.
mancebo, ba *m.* ① 어린 소년. ② (약국의) 점원, 고용원. ③ (대리점을 거느리지 않았던 상점의) 점원. ④ [드묾] 독신. —*f.* 첩, 정부.
máncer *m.* [드묾] 윤락녀[창녀]의 아들. —*adj.* 불륜 관계의.
mancera *f.* 쟁기의 손잡이.
mancha[1] *f.* ① (몸의) 반점. ② 얼룩, 더러움: una ~ grasa 기름(때) 얼룩. ③ (어떤 중요성 때문에 인접 땅과 구별되는) 땅뙈기. ④ [집합] (인접한 것들과 구별하여 어떤 땅에 심은) 식물들. ⑤ 불명예, 오명(汚名), 오점, 결점. ⑥ =majal. ⑦ =bandada, manada. ⑧ [천문] (태양의) 흑점(mácula). ⑨ [미술] (캔버스 등에) 줄거리만 대충 그린 그림. ⑩ *Arg.* 만차 ((어린이들의 놀이의 하나)). ¶ ~ *amarilla* [해부] (망막의) 누런 얼룩점, 황반(黃斑). ~ *de hielo* 살얼음, 박빙(薄氷). ~ *de petróleo* (수면의) 기름 막(膜). ~ *de plátano PRico.* 전형적인 뿌에르또리꼬 사람의 성격. ~ *solar* (태양의) 흑점. *cundir como ~ de aceite* (특히, 소식이) 널리 퍼지다.
Mancha[2] **(la)** *f.* [지명] 라만차 ((스페인 중앙에 있는 한 지방; Cervantes 작(作) El Quijote에서 주인공 Don Quijote의 주 활동 무대였음)).
mancha[3] *f.* ① *Ar., Mur.* (대장간의) 노(爐)의 풀무. ② *Ar., Mur.* (아코디언의) 바람 통, 송풍기.
manchadizo, za *adj.* 쉽게 얼룩진, 더러움을 잘 타는.
manchado, da *adj.* 반점(斑點)이 있는, 얼룩이 있는.
manchador *m. Ar.* (오르간의) 바람 통을 움직이는 남자.
manchamantel *m.* =manchamanteles.
manchamanteles *m.sing.pl. Méj.* [요리] 만차만뗄(레스) ((고추·붉은 토마토·파인애플·수바나나를 넣은 [칠면조] 요리)).
manchar[1] *tr.* ① [+de·con·en] (…에) 얼룩을 묻히다, 더럽히다. ② (사람·가족·가문의) 명예[명성]를 더럽히다. ③ [미술] (물감 덩이를 합해서 두툼하게 칠하기 전에) 주 구성 부분이 섞여 들어가다. ~**se** ① (물건에) 얼룩이 지다, 때가 묻다, (물건이) 더러워지다. ② (명예·명성·체면이) 더러워지다, 더럽혀지다, 오점(汚點)을 남기다.
manchar[2] *intr.* 풀무[오르간]에 바람을 넣다.
manchego, ga *adj.* ① 라만차(la Mancha) 태생의. ② 라만차의[에 관한]. —*m.f.* 라만차 사람.
manchoso, sa *adj.* =manchadizo.
manchú *adj.* ① 만주(Manchuria) 태생의. ② 만주의[에 관한]. —*m.f.* 만주 사람. —*m.* 만주어.
-mancia, -mancía *suf.* 「점(占)」의 뜻: carto*mancia* 카드 점.
mancilla *f.* 오점, 불명예.
mancillamiento *m.* [드묾] 얼룩, 흠.
mancillar *tr.* 더럽히다(amancillar).
mancipación *f.* ① (옛 로마법에서) 소유권 양도. ② [드묾] 매매(賣買).
mancipar *tr.* [드묾] 노예(奴隷)로 삼다. ~**se** 노예가 되다.
manco, ca *adj.* ① 한쪽 팔[손]이 없는, (팔·손이) 불구(不具)의. ② 불완전한, 결함[결점·흠]이 있는, 어떤 필요한 부분이 없는. ③ 노가 없는 (배). —*m.f.* 외팔이: el ~ de Lepanto 레빤또 해전의 외팔이, 세르반떼스의 이명(異名). —*m. Chile.* [동물] 말(馬)(caballo). ¶*no ser* alguien ~ ㉮ 손발이 온전하다[완전하다]. ㉯ 별로 신경을 쓰지 않고 남의 것을 자기 것으로 만들다, 어렵지 않게 점유하다[차지하다], 체면을 돌보지 않고 남의 것을 차지하다. ㉰ 손이 길다.
mancomún *de ~* 두 사람 이상의 동의[공동·연대]로, 협력하여, 일치해.
mancomunadamente *adv.* 협력하여, 두 사람 이상의 연대로.
mancomunar *tr.* ① (하나의 목적을 위해, 사람·힘·자금 등을) 모으다, 집중시키다, 단결시키다, 결집시키다. ② [법률] 연대 책임을 지우다. ~**se** 협동하다, 연합하다, 단결하다, 공동으로 떠맡다.
mancomunidad *f.* ① 협력, 협동. ② 연맹, 연방. ③ [역사] (까딸루냐 지방의) 자치 단체 연합. ④ 연대 책임.
mancorna *f. Chile, Col.* 커프스단추.
mancornar (24) *tr.* ① (움직이지 못하도록, 송아지를) 뿔을 잡아 땅에 쓰러뜨리다. ② (도망가지 못하게) 손과 소의 같은 쪽 뿔에 줄을 묶다. ③ (일어나는 것을 방해하기 위해) 쓰러져 있는 소의 같은 쪽 뿔 위에 손을 놓다. ④ (함께 걷도록) 두 소의 뿔을 묶다. ⑤ 같은 종류의 두 물건을 합하다, 한 짝으로 만들다.
mancuerda *f.* (자백하거나 생명이 위태로울 때까지) 줄로 꽁꽁 묶는 고문.
mancuerna *f.* ① (뿔과 뿔을 묶은 동

M

M

물의) 한 쌍: ~ de bueyes 소 두 필. ② (물건의) 한 벌, 한 세트. ③ (소의 뿔을 묶기 위해 목동이 사용하는) 밧줄. ④ *Can., Chile, Col., Cuba.* 잎이 두 개 달린 담배(나무)의 줄기 부분. ⑤ *Can., Chile, Col., Cuba.* 수확 때 식물을 벨 준비. ⑥ 같은 쇠사슬에 묶여진 두 죄수. ⑦ *Méj.* 두 동맹국. ⑧ *pl.* [운동] 아령. ⑨ *AméC., Filip., Méj., Ven.* 커프스단추.

mancuernillas *f.pl. Hond., Méj., Nic., Salv.* 커프스단추.

mancuncho, cha *adj. Nic.* 팔에 어떤 결함이 있는.

manda *f.* ① 증여. ② 유산(遺産). ③ *And., Chile.* (하느님·성모 마리아·성인에게 행해진) 맹세, 약속.

mandadería *f.* [드묾] =**embajada.**

mandadero, ra *adj.* =**bienmandado.** —*m.f.* (사원·감옥·집의) 심부름꾼. —*m.* ① [고어] (법원의) 검사(檢事)(procurador). ② [고어] 사업 대리자.

mandado, da *m.f.* 부하. —*m.* ① 명령. ② 위임. ③ 심부름. ④ *Cuba, Méj., Nic.* 식사용으로 필요한 것의 매입. ⑤ *Cuba.* 음경, 남근, 자지.

mandamás *m.f.sing.pl.* ① 상사, 보스. ② =**mandón.**

mandamiento *m.* ① (상관이 부하에게 내리는) 명령. ② (십계·교회의) 계율: los diez ~*s* [성경] 십계. ③ [법률] 재판관의 사무소. ④ *pl.* [구어] (손의) 다섯 손가락.

mandanga *f.* ① 나태, 게으름, 굼뜸, 느림, 더딤. ② *pl.* =**tonterías.**

mandante *adj.* 위탁하는, 위임하는, 부탁하는. —*m.f.* 위탁자, 위임자.

mandar *tr.* ① 명령하다. ② (계율을) 강요하다. ③ 유증(遺贈)하다. ④ (사람을) 보내다, 파견하다. ⑤ (물건을) 보내다, 발송하다. ⑥ 부탁하다, 위임하다, 위탁하다. ⑦ (…하도록) 의지를 표명하다. ⑧ [승마] (말을) 통제하다. ⑨ 지배하다. ⑩ 내쫓다, 몰아내다. ⑪ (약을) 처방하다. ⑫ 기증하다. —*intr.* ① 지배권을 장악하다, 지휘하다. ② [+por] (…을) 부르러 가다. ~**se** ① (다른 사람의 도움 없이) 혼자 움직이다. ② [드묾] (방 등이) 통해 있다. ③ [드묾] (통로로) 사용하다. ¶***a*** ~ 분부대로 하겠습니다. ***bien*** ~ = **bienmandado.** ***estar*** alguien o algo ~ ***recoger*** [경멸] 시대에 뒤지다, 케케묵다, 유행에 뒤지다. ***mal*** ~ = **malmandado.** ~***se cambiar*** [***mudar***] *AmérM.* 떠나다, 물러가다: ¡*Mándese* mudar! 나가시오! ***Lo que mande usted*** (고용인 등이) 무엇이든지 말씀해 주십시오. ***¡Mande!*** 예 (무엇이든지 말씀만 해 주십시오). ***¿Mande?*** ㉮ (질문·부탁에 대한 회의에서) 뭐라고요?, 뭐라 하셨습니까? ㉯ [주로 *AmérC.*] [반문] 죄송합니다, 한 번 더 말씀해 주십시오 / [대답] 예, 뭐요?

mandarín[1], na *adj.* 표준 중국어의[에 관한]. —*m.* ① 표준 중국어, 북경어, 북경 관화. ② 중국 청조(清朝)의 대관 ((문관, 군관)). ③ 유력자. ④ 거물(巨物). —*f.* =**naranja mandarina.**

mandarín[2], na *adj.* =**mandón.**

mandarinismo *m.* 전제 정부.

mandarria *f.* ① (조선공의) 쇠망치. ② *Cuba.* 매우 무거운 망치의 종류.

mandarriazo *m.* ① *Cuba.* 상처를 낼 뜻으로 가한 타격. ② *Ven.* [구어] mandarria로 때리기.

mandatario, ria *m.f.* ① 지배자, 통치자, 대통령(의 별칭). ② [법률] 수임자, 수탁자. ¶***país*** [***estado***] ~ 위임 통치국. ***primer*** ~ 국가 원수.

mandato *m.* ① 명령. ② 명령서. ③ [천주교] (성목요일의) 세족식(洗足式). ④ (의원 등의) 임기. ⑤ [법률] 위임, 위탁. ⑥ [역사] 위임 통치. ¶ ~ ***imperativo*** 선거인으로부터 의원에 대한 통고[요구]. ~ ***internacional*** 위임 통치.

mande ☞**mandar.**

manderecha *f.* 오른손. ¶***buena*** ~ 행운(幸運)(buena suerte o fortuna).

mandíbula *f.* ① 턱: ~ inferior 아래턱. ~ superior 위턱. ② [해부] 아래 턱뼈, 하악골. ③ (새의) 부리, 주둥이. ④ (곤충의) 부리. ¶***a*** ~ ***batiente*** 깔깔거리고.

mandibular *adj.* 턱[부리]의[에 관한]: articulación ~ 턱 관절.

mandil *m.* ① (가죽이나 질긴 천으로 만든, 가슴에서 무릎 아래까지 옷을 보호하기 위해 주로 목에 걸치는) 덧옷, 큰 앞치마. ② (여자·직공·하인·종업원·아이들이 허리에 묶는) 앞치마. ③ (석공들의 허리에 묶는) 앞치마. ④ (말의 마지막 손질을 보는) 걸레 조각. ⑤ 코가 좁은 어망. ⑥ [은어] 뚜쟁이[성매매 여성]의 하인.

mandilandinga *f.* [은어] =**picaresca, hampa.**

mandilar *tr.* 천[걸레]으로 말을 깨끗이 하다.

mandilete *m.* ① 손 보호 무기. ② [군사] 포문(砲門).

mandilón *m.* ① (옷 위에 입는) 긴 겉옷. ② 무기력하고 겁이 많은 사람.

mandinga *adj.* ① 만딩고족(族)(아프리카의 세네갈, 상아 해안, 기니, 기니비사우, 말리에 사는 종족)의. ② 만딩고 말의[에 관한]. —*m.f.* 만딩고족 사람. —*m.* ① 만딩고 말. ② *CRica.* 겁쟁이. ③ rur. *Amér.* 악마.

mandioca *f.* ① [식물] 만디오까 ((아메리카 열대 지방에서 자라는 높이 2~3미터의 대극과 식물; 뿌리가 매우 크고 살이 많음; 뿌리는 식용으로 맛이 고구마와 밤 맛이 남)). ② 만디오까의 알뿌리 모양의 뿌리. ③ 타피오카(tapioca) ((만디오까 뿌리를 빻아 만든 식용 전분)).

mando *m.* ① 지휘(권); 지배: asumir

maniaco-depresivo, va *adj.* 조울병(躁鬱病)의: psicosis ~*va* 조울병.
manialbo, ba *adj.* =maniblanco.
maniatar *tr.* 앞다리[손]를 묶다.
maniático, ca *adj.* 편집적인, 광적인, 마니아의. —*m.f.* …광, 마니아.
maniblaj *m.* [은어] 윤락가의 하인.
maniblanco, ca *adj.* 앞다리가 흰 (말).
manicero, ra *adj., m.f. Amér.* =manisero. —*m.* 땅콩 장수가 미는 작은 수레.
manicomio *m.* 정신병원.
manicordio *m.* =monacordio.
manicorto, ta *adj.* 인색한(tacaño).
manicura *f.* ☞manicuo.
manicurista *m.f. Ecuad., Hond., Méj., Caribe, Perú, Salv.* =manicuro.
manicuro, ra *m.f.* 미조사(美爪師). —*f.* ① 매니큐어: hacerse la ~ 매니큐어를 칠하다, 손톱손질을 하다. ② 미조술(美爪術), 손톱손질. ③ 미조사 직.
manida *f.* (사람·동물이) 사는 곳.
manido, da *adj.* ① =sobado, ajado, pasado de sazón. ② 썩은, 썩으려고 하는. ③ (사건·테마가) 아주 흔한.
manierismo *m.* 매너리즘 ((문학·예술의 표현 수단이 타성적인, 틀에 박혀 신선미가 없음)).
manierista *adj.* ① 매너리즘의[에 관한]. ② 매너리즘에 빠진. —*m.f.* 매너리즘에 빠진 작가.
manifacero, ra *adj., m.f. Ar., Mur.* 소동을 일으키는 (사람); 주책스러운 (사람).
manifactura *f.* ① =manufactura. ② 물건의 형태, 물건 만들기.
manifestación *f.* ① (감정·의지의) 표명, 나타냄, 표현. ② 데모, 시위운동: ~ callejera 가두 데모. ~ masiva 집단 데모. ③ 성명, 정견 발표. ¶ ~ *naval* (한 국가의 전선(戰船)들이 하는) 시위 행동.
manifestador, ra *adj., m.f.* 표명하는 (사람), 언명하는 (사람), 표시하는 (사람). —*m.* 성체 현시대(聖體顯示臺).
manifestante *m.f.* ① 시위운동[데모] 참가자. ② *pl.* 데모대(隊).
manifestar *tr.* ① 나타내다, 밝히다, 표명하다, 언명하다: ~ el odio 증오(憎惡)를 나타내다. ~ sorpresa 놀라움을 나타내다. ~ *su* propósito de dimisión 사임의 의지를 표명하다. ② 성명하다. ③ [천주교] 성체를 현시하다. ~**se** ① 나타나다, 밝혀지다. ② 자신의 입장[태도]을 밝히다. ③ 시위운동에 참가하다, 시위[데모]를 하다.
manifiestamente *adv.* 명백히, 확실히, 분명히, 일목요연하게.
manifiesto, ta *adj.* 명백한, 확실한, 분명한, 뚜렷한, 일목요연한; 공표된: opinión ~*ta* 분명한 의견. verdad ~*ta* 명백한 사실. —*m.* ① 선언(서), 성명(서), 격문: *Manifiesto* del Partido Comunista 공산당 선언. ② [상업] 적화 목록. ③ [천주교] 성체 현시. ¶ *poner de* ~ algo (무엇을) 밝히다, 명백히[분명히] 하다.
manigero *m.* =manijero[1].
manigordo *m. CRica., Hond., Ven.* =ocelote.
manigua *f.* ① 혼란, 혼동. ② *Ant.* 열대의 초목. ③ *Col.* 열대의 습하고 들어갈 수 없는 숲. ④ *Hond., Nic.* (열대 잡초로 덮혀 있는) 습한 땅.
manigual *m Ant.* 열대 초목지.
manigüero, ra *adj.* ① *Ant.* 열대 초목의. ② *Ant.* 열대 초목지에 사는. ③ *Cuba.* [경멸] [구어] 질이 아주 나쁜. —*m.f. Ant.* 열대 초목지 주민.
manigueta *f.* ① (연장·도구의) 손잡이. ② [선박] 닻줄 매는 기둥.
manija *f.* ① (물건을 단단히 고정시키는) 쇠테. ② (동물의) 고리쇠. ③ (도구·기구의) 손잡이, 자루.
manijero *m.* ① (시골 노동자의) 십장(什長), 감독(capataz). ② (시골 일을 위한) 노동자 계약 담당자.
manila[1] *f.* ☞manilo.
Manila[2] *f.* [지명] 마닐라 ((필리핀의 수도)). ¶ ***cáñamo de*** ~ [식물] 마닐라삼. ***mantón de*** ~ (일반적으로, 중국 유래의) 수놓은 비단 숄[어깨걸이].
manilargo, ga *adj.* ① 손이 긴. ② = largo de manos. ☞**mano.** ③ 재산을 아끼지 않는.
manilense *adj., m.f.* =manileño.
manileño, ña *adj.* ① 마닐라(Manila, 필리핀의 수도) 태생의. ② 마닐라의[에 관한]. —*m.f.* 마닐라 사람.
manilla *f.* ① 팔찌. ② 수갑: poner ~ a *alguien* …에게 수갑을 채우다. ③ 손잡이. ④ (문·창문의 고리쇠를 움직이는) 손잡이. ⑤ (시계의) 바늘. ⑥ *Cuba.* 담배 잎의 한 묶음.
manillar *m.* (자전거·오토바이의) 핸들, 손잡이.
manilo, la *adj. PRico., RDom.* 큰 닭의, (특히) 투계로 쓰지 못하는 큰 수탉의. —*f. Nic.* 줄[끈]을 만드는 삼 섬유질.
maniluvio *m.* [주로 *pl.*] (치료 목적으로) 손을 씻음.
maniobra *f.* ① 조작, 운전. ② 조선(操船). ③ *pl.* 조차(操車). ④ 술책, 임기응변: ~ política 정략. ⑤ *pl.* 군사연습. ⑥ [집합] 삭구(索具).
maniobrabilidad *f.* 조작성(操作性).
maniobrable *adj.* 조작이 쉬운, 조작할 수 있는.
maniobrar *intr.* ① 조작하다, 조종하다, 운전하다. ② 기동 훈련을 하다, 군사 연습을 하다.
maniobrero, ra *adj.* ① 기동 훈련하는, 군사 연습하는: tropas ~*ras* 기동 훈련 중인 군대. ② 조작[지휘] 솜씨가 좋은: comandante ~ 명지휘관. ③ 지휘하는; 연습용의.
maniobrista *adj., m.f.* 조종을 잘 할 줄 아는 (사람).

maniota *f.* 동물의 앞발을 묶는 끈.
manipulación *f.* ① 취급. ② 조작(操作): ~ biogenética 유전자 조작. ③ (수상한·불법의) 공작(工作), 조작: ~ de precios 가격 조작. ~ de los políticos 정치 공작.
manipulador, ra *adj., m.f.* 취급하는 (사람), 조작하는 (사람); 조종자; 손으로 교묘히 다루는 사람. —*m.* 전신기의 키, 전건(電鍵).
manipular *tr.* ① (손·기구로) 교묘하게 다루다, 조종하다. ② (약 등을) 취급하다, 다루다: ~ explosivos 폭발물을 취급하다. ~ la fortuna 재산을 관리하다. ③ (사람 등을) 다루다, 조종하다, 공작(工作)하다, 조작(操作)하다. —*intr.*, ~**se** [+en · con] (…을) 취급하다, 조작하다.
manipuleo *m.* 취급; 조작; 조종.
manípulo *m.* ① (천주교 사제가 왼팔에 걸치는) 수대(手帶). ② (고대 로마의) 보병 중대. ③ (고대 로마의) 보병 중대의 기(旗). ④ *Méj.* 한 줌.
maniqueísmo *m.* ① [종교] 마니교. ② (선악의) 이원론.
maniqueo, a *adj.* ① [종교] 마니교의. ② 이원론의. —*m.f.* 마니교 신자, 마니교 교도.
maniquete *m.* ① (팔의 중간에서 손가락이 반 정도까지 덮이는 레이스를 짜는) 검은 망사직 장갑. ② (곡식을 베는 사람의 손가락이 반 정도 덮여지는) 장갑의 일종. ③ 벙어리 장갑.
maniquí *m.* ① 마네킹. ② (양제용) 인체 모형, 드레스 폼. —*m.f.* ① 패션모델. ② 개성이나 의지가 약한 사람.
manirroto, ta *adj., m.f.* 낭비가 심한, 낭비벽이 있는, 헤픈 (사람).
manirrotura *f.* [고어] 낭비가 심함, 낭비벽이 있음, 헤픔(prodigalidad).
manisero, ra *adj.* 땅콩(maní)의[에 관한]. —*m.f.* *Amér.* 볶은 땅콩 행상.
manita *f.* 만나당(糖), 감로당(甘露糖).
manitas *hacer* ~ una pareja (한 쌍이) 서로 잡고 손을 쓰다듬다. *ser* alguien *un* ~ (활동·직무에) 아주 능숙하다.
manito[1] *m.* (어린이용) 하제, 설사약.
manito[2]**, ta** *m.f.* *Méj.* (친구끼리 사용하는 경칭으로) 여보게, 자네, 당신.
manivacío, a *adj.* (선물·헌금 등이 없이) 빈손으로 가는[오는].
manivela *f.* [기계] 크랭크, 핸들, 크랭크 핸들.
manjar *m.* ① 식료(품)(comestible). ② (맛있는·호화스러운) 요리, 음식물: ~ exquisito 진수 성찬, 맛이 기막힌 요리. ③ ㉮ 양식(糧食), 식량: ~ milagroso [성경] 만나(maná), 기적의 식량. ㉯ 양식(糧食): ~ espiritual 마음의 양식. ¶ ~ ***blanco*** ㉮ [요리] 망하르 블랑꼬 ((설탕·우유·쌀가루를 넣은 닭 가슴살 요리)). ㉯ 망하르 블랑꼬 ((우유·설탕·편도·쌀가루로 만든 디저트 요리)). ㉰ *Cuba.* 망하르 블랑코 ((우유·옥수수가루·설탕·향료로 만든 과자)). ㉱ *Pan., Perú, Salv.* 우유 과자. ~ ***de ángeles*** 망하르 데 앙헬레스 ((우유와 설탕을 조합한 요리)). ~ ***imperial*** [요리] 망하르 임뻬리알 ((우유·달걀 노른자위·쌀가루를 조합한 요리)). ~ ***lento*** [요리] 망하르 렌또 ((우유·저은 달걀 노른자위·설탕으로 구성된 요리)). ~ ***principal*** [요리] 망하르 쁘린시빨 ((치즈·여과된 우유·저은 계란 노른자위·강판에 갈아 빵으로 조합한 요리)). ~ ***real*** [요리] 망하르 레알 ((manjar blanco와 같으나 닭 가슴살 대신에 양의 다리와 사프란으로 색을 낸 요리)). ~ ***suave*** =manjar lento.
manjelín *m.* (동인도의) 다이아몬드의 중량 단위 ((254 mg)).
manjolar *tr.* 새를 새장·바구니·손에 붙잡아 두다.
manjúa *f.* ① *Cantb.* 물고기의 떼. ② *Cuba.* [어류] 정어리의 일종.
mano[1] *f.* ① (사람의) 손: ~ postiza 의수(義手). alzar [levantar] la ~ 손을 들다[올리다], 거수하다. ② 솜씨, 역량, 기량, 수완. ③ *pl.* 일손. ④ (동물의) 앞다리; (새의) 발; (요리로써, 동물의) 앞다리, 족(足): ~ de cerdo 돼지 앞다리. ⑤ (여성·여성의 부모에 의한) 결혼 승낙: petición de ~ (남성·남성 부모로부터의) 구혼; 약혼식, 약혼 피로연. ⑥ 한쪽 편, (좌우의) 편, 쪽, 손. ⑦ 칠하기; 닦기, 훔치기; 씻기, 빨기, 세탁. ⑧ 꾸중, 나무람, 힐책, 벌. ⑨ [트럼프] ㉮ 손; 손에 든 패. ㉯ (한 판마다 또는 전체로 해서) 승부(를 겨룸). ㉰ *m.f.* 게임을 리드하는 사람, 선(先): Yo soy ~ 내가 선(先)이다. ⑩ (한 장소에 모인[쌓인] 사람·동물·사물의) 대량. ⑪ 종이 한 첩 ((25장)). ⑫ (확의) 나무공이, 막자; 절굿공이. ⑬ [인쇄] 손표, 손가락표(manecilla) (☞). ⑭ [축구] 핸들링. ⑮ *Cuba, Ven.* [집합] (송이에서 나눠진) 바나나 한 다발. ¶ ~ ***apalmada*** 편 손. ~ ***blanda*** 관용. ~ ***de cazo*** 왼손잡이. ~ ***de gato*** ㉮ 피부 손질; (주로) 얼굴 화장[손질]. ㉯ (작가보다 더 숙련된 사람에 의한) 작품 수정[교정]. ㉰ (옛날에 여성들이 사용했던) 화장붓. ~ ***de jabón*** 빨랫감을 비눗물에 넣기. ~ ***de obra*** ㉮ 노동력, (노동자의) 인적 자원, 동원 가능 인력. ㉯ 인건비, 노임, 품삯. ㉰ [집합] 샐러리맨, 봉급 생활자. ~ ***derecha*** ㉮ 오른손. ㉯ 오른손 방향, 오른쪽. ㉰ (그림·사진·인쇄 등에서) 관객·독자의 오른손에 해당하는 편[쪽]. ㉱ (조수나 협력자처럼) 다른 사람에게 매우 유익한 사람, 오른팔. ~ ***diestra*** =mano derecha ㉮. ~ ***dura*** 엄격함. ~ ***izquierda*** ㉮ 왼손. ㉯ 왼손 방향, 왼쪽. ㉰ (그림·사진·인쇄 등에서) 관객·독자의 왼손에 해당하는 편[쪽]. ㉱ (어려운 상황을 해결하기 위한) 능력[간계 · 교활함]. ~ *larga* =manos largas. ~ *oculta* 막후의 인물. ~ *perdida* [인쇄] = perdido. ~ *siniestra*, ~ *zoca*, ~ *zurda* =mano izquierda. *~s largas* ㉮ 툭하면 때리기. ㉯ 도둑질하는 경향이 있는 사람, 손버릇이 나쁜 사람. ㉰ (여자의 동의 없이) 툭하면 여자를 만지는 남자. *~s libres* ㉮ 더러운 손, ㉯ 세습하지 않는 재산 소유자. ㉰ 자유 재량(권). *~s limpias* ㉮ 결백. ㉯ (월급 이외의) 별도 수입, 별도 봉급. *~s muertas* [법률] 영구 토지 소유자. *~s puercas* =manos sucias. *~s sucias* ㉮ 부정 수입. ㉯ 정직성 결여. *a dos ~s* 열심히. *a la ~* ㉮ 손이 미치는 곳에, 가까이에. ㉯ 자기 스스로, 본인이. *a ~* ㉮ 사람에 의해, 인공적으로. ㉯ 손으로. ㉰ 가까이, 손 닿은 곳에. *bajo ~* 몰래, 살그머니. *caerse de las ~s* un escrito o un libro (작품 · 책 등이) 매우 지루하다. *calentar la ~ Ecuad.* =sobornar. *cerrar* alguien *la ~* 인색하다. *comerse las ~s tras* algo …을 하나라도 남김없이 음식을 깨끗이 먹어 치우다. *comerse* alguien *las ~s* (…가) 무척 시장하다, 무척 배가 고프다. *con las ~s cruzadas* 팔짱을 끼고, 한가롭게(mano sobre mano). *con las ~s vacías* 빈손으로, 가진 것 없이. *corto de ~s* (일에) 익숙지 못한, 숙련되지 못한. *cruzar* alguien *las ~s*, *cru- zarse* alguien *de ~s* 팔짱을 끼고 구경하다, 수수방관하다, 태평스레 있다. *de ~ a ~* 직접적으로, 다른 사람의 개입 없이. *de ~ en ~* 손에서 손으로, 사람에서 사람으로. *de primera ~* ㉮ 신품의. ㉯ (원전에서) 직접으로 인용한, 스스로 직접 연구한, 직접의. *de segunda ~* ㉮ 중고(품)의. ㉯ 남의 연구를 고스란히 인용하는. *largo de ~s* ㉮ 툭하면 때리는. ㉯ 손버릇이 나쁜, 도벽(盜癖)이 있는. *~ a ~* ㉮ [투우] 두 사람의 마따도르(matador)에 의한 투우. ㉯ 함께; 대등하게. ㉰ 2인(의 회담 · 대전(對戰)): decidir en un *~ a ~* 이자(二者) 회담으로 결정하다. *meter la ~* a alguien =sentar la mano. *no saber alguien cuál es* [*dónde tiene*] *su ~ dereha* 무능하고 재능이 별로 없다, 전혀 능력이 없다. *pasar la ~ por el cerro* [*por el lomo*] 아부하다, 아첨하다; 쓰다듬다, 애무하다. *por debajo de ~* =bajo mano. *por segunda ~* =por tercera mano. *por tercera ~* 다른 사람을 개입시켜. *sentar la ~* a alguien ㉮ (…를) 때려서 벌하다. ㉯ (…를) 엄하게 꾸중하다, 나무라다. *suelto de ~s* =largo de manos. *tener ~ izquierda* 어려운 상황을 해결하기 위해 능력을 가지다. *tener muchas ~s* 큰 용기를 가지다, 솜씨가 대단하다. *untar la ~* [*las ~s*] a alguien (누구를) 매수하다.

mano², na *m.f. Méj.* [hermano의 생략형; 친구끼리 친하게 부르는 소리] 야, 이봐.

manobrero *m.* 하수구 청소부.

manojear *tr. CRica., Cuba.* 담배 잎을 다발로 놓다.

manojo *m.* ① (손으로 잡을 수 있는) 한 줌, 묶음, 다발: ~ de llaves 열쇠 다발. ② 풍부함, 많음. ¶*a ~* 많이, 듬뿍, 풍부하게, 다량으로.

manola *f.* ☞manolo.

manoletina *f.* ① [투우] (물레따를 투우사의 등 뒤에 두는 속임수로) 몸을 휙 돌려 피하기. ② (투우사가 신는 구두와 비슷한) 끝이 둥근 굽이 낮은 구두.

manolo, la *m.f.* 마드리드의 서민층 사람. —*f.* 좌석이 네 개에 옆문이 두 개인 마차.

manométrico, ca *adj.* 압력계의.

manómetro *m.* (기체 · 액체의) 압력계.

manopla *f.* ① 벙어리장갑. ② (옛날의) 토시. ③ (마부가 노새에게 사용하는) 짧은 채찍. ④ *Al.* [구어] 큰 손. ⑤ Sal. (구두 수선공이 일할 때 손바닥을 다치지 않기 위해) 손바닥에 감는 구두 밑창 조각. ⑥ *Arg., Bol., Chile, Perú.* =llave inglesa. ⑦ *Nic.* [야구] 공을 받을 때 손을 보호하는 장갑.

manosanta *m.f. Arg.* 손으로 치료하는 사람.

manoseador, ra *adj.* 만지작거리는, 자주 만지는, 자주 주무르는.

manosear *tr.* ① 만지작거리다, 자주 만지다, 자주 주무르다. ② (사람을) 손으로 자주 만지다, 애무하다. ③ *Arg., Ur.* (다른 사람의) 자존심을 모르다[무시하다].

manoseo *m.* 만지작거림; 애무.

manotada *f.* 손으로 때리기.

manotazo *m.* =manotada.

manoteado *m.* 손으로 때리기.

manotear *tr.* 손으로 때리다. —*intr.* (말하는 것에 큰 힘을 주기 위해) 손을 움직이다.

manoteo *m.* ① =manoteado. ② 손을 움직임.

manotón *m.* 손으로 때리기.

manquear *intr.* 절름발이 흉내를 내다.

manquedad *f.* (손 · 발의) 불구 (상태).

manquera *f.* =manquedad.

mansalva *a ~* 아무 위험 없이, 안전하게, 무사히.

mansamente *adv.* ① 얌전하게, 온순하게. ② 천천히, 느리게. ③ 조용히, 아무 소리도 내지 않고.

mansarda *f.* =buhardilla.

mansear *intr.* [투우] (소가 싸움에서) 지나치게 온순하다.

mansedumbre *f.* 얌전함, 온순함.

mansejón, na *adj.* (동물이) 매우 온순한(muy manso).

manseque *m.* (칠레의) 어린이 춤.
mansesor *m.* [고어] =testamento.
mansión *f.* ① 체류, 체재. ② 주거, 숙박, 숙박소. ③ (호화) 저택, 맨션, 관. ¶*hacer* ~ 체류하다, 머물다.
mansito *adv.* 매우 느리게[천천히].
manso[1] *m.* ① =masía. ② (주로 교구·사원이 소유한) 세금이 면제된 기본 토지[재산].
manso[2]**, sa** *adj.* ① (사람이) 온화한, 유순한, 부드러운, 얌전한. ② (동물이) 사납지 않은, 온순한. ③ (지각이 없는 물·공기 등이) 천천히 움직이는, 조용한, 고요한, 평온한. —*m.* 무리를 이끄는 가축, 길잡이 동물.
mansurrear *intr.* [투우] =mansear.
mansurrón, na *adj.* 온순해 빠진, 물러터진, 패기가 없는, 기개가 없는: hombre ~ 물러터진 남자.
mansurronear *intr.* =mansear.
manta[1] *f.* ① 모포, 담요: ~ de cama 침대용 모포. ~ de viaje 무릎 덮는 모포, 여행용 휴대 모포. ~ eléctrica 전기 담요[모포]. ② 여행용 휴대 모포. ③ 폰초, 낙낙한 옷. ④ 말(의 몸을 따뜻하게 하는) 옷. ⑤ 구타. ⑥ [군사] (적군의 사격을 막기 위해 댄) 두꺼운 널판자[널빤지]. ⑦ *CRica., Méj., Salv.* (보통의) 무명천. ¶~ ***de pared*** [고어] =**tapiz.** ~ ***real*** [군사] =manta ⑥. ***dar una*** ~ =**mantear.** ~ ***mojada*** *Ecuad.* =**pusilánime.** ***liarse*** alguien ***la*** ~ ***a la cabeza*** 경솔한 결정을 내리다, 경솔하게[경망스레] 행동하다. ***ser*** alguien ***una*** ~ [***un*** ~] 게으르다, 나태하다; …에 능력이 없다. ***tirar de la*** ~ (비밀을) 파헤치다, 폭로(暴露)하다, 들추어내다. ***tomar la*** ~ 고약을 바르다.
manta[2] ***a*** ~, ***a*** ~ ***de Dios*** 풍부하게, 많이, 듬뿍, 실컷.
manteador, ra *adj., mf.* (모포에 눕혀) 헹가래를 치는 (사람).
manteamiento *m.* (모포에 눕혀) 헹가래 치기.
mantear *tr.* 모포에 눕혀 헹가래치다.
mantearse *r. Bol., Chile.* (광맥이) 광층(鑛層)으로 변하다.
manteca *f.* ① 버터. ② (동물의) 지방(脂肪), 비계. ③ (특히) 라드, 돼지기름. ④ (식물의) 지방질, 기름: ~ de cacao 카카오 기름. ~ de cacahuete 땅콩 기름. ⑤ (사람의) 군살, 비만. ⑥ (화장품이나 약제 및 포마드로 사용되는 여러 성분을 섞은) 기름기가 있는 물질. ⑦ 유지(乳脂), 크림. ¶~ ***de vaca,*** ~ ***de vacas*** 우유 버터. ***como*** ~ 매우 부드러운, 온순한, 얌전한.
mantecado, da *m.* ① (돼지기름을 사용한 크리스마스용) 케이크. ② (커스터드와 비슷한) 아이스크림. —*f.* ① (종이로 만든 사각 상자에서 구워) 정선된 밀가루·달걀·설탕·버터 등으로 만든 빵. ② 설탕과 버터를 바른 길쭉한 빵.
mantecoso, sa *adj.* ① 기름기가 많은, 지방(분)이 많은. ② 지방 같은.
mantel *m.* ① 식탁보. ② 제단보(祭壇褓). ¶***a*** ~***es*** 식탁보로 덮여진 식탁에서: comer ***a*** ~***es*** 진수성찬을 먹다. ***levantar los*** ~***es*** (식후에) 상[식탁]을 치우다, 식탁 위를 치우다. ***sobre*** ~***es*** =a manteles.
mantelería *f.* 식탁보와 냅킨 일습[한 벌·한 세트].
manteleta *f.* (여성들이 오버에 숄처럼 걸치거나 장식물로 사용하는) 큰 망토.
mantelete *m.* ① (승려의) 어깨걸이 옷. ② (전쟁 때 사용하는) 방탄용 방패.
mantellina *f.* 머리에 쓰는 명주 천.
mantelo *m.* (스페인 북부의 몇몇 주의) 앞치마의 일종.
mantención *f.* [드묾] =**manutención.**
mantenedor, ra *adj.* 지속하는, 계속하는; 양육하는; 유지하는, 보존하는, 지탱하는. —*mf.* 문학 콩쿠르 주최자[심사원]. —*f. Nic.* 냉동기.
mantenencia *f.* ① 지속, 계속. ② 유지, 보존. ③ =**alimento, sustento.**
mantener (59) *tr.* ① 양육하다, 부양하다: ~ a *su* familia 가족을 부양하다. ② 유지하다, 보존하다, 보전하다: ~ constante la temperatura 온도를 일정하게 유지하다. ③ (행위를) 계속하다. ④ (의견 등을) 고집하다, 계속 가지다: ~ *su* declaración 의견을 바꾸지 않다. ~ *su* promesa 약속을 지키다. ⑤ 떠받치다, 지탱하다; 고정하다. ⑥ (선수권 등을) 보유하다, 보지(保持)하다, 계속 유지하다. ⑦ 영양[음식물]을 주다. ~**se** ① 지탱되다, 견디다, 버티다. ② (자세·태도를) 유지하다, 계속 가지다: ~*se* en paz 평화를 유지하다. ③ 먹다, 먹고 살다: ~*se* con poco alimento 찢어지게 가난하다, 겨우 입에 풀칠하다.
mantenido, da *adj. Salv.* 별로 먹지 않고도 만족하는. —*mf.* ① *Perú.* 기식자(寄食者). ② *Ur.* 급료로 일부러 식량을 받는 시골 고용 인부. —*m. Salv., Ur.* 남첩(男妾). —*f.* 첩(妾).
mantenimiento *m.* ① 유지, 보지(保持), 계속: ~ de una empresa 회사의 유지. ~ de una relación 관계의 유지, 계속적인 관계. ② 정비(整備). ③ 유지비. ④ 양육, 부양.
manteo[1] *m.* 헹가래 치기.
manteo[2] *m.* ① (성직자의) 긴 망토. ② (일하는 시골 여인들이 입었던) 스커트의 일종.
mantequera *f.* ☞**mantequero.**
mantequería *f.* ① 유제품(乳製品) 판매점. ② manteca 공장[판매소].
mantequero, ra *adj.* manteca의[에 관한]. —*mf.* manteca 제조자[판매자]. —*m.* ① manteca 그릇. ② [식물] 꼬로호 야자. —*f.* manteca 제조 용기.

mantequilla *f.* ① (식탁용으로 잘게 썬) 버터: pan con ~ 버터 바른 빵. untar pan con ~ 빵에 버터를 바르다. ② 버터 크림.

mantequillera *f. Amér.* manteca 그릇.

mantequillero *m.* ① manteca 그릇. ② *Amér.* manteca 제조자[판매자].

mantero, ra *m.f.* manteca 제조자, manteca 판매자.

mantés, sa *adj., m.f.* [드묾] =**pícaro.**

mantilla *f.* ① 만띠야 ((스페인의 부인들이 파티나 장엄한 행사에서 머리와 어깨를 덮는 검은 얇은 명주 천)). ② *pl.* (유아용) 포대기: niño de ~*s* 젖먹이. ¶***estar en ~s*** ㉮ 초기 단계에 있다, 초보적이다, 아주 유치하다. ㉯ (사람이) 무지하다. ***haber salido*** algo ***en ~s*** =estar en mantillas. ***haber salido*** alguien ***de ~s*** 철이 들었다.

mantillo *m.* ① 부식토. ② 퇴비(堆肥).

mantillón, na *adj.* ① *Mur.* =**desaliñado, sucio, sin aseo.** ② *Méj.* [드묾] =**pícaro, bribón, sinvergüenza, desobligado.**

mantis *f.sing.pl.* [곤충] =**santateresa.** ¶ ~ ***religiosa*** [곤충] =**santateresa.**

mantisa *f.* [수학] (상용 대수의) 가수.

manto *m.* ① (부인용) 망토, (소매 없는) 외투. ② 보호. ③ 덮어 가리는[숨기는] 것. ④ (성모 마리아상을 덮는) 망토. ⑤ (벽난로 앞면 주위의) 장식 구조 전체. ⑥ [지질] 맨틀 ((지각과 중심핵의 중간부)). ⑦ [광물] (엷은) 지층. ⑧ [해부] 양막(羊膜). ⑨ [동물] 외투막(外套膜). ¶ ~ ***caballeroso*** (옛날 기사(騎士)들이 입었던) 망토. ~ ***capitular*** (기사 수도회의) 회의용 망토. ~ ***de humo*** (옛날에 상(喪)의 표시로 입는) 투명한 명주 망토. ~ ***de soplillo*** (부인들이 입었던) 매우 얇고 투명한 호박단 망토.

mantón[1] *m.* 어깨걸이, 숄. ¶ ~ ***de Manila*** (일반적으로 중국의) 수놓은 명주 숄.

mantón[2]**, na** *adj.* [드묾] =**mantudo.**

mantornar *tr. Ar.* =**binar.**

mantra *f.* (힌두교·불교의) 기도, 진언, 주문(呪文).

manudo, da *adj.* (새가) 날개를 늘어뜨린.

manuable *adj.* [드묾] 다루기 쉬운, 취급하기 쉬운, 취급하기 간편한.

manual *adj.* ① ㉮ 손의, 손으로 하는, 손을 사용한: trabajo ~ 손일, 수작업. ㉯ 육체 노동의: obrero ~ 육체 노동자. ② 취급하기 쉬운, 다루기 쉬운. ③ 손재주가 좋은. ④ 집에서 만든 (casero): vino ~ 집에서 빚은 포도주. ⑤ 이해하기 쉬운, 쉽게 이해하는 (fácil de entender). ⑥ 온순한. —*m.* 소책자, 수첩, 편람, 안내서, 입문서: ~ de historia 역사 참고서[입문서].

manualidad *f.* [주로 *pl.*] 수공예.

manualmente *adv.* 손으로.

manubrio *m.* ① [기계] 크랭크. ② *AmérM., Cuba, Guat., Hond., Méj.* =**manillar.**

manucodiata *f.* [새] 극락조.

manudo, da *adj., m.f.* ① *Hond.* 모든 것을 서툴게 하는 (사람). ② *Hond.* (자동차의) 운전이 서툰 (사람).

manuela *f.* (20세기 초, 마드리드의) 전세 마차(coche de alquiler).

manuelino, na *adj., m.* 마누엘 1세 (Manuel I, 포르투갈의 왕, 1469-1521) 풍의 (건축·장식 양식).

manuella *f.* 고패의 장대[지렛대].

manufactura *f.* ① (수공업) 제품; 제조 공업품: ~ de fibra 섬유 제품. ~ de metal 금속 제품. ② 공장: ~ de armas 무기 공장. ~ de papel 제지 공장.

manufacturación *f.* 제조, 제작.

manufacturado *m.* 공업 제품.

manufacturar *tr.* 제조하다, 가공하다: producto *manufacturado* 공업 제품.

manufacturero, ra *adj.* 제조(업)의[에 관한]: industria ~*ra* 제조업. —*m.f.* [주로 *Amér.*] 제조업자, 공장주.

manumisión *f.* [드묾] 노예 해방.

manumiso, sa *adj.* 해방된.

manumisor *m.* [법률] 노예 해방자.

manumitir *tr.* [드묾] 노예에게 자유를 주다, 노예를 해방하다.

manús *m.* =**individuo, tipo.**

manuscribir *tr.* [드묾] 손으로 쓰다.

manuscrito, ta *adj.* 손으로 쓴, 육필의 (escrito a mano): carta ~*ta* 자필 편지. —*m.* ① 손으로 쓴 서류[책], 수사본(手寫本). ② (작가·유명 인사의 골동 가치가 있는) 원고, 자필서, 육필서, 필사본: ~ raro 희귀 필사본[원고].

manutención *f.* ① 부양, 양육; 먹는 일: ~ de *su* familia 가족 부양[생활비]. ② 유지, 유지비, 보전(保全). ③ (공장 안 등 단거리의) 운반, 이송.

manutenencia *f.* =**manutención.**

manutener (59) *tr.* =**mantener.**

manutigio *m.* [드묾] 손으로 하는 가벼운 마찰.

manutisa *f.* =**minutisa.**

manyaoreja *adj., m.f.* ① *Arg., Ur.* [경멸] =**adulón.** ② *Arg., Ur.* [경멸] =**delator.**

manzana *f.* ① [과실] 사과. ② 가구(街區), 블럭. ③ (침대·발코니 등의) 사과 모양의 장식을 한 끝 (부분). ④ *Amér.* 결후(結喉). ¶ ~ ***asperiega*** 사과주용 사과. ~ ***de Adán*** 결후(結喉). ~ ***de la discordia*** 싸움의 원인 ((트로이 전쟁의 원인이 된 황금 사과)). ***sano como una*** ~ 매우 건강한, 건강이 좋은, 원기 왕성한.

manzanal *m.* ① 사과 밭. ② [식물] 사과나무(manzano).

manzanar *m.* 사과 밭.

manzanero, ra *adj.* 사과를 먹기 위해 사과나무를 찾는 (동물). —*m. Ecuad.* =**manzano.** —*f.* 야생 사과나무.

manzanil *adj.* 색과 모양이 사과와 비슷한 (과실).
manzanilla *f.* ① [식물] 카밀레 ((국화과의 한해살이풀; 네덜란드 원산)). ② 카밀레 꽃. ③ 만사니야 (차) ((카밀레 꽃을 달인 차; 건위제·경기 예방약·해열제로 쓰임)). ④ 작은 올리브 열매의 일종. ⑤ (육식류 동물의) 다리 아래로 내민 육질 부분. ⑥ (침대·발코니 등을 장식하는) 사과 모양의 끝 부분, 사과 모양의 장식. ⑦ 턱의 둥근 아랫부분. ⑧ 만사니야 ((산루까르 데 바라메다 (Sanlúcar de Barrameda) 와 안달루시아의 다른 지방에서 빚은 백포도주)). ⑨ (반코트의) 천을 씌운 둥그런 단추. ¶ ~ *común* [식물] = manzanilla. ~ *hedionda* [식물] (털이 많은 것에 따라 구별되는) 카밀레와 같은 과의 식물. ~ *romana* [식물] =manzanilla.
manzanillero, ra *m.f.* *And.* manzanilla 를 모아 파는 사람.
manzanillo *m.* ① [식물] 만사니요 ((남아메리카의 대극과 식물)). ② [식물] 작은 올리브.
manzanita ~ *de dama* *Ar.* 단상사나무의 열매.
manzano *m.* [식물] 사과나무.
maña *f.* ① 훌륭한[뛰어난] 솜씨, 재주, 재간. ② [주로 *pl.*] 술책, 책략, 계략, 간계, 꾀. ③ [주로 *pl.*] 악습, 악벽, 나쁜 버릇. ④ (아마·삼 등의) 다발, 묶음, 줌. ¶*darse* ~ 문득 생각이 떠오르다, 머리를 쓰다, 능숙하게 일을 처리하다. *Más vale* ~ *que fuerza* (속담) 힘보다는 꾀가 낫다.
mañana *f.* ① 아침, 오전 ((동틀 때부터 정오까지)): una ~ 어느 날 아침[오전]. todas las ~*s* 매일 아침, 아침마다. por la ~ 아침에, 아침결에. desde la ~ hasta la noche 아침부터 밤까지. ayer (por la) ~ 어제 오전 중, 어제 아침(에). el domingo por la ~ 일요일 오전 중, 일요일 아침에. ② 새벽, 오전 ((자정부터 정오까지)): de la ~ 오전(의). a las dos de la ~ 새벽[오전] 두 시에. —*m.* (대략) 가까운 미래[장래]. —*adv.* ① 내일: ~ por la mañana 내일 오전 중[에], 내일 아침에. ~ por la tarde 내일 오후중[에]. ~ (por la) noche 내일 밤(에). a partir de ~, desde ~ 내일부터. de ~ en ocho días 내일부터 일주일 후에, 다음 주 내일. ② (가까운) 장래[미래](에). ③ 곧, 머지않아, 오래지 않아, 속히. —*interj.* [요청 받은 것을 하기를 거절할 때] 못하겠다, 그런 일은 도저히 할 수 없다. ¶*a media* ~ 오전 열 시경에. *de* ~ 새벽에, 날 샐 녘에, 동틀 때에. *hacer la* ~ *Amér.* 아침 식사 전에 술을 마시다. *muy de* ~ 매우[아주] 일찍, 이른 시간에; 새벽에, 날이 밝을 녘에, 날 샐 녘에, 먼동이 트기 전. *pasado* ~ 모레: después de *pasado* ~ 글피. *tomar la* ~ ㉮ 새벽에 일어나다. ㉯ *Amér.* 아침 식사 전에 술을 마시다. *Hasta* ~ 내일 만납시다, 내일 뵙겠습니다. *No dejes para* ~ *lo que puedas hacer hoy* (속담) 오늘 할 수 있는 일을 내일로 미루지 마라.
mañanear *intr.* [드묾] 습관적으로 새벽에 일어나다.
mañanero, ra *adj.* ① =**madrugador.** ② 아침[오전]의[에 관한].
mañanica *f.* 아침[오전]의 시작.
mañanita *f.* ① 마냐니따 ((부인용 잠옷의 일종)). ② 아침의 시작. ③ *pl.* (일반적으로 여자의 생일에 불러 주는) 멕시코의 짧은 민요.
mañear *tr.* (무엇을) 꾀[책략]로 처리하다. —*intr.* 교활하게 행동하다.
mañera *f.* ☞**mañero**[2].
mañerear *intr.* ① *Arg., Par.* 나쁜 꾀를 써서 (행)하다. ② *Chile.* (동물이) 나쁜 버릇을 쓰다. ③ rur. *Ur.* 거슬리는 행동을 하다.
mañería *f.* ① 암컷의 불임(증). ② (땅의) 불모. ③ (옛날에) 합법적인 상속 없이 죽은 사람들의 재산을 왕과 영주가 상속해 가졌던 권리.
mañero[1], **ra** *adj.* ① 재치 있는, 영리한, 교활한 ② 다루기[취급하기] 쉬운. ③ *Arg., Bol., Par., Ur.* 나쁜 버릇이 있는(mañoso).
mañero[2], **ra** *adj.* ① (땅이) 불모(不毛)의(estéril). ② [고어] (암컷이) 불임의. ③ 합법적인 상속 없이 죽은.
mañío *m.* ① *Chile.* [식물] 마니오 ((낙엽송 비슷한 나무)). ② *Chile.* 마니오 목재(madera del mañío).
maño, ña *adj.* ① 아라곤(Aragón, 스페인 동북쪽에 있는 자치 공동체; 옛 아라곤 왕국) 태생의. ② 아라곤의[에 관한]. —*m.f.* ① 아라곤 (태생의) 사람. ② [무척 사랑하는 사람끼리 애정의 표현] 여보, 당신.
mañoco *m.* ① =**tapioca.** ② *Ven.* 유까의 볶은 뿌리에서 뽑아낸 가루.
mañosamente *adv.* ① 솜씨 있게, 훌륭하게, 멋지게. ② 엉큼하게, 교활하게, 악의를 품고.
mañosear *intr.* ① *Bol., Chile, Perú.* 계략[꾀]을 써서 하다. ② *Bol., Chile.* (특히, 어린아이가) 훌쩍훌쩍 울면서 귀찮게 조르다. ③ *Chile.* (동물이) 나쁜 버릇을 쓰다. ④ *Perú.* (어린 아이가) 귀여워 하는 것에 변덕을 부리다.
mañoso, sa *adj.* ① 솜씨가 좋은. ② 빈틈없는. ③ 버릇 나쁜, 악벽(惡癖)의, 악습의. ④ *Nic., Salv.* 슬쩍 훔치는. —*m.f.* 호색가(好色家).
mañuela *f.* =**maña, astucia.** —*m.f.pl.* 빈틈없는 사람.
maoísmo *m.* 모택동(毛澤東)(Mao Ze Dong, 1893-1976)주의.
maoísta *adj.* 모택동주의의. —*m.f.* 모택동주의자.
maoma *adv.* *Chile.* =**más o menos.**
maorí *adj.* ① 마오리족(族)(뉴질랜드의

토착민)의. ② 마오리 말의. *—mf.* 마오리족 사람. *—m.* 마오리 말.

mapa *m.* ① 지도: ~ de carreteras, ~ de rutas 도로 지도, 드라이브 지도. ~ de Corea 한국 지도. ~ mural 벽걸이용 지도. ((참고: 시가 시도 plano, 지도책 atlas)). ② 지도식 도표, 도해. *—f.* [드묾] (종류·능력·생산에서) 뛰어난 것, 빼어난 것, 두드러진 것, 훌륭한 것, 발군, 탁월. ¶ ~ ***astronómico***, ~ ***celeste*** 성좌도, 항성표(恒星表). ~ ***mudo*** 백지도. ***borrar*** a alguien ***del*** ~ 죽이다, 살해하다. ***llevarse la*** ~ (종류에서) 뛰어나다, 빼어나다, 훌륭하다, 유명하다. ***no estar en el*** ~ algo (무엇이) 보통이 아니다.

mapache *m.* [동물] 미국 너구리.

mapachín *m. CRica., Nic.* [동물] = mapache.

mapamundi *m.* (구형 평면도에 의한) 세계 지도.

mapanare *f.* [동물] (베네수엘라의) 독사의 일종.

mapo *m. PRico.* =mopa.

mapuche *adj.* 마뿌체족(族)(스페인 정복기에 칠레의 중부와 남부 지방에 살았던 종족)의. *—mf.* 마뿌체족 사람. *—m.* 마뿌체 말.

mapurite *m.* [동물] (중앙아메리카의) 스컹크의 일종.

mapuro *m. Col.* [동물] =mofeta.

maqueta *f.* ① 모형(模型), 작은 모형; 플라스틱 모텔. ② [인쇄] 가제본(假製本); (책·신문·잡지·광고 등의 편집상의) 지면 배정, 레이아웃.

maquetación *f.* 인쇄할 출판물의 레이아웃.

maquetar *tr.* 인쇄할 출판물을 레이아웃하다.

maquetista *mf.* ① 모형 제작자. ② 레이아웃[지면 배정]을 하는 사람. ③ [영화] 장치가.

maquiavélico, ca *adj.* ① 마키아벨리(Maquiavelo, 이탈리아의 작가, 1469-1527)주의의[에 관한]. ② 권모 술수의, 권모 술수적인, 권모 술수에 능한, 책략적인: político ~ 권모 술수에 능한 정치가. ③ 교활한, 간사한. ④ 파렴치한.

maquiavelismo *m.* 마키아벨리주의.

maquiavelista *adj.* 마키아벨리주의의. *—mf.* 마키아벨리주의자; 책모가.

maquila[1] *f.* ① 제분업자[방앗간 주인]가 빻아 준 값으로 받는 곡물·가루·기름의 양. ② 제분업자[방앗간 주인]가 달아 받는 저울[되]. ③ 반 셀렌민((약 2,3리터)). ④ *Hond.* 5 아로바(125파운드) 무게의 분량.

maquila[2] *f.* ① *Guat., Hond., Méj., Salv.* 수출용 직물 제품의 생산. ② *Guat., Hond., Méj., Salv.* 수출용 직물 제품 생산 공장, (주로 해외에서 하청 받은 상품의) 조립 공장.

maquiladora *f. Méj.* =maquila[2] ②.

maquilar[1] *tr.* (제분업자가) 빻은 분량을 달아 받다.

maquilar[2] *tr. Méj.* 원료를 수입 가공하여 수출하다.

maquillador, ra *mf.* 미조술사(美爪術師), 매니큐어를 칠하는 사람.

maquillaje *m.* ① 화장, 메이크업. ② 화장품: ~ de fondo 파운데이션.

maquillar *tr.* ① 화장하다. ② 메이크업하다. ③ (모습을 좋게 하게 하기 위해 무엇을) 바꾸다, (나쁜 점 등을) 숨기다[감추다]. ~**se** 화장하다, 메이크업하다.

máquina *f.* ① 기계: ~ de afeitar 전기[안전] 면도기. ~ calculadora, ~ de calcular 계산기. ~ de guerra (대규모의) 병기. civilización de ~*s* 기계 문명. ~ del tiempo 타임 머신. ② 타자기, 타이프라이터(~ de escribir). ③ 재봉틀(~ de coser): coser a ~ 재봉틀로 꿰매다. ④ 자동 판매기(~ expendedora): ~ de tabaco 담배 자동 판매기. ⑤ 경주 자동차. ⑥ [자동차·선박] 엔진. ⑦ [철도] 기관차. ⑧ 사진기, 카메라. ⑨ 조직, 기구: ~ del Estado 국가 기관. ⑩ [연극] (장면 전환의) 특수 장치. ⑪ *Cuba.* 자동차. ¶ ~ ***de vapor*** 증기 기관. ~ ***eléctrica*** 전기 기계. ~ ***herramienta*** 공작 기계. ~ ***hidráulica*** 수력 기계, 수차(水車). ~ ***humana*** 인체(人體). ~ ***neumática*** 진공 펌프, 공기 펌프. ~ ***satélite*** [컴퓨터] 주변기. ~ **terminal** [컴퓨터] 단말기. ***a*** ~ 기계로, 기계에 의해. ***a toda*** ~ 전속력으로, 매우 급히. ***como una*** ~ (사람이) 기계처럼, 기계 같은, 인간미(人間味)가 없는.

maquinación *f.* 음모, 간책(奸策).

maquinador, ra *adj.* (음모·흉계를) 꾸미는, 획책하는. *—mf.* 책사(策士), 모사(謀士), 음모가.

maquinal *adj.* 기계적인, 기계에 의한.

maquinalmente *adv.* =indeliberadamente.

maquinar *tr.* (음모·흉계를) 꾸미다.

maquinaria *f.* ① [집합] 기계(류), 기계 장치, 기계 설비: ~ agrícola 농기계. ② 기구, 메카니즘(mecanismo).

maquinilla *f.* ① 전기 면도기(~ eléctrica); 안전 면도기. ② 이발기(~ para cortar el pelo). ③ 소형 기계. ④ *CRica.* 연필깎이. ⑤ *PRico.* 타자기, 타이프라이터.

maquinillero *m.* [선박] (짐을 싣고 내리는) 보조 기계 취급자.

maquinismo *m.* (수작업에 대해) 기계의 사용.

maquinista *mf.* ① (기계의) 조작자. ② [철도] 운전사. ③ [선박] 기관사. ④ [연극] 무대 담당, 무대 뒤에서 일하는 사람. ⑤ [영화] 촬영 담당 조수.

maquinización *f.* 기계화.

maquinizar (9) *tr.* 기계화하다. ~**se** 기계화되다.

maquis *m.sing.pl.* ① 마키 ((스페인 내란 중 반(反)프랑코 레지스탕스 게릴라)). ② 마키 ((제2차 세계 대전 때 프랑스의 반독(反獨) 레지스탕스 운동)). ③ 마키 대원 ((반프랑코 레지스탕스 게릴라 대원; 프랑스의 반독 레지스탕스 운동원)).

maquisapa *m. Ecuad.* (아마존 지방의) 긴팔원숭이.

mar *m.* [추상적인 의미일 경우는 *f.*] ① 바다: agua del ~ 해수(海水), 바닷물. productos del ~ 해산물. viaje por el ~ 배로 하는 여행, 바다 여행. ② (일반적으로, 육지·섬으로 둘린) 바다; …해(海): *Mar* Amarillo 황해. *Mar* del Este 동해(東海). *Mar* Mediterráneo 지중해. ③ 호수(lago): *Mar* de Galilea 갈릴리해(海). *Mar* Muerto 사해(死海). ④ 대양(大洋): *Mar* Atlántico 대서양. *Mar* Indico 인도양. *Mar* Pacífico 태평양. ⑤ (날씨·바람과 관련시켜 말하는 어떤 상태의) 바다, 물결, 큰 파도, 높게 이는 파도. ⑥ [천문] 바다 ((화성·달 표면의 어두운 부분)). ⑦ 바다 ((비유적으로, 매우 넓거나 큼을 뜻함)), (바다처럼) 많음, 다량, 풍부함, 다수, 망망하게 넓음, 광막함: ~ de agua 물바다. ~ de fuego 불바다. ~ de sangre 피바다. ¶ ~ ***ancha*** *f.* =**alta mar.** ~ ***arbolada*** *f.* (파고 6미터 이상의) 매우 거친 바다. ~ ***bonanza*** *f.* =**mar en calma.** ~ ***de fondo*** *m.(f.)* ㉮ 큰 파도. ㉯ (내부의) 잠재적 불만[불안]; 깊은 사정. ~ ***de leche*** *m.(f.)* =**mar en leche.** ~ ***de leva*** *m.(f.)* =**mar de fondo.** ~ ***en bonanza,*** ~ ***en calma,*** ~ ***en leche*** *m.(f.)* 잔잔한 바다. ~ ***gruesa*** (파고 6미터까지 이르는) 거친[사나운] 바다. ~ ***jurisdiccional*** *m.(f.)* 영해. ~ ***larga*** *f.* =**alta mar.** ~ ***pacífico*** *m. Cuba.* [식물] 양귀비. ~ ***rizada*** *f.* (잔물결 정도의) 약간 거친 바다. ~ ***tendida*** *f.* 크게 넘실거리는 바다[파도]. ~ ***territorial*** *m.(f.)* 영해. ***alta*** ~ *f.* 외양(外洋), 외해, 원해, 난바다. ***a*** ~***es*** 많이, 충분히, 실컷. ***arar en el*** ~ 노력이 허사다, 헛된 노력을 하다. ***arrojarse a la*** ~ 커다란 모험을 하다. ***de*** ~ ***a*** ~ ㉮ 가득 넘쳐. ㉯ 사치스레, 과도하게 치장하고. ***hablar de la*** ~ ㉮ 말도 안 되는 소리를 하다, 새빨간 거짓말을 하다, 허풍을 떨다. ㉯ 할 말이 태산 같다. ***hacerse a la*** ~ 출항하다, 항해하기 위해 항구를 떠나다. ***la*** ~ 많이. ***la*** ~ ***de*** 많이, 많은. ***picarse el*** ~ [***la*** ~] 바뀌기[변하기] 시작하다. ***quebrar*** [***romperse***] ***el*** ~ (바위 등에 부딪쳐) 파도가 부서지다. ***El que no se aventura no pasa la*** ~ (속담) 범굴에 들어가야 범을 잡는다.

mar. martes 화요일; marzo 3월.

mara *f.* ① *Guat., Hond., Méj., Salv.* 소년들의 패거리. ② *Salv.* =**gente, pueblo, chusma.**

marabino, na *adj., m.f.* =maracaibero.

marabú *m.* ① [새] 마라부 ((황새 비슷한 섭금류 새; 키는 1미터 50센티미터, 날개의 길이는 3미터 50센티미터임)). ② 마라부의 깃털로 만든 장식.

marabunta *f.* ① (지나가는 길에 있는 것을 먹어 치우는) 개미의 집단 이동. ② [집합] 소란을 피우는 군중.

marabuto *m.* 회교의 성자[은자].

maraca *f.* ① [악기] [주로 *pl.*] 마라까 ((박의 속을 꺼내고 안에 돌멩이를 넣은 악기)). ② *Ant.* =**sonajero.** ③ *Chile.* [경멸] [속어] =**prostituta.** ④ *Chile.* 여자 동성애자. ⑤ *Cuba.* [구어] 1뻬소짜리 지폐[동전]. ⑥ *Chile.* 마라까 ((주사위 놀이의 일종)).

maracaibero, ra *adj.* ① 마라까이보(Maracaibo, 베네수엘라의 Zulia 주의 주도) 태생의. ② 마라까이보의[에 관한]. —*m.f.* 마라까이보 사람.

maracaná *m. Arg.* [새] 앵무새(papagayo)의 일종.

maracandacas *f.pl. Nic., Salv.* 돈.

maraco *m. Chile.* [경멸] [속어] 남자 동성애자(hombre homosexual).

maracuyá *m.* =**pasionaria ②.**

maraña *f.* ① (통행 불가능한) 잡초로 덮인 곳, 잡초가 무성한 곳. ② [집합] 조잡한 섬유. ③ 조잡한 섬유로 만들어진 직물. ④ [식물] 연지 떡갈나무(coscoja). ⑤ (실·머리카락의) 뒤얽힘, 엉클어짐. ⑥ (일을 망가뜨리거나 얽히게 하려고) 만들어낸 거짓말. ⑦ 뒤얽힌 사태[사건], 분규, 분쟁.

marañal *m.* [드뭄] 연지 떡갈나무 숲.

marañar *tr.* (일을) 복잡하게 만들다, 꼬이게 만들다, 얽히고설키게 만들다. ~**se** (일이) 얽히다, 복잡해지다.

marañero, ra *adj., m.f.* (일을) 복잡하게 만드는, 시끄럽게 만드는, 얽히게 만드는 (사람).

marañón *m.* ① [식물] 캐슈 ((서인도 제도·베네수엘라·중앙 아메리카 원산의 옻나무과 식물; 씨는 식용, 수지는 도료로 씀)). ② *Cuba.* 캐슈의 열매. —*adj., m.f.* 마라논 강[아마존 강] 근처에 사는 주민(의).

marañoso, sa *adj.* ① (일을) 복잡하게 만들기를 좋아하는. ② 뒤얽힌, 꼬인. —*m.f.* (일을) 복잡하게 만들기를 좋아하는 사람.

maraquero *m.f. Ven.* 마라까(maracas)를 연주하는 사람.

marasmo *m.* ① (정신적·육체적으로) 마비, 마비 상태, 부진, 부동(不動): ~ de los negocios 사업 부진. sumirse en un ~ letárgico 혼수 상태에 빠지다. ② [의학] 쇠약, 초췌; (특히 유아의) 소모증(消耗症).

maratón *m.(f.)* ① 마라톤 (경주). ② (댄스·스키 등의) 내구(耐久) 경쟁, 오래 견디기 경쟁, 장시간에 걸친 경쟁: asistir al ~ de baile 마라톤 댄

스에 참가하다 ③ 장시간의 활동: ~ de cine 마라톤 영화, 장시간 상영되는 영화.

maratoniano, na *adj.* ① 마라톤의[에 관한]. ② 마라톤 성격을 띤, 장시간에 걸친, 지구력을 요하는, 지친, 녹초가 된: sermón ~ 마라톤 설교, 지루한 설교. —*m.f.* 마라톤 선수.

maratónico, ca *adj. Arg., Bol., Cuba, Ur.* =maratoniano.

maravedí *m.* ① 마라베디 ((스페인의 옛 화폐)). ② 마라베디 ((아라곤 사람들이 7년마다 왕에게 납부했던 세금의 일종)).

maravilla *f.* ① 놀라운 일, 경이, 경탄(할 만한 것): ~*s* de la naturaleza (대)자연의 경이. ② [식물] 금잔화; 분꽃. ③ [식물] =**dondiego.** ¶ ~ ***del mundo*** (고대에 가장 뛰어난 건축물이나 조각상의) 7대 불가사의 중 하나: las siete ~*s del mundo* 세계 일곱 가지 불가사의. ***a las ~s, a las mil ~s*** 희한하게, 멋지게, 매우 잘, 아주 잘, 완벽(完璧)하게. ***a ~*** = maravillosamente. ***de ~, de ~s*** 아주 잘, 더할 나위 없이 훌륭하게. ***por ~*** 드문드문; 우연히. ***ser*** algo ***la octava ~*** (무엇이) 아주 희한하다, 매우 특별하고 나무랄 데 없다. ***ser una ~*** 독특하고 뛰어나다.

maravillar *tr.* 놀라게 하다, 감탄하게 [경탄하게] 하다. ~**se** [+de · con] (…에) 감탄하다, 경탄하다, 놀라다.

maravillosamente *adv.* 경이적으로, 놀랍게, 불가사의하게, 굉장하게.

maravilloso, sa *adj.* 경이적인, 훌륭한, 근사한, 멋진, 굉장한, 불가사의한: chica ~*sa* 아주 근사한 아가씨. paisaje ~ 절경. un día ~ 멋진 하루.

marbete *m.* ① 라벨, 레테르 ((상표 · 상품명 · 제조 회사명 등을 표시하기 위해 상품에 붙이는 종이나 천 조각)). ② (철도 등의 화물에 붙이는) 꼬리표. ③ 가장자리, 가(orilla).

marca *f.* ① 인(印), 소인, 기호, 부호, 표, 마크; 안표(眼標): ~ de agua ㉮ 종이를 빛에 비출 때 보이는 무늬나 글자 ((지폐에 넣은 은화(隱畵) 등)): poner *su* ~ en los novillos 송아지에 소인을 하다. ㉯ 양수표(量水標), 수위표(水位標). ② 상표. ③ 유명 브랜드[상표]: ~ de prestigio 유명 브랜드[상표]. ④ 흔적, 자취. ⑤ 분명한 특징. ⑥ [운동] (최고) 기록: ~ mundial 세계 기록. establecer una nueva ~ 신기록을 수립하다. superar [mejorar] una ~ 기록을 깨뜨리다. ⑦ 표준, 기준; 표준 크기: caballo de ~ 표준 규격의 말. ⑧ 주, 국경 지역, 국경 주(州). ⑨ [은어] =**prostituta.** ¶ ~ ***de fábrica*** 상표. ~ ***registrada*** 등록 상표. ***batir una ~*** 기록을 깨다. ***de ~*** 훌륭한, 뛰어난, 우수한, 탁월한, 빼어난. ***de ~ mayor, de más de ~*** 월등한, 뛰어난, 극상의.

marcación[1] *f.* ① [선박] 방위 (측정). ② [선박] 방위각.

marcación[2] *f.* ① (문 · 창문의) 틀, 테(cerco). ② [집합] 테, 틀(cercos).

marcadamente *adv.* 두드러지게, 현저하게(singularmente, señaladamente).

marcado, da *adj.* 현저한; 명백한, 분명한; 강한.

marcador, ra *adj.* 표를 하는, 스탬프를 찍는. —*m.f.* 표를 하는 사람. —*m.* ① (동전 · 금속 · 무게 등의) 검정원. ② [운동] 득점판, 득점 게시판, 스코어보드; 전광 게시판. ③ 서표(書標) (~ de página). ④ *AmérC., Arg., Ecuad., Par., Ur.* =**rotulador.**

marcaje *m.* (상대방 선수를) 마크(하기): ~ individual [al hombre]. 맨투맨 디펜스.

marcapaso *m.* [의학] =marcapasos

marcapasos *m.sing.pl.* [의학] 페이스메이커, 심장 박동 조절 장치.

marcar (7) *tr.* ① …에 표[기호]를 붙이다, 표로 나타내다: ~ una servilleta 냅킨에 마크를 넣다. ② 표시하다, 가리키다; (득점 등을) 기록하다: ~ 25 grados bajo cero 영하 25도를 기록하다. El reloj *marca* las doce 시계는 12시를 가리키고 있다. ③ …에 흔적을 남기다: La caída le *marcó* la cara 그는 넘어져 얼굴에 상처를 남겼다. ④ (상품에) 정가를 표시하다. ⑤ 눈에 띄게 하다, 두드러지게 하다. ⑥ (전화 번호를) 돌리다, 누르다: ~ un número equivocado 틀린 번호를 누르다, 번호를 잘못 누르다[돌리다]. ⑦ (머리카락을) 다듬다, 머리 모양을 다듬다. ⑧ [운동] 슛을 넣다, 득점하다. ⑨ [운동] 상대를 마크하다. ⑩ [음악] (박자를) 맞추다. —*intr.* ① [운동] 득점하다. ② 다이얼을 돌리다. ~**se** ① (자신의 머리카락을) 다듬다, 손질하다. ② 눈에 띄다, 두드러지다, 훌륭하다. ③ (승리 등을) 얻다, 획득하다. ④ …을 하다[행하다]: ~*se* un baile 춤을 추다. ⑤ [선박] 방위를 측정하다.

marcasita *f.* [광물] 백철광(pirita).

marceador, ra *adj.* 털을 자르는.

marcear *tr.* 털을 자르다. —*intr.* [단인칭 동사] 3월 같은 날씨다.

marcen *f.* =**amelga.**

márcena *f.* ① =**amelga.** ② *Rioja, Al.* =**extremo, orilla, margen.**

marceño, ña *adj.* 3월의.

marceo *m.* 봄철의 벌통 소제[청소].

marcero, ra *adj.* 3월의.

marcha *f.* ① [군사] 행진, 행군: hacer una ~ forzada 강행군하다. ② 앞으로 나아가기, 보행. ③ 가기, 향하기: mi ~ a otro equipo 나의 다른 팀으로 이적[옮기는 일]. ④ 출발. ⑤ (탈것 · 사건의) 진행; 경과, 흐름: ~ del asunto 사건의 경과. ~ del tiempo 시간의 흐름[경과], 시대의 흐름. dirección de la ~ de un tren 열차의 진행 방향.

acelerar la ~ del coche 자동차의 속도를 올리다. ⑥ [음악] 행진곡: ~ fúnebre 장송 행진곡. ~ militar 군대 행진곡. ~ nupcial 결혼 행진곡. ⑦ [자동차] 기어: ~ directa 톱 기어. primera ~ 일단 기어. ⑧ [운동] 경보. ⑨ 활기, 흥청거림, 번화함, 성황; (야단) 법석; 술 마시고 장구치며 노래하며 크게 떠듦. ¶ ~ ***atrás*** ㉮ (자동차의) 후진. ㉯ (자동차의) 후진 기어. ~ ***real*** 스페인의 국가. ~ ***real fusilera*** 스페인의 옛 국가. ~ ***repentina*** (차의) 급발진. ***a largas ~s, a toda*** ~ 서둘러, 황급히, 전속력으로. ***a ~s forzadas*** [군사] 강행군으로. ***abrir la*** ~ 선두에 서다, 선두를 가다. ***coger la ~ a [de]*** algo (무엇의) 다루는 법을 알다, (무엇을) 할 능력[재능]이 있다. ***dar ~ atrás*** ㉮ (차를) 후진시키다. ㉯ [+a] (…을) 바꾸다, 변경하다, 후퇴시키다. ***doblar las ~s*** [주로 군대에서] 하루에 이틀 행진을 하다, 보통 때보다 더 많이 걷다. ***en*** ~ 진행 중의, 주행(走行) 중의; 작동되고 있는. ***poner en*** ~ ㉮ (기계를) 작동시키다, 시동을 걸다. ㉯ (계획이) 실현되게 하다, (단체가) 활동을 시작하게 하다. ***puesta en*** ~ 시동, 작동. ***sobre la*** ~ ㉮ 서둘러, 급히; 즉시, 곧. ㉯ 필요에 따라, 도중에(서).

marchador, ra *m.f.* 경보(競步) 선수.

marchamador *m.* [고어] 세관 필증을 붙이는 사람, 물건을 통관시키는 사람.

marchamar *tr.* (세관에서) 통관 필증을 붙이다, 검사필 도장을 찍다.

marchamero *m.* (세관에서) 검사 도장을 찍는 사람.

marchamo *m.* ① (세관에서) 검사필 도장, 통관 필증. ② (어떤 제품에 찍는) 표, 마크.

marchantaje *m. Nic.* =clientela.

marchante[1] *adj.* 상업의, 장사를 하는. —*m.f.* ① 상인(traficante). ② (특히, 그림이나 예술품의) 상인, 미술상(美術商). ③ [드묾] 행상, 노점상.

marchante[2]**, ta** *m.f. Amér.* 단골손님.

marchantería *f.* ① 사고 파는 가구류[동산]. ② *Cuba.* =clientela. ③ [드묾] 상업, 장사.

marchantía *f.* ① 사고 파는 가구류[동산]. ② *AmérC., PRico., Ven.* = clientela. ③ [드묾] 상업, 장사.

marchantapié *m.* (돛배의) 가로줄.

marchar *intr.* ① 나아가다, 가다. ② 걷다(~ a pie). ③ 행진하다, 행군하다(~ en fila). ④ (기계 등이) 움직이다. ⑤ (탈것이) 달리다, 가다. ⑥ (매사가) 잘 진척[진전]되다. ⑦ 떠나다. ⑧ (바 등에서, 주문한 물건이) 나가다. ⑨ [군대가, +sobre] (…를 향하여) 나아가다. ⑩ *Ur.* 죽다. **~se** ① [+de] (…를) 떠나다, 출발하다; 나가다, 외출하다. ② [+a] (…로) 향하다: *~se a* Madrid 마드리드로 향하다.

marchitable *adj.* 시들 수 있는.

marchitamiento *m.* 시듦; 쇠약, 여윔.

marchitar *tr.* ① (풀·꽃·잎 등을) 시들게 하다, 낙엽지게 하다. ② 여위게 하다, 마르게 하다. **~se** ① (풀·꽃 등이) 시들다: *Se han marchitado* las hojas 잎이 시들었다. ② 여위다, 살이 빠지다, 체중이 줄다.

marchitez *f.* ① 시듦. ② 쇠약, 여윔.

marchito, ta *adj.* ① (식물이) 시든: flores *~tas* 시든 꽃. hojas *~tas* 시든 잎. ② (사람이) 여윈, 쇠약해진: cuerpo ~ 여윈 몸. cara *~ta*, rostro ~ 여윈 얼굴.

marchoso, sa *adj., m.f.* ① 활발한, 놀기 좋아하는 (사람). ② *And.* 늠름한, 씩씩한 (사람).

marcial *adj.* ① 전쟁의[에 관한]. ② 무(武)의[에 관한], 군(軍)의[에 관한], 군대식의: disciplina ~ 군대식 규율. ③ 상무(尙武)의, 호의적인, 무용(武勇)의. ④ 군인다운. ⑤ 용감한, 대범스러운, 호방한. ⑥ 솔직한, 숨김없는. ⑦ [의학] 철분을 함유한. ⑧ 군신(軍神)의. —*m.* (옛날에 장갑에 바른) 향기로운 가루. ¶***artes ~es*** (동양의) 무도, 무술, 호신술, 격투기 ((동양 기원의 태권도·유도·쿵후 등)). ***ley*** ~ 계엄령.

marcialidad *f.* 호전성, 무용, 무사다움.

marciano, na *adj.* 화성의[에 관한]. —*m.f.* 화성인; 화성의 가상 주민.

marcido, da *adj.* ① 아픈, 병약한, 지병의. ② *And., Ar.* (열매가) 시든, 마른; 부드러운, 연한(blando).

marcio, cia *adj.* [고어] 전쟁의[에 관한]. —*m.* [고어] 3월(mes de marzo).

marcir *tr.* =marchitar.

marco *m.* ① 틀, 테, 테두리: ~ de la ventana 창틀. ② 액자, 사진틀: poner un cuadro en un ~ 그림을 액자에 넣다. ③ 환경. ④ (문제의) 짜임새, 틀, 테두리, 대강: ~ jurídico 법적 테두리. acuerdo ~ 대체적인 합의. en el ~ de la Constitución 헌법의 테두리 안에서. ⑤ 마르크 ((몇 나라의 전 화폐 단위)). ⑥ 마르크 ((독일의 옛 은화)). ⑦ 나무 자. ⑧ (제화공의) 자. ⑨ 도량형의 원기. ⑩ 화폐의 본위(제): ~ de oro 금본위(제). ~ de plata 은본위(제). ⑪ 마르크 ((전에 금·은의 중량 단위; 약 230그램)).

marconigrama *m.* 무선 전보.

mardal *m. Mur.* 씨양, 종양(種羊).

mardano *m. Ar.* 씨양, 종양(種羊).

marea *f.* ① 조수(의 간만), 조석수(潮汐水), 미세기. ② 밀물 때 물이 드는 해안의 부분. ③ 해풍, 갯바람, 바닷바람. ④ (어선이 한 번 출항해 잡은) 어획량. ⑤ 강의 협곡에서 부는 바람. ⑥ (한 장소를 차지한) 군중, 대중: ~ humana 인파. ~ de armas de casa 많은 주부. ⑦ [드묾] 이슬, 가랑비. ¶ ~ ***alta*** 만조. ~ ***creciente*** 밀물.

~ *menguante* 썰물. ~ *muerta* 조금, 소조(小潮). ~ *negra* (해안에 이르렀을 때 큰 피해를 줄 수 있는) 바다로 유출된 중유. ~ *roja* 적조(赤潮). ~ *viva* 한사리, 대조(大潮).

mareado, da *adj.* (종이의 부패로 생긴) 흠이 나타난.

mareador, ra *adj., m.f.* 귀찮게 하는, 괴롭히는 (사람). —*m.* [은어] 나쁜 물건과 좋은 물건을 바꿔치기하는 사기꾼[도둑].

mareaje *m.* ① 항해술. ② (배의) 침로(針路), 방향, 진로.

mareal *adj.* marea의[에 관한].

mareamiento *m.* ① 멀미(하는 일). ② 불쾌감. ③ 현기증.

mareante *adj.* ① 귀찮은, 진절머리나는. ② 항해의, 항해술의, 배를 다루는. —*m.f.* 항해사. —*m.* 해상(海上) 상인.

marear *tr.* ① (배를) 움직이다, 조종하다. ② 화나게 하다, 성나게 하다. ③ 귀찮게 하다, 괴롭히다. ④ *And.* = **rehogar.** ⑤ [드묾] 공개적으로 팔다. —*intr.* ① 화나다. ② 귀찮다. ③ [고어] 항해하다. ~**se** ① (배)멀미하다. ② 약간[가볍게] 취하다. ③ (뱃짐이) 해손(海損)을 입다. ④ [주로 부정문에서] 끙끙 앓다[고민하다].

marejada *f.* ① (바다의) 파도. ② (인심의) 동요, 불만: ~ de protestas 항의의 고조(高調).

maremagno *m.* =maremágnum.

maremágnum *m.* ① 풍부(함). ② = **grandeza.** ③ 혼란. ④ 많은 사람, 많은 물건.

mare mágnum *m.* =maremágnum.

maremoto *m.* 해일(海溢).

maremotor, triz *adj.* 조력(潮力)의, 조수에 의해 움직이는: central ~*triz* 조력 발전소.

marengo[1] *m.* *Mál.* 어부, 바닷사람.

marengo[2] *m.* ① 암회색. ② 여러 가지 색실로 짠 양모 천.

mareo *m.* ① 멀미. ② 현기증. ③ 화냄, 성냄, 노함. ④ 귀찮게 함.

mareógrafo *m.* 자기 검조기.

mareoso, sa *adj.* 화나게 하는.

marero *adj.* (바람이) 바다에서 부는: viento ~ 해풍(海風).

mareta *f.* ① 파도 소리. ② 여파. ③ 격앙. ④ 가시지 않는 분노.

maretazo *m.* 파도치기.

márfaga *f.* 두껍고 거친 천.

márfega *f.* *Ar.* 짚[풀・나뭇잎] 방석.

marfil *m.* ① 상아. ② 상아색(color ~). ③ (이의) 상아질. ④ [고어] [동물] 코끼리. ¶ ~ *vegetal* 식물 상아, 상아야자나무의 열매. *torre de* ~ 상아탑.

marfilense *adj.* ① 코트디부아르 태생의. ② 코트디부아르의. —*m.f.* 코트디부아르 사람.

marfileño, ña *adj.* ① 상아의. ② 상아 같은, 상아 비슷한. ③ 상아색의. ④ 상아질의. ⑤ 코트디부아르(Costa de Marfil) 태생의. ⑥ 코트디부아르의[에 관한]. —*m.f.* 코트디부아르 사람.

marfilina *f.* (당구공 제조용) 인조 상아(人造象牙).

marfusa *f.* [고어] [동물] =**zorra.**

marfuz, za *adj.* ① =**repudiado, desechado.** ② =**falaz, engañoso.**

marga[1] *f.* 이회암, 이회토.

marga[2] *f.* 은어(隱語).

margajita *f.* =**marcasita.**

margal *m.* 이회암(marga)이 많은 땅.

margallate *m.* *Méj.* =**embrollo, enredo, confusión.**

margallón *m.* [식물] =**palmito.**

margar (8) *tr.* 이회암을 비료로 주다.

margarina *f.* 마가린.

margarita *f.* ① [식물] 데이지. ② 데이지 꽃. ③ [식물] =**maya.** ④ 진주(眞珠)(perla). ⑤ 껍질을 벗긴 진주처럼 흰 작은 달팽이. ⑥ (바다의) 복족류 연체 동물. ⑦ *Al., Cád., León, Zar.* [곤충] =**mariquita.** ¶*echar ~s a los cerdos* [*a puercos*] 돼지에 진주.

margayate *m.* *Méj.* =**embrollo, enredo, confusión.**

margen *m.* [*pl.* márgenes] ① [*f.* 으로도 쓰임] (물건의) 끝, 가, 가장자리, 변두리: ~ del río 강가. ~ del campo 들판 끝. ② [*f.* 으로도 쓰임] (책의) 여백, 빈자리: ~ inferior 아래쪽 여백. ~ superior 위쪽 여백. dejar ~ 여백을 남기다. ③ [*f.* 으로도 쓰임] 난외의 기입, 방주. ④ 기회. ⑤ (시간・행동 등의) 여유, 여지, 폭, 허용 범위. ⑥ 마진, (매매) 차익금; 이익폭, 이익률: vender con mucho ~ 이익을 많이 남기고 팔다. ¶*al* ~ ㉮ 난외에: firmar *al* ~ 난외에 서명하다. ㉯ 밖에: vivir *al* ~ de la sociedad 세상과 절연하고 생활하다, 사회에서 따돌림을 당해 살고 있다.

margenar *tr.* ① 여백에 방주를 써넣다. ② 여백을 남기다.

margesí *m.* *Perú.* (국가・교회・공식 단체의) 재산 목록.

marginación *f.* 따돌림 당함, 차별.

marginado, da *adj.* ① 사회에서 따돌림당한, 소외된, 낙오된. ② [식물] 가장자리 윤곽이 있는 (잎). —*m.f.* 따돌림당한 사람, 소외된 사람, 낙오자, 국외자(局外者), 아웃사이더.

marginal *adj.* ① 끝[가장자리]의[에 관한]. ② 끝[가장자리]에 있는. ③ 여백의[에 관한]. ④ 부차적인. ⑤ 사회에서 따돌림당한, 소외된 —*m.f.* 사회에서 따돌림당한 사람, 소외된 사람, 국외자, 아웃사이더. ¶*ajustes ~es* [경제] 한계 조정. *utilidad* ~ [경제] 한계 효용.

marginalidad *f.* =**marginación.**

marginalización *f.* =**marginación.**

marginar *tr.* ① 방주(傍注)를 써넣다. ② 여백을 남기다. ③ (사회에서) 따돌리다, 소외시키다. ④ 도외시하다, 무시하다. ~**se** ① (사회에서) 따돌림당하다, 소외되다. ② 도외시되다.
maría[1] *f.* ① 마리아 ((옛날의 은화)). ② 둥근 비스킷. ③ (성주간에 장식하는 초 15개를 세우는) 삼각 촛대의 꼭대기에 꽂는 하얀 초. ④ [경멸] =**maruja.**
María[2] *f.* [인명] 마리아 ((예수의 어머니의 이름)).
mariache *m.* =mariachi.
mariachi *m.* ① 마리아치 ((멕시코의 Jalisco 주에서 유래된 멕시코의 민속 음악과 춤)). ② 마리아치 ((마리아치 음악을 연주하는 멕시코 민속 오케스트라[악단])). ③ 마리아치 악단원. ④ [집합] 마리아치 ((어떤 멕시코 민속 춤과 노래를 부르는 가수들에게 딸린 악기)).
mariachis *m.sing.pl.* =mariachi.
marial *adj.* 성모 마리아를 찬미하는 (책). —*m.f.* 성모 마리아를 찬미하는 사람.
marialuisa *f. Méj.* 판지(板紙)로 만든 간단한 사진틀[액자 · 표구(틀)].
marianista *adj.* 마리아회(會)의. —*m.f.* 마리아회 회원.
mariano, na *adj.* 성모 마리아 (신앙)의[에 관한].
marica *f.* ① [새] 까치(urraca). ② (카드놀이에서) 잭. —*m.* ① 여자 같은 남자. ② 남자 동성애자.
maricón *m.* ① [속어] 여자 같은 남자(marica). ② 남색에 빠진 남자(sodomita). —*adj.* ① 여자 같은 (남자). ② 동성 연애(자)의.
maricona *f.* =mariconera.
mariconada *f.* ① [속어] 동성애자다운 행동. ② 비열한 행위, 무의미한[우둔한] 행위.
mariconera *f.* [경멸] (남성용) 손가방.
mariconería *f.* ① 남자가 여성스러움. ② [속어] =**mariconada.**
maricueca *m. Chile.* 여성 같은 남자.
maricultura *f.* 양식(養殖).
maridablemente *adv.* [드묾] 부부로, 부부처럼.
maridaje *m.* ① 부부 생활; 동거. ② 조화: ~ entre la ciencia y el arte 과학과 예술의 조화[결합].
maridar *intr.* ① 결혼하다. ② 결혼 생활을 하다, 부부 생활을 하다. —*tr.* 조화시키다, 조합시키다.
maridazo *m.* [구어] 너무 관대한 남편.
maridillo *m.* (옛날에 여자들이) 발을 녹이는 도구(braserillo de pie).
marido *m.* 남편: ~ y mujer 부부. ~ dominado por su mujer 엄처시하의 남편. tomar ~ (여성이) 결혼하다.
mariguana *f.* [식물] 마리화나, 대마초.
mariguanear *intr. Chile.* 마리화나를 피우다. ~**se** *Chile, Salv.* 효험을 볼 때까지 마리화나를 피우다.
mariguanero, ra *m.f. Chile, Cuba, Salv.* 자주 마리화나를 피우는 사람.
mariguanza *f. Chile.* 우스꽝스런 손짓.
marihuana *f.* =mariguana.
marihuanero, ra *m.f. Cuba, Ecuad., Salv., Ven.* 마리화나 중독자.
marijuana *f.* =mariguana.
marijuanero, ra *m.f.* =marihuanero.
marimacha *f.* [경멸] *Cuba, Perú, Ven.* =marimacho. —*adj. Cuba.* 남자 같은 (여자).
marimacho *m.* [구어] (비만 · 행동이) 남자 같은 여자.
marimandona *f.* 변덕스럽고 시건방진 여자.
marimanta *f.* (아이들을 무섭게 하는) 유령[도깨비].
marimarica *f.* [구어] 여자 같은 남자.
marimba *f.* ① [악기] 마림바 ((아프리카의 일부 지역에서 사용되는 북의 일종)). ② [악기] 마림바 ((실로폰에서처럼 가늘고 긴 나무 조각으로 치는 목금의 일종)). ③ *Amér.* [악기] 마림바 ((팀파니에서처럼 부드러운 추로 치는 악기)).
marimbero, ra *m.f. Amér.* 마림바 악사(músico que toca la marimba).
marimbista *m.f. Salv.* =**marimbero.**
marimorena *f.* 싸움, 말다툼, 언쟁.
marina *f.* ☞marino.
marinado, da *adj.* 소금에 절여 생으로 통조림된 (생선): salmón ~ 소금에 절여 통조림된 연어. —*f.* (요리하기 전에 생선과 사냥한 고기를 담그는 술 · 식초 · 향료 · 풀 등으로 만들어진) 액체 처리액. —*m.* 액체 처리액에 소금 절임된 요리.
marinaje *m.* ① [드묾] 선원 생활. ② [드묾] [집합] 선원(marineros).
marinar *tr.* ① (보존하기 위해) 생선에 양념을 하다. ② (술 · 식초 · 풀 · 향료 등에 담가 음식 특히 생선을) 날로 보존하다. ③ 나포된 배의 선원을 가두다. ④ 다시 선원을 태우다.
marine *m. ing.* ① (미국이나 영국의) 해병대원. ② [집합] 해병대.
marinear *intr.* 선원으로 일을 하다, 선원 생활을 하다.
marinera *f.* ☞marinero.
marinerado, da *adj.* =**tripulado.**
marinerazo *m.* 노련한 선원, 바다에 익숙한 남자.
marinería *f.* ① 선원 직업, 선원 생활. ② [집합] 선원(marineros).
marinero, ra *adj.* ① 선박의, 해운의, 항해의: disciplina ~*ra* 항해 규칙. ② (배가) 내항성(耐航性)이 있는, 배를 조종하기 쉬운. ③ 선원복(船員服)의. —*m.* ① 선원, 뱃사람. ② 수병(水兵), 해군 병사. —*m.* =**argonauta.** —*f.* ① 선원복(blusa ~*ra*). ② 마리네라 ((칠레 · 에꾸아도르 · 뻬루의 민속춤)). ¶*a la* ~ =a la marinesca.
marinesco, ca *adj.* 선원의[에 관한].
marinismo *m.* 마리니(Marini, 이탈리아 시인, 1569-1625)풍(의 문체), 허식체(虛飾體).
marinista[1] *adj.* 해양화의. —*m.f.* 해양화가(海洋畫家).

marinista[2] *adj.* ① 마리니풍의[에 관한]. ② 마리니풍의 문체를 연마하는[연구하는]. —*mf.* 마리니풍의 문체를 연마하는 시인.
marino, na *adj.* ① 바다의[에 관한]: animal ~ 해상 동물. guardia ~*na* 해군 사관 후보생. planta ~*na* 해조(海藻). productos ~*s* 해산물. ② [문장학] 인어처럼 물고기의 꼬리를 가진 (우화 동물). —*m.* ① 선원. ② 해군, 해병. —*f.* ① (한 나라 전체의) 선박. ② 해군: oficial de ~ 해군 사관. ③ 항해술, 해사. ④ 해안, 해변. ⑤ [미술] 해양화. ¶*marina de guerra* [집합] 전함. *marina mercante* [집합] (한 나라 전체의) 상선(商船), 상선대, 해운력(海運力).
marinovio *mf. Cuba.* 정부(情夫), 정부(情婦). —*mpl. Salv.* 부부처럼 사는 연인들.
mariol *m.* ① [드묾] 여자 같은 남자. ② [드묾] 남색자, 계간자(sodomita).
mariología *f.* (성모) 마리아학, 성모 신학(聖母神學).
mariólogo, ga *mf.* (성모) 마리아학자, 성모 신학자.
marión *m.* [드묾] =**esturión.**
mariona *f.* ① 마리오나 ((옛 춤의 일종)). ② 마리오나 춤곡.
marioneta *f.* ① 꼭두각시, 괴뢰, 꼭두각시 인형. ② 괴뢰(傀儡), 망석중이: régimen ~ 괴뢰 정권. ③ *pl.* 꼭두각시 인형극, 망석중이극.
marioso, sa *adj.* [드묾] =**afeminado.**
mariposa *f.* ① [곤충] 나비. ② [새] (꾸바 섬의) 나비참새. ③ 기름 그릇에 띄운[뜬] 심지. ④ 기름 그릇에 띄운[뜬] 심지(의 등)불, 기름 등잔불. ⑤ [수영] 접영, 버터플라이. ⑥ [투우] 소를 놀리는 기교. ⑦ *Cuba.* [식물] 마리뽀사 ((바늘 모양의 잎과 나비 모양의 매우 향기로운 하얀 꽃이 피는 초본 식물; 습지에서 자람)). ⑧ *Cuba.* 나비 꽃 ((꾸바의 국화)). ⑨ *Hond.* 마리뽀사 ((종이를 접어 딱 소리를 내게 한 어린이 장난감)). ⑩ *Hond.* 호스에 연결된 나사 모양의 물대는 기구. ⑪ *Hond.* 거룻배 엔진의 추진기. —*m.* ① [구어] 여자 같은 남자. ② [구어] 호모, 남성 동성애자. ¶ *corbata de* ~ *Guat.* 나비넥타이. *tigra* ~ *Ven.* 매우 공격적인 독사.
mariposeador, ra *adj. Bol., Perú.* 변덕스러운, 경솔한.
mariposear *intr.* ① (남자가 애정 문제에서) 자주 변덕을 부리다. ② (이야기를 시도하면서) 끈질기게 (누구의) 주변을 서성거리다.
mariposeo *m.* ① 변덕스레 굴기. ② 주변을 서성거리기.
mariposón *m.* ① (애정 문제에) 끈질긴 남자, 이 여자 저 여자 치근덕대는 남자. ② 여자 같은 남자. ③ 호모, 남성 동성애자.
mariquera *f. Ven.* 우유부단한 행동, 변덕스러운 행동.
mariquita *f.* ① [곤충] 무당벌레. ② [새] 앵무새의 일종. ③ *Arg.* 마리끼따 ((손에 하얀 손수건을 들고 가수 겸 기타 연주자가 함께 하는 여러 쌍이 마주 보고 추는 민속 춤)). ④ *Arg.* 마리끼따 춤과 함께 하는 음악. —*m.* 여자 같은 남자.
marisabidilla *f.* 아는 체하는 여자.
mariscada *f.* 주로 풍부하고 다양한 어패류로 된 요리, 해(산)물 요리.
mariscador, ra *adj.* ① 직업적으로 조개를 잡는. ② 양어장이나 해안에 조개를 양식하는. —*mf.* ① 조개잡이. ② 조개 양식자. —*m. Par.* 야생 동물 사냥꾼.
mariscal *m.* ① (옛날의 군대 총수 아래) 매우 중요한 장교. ② [군사] (몇몇 나라에서) 원수(元帥). ③ 수의사. ④ *Chile.* [요리] 해산물 요리. ¶ ~ *de campo* [육군] 소장.
mariscalato *m.* mariscal의 직.
mariscalía *f.* =**mariscalato.**
mariscar (7) *intr.* 조개류를 잡다[채취하다]. —*tr. Par.* ① 강[늪]가에 사는 야생 동물을 사냥하다. ② [은어] 훔치다, 도둑질하다(robar, hurtar).
marisco *m.* ① (특히 식용의) 조개. ② 갑각류 ((게·새우 등)). ③ [주로 *pl.*, 때로는 집합 명사] [요리] 해산물 (요리), 어패류 요리. ④ [은어] 도둑질.
marisma *f.* [주로 *pl.*] (해변에 가까워 바닷물이 드는) 늪지, 소택지(沼澤地).
marismeño, ña *adj.* 늪지의[에 관한].
marismo *m.* [식물] 시금치(orzaga).
marisqueo *m.* 조개류 채취.
marisquería *f.* ① 해산물 판매소. ② 해산물 요리점, 해산물 전문 식당.
marisquero, ra *adj.* 조개류의[에 관한]. —*mf.* 갑각[조개]류 어부[판매자].
marista *adj.* ① 성모 마리아회(會)의[에 관한]. ② 마리스타회(會)의[에 관한]. —*mf.* ① 성모 마리아회 회원. ② 마리스타회 회원.
marital *adj.* ① 남편의: autorización ~ 부권(夫權). ② 부부[결혼] 생활의: relaciones ~*es* 부부 관계. vida ~ 결혼 생활. hacer vida ~ 결혼 생활을 하다.
marítimo, ma *adj.* ① 바다의[에 관한], 해상(海上)의, 해사(海事)의, 선박의; 해운상의; 해상 무역의: asegurador ~ 해상 보험업자. bloqueo ~ 해상 봉쇄. derecho ~ 해상법. nación ~*ma* 해양국. poder ~ 해군력. seguro ~ 해상 보험. transportación ~*ma* 해운. ② 해안 가까이에 사는, 연해(沿海)의, 해변의; 바다에 면한[접한]: ciudad ~*ma* 해변 도시.
maritornes *f.sing.pl.* (세르반떼스의 소설「돈 끼호떼」의 작중 인물에서) 못생기고 남성진 하녀.
marizarse *Sal.* (양이) 발정기에 접어들다. —*intr. Sal.* (양이) 발정기에 접어들다.

marjal *m.* 늪지, 소택지(沼澤地).
marjoleta *f.* marjoleto의 열매.
marjoleto *m.* 단상사나무의 일종.
marketing *m. ing.* =mercadotecnia.
marlo *m.* ① *Arg., Bol., Ur.* =zuro[1] ①. ② rur. *Arg., Ur.* 말꼬리의 몸통.
marlota *f.* 모로인의 겉옷.
marlotar *tr.* [드묾] =**malrotar.**
marmaja *f.* ① *Méj.* 황화철. ② *Méj.* 돈. ③ *Nic.* 거액(의 돈).
marmella *f.* 산양의 목 돌기.
marmellado, da *adj.* 목 돌기가 있는.
marmita *f.* (꼭 맞는 뚜껑과 한두 개의 손잡이가 달린) 금속제 냄비[솥].
marmitón *m.* ① 견습 요리사. ② [선박] 상선(商船)의 주방 도우미.
mármol *m.* ① 대리석: ~ artificial 인조 대리석. estatua de ~ 대리석상(像). ② 대리석 작품[제품]. ③ (노·유리 공장에서) 철판.
marmoleño, ña *adj.* 대리석의.
marmolería *f.* ① [집합] (건물에 있는) 대리석. ② 대리석 작품. ③ 대리석 가공 공장.
marmolillo *m.* ① (기둥의) 모서리 받침. ② 얼간이, 바보, 멍청이(zote).
marmolista *mf.* ① 대리석공(工). ② (대리석의) 묘비[묘석] 업자.
marmóreo, a *adj.* ① 대리석의. ② (질의 어떤 점이) 대리석 같은.
marmoroso, sa *adj.* 대리석의.
marmosa *f.* =llaca.
marmota *f.* ① [동물] 마멋 ((다람쥐과의 짐승)). ② 잠이 많은 사람, 잠꾸러기. ③ (옛날에 여성들과 아이들이 사용했던) 두건. ④ [경멸] 가정부, 식모.
marmotear *intr. Ar.* =refunfuñar.
marmullar *intr.* =rezongar.
marojal *m.* marojo 숲.
marojo[1] *m.* ① [집합] (가축용으로만 이용하는) 허드레 가지. ② =**melojo.**
marojo[2] *m.* 기생목 비슷한 식물.
maroma *f.* ① 굵은 밧줄. ② *Amér.* =pirueta. ③ *Amér.* 곡예, 공중제비, 재주넘기. ④ *Amér.* 변절.
maromero, ra *adj. Amér.* 팔방미인의, 교활한. —*mf.* ① *Amér.* =**acróbata.** ② *Amér.* (상황에 따라 의견이나 당을 바꾸는) 기회주의 정치가, 변절을 잘하는 정치가.
maromo *m.* ① =individuo, tío. ② 남자 연인[애인].
marón[1] *m.* [드묾] =**esturión.**
marón[2] *m.* 씨양, 종양(種羊).
marota *f. Méj.* =marimacho.
marote *m.* ① *Arg., Ur.* (사람의) 머리. ② *Arg., Ur.* =inteliencia.
marqués, sa *mf.* 후작령[후작위]을 가진 사람. —*m.* 후작. —*f.* ① 귀부인. ② 후작 부인. ③ 후작의 미망인.
marquesa *f.* ① 야전 천막 입구의 천개(天蓋). ② *Amér.* =**marquesina.** ③ *Chile.* 질이 좋은 세공된 침대의 일종.
marquesado *m.* ① 후작의 칭호[직위]. ② 후작령(領).
marquesina *f.* ① (공공 건물·궁전 등의 입구의 처마에 내어 댄) 유리[목재] 차양 (지붕). ② 햇빛·비를 막기 위한 보호 건축물 ③ (비를 피하기 위해 야영 천막 위에 놓인) 덮개. ④ 공공 건물 입구에 놓인 천막. ⑤ (여자의) 여러 개의 반지를 끼우는 핀.
marquesita *f.* =pirita.
marquetería *f.* ① 상감 세공. ② 여러 가지 색깔의 나무 토막으로 짜 맞춘 세공: mesa de ~ 나무 토막으로 짜 맞춘 탁자.
marquista[1] *m.* (스페인의 Jerez de la Frontera에서) 하나나 그 이상의 포도주 상표 소유자.
marquista[2] *mf.* 틀·사개 제작자.
marra[1] *f.* 결락(缺落).
marra[2] *f.* (돌을 깨는) 큰 쇠망치.
marraguero *m.* 방석[요] 만드는 남자.
marrajo, ja *adj.* ① [투우] 소가 버릇이 나쁜. ② 교활한, 영악한, 속이기 어려운. —*m.* [어류] 상어.
marramao *m.* 발정기의 고양이의 울음소리(의 소리흉내말).
marramáu *m.* =**marramao.**
maramizar (9) *intr.* 발정기의 고양이가 울다(hacer marramao).
marrana[1] *f.* ① 반반한 아치 구축용 틀. ② (말이 끌어올리는 양수의) 바퀴축.
marrana[2] *f.* ☞marrano.
marranada *f.* ① 더러운 것. ② 음탕함.
marranchón *m.* =**marrano, lechón.**
marranchona *f.* =**marrana, lechona.**
marranear *tr.* ① 더럽게 하다, 더럽히다. ② *Col.* 속이다. —*intr.* 야비하게 행동하다.
marranería *f.* =**marranada.**
marranillo *m.* 돼지 새끼.
marrano[1]**, na** *adj.* ① (돼지처럼) 더러운, 불결한. ② 버릇없는, 예의 없는, 비열한. ③ 거친. ④ [경멸] 몰래 유대교를 믿는. —*mf.* ① 불결한 사람. ② 버릇없는 사람. ③ 거친 사람. ④ 숨어서 유대교를 믿는 개종자. —*m.* [동물] 수퇘지. —*f.* 암퇘지.
marrano[2] *m.* (물레방아 등의) 회전축, 굴대.
marrar *intr.* ① =errar. ② 실패하다. —*tr.* …에 실패하다: ~ el tiro 명중시키지 못하다, 과녁[표적]을 빗나가다. ~ el golpe de estado 쿠데타에 실패하다.
marrillo *m.* 짧고 약간 두툼한 막대기.
marro *m.* ① 돌멩이 놀이. ② (두 패로 나누어 노는) 사람 붙잡기 놀이. ③ 몸을 피하기. ④ 잘못, 실수.
marrocas *f.pl. Perú.* 수갑(esposas).
marrón[1] *m.* 돌멩이 놀이의 돌.
marrón[2] *adj.* ① 밤색의(castaño). ② 갈색의, 고동색의: ~ oscuro 암갈색의. —*m.* 밤색, 밤빛, 초콜릿색.
marrón[3] *m.* ① *Can., Amér.* 큰 쇠망

치. ② *PRico.* 종의 추.
marroquí *adj.* ① 모로코(Marruecos, 아프리카 북부의 나라) 태생의. ② 모로코의[에 관한]. —*m.f.* 모로코 사람. —*m.* 모로코 가죽(tafilete).
marroquín, na *adj.* =marroquí.
marroquinería *f.* ① 가죽 제품 제조. ② 가죽 제품 상품. ③ 가죽 제품 공장[가게].
marroquinero, ra *m.f.* 가죽 제품 공장의 노동자.
marrubial *m.* marrubio 밭.
marrubio *m.* [식물] 잎이 둥그런 박하의 일종.
marrueco[1] *m. Chile.* =bragueta.
marrueco[2]**, ca** *adj.* =marroquí.
Marruecos *m.* [국명] 모로코.
marrulla *f.* =marrullería.
marrullar *intr.* =ronronear.
marrullería *f.* 감언, 감언이설, 그럴싸한 말, 치살림, 추어올림, 치켜세움.
marrullero, ra *adj.* 감언(이설)의, 치살리는. —*m.f.* 감언(이설)을 하는 사람.
marsellés, sa *adj.* ① 마르세이유(Marsella, 지중해 소재 프랑스의 항구 도시) 태생의. ② 마르세이유의[에 관한]. —*m.f.* 마르세이유 사람. —*m.* ① 재킷. ② *Ur.* (중간 크기의) 밀가루빵.
Marsella *f.* 프랑스의 국가(國歌).
marshalés, sa *adj.* ① 마샬 군도(las Islas Marshall, 서태평양의 산호섬으로 구성된 나라) 태생의. ② 마샬 군도의[에 관한]. —*m.f.* 마샬 군도 사람.
marsopa *f.* [동물] 돌고래 비슷한 고래무리.
marsopla *f.* =marsopa.
marsupial *adj.* [동물] 유대류(有袋類)의. —*m.pl.* 유대류의 포유 동물. ¶ *bolsa* ~ (유대 동물의) 육아낭.
marsupio *m.* [동물] (유대 동물의) 육아낭(育兒囊).
mart. martes 화요일.
marta[1] *f.* ① 집안 일에 성실한 여자. ② 근면한 여자.
marta[2] *f.* ① [동물] 담비. ② 담비의 가죽. ¶ ~ ***cebllina,*** ~ ***cibelina*** ㉮ [동물] 검은담비. ㉯ 검은담비의 가죽.
marte[1] *m.* (옛날의 연금술사와 화학자들 사이에서) 철, 쇠(hierro, metal).
Marte[2] *m.* ① [천문] 화성(火星). ② [신화] 군신(軍神).
martellina *f.* (석공용) 망치(martillo).
martelo *m.* =enamoramiento.
martes *m.sing.pl.* 화요일: (todos) los ~ 화요일마다, 매주 화요일. ¶ ~ ***de carnaval*** 사육(謝肉)의 화요일 ((사육제의 마지막 날)). ~ ***y trece*** 13일의 화요일 ((이중으로 불길한 날)). ***dar*** a alguien ***con la del*** ~ ㉮ 죽이다, 살해하다. ㉯ 심각한 해를 입히다. ㉰ 알랑거리면서 속이다.
martiano, na *adj.* ① 호세 마르띠(José Martí, 꾸바의 국부, 1853-1895)의[에 관한]: la doctrina ~*na* 호세 마르띠주의(主義). ② 호세 마르띠의 작품의[에 관한]. ③ 호세 마르띠 사상[주의]의, 호세 마르띠 작품의 특징적인: ideario ~ 호세 마르띠의 이념[주장·사상].
martillada *f.* 망치로 때리기.
martillado *m.* [은어] 왕래가 잦은 길.
martillador, ra *adj., m.f.* 망치질하는 (사람).
martillar *tr.* ① 망치질하다, 망치로 두들기다. ② 억누르다, 억압하다; 괴롭히다, 들볶다, 못살게 굴다, 고문하다. ~**se** 억압받다, 들볶이다, 고문당하다.
martillazo *m.* 망치질, 망치로 때리기.
martillear *tr.* ① 망치로 자주 때리다. ② 자주 못살게 굴다, 반복해서 고문하다. ③ (어떤 일을) 끈질기게 반복하다. —*intr.* 끈질기게 반복되다.
martilleo *m.* ① 망치질. ② 반복되는 망치질 같은 소리.
martillero, ra *m.f. Arg., Bol., Chile, Par., Perú, Ur.* =subastador.
martillo *m.* ① 망치, 쇠망치, 해머, 장도리, 정, 끌: ~ de orejas 못뽑이 장도리. golpear un clavo con el ~ 장도리로 못을 박다. ② (피아노의) 해머, 조율추. ③ (무엇을 타파하기 위해) 추종하는 사람. ④ 경매장. ⑤ [해부] 중이(中耳)의 망치뼈. ⑥ [운동] (육상 경기용) 해머. ¶ ~ ***de carpintero*** 장도리. ~ ***pillón*** 단조기(鍛造機)의 달구. ***a macha*** ~ 단단하게, 튼튼하게. ***a*** ~ 쇠망치로, 쇠망치로 두들겨. ***de*** ~ 망치로 두드려 만든.
martín *m.* ① [새] =martinete. ② [새] =martín pescador. ¶ ~ ***pescador*** [새] 물총새. ***San Martín*** *m.* ㉮ 성 마르틴 ((프랑스 Tours의 주교; 프랑스의 수호 성인, 315?-397)). ㉯ 돼지를 살해하는 시기(時期) ((성마르틴절경에 돼지를 잡아 햄이나 소시지를 만들어 겨울 식량으로 사용함)). ***día de San Martín*** 성마르틴절(節) ((11월 11일)). ***llegarle*** [***venirle***] a alguien ***su San Martín*** (누구에게) 성자필쇠(盛者必衰)의 때가 온다.
martineta *f. Arg., Par.* [새] 자고새.
martinete[1] *m.* ① [새] 해오라기. ② 해오라기의 도가머리.
martinete[2] *m.* ① (피아노의) 해머. ② 해머, 쇠망치. ③ 단조 공장(鍛造工場). ④ 말뚝 박는 기계. ⑤ 마르띠네떼 ((기타 반주 없이 부르는 안달루시아의 집시들의 노래)).
martingala *f.* ① 계책, 간계. ② *pl.* 반바지. ③ *Arg., Ur.* (오바 등의 뒷부분에 다는) 장식 조임 끈.
martinico *m.* [드룹] =duende.
martiniega *f.* 성마르틴절(día de San Martín)에 내야 했던 세금.
mártir *m.* ① (기독교의) 순교자(殉敎者): capilla de ~*es* 순교자 교회. ② 순난자, 희생자: ~ de una revolución 혁명을 위해 목숨을 바친 사람. ③ (병 등의) 희생자, 늘 고통을 받는 사

람, 피해자: ~ de *su* familia 가족을 위해 희생된 사람.
martirial *adj.* 순교자의[에 관한]: actas ~*es* 순교자 언행록.
martirio *m.* ① [기독교] 순교(殉教). ② (기독교 이외의 종교나 이념 등으로) 순교, 순난(殉難), 순사(殉死). ③ (육체적 · 정신적) 수난, 고통, 고뇌, 고난. ④ 길고 아주 고된 일.
martirizador, ra *adj.* 박해하는. —*m.f.* 박해자(迫害者).
martirizar (9) *tr.* (종교적 이유로) 순교하게 하다, 희생시키다, 목숨을 빼앗다, 죽이다, 박해하다, 괴롭히다. ~ **se** 순교하다, 순교자가 되다, 박해를 받다, 괴로움을 당하다.
martirologio *m.* ① 순교록, 순교자록(錄), 순교자 명부. ② 성인 열전. ③ 희생자 명단(lista de las víctimas).
marucho, cha *adj., m.f. Hond.* = zurdo.
marueco *m.* 종양(種羊), 씨양(羊).
marufa *f. Salv.* =**truco, ardid.**
maruga *f. Cuba.* =**sonajero.**
maruja *f.* 문화 수준이 낮은 주부.
marujear *intr.* [경멸] 문화 수준이 낮은 주부의 행동을 하다, 천박하게 행동하다[처신하다].
marujeo *m.* [경멸] 문화 수준이 낮은 주부의 행동.
marujil *adj.* 문화 수준이 낮은 주부의.
marullo *m.* ① 폭풍에서 바람이 일으키는 파도의 움직임, 파도의 여파. ② *PRico.* 큰 파도(ola grande).
Marx *m.* [인명] 마르크스(Karl ~, 독일의 사회주의자, 1818-1883).
marxismo *m.* 마르크스주의.
marxismo-leninismo *m.* 마르크스 레닌주의.
marxista *adj.* ① 마르크스주의자의. ② 마르크스주의의[에 관한]. —*m.f.* 마르크스주의자.
marxista-leninista *adj.* 마르크스 레닌주의의. —*m.f.* 마르크스 레닌주의자.
marzadga *f.* (옛날) 3월에 냈던 세금.
marzal *adj.* 3월의[에 관한].
marzante *m.* [주로 *pl.*] marzas를 부르는 젊은이(들).
marzas *f.pl.* ① 봄을 찬양하는 민속 노래들. ② 집집마다 marzante(들)에게 주는 버터[선지] 넣은 순대 등의 선물.
marzo *m.* 3월.
marzoleta *f.* 당산사나무의 열매.
marzoleto *m.* [식물] 당산사나무.
mas *conj.* ① 그러나(pero). ② =**sino.**
más *adv.* [mucho의 비교급] ① 더, 더욱, 한층, 보다[더] 많이: una vez ~ 한 번 더. Dame ~ 더 주라. Hable ~ despacio 더 천천히 말씀해 주십시오. ② [수량 · 정도의 비교: +de] ···이상: ~ *de* tres veces al día 하루에 세 번 이상. ③ [우등 비교급: +que] (···보다) 더: Yo soy ~ alto *que* mi hermano 나는 내 동생보다 키가 더 크다. Ella trabaja ~ *que* nadie 그녀는 어느 누구보다도 더 많이 일한다. ④ [우등 최상급. +de · en · entre] (···중에서) 가장: La primavera es *la* estación *que* me gusta ~ 봄은 내가 가장 좋아하는 계절이다. ⑤ [감탄문에서] 정말, 대단히, 몹시, 매우: ¡Qué paisaje ~ hermoso! 정말 경치가 아름답구나! ⑥ [수학] 더해서: Diez ~ veinte son treinta 10 더하기 20은 30이다. —*adj.* ① 더 많은: ~ dinero 더 많은 돈. ~ libros 더 많은 책들. ② 더 우수한: Aquel es ~ edificio que éste 저것이 이것보다 더 멋진 건물이다. —*pron.* [정관사+] 대다수, 대부분: Los ~ piensan así 대다수가 그렇게 생각하고 있다. —*m.* [수학] 더하기(기호). ¶ ~ ***menos*** ±. ***a lo ~, a lo ~,*** ~ 많아야, 고작해야. ***a ~, a ~ de*** 그 위에, 덧붙여서. ***a ~ no poder*** 되도록 모두, 가능한 한 모두. ***de ~*** 여분으로. ***de ~ a ~*** =**a más.** ***el ~ y el menos*** 손득, 손실과 이득, 이해; 장점과 단점. ***el que ~ y el que menos*** 모든 사람들. ~ ***bien*** 오히려. ~ ***o menos*** 대략, 약. ~ ***que*** =**sino.** ~ ***tarde o ~ temprano*** 언젠가는, 끝내, 드디어. ~ ***y ~*** 더욱더. ***ni ~ ni menos*** 정확히, 어김없이. ***por ~ que + subj.*** 아무리 ···하더라도. ***quien ~, quien menos; quien ~ y menos*** =**el que más y el que menos.**
masa *f.* ① (빵의) 반죽덩이: ~ frita 튀긴 과자. ② (물건의) 덩어리, 괴(塊): ~ de hierro 쇠덩어리. ③ 총체; 총량, 총액: ~ salarial (사회 보험료 등도 포함된 기업의) 임금 총액. ④ 다수, 다량, 대량. ⑤ [주로 *pl.*] 군중, 대중, 서민, 민중: política para la(s) ~(s) 서민을 위한 정치. psicología de ~(s) 군중[대중] 심리. ⑥ [물리] 질량: número de ~ 질량수. ⑦ [미술] 매스. ⑧ [전기] 접지, 어스(tierra). ⑨ 성격, 성질. ⑩ [군사] =**masita.** ⑪ *Arg., Ur.* 비스킷(galleta). ¶ ~ ***atómica*** 원자 질량, 원자량. ~ ***coral*** =**orfeón.** ~ ***gravitatoria*** [물리] 중력 질량. ~ ***molecular*** [화학] 분자량. ***gran*** ~ [군사] =**masita.** ***en*** ~ 집단으로, 한 덩어리가 되어, 전체로, 일괄해서, 합계해서, 일체가 되어, 더불어서.
masacrar *tr.* (대량) 학살하다.
masacre *f. fr.* 대량 학살, 살륙(殺戮).
masada *f.* =**masía.**
masaje *m.* 마사지, 안마 (치료): dar a *alguien* ~*s* [un ~] a [en] la pierna (누구의) 다리를 마사지하다.
masajear *tr.* 마사지하다, 안마하다.
masajista *m.f.* 안마사; 트레이너.
masar *tr.* =**amasar.**
mascada *f.* ☞**mascado.**
mascadijo *m.* 구강 향료.
mascado, da *adj.* ① 이해하기 쉬운(개념 · 교훈). ② 매우 쉽게 실현될

수 있는 (행동). —*f.* ① 씹기, 깨물기. ② *And.* [속어] 주먹으로 턱의 위아래를 두드리기. ③ *And.* [속어] 입에 주먹질하기. ④ *Amér.* 한 번에 피우는 담배의 양. ⑤ *Bol., Chile, Col., Ur.* 한 입. ⑥ *Chile.* =**mordisco.** ⑦ *Méj.* (장식용) 손수건. ¶*dar una* ~ a alguien *AmérC., Arg.* (누구를) 나무라다, 꾸중하다, 꾸짖다, 책망하다, 질책하다.

mascador, ra *adj., mf.* 씹는, 깨무는 (사람).

mascadura *f.* ① (음식 등의) 씹기, 깨물기. ② *Hond.* 커피[코코아 음료]와 함께 먹는 빵[케이크]. ③ *PRico.* [드묾] 한 번에 피우는 담배의 양.

mascar *tr.* ① 씹어[깨물어] 으깨다. ② (음식을) 씹다. ~**se** ① 절박하게[위급하게·다급하게] 여겨지다[생각되다]. ② =**rozarse.** ¶***goma de*** ~ 껌.

máscara *f.* ① 탈, 가면: baile de ~*s* 가면무도회, 가장무도회. ponerse una ~ 가면을 쓰다. quitarse la ~ 가면을 벗다. ② (변장용) 복면. ③ 양봉가의 마스크. ④ (보호용) 마스크, 방독면, 방독 마스크, 가스 마스크: ~ antigás, ~ de gas 방독면, 방독 마스크, 가스 마스크. ~ de oxígeno 산소 마스크. ⑤ 핑계, 구실(pretexto). ⑥ 변장, 위장, 가장(disfraz). ⑦ *pl.* 가장을 한 사람들의 모임, 가장무도회, 가면무도회. ⑧ *pl.* 가장을 한 사람들이 모이는 장소, 가면무도회장, 가장무도회장. ⑨ 가면무도회, 가장무도회. ⑩ 가장 행렬, 가장 파티. —*mf.* (카니발·가장무도회 등에서) 가면을 쓴 사람. ¶~ ***facial*** 미용 팩, 얼굴 팩. ***ponerse*** alguien ***la*** ~ ㉮ 정체를 감추다. ㉯ 가면을 쓰다, 마스크를 하다. ***quitar*** a alguien ***la*** ~ ㉮ (…의) 정체를 파헤치다, 정체를 폭로하다. ㉯ 가면을 벗기다. ***quitarse*** alguien ***la*** ~ ㉮ 정체를 드러내다[나타내다]. ㉯ 가면을 벗다.

mascarada *f.* ① 가면무도회, 가장무도회. ② 가장 행렬. ③ 속임수, 사기.

mascarar *tr. Ar.* (그을음·숯으로) 얼굴을 더럽히다(tiznar).

mascarero, ra *mf.* 가장 행렬용 옷[용품]을 파는[세 주는] 사람.

mascarilla *f.* ① (이마부터 윗입술까지 반) 얼굴을 가리는 가면, 반가면. ② (마취용 등의) 입과 코를 가리는 가면. ③ (사람·조각의 얼굴, 특히 시체의 얼굴에서 뜨는) 틀, 주물. ④ 미용 팩 ((얼굴에 바르는 미용 도포제)). ¶ ***quitarse*** alguien ***la*** ~ =**quitarse la máscara.**

mascarita *f. Arg., Col., Guat., Ur.* (특히 카니발에서) 가면을 쓴 사람, 가장[위장]을 한 사람.

mascarón *m.* ① (건축물에서 장식용) 기괴한 얼굴, 괴인면. ② 큰 가면. ¶~ ***de proa*** 뱃머리 장식 상(像).

mascota *f.* ① (행운을 가져오는 부적용) 사람·동물·물건. ② 애완 동물. ③ *And.* 펠트 모자.

mascujada *f.* ① 어렵게[간신히] 씹기. ② 중얼거리기.

mascujador, ra *adj.* [드묾] 간신히 씹는; 중얼거리는, 우물거리는.

mascujar *tr.* =**mascullar.**

masculillo *m.* ① 궁둥이로 밀기 놀이. ② =**porrazo, golpe.**

masculinidad *f.* ① 남자다움, 남성다움. ② 남성(男性). ③ [생물] 웅성.

masculinización *f.* ① [생물] 웅성화. ② [문법] (성이 없는 것의) 남성화. ③ [문법] 여성[중성]의 남성화.

masculinizar (9) *tr.* ① [생물] 웅성화하다. ② [문법] 남성화하다.

masculino, na *adj.* ① 남자의, 남성의: aparato reproductor ~ 남성 생식기. orgullo ~ 남자로서의 자존심. ropa ~*na* 남성복. salto de longitud ~ 남자 멀리뛰기. ② 남자다운, 남성다운, 힘센, 용맹한, 용감한: actitud ~*na* 남자다운 태도[행동]. voz ~*na* 남성다운 목소리. ③ (여자가) 남자다운, 남자 같은. ④ [생물] 수컷의, 웅(雄)의: sexo ~ 남성. ⑤ [문법] 남성의: nombre ~ 남성 명사. ¶***género*** ~ [문법] 남성.

mascullar *tr.* ① 어렵게[간신히] 씹다. ② 중얼거리다, 우물거리다.

masear *intr. CRica.* =**magrear.**

masejicomar *m.* 요술(妖術).

máser *m.* [전자] 메이저, 분자 증폭기: ~ de infrarrojos 적외선 메이저.

masera *f.* ① (빵의) 큰 반죽통, 큰 반죽 상자. ② 빵을 반죽하는 양가죽[삼베]. ③ 발효용 반죽덩이를 씌우는 천[삼베].

masería *f.* =**masía.**

masetero *adj., m.* [해부] 교근(의).

mashca *f. Ecuad.* =**máchica.**

masía *f.* (옛 아라곤 왕국의) 농가.

másico[1] *m.* 옛 로마의 유명한 포도주.

másico[2], **ca** *adj.* 질량의[에 관한].

masicote *m.* [화학] 산화연.

masificación *f.* ① (사람의) 과밀화. ② 대중화, 보급.

masificador, ra *adj.* 대중화시키는.

masificar (7) *tr.* (사람들을) 대중화시키다, 개성이 없게 만들다; (장소를) 사람으로 가득 채우다; (시설·기관 등을) 대중화시키다, 많은 사람들이 사용하게 하다. ~**se** 대중화되다: sociedad *mastificada* 대중화된 사회.

masiliense *adj., mf.* =**marsellés.**

masilla *f.* 퍼티 ((창유리 따위의 접합제의 일종)).

masita *f.* ① [군사] (옛날에, 병사의 급료에서 공제되었던) 구두와 피복대(被服代). ② *Arg., Bol., Par., RDom., Ur.* [주로 *pl.*] 비스킷.

masivo, va *adj.* ① 대중의, 대량의, 대규모의: armas de destrucción ~*va* 대량 파괴 병기. ataque ~ 대규모 공격. emigración ~*va* 대규모 이주[이

민]. manifestación ~*va* 대규모 시위[데모]. producción ~*va* 대량 생산. ② [의학] 정량 이상의: dosis ~*va* 정량 이상의 한 회 분.

maslo *m.* ① (동물의) 꼬리의 밑둥. ② (식물의) 줄기.

masoca *adj., m.f.* =masoquista.

masón[1] *m.* (새의 모이용) 물과 밀가루 반죽.

masón[2], na *m.f.* 비밀 공제 조합원, 프리메이슨단(團) 회원.

masonería *f.* 비밀 공제 조합, 프리메이슨단(團)(francmasonería).

masónico, ca *adj.* 비밀 공제 조합의, 프리메이슨단의.

masoquismo *m.* ① 피학대 음란증, 메저키즘. ② 자기 학대, 피학적 경향.

masoquista *adj.* ① 피학대 음란증의[에 관한]. ② 피학대 음란증 경향이 있는. —*m.f.* 피학대 음란증 환자.

masora *f.* 히브리 원전에 의한 성서 평역.

masoreta *m.* masora 저자.

masorético, ca *adj.* ① masora의[에 관한]. ② masoreta의 작업에 관한.

masoterapia *f.* (치료를 목적으로 한) 마사지 요법.

massa media *m.pl. ing.* 매스 미디어, 대중 전달 매체.

mastaba *f.* (고대 이집트의) 마스타바, 석실 분묘(石室墳墓).

mastate *m.* ① *AmérC., Méj.* (아스떼까인들의) 허리띠. ② *CRica.* (인디오들이 옷을 만든 어떤 나무의 껍질과 나무 사이에 있는 내피(內皮)나 얇은 껍질로 만든) 천. ③ *CRica.* 천을 만들 수 있는 두 뽕나무과 식물. ④ *Guat.* 배내옷, 깃저고리.

mastectomía *f.* 유방 절제(술).

mástel *m.* ① (무엇을 받치기 위한) 곧은 막대, 지주, 버팀대. ② [고어] = maslo. ③ [고어] =mastelero.

mastelerillo *m.* [선박] 윗돛대 ((중간 돛대 위에 놓인 돛대)).

mastelero *m.* [선박] 중간 돛대 ((아래 돛대 위에 덧댄 돛대)).

máster *m. ing.* [*pl.* ~s] =maestría.

masticable *adj.* 씹을 수 있는.

masticación *f.* 음식을 입에 넣어 씹음.

masticador, ra *adj.* ① (음식 등을) 씹는. ② [동물] 씹기에 적당한 (입의 기관). ③ [동물] 씹기에 적당한 구강 기관을 가진 (동물). —*m.f.* (음식을 입에 넣고) 씹는 사람. —*m.* ① (말의) 재갈의 일종. ② (음식을 씹기에 어려움이 있는 사람에게) 음식을 잘게 부서 주는 기구.

masticar (7) *tr.* ① (음식 등을) 씹다, 분쇄하다: ~ chicle 껌을 씹다. Come masticando bien 잘 씹어 먹어라. ② 곰곰이 생각하다, 음미하다.

masticatorio, ria *adj.* ① 씹는 데 쓰는. ② 씹는 (약). —*m.* 씹는 약.

masticino, na *adj.* mástique의.

mastigador *m.* (말의) 재갈의 일종.

mástil[1] *m.* ① (배의) 돛대, 범장(帆檣), 마스트. ② 돛의 작은 기둥. ③ (야전 천막・기・침대・차 등을 받치는) 곧은 막대, 기둥, 지주, 다리. ④ (어떤 커다란 기계에서) 탑, 수직 구조물. ⑤ (식물의) 줄기. ⑥ (깃털의) 축(軸). ⑦ (현악기의) 목.

mástil[2] *m.* (옛날 멕시코의 아스떼까족(族)이 착용했던 끝에 장식을 단) 생식기[고환]를 가리는 천의 일종.

mastín *m.* =perro mastín.

mastique *m. Ven.* =mástique.

mástique *m.* ① 유향(乳香)의 진[수지(樹脂)]. ② [건축] (방수・충전(充塡)용) 회반죽, 마스티크.

mastitis *f.sing.pl.* [의학] 유선염.

masto *m.* ① rur. *Ar.* (접목의) 접본. ② rur. *Ar.* (특히 가금(家禽)의) 수컷.

masto- *pref.* 「유방(mama)・젖꼭지」의 뜻: *masto*logía 포유기학.

mastodinia *f.* [의학] 유방통(乳房痛).

mastodonte *m.* ① [고생물] 마스토돈 ((태고의 코끼리 비슷한 동물)). ② 몸집이 큰 사람. ③ 부피가 큰 물건.

mastodóntico, ca *adj.* 거대(巨大)한.

mastoidectomía *f.* [의학] 유양 돌기 절개술.

mastoideo, a *adj.* [의학] 유양 돌기(乳樣突起)의[에 관한].

mastoides *adj.* [동물] 유방[젖꼭지] 모양의: operación ~ 유양 돌기 절제. —*f.sing.pl.* [의학] 유양 돌기.

mastoiditis *f.* [의학] 유양 돌기염.

mastología *f.* [의학] 포유기학.

mastológico, ca *adj.* [의학] 포유기학의[에 관한].

mastólogo, ga *m.f.* 포유기학자.

mastopatía *f.* [의학] 유선증(乳腺症).

mastoplastia *f.* [의학] 유방 성형술.

mastotomía *f.* [의학] 유방 절개술.

mastozoología *f.* 포유 동물학.

mastozoólogo, ga *m.f.* 포유 동물학자.

mastranto *m.* ① =mastranzo. ② *Col., Ven.* 향기 나는 나무의 이름.

mastranzo *m.* [식물] 야생 박하.

mastuerzo *m.* ① [식물] 후추. ② = berro. ③ 아둔패기, 바보. —*adj.* 아둔한, 바보스러운, 멍청한.

masturbación *f.* 수음(手淫), 자위.

masturbador, ra *adj.* ① 자위[수음]의. ② 자위[수음]를 하는. —*m.f.* 자위 행위를 하는 사람.

masturbar *tr.* (다른 사람에게) 자위 행위를 하다. ~**se** (자신이) 자위 행위를 하다, 수음을 하다.

masturbatorio, ria *adj.* 수음[자위]의[에 관한].

mata[1] *f.* ① (다년생 목질의) 풀. ② 작은 관목, 떨기나무. ③ (밀・화초의) 그루. ④ (풀의) 줄기. ⑤ 덤불, 풀섶. ⑥ 털. ⑦ 숲, 과수림: una ~ de olivos 올리브나무 숲. ⑧ [식물] 유향수(乳香樹). ⑨ *Col., Cuba, Ven.* = vegetal.

mata[2] *f.* 유황질.

mata³ *f.* 트럼프 놀이의 일종.
matabuey *f.* =**amarguera.**
mataburros *m. Arg., CRica., Cuba, Hond., Ur., Ven.* [익살로] 사전.
matacaballo *a* ~ 성급히, 허겁지겁, 조급하게(a mata caballo).
matacán *m.* ① 개 잡는 독약. ② 개에게 쫓긴 경험이 있는 토끼. ③ [식물] 마전(馬錢)(nuez vómica). ④ (미장이 일에서 빈 곳을 메우는) 큰 돌.
matacandelas *m.* 촛불 끄는 기구.
matachín¹ *m.* ① (옛날에) 가면과 울긋불긋한 옷을 입고 변장한 남자. ② (전쟁 무용을 개작한) 변장한 남자들의 무도회. ¶***dejar*** a alguien ***hecho un*** ~ (누구를) 부끄럽게 만들다, 부끄러움을 알게 하다.
matachín² *m.* ① 도살 인부(jifero). ② =**camorrista.**
matacía *f. Ar.* 돼지 도살.
matacigalas *m.sing.pl.* 매미채.
matación *f.* [드묾] 죽이기, 살해.
matacúas *m.* ① *Méj.* 서툰 운전수. ② *Méj.* =**valetón.**
matada *f.* ☞**matado.**
matadero *m.* ① 도살장. ② 매우 힘든 일, 몹시 불편한 일. ¶***ir*** alguien ***al*** ~ (누가) 사지(死地)[전장]에 들어가다. ***llevar*** a alguien ***al*** ~ (누구를) 전장[사지]으로 보내다. ***venir*** alguien ***al*** ~ =**ir al matadero.**
matado, da *adj.* ① *CRica., Cuba.* 지루한, 따분한. ② *Cuba.* 질이 나쁜. ③ *Cuba.* (사람이) 매우 못생긴: hombre ~ 추남. —*f. Cuba, Hond., Salv., Ven.* 심한 타격, 난폭한 폭행.
matador, ra *adj.* ① 죽이는, 살해하는. ② 매우 힘든, 매우 귀찮은, 매우 골치아픈. ③ 매우 못생긴, 지나친, 무모한, 엉뚱한. —*m.f.* ① 살해자. ② 마따도르(espada) ((소의 마지막 숨통을 끊는 주 투우사)): ~ de novillos (어린 소와 싸우는) 견습 투우사. ~ de toros (성우와 싸우는) 주 투우사.
matadura *f.* 안장에 쓸린 상처[종양].
matafuego *m.* ① 소화기. ② 소방수.
matagallos *m.* [식물] 사르비아.
matajudío *m.* =**mújol.**
matalahúga *f.* [식물] =**matalahúva.**
matalahúva *f.* ① [식물] 회향(茴香), 회향풀(anís). ② 회향풀의 씨.
matalobos *m.* =**acónito.**
matalón, na *adj.* (말이 겨우 도살을 면한 듯한) 삐쩍 마른. —*m.f.* 삐쩍 마른 말, 폐마.
matalotaje *m.* ① 배에 싣는 양식. ② (육상 여행에서) 등짐. ③ [집합] 허섭스레기.
matalote¹ *adj., m.f.* =**matalón.**
matalote² *m.* (선단의) 앞과 마지막 배.
matambre *m.* ① *Arg., Bol., Ur.* (소와 돼지의 가죽과 갈비뼈 사이에서 꺼낸) 살의 층, 갈비 살. ② *Arg., Bol., Par., Ur.* 갈비 살로 만든 요리; 속을 채우고 소금에 절여 만 통닭 요리.
matamiento *m.* [고어] 살해(殺害).
matamoros *adj.* 용감하다고 으스대는 [우쭐거리는].
matamoscas *m.sing.pl.* 파리채, 파리 잡는 끈끈이, 파리통.
matancera *f.* (도살한 돼지로) 순대를 만드는 여자.
matancero¹ *m.* 도살 인부.
matancero², ra *adj.* ① 마딴사스(Matanzas, 꾸바의 주·주도) 태생의. ② 마딴사스의[에 관한]. —*m.f.* 마딴사스 사람.
matancina *f. Hond., Nic.* =**masacre.**
matansinga *f. Salv.* =**masacre.**
matanza *f.* ① 죽이기, 살해: ~ de ratones 쥐잡기. ② (전쟁·기습 등에서) 대량 학살, 살육. ③ 돼지를 잡아 비곗살을 절이고, 등과 내장 등을 이용하여 순대 등을 만드는 일. ④ 돼지 잡는 시기 ((11월 11일경)). ⑤ 잡을 돼지의 양. ⑥ [집합] (햄·소시지 등의) 돼지고기 제품. ⑦ (생명과 바꿀 수 있는) 큰 소원.
mataperrada *f.* 개구쟁이 짓.
mataperro, rra *m.f. Cuba, Perú.* [구어] =**mataperros.**
mataperros *m.sing.pl.* 개구쟁이.
matapiojos *m.sing.pl. Chile, Col.* [곤충] 잠자리(libélula).
matapolvo *m.* 바닥만 겨우 적시는 비, 먼지 나지 않는 정도의 비[살수].
mataquintos *m.sing.pl.* [드묾] 질이 나쁘고 맛이 매우 독한 담배.
matar *tr.* ① 죽이다, 살해하다. ② 괴롭히다, 피곤하게 하다, 녹초로 만들다. ③ (갈증·허기를) 풀다, 때우다. ④ (색·광택을) 죽이다, 지우다. ⑤ 실망시키다, 놀라게 하다. ⑥ (비물질적인 것을) 파괴하다, 부수다, 지우다, 없애다. ⑦ (우체국에서) 편지에 찍힌 소인을 무효화하다, 지우다. ⑧ (트럼프에서 강한 카드를 내고 상대방의 카드를) 빼앗다. ⑨ =**estrechar, violentar.** ⑩ =**extinguir, aniquilar.** ⑪ 죽음의 원인이 되다. —*intr.* ① 사람을 죽이다. ② 돼지를 도살하다. ~**se** ① 자살하다. ② (사고로) 죽다. ③ 싸우다, 말다툼하다, 입씨름하다. ④ (…을 얻기 위해) 많은 노력을 하다. ⑤ (육체적이나 지적으로) 열심히 쉬지 않고 일하다. ¶***estar a*** ~ ***con*** alguien (누구와) 험악한 관계다. ***mátalas callando*** 약삭빠른 사람, 엉큼한 사람. ~ ***el tiempo*** 시간을 보내다[허비하다]. ~***las callando*** 양가죽을 쓰고 이리처럼 나쁜 짓을 하다. ***Más matan cenas que guerras*** (속담) 저녁밥이 전쟁보다 더 많은 사람을 죽인다, 저녁밥을 많이 먹으면 건강에 좋지 않다.
matarife *m.* 도축업.
matarrata *f.* ① 카드놀이의 일종. ② [주로 *pl.*] =**raticida.** ③ 질이 나쁘고

아주 독한 증류주[소주].

matasano *m.* ① *Hond., Salv.* (중앙아메리카의) 귤과 식물. ② *Hond., Salv.* 귤과 식물의 열매. ③ *pl.* 돌팔이 의사. ④ *pl.* 서툰 의사.

matasellos *m.sing.pl.* ① (우체국의) 소인, 스탬프, 압인기(押印器). ② 소인으로 찍힌 도장.

matasiete *m.* =**fanfarrón.**

matasuegras *m.sing.pl.* [장난감] 나사 모양의 종이 관(管), 종이 뱀.

matate *m.* ① 용설란 끈으로 만든 망태기. ② *Guat.* 배내옷.

matazón *f. Amér.* (사람의) (대량) 학살, 살육.

mate[1] *adj.* ① (소리가) 둔탁한. ② 광택[윤]이 나지 않는.

mate[2] *m.* ① [장기] 궁이 몰려 지게 됨. ② [카드] 마지막의 다른 패를 누르는 으뜸 패. ③ *Hond., Salv.* 갑작스런 움직임. ¶***dar*** ~ ㉮ (…를) 비웃다. ㉯ *Guat.* 끝내다, 결말을 내다.

mate[3] *m. quechua.* ① *AmérM.* (다목적 가정 용품으로 쓰인 말려 쪼갠) 바가지. ② *Arg., Bol., Chile, Ur.* 마떼차, 마떼 풀 우려낸 물. ③ *Arg., Bol., Chile, Ur.* 마떼 찻잔[찻그릇]. ④ *Arg., Bol., Ur., Chile.* (사람의) 머리. ⑤ *Arg., Bol., Ur.* =**juicio, talento, capacidad.** ⑥ *Bol., Perú.* 달인 물. ⑦ *Bol.* [식물] =**calabacera.** ⑧ *Perú.* 마떼 찻그릇에 넣는 것. ¶~ ***amargo***, ~ ***cimarrón*** *Arg., Ur.* 설탕 없이 끓인 마떼 차. ~ ***cocido*** *Arg., Ur.* (달인 차처럼) 잔이나 그릇으로 마시는 마떼 차. ~ ***de leche*** *Arg., Ur.* 물 대신 우유를 넣은 마떼 차. ~ ***dulce*** *Arg., Ur.* 설탕 넣고 끓인 마떼 차. ~ ***lavado*** *Arg., Ur.* (끓인 잎을 다시 끓이지 않아) 맛없는 마떼 차.

mateada *f.* ① *Arg., Bol., Ur.* 빨대로 마떼 차 빨아먹기. ② *Arg., Ur.* (여러 사람이) 마떼 차를 마시기 위해 모이는 모임, 마떼 차 모임.

matear[1] *tr.* 씨를 뿌리다; 관목을 간격을 두고 심다. —*intr.* ① (밀 등의) 포기를 가르다. ② (사냥개가) 숲을 뒤지다. ~**se** 그루가 뻗다.

matear[2] *intr. Arg., Bol., Ur.* 빨대로 마떼 차를 빨아먹다.

matemática *f.* [주로 *pl.*] 수학(數學): estudiar ~*s* 수학을 공부하다. ¶~***s aplicadas*** 응용 수학. ~***s puras*** 순수 수학.

matemáticamente *adv.* ① 수학의 규칙에 따라, 수학적으로. ② 정확히, 정밀하게(exactamente).

matemático, ca *adj.* ① 정확한, 정밀한. ② 수학의[에 관한]; 수리적인. —*m.f.* 수학자. —*m.* [고어] 점성가, 점성학자. ¶***lógica*** ~***ca*** 수리 논리학.

mateo, a *m.f Chile.* 공부를 열심히 하는 사람.

materia *f.* ① 물질, 물체: la ~ y el espíritu 물질과 정신. ② 재료, 소재, 재질. ③ [미술] 마티에르, 질감. ④ 일, 문제. ⑤ (작품 등의) 제재, 제목; 분야. ⑥ 교과, 과목: ~ obligatoria 필수 과목. ⑦ 고름(pus). ⑧ [철학] 질료(質料). ⑨ 이유, 동기, 사정. ¶~ ***de Estado*** 국사. ~ ***médica*** 약물. ~ ***prima*** =**primera materia.** ***primera*** ~ 원료. ***en*** ~ ***de*** …에 관해서, …에 대해서 말하면. ***entrar en*** ~ 본제(本題)로 들어가다.

material *adj.* ① 물질의, 물질에 관한, 물질적인: ayuda ~ 물질적[경제적] 원조. civilización ~ 물질 문명. ② 비정신적인, 육체의, 육체적인; 물질주의적인; 감각적인, 관능적인: goce [placer] ~ 육체적인 쾌락. ③ 구체적인, 실제상의, 실질적인: autor ~ de un accidente 사고를 일으킨 장본인. resultado ~ 구체적[실질적] 성과. ④ [철학·논리] 질료적(質料的)인, 실체상의. —*m.* ① [때때로 *pl.*] 재료, 자재, 소재: ~*es* de construcción 건축자재. ② (작품·연구 등의) 자료, 소재: ~ informativo 정보 (자료). ③ [집합] 기재(機材)[용구] 일습[한 벌]: ~ agrícola 농기구, 농경 기계. ~ de fábrica 공장 기자재. ~ de guerra 군수품. ~ de oficina 사무 용품. ~ didáctico 교재. ④ 다룬 가죽, 무두질한 가죽. ¶***Es*** ~ 결과는 마찬가지다, 아무래도 좋다.

materialidad *f.* ① 물질성, 구체성; (사실의) 중요성, 실제성. ② 외견, 외면.

materialmente *adv.* ① 물질적으로, 육체적으로. ② 구체적으로, 실질적으로. ③ [철학·논리] 질료적(質料的)으로.

materialismo *m.* ① 물질주의, 실리주의. ② [철학] 유물론, 유물주의. ③ [윤리] 이기주의. ④ [미술] 실물주의, 실제 묘사. ¶~ ***dialéctico*** 변증법적 유물론. ~ ***histórico*** 사적 유물론.

materialista *adj.* ① 물질주의의[에 관한], 실질주의의[에 관한]: civilización ~ 물질 문명. ② 유물론(자)의. —*m.f.* ① 물질주의자. ② 유물론자. ③ *Méj.* 건설 자재 판매 업자.

materialización *f.* 구체화, 체현(體現), 물질화, 구현, 실현.

materializar (9) *tr.* ① 형체를 부여하다, 구체화하다. ② 실현하다, 수행하다. ③ 물질화하다, 물질적으로 하다. ④ (영혼을) 육체적으로 나타내다, 체현(體現)시키다. ~**se** ① (계획 등이) 실현되다. ② (영혼이) 육체적으로 나타나다, 체현하다.

maternal *adj.* 어머니의, 어머니로서의, 어머니다운(materno): amor [cariño] ~ 모성애. asociación ~ 어머니회. instinto ~ 모성 본능. ☞**materno.**

maternalmente *adv.* 어머니로서, 모성애로서, 어머니답게.

maternidad *f.* ① 어머니임, 어머니가 됨, 모성, 모성애, 어머니다움. ② 산원(産院).

maternizar (9) *tr.* 어머니의 성질을 주

다; 모유와 같은 성분의 우유를 주다.
materno, na *adj.* ① 어머니의[에 관한], 어머니다운(maternal): amor ~, cariño ~ 모성애. leche *~na* 모유. papel ~ 어머니 역할. ② 모계의, 어머니쪽의, 어머니로부터 받은: abuelo ~ 외할아버지. abuela *~na* 외할머니. ¶*lengua* ~ 모국어, 모어(母語).
matero[1], ra *adj., mf. AmérM.* 마떼차 (마시기)를 좋아하는 (사람).
matero[2] *m. Ven.* 화분(花盆)(maceta).
matete *m.* ① *Arg., Ur.* 혼란, 무질서. ② *Arg., Ur.* 반죽하여 섞은 것.
matico *m.* [식물] 마티코 ((열대 아메리카산 후추과(科)의 초본)).
matihuelo *m.* =tentetieso.
matinal *adj.* 아침의[에 관한]: luz ~ 아침의 (햇)빛.
matiné *f. fr.* ① 낮 공연[상연], 낮 모임, 낮 파티. ② *PRico.* 오전 상연.
matiz *m.* [*pl.* matices] ① 색조, 농담(濃淡); (조화된) 배색. ② 뉘앙스; (표현 등의) 미묘한 정취.
matización *f.* ① 색조(色調). ② 배색.
matizar (9) *tr.* ① 배색하다, 색을 배합하다. ② (색에) 지나친 색조를 띠다. ③ 미묘한 변화[차이]를 내다, 함축성을 지니게 하다: ~ un sonido 음에 변화를 주다. ④ *Nic.* 농담하다.
matizón, na *adj. Nic.* =**bromista.**
matojo *m.* ① (무성한) 덤불, 풀숲. ② [식물] 명아주의 일종.
matón, na *adj. Ecuad.* 매우 부지런한. —*mf. Ecuad.* 매우 부지런한 학생. —*m.* ① 툭하면 싸우는 사람. ② *Salv.* (사람이) 땅바닥에 넘어짐.
matonear *tr. CRica.* 살해하다, 죽이다.
matonesco, ca *adj.* 툭하면 싸우는.
matonismo *m.* (난폭한) 괴롭힘, 왕따.
matorral *m.* ① 덤불[잡초]이 무성한 들, 잡초지. ② [집합] 우거진 덤불.
matorro *m. Cantb.* [식물] =**mata.**
matoso, sa *adj.* 잡초가 무성한[덮인].
matraca *f.* ① 소리내는 장난감. ② 야유: dar la ~ 야유하다, 놀려대다. ③ 괴롭힘. ¶***estar*** [***ponerse***] alguien ***a*** ~ *Guat.* 만취하다, 대취하다.
matracalada *f.* 무질서한 운집[군중].
matraquear *intr.* ① 대그락대그락[덜컹덜컹] 소리내다. ② 야유하다.
matraqueo *m.* ① 대그락대그락 소리. ② 야유, 놀려댐.
matraquista *mf.* 야유하는 사람.
matraz *m.* [화학] 플라스크, 프라스코.
matreramente *adv.* 약삭빠르게, 의뭉스레, 간사스레, 교활하게.
matrería *f.* 교활함, 간사함, 의뭉스러움, 약삭빠름.
matrero, ra *adj.* ① 간사한, 교활한, 영악한. ② 의심이 많은, 의구심을 품은. ③ 거짓의, 속임수가 많은. ④ *Arg., Chile, Perú, Ur.* 도망하는, 달아나는. —*mf. Arg., Chile, Perú, Ur.* 도망자.
matriarca *f.* 여자 가장, 여자 족장.
matriarcado *m.* 여자 가부장제, 모권제(母權制).
matriarcal *adj.* 여자 가부장제의.
matricaria *f.* [식물] 카밀레.
matricial *adj.* [수학] 순열의[에 관한].
matricida *adj.* 모친 살해의. —*mf.* 모친 살해범.
matricidio *m.* 모친 살해(죄).
matrícula *f.* ① 명부, 등록부, 대장, 학적부: ~ de estudiantes 학적부. ~ de viajeros 선원 명부. ② 등록. ③ 입학 수속: ~ gratuita 수업료 면제. ④ 선박(부): puerto de ~ 선적항. ⑤ 등록자수. ⑥ (자동차의) 번호, 번호판. ⑦ =**matrícula de honor.** ¶~ ***de buques*** 선박 대장, 선박 등록부. ~ ***de honor*** 수업료 면제 우등상; [평점] 수(秀). ~ ***de mar*** ㉮ 선원 등록 대장, 선원 등록부. ㉯ [집합] 등록자.
matriculación *f.* 등록; 입학 수속.
matriculado, da *adj.* 등록된, 등록을 마친[필한]. —*mf.* 등록자, 등록을 마친[필한] 사람.
matriculador, ra *mf.* 등록자, 등기자
matricular *tr.* ① [+en] (…에) 등록하다, 등록시키다, 명부에 기재하다. ② [+en] (…에) (차량을) 등록하다, 등록시키다: ~ el coche 차를 등록시키다. **~se** ① 등록하다. ② 입학 수속을 하다, 적을 두다.
matrilineal *adj.* (상속 등이) 모계(母系)의, 어머니 쪽의.
matrimonesco, ca *adj.* [익살] =**matrimonial.**
matrimonial *adj.* 결혼의, 결혼에 관한: vida ~ 결혼 생활.
matrimonialista *adj.* 결혼 문제의.
matrimonialmente *adv.* 기혼자의 습관에 따라.
matrimoniar *intr.* 결혼하다, 결혼으로 합하다. **~se** *Chile.* 결혼하다.
matrimonio *m.* ① 결혼, 혼인: fuera de ~ 서출(庶出)의. partida de ~ 혼인 증명서. petición de ~ 구혼. ② 혼례[결혼]식(bodas). ③ 부부(marido y mujer). ④ *PRico.* [드묾] [요리] 마뜨리모니오 ((쌀밥과 삶은 강낭콩으로 만들어진 요리)). ¶~ ***a yuras*** = matrimonio clandestino. ~ ***civil*** (시청·동사무소 등에 수속을 끝낸) 민법상의 결혼. ~ ***clandestino,*** ~ ***de conciencia*** 비밀 결혼. ~ ***de conveniencia,*** ~ ***de interés*** 정략결혼. ~ ***eclesiástico*** =matrimonio religioso. ~ ***in artículo mortis,*** ~ ***in extremis*** 임종 결혼. ~ ***mixta*** (다른 종교·종족간의) 잡혼(雜婚). ~ ***morganático*** =matrimonio de la mano izquierda. ~ ***por detrás de la iglesia*** 내연 관계. ~ ***por la iglesia*** =matrimonio religioso. ~ ***rato*** 성관계 없는 결혼. ~ ***religioso*** 교회 결혼, 종교 결혼, 정식 결혼. ***cama de*** ~ 부부 침대. ***constante el***

~ [법률] 결혼 동안. *palabra de* ~ 결혼 약속.

matritense *adj., m.f.* =**madrileño.**

matriz *f.* ① [해부] 자궁. ② 모태(母胎). ③ 본사(本社). ④ [불교] 본사(本寺). ⑤ 원부, 원본, 대장. ⑥ (수표장 등의) 부본, 베낌벌. ⑦ [수학] 행렬. ⑧ [인쇄] (활자 주조의) 자모, 모형(母型), 지형(紙型). ⑨ [인쇄] (스페이스도 포함된) 문자수(文字數). ⑩ 주형, 거푸집, 모형, 각인기. ⑪ (서류 등의) 원본, 오리지널. ⑫ (레코드 등의) 원반, 원형. ⑬ [컴퓨터] 매트릭스 ((입력·출력 도선의 회로망)). ⑭ 암나사. ⑮ [광산] 모암. —*adj.* ① 근본의, 근원의, 원천의, 으뜸의: casa ~ 본사, 본부; 모회사. ② 모(母)의: lengua ~ 모국어.

matrona *f.* ① (법적 자격이 있는) 조산사(助産師). ② (세관·형무소 등의) 여성 신체 검사 담당자. ③ (위엄 있는) 중년 부인.

matronal *adj.* matrona의[에 관한].

matronaza *f.* 뚱보 중년 부인.

matufia *f.* ① *Arg., Ur.* (속이기 위한) 계략, 사기. ② *Arg., Ur.* 암거래.

matungo, ga *adj.* ① *Arg., Ur.* (말이) 여윈, 노쇠한. ② *Cuba.* =**enfermizo.** —*m.f.* 여윈 말, 노쇠한 말.

maturrango, ga *adj. AmérM.* 말 타는 솜씨가 서툰. —*m.f.* 서툰 기수(騎手). —*f.* [주로 *pl.*] 계략, 책략(treta).

matusalén *m.* 나이가 많은 남자.

matute *m.* ① 밀수입. ② 밀수입품. ③ [드묾] 금지된 도박장. ¶*de* ~ 숨어서, 살그머니; 비밀리에, 남의 눈을 피하여.

matutear *tr.* 밀수입하다.

matutero, ra *m.f.* 밀수입자.

matutinal *adj.* =**matutino.**

matutino, na *adj.* ① 아침의, 아침에 관한. ② 아침[오전]에 일어나는[만들어지는]: paseo ~ 아침 산책. —*m.* 조간(朝刊).

maula *adj. Arg., Bol., Perú, Ur.* = **cobarde, despreciable.** —*m.f.* 겁쟁이, 비겁한 사람. —*f.* ① 쓸모없는 것. ② 사기, 속임수. ③ [드묾] (천·가죽·금속판의) 조각, 자투리. —*m.f.* ① 사기꾼. ② 지불이 좋지 않은 사람. ③ 게으름뱅이. ¶*ser* alguien *buena* ~ (누가) 음흉하다, 교활하다.

maular *intr.* =**maullar.**

maulero, ra *m.f.* ① 천의 자투리 장수. ② 사기꾼.

maullador, ra *adj.* 고양이가 잘 우는.

maullar (17) *intr.* (고양이가) 야옹야옹 울다(dar maullidos).

maullido *m.* 소리흉내말 miau와 비슷한 고양이의 목소리[울음소리].

maúllo *m.* =**maullido.**

maulón *m.* [드묾] 게으름뱅이(maula).

mauloso, sa adj. 속이는, 사기를 치는. —*m.f. Chile.* 사기꾼(maulero).

maure *m.* 겉옷을 동여매는 (허리)띠.

mauriciano, na *adj.* ① 모리셔스 (Mauricio, 아프리카 동쪽의 섬나라; 수도 Port Louis) 태생의. ② 모리셔스의[에 관한]. —*m.f.* 모리셔스 사람.

mauritano, na *adj.* ① 모리타니아 (Mauritania, 아프리카 북서부의 공화국; 수도 Nouakchott) 태생의. ② 모리타니아의[에 관한]. —*m.f.* 모리타니아 사람.

mauseolo *m.* [드묾] =**mausoleo.**

máuser *m.* 모제르총 ((독일의 Mauser 형제가 발명한 연발식 총(fusil de repetición))).

mausoleo *m.* 영묘(靈廟), 능(陵).

mavita *f. Ven.* 악운, 나쁜 운수.

mavorcio, cia *adj.* [시어] 전쟁의.

Mavorte *m.* [시어] 전쟁(guerra).

maxi- *pref.* 「매우 큰·매우 긴」의 뜻: *maxi*falda 맥시 스커트.

maxifalda *f.* 맥시 스커트.

maxilar *adj.* [해부] 턱뼈[턱]의[에 관한]. —*m.* [해부] 턱뼈(hueso ~): ~ inferior 아래턱뼈, 하악골(下顎骨).

maxilofacial *adj.* 얼굴뼈의[에 관한].

máxima *f.* ① 격언, 금언, 잠언. ② 규범. ③ 최고 기온. ④ [수학] 극대(점).

maximalismo *m.* 최대한 강령주의, 극좌주의, 과격주의.

maximalista *adj.* 최대 강령주의의, 극좌주의의. —*m.f.* 최대 강령주의자, 극좌주의자, 과격주의자.

máximamente *adv.* =**máxime.**

máxime *adv.* 우선, 주로, 특히, 특별히.

maximizar (9) *tr.* [수학] 함수의 최고점을 구하다.

máximo, ma *adj.* (양·정도가) 최대의, 최고의: temperatura *~ma* 최고 기온. —*m.* 최대, 최대한, 최고, 최고점, 극한. ¶*como* ~ 최대한, 가능한 한, 기껏해서, 고작, 많아 보아야.

máximum *m.* =**máximo.**

maxtate *m. nahua. Guat.* =**mastate.**

maxweli *m.* [물리] 맥스웰.

may. mayo 5월.

maya[1] *f.* ① [식물] 데이지. ② (도시·마을·5월의 축제의 가장 아름다운 아가씨 중에서 뽑힌) 아가씨, 여왕, 5월의 여왕. ③ 5월제의 기둥(mayo). ④ (5월의 축제에서) 선창되는 노래. ⑤ 마야 ((어린이 놀이의 일종)). ¶*hecha una* ~ 곱게 차려 입고.

maya[2] *adj.* ① 마야족(현재 멕시코의 유까딴 반도·구아떼말라 및 다른 인접 지역에서 살고 있는 인디오 종족)의: civilización ~ 마야 문명. ② 마야 사람[말]의[에 관한]. ③ 마야족에 관한. —*m.f.* 마야족 사람. —*m.* 마야족의 말, 마야 어.

mayador, ra *adj.* =**maullador.**

mayal *m.* ① (착유기를 돌리기 위해 마소가 끄는) 끌대. ② 도리깨.

mayar *intr.* =**maullar.**

mayarse *r. CRica.* =**marchitarse.**

mayate *m.* ① *Hond., Méj.* [곤충] 풍뎅이. ② *Méj.* 남자 동성애자.

mayear *intr.* 5월 같은 날씨다.
mayestático, ca *adj.* 폐하의[에 관한].
mayeto *m. Cád.* 소규모 포도 재배자.
mayéutico, ca *adj.* 귀납법의[에 관한]. —*f.* [철학] (소크라테스의) 귀납법.
mayido *m.* =maullido.
mayismo *m.* (스페인어로 말하거나 쓸 때 사용되는) 마야 말 단어[말투].
mayista *m.f.* 마야 말[문화] 연구가[전문가·학자].
mayo[1] *m.* ① 5월. ② 5월제(祭)의 기둥 ((꽃·리본 등으로 장식하고 그 주위에서 춤을 춤)). ③ (몇몇 장소에서 민속 축제를 주제하는) 아가씨를 따라 다니면서 봉사하는 소년. ④ 남자 연인들이 여자 연인들의 집 문 앞에 놓았던 나뭇가지[나뭇가지 장식]. ⑤ *pl.* 4월 그믐날 밤에 총각들이 처녀들에게 불러 주었던 음악[노래]. ¶***flores de*** ~ 성모월(聖母月) ((5월에 매일 성모 마리아에게 드리는 특별 예배)). ***para*** ~ ***Chile.*** 한없이, 끝이 없이, 무기한으로, 기한 없이.
mayo[2] *m.* =**cahíta.**
mayólica *f.* 마욜리까 ((옛날에 아라비아 사람과 스페인 사람들이 생산했던 도자기의 일종)).
mayonesa *f.* 마요네즈 (소스).
mayor *adj.* ① [+que] (…보다) 더 큰 ((형상의 크기를 비교하는 경우는 주로 más grande)): ㉮ poner a ~ volumen la radio 라디오의 음량을 높이다. ㉯ [최상급, +de] (…중에서) 가장: Es la ~ dinamo *de* todo el mundo 그것은 세계 최대의 발전기다. ② 연상의: hermano ~ 형, 오빠; 큰형, 큰오빠. hermana ~ 누나, 언니; 큰누나, 큰언니. ③ 성인의, 어른의; 연로한(viejo): hombre ~ 성인 남자, 연로한 남자. persona ~ 어른, 성인. ④ 주된, 주요한. ⑤ 중요한. ⑥ [음악] 장조의: en sol ~ 사장조의. —*m.f.* ① 연장자, 선배. ② 어른, 성인. ③ 노인. —*m.* ① (조직·단체의) 장, 우두머리. ② (조직의) 주임. ③ =**sargento mayor.** ④ *pl.* (조부모와 다른) 선조. —*f.* ① [철학] 대전제. ② 주범(主帆). ¶~ ***general*** 육군 소장, 총사령관. ~ ***o igual que*** *m.* [수학] ≥. ~***que*** *m.* [수학] 부등 기호 ((>)). ***al por*** ~ 대량으로, 도매로: vender *al por* ~ 도매로 팔다, 도매하다. ***por*** ~ 대략적으로, 대체로.
mayora *f.* mayor의 아내.
mayoral *m.* ① 우두머리 목동. ② (역마차의) 마부. ③ (농장의) 감독. ④ [투우] 사육장의 감시인. ⑤ 현장 주임, 직공의 장. ⑥ (한센병 병원의) 관리인.
mayorala *f.* mayoral의 아내.
mayoralía *f.* ① mayoral이 사육했던 가축 떼. ② mayoral의 봉급.
mayorana *f.* =**mejorana.**
mayorazga *f.* ① 장자 상속권을 소유한 장녀. ② 장자 상속권 상속녀. ③ 장자 상속권자의 아내.
mayorazgo *m.* ① 장자 상속 제도[재산]. ② 장자 상속권. ③ 상속 재산 소유자. ④ 장자 상속권자의 장남. ⑤ 장남. ⑥ =**primogenitura.**
mayordoma *f.* 여집사; 집사의 아내.
mayordomear *tr.* (농장·집을) 관리하다, 집사 노릇을 하다.
mayordomía *f.* ① mayordomo 직. ② mayordomo의 사무실.
mayordomo *m.* ① (집·농장의) 집사. ② (종교 단체에서 임명한) 관리자. ③ (종교 단체의) 일원, 회원. ④ *Ecuad., Salv.* 재산 관리자의 주 대리인.
mayorear *intr. Nic.* 도매업을 하다.
mayoreo *m.* 도매(업).
mayoría *f.* ① 대부분, 대다수, 태반. ② 대다수 사람. ③ (투표에 의한) 과반수. ④ 다수파: decisión por ~ 다수결. un voto de ~ 한 표 차의 우세. ⑤ 총사령관실. ⑥ [군사] 소령의 사무실. ¶~ ***absoluta*** 절대 과반수. ~ ***de edad*** 성년 ((스페인에서는 18세)). ~ ***relativa*** 상대 다수. ~ ***simple*** 단순 다수.
mayoridad *f.* ① 성년. ② 법적 성년.
mayorista *adj.* 도매의, 도매로 파는[사는]. —*m.* (문법·신학 연구 등에서) 성인반에 있었던 학생. —*m.f.* 도매업자, 도매상.
mayoritario, ria *adj.* 대부분의, 대다수의, 다수파의, 다수당의, 다수 민족의: partido ~ 다수당. —*m.f.* 다수파 사람, 다수당; 다수 민족.
mayormente *adv.* 특히.
mayueta *f. Cantb.* 들딸기, 야생 딸기.
mayúsculo, la *adj.* ① (자기 종류에서) 보통 것보다 약간 더 큰. ② 매우 큰, 거대한. ③ 대문자의: letra ~*la* 대문자. —*f.* 대문자(letra mayúscula).
maza *f.* ① 쇠망치 ((옛날의 무기)). ② [주로 *pl.*] (신체조의) 곤봉. ③ 큰 망치. ④ (단단한 나무로 만든) 큰 메. ⑤ (삼의 줄기를 때리는) 기구. ⑥ (큰 북의) 발목(撥木). ⑦ (당구의) 큐의 가장 두꺼운 끝. ⑧ (대화·교제에서) 귀찮은 사람. ⑨ *Cuba.* 압착기의 실린더. ⑩ [고어] (수레바퀴의) 바퀴 통. ¶~ ***de Fraga*** ㉮ 말뚝 박는 기계, 스팀 해머. ㉯ 자기가 한 모든 말에 권위 있는 사람. ㉰ 듣는 사람들에게 강한 인상을 남긴 격언적인 말[명백한 진실].
mazacote *m.* ① 콘크리트(hormigón). ② 실패작, 잘 마무리 되지 않은 예술품. ③ 죽처럼 묽은 음식. ④ 귀찮은 사람, 성가시게 구는 사람. ⑤ *Arg., Bol., Par., Ur., Ven.* 걸쭉하고[진하고] 차진 반죽 덩어리. ⑥ *Arg.* 설탕 정제에서 남은 찌꺼기로 만든 덩어리.
mazacotudo, da *adj. Amér.* 답답한, 갑갑한, 진절머리가 나는.
mazada *f.* =**mazazo.** ¶***dar*** ~ a alguien (누구에게) 심한 손해를 끼치

다.

Mazagatos *la de ~, una de ~* 어려운 상황; 위험한 상황; 싸움, 말다툼, 언쟁, 다툼.

mazamorra *f.* ① 옥수수로 만든 죽 같은 음식. ② 카스텔라[비스킷] 부스러기. ③ 옥수수 비스킷. ④ 부서진 물건. ⑤ *Bol.* (폭풍우로 인한) 산사태 (alud). ⑥ *Col., Perú, Ven.* 뒤범벅, 혼전, 분규, 뒤얽힘. ⑦ *Col.* 가축 발굽 궤양. ⑧ *Cuba, RDom.* (발가락 아래 피부가 찢어지는) 박테리아로 인한 상처. ⑨ *Nic.* 습한 땅에서 사는 환형 동물. ⑩ *RDom.* 짙은 호박 수프.

mazaneta *f.* (옛날, 보석에 박힌) 사고 모양의 조각.

mazapán *m.* ① 마사빵 ((가루로 빻은 편도와 설탕으로 만들어진 반죽)). ② (귀족들의 세례 때 사용되었던 올리브기름이 발라진 주교의 손가락을 씻어 주었던) 성유(聖油) 빵가루.

mazazo *m.* ① 곤봉 · 큰 망치로 때리기. ② 강한 인상을 주는 사건[상황].

mazdeísmo *m.* 조로아스터교, 배화교.

mazdeísta *adj.* 조로아스터교의, 배화교의. —*mf.* 조로아스터교도, 배화교도(拜火敎徒).

mazmorra *f.* 지하 감옥.

maznar *tr.* ① 손으로 주물러 부드럽게 하다. ② (무쇠를) 두들겨 단련(鍛鍊)하다.

mazo *m.* ① 큰 나무 메, 큰 망치. ② 속(束), 뭇, 묶음, 뭉치: ~ de billetes 지폐 뭉치. ~ de llaves 열쇠 다발. ③ 귀찮은 남자. ④ rur. *Ar.* 종의 추. ¶***a ~ y escoplo*** 확고히, 단단히, 튼튼하게; 지워지지 않게, 씻을 길 없이. ***A Dios rogando y con el ~ dando*** (속담) 진인사대천명(盡人事待天命)

mazonería *f.* 석회 공장; 부조 작품.

mazorca *f.* ① 북실. ② 옥수수 이삭. ③ 카카오 열매. ④ *Arg.* 아르헨띠나의 독재자 Juan Manuel de Rosas 부에노스 아이레스 지사를 도왔던 비밀 경찰. ⑤ *Guat.* 친목 그룹, 친목 단체. ¶***desgranarse la ~*** =dispersarse.

mazorquear *intr. Méj.* (옥수수 · 카카오의) 이삭이 나오다.

mazorquero, ra *adj. Arg., Hond., Méj.* mazorca의[에 관한]. —*mf. Arg.* (아르헨띠나의 독재자 Juan Manuel de Rosas를 도왔던) 비밀 경찰관. —*f. Méj.* 옥수수의 이삭.

mazorral *adj.* ① 조잡한, 거친. ② [인쇄] 공목(空木)이 없는.

mazurca *f.* ① 마주르카 ((폴란드의 3박자의 경쾌한 무용)). ② 마주르카 무곡(舞曲).

m/c. mi cargo 우리 쪽의 채무. mi cuenta 우리 쪽의 계정. moneda corriente 유통 화폐.

MCCA *Mercado Común Centroamericano* 중앙 아메리카 공동 시장.

me *pron.* [인칭 대명사 1인칭 단수] ① [직접 목적] 나를: Ella *me* llamó 그녀는 나를 불렀다. Espéra*me* 나를 기다려라. ② [간접 목적] 나에게: Ella *me* da dinero 그녀는 나에게 돈을 준다. ③ [재귀 대명사] 나 자신: *Me* siento en el suelo 나는 바닥에 앉는다. *Me* llamo Kim Mansu 내 이름은 김만수입니다. ☞**se**

m/e mi entrega 우리 쪽의 인도.

mea *f.* [드묾] 쉬, 오줌 ((어린아이들이 오줌을 누고 싶을 때 하는 말)).

mea culpa *m. lat.* 내 잘못, 내 탓.

meada *f.* ① 한 번에 누는 오줌의 양: hacer [echar] una ~ 소변을 보다. ② 소변 자국.

meadero *m.* 오줌 누는 곳, 소변소.

meado *m.* [주로 *pl.*] 한 번에 누는 오줌의 양.

meandro *m.* ① (강의) 굽이. ② 길의 상태. ③ [건축] 뇌문(雷紋), 돌림무늬.

meano *adj.* [투우] 생식기 부분의 털이 하얀 (황소).

meapilas *m.sing.pl.* =**santurrón.**

mear *intr.* 오줌을 누다. —*tr.* 오줌을 누이다. ~**se** 오줌을 누다.

meato *m.* ① [해부] 도관(導管), 관(管), 도(道), 줄: ~ urinario 요도, 요관, 오줌줄. ② [식물] 세포 틈[사이].

meauca *f.* [새] 갈매기의 일종.

meca *f.* ① 많은 사람이 찾아가는 곳, 동경의 땅[대상]. ② 메카, 발상지, 기원지: ~ del cine 영화의 메카.

Meca, la *f.* [지명] 메카 ((사우디아라비아의 서부 도시; 메호메트의 발상지; 회교 성지)).

mecachis *interj.* 빌어먹을!, 제기랄!, 맙소사!

mecánica *f.* ☞**mecánico.**

mecánicamente *adv.* 기계적으로.

mecanicismo *m.* ① [철학] 기계론, 우주 기계관. ② (모든 인간 활동에 기계를 도입하는) 기계화주의.

mecanicista *adj.* ① mecanicismo의[에 관한]. ② 기계론주의의. —*mf.* 기계론자, 기계론주의자.

mecánico, ca *adj.* ① 기계의, 기계에 관한, 기계에 의한: civilización ~*ca* 기계 문명. ② 기계적인, 습관적인, 무의식적인, 자동적인: saludo ~ 기계적인 인사. reacción ~*ca* 무의식적인 반응. ③ 역학의, 역학적인. ④ 물리적 힘에 의한, 물리적인: presión ~*ca* 물리적 압력. ⑤ (철학 이론이) 기계론적인. ⑥ 물질 우선의, 유물론적인. —*mf.* ① (기계의) 수리공: ~ de vuelo 항공 기관사. ② (자동차의) 정비공(整備工). —*m.* [드묾] 유급 운전수. —*f.* ① 역학(力學). ② 구조(構造), 기구. ¶~ ***dentista*** 치과 기공사. ***mecánica celeste*** 천체 역학.

mecanismo *m.* ① 장치: ~ de disparo 발사 장치. ② 구조, 기구(機構): ~ administrativo 행정 기구. ③ [음악] 기교, 수법, 테크닉; 기계적 처리[연주]. ④ (정해진) 절차, 방법. ¶~ ***de***

defensa ㉮ [정신 분석학] 방위 기재. ㉯ [생리학] 방위 기구.
mecanización *f.* 기계화(機械化).
mecanizada *arma* ~ 기갑화된 무기.
mecanizado *m.* 기계 제작 방법.
mecanizar (9) *tr.* ① 기계화하다: ~ la agricultura 농업을 기계화하다. ② [군사] 기갑화하다. ③ (행위를) 기계적으로 반복하다.
mecano[1] *m.* 메카노세트 ((강철 조립 세트의 장난감; 상표 이름)).
mecano[2], **ca** *adj.* ① 메카(la Meca, 사우디아라비아의 도시; 회교 성지) 태생의. ② 메카의[에 관한].
mecanografía *f.* 타자, 타자술, 타자 기술, 타이프라이팅.
mecanografiar (12) *tr.* 타자를 치다.
mecanográfico, ca *adj.* 타자(술)의.
mecanógrafo, fa *m.f.* 타자수, 타자원, 타이피스트.
mecanotaquigrafía *f.* 속기 겸 타자(술).
mecanoterapia *f.* [의학] 기계(적) 요법 ((마사지 등)).
mecapal *m. Guat., Hond., Salv.* 등짐 끈 ((한 쪽 끝이 둘로 갈라진 가죽이나 천으로 된 끈)).
mecapalero *m. Guat., Hond., Méj., Salv.* mecapal을 사용한 짐꾼.
mecatazo *m.* ① *Hond., Nic., Salv.* mecate로 때리기. ② *Nic.* 알코올 음료 한 모금, 알코올 음료 마시기.
mecate *m. nahua. AmérC., Méj., Ven.* (삼·용설란·말갈기 등으로 만든) 끈, 줄. ¶*a ~ corto Hond.* (…에 대한) 심한 통제로. ***a todo ~*** ㉮ *Hond.* 전속력으로. ㉯ *Hond.* 아주 잘.
mecateado, da *adj. Nic.* 육체적인 벌을 받은. —*f. Salv.* =**paliza.**
mecatear[1] *tr.* ① *CRica.* 때리다, 매질하다, 벌하다, 혼내다. ② *Hond., Salv.* 열심히 일하다.
mecatear[2] *intr. Col.* mecato를 마시다.
mecatera *f. Nic.* mecate 제조처, mecate 판매소.
mecato *m. Col.* (식사 사이에 마시는) 간식, 가벼운 식사.
mecedero *m.* 포도주[비누] 젓는 막대.
mecedor, ra *adj.* ① 흔드는, 젓는. ② 쉽게 흔들[저을] 수 있는. ③ 젓는 데 쓰는. —*m.* ① 포도주를 젓는 나무 막대. ② =**columpio.** —*f.* 흔들의자.
mecedura *f.* 흔들기, 젓기, 휘젓기.
mecenas *m.* 문예[예술] 보호자.
mecenazgo *m.* ① 문예[학술]의 비호. ② 문화 활동에의 기업의 지원.
mecer[1] *tr.* ① (섞기 위해 액체를) 흔들다, 젓다. ② 휘저어 섞다. ③ (아이들의 요람처럼, 장소를 옮기지 않고) 옆으로 흔들다. ④ *Perú.* (약속·의무의 이행을 반복·속임수로) 뒤로 미루다. **~se** ① (흔들의자를) 흔들다. ② 젓다. ③ 흔들리다. ④ (바람에) 가볍게 흔들거리다.
mecer[2] *tr.* rur. *Ast.* (…의) 젖을 짜다.
mecha *f.* ① (초·램프의) 심지. ② 도화선. ③ 신관. ④ (고기 등을 순대에 넣기 위한) 돼지의 베이컨[햄·기름] 조각. ⑤ [주로 *pl.*] 머릿단(mechón de pelo). ⑥ [주로 *pl.*] (머리카락의) 부분 염색: hacerse ~*s* 부분 염색을 하다. ⑦ (외부 병의 치료와 외과 수술용으로 사용하는) 묶는 실(의 양). ⑧ *Col.* 옷, 의류. ¶~ ***de seguridad*** 안전 신관. ***aguantar*** alguien ***(la)*** ~ (괴로움 등을) 참고 견디다. ***alargar*** alguien ***la*** ~ ㉮ 급료[봉급]를 올리다. ㉯ (개인 목적으로 임의로) 행동[사업]을 지연시키다. ***a toda*** ~ 전속력으로, 재빨리. ***reventar la*** ~ *Col.* 열렬히 바라는 것을 얻다[획득하다].
mechar *tr.* (맛을 내려고 요리하기 전에) 돼지고기[돼지기름]를 넣다.
mechazo *m.* ① (광산에서, 발화 구멍을 불태우지 않는) 도화선의 연소. ② *Nic., Salv.* 증류주의 마시기[한 모금].
mechera *f.* ① 가게의 도둑. ② (요리 때) 베이컨[돼지기름]을 살코기에 끼워 넣는 도구. ¶***aguja*** ~ =**mechera ②.**
mechero *m.* ① 휴대용 라이터: ~ de gas 가스 라이터. ② (불 켜는 심지가 있는) 작은 유리관. ③ 촛대. ④ 점화기. ⑤ 버너.
mechinal *m.* ① (건물을 지을 때 발판의 가로대를 넣기 위해 벽에 낸) 둥그런 구멍. ② 작은 방.
mechón *m.* ① 머릿단. ② 실타래.
mechonear *tr.* ① *Chile.* (…의) 머리카락을 잡아당기다. ② *Chile.* 신입생을 귀찮게 굴다[들볶다].
mechoso, sa *adj.* 머릿단을 한.
mechudo, da *adj.* 머릿단을 한. —*m. Méj.* =**fregona.**
mecida *f. Hond.* =**paliza.**
meconio *m.* (신생아의) 태변, 배내똥.
medalla *f.* ① 메달. ② 원형 부조(浮彫). ③ 상패. ④ 훈장, 기장, 기념장. ⑤ (옛날의) 1온스 금화. ⑥ 사용하지 않는 옛 동전. —*m.f.* 메달 수상자. ¶~ ***de bronce*** 동메달. ~ ***de oro*** 금메달. ~ ***de plata*** 은메달. ***el reverso de la*** ~ (성격 등이) 대조적인 사람, 정반대인 사람. ***el revés de la*** ~ =**el reverso de la medalla.**
madallero *m.* [운동] (국제 대회에 참가한 국가가) 획득한 메달 수(의 표).
medallista *m.f.* [운동] (대회의) 메달 수상자, 메달리스트.
medallón *m.* ① 큰 메달. ② 원형 부조 장식. ③ (일반적으로, 초상화·그림·기념품 등을 넣은) 작고 납작한 상자 모양의 보석, 로켓 ((사진 등을 넣고 목걸이에 다는 작은 갑; 장신구의 일종)). ④ [요리] (음식, 특히 고기나 생선을) 두꺼운 고리 모양으로 둥그렇게 자른 것.
médano *m.* 사구(砂丘); 사주(砂洲).
medanoso, sa *adj.* médano가 있는.

medaño *m.* =**médano.**
medellinense *adj.* ① 메데인(Medellín, 콜롬비아의 도시) 태생의. ② 메데인의[에 관한]. —*m.f.* 메데인 사람.
media[1] *f.* ☞**medio.**
media[2] *f.* ① 스타킹: ~*s* de nailon 나일론 스타킹. ~*s* de punto 레이스 스타킹. ~*s* de seda 실크 스타킹. ponerse [calzarse] las ~*s* 스타킹을 신다. quitarse las ~*s* 스타킹을 벗다. ② *Amér.* =**calcetín.** ③ 메리야스 편물: hacer ~ 메리야스 편물을 짜다. ¶ ~ ***de punto*** (털실) 타이츠. ***aguja de*** ~ (막대 모양의) 긴 뜨개바늘.
media[3] *m.pl.* [집합] 대중[대량] 전달, 메스컴.
mediacaña *f.* ① [건축] 凹면 사개. ② [건축] (좁은) 테두리, 평연(平椽), 들연. ③ 둥근 끌, 둥근 정. ④ [연장] 반원형의 줄. ⑤ 헤어 아이언, 머리를 마는[곱슬곱슬하게 하는] 집게 인두.
mediación *f.* 중재, 조정: ~ de otra nación 제3국의 중재. por ~ de *alguien* …의 중개로.
mediado, da *adj.* 반[절반]이 채워진. ¶ ***radioactividad ~da*** 반감기(半減期)의 방사능. ***a ~s*** 중순경에, 중순께, 중간께. ***a ~s de*** …의 중순경에, 중순께, 중간쯤에: *a ~s de* diciembre 12월 중순에. *a ~s de*l mes que viene 다음 달 중순에. *a ~s del* siglo XX 20세기 중엽에. *a ~s de* semana 주중(週中)에.
mediador, ra *adj.* 사이에 드는[끼는], 중개의, 중재하는, 조정하는. —*m.f.* 중재자, 조정자; 중매인.
mediagua *f. Amér.* (한쪽 지붕만 있는) 통나무집, 오두막집, 판잣집.
medial *adj.* [언어] (자음이) 어중(語中)의. —*f.* 중간 자음(자).
medialuna *f.* ① 반달형 빵[케이크]. ② (소의 무릎을 자르기 위한) 반달형 도구. ③ 반달 모양의 물건.
mediana *f.* ☞**mediano.**
medianamente *adv.* ① 중간 쯤에, 끝에 닿지 않고. ② 적당하게, 알맞게, 적절하게, 정도껏, 어지간히, 그다지 좋지 않게.
nedianejo, ja *adj.* 중간 이하의, 중간보다 못한(menos que mediano).
medianería *f.* ① (두 집·이어진 두 건축물의) 경계 벽: pozo de ~ (경계선 상의) 공동 우물. ② (두 토지의) 경계 울타리.
medianero, ra *adj.* ① (두 물건의) 중간에 있는, 경계의: pared ~*ra* 경계 벽. ② 중재하는, 조정하는, 사이에 든. —*m.* ① 경계 벽을 가진 집의 주인. ② (땅·가축의 반을 가진) 공동 경영자. —*m.f.* 중재인. —*f.* 경계 벽.
medianía *f.* ① 평범함, 범용(凡庸)함. ② 뛰어난 데가 없는 사람, 평범하고 용렬한 사람, 무능한 사람.
medianidad *f.* [드묾] =**medianía.**
medianil *m.* ① (도로의) 중간 분리대. ② (두 집의) 경계 벽.
medianista *m.* (문법 공부에서) 중간반 학생.
mediano, na *adj.* ① 중질(中質)의: petróleo ~ 중질유. ② 중간의, 크지도 작지도 않은: coche de medida ~*na* 중형차. ~*na* estatura 중간 키. ③ 범용한, 중간보다 못한. —*f.* ① [당구] 보통 것보다 약간 더 큰 큐[당구봉]. ② 소를 쟁기의 쇠고리에 묶는 질긴 줄. ③ (차도·고속 도로의) 중간 분리대. ④ [기하] (삼각형에서) 중선(中線). ⑤ [수학] 평균. ⑥ 30분, 반 시간. ⑦ [운동] 중위, 하프백.
medianoche *f.* ① 자정, 한밤중, 심야, 밤 12시, 오전 영시: a ~ 심야에, 한밤중에. ② [요리] 샌드위치용으로 길게 자른 작은 빵.
mediante[1] *prep.* …를 통해, …의 중개로, …의 도움으로, …에 의해, …로.
mediante[2] *f.* [음악] 중음(中音).
mediar (11) *intr.* ① …의 절반에 달하다, …의 반이 되다. ② [+en] (…에) 개입하다, 끼어들다. ③ [+por · en favor de] (…을 위해) 중재하다, 중간에 끼어들다. ④ [+entre] (… 사이에) 일이 생기다, 일이 있다; (사정 등이) 개재하다. ⑤ (시간이) 지나가다.
mediastino *m.* [해부] 종격(縱隔).
mediatamente *adv.* …의 중개[중재]로.
mediático, ca *adj.* 메스컴의[에 관한].
mediatización *f.* 간접 지배.
mediatizar (9) *tr.* (사람·조직의 자유를 속박하는 형으로) 영향을 미치게 하다, 간접 지배하다.
mediato, ta *adj.* 간접적인, 간접의.
mediatriz *f.* [수학] 수직 이등분.
medible *adj.* 잴[측정할] 수 있는.
médica *f.* ☞**médico**.
medicable *adj.* (병이) 치료 가능한.
medicación *f.* ① 의료 행위, 투약, 약물 치료[처리]. ② [집합] 의약품.
medicamentar *tr.* ① *Chile, Cuba, Ur., Ven.* 약을 처방하다. ② *Chile, Cuba, Ur.* (…에게) 약을 주다, 투약하다. ~**se** *Chile, Cuba, Ur.* 약을 먹다[마시다].
medicamento *m.* 약제(藥劑), 의학.
medicamentoso, sa *adj.* ① 약제의: alergía ~*sa* 약제 알레르기. ② 약효가 있는. ¶ ***vino*** ~ 약주, 약술.
medicar (7) *tr.* 투약하다, 약을 처방하다. ~**se** [+con] 약을 먹다.
medicastro *m.* 돌팔이[가짜] 의사.
medicina *f.* ① 의학: ~ alternativa 대체 의학. ~ deportiva 스포츠 의학. ~ general 일반 의학. ~ interna 내과학. ~ tropical 열대 의학. doctor en ~ 의학 박사. estudiante de ~ 의학도, 의과 대학생. facultad de ~ 의학부, 의과 대학. estudiar ~ 의학을 공부하다. ② 의료: ejercer la ~ 의료 행위를 하다. ③ 약, 약품: ~ contra la gripe 감기약. ~ para el estómago 위장약. tomar ~ 약을 먹다[마시다].

¶ ~ *intensiva* [의학] 집중 의학. ~ *forense*, ~ *legal* [법률] 법의학. ~ *nuclear* [의학] 핵의학.

medicinal *adj.* ① 의학의[에 관한]. ② 약의[에 관한]. ③ 약으로 쓰이는, 약용의, 의료용의; 약효 있는, 치유력 있는: agua ~ 약용 광천수. hierba ~ 약초(藥草). planta ~ 약용 식물. ④ 위생적인, 건강에 좋은. ¶ ***balón*** ~ 메디신 볼.

medicinalmente *adv.* ① 약으로. ② 의학적으로.

medicinamiento *m.* 투약; (약의) 처방.

medicanate *adj.* [드묾] 투약하는, (약을) 처방하는. —*m.* ① [드묾] 가짜 의사. ② [드묾] 의사 자격증을 얻기 전에 미리 환자를 찾아가는 의학도[의과 대학생].

medicinar *tr.* 처방하다, 약을 주다.

medición *f.* 계량, 측정, 측량, 검사.

médico[1], ca *adj.* 의학의; 의료(醫療)의: asistencia ~ 진료. ciencia ~*ca* 의학. cuidados ~*s* 치료. examen ~, reconocimiento ~ 건강 진단. —*m.f.* 의사: ~ consultor, ~ de consulta, ~ de apelación 입회 의사. ~ general 일반의, 내과의. ~ militar 군의관. ~ particular 보험 의료를 하지 않는 의사. ~ rural 벽지 의사. consultar al ~ 의사의 진찰을 받다. ir al ~ 의사에게 가다, 병원에 가다. llamar al ~ 의사를 부르다. ¶ ~ ***de cabecera*** *m.f.* (한 개인·한 가정의) 주치의, 홈닥터. ~ ***de cámara*** *m.* 왕실 담당 의사. ~ ***de familia*** *m.f.* = **médico de cabecera.** ~ ***forense*** 경찰 의사. ~ ***legista*** *m. Méj.* = **médico forense.**

médico[2], ca *adj.* ① 메디아(Media, 카스피해의 남쪽에 있는 옛 왕국)의[에 관한]. ② 메디아 사람의[에 관한]. ☞ medo.

medicolegal *adj.* 법의학의[에 관한].

medicucho *m.* 사이비 의사.

medida *f.* ① 크기, 치수, 사이즈. ② 도량의 단위; 척도. ③ 측정, 측량. ④ [주로 *pl.*] 조치, 대책. ⑤ 절도(節度), 적도(適度): actuar con ~ 신중하게 행동하다. ⑥ 정도, 범위; 한도. ⑦ [시법] 운율. ¶ ~***s de seguridad*** 안전 조치. ***a*** ~, ***a la*** ~ 재어서, 달아, 치수에 맞추어, (기성품이 아니라) 맞춤으로. ***a*** ~ ***del deseo*** 소망대로, 바라는 대로, 마음에 들어. ***a*** ~ ***que*** + ***ind.*** …함과 동시에; …함에[하는 데] 따라, …에 좇아.

medidamente *adv.* 신중히, 조심스레.

medidor, ra *adj.* (무엇을) 재는, 다는, 계량하는; 계량용의. —*m.f.* 재는[다는] 사람. —*m.* ① 곡물과 액체를 계량하는 관리. ② *Amér.* (수도·가스·전력의) 미터기, 계량기.

mediería *f.* ① *Ur.* 스타킹과 내의 가게. ② *Ur.* 스타킹과 내의 판매부.

mediero, ra *m.f.* ① 스타킹 제조자. ② 스타킹 장수.

medieval *adj.* 중세(中世)의, 중세풍의: historia ~ 중세사.

medievalidad *f.* 중세기풍(中世紀風).

medievalismo *m.* ① 중세 연구. ② 중세 취미. ③ 중세적 관습[신앙·문화]. ④ 중세 시대 정신[사조].

medievalista *m.f.* ① 중세 연구가, 중세 사학자. ② (예술·종교 등의) 중세 찬미자.

medievo *m.* 중세(中世)(Edad Media).

medina *f.* (아랍 도시의) 구시가, 이슬람교도 거주 지구.

medinés, sa *adj.* ① 메디나(Medina, 사우디아라비아의 서부의 도시, 마호메트의 묘가 있음; 곳곳에 있는 지명) 태생의. ② 메디나의[에 관한]. —*m.f.* 메디나 사람.

medio, dia *adj.* ① 반의, 절반의: ~ metro 반 미터. ~ litro de leche 우유 반 리터. un vaso y ~ de agua 물 한 잔 반. ② 중간의: línea *media* 중간선; [운동] 하프 라인. ~ tiempo [운동] 하프 타임, 중간 휴식. ③ 평균의: estatura media 평균 신장. ④ 다수의, 대량의, 대부분의. —*m.f.* [운동] 하프백, 중위(中位). —*m.* ① 한가운데, 복판, 중앙, 중간: en (el) ~ de una mesa 탁자 중앙에. ② [주로 *pl.*] 수단, 방법: ~*s* de producción 생산수단. ~*s* de transporte 수송 수단, 교통 기관. ~*s* de vida 생활 수단. por ~*s* pacíficos 평화적 방법으로. tomar los ~*s* necesarios 필요한 수단을 취하다. ③ 환경, 활동 세계, …계, 방면, 분야: ~ de *su* acción (…의) 활동 분야. ~*s* políticos 정계(政界). ④ =**médium.** ⑤ 반, 2분의 1(mitad). ⑥ 반 킬로그램. ⑦ *pl.* 자산, 자금: hombre de ~*s* 자산가. ⑧ 가운뎃손가락(dedo ~). ⑨ [권투] 미들급. ⑩ *pl.* (투우장을 세 등분할 때) 중앙부. ⑪ *Cuba.* 5센따보짜리 동전. ⑫ *Nic.* 곡물 되는 단위. ⑬ [드묾] 쌍둥이. —*f.* ① (특히 도량형의 단위의) 반, 절반: ~ de trigo 밀 반 되. ② 6셀레민들이 곡물 되 ((1 celemín은 4.625리터)). ③ [운동] 중앙선. ④ 30분, 반시간. ⑤ [수학] 산술 평균. ⑥ [수학] 중항. ⑦ [트럼프] (카드놀이의 일종인 mus에서, 한 판에) 세 카드 ((세 킹, 세 퀸 등)). —*adv.* 반은, 절반은: ~ asado 반 구운. ~ vestido 옷을 반쯤 걸친. ¶ ~ ***ambiente*** (자연) 환경. ~***s de comunicación*** 대중전달, 대량 전달, 매스컴. ***a medias*** ㉮ 반반으로, 절반으로, 절반은; 공동으로. ㉯ 중동무이로; 가도 부도 아니게, 어중간하게, 엉거주춤하게. ***atrasado de*** ~***s*** 자금이 바닥이 난, 가난뱅이가 된. ***corto de*** ~***s*** 자금이 부족한. ***de*** ~ ***a*** ~ ㉮ 중간에, 중앙에. ㉯ 완전히. ***en*** ~ ㉮ 사이에. ㉯ 그럼에도 불구하고, 그러나. ***entre medias*** =en medio. ***por en*** ~, ***por*** ~ 난잡하게.

por ~ de …을 중개해서, …의 중개로.
medioambiental *adj.* 환경의[에 관한]: deterioro ~ 환경 파괴.
medioambientalista *m.f.* (자연) 환경 운동가.
medioambiente *adj.* 자연 환경, 환경.
mediocampismo *m. Amér.* 미드필드 방어 작전.
mediocampista *m.f. Amér.* [운동] 미드필드 플레이어.
mediocampo *m. Amér.* 미드필드.
mediocre *adj.* ① 중질의: ~ cosecha 평년작. ② 보통의, 평범한, 범용한, 시시한, 하찮은: obra ~ 시시한 작품.
mediocridad *f.* 범용, 평범, 보통; 범재.
mediodía *m.* ① 정오, 낮 12시: a(l) ~ 정오에, 점심 때에. antes del ~ 정오 전에. después del ~ 정오 후에. ② 정오 경의 애매한[부정확한] 시간, 점심 때 ((오후 영시부터 두 시, 세 시 경까지)): comer a ~ 점심을 먹다. ③ 남, 남쪽. ④ (다른 것의) 남쪽에 위치한 장소, 남부(南部) 지방. ¶~ *verdadero* 정오(mediodía). ***hacer*** ~ (여행 중인 사람이, 한 장소에 멈춰) 식사를 하다.
medioeval *adj.* =**medieval.**
medioevo *m.* =**medievo.**
mediometraje *m.* 중편 영화.
mediomundo *m.* 낚시 도구(velo).
Medio Oriente *m.* [지명] 중동(中東).
mediopaño *m.* 얇고 덜 질긴 천 비슷한 모직물.
mediopensionado *m.* ① 기숙생 생활. ② [집합] (기숙사에서 생활하는) 기숙 학생[회사원]; 학교에서 점심을 먹는 통학생.
mediopensionista *adj., m.f.* (기숙 학교의) 기숙생; 두 끼를 먹는 하숙생; 학교에서 점심을 먹는 통학생; 기숙사 회사원.
mediopié *m.* 발의 중간 부분.
medioquillo *m.* 돌팔이 의사.
medir (42) *tr.* ① 재다, 측량하다, 계량하다: ~ la inteligencia 지능을 측정하다. ~ la temperatura 온도를 재다. ~ un terreno 토지를 측량하다. ② 헤아리다, 추측하다; 판단하다: ~ las consecuencias 결과를 추측하다. ③ (말·행동을) 억제[자제]하다. ④ [시어] 운율을 맞추어 고르다. —*intr.* 길이[폭·높이]가 …이다: ¿Cuánto *mides*? 키[신장]가 몇이냐? Juan *mide* un metro sesenta de altura 후안은 키가 1미터 60센티미터이다. ~**se** ① [+con] (…과) 힘을 겨루다, 싸우다; 자웅을 겨루다: *~se con* el equipo español 스페인 팀과 대전하다[자웅을 겨루다]. ② 말[행동]을 삼가다[자제하다], 절도를 지키다: *~se* al hablar 말을 삼가다.
meditabundo, da *adj.* 깊은 생각에 잠긴, 명상적인.
meditación *f.* 명상; 심사숙고, 묵상.
meditador, ra *adj.* 명상하는, 심사숙고하는, 묵상하는.
meditar *tr., intr.* 사색에 잠기다, 명상하다, 심사숙고하다, 묵상하다, 이리저리 두루 생각하다: ~ un momento 잠깐 동안 심사숙고하다[곰곰이 생각하다]. ~ la propuesta 제안을 곰곰이 생각하다.
meditativo, va *adj.* 명상적인, 명상에 잠긴, 심사숙고하는.
meditarráneo, a *adj.* ① 지중해 연안(沿岸)의, 지중해(el mar Meditarráneo)의[에 관한]. ② 육지로 둘러싸인: mar *Meditarráneo* 지중해. ③ 어떤 영토 안에 있는.
médium *m.* 영매(靈媒).
medo, da *adj.* ① 메디아(Media, 카스피해의 남쪽에 있었던 옛 왕국) 태생의. ② 메디아의[에 관한]. —*m.f.* 메디아 사람.
medra *f.* =**aumento, mejora.**
medrana *f.* =**miedo.**
medrar *intr.* (동물·식물이) 자라다, 커지다, 성장하다.
medro *m.* ① 개량, 개선. ② (동물·식물의) 성장, (크기의) 증대.
medroso, sa *adj.* ① 무서운, 벌벌 떠는, 소심한, 겁이 많은. ② 소름끼치는, 가공할. —*m.f.* 겁쟁이, 겁보.
medula *f.* =**médula.**
médula *f. lat.* ① [해부] 골수, 척수: ~ ósea 골수. ② [식물] 고갱이. ③ 진수, 본질. ¶~ ***espinal*** 골수, 척수. ~ ***oblonga***, ~ ***oblongada*** 연수(延髓).
medular *adj.* médula의[에 관한].
meduloso, sa *adj.* 고갱이가 있는.
medusa[1] *f.* [동물] 해파리.
Medusa[2] *f.* [희랍 신화] 메두사.
meduseo, a *adj.* 메두사(Medusa)의.
mefistofélico, ca *adj.* ① 메피스토펠레스(Mefistófeles, Faust의 전설의 인물, 특히 괴테의 Faust 중의 악마)의[에 관한]. ② 메피스토펠레스 같은. ③ 악마의, 악마 같은, 극악한(diabólico).
mefítico, ca *adj.* 역한, 속이 메슥메슥한, 혼탁한: aire ~ 혼탁한 공기.
mega- *pref.* ①「큰(grande)」의 뜻: *mega*lito 거석. ②「확대·확장」의 뜻: *mega*fonía 음향 기술. ③「백만 배」의 뜻: *mega*ciclo 메가사이클.
megabit *m.* [컴퓨터] 메가비트.
megabyte *m.* [컴퓨터] 메가바이트.
megaciclo *m.* [통신] =**megahercio.**
megafonía *f.* 음향 기술[장치].
megáfono *m.* 메가폰, 확성기.
megahercio *m.* [물리] 메가헤르츠.
megahertz *m.* [물리] =**megahercio.**
megalítico, ca *adj.* ① 거석의, 거석에 관한: monumento ~ 거석 건조물[기념물·기념비]. ② 거석 같은. ③ 가공하지 않은 거대한 돌덩이로 건축된.
megalito *m.* [고고학] 유사 이전의 거석 (기념물).
megalomanía *f.* 과대 망상(증).

magalómano, na *adj.* 과대 망상(증)의. —*m.f.* 과대 망상 환자.
megalópolis *f.sing.pl.* 거대 도시, 메머드 도시, 초거대 도시.
mégano *m.* =**duna.**
megaterio *m.* [고생물] 메가테리움 ((고생물의 일종)).
megatón *m.* 메가톤.
megavatio *m.* [전기] 메가와트.
megavoltio *m.* [전기] 메가볼트.
mehala *f.* 메할라 ((모로코에서, 정규군 이름)).
meigo, ga *m.f.* *Ast., Gal., León.* = **brujo, bruja.**
meiosis *f.sing.pl.* [생물] 감수 분열.
mejala *f.* =**mehala.**
mejana *f.* (강 안에 있는) 적은 섬.
mejedor *m.* *Zam.* 포도주[비누]를 휘젓는 막대.
mejenga *f.* ① *CRica.* =**borrachera.** ② *CRica.* 비공식 친선 축구 시합.
mejengue *m.* *Hond.* =**lío, enredo.**
mejer *tr.* (액체가 섞이도록) 뒤흔들다.
mejicanismo *m.* =**mexicanismo.**
mejicano, na *adj., m.f.* =**mexicano.**
Méjico *m.* =**México.**
mejido, da *adj.* 휘저어 뒤섞은: huevo ~ 휘저어 뒤섞은 달걀.
mejilla *f.* ① 뺨. ② 볼(carillo) ((뺨의 한복판)): besar en la ~ 볼에 입맞추다. ③ [고어] =**mandíbula.**
mejillón *m.* [패류] 홍합.
mejillonero, ra *adj.* (씨)홍합 양식의, (씨)홍합을 양식하는. —*m.f.* (씨)홍합 양식자. —*f.* (씨)홍합 양식 장치[설비 · 시설].
mejor *adj.* [bueno의 비교급] ① [+que] (…보다) 더 좋은 ((도덕적인 선함을 비교할 경우에는 más bueno 도 사용함)): Hoy hace ~ tiempo *que* ayer 오늘은 어제보다 날씨가 더 좋다. ② [최상급: 정관사+, de] (…에서) 제일[가장] 좋은[착한]: Ella es *la* ~ alumna *de* toda la clase 그녀는 반에서 제일 착한 학생이다. —*adv.* [bien의 비교급] ① 더 잘, 더 좋게: José trabaja ~ que nadie 호세는 누구보다도 더 잘 일한다. ② 오히려, 차라리: *Mejor* quiero pedir limosna *que* cometer una villanía 악행을 저지르니보다는 차라리 구걸을 하겠다. ¶*a la* ~ *Méj.* =**a lo mejor.** ***a lo*** ~ 아마. ~ ***que*** ~ 훨씬 좋게.
mejora *f.* ① 개량, 개선: ~ del suelo 토지 개량. ~ de salarios 급여의 개선. ② *pl.* 개수, 수선: hacer ~*s* en el piso 아파트를 개수하다. ③ (경매에서) 낙찰 가격 올리기. ④ [법률] 법정 상속분을 웃도는 유증(遺贈).
mejorable *adj.* 개량[개선]할 수 있는.
mejoramiento *m.* ① 개량, 개선: ~ de las condiciones de trabajo 노동조건의 개선. ② 회복: ~ de un enfermo 환자의 회복.
mejorana *f.* [식물] 마요라나 ((순형과 식물; 약용 · 향미용)). ¶~ *silvestre* 야생 마요라나.
mejorar *tr.* ① 더욱[한층] 좋게 하다, 개량하다, 개선하다: ~ el camino 도로를 보수하다. ~ el campo 농지를 개량하다. ~ el rendimiento 능률을 올리다. ~ la salud 건강을 증진하다. ② (환자에게) 차도가 있게 하다, 잃은 건강을 회복하게 하다. ③ (경매에서 값을) 경쟁적으로 올리다. —*intr.* ① 건강이 회복되어 가다, 병이 낫다, 쾌유되다. ② (날씨가) 좋아지다. ③ (지위 · 경제 상태 등이) 향상되다. ~**se** (병 · 날씨 · 지위 · 경제 상태 등이) 좋아지다, 좋게 되다, 향상되다.
mejoría *f.* ① (병 · 통증 · 고통의) 회복, 호전. ② (날씨의) 회복. ③ (조건 등의) 개선(改善), 개량, 향상: ~ de la calidad 품질 향상.
mejunje *m.* (여러 가지 재료로 혼합되어 조제된) 화장품, 약품.
melado, da *adj.* 꿀 색의, 황금빛의, 황금색의. —*m.* ① 꿀빵. ② *Can., Amér.* 당밀. ③ *Ven.* 시럽. —*f.* ① (튀김 빵 식으로) 꿀로 버무려 구운 빵의 길쭉한 조각. ② 마른 잼 조각.
meladucha *f.* 들척지근하여 맛이 없는 사과(manzana ~).
meladura *f.* 설탕을 만들기 위한 당밀.
melamina *f.* [화학] 멜라민.
melancolía *f.* ① 우울, 우수, 울적함; 슬픔: sentir ~ 기분이 침울하다. ② [의학] 울증, 우울병, 우울증.
melancólicamente *adv.* 우울하게, 울적하게, 쓸쓸하게(con melancolía).
melancólico, ca *adj.* ① 우울한, 울적한, 우울하게 하는, 구슬픈. ② 우울증의, 우울증이 있는. —*m.f.* 우울증[우울병] 환자.
melancolizar (9) *tr.* 울적하게[우울하게 · 서글프게 · 구슬프게] 하다; 쓸쓸하게 하다.
melandro *m.* *Ast.* =**melancólico ②.**
melánico, ca *adj.* [동물] 흑색증의.
melanina *f.* [생화학] 멜라닌, 흑색소.
melanismo *m.* [동물] 흑화(黑化), 흑색소[멜라닌] 침착(沈着).
melanita *f.* 흑석류석의 변종.
melanocito *m.* 멜라닌 형성 세포.
melanóforo *m.* 멜라닌 함유 세포.
melanoma *m.* [의학] 흑색종(黑色腫).
melanosis *f.sing.pl.* [의학] 흑색증.
melanuria *f.* [의학] 흑뇨증(黑尿症).
melapia *f.* 사과의 변종.
melar[1] *tr.* rur. *Vall.* (털을 깎은 후) 가축에 낙인을 찍다. —*intr.* (꿀벌이) 꿀을 만들어 벌통의 꿀집에 넣다.
melar[2] *adj.* 꿀맛이 나는, 꿀처럼 단, 달콤한: trigos ~*es* 꿀맛이 나는 밀.
melarchía *f.* *Salv.* =**melancolía.**
melastomáceo, a *adj.* =**melastomatáceo.**
melastomatáceo, a *adj.* [식물] 쌍자엽류의. —*f.pl.* 쌍자엽류 식물.
melaza *f.* ① 당밀(唐蜜). ② *Mur.* 꿀

의 앙금[찌꺼기].
melcocha *f.* ① 엿 모양으로 된 꿀. ② 가공 엿으로 만든 과자. ③ *Guat.* 엿.
melcochero *m.* melcocha 만드는 사람, melcocha 장수.
melcochón *m. CRica.* 길게 늘인 모양의 하얀 빵.
melcochoso, sa *adj. Ecuad.* =melcochudo.
melcochudo, da *adj. Amér.* =correoso, blando.
melena[1] *f.* ① (얼굴 옆, 특히 눈 위에) 늘어뜨린 머리카락. ② 어깨 위로 늘어뜨린 머리카락. ③ 난발(亂髮), 헝클어진 머리털. ④ 사자의 갈기. ⑤ 소의 멍에 아래 댄 방석[가죽]. ⑥ 종을 매는 틀(yugo de la campaña).
melena[2] *f.* [의학] 하혈(下血).
melenera *f.* ① (멍에를 고정시키는) 소의 목덜미 윗부분. ② (멍에에 묶는 줄이 닳지 않도록) 소의 이마에 놓는 방석[가죽].
melengüelear *intr. Salv.* =pajarear.
melenudo, da *adj. m.f.* 머리카락의 숱이 많고 긴 (사람).
melero, ra *m.f.* 꿀장수. —*m.* 꿀 보관소. —*f.* ① (참외의) 흑반병(黑斑病), 검은별무늬병. ② =lengua de buey.
melga *f.* (파종을 위한) 이랑.
melgacho *m.* [어류] 뿔상어(lija).
melgar[1] *m.* 자주개자리(mielga) 밭.
melgar[2] *tr.* 이랑을 표시하다.
melgo, ga *adj.* =mellizo.
melguizo, za *adj. And.* =mellizo.
mélico, ca *adj.* ① 노래의[에 관한]. ② 서정시의[에 관한].
melífero, ra *adj.* 꿀이 들어 있는.
melificación *f.* (벌의) 꿀의 생산.
melificado, da *adj.* =melifluo.
melificador *m. Chile.* (유리 뚜껑이 달린) 꿀통.
melificar (7) *intr.* (벌이) 꿀을 만들다. —*tr.* (꿀을) 만들다, 모으다.
melifluamente *adv.* 달게, 달콤하게, 아주 부드럽게.
melifluidad *f.* (꿀처럼) 달콤함.
melifluo, flua *adj.* ① 꿀이 있는, 꿀 같은. ② (언행·태도가) 감미로운, 부드러운, 나긋나긋한: voz *~flua* 감미로운 목소리.
melillense *adj.* ① 멜리야(Melilla, 아프리카에 있는 스페인의 자치 주) 태생의. ② 멜리야의[에 관한]. —*m.f.* 멜리야 사람.
melindre *m.* ① [주로 *pl.*] (말·행동·태도 등에서) 애교, 지나친 배려[마음씀]. ② 꿀과 밀가루를 묻혀 튀긴 빵. ③ 백설탕을 많이 바른 편도 빵. ④ 긴 띠의 일종(bocadillo).
melindrear *intr.* 애교[아양]를 떨다.
melindrería *f.* 애교를 떠는 버릇.
melindrero, ra *adj., m.f.* 너무 애교를 떠는 (사람).
melindrizar (9) *intr.* (행동·태도·말에서) 애교를 떨다.
melindrosamente *adv.* 애교를 떨면서.
melindroso, sa *adj.* 애교를 떠는.
melisa *f.* [식물] =toronjil.
melisma *f.* 간단한 노래[멜로디].
melismático, ca *adj.* melisma의.
melito *m.* [의학] 꿀과 약 성분이 있는 물질로 만든 시럽.
mella *f.* ① (무기·연장의) 이가 빠짐. ② 이가 빠진 자국. ③ 손상, 손해. ¶ *hacer* ~ ㉮ 효과가 있다, 듣다. ㉯ 손해를 주다, 누[해]를 끼치다.
mellado, da *adj., m.f.* 이가 빠진 (사람·물건).
melladura *f.* =mella.
mellar *tr.* ① (칼·물건의) 이를 빼다. ② (명성 등을) 떨어뜨리다, 손상시키다: ~ la honra 명예를 손상시키다. ~ el crédito 신용을 떨어뜨리다. ~**se** ① (칼·물건의) 이가 빠지다. ② (명성 등이) 손상되다, 땅에 떨어지다.
melliza *f.* 꿀로 만든 소시지의 일종.
mellizo, za *adj.* ① 쌍둥이의. ② (다른 것과) 같은. —*m.f.* 쌍둥이.
mellón *m.* (불을 지피는) 짚단.
melocotón *m.* ① [식물] 복숭아나무. ② [과실] 복숭아. ¶ ~ *romano* 씨가 붉고 매우 크고 맛있는 복숭아.
melocotonar *m.* 복숭아나무 밭.
melocotonero *m.* [식물] 복숭아나무.
melodía *f.* ① (목소리·악기 소리의) 다정함, 상냥함. ② [음악] 멜로디, 선율. ③ 해조(諧調), 아름다운 음악. ④ 가곡, 곡조, 가락.
melódico, ca *adj.* 선율의, 선율적인.
melodiosamente *adv.* 선율적으로, 음악적으로.
melodioso, sa *adj.* ① 선율적인. ② 음악적인, 곡조가 아름다운, 아름다운 가락의: voz *~sa* 아름다운 목소리.
melodioterapia *f.* 음악 요법.
melodista *m.f.* 선율이 아름다운 작곡가[성악가].
melodrama *m.* ① 멜로드라마. ② [연극] (17세기의) 음악극. ③ 오페라. ④ 멜로드라마적 사건[행동], 신파조(新派調)의 행동[사건].
melodramáticamente *adv.* 멜로드라마식으로, 신파조로, 감상적으로.
melodramático, ca *adj.* 멜로드라마의, 신파조의, 감상적인.
melodreña *adj.* 숫돌(piedra ~)의.
melografía *f.* 작곡법.
melojar *m.* 떡갈나무밭.
melojo *m.* [식물] 떡갈나무의 일종.
melomanía *f.* 음악 애호, 음악광.
melómano, na *adj.* 음악 애호의, 음악을 애호하는, 음악광의. —*m.f.* 음악 애호가, 음악광.
melón[1] *m.* ① [식물] 멜론, 서양 참외. ② [과실] 멜론, 서양 참외. ③ 어리석은 사람, 미욱한 사람. ¶ ~ *chino* = melón de Indias. ~ *de agua* 수박. ~ *de Indias*, ~ *de la China* 멜론의 변종. *catar el* ~ 넌지시 알아보

다.

melón² *m.* [동물] =meloncillo².

melona *f.* 어리석은 여자, 미욱한 여자.

melonada *f.* =**torpeza, tontería.**

melonar *m.* 멜론밭.

melonero, ra *mf.* 멜론 장수[재배자 · 보관자].

meloncillo¹ ~ *de olor* =**melón de Indias.**

meloncillo² *m.* [동물] 망구스.

melopea *f.* ① =**melopeya.** ② 단조로운 노래. ③ [속어] 술에 취함, 만취, 대취(embriaguez, borrachera).

melopeya *f.* ① 멜로디 제작술. ② (시 · 산문에서 낭송될 수 있는) 운율적인 어조.

melosidad *f.* ① 감미로움. ② 단맛이 나는 것. ③ 부드러움, 상냥스러움: ~ de la voz 목소리의 부드러움.

melosilla *f.* 떡갈나무의 병.

meloso, sa *adj.* ① 꿀맛이 나는, 꿀 같은. ② 달콤한, 부드러운, 상냥한, 다정한, 온화한, 연한: carne ~*sa* 연한 고기. persona ~*sa* 다정한 사람.

meloterapia *f.* 음악 요법.

melva *f.* [어류] 대구의 일종.

mema *f.* ① *Hond.* (사람의) 머리. ② *Ur.* =**biberón.**

membrana *f.* ① [생물] 막. ② (얇은) 막, 판. ¶ ~ ***celular*** 세포막. ~ ***mucosa*** 점막. ***falsa*** ~ 위막(僞膜).

membranáceo, a *adj.* [생물] 막 같은.

membranoso, sa *adj.* ① 막(膜)으로 구성된, 막의, 막질의. ② 막 같은.

membranza *f.* [드묾] =**memoria.**

membrete *m.* ① 메모, 각서. ② 초대장. ③ (편지지 같은 네에 인쇄한) 머리말, 회사[기관] 등의 이름과 주소.

membrilla *f.* [식물] 메르멜로의 변종.

membrillar *m.* ① membrillo 숲. ② [식물] =**membrillo.**

membrillero *m.* [식물] =**membrillo.**

membrillo *m.* ① [식물] 메르멜로. ② 메르멜로의 열매. ③ *PRico.* 과실 통조림: ~ de manzana 사과 통조림.

membrudamente *adv.* 씩씩하게, 힘차게, 늠름하게.

membrudo, da *adj.* 씩씩한, 힘찬, 늠름한, 건장한.

memela *f.* ① *Salv.* 두툼하고 길다란 옥수수 부침개. ② *Méj.* 크고 가는 옥수수 부침개.

memento *m.* [천주교] 기념송(記念頌).

memez *f.* 우둔함, 어리석음.

memo¹, ma *adj.* 우둔한, 어리석은, 바보스런. —*mf.* 바보, 우둔한 사람.

memo² *m.* ① *Chile.* 메모, 메모장. ② *Gaut., Hond.* 보고, 보고서.

memorable *adj.* 기억할 만한, 잊혀지지 않는, 잊기 어려운: hecho ~ 잊혀지지 않는 사건, 기억할 만한 일.

memorando¹ *m.* =**memorándum.**

memorando², da *adj.* 기억해야 하는.

memorándum *m.* ① [외교] 각서. ② [상업] 주문서. ③ 메모장. ④ *Chile.* (은행의) 예금 증서. ⑤ *Chile.* 메모.

memorar *tr.* [시어] 회상시키다, 기억하게 하다.

memorativo, va *adj.* 기억의.

memoria *f.* ① 기억, 상기: tener claro en la ~ 선명하게 기억하고 있다. ② 기억력: tener buena ~ 기억력이 좋다. tener mala ~ 기억력이 나쁘다. ③ (유증에 의한) 기념 재단. ④ 보고서: ~ anual 연차 보고서, 연보. ⑤ 연구 보고, 논문: ~ de licenciatura 학사 논문. ⑥ *pl.* 회상록, 수기: escribir sus ~*s* 회상록을 쓰다. ⑦ [컴퓨터] 메모리, 기억 장치; 기억(력); 기억 용량: ~ externa 외부 기억 장치. ~ interna 내부 기억 장치. ~ muerta 판독 전용 기억 장치, ROM. ~ no volátil 플래시 메모리. ~ virtual 가상 기억. ~ viva 랜덤 액세스 메모리, 임의 추출 기억 장치, RAM. ⑧ *pl.* (서면 · 제3자를 통해 부재 중인 사람에게 정중한[공손한] 인사(말), 안부. ¶ ~ ***artificial*** 기억술. ~ ***de gallo,*** ~ ***de grillo*** 기억력이 나쁜 사람. ***libro de*** ~ 비망록. ***caerse*** algo ***de la*** ~ …을 잊다. ***conservar la*** ~ de algo …을 기억하다, …을 잊지 않다. ***de*** ~ ㉮ (읽고 · 들은 것을) 기억[암기]으로: aprender *algo de* ~ (무엇을) 외우다. ㉯ rur. *Ar.* 위를 향해. ***encomendar*** algo ***a la*** ~ (무엇을) 암기하다. ***flaco de*** ~ 잘 잊는[잊어버리는], 기억력이 나쁜. ***hablar*** alguien ***de*** ~ 입에서 나오는 대로 지껄이다[말하다]. ***hacer*** ~ 기억하다, 생각하게 하나. ***huirse*** algo ***de la*** ~ 완전히 사라지다[없어지다]. ***reducir a la*** ~ =**hacer memoria.** ***refrescar la*** ~ 잊혀진 기억을 새롭게 하다. ***renovar la*** ~ 지나간 일을 다시 기억하다. ***traer a la*** ~ =**hacer memoria.** ***venir*** algo ***a la*** ~ 기억해 내다, 생각나다.

memorial *m.* ① 청원서, 건의서, 신청서: presentar el ~ de la beca en secretaría 장학금의 신청서를 사무국에 제출하다. ② 메모장, 비망록. ③ 기념 행사.

memorialesco, ca *adj.* memorial의.

memorialista *mf.* 대서업자.

memoriógrafo *m.* 비망록 작가.

memorión *m.* 기억력이 좋은 사람.

memorioso, sa *adj., mf.* 기억력이 좋은 (사람).

memorismo *m.* 암기주의.

memorista *adj.* ① 기억력이 좋은. ② 암기주의의. —*mf.* 암기주의 교사.

memorístico, ca *adj.* ① 기억력의[에 관한]. ② (교육 방식 · 지식이) 암기주의의, 암기에 의한.

memorización *f.* (내용을 잘 이해하지 않고) 남김없이 전부[통째로] 외움.

memorizar (9) *tr.* 통째로 외우다.

memoroso, sa *adj.* =**memorioso.**

mena¹ *f.* (주로, 철의) 원광(原鑛).

mena² *f.* [어류] (지중해산(産)의) 정어리의 일종.
ménade *f.* ① 주신(酒神) Baco의 무당 중의 한 사람. ② 난잡하게 미쳐 날뛰는 여자.
menaje *m.* ① [집합] (집의) 가구와 가정 용품. ② (군의) 식기 한 벌. ③ (학교의) 교육 자재.
menarca *f. Arg., Ur.* =menarquia.
menarquia *f.* [의학] 초조(初潮), 초경(初經), 첫 월경이 나오는 일.
menchevique *adj.* ① 멘셰비키 ((러시아 사회 민주 노동당의 소수파·온건파)) 정책의[에 관한]. ② 멘셰비키주의의. ③ (1917년부터) 반러시아 정책의. —*m.f.* ① 멘셰비키주의자. ② 멘셰비키의 일원. ③ 반러시아 정책 운동자.
menchevismo *m.* 멘셰비키 정책[사상].
mención *f.* 언급, 진술, 기재. ¶ ~ ***honorífica*** 장려상. ***hacer*** ~ (말하거나 글을 쓰면서) 언급하다, 기재하다.
mencionable *adj.* 언급[기재]할 만한.
mencionar *tr.* 언급하다, 간단히 말하다; …의 이름을 들다[들먹이다]; 기재하다: anteriormente *mencionado* 상술한, 전술한, 앞에서[위에서] 말한.
menda *pron.* ① [은어] [3인칭 취급. 관사·소유 형용사·지시 형용사+] 나(yo). ② [부정 대명사] 누가, 누구인가(uno, uno cualquiera).
mendacio *m.* ① (서류·인쇄물의) 오식, 오자, 오류. ② 거짓말(mentira).
mendaz *adj.* =mentiroso.
mendelevio *m.* [화학] 멘델레븀.
mendeliano, na *adj.* 멘델(Mendel, 오스트리아의 유전학자, 1822-84)(의 법칙)의.
mendelismo *m.* 멘델의 유전 학설[법칙], 멘델리즘.
mendicación *f.* [드묾] =mendicidad.
mendicante *adj.* ① (이 집 저 집 다니면서) 비럭질하는, 빌어먹는. ② 탁발의. —*m.f.* ① 거지. ② 탁발 수도사.
mendicidad *f.* ① 구걸, 비럭질. ② 구걸 행각, 거지 근성. ③ [집합] 거지.
mendigante *adj.* ① 구걸하는, 빌어먹는. ② [드묾] 탁발의. —*m.f.* ① 거지. ② 탁발 수도사.
mendigar (8) *tr.* ① (이 집 저 집 다니면서) 구걸하다, 문전 걸식하다, 동냥하다. ② 끈질기게 호의를 간청하다, 끈질기게 조르다.
mendigo, ga *m.f.* 거지, 걸인.
méndigo, ga *adj., m.f.* 악명 높은 (사람)(infame).
mendiguez *f.* [드묾] =mendicidad.
mendocino, na *adj.* ① 멘도사(Mendoza, 아르헨띠나의 주·주도) 태생의. ② 멘도사의[에 관한]. —*m.f.* 멘도사 사람.
mendosamente *adv.* [드묾] 허위로; 실수로, 잘못으로.
mendoso, sa *adj.* =errado, equivocado, mentiroso.
mendrugo *m.* ① 딱딱한 빵조각. ② 우둔한 남자, 바보, 얼간이.
mene *m. Ven.* 천연 유정(天然油井).
meneador, ra *adj.* ① 흔들리는, 움직이는. ② (일을) 처리[관리]하는, 지도하는. —*m.f.* 관리자, 안내자, 지도자.
menear *tr.* ① 움직이다, 흔들다; (상태·위치를) 바꾸다. ② (관능적으로) 몸을 흔들며 걷다. ③ (문제 등을 해결하기 위해) 적극적으로 손을 쓰다[대책을 강구하다]. ~**se** ① 몸을 움직이다. ② 몸을 흔들다, 흔들리다. ③ (일을) 서두르다, (걸음을) 재촉하다. ④ 어떻게(든) 해 보다.
menegilda *f.* [드묾] 하녀.
meneo *m.* ① (급히·격하게) 움직임, 흔듦. ② (격한) 타격, 구타, 힐책.
menester *m.* ① (어떤 것의) 필요, 필요성. ② [주로 *pl.*] 일, 근무, 직; 활동. ③ *pl.* 생리적 욕구: hacer *sus* ~*es* 대소변을 보다. ④ 도구, 용구(用具). ¶***haber*** ~ algo (무엇을) 필요로 하다. ***ser*** ~ 필요하다. ***ser*** ~ ***la cruz y las ciriales*** (어떤 것을 달성하기 위해서는) 부지런해야 한다, 대단한 근면을 요한다.
menesterosidad *f.* 가난, 빈궁.
menesteroso, sa *adj.* 가난한, 빈궁한, 부족한, 필요한. —*m.f.* 빈궁한 사람.
menestra *f.* ① 여러 가지 야채와 고기를 혼합한 요리. ② [주로 *pl.*] 마른 야채. ③ (군대 등에 공급되는) 마른 [삶은] 한 회 분[1일분] 의 야채.
menestral, la *m.f.* [역사] 직인(職人), 직공, 수공업자.
menestralería *f.* 직인 생활, 직인 계급.
menestralía *f.* [집합] 직인들.
menesunda *f. Arg., Ur.* 마약(droga).
mengano, na *m.f.* [fulano의 뒤에서, zutano의 앞에서 고유 명사 대신 쓰는 말] 모(某), 모인(某人), 아무개, 어떤 사람: *Mengano* y Zutano 모인과 모인. ni ~ ni zutano 아무도 … 아니다.
mengua *f.* ① 감소: ~ de los bienes 재산의 감소. ② 부족, 불충분: ~ de cualidades 자질의 부족. ③ 가난. ④ 신용 타락, 불명예.
menguadamente *adv.* ① 어리석게, 바보스레. ② 겁이 많아, 소심하게, 비겁하게. ③ 불명예스레, 수치스럽게.
menguado, da *adj.* ① 겁이 많은, 소심한, 비겁한. ② 멍청한, 바보스런; 분별 없는. ③ 인색한. —*m.f.* ① 겁쟁이. ② 바보, 멍청이. ③ 인색한 사람, 깍쟁이. —*m.* (편물의) 줄이는 코.
menguante *adj.* ① 감소하는, 줄어드는; 쇠퇴하는. ② (달이) 이지러지는, 하현(下弦)의. —*f.* ① (더위·가뭄으로 인한, 강물·냇물의) 갈수, 감수(減水): estar en la ~ 갈수 상태에 있다. ② 썰물. ③ 계속되는 때. ④ 쇠퇴, 감수(mengua). ¶ ~ ***de la Luna*** 보름달과 초승달 사이의 간격. ***aguas de*** ~

썰물. *cuarto* ~ [천문] 하현. *luna* ~ 하현달.

menguar (10) *intr.* ① 감소되다. ② (달이) 이지러지다. ③ (편물에서) 코가 줄어가다. —*tr.* ① 축소하다, 적게 하다, 줄이다. ② [편물] 코를 줄이다.

mengue *m.* 악마(diablo).

menhir *m.* [고고학] 선돌, 멘히르.

menina *f.* (옛날, 어릴 때부터 궁에 들어가 여왕·공주를 모시던) 시녀.

meninge *f.* [해부] 수막, 뇌척수막.

meníngeo, a *adj.* meninge의[에 관한].

meningítico, ca *adj.* ① [의학] 수막염[뇌척수막염]의[에 관한]. ② 수막염[뇌척수막염]에 걸린. —*m.f.* 수막염 환자, 뇌척수막염 환자.

meningitis *f.sing.pl.* [의학] 수막염, 뇌척수막염.

meningocele *m.* [생물] 수막류(髓膜瘤), 뇌척수막 탈출증.

meningocerebritis *f.* 수막 대뇌염

meningococo *m.* 수막염균[구균].

meningococosis *f.* 수막염균 감염증.

miningoencefalitis *f.* [의학] 수막뇌염.

menino *m.* (어릴 때부터 궁에 들어가 여왕·어린 왕자를 모시던) 시동.

menisco *m.* ① [광학] 요철(凹凸) 렌즈. ② [해부] (관절 안의) 반월판, 반월 모양의 연골. ③ [물리] 메니스커스 ((둥근 관 안의 액체 표면의 요철(凹凸))).

menopausa *f.* ① (여성의) 갱년기. ② 갱년기의 생리적[정신적] 변화. ③ 폐경기(閉經期).

menor *adj.* [pequeño의 비교급] ① ㉮ [+que] (…보다) 더 작은 ((형상의 크기를 서로 비교할 경우는 주로 más pequeño)): Mi habitación es ~ en espacio *que* la tuya 내 방은 네 방보다 협소하다. ㉯ [최상급, 한정사+, +de] (… 중에서) 가장 작은: El mes de febrero es *el* ~ *de* los doce meses 2월은 열두 달 중에서 제일 짧은 달이다. ② 덜 중요한: gastos ~*es* 잡비. las obras ~*es* de Quevedo 께베도의 덜 중요한 작품. ③ ㉮ (나이가) 더 어린, 연하의: Mi mujer es ~ *que* yo 내 아내는 나보다 나이가 적다. ㉯ [최상급, 한정사+, +de] (… 중에서) 나이가 가장 어린: Ella es *la* ~ *de* las hermanas 그녀는 자매 중에서 제일 어리다. ④ (법적으로) 미성년의. —*m.f.* ① 연하, 후배. ② 미성년자 ((스페인에서는 18세 이하)): tribunal de ~*es* 소년 법원. —*m.* ① [종교] 성(聖) 프란시스코회(會) 수도사. ② (옛날, 라틴어의) 하급반. —*f.* [철학] 소전제. ¶~ ***o igual*** *m.* [수학] ≤. ~ ***que*** *m.* 부등 기호 ((<)). ***al por*** ~ ㉮ *adv.* 소매로. ㉯ *adj.* 소매의. ***por*** ~ ㉮ *adv.* 상세히. ㉯ *adj.* 상세한.

menoría *f.* ① 하위, 하급. ② 미성년. ③ 미성년 시기.

menorista *m.* (옛날의) 하급반 학생.

—*m.f.* *Méj.* 소매상인, 소매업자.

menorquín, na *adj.* ① 메노르까 섬 (Menorca, 지중해의 Las Baleares 제도의 섬) 태생의. ② 메노르까 섬의[에 관한]. —*m.f.* 메노르까 섬사람.

menorragia *f.* [의학] 월경 과다.

menos *adv.* [poco의 비교급] ① 더 적게: Ella gasta ~ 그녀는 덜 쓴다. Estoy ~ cansado 나는 (생각보다) 덜 피곤하다. ② [수량·정도의 비교. +de] … 이하: a ~ de cien mil euros 10만 유로 이하로. Vinieron ~ *de* mil personas a la exposición 전시회에 천 명 이하가 왔다. ③ [열등 비교급. +que] …보다 적게: Los jóvenes saben ~ *que* los viejos 젊은이들은 노인들보다 지식이 많지 않다. Esta flor es ~ hermosa *que* aquélla 이 꽃은 저 꽃보다 더 아름답지 않다. ④ [열등 최상급. +de·en·entre] (… 중에서) 가장 적게: Ella es *la que* estudia ~ 그녀는 공부를 제일 안 한다. ⑤ [시각] … 분 전(分前): Son las siete ~ diez 일곱 시 십 분 전이다. —*adj.* 더 적은: Quiero ~ comida 나는 더 적은 식사를 원한다. Tengo ~ dinero *que* usted 나는 당신보다 돈을 적게 가지고 있다. —*m.* [수학] 마이너스 (기호). —*prep.* …을 뺀, …이외, …을 제외하고: todo ~ eso 그것을 제외하고 모두. ¶***al*** ~, ***a lo*** ~ ㉮ …하는 한에 있어서는. ㉯ 최소한, 적어도. ㉰ 하다못해. ***a*** ~ ***que*** …이 아니라면. ***de*** ~ 부족하게. ***en*** ~ 보다 적게. ***hacer*** ~ a alguien (누구를) 경시하다, 무시하다. ***por lo*** ~ =al menos.

menoscabador, ra *adj.* 줄이는; 명성을 떨어뜨리는.

menoscabar *tr.* ① 줄이다, 감하다, 감소시키다. ② 더럽히다, 망가뜨리다, 파손하다, 해치다(deteriorar). ③ (명성 등을) 떨어뜨리다, 실추시키다, 훼손하다: ~ *su* prestigio 권위를 실추시키다. ~**se** 줄다, 감소되다.

menoscabo *m.* ① 감소, 저하. ② 손상, 손해, 파손: sufrir un ~ 손해를 입다.

menoscuenta *f.* [드묾] (빚의) 일부 변제(descuento).

menospreciable *adj.* 무시할 만한, 경시할 만한: acción ~ 비열한 행위.

menospreciablemente *adv.* 무시해서, 경시해서, 업신여겨.

menospreciador, ra *adj., m.f.* 업신여기는 (사람), 경시하는 (사람).

menospreciar (11) *tr.* ① 경시하다, 깔보다; 낮게 평가하다. ② 경멸하다, 멸시하다, 업신여기다(despreciar).

menospreciativo, va *adj.* 경멸적인, 경멸하는, 깔보는; 오만한.

menosprecio *m.* [+por] (…에의) 경시, 과소평가; 경멸.

menostasia *f.* 월경 폐지[정지], 폐경.

mensafónico, ca *adj.* mensáfono의.

mensáfono *m.* 휴대용 초소형 무선 호출기.
mensaje *m.* ① 전언, 전갈. ② 메시지: ~ del presidente 대통령 교서. ~ del rey 왕의 친서. ~ especial 특별 교서. ~ general 일반 교서. ③ (예술 작품 등의) 의도. ④ [컴퓨터] 메시지: ~ de error 에러 메시지. ¶ ~ ***de la Corona*** (국왕의) 의회 개회사[폐회사].
mensajería *f.* ① 운수 회사. ② 운수업, 수송업, 배달업. ③ [고어] = **mensaje.**
mensajero, ra *adj.* 전언[쪽지·메시지]을 전하는. —*mf.* 사절, 사신, 사자(使者); 심부름꾼: ~ de la paz 평화의 사자. las golondrinas, ~*ras* de la primavera 봄을 알리는 제비. —*m.* 유전자. ¶***paloma ~ra*** 전서구(傳書鳩).
menso, sa *adj. Ecuad., Hond., Méj., Nic., Salv.* =tonto.
menstruación *f.* ① 월경의 출혈. ② (여자의) 월경(menstruo).
menstrual *adj.* 월경(menstruo)의, 월경에 관한: dolores ~*es* 생리통.
menstrualmente *adv.* ① 매월, 달마다. ② 월경과 함께.
menstruante *adj., mf.* 월경하는[월경 중인] (여자).
menstruar (14) *intr.* 월경하다, 월경이 있다, 생리가 있다.
menstruo, trua *adj.* 월경의[에 관한]: sangre ~*trua* 경혈(經血). —*m.* ① 생리가 있음. ② 월경.
menstruoso, sa *adj.* ① [드묾] 월경의[에 관한]. ② [드묾] (여자가) 월경 중인. —*f.* [드묾] 월경 중인 여자.
mensual *adj.* ① 매월의, 달마다의: gastos ~*es* 매월의 지출. ② 1개월의, 한 달 동안의. ③ 월 1회의: reunión ~ 월례 회의. —*m. Arg., Ur.* 월급제 노동자.
mensualidad *f.* ① 월급. ② 매월 지불금; 월부(금): ~ del alquiler 집세. ~ del colegio 학교 수업료.
mensualmente *adv.* ① 달로, 월 1회로: pagar ~ 월 1회[월부로] 지불하다. ② 달마다, 매월(cada mes).
ménsula *f.* [건축] 까치발.
mensura *f.* =**medida.**
mensurabilidad *f.* 가측성(可測性).
mensurable *adj.* 측량[측정]할 수 있는, 측정[측량] 가능한.
mensuración *f.* 계량, 측량, 측정법, 측량법, 측량 기술.
mensurador, ra *adj., mf.* 재는, 측량하는 (사람).
mensural *adj.* 도량의, 도량에 관한, (길이 등을) 재는 데 쓰는, 측량용의.
mensurar *tr.* ① 측정하다, 측량하다. ② [고어] =**juzgar, contemplar.**
mensurativo, va *adj.* 측정의[에 관한], 측량의[에 관한].
menta[1] *f.* [식물] 박하.
menta[2] *f.* ① rur. *Arg., Ur.* 평판, 명성 (reputación). ② *Salv.* (신문·신문 기자에게 주는) 불법 지불금. ¶***de ~s*** rur. *Arg., Ur.* 들어서, 소문으로.
mentado, da *adj.* 유명한, 명성[평판]이 있는: muy ~ escritor 매우 유명한 작가. —*f. Cuba, Méj.* =**mentada de madre:** hacer una ~ a *alguien* …를 모욕하다. ¶***metada de madre*** *Cuba, Méj.* (어머니를 언급한) 모욕.
mental *adj.* ① 마음의, 심적인, 정신의, 정신적인, 내적인: enfermedad ~ 마음의 병. estado ~ 정신 상태. ② 머리를 쓰는, 지적 능력의, 지적인, 지능의, 지력의: fuerza ~ 정신력. prueba ~ 지능 검사. trabajador ~ 정신 노동자. ③ 암기로 하는, 외워서 하는: cálculo ~ 암산. ④ 정신병의[을 다루는]: especialista ~ 정신병 전문의. ¶***edad*** ~ 정신 연령.
mentalidad *f.* ① 정신력, 심성; 지성, 지능. ② 정신[심적] 상태, 심리; 사고방식, 성향, 성격: ~ exportadora [경제] 수출 마인드.
mentalización *f.* 자각; 각오.
mentalizar (9) *tr.* ① 납득시키다, 이해시키다, 자각하게 하다: ~ a la gente de la necesidad de *algo* 사람들에게 …의 필요성을 이해시키다. ② 각오하게 하다. ~**se** ① 납득하다, 깨닫다. ② 각오하다: ~*se para* lo peor 최악의 사태를 각오하다.
mentalmente *adv.* 정신적으로; 마음속으로; 지적으로: calcular [hacer la cuenta] ~ 암산을 하다.
mentar (19) *tr.* …의 이름을 말하다, …에 대해 언급하다. ¶***No hay que ~ la soga en casa del ahorcado*** (속담) 불난 집에 부채질한다.
mente *f.* ① 마음, 정신: una ~ sana en un cuerpo sano 건강한 신체에 건전한 정신. ② 두뇌, 지력, 지적 능력, 지성: poderes de la ~ humana 인간의 지적 능력. ③ 생각, 의도. ④ 사고방식: Ella tiene una ~ abierta 그녀는 도량이 크다. ¶***de buena*** ~ [고어] 기꺼이, 기껍게, 기쁘게. ***tener*** algo ***en*** ~ (무엇을) 생각하고 있다.
-mente *suf.* [형용사에 붙여 부사화시킴] fácil*mente* 쉽게. pobre*mente* 가난하게.
mentecatada *f.* 어리석은 말[행동].
mentecatería *f.* 우둔함, 바보 짓, 엉터리 짓; 판단의 결여.
mentecatez *f.* ① =**mentecatería.** ② =**mentecatada.**
mentecato, ta *adj.* ① 우둔한, 멍청한. ② 판단력이 부족한. —*mf.* ① 우둔한 사람, 멍청한 사람, 바보, 멍청이. ② 판단력이 부족한 사람.
mentidero *m.* 한가한 사람들이 모여 잡담하는 곳.
mentido, da *adj.* =**mentiroso.**
mentir (53) *intr.* 거짓말을 하다, 속이다: Ella siempre me *miente* 그녀는 늘 나에게 거짓말한다. —*tr.* ① (약속

을) 어기다: Ella *ha mentido* la promesa de pagarme 그녀는 나에게 한 지불 약속을 어겼다. ② 꾸미다: El vendaval mentía como el graznido del cuervo 강풍은 까마귀의 울음소리 같았다. ¶***miente más que habla*** 거짓말쟁이다. ***¡Miento!*** (자신의 잘못에 대해) 잘못했다!, 실수했다!, 틀렸다! ***El que una vez mintió, nunca se le creyó*** (속담) 한 번 거짓말을 한 사람은 진실을 말해도 믿지 않는다.

mentira *f.* ① 거짓, 거짓말, 허언(虛言): decir [contar] ~*s* 거짓말을 하다. ② (원고·인쇄에서) 오자, 오식. ③ (손톱에 자주 나타나는) 흰 반점. ④ 손가락을 펼 때 손가락 마디에서 나는 소리, 손가락을 탁탁 튀기는 소리. ¶***coger*** a alguien ***en*** ~ …의 거짓말을 간파하다. ***parece*** ~ 거짓말 같다, 믿기지 않는다. ***De una ~ nacen ciento*** (속담) 한 번 거짓말을 하면 계속하게 된다. ***Sacar de una ~ una verdad*** (속담) 때로는 거짓말을 통해 진실이 밝혀지기도 한다.

mentirijillas *de* ~ =de mentirillas.

mentirillas *de* ~ 비웃듯이, 농담으로.

mentirosamente *adv.* 거짓말로, 허위로; 공연히, 겉으로만.

mentiroso, sa *adj.* ① 거짓말을 잘 하는, 거짓말을 밥 먹듯 하는. ② (책·원고에) 오자[오식]가 많은. ③ 사기의, 거짓의, 허위의: bienes ~*s* 부정 재산. —*m.f.* 거짓말쟁이: ser un gran ~ 새빨간 거짓말쟁이다. ¶***Antes se coge al ~ que al cojo*** (속담) 거짓말은 밝혀지기 마련이다, 거짓말쟁이는 진실을 말해도 믿지 않는다.

mentís *m.sing.pl.* ①「거짓말하지 마라」하고 꾸짖을 때의 말: dar un ~ 거짓말 하지 말라고 꾸짖다. ② 부인[부정]하는 행위.

-mento *suf.* [동사의 명사화; -amento, -imento 형도 있음] carga*mento* 선하(船荷), 적하(積荷). funda*mento* 기초. pega*mento* 접착. pul*imento* 연마.

mentol *m.* [화학] 멘톨, 박하뇌.

mentolado, da *adj.* 멘톨[박하뇌]이 함유된, 멘톨[박하뇌] 맛의: caramelo ~ 박하엿. cigarrillo ~ 박하향 담배.

mentolato *m. Chile.* 일상 생활의 다양한 문제를 해결에 능한 사람.

mentón *m.* 아래턱의 끝[돌출부].

mentonera *f.* 아래턱 끝 보호용 도구.

mentor, ra *m.f.* 조언자, 충고자; 지도자. —*m.* 가정 교사(ayo).

menú *m.* ① 차림표, 식단, 메뉴: El ~, por favor 메뉴를 보여 주십시오, 메뉴를 부탁합니다. ② 하루의 식단표: ~ del día (날마다 바뀌는 메뉴의) 코스 요리, 정식, 오늘의 식사. ③ (제한된 선택으로, 식당·호텔에서 제공하는) 고정 가격의 식사: ~ de la casa (당점의) 권장 정식. ④ [컴퓨터] 메뉴 ((프로그램의 기능 등이 일람표로 표시된 것)).

menuceles *m.pl.* ① *Al., Ar.* (네 발 짐승의) 내장. ② *Al., Ar.* (닭의) 내장. ③ *Al.* [속어] =**minucias.**

menuia *f.* [속어] =**pequeñez.**

menudamente *adv.* ① 상세히, 자세히, 소상하게: contar ~ 상세히 이야기하다. ② 조각으로, 부분적으로, 잘게: cortar ~ 조각으로 자르다. picar ~ 잘게 다지다.

menudear *tr.* ① (무엇을) 자주 하다 [행하다·이행하다·실행하다]: ~ la visita 자주 방문하다. ② *Méj.* 소매하다, 소매로 판매하다. —*intr.* ① (일·사건이) 자주 일어나다. ② *Ven.* (닭이) 날이 샐 때 다른 닭과 동시에 울다. ③ [드묾] 상세히 말하다[쓰다].

menudencia *f.* ① 사소함, 시시함, 하찮음: Para mí eso es una ~ 나한테는 그것은 하찮한 것이다. ② 세심함, 용의 주도함. ③ 평가할 만한 것이 못됨. ④ *pl.* 잘게 썬 것. ⑤ 순대. ⑥ (닭의) 내장(menudillo).

menudeo *m.* ① 빈번한 반복, 빈발. ② 소매(小賣)(venta al por menor).

menudero, ra *m.f.* ① 고기와 내장을 잘게 써는 사람. ② 고기와 내장을 잘게 썰어 파는 장수.

menudillo *m.* ① (네 발 짐승의) 발목. ② *Ar.* =**moyuelo.** ③ *pl.* (닭의) 내장.

menudo, da *adj.* ① 작은: gente ~*da* 아이들. niño ~ 조그만 아이. Tus manos son ~*das* 네 손은 작다. ② 가는(delgado): lluvia ~ 이슬비. ③ 대수롭지 않은, 하찮은, 시시한, 중요성이 적은[없는]: detalles ~*s* 상세함. pelea ~*da* 하찮은 말다툼. ④ 평민의, 속된(plebeyo, vulgar): estado ~ 보잘것없는 존재, 평민. ⑤ 정밀한, 정확한(exacto): hacer una ~*da* relación del material 비품을 세세히 보고하다. ⑥ 소액(少額)의: ahorro ~ 얼마 안 되는 저금. moneda ~*da* 잔돈, 적은 돈. —*m.* ① *Méj.* [요리] =**callos.** ② *pl.* (죽은 소의) 배와 다리와 피. ③ (조류·닭의) 목덜미, 날갯죽지, 발, 내장, 간, 모래주머니, 난소 등. ④ 잔돈(suelto): No tengo ~ 잔돈이 없습니다. ¶***a la ~da*** =**por menudo.** ***al por ~*** [드묾] 아주 상세히. ***a ~*** 자주, 여러 번, 누차. ***por ~*** ㉮ 아주 상세히: contar *por* ~ 상세히 이야기하다. ㉯ [드묾] (매매에서) 소매로.

menuzo *m.* [드묾] 작은 조각.

meñique *adj.* 매우 작은(muy pequeño). —*m.* 새끼손가락(dedo ~).

meollar *m.* [선박] 큰 밧줄.

meollo *m.* ① [해부] 뇌(腦), 뇌수(腦髓)(seso). ② 골수(骨髓)(médula). ③ 실질(實質), 진수(眞髓), 핵심: Es el ~ de la cuestión 그것은 문제의 핵심이다. ④ 지성(知性), 지혜, 이해력.

meolludo, da *adj.* [드묾] 골수가 많은.

meón, na *adj.* (특히 아이가) 옷에[정해진 장소가 아닌 곳에] 오줌을 싸는;

오줌을 많이[자주] 싸는. —*mf.* 오줌싸개. —*f.* ① =**milenrama.** ② [드묾] 여자. ③ [드묾] 갓난 여자아이.
mequetrefe *m.* 주책바가지.
meramente *adv.* 다만, 오직; 단순히; 순수하게.
merar *tr.* (다른 것에, 술을) 혼합하다; 술에 물을 타다.
merc. mercancía 상품(商品).
merca *f.* 매입(買入), 쇼핑(compra).
mercachifle *m.* ① =**buhonero.** ② 장사꾼.
mercadente *m.* =**mercader.**
mercadear *intr.* 장사하다, 상품 거래를 하다.
mercadeo *m.* 매매, 마케팅.
mercader, ra *mf.* 장수, 상인(商人): ~ de hierro 철강 장수. ~ de libros 책장수. ¶ ~ *de grueso* 도매상.
mercadería *f.* =**mercancía.**
mercaderil *adj.* 상인의[에 관한].
mercadillo *m.* (일반적으로, 싼 물건을 파는) 노천 시장, 벼룩 시장.
mercado *m.* ① 장, 시장(市場), 저자 ((여러 가지 물건을 사고 파는 곳)): ~ de abastos (생선) 식료품 시장. ~ de frutas 과실 시장. ~ de pescado 생선 시장. ~ viejo 고물 시장. ir al ~ 시장에 물건 사러 가다. ② 시장(市場) ((상품이 거래되는 범위; 상품으로서의 재화(財貨)·용역(用役)의 교환·매매를 수요와 공급의 상관 관계로 나타내는 추상적인 개념)): ~ de capital(es) (국제) 자본 시장. ~ de dinero 금융 시장. ~ de trabajo 노동 시장. ~ de valores 증권 시장. ~ laboral 노동 시장. ~ libre 자유 시장. ~ monetario 금융 시장. ③ 매매(賣買), 시황(市況), 시장 경기: ~ activo 매기(買氣) 시황. ~ alcista 강세 시황. ~ bajista 약세 시황. ~ encalmado 보합(保合) 시황. ¶ ~ *de pulgas Ar.* =**mercadillo.** ~ *negro* 암시장; 암거래. *buen* ~ 충분한 매입 물건[양]. *mal* ~ 적은 매입 물건[양]. *hacer el* ~ 가정 소비용으로 필요한 것을 사다, 시장에 물건 사러 가다.
mercador, ra *mf.* [고어] =**mercader.**
mercadotecnia *f.* 마케팅, 시장 조사.
mercadotécnico, ca *adj.* 마케팅의, 시장 조사의.
mercal *m.* =**metical.**
mercancear *intr.* [고어] =**comerciar.**
mercancía *f.* [때때로 *pl.*] 상품(商品): Este año la ~ ha sido muy buena 금년에는 상품이 아주 좋다. —*mpl.* 화물 열차(tren de ~s).
mercante *m.* ① 매입하는, 사는. ② =**mercantil.** —*mf.* 매입자, 사는 사람. —*m.* =**mercader.** ¶*buque* ~ 상선(商船), 화물선
mercantil *adj.* 상업[상품]의[에 관한], 상인의[에 관한]: actividad ~ 상업 활동. asociación ~ 상인회. derecho ~ 상법.
mercantilismo *m.* ① 중상주의(重商主義). ② 돈벌이 제일주의.
mercantilista *adj.* ① 중상주의의. ② 상법에 노련한. —*mf.* ① 중성주의자. ② 상법 전문가.
mercantilizar (9) *tr.* 장사하다, 돈벌이에 사용하다.
mercantilmente *adv.* 상업적으로, 상거래에 의해, 영리적으로.
mercantivo, va *adj.* =**mercantil.**
mercar (7) *tr.* (돈으로) 매입하다, 사다(comprar). ~**se** 자신을 위해 사다. ¶*Quien dice mal de la yegua, ése la merca* (속담) 암말을 흉보는 사람이 암말을 산다.
merced *f.* ① 보수, 임금. ② (왕·영주의) 하사, 선물. ③ 후의, 은혜, 은총: hacer la ~ 은혜[후의]를 베풀다. ④ 뜻, 의지: estar a ~ de su amo 주인의 뜻대로 하다. ⑤ (옛날에 사용했던) 경칭, 경어: vuestra ~, su ~ 귀하, 당신. ⑥ [법률] (임대 계약에서) 임대료, 세(稅). ¶ ~ *de agua* (몇몇 마을에서 이웃끼리 사용하기 위한) 용수로의 물, 물의 분배. *a* ~, *a* ~*es* 무보수로: servir *a* ~ 무보수로 봉사하다. ~ *a* …의 덕분[덕택]에.
mercedario, ria *adj.* 메르세드 교단의. —*mf.* 메르세드 교단의 승려.
mercenario, ria *adj.* ① (외국 지원자에게 봉급을 주고 전쟁에) 고용된: soldado ~ 용병(傭兵). ② 일[근무]로 급료를 받는: trabajo ~ 급료를 받는 일. ③ =**mercenario.** —*mf.* ① 급료를 받은 인부, 돈으로 고용된 사람. ② 메르세드 교단 승려. —*m.* ① 용병. ② 날품팔이 농부.
mercería *f.* ① (핀, 단추, 리본 같은) 자잘한 물건 장사. ② [집합] (핀, 단추, 리본 같은) 잡화, 일용품. ③ 잡화점, 일용품점.
mercerización *f.* 실크 가공 처리(법).
mercerizar (9) *tr.* (무명류를) 실크 가공 처리하다.
mercero, ra *mf.* 잡화[일용품] 장수.
merchante *adj.* =**mercante.** —*m.* (고정된 가게가 없는) 행상, 노점상.
mercurial *adj.* ① 신화의 신(dios mitológico)의[에 관한]. ② 수성(水星)의[에 관한]. ③ 수은(水銀)의[에 관한]: pomada ~ 수은 연고. —*f.* [식물] 산쪽풀.
mercúrico, ca *adj.* ① [화학] 수은(水銀)의[에 관한]: columna ~*ca* 수은주. ② [화학] 제이수은(第二水銀)의.
mercurio *m.* [화학] 수은(水銀). ¶ ~ *dulce* 감홍(甘汞). *barómetro de* ~ 수은 기압계. *frasco de* ~ 수은병(甁), 수은 플라스코.
mercurioso *adj.* [화학] 제일수은의.
merdellón, na *mf.* 불결하게 봉사하는 하인.
merdoso, sa *adj.* 더러운, 추잡스러운, 남루한; 불쾌한; 오물투성이의.

mercedor, ra *adj.* ① 칭찬[표창]할 만한, 공적이 있는. ② [+de] (…의) 가치가 있는, …할 만한.

merecer (31) *tr.* ① 칭찬[표창]을 받을 만하다: Ella *merece* respeto de nuestra parte 그녀는 우리의 존경을 받을 만하다. ② 벌을 받을 만하다: Su conducta *merece* un castigo 그의 행동은 벌을 받아 마땅하다. ③ (…의) 가치가 있다: Eso no *merece* diez euros 그것은 10유로의 가치가 없다. —*intr.* 상을 받을 만하다, 공적이 있다. ¶***edad de*** ~ 결혼 적령기. ~ ***bien*** de alguien (누구의) 신뢰를 얻다.

merecidamente *adv.* 알맞게, 형편에 맞게, 충분히: ser castigado ~ 알맞게 벌을 받다.

merecido, da *adj.* (상·벌 등을) 받아 마땅한: tener el castigo bien ~ 당연한 벌을 받다. —*m.* 당연한 벌(罰): recibir *su* ~ 당연한 벌을 받다.

merecimiento *m.* ① 가치가 있음. ② =mérito[1].

merendada *f. Méj.* 간식 먹기.

merendar (19) *tr.* 간식으로 …을 먹다: ~ manzana 간식으로 사과를 먹다. —*intr.* ① 간식을 먹다(tomar la merienda). ② 정오에 먹다(comer al mediodía). ~**se** ① (경쟁·논쟁 등으로) 쳐서 이기다[제압하다] ② [드뭄] 쉽게 얻다[획득하다], 척척 끝내다.

merendero *m.* ① 간식 먹는 곳. ② (관광지 등의) 휴식처, 카페, 다방.

merendilla *f.* [드뭄] 간단한[보잘것없는] 간식.

merendillar *intr. Ext.* 간단한 간식을 먹다(tomar la merendilla).

merendita *f.* merienda의 축소사.

merendola *f.* =**merendona.**

merendona *f.* 푸짐한 간식.

merengue *m.* ① 메렝게 ((달걀 흰자위(claras de huevo)·설탕(azúcar)으로 만들어 오븐에 구운 달걀 모양의 과자)). ② 병약한 사람, 체력이 약한 사람. ③ *Arg., Bol., Par., Ur.* 분규, 혼란, 무질서. ④ *RDom.* 메렝게 ((민속춤; 카리브해(海)에 있는 다른 나라에서도 알려진 춤)). —*adj.* 레알 마드리드 축구 클럽의[에 관한]. —*m.f.* 레알 마드리드 축구 클럽의 선수[팬]. ¶***punto de*** ~ 달걀을 저어서 거품을 일게 해 가장 단단하게 된 상태.

meretricio, cia *adj.* 윤락녀의[에 관한]. —*m.* 윤락녀와의 육체적 관계.

meretriz *f.* =**prostituta.**

merezc- ☞**merecer (31).**

mergánsar *m.* [새] =**mergo.**

mergo *m.* [새] =**somorgujo.**

meridano, na *adj.* ① 메리다(Mérida, 멕시코의 유까딴 주의 주도) 태생의. ② 메리다의[에 관한].

merideño, ña *adj.* ① 메리다(Mérida, 스페인의 도시) 태생의. ② (스페인의) 메리다의[에 관한]. ③ 메리다(Mérida, 베네수엘라의 주·주도) 태생의. ④ (베네수엘라의) 메리다의[에 관한].

meridiana *f.* ☞**meridiano.**

meridianamente *adv.* 명약관화(明若觀火)하게, 자명하게(con gran claridad).

meridiano, na *adj.* ① 정오(正午)의[에 관한]: a la hora ~*na* 정오에, 한낮에, 대낮에, 백주에. ② 명약관화한, 자명한: verdad ~*na* 명명백백[명약관화]한 사실. —*m.* ① [천문·지리] 자오선, 경선. ② (지압 등의) 경락.

meridional *adj.* 남쪽(sur)의[에 관한]. —*m.f.* 남부 사람.

merienda *f.* ① (오후의) 간식: A las seis nos sirvieron la ~ 여섯 시에 간식이 나왔다. ② (소풍 등의) 도시락: ~ campestre 들놀이, 소풍, 야외 파티. ir de ~ 소풍 가다. ③ 곱사등이. ¶ ~ ***de negros*** 대혼란, 대소동, 큰 소동. ***juntar*** ~***s*** 재산을 모으다.

merindad *f.* 대관(代官)의 관구(管區) ((레온·까스띠야 왕국은 다섯 개의 관구로 나누어져 있었음)).

merino, na *adj.* 메리노종(種)의 (양); 메리노 양모제의[양털로 만든]. —*m.f.* 메리노 면양. —*m.* ① (중세 스페인의) 대관(代官). ② 목축 관리자.

meriñaque *m.* =**miriñaque**[2]**.**

meristema *m. Arg.* =**meristemo.**

meristemo *m.* [식물] 분열 조직.

mérito[1] *m.* ① 상[칭찬]을 받을 만한 일; 벌을 받을 만한 일; 가치: el ~ de este trabajo 이 일의 가치. ② 공적, 공훈, 공로: atribuirse el ~ de *algo* …을 자신의 공적으로 하다. ③ 공로장, 훈장: ~ civil 시민 공로장. ~ militar 군사 공로장. ④ 공덕(功德). ¶***de*** ~ 멋진, 훌륭한, 근사한, 매우 가치 있는, 눈부신. ***hacer*** ~ = **hacer méritos.** ***hacer*** ~***s*** 자신의 진가를 보이다, 좋은 점을 보이다.

mérito[2]**, ta** *adj.* [고어] =**digno, merecedor, benemérito.**

meritoriamente *adv.* 가치 있게, 기특하게, 공훈[공적]으로.

meritorio, ria *adj.* 가치[공훈·공적] 있는, 칭찬할 만한, 기특한. —*m.f.* (무급의) 연수생, 실습생, 견습 사원.

merla *f.* [새] =**mirlo.**

merlo *m.* ① [새] =**mirlo.** ② [어류] (지중해 산의) 붉은 갈치의 일종.

merlón *m.* [군사] (성의) 총안이 있는 부분에서 볼록한 곳.

merluza *f.* ① [어류] 메를루사 ((대구과(科)의 심해어의 총칭; 야행성 육식어)). ② 만취, 대취(大醉), 술에 몹시 취함(embriaguez, borrachera).

merluzo *m.* 우둔한 남자, 멍청한 남자, 어리석은 남자(hombre bobo, tonto).

merma *f.* ① 감소: ~ de los bienes 재산의 감소. ② [상업] (제조·수송 중 상품이 흐르거나 새거나 해서) 분량·무게가 저절로 줄어듦.

mermador, ra *adj.* 감소하는, 줄이는, 저절로 줄어든.

mermar *tr.* 줄이다: ~ la paga 급료를 줄이다. ~ la ración 배급 식량을 줄이다. —*intr.*, ~**se** 줄다, 소모되다: ~ en peso 무게가 줄다.
mermelada *f.* 마멀레이드, 잼.
mero[1] *m.* [어류] 메로 ((농어과(科)의 식용어)).
mero[2], **ra** *adj.* ① 단순한: una *mera* casualidad 단순한 우연. ② 순수한, 다른 것이 섞이지 않은. ③ 하찮은, 중요하지 않은.
merodeador, ra *adj.*, *m.f.* 배회하는, 서성거리는, 약탈하는 (사람).
merodear *intr.* ① [+por] (나쁜 목적으로) 주변을 배회하다, 빈둥거리다. ② 돌아다니면서 도둑질하다. ③ [군사] (병사가 대열을 이탈하여) 약탈하러 다니다.
merodeo *m.* ① 배회. ② 약탈.
merodista *m.f.* [드묾] 배회하는 사람; 약탈자.
merol *m. Nic.* =**alimento.**
merolico *m.* ① *Méj.* 거리의 돌팔이 의사. ② *Méj.* 행상.
merovingio, gia *adj.* (프랑스의) 메로빙 왕조의. —*m.pl.* 메로빙 왕가(王家).
meruca *f. Ast.* [동물] 지렁이.
meruco *m. Ast* [동물] =**meruca.**
meruéndano *m.* ① *Ast., Cantb., León.* [식물] 산딸기. ② *Ast., Cantb., León.* [열매] 산딸기.
merusa *f.* ① *Hond.* 돈; 자산. ② *Hond.* =**mordida, provecho.**
merusear *intr. Salv.* 거리에서 약을 팔다(vender medicinas en la calle).
mes *m.* ① 달: este ~ 이달, 금월, 이번 달. el ~ pasado 지난 달, el ~ que viene, el ~ próximo 다음 달. en el ~ diciembre 12월에. ② 1개월. ③ 월경(menstruo): ~ mayor 임월(臨月), 임삭(臨朔). tener el ~ 생리가 있다. llevar retraso en el ~ 생리가 늦다. ④ 월급: cobrar el ~ 월급을 받다. pagar el ~ 월급을 지불하다. ¶*al* [*por*] ~ 한 달에, 달에: una vez *al* ~ 한 달에 한 번. alquilar una habitación *por* ~ 월세로 방을 빌리다.
mesa *f.* ① 책상, 사무용 책상. ② 식탁, 탁자, 테이블: ~ plegable, ~ de tijera 접는 테이블. ③ 식사, 요리: La ~ está dispuesta 식사가 준비되어 있다. En su casa siempre hay buena ~ 그의 집에서는 항상 진수성찬이다. Su ~ es muy pobre 그의 식사는 아주 빈약하다. ④ [집합] (식사·회의의) 테이블에 둘러 앉은 사람들; (정치 회의·선거 위원회 등의) 집행부, 사무국, 위원회: ~ de congreso 의회의 위원회. ~ directiva 중역 회의. ~ electoral 선거 관리 위원회. presidente de la ~ 위원회장(長). ⑤ 대(臺): ~ de billar 당구대. ~ de juego (도박의) 게임대(臺). ~ de operaciones 수술대. ⑥ 대지(臺地), 고원(高原). ⑦ 평원, 평지. ⑧ (계단의) 층계참. ⑨ (보석의 깎은) 면. ⑩ (현악기의) 공명판. ⑪ (당구 등의) 한 판 승부. ⑫ (한 사람이 매일 먹는) 식사, 음식. ¶~ *de altar* (미사의) 성단(聖壇). ~ *de batalla* (우편물의) 분류대. ~ *de luz Arg., Ur.* =**mesa de noche.** ~ *de noche* 야간 테이블 ((침대 옆에 놓는 침실용 작은 탁자)). ~ *redonda* ㉮ 원탁, 원형 테이블. ㉯ (상하 구별이 없는) 원탁 회의. *alzar la* ~ =**quitar la mesa.** *a* ~ *puesta* 편안히, 안락하게, 남의 덕으로. *estar* alguien *a* ~ *y mantel de* otra persona (누가 다른 사람에게) 기식하다, 얻어먹다, 얹혀살다. *de sobre* ~ =**de sobremesa.** *levantar la* ~ =**quitar la mesa.** *levantarse* alguien *de la* ~ 식탁을 떠나다. *poner la* ~ 상을 차리다, 식사 준비를 하다. *quitar* [*recoger*] *la* ~ 상을 치우다. *sentarse* alguien *a la* ~ (누가) 식탁에 앉다. *servir la* ~ 식사 시중을 들다. *sobre* ~ =**de sobremesa.** *tener* a alguien *a* ~ *y mantel* (누구에게) 매일 먹을 것을 주다, 매일 거저 먹여 주다.
mesada *f.* 월급, 월부금.
mesalina *f.* 방종한 여자, 타락한 여자.
mesana *f.* ① (세 돛대 배의) 뒷돛대. ② 뒷돛대에 치는 세로 돛.
mesar *tr.* (머리카락·수염을) 손으로 잡아당기다. ~**se** 자기의 머리카락·수염을 잡아당기다[쥐어뜯다]: ~*se* la barba 자신의 수염을 쥐어뜯다.
mesaraico, ca *adj.* =**mesentérico.**
mesareico, ca *adj.* =**mesaraico.**
mescolanza *f.* =**mezcolanza.**
meseguería *f.* ① 밭 지키기. ② 밭을 지키기 위해 농부들이 내는 할당금. ③ 밭을 지키는 비용.
meseguero, ra *adj.* 밭의. —*m.* 밭을 지키는 사람, 밭지기.
mesencefalitis *f.* [의학] 중뇌염.
mesencéfalo *m.* [해부] 중뇌(中腦).
mesencefalosis *f.* [의학] 중뇌증.
mesencefalotomía *f.* [해부] 중뇌 절개술(中腦切開術).
mesénquima *m.* [해부] 간엽 조직(間葉組織), 중간엽(中間葉).
mesenquimal *adj.* [해부] 간엽 조직의[에 관한].
mesenterectomía *f.* [해부] 장간막 절제술(腸間膜切除術).
mesentérico, ca *adj.* [해부] 장간막의[에 관한]: infarto ~ 장간막 경색. tabes ~*ca* 장간막 결핵.
mesenterio *m.* [해부] 장간막(腸間膜).
mesenteriopexia *f.* [의학] 장간막 고정술(腸間膜固定術).
mesenteriorrapia *f.* [의학] 장간막 봉합술(腸間膜縫合術).
mesenterisis *f.* [의학] 장간막염.
mesero[1] *m.* (도제 생활을 끝내고) 스승한테서 월급을 받는 남자[기술자].

mesero², ra *m.f. AmérC., Bol., Chile, Col., Ecuad., Méj.* (카페 · 식당의) 종업원(camarero, camarera).

meseta *f.* ① [지리] 대지, 고원. ② (스페인 중부 지방의) 고원 대지. ③ (계단의) 층계참, 계단참. ¶ ~ *del toril* ㉮ (투우장에서) 외양간 위의 반반한 곳. ㉯ 외양간 위의 반반한 장소의 좌석(권).

mesetario, ria *adj.* 고원(meseta)의: ciudad ~*ria* 고원 도시.

mesiánico, ca *adj.* ① 메시아의. ② 메시아 사상의.

mesianismo *m.* 메시아 사상, 구세주 대망론.

mesías¹ *m.* [유대교] 메시아, 구세주.

Mesías² *m.* 예수 그리스도. ¶*esperar* alguien ***al*** ~ 이미 도착한[온] …를 기다리다.

mesilla *f.* ① =**mesa de noche.** ② (왕이 하인에게 주는) 일당. ③ 꾸중, 나무람, 혼내기; 주의, 경고. ④ [건축] 층계참, 계단참(meseta). ⑤ [건축] (창문 난간 윗부분의) 반반한 돌. ¶ ~ *de noche* =**mesa de noche.**

mesillo *m.* (여성의) 출산후 첫 월경.

mesingo, ga *adj.* ① *Sal.* =**débil, delicado.** ② *Sal.* =**melindroso.**

mesita *f.* 작은 탁자. ¶ ~ *de noche* =**mesa de noche.**

mesmedad *por misma* ~ ㉮ 당연히, 저절로. ㉯ 어떤 도움이나 간섭 없이.

mesmerismo *m.* [독일 의사 Mesmer (1734-1815)의 이름에서] 최면술, 최면(상태).

mesnada *f.* ① (옛날에 왕 · 대공작 · 대기사 등의) 근위대, 친위대. ② =**compañía, junta, congregación.**

mesnadería *f.* mesnadero의 급료.

mesnadero *m.* (중세 후기, 까스띠야의) 근위대원, 친위대원.

meso- *pref.* 「중앙 · 중간의(medio, intermedio)」의 뜻: *meso*dermo 중배엽, *meso*zoico 중생대의.

mesoamericano, na *adj.* 메소 아메리카(Mesoamérica, 멕시코 대부분 지역 · 중앙 아메리카 · 안띠야스 제도)의[에 관한]. —*m.f.* 메소 아메리카 사람.

mesocarpio *m.* [식물] 중과피(中果皮), 과실의 속껍질.

mesocefalia *f.* [인류학] 중두형.

mesocéfalo, la *adj.* ① [인류학] (장두(長頭) · 단두(短頭)에 대해) 중두(中頭)의. ② [해부] 중뇌(中腦)의. —*m.f.* [인류학] 중두형 인종.

mesocracia *f.* ① 중산 계급에 의한 정부. ② 중산 계급(burguesía).

mesocrático, ca *adj.* 중산 계급의[에 관한], 중산 계급 정부의[에 관한].

mesodérmico, ca *adj.* [생물] 중배엽의[에 관한].

mesodermo *m.* [생물] 중배엽(中胚葉).

mesolítico, ca *adj.* [고고학] 중석기 시대의[에 관한]. —*m.* 중석기 시대.

mesón¹ *m.* ① (옛 스타일의) 주점, 바, 식당. ② 객줏집, 여관. ③ *Chile.* (가게 · 주점의) 카운터.

mesón² *m.* [물리] 중간자(中間子).

mesonaje *m.* [드묾] mesón¹이 많은 곳[거리].

mesonero, ra *adj.* mesón의[에 관한]. —*m.f.* ① mesón의 주인. ② *Ven.* 주점(bar) · 식당(restaurante)의 종업원.

mesonil *adj.* ① mesón의[에 관한]. ② mesonero의[에 관한].

mesonista *adj.* mesón의[에 관한].

mesopausa *f.* [기상] 중간층[권]과 전리층과의 경계면 ((80 km 이하)).

mesopotámico, ca *adj.* ① 메소포타미아(Mesopotamia, 아시아 남서부 티그리스, 유프라테스 두 강의 하류에 있었던 고대 왕국; 현재의 이라크와 거의 같은 지역)의[에 관한]. ② *Arg.* 빠라나와 우루구아이 두 강 사이에 있는 아르헨띠나 지역의[에 관한]. —*m.f.* 메소포타미아 사람.

mesosfera *f.* [기상] 중간권, 중간층.

mesósfera *f. Amér.* =**mesosfera.**

mesotórax *m.sing.pl.* ① [해부] 가운데 가슴, 중흉(中胸). ② [동물] (곤충의) 가슴 가운데 체절[환절 · 몸마디].

mesozoico, ca *adj.* [지질] 중생대의[에 관한]. —*m.* [지질] 중생대.

mesquital *m. Méj.* =**mezquital.**

mesquite *m. Méj.* =**mezquite.**

Mesta *f.* ① (옛날의) 목장주 조합[회의]. ② 목장주 조합 회의.

mesteño, ña *adj.* ① Mesta의[에 관한]. ② 소유자 불명의. ③ (동물이) 사나운(cerril).

mester *m.* ① =**menester.** ② [고어] =**arte, oficio.** ¶ ~ *de clerecía* (중세의 서민 문학에 대해) 교양파 유식 계급 문학 장르. ~ *de juglaría* (중세의) 편력 광대[민요 가수]의 시, 서민 문학, 평민 문학.

mesticia *f.* [드묾] =**afición, tristez.**

mestizaje *m.* ① (다른 인종의) 혼혈. ② [집합] 혼혈인. ③ (다른 문화의) 혼합(mezcla).

mestizar (9) *tr.* 혼혈[교배]시키다.

mestizo, za *adj.* ① (특히 백인 남자와 인디오 여인 · 인디오 남자와 백인 여자 사이에) 태어난, 혼혈의: ② (동물 · 식물의 다른 종(족) 간의) 교배의, 잡종의. ③ (문화 · 정신적인 행위에 대해) 다른 문화에서 온[비롯된]. —*m.f.* 메스티소, 혼혈인 ((백인과 인디오 사이에 태어난 사람)).

mesto¹, ta *adj.* [드묾] 섞인, 혼합된. —*m.* ① 코르크 떡갈나무와 졸참나무의 잡종. ② =**rebollo.** ③ 쐐기풀. ④ *Al.* 여러 가지 씨앗의 혼합. ⑤ *pl.* 여러 개울[지류]의 혼합.

mesto², ta *adj.* [드묾] 슬픈(triste).

mesturero, ra *adj.* =**cizañero.**

mesura *f.* ① 절도, 신중. ② (행동 · 표정에서) 엄숙함, 침착함, 정중함. ③ 경의, 예의.

mesuradamente *adv.* 절도 있게, 신중

하게; 조금씩 조금씩(poco a poco).
mesurado, da *adj.* ① 절도가 있는. ② 신중한, 조심성 있는.
mesurar *tr.* ① 신중하게 생각하다. ② [고어] *Ecuad.* 재다(medir). ③ [고어] =**considerar.** ~**se** 자제하다, 억제하다, 삼가다(contenerse, moderarse).
meta *f.* ① (경주에서) 결승점, 결승선: línea de ~ [육상] 골라인, 결승선. ② (축구 등 구기에서) 골(portería): área de ~ 골 에어리어. alcanzar [llegar a] la ~ 골을 넣다. ganar la ~ 득점을 올리다, 결승점을 올리다. ③ [야구] 본루, 홈 베이스. ④ 목적, 목표(fin). ⑤ (고대 로마의 원형 경기장의) 원추형 기둥. —*m.* [운동] 골키퍼, 문지기.
meta- *pref.* 「··· 옆에(junto a)···· 뒤에(después de)···· 사이에(entre)·함께(con)」의 뜻: *meta*centro 외심점(外心點), *meta*tórax 후흉(後胸).
metábasis *f.sing.pl.* [수사학] 주제 전이(主題轉移).
metabólico, ca *adj.* 물질[신진] 대사(代謝)의.
metabolismo *m.* (물질) 대사 (작용), 신진 대사. ¶ ~ ***basal*** 기초 대사.
metabolito *m.* [생화학] 대사 산물(代謝産物), 신진 대사에 필요한 물질.
metabolizar (9) *tr.* [생물] 신진 대사시키다, 물질 대사로 변화시키다.
metacarpiano, na *adj.* ① metacarpio의[에 관한]. ② 다섯 개의 손바닥뼈 중의 각각의.
metacarpo *m.* [해부] 중수골, 손바닥뼈.
metacéntrico, ca *adj.* metacentro의.
metacentro *m.* [물리] 외심점.
metacrilato *m.* [화학] 메타크릴 산염(山鹽), 메타크릴 수지(樹脂).
metacrílico, ca *adj.* 메타크릴의.
metadona *f.* [의학] 메타돈.
metafase *f.* [생물] (유사 분열의) 중기.
metafísica *f.* ① 형이상학, 사변 철학(思辨哲學), 순정(純正) 철학. ② (학문 연구의) 원리 체계, 기본적인 원리. ③ (난해한) 추상론, 추상적 논의.
metafísicamente *adv.* 형이상학적으로; 추상적으로, 관념적으로.
metafísico, ca *adj.* ① 형이상학의, 형이상학적인. ② 추상적인, 관념적인. ③ 난해한. —*mf.* 형이상학자.
metafita *f.* [식물] 다세포 식물.
metafonía *f.* [언어] 모음 변이.
metáfora *f.* [수사학] 은유, 은유법.
metafóricamente *adv.* 은유로, 은유법으로, 은유법에 의해; 비유적으로.
metafórico, ca *adj.* 은유의, 은유적인, 은유법에 의한; 비유적인: expresión ~*ca* 은유적 표현.
metaforizar (9) *tr.* 은유법을 사용하다.
metagoge *f.* [수사학] 의인법(擬人法) ((예 reírse el campo 들이 웃다)).
metal *m.* ① 금속: ~ ligero 경금속. ~ pesado 중금속. ~*es* no ferrosos 비철금속. placa de ~ 금속판. ② 놋쇠(latón). ③ (소리의 금속적인) 음색(音色). ④ (물건의) 바탕, 본질, 성질, 기질. ⑤ [문장] 금, 은. ⑥ [때때로 *pl.*] 금관 악기. ¶***el vil*** ~ 돈(dinero). ~ ***blanco*** [야금] 백색 합금. ~ ***campanil*** 종(鐘)의 동(銅). ~ ***de imprenta*** 활자의 지금. ~ ***noble*** [화학] 귀금속. ~ ***precioso*** 귀금속.
metalado, da *adj.* ① =**mezclado, impuro.** ② [고어] 금속제의.
metalario *m.* [드뭄] =**metalero.**
metalengua *f.* [언어] =**metalenguaje.**
metalenguaje *m.* ① [컴퓨터] 메타 랭귀지. ② [언어] 메타 언어, 상위 언어.
metalero, ra *adj.* metal의[에 관한]: barco ~ 금속제 선박. camión ~ 금속제 트럭. —*m.* 금속 장인[예술가].
metálico, ca *adj.* ① 금속의, 금속제의, 금속질의, 금속성의: no ~ 비금속성의. elemento ~ 금속 원소. voz ~*ca* 금속성 소리. ② 메달의[에 관한]. —*m.* ① 금속 장인[예술가]. ② (지폐와 다른) 금화, 은화, 동전 및 다른 금속제 동전. ③ 돈, 현금(現金): pagar en ~ 현금으로 지불하다. ¶***moneda*** ~***ca*** 경화(硬貨).
metalífero, ra *adj.* 금속을 함유한.
metalingüística *f.* [언어] 후단 언어학.
metalingüísticamente *adv.* 상위 언어적으로.
metalingüístico, ca *adj.* [언어] 상위 언어의, 상위 언어적, 메타 언어의.
metalino, na *adj.* [드뭄] 금속(제)의.
metalista *mf.* 금속 장인[예술가].
metalistería *f.* 금속 예술.
metalización *f.* 금속화, 금속 피복(被覆); 금속 도장; 고무의 경화(硬化).
metalizar (9) *tr.* ① 금속화시키다. ② 금속을 씌우다[덮다], 금속 도장하다. ③ (고무를) 경화시키다. ~**se** ① 금속화되다. ② 돈에 집착하다, 돈[금전]의 노예가 되다.
metalla *f.* 보전용(補塡用) 금박 조각.
metalografía *f.* ① 금속 조직학. ② [미술] 금속판 인쇄.
metalográfico, ca *adj.* metalografía의.
metaloide *m.* [화학] =**semimetal.**
metaloterapia *f.* [의학] 금속 접촉 치료 요법.
metalurgia *f.* ① 야금. ② 야금학[술].
metalúrgico, ca *adj.* 야금의; 야금학의. —*mf.* 야금공(工), 야금가(家), 야금학자.
metalurgista *mf.* 야금학자.
metamatemática *f.* 초수학(超數學); (수학에 의한) 증명론(證明論)
metámero *m.* [동물] 체절(體節).
metamórfico, ca *adj.* [지질] 변성의: roca ~*ca* 변성암.
metamorfismo *m.* 변성 (작용).
metamorfosear *tr.* (형태 등을) 변화시키나. ~**se** (형태 등이) 변화되다.
metamorfosi *f.* =**metamorfosis.**
metamorfosis *f.sing.pl.* ① (마력·초

자연력에 의한) 변형 (작용). ② (일반적으로) 변질, 변용, 변모. ③ [생물] 변태. ④ [병리] 변성, 변태.
metano *m.* [화학] 메탄 (가스).
metanol *m.* [화학] 메타놀.
metaplasmo *m.* ① [생물] 후형질(後形質). ② [문법] 어형 변이(語形變異).
metapsíquica *f.* 심령 현상, 초심리 현상; 심령 연구.
metastásico, ca *adj.* metástasis의.
metástasis *f.sing.pl.* ① [의학] (암 등의) 전이. ② [의학] 전이 결과.
metastatizar (9) *intr.* [의학] 변이를 일으키다(producir metástasis).
metatarsiano, na *adj.* ① 발등뼈의. ② 다섯 개의 발등뼈 중의 각각의.
metatarso *m.* [해부] 발등뼈.
metate *m. Guat., Méj.* (옥수수와 다른 곡물을 빻는) 맷돌.
metateada *f. Hond.* =**paliza.**
metatear *intr. Méj.* 맷돌로 빻다.
metatero, ra *m.f.* 맷돌 제조자[장수].
metátesis *f.sing.pl.* [언어] 음위 전환.
metatórax *m.sing.pl.* [곤충] 후흉.
metazoo *m.* 후생 동물(後生動物).
meteco, ca *adj.* 외국(인)의. —*m.f.* ① 외국인. ② (고대 희랍의) 거류 외국인.
metedor, ra *m.f.* ① 섞는[혼합하는] 사람. ② =**contrabandista.** —*m.* (어린 아이의 기저귀 밑에 대는) 천 조각.
metedura *f.* 속에 넣는 일. ¶ ~ *de pata* 엄청난 실수[잘못], 실태, 실언.
meteduría *f.* 밀수입.
metempiricismo *m.* 초경험론.
metempsicosis *f.* =**metempsícosis.**
metempsícosis *f.sing.pl.* [종교] 윤회, 전생(轉生); 영혼 이체(靈魂移體).
metemuertos *m.pl.* ① (연극 등의) 대도구 담당자. ② [드묾] 주책바가지.
meteórico, ca *adj.* ① 대기 현상의. ② 유성(流星)의. ③ 유성과 같은.
meteorismo *m.* [의학] 고창(鼓脹).
meteorítico, ca *adj.* meteorito의.
meteorito *m.* [천문] 운석(隕石).
meteorización *f.* (기상에 의한) 풍화작용.
meteorizar (9) *tr.* 고창(鼓脹)을 일으키다. ~**se** ① (대지가) 기상의 영향을 받다. ② [의학] 고창에 걸리다.
meteoro *m.* =**metéoro.**
metéoro *m.* 기상 현상.
meteorología *f.* ① 기상학(氣象學). ② 일기 예보. ③ (특정한 지방의) 기상.
meteorológico, ca *adj.* ① 기상(학)의[에 관한]: boletín ~, informe ~ 기상 통보. observación ~*ca* 기상 관측. carta ~*ca*, mapa ~ 기상도. ② 기상 현상의[에 관한].
meteorologista *m.f.* =**meteorólogo.**
meteorólogo, ga *m.f.* ① 기상학자. ② (일기) 예보관.
meter *tr.* ① [+en] (…의 안에) 넣다: ~ el vino en una botella 포도주를 병에 넣다. ~ el coche en el garaje 자동차를 차고에 넣다. ~ quinientos euros en el banco 500 유로를 은행에 예금하다. ② [+en] (사람을, 장소·상황에) 놓다: ~ a *alguien en* la cárcel …를 감옥에 넣다, …를 투옥시키다. ③ [+a+사람] (…에게 감정 등을) 일으키다: ~ enredos a *alguien* …에게 분규를 일으키게 하다. ~ miedo a *alguien* …에게 공포감을 주다. ④ (보통 들어갈 수 있는 것 이상으로) 삽입하다, 끼워 넣다, 접어 넣다, 사이에 넣다, 끼우다: ~ letras 글자를 사이에 넣다. ~ renglones 행(行)을 집어넣다. ~ dinero al sobre 돈을 봉투에 집어 넣다. ~ el pan en harina 빵에 밀가루를 많이 넣다. ⑤ (구타를) 가하다, (따귀 등을) 때리다. ⑥ 밀수입하다. ⑦ [재단] 짧게 하다, 꿰매 줄이다, 빠듯하게 하다: ~ la falda 스커트를 줄이다. ⑧ [선박] (돛을) 조이다. ⑨ (기구 등을) 움직이게 하다, 작동시키다: ~ las tijeras en el traje 옷에 가위질을 하다. ~**se** ① [+en] (자신의 …을 …에) 넣다: ~*se* la mano *en* el bolsillo 호주머니에 손을 넣다. ② (물건이) 들어가다. ③ (사람이 장소 등에) 들어가다: ~*se* dentro del coche 자동차에 타다, 차에 오르다. ④ (…에) 개입하다, 사이에 끼어들다, 참견하다: No *te metas en* los asuntos ajenos 남의 일에 끼어들지 마라. ⑤ …이 되다: ~*se* soldado 군인이 되다. ⑥ 빠져[휩쓸려·끌려] 들어가다: ~*se en* los vicios 악습에 빠져 들어가다. ⑦ [+con] (…와) 싸우다: Ella *se metía* mucho *con* su hermana pequeña 그녀는 동생과 많이 싸웠다. ¶***a todo*** ~ ㉮ 전속력으로. ㉯ 맹렬히, 심하게, 과격하게. ㉰ 전력(全力)을 다해, 열심히, 기를 쓰고, 정신 없이. ***estar*** alguien ***muy metido con*** otra persona (누가 다른 사람과) 무척 돈독하다[친밀하다], 오손도손하다. ***estar*** alguien ***muy metido en*** algo (누가, 무엇에) 열중하고 있다. ~***se*** alguien ***donde no lo llaman*** [***donde nadie lo llama · en lo que no le importa · en lo que no le toca · en lo que no le va ni le viene***] 남의 일에 깊이 관여하다, 주제넘게 나서다[참견하다], 중뿔나게 나서다. ~***se*** alguien ***en sí*** (***mismo***) (누가) 골똘히[혼자] 생각에 잠기다, 깊은 사색에 잠기다, 몰두하다; 세상과 관계[인연]를 끊다. ~***se en todo*** 매사에 쓸데없는 참견을 하다, 어떤 일이고 쓸데없이 끼어들다.
meterete *adj. m.f. Ur.* =entremetido.
metesillas ~ *y sacamuertos* [드묾] =**metemuertos.**
metete *adj., m.f. Chile, Perú.* =**entremetido.**
metical *m.* ① 메띠깔 ((18세기에 스페인에서 유통되었던 구리와 은의 합금 동전)). ② 모로코의 동전.

metiche *adj., mf. AmérC., Col., Méj., Ecuad., Perú, Ven.* =**entremetido.**
meticón, na *adj., mf.* =**entremetido.**
meticulosamente *adv.* 세심하게, 소심하게, 너무 주눅이 들어.
meticulosidad *f.* 세심함, 소심함.
meticuloso, sa *adj.* 소심한, 세심한, 지나치게 정확한, 용의주도한. *—mf.* 겁쟁이, 겁보(medroso).
metida *f.* ☞**metido.**
metillo *m.* =**metedor.**
metido, da *adj.* ① [+en] (…이) 충분한, 많은, 많이 집어넣은, 가득 채워 넣은, 많이 들어간: ~ *en* carnes 고기를 많이 집어넣은, 고기가 많이 들어간. ② *Méj., AmérC., Cuba.* = **entremetido.** *—mf. AmérC., Méj., Cuba.* 주책바가지, 공연히 참견하는 사람. *—m.* ① 구타; 공격. ② [재봉] 물건을 안에 넣고 꿰매는 부분. ③ = **metedor.** ④ (옛날에 세탁하는 여자가 새의 오줌과 똥으로 만든) 암모니아성 표백분[잿물]. ⑤ (일의) 진척(impulso, avance). ⑥ (물건을) 오래 사용함. ⑦ 격한 비난[공격], 엄한 질책(reprensión). *—f.* ① 속에 넣는 일. ② (일의) 진척. ③ (물건을) 오래 사용함.
metijón, na *adj., mf.* =**entremetido.**
metílico, ca *adj.* metilo의[에 관한].
metilo *m.* [화학] 메틸, 메틸기(基).
metimiento *m.* ① 끼워 넣기, 집어넣기. ② =**privanza, influenza.**
metisaca *f.* [투우] (투우사가 숨통을 끊는 칼을 소에게 꽂아 손을 뗄 때, 칼이 불완전하게 꽂힌 줄 알고) 간혹 칼을 뽑는 실패 기(技).
metódicamente *adv.* 일정한 방식에 따라, 질서 정연하게, 조직적으로, 체계적으로; 규칙적으로.
metódico, ca *adj.* ① 일정한 방식에 따른, 질서 정연한, 조직적인, 체계적인. ② 규칙적인, 규칙 바른.
metodismo *m.* [종교] 메서디스트파(派), 감리교파(의 교리).
metodista *adj.* ① 감리교를 믿는[신봉하는]. ② 감리교파[메서디스트파]의[에 관한]. *—mf.* 감리교도.
metodizar (9) *tr.* 조직화하다, 방식화하다, 순서[계통·조직]를 세우다, 질서 있게 하다(poner orden y método).
método *m.* ① 방법, (특히) 조직적[체계적·논리적]인 방법, 방식: ~ audiovisual 시청각 방식. ~ de lectura 독서법. ② (일정한) 순서, 수순; (생각 등의) 조리; 체계, 질서 (정연함); 규칙 바름: ~ de trabajo 작업 수순. ③ [음악] 교본(教本): ~ de música 음악 교본. ~ de piano 피아노 교본. ¶*con* ~ 일정한 방식에 따라; 질서 정연하게, 조직적으로, 체계적으로, 사리에 맞게: Explícamelo con ~ 사리에 맞게 나에게 그것을 설명해라.
metodología *f.* ① 방법론, 방법학; 교육 방법론. ② [집합] 계통적 분류법.
metodológicamente *adv.* 방법론적으로(de manera metodológica).
metodológico, ca *adj.* 방법론의[에 관한], 방법론적인.
metomentodo *mf.sing.pl.* =**entremetido.**
metonimia *f.* [수사학] 환유(換喩), 환유어(換喩語) ((예 las canas(백발)로 la vejez(노년)을 나타냄)).
metonímico, ca *adj.* ① metonimia의[에 관한], 환유적인. ② metonimia를 가진[포함한].
metopa *f.* [건축] 메토프 ((도리아식에서 두 개의 트리글리프(triglifo, 세로 세 줄기 홈이 진 무늬) 사이에 끼인 네모진 벽)).
métopa *f.* =**metopa.**
metoposcopia *f.* 인상학(印象學), 골상학, 관상술(觀相術).
metra *f. Al., Cantb.* 산딸기.
metraje *m.* 영화의 길이: corto ~ 단편 영화. largo ~ 장편 영화.
metralla *f.* ① [집합] 쓸모없는 물건, 폐품. ② [집합] 쇳조각. ③ [군사] 산탄(散彈).
metrallazo *m.* ① 산탄의 발사. ② 산탄 발사로 생긴 상처.
metralleta *f. fr.* 경기관총, 자동 소총.
metreta *f.* ① (희랍인·로마인들이 사용했던) 액체 측정. ② (옛날에) 포도주[기름] 보관 용기(容器).
-metría *suf.*「계량(計量)(medida)·측정(medición)」의 뜻: econo*metría* 계량 경제학. crono*metría* 시간 측정.
métrica *f.* ① 시법(詩法), 작시법(作詩法). ② 운율론, 운율학.
métricamente *adv.* 측량으로, 계량적으로, 운율적으로.
métrico, ca *adj.* ① 미터(법)의[에 관한]. ② 운율(metro)의[에 관한], 운문의[에 관한]; 시작(詩作)의. ¶***acento*** ~ 운율 강세. ***arte*** *~**ca*** 작시법. ***sistema*** ~ 미터법. ***tonelada*** *~**ca*** 미터톤.
metrificación *f.* 운문 쓰기, 시작(詩作).
metrificador, ra *mf.* 운율학자; 작시가(作詩家).
metrificar (7) *intr.* ① 운문을 짓다. ② 시를 쓰다. *—tr.* (시를) 쓰다.
metrista *mf.* 운율학자; 작시가.
metritis *f.* [의학] 자궁 근층염.
metro¹ *m.* ① [길이의 단위] 미터: por ~*s* 미터 단위로. comprar diez ~s de una tela 천을 10미터 사다. ② 미터자: ~ de carpintero, ~ plegable 접자. ~ de cinta 줄자. ③ (시의) 운율, 격조. ④ [운율의 단위] 보격(步格). ¶ ~ ***cuadrado*** [면적의 단위] 제곱미터 ((m^2)). ~ ***cúbico*** 세제곱미터, 입방미터 ((m^3)).
metro² *m.* [metropolitano의 단축형] 지하철: boca [entrada] de ~ 지하철 입구. estación de ~ 지하철역. ir en ~ 지하철로 가다. tomar el ~ 지하철을 타다.

-metro *suf.* ①「미터(metro)」의 뜻: centí*metro* 센티미터, kiló*metro* 킬로미터. ②「계(計)·계기(計器)(aparato de medir)」의 뜻: pluvió*metro* 우량계, termó*metro* 온도계.
metrocarcinoma *m.* 자궁암(子宮癌).
metrología *f.* 도량형학.
metrónomo *m.* [음악] 메트로놈, 박절기(拍節器).
metrópoli *f.* ① 대도시; 주요 도시; 수도(capital). ② 대주교 교구[교회]. ③ (식민지에 대해) 본국, 내지(內地).
metrópolis *f.* [드묾] =**metrópoli.**
metropolitano, na *adj.* metrópoli의[에 관한]. —*m.* ① 대주교(大主教). ② 지하철, 지하 철도(tren subterráneo). ¶ ***área ~ca*** 수도권, 대도시권. ***iglesia ~ca*** 대주교 교구 성당.
metrorragia *f.* [의학] 자궁 출혈.
mexicanismo *m.* (스페인어의) 멕시코 말투[어투].
mexicanista *mf.* 멕시코 문화[역사] 연구자.
mexicano, na *adj.* ① 멕시코(México) 태생의. ② 멕시코의[에 관한]. —*mf.* 멕시코 사람. —*m.* 나우아 말.
México *m.* ① [국명] 멕시코 ((정식 명칭은 Estados Unidos de ~ 멕시코 합중국)). ② 멕시코 시(ciudad de ~).
mexiquense *adj.* 멕시코 공화국의 멕시코 주(州)(Estado de México) 태생의. —*mf.* 멕시코 주 사람.
mexiqueño, ña *adj.* ① 멕시코 태생의. ② 멕시코 시(市)의[에 관한].
meya *f.* =noca.
mezcal *m.* ① 용설란(agave)의 변종. ② 용설란 소주[증류주].
mezcalear *tr. Méj.* 용설란 소주를 증류하다.
mezcalería *f. Hond., Méj.* mezcal공장.
mezcalero, ra *adj.* ① (미국 영토인 텍사스와 뉴멕시코를 차지하고 있는) 아메리카 원주 민족의. ② 아메리카 인디오의[에 관한]. ③ *Méj.* 용설란 소주(mezcal)의[에 관한]. —*mf.* ① 아메리카 인디오. ② *Méj.* 용설란 재배 수확자. ③ *Méj.* 용설란 소주 제조자.
mezcla *f.* ① 혼합(混合). ② 혼합물: ~ explosiva [denotante] 폭발성 혼합물. ③ [섬유] 교직(交織). ④ 모르타르. ⑤ [주로 *pl.*] (녹음의) 혼성(混成), 믹싱.
mezclable *adj.* 섞을 수 있는, 혼합할 수 있는, 혼합 가능한, 섞기 쉬운.
mezcladamente *adv.* 한데 어울려, 이것저것 섞어.
mezclado *m.* (옛날에) 혼합 섬유.
mezclador, ra *adj.* [방송] (녹음을) 혼성하는, 믹싱하는. —*mf.* ① 섞는 사람. ② [방송] 녹음 기사. ③ [고어] 험담가, 이야기꾼. —*f.* 믹서.
mezcladura *f.* 혼합(混合)(mezcla).
mezclamiento *m.* =mezcladura.
mezclar *tr.* ① 섞다, 혼합하다: ~ dos licores 두 술을 섞다. ~ la leche y la harina 우유와 소맥분을 섞다. ~ vino con agua 포도주를 물로 섞다. ② 뒤섞다: ~ las fichas 카드를 뒤섞다. ③ (…를 …에) 끌어넣다(meter): ¡No me *mezcles en* tus asuntos! 네 문제에 나를 끌어넣지 마라. **~se** ① 섞이다: No *se mezclan* el agua y el aceite 물과 기름은 섞이지 않는다. ② 뒤섞이다. ③ [+en] (…에) 개입하다, 끼어들다: ~*se en* una discusión 토론에 끼어들다. ④ [+con] (…와) 교제하다: ~*se con* gente indeseable 마음에 들지 않는 사람들과 교제하다. ⑤ [드묾] [+con] (…와) 인척[친척] 관계가 되다(enlazarse).
mezclilla *f.* 교직(交織)[혼방]의 직물.
mezcolanza *f.* 뒤범벅, 오합지졸(烏合之卒): hablar una ~ ininteligible 이해할 수 없는 것을 뒤섞어 말하다.
mezquinamente *adv.* ① 불쌍하게, 가엾게. ② 인색하게.
mezquinar *tr.* ① 인색하게 굴다, 인색한 짓을 하다, 인색하게 주다: ~ los alimentos 음식에 인색하게 굴다. ~ la ayuda 도움에 인색하다. ② *Arg.* 피하다, 비키다, 비켜서다(esquivar). ③ *Col.* (…의) 벌[죄]을 면제하다.
mezquindad *f.* ① 인색함, 다라움, 째째함; 협량한 태도[행위]: cometer una ~ 인색한 짓을 하다. ② 불충분, 빈약함, 초라함: ~ de la vivienda 주거의 초라함.
mezquino, na *adj.* ① 인색한, 다라운, 째째한: hombre ~ 인색한 남자. mujer ~*ca* 인색한 여자. ② 야비한, 치사한, 비열한: No seas ~ 야비한[치사한·비열한] 짓 하지 마라. ③ 불충분한, 근소한, 적은: una cantidad ~*na* de dinero 적은[불충분한] 돈. ④ 가난한(pobre, necesitado): una vida ~na 가난한 생활. —*mf.* 구두쇠, 노랑이, 깍쟁이. —*m. Col., Méj.* (살갗의) 사마귀(verruga).
mezquita *f.* 이슬람교 사원, 모스크.
mezquite *m.* [식물] 아카시아의 일종.
mezzosoprano *f. ital.* [음악] 메조소프라노 ((소프라노와 알토(alto)와의 중간 음역)). —*mf.* 메조소프라노 가수.
m/f meses fecha 일부후 …월부.
m/fac. mi factura 우리측의 송장.
mg. miligramo 밀리그램.
MHz megahercio 메가헤르츠.
mi[1] *adj.* [소유 형용사 1인칭 단수 단축형; 명사 앞에 쓰임] ① 나의, 내: *mi* coche 내 차(車). *mi* padre 내 아버지 *mis* padres 내 부모님. ② [애칭] *mi* hijo 내 아들아. ③ [군사] [상관에게 말을 걸 때 해당 계급 앞에 붙이는 존경의 경칭] *mi* capitán 대위님. *mi* coronel 대령님. *mi* general 장군님.
mi[2] *m.* [음악] (음계의) 미, 마음(音) ((음계의 세 번째 음)).
mi[3] *f.* 뮈 ((희랍어 알파벳의 열두 번째 글자; Μ, μ))
mí *pron.* [전치사격 인칭 대명사 1인칭

단수. con 다음에서는 con mí라 쓰지 않고 *conmigo*가 됨] 나: ㉮ Ella habla mal de *mí* 그녀는 내 욕을 한다. Lo he hecho para *mí* 나는 내 자신을 위해 그 일을 했다. ㉯ [목적 대명사를 강조할 경우 a mí를 중복시킨다] A *mí* me gusta la película española (다른 사람은 모르지만) 나는 스페인 영화를 좋아한다. ¶***a mí qué*** 나는 상관이 없다. ***para mí*** 내 생각에는, 나는 …라 생각한다.

miador, ra *adj.* (고양이가) 야옹하고 우는(que mía).

miagar *intr. Cantb.* =maullar.

miaja[1] *f.* =meaja (옛 동전).

miaja[2] *f.* ① 작은 빵 부스러기. ② (어떤 것의) 적은 양[분량]. ③ *Cuba.* = galladura.

mialgia *f.* [의학] =miodinia.

mialmas *como unas* ~ ㉮ 만족스레. ㉯ 기쁘게.

miañar *intr.* [드묾] =maullar.

miar *intr.* [드묾] =maullar.

miasma *f.* [주로 *pl.*] 장기(瘴氣), 장독.

miasmático, ca *adj.* ① 장기(瘴氣)를 일으키는; 장기를 포함한. ② 장기로 발생하는[일어나는].

miastenia *f.* [의학] 근육 무력, 근육 약화 증세.

miau *interj.* 야옹 ((고양이 우는 소리의 소리흉내말)). —*m.* 고양이의 우는 소리.

mica[1] *f.* [광물] 운모(雲母), 돌비늘.

mica[2] *f.* ① [동물] 긴꼬리원숭이 암컷. ② *Guat.* 요부, 교태를 부리는 여자.

micáceo, a *adj.* ① 운모를 포함한. ② 운모 같은, 운모 비슷한.

micacita *f.* 운모 편암(雲母片巖).

micción *f.* ① 배뇨, 방뇨. ② 오줌.

miccional *adj.* micción의[에 관한].

miccionar *intr.* 오줌을 누다. —*tr.* 오줌을 누이다.

micelio *m.* [식물] 균사, 균사체.

micetología *f.* =micología.

micha[1] *f.* [구어] 암고양이(gata).

micha[2] *adj. quechua. Bol.* 욕심이 많은. —*m.f.* 욕심쟁이, 욕심꾸러기.

miche *m. CRica.* =reyerta.

michelín *m.* (복부 등의) 피하 지방, 군살, 쓸데없는 살덩어리.

michina *f.* [구어] 암고양이(gata).

michino, na *adj.* [구어] 고양이(gato).

micho *m.* [구어] 고양이(gato).

mico *m.* ① [동물] 긴꼬리원숭이. ② 작고 매우 못생긴 사람, 추남. ③ [아이들의 애칭] 꼬마. ④ 호색가(好色家), 음란한 남자, 음탕한 남자. ⑤ *CRica., Guat., Nic., Salv.* (여성의) 질(窒). ¶***dar*** ~ 약속을 어기다.

micología *f.* 균학, 균류학(菌類學).

micólogo, ga *m.f.* 균학자, 균류학자.

micorriza *f.* [식물] 균근(菌根).

micosis *f.sing.pl.* [의학] 균학, 균류학.

micrero, ra *adj. Chile.* microbús의[에 관한]. —*m. Chile.* microbús 운전수[주인].

micro *m.* ① 마이크로폰 ((micrófono의 생략어)). ② 마이크로버스 ((microbús의 생략어)). ③ 마이크로 컴퓨터 ((microordenador의 생략어)). ④ *Arg.* 장거리 버스. ⑤ *Chile.* 버스.

micro- *pref.* ①「매우 작은(muy pequeño)」의 뜻: *micro*electrónica 마이크로 전자 공학. *micro*scopio 현미경. ②「백만분의 일」의 뜻 ((μ)).

microamperio *m.* [전기] 마이크로 암페어.

microbiano, na *adj.* microbio의.

microbicida *adj.* 살균의. —*m.* 살균제.

microbio *m.* 미생물; 세균, 박테리아; 병원균: ~ tuberculoso 결핵균.

microbiología *f.* 미생물학.

microbiológico, ca *adj.* 미생물학의.

microbiólogo, ga *m.f.* 미생물학자, 세균학자.

microbús *m.* 마이크로버스.

microcefalia *f.* [의학] 소두증(小頭症).

microcéfalo, la *adj.* ① 소속 종(種)에서 보통 것보다 머리가 작은 (동물). ② 소두증의, 이상 소두(異常小頭)의. —*m.f.* (이상) 소두증 환자.

microchip *m.* [*pl.* ~s] [전자] 마이크로칩(chip miniaturizado).

microcinta *f.* 마이크로 필름.

microcircuito *m.* [전자] 마이크로[초소형] 회로, 집적 회로.

microcirugía *f.* 현미 수술(顯微手術).

microclima *m.* 소기후(小氣候) ((한 국지(局地)의 기후)); 미기후(微氣候).

micrococo *m.* [생물] 단구균(單球菌).

microcopia *f.* 축소 복사(縮小複寫).

microcosmo *m.* ① 소우주, 소세계. ② [철학] (고대인이 생각한 우주의 축도로서의) 인간 (사회).

microcosmos *m* =microcosmo.

microeconomía *f.* 미시(微視) 경제학.

microeconómico, ca *adj.* ① 미시 경제의. ② 미시 경제학의.

microelectrónica *f.* 마이크로[극소] 전자 공학.

microelectrónico, ca *adj.* 마이크로[극소] 전자 공학의.

microfaradio *m.* 마이크로 패러드.

microficha *f.* (서적 등의 여러 쪽 분을 수록하는) 마이크로 필름 카드.

microfilm *m. ing.* =microfilme.

microfilmación *f.* 마이크로 필름 촬영.

microfilmador, ra *adj.* 마이크로 필름 촬영의. —*f.* 마이크로 필름 촬영기.

microfilmar *tr.* 마이크로 필름에 촬영하다[찍다].

microfilme *m.* 마이크로 필름.

microfísica *f.* 미시적 물리학.

micrófito *m.* [식물] 미소(微小) 식물; 미생물, 박테리아.

micrófono *m.* 마이크로폰.

microfotografía *f.* ① 축소[마이크로] 사진. ② 축소[마이크로] 사진술. ③ 현미경 사진. ¶ ~ ***electrónica*** 전자 현미경 사진.

microfotográfico, ca *adj.* microfotografía의[에 관한].
micrografía *f.* 현미경 관찰물의 촬영[묘사·연구](법); 마이크로 조직 검사법; 현미경 검사.
micrográfico, ca *adj.* micrografía의.
micrógrafo, fa *m.f.* micrografía 전문가.
microgravedad *f.* 극미 중력 ((인력이 거의 없는 우주 궤도의 상태)).
micromanipulador *m.* 현미 조작[수술] 기구.
micrométrico, ca *adj.* 마이크로미터의, 측미계(測微計)의.
micrómetro *m.* 마이크로미터, 측미계.
micromotor *m.* 극소형 모터.
micrón *m.* 미크론.
micronesio, sia *adj.* ① 미크로네시아 (Micronesia, 대양주 북서부에 위치한 국가; 수도 Palikir) 태생의. ② 미크로네시아의[에 관한]. —*m.f.* 미크로네시아 사람.
micronizar (9) *tr.* 마이크로미터 크기로 잘게 부수다.
microonda *f.* [전기] 극초단파.
microondas *m.sing.pl.* 전자 레인지.
microordenador *m.* 마이크로 컴퓨터.
microorganismo *m.* =**microbio.**
micropilo *m.* [생물] 난문, 알문(門).
micropirómetro *m.* 미온계(微溫計).
microprocesador *m.* [컴퓨터] 마이크로프로세서.
microprograma *m.* [컴퓨터] 마이크로 프로그램.
microprogramación *f.* [컴퓨터] 마이크로 프로그래밍.
microscopia *f.* =**microscopía.**
microscopía *f.* ① 현미경 사용(법). ② 현미경 검사.
microscópico, ca *adj.* ① 현미경의[에 관한]. ② 현미경에 의한: observación ~*ca* 현미경 관찰. ③ 현미경으로 밖에 볼 수 없을 만큼 작은, 미소(微小)한. ④ 아주 작은: libro ~ 소형 책.
microscopio *m.* 현미경: examinar a ~ 현미경으로 검사하다.
microscopista *m.f.* 현미경 사용자.
microspora *f.* [식물] 소포자(小胞子), 작은 홀씨.
microsegundo *m.* 마이크로 초(秒).
microsurco *adj.* 다선상(多線狀)의, 미세한 홈이 있는: disco ~ 엘피반(LP盤). —*m.* 엘피반(LP盤).
microtecnología *f.* 현미경 기술.
microtomo *m.* 마이크로톰.
microvoltio *m.* [전기] 마이크로볼트.
micuré *m.* [동물] 자루쥐.
mida[1] *m.* 구더기(brugo).
mida[2] *f.* *Ar.* =medida.
mida- medir (42).
midriasis *f.sing.pl.* [의학] 동공 산대(瞳孔散大), 산동(散瞳).
mieditis *f.* [구어] =**miedo.**
miedo *m.* [+a · de · por] (…에의) 공포, 걱정, 근심, 심려, 두려움: película de ~ 공포 영화. dar ~ 무서워하다. tener ~ a *algo* …을 무서워하다, 두려워하다. ¶ ~ ***cerval*** 심한 공포(심). ***de*** ~ ㉮ *adj.* 굉장한, 지독한, 대단한: Hace un frío *de* ~ 날씨가 지독하게 춥다. ㉯ *adv.* 매우, 굉장히, 지독히, 대단히, 무섭게: presumir *de* ~ 무척 우쭐하다. Ella canta *de* ~ 그녀는 노래를 아주 잘 부른다.
miedoso, sa *adj.* 무서워하는, 두려워하는, 무서워 벌벌 떠는, 겁이 많은. —*m.f.* 겁쟁이.
miel *f.* ① 꿀, 벌꿀, 봉밀(蜂蜜): dulce como la ~ 꿀처럼 단. ② 당밀(糖蜜). ¶ ~ ***de blanco*** *Hond.* 꿀(miel). ~ ***de caldera*** =**miel de caña.** ~ ***de caña,*** ~ ***de cañas*** 당밀, 시럽. ~ ***de prima*** =**miel de caña.** ~ ***nueva*** 포화성 당밀[시럽]. ~ ***rosada*** 장미꿀 ((약용)). ~ ***virgen*** (벌집에서 저절로 흘러나온) 순수한 천연 벌꿀. ***luna de*** ~ 밀월. ***No hay*** ~ ***sin hiel*** (속담) 낙이 있으면 괴로움[고생]도 있다, 고생 없는 낙은 없다.
mielga[1] *f.* [식물] 자주개자리.
mielga[2] *f.* [어류] 별상어.
mielga[3] *f.* [농업] 밭이랑.
mielga[4] *f.* [농업] 건초용 써레.
mielgo, ga *adj.* [드묾] =**mellizo.**
mielina *f.* [생화학] 미엘린 ((수초(髓鞘)를 이루는 지방질 물질)).
mielínico, ca *adj.* [생화학] 미엘린의.
mielitis *f.sing.pl.* [의학] 척추염.
mieloma *f.* [의학] 골수종(骨髓腫).
mielsa *f.* *Ar.* =**bazo.**
miembro *m.* ① 일원, 회원, 멤버, 단원, 조합원: ~ fundador 창립[설립] 회원. ~ honorífico, ~ de honor 명예 회원. estado ~ de una federación 연방 내의 한 나라. país ~ 가맹국. ② =**pene.** ③ 팔다리, 수족, 지체: cuatro ~*s* 사지, 팔다리. ④ (전체의) 일부: ~ de una oración 문(文)의 일부. ⑤ [수학] (방정식의) 변(邊). ⑥ [건축] 부재(部材). ¶ ~ ***viril*** =**pene.**
mient- mentir **(53).**
mientras *adv.* 그러는 사이에, 그럭저럭하는 사이에: Juan estudia; tú, ~, te diviertes 후안이 공부하고 너는 그 사이에 즐긴다. —*conj.* …하는 동안, …하는 사이에: *Mientras* tu te diviertes, Juan estudia 네가 즐기는 동안, 후안은 공부한다. ¶ ~ ***que*** 반면에. ~ ***más*** =**cuanto más:** *Mientras más* tiene ella, más desea 그녀는 가지면 가질수록 더욱 원한다. ~ ***tanto*** =**entre tanto.**
miera *f.* ① 두송유. ② 송진, 송지.
mierc. miércoles 수요일.
miércale *interj.* =**mierda.**
miércoles *m.sing.pl.* 수요일. —*f.* =**mierda.** ¶ ~ ***de corvillo*** =**miércoles de Ceniza.** ~ ***de Ceniza*** 재의 수요일.
mierda *f.* ① 사람의 똥, 인분(人糞). ②

몇몇 동물의 똥. ③ (옷 등에 묻은) 기름때, 오물, 더러운 것: La casa es una verdadera ~ 그 집은 정말 더럽다. ④ 가치 없는 것, 잘못 만들어진 것. —*mf.* 굼뜬 사람, 꾸물대는 사람, 굼벵이. —*interj.* [속어] 제기랄!, 빌어먹을!, 엿 먹어라! ¶***vete [idos] a la ~*** [속어] 똥이나 처먹어라, 꿰져라, 에이 제기랄, 빌어먹을, 젠장맞을.

mies *f.* ① 씨로 빵을 만드는 곡류: segar la ~ [las ~*es*] (밀을) 수확하다. ② 곡류의 수확기[추수기]. ③ 기독교로 개종한 많은 사람들, 개종을 빨리 한 많은 사람들. ④ *Cantb.* [주로 *pl.*] [집합] 계곡의 밭. ⑤ *pl.* 밭.

miga[1] *f.* ① (빵 등의) 부스러기, 쪼가리. ② (빵이나 껍질로 덮인 것의) 가장 부드러운 속 부분. ③ 실질, 내용, 알맹이, 실속: discurso de ~ 내용[알맹이]이 있는 연설. hombre de ~ 실속이 있는 사람. ④ *pl.* (물과 소금에 적셔 기름에 튀기고 마늘 같은 것을 넣어) 톡톡 쏘게 만든 빵. ¶***hacer buenas ~s*** dos o más personas (두 사람 이상이) 사이가 좋다, 죽이 맞다. ***hacer ~s*** a alguien (누구를) 때려눕히다, 박살내다. ***no estar [no ser] para dar ~s a un gato*** (약하거나 무능해서) 아무 쓸모가 없다.

miga[2] *f. And.* 여학교(女學校).

migaja *f.* ① (빵·과자 등의) 부스러기. ② (물건의) 아주 작은 것, 소량(少量): Dame una ~ más de pan 빵을 조금 더 주라. ③ (물질이 아닌 것의) 작은 부분. ④ (거의) 아무 것도 아닌 것. ⑤ *pl.* 처진 무거리, 먹다 남은 빵, 찌꺼기, 부스러기.

migajada *f.* 적은 양, 소량(少量).

migajón *m.* ① 빵 부스러기, 빵 조각. ② 실질, 속, 알맹이.

migar (8) *tr.* ① (부스러기로 만들기 위해) 빵을 잘게 자르다[쪼개다]. ② 잘게 자른 조각을 액체에 넣다.

migra *f. Méj.* 미국의 이민 경찰대.

migración *f.* ① (출국하는) 이민(移民) (emigración). ② (경제적·사회적 이유로 개인·단체·민족의) 이주, 이동. ③ (새·물고기·동물의) 이동. ④ (물고기의) 회유(回游).

migraña *f.* 편두통, 심한 두통(jaqueca).

migrar *intr.* ① 이주하다, 이동하다, (물고기가) 회유하다, (다른 나라로) 이민하다. ② (다른 나라에서) 이민하다(inmigrar).

migratorio, ria *adj.* ① 이주하는, 이동하는, (다른 나라로) 이민하는, 나가는. ② (출국·입국) 이민의[에 관한]. ③ (어떤 동물들의) 주기적 이동의[에 관한]: movimiento ~ de aves 새들의 이동. ④ 주기적으로 이동하는 동물의[에 관한]. ⑤ (물고기가) 회유하는. ¶***ave ~ria*** 철새, 후조(候鳥)

miguelete *m.* ① (까딸루냐에서) 산악지방의 총수(銃手). ② (기뿌스꼬아 주의) 의용병.

mihrab *m.* (회교 사원에서) 기도할 때 눈을 주는 마호메트를 모신 감실.

mijo *m.* ① [식물] 수수 ((볏과의 한해살이풀)). ② [열매] 수수. ③ 옥수수.

mil *adj.* ① 천(千)의: ~ uno 1001. diez ~ 만(萬). cien ~ 십만. ~ novecientos noventa y nueve 1999. ~ euros 천 유로. ~ quinientos dólares 천오백 달러. dos ~ wones 이천 원. diez ~ pesos 만 뻬소. cien ~ colones 십만 꼴론. ② 천 번째의. ③ 수많은, 숱한, 굉장한: ~ veces 수천 번, 몇 번이고, 누차, 자주. —*m.* ① 천(千), 1,000. ② [집합] [주로 *pl.*] 천 개, 수천(數千), 다수(多數): ganar en el comercio muchos ~*es* de euros 장사로 수천 유로를 벌다. ¶***las ~ y quinientas*** ㉮ 너무[아주] 늦은 시간. ㉯ =**lentejas.**

milagrear *intr.* 기적을 행하다.

milagrería *f.* ① 기적 담. ② 무엇이고 기적으로 생각하는 경향, 기적 신앙.

milagrero, ra *adj.* ① (자연적으로 일어난 일을) 기적으로 생각하는 경향이 있는 (사람). ② 기적을 가장한 (말). ③ 기적을 행하는 (사람).

milagriento, ta *adj., mf. Hond., Méj.* =**milagroso.**

milagro *m.* ① 기적: ~*s* de Cristo 그리스도의 기적. ~*s* de la Virgen 성모 마리아의 기적. hacer un ~ 기적을 행하다[일으키다]. ② 경이, 불가사의한[신기한·놀랄 만한] 것: los ~*s* de la naturaleza 자연의 신비[경이]. ③ (신자가 하느님·성모 마리아·성자들에게 바치는) 공물. —*interj.* 기적이다!, 뜻밖이다!, 신기하다! ¶***de ~*** 기적적으로, 예기치 않게, 생각지 않게: salvarse *de ~* del accidente 사고에서 기적적으로 구조되다. ***hacer*** alguien ***~s*** (…가) 기적적으로[예상외로] 성과를 올리다. ***vivir*** alguien ***de ~*** ㉮ (빈곤으로) 그럭저럭[겨우겨우] 살고 있다, 아주 어렵게 지내다. ㉯ 큰 위험에서 벗어났다.

milagrón *m.* [드묾] [구어] 호들갑스러운 표정[몸짓].

milagrosamente *adv.* ① 기적적으로, 불가사의하게, 초자연적으로. ② 놀랄 만큼.

milagroso, sa *adj.* ① 기적적인, 초자연적인, 기적에 의한: cura [curación] ~*sa* 기적적인 치료. ② 기적을 행하는 (힘이 있는), 기적을 일으키는. ③ 기적 같은, 놀랄 만한, 놀라운, 경악할 만한, 불가사의한, 믿기 어려운: aguas ~*sas* 영수(靈水), 영검한 물.

milán *m.* (밀라노에서 제조된) 삼베.

milanés, sa *adj.* ① 밀라노(Milán, 이탈리아의 도시) 태생의. ② 밀라노의[에 관한]. —*mf.* 밀라노 사람. —*f.* (빵가루로 버무린) 등심살.

milano *m.* ① [새] 솔개. ② [새] 새매(azor). ③ [어류] 경골속 바닷물고기. ④ (열매의) 솜털. ⑤ 엉겅퀴꽃.

mildéu *m.* =mildiu.
mildíu *m.* [식물] 백분병(白粉病) ((포도나무의 병)).
mildiú *m.* =mildiu.
milenario, ria *adj.* ① 천 번의[에 관한], 천 개의[에 관한]. ② 천 년간의, 수천 년간의. ③ 예수 그리스도가 최후의 심판일 전 천 년 동안 지상을 지배한다고 믿는 (사람), 지복(至福) 천 년설을 믿는 (사람). ④ 최후의 심판과 지구 종말이 서기 천 년에 오리라고 믿었던 (사람). —*m.* ① 천 년, 1000년. ② 천년제(千年祭), 천주년.
milenarismo *m.* ① 지복 천년설. ② 세계 종말설 ((이 세상의 종말은 서력 기원 1000년이라고 하는 설)).
milenarista *adj.* ① 지복 천년설을 믿는[옹호하는]. ② milenarismo의[에 관한]. —*mf.* 지복 천년설을 믿는 사람, 지복 천년설 옹호자.
milenio *m.* 천년간, 천년기(千年期).
milenrama *f.* [식물] 톱풀.
milenta *adj.* [구어] =mil.
mileón *m.* 쥐 잡는 독수리의 일종.
milésimo, ma *adj.* ① 천 번째의. ② 천분의 일의, 1000분의 1의. —*m.* 천분의 일, 1000분의 1.
milgranar *m.* 석류나무밭.
milhoja *f. Arg., Ur.* 밀푀유 ((포갠 파이 사이에 크림을 넣은 케이크)).
milhojas *f.sing.pl.* ① [식물] 톱풀. ② 밀푀유(milhojas).
milhombres *m. pl.* 작고 소란스럽고 쓸모없는 남자.
mili *f.* 병역(兵役)(servicio militar).
mili- *pref.* 「천분의 일, 1000분의 1」을 뜻함: *mili*metro 밀리미터.
miliamperímetro *m.* 밀리암페어계(計).
miliamperio *m.* 밀리암페어.
miliar[1] *adj.* ① 좁쌀 크기와 모양의. ② [의학] 속립 발진(粟粒發疹)의. —*f.* [의학] 땀띠, 속립진, 속립진열.
miliar[2] *adj.* (옛날에) 천 걸음의 거리에 세운 (기둥·돌 등), 마일의: columna ~ 천 걸음마다 세운 기둥, 마일표(標), 이정표. piedra ~천 걸음마다 세운 표석(標石), 마일 표석.
miliárea *f.* 밀리아르 ((천분의 일 아르)); 10 제곱센티미터.
miliario, ria *adj.* ① 마일의[에 관한]. ② 천 걸음의 거리에 세운. —*m.* 천 걸음마다 세운 기둥[돌]; 마일표(標), 이정표; 마일 표석(標石).
milibar *m.* [기압의 단위] 밀리바.
milibaro *m.* =milibar.
milicia *f.* ① 병법, 병학. ② 병역. ③ 군대, 민병(民兵), 의용군, 민병 부대. ④ 천사들의 합창. ¶ ~ *nacional* 국민군, 시민군 ((19세기 헌법 수호를 위한 정치 투쟁 기간 동안 시민들이 조직한 군대 조직)). ~ *provincial* [주로 *pl.*] (옛날의) 지방군. ~ *urbana* =milicia nacional. ~*s populares* 지원군, 의용군. ~*s universitarias* 대학생 병역제, 학도병제(學徒兵制).
miliciano, na *adj.* milicia의[에 관한]. —*mf.* ① 민병(民兵). ② (스페인 내전에서 공화 정부 측의) 의용병.
milico *m. AmérM.* 병사, 군인(militar).
miligramo *m.* [중량의 단위] 밀리그램.
mililitro *m.* [용적의 단위] 밀리리터.
milimetrado *adj.* 밀리미터 단위의.
milimétrico, ca *adj.* ① 밀리미터의[에 관한]: escala ~*ca* 밀리미터 눈금. ② 아주 작은(muy pequeño). ③ 상세한, 자세한, 면밀한, 아주 정밀한. ④ 정확한, 엄격한: precisión ~*ca* 정확한 정밀(성).
milímetro *m.* [길이의 단위] 밀리미터.
militancia *f.* ① 호전성. ② [집합] (조직체의) 활동가, 당원.
militante *adj.* ① 전투적인, 교전 상태의. ② 활동적인. —*mf.* ① 투사, 활동가. ② 당원: ~ de base 평당원.
militar[1] *intr.* ① 군인이 되다, 출정하다, 전쟁에 참여하다: ~ en infantería 보병 부대에 입대하다. ② (정당·단체에) 참가하다, 가담하다, 활동하다: ~ en el partido socialista 사회당에 입당하다, 사회당원으로 활동하다. ③ (증거 등이) 작용하다.
militar[2] *adj.* ① 군대의[에 관한], 군사의[에 관한], 군인의[에 관한], 군용(軍用)의[에 관한]: academia ~ 육군 사관 학교. avión ~ 군용기. ciencia ~ 군사학. código ~ 군법. disciplina ~ 군대 규범[규율]. gobierno ~ 군정(軍政), 군사 정권. industria ~ 군수 산업. ruta ~ 군용 도로. tribunal ~ 군사 법정. ② 전쟁의[에 관한]. ③ 세속의 (연미복). —*mf.* (직업) 군인. ¶ *arte* ~ 전술. colegio ~ 군사 학교. *servico* ~ 병역. *testamento* ~ (군인이 전쟁터에서 하는) 구두 유언.
militara *f.* 군인의 아내[미망인·딸].
militarada *f.* 정치적 성격이 있는 군의 무모한 계획, 군부의 쿠데타.
militarismo *m.* ① 군국주의. ② 군인 정신. ③ 군부 지배, 군사 우선.
militarista *adj.* ① 군국주의의[에 관한]. ② 군국주의자의. —*mf.* 군국주의자.
militarización *f.* 군국화, 군대화; 군국주의 고취.
militarizar (9) *tr.* ① 군국화시키다. ② (병사를) 훈련시키다, 군사 교육을 시키다, 군인 정신을 주입시키다, 군국주의를 고취시키다. ③ 군대화시키다, 군대적으로 만들다. ④ 군대를 배치하다.
militarmente *adv.* 군대식으로, 군법에 의해.
mílite *m.* 병사, 군인(soldado).
militroche *m.* 직업 군인.
milivoltio *m.* 밀리볼트.
milla *f.* ① [길이의 단위] 마일. ② 1478.5 미터에 해당하는 로마 사람들이 도정(道程)의 단위. ¶ ~ *marina*, ~ *náutica* 해리. ~ *terrestre* 1609 미터에 해당하는 길이의 단위.

millaca *f.* [식물] 물갈대, 부들(carrizo).

millaje *m.* ① *Pan., Perú, PRico.* 자동차 운행 마일 수. ② *Pan.* [집합] (사람이) 겪은[살아온] 경험, 삶의 경험.

millar *m.* ① [집합] 천(千) 개: un ~ de coches 자동차 천 대; 많은 자동차. ② 앞에 놓인 아라비아 숫자가 천 단위라는 것을 나타내는 부호 ((D)). ③ 카카오의 양(을 다는 단위) ((일부 지역에서는 3파운드 반, 다른 지역에서는 3파운드 반보다 더 많기도 함)). ④ (목장에서) 양 천 마리와 목축 두 떼를 유지할 수 있는 공간. ⑤ [주로 *pl.*] 수많음, 수천: *~es* de personas 수천 명. ¶***a ~es*** 무수히, 많이.

millarada *f.* 약 천(千), 다수. ¶***a ~s*** 무수히, 셀 수 없이, 헤아릴 수 없이, 많이, 대량으로.

millardo *m.* [경제] 10억(mil millones): un ~ de pesos 10억 뻬소.

millo *m.* ① [식물] 수수(mijo). ② [열매] 수수. ③ *Can., Sal.* 옥수수(maíz).

millón *m.* [*pl.* millones] ① 백만: un ~ de euros 백만 유로. un ~ de habitantes 인구 백만. diez *millones* 천만(千萬). cien *millones* 일억. mil *millones* 십억. medio ~ 50만. ② 다수, 무수: Un ~ de gracias 정말 고맙습니다. ③ *pl.* 큰돈: tener *millones* 억만장자다. ④ *pl.* (16세기 왕국들이 국왕에게 바쳤던) 공납물, 공납금.

millonada *f.* 백만 가량, 약 백만.

millonario, ria *adj.* ① 백만장자의. ② 매우 부유한, 돈이 많은. ③ 수백만의. —*m.f.* 백만장자, 큰 부자.

millonésimo, ma *adj.* ① 백만분의 일의. ② 백만 번째의. —*m.* 백만분의 1.

millonetis *adj.* 매우 부유한. —*m.f.* 큰 부자.

milmillonésimo, ma *adj.* ① 십억분의 일의. ② 십억 번째의. —*m.* 십억분의 일.

miloca *f.* [새] 바위부엉이.

milocha *f.* 연(鳶)(cometa).

milonga *f.* ① 밀롱가 ((아르헨띠나의 민속 음악・춤)). ② =**engaño.** ③ *Arg.* 언쟁, 말다툼: Se armó la ~ 말다툼이 일어났다.

milonguear *intr. Arg., Ur.* 밀롱가를 추다[노래하다・연주하다].

milonguero, ra *adj.* 밀롱가의[에 관한]. —*m.f.* ① 밀롱가 가수. ② 밀롱가를 추는 사람. ③ *Arg., Par., Ur.* 밀롱가를 좋아하는 사람, 밀롱가 콩쿠르 참가자.

milord *m. ing.* ① [영국 귀족에 대한 경칭] 각하. ② 4인승 포장마차.

milpa *f. AmérC., Méj.* 옥수수밭.

milpear *tr. Hond., Méj.* 옥수수밭을 경작하다; 옥수수밭에 파종하다.

milperío *m.* [집합] 옥수수밭(milpas).

milpero, ra *adj. Hond., Méj.* 옥수수밭의[에 관한]. —*m.f. Hond., Méj., Salv.* 옥수수밭에 파종하는 사람.

milpiés *m.sing.pl.* [동물] 쥐며느리.

milrayas *m.* 가는 줄이 많은 직물.

miltomate *m.* ① *Guat., Hond., Méj., Salv.* [식물] 밀또마떼 ((열매가 토마토와 비슷하지만 백포도 크기와 색깔인 가지과의 초본 식물)). ② *Guat., Hond., Méj., Salv.* [열매] 밀또마떼.

mimado, da *adj.* (어린아이가) 응석받이로 자란, 버릇없는, 버릇없이 자란. —*m.f.* 응석받이로 자란 아이, 버릇 없는 아이. ¶***Niño ~, niño ingrato*** (속담) 매를 아끼면 아이를 망친다.

mimador, ra *adj.* 응석받이로 키운, 버릇없이 키운.

mimar[1] *tr.* ① 못되게[버릇 없게] 만들다, 응석을 받아 주다, 응석 부리게 하다, 어하다, 오냐오냐하다, 지나치게 귀여워하다, 나약(懦弱)하게 기르다: ~ demasiado a *su* hijo 자식을 지나치게 귀여워하다, 자식을 응석받이로 키우다. ② (…에게) 호의를 베풀다; (…를) 깍듯이 대하다, 예의범절을 다해 대하다. ③ (…을) 아주 세심하게 [조심스레] 다루다[취급하다].

mimar[2] *tr.* 몸짓으로 표현하다: ~ *su* canción 노래에 안무를 하다.

mimbral *m.* 버드나무 숲.

mimbrar *tr.* [드묾] =**abrumar, molestar, humillar.**

mimbre *m.(f.)* ① [식물] =**mimbrera.** ② 버들가지: cesta de *~s* 버들가지(로 엮은) 바구니. silla de *~s* 버들가지(로 짠) 의자.

mimbrear *intr.*, **~se** (버들가지처럼) 낭창낭창하게 휘다[흔들리다].

mimbreño, ña *adj.* 버들가지 같은, 유연한, 낭창낭창한.

mimbrera *f.* ☞**mimbrero.**

mimbreral *m.* 버드나무 숲.

mimbrero, ra *m.f.* 버드나무로 물건을 만든 사람. —*f.* ① [식물] 버드나무. ② =**mimbreral.** ③ 버드나무의 여러 속명(俗名).

mimbrón *m.* 큰 버드나무.

mimbroso, sa *adj.* ① 버드나무의[에 관한]. ② 버들가지로 만든. ③ 버드나무가 울창한.

mime *m. PRico., RDom.* 모기의 일종. ¶*caerle* a alguien *~s PRico.* 운이 나쁘다.

mimeografía *f.* 등사판 인쇄(물).

mimeografiar *tr.* 등사판(mimeógrafo)으로 인쇄하다.

mimeógrafo *m.* 등사판(의 기계).

mimesis *f.sing.pl.* ① [예술・수사학] 모의, 모방; 모사. ② (사람의 말씨・몸짓・태도의) 흉내, 모방.

mímesis *f.sing.pl.* =**mimesis.**

mimético, ca *adj.* ① 모방하는, 흉내내는. ② [생물] 의태(擬態)의.

mimetismo *m.* ① [생물] 의태(擬態). ② (표정・의견・태도의) 모방, 흉내.

mimetización *f.* =**mimetismo.**

mimetizar (9) *tr.* =**imitar. ~se** 흉내내다, 모방하다.

mímico, ca *adj.* ① 흉내내는, 모방하는. ② 몸짓의: lenguaje ~ 몸짓 말. —*f.* 몸짓 표현, 제스처.

mimo[1] *m.* ① 애정, 애착, 귀여워함; 아부, 아첨, 알랑거림. ② (아이들에게) 지나친 애정 표시, 귀여워하기, 응석 받아주기, 응석받이로 끼우기, 과보호: dar ~*s* a *alguien* …의 응석을 받아 주다, 어해 주다, 지나치게 귀여워하다, 응석받이로 키우다. ③ 바보짓. ④ 섬세함.

mimo[2] *m.* ① 무언극 배우, 팬터마임 배우. ② (고대 희랍·로마에서) (풍자) 희극 광대. ③ (고대 희랍·로마에서) 흉내극, 풍자 희극. ④ =pantomina.

mimodrama *m.* =pantomina.

mimógrafo, fa *mf.* 흉내극[풍자 희극] (mimo, farsa) 작가.

mimosa *f.* ☞mimoso.

mimosáceo, a *adj.* [식물] 미모사속(屬)의. —*f.pl.* 미모사속 식물.

mimosamente *adv.* 과보호로, 응석받이로, 지나친 애정으로.

mimoso, sa *adj.* 애교를 떠는, 어하는, 응석을 부리는, 어리광을 부리는, 응석받이의. —*f.* [식물] 미모사, 함수초, 감응초. ¶ ~ ***púdica,*** ~ ***vergonzosa*** =**sensitiva.**

mina[1] *f.* ① 미나 ((고대 희랍의 무게의 단위; 100 드라크마)). ② 미나 ((고대 희랍의 동전; 100 드라크마)).

mina[2] *f.* ① 광산(鑛山): ~ de carbón, ~ hullera 탄광. ~ de oro 금광. ~ de plata 은광. ② 갱도, 채굴 갱. ③ 광맥. ④ 지하도(paso subterráneo). ⑤ 적은 노력으로 많은 이익을 내는 직[직업·장사]. ⑥ 보고, 노다지, 달러 박스. ⑦ =**mina submarina.** ⑧ [군사] 갱도. ⑨ (연필의) 심. ⑩ *Arg., Bol., Ur.* =**mujer.** ¶ ~ ***submarina*** 지뢰, 기뢰: sembrar [fondear] ~*s submarinas* 지뢰[기뢰]를 부설하다. ***encontrar*** alguien ***una*** ~ 살 방도를 찾다, 적은 일로 부자가 되는 방법을 찾다. ***volar la*** ~ ㉮ 비밀이 탄로나다. ㉯ (오랫동안 잠자코 있던 사람이) 갑자기 나타나 감정을 토로하다.

minado *m.* ① 갱도 파기. ② 지뢰[기뢰] 부설.

minador, ra *adj.* ① 갱도를 파는. ② 기뢰 부설용의 (배). —*m.* ① 기뢰 부설함. ② 광산 기사, 광부, 갱부.

minal *adj.* [드묾] mina[2]의[에 관한].

minar *tr.* ① 지하에 길을 내다[갱도를 파다]. ② (무엇을 얻기 위해) 열심히 하다, 노력하다, 부지런히 하다. ③ 소모하다, 소비하다, 서서히[조금씩] 파괴하다: ~ el prestigio 권위를 조금씩 무너뜨리다. ④ (적선의 통행을 방해하기 위해) 기뢰를 부설하다. ⑤ [군사] (성벽·건물 등을 파괴하기 위해) 땅을 파고 폭파 장치를 하다. ⑥ [군사] (적의 전진을 막기 위해) 폭파 장치를 묻다.

minarete *m.* =alminar.

mindango, ga *adj. Mur.* =despreocupado, camandulero, socarrón, gandul.

mindanguear *intr. Mur.* =gandulear.

minera *f.* ☞minero.

mineraje *m.* 광산의 작업과 이익.

mineral *adj.* ① 광물(성)의: reino ~ 광물계. ② 광물을 함유한: aceite ~ 광유, 석유. aguas ~*es* 광천, 광수. ③ [화학] 무기물의. —*m.* ① 광물, 광석: ~ de hierro 철광석. ② 무기물. ③ 광산 채굴의 유리한 부분. ④ (영양소로서의) 광물질, 미네랄.

mineralero *m.* 광석 운반선.

mineralización *f.* 광물화(鑛物化); 광화작용; 광수화(鑛水化); 무기화(無機化).

mineralizar (9) *tr.* (금속 등을) 광석화시키다, 광물화시키다, 광물을 함유시키다. ~**se** 광석화되다, 광물화되다, 광물이 함유되다; (물이) 광물질을 함유하다.

mineralogía *f.* 광물학.

mineralógico, ca *adj.* 광물학의.

mineralogista *mf.* 광물학자.

minería *f.* ① 광업(鑛業). ② [집합] 광업 종사자. ③ 채굴. ④ [집합] (한 나라·한 지방의) 광산.

minero, ra *adj.* 광산[광업]의[에 관한]: compañía ~*ra* 광산 회사, 광업 회사. explotación ~*ra* 광산 개발. —*mf.* ① 광부, 갱부. ② 광산 업자. —*m.* ① 광맥. ② (광물의) 채굴. ③ *Arg.* 생쥐 (ratón). —*f.* 미네라 ((구슬픈 리듬의 안달루시아 광부들의 특유의 노래)).

mineromedicinal *adj.* 약효가 있는 광수의: agua ~ 약효가 있는 광수.

minerva[1] *f.* ① (척추 골절의 경우 머리를 꼿꼿이 세우는) 정형 외과 기구 [석고 붕대]. ② 두뇌, 지혜. ③ (마드리드 등에서) 미네르바 행렬. ④ [인쇄] 소형 인쇄기.

Minerva[2] *f.* [로마 신화] 미네르바 ((지혜와 무용(武勇)의 여신; 희랍 신화의 Atena)).

minervista *mf.* 소형 인쇄기를 다루는 사람, 소형 인쇄기 공.

minga[1] *f.* ① N *Arg., Chile, Col., Ecuad., Par., Perú.* (무료 봉사하는) 공동체 모임[친구와 이웃의 모임], 품앗이 모임. ② *Ecuad., Perú.* (사회 이익을 위한) 무료 공동 농사일[작업], 품앗이.

minga[2] *f.* =pene.

mingaco *m. Chile.* (무료 봉사하는) 공동체 모임[친구와 이웃의 모임], 품앗이 모임[공동체].

mingar (8) *intr. Ecuad.* 무료 공동 농사일을 하다.

mingitorio, ria *adj.* 배뇨(排尿)의[에 관한]. —*m.* 남자 공동 소변소.

Mingo[1] ***más galán que*** ~ (남자가) 한껏 모양을 내고[내어].

mingo[2] *m.* ① (당구의) 붉은 공. ② *Ven.* (나무공 놀이에서) 공.

minguero, ra *m.f. Ecuad.* 무료 공동 농사일 참가자, 품앗이꾼.
mini- *pref.*「소(小)·작은·간단한·짧은(corto)」의 뜻: *mini*fundio 작은 농장, *mini*falda 짧은 치마, 미니스커트.
miniado, da *adj.* 세밀화로 그려진.
miniar (11) *tr.* 세밀화로 그리다.
miniatura *f.* ① 세밀화(細密畫): pintar con ~*s* 세밀화로 그리다. ② 소형 예술품. ③ 축소형, 축소물, 축소 모형. ¶*pintura de* ~ 세밀화. *en* ~ ㉮ *adj.* 간단한, 손쉬운, 짤막한. ㉯ *adv.* 간단히, 손쉽게, 짤막하게, 요약하면.
miniaturista *m.f.* 세밀화가(細密畫家).
miniaturización *f.* 소형화, 소형물 제작, 소형 기계 제작.
miniaturizar (9) *tr.* 극히 소형으로 제작하다, 초소형 물건[기계]을 제작하다, 소형화하다.
minibar *m.* (일반적으로 호텔 방에 설치되어 음료나 술 등이 들어 있는) 소형 냉장고.
minibús *m.* =**microbús.**
minicámara *f.* 소형 카메라.
minicomputadora *f.* 소형 컴퓨터.
minifalda *f.* 미니스커트, 짧은 치마.
minifaldero, ra *adj.* ① 미니스커트를 입은: una chica ~*ra* 미니스커트를 입은 소녀. ② 스커트가 짧은: un traje ~ 스커트가 짧은 옷.
minifundio *m.* 영세 농지, 소농장.
minifundismo *m.* 소농 제도.
minifundista *adj.* ① 영세 농지의[에 관한]. ② 소농 제도(小農制度)의[에 관한]. —*m.f.* 소농, 소규모 자작농.
minigolf *m.* ① 미니 골프. ② 미니 골프 연습장.
mínima *f.* ☞**mínimo.**
minimalismo *m.* ① (문학·춤·음악 등) 단순화 형식. ② 최소한의 조형(造形) 수단으로 제작된 회화나 조각.
minimalista *adj.* ① minimalismo의[에 관한]. ② minimalismo 경향의. —*m.f.* ① 최소한 강령주의자 ((제정 말 러시아 사회 혁명당 내의 온건파)). ② minimalismo 예술가.
minimalización *f.* ① (크기의) 최소화. ② [수학] 함수의 최소값 구하기. ③ 과소평가, 깔봄, 업신여김.
minimalizador, ra *adj.* ① 크기를 최소화하는. ② [수학] 함수의 최소값을 구하는. ③ 과소평가하는, 깔보는, 업신여기는. —*m.f.* ① 크기를 최소화하는 사람. ② 과소평가하는 사람, 깔보는 사람, 업신여기는 사람.
minimizar (9) *tr.* ① 크기를 최소화하다. ② [수학] 함수의 최소값을 구하다. ③ 과소평가하다, 업신여기다.
mínimo, ma *adj.* ① (양·정도가) 최소의, 최저의: precio ~ 최저 가격. salario [sueldo] ~ 최저 임금. con el ~ esfuerzo 최소의 노력으로. ② 극히 작은, 미세한. ③ [종교] 샌프란시스코 데 파울라회(會)(San Francisco de Paula)의. —*m.f.* [종교] 샌프란시스코 데 파울라회 수도사[수도녀]. —*m.* ① 최소(한), 최저. ② *Hond.* = **plátano guineo.** ③ *pl.* (문법 교육에서) 2급. —*f.* 최저 기온. ¶*como* ~ 최소한, 적어도: Costará quinientos euros *como* ~ 적어도 500 유로는 들 것이다. *lo más* ~ 절대 아무 것도 …이 아니다(nada en absoluto): ¿Te duele? —No, ni *lo más* ~ 아프니? —아니, 전혀 (아프지 않아).
minimosca *f.* [권투] 라이트플라이급.
minimoto *f.* 미니 오토바이.
mínimum *m.* =**mínimo.**
minina *f.* [구어] 암고양이(gata).
minino *m.* [동물] 고양이(gato).
minio *m.* [화학] 산화연, 연단(鉛丹).
miniordenador *m.* 소형 컴퓨터.
minirrobot *m.* 소형 로봇.
miniserie *f.* [방송] 단기 연속 시리즈.
ministerial *adj.* ① 장관의, 각료의; 주정부의: banco ~ 각료석. cargo ~ 장관직. crisis ~ 내각 공백기, 정변. ② 정부의, 정부측의, 여당의; (의회·신문에서) 정부를 지지하는: diputado ~ 여당 국회 의원. —*m.f.* ① 여당 지지자, 정부 지지자. ② 여당 의원.
ministerialismo *m.* 정부파의 주의.
ministerialmente *adv.* 행정적으로, 각의(閣議)로.
ministerio *m.* ① 정부. ② 청, 청사. ③ 장관직. ④ 장관 임기. ⑤ 각료. ⑥ (정부의) 부(部), 성(省): *Ministerio* de Agricultura 농업부. *Ministerio* de Hacienda 재무부. *Ministerio* de Industria 산업부, 공업부. *Ministerio* de Obras Públicas 공공 사업부. *Ministerio* de Trabajo 노동부. ¶ ***Ministerio de Asuntos Exteriores*** 외무부. ***Ministerio de Estado*** 국무부. ***Ministerio de Fomento*** 산업 장려부. ***Ministerio de Justicia*** 법무부. ***Ministerio de la Gobernación*** 내무부. ***Ministerio de Defensa*** 국방부. ***Ministerio de la Guerra*** 육군부, 육군성. ***Ministerio de lo Interior, Ministerio del Interior*** 내무부(內務部). ***Ministerio de Ultramar*** 해외부. ***Ministerio del Ejército*** 육군부, 육군성. ~ ***fiscal*** 고등 검찰청. ~ ***público*** =ministerio fiscal.
ministrable *adj.* 장관 후보의. —*m.f.* 장관 후보자.
mininstrante *adj.* [드묾] 관장하는, 맡은. —*m.* [드묾] 병원의 인턴[실습생].
ministrar *tr.* ① [드묾] 직을 관장하다[수행하다]. ② 주다, 공급하다: ~ dinero 돈을 주다. —*intr.* 직을 관장하다, 사무를 보다, 근무하다.
ministro, tra *m.f.* ① 장관: ~ de Asuntos Exteriores 외무부 장관. ~ de Defensa 국방부 장관. ~ de Educación 교육부 장관. ~ de Justicia 법무부 장관. ~ de Trabajo 노동부 장관. ~ de Transporte 교통부 장관. ~ del Interior 내무부 장관. ② 공사

(公使). ③ 사제, 성직자. ④ 수도원장. ⑤ (예수회의) 교회 운영 책임자. ⑥ 하급 판사. ⑦ 경찰. ¶ ~ *de Dios* = sacerdote. ~ *del Señor* =ministro de Dios. ~ *plenipotenciario, ria m.f.* 특명 전권 공사. ~ *residente* 변리 공사. ~ *sin cartera* 무임소 장관. *el primer ~, la primera ~tra, la primer ~, la primera ~* 정부 수반, 국무총리, 수상, 각료 회의 의장.

minoración *f.* 감소(減少).

minorar *tr.* 감소(減少)시키다. ~**se** 감소되다.

minorativo, va *adj.* ① 감소의. ② [의학] 완하(緩下)의. —*m.* 완하제.

minoría *f.* ① 소수(少數): ~ selecta 소수 정예. ② 소수파, 비주류파: ~ parlamentaria 의회내 소수파, 야당. ③ (한 나라 안의) 소수 민족: ~*s* marginadas 피차별 민족. ④ 미성년 (menor edad). ⑤ 미성년기(期). ¶ ~ *de edad* 미성년.

minoridad *f.* ① 미성년. ② 미성년기.

minorista *adj.* [상업] 소매. —*m.* 하급 성직자. —*m.f.* 소매 상인.

minorita *m.* 샌프란시스코회 수도사.

minoritario, ria *adj.* ① 소수의[에 관한]. ② 소수파의, 소수당의: opinión ~*ria* 소수 의견. partido ~ 소수당, 야당.

Minotauro *m.* [희랍 신화] 사람 몸에 쇠머리를 가진 괴물.

mint- mentir (53).

minucia *f.* ① 작은 일, 사소한 일: No te entretengas en ~*s* 사소한 일로 시간을 낭비하지 마라. ② *pl.* (대수롭지 않은 과실과 생산물로 제단에 바쳤던) 수확의 10퍼센트.

minuciosamente *adv.* 면밀히, 상세히, 자세히(con minuciosidad).

minuciosidad *f.* 면밀함, 상세함, 자세함: Ella nos explicó la situación con ~ 그녀는 상황을 상세히 우리에게 설명했다.

minucioso, sa *adj.* 상세한, 자세한, 꼼꼼한, 면밀한, 빈틈없는, 철저한: un reconocimiento médico ~ 빈틈없는 건강 진단[신체 검사]. un informe ~ de la situación financiera 금융[재정] 상황의 상세한 보고. trabajo ~ 면밀한 일.

minué *m.* ① 미뉴에트 ((18세기에 유행했던 프랑스의 춤)). ② 미뉴에트에 맞추어 노래하고 연주한 3박자 무도곡. ③ =minueto.

minuendo *m.* [수학] 피감수(被減數).

minuete *m.* =minué.

minueto *m.* 소나타[4중주곡 · 심포니] 사이의 끼어 넣은 3박자의 느리고 우아한 악곡.

minúsculo, la *adj.* 아주 작은, 미소(微小)한: casa ~*la* 오두막. —*f.* 소문자 (letra ~*la*).

minusvalía *f.* ① 가치의 감소, 가격 하락. ② (심신의) 장애.

minusvalidez *f.* (심신의) 장애.

minusválido, da *adj.* (심신에) 장애가 있는. —*m.f.* (심신) 장애인: coche para ~*s* 장애인용 자동차.

minusvalorar *tr.* 과소평가하다.

minuta *f.* ① [법률] (계약서 등의) 초안(草案). ② 초고(草稿). ③ (사람 · 물건의) 명부, 표, 리스트. ④ (변호사 등의) (비용) 청구서. ⑤ 재산 목록. ⑥ *Salv.* 잘게 쪼갠 얼음과 당밀로 만든 과자.

minutación *f.* 초안[초고] 작성.

minutar *tr.* ① 초안[초고]을 작성하다. ② [방송] 분단위로 편성하다.

minutario *m.* 공증인의 기록부.

minutero *m.* (시계의) 분침(分針).

minutisa *m.* [식물] 패랭이꽃의 일종.

minuto *m.* ① [시간의 단위] 분(分): treinta ~*s* 30분. ② [각도 · 경위도의 단위] 분(分): diez grados quince ~*s* 10도 15분.

miñambre *adj., m.f. Sal., Zam.* 허약한 (사람), 병약한 (사람).

miñón[1] *m.* (도둑 · 밀수꾼 · 산림 관리를 담당한) 가벼운 복장의 병사.

miñón[2] *m.* 광재(鑛滓)

miñona *f.* [인쇄] 7포인트 활자.

miñosa *f.* [동물] 지렁이.

¡mio! *interj.* 나비야 ((고양이 부르는 소리)).

mío, a *adj.* [소유 형용사 1인칭 단수 완전형; 명사 뒤에 놓임] ① 나의, 내: un amigo ~ 내 한 남자 친구. una amiga *mía* 내 한 여자 친구. unos libros ~*s* 내 몇 권의 책. unas cámaras *mías* 내 몇 대의 카메라. ② [호격에서, 애정 표현으로] 내 …아!, 나의 …이여!: ¡Hijita *mía*! 내 귀여운 딸아! ¡Hijito ~! 내 사랑하는 아들아! ¡Amor ~! 내 사랑이여! ¡Cariño ~! 여보! ((보통 부부끼리 사용함)). ③ [주격 보어로] 내[나의] (것): Esta casa es *mía* 이 집은 내 것이다. Este paraguas es ~ 이 우산은 내 것이다. —*pron.* [정관사와 함께] 내 것, 나의 것: Este bolígrafo es igual *al* ~ 이 볼펜은 내 것과 같다. Tu cámara es más pequeña que *la mía* 네 카메라는 내 것보다 더 작다. Siempre estoy contento con *lo* ~ 나는 언제나 내 것으로 만족한다. ¶*a mía sobre tuya* 잇따라, 앞(을) 다투어, 남에게 질세라, 서둘러, 급히.

mio- *pref.*「근(筋) · 근육(músculo)」의 뜻: *mio*cardio 심근층.

miocárdico, ca *adj.* [해부] 심근층의[에 관한].

miocardio *m.* [해부] 심근층(心筋層).

miocarditis *f.* [의학] 심근염(心筋炎).

mioceno, na *adj.* [지질] 중신세(中新世)의[에 관한], 마이오세(世)의[에 관한]. —*m.* [지질] 중신세, 마이오세.

miodinia *f.* [의학] 근육통.

miografía *f.* [의학] 근(筋)운동 기록법, 근수축 기록법, 근학(筋學), 근육학.

miolema *m.* [해부] 근섬유초.
miología *f.* [의학] 근학(筋學), 근육학.
mioma *m.* [의학] 근종(筋腫) ((근육에 생기는 양성 종양(陽性腫瘍))): ~ del útero 자궁 근종.
miometrectomía *f.* [의학] 자궁 근층 절제술.
miometritis *f.* [의학] 자궁 근층염.
mioneuralgia *f.* [의학] 근신경통.
mioneuroma *m.* [의학] 근신경종.
miopatía *f.* [의학] 근육 질환, 근증(筋症), 근육 장애.
miope *adj.* ① 근시(近視)의, 근시안(近視眼)의. ② 근시안적인, 시야가 좁은: punto de vista ~ 근시안적인 관점. —*mf.* ① 근시인 사람. ② 근시안적인 사람.
miopía *f.* ① 근시, 근시안: ~ falsa 가성 근시. ② 근시안적임, 시야가 좁음.
miosis *f.sing.pl.* [의학] 동공 축소.
miosota *f.* [식물] =**raspilla.**
miosotis *m.sing.pl.* [식물] =**raspilla.**
mir *m.sing.pl.* ① *Esp.* 인턴 ((médico interno residente의 약자)). ② *Esp.* 인턴 시험. ③ *Esp.* (인턴 시험) 의료 전문화 제도. —*adj.* ① 인턴 자리를 얻기 위한 (시험). ② (인턴) 의료 전문화 제도의.
mira *f.* ① 의향, 의도, 목적, 목표, 표적: con ~*s* desinteresadas 이득을 떠나. con amplitud de ~*s* 넓은 시야로, 시야를 넓혀. con estrechez de ~*s* 좁은 시야로. ② (총의) 조준기. ③ 표척(標尺) ((수준 측량에 쓰이는 자)). ④ [텔레비전] 테스트 패턴 ((텔레비전의 카메라 및 수상기의 화면을 검사·조절하기 위해 쓰는 도형(圖形))). ⑤ [선박] (옛날의) 선수 포(船首砲), 이물 포(砲). ¶***línea de*** ~ 조준선. ***punto de*** ~ 표적(標的), 목표. ~ ***telescópica*** (조준용으로) 화기 위에 놓인 망원 조준기. ~***s de proa*** 선수 포(船首砲), 이물 포(砲). ***a la*** ~ ***y a la maravilla*** 놀랍도록 뛰어나[우수하여]. ***andar a la*** ~ 특별히 세심하게 [주의깊게] 주시하다[관찰하다]. ***con*** ~***s a*** …을 목표로 (하여). ***estar a la*** ~ =**andar a la mira.** ***poner la*** ~ ***en*** …을 목표로 하다. ***quedar a la*** ~ =**andar a la mira.**
mirabel *m.* ① [식물] 명아주의 일종. ② [식물] 해바라기(girasol).
mirada *f.* ☞**mirado.**
miradero *m.* 전망대, 조망대(眺望臺).
mirado, da *adj.* ① [estar, +bien·mal] (좋게·나쁘게) 보인, 생각된: estar mal ~ en *su* pueblo natal 고향에서 평판이 나쁘다. ② [ser+] 배려하다, 마음을 쓰다: ser muy ~ con *sus* subordinados 부하들에게 무척 마음을 쓰다. ③ [+en] (…에) 주의깊은, 신중한, 조심스러운. —*f.* ① 시선; 주시, 주목: bajar la ~*da* 시선을 떨어뜨리다[내리다]. dirigir [encaminar] la ~*da* hacia …쪽으로 시선을 돌리다[향하다], 보다. ② =**vistazo, ojeada.** ③ 눈(의 표정), 보는 눈모습, 눈빛: ~*da* fija 주시, 응시. ~*da* perdida, ~*da* vaga 얼빠진 눈, 멍한 눈, 먼 곳을 보는 듯한 눈의 표정.
mirador, ra *adj.* 보는, 바라보는, 전망하는. —*m.* ① (건물의 제일 높은 층 등의) 전망대. ② (산정 등의) 전망대. ③ 유리로 칸막이된 발코니.
miraguano *m.* ① [식물] 키가 작은 야자나무 ((아메리카와 오세아니아의 열대 지방에서 자람; 잎은 부채 모양으로 큼; 마른 장과(漿果)는 목화 같은 물질이 가득함)). ② (베개·방석 등의 속을 넣는 데 사용되는) 이 야자나무 장과의 목화 같은 부드러운 물질.
miramamolín *m.* =**califa.**
miramelindos *m.* [식물] =**balsamina.**
miramiento *m.* ① 고려, 배려. ② 신중함: hablar con ~ 신중하게 말하다.
miranda *f.* 전망대.
mirar *tr.* ① (주의해서) 보다, (차분히) 바라보다, 시선을 향하다: ~ la lejanía, ~ a lo lejos 먼 곳을 바라보다, 멀리 바라보다. ~ el reloj 시계를 보다. ~ la televisión 텔레비전을 보다. ~ el paisaje 경치를 바라보다[조망하다]. ② (어떤 태도·견해로) 바라보다: No me *mires* así 나를 그런 식으로 바라보지 마라. ③ 조사하다, 점검하다: ~ por rayos X 엑스레이로 조사하다. ④ 생각하다: ~ el porvenir 장래를 생각하다. ⑤ 주의를 기울이다, 조심하다, 정신차리다: Ella *mira* mucho el dinero 그녀는 돈에 꼼꼼하다. ⑥ [명령문에서, 주의를 환기시킬 때] 이봐, 얘, 자. ⑦ [명령문에서, 말을 이을 때] 에: *Mira,* yo creo que es mejor que no te vayas 에, 나는 네가 가지 않는 것이 더 낫다고 생각한다. ⑧ [명령문에서, 강조할 때] *Mira, mira,* déjate de tonterías 이봐 이봐, 바보 같은[어리석은] 짓은 그만두어라. —*intr.* ① [+a·hacia] (…의 쪽을) 보다, 시선을 향하다: ~ *hacia* la torre 탑 쪽을 보다. ~ por el agujero 구멍으로 엿보다[들여다 보다]. ② [+en] (…을) 찾다: *He mirado en* todas partes y no lo encuentro 나는 사방을 찾았으나 그것은 발견하지 못하고 있다. ③ [+a] (…에) 면해 있다: Mi casa *mira al* sur 내 집은 남향이다. La ventana *mira al* mar 창은 바다에 면해 있다. ④ [+por] (…에) 마음을 쓰다, 배려하다, 주의하다: ~ por *su* hija (…의) 딸에 마음을 두다. ~ por *sus* hijos 아이들을 돌보다. ~ por su salud 건강에 주의하다[조심하다]. ⑤ [+de+*inf.*] (…하는 것을) 목적으로 하다. ~**se** ① 자신의 모습[얼굴]을 보다: ~*se* en el espejo 거울을 보다. ② 숙고하다, 잘 생각하다: *Mírate* bien antes de decidirlo 그 일을 결정하기 전에 잘 생각해라. ③ [+en+사람] (…를) 칭찬하다. ④

(자신의 물건 등을) 찾다. ⑤ 서로 바라보다. ¶*bien mirado* 정확히 생각하면, 잘 보면. *de mírame y no me toques* ㉮ (사람이) (성질이나 건강이) 나약한(delicado). ㉯ (물건이) 부서지기 쉬운, 별로 질기지 않은. *¡Mira!* [놀람·낙담·기이함을 나타낼 때] 아니!, 어머나!, 이런!, 저런! *mírame y no me toques* =**de mírame y no me toques.** *~se unos a otros* (난처해서) 서로 얼굴을 바라보다.

mirasol *m.* [식물] 해바라기(girasol).

miria- *pref.* ①「1만(diez mil)」의 뜻: *miriá*metro 1만 미터. ②「셀 수 없는·수많은」의 뜻: *miriá*podo 다족류(多足類).

miríada *f.* 무수, 셀 수 없을 정도의 수: una ~ de estrellas 무수한 별들.

miriámetro *m.* 1만 미터.

miriápodo *adj., m.* =**miriópodo.**

mirífico, ca *adj.* [시어] =**admirable, maravilloso.**

mirilla *f.* ① (문·벽 등의) 엿보는[들여다보는·내다보는] 구멍. ② (집의 바깥문의) 내다보는 창(ventanillo). ③ (측정기 등의) 둥그런[긴] 작은 구멍.

miriñaque[1] *m.* (장식·오락용) 별 가치가 없는 장신구.

miriñaque[2] *m.* ① (여자들이 입었던 풀이 빳빳하게 먹여진[때때로 링이 있는] 천으로 만든) 속치마. ② (기관차 앞부분에 진행을 막는 물건을 치우기 위해 단) 쇠 빼대.

miriópodo *adj., m.* [동물] 다족류(의).

mirla *f.* [새] =**mirlo.**

mirlarse *r.* 거드름피우다, 점잔 빼다.

mirliflor *mf.* 시건방진 사람, 우쭐대는 사람, 허영심이 많은 사람.

mirlo *m.* ① [새] 구관조. ② 진지함, 침착함, 점잔 빼기. ¶*ser* alguien *un ~ blanco* 아주 괴짜다, 아주 특이한 인물이다. *soltar el ~* 잡담하기[노닥거리기] 시작하다(empezar a charlar).

mirón, na *adj.* ① 호기심이 많은[강한], 호기심으로 보는: ojos *mirones* 호기심이 가득한 눈. ② (도박판에서 도박을 하지 않고·일은 하지 않고 남이 일하는 것을·가게에서 물건은 사지 않고) 구경만 하는: Todos están de *mirrones*, no ayudan en absoluto 모두가 서서 구경만 하고 전혀 도와주지 않는다. —*mf.* ① 호기심이 강한[많은] 사람. ② 구경만 하고 사지[도박하지·일하지] 않는 사람.

mirra *f.* 몰약(沒藥).

mirrado, da *adj.* 몰약으로 조제된.

mirringa *f. Cuba.* =**pizca.**

mirrino, na *adj.* ① 몰약의. ② 몰약 같은[비슷한].

mirrusca *f. CRica.* =**pizca.**

mirtáceo, a *adj.* [식물] 도금양(과)의. —*f.pl.* 도금양과 식물.

mirto *m.* [식물] 도금양(arrayán).

miruella *f.* rur. *Ast., Cantb.* [새] = **mirlo.**

miruello *m.* rur. *Ast., Cantb.* [새] = **mirlo.**

mirza *f.* (페르시아 사람들 사이에서) señor에 해당되는 경칭.

misa *f.* ① [천주교] 미사: celebrar ~ 미사를 행하다. ir a ~ 미사에 가다. oír ~ 미사에 참여하다, 미사를 듣다. Ellos están en ~ 그들은 미사를 보고 있는 중이다. ② 미사 의식. ③ 미사곡(曲). ¶*día de ~* 미사 드리는 날. *libro de ~* 미사 전서(典書). *~ cantada* (단 한 명의 사제의) 노래 미사. *~ concelebrada* (여러 사제가) 합동으로 행하는 미사, 합동 미사. *~ conventual* (수도원에서 행하는) 대미사. *~ de camapaña* (군대 등의) 옥외(屋外)[야외] 미사. *~ de cuerpo presente* 장례 미사, 장례식. *~ de difuntos* 망자(亡者)를 위한 미사. *~ del alba* 새벽 미사, 조조(早朝) 미사. *~ de gallo, ~ del gallo* (크리스마스의) 심야(深夜) 미사. *~ de los cazadores* =**misa del alba.** *~ de parida, ~ de purificación* 여자가 출산 후 성당에 가 행하는 첫 미사. *~ de réquiem* =**misa de difuntos.** *~ mayor* 대(大)미사. *~ nueva* (사제의) 첫 미사. *~ privada, ~ rezada* (음악·성가대 합창이 없는) 독창(讀唱) 미사. *~ solemne* 장엄(莊嚴) 미사. *~ vespertina* 오후 미사. *~s gregorianas* 매장 직후 보통 30일 동안 계속 행하는 미사. *allá se [te] lo dirán de ~s* 언젠가는 앙갚음을 해 주겠다. *ayudar a ~* (천주교의 부제(副祭) 등이) 미사를 돕다, 미사에 시중 들다. *cantar ~* 신임 사제가 첫 미사를 행하다. *como en ~* 정숙하게, 깊은 정막 속에, 물을 끼얹은 듯이 조용히. *decir ~* 미사를 행하다[집전하다]. *de ~ y olla* (성직자·수도사가) 배운 것이 적어 실력이 없는, 무지한, 무학인. *ir a ~* algo que se dice (사정이) 분명하다, 의론의 여지가 없이 사실이다, 의론의 여지가 없다. *no saber* alguien *de la ~ la media* 무지하다, 모르다, 사정을 알지 못하다. *no saber de la ~ la mitad Ar.* =**no saber de la misa la media.** *ya se lo dirán de ~s* =**allá se lo dirán de misas.**

misacantano *m.* 첫 미사를 행하는 사제(司祭).

misal *adj.* 미사용의. —*m.* 미사 전서(典書), 기도서(祈禱書).

misantropía *f.* 인간 혐오, 염세.

misantrópico, ca *adj.* 사람을 싫어하는, 인간을 혐오하는, 염세적인.

misántropo, pa *mf.* 사람을 싫어하는 사람, 염세가.

misar *intr.* 미사를 행하다. —*tr.* 미사를 듣다, 미사에 참여하다(oír misa).

misario *m.* (성당에서 미사를 돕는) 복사(服事), 보(補)미사, 미사 사동.

misceláneo, a *adj.* 여러 가지 잡다한, 긁어 모은, 오합지졸의. *—f.* ① 여러 가지 잡다한 물건, 오합지졸. ② (문학·과학 관계의) 논총, 잡록. ③ *Col., Méj., Pan.* 길모퉁이의 구멍가게.

miscible *adj.* =**mezclable.**

miserable *adj.* ① 불행한. ② 불쌍한, 비참한, 가련한, 아주 딱한, 가엾은; 슬픈; (육체적으로) 괴로운, 고생스러운: mujer ~ 불쌍한[가련한·딱한] 여자. *Miserable* de mí! 불쌍한[가련한·가엾은] 나! ③ 빈약한, 보잘것없는, 초라한; 궁핍한; 빈궁한, 극빈의: casa ~ 초라한 집. hombre ~ 궁핍한 남자. mesa ~ 초라한[빈약한] 식사. ropa ~ 초라한 옷. ④ 맥이 빠진, 기력이 없는. ⑤ 인색한(mezquino): persona ~ 인색한 사람. propina ~ 인색한 팁. ⑥ 비루한, 비열한, 용렬한, 정이 없는, 같잖은, 괘씸한, 파렴치한: cobarde ~ 비열한 겁쟁이. *—mf.* ① 불행한 사람. ② 곤궁한[궁핍한] 사람.

miserablemente *adv.* ① 불행하게. ② 비참하게, 불쌍하게; 초라하게. ③ 인색하게(escasamente, con avaricia).

miseración *f.* 연민, 동정.

míseramente *adv.* 불쌍하게, 가엾게, 비참하게(con miseria).

miserando, da *adj.* 동정할 만한, 연민의 정을 느낄 만한.

miserear *intr.* 비열하게 행동하다; 검소한 생활을 하다, 구차하게[가난하게] 살다.

miserere *m. lat.* ① [성경] 미제레레 ((라틴어역 성경에서「주여 나를 가엾이 여기소서」로 시작하는 시편 50편)). ② 미제레레의 장엄한 악곡[노래]. ③ 예수 상 앞에서 사순절에 행하는 축제[의식]. ④ [의학] 장폐색.

miseria *f.* ① 빈궁, 극빈: vivir en la ~ 아주 가난한 생활을 하다, 빈궁하게 살다. ② [주로 *pl.*] 비참, 불행(한 일). ③ 인색함. ④ 아주 적은 것, 보잘것없는 것, 하찮은 물건, 적은 양: regalar una ~ 싼 물건을 선물하다. trabajar por una ~ 얼마 안 되는 돈 때문에 일하다. ⑤ 이에서 전염되는 역병[악성 유행병].

misericordia *f.* ① 자비(慈悲), 자비심, 동정심, 측은한 마음. ② (대성당의 성가대석이 있는) 휴식용 자리.

misericordiosamente *adv.* 인정이 넘치게, 자비심을 베풀어.

misericordioso, sa *adj., mf.* 인정이 많은 (사람), 자비심이 많은 (사람), 동정심이 많은 (사람), 남을 측은하게 생각하는 (사람).

miserioso, sa *adj.* [드묾] =**miserable, avaro, mezquino.**

misero, ra *adj., mf.* ① 미사에 가기를 좋아하는 (사람). ② 미사의 연보(捐補)만을 목적으로 하는 (사제).

mísero, ra *adj.* ① 불행한. ② =**abatido, sin fuerza.** ③ 인색한, 다라운. ④ 별 가치 없는, 하찮은, 시시한.

misérrimo, ma *adj.* 매우 불행한; 매우 기력이 없는, 허약한; 무척 인색한.

misil *m.* 미사일: ~ aire-aire 공대공(空對空) 미사일. ~ antiaéreo 대공 미사일. ~ balístico 탄도 미사일, 탄도탄. ~ (de) crucero 순항 미사일, 크루즈 미사일. ~ de corto [medio·largo] alcance 단거리[중거리·장거리] 미사일.

mísil *m.* =**misil.**

misilera *f. Chile.* 미사일 탑재 소형 선박.

misilístico, ca *adj.* 미사일의.

misio, sia *adj., mf. Perú.* =**pobre, necesitado.**

misión *f.* ① 파견. ② 사명, 임무: ~ diplomática 외교 임무[사절단]; 재외공관. enviar con una ~ especial 특별 임무로 파견하다. ③ 역할, 천직, 사명, 본분: ~ como médico 의사로서의 사명. ④ [주로 *pl.*] 포교, 전도: estar en *misiones* de América Latina 라틴 아메리카 포교에 참가하고 있다. ⑤ 전도관, 전도촌, 전도 교회. ⑥ 사절단, 대표단: ~ económica 경제 사절단. ⑦ 파견대: ~ médica 의료반. ⑧ (연구·개발을 위한) 과학 조사단.

misional *adj.* 포교의[에 관한], 전도의[에 관한].

misionar *intr.* 포교[전도·설교]를 하다. *—tr.* 포교[전도·설교]하다.

misionario, ria *mf.* ① [드묾] 전도사, 포교사. ② [드묾] 사절, 사자(使者).

misionero[1]**, ra** *adj.* 포교의[에 관한], 전도의[에 관한]. *—mf.* (해외에 활약하는) 전도사, 선교사. *—m.* 불신자의 땅에서 기독교를 가르치고 설교하는 사제[성직자].

misionero[2]**, ra** *adj.* ① 미시오네스(Misiones, 아르헨띠나·빠라구아이의 주) 태생의. ② 미시오네스의. *—mf.* 미시오네스 사람.

misivo, va *adj.* (…에게) 보내는 편지의, 서장(書狀)의, 전갈의: carta *~va* 보내는 편지. *—f.* 편지, 서장, 서간.

mismamente *adv.* =**precisamente, cabalmente.**

mismidad *f.* 본인인 것, 식별성(識別性), 신원(身元).

mismísimo, ma *adj.* 완전히 같은, 똑같은: ese ~ momento 바로 그 순간.

mismo, ma *adj.* ① 똑같은, 동일한: Este pobre es el ~ a quien ayer socorrí 이 불쌍한 사람은 내가 어제 구한 그 사람이다. No puedo hacer dos cosas al ~ tiempo 나는 동시에 두 가지 일을 할 수 없다. Es la *~ma* historia de siempre 그것은 옛날부터[항상 해 왔던] 똑같은 이야기다. ☞⑥. ② (정확히) 같은: de la *~ma* forma 같은 모양의. del ~ color 같은 색의. con respecto al ~ mes del año anterior 전년(前年) 같은 달에 비

해. ③ [강조, +명사/명사+] 바로 그, 그 같은, (바로) 그것: Desde el ~ momento en que nos vemos empieza la separación 우리는 만난 바로 그 순간부터 이별이 시작된다. ④ [인칭대명사+] …자신, 몸소, 친히, 손수: Yo ~ lo haré 내 자신이 그것을 하겠다. Hazlo tú ~ 네 자신이 해라. ⑤ [강조, 부사+] 당장, 바로, 곧: Hoy ~ lo veré 오늘 당장 그를 만나겠다. Aquí ~ te espero 바로 여기서 너를 기다리겠다. ⑥ [정관사+] ㉮ 같은 것: Esta película es la *~ma* que vi ayer 이 영화는 내가 어제 본 것과 같은 영화다. ㉯ [lo+] 같은 것; 같은 물건; 같은 양: Ella dice todos los días lo ~ 그녀는 매일 같은 말을 한다. ¿Toma algo? －Sí, lo ~ que usted 무얼 좀 드시겠습니까? －예, 선생님과 같은 것으로 (들겠습니다). ¶***así ~*** =**asimismo.** ***con las ~mas*** *Perú.* =**inmediatamente.** ***dar [ser] lo ~*** algo 같다, 관계없다, 상관없다, 무관심하다. ***estar [hallarse] en las ~mas*** 전과 똑같은 상황에 있다, 변함이 없다, 여전하다. ***por lo ~*** 그러므로, 그러니까, 그래서.

imiso! *interj.* 나비야 ((고양이 부르는 소리)).

misofobia *f.* 불결 공포증.

misogamía *f.* 결혼 혐오.

misógamo, ma *adj.* 결혼을 싫어하는. —*mf.* 결혼 혐오자, 결혼을 싫어하는 사람.

misoginia *f.* 여자를 싫어함.

misógino, na *adj.* 여자를 싫어하는[혐오하는]. —*mf.* 여자 혐오자, 여자를 싫어하는 사람.

misoneísmo *m.* 새것을 싫어함[혐오함], 보수주의.

misoneísta *adj.* 새것을 싫어하는[혐오하는]. —*mf.* 새것을 싫어하는 사람, 보수주의자.

míspero *m. Al., Burg., Rioja.* ① [식물] =**níspero.** ② *Al., Burg., Rioja.* [열매] =**níspero.**

miss *f. ing.* 미스, 미인 대회 우승자: ~ Universo 미스 유니버스.

mistagógico, ca *adj.* ① 비법 전수 사제(司祭)의[에 관한]. ② 비법을 전수하는, 밀교(密敎) 해설의.

mistagogo *m.* 비법 전수 사제(司祭); 비법 전수자; 밀교 해설자.

mistar *intr.* =**musitar.**

mistela *f.* ① 미스뗄라 ((증류주·물·설탕·계피와 향초 등 다른 재료로 만든 음료)). ② 미스뗄라 ((발효되지 않은 포도 과즙에 알코올을 첨가한 감미로운 포도주)).

míster *m. ing.* ① 미스터, 남성미 컨테스트 우승자: ~ Universo 미스터 유니버스. ② [운동] (특히 축구의) 감독, 코치(entrenador).

misterio *m.* ① 신비, 불가해(不可解)(한 것); 수수께끼, 불가사의: ~ de (la) naturaleza 자연의 신비. ~ del universo 우주의 신비. ② 신비에 싸인 사람[물건], 호기심을 북돋우는 사람[물건]. ③ 비밀: contar con gran ~ 몰래 이야기하다. llevar el asunto con mucho ~ 비밀리에 사건을 진척시키다. ④ (기독교의) 현의(玄義), 신비적인 교의(敎義): ~ de la Trinidad 삼위일체의 현의. ⑤ *pl.* (고대 종교의) 비법, 비결, 비의(秘儀), 밀의(密儀). ⑥ 그리스도 생애의 한 장면 ((탄생·수난·사망 등)). ⑦ [연극] 성사극(聖史劇); (중세의) 기적극(奇蹟劇).

misteriosamente *adv.* 신비스럽게; 몰래, 비밀리에.

misterioso, sa *adj.* ① 신비한; 불가사의한, 불가해(不可解)한, 이해할 수 없는, 확실하지 않은: mundo ~ 신비의 세계. ② 수수께끼 같은, 알쏭달쏭한, 이상한: persona *~sa* 수수께끼 같은 인물. decir unas palabras *~sas* 알쏭달쏭한 말을 하다. ③ 비밀의.

mística *f.* ① 신비 신학, 영성 신학(靈性神學). ② 신비 문학.

místicamente *adv.* ① (종교적) 비법으로. ② 영감에 의해. ③ 신비스레.

misticismo *m.* 신비주의적 신앙[체험·사고], 신비설, 신비주의.

místico[1] *m.* (지중해의 돛대 세 개의) 범선(帆船), 연안선(沿岸船).

místico[2]**, ca** *adj.* ① 비법의, 비전의. ② 신비적인, 영감적인. ③ 정신적인. ④ 종교 문학의. ⑤ 믿음이 깊은. ⑥ *And., Col., Hond., Pan., PRico., Ven.* =**melindroso.** —*mf.* ① 신비주의자. ② 신비 문학 작가.

mistificación *f.* ① 속임수, 사기. ② 위조, 왜곡(歪曲).

mistificador, ra *adj.* ① 속이는. ② 위조하는, 왜곡하는. —*mf.* ① 사기꾼. ② 위조자, 왜곡하는 사람.

mistificar (7) *tr.* ① 속이다. ② 위조하다; (사실 등을) 왜곡하다.

mistifori *m.* =**mistifori.**

misti fori *adj.* =**mixti fori.**

mistilíneo, a *adj.* [드묾] =**mixtilíneo.**

misto, ta *adj., mf.* [드묾] =**mixto.**

mistral *m.* 미스트랄 ((지중해 연안에 부는 차고 건조한 북서풍)).

mita *f.* ① (식민지 시대 인디오들에게 과했던) 강제 노역. ② 뻬루의 인디오들이 지불했던 세금.

mitad *f.* ① 반(半), 절반: la primera [segunda] ~ del año 일년의 전반[후반]. partir un pan por la ~ 빵을 반으로 자르다. ② 중간, 중간점; 한가운데, 중앙: a la ~ del camino 중간 지점에. en la ~ del camino 길의 한가운데에(서). ¶***cara ~*** 남편, 아내: su *cara ~* 그의 아내, 그의 남편. ***engañarse en la ~ del justo precio*** 큰 사기를 당하다. ***mentir por la ~ de la barba*** 뻔뻔스레 거짓말하다. ***~ y ~*** 절반씩, 반반으로: repartir el pastel *~ y ~* 케이크를 반반으로[절

반씩] 나누다. ¿Parece que va a llover? —*Mitad y* ~ 비가 올 것 같습니까? —반반입니다. *plantar* [*poner*] a alguien *en* ~ *del arroyo* =echar a la calle. ☞calle.
mitán *m.* =holandilla.
mitayo *m.* (아메리카에서) 강제 노역에서 일했던 인디오.
mítico, ca *adj.* ① 신화의[에 관한]: edad ~*ca* 신화 시대. ② 신화적인: personaje ~ 신화적인 인물.
mitificación *f.* ① 신화화. ② 우상시.
mitificar (7) *tr.* ① 신화화(神話化)하다. ② 우상시하다.
mitigación *f.* 완화; 경감.
mitigadamente *adv.* 완화시켜, 누그러뜨려, 덜어 주어, 가라앉혀, 진정시켜, 달래서(de manera mitigada).
mitigador, ra *adj., m.f.* 완화시키는 (사람), 진정시키는 (사람).
mitigar (8) *tr.* ① 완화시키다, 누그러뜨리다, 덜어주다, 진정시키다, 달래다: ~ el dolor 고통을 덜어주다[진정시키다], 통증을 가라앉히다. ~ el hambre 요기하다, 시장기를 풀다[달래다]. ~ la sed 갈증을 풀다[해소시키다]. ② (형벌 등을) 가볍게 하다, 경감하다: ~ una pena 형을 가볍게 하다. ~**se** 진정되다, 가라앉다, 풀리다, 해소되다; 경감되다.
mitigativo, va *adj.* 완화시키는, 진정시키는, 누그러뜨리는.
mitigatorio, ria *adj.* =mitigativo.
mitin *m. ing.* 모임, 회합; 회의, 토론회, (군중) 집회, 성토 대회. ¶*dar el* ~ 토론회를 개최하다[열다].
mito *m.* ① 신화: ~ de Grecia 희랍 신화. ② 전설: ~ de Fausto 파우스트 전설. convertirse en un ~ 전설화하다. ③ 전설적인[신화적인] 인물[사물]. ④ 꾸민 이야기, 만들어 낸 이야기, 조작한 이야기. ⑤ 가공의 인물.
mitocondria *f.* [생물] 미토콘드리아.
mitografía *f.* 기술 신화학(記述神話學).
mitógrafo, fa *m.f.* 기술 신화학자, 기술 신화 작가.
mitología *f.* ① [집합] 신화(mitos); (특히, 희랍·로마의) 신화: ~ griega [romana] 희랍[로마] 신화. ② 신화학. ③ 신화집.
mitológico, ca *adj.* 신화의. —*m.f.* = mitólogo.
mitologista *m.f.* =mitólogo.
mitólogo, ga *m.f.* ① 신화학자. ② 신화 작가.
mitomanía *f.* [의학] 과장벽, 거짓말 광(狂)[벽(癖)], 허언증(虛言症), 허언벽.
mitómano, na *adj.* mitomanía의[에 관한]: conducta ~*na* 허언증[과장벽] 행동. —*m.f.* 허언증 환자.
mitón *m.* 벙어리장갑.
mitosis *f.sing.pl.* [생물] 유사 분열(有絲分裂), 간접 핵분열.
mitote *m.* ① 미또떼 ((아스떼까족(族)의 무용)). ② *Amér.* 가정 파티. ③ *Amér.* 아양, 애교, 호들갑. ④ *Méj.* 소란, 말다툼.
mitotero, ra *adj., m.f.* ① *Amér.* 아양을 떠는 (사람), 호들갑스러운 (사람). ② *Amér.* 소란을 피우는 (사람). ③ *Méj.* 툭하면 싸우려 드는 (사람), 말썽을 부리는 (사람).
mitótico, ca *adj.* [생물] mitosis의.
mitra *f.* ① (주교 등의) 머리에 쓰는 두건[관]. ② (페르시아 사람들의) 머리에 쓰는 두건[장식]. ③ (옛 군인들이 썼던) 머리 보호용 두건. ④ 대주교[주교]의 직. ⑤ 대주교[주교]의 관할 지역.
mitrado, da *adj.* 주교직을 받은. —*m.* 대주교(arzobispo); 주교(obispo).
mitral *válvula* ~ [해부] 승모판(僧帽瓣), 이첨판(二尖瓣).
mítulo *m.* =mejillón, mocejón.
miura *m.* ① 미우라 소 ((Eduardo Miura가 1848년 만든 미우라 목장의 매우 용맹한 소)). ② 사악한 사람, 난폭자, 악당.
mixedema *f.* [의학] 점액 수종.
mixoencondroma *m.* [의학] 점액 연골종(粘液軟骨腫).
mixofibroma *m.* [의학] 점액 섬유종.
mixofibrosarcoma *m.* [의학] 점액 섬유 육종(粘液纖維肉腫).
mixoglioma *m.* 점액 신경 교종.
mixoma *m.* [의학] 점액종(粘液腫).
mixomatosis *f.* [수의학] 점액종증.
mixomiceto *adj.* [식물] 변형 균류의, 점균류의. —*m.pl.* 변형 균류, 점균류.
mixta *f.* ☞mixto.
mixtificación *f.* =mistificación.
mixtificador, ra *adj.* =mistificador.
mixtificar (7) *tr.* =mistificar.
mixtifori *m.* 이질적인 물건의 혼합.
mixtilíneo, a *adj.* [기하] 직선과 곡선으로 구성된.
mixtión *m.* ① 혼합. ② [문장학] (문장의) 자줏빛.
mixto, ta *adj.* ① 혼합한, 혼합의, 혼성의: comisión ~*ta* 합동 위원회. ensalada ~*ta* 여러 가지를 넣어 섞은 샐러드, 믹스트 샐러드. ② (동물·식물의) 잡종의, 이종 교배한, 혼혈의, 교배의. ③ 남녀 공학의: colegio ~ 남녀 공학 학교. ④ [운동] 혼합의. ⑤ [음악] 혼성의. ⑥ (시세가) 올라갔다 내려갔다 요동치는. —*m.* ① 성냥. ② 화약. —*f.* *PRico.* 미스따 ((쌀·강낭콩·고기로 만들어진 단 하나의 접시에 담은 요리; 일종의 비빔밥)). ¶ *brigada* ~*ta* 혼성 여단. *economía* ~*ta* 혼합 경제. *número* ~ [수학] 혼수(混數) ((대분수, 대소수)). *tren* ~ (객차와 화차의) 혼성 열차.
mixtura *f.* ① 혼합, 혼성. ② 혼합물. ③ [의학] (여러 재료의) 혼합약.
mixturar *tr.* [드묾] 섞다, 혼합하다.
mixturero, ra *adj.* ① [고어] =revolvedor, cizañero. ② [드묾] 섞는, 혼합하는 (사람).

miz *interj.* 나비야! ((고양이를 부르는 소리)). —*m.* [구어] 고양이(gato).
miza *f.* [동물] 암고양이(gata).
mizcal *m.* (모로코에서) =**metical.**
mízcalo *m.* 송이, 송이버섯.
mizo¹ *m.* [동물] 고양이(gato).
mizo², za *adj.* [은어] =**izquierdo.**
mm. milímetro 밀리미터.
m/m más o menos 약, 대략.
mn. minuto 분(分).
m/n. moneda nacional 자국 통화.
mnemónico, ca *adj.* 기억의[에 관한]. —*f.* =**mnemotecnia.**
mnemotecnia *f.* 기억술(nemotecnia).
mnemotécnico, ca *adj.* ① 기억술의. ② 기억을 돕는. —*f.* =**mnemotecnia.**
m/o. mi orden 우리 측의 주문.
moa *f.* [은어] 동전(monda).
moabita *adj.* ① 모압(Moab, 사해 동쪽에 있었던 시리아의 옛 왕국) 태생의. ② 모압의[에 관한]. ③ [고어] = **almorávide.** —*m.f.* 모압 사람 ((유대 사람과 싸웠던 고대 셈족)). —*m.* 모압 말. —*m.pl.* [성경] 모압 자손.
moai *m.* [*pl.* moáis] 모아이 ((남태평양의 빠스꾸아 섬[이스터 섬]에 있는 빠스꾸아 문화(cultura pascuense)를 대표하는 반신 조각상으로 6-15세기에 제작됨)).
moaré *m.* =**muaré.**
moaxaja *f.* (마지막 부분이 모사라베 방언으로 끝나는) 아라비아어나 히브리어로 쓰인 중세의 시작(詩作).
mobiliario, ria *adj.* ① 동산(動産)의 (muebles): bienes ~*s* 동산. ② (유가증권이) 양도 가능한. ③ 가구(家具)의. —*m.* [집합] 가구(muebles): ~ de cocina (레인지·싱크대 등의) 주방 세트. ~ urbano (벤치·가로등 등의) 시가지의 도로 비품.
moblaje *m.* =**mobiliario.**
moca *m.* 모카(Moca, 아라비아 남서부의 항구) 커피 ((Moca에서 실어낸 질이 좋은 커피)).
mocador *m.* =**moquero.**
mocar *tr.* 코를 풀어 주다. ~**se** 코를 풀다.
mocarra *m.f.* 시건방진 아이, 어른의 일에 감히 간섭하는 아이.
mocarro *m.* (부주의로 콧구멍에서) 흘러내린 콧물.
mocasín *m. ing.* ① 모카신 ((북미 인디언의 무두질하지 않은 가죽신)). ② 모카신을 모방한 현대의 신[신발].
mocear *intr.* ① 젊은이인 체하다, 젊은이처럼 행동하다. ② [드묾] 주색에 빠지다, 여색에 빠지다, 난봉을 피우다, 허랑방탕한 짓을 하다.
mocedad *f.* ① 청년기, 청년 시대: en *su* ~ 젊은 시절에, 청년기에. ② [드묾] (경험 부족으로 인한) 젊은이다운 무절제[장난기]. ③ [드묾] 주색잡기, 음란 행위, 음탕한 짓.
mocejón *m.* 판새류(瓣鰓類) 연체 동물 ((굴·홍합 등)).
moceril *adj.* ① 청년기의. ② 젊은이다운, 젊디 젊은, 싱싱한.
mocerío *m.* [집합] 젊은이들.
mocero *adj.* [드묾] 음탕한. —*m.* 호색가(好色家).
mocete *m. Ar., Rioja.* 젊은이, 십대.
mocetón, na *m.f.* 비만체의 기골이 장대한 청년.
mocha *f.* ☞**mocho.**
mochada *f.* 박치기.
mochales *adj.sing.pl.* 약간 미친, 반미친: Está ~ 그는 약간 돌았다.
mochar *tr.* ① 박치기하다. ② 절단하다, 자르다(desmochar, cortar).
moche *adj.* (뻬루 북부 해안에서 문명의 꽃을 피웠던) 모체족(族)의. —*m.f.* 모체족 사람.
mocheta *f.* ① (괭이·도끼 등의 뭉툭한) 머리. ② (문틀·창틀의) 사개. ③ [건축] (벽 귀퉁이의) 들어간 이면각. ④ [건축] (문·창문의) 걸테.
mochete *m.* [새] 황조롱이.
mochica *adj.* 모체족(los moches)의[에 관한]. —*m.* 모체 말.
mochil *m.* 농장의 심부름하는 소년.
mochila *f.* ① (사냥꾼·군인·여행자의) 자루, 주머니, 배낭: con una ~ a hombros 배낭을 등에 메고[짊어지고]. cargarse una ~ 배낭을 메다[짊어지다]. ② (군인이 짐을 넣고 등에 지는) 가죽을 댄 얇은 판 상자. ③ (병사가 지참하는 야영용) 양식; (말의) 양식, 꼴. ④ (말을 탈 때 안장 틀에 늘어뜨린) 말의 옷[덮개]의 일종. ¶***hacer*** ~ un cazador o un caminante (사냥꾼이나 나그네가) 도중에서 먹을 것을 마련하다[준비하다].
mochilear *intr. Chile.* 배낭에 도구를 넣고 나들이하다.
mochilero, ra *m.f.* ① 배낭족, 배낭 여행자. ② (옛날의) 배낭병(兵).
mocho, cha *adj.* ① (뿔 난 동물이) 뿔이 없는: vaca ~*cha* 뿔이 없는 암소. ② (나무·탑이) 끝이 없는[둥그런]: torre ~*cha* 끝이 둥그런 탑. ③ 머리카락이 없는, 머리가 벗겨진. ④ 깎은 머리카락을 한, 머리를 깎은. ⑤ *Chile.* =**lego.** ⑥ *Méj.* =**santurrón, gazmoño.** —*m.f.* ① *Chile.* =**lego.** ② *Méj.* =**santurrón.** —*m.* (화기의 개머리판처럼 긴 기구의) 뭉툭한 끝부분: ~ de la escopeta 총대. —*f.* ① 머리를 숙여 하는 인사. ② (사람의) 머리(cabeza). ③ *Cuba.* (사탕수수를 벨 때 사용하는) 날이 넓고 끝이 굽은 큰 낫. ¶***dar*** a alguien ***con el*** ~ ***del hacha*** *Chile.* (…를) 육체적이나 말로 학대하다[거칠게 다루다].
mochuelo¹ *m.* ① [새] 수리부엉이. ② (아무도 떠맡고 싶어하지 않는) 어려운 일, 성가신[귀찮은] 일, 책임. ③ [인쇄] (조판에서 단어·구절의) 누락, 빠뜨리기, 탈락(omisión).
mochuelo² *m.* (옛날에) 가정에서 쓰던 그릇[용기].

mocil *adj.* [드묾] 젊은이다운.
moción *f.* ① 움직임, 활동. ② 기울기, 경향. ③ 영감(靈感). ④ 동의(動議), 발의(發議): presentar una ~ 동의안을 제출하다. ⑤ [언어] (명사의 남성형에서 여성형으로의) 변화[굴절] 어미; 그 어미 부가.
mocionar *tr. Ecuad., Salv.* 동의안을 제출하다.
mocito, ta *adj.* 사춘기에 있는. —*mf.* (사춘기의) 소년, 소녀.
moclín *m. Nic.* 어린이 성추행자.
moco *m.* ① 콧물: limpiarse el ~ 코를 풀다, 콧물을 닦다. ② 점액(粘液). ③ 광재(鑛滓). ④ 쇠똥. ¶ ~ *de herrero* 광재. ~ *de pavo* ㉮ 칠면조의 볏. ㉯ [식물] 맨드라미. ㉰ *Méj.* [식물] 색비름. *a* ~ *de candil* 촛불에 의지하여. *buscar* algo *a* ~ *de candil* =escogerlo a moco de candil. *caérsele* a alguien *el* ~ ㉮ (…가) 콧물을 흘리다. ㉯ 얼간이다. ㉰ 풀이 죽다, 기운이 없다. *escoger* algo *a* ~ *de candil* (…을) (잘 보기 위해 불빛에 가까이하면서) 아주 세심하게 고르다. *haber quitado* a alguien *los* ~*s* (…를) 코흘리개 때부터 기르다[돌보다]. *llorar a* ~ *tendido* 엉엉 울다. *no saber quitarse los* ~*s* 알지도 못하면서 끼어들다, 모른 것에 간섭하다. *no ser* algo ~ *de pavo* (무엇이) 중요성이 있다, 가치가 있다, 중요하다. *quitar* a alguien *los* ~*s* (누구의) 따귀를 때리다.
mocoso, sa *adj.* ① 코에 콧물이 가득한. ② (아이가) 고분고분하지 않은, 말을 잘 듣지 않는. ③ (소년이) 별로 경험이 없는, 노련하지 못한. ④ 하찮은, 별 가치가 없는. —*mf.* ① 고분고분하지 않은 아이, 시건방진 아이. ② 코흘리개, 애숭이, 풋내기.
moda *f.* ① 유행: ~ de este año 금년의 유행. ② 패션: revista de ~*s* 패션 잡지. corbata a la ~ de París 파리 패션 넥타이. ③ 패션 업계. ¶ *tienda de* ~*s* 부티크. *a la* ~ 유행의, 유행되고 있는. *a la última* ~ 최신 유행의. *de* ~ 유행의: color *de* ~ 유행색. *entrar en la* ~ 유행이 시작되다, 유행에 들어가다. *entrar en* ~*s* 유행에 물들다. *estar* algo *de* ~ (…이) 유행 중이다. *pasar(se)* algo *de* ~ (…은) 유행이 지나가다, 유행하지 않게 되다, 한물 지나다, 한물 가다. *salir una* ~ 유행하기 시작하다. *ser* ~, *ser de* ~ =estar de moda.
modal *adj.* ① 양식(樣式)의. ② [문법] 법(法)의, 서법(敍法)의: verbio ~ 법동사, 서법 동사. —*m.pl.* 예의 범절, 예절, 행동거지, 태도, 몸가짐, 거동, 기품: ~*es* comunes 예의에서 벗어남, 버릇없음. ~*es* finos 품위 있는 몸가짐. con buenos ~*es* 정중히, 예의바르게. tener (buenos) ~*es* 몸가짐이 좋다, 예절이 밝다. tener malos ~*es* 몸가짐이 나쁘다, 예의범절이 나쁘다.
modalidad *f.* ① 양식, 방식, 형식, 방법: nueva ~ de coche 차의 신형. ② (실시 조건·기한 등의) 양태(樣態), 상태; 한정 조항. ③ [언어] 서법(敍法), 법(法). ¶ ~ *de arrancada* [역도] 인상. ~ *de dos tiempos* [역도] 용상.
modelable *adj.* 본을 뜰 수 있는.
modelado *m.* ① 조형(造形). ② 소상술(塑像術). ③ [미술] (조소(彫塑) 등의) 살을 붙임, 잔손질하여 보충함.
modelador, ra *adj.* 본을 뜨는.
modelar *tr.* ① (점토·밀랍 등으로) …의 본을 뜨다, 형을 만들다, 조형(造形)하다: ~ una estatua en barro 점토로 상을 만들다. ~ *su* conducta según la de *sus* padres 부모의 행동을 흉내내다. ② 모양을 갖추다. ③ (성격을) 형성하다, (성격 등의) 형성에 큰 영향을 미치다, (인격을) 도야(陶冶)하다: ~ el carácter de sus discípulos 제자의 성격 형성에 영향을 미치다. ~**se** 모델에 맞다, 모델을 하다.
modélico, ca *adj.* 모범의; 모형의, 전형적인.
modelismo *m.* 모형 제작(模型製作).
modelista *mf.* ① 복식 디자이너. ② (기계 등의) 모형 제작자.
modelo *m.* ① 모범, 본, 본보기, 선례, 거울, 귀감: ~ de corrección 모범 해답. según el ~ 선례에 따라. servir de ~ 본보기가 되다. tomar … como ~ …을 본보기[모델]로 하다. ② 전형(典型): un ~ de coreano 한국인의 전형. ③ [형용사적] 모범(의): alumno ~ 모범 학생. empresa ~ 모범 기업. granjas ~ 모범 농장들. ④ (제품 등의) 형(型), 형식; 기종: auto ~ 2005 2005년형 자동차. lavadora último ~ 최신형 세탁기. nuevo ~ de coche 신형 차. ⑤ 모식(模式)(적인 가설). ⑥ (수학적인) 모델: ~ económio 경제 모델. ⑦ 작은 모형, 축소 모형. ⑧ (조각 등의) 원형: ~ de madera 목형(木型). ⑨ (조각 등의) 주형(鑄型). ⑩ (유명 디자이너의) 원작, 오리지널 작품, 단 한 작품. ⑪ *Cuba.* =**impreso.** —*mf.* ① (작품 등의) 모델, 제재(題材). ② (미술·패션의) 모델: ~ de desnudo 누드 모델. ~ de portada 커버 걸 ((잡지 등의 표지 모델이 되는 매력적인 여자)). ¶ ~ *vivo mf.* (디자인 공부를 위해 봉사하는) 누드 모델(~ de desnudo)
módem *m.* [컴퓨터] 변복조 장치(變復調裝置), 모뎀.
moderación *f.* ① (말·행동에서) 절도, 사려, 분별, 온건: beber con ~ 술을 알맞게 마시다. obrar con ~ 절도 있게 행동하다. ② 경감, 완화: ~ de la velocidad 감속(減速).
moderadamente *adv.* ① 절도 있게,

알맞게. ② 온건하게.

moderado, da *adj.* ① 중용(中庸)의, 절도 있는: actitud ~*da* 절도 있는 행동. partido ~ 중도 정당. ② 알맞은, 적당한, 어울리는: precio ~ 적당한 가격, 적정 가격, 적정가. Marcha ~*da* [표시] 속도를 줄이지 마세요. ③ 온건파의, 온건한, 과격하지 않은. ④ (기후가) 온화한, 적당한 정도의, 춥지도 덥지도 않은: temperatuar ~*da* 적당한 온도, 춥지도 덥지도 않은 온도. —*m.f.* 온건파. —*adv.* [음악] 모데라토, 알맞은 속도로.

moderador, ra *adj.* 조절하는, 억제하는, 완화하는: hacer un papel ~ 조정역을 하다[맡다]. —*m.f.* ① 중재자, 조정자. ② (토론·회의·집회 등의) 사회자. ③ (뉴스 프로그램의) 종합 사회자, 캐스터. —*m.* ① (개신교의 모임·회의의) 의장, 사회자. ② [물리] (원자로의) 중성자 감속재.

moderante *adj.* 조절의, 완화의. —*m.* (일부 대학교에서) 학회 지도자.

moderantismo *m.* ① [드묾] 중도 정당의 정책, 중도주의. ② [드묾] 중도 정당의 이데올로기, 중도 사상.

moderar *tr.* ① 절제하다, 완화하다, 조절하다, 억제하다; 가감하다, 적당히 하다: ~ la fuerza al abrir la puerta 힘을 조절하여 문을 열다. ~ el tono de *su* voz 목소리를 적당히 하다. ~ sus ganas 욕망을 억제하다. ② 사회를 맡다, 조정자의 역할을 하다. **~se** ① 자제하다: ~*se* en las palabras 말을 삼가다[조심하다], 신중하게 말하다. ② 풀리다, 완화되다, 누그러지다.

moderativo, va *adj.* 완화의, 억제의, 조절하는.

moderato *adv. fr.* [음악] 모데라토, 알맞은 속도로. —*m.* [음악] 모데라토 곡[악장].

moderatorio, ria *adj.* (과도한 것을 알맞게) 조절하는, 조절의, 억제의.

modernamente *adv.* ① 최근(에는). ② 현대에는.

modernidad *f.* 현대성, 근대성; 현대.

modernismo *m.* ① 현대 사상, 근대적인 태도[주장]. ② [천주교] (근대 사상의 입장에서 교리를 재검토하여 조화를 꾀하는) 근대주의. ③ 현대적인 표현[말], 현대적 습관. ④ (문학·미술 등의) 모더니즘, 근대주의.

modernista *adj.* ① 근대적인, 현대적인. ② 근대주의의, 현대주의의. —*m.f.* ① 현대풍의 사람, 근대적[현대적]인 사람. ② 근대주의자.

modernización *f.* 근대화, 현대화.

modernizador, ra *adj.* 근대화하는, 현대화하는.

modernizar (9) *tr.* 근대적[현대적]으로 하다, 근대화[현대화]시키다. **~se** 근대화되다, 현대화되다, 근대식[현대식]이 되다.

moderno, na *adj.* ① 현대의, 현대적인: ciencia ~*na* 현대 과학. ② 최신의: maquinaria ~*na* 최신 기기. ③ 근대의: historia ~*na* 근대사(近代史). literatura ~*na* 근대 문학. ④ (학교·그룹 등에) 새로 들어온, 신입(新入)의, 신참의. ⑤ 최신 유행의, 유행을 좇아가는. —*m.f.* 유행의 첨단을 가는 사람. —*m.* ① (학교·그룹 등에) 신입자, 신참자. ② *pl.* 현대인. ¶***a la ~na, a lo ~*** 현대식으로, 근대풍으로: modo de vivir *a la ~na* 현대적인 생활 양식.

modestamente *adv.* 겸허하게, 검소하게; 얌전하게, 정숙하게, 조심스럽게.

modestia *f.* ① 겸손, 겸양: con una falsa ~ 겉으로만 겸손하게. ② 신중함, 조심성 많음. ③ 초라함, 빈약함: vestir con ~ 수수한[초라한] 복장을 하다, 수수하게[초라하게] 옷을 입다. ④ 검소(함): vivir con ~ 검소하게 살다. ⑤ 결핍, 부족. ⑥ 가난, 빈곤.

modesto, ta *adj.* ① 겸손한, 겸허한. ② 신중한, 조심성이 많은. ③ 검소한, 수수한: vida ~*ta* 검소한 생활. ④ 초라한, 빈약한: casa ~*ta* 초라한 집. sueldo ~ 박봉. —*m.f.* 겸손한 사람, 겸허한 사람.

módicamente *adv.* ① 검소하게. ② 겸손하게, 겸허히.

modicidad *f.* [드묾] (값이) 저렴함.

módico, ca *adj.* (값이) 그저 그런; 저렴한, 싼, 낮은: ~ precio 저렴한 가격, 타당한 가격.

modificable *adj.* 고칠 수 있는, 수정 가능한, 변경 가능한.

modificación *f.* ① 수정(修正), 변경: ~ de órbita 궤도 수정. ~ de una carta de crédito 신용장의 조건 변경. ~ en la casa (집의) 개축(改築). ② [생물] 일시적인 변이. ③ [문법] 수식.

modificador, ra *adj., m.f.* 수정[변경]하는 사람. —*m.* [문법] 수식어.

modificante *adj.* 수정하는, 변경하는.

modificar (7) *tr.* ① 수정하다, 변경하다, 바꾸다: capitalismo *modificado* 수정자본주의. presupuesto *modificado* 수정 예산. ~ un plan 계획을 변경하다. ~ el horario de los trenes 열차 시간표를 개정하다. ~ la ley electoral 선거법을 개정하다. ② [문법] 수식[한정]하다: El adverbio *modifica* al verbo 부사는 동사를 수식한다. ③ [철학] 한정하다. ④ [컴퓨터] (명령의 일부를) 변경하다. **~se** 수정되다, 변경되다, 바뀌다.

modificativo, va *adj.* 수정하는, 변경하는, 바꾸는; 수정하는 데 쓰는.

modificatorio, ria *adj.* 수정하는, 변경하는, 바꾸는.

modillón *m.* [건축] (코린트 양식의) 처마 까치발.

modio *m.* (로마인들이 사용했던) 곡량 단위 ((약 8.75 리터)).

modismo *m.* ① [문법] 숙어, 관용어 ((두 개 이상의 낱말이 합하여 한 뜻을 나타내어 마치 하나의 낱말처럼 쓰이는 말; 예 *a troche y moche* 엉터리로)). ② [문법] 어법이 맞지 않는 관용구(idiotismo) ((문법 규칙과 반대 표현·말투; 예 a ojos vistas 명백히)).

modista *f.* [드묾] 부티크(tienda de modas)를 소유한 여자. —*mf.* ① 양재사, 부인복 디자이너. ② [고어] 유행을 좇았던[만들어냈던] 사람.

modistilla *f.* ① 미숙한[서툰] 여자 양재사, 솜씨 없는 양재사. ② 여자 견습 양재사.

modisto *m.* (남성) 양재사, 드레스 메이커, 부인복 디자이너.

modo *m.* ① 방식, 방법; 양식: ~ de empleo, ~ de uso 사용법. ~ de pensar 사고 방식, 의견. ~ de ser 본연의 자세[모습], 사람됨, 타고난 성질, 위인(爲人). ~ de vivir 생활 양식. ② [문법] (동사의) 법(法). ③ [문법] 방법, 양태(樣態): adverbio de ~ 방법[양태]의 부사. ④ [음악] 음계; 선법(旋法). ⑤ *pl.* 예의범절, 예절, 행동거지, 행실, 태도: con buenos ~*s* 행실 바르게, 예절 바르게. con malos ~*s* 못된 행실로, 바르지 못한 태도로. tener buenos ~*s* 행실이 바르다, 예절이 밝다, 예의범절이 분명하다, 예의가 바르다. tener malos ~s 행실이 못되다, 예의가 없다, 예의범절이 밝지 못하다. tratar a los inferiores con malos ~*s* 아랫사람에게 건방지다[못되게 대하다]. ⑥ 절도, 자제: comer sin ~ 무턱대고 먹다, 앞뒤 가리지 않고 먹다. ⑦ [논리] 양식, 논식(論式). ¶ ~ ***adverbial*** [문법] 부사구. ~ ***auténtico*** [음악] 정규 선법(旋法). ~ ***condicional*** [문법] 조건법(條件法). ~ ***conjuntivo*** [문법] 접속사구. ~ ***de adquirir*** [법률] 취득 방법. ~ ***de articulación*** [음성학] 조음법. ~ ***deprecativo*** [문법] 간청 명령법. ~ ***discípulo*** [음악] =**modo plagal.** ~ ***imperativo*** [문법] 명령법(命令法). ~ ***indicativo*** [문법] 직설법(直說法). ~ ***infinitivo*** [문법] 부정법(不定法). ~ ***maestro*** [음악] =**modo auténtico.** ~ ***mayor*** [음악] 장음계(長音階). ~ ***menor*** [음악] 단음계. ~ ***optativo*** [문법] 기원법. ~ ***plagal*** [음악] 변격 선법. ~ ***potencial*** [문법] 가능법. ~ ***subjuntivo*** [문법] 접속법. ***al ~ de, a ~ de*** …처럼, …과 같이, …풍으로, …식으로. ***a su ~*** 자기 식으로, 자기의 방식대로. ***de cualquer ~*** 무슨 수를 써서라도, 어떤 방법으로든지, 어떻게 하든지. ***de ~ que*** =**de suerte que:** Hazlo *de ~ que* quieras 너 하고 싶은 대로 해라. ***de ningún ~*** 결코[절대로] …이 아니다. ***ni ~*** *Méj.* 이제 방도가 없다, 이제 어찌할 방법이 없다. ***sobre ~*** 몹시, 매우, 무척.

modorra *f.* ☞**modorro.**

modorrar *tr.* 몹시 졸리게 하다. ~**se** (과실이 썩을 것처럼) 물렁물렁해지고 색이 변하다.

modorro, rra *adj.* ① (병적인) 수마(睡魔)에 사로잡힌, 못 견디게 졸리는: carnero ~ 졸음병에 걸린 양. ② (광산에서) 수은에 중독된. ③ (과실이) 색이 변하고 썩기 시작한. ④ 멍하니 있는, 모르고 있는, 분간 못하는. —*mf.* ① 수은에 중독된 광부. ② 아무것도 하지 않고 멍하니 있는 사람, 아무 것도 모르는 사람, 얼간이, 멍청이, 바보. —*f.* ① 깊은 혼수 상태, 기면(嗜眠). ② 심한 졸음, (병적인) 수마(睡魔): Me entra [invade] ~ con el calor 나는 더위로 심하게 졸리다[졸음이 온다]. ③ 기면 시간. ④ [수의학] (양의) 선회병(旋回病).

modosidad *f.* 예의, 분별(分別).

modoso, sa *adj.* ① 예의 바른, 분별이 있는. ② (여성이) 정숙한, 얌전한.

modrego *m.* 무엇이고 서툴고 무능한 녀석[놈].

modulación *f.* ① 조절, 조정, 조음(調音). ② [음악·미술] 전조(轉調). ③ (음성·리듬의) 변화, 억양(법). ④ [라디오·전자] 변조: ~ de amplitud 진폭 변조. ~ de frecuencia 주파수 변조, FM (방송).

modulador, ra *adj., mf.* 변조하는 (사람). —*m.* 변조기. —*f.* 변조관(變調管).

modular[1] *tr.* ① 조절하다, 조정하다. ② (소리 등에) 억양을 붙이다, 리듬을 바꾸다: ~ la dicción 말하는 법에 변화를 주다. ③ [라디오·전자] 변조하다. —*intr.* [음악] 전조(轉調)하다.

modular[2] *adj.* módulo의[에 관한].

módulo *m.* ① [건축] 모듈, 기준 치수, 기둥의 반경. ② [건축] (조립식 주택의) 기본 모형. ③ (가구 등의) 조립 단위. ④ (우주선의) 모듈((모선에서 분리하여 특정한 기능을 수행하는 소선(小船))): ~ de maniobra y mando 사령선. ~ lunar 달착륙선. ⑤ 형, 패턴, 타입: teatro de ~ clásico 고전풍의 극장. ⑥ [교육] 학습 단위. ⑦ [수학·물리] 계수, 율(率). ⑧ [유수(流水) 측정 단위] 모듈. ⑨ [음악] 전조(轉調). ⑩ [컴퓨터] 모듈. ⑪ [고전학(古錢學)] 메달[동전]의 직경. ⑫ *Cuba.* (일하거나 활동하기 위해 필요한 개인용) 의류품이나 도구.

moduloso, sa *adj.* =**cadencioso.**

modus operandi *m. lat.* ① (일의) 처리 방식, 운용법, 작업 계획. ② (범인의) 수법.

modus vivendi *m. lat.* ① 생활 방식[태도]. ② 잠정 협정, 일시적 타협.

mofa *f.* 조롱, 우롱, 야유: hacer ~ de la religión 종교를 야유하다.

mofador, ra *adj., mf.* 우롱[조롱·야유]하는 (사람).

mofadura *f.* [드묾] =**mofa.**

mofar *intr.,* ~**se** 놀리다, 우롱하다, 조롱하다, 야유하다.

mofeta *f.* ① (광산·화산 등의) 유독

가스. ② [동물] 스컹크.
moflearse *r. Sal.* 볼을 부풀리면서 …를 놀리다.
moflete *m.* (부어올라 있는 것처럼) 너무 살찐 볼.
mofletudo, da *adj.* 볼이 너무 살찐.
mogataz *m.* =moro mogataz.
mogate *m.* (도자기의) 유약. ¶*a [de] medio* ~ ㉮ *adj.* (질그릇이) 안[밖]에만 유약이 발라져 있었던. ㉯ *adv.* [드묾] 아무렇게나, 날림으로, 겉날리게, 소홀히.
mogol, la *adj., m.f.* =mongol. ¶ *gran* ~ (인도의) 모갈 제국 황제, 회교 왕조의 황제.
mogólico, ca *adj.* ① =mongólico. ② 모갈 제국 황제의[에 관한].
mogolla *f.* ① *Col.* 밀기울로 만든 가무잡잡한 빵. ② *PRico.* 복잡한 혼동.
mogollón *adj.* ① [드묾] =holgazán. ② 남에게 빌붙어 지내는, 남의 덕에 사는(gorrón). —*m.* ① 대량, 다수. ② 소란, 떠들썩함. —*adv.* 많이, 충분히. ¶*de* ~ ㉮ 남에게 빌붙어. ㉯ 공짜로, 무료로. ㉰ 나쁘게; 방심하여; 서둘러.
mogón, na *adj.* ① (소가) 뿔이 없는. ② (소가) 뿔 끝이 부러진.
mogote *m.* ① 산 모양의 언덕. ② 돌무더기. ③ 뭉툭한 원추형의 동산. ④ 피라미드 모양의 노적가리. ⑤ (한 뼘 정도 자라기 시작한) 사슴 뿔.
mohatra *f.* ① 위장 판매. ② 사기, 속임수(engaño, fraude).
mohatrar *intr.* 위장 판매를 하다, 속이다(hacer mohatras).
mohatrero, ra *m.f.* 위장 판매자.
mohatrón, na *m.f.* =mohatrero.
mohecer (31) *tr.* [드묾] 곰팡이가 끼게 하다. ~**se** 곰팡이가 끼다.
moheda *f.* 덤불이 무성한 높은 산.
mohedal *m.* =moheda.
mohín *m.* =mueca, gesto: hacer *mohines* 우거지상을 하다, 얼굴을 찡그리다.
mohína *f.* ☞mohíno.
mohíno, na *adj.* ① =triste, melancólico, disgustado. ② 수말과 암노새의 혼혈의. ③ (말·소의) 콧등(의 털)이 검은. —*m.f.* (특히, 콧등이 검은 말[소]. —*m.* [새] =rabilargo. —*f.* ① =enojo, disgusto, tristeza. ② =pendencia. ③ 기분 나쁜 표정.
moho *m.* ① 곰팡이: oler a ~ 곰팡내 나다. ② 녹(綠), 동록(銅綠), 동청(銅靑)(orín). ③ [드묾] (오랜 휴식으로 인한) 나태한 마음(desidia), 노동의 어려움. ¶*no criar* ~ algo (나태해지지 않도록) (…을) 계속 움직이고 있다[사용하고 있다]. *no dejar criar* ~ a algo ㉮ (…을) 계속 사용하고 있다. ㉯ (돈 등을) 빨리 낭비하다.
mohoso, sa *adj.* ① 곰팡이가 슨[난·핀](cubierto de moho): El pan se ha puesto ~ 빵에 곰팡이가 슬었다. Los zapatos están ~*s* 구두에 곰팡이가 피었다. ② 녹슨.
mohúr *m.* (은화 15 루피에 해당하는) 옛 영국령 인도의 금화(金貨).
moisés *m.sing.pl.* (갓난아이의 휴대용 요람으로 사용하는) 손잡이 달린 버들가지 등으로 만든 광주리.
Moisés *m.* ① [인명] 모이세스. ② [성경] [인명] 모세. ¶***lágrimas de*** ~ 돌팔매. ***ley de*** ~ 모세의 율법.
mojábana *f.* 치즈 바른 밀가루 케이크.
mojada[1] *f.* ☞mojado.
mojada[2] *f.* (까딸루냐 지방의) 농지 면적의 단위 ((약 49 아르)).
mojadedo *a* ~ [사냥] 지근(至近) 거리에서, 아주 가까이에서, 바로 옆에서: disparar *a* ~ 지근 거리에서[바로 옆에서] 발사하다[쏘다].
mojado, da *adj.* ① 젖은, 습한, 축축한: hierba ~*da* 젖은 풀. ropa ~*da* 젖은 옷. ~ hasta los huesos (비·물에) 흠뻑 젖은. ② [언어] 습음(濕音)의, 입천장을 향해 혀 뒤의 넓은 접촉으로 발음되는. —*m.* 젖음, 적시기. —*f.* ① 젖음, 적시기. ② 칼에 찔린 상처. ③ *Mur.* 액체에 적신 길쭉한 빵 조각.
mojador, ra *adj., m.f.* 적시는 (사람). —*m.* ① (돈을 세거나 서류를 취급할 때의) 손가락을 적시는 젖은 스펀지가 담긴 유리[금속] 종지[작은 그릇]. ② (봉투에 우표를 붙이기 전에 우표를 적시기 위한) 물에 젖은 스펀지가 담긴 유리[금속] 종지[작은 그릇]. ③ [인쇄] 인쇄 전에 종이를 축였던 깨끗한 물탱크.
mojadura *f.* 젖음, 적시기.
mojama *f.* 소금에 절여 말린 다랑어.
mojar *tr.* ① (물·다른 액체로) 적시다, 축이다, 축축하게 하다: ~ un pañuelo con agua 손수건을 물로 적시다. ~ pan en el café 빵을 커피에 적시다. ② (…를) 마구 찌르다, 난도질하다(dar de puñaladas). ③ 한턱내다, 초대하다. ④ 축하하다. ⑤ 오줌을 누이다. ⑥ *Cuba.* 매수하다, 뇌물을 주다(untar, sobornar). —*intr.* (사업 등에) 참가하다, 간여하다. ~**se** ① (물·다른 액체에) 젖다; 자신의 몸을 적시다. ② 자면서 오줌을 싸다. ③ 분쟁거리에 말려들다.
mojarra *f.* ① [어류] 흑도미. ② 다랑어 잡이 작은 배. ③ *And., Amér.* 넓적하고 짧은 식칼.
mojarrilla *f.* [드묾] 늘 명랑한 사람.
moje *m.* (요리의) 소스.
mojete *m. Ar., Mur.* =moje.
mojí *m.* 얼굴에 가하는 주먹질.
mojicón *m.* ① 비스킷(bizcocho)의 일종. ② 주로 코코아와 함께 먹는 과자. ③ 얼굴에 가하는 주먹질.
mojiganga *f.* ① (익살스럽고 엉뚱한 모습으로 웃기는) 촌극. ② 다른 사람을 조롱하는 것 같은 익살스러운 일. ③ (특히) 동물 가면을 쓰고 하는 축제(祝祭).
mojigatería *f.* 위선; 본성을 숨김.
mojigatez *f.* =mojigatería.
mojigato, ta *adj.* ① 위선적인. ② 짐짓 신앙심이 두터운 체하는. —*mf.* ① 위선자. ② 가짜 신자.
mojinete[1] *m.* ① (담의) 지붕(tejadillo). ② (지붕의) 용마루(caballete).
mojinete[2] *m.* (귀여워하기 위해) 어린 이의 얼굴을 부드럽게 때리기.
mojo *m.* ① [드묾] =**moje.** ② [드묾] =**remojo.**
mojón[1] *m.* ① (경작지·국경 등의) 경계표. ② 도표(道標), 이정표. ③ 돈치기. ④ (사람이 한 번에 누는) 똥의 분량. ⑤ [드묾] =**montón.**
mojón[2] *m.* ① 주류 감정인(catavinos). ② [고어] =**mojonero.**
mojonación *f.* 경계표 놓기.
mojonar *tr.* [드묾] (경계선에) 경계표를 놓다.
mojonera *f.* 경계표가 놓인 장소.
mojonero *m.* [드묾] (상품의) 감정인.
mol *m.* [화학] 몰; (특히) 그램 분자.
mola[1] *f.* ① (제물로 쓰였던) 볶아 소금을 섞은 밀가루. ② [의학] 임신 초기에 자궁 안에 생기는 혹. ¶~ ***matriz*** =mola[1] ②.
mola[2] *f.* ① (파나마의 San Blas에서 인디오들이 짠) 여러 가지 색의 천 장식. ② *Col., Pan.* (다른 색의 천으로 짠) 블라우스 같은 원주민 여자 옷.
molacho, cha *adj.* *Méj.* 이가 빠진.
molada *f.* 절굿공이로 한 번에 빻은 그림 물감의 양.
molar[1] *intr.* 마음에 들다.
molar[2] *adj.* ① 어금니의[에 관한]. ② 맷돌의[에 관한]. ③ 빻기에 적당한. —*m.* 어금니. ¶***diente*** ~ 어금니.
molasa *f.* [지질] (석회질의) 사암.
molcajete *m.* *Méj.* (소스용) 큰 맷돌[절구].
molcajetear *intr.* *Méj.* 큰 절구로 빻다[찧다].
moldavo, va *adj.* ① 몰다비아(Moldavia, 옛 다뉴브 공국) 태생의. ② 몰다비아(Moldavia, 현재 루마니아와 몰다비아 공화국 간에 나누어진 유럽의 몰다비아 지역) 태생의. ③ 몰다비아 공화국(la República de Moldavia) 태생의. ④ 몰다비아 공국[지방·공화국]의[에 관한]. —*mf.* 몰다비아 공국[지방·공화국] 사람.
molde *m.* ① (소조(塑造)·주조용) 틀, 형, 주형, 거푸집, 금형. ② (미장이·콘크리트공이 쓰는) 형판. ③ (케이크 등을 만드는) 형(型), 틀. ④ 발자국: dejar el ~ de *sus* zapatos en la tierra 지면에 구두의 발자국을 남기다. ⑤ 규범, 규준. ⑥ [인쇄] 판(版), 지형(紙型). ¶***de*** ~ ㉮ *adj.* (인쇄물이) 원고와 다른. ㉯ *adv.* 때마침, 적절히, 안성맞춤으로, 알맞게. ㉰ *adv.* 잘, 완전히, 능숙하게, 솜씨 좋게.
moldeable *adj.* ① 틀에 넣어 만들 수 있는. ② (사람이) 다루기 쉬운.
moldeado *m.* 주조(鑄造).
moldeador, ra *adj.* 틀을 짜는. —*mf.* 틀을 짜는 사람, 조형공(造型工).
moldeamiento *m.* ① 주조(鑄造). ② [인쇄] 조판.
moldear *tr.* ① 주조하다, 거푸집[틀]에 넣어 만들다, 본을 뜨다: ~ una estatua 상을 주조하다. ② 틀에서 꺼내다[뽑다]. ③ (성격을) 형성하다; (인격을) 도야하다.
moldero *m.* [고어] =**impresor.**
moldura[1] *f.* [건축] 사개.
moldura[2] *f.* 맷돌에 가는 분량에 따라 지불하는 양.
moldurar *tr.* (…에) 사개를 내다.
mole[1] *adj.* 부드러운, 말랑말랑한.
mole[2] *f.* ① 부피가 큰 물건. ② 거대함, 큰 덩어리.
mole[3] *m.* ① *Hond., Méj.* (고추 등의 많은 재료와 향료를 넣고 만든) 진한 소스. ② *Méj.* 진한 소스로 만든 닭[칠면조·돼지] 고기 요리.
molécula *f.* [화학] 분자(分子). ¶~ ***gramo*** 그램 분자.
molecular *adj.* 분자의, 분자로 된, 분자에 의한: modelo ~ 분자 모형. ¶ ***astronomía*** ~ 분자 천문학(天文學). ***atracción*** ~ 분자 인력. ***biología*** ~ 분자 생물학. ***enfermedad*** ~ [생화학·유전] 분자병. ***evolución*** ~ [생화학] 분자 진화. ***fórmula*** ~ 분자식(分子式). ***genética*** ~ [생물] 분자 유전학. ***peso*** ~ 분자량.
moledero, ra *adj.* 가루가 될 수 있는, 빻을 수 있는, 빻아질 수 있는. —*m.* [고어] 빻는 사람, 제분소에 빻으러 가는 사람. —*f.* ① 빻을 돌. ② [드묾] 귀찮은 일, 번거로움.
moledor, ra *adj., mf.* ① 빻는 (사람). ② 귀찮은 (사람), 골치 아픈 (사람), 성가신 (사람). —*m.* ① (사탕수수·올리브 등의) 압착기. ② [고어] 빻는 사람, 제분소에 빻으러 가는 사람.
moledura *f.* 빻기, 찧기; 피곤, 피로.
molejón *m.* ① =**mollejón**[1]. ② *Cuba.* 암초(farallón).
molendero, ra *mf.* ① 빻는 사람, 제분소에 빻으러 가는 사람. ② 초콜릿을 빻고 손보는 사람.
moleño, ña *adj.* 절구통을 만드는 (바위). —*f.* 수정(水晶)의 변종.
moler (25) *tr.* ① 빻다, 찧다, 가루로 만들다: ~ (la) cebada 보리를 찧다[빻다]. ② 압착기에 사탕수수를 짜다. ③ 무척 피로[피곤]하게 하다, 녹초로 만들다. ④ 상하게 하다, 망가뜨리다. ⑤ 혼내주다: ~ a palos 몽둥이 찜질을 하다, 호되게 두들기다. ⑥ 심하게 괴롭히다. ¶***a todo*** ~ 아주 열심히, 있는 힘을 다해.
molero *m.* 맷돌[절구통] 제조자[장수].
molestador, ra *adj., mf.* 귀찮은[괴롭히는] (사람), 방해가 되는 (사람).
molestamente *adv.* 귀찮게, 성가시게.

molestar *tr.* 귀찮게 하다, 성가시게 하다, 못살게 굴다, 괴롭히다, 애먹이다, 넌더리를 내다, 진저리 나게 굴다, 방해하다: No me *molestes* en la siesta 내 낮잠을 방해하지 마라. ~**se** ① [+por] (…에) 마음[신경]을 쓰다, 걱정하다, 근심하다: No *te molestes por* mí 내 걱정은 마라. ② [+en+*inf.*] 일부러 …하다: No *te molestes en* venir a verme 일부러 나를 보러 오지 마라.

molestia *f.* ① 피곤, 피로(fatiga). ② 귀찮음, 괴로움, 폐, 장애: Es una ~ tener que salir a comer cada día 매일 외식을 해야 하는 것은 귀찮은 일이다. Si no es una ~, me gustaría que me acompañaras 괜찮다면 함께 갔으면 좋겠는데. ③ [주로 *pl.*] 가벼운 통증: Tengo ~*s* en el estómago 나는 배가 약간 아프다, 나는 속이 좀 안 좋다. ¶***tomarse la ~ de*** algo … 에 힘쓰다[애쓰다], 일부러 …하다: No *se tomó la ~ de* avisarme 그는 나에게 일부러 알리지 않았다. Gracias por *haberse tomado la ~ de* visitar 일부러 찾아 주셔서 감사합니다.

molesto, ta *adj.* ① 귀찮게 하는, 성가시게 하는, 괴롭히는, 번거롭게 하는, 폐를 끼치는. ② 귀찮은, 성가신, 번거로운, 골치 아픈, 괴로운, 폐가 되는, 귀찮게 생각하는.

molestoso, sa *adj. And., Amér.* = **molesto.**

moleta *f.* ① 절굿공이. ② (유리 공장의, 유리 닦는) 연마기. ③ [문장학] 안에 원이 들어 있는 별 무늬. ④ [인쇄] 잉크병에서 잉크 빻는 기구.

molibdeno *m.* [화학] 몰리브덴.

molicie *f.* ① 연함, 부드러움. ② 과도한 안락, 일락(逸樂): vivir en la ~ 향락적인 생활을 하다.

molido *oro* ~ 금가루, 금분(金粉).

molienda *f.* ① 맷돌에 갈기[빻기]. ② 한 번에 빻는[찧는] 사탕수수 · 밀 · 올리브 · 초콜릿 등의 양. ③ 올리브[사탕수수] 짜는 시기. ④ 귀찮게 하기, 성가시게 하기. ⑤ 골치 아픈 일, 성가신 일, 귀찮은 일. ⑥ [드뭄] 압착기.

moliente ~ *y corriente* 일반적인.

molificable *adj.* 부드럽게 할 수 있는.

molificación *f.* 부드럽게 하기, 연화.

molificar (7) *tr.* 부드럽게 하다, 연하게 하다. ~**se** 부드럽다, 연하다.

molificativo, va *adj.* 연화(軟化)의, 부드럽게 하는, 부드럽게 할 수 있는.

molimiento *m.* ① 빻기, 찧기, 짜기. ② =**cansancio.**

molinar *m.* 제분소들이 있는 곳.

molinera *f.* ☞**molinero.**

molinería *f.* ① [집합] 제분소. ② 제분업(製粉業)(industria molinera).

molinero, ra *adj.* ① 제분소의[에 관한]. ② 제분업의[에 관한]. ③ 제분의: industria ~*ra* 제분업. —*m.f.* ① 제분업자. ② 제분소 일꾼. —*f.* ① 제분업자의 아내. ② 제분소 일꾼의 아내.

molinete *m.* ① 환기 장치, 통풍 장치, 송풍기. ② [장난감] 풍차. ③ [투우] (소가 공격할 때) 소와 반대 방향으로 몸을 회전시키는 기술. ④ [무용] 모든 참가자들이 손을 잡고 다른 방향으로 돌면서 원을 그리는 춤 동작. ⑤ [검술] 상대방의 공격에서 자신을 보호하기 위해 머리 주변을 칼로 원을 그리는 동작. ⑥ *AmérM.* (개찰구의) 회전문. ¶***gran*** ~ [체조] 대차륜.

molinetear *intr.* [투우] (소가 공격할 때) 소와 반대 방향으로 몸을 회전시키다.

molinillo *m.* ① 소형 제분기, 작은 빻는 기구: ~ de café 커피 콩을 가는 기구. ~ de carne 고기 써는 기구. ~ de pimienta 후추 빻는 기구. ② 코코아 빻는 기구. ③ (옛날에, 옷에서 사용했던) 술 장식.

molinismo *m.* 몰리나주의 ((스페인의 예수회 수도사 Luis Molina (1535-1600)가 제창했던 자유 의지와 신의 은총에 관한 합일론)).

molinista *adj.* ① molinismo의[에 관한]. ② molinismo 파의. —*m.f.* 몰리나주의자.

molino *m.* ① 제분기, 맷돌, (곡물 등을) 빻는 기계: ~ aceitero, ~ de aceite 착유기. ② 물레방아, 물방아. ③ 물방앗간. ④ 풍차. ⑤ 풍차간. ⑥ 제분소. ⑦ 주책바가지. ⑧ 귀찮은 사람. ⑨ [드뭄] (동물의) 주둥이. ¶~ ***arrocero*** 정미기. ~ ***de sangre*** 동물이 움직이는 물레방아. ~ ***de viento*** 풍차. ~***s de viento*** 가상의 적, 상상의 적. ***Agua pasada, no mueve*** ~ (속담) 엎지른 물이다.

molitivo, va *adj.* 부드럽게 하는, 부드럽게 할 수 있는.

molla *f.* ① (살의) 지방이 없는 부분. ② 빵의 부드러운 속 부분(miga).

mollar *adj.* ① 부드러워 가르기 쉬운. ② (물건이) 매우 유용한, 이익이 많은. ③ 쉽게 속는, 속기 쉬운.

molledo *m.* ① (특히, 팔 · 근육 · 장딴지의) 둥그렇게 살찐 부분. ② 빵의 부드러운 속 부분(miga).

molleja *f.* ① (조류의) 모래주머니. ② [요리] (송아지 · 새끼 양의) 흉선, 가슴샘. ¶***criar*** ~ 게을러지기[나태해지기] 시작하다.

mollejo, ja *adj.* 부드러운, 말랑말랑한.

mollejón[1] *m.* 숫돌.

mollejón[2] *m.* ① 뚱보, 뚱뚱이, 뚱뚱하고 게을러터진 남자. ② (성품이) 아주 부드러운 남자.

mollera *f.* ① 머리 꼭대기 부분. ② 두뇌, 재능, 지성, 지능(seso). ③ (젖먹이의) 숫구멍. ¶***cerrado de*** ~ 머리가 둔한. ***cerrar*** [***cerrarse · tener cerrada***] ***la*** ~ ㉮ 숫구멍이 딱딱해지다[뼈처럼 되다]. ㉯ 이미 철이 들다, 철이 들 나이가 되다. ***ser duro de*** ~ ㉮ 고집스럽다, 끈질기다. ㉯ 머리

가 둔하다, 사물의 이해가 늦다, 이해력이 부족하다.

mollero *m.* ① 살의 연한 부분. ② 빵의 부드러운 속 부분.

molleta *f.* ① (가끔 우유로 반죽한) 질 좋은 밀가루 케이크. ② 질이 나쁜 흑빵.

molletas *f.pl.* =**despabiladeras.**

mollete *m.* ① (일반적으로 하얀) 달걀 모양의 말랑말랑한 빵, 롤빵. ② 팔의 알통 부분. ③ 토실토실한 볼.

molletero, ra *m.f.* ① 롤빵 굽는 사람. ② 롤빵 장수.

molletudo, da *adj.* [드뭄] 볼이 토실토실한(de carrillos gruesos).

molledez *f.* [드뭄] 몸의 유연함.

mollificar (7) *tr.* 부드럽게 하다.

mollina *f.* ☞**mollino.**

mollinear *intr.* =**lloviznar.**

mollino, na *adj.* (빗물이) 자주 부드럽게 떨어지는. —*f.* =**llovizna.**

mollizna *f.* =**llovizna.**

molliznar *intr.* =**lloviznar.**

molliznear *intr.* =**lloviznar.**

molo *m. Chile.* 방파제, 제방, 둑.

molón[1] *m.* ① *Al.* 발파 때 채석장에 떨어진 큰 돌. ② *Al., Ecuad.* 다듬지 않은 돌 조각.

molón[2]**, na** *adj.* 마음에 드는, 즐거운.

molondra *f. Al., Mur.* 큰 머리.

molondro *m.* [드뭄] 게으르고 우둔한 남자.

molondrón *m.* ① =**molondro.** ② *Al.* [속어] 머리 때리기, 박치기.

molonquear *tr.* ① *Salv.* 흔들다. ② *Salv.* 때리다(sacudir, golpear).

molotera *f.* ① =**riña.** ② *Cuba.* 군중.

molotov *bomba* ~, *cóctel* ~ 화염병.

molso, sa *adj.* ① =**desgarbado, desaseado, sucio.** ② *P.Vasco.* 부피가 크고 보기 흉한.

moltura *f.* (곡물・열매를) 빻기, 찧기.

molturación *f.* =**moltura.**

molturador *m.* (곡물・열매를) 빻는[찧는] 사람.

molturar *tr.* (곡물・열매를) 빻다.

molusco *adj.* 연체 동물의. —*m.* ① 연체 동물: ~ lamelibranquio 판새류 연체 동물 ((홍합 등)). ② 연체 동물류.

molusquicida *m.* 연체 동물 구제제.

momeador, ra *adj.* 익살스러운 표정을 하는, 웃기는 얼굴의.

momear *intr.* [드뭄] 익살스러운 표정을 짓다(hacer momos).

momentáneamente *adv.* ① 즉시, 지체 없이. ② 순간적으로, 잠깐 동안에, 잠깐 사이에(por muy breve tiempo).

momentáneo, a *adj.* ① 일시적인, 순간의, 잠깐 동안의, 잠정적인: placer ~ 순간의 쾌락. solución ~ 잠정적인 해결. encontrarse en un apuro ~ de dinero 일시적으로 돈이 궁색하다. ② 즉시의, 즉석의, 당장의.

momento *m.* ① 일순(一瞬), 단시간, 잠깐: La vi un ~ esta tarde 나는 오늘 오후 그녀를 잠깐 만났다. ② 순간, 잠깐: Espera un ~ 잠깐만 기다려라. Dejé de hablar un ~ 나는 잠깐 말을 멈추었다. ③ [때때로 *pl.*] 한때, 한동안, 시간, 시기: en el ~ de más esplendor de la civilización 문명의 최성기[전성기]에. Fueron unos ~*s* divertidos 즐거운 한때였다. ④ 기회, 호기, 시기, 적당한 때, 알맞은 때: ~ crucial 중대한 시기, 위기. ~ fatídico 나쁜 시기. ~ propicio 좋은 시기. ⑤ 지금, 현재(의 상황): ~ internacional 현재의 국제 정세. ~ nacional 현재의 국내 정세. los poetas del ~ 현재의 시인들. ⑥ 중요성: asuntos de gran ~ 중대 사건. ⑦ 요인(要因): ~ psicológico 심리적 요인; 절호의 기회. ⑧ [철학] (사물의) 국면, 계기. ⑨ [물리] 모멘트, 능률. ¶ ~ ***de inercia*** [역학] 관성 모멘트. ~ ***de una fuerza*** [역학] 힘의 모멘트. ***al*** ~ 곧, 즉시, 즉각, 지체 없이. ***a cada*** ~, ***cada*** ~ 시시각각으로, 자주, 계속해서. ***de*** ~, ***por el*** ~ ㉮ 잠정적으로, 일시적으로. ㉯ 지금은, 지금으로서는, 현재로는. ***de un*** ~ ***a otro*** 곧, 지체 없이, 머지않아. ***de un*** ~ ***dado*** 어떤 순간에. ***por*** ~***s*** ㉮ 시시각각으로: El dolor aumentó *por* ~*s* 통증은 시시각각으로 더해갔다. ㉯ =**de un momento a otro.** ***¡Un*** ~***!*** 잠깐만 (기다려 주십시오)!

momería *f.* [드뭄] 익살, 어릿광대 짓.

momero, ra *adj., m.f.* [드뭄] 익살꾼(의), 어릿광대(의).

momia *f.* ① 미라, 목내이(木乃伊). ② (미라처럼) 깡마르고 새까만 사람: El viejo estaba hecho una ~ 노인은 미라처럼 말라 있었다.

momificación *f.* 미라화(化).

momificar (7) *tr.* 미라로 만들다. ~**se** 미라가 되다.

momio, mia *adj.* 비계가 없는, 기름기가 없는: carne ~*mia* 비계 없는 고기. —*m.* ① 비계 없는 살(고기). ② 횡재, 뜻밖에 얻은 이익, 별로 힘 들이지 않고[거저] 얻은 이익, (들인 밑천이나 노력에 비해) 엄청나게 많은 이익(ganga). ¶***de*** ~ =**de balde.**

momo *m.* 익살스러운[우스운] 표정: hacer ~ 익살스러운 표정을 짓다.

momórdiga *f.* =**balsamina.**

mona[1] *f.* ① [동물] 암원숭이. ② 남의 흉내를 내는 사람. ③ =**borrachera, embriaguez:** coger [pillar] una ~ 몹시 취하다. ④ 주정뱅이, 취한 사람. ⑤ (카드 놀이에서) 마지막에 조커를 가진 사람이 지는 놀이. ¶***corrido como una*** ~ =**hecho una mona.** ***hecho una*** ~ 창피를 당해, 부끄러워. ***pegarse*** alguien ***una*** ~ *Perú.* 대취하다, 만취하다, 잔뜩 취하다. ***Aunque la*** ~ ***se vista de seda,*** ~ ***se queda*** (속담) 콩 심은 데 콩 나고 팥 심은 데 팥 난다.

mona[2] *f.* 속에 달걀을 넣은 달콤한 빵 (hornazo). ¶~ de Pascua (몇몇 마을에서, 부활절에 구워 먹는) 속에 달걀 넣은 빵. *a freír ~s* =a freír espárragos: Le mandó *a freír ~s* 그는 그를 내쫓았다. Anda *a freír ~s*! 저리 꺼져라!
monacal *adj.* 수도사[수도녀]의[에 관한]: vida ~ 수도 생활.
monacato *m.* ① 수도사의 신분[생활]. ② 수도원 제도.
Mónaco *m.* [국명] 모나코.
monacordio *m.* [악기] 현악기의 일종.
monada *f.* ① 원숭이의 몸짓. ② 익살스러운 표정. ③ 사소한 것. ④ 바보짓. ⑤ 아부, 아첨, 아양, 교태. ⑥ (아이들의) 귀여운 짓.
mónada *f.* ① [철학] 모나드, 단자(單子). ② [생물] 단세포 생물.
monadelfos *adj.* [식물] (수술이) 단체(單體)인.
monadología *f.* 단자론(單子論).
monago *m.* =**monaguillo.**
monaguillo *m.* (미사에서) 사제를 돕는 소년.
monaquismo *m.* ① 수도원 생활, 출가 생활. ② 수도원 제도.
monarca *m.* 군주(君主), 제왕(帝王).
monarquía *f.* ① 군주제, 왕정; 군주 정치: ~ absoluta 절대 군주제(絶對君主制). ~ constitucional 입헌 군주제. ② 군주국, 왕국. ③ 군주제 시대.
monárquicamente *adv.* 군주제로, 왕정으로.
monárquico, ca *adj.* ① 군주제의, 왕정의: ideas *~cas* 왕당파의 사상(思想). instituciones *~cas* 군주제(君主制). régimen ~ 군주 정체, 왕정. ② 군주제 옹호의. —*m.f.* 군주제 옹호자.
monarquismo *m.* 군주제[왕정]주의.
monasterial *adj.* 수도원의[에 관한].
monasterio *m.* (일반적으로 마을에서 멀리 떨어진 곳에 있는) 수도원, 승원.
monásticamente *adv.* 수도원의 규칙에 따라.
monástico, ca *adj.* ① 수도사의, 수도녀의: orden ~ 수도회. vida *~ca* 수도 생활. ② 수도원의.
moncheta *f.* =**alubia.**
monda[1] *f.* ① 손질, 청소. ② 전정(剪定), 가지치기. ③ 전정 시기. ④ [주로 *pl.*] (열매의) 벗긴 껍질, 껍질 벗기기: *~s* de patatas 감자 껍질. ⑤ 묘소 정리. ⑥ 유골 정리.
monda[2] *f.* ☞mondo.
mondaderas *f.pl.* =**despabiladeras.**
mondadientes *m.sing.pl.* 이쑤시개.
mondador, ra *adj., m.f.* ① 손질하는, 청소하는 (사람). ② 전정하는 (사람).
mondadura *f.* ① 손질, 소제, 청소. ② 껍질 벗기기. ③ 전정, 가지치기. ④ [주로 *pl.*] 벗긴 물건의 부스러기[껍질·찌꺼기].
mondaoídos *m.* =**mondaorejas.**
mondaorejas *m.sing.pl.* 귀이개.
mondapozos *m.* 우물 치우는 인부.
mondar *tr.* ① 청소하다, 깨끗이 하다, 손질하다. ② (강·운하·도랑 등을) 준설하다[치우다]: ~ un pozo 우물을 치우다. ③ 전정(剪定)하다, 가지치기 하다. ④ (과실·나무 껍질·알뿌리의 껍질 등을) 벗기다. ⑤ (…의) 머리를 깎다[자르다]. ⑥ (말하거나 노래 부르기 전에) 목청을 가다듬기 위해 자주 기침하다, 목청을 가다듬다. ⑦ 가진 것을 빼앗다, (특히) 돈을 빼앗다. ⑧ 때리다, 치다. ~**se** 크게 웃다.
mondarajas *f.pl.* (주로, 감자·오렌지·사과 등의) 껍질 벗기기.
mondo, da *adj.* 여분이 없는. —*f.* ① 부활절의 셋째 날에 스페인의 Toledo 주 Talavera de la Reina시(市)의 부근 여러 마을에서 이 도시의 Nuestra Señora de Prado에게 하는 초 봉납(捧納) ② *pl.* 초 봉납 축하 축제. ¶~ *y lirondo, da adj.* 있는 그대로의, 첨가하지 않은: decir la verdad *~da y lironda* 있는 그대로 (사실을) 말하다.
mondón *m.* 껍질 없는 나무의 몸통.
mondongo *m.* ① (네발짐승, 특히 돼지의) 창자와 배. ② (사람의) 창자. ③ *Amér.* [요리] 몬동고 ((내장을 푹 끓인 요리)), 내장탕. ¶*hacer el* ~ 내장으로 순대[소시지]를 만들다.
mondonguería *f.* mondogo 파는 가게[장소·지역].
mondonguero, ra *m.f.* ① mondongo 장수. ② mondongo 전문 요리사. —*f. Hond., PRico.* [속어] 움직임이 굼뜬 뚱보 여인.
mondonguil *adj.* [드뭄] mondongo의.
móndrigo, ga *adj., m.f.* ① *Méj.* =**mandria, apocado.** ② *Méj.* =**despreciable.**
monear *intr.* 이맛살을 찡그리다. —*tr. Ecuad.* 물건을 가지고 장난을 하다.
moneda *f.* ① 동전, 경화(硬貨): ~ de cobre 동화(銅貨), 동전. ~ de oro 금화. ~ de plata 은화, 은돈. acuñar [batir·labrar] ~ 동전[경화]을 주조하다. ② 화폐, 돈(dinero): ~ falsa 위조 화폐. ~ (de curso) legal, ~ de ley 법화(法貨). ~ de papel, papel ~ 지폐. emitir una ~ nueva 새로운 화폐를 발행하다. ③ 자산, 재산(caudal). ④ 통화: ~ española 스페인의 통화. ¶~ ***blanda*** 연화(軟貨). ~ ***contante y sonante*** =**moneda metálica.** ~ ***corriente*** 통화(通貨), 유통 화폐. ~ ***de reserva*** 준비 통화. ~ ***de vellón*** (옛날의) 은과 동으로 주조된 동전 ((펠리뻬 5세(Felipe V) 때부터는 동으로만 주조됨)). ~ ***débil*** =**moneda dura.** ~ ***divisionaria*** 보조 화폐. ~ ***dura*** 경화. ~ ***fiduciaria*** 신용 화폐 ((은행권·어음·수표 등 은행의 신용을 바탕으로 만들어져 화폐의 기능을 대신할 수 있는 것)). ~ ***fraccionaria*** =**moneda divisionaria.** ~ ***jaquesa***

(처음에는 Jaca, 나중에는 다른 도시들에서) 아라곤의 왕들이 주조한 동전. ~ *metálica* (지폐와 구별하기 위한) 동전. ~ *sonante* =moneda metálica. *buena* ~ 금화(~ de oro), 은화(~ de plata). *casa de* ~ 조폐국. *papel* ~ 지폐. *correr la* ~ ㉮ 장사에 어려움 없이 보내다. ㉯ 유통되고 있는 돈이 풍족하다. *pagar en buena* ~ 충분히 보답하다. *pagar en la misma* ~ 똑같이 대갚음[복수]하다. *ser* algo ~ *corriente* (자주 일어나서) 아무도 놀라지 않다, 자주 있는 일이다.

monedaje *m.* (옛날의) 화폐 발행세.

monedar *tr.* [드묾] (화폐를) 주조하다.

monedear *tr.* [드묾] =**monedar.**

monedería *f.* 화폐 주조자의 직.

monedero, ra *m.* ① 동전 주머니, 동전 지갑. ② 동전[화폐] 주조자. ¶ ~ *falso* 위폐범, 위조지폐 제조 유통자.

monegasco, ca *adj.* ① 모나코(Mónaco, 지중해 북안의 공국) 태생의. ② 모나코의[에 관한]. *—mf.* 모나코 사람. *—m.* 모나코 말 ((불어와 이탈리아어의 혼합어)).

monema *m.* [언어] 기호소(記號素).

monería *f.* ① 원숭이의 몸짓. ② 어린이의 귀여운 짓[표정·행동·모습]. ③ 으스대는 표정[태도·행동·모습]. ④ 하찮은[가치없는] 것, 대수롭지 않은 것, 무용지물. ⑤ 작고 예쁜 것.

monesco, ca *adj.* ① 원숭이 특유의. ② 원숭이의 몸짓[표정] 같은.

monetario, ria *adj.* ① 화폐(貨幣)의: sistema ~ 화폐 제도. sistema ~ europeo 유럽 화폐 제도. valor ~ 화폐 가치. ② 통화의: crisis *~ria* 통화 위기, 금융 위기. política *~ria* 통화 정책. Fondo *Monetario* Internacional 국제 통화 기금. *—m.* ① 동전·메달 수집, 코인·메달 컬렉션. ② [집합] 동전·메달 수집 장[상자·함·앨범]. ③ 동전·메달 수집 상자[함] 보관 장소. ¶ *convertibilidad ~ria* 화폐의 태환성. *unidad ~ria* 화폐 단위.

monetarismo *m.* [경제] 통화주의.

monetarista *adj.* ① [경제] 통화주의의[에 관한]. ② [경제] 통화주의 지지파의. *—mf.* ① 통화주의자. ② 통화주의 지지자.

monetización *f.* ① 통화 지정, 법정 화폐화(化). ② 화폐 발행[주조].

monetizar (9) *tr.* ① 통화로 정하다, 법화(法貨)[법정 통화·법정 화폐]로 하다. ② 화폐를 주조하다, 화폐를 발행하다(hacer moneda).

monfí *m.* 국토 회복전 이후 안달루시아에서 도적의 패거리를 만들었던 모로 사람.

monga *f. PRico.* 독감.

mongo[1] *m.* (필리핀에서 재배되는) 강낭콩(judía)의 일종.

mongo[2], **ga** *adj.* ① *PRico.* =**débil.** ② *Cuba.* =**tonto.**

mongol, la *adj.* ① 몽골 태생의. ② 몽골의[에 관한]. *—mf.* 몽골 사람. *—m.* 몽골 말.

Mongolia *f.* [국명] 몽골.

mongólico, ca *adj.* ① 몽골의. ② 황색 인종의[에 관한]. ③ 다운 증후군에 걸린. *—mf.* 다운 증후군 환자.

mongolismo *m.* [의학] 다운 증후군 (síndrome de Down).

mongoloide *adj.* 몽골 인종의, 몽골로이드의. *—mf.* 몽골 인종에 속한 자.

moni *m.* [*ing.* money] [주로 *pl.*] 돈.

moniato *m.* =**boniato.**

monicaco *m.* ① [경멸] 풍채가 작은[나쁜] 사람. ② 하찮은 남자, 시시한 남자, 영향력이 약한 남자.

monición *f.* ① 충고, 권고, 경고. ② [종교] 계고장(戒告狀).

monigote *m.* ① 무식하고 거친 사람. ② 개성이 없는 사람. ③ 수도원의 평수도사(lego de convento). ④ 넝마[넝마 같은 물건]로 만들어진 익살스러운 인형: ~ de nieve 눈사람. ⑤ 서툰 그림, 잘못 그린 그림. ⑥ 엉터리로 만들어진 상(像). ⑦ *Cuba.* [식물] 하얗고 검붉은 꽃이 피는 야생 덩굴풀. ⑧ *Cuba.* 야생 덩굴풀의 꽃. ⑨ *Cuba.* (아이들이 연실을 감는) 나무 얼레[자새·조각].

monillo *m.* [드묾] (여자의) 소매 없는 꼭 죄는 조끼.

monipodio *m.* (악당들의) 상담, 밀담 ((세르반떼스의 소설의 등장 인물)).

monís[1] *m.* rur. *Ar.* (설탕 친 편도빵처럼) 달걀과 설탕으로 만든 빵의 반죽덩이.

monís[2] *m. ing.* [주로 *pl.*] =**moneda.**

monismo *m.* [철학] 일원론(一元論).

monista *adj.* [철학] 일원론의. *—mf.* 일원론자.

mónita *f.* [드묾] =**artificio, astucia.**

monitor[1], **ra** *mf.* ① (수영·스키·영화 교실·자동차 교습소 등의) 강사, 선생, 코치, 지도자. ② (라디오·텔레비전의) 모니터. *—m.* ① 권고자, 충고자; 상담역. ② [군사] 훈련 교관의 조수.

monitor[2] *m.* ① 모니터 장치. ② 모니터 텔레비전. ③ 송신 상태 감시기. ④ (옛날의) 장갑 전함.

monitorear *tr.* =**monitorizar.**

monitoreo *m.* =**monitorización.**

monitorio, ria *adj.* 권고의, 충고의, 훈계의, 타이르는, 알리는. *—mf.* 훈계자(訓戒者), 충고자, 권고자, 알리는 사람. *—m.* (교황·주교 등이 신자들에게 주는) 훈계, 충고, 경고. *—f.* =**monición.**

monitorización *f.* 모니터하기.

monitorizar (9) *tr.* (전자에 의해) 모니터하다.

monja *f.* ① 수도녀: meterse a [de] ~ 수도녀가 되다. ② (불교 등의) 여승. ③ *pl.* 종이가 거의 다 타고 남은 조금씩 꺼져 가는 불붙은 작은 조각.

¶ ~ *blanca f. Guat.* [식물] 난초과의 한 식물 ((구아떼말라의 국화)).
monje *m.* ① (베네딕트회 등의) 수도사. ② (불교 등의) 승려. ③ 은자, 선인. ④ [새] =**paro carbonero.**
monjerío *m.* [집합] 수도녀들(monjas).
monjía *f.* ① 수도사들이 수도원에서 가지는 권리[급료·보조금·지위]. ② 수도사[수도녀] 신분. ③ 수도원.
monjil *adj.* ① 수도녀[수녀]의[에 관한]: llevar una vida ~ 수도녀 생활을 보내다. ② 수도 생활의. —*m.* ① 수도녀[수녀]복. ② (옛날에, 여자들이) 상을 당해 입은 양모 옷, 상복. ③ 상복의[옛날에 입었던 다른 옷의] 없어진 소매.
monjío *m.* ① 수도녀 신분. ② (여자의) 종교에 귀의, 출가. ③ [집합] 수도녀.
mono, na *adj.* ① (특히, 아이나 작은 물건이) 예쁜, 귀여운, 고운: muchacha muy *~na* 아주 귀여운[예쁜] 소녀. ② *Col.* 금발의 머리털을 가진. ③ *Col.* (머리카락이) 금발의, 블론드의(rubio): mujer *~na* 금발의 여인. —*mf.* 금발 머리털을 가진 사람. —*m.* ① [동물] 원숭이. ② 원숭이처럼 행동하는 사람, 다른 사람의 흉내를 내는 사람, 익살꾼. ③ 지성이 없고 경망스러운 젊은이. ④ 거친 그림, 정성을 들이지 않고 아무렇게나 그린 그림. ⑤ 멜빵과 가슴받이가 달린 작업바지, 재킷과 붙은 바지 ((작업용)), 작업복: ~ de trabajo 작업복. ⑥ (마약 중독의) 금단 증상. ⑦ 필요성, 욕구. ¶ ~ ***araña*** [동물] 거미원숭이. ~ ***aullador*** [동물] (중앙 아메리카의) 짖는 원숭이. ~ ***capuchino*** (아메리카의) 긴털원숭이. ~ ***de imitación*** 다른 사람의 흉내를 잘 내는 사람. ~ ***negro*** *Col.* =**mono capuchino.** ~ ***sabio*** ㉮ (서커스·노상에서 재주를 보이기 위해) 재주를 배운[훈련받은] 원숭이. ㉯ [투우] =**monosabio.** ***a freír ~s*** =**a freír espárragos.** ***andar [estar]*** alguien ***con los ~s*** *Chile.* 화가 나 있다. ***estar de ~s*** (특히 연인들이) 서로 화를 내고 있다, 싸우고 있다. ***quedarse hecho un ~*** 몹시 창피를 당하다. ***ser*** alguien ***el último ~*** (…이) 아무 것도 아니다, 아무 쓸모없는 사람이다. ***¿Tengo ~s en la cara?*** (끈질기게 바라보는 사람에게 불쾌감을 나타내면서) 내 얼굴에 무엇이 묻었나요? ***Al mejor ~ se le cae el zapote*** *Amér.* (속담) 원숭이도 나무에서 떨어진다.
mono- *pref.* 「유일한(único)·단일의·단 하나의(uno solo)」의 뜻: *mono*manía 편집광. *mono*polio 독점(獨占).
monoaural *adj.* (레코드가) 모노럴의, 단청(單聽)의, 채널에 의한 음 재생의, 단일음(單一音)의.
monobásico, ca *adj.* [화학] (산이) 일염기(一鹽基)의.
monocameral *adj.* (의회의) 일원제의.
monocameralismo *m.* 일원제.
monocarril *adj.* 모노레일(monorraíl)의. —*m.* 모노 레일.
monoceronte *m.* =**unicornio.**
monocerote *m.* =**unicornio.**
monociclo *m.* 일륜거, 외바퀴차.
monocito *m.* [생물] 단구, 단핵 세포.
monoclinal *adj.* [지질] 단사(單斜)의.
monoclínico, ca *adj.* [결정] 단사정계(單斜晶系)의.
monoclonal *adj.* [생물] 단일 세포에서 유래하는 세포인[로 만들어지는], 단일 복제[클론]의. ¶ ***anticuerpo*** ~ 단일 클론 항체(抗體).
monocolor *adj.* ① 단색(單色)의. ② (정부가) 단일 정당의.
monocorde *adj.* ① [음악] 일현(一弦)의. ② 같은 음률[가락]을 반복하는. ③ 단조로운(monótono).
monocordio *m.* [악기] 일현금.
monocotiledón, na *adj.* [식물] 단자엽(單子葉)의, 외떡잎의.
monocotiledóneo, a *adj.* [식물] 단자엽의, 외떡잎의. —*f.* 단자엽 식물, 외떡잎식물. —*f.pl.* 단자엽류, 외떡잎류.
monocromático, ca *adj.* =**monocromo.**
monocromo, ma *adj.* 단색(單色)의.
monocular *adj.* ① 단안(單眼)의. ② 단안용(單眼用)의 (기구): microscopio ~ 단안 현미경.
monóculo, la *adj.* 단안의. —*mf.* 외눈박이, 애꾸눈이. —*m.* ① 단안경(單眼鏡), 모노클. ② [의학] 외눈 붕대.
monocultivo *m.* 단일 재배, 단종 재배.
monodia *f.* [음악] 단성가(單聲歌).
monódico, ca *adj.* monodia의.
monoexportador, ra *adj.* 단일 수출(單一輸出)의.
monófago, ga *adj.* [생물] 단식의.
monofásico, ca *adj.* [전기] 단상(單相)의, 단상 교류(單相交流)의.
monofilo, la *adj.* [식물] 난엽(單葉)의, 잎이 하나인.
monofisismo *m.* [신학] 그리스도 단성설(單性說).
monofisista *adj.* 그리스도 단성설의[에 관한]. —*mf.* 그리스도 단성설주의자.
monofonemático, ca *adj.* [언어] 단음소(單音素)의.
monogamia *f.* ① 일부일처제, 단혼제(單婚制). ② [식물] 자웅이주(雌雄異株). ③ [동물] 일자일웅(一雌一雄).
monógamo, ma *adj.* ① 일부일처의, 한 여자와 결혼한. ② 단혼(單婚)의, 한 번만 결혼한. ③ 일자일웅의, 단 한 번만 다른 성(性)과 짝이 되는. —*mf.* ① 일부일처주의자. ② 단혼자.
monogenismo *m.* 인류 일조설(人類一祖說), 인류 일원설(一元說).
monogenista *mf.* 인류 일조설주의자. —*adj.* 인류 일조설의.
monografía *f.* (한정된 단일 분야를 주

제로 삼는) 모노그래프, 전공 논문, 특수 연구서.

monográfico, ca *adj.* monografía의[에 관한]: estudio ~ 특수 전문 연구.

monografista *mf.* 전공 논문 집필자.

monograma *m.* (성명 첫 글자 등을 짜맞춘) 결합 문자.

monoico, ca *adj.* [식물] 자웅 동주(雌雄同株)의.

monolingüe *adj.* 단일 언어의.

monolítico, ca *adj.* ① 하나의 암석으로 된 비석의[에 관한]. ② 하나의 암석으로 만들어진. ③ [전자] 단일 결정으로 된 (칩), 단일 칩(안)에 만들어진 (회로): circuito ~ 반도체 집적 회로. ④ 단일체의, 한 덩어리로 뭉친. ⑤ =inconmovible, rígido.

monolito *m.* 단 하나의 암석으로 된 비석[기둥].

monologar (8) *tr.* 독백(獨白)하다, 혼잣말을 하다.

monólogo *m.* ① 독백, 혼잣말. ② 독백극(獨白劇), 일인극(一人劇).

monomanía *f.* ① [의학] 편집광(偏執狂), 부분적 광기. ② 한가지 일에만 열중함, 외곬으로 빠짐, 열광.

monomaniaco, ca *adj.* 편집증[편집병]에 걸린. —*mf.* 편집증[편집병] 환자.

monomaníaco, ca *adj. mf.* =monomaniaco.

monomaniático, ca *adj.* =monomaniaco.

monomaquia *f.* 일대일 결투[싸움]

monometalismo *m.* [경제] 단본위제.

monometalista *mf.* 단본위제론자(單本位制論者). —*adj.* 단본위제론자의.

monomio *m.* [수학] 단항식(單項式).

monomotor *adj.* (비행기가) 엔진 하나인, 단일 모터의. —*m.* 단일 모터(기).

mononuclear *adj.* [생물] 일핵성(一核性)의, 단핵(單核)의.

mononucleosis *f.sing.pl.* [의학] (전염성) 단구 증가증(單球增加症).

monoparental *adj.* 편친(偏親)의, 홀어버이의: familia ~ 편친 가정.

monopartidismo *m.* 일당 독재(제).

monopartidista *adj.* 일당 독재의.

monopastos *m.* =monospastos.

monopatín *m.* [운동] 스케이트 보드.

monopétalo, la *adj.* [식물] 단판(單瓣의, 홑꽃잎의(de un solo pétalo).

monoplano *m.* [항공] 단엽기(單葉機), 단엽 비행기(avión ~).

monoplaza *adj.* 일인승의. —*m.* ① 단좌기(單座機), 단좌 비행기. ② 경주용 자동차, 레이싱카.

monopolio *m.* ① (상품・사업 등의) 전매, 독점: ~ del Estado 국가 독점; 전매. ~ del tabaco 담배의 전매. beneficio de ~ 독점 수익금. ② 전매권, 독점권. ③ 매점, 독과점, 점유.

monopolista *adj.* 독점의: capital ~ 독점 자본. capitalismo ~ 독점 자본주의. precio ~ 독점 가격. —*mf.* 독점자, 독점 판매자.

monopolístico, ca *adj.* monopolio의.

monopolización *f.* 독점, 전매; 독점화(獨占化); 점유화(占有化).

monopolizador, ra *adj., mf.* ① 독점하는 (사람), 전매하는 (사람); 독점권[전매권]을 얻은 (사람). ② 매점하는 (사람), 독과점하는 (사람).

monopolizar (9) *tr.* ① (상품・사업 등의) 독점권[전매권]을 얻다, (시장을) 독점하다: precio *monopolizado* 독점 가격. ~ la venta 판매를 독점하다. ② 매점, 독과점, 한 사람 차지: ~ el coche 차를 한 사람만 사용하다. ~ atención [la mirada] 주목을 한 몸에 집중시키다.

monopsonio *m.* 구매자[수요] 독점.

monóptero, ra *adj.* [건축] 단열 원주식(單列圓柱式)의.

monorraíl *adj., m.* 모노레일(의), 단궤(單軌) 철도(의).

monorriel *adj., m.* =monorraíl.

monorrimo, ma *adj.* [시법] 단운(單韻)의(de una sola rima).

monorrítmico, ca *adj.* 단 운율의, 단 리듬의(de un solo ritmo).

monosabio *m.* (투우장에서) 주 투우사의 시중드는 소년, 심부름꾼.

monosacáridos *m.pl.* [화학] 단당류.

monosépalo, la *adj.* [식물] 단일 악편(萼片)의, 단일 꽃받침 조각의.

monosilábico, ca *adj.* ① 단음절의[에 관한]. ② 단음절어의. ③ 단음절어를 쓰는. ¶*lengua ~ca* 단음절 언어.

monosilabismo *m.* 단음절어적 경향.

monosílabo, ba *adj.* 단음절의. —*m.* 1음절, 단음절어.

monospastos *m.sing.pl.* 혼자 움직이는 도르래.

monospermo, ma *adj.* [식물] (열매가) 씨 하나만 있는.

monóstrofe *m.* 일련시(一連詩).

monostrófico, ca *adj.* monóstrofe의.

monote *m.* ① (다른 일은) 듣지도, 보지도, 이해하지도 않으려고 지그시 곁눈을 팔고 있는 사람. ② 말다툼, 소란, 소요, 폭동(riña, alboroto, motín).

monoteísmo *m.* 일신교, 일신론.

monoteísta *adj.* ① monoteísmo를 신봉하는. ② monoteísmo의[에 관한]. —*mf.* 일신교 신자, 일신론자.

monotelismo *m.* 그리스도 이성 일의론(二性一意論).

monotelita *adj.* ① montelismo주의의. ② monotelismo의[에 관한]. —*mf.* 그리스도 이성 일의론자.

monotemático, ca *adj.* ① 단일 주제의. ② 화제가 하나밖에 없는.

monotipia *f.* ① [인쇄] 모노타이프, 자동 주조 식자기. ② [인쇄] 모노타이프 식자술, 자동 주조 식자기에 의한 인쇄법[인쇄술].

monotipo *m.* =monotipia.

monótonamente *adv.* ① 단조롭게. ② 변화 없이.

monotonía *f.* ① (일・풍경・색채・문

체 등의) 단조로움, 한결같음[같은 반복]. ② 변화 없음, 천편일률적임.

monótono, na *adj.* ① 단조로운, 억양이 없는: melodía *~na* 단조로운 멜로디. ② 변화 없는, 천편일률적인, 단조로운: paisaje ~ 변화 없는 경치, 단조로운 경치. vida *~na* 천편일률적인 생활, 단조로운 생활, 지루한 생활, 따분한 생활.

monotrema *adj.* [동물] 단공류(單孔類)의. *—m.pl.* 단공류 동물.

monousuario, ria *adj.* 1회용의.

monovalente *adj.* [화학] 일가(一價)의.

monovolumen *adj., m.* 엔진·좌석·트렁크가 한 공간을 차지하는 관광차(의).

monóxido *m.* [화학] 일산화물.

monóxilo *m.* 통나무 하나로 만든 배.

monra *f. Perú.* (자물쇠를 부수거나 벽을 타고 침입하는) 도둑질, 가정 절도.

Mons. monseñor 예하, 각하(閣下).

monse *adj. Perú.* =aburrido.

monseñor *m.* ① 성하(聖下) ((교황에 대한 경칭)). ② 예하 ((대주교·주교·수도원장 등 고위 성직자에 대한 경칭)). ③ 각하 ((프랑스에서 공작·상원이 된 귀족 등에 대한 경칭)).

monserga *f.* ① 장황한 이야기, 헛소리. ② [주로 *pl.*] 불쾌한 요청.

monstruo *m.* ① 괴물, 도깨비. ② 기형 동물[식물]. ③ 괴상한 것, 거대한 것. ④ 추악한 사람[물건]. ⑤ 극악 무도한 사람. ⑥ 망나니, 악당, 몹쓸 사람.

monstruosamente *adv.* ① 엄청나게, 굉장하게, 매우. ② 극악 무도하게, 무시무시하게. ③ 괴물처럼.

monstruosidad *f.* ① 격에서 벗어남. ② 추악함, 기괴함. ③ 극악 무도함: cometer *~es* 극악 무도한 짓을 하다. ④ 거대한 것.

monstruoso, sa *adj.* ① 괴물 같은, 기형(奇形)의, 기괴한: animal ~ 기형 동물. ② 거대한, 굉장히 큰: edificio ~ 거대한 건물. gasto ~ 엄청난 비용. tamaño ~ 초대형 크기[사이즈]. ③ 추악한, 아주 못생긴: hombre ~ 추남. mujer *~sa* 추녀. ④ 극악 무도한, 가증스러운, 무서운, 가공할; 비이성적인: crimen ~ 가공할 범죄. ⑤ 엄청난, 터무니없는.

monta *f.* ① 오르기, 타기, 승마. ② (말·당나귀의) 교미 장소. ③ 합계(合計). ④ 가치, 중요성. ⑤ [군사] 승마를 위한 나팔 신호. ¶***de poca*** ~ 별로 중요성이 없는.

montacargas *m.* 화물용 승강기.

montada *f.* ☞**montado.**

montadero *m.* (승마용) 발판(poyo).

montado, da *adj.* ① 말에 탄, 말을 탄: policía *~da* 기마 경찰대. ir ~ en un caballo 말을 타고 가다. ② 말에 탈 수 있도록 준비된. ③ 필요한 것이 비치된, (기구 등이) 세트화된, 설치된: casa *~da* 가구가 비치된 집. máquina *~da* 조립이 끝난 기계. *—m.* 소형 샌드위치 ((길쭉한 빵에 햄·야채 등을 끼운 것)). *—f.* (말의) 혀에 끼우는 재갈의 굽은 것. *—mf.* 기마병.

montador, ra *mf.* ① 말 타는 사람. ② (기계 등의) 조립공. ③ [영화] 필름 편집 담당자. ④ [연극] 장치가. *—m.* ① (말을 타기 위해 집의 현관이나 문에 있는) 발판. ② (승마용) 물건. *—f.* (승마용) 물건.

montadura *f.* ① 말타기, 승마. ② 말안장. ③ (물건을) 고정시키는 고리[테].

montaje *m.* ① (기계·기구 등의) 조립, 설치: ~ de un ordenador 컴퓨터 조립. ② [군사] 포가(砲架). ③ [영화] 필름 편집. ④ [연극] (작품의) 무대화, 공연. ⑤ [사진] 몽타주. ⑥ 보석의 끼워 맞추기. ⑦ 합성 녹음[취입] ¶~ ***fotográfico*** 몽타주.

montanear *intr.* (산이나 목장에서, 돼지에게) 도토리[너도밤나무의 열매]를 먹이다.

montanera *f.* ① (돼지 사료로서의) 도토리[너도밤나무의 열매]. ② 돼지가 사육되는 시기, 돼지에게 도토리를 먹이는 시기.

montanero *m.* ① 산지기. ② 목장지기, 목장 파수꾼(guarda de dehesa).

montano, na *adj.* ① 산의[에 관한]. ② 산에 사는.

montante *m.* ① (양손으로 드는) 큰 칼. ② (기계·골조의) 지주. ③ 금액, 합계, 총계, 총액. ④ [건축] (창문의) 가운뎃살. ⑤ 방문 위의 창. *—f.* = **flujo, pleamar.** ¶***meter el*** ~ (싸움을 말리기 위해) 싸움에 끼어들다.

montantear *intr.* ① [펜싱] 큰 칼을 사용하다. ② [드묾] 혼자 큰소리치다.

montantero *m.* 큰 칼로 싸우는 사람.

montaña *f.* ① 산: ir de ~ 산에 가다, 등산하다. ② 산지, 산악 지방: ir(se) a la ~ 산에 가다. ③ *pl.* 산맥, 산지. ④ 축적, 퇴적, 산더미 같은 것, 산더미같이 많은 것, 다수, 다량: ~ de papeles 서류 더미, 산처럼 쌓인 서류. una ~ de problemas 산적한 문제. ⑤ 어려움, 곤란(dificultad). ⑥ 해결하기 매우 어려운 문제. ⑦ *CRica.* 밀림(selva). ⑧ [고어] *Bol., Col., Chile, Hond., Perú, Ven.* 나무가 많은 산, 관목이 우거진 산, 산지(山地). ¶~ ***rusa*** 기복이 많은 레일 위에 연결된 소형 차량을 고속으로 달리며 스릴을 맛보는 놀이 시설. ***mal de*** ~ 고산병, 산악병, 산취. ***hacer una ~ de un grano de arena, hacer de todo una*** ~ 침소봉대(針小棒大)하다.

Montaña (la) *f. Esp.* 산딴데르(Santander) 지방, 북부 (산악) 지방.

montañero, ra *adj.* montaña의[에 관한]. *—mf.* 등산하는 사람, 등산가, 산악인.

montañés, sa *adj.* ① 산악 지방 태생

의. ② 라 몬따냐(la Montaña, 스페인의 북부 지방) 태생의. ③ 라 몬따냐의[에 관한]. ④ 깐따브리아(Cantabria, 스페인의 자치 공동체[단체])의[에 관한]. —*mf.* ① 산악 지방 사람. ② 라 몬따냐 사람.

montañesismo *m.* 라 몬따냐 지방에 대한 애착[사랑].

montañismo *m.* =alpinismo.

montañista *mf.* =alpinista.

montañoso, sa *adj.* ① 산악의[에 관한]: clima ~ 산악성 기후. ② 산이 많은: país ~ 산악 국가. terreno ~ 산악 지역.

montaplatos *m.sing.pl.* 요리 운반용 승강기[엘리베이터].

montar *intr.* ① [+en] (탈것에) 타다, 오르다: ~ en un tren [un avión] 열차[비행기]에 타다[오르다]. ② 말에 오르다. ③ 말을 타다, 승마하다, 말을 타고 가다: ~ a caballo 말을 타다. ~ a pelo 안장 없이 타다. ~ sobre un caballo 말에 올라타다[걸터타다]. Juan *monta* bien 후안은 말을 잘 탄다, 후안은 승마 솜씨가 뛰어나다. ④ [+a] (금액・수량이 …에) 달하다. ⑤ [+sobre] (… 위에) 포개지다, 겹치다, 덮여 있다: Ella tiene un diente que le *monta sobre* otro. 그녀는 덧니를 가지고 있다. ⑥ 중요하다. —*tr.* ① (말에) 오르다, 타고 다니다: ~ *su* mejor caballo 제일 좋은 말을 타다. ② [+en] (…의 위에) 태우다, 싣다, 얹다: ~ a un niño en un potro 아이를 조랑말에 태우다. ③ (목축・말 등이 산에 들어왔기 때문에) 벌금을 물리다(multar). ④ (수컷이) 암컷을 덮치다, 암컷과 교미하다. ⑤ (기계・기구의 부품을) 조립하다, 장치하다, 설비하다: ~ un ordenador 컴퓨터를 조립하다. ~ una máquina 기계를 조립하다. ~ una rueda en su eje 바퀴를 끼우다. ~ las mangas *en* el vestido 드레스에 소매를 달다. ~ las piezas 부품을 조립하다[끼워 맞추다]. ⑥ 달걀 흰자위[크림]를 거품이 일 때까지 휘젓다. ⑦ (집기 등을) …에 갖추다; (점포 등을) 설치하다; (회사 등을) 설립하다: ~ una casa 집에 필요한 집기를 준비하다. ~ una tienda 점포를 열다. ~ una empresa 회사를 설립하다. ⑧ [연극] ㉮ (작품 공연에 필요한) 무대를 장치하다: ~ un decorado 무대의 배경을 장치하다[세트화시키다]. ㉯ 공연하다. ⑨ (보석 등을) 끼워 넣다[박다], 박아 넣다(engastar): ~ con oro 금박을 박다. ⑩ (총의) 격철[공이치기]을 세우다. ⑪ (총의) 방아쇠를 걸다. ⑫ [영화] 편집하다: ~ una película 영화[필름]를 편집하다. ⑬ 선박을 보내다. ⑭ (선박이) 포문 장치를 하고 있다. ⑮ (선박이 곶 등을) 돌다. ~**se** ① [+en] (…에) 타다, 오르다. ② 준비되다. ¶ ***¡monta!, ¡montas!*** =anda. ***¡tanto monta!*** 대등[동등]하다. ***montárselo*** 잘 되다. ~ ***pilas en serie*** 전지를 직렬로 연결하다. ~ ***pilas en paralero*** 전지를 병렬로 연결하다.

montaraz *adj.* ① 야생의, 산에서 서식하는; (사람이) 산간에서 자란. ② 야만스러운, 거친, 난폭한. —*m.* ① 산지기, 농장지기. ② *Sal.* 농촌의 집사, 농장 감독.

montaraza *f.* ① *Sal.* 여자 산지기[농장지기]. ② *Sal.* montaraz의 아내.

montazal *m.* *CRica.* 잡초지, 덤불이 무성한 곳.

montazgar (8) *tr.* montazgo를 받고 영수하다.

montazgo *m.* (중세의) 가축 산림 통행료[통행세].

monte *m.* ① [주로 고유 명사와 함께] 산(montaña): *Monte* Blanco 몽블랑. *Monte* Baekdu 백두산. ~*s* altos 높은 산들. ② 산림, (나무・관목・풀로 덮인) 들, 벌판: administración de ~*s* 산림 관리소, 영림서(營林署). escuela de ~*s* 임업 (고등) 학교. ③ (트럼프・도미노에서) 속임수 카드. ④ (트럼프에서) 바닥에 남아 있는 패. ⑤ 카드놀이의 일종(banca). ⑥ (사업에서 극복하기 어려운) 심각한 장애물, 장애, 곤란. ⑦ 헝클어진 머리카락. ⑧ =**monte de piedad.** ¶ ~ ***alto*** ㉮ 삼림(森林), 큰 나무가 우거진 곳. ㉯ 삼림의 큰 나무들. ~ ***bajo*** 관목지(灌木地), 풀이 우거진 곳. ~ ***blanco*** 나무를 심을 민둥산, 식림용산, 식림 용지(用地). ~ ***cerrado*** = moheda. ~ ***de piedad*** (낮은 이자의) 공익 전당포 ((서민용)). ~ ***de Venus*** ㉮ 여자의 불두덩. ㉯ 손바닥의 손가락 뿌리에 약간 볼록한 부분. ~ ***hueco*** =oquedal. ~ ***pardo*** = encinar. ~ ***pío*** =montepío. ~ ***público*** (나라・도・시 소유의) 나무와 다른 식물이 심어진 황무지. ~***s en mano común*** 마을 주민에 속한 산들. ***andar*** alguien ***a*** ~ ㉮ 산중으로 피하다. ㉯ (자주 다니던 곳에 알려진 이유 없이) 당분간 얼굴을 내밀지 않다. ㉰ 나쁜 길로 들다. ***batir el*** ~, ***correr el*** ~, ***correr*** ~***s*** (산에) 사냥가다. ***ser*** alguien ***de*** ~ ***y ribera*** 모든 것에 소용되다.

montea[1] *f.* (사냥감을) 사냥꾼들이 기다리는 곳으로 몰아붙이기.

montea[2] *f.* ① [건축] 석재 절단 기술. ② [건축] 공작도. ③ [건축] 가옥 도면 제작. ④ [건축] 아치[원형 천장] 두르기(sagita de un arco o bóveda).

montear[1] *tr.* (산에서) 사냥감을 사냥꾼들이 기다리는 곳으로 몰아붙이다.

montear[2] *tr.* ① [건축] (…의) 공작도 도면을 만들다. ② 아치를 만들다, 원형 천장을 두르다.

montenegrino, na *adj.* ① 몬테네그로(Montenegro, 유고슬라비아 남서부의 연방 구성 공화국; 원래 왕국) 태생의.

② 몬테네그로의[에 관한]. —*mf.* 몬테네그로 사람.
montepiado, da *adj. Chile.* 상조회로부터 연금을 받는. —*mf.* 상조회의 연금 수령자.
montepío *m.* ① (과부와 고아를 구제하기 위한) 상조 자금. ② 상조회(相助會). ③ 상조회로부터 받은 연금.
montera *f.* ☞montero.
montereria *f.* ① 두건(montera) 제조소. ② 두건 가게[판매소].
monterero, ra *mf.* 두건 제조자[장수].
montería *f.* ① (멧돼지·사슴 등 큰 동물의) 사냥. ② 사냥술. ③ 사냥 규칙[경고].
monterilla *f.* ① 삼각돛의 일종. ② (소 농의) 촌장(村長)(alcalde de ~).
montero, ra *adj.* [고어] =**montés.** —*mf.* (사냥에서) 몰이꾼. —*f.* ① 두건. ② (투우사가 금빛 번쩍이는 복장에 맞추어 쓰는) 모자. ③ (안마당 등의) 유리 천장[덮개]. ④ (증류기의 가마를 덮는) 복판이 볼록한 덮개. ⑤ 몰이꾼의 아내. ¶ ~ ***mayor*** (왕실 수렵대의) 몰이꾼 대장.
montés *adj.* 산의, 산에서 자란, 야생의. ¶***cabra*** ~ 야생 산양. ***cochino*** ~ 멧돼지. ***gato*** ~ 살쾡이. ***puerca*** ~ 암멧돼지. ***puerco*** ~ 멧돼지.
montesa[1] *adj.* [시어] 산의(de monte) ((여성으로만 사용함)).
Montesa[2] [역사] 몬떼사 기사단.
montesino, na *adj.* 산(山)의.
montevideano, na *adj.* ① 몬떼비데오(Montevideo, 우루구아이의 수도) 태생의. ② 몬떼비데오의[에 관한]. —*mf.* 몬떼비데오 사람.
montículo *m.* ① (자연·인공의) 구릉, 언덕, 야산(野山). ② [야구] 마운드.
Montículo de Montjuic [지명] (바르셀로나의) 몬주익 언덕.
montilla *f.* 몬띠야 ((스페인의 Córdoba 주에 있는 Montilla 시의 경계에서 자란 포도로 빚은 질 좋은 포도주, 셰리의 일종)).
monto *m.* 총액(monta).
montón *m.* ① 더미, 산적(山積): ~ de hierba 풀더미. ~ de libros 책더미. ~ de paja 짚더미. ② 상당한 수, 꽤 많은 수, 대량: tener *montones* de dinero 상당한[꽤 많은] 돈을 가지고 있다. ¶ ~ ***de tierra*** 나이가 많은 노인, 병약한 노인. ***a*** ~ ㉮ 한데 합쳐, 몽땅(a bulto). ㉯ *Ar.* =**a montones.** ***a*** ~, ***de*** ~, ***en*** ~ 함께 (끼워), 나누지 않고, 구별 없이. ***a montones*** 충분히, 듬뿍, 넘치게, 흡족하게, 다량으로: hacer promesas *a montones* 약속을 무턱대고 하다. ***ser*** alguien ***del*** ~ (사람 됨됨이나 사회적 신분이) 평범하고 서민적이다.
montonal *adj. Méj.* =**montón ②.**
montonera *f.* ① 더미, 산적(montón). ② 대량. ③ *AmérM., RDom.* [역사] 반란 기마대, 기마 게릴라 부대. ④ *Col.* 풀더미, 짚더미(montón de paja).
montonero *m.* ① 유격대원. ② *Arg.* 기마 게릴라 부대원. ③ *Bol., Chile.* 무질서한 집단에서 싸우는 사람.
montoso, sa *adj.* [드묾] =**montuoso.**
montubio, bia *adj.* 야만스런, 거친, 난폭한. —*mf.* ① 난폭한[거친] 사람. ② *Col., Ecuad.* 해안 지방의 시골 사람.
montuno, na *adj.* ① 산의[에 관한]. ② 촌스러운, 거친. —*m. Cuba.* (노래하고 춤추는) 음악의 후렴.
montuosidad *f.* 산지성(山地性).
montuoso, sa *adj.* ① 산지의[에 관한]. ② 산이 많은: región ~*sa* 산악 지방.
montura *f.* ① 탈 수 있는 동물, 승용(乘用) 동물 ((말, 낙타, 노새 등)). ② [집합] 마구(馬具), (특히) 안장. ③ (기구·기계의) 조립, 설치. ④ (안경의) 테. ⑤ (반지의) 보석 받침.
monumental *adj.* ① 기념비의[에 관한], 기념 건조물의[에 관한]: inscripción ~ 비명(碑銘). ② 기념비적인, 불후의, 불멸의: obra ~ 불후의 작품. ③ (자기의 부류에서) 아주 우수한, 현저한, 빼어난, 뛰어난. ④ 매우 큰, 거대한: cuerpo ~ 거대한 몸. edificio ~ 거대한 건물. error ~ 큰 실수, 엄청난 잘못. estatua ~ 거대한 상(像).
monumentalidad *f.* 기념비적인 일, 불후성(不朽性).
monumento *m.* ① 기념비, 기념탑, 기념상(像), 기념 건조물: ~ a la mitad del mundo 적도 기념비, 적도 기념탑. ~ a los Caídos 전몰자 위령비[위령탑]. ~ funeraio 위령비, 위령탑, 묘비. ② (역사적·예술적 가치가 있는) 기념물, 건조물, 유적, 무덤: ~ natural 천연 기념물. ~*s* prehistóricos 선사 시대의 유적. ③ (과학적·예술적·문학적으로) 기념이 될 작품, 불후의 업적[저작], 금자탑: "El Ingenioso Hidalgo Don Quijote de la Mancha" es el mayor ~ de la literatura española「돈 끼호떼」는 스페인 문학의 최대의 금자탑이다. ④ 무덤. ⑤ [종교] 가제단(假祭壇), 임시 제단 ((성체 행렬 때 임시로 성체를 안치하는 곳)). ⑥ 멋진 몸매를 가진 미인[미남자]. ¶ ~ ***nacional*** 국가 문화재 ((국가의 보호 아래 있는 예술 작품이나 건물)).
monzón *m.* 몬순, 계절풍.
monzónico, ca *adj.* 몬순의, 계절풍의.
moña *f.* ① (여자 아이에게 장난감으로 쓰이는) 여자 인형. ② 여성 의류용 마네킹. ③ (여자들의) 머리 장식용 리본. ④ (목장을 표시하는) 소의 머리에 다는 색 리본. ⑤ (투우사의 변발(辮髮)에 꽂는) 검은 리본. ⑥ 만취, 대취, 술에 취함: coger una ~ 만취하다, 몹시 취하다. ⑦ *And.* (젖먹이들의 머리를 덮는) 장식이 많이 된 모자.
moñista *adj.* =**jactancioso.**

moñita *f. Ur.* 나비넥타이, 보타이.
moño *m.* ① 상투, 땋아 말아 올린 머리. ② 리본 장식, 리본 매기. ③ (새의) 도가머리, 관모(冠毛). ④ (여자들이 하는) 군더더기[너저분한] 장식. ⑤ =**presunción, vanidad.** ¶*con el ~ virado Cuba.* 기분이 나빠(de mal humor). ***estar*** alguien ***hasta el ~*** 진절머리가 나다, 지긋지긋하다, 넌더리가 나다, 몹시 싫다, 더 이상 참을 수 없다. ***hacerse el ~*** =**peinarse.** ***ponerse*** alguien ***los ~s*** *Guat., Hond.* =**ponerse moños.** ***ponérsele*** a alguien algo ***en el ~*** (생각이) …의 머리에서 떠나지 않다, …하고 싶어지다, …이 굴뚝 같다. ***ponerse ~s*** 우쭐대다, 자부하다, 으스대다, 뻐기다, 오만해지다. ***quitar ~s*** a alguien 녹초가 되다. ***soltarse*** alguien ***los ~s*** *Guat.* 신이 나서 난잡을 떨다.
moñón, na *adj.* =**moñudo.**
moñudo, da *adj.* (새가) 도가머리가 있는, 관모(冠毛)가 있는.
mopa *f.* [*ing.* mop] 자루걸레.
moquear *intr.* (감기 등으로) 콧물을 흘리다(echar mocos).
moqueo *m.* 많은 콧물 (흘리기).
moquera *f. Arg., Cuba, Nic., Ur.* = **moqueo.**
moquero *m.* 콧물용 손수건.
moqueta *f.* (융단·벽걸이 융단을 만드는) 질긴 양모 천.
moquete *m.* 얼굴 때리기; (특히) 콧등 때리기.
moquetear[1] *intr.* 콧물을 자주 흘리다.
moquetear[2] *tr.* (…의) 얼굴[콧등]을 때리다(dar moquetes).
moquillo *m.* ① (몇몇 동물, 특히 개와 어린 고양이의) 코감기. ② (울지 못하게) 닭의 혀에 자주 생기는 종기. ③ (말을 길들이기 위해 윗입술에 묶는) 잡아당겨 쉽게 풀게 된 매듭.
mor ***por ~ de*** =**por amor de.**
mora[1] *f.* ① [법률] (의무 이행의) 지체, 지연; (채무의) 불이행. ② [언어] 모라 ((단모음의 길이의 단위)). ③ [운율] 모라 ((단음절 하나의 단위)).
mora[2] *f.* ① 오디 ((뽕나무의 열매)). ② (뽕나무와 매우 비슷한) 뽕나무속 식물의 열매. ③ 가시나무의 열매. ④ 나무딸기. ⑤ *Hond.* =**frambusa.**
morabito *m.* ① (기독교의 은자 같은) 이슬람교도. ② morabito가 기거하는 암자.
morabuto *m.* =**morabito.**
moráceo, a *adj.* [식물] 뽕나무과(科)의. —*f.pl.* 뽕나무과 식물.
moracho, cha *adj.* 불그스레한.
morada *f.* ① 체류, 체재; 거주, 주거. ② 거주지(居住地).
morado, da *adj.* 자줏빛의, 자색(紫色)의, 암자색의, 시퍼런: ojo ~ (타박으로 인해) 눈두덩에 시퍼렇게 맺힌 멍. —*m.* (타박 등에 의한) 피부에 시퍼렇게 맺힌 멍. ¶***pasarlas ~das*** 어려운 상황에 처해 있다. ***ponerse ~*** 배부르게 먹다, 배가 터지도록 먹다, 양껏[실컷·마음껏] 먹다.
morador, ra *adj.* 거주하는, 사는(que habita). —*m.f.* 거주자, 주민.
moradura *f.* (타박 등에 의한) 피부에 시퍼렇게 맺힌 멍(cardenal).
moradux *m.* =**mejorana.**
moraga *f.* ① (이삭을 모은) 다발. ② *And.* (야외에서 장작불에) 정어리[물고기] 등을 굽는 일. ③ *Rioja.* 돼지 도살(屠殺).
morago *m.* ① (이삭을 모은) 다발. ② *Rioja.* (불에 구워 먹는) 돼지 등심살 조각.
moral[1] *adj.* ① 도덕(상)의, 도덕적인, 윤리의: carácter ~ 덕성. cultura ~ 덕육. principio ~ 도덕률, 도덕법(道德法). valores ~*es* 가치관, 가치 기준. ② 도의(道義)의, 도의적인, 도의에 입각한: conducta ~ 도의를 지킬 줄 아는 행동. obligación ~ 도의상의 의무. responsabilidad ~ 도의적 책임. ③ (육체·물질에 대해) 마음의, 정신의: certidumbre ~ 심증(心證), 심적 확신. facultades ~*es* 정신적 능력. ④ (지적 성격에 대해) 인격적인. —*f.* ① 도덕, 윤리: ~ en la política, ~ de los políticos 정치 윤리. faltar a la ~ 도덕에 반(反)하다, 부도덕한 일을 하다. ② 윤리학, 도덕론(道德論). ③ (육체에 대한) 정신력, 정신적 능력. ④ 사기, 기력, 힘, 원기, 활기, 활력: levantar [elevar] a *alguien* la ~ …의 사기를 높이다. estar bajo de ~, tener la ~ baja 의기소침해 있다. ⑤ (군대·운동에서) 정신, 승리에 대한 확신. ¶***filosofía ~*** 도덕학, 윤리학. ***libro ~*** [성경] 지혜의 서. ***teología ~*** 도덕 신학, 윤리 신학.
moral[2] *m.* ① [식물] 뽕나무. ② 검은 뽕나무 ((뽕나무과의 열대 적도 식물; 나무는 썩지 않아 가옥 건축 용재(用材)로 많이 쓰임)).
moraleda *f.* 뽕나무밭.
moraleja *f.* (이야기 등의) 교훈.
moralidad *f.* ① 도덕성, 덕성(德性). ② 품행. ③ =**moraleja.**
moralina *f.* 겉치레에 불과한 도덕심.
moralismo *m.* 윤리주의.
moralista *m.f.* ① 도덕[윤리] 선생. ② 도덕 작품의 작가. ③ 도덕가, 도학자, 도덕주의자.
moralización *f.* 설법, 설교; 교화.
moralizador, ra *adj., m.f.* 설교하는 (사람), 도를 가르치는 (사람); 교화시키는 (사람).
moralizante *adj.* 설교하는, 도를 가르치는; 교화시키는.
moralizar (9) *tr.* (도덕적으로) 설명하다, 교화시키다, 도덕적으로 하다, 좋은 습관을 가르치면서 악습(惡習)을 고치다. —*intr.*, **~se** 도덕[도의]을 가르치다, 도덕적 교훈을 주다, 설교하다; 도덕적 고찰을 하다.

moralmente *adv.* 도의상; 도덕적으로, 도덕적으로 보아; 정신적으로, 정신력으로; 사람의 일반적인 판단과 보통의 감정에 의해.
morán *m. Méj.* =**jabalí.**
moranza *f.* [드뭄] 한 곳에 계속 거주.
morapio *m.* 적포도주(vino tinto).
morar *intr.* 한 곳에 살다[거주하다].
moratón *m.* =**cardenal, morado.**
moratoria *f.* 모라토리엄, 지불 유예(령).
morbidez *f.* 섬세함, 유연함; 허약함.
mórbido, da *adj.* ① 병의, 병적인, 병에 걸린, 질환성의: síntoma ~ 병의 증세[징후]. ② (특히 여성의 살집이) 유연한, 섬세한, 부드러운: pecho ~ 부드러운 젖가슴. ③ (병적으로) 우울한.
morbífico, ca *adj.* 병원(病原)이 되는.
morbilidad *f.* 이환율, 이병률(罹病率).
morbo *m.* ① 병, 질환. ② 불건전한 매력. ¶ ~ ***comicial*** [의학] 간질, 지랄병. ~ ***gálico*** [의학] 매독; 가래톳. ~ ***regio*** [의학] 황달.
morbosidad *f.* ① 병적 성질[상태]. ② 이환율, 이병률(罹病率).
morboso, sa *adj.* ① 아픈, 병(病)의, 질병의. ② 병에 걸린. ③ 병을 일으키는: clima ~ 건강에 나쁜 기후. ④ 병적인, 불건전한: novela ~*sa* 불건전한 소설. placer ~ 불건전한 쾌락.
morca *f. Ar.* 기름 찌꺼기[앙금].
morcacho *m. Ar.* =**morcajo.**
morcajo *m.* 밀과 호밀의 혼합.
morceguila *f.* 박쥐의 똥.
morciguillo *m.* [드뭄] [동물] 박쥐.
morcilla *f.* ① (선지·양파·향신료·쌀 등을 넣은) 순대, 소시지: ~ de arroz 쌀 넣은 순대. ~ de cebolla 양파를 넣은 순대. ② 떠돌이 개를 죽이기 위한 독이 든 창자. ③ [연극] (대본에 없는) 즉흥적인 대사. ¶***dar*** ~ 독이 든 창자로 (떠돌이 개를) 죽이다. ***¡Que te den ~!*** 죽일 놈!
morcillero, ra *mf.* ① morcilla 만드는 사람[판매자]. ② 개그맨, 개그우먼.
morcillo[1] *m.* ① (어깨에서 팔꿈치까지의) 팔의 근육 부분[살찐 부분]. ② 쇠다리의 살찐 높은 부분.
morcillo[2], **lla** *adj.* (털이) 검붉은 (말).
morcillón *m.* morcilla처럼 속이 가득 찬 돼지[양·다른 동물]의 위[창자].
morcón *m.* ① 순대용 동물의 굵은 창자. ② 굵은[두툼한] 순대. ③ [드뭄] 땅딸보. ④ [드뭄] 구질구질한 사람.
morcuero *m.* 돌 무더기, 돌 더미.
mordacear *tr. Arg.* 부드럽게 하다, 연하게 하다, 누름쇠로 가죽을 이기다.
mordacidad *f.* 신랄함, 통렬함.
mordaga *f.* =**embriaguez.**
mordaz *adj.* ① 부패성의. ② (맛이) 톡 쏘는, 매운(picante). ③ 신랄한, 통렬한: crítica ~ 신랄한[통렬한] 비평.
mordaza *f.* ① 재갈, 소리를 내지 못하게 입에 물려 후두부에서 잡아매는 수건 등: poner una ~ a *alguien* ···에게 재갈을 물리다. ② 누름쇠, 조임쇠. ③ (모루의) 턱. ④ (돛줄의) 누름쇠. ⑤ (레일의) 접속판. ⑥ *Arg., Hond.* 말의 재갈을 만드는 나무 끝에 연결된 끈.
mordazmente *adv.* 신랄하게, 통렬히.
mordedor, ra *adj.* ① 물어뜯는, 무는, 무는 버릇이 있는. ② 풍자적인, 비꼬는, 독설가의.
mordedura *f.* ① 물기, 물어뜯기. ② 물린 상처.
mordelón *m. Hond., Méj.* 뇌물 받는 교통 순경.
mordente *m.* ① 매염제(媒染劑), 착색료(着色料). ② [음악] 꾸밈음, 장식음.
morder (25) *tr.* ① 물다, 깨물다: Me *ha mordido* un perro 나는 개에게 물렸다. ② 베어먹다, 갉아먹다: ~ una manzana 사과를 베어먹다. ③ 무위도식하여 재산을 탕진하다, 놀고 먹어 재산을 까불리다: ~ *su* fortuna 재산을 무위도식으로 탕진하다. ④ (도구 등을) 끼우다, 단단히 죄다. ⑤ (줄 등을) 깎아내다, 닳게 하다, 닳아 없애다; (서서히) 침해하다. ⑥ 험담하다, 명예[신용]를 손상시키며 비꼬다, 비난 (공격)하다. ⑦ *Cuba.* 사기를 치다, 사기를 쳐서 돈을 얻다(estafar). —*intr.* 물다, 깨물다. ~**se** 자신의 ···을 깨물다: ~*se* las uñas 손톱을 깨물다[물어뜯다]. ¶***estar que muerde*** 몹시 성나[화나·노해] 있다. ***~se las manos*** (호기를 놓쳐) 분해하다.
mordicación *f.* 찌르는 듯이 욱신거림, 욱신거리는 아픔.
mordicante *adj.* ① 찌르는 듯이 욱신거리는. ② =**acre, corrosivo.** ③ [드뭄] 신랄한, 통렬한.
mordicar (7) *tr.* 따끔하게 찌르다, 찌르는 듯이 아프다.
mordido, da *adj.* =**menoscabado, escaso, desfalcado.** —*f.* ① =**mordedura, mordisco.** ② *Amér.* 뇌물. ③ 오직(汚職)[뇌물]의 결실.
mordiente *adj.* 무는, 물어뜯는. —*m.* ① (에칭의) 부식제. ② 인쇄 바니시[니스]. ③ 매염제(媒染劑).
mordihuí *m.* (씨앗의) 바구미.
mordimiento *m.* =**mordedura.**
mordiscar (7) *tr.* ① (반복해서 가볍게) 씹다[물어뜯다], 질겅질겅 씹다, 오물거리다: ~ un lápiz 연필을 물어뜯다. ~ una manzana 사과를 물어뜯다. ② 따끔하게 찌르다, 찌르듯이 아프다. ③ 철판을 부식시키다. ④ 명예를 손상시키며 헐뜯다[비꼬다]. ⑤ (···의 어떤 부분을) 조금씩 닳게 하다.
mordisco *m.* ① 질겅질겅 씹기, 오물오물하기; 물어뜯기, 베어먹기: arrancar *algo* de un ~ (···을) 물어서 뜯다[떼다·찢다]. dar un ~ a una manzana 사과를 베어먹다. deshacer *algo* a ~*s* 물어(뜯어) 깨다[부수다·찢다]. ② (중상이 아닌) 물린 상처.

③ 물어뜯은 조각, 한 조각, 한 입: un ~ de pan 빵 한 조각. ④ (거래에 의한) 이익, 배당, 몫, 할당. ⑤ *Esp.* [구어] 혀를 깊이 넣어 하는 키스.
mordisquear *tr.* 따끔하게 찌르다, 찌르는 듯이 아프다.
moreda *f.* ① [식물] 뽕나무. ② morera 밭.
morel de sal *m.* [미술] (프레스코화용) 불에 태워 만든 검붉은 빛깔의 안료(顔料).
morena[1] *f.* [어류] 곰치.
morena[2] *f.* ☞**moreno.**
morena[3] *f.* ① (보릿단 등의) 노적, 노적가리, 쌓인 더미. ② (빙하로 옮겨진) 돌과 진흙 더미.
morenal *m. Hond.* 흑인 주거 마을.
morenero *m.* (양털 깎는 천막 등에서) morenillo의 접시[냄비]를 나는 소년.
morenez *f.* ① 검은빛이 도는 어두운 빛깔, 약간 검은빛, 갈색. ② (백인종에서) 피부가 덜 밝은 색.
morenillo *m.* (양털 깎는 사람들이 자른 것을 무두질하기 위해 사용한) 식초에 버무린 목탄 반죽덩이.
morenito *m. And.* 커피 · 럼 · 설탕으로 만들어진 음료.
moreno, na *adj.* ① (색이) 가무잡잡한, 갈색의. ② (피부가, 백인종에서) 갈색의, 가무잡잡한: piel ~*na* 갈색 피부, 가무잡잡한 피부. ③ (머리카락이, 백인종에서) 검은, 밤색의. ④ (물건이 같은 종류의) 보통 것보다 더 짙은. ⑤ (사람이) 검은. ⑥ *Cuba.* =**mulato.** ⑦ 피부가 햇볕에 타서 검게 된. —*m.f.* ① 흑인(黑人). ② =**mulato.** —*m.* ① =**morenillo.** ② *Esp.* (피부가) 햇볕에 탐. —*f.* ① 소란, 싸움, 언쟁, 말다툼. ② 큰 흑빵.
morenura *f.* =morenez.
móreo, a *adj.* [식물] =**moráceo.**
morera *f.* [식물] 뽕나무. ¶ ~ ***blanca*** [식물] =**morera.** ~ ***negra*** [식물] = **moral.** (58) *intr.* 죽다, 서거하다: ~ ah
moreral *m.* 뽕나무(morera)밭.
morería *f.* ① (중세의 어떤 마을에서) 모로인[무어인] 촌[주거 지역]. ② 모로인[무어인]의 나라[영토].
morete *m. Bol., Méj.* =**moretón.**
moretear *tr. Méj.* 얼굴을 피멍투성이로 만들다.
moretón *m.* (피부의) 시퍼런 멍, 피멍.
morfa *f.* (귤나무와 레몬나무에 기생하여 잎과 가지를 갉아먹는) 버섯.
-morfa *suf.* ☞**-morfo.**
morfar *tr. Arg., Ur.* =**comer.**
morfema *m.* [언어] 형태소(形態素).
Morfeo ***estar en brazos de*** ~ 자다.
morfina *f.* [화학 · 약학] 모르핀.
morfinismo *m.* (만성) 모르핀 중독.
morfinomanía *f.* (만성) 모르핀 상용.
morfinómano, na *adj.* 모르핀 상용[중독]의. —*m.f.* 모르핀 상용자[중독자].
morfo *m.* [언어] 형태(形態).
morfo- *pref.* 「형태(形態)(forma)」의 뜻: *morfo*logía 형태론.
-morfo, fa *suf.* 「형태(形態)(forma)」의 뜻: iso*morfo* 동형의.
morfofonología *f.* [문법] 형태 음운론.
morfofonológico, ca *adj.* [문법] 형태 음운론의[에 관한].
morfología *f.* ① [생물] 형태학(形態學). ② [언어 · 문법] 어형론, 형태론.
morfológico, ca *adj.* ① [생물] 형태학의[에 관한]. ② [언어 · 문법] 어형론의[에 관한], 형태론의[에 관한].
morfosintáctico, ca *adj.* [언어] 형태통어론의[에 관한], 형태 통어적인.
morfosintaxis *f.sing.pl.* [언어] 형태 통어론(形態統語論).
morganático, ca *adj.* (결혼이) 신분이 다른, 귀천 결혼의: matrimonio ~ 귀천 결혼, 신분이 다른 결혼.
morgaño *m.* rur. *Ar.* =**murgaño.**
morgón *m.* 포도나무의 꺾꽂이.
morgue *f.* (신원 불명자의) 시체 보관소(depósito de cadáveres).
moriángano *m. Can.* 산딸기.
moribundo, da *adj.* 다 죽어 가는, 빈사 상태의, 위독한, 죽음이 가까운, 임종의. —*m.f.* 위독한 사람, 빈사 상태의 사람, 임종에 임한 사람, 죽음을 맞이하는 사람.
moridor, ra *adj. Nic.* =**tenaz, firme.**
moriego, ga *adj.* =**moro.**
morigeración *f.* 절제(節制).
morigerado, da *adj.* 절제된, 규칙적인: vida ~*da* 규칙적인[절제된] 생활.
morigerar *tr.* (욕망 등을) 억누르다, 절제하다. ~**se** 자제하다.
moriles *m.sing.pl.* 모릴레스 ((스페인 꼬르도바주(州) 모릴레스(Moriles) 시에서 빚은 질이 좋은 포도주)).
morilla *f.* =**colmenilla.**
morillero *m.* =**mochil.**
morillo *m.* (난로 · 아궁이의) 땔나무 받침 쇠틀.
moriondo, da *adj.* 발정기의 (양).
morir (58) *intr.* ① 죽다: ~ ahogado 익사하다. ~ anciano 연로해서[나이가 많아] 죽다. ~ de un ataque al corazón 심장마비로 죽다. ~ de pulmonía 폐렴으로 죽다. ~ en un accidente 사고로 죽다. ~ en la guerra 전사하다. ~ helado 동사하다, 얼어 죽다. ~ joven 어려서 죽다, 젊어서 죽다. ~ por la patria 조국을 위해 죽다[목숨을 끊다]. ② (초목이) 마르다, 시들다. ③ (어떤 욕망 · 애정 · 열정 등을) 아주 강하게 느끼다, (…로) 죽게 되다, 죽을 지경이다, 죽을상이다, 몹시 고통스러워하다: ~ de frío 추워 죽을 지경이다. ~ de hambre 배고파 죽을 상이다, 무척 배고파하다. ~ de sed 목말라 죽을 지경이다. ~ de risa 우스워 죽다. ④ (화재 · 등불 · 불꽃 등이) 꺼지다, 소멸하다: *Muere* una luz 불빛이 꺼진다. *Muere* el día 일몰이 된다, 해가

지고 있다. ⑤ (과정·활동·행동을) 멈추다: ~ la saeta 화살이 멈추다. ⑥ (다른 사람을) 지나치게 사랑하다 (amar en extremo): *Muero por* ella 나는 그녀를 죽도록 사랑한다. ⑦ (사물을) 무척 좋아하다, 몹시 원하다. — *tr.* [드묾] 죽이다(matar) ((복합 시제 [완료형]에서만 사용함)): *He muerto* una liebre 나는 토끼를 죽였다. **~se** ① 죽다, 죽어 버리다: Mi madre *se murió* a los 78 años 내 어머님은 일흔 여덟 살에 돌아가셨다. ② (손발이 마치 죽은 사람의 손발처럼) 말을 듣지 않다, 움직이지 않다. ③ 무척 좋아하다, 몹시 원하다: *~se por* el vídeo 비디오를 몹시 좋아하다. *~se por* una chica 한 아가씨에게 열을 올리다. ④ (초목이) 마르다, 시들다, 말라 버리다, 시들어 버리다. ⑤ [de+] (…로) 죽을 지경이다: *~se de* hambre 배고파 죽(을 지경이)다. *~se de* sed 목말라 죽(을 지경이)다. *~se de* risa 박장대소하다, 우스워 죽(을 지경이)다. ⑥ (화재·등불·빛 등이) 꺼지다, 시들다. ⑦ (다른 사람을) 열렬히 사랑하다.

morisco, ca *adj.* ① =moro. ② 국토 전쟁 후 스페인에 남았던 개종한 모로인의[에 관한]. ③ *Méj.* 유럽인과 물라또(mulato) 사이에서 태어난. — *mf.* ① 국토 회복 전쟁 후 스페인에 남았던 개종한 모로인. ② 유럽인과 물라또 사이에서 태어난 사람.

morisma *f.* ① 모로인들의 종파. ② 모로인들의 군중. ¶*a la* ~ 모로인 식으로(a la manera de los moros).

morisqueta *f.* ① 모로인들의 계략[책략·속임수]. ② 소금 없이 물로 지은 밥. ③ =**carantoña, mueca.**

morito *m.* [새] 따오기의 일종.

moriviví *m. Cuba.* [식물] =**sensitiva.**

morlaco[1]**, ca** *adj., mf.* 바보인 척하는 (사람), 모르는 척하는 (사람).

morlaco[2] *m.* ① 몸집이 큰 투우용 황소. ② *Amér.* =**peso duro, patacón.** ③ *pl. Salv.* 돈(dinero).

morlón, na *adj.* =morlaco[1].

mormado, da *adj. Méj.* 탄저병에 걸린 (동물).

mormarse *r. Méj.* 코가 충혈되다.

mormón, na *adj.* ① 모르몬교의[에 관한]. ② 모르몬교를 믿는. —*mf.* 모르몬 교도, 모르몬교 신자.

mornónico, ca *adj.* ① 모르몬교의[에 관한]. ② 모르몬 교도[모르몬교 신다]의[에 관한]. —*mf.* 모르몬 교도, 모르몬교 신자.

mormonismo *m* [종교] 모르몬교.

mormotear *intr. Ar.* =marmotear.

mormullar *intr.* =murmullar.

mormullo *m.* =murmullo.

moro, ra *adj.* ① 모로인[무어인]의, 스페인과 국경을 접한 북아프리카 태생의. ② 북아프리카의[에 관한]. ③ 이슬람교를 믿는. ④ 8세기부터 15세기까지 스페인에 살았던 이슬람교도의. ⑤ (8세기부터 15세기까지의) 이슬람 스페인(la España musulmana)의[에 관한]. ⑥ 필리핀의 민다나오와 말레이시아의 다른 섬들의 이슬람교도의. ⑦ 다리와 이마에 흰 반점이 있는 검은 털의 (말). ⑧ 물을 타지 않은 (포도주). ⑨ 세례를 받지 않은 (아이). ⑩ *Cuba.* 얼굴이 검은(mulato). —*mf.* ① 모로인, 무어인, 스페인과 국경을 접한 북아프리카 사람. ② 이슬람 교도, 이슬람교 신자. ③ 8세기부터 15세기까지 스페인에 살았던 이슬람 교도. ④ 필리핀의 민다나오와 말레이시아의 다른 섬들의 이슬람 교도. —*m.* =trigo moro. ¶***haber ~s y cristianos*** 대판 싸움이 있다, 대소동이 있다. ***A más ~s, más ganancia*** (속담) 범굴에 들어가야 범을 잡는다, 큰 목적을 이루려면 그만한 위험과 수고는 겪어야 한다. ***Moros van, ~s vienen*** 취하려면 아직 멀었다, 반쯤 취해 있다.

morocada *f.* 양의 뿔로 찌르기.

morocho, cha *adj.* ① *Amér.* 몸이 건장하고 잘 다듬어진 (사람). ② *Arg., Par., Ur.* 머리카락은 검고 얼굴은 흰. ③ *Arg., Perú.* 피부가 검은. ④ *Nic.* (특히 어린아이가) 이가 몇 개 빠진. ⑤ *Ven.* 쌍둥이의. —*mf.* 쌍둥이. —*m.* 알이 잘고 단단한 옥수수의 일종.

morocota *f.* =morrocota.

moro-moro *m. Filip.* =**comedia.**

morón[1] *m.* 동산, 작은 산.

morón[2]**, na** *adj.* ① *Amér.* =idiota. ② *PRico.* =**vago, holgazán.** —*mf. Amér.* 천치, 백치, 바보(idiota).

moroncho, cha *adj.* =morondo.

morondanga *f.* ① 무익하고 별로 가치가 없는 것. ② 무익한 것의 혼합, 잡동사니. ③ 혼란, 혼동. ¶***de*** ~ 천박한, 별로 가치 없는.

morondo, da *adj.* 머리가 벗겨진.

moronga *f.* ① *Hond., Méj., Nic., Salv.* (돼지 창자 속에 돼지 피·소금·후추·매운 고추를 넣고 만든) 순대. ② *Guat.* =**pene.** ¶***creer que la vida es una*** ~ *Hond.* 모든 것이 쉽다고 생각하다. ***estar*** alguien ***a*** ~ *Guat.* 만취하다, 대취하다, 곤드레만드레가 되도록 취하다, 술에 취해 있다.

morongazo *m. Guat., Salv.* 육체적·도덕적으로 큰 타격.

morongueada *f. Guat., Salv.* =**paliza.**

moronguear *tr. Guat.* =**golpear.**

moronía *f.* =**alboronía.**

morosamente *adv.* 한가로이.

morosidad *f.* ① 지체, 지연; 지불이 늦음. ② 느긋함, 굼뜸.

moroso, sa *adj.* ① 지불이 늦은, 돈을 잘 내지 않는: deudas *~sas* 불량 채권. deudor ~ 불량 채권자. ② (동작이) 느긋한, 한가로운.

morquero *m.* =morcón.

morra[1] *f.* 머리 꼭대기.

morra² *f.* ① 주먹 놀이. ② 쥔 주먹.
morra³ *interj.* 나비야 ((암고양이를 부르는 소리)).
morrada *f.* ① (두 사람이 서로) 머리 부딪치기. ② 따귀 때리기, 손바닥으로 때리기(guantada, bofetada).
morral *m.* ① (사냥꾼이 음식이나 옷을 넣는 등에 지는) 자루, 배낭. ② (구유통이 없을 때 먹이기 위해 짐승의 머리에 거는) 꼴망태. ③ 얼간이, 멍텅구리, 저능한 사람, 굼뜬 사람.
morralada *f.* 자루에 들어가는 양.
morralla *f.* ① 잡동사니, 쓸데없는 물건. ② 오합지졸, 어중이떠중이. ③ 잔 물고기[생선]: ~ frita 잔 생선 튀김. ④ *Hond., Méj.* 적은 돈, 푼돈.
morrear *tr.* [속어] 짙은 키스를 하다, 진하게 입을 맞추다. ~**se** 짙은 키스를 하다.
morrena *f.* [지질] 빙퇴석(氷堆石) ((빙하에 의해 운반되어 하류에 퇴적된 암석 부스러기)).
morreo *m.* ① (지는 사람이 땅에 박힌 가느다란 막대기를 입으로 빼는) 소년들의 놀이. ② [속어] 진한 키스.
morreras *f.pl. Ar.* 입술 발진(發疹), 입술에 생기는 좁쌀알 같은 종기.
morrilla *f.* 야생 엉겅퀴(alcaucil).
morrillo *m.* ① (소의 목 윗부분과 앞부분에 있는 살찐 부분, 목덜미 고기. ② 굵은 목덜미(cogote abultado). ③ =**canto rodado.** ☞**canto.**
morriña *f.* ① 슬픔, 울적함, 우울함, (특히 고향에 대한) 향수: sufrir (de) ~, tener ~ 향수병에 걸리다. ② [수의학] (양의) 전신 수종병(水腫病).
morriñoso, sa *adj.* ① 우울한, 슬픈, 향수에 젖은. ② 병약한, 나약한.
morrión *m.* ① (위에 깃을 꽂거나 장식물을 단 투구 모양으로 만들어진) 머리 윗부분에 쓴 모자. ② (옛날의) 군모(軍帽).
morro¹ *m.* ① (동물의) 코와 입이 있는 머리 부분. ② (사람의, 특히 두툼한) 입술. ③ 머리처럼 둥그런 물건: ~ de la pistola 권총의 총대. ④ 동산, 작은 산. ⑤ 둥그런 큰 바위. ⑥ 작고 둥그런 돌멩이. ⑦ (항해자에게 표시로 쓰이는 해안의) 암산, 깎아지른 듯한 바위. ⑧ (어떤 물건의) 길쭉한 앞 끝. ⑨ 철면피, 파렴치, 뻔뻔스러움. ¶ ***beber a ~*** 병째로 마시다. ***caerse de ~s*** =**caer de bruces.** ***dar*** a alguien ***en los ~s*** (누구를) 귀찮게 하다, 성가시게 하다, 못살게 굴다. ***estar de ~(s)*** 얼굴이 부루퉁하다, 얼굴에 화난 것이 쓰여져 있다, 성난 것이 얼굴에 나타나 있다. ***poner ~s*** 노한[성난·화난·찌푸린] 얼굴을 하다. ***por el ~, por todo el ~*** 공짜로 뻔뻔스레, 돈을 내지 않고.
morro² *interj.* 나비야! ((수고양이를 애무하면서 속삭이듯 부르는 소리)).
morrocota *f.* ① 모로꼬따 ((스페인의 옛 1온스 금화; 20달러 금화)). ② *Col.* 커다란 옛 금화[은화].
morrocotudo, da *adj.* ① 매우 중요한. ② 아주 어려운. ③ *Arg., Bol., Ur.* =**fornido, corpulento.**
morrocoy *m. Cuba.* =**morrocoyo.**
morrocoyo *m.* (꾸바섬에서 서식하는) 아메리카 거북(galápago americano).
morrón *m.* =**golpe, porrazo.** ¶ ***pimiento ~*** 붉은 피망.
morroncho, cha *adj. Mur.* =**manso².**
morronga *f.* [구어] 암고양이(gata).
morrongo *m.* [구어] 수고양이(gato).
morroña *f.* [구어] 암고양이(gata).
morroño *m.* [구어] 수고양이(gato).
morrudo, da *adj.* ① 뻔뻔스러운, 낯가죽이 두꺼운, 철면피한, 파렴치한. ② =**bezudo, hocicudo.** ③ *Ar.* =**goloso.** ④ *Arg., Ur.* 건장하고 땅딸막한.
morsa¹ *f.* [동물] 해마(海馬).
morsa² *f. Arg.* (대장간·철공소의) 조이는 기구.
morse *m.* ① 모르스식 전신 방식. ② 모르스 부호(alfabeto ~).
mortadela *f.* 대형 소시지.
mortaja¹ *f.* ① 수의(壽衣). ② *Amér.* 담배 마는 종이. ¶ ~ ***de esparto*** 야자나무의 잎으로 짠 잠자리용 돗자리.
mortaja² *f.* 장붓구멍(muesca).
mortal *adj.* ① 죽음의[에 관한], 죽어야 할 운명의, 필멸의: Todo ser vivo es ~ 살아 있는 것은 모두 죽음을 면치 못한다. Todos los hombres son ~*es* 사람은 누구나 죽는다. ② 치명적인, 목숨에 관계되는: accidente ~ 사망 사고. enfermedad ~ 죽음에 이르는 병, 죽을병. golpe ~ 치명적인 일격. heridas ~*es* 치명상. veneno ~ 극독. ③ 생명을 건, 불구대천의, 불공대천의, 살려 둘 수 없는, 죽이고 싶을 정도의: enemigo ~ 불구대천[불공대천]의 원수. enemistad ~ 죽이고 싶을 정도의 적개심. odio ~ 죽이고 싶은 증오. ④ 죽을상이 된, 죽을상을 짓는: quedarse ~ del susto 놀라[충격으로] 죽을상이다[죽을상을 짓다]. ⑤ 죽을 정도로 혹독한[가혹한·참혹한·호된], 지독히 지루한[따분한·심심한·괴로운], 진절머리나는, 기나긴: aburrimiento ~ 기나긴 지루함. dolor ~ 참을 수 없는 통증[아픔]. ⑥ 결정적인: Las señas son ~*es* 증거는 결정적이었다. ⑦ 인간의, 이 세상의, 현세의. ⑧ [드묾] 죽음에 가까운, 임종의, 죽은 사람 같은. —*m.* [주로 *pl.*] 사람, 인간; (유명인 등에 비교해) 보통 사람: ~ feliz 행복한 사람. pobre ~ 가련한[불쌍한] 사람.
mortalidad *f.* ① 죽을 운명, 죽음을 면할 수 없는 운명[성질]. ② 사망률(tasa de ~): ~ infantil 유아 사망률. ③ 사망자 수.
mortalmente *adv.* 죽도록, 치명적으로.
mortandad *f.* (유행병·천재지변·역병·전쟁으로 인한) 다수의[숱한] 사망자: producir [causar] gran ~ 다수

의 사망자를 내다.

mortecino, na *adj.* ① (빛·불 등이) 꺼져 가는, 약해진: color ~ 수수한 색. luz *~na* del atardecer 석양의 지는[저무는] 햇살. ② 거의 죽어 가는: un viejo ~ 거의 죽어 가는 노인. ③ 거의 꺼져 가는: lumbre *~na* 거의 꺼져 가는 불. ④ [드묾] 자연사한 동물의 (고기의). —*m.f.* 자연사한 동물. ¶*hacer la* ~ [드묾] 죽은 체하다.

mortero *m.* ① (나무·돌·쇠로 만든) 절구, 절구통: ~ de madera 나무 절구. ~ de piedra 돌 절구. ② 막자사발, 유발(乳鉢). ③ [군사] 구포(臼砲), 박격포. ④ 착유기 바닥의 반반하고 둥글고 두꺼운 돌. ⑤ [건축] 모르타르, 회반죽.

morteruelo *m.* 돼지 간 요리.

mortífero, ra *adj.* 치명적인, 살인(용)의, 생명에 관계된: arma *~ra* 흉기; 대량 살상 병기. enfermedad *~na* 죽을병, 죽음에 이르는 병.

mortificación *f.* ① 금욕(禁慾), 고행. ② 굴욕, 치욕.

mortificador, ra *adj.* 괴로워하는; 억제하는, 고행하는, 금욕하는.

mortificar (7) *tr.* ① (육체적·정신적으로) 괴롭히다, 못살게 굴다, 들볶다. ② (정욕·감정 등을) 억제하다, 금욕하다. ③ [의학] 몸의 어떤 부분을 심하게 해치다[상처를 입히다]. **~se** ① 자신을 괴롭히다, 괴로워하다. ② 고행하다, 금욕하다. ③ (몸에) 상처를 입다, 마음의 상처를 입다.

mortinato, ta *adj.* 사산의: criatura ~*ta* 사산아(死産兒). —*m.f.* 사산아.

mortuorio, ria *adj.* 죽은 사람의[에 관한]; 장례의[에 관한]: cámara *~ria* 시체 안치소, 영안실. casa *~ria* 상가(喪家). paño ~ 관을 덮는 검은 천. —*m.* ① 장례 준비와 의식. ② *Al.* 폐허(지), 완전히 사라진 마을이 있었던 장소.

morucho *m.* ① 불완전하게 검은 소. ② 아마추어들이 투우장에서 투우하는 소. ③ 검은 황소(toro negro).

morueco *m.* ① 씨양, 종양(種羊). ② 선전용 양(羊).

morugo, ga *adj., m.f.* =taciturno, huraño, esquivo.

moruno, na *adj.* =moro: alfanje ~ 모로인의 신월도(新月刀).

moruno *m.* (꾸바 섬의) 아카시아의 일종.

morusa *f.* ① [드묾] 돈, 통화. ② 옛 은화(antigua moneda de plata).

mosaico[1] *adj.* ① 모세(Moisés, 성경의 인물)의[에 관한]: ley *~ca* 모세의 율법. ② [건축] 모자이크(풍)의.

mosaico[2], ca *adj.* (돌·유리에 여러 가지 색깔의) 상감 세공의. —*m.* ① 상감 세공 (작품). ② 모자이크 (모양) 그림[무늬]. ③ (텔레비전의) 모자이크면. ④ [식물] 모자이크병(病). ¶~ *de madera,* ~ *vegetal* 모자이크 세공. *pintura de* ~ 모자이크화(畵).

mosaiquista *m.f.* ① 상감 세공 작품 제조자. ② 표면을 모자이크 세공하는 사람.

mosaísmo *m.* ① 모세의 율법. ② 모자이크 문명, 회교 문명.

mosca *f.* ① [곤충] 파리. ② 남자의 아랫입술과 턱이 시작하는 사이에서 나는 털. ③ 작은 검은 반점. ④ 재산. ⑤ =mosca artificial. ⑥ 돈. ⑦ 귀찮은 사람, 끈질기게 따라 다니는 사람, 치근치근한 사람, 집요한 사람. ⑧ 불쾌감, 언짢음. ⑨ [동물] 쌍시류 곤충. ⑩ (불에서 툭툭 튀기는) 불똥(chispas). ¶~ *borriquera* =mosca de burro. ~ *de burro* 말파리, 쉬파리. ~ *de España* 가뢰. ~ *de la carne* 살파리. ~ *de mula* =mosca de burro. ~ *en leche* 흰옷을 입은 흑인 여자. ~ *muerta* 방심할 수 없는 사람, 속이 검은 사람, 엉큼한[음험한] 사람, 위선자. *~s blancas* 공중에서 떨어지는 눈송이. *~s volantes* 물체가 허깨비처럼 보이는 시력 병. *aflojar* alguien *la* ~ =soltar la mosca. *cazar ~s* 무익한 일에 관계되다[관련되다]. *con la ~ en [detrás de] la oreja* (…을 피하기 위해) 의심을 품어[품고]. *estar* ~ = tener la mosca en la oreja. *papar ~s* 입을 해 벌리고 멍하니 있다[황홀해 있다]. *picarle* a alguien *la* ~ (…가) 언짢은 마음을 가지게 하다, 걱정하게[불안하게] 하다, 의심하기 시작하다. *por si las ~s* 만에 하나, 만일에 대비하여, 만일을 위해. *sacudirse* alguien *las ~s* 문제[장애]를 없애다[제거하다]. *ser una ~ blanca* =ser un mirlo blanco. *soltar la* ~ 마지못해[하는 수 없이] 돈을 주다[쓰다]. *tener la mosca en [detrás de] la oreja* 의심을 품고 있다, 경계하고 있다, 마음을 쓰고 있다.

moscarda *f.* ① [곤충] 실파리. ② 여왕벌의 알(cresa).

moscardear *intr.* 여왕벌이 알을 낳다.

moscardón *m.* ① [곤충] 말파리. ② =avispón. ③ 귀찮은 사람.

moscareta *f.* [새] 파리잡이새.

moscarrón *m.* =moscardón.

moscatel[1] *adj.* ① 무스카트 포도를 생산하는 (포도나무·포도밭). ② 무스카트 포도로 빚은. —*m.* 무스카트 포도로 빚은 포도주. —*f.* 무스카트 포도.

moscatel[2] *m.* ① 많이 큰 젊은이. ② 바보, 멍청이. ③ [드묾] 귀찮은 사람.

moscella *f.* [드묾] 불에서 튀는 불똥.

mosco, ca *adj. Chile.* 군데군데 흰 털이 난 검은 (말). —*m.* [곤충] 모기.

moscón *m.* ① [곤충] 왕파리. ② [식물] 단풍(arce). ③ (특히, 애정의 구애에) 귀찮은 사람. ④ 건방진[무례한·뻔뻔스런] 사람(mosca).

moscona *f.* 염치없는[뻔뻔스런·낯가

죽이 두꺼운] 여자.
mosconear *tr.* 괴롭히다, 귀찮게 굴다, 애먹이다. —*intr.* 귀찮게 조르다, 귀찮게 늘어붙다, 귀찮게 물고늘어지다.
mosconeo *m.* 괴롭힘, 귀찮게 함.
moscorra *f. P.Vasco.* =**embriaguez.**
moscovita *adj.* ① 모스크바(Moscú, 옛 소련의 수도; 러시아어 이름은 Moskva) 태생의. ② 모스크바의[에 관한]. ③ 모스코비아(Moscovia, 황제 체제 때의 옛 공작령) 태생의. ④ 모스코비아의[에 관한]. —*mf.* ① 모스크바 사람. ② 모스코비아 사람. —*f.* [광물] 백운모.
moscovítico, ca *adj.* 모스크바 사람[풍]의[에 관한].
mosén *m.* ① 법사(法師) ((옛 아라곤 왕국에서 성직자에게 주었던 칭호)). ② 경(卿) ((옛 아라곤 왕국에서 제이 계급의 귀족들에게 주었던 칭호)).
mosolina *f.* rur. *Cantb.* 독주(毒酒).
mosqueado, da *adj.* 반점(pintas)이 있는, 물방울 무늬가 있는.
mosqueador *m.* ① 파리 쫓는 도구 ((부채의 일종)). ② (말·소의) 꼬리.
mosquear *tr.* ① 파리를 쫓다. ② 퉁명스레 대답하다. ③ [드묾] 때리다, 두들기다(azotear, vapulear). **~se** ① (자기 몸의) 파리를 쫓다. ② (다른 사람의 말에) 분개하다, 원한을 품다. ③ (방해가 되는 것을) 쫓아 버리다.
mosqueo *m.* 퉁명스런 대답; 분개; 두들겨 패기.
mosquerío *m.* 파리 떼.
mosquero *m.* ① 파리 잡는 끈끈이, 파리채. ② *And.* 말이 파리를 쫓도록 머리에 다는 술장식. ③ *Amér.* 파리가 우글거리는 곳, 파리가 우글거림.
mosquerola *f.* =**pera mosquerola.**
mosqueruela *f.* =**pera mosquerola.**
mosqueta *f.* [식물] (가시가 많고 줄기가 휘어지는) 장미. ¶ ~ ***silvestre*** ㉮ 들장미. ㉯ 들장미의 열매.
mosquetazo *m.* ① mosquete 발사. ② mosquete 발사로 입은 상처.
mosquete *m.* (옛날의) 화승총.
mosquetería *f.* ① 화승총병(兵) 부대. ② [집합] =**mosquetero** ②.
mosquetero *m.* ① 화승총병(兵). ② (옛날 노천 극장에서) 뜰 뒷편에서 서서 보는 관객.
mosquetón *m.* ① 스프링으로 여닫는 작은 고리. ② (일부 군부대에서 사용했던) 단총(短銃). ③ 소총보다 더 짧은 화기(火器).
mosquil *adj.* 파리의[에 관한]. —*m.* 말들이 파리에서 도망쳐 가는 장소.
mosquillón *m.* [고어] 무식한 체하는 사람[남자].
mosquino, na *adj.* [드묾] =**mosquil.**
mosquita *f.* [새] 굴뚝새(curruca)와 매우 비슷한 새. ¶ ~ ***muerta*** =**mosca muerta.** ☞**mosca.**
mosquitera *f.* 모기장(mosquitero).
mosquitero *m.* ① 모기장. ② (모기가 들어오지 못하도록 창문[문]에 끼는) 금속 망 테. ③ *Salv.* 수많은 모기떼.
mosquito *m.* ① [곤충] 모기: Me han picado los ~*s* 나는 모기에 물렸다. ② 모기 아목(亞目)의 쌍시류 곤충. ③ 메뚜기의 유충. ④ [드묾] 술집에 자주 드나드는 남자.
mostacera *f.* (식탁에 놓는) 겨자 그릇, 겨자통.
mostacero *m.* =**mostacera.**
mostacho *m.* ① 콧수염(bigote). ② 얼굴에 난 반점. ③ [선박] 가로 돛줄.
mostachón *m.* 아몬드 빵.
mostachoso, sa *adj.* 콧수염을 기른.
mostacilla *f.* ① (사냥용) 겨자씨 크기의 산탄. ② 유리 구슬, 유리알. ③ 아주 작은 물건. ④ (구두 수선공이 구두의 굽을 바닥에 고정하기 위해 사용하는) 징.
mostagán *m.* [구어] =**vino.**
mostajo *m.* =**mostellar.**
mostaza *f.* ① [식물] 겨자, 갓. ② 겨자씨. ③ 겨자씨로 만든 소스. ④ 겨자씨 크기의 산탄(mostacilla). ¶***gas*** ~ 전쟁 무기로 사용하는 누르스름한 색의 독가스. ~ ***blanca*** [식물] 흰 겨자. ~ ***negra*** [식물] =**mostaza.** ***hacer la*** ~ [드묾] (소년들이 주먹질을 해) 서로 코피나게 하다. ***subírsele*** a alguien ***la*** ~ ***a las narices*** 화내다, 성내다, 노하다.
mostazal *m.* 겨자밭, 갓밭.
mostazo *m.* 강하고 진득진득한 포도즙. =**mostaza.**
moste *interj.* =**moxte.**
mostear *intr.* ① 포도즙을 증류하다[여과하다]. ② 포도즙을 통에 넣다. ③ 포도즙을 묵은 포도주에 섞다.
mostela *f.* 단, 묶음, 다발(haz, gavilla).
mostelera *f.* mostela 보관 장소.
mostellar *m.* [식물] 장미과 나무 ((꽃이 하얗고 가구류 만드는 데 쓰임)).
mostén *adj.* =**mostense.**
mostense *adj., mf.* 승려회 의원(의), 교단 회원(의).
mostillo *m.* ① 포도즙에 회향풀이나 계피나 정자향나무를 넣어 삶아 굳힌 덩어리. ② =**mosto agustín.** ③ 포도즙과 겨자로 만든 소스.
mosto *m.* ① (포도를 발효하여 포도주를 만들기 전에) 포도를 짠 즙, 포도즙. ② [고어] 사탕수수 즙의 냄새가 고약한 찌꺼기[무거리]. ¶ ~ ***agustín*** 여러 가지 과실을 첨가해 밀가루와 질이 좋은 향료를 넣은 포도즙 케이크, 과실 케이크. ***desliar el*** ~ 포도의 무거리에서 포도즙을 분리하다.
mostrable *adj.* 보일[나타낼] 수 있는.
mostración *f.* 보이기, 나타내기.
mostrado, da *adj.* 만들어진, 보이는, 나타내는; 익힌, 익숙한, 손에 익은.
mostrador, ra *adj.* 보이는, 나타내는; 지시하는. —*mf.* 보이는 사람, 나타내는 사람, 지시자. —*m.* ① (가게에서 물건을 내놓는) 진열대. ② (바·카페테리아 등에서 고객이 주문한 것을 내놓는) 스탠드, 카운터, 계산대. ③ [드묾] 시계 문자반(esfera de reloj).

mostranza *f.* [고어] =**mostración.**

mostrar (24) *tr.* ① 보이다, 보이게 놓다, 보이도록 하다, 보여 주다, 제시하다: ~ *su* carné al policía 경찰관에게 신분증을 보이다[제시하다]. ② (감정 등을) 나타내다: ~ valor 용기를 보이다. ~ liberalidad 대범스러운 면을 드러내다[보이다]. ~**se** ① 모습을 보이다[나타내다]: ~*se* en público 대중[관중·청중] 앞에 나타나다[모습을 보이다]. ② [+형용사·명사] (…인 듯이) 행동하다, 굴다, 처신하다, 행동을 하다[취하다], (태도 등을) 보이다: ~*se* liberal 대범스레 행동하다. ~*se* amigo 친구답게 처신하다.

mostrenco, ca *adj.* ① 집도 절도 없는. ② 소유주 불명의: bienes ~*s* 소유주 불명의 재산. ③ 우둔한, 멍청한. ④ 뚱뚱하고 아둔한. —*m.f.* ① 집도 절도 없는 사람. ② 우둔한 사람. ③ 아주 뚱뚱한 사람.

mota *f.* ① (실·천의) 마디. ② (옷에 붙은) 실의 부스러기; (다른 곳에 묻은) 아주 작은 파편[오물]. ③ 둥그스름한[아주 작은] 얼룩[무늬·반점]. ④ 조그마한 흠[결함]. ⑤ (하수도[도랑]에서 물을 막는) 흙덩어리. ⑥ (자연적이거나 인위적이거나 평원에 솟은) 작은 언덕. ⑦ (물을 멈추게 하는) 흙언덕. ⑧ 짧고 곱슬곱슬한 머릿단, (흑인의) 곱슬머리(pasa). ⑨ *Guat., Méj., Salv., CRica.* =**mariguana.** ⑩ *Cuba.* 화장품처럼 사용되는 분말용 분첩.

mote¹ *m.* ① 별명: poner ~ a *alguien* …에게 별명을 붙이다. ② (옛날 기사들이 사용한) 표장(標章), 휘장. ③ 표어, 신조, 좌우명, 모토.

mote² *m.* ① 껍질째 삶은 옥수수 ((주로 중앙 아메리카 지역에서 식사로 사용)). ② *Chile.* (껍질을 벗겨 삶은 뒤에 빻은) 밀 요리[후식]. ③ *Chile, Perú.* (말이나 글에서) 잘못, 실수. ¶ ~ ***pillo*** *Ecuad.* 모떼 삐요 ((삶은 옥수수·달걀·양파·소금·치즈를 넣고 프라이팬에 익힌 요리)).

mote³ *m.* ① *Chile.* 미끼로 사용되는 잔 물고기. ② *Chile.* 해군 사관 학교의 1학년 생도.

motear *tr.* (피륙에) 얼룩 무늬를 넣다.

motejador, ra *adj., m.f.* 별명을 붙여 비난하는 (사람).

motejar *tr.* (…의 행동에) 별명을 붙여 비난하다.

motejo *m.* 별명을 붙여 비난하기.

motel *m. ing.* 모텔.

motero¹, ra *adj.* ① *Bol., Chile.* 밀 요리(mote)를 파는. ② *Bol., Chile.* 밀 요리를 좋아하는. ③ *Chile.* 밀 요리의[에 관한]. —*f. Ecuad.* 밀 요리를 만들어 파는 여자. —*m.f. Bol., Chile.* 밀 요리 장수.

motero², ra *adj., m.f.* 오토바이에 심취한 (사람).

motero³, ra *adj., m.f. Chile.* (말할 때나 글쓸 때) 잘못[오류·실수]을 범하는 (사람).

motero⁴, ra *adj. CRica., Guat., Méj., Salv.* 마리화나를 피우는 (사람). —*f. Cuba.* =**polvera.**

motete¹ *m.* ① 모테트 ((성경을 가사로 한 무반주 성악곡)). ② =**apodo, bal- dón, denuesto.**

motete² *m.* ① *AmérC., Ant.* 옷 꾸러미, 다발. ② *Pan., PRico., RDom.* (시골 사람들이 등에 지는 덩굴풀로 짠) 커다란 바구니.

motil *m.* [드묾] 농장에서 심부름하는 소년, 농부를 돕는 소년.

motilar *tr.* ① 머리카락을 자르다, 머리를 깎다. ② 머리를 박박 깎다, 까까머리로 만들다.

motilidad *f.* [생리] (자동) 운동성, 고유 운동성, 능동성, 자동력(自動力).

motilón, na *adj.* ① (머리 둘레를 투구 모양으로 머리카락을 자른, 꼴롬비아와 베네수엘라의 국경을 따라 있는) 모띨로네스 산맥의 원주 부족(原住部族)의, 모띨로네스 원주민의: indio ~ 모띨레스 인디오. ② [드묾] 머리가 거의 없는, 까까머리의. —*m.f.* 모띨레스 원주 부족 사람, 모띨레스 인디오. —*m.* =**lego, donado.**

motilona *f.* (수도원의) 일하는 수도녀.

motín *m.* 폭동, 반란, 소동: ~ a bordo 선내(船內) 반란. el ~ de Aranjuez 아랑후에스의 폭동[반란].

motivación *f.* ① 이유[동기] 설명. ② =**motivo.** ③ [심리] 동기 부여. ④ 학습 의욕 유발.

motivador, ra *adj.* 동기를 부여하는, 구실을 주는; 의욕을 유발시키는.

motivar *tr.* ① …에 동기[이유]를 주다[부여하다], 구실을 주다. ② …의 동기[이유]가 되다. ③ …의 이유[동기]를 설명하다. ④ 의욕[흥미]을 야기시키다[느끼게 하다], 분발하게 하다.

motivo, va *adj.* ① 움직이는, 기동(起動)의, 원동력이 되는; 운동의[에 관한]: causa ~*va* 동인(動因). ② 동기의[가 되는]. —*m.* ① 동기, 동인, 자극, 이유, 목적, 진의, 구실: por ~*s* de salud 건강상의 이유로. ser ~ de risa 웃음거리가 되다. ¿Cuál es el ~ de viaje? 여행의 목적은 무엇입니까? ② (예술의) 모티프. ③ (문학 작품의) 테마, 주제: variaciones sobre un ~ de una conocida ópera 유명한 오페라를 주제로 한 변주곡. ¶***de su ~ propio*** …의 자유 의지에 의한 결정[의도]으로, 자진해서: *de mi ~ propio* 내 자유 의지로, 내가 자진해서.

moto¹ *m.* =**hito, mojón.**

moto² *f.* =**motocicleta.**

moto³, ta *adj. Hond., Nic.* (사람·동물이) 아버지[어머니·부모]가 없는, 어미가 없는, 고아(孤兒)가 된. —*m.f.*

Hond., Nic. 아버지가 없는 아이, 어머니가 없는 아이, 부모님 없는 고아.
moto- *pref.* 「모터로 움직이는·동력(動力)의(movido por motor)」의 뜻: *moto*cicleta 오토바이.
motobomba *m.* 소방차.
motocarro *m.* 삼륜 트럭.
motocicleta *f.* 오토바이.
motociclismo *m.* 오토바이 경기.
motociclista *adj.* 오토바이의[에 관한]. —*mf.* 오토바이 운전자.
motociclo *m.* 자동 이륜차.
motocross *m.* 모터크로스 ((오토바이의 야외 횡단 경주)).
motocultivo *m.* 기계화 농업.
motocultor *m.* (소형) 경운기.
motolita *f.* [새] 할미새.
motolito, ta *adj., mf.* =**necio, bobalicón, poco avisado.** ¶***vivir*** alguien ***de*** ~ 기식(寄食)하다, 남에게 얻어먹고 살다, 빌붙어 살다.
motón *m.* [선박] 도르래(garrucha).
motonáutico, ca *adj.* 모터보트 레이스[경주]의. —*f.* ① 모터보트 경주[레이스]. ② 제트 스키 ((보트 위에 엔진과 핸들을 장치하여 바다 위를 질주하는 스포츠)).
motonave *f.* (디젤 엔진이 부착된) 모터보트(nave con motor).
motoneta *f. AmérM.* 스쿠터.
motonieve *f.* 설상차(雪上車).
motoniveladora *f.* 불도저.
motopesquero *m.* 동력 어선.
motor, ra *adj.* [여성형 motriz도 있음] ① 움직이게 하는, 움직이는, 발동(發動)의, 원동(력)의: fuerza ~*ra* 원동력, 추진력. freno ~ 엔진 브레이크. ② 발동기의, 원동기의, 자동차(용)의, 자동차에 의한. ③ [해부] 운동 근육의, 운동 신경의, 운동의: músculo ~ 운동 근육. nervios ~*es* 운동 신경. —*m.* ① 모터, 엔진: ~ eléctrico 전동기. ~ término 열기관. barco a ~ 모터보트. ② 원동력: ~ impulsor 추진력. —*f.* 모터보트(lancha ~*ra*). ¶***el primer*** ~ 신(神), 하느님. ~ ***de arranque*** 내연 기관의 보조 전동기. ~ ***de explosión*** 내연 기관. ~ ***de reacción*** 제트 엔진. ~ ***fuera borda,*** ~ ***fuera bordo,*** ~ ***fuera de borda,*** ~ ***fuera de bordo*** 배 밖에 설치된 엔진.
motorbote *m.* 모터보트(motora).
motorismo *m.* 자동차 경주, 자동차 레이스; (특히) 오토바이 경주.
motorista *mf.* ① 오토바이 운전자. ② 자동차 경주[레이스]를 좋아하는 사람. ③ 오토바이 경찰관(~ de policía). ④ *AmérM.* (자동차의) 운전수.
motorístico, ca *adj.* 자동차 경주의, 오토바이 경주의.
motorización *f.* 기계화, 동력[기동]화.
motorizado, da *mf. Ven.* 오토바이 운전자. —*f. Cuba.* (자동차로 거리를 순찰하는) 기동 경찰대, 경찰 순찰대.
motorizar (9) *tr.* ① 기계화하다: tropa *motorizada* 기계화 부대. ② (기계·차에) 모터[엔진]를 장비하다[달다], 동력 설비를 하다. ③ (농업을) 동력화하다. ④ …에 차를 갖추어 놓다.
motosegadora *f.* 잔디 깎는 전동기계.
motosierra *f.* 전동톱.
motoso[1]**, sa** *adj.* ① *Arg., Col., Par., Ecuad., Perú, Ur.* =**motudo.** ② Bol. (칼·연장이) 날이 무딘, 끝이 뭉툭한: cuchillo ~ 날이 무딘 칼. ③ *Salv.* 습관적으로 마리화나를 피우는. —*mf. Arg., Ecuad., Par., Perú, Ur., Col.* 곱슬머리, 고수머리. —*m. Col.* 짧은 잠.
motoso[2]**, sa** *adj.* 실수로 말하는.
mototaxi *m. Perú.* (짧은 거리에서 사람을 실어 나르는) 지붕 있는 삼륜 오토바이.
motovelero *m.* 보조 추진 모터 부착 범선.
motricidad *f.* ① [생리] 운동 기능; (운동 때의) 기관 기능. ② 동력(動力).
motril *m.* ① [드묾] 가게에서 일하는 소년. ② [드묾] 농장에서 일하는 소년, 농부를 도와 일하는 소년.
motriz *adj.* [motor의 여성형] 움직이게 하는, 움직이는, 발동의, 원동(력)의: causa ~ 동인(動因). fuerza ~ 원동력, 추진력(fuerza motor).
motudo, da *adj.* ① *Arg., Chile, Par., Perú, Ur.* (머리카락이) 곱슬곱슬한. ② *Arg., Chile, Par., Perú, Ur.* 곱슬곱슬한 머리카락을 가진. —*mf. Arg., Chile, Par., Perú, Ur.* 곱슬머리, 고수머리.
motu proprio *adv. lat.* 자발적으로, 자신의 의지로. —*m.* 「자유 의지로」라 쓰인 교황의 친서[왕의 증서].
mousse *f. fr.* [요리] 무스 ((디저트나 앙트르메로 쓰이는, 크림과 달걀 흰자위를 저어 약한 불에 굳힌 것)).
movedizo, za *adj.* ① 움직이기 쉬운, 이동 가능한, 이동성의, 가동(可動)한, 가동성의: paneles ~*s* 이동 가능한 패널. ② 불안정한. ③ 많이 움직이는 (동물). ④ 계속[자주] 움직이는[흔들리는]. ⑤ 마음[생각]이 변하기 쉬운, (아이가) 가만히 있지 않는. ¶***arenas ~zas*** 유사(流砂), 표사(漂砂). ***Piedra ~za nunca moho cobija*** (속담) 구르는 돌에는 이끼가 끼지 않는다.
movedor, ra *adj.* 움직이는. —*mf.* 움직이는 사람, 선동자.
mover (25) *tr.* ① 움직이다, 위치를 옮기다, 이동시키다: El vapor *mueve* la turbina 증기는 터빈을 움직인다. *He movido* de sitio el jarrón 나는 꽃병의 위치를 옮겼다. ② (물건이나 어떤 몸의 일부를) 흔들다: ~ la cabeza 머리를 흔들다. ③ …의 마음을 움직이다. ④ [+a] (…에게) 마음을 움직이게 하다, …하게 하다, 불러일으키다, 야기시키다, 유발하다: ~ *a* compasión 동정심이 일게 하다. ~ *a*

lágrimas 눈물을 흘리게 하다. ~ a piedad 동정심[자비심]을 일으키다. ~ *a* risa 웃음을 자아내게 하다. ⑤ 바꾸다, 동요시키다, 감동시키다. ⑥ (전쟁·호기심 등을) 일으키다, 시작하다: ~ guerra 전쟁을 일으키다. ~ discordia 불화를 일으키다. ⑦ (사태를) 진전시키다. ⑧ [장기] (말을) 옮기다, 이동시키다. —*intr.* ① (식물이) 봄에 싹트기 시작하다. ② [건축] 아치[둥근 지붕]를 시작하다. ③ [장기] 말을 움직이다. ④ (떠날·물러날) 용의가 있다. ~**se** ① 움직이다, 흔들리다. ② 노력하다, 여러 가지로 애쓰다, 바쁘게 뛰어다니다. ③ [주로 명령형에서] 서두르다: *¡Muévete!* (tú에게) 서둘러라. ④ (어떤 환경 아래에서) 붙임성이 있다, 잘 하고 있다. ⑤ [+por] (…에) 마음이 움직이다: *~se por* el dinero 돈에 마음이 움직이다. ⑥ (바다가) 거칠어지기 시작하다. ⑦ (바람이) 강해지다.

movible *adj.* ① 움직일 수 있는, 이동할 수 있는, 가동(可動)의, 가동성의: cuerpo ~ 움직일 수 있는. ② 변하기 쉬운, 변덕스러운, 불안정한: carácter ~ 변덕스러운 성격. ③ (축제·기념일 등이) 해마다 날짜가 바뀌는: fiesta ~ 해마다 날짜가 바뀌는 축제일.

moción *f.* ① 움직이기. ② [속어] (태아의) 유산(流産).

movido, da *adj.* ① 바쁜, 분주한, 눈코 뜰 사이 없는: He tenido un día muy ~ 눈코 뜰 사이 없는 하루였다. ② (뜻밖의 일로) 지나간, 발전한: El viaje fue muy ~ 여행은 눈 깜짝할 사이에 지나갔다. ③ (모임이) 활발한 [결렬한·열띤] 토론(討論)이 있는: sesión *~da* 활발한 토론이 있는 회의. ④ *AmérC.* 박막(薄膜)의 (달걀). ⑤ *Chile.* 도움을 얻기 위해 이리저리 뛰어 다니는 친지를 많이 가진. ⑥ *Cuba, Guat.* 병약한. ⑦ *Cuba.* (과실·야채가) 제철이 아닌. ⑧ 움직인, 사로잡힌, 끌린: ~ de [por] piedad 동정심에 끌린. —*mf. Méj.* 불륜 관계를 가진 사람. —*m.* (태아의) 유산(流産). —*f.* ① [집합] 싹. ② (주로 미심쩍은) 사건, 상황. ③ 흥청거림, 떠들썩함, 떠들썩한 술자리. ④ (사건에 의한) 소동, 소란, 혼란. ⑤ *CRica, Guat., Salv.* =**maquinación.** ⑥ *Hond.* 증뢰(贈賂)(soborno). ⑦ *Méj.* 부도덕한 행위. ¶***estar*** alguien ***en*** *~ Col., Guat., Hond., Méj., Ven.* 권력의 주변에 있다, 일이 일어나는 곳에서 가깝다. ***hacer*** alguien ***una*** ~ 옳지 못한[부당한] 방법으로 취득하다 [획득하다·입수하다]. ***tener*** **[*traer*]** alguien *~**da** Guat., Méj.* 여자와 계획을 가지다.

movidoso, sa *adj. Hond.* (돈·지위·특권을 얻기 위해) 불법을 행하는.

moviente *adj.* 움직이는.

móvil *adj.* ① 움직일 수 있는, 스스로 움직이는, 이동성의, 가동성(可動性)의, 기동성 있는: biblioteca ~ 이동 도서관. ② 안정성이 없는, 불안정한, 영구성이 없는, 변하기 쉬운: precio ~ 불안정한 가격. —*m.* ① 동기, 이유: ~ oculto 숨겨진 동기. ② 원동력. ③ 인지(印紙), 증지. ④ 휴대 전화기. ⑤ [미술] 모빌 ((움직이는 조각)). ¶ ***telefonía*** ~ 이동[휴대] 전화 시스템. ***teléfono*** ~ 휴대 전화기. ***timbre*** ~ 인지, 증지(證紙).

movilidad *f.* ① 이동성, 운동성, 가동성, 움직이기[옮기기] 쉬움, 기동력, 기동성: ~ del trabajo 노동력의 이동성. perder la ~ de ambas piernas 양다리가 움직이지 않게 되다. ② 변하기 쉬움. ③ *Bol., Perú.* 차량. ④ *Perú.* 여행 비용, 여행에 필요한 돈.

movilización *f.* 동원(動員): ~ general 총동원. ~ industrial 산업 동원.

movilizar (9) *tr.* ① (군대 등을) 동원하다; (산업·자원 등을) 전시 체제로 하다. ② (군인을) 소집하다: ~ los reservistas 예비역을 소집하다. ③ (지지·힘 등을) 결집하다: ~ todas *sus* influencias 모든 영향력을 결집하다. ~**se** 동원되다; 소집되다.

movimiento *m.* ① (물체의) 움직임, 운동, 활동: ~ de olas 파도의 움직임. ~ de tierras, ~ sísmico 지진(地震). ② (몸의) 움직임, 동작, 몸짓: ser torpe en *sus* ~*s* 동작이 둔하다. ③ (감정의) 움직임; 동요, 충동: ~ del ánimo 마음의 동요. ④ 변동, 변화: ~ de una cuenta corriente 당좌 예금의 변동[움직임]. ⑤ 이동; 왕래: ~ de capital 자본의 이동. ~ de la población 인구 이동. ~ del personal 인사 이동. ⑥ (사회적·예술적인) 운동: ~ laboral. 노동 운동. ~ literario 문학 운동. ~ político 정치 운동. ⑦ 반란, 봉기, 모반, 반역. ⑧ [주로 *sing.*] (작품 등의) 기세, 기운, 활기. ⑨ [음악] (교향곡의) 악장: p^{er} ~ 제1 악장. ⑩ [음악] 율동, 박자, 템포. ⑪ [미술] (그림·조각 등의) 움직임, 동적 효과. ⑫ [군사] 기동, 전개. ⑬ [건축] 비뚤어짐, 어긋남. ⑭ [식물] 운동. ¶ ~ ***acelerado*** [기계] 가속 운동. ~ ***continuo*** [물리] 영구 운동. ~ ***de traslación*** [천문] 천체의 운행. ~ ***diurno*** [천문] 일주(一周) 운동. ~ ***perpetuo*** =**movimiento continuo.** ~ ***primario*** =**movimieno diurno.** ~ ***propio*** [천문] 천체의 자전(自轉). ~ ***radial*** [천문] 반경 방향 운동. ~ ***retardado*** [기계] 감속 운동. ~ ***retrógrado*** [천문] 역행 운동. ~ ***uniforme*** [기계] 등속 운동. ***primer*** ~ 처음 느꼈던 생각, 충동

moviola *f.* ① [영화·텔레비전] 영화 편집기. ② [영화·텔레비전] (영화 필름 편집용) 영사 장치.

moxa *f.* ① [의학] 뜸쑥, 약쑥. ② [의학] (뜸쑥으로 피부에 행하는) 뜸, 뜸

질(cauterización).
moxibustión *f.* 뜸 요법(療法).
moxte *interj.* 귀찮아!, 비켜! ((거절하거나 쫓아 버릴 때)).
moyana *f.* (개들에게 자주 주는) 밀기울 빵.
moyuelo *m.* 밀기울.
moza *f.* ☞mozo².
mozalbete *m.* 나이어린 소년, 십대.
mozalbillo *m.* =mozalbete.
mozallón, na *m.f.* 젊고 다부진 사람.
mozambiqueño, ña *adj.* ① 모잠비크(Mozambique, 아프리카 남동부의 공화국; 수도 Maputo) 태생의. ② 모잠비크의. —*m.f.* 모잠비크 사람.
mozancón, na *m.f.* 키가 크고 건장한 젊은이.
mozárabe *adj.* ① 모사라베의[에 관한]. ② 모사라베 건축의: arte ~ 모사라베 건축 예술. —*m.f.* 모사라베 ((8세기에서 15세기까지 국토 회복 운동 시대에 이슬람교도 지배 하에 스페인에서 개종하지 않고 섞여 살면서 신앙을 지킨 기독교도)).
mozarabía *f.* 도시[지방]의 모사라베 사람.
mozarabismo *m.* ① 모사라베의 특유한 언어 특성. ② 모사라베 예술의 전형적인 예술적 요소. ③ [집합] mozarabía의 사회 문화적 특성.
mozartiano, na *adj.* ① 모차르트(Wolfgang Amadeus Mozart, 오스트리아의 작곡가, 1756-91)의[에 관한]: Las canciones ~*nas* 모차르트의 곡들. ② 모차르트의 작품의, 모차르트의 작품에 관한. ③ 오스트리아 음악의 특징적인. ④ 모차르트의 작품의 특징적인: una sonata muy ~*na* 매우 모차르트적인 소나타.
mozcorra *f.* [드묾] =prostituta.
mozo¹ *m.* [동물] 고양이(gato).
mozo², za *adj.* ① 어린. ② 독신의, 미혼의. ③ 음탕한. —*m.f.* ① 젊은이, 청년, 어린 사람, 십대: guapo ~ 잘생긴 청년[소년]. guapa *moza* 잘생긴 처녀[소녀]. ② 독신자, 미혼자. —*m.* ① (집이나 공공 장소에서) 천하고 힘든 일에 종사하는 남자: ~ de almacén 창고지기. ~ de carga (시장 등의) 짐 부리는 인부. ~ de estación 역의 짐꾼. ~ de estoques 주 투우사인 matador에 딸린 사람. ~ de labranza 농장 노동자. ② 종업원, 웨이터: ~ de café 카페 종업원. ~ de comedor 식당 종업원. ~ de cocina 주방 종업원. ③ 입대해서 병적에 오를 때까지 군복무 신체 검사를 받는 장정. ④ =**cuelgacapas.** ⑤ =**tentemozo.** ⑥ 풀무의 지레를 돌리는 받침. ⑦ [은어] =**garabato.** —*f.* ① 천하고 힘든 일에 종사하는 여자. ② (카페·식당 등의) 여자 종업원, 웨이트리스. ③ 빨랫방망이. ④ (프라이팬을 단단히 고정시키는) 삼발이 쇠. ⑤ (카드에서) 마지막 한 수. ⑥ [드묾] 정부(情婦), 첩. ¶***moza de cámara*** (집안에서 허드렛일과 아가씨의 방을 돌보는 일을 하는) 가정부, 하녀. ***moza de cántaro*** 물을 긷고 허들렛일을 하는 하녀. ***moza de fortuna, moza del partido*** =prostituta. ~ ***de caballos*** 말을 돌보는 하인, 마구간 담당 하인. ~ ***de campo y plaza*** 들일과 집안일을 동시에 하는 하인. ~ ***de cordel*** =mozo de cuerda. ~ ***de cuadra*** =mozo de caballos. ~ ***de cuerda*** 막일꾼[막노동자]. ~ ***de escuadra*** 까딸루냐의 경찰관. ~ ***de espuela*** 주인의 말 앞에서 걸어가는 하인. ~ ***de esquina*** =mozo de cuerda. ~ ***de mulas*** ㉮ 마차 끄는 노새 담당 하인. ㉯ =mozo de espuela, espolique. ~ ***de oficio*** ㉮ (궁에서) 집안일이나 말을 돌보기 시작한 사람. ㉯ (사무실에서) 사무 기기 담당자. ~ ***de paja y cebada*** (주막에서) 손님의 가축 먹이 담당 소년. ***Mozos de Escuadra*** 까딸루냐의 경찰대. ***buen ~, buena moza m.f.*** 훤칠한 키에 외모가 수려한 사람.
M.S. manuscrito 원고, 사본(寫本).
mstr. muestra 견본(見本).
mozuelo, la *m.f.* =chico, muchacho. ¶ ~ ***de la primera tijera*** 막 청년기에 접어든 사람.
mozzarella *f. it.* 모차렐라 ((아주 신선하게 먹는 주로 들소 젖으로 만든 이탈리아산 치즈)).
mu *interj.* 음매 ((소 우는 소리의 소리흉내말)). —*m.* =**mugido.** ¶***no decir ni ~*** 아무 말도 하지 않다, 조용히 있다, 침묵으로 일관하고 있다.
muaré *m.* 파도 무늬 질긴 천[옷감].
muble *m. Cantb.* =**mújol.**
muca *f. Perú.* =**zarigüeya.**
mucamo, ma *m.f.* ① *Arg., Bol., Chile, Cuba, Par., Ur.* =**criado.** ② *Arg., Bol.* (호텔·병원에서) 청소부, 청소 담당자.
muceta *f.* (고위 성직자들의) 가운.
muchacha *f.* ☞**muchacho.**
muchachada *f.* ① 소년다운 행동. ② [집합] 소년들.
muchachear *intr.* 소년다운 짓을 하다.
muchachería *f.* =**muchachada.**
muchachero, ra *adj. Méj., Nic.* 젊은이들과 이야기하고 어울리기를 좋아하는.
muchachez *f.* 소년다움.
muchachil *adj.* 소년들의, 소년다운.
muchacho, cha *m.f.* ① 청년, 젊은이 ((때때로 30세까지 사용함)). ② 소년, 소녀 ((주로 18세까지; 사춘기에 이르지 않은 아이)). ③ 젖먹이, 젖을 먹는 어린이. ④ 하인으로 일하는 소년, 심부름꾼. —*adj.* 청년(기)의.
muchedumbre *f.* ① 군중. ② 붐빔, 혼잡함: Hay una ~ en los almacenes 백화점은 인파로 붐빈다. ③ 다수, 많음: una ~ de libros 많은 책들.

muchedubroso, sa *adj.* [드묾] 엄청나게 많은.
muchilero *m. Col.* =**oropéndola.**
muchín *m Ecuad.* 꿀에 묻혀 빵아서 튀긴 유카(yuca).
mucho, cha *adj.* ① 많은, 풍부한, 다량의, 숱한: Aquí se bebe ~ vino 이곳에서는 많은 포도주를 마신다[포도주를 많이 마신다]. En España e Italia hay ~*s* turistas 스페인과 이탈리아에는 관광객이 많다. ② [정도] 엄청난, 대단한, 큰, 훌륭한, 멋진: Hace ~ calor 대단한 더위다, 날씨가 무척 덥다. —*adv.* ① 많이; 무척, 대단히, 몹시: beber ~ 많이 마시다. comer ~ 많이 먹다. correr ~ 빨리 달리다. trabajar ~ 열심히[많이] 일하다. ② [다른 부사와 함께] 훨씬: ~ antes 훨씬 전에. ~ después 훨씬 뒤에. ③ [부정문에서] 그다지[별로] … (아니다): Ella no estudia ~ 그녀는 그다지[별로] 공부하지 않는다. ④ 오래, 오랫동안: esperar ~ 오래 기다리다. quedarse ~ 오래 머물다. ⑤ [드묾] 예, 그렇다, 그렇습니다(sí), 확실하다: ¿Ha visto usted la comedia nueva? —*Mucho* 새 코미디를 보셨습니까? —예. ⑥ [비교급과 함께] 훨씬: ~ más 훨씬 많이. ~ menos 훨씬 적게. ~ mejor 훨씬 좋게. ~ peor 훨씬 나쁘게. —*pron.* [부정 대명사] 많은 사람[물건]: *Muchos* quieren ser [hacerse] ricos 많은 사람이 부자가 되기를 원한다. ¶***con (mucho) gusto*** 기꺼이 (그렇게 하겠다). ***~ que sí*** [드묾] 예. ***ni con ~*** 훨씬, 크게. ***ni ~ menos*** 정반대다. ***por ~ que + subj.*** 아무리 … 하더라도. ***Mucho gusto*** ㉮ [초면에 인사할 때] 처음 뵙겠습니다, 반갑습니다. ㉯ [헤어질 때] (만나 뵙게 되어) 반가웠습니다.
mucilaginoso, sa *adj.* 끈적끈적한, 점액질의, 점착성의.
mucilago *m.* =**mucílago.**
mucílago *m.* (식물성의) 점착물, 점액.
muco, ca *adj.* ① *Salv.* 뿔이 없는 (동물). ② [경멸] =**nicaragüense.** ③ *Hond.* (사람이) 손가락 하나[여러 개]가 없는. ④ *Hond.* (피부가 검푸르고, 주둥이가 매우 강한) 어두운 밤색 싸움닭(gallo de pelea)의.
muco- *pref.* 「점액」의 뜻: *muco*lítico 점액 용해성의.
mucolítico, ca *adj.* 점액 용해성의.
mucosa *f.* ☞mucoso.
mucosidad *f.* 끈적끈적함, 점액, 점성(粘性), 점액성(粘液性).
mucositis *f.* [의학] 점막염(粘膜炎).
mucoso, sa *adj.* ① 끈적끈적한, 점액의, 점액성의. ② 점액을 분비하는: membrana ~*sa* [해부] 점막. —*f.* [해부] 점막: ~*sas* nasales 코 점막.
mucronato, ta *adj.* ① 끝이 뾰족한, 돌기가 있는. ② [해부] 검상의. —*m.* [해부] 검상 돌기(劍狀突起).
múcura *f. Col., Cuba, Ven.* (물을 담아 두기 위한) 질항아리. —*adj.* ① *Col.* 둔한, 멍청한(tonto). ② *Col.* 서툰, 미숙한(inhábil).
muda *f.* ① 변경, 바꾸기, 교환. ② [집합] 옷, (특히, 바꿔 입을) 속옷. ③ (새의) 털갈이 시기. ④ (새의) 털갈이. ⑤ (뱀 등의) 탈피(脫皮), 허물 벗기. ⑥ (사냥한 새들의 털을 뽑기 위해) 새를 가두는 방. ⑦ 새의 둥지. ⑧ 변성기: estar de ~ 변성기다, 변성기에 있다. ⑨ *Ur.* 옮겨 심기 위해 모판[묘상]에서 뽑는 식물. ⑩ [드묾] 얼굴 화장. ¶***estar en*** ~ (대화에서) 너무 침묵을 지키다, 잠자코 있다.
mudable *adj.* 변하기 쉬운, 아주 쉽게 변하는: carácter ~ 쉽게 변하는 성격. tiempo ~ 변하기 쉬운 날씨.
mudada *f.* ① *And., Amér.* 이사. ② *Nic., Salv.* =**traje.** ③ 뱀 무리의 겉껍질[외피]. ④ *Nic.* 옷 바꿔입기.
mudadizo, za *adj.* =**inconstante, mudable.**
mudamente *adv.* 잠자코, 아무 말 없이, 입을 꼭 다물고.
mudanza *f.* ① 변화, 변동, 변경, 바꾸기. ② 이사, 이전, 옮기기: ~ de casa 이사, 이전. camión de ~*s* 이삿짐 운반 트럭. carro de ~*s* 이삿짐 운반차. casa [agencia] de ~*s* 이삿짐 센터. hacer la ~ 이사하다. ③ 변덕, 변심. ④ (춤·발레에서) 일련의 동작, 피겨. ⑤ 털갈이; 허물벗기, 탈피 (muda). ¶***deshacer la*** ~ (댄스에서) 이미 했던 모든 동작을 반대로 하다. ***hacer ~(s)*** 행동을 이랬다저랬다하다, 무정견하게 행동하다, 애정 문제에 변덕이 심하다.
mudar¹ *m.* [식물] (인도의) 후추과 상록 덩굴식물 ((겉은 껍질이 붉고, 속은 희며, 뿌리의 즙은 구토제와 항독제로 사용함)).
mudar² *tr.* ① (성격·상태·모양·장소 등을) 바꾸다: ~ la cara 안색을 바꾸다, 안색이 변하다. ~ el oficio 직업을 바꾸다. ② (전에 가졌던 것을 두고 그 자리에 다른 것을) 바꾸다, 교환하다, 갈다: ~ la cama 침대의 시트를 교환하다. ~ casa 집을 바꾸다, ~ vestido 옷을 갈아입다, 딴 옷으로 바꾸어 입다. ③ 전임시키다, 전속시키다, 이동시키다: ~ a *alguien* a otra sección …를 다른 과(課)로 전속시키다. Le *mudaron* de oficina 그는 전근되었다. ④ (새가) 털갈이하다: ~ las plumas 털을 갈다, 털갈이를 하다. ⑤ (누에·뱀 등이) 허물을 벗다, 탈피(脫皮)하다: ~ la piel 겉껍질을 벗다, 허물을 벗다. ⑥ (어린이가) 변성하다. ⑦ 옷을 갈아입히다. —*intr.* 변하다, 변경하다, 바꾸다, 바뀌다: ~ de asiento 다른 자리로 옮기다, 자리를 바꾸다. ~ de casa 이사하다. ~ de domicilio 이전하다, 주소를 옮기다. ~ de gusto 취미가 바뀌다. ~ de hoja 새 잎으로 바뀌다. ~ de idea, ~ de dictamen 생각이 바뀌다. ~ de pluma 털갈이하다. ~ de piel 허물을 벗다, 탈피하다. ~**se** ① [+en] (…로) 바뀌다, 변하다. ② 옷을 갈아입다. ③ 이사하다, 이전하다, 이동하다: *~se de* casa 이사하다. *~se* a un piso más grande 더 큰 아파트[맨션]로 이사하다. ④ 변성되다. ⑤ (있었던 장소에서) 떠나다. ⑥ [드묾] 똥을 누다, 대변을 보다.

mudéjar *adj.* ① 무데하르의[에 관한]. ② [건축] 무데하르식의: arquitectura ~ 무데하르 양식 건축. arte ~ 무데하르 예술. estilo arquitectónico ~ 무데하르 건축 양식. —*mf.* 무데하르 ((7세기부터 15세기까지 국토 회복 운동 때 기독교도의 지배 아래 있게 된 지역에 거주했던 이슬람교도)).

mudez *f.* ① 입의 부자유스러움, 말을 할 수 없음. ② 무언, 침묵.

mudo, da *adj.* ① 말 못하는, 벙어리의, 말할 능력이 없는. ② (습관적·순간적으로) 말이 없는, 입을 다문, 조용한, 무언의: ~ como un muerto [una tumba] 꾹 침묵을 지킨, 송장처럼 조용한. quedarse ~ de asombro 놀라 소리가 나오지 않다. ③ [천문] 황도 십이궁 중 거해궁·전갈궁·쌍어궁의. ④ [음성학] 폐색(閉塞)의. ⑤ [언어] 소리가 없는, 무음의: letra *muda* 무음 문자 ((예 hombre에서 *h*, que에서 *u*)). ⑥ *Ecuad.* =**tonto.** —*mf.* ① 벙어리. ② 바보, 얼간이, 멍청이(tonto). ¶*cine* ~ 무성 영화. ***mapa*** ~ 백지도. ***perro*** ~ [동물] 곰의 일종. ***a la muda*** =**a la sorda.** ***hacer*** algo ***hablar a los ~s*** 엄청나서 놀라게[감탄케] 하다.

mue *m.* [드묾] =**muaré.**

mué *m.* [드묾] =**muaré.**

muebda *f.* [드묾] =**movimiento.**

mueblaje *m.* =**mobiliario.**

mueblar *tr.* =**amueblar.**

mueble *adj.* (유산·재산·자산을) 옮길 수 있는, 움직일 수 있는, 가동(可動)의, 동산(動産)의: los bienes *~s* 동산. —*m.* (움직일 수 있는) 가구, 세간, 가장 집물, 비품: ~ bar (이동식 식당의 벽 쪽에 비치된) 찬장, 식기대. ~ cama 접는 침대. *~s* de cocina 주방 용품. habitación con *~s* de alquiler 가구가 비치된 셋방.

mueblería *f.* ① 가구 공장. ② 가구점.

mueblista *mf.* ① 가구상. ② 가구 제작자. —*adj.* 가구 제조의.

mueca *f.* 익살맞은 얼굴, 괘사스러운 얼굴, 찡그린 얼굴, 찌푸린 얼굴, 우거지상: hacer *~s* 찡그린 얼굴을 하다, 익살맞은 얼굴로 보다. hacer una ~ de dolor 통증으로[아파서] 얼굴을 찡그리다.

muecín *m.* (이슬람교 사원의) 기도 시간을 알리는 이슬람교도.

muela *f.* ① 맷돌: girar la ~ 맷돌을 돌리다. ② 둥그런[회전식] 숫돌. ③ 어금니: ~ postiza 틀니, 의치(義齒). Tengo dolor de *~s* / Me duelen las *~s* 나는 어금니가 아프다. ④ 가파르고 꼭대기가 반반한 언덕. ⑤ 인공 동산. ⑥ =**almorta, guija, tito.** ⑦ 물레방아를 돌리기에 충분한 물의 양. ⑧ =**rueda, corro.** ⑨ *Cuba.* 절족 동물의 다리 관절. ⑩ *Salv.* 무용지물, 무용한 사람, 쓸모없는 사람. ⑪ *Salv.* 게으름뱅이. ⑫ *Salv.* 무능한[미숙한] 사람. ¶~ ***cordial*** =**muela del juicio.** ~ ***de dados*** [집합] 주사위 아홉 짝[쌍]. ~ ***del juicio*** 사랑니, 지치(智齒). ***~s de gallo*** 어금니가 없는 사람, 이가 없는 사람, 이가 나쁜 사람. ***echar las ~s*** 격노해 있다, 무척 화나 있다. ***haberle salido*** a alguien ***la ~ del juicio*** (행동에) 신중하다, 신중에 신중을 기하다.

muelar *m.* 흰완두(almorta)밭.

muellaje *m.* 부두 사용료, 부두 사용세금, 입항세, 정박료.

muelle[1] *adj.* ① 부드러운, 연한, 말랑말랑한. ② 포근한. ③ 쾌적한, 안락한: llevar una vida ~ 안락한 생활을 하다[보내다]. ④ 성적 쾌락에 빠진. —*m.* ① 용수철, 스프링. ② 태엽. ③ 여인들이 옆구리에 차고 다니는 메달 장식. ④ *pl.* 큰 집게. ¶***colchón de ~s*** 스프링(이 들어 있는) 침대용 요[메트리스]. ***sombrero de ~s*** 오페라 해트 ((접을 수 있는 실크 해트)). ~ ***real*** ㉮ 시계의 중심 태엽. ㉯ 화기의 방아쇠 내부 부품. ***flojo, ja de ~s*** 대변이나 소변을 참지 못하는[아무 데나 갈기는] (사람·동물).

muelle[2] *m.* ① 잔교(棧橋), 선창, 부두: en el ~ [상업] 부두도(埠頭渡). ② (철도역의 화물용) 플랫폼.

muellemente *adv.* 부드럽게, 연하게, 말랑말랑하게.

muelo *m.* (탈곡 후 탈곡장에 모아둔 원추형 곡식 더미.

muenda *f. Col.* 구타, 매질, 두들겨패기.

muer *m.* [드묾] =**muaré.**

muera[1] *f.* 부엌의 소금.

muera[2] ☞**morir (58).**

mueran ☞**morir (58).**

mueras ☞**morir (58).**

muerda ☞**morder (25).**

muérdago *m.* [식물] 기생목(寄生木).

muerdan ☞**morder (25).**

muerdas ☞**morder (25).**

muerde ☞**morder (25).**

muerden ☞**morder (25).**

muerdes ☞**morder (25).**

muerdo[1] *m.* ① 적은 양의 음식. ② 이로 떼어낸 조각. ③ 물어뜯기, 깨물기. ④ (식사의) 한입 분량(bocado).

muerdo[2] ☞**morder (25).**

muere ☞**morir (58).**

mueren ☞morir (58).
mueres ☞morir (58).
muérgano *m.* ① *Col.* 쓸모없는 물건, 고물, 잡동사니. ② *Ecuad.* 촌스럽고 거친 사람. —*adj. Ecuad.* 촌스럽고 거친(zafio y grosero).
muergo *m.* [조개] 긴맛(navaja).
muermo *m.* ① 싫증나고 지루한 사람[물건]. ② 지루하고 혼미한 상태. ③ 마약으로 인한 졸음[불안]. ④ [수의학] (말의) 악성 전염성 병.
muermoso, sa *adj.* [드묾] (말이) 악성 전염성 병을 가진.
muero ☞morir (58).
muerte *f.* ① 죽음, 사망: ~ dulce 고통 없는 죽음. ~ por exceso de trabajo 과로사. ~ súbita 급사, 돌연사. estar entre la vida y la ~ 생사경(生死境)을 헤매다. ser una cuestión de vida o ~ 사활 문제다. ② (폭력에 의한) 살해, 살인: hacer una ~ 죽이다, 살해하다. ③ 사신(死神). ④ 파국, 파멸, 종언(終焉), 멸망: ~ de un amor 애정[사랑]의 파국. ~ de un imperio 제국의 멸망. ¶ ~ ***a mano airada*** 고의적 살해. ~ ***cerebral*** 뇌사. ~ ***chiquita*** 경련, 경기. ~ ***civil*** 공권 박탈. ~ ***natural*** 자연사. ~ ***senil*** (병이나 사고가 아닌) 노쇠사. ~ ***violenta*** (살인·사고에 의한) 변사(變死), 비명횡사. ***a*** ~ ㉮ *adv.* 사형으로. ㉯ *adj.* 필사적인, 사생 결단의. ㉰ *adv.* 필사적으로, 죽을 때까지. ㉱ *adv.* 몹시 격렬히, 무자비하게, 인정사정 없이, 잔인하게, 난폭하게. ***a ~ o a vida*** 죽느냐 사느냐의. ***dar*** ~ 죽이다. ***de mala*** ~ 하찮은, 별 가치 없는, 쓸모없는. ***de*** ~ ㉮ *adj.* 매우 강한, 강력한. ㉯ *adj.* 몹시 매료하는. ㉰ *adv.* [드묾] =a muerte ㉰. ***estar a la*** ~ 죽을 긴박한 위험에 처해 있다, 죽음의 문턱에 있다, 죽음 직전에 있다. ***hasta la*** ~ 목숨을 걸고, 죽을지라도, 죽을 때까지, 생명을 바쳐, 언제까지나. ***luchar con la*** ~ 빈사 상태에 빠지다, 단말마의 상태에 있다. ***ser*** algo o alguien ***una*** ~ 고통스럽다, 괴롭다, 무거운 짐이다, 부담이다. ***tomarse*** alguien ***la*** ~ ***por*** su ***mano*** 자살하다. ***volver de la*** ~ ***a la vida*** 중병에서 회복되다.
muertero, ra *mf. Méj.* 장례 담당자, 시신 준비 담당자.
muerto, ta *adj.* ① 죽은: cuerpo ~ 사체, 죽은 몸뚱이. medio ~ 반죽은. nacido ~ 사산(死産)의. nacer ~ 사산하다. ② (식물이) 시든, 마른: árbol ~ 시든 나무, 죽은 나무. ③ 물에 가라앉은 (석회· 석고). ④ 생기가 없는, 죽은 것 같은, 활동하지 않는, 한적한: ciudad ~*ta* 한적한 도시, 죽은 듯한 도시. ⑤ (색이) 생기가 없는, 광택이 없는, 죽은: color ~ 광택이[생기가] 없는 색, 죽은 색. ⑥ 매우 지친, 피로한, 녹초가 된, 노그라진. ⑦ [과장] [+de] …로 죽을 정도의, …로 죽을 것 같은: estar ~ *de* sed 목말라 죽을 정도다[죽을 것 같다]. Estoy ~ *de* risa 나는 우스워 죽겠다. ⑧ (사람이) 살해된. —*mf.* 사망자, 고인. —*m* ① (카드놀이에서) 자기 패를 까놓고, 게임은 상대방에게 맡기는 사람. ② 진절머리 나는 일, 불유쾌한 일, 마음이 내키지 않는 일, 귀찮은 일, 성가신 일. ③ (도덕적인) 책임. ④ [고어] *And.* 타격, 구타. ¶***contar*** a alguien ***con los*** ~***s*** ㉮ (누구에게) 무관심하다. ㉯ (누구를) 완전히 무시하다[업신여기다·홀대하다]. ㉰ (누구를) 잊어 버리다, 죽은 사람으로 간주하다. ***dar*** a alguien ***un*** ~ [은어] (놀음에서, 누구를) 속임수로 이기다. ***desenterrar los*** ~***s*** ㉮ 고인의 험담을 하다. ㉯ 묵은 상처를 건드리다, 예전의 잘못과 흠을 들추어내다. ***echarle*** a alguien ***el*** ~ (누구의) 탓으로 돌리다. ***estar*** ~ ***por*** alguien o algo (누구·무엇을) 죽도록[몹시] 사랑하다; (누구·무엇을) 몹시 탐내다[원하다]. ***hacer el*** ~ 수면에 위를 보고 뜨다[떠 있다]. ***hacerse*** alguien ***el*** ~ (모르고 지나가도록) 죽은 체하다, 가만히 있다, 움직이지 않고 있다. ***más*** ~ ***que vivo*** (너무나 놀라) 살아있는 사람 같지 않은, 사색이 된: estar [quedarse] *más* ~ *que vivo* (너무 놀라) 사색이 되다. ***ni*** ~ ***ni vivo*** (아무리 찾아도) 아무 데도 (… 아니다). ***ser un*** ~ ***de hambre*** [경멸] 인색한 사람이다.
muesca *f.* ① 장붓구멍. ② 표적으로 소의 귀에 내는 반원형의 칼자국.
muescar (7) *tr.* 소의 귀에 반원형의 칼자국을 내다.
mueso[1] *m.* ① (음식의) 한입 분량. ② 음식의 적은 양. ③ 잇자국. ④ 입으로 쪼갠 조각. ⑤ 말의 입에 들어가는 재갈의 부분.
mueso[2] ***cordero*** ~ 아주 작은 귀를 가지고 태어난 새끼 양.
muestra *f.* ① (상품 등의) 견본, 샘플: ~ comercial 상품 견본. piso de ~ 모델 아파트. mandar las ~*s* 견본[샘플]을 보내다. ② (습자·수예 등의) 글씨본, 그림본, 수본(繡本): ~ del punto 편물 수본. ③ 소량(少量), 조금. ④ (가게 입구의) 간판. ⑤ 증거, 증명. ⑥ (감정 등의) 표현, 발로, 나타냄, 드러냄: hacer un regalo como una ~ de cariño 애정 표현으로 선물을 하다. ⑦ (시계의) 문자반(esfera). ⑧ [농업] 열리기 시작한 과일: Hay mucha ~ de uva [de fruta] 포도[과실]가 많이 열리기 시작하고 있다. ⑨ [사냥] 사냥개가 사냥감을 발견하고 서 있음. ⑩ 행동, 거동, 태도. ⑪ (검사용의) 시료(試料). ⑫ [통계] 표본, 샘플. ⑬ (메이커의 이름 등을 넣는) 천의 귀[가·가장자리·끝], 옷단. ⑭ 전시회. ⑮ [군대] 열병. ¶***feria de*** ~***s*** 견본시, 견본시장. ***dar*** ~***s de*** algo …을 나타내다. ***hacer*** ~ 나타내다, 표시하다, 밝히다,

분명히 하다. *pasar* ~ ㉮ 정밀 검사를 하다. ㉯ [군사] 사열하다.
muestrario *m.* (상품의) 견본, 견본집, 견본책, 견본 컬렉션: ~ de colores 색 견본집. ~ de telas 옷감 견본 컬렉션.
muestreo *m.* [통계] 샘플링, 표본[견본] 추출(법); 추출 견본: ~ al azar 임의 추출 견본, 임의[무작위] 추출법. método de ~ 추출법.
mueva ☞mover (25).
muevan ☞mover (25).
muevas ☞mover (25).
mueve ☞mover (25).
muévedo *m.* 사산아(死産兒).
mueven ☞mover (25).
mueves ☞mover (25).
muevo ☞mover (25).
MUFACE *f.* Mutualidad General de Funcionarios Civiles del Estado 국가 공무원 공제 조합.
mufa *f.* ① *Arg., Ur.* 습한 곰팡이[얼룩]. ② *Arg., Ur.* (귀찮게 하는 것에 대한) 노함, 기분 상함.
mufla *f.* (가마 안의) 중간 가열실.
muflir *tr.* [은어] 정신 없이 먹다.
muftí *m.* 회교도 법관.
muga[1] *f.* =**mojón, término, límite.**
muga[2] *f.* ① 물고기의 산란. ② (물고기 · 양서류 동물의) 알 수정.
mugada *f.* 산란의 흔적.
mugar *intr.* ① (물고기가) 산란하다 (desovar). ② (물고기 · 양서류 동물이) 알을 수정하다.
mugido *m.* 소의 울음 소리.
mugidor, ra *adj.* 소가 우는.
múgil *m.* =**mújol.**
mugir (4) *intr.* ① 소가 울다. ② (바람 · 바다가) 노호(怒號)하다. ③ (사람이) 화나 소리소리 지르다.
mugle *m. Cantb.* =**mújol.**
mugor *m.* =**moho, mugre.**
mugre *f.* 때, 기름 때: piel llena de ~ 기름 때투성이의 피부. ¶***sacar la*** ~ a alguien *Perú.* (누구를) 때리다. ***sacarse*** alguien ***la*** ~ ㉮. *Perú.* 심하게 다치다. ㉯ *Perú.* 무척 노력하다[애쓰다](esforzarse mucho).
mugrería *f.* ① *Bol., Chile, Perú.* = **mugre.** ② *Chile.* 기름 때가 많이 낀 곳.
mugrerío *m. Chile.* =**mugre.**
mugriento, ta *adj.* 기름 때투성이의, 기름 때로 범벅이 된(lleno de mugre).
mugrón *m.* ① 휘묻이한 가지. ② 새싹.
mugroso, sa *adj.* =**mugriento.**
muguete *m.* [식물] 은방울꽃.
muharra *f.* =**moharra.**
mui *f.* [은어] 혀, 입. ¶***achantar la*** ~ [은어] 잠자코 있다, 침묵하다. ***darle a la*** ~ [은어] 말을 많이 하다.
muimuy *m. Perú.* [동물] 무이무이 ((손톱 모양의 회색 등껍질을 가진 길이가 3센티미터에서 5센티미터인 먹을 수 있는 갑각류 동물; 암초의 모래 밑에서 서식함)).
muiñeira *f.* =**muñeira.**
muir *tr.* rur. *Ar.* =**ordeñar.**
muisca *adj., m.f.* =**chibcha.**
mujada *f.* =**mojada**[2].
mujalata *f.* (모로코에서 주로 이슬람교도 한 사람과 기독교인이나 유대인으로 구성된) 농업 조합.
mujer *f.* ① 여자, 여성: ~ orquesta (일도 가사도 해치우는) 초인적인 여성. ~ policía 여자 경찰관. ~ taxista 여성 택시 기사. ~ trabajadora 여성 노동자, 여성 일꾼. vestido de ~*es* 부인복, 여성복. ② 사춘기의 여성. ③ 성년[성인]이 된 여자. ④ [주로 *Esp.*] 아내, 처(妻)(esposa): mi futura ~ 내 아내가 될 사람. tomar a *alguien* por ~ …를 아내로 맞이하다. —*interj.* [여성에 대해 부를 때나 달래는 듯한 표현을 할 때, 혹은 놀람을 나타낼 때] 자, 애; 아이고; 여보: ¡*Mujer*, no llores tanto! 자, 그만 울어라!, 애, 그렇게 울지 마라! ¡*Mujer*, qué susto me has dado! 아이고, 깜짝이야! ¡*Mujer*, no te enfades! 자, 화내지 마라!, 여보, 화내지 말아요! ¶~ ***de campo*** 자주 사냥이나 농사일을 하는 여자. ~ ***de digo y hago*** 강하고, 과단성이 있고, 대담한 여자. ~ ***de gobierno*** (전에 집안일을 했던) 하녀, 가정부. ~ ***del arte*** =**prostituta.** ~ ***de letras*** 여류 문학가[문학인 · 문학자]. ~ ***del partido***, ~ ***de punto*** = **prostituta.** ~ ***de la limpieza*** 청소부. ~ ***de su casa*** 가사를 좋아하는 여자. ~ ***mundana*** =**prostituta.** ~ ***objeto*** 특히 아름다움이나 성적 매력으로만 가치가 있는 여성. ~ ***perdida***, ~ ***pública*** =**prostituta.** ***pobre*** ~ ㉮ 재능이 별로 없는 여자. ㉯ 능력도 힘도 결단력도 없는 여자. ***buena*** ~ [시골에서, 모르는 여자를 부르거나 말을 걸 때] 여보세요, 아가씨, 아주머니. ***de*** ~ ***a*** ~ ㉮ 성실하게, 진지하게. ㉯ (여자끼리) 대등한 입장에서, 대등하게. ***hacerse una*** ~ ㉮ 성숙하고 행동에 책임질 나이가 되다. ㉯ =**ser mujer.** ***ser mucha*** ~ 정직과 성실과 능력면에서 훌륭하다, 여러 가지 면에서 흠잡을 데가 없다, 완벽하다. ***ser*** ~ una niña adolescente (청소년기에 있는 소녀가) 첫 월경을 가졌다. ***ser toda una*** ~ 용기와 굳은 의지와 도덕적인 힘을 갖추고 있다. ***tomar*** ~ un hombre (남자가) 결혼하다.
mujercilla *f.* ① 시시한 여자, 별 볼일 없는 여자. ② [드묾] =**prostituta.**
mujerear *intr. CRica.* (남자가) 여자라면 사족을 못 쓰다, 여자를 좋아하다.
mujerero *adj. Amér.* (남자가) 여자라면 사족을 못 쓰는, 여자를 좋아하는.
mujeriego, ga *adj.* ① 여자의[에 관한]. ② 여자다운. ③ 계집이라면 사족을 못 쓰는, 여자를 좋아하는. —*m.* ① 계집이라면 사족을 못 쓰는 사내, 엽색꾼, 호색가. ② 여자들의 그룹. ③ [집합]

여자들. ¶*a la ~ga, a ~gas* 다리를 모아 옆으로 하고 (편히) 앉아.
mujeril *adj.* ① 여자의[에 관한]: trabajos *~es* 여자의 일. ② 여자다운, 여성적인: habladurías *~es* 여성다운 수다(스러움).
mujerilmente *adv.* 여자답게.
mujerío *m.* [집합] 여자들(mujeres).
mujerona *f.* ① 키가 크고 살찐 여자, 몸집이 큰 여자. ② 억센 여자, 남자 같은 여자. ③ 존경할 만한 부인.
mujer-rana *f.* 여성 다이버.
mujerzuela *f.* ① 시시한 여자, 별 볼일 없는 여자. ② =**prostituta.**
mújol *m.* [어류] 숭어.
mula[1] *f.* ① [동물] 암노새 ((수당나귀와 암말, 암당나귀와 수말의 잡종)). ② *Arg., Ur.* 거짓말. ③ *Cuba.* 남자 동성애자. ④ *Ecuad.* [속어] 소량의 마약 밀매자. ¶*~ cabañil* 마구간의 노새. *~ de paso* 타는 노새. *hacer la ~* 게으름뱅이가 되다. *en la ~ de San Francisco* 걸어서, 도보로. *írsele* a alguien *la ~* (누가) 하고 싶지 않은 말을 하다, 무심코[깜박] 입을 잘못 놀리다.
mula[2] *f.* ① =**múleo.** ② (오늘날 교황들이 사용하는 múleo 비슷한) 신발.
mulada *f.* 노새의 무리, 노새 떼.
muladar *m.* ① 대변 버리는 곳, 집안의 쓰레기 버리는 곳, 쓰레기통. ② (물질적·정신적인) 오염, 더러움.
muladí *adj.* 물라디의, 이슬람교로 개종한 스페인 사람 기독교도의. *—mf.* 물라디 ((스페인에서 아랍인의 통치 기간 동안 이슬람교로 개종해 이슬람교도들과 함께 살았던 스페인 사람 기독교도)).
mular *adj.* 노새의[에 관한].
mulata *f.* ☞**mulato.**
mulatear *intr. Chile.* (과실이 익을 때) 검게 되기[까맣게 익기] 시작하다.
mulatero *m.* ① 노새 빌려 주는 사람. ② 노새 돌보는 담당자.
mulatizar (9) *intr.* 가무잡잡한 색깔을 가지다[하다].
mulato, ta *adj.* ① (사람이) 흑인 여자와 백인 남자 사이에서 태어난, 흑인 남자와 백인 여자 사이에서 태어난. ② (색이) 가무잡잡한, 황갈색의. ③ 혈통이 가무잡잡한. *—mf.* ① 물라토 ((백인 남자와 흑인 여자 사이에서 혹은 흑인 남자와 백인 여자 사이에서 태어난 사람)). ② [고어] =**muleto.** *—m. Amér.* (암흑색의) 은광석(銀鑛石). *—f.* [동물] 다리가 열 개인 갑각류 동물.
mule *m. Cantb.* =**mújol.**
múleo *m.* (고대 로마의 귀족들이 신었던) 끝이 뾰족한 신발.
muléolo *m.* =**múleo.**
muleque *m. Cuba.* (일곱 살부터 열 살까지였던) 아프리카의 노예.
mulero, ra *mf. Arg., Ur.* 거짓말쟁이. *—m.* 노새 모는 사람.
muleta *f.* ① 목다리, 목발, 협장(脇杖): andar con *~s* 목다리를 짚고 걷다. ② 물레따 ((투우 경기에서 투우사가 소를 놀릴 때 사용하는 막대기에 감은 소형의 붉은 천)): pasar de *~* al toro 소를 물레따로 다루다. ③ [주로 *pl.*] 받침, 버팀, 지주(支柱), 기둥.
muletada *f.* 노새의 무리, 노새 떼.
muletazo *m.* 물레따 놀림[다루기].
muletear *tr.* (소를) 물레따로 다루다. *—intr.* 소를 물레따로 다루다.
muleteo *m.* 소를 물레따로 다루기.
muletero[1] *m.* 노새 빌려 주는 사람.
muletero[2] *m.* 물레따를 잘 다루는 투우사.
muletilla *f.* ① (투우용) 물레따(muleta). ② 습관으로 많이 반복해서 사용하는 말. ③ (방한 코트 등에 사용하는) 막대 모양의 장식 단추. ④ 지팡이의 일종. ⑤ 막대기 끝의 가로대. ⑥ [광산] 십자형 대가리가 있는 못.
muletillero, ra *mf.* 말을 습관으로 많이 반복해서 사용하는 사람.
muleto *m.* (몇 살 먹지 않았거나 길들이지 않은) 어린 수노새.
muletón *m.* 두껍고 우단처럼 부드러운 면[양모] 옷감[천].
mulilla *f.* =**múleo.**
mulillas *f.pl.* 투우장에서 죽은 소와 말을 끄는 노새의 가죽 끈.
mulita *adj.* rur. *Arg.* 힘이 없는, 겁이 없는. *—f. Arg.* [동물] 작은 아르마딜로 ((야행성 포유동물)).
mulito *m. Méj.* [새] =**pavo.**
mullida *f.* (가축의 잠자리를 위해 우리에 늘 있는) 땔나무·골풀·짚 등의 더미, 깔 짚.
mullido *m.* (방석·이불·의자 등을 채우는 데 사용하는 부드러운 물건.
mullidor, ra *adj., mf.* ① 부풀리는 (사람). ② 땅을 파는 (사람). ③ 이면 공작을 하는 (사람).
mullir (50) *tr.* ① 부드럽게 하기 위해 부풀리다, 부드럽게 하다: *~* la lana de un colchón 요의 털을 다시 타다. ② (땅을 부풀리면서, 감자 등의) 그루터기 주위를 파다[갈다]: *~* la tierra 땅을 부드럽게 파다. ③ [드묾] (의도한 것을 얻기 위해) 이면 공작을 하다.
mullo[1] *m.* =**salmonete.**
mullo[2] *m.* ① *Ecuad.* 염주알. ② *Ecuad.* (목걸이에 끼는) 구슬.
mulo *m.* ① [동물] 수노새. ② 건장한 [강건한] 사람. ¶*ser* alguien *un ~ de carga* 고된 일을 맡고 있다.
mulso, sa *adj.* 꿀이나 설탕과 섞인.
multa *f.* ① 벌금: pagar una *~* 벌금을 내다. ② 벌금형. ③ 교통 위반 딱지.
multar *tr.* …에게 벌금을 물리다[부과하다], 교통 위반 딱지[스티커]를 떼다.
multi- *pref.*「많은·다(多)·여러」의 뜻: *multi*millonario 억만장자.
multiacceso *adj.* [컴퓨터] 멀티액세스의, 동시 공동 이용의.
multiarea *f.* [컴퓨터] 다기능.
multicanal *adj.* [통신] 다중(多重) 채널

의, 다중 통화의.
multicapa *adj.* 다층(多層)의.
multicaule *adj.* (식물이) 많은 무리[떼]를 이루는.
multicelular *adj.* [생물] 다세포의.
multicine *m.* 멀티스크린 영화, 세 개 이상의 분할 스크린에 다른 화상을 비치는 영화.
multicolor *adj.* 다색(多色)의, 다채로운 배색(配色)의.
multicopiado *m.* (복사기로 하는) 복사.
multicopiar (11) *tr.* 복사기로 복사하다.
multicopista *adj.* 복사기로 복사하는. —*f.* 복사기.
multicultural *adj.* 다양한 문화의.
multiculturalismo *m.* 다양한 문화의 공존.
multidimensional *adj.* 다차원의.
multidireccional *adj.* 다각적(多角的)인.
multidisciplinar *adj.* =**multidisciplinario.**
multidisciplinario, ria *adj.* 많은 전문 분야에 미치는, 여러 전문 분야에 걸친, 여러 과학에 의한 협동적[종합적]인: estudio ~ 여러 전문 분야에 걸친 연구.
multifacético, ca *adj.* 많은 측면을 가진[지닌].
multifamiliar *adj.* 복수 가족의. —*mf.* 복수 가족(에 속하는 사람).
multifloro, ra *adj.* [식물] 꽃이 많은.
multifocal *adj.* 다초점(多焦點)의.
multiforme *adj.* 많은[여러 가지] 모양의, 여러 형태의, 다양한, 다방면의.
multifuncional *adj.* 다기능(多機能)의: (teléfono) móvil ~ *Arg., Col., Cuba, Salv., Ur., Ven.* 다기능 휴대 전화기.
multigrado, da *adj.* 여러 등급(等級)의: aceite ~ 여러 등급의 기름.
multígrafo *adj., m. Méj., Ven.* =**multicopista.**
multilaminar *adj.* *madera* ~ 합판.
multilateral *adj.* ① 다각적인, 다원적인, 다면적인. ② 다수 국가가 참여하는, 다국간의: acuerdo ~ 다국간 협정. cooperación ~ 다국간 협력.
multilaterizar (9) *tr.* 다각화[다면화]하다; 다국화(多國化)하다.
multilátero, ra *adj.* [기하] 네 변 이상의(de más de cuatro lados).
multilingüe *adj.* 여러 언어의, 여러 나라 말을 하는[로 쓰인].
multimedia *adj.* 여러 전달 매체[미디어]를 사용한. —*m.* 멀티미디어, 여러 전달 매체[미디어]를 사용한 커뮤니케이션[오락·예술].
multímetro *m.* 여러 전기의 강도를 재는 기구.
multimillonario, ria *adj.* ① 억만장자의, 큰 재산을 가진, 돈을 엄청나게 가진. ② 수백만에 달한. —*mf.* 억만장자.
multimodal *adj.* 복수 방식(複數方式)의: sistema de transporte ~ 복수 수송 수단으로 구성된 수송 시스템.
multinacional *adj.* 많은 나라의[에 관한], 많은 나라에 관계가 있는, 다국(간)의: empresa ~ 다국적 기업. —*f.* 다국적 기업.
multipantalla *adj., f.* 멀티스크린(의).
multípara *adj.* ① 한 번에 많은 자식[새끼]을 낳는, 다중산(多重産)의. ② [의학] (여자가) 한 번 이상 출산한(경험이 있는), 출산 경험이 있는. —*f.* 경산부, 출산 경험이 있는 여성.
multipartidario, ria *adj.* 다당(多黨)의.
multipartidista *adj.* 다당제의.
múltiple *adj.* ① 복식의, 복합적인: error ~ 복합 실수. ② [전기] (회로가) 병렬인, 다중의, 다극(多極)의, 복합의. ③ [식물] (과실이) 집합성의. ④ *pl.* 많은, 다수의, 여러 가지의, 가지각색의, 다양한: cuestiones ~*s* 다양한 질문. opiniones ~*s* 다양한 의견.
multiplicable *adj.* ① 증가할 수 있는, 증식 가능한, 배가 되는. ② [수학] 곱이 되는.
multiplicación *f.* ① 증가, 증식, 번식. ② [수학] 곱셈, 승법(乘法): tabla de ~ [수학] 구구표.
multiplicador, ra *adj.* ① 증가[증식·번식]시키는. ② [수학] 곱셈의. —*mf.* 증가[증식·번식]시키는 사람. —*m.* [수학] 곱수, 승수(乘數): ~ finito 유한 승수. ¶ ~ ***de inversión*** 투자 승수. ~ ***de ocupación*** 고용 승수.
multiplicando *m.* [수학] 곱하임수, 피승수 ((예 5×2=10에서의 5)).
multiplicar (7) *tr.* ① 증가시키다, 증대시키다: ~ los ingresos 수입을 증가시키다. ② [수학] 곱하다: ~ diez por nueve 10에 9를 곱하다 (10×9). ③ 증식시키다, 번식시키다; (자손을) 늘리다. ④ [기계] (톱니바퀴를 통해 회전식 도구의) 회전수를 늘리다. ~**se** ① 증가되다, 늘다, 증가되다. ② 번식되다. ③ =**afanarse, desvelarse.**
multiplicativo, va *adj.* ① 증가하는, 증식의; 증식력이 있는. ② [수학] 곱셈의. ③ [문법] 배수사의(múltiplo). —*m.* [문법] 배수사.
multíplice *adj.* =**vario, múltiple.**
multiplicidad *f.* ① 다양성: ~ de las leyes 법률의 다양성. ② 다수(多數).
multiplico *m.* [드묾] (특히, 가축의 번식에 의한) 증가, 배증(倍增).
múltiplo, pla *adj.* ① [문법] 배수(倍數)의: adjetivo numeral ~ 배수 형용사. ② [수학] 배수의: mínimo común ~ 최소 공배수. —*m.* [수학] 배수.
multipolar *adj.* ① [물리] 다극(多極)의: dínamo ~ 다극 직류 발전기. ② [생물] 많은 수지상 돌기(樹枝狀突起)가 있는 신경 세포의.
multiproceso *m.* [컴퓨터] 멀티프로세싱, 다중 처리(多重處理).
multiprogramación *f.* [컴퓨터] 멀티프로그래밍, 다중 프로그램 작성.
multipropiedad *f.* (휴가 시설 등, 교대로 이용하는) 공동 소유(물).
multirracial *adj.* 다민족의: nación ~

다민족 국가.

multitud *f.* ① (사람·물건의) 다수, 많은 수: ~ de 다수의. una ~ de libros 다수의 책, 많은 책. ② 군중, 많은 사람: aplausos de la ~ 군중의 갈채. ③ 대중, 서민(vulgo). ④ 수많음: tener ~ de ocupaciones 볼일이 많이 있다.

multitudinario, ria *adj.* ① 대중의; 다수의, 무수한, ② 여러 항목[요소]으로 이루어진.

multiuso *adj.* 다목적의, 다용도의.

multiusos *adj.* =multiuso.

multiusuario, ria *adj.* 멀티유서의, 다중 사용자의: sistema ~ 다중 사용자 제도.

multiválvulas *adj.* 여러 (원통) 밸브를 가진, 밸브가 많은.

multiviaje *adj.* 많은 여행의: billete ~ 정기권(定期券).

multivisión *f.* 멀티비전.

muncho, cha *adj.* [고어] [속어] 많은.

mundanal *adj.* 세속의[에 관한], 인간 세계의[에 관한]: huir (lejos) del ~ ruido 속진(俗塵)을 피하다.

mundanalidad *f.* 세속적인 것, 세속의 속된 것.

mundanamente *adv.* 세속적으로.

mundanear *intr.* [드묾] 세속적인 일에 너무 마음을 쓰다[관여하다].

mundanería *f.* ① 세속적인 것. ② 속된 행동, 세속적인 행동.

mundanidad *f.* ① 세속의 쾌락과 인습에 젖은 생활. ② 세속적인 것. ③ 세속적인 행동.

mundano, na *adj.* ① 세계의[에 관한]. ② 세속의, 속세의, 세속적인. ③ 사교의, 사교계의[에 관한]. ④ 사교 생활을 좋아하는, 사교계의 파티와 모임에 자주 가는. ¶***mujer ~na*** =**prostituta.**

mundial *adj.* ① 전세계의[에 관한], 세계적인: campeonato ~ 세계 선수권 대회. fama ~, reputación ~ 세계적인 명성. artista de fama ~ 세계적으로 명성이 있는 예술가. historia ~ 세계사(historia universal). organización ~ 세계적인 조직. población ~ 전세계의 인구. ② [고어] 세속의, 인간 세계의[에 관한]. *—m.* [운동] 세계 선수권 (대회).

mundialista *adj.* ① 세계 선수권 (대회)의[에 관한]. ② (운동 선수가) 세계 선수권 대회에 참가하는: un atleta ~ 세계 선수권 대회 참가 (육상) 선수. *—m.f.* 세계 선수권 대회 참가 선수.

mundialmente *adv.* 세계적으로: un músico ~ famoso 세계적으로 유명한 음악가. un producto conocido ~ 세계적으로 알려진 제품.

mundicia *f.* ① [드묾] 육체적 청결. ② [드묾] 도덕적 청결.

mundificación *f.* [드묾] 세정(洗淨), 청결, 순화, 정화.

mundificar (7) *tr.* 깨끗하게 하다, 맑게 하다, 세정하다, 순화시키다, 정화시키다. ~**se** 깨끗해지다, 맑아지다, 세정되다, 순화되다, 정화되다.

mundificativo, va *adj.* 세정(洗淨)의, 세정하는. *—m.* 세정제(洗淨劑).

mundillo *m.* ① …계(界), … 동아리: ~ comercial 업계. ~ financiero 금융계. ~ periodístico 신문업계, 신문 기자 동아리. ~ político 정계. ~ teatral 연극계, 연극 동아리. ② [수예] 수틀. ③ [식물] 인동 덩굴과 낙엽 교목.

mundinovi *m. lat. it.* =mundonuevo.

mundo *m.* ① 세계: mapa del ~ 세계지도. dar la vuelta al ~ 세계 일주를 하다. ② 천체. ③ 지구의(地球儀). ④ 천지, 우주, 만물. ⑤ 세계의 사람들, 세상 사람들, 세인; 인류, 인간. ⑥ 세상, 세간, (인간) 사회: ancho ~ 넓은 세상. el Redentor del ~ (인간 사회의) 구세주, 그리스도. burlarse del ~ 세상을 비웃다. salir al ~ 사회에 나가다[진출하다]. ⑦ 막대한 것, 광대한 것. ⑧ (어떤 특정의) 지역, 세계, …계: ~ animal 동물계. ~ árabe 아랍 세계. ~ capitalista 자본주의 세계. ~ espiritual 정신계. ~ externo 외계. ~ físico 물질계. ~ hispánico 스페인어권. ~ mineral 광물계. ~ vegetal 식물계. viejo ~ 구세계. ⑨ (활동·이익·목적을 같이 하는) …계, …세계, …사회: ~ científico 과학계. ~ literario 문학계, 문단. ~ de los negocios 실업계. ⑩ (인생·사회의) 경험. ⑪ 현세, 속세. ⑫ (금욕적·도덕적 의미에서, 기독교 교리에 의하면) 영혼의 적들 중의 하나. ⑬ 대형 트렁크(baúl ~). ⑭ [식물] 인동 덩굴과 낙엽 교목(喬木). ⑮ 인동 덩굴과 낙엽 교목의 꽃. ¶***Mundo Antiguo*** ㉮ 구세계 ((유럽, 아시아, 아프리카)). ㉯ (로마 제국의 멸망까지인 고대의 역사 기간 동안의) 인간 사회. ~ ***centrado*** [문장] 윗부분에 수평의 최대의 원과 수직의 반원으로 둘러싸이고, 존엄의 표시인 십자가가 위에 있는 구체(球體). ~ ***mayor*** =**macrocosmo.** ~ ***menor*** =**microcosmo.** ***gran*** ~ 상류 사회. ***el Nuevo Mundo*** 신세계 ((남북 아메리카)). ***el otro*** ~ 저 세상, 저승, 황천. ***Tercer Mundo*** 제3 세계 ((경제적·사회적으로 덜 발전한 나라들; 제2차 세계 대전 후, 아시아·아프리카·라틴 아메리카의 발전 도상국들을 총칭하여 일컫는 말)). ***este ~ y el otro*** 막대한 것, (돈이나 재산 및 이와 비슷한 다른 것의) 풍족. ***medio ~*** 많은 사람. ***todo el mundo*** ㉮ 전세계. ㉯ 모든 사람. ***un*** ~ 다수, 군중, 많음. ***otros ~s*** 지구 이외의 별, 상상으로 사람이 사는 천체들. ***andar el ~ al revés*** 엉망진창이다, 형편없다, 상식 밖이다. ***caérsele*** a alguien ***el ~ encima*** =**deprimirse.** ***correr ~*** 많은 나라를 여행하다. ***dar el ~ un estallido*** (사회적·정치적 등의) 큰 재난이 일어나다, 큰 재앙이 생기다. ***de ~*** 세상 물정에 익숙한. ***desde que el ~***

es ~ 천지개벽 이래, 호랑이 담배 먹을 적부터, 옛날옛적부터. *echar al* ~ ㉮ 낳다. ㉯ 세상에 내놓다, 새것을 생산하다. *echar del* ~ a alguien (…를) 사람들과 사귀지 못하게 하다, 교제를 못하게 사람들한테서 떼어놓다. *echarse al* ~ ㉮ 타락하여 방종한 생활에 몸을 던지다, 나쁜 습관과 쾌락에 빠지다, 신세를 망치다. ㉯ (여자가) 몸을 팔다, 성매매를 하다, 성매매 여성이 되다, 윤락을 하다. *entrar* alguien *en el* ~ 사교계에 데뷔하다[첫 발을 내디디다] *estar el* ~ *al revés* = andar el mundo al revés. *haber* ~ *nuevo* 새로운 일이 일어나다. *hacer* ~ *nuevo* 새로운 것을 도입하다[소개하다]. *hacer un* ~ *de* algo …을 중시하다, (어려움·장애를) 지나치게 중요시하다. *hacérsele* a alguien *un* ~ (…에게) 너무나 중시되다. *hundirse el* ~ 중대한 일이 일어나다, 대변혁이 있다. *hundírsele el* ~ a alguien (불운한 사건 앞에서) 소외감을 느끼다. *irse de este* ~ 죽다. *irse* alguien *por el* ~ *adelante* [*por esos* ~*s*] 온데간데없이 사라지다. *lejos de este* ~, *lejos del* ~ 속세에서 멀리, 속세를 떠나, 속진(俗塵)을 피해. *morir al* ~ (재산·쾌락을 포기하고) 세상과 인연을 끊다. *no ser* alguien *de este* ~ ㉮ 부처님 같은 사람이다, 완전히 속세에서 떠난 사람이다, 세상사[세상일]에 무관심하다. ㉯ 자비롭다, 자비심이 많다, 무척 다정하다. *no ser nada del otro* ~ 별 가치가 없다, 흔히 있는 것이다, 보통 있는 일이다, 평범하다. *por nada del* ~ [부정의 강조] 어떤 일이 있어도 (…이 아니다), 절대[결코] (…이 아니다). *¿qué* ~ *corre?* 요즘 어떠세요? *reírse* alguien *del* ~ 다른 사람들이 말하는 것을 무시하다[얕보다], 세상의 평판을 마음에 두지 않다, 세상을 비웃다. *rodar* ~, *rodar por el* ~ 여기저기 떠돌아다니다, 정처 없이 떠돌다 *salir* alguien *de este* ~ 죽다. *tener* ~, *tener mucho* ~ 세상 물정에 밝다, 경험이 풍부하다. *valer un* ~ 무척 가치가 있다, 매우 귀중하다. *venir* alguien *al* ~ (…가) 세상에 오다, 탄생하다, 낳다. *venírsele* a alguien *el* ~ *encima* = deprimirse. *ver* ~ 여러 지역과 다른 나라들을 여행하다.

mundología *f.* 처세술, 세상 물정.

mundonuevo *m.* 휴대용 요지경을 넣는 큰 상자.

munición *f.* ① [주로 *pl.*] 군수품. ② 탄약: ~ de fogueo 공포(空砲). ~ menuda 산탄(散彈). cajón de ~ 탄약 상자. disparar con ~ de fogueo 공포를 쏘다. ¶*municiones de boca* [군사] (사람과 말의 유지를 위한) 양식과 꼴. *municiones de guerra* [군사] 군수 물자, 군수품 ((공격용 및 방어용 무기, 화약, 탄환과 다른 군비품)). *de* ~ ㉮ 국가가 계약으로 군에 지급하는, 관급(官給)의: botas *de* ~ 군화(軍靴). pan *de* ~ 군용 빵, 군대 빵, ropa *de* ~ 군용 의류, 군복(軍服). ㉯ 벼락치기로 만든, 날림으로 만든, 날림 공사의: edificio *de* ~. 날림 건물.

municionamiento *m.* 군수품 보급.

municionar *tr.* (성·군·병사 등에게) 탄약[군수품·식량]을 공급하다[보급하다]: ~ un castillo 성에 탄약[군수품·식량]을 보급하다.

municionero, ra *m.f.* (성·군 등에) 탄약[군수품] 보급자[공급자].

municipal *adj.* 시(市)[읍](municipio)의[에 관한]; 자치 도시의, 시영(市營)의: 시립(市立)의, 시제(市制)의, 지방 자치의: administración ~ 시행정. consejo ~ 시의회. elecciones ~ 지방 선거. guardia ~ 시경찰. hospital ~ 시립 병원. impuestos ~es 지방세, 시세(市稅). mercado ~ 공설[시립] 시장. régimen ~ 시제(市制). —*m.* (시경찰의) 경찰관.

municipalidad *f.* ① 지방 자치 단체 ((시·읍 등)). ② 시[읍]당국. ③ *AmérM.* 시청.

municipalismo *m.* ① 지방 자치주의. ② 시정(市政) 연구론.

municipalista *adj.* ① 지방 자치주의의. ② 시정 연구론의[에 관한].

municipalización *f.* 시영화, 시유화.

municipalizar (9) *tr.* 시영화하다, 시유화하다: ~ la recogida de basuras 쓰레기 수집을 시영화하다[시유화하다].

munícipe *m.f.* ① (지방 자치 단체의) 주민. ② =consejal.

municipio *m.* ① (지방 자치 단체로서의) 시, 읍, 군, 면, 이(里). ② [집합] (시·읍·군·면의) 주민, 시민, 읍민, 군민, 면민. ③ 시청, 시청사; 시의회, 시의회 의사당. ④ 시당국. ⑤ 시역(市域), 시의 구역. ⑥ (고대 로마의) 자치시(自治市).

munificencia *f.* ① 관대함. ② (왕·고관의) 대범함.

munificente *adj.* 관대한; 대범한.

munífico, ca *adj.* =munificente.

muniqués, sa *adj.* ① 뮌헨(Munich, 독일의 도시) 태생의. ② 뮌헨의[에 관한]. —*m.f.* 뮌헨 사람.

munitoria *f.* 축성술, 축성학, 축성법.

munúsculo *m.* [드묾] 작고 하찮은 선물(regalo pequeño e insignificante).

muñeca *f.* ① 손목. ② [장난감] 여자 인형. ③ (여자 옷을 입힐) 마네킹. ④ (끝을 실로 묶어, 삶거나 적시는 액체와 섞여서는 안 되는 재료나 물질을 넣는) 작은 헝겊[천] 조각, 헝겊[천] 약주머니. ⑤ (목재와 쇠에 니스를 칠하거나 환자의 입을 시원하게 하거나 기타 다른 어떤 용도에도 쓰는) 액체를 흠뻑 적신 둥근 모양의 헝겊 묶음. ⑥ =hito, mojón. ⑦ 방정맞고 시건방진 젊은 아가씨, 주책바가지 아가씨. ⑧ *R. Plata, Bol., Perú.* (무엇을 얻기 위한) 능력, 솜씨, 재주, 재간, 영향력: tener ~ 재주[솜씨]가 있다. ¶*menear* alguien *las ~s* 부지런하고 노련하게 일하다. *meter la* ~ a alguien *Cuba.* (…를) 모질게 때리다. *ser* alguien ~ *quebrada Arg.* 말이나 행동이 여자 같다. *tener en la* ~ *Cuba.* 주먹에 가지고[지니고] 있다. *tener* alguien, especialmente un boxeador, *la* ~ *prohibida Cuba.* (누가, 특히 권투 선수가) 양쪽 주먹에 대단한 힘을 가지다, 주먹의 펀치력이 대단하다. *tener* alguien *la* ~ *quebrada Arg.* =ser muñeca prohibida. *tener* ~ ㉮ *Arg.* 다른 상황에 대처하기 위한 능력이 있다. ㉯ *RDom.* 튼튼한 손을 가지다.

muñeco *m.* ① 남자 인형. ② (목재·헝겊 등으로 만들어진) 남자의 모양, 허수아비. ③ 여자 같고 실속이 없는 젊은이. ④ 별로 개성이 없는 남자. ⑤ *Col.* [은어] (사람의) 시체, 주검. ¶*~ de nieve* 눈사람. *estar* alguien *con los ~s Perú.* 무척 신경질적이다. *tener ~s en la cabeza* ㉮ (자신의) 능력 이상의 야심을 품고 있다, 능력 이상으로 바라고 있다. ㉯ 터무니없는 꿈을 꾸다. *vestir el* ~ (…에) 매력적이고 멋진 모양을 만들어 주다.

muñeira *f.* ① 무녜이라 ((갈리시아의 민속춤)). ② 무녜이라 ((갈리시아의 민속 춤곡)).

muñequear *tr. Arg., Bol., Chile, Par., Ur.* (무엇을 얻기 위해) 영향력을 행사하다. —*intr.* ① 영향력이 행사되다. ② [검술] (손을 이리저리 흔들면서) 손목을 움직이다. ③ *Chile.* (옥수수 등이) 이삭이 패기[나오기] 시작하다. ④ *Hond.* =ostentar, aparentar. ~**se** (무서워서) 흠칫흠칫하다, 흠칫거리다, 겁나다, 무서운 생각이 들다.

muñequera *f.* ☞muñequero.

muñequería *f.* [드묾] 장식과 여자 같은 복장에서 지나침.

muñequero, ra *m.f.* 인형 제작자[판매자]. —*f.* ① (단단히 묶거나 장식용이거나 보호용) 손목 밴드. ② 팔찌, 팔가락지. ③ [고어] 여자의 장식용 팔찌.

muñequilla *f.* ① (니스 칠용) 헝겊 조각. ② *Chile.* 연한 어린 옥수수.

muñequito *m. Cuba.* [주로 *pl.*] = cómic.

muñidor *m.* ① 책사(策士), 모사(謀士). ② (집회나 축제를 알리고 다니는) 종교 단체의 심부름꾼[하인].

muñir (52) *tr.* ① 조작하다, 이면 공작을 하다, 획책하다. ② 소집하다, 부르다(llamar, convocar).

muñón *m.* ① 절단된 팔다리의 남은 부분. ② [해부] 삼각근(deltoides). ③ 삼각근으로 어깨의 한정된 부분. ④ [군사] (대포의) 축받이.

muñonera *f.* [군사] (기계의) 축받이.

muon *m.* [물리] 뮤입자, 뮤중간자.

muón *m.* =muon.

muquición *f.* 먹는 음식.

muquir *tr.* [은어] 먹다(comer).

mura *f.* =amura.

muradal *m.* =muladar.

muráis ☞morir (58).

mural *adj.* ① 벽[담]의[에 관한]. ② 벽[담]에 펼쳐진[붙인], 벽[담]의 많은 부분을 차지한, 벽 위의: decoración ~ 벽면 장식. mapa ~ 벽걸이 지도. pintura ~ 벽화. —*m.* 벽화, 천정화(pintura ~). ③ 벽면 장식.

muralismo *m.* ① 벽화 예술. ② 벽화법(法), 벽화 기술.

muralista *m.f.* 벽화가.

muralla *f.* 벽; 성벽; 방벽: *Murallas* de Avila 아빌라의 성벽. Gran *Muralla* 만리장성.¶*~s aduaneras* 관세 장벽.

murallón *m.* 단단한 성벽.

muramos ☞morir (58).

murar[1] *tr.* (도시·성채·요새·경내(境內)를) 담으로 두르다[둘러치다].

murar[2] *tr.* ① *Ast., Gal., León.* (고양이가) 쥐를 숨어서 기다리다. ② [드묾] 쥐를 잡다(cazar ratones).

murceguillo *m.* =murciélago.

murceo *m.* [은어] =tocino.

Murcia *f.* [지명] 무르시아 ((스페인 동남부의 자치주; 정식 명칭은 Región de Murcia; Murcia 주의 주도)).

murcianismo *m.* ① 무르시아 방언. ② 무르시아 지방주의.

murciano, na *adj.* ① 무르시아(Murcia) 태생의. ② 무르시아의[에 관한]. —*m.f.* 무르시아 사람.

murciar *tr.* [은어] 훔치다, 도둑질하다.

murciégalo *m.* =murciélago.

murciélago *m.* [동물] 박쥐.

murcielaguina *f.* 박쥐의 똥.

murcigallero *m.* [은어] 초저녁 도둑.

murciglero *m.* [은어] 밤도둑.

murcio *m.* [은어] 도둑, 소매치기.

murena *f.* [어류] 바다장어(morena).

murga[1] *f.* 올리브의 짠 즙(alpechín).

murga[2] *f.* (관객을 찾아 돌아다니는) 유랑 악극단. ¶*dar la* ~ (말이나 행동으로) 괴롭히다, 귀찮게 하다, 성가시게 하다, 애먹이다.

murgaño *m.* [동물] 들쥐의 일종.

murgón *m.* =esguín.

murguista *m.* 유랑 악극단원[악단원].

muriato *m.* [화학] =cloruro.

múrice *m.* ① [조개] 뿔고둥 ((복족류 연체 동물; 옛날 사람들이 염색으로 많이 사용했던 적자색(赤紫色) 물질을 분비함)). ② [시어] 적자색.

murie- ☞morir (58).

muriendo ☞morir (58).

murieron ☞morir (58).

murió ☞morir (58).

murmullar *intr.* =murmurar.

murmullo *m.* ① 속삭임, 낮은 목소리: Se oyen *~s* en el pasillo 복도에서 속삭이는 소리가 들린다. ② (나뭇잎 등의) 설렁거리는 소리; (시냇물의) 졸졸거리는 소리: ~ de las hojas 나뭇잎의 설렁거리는 소리. ~ de un arroyo 시냇물의 졸졸거리는 소리. ~ del río 강물의 졸졸거리는 소리.

murmuración *f.* [주로 *pl.*] (뒷구멍에서 하는) 험담, 중상

murmurador, ra *adj.* 험담하는, 중상하는. —*m.f.* 험담가, 중상하는 사람.

murmurar *intr.* ① (물이) 졸졸거리다. ② (바람이) 솔솔 불다. ③ (나뭇잎이) 설렁거리다. ④ (입속으로) 투덜거리다, 중얼중얼 불평을 하다. ⑤ (뒷구멍에서 없는 사람을) 험담하다, 흉보다, 헐뜯다, 중상하다. —*tr.* ① 투덜거리다, 중얼거리다, 불평하다. ② 험담하다, 중상하다, 흉보다, 헐뜯다.

murmureo *m.* (물이) 졸졸거림; (바람이) 솔솔 붊; (나뭇잎이) 설렁거림.

murmurio *m.* ① 투덜거림, 중얼중얼 불평함. ② 졸졸거림, 설렁거림.

murmurón, na *adj., m.f. AmérC.* = **murmurador.**

muro *m.* ① 담, 벽: ~ de Berlín 베를린의 장벽. ~ de cerramiento [건축] (구조물이 없는) 외벽, 막벽. ~ de contención 옹벽(擁壁). ~ de defensa 제방(堤防). ~ de revestimiento 토벽(土壁). ~ de las Lamentaciones, ~ de los Lamentos (예루살렘의) 통곡의 벽. ② [주로 *pl.*] 성벽, 방벽(防壁).

murria[1] *f.* 의기소침, 우울, 불쾌함, 기분이 좋지 않음.

murria[2] *f.* (화농 방지용으로 병원에서 사용했던 마늘·식초·소금으로 조합한) 아주 떫은 약제.

murrio, rria *adj.* 불쾌한, 기분이 좋지 않은, 우울한, 의기소침한.

murruco, ca *adj., m.f. Nic.* 머리카락이 곱슬곱슬한 (사람).

murta *f.* ① [식물] 도금양(arrayán). ② 도금양의 열매.

murtal *m.* 도금양 밭.

murtilla *f.* ① [식물] 무르띠야 ((칠레산 도금양과[마삭나뭇과] 관목)). ② 무르띠야의 열매. ③ 무르띠야 열매로 빚은 술 ((건위제로 쓰임)).

murtina *f.* =**murtilla.**

murto *m.* [식물] 도금양(arrayán).

murtón *m.* murto의 열매.

murucullo *m. Bol.* 머리를 빡빡 깎은 사람.

murueco *m.* =**morueco.**

mus *m.* 무스 ((스페인식 트럼프의 일종; 패를 던질 때 mus 라고 하는 게임)). ¶***sin decir tus* [*chus*] *ni*** ~ 일언반구도 없이, 가타부타 아무 말없이, 묵묵부답으로. ***No hay*** ~ 미안하게 되었습니다 ((상대방이 부탁한 것을 거절할 때)).

musa *f.* ① [희랍 신화] 뮤즈 ((학예·시가·음악·무용을 관장하는 아홉 여신의 하나)). ② 시적 영감. ③ (각 시인의 독특한) 시재(詩才), 시적 재능. ④ 시(詩). ⑤ 시상(詩想). ⑥ *pl.* (시의) 창작 활동, 시작. ¶***entender la*** ~ de alguien (…의) 의도[악의]를 알다, (…의) 속셈을 알아채다. ***soplarle*** a alguien ***la*** ~ ㉮ …에게 시상(詩想)이 솟아나다. ㉯ (노름에서) 운수 대통하다, 운이 좋다.

musáceo, a *adj.* [식물] 파초과(芭椒科)의. —*f.pl.* [식물] 파초과.

musaraña *f.* ① =**musgaño.** ② 작은 파충류, 곤충, 벌레, 작은 동물. ③ (사람의) 딴전, 딴청. ④ [의학] 비문증(飛蚊症) ((눈알의 유리체가 흐릴 때, 망막이 장애를 받아서, 눈앞에 모기 모양의 작은 점이 떠돌아다니는 듯이 보이는 증세)). ⑤ *Chile, Cuba, Hond., RDom., Salv.* 찡그린 얼굴, 우거지상: hacer ~*s* 얼굴을 찡그리다. ¶***mirar a las*** ~***s*** 딴 데 정신이 팔리다, 한눈팔다, 딴전을 부리다. ***pensar*** alguien ***en las*** ~***s*** 공상에 잠기다, (자기 자신이나 남이) 하거나 말하는 것에 신경을 쓰지 않다, 딴 생각하다.

muscardino *m.* =**ratón almizclero.**

muscaria *f.* =**moscareta.**

muscarina *f.* [의학] 신경계(神經系)의 심한 중독을 일으키는 독물(毒物)

muscícapa *f.* =**moscareta.**

musco[1] *m.* [식물] =**musgo.**

musco[2]**, ca** *adj.* 암갈색(暗褐色)의, 짙은 갈색의. —*m.* ① [고어] =**almizcle.** ② [고어] =**desmán.**

musculación *f.* 근육 강화(筋肉强化).

muscular[1] *adj.* 근육의[에 관한]: dolor ~ 근육통.

muscular[2] *intr.,* ~**se** 운동을 통해 근육을 키우다[튼튼히 하다·강화하다·발달시키다].

musculatura *f.* ① [집합] 근육: tener una gran ~ 근육이 울퉁불퉁하다. ② 근조직(筋組織). ③ 근육질.

músculo *m.* ① 근육: hombre de ~*s* 완력이 센 남자, 팔 힘이 센 남자. hacer ~*s,* desarrollar los ~*s,* reforzar los ~*s* 근육을 단련하다. ② =**rorcual.** ¶ ~ ***complejo*** 복합 근육. ~ ***del sastre*** =**músculo sartorio.** ~ ***dorsal*** 등 근육, 배근(背筋). ~ ***esternocleidomastoideo*** 흉쇄유돌근. ~ ***estriado*** 가로무늬근. ~ ***gemelo*** 쌍둥이근. ~ ***glúteo*** 둔부 근육. ~ ***liso*** 민무늬근(筋). ~ ***lumbrical*** 충양근(蟲樣筋). ~ ***oblicuo*** 사근(斜筋). ~ ***orbicular*** 윤근(輪筋), 윤상근(輪狀筋). ~ ***recto*** ㉮ 넙다리곧은근. ㉯ 눈구멍 근육. ~ ***redondo*** 어깨 근육. ~ ***sartorio*** 봉장근. ~ ***serrato*** 거근, 톱니 모양의 근육. ~ ***subcapular*** 견갑하근. ~ ***vasto*** 넓은근.

musculoso, sa *adj.* ① (몸의 한 부분에) 근육이 있는. ② 근육이 많은, 근육질의, 근조직(筋組織)의, 근골이 튼튼한[늠름한]: órgano ~ 근육질 기관(器官). hombre ~ 근골이 늠름한 남자.

museal *adj.* =**museístico.**

museístico, ca *adj.* 박물관의[에 관한], 미술관의[에 관한].

muselina *f. fr.* [섬유] 모슬린.

museo *m.* ① 박물관, 미술관: ~ de

pinturas 회화[그림] 박물관, 미술관. ~ municipal 시립 박물관. ~ nacional 국립 박물관. ~ provincial 도립 박물관, 주립 박물관. visitar un ~ 박물관[미술관]을 견학하다. ② 자료관, 자료실. ③ (관광 목적으로 일반의 관심을 끌 수 있는 물건이나 진기한 것을 진열한) 전시관. ④ 기념관, 과학관, 문학관, 예술관.

museografía *f.* 박물관지(博物館誌).

museográfico, ca *adj.* museografía의.

museógrafo, fa *m.f.* 박물관지에 조예가 깊은 사람, 박물관지 연구자.

museología *f.* 박물관학(博物館學).

museológico, ca *adj.* muesología의.

museólogo, ga *m.f.* 박물관학자, 박물관학 연구자.

musepo *m. Hond.* =morriña.

muserola *f.* (말의 콧등에 감는) 고삐줄(correa de la brida).

musgaño *m.* [동물] 뾰족뒤쥐. ¶ ~ *común* (과수원에 사는) 뾰족뒤쥐. ~ *enano* 난쟁이 뾰족뒤쥐.

musgo[1] *m.* ① [식물] 이끼. ② [집합] (표면을 덮는) 이끼. ③ *pl.* [식물] 이끼류. ¶ ~ *marino* 연분홍 바닷말.

musgo[2]**, ga** *adj.* =musco[2].

musgoso, sa *adj.* ① 이끼의[에 관한]. ② 이끼가 낀, 이끼로 덮인.

música *f.* ① 음악: ~ contemporánea 현대 음악. ~ coreana 한국 음악. ~ en vivo, ~ en directo 생음악. ~ española 스페인 음악. ② 악곡, 곡: ~ y letra 곡과 가사. poner ~ a un poema 시에 곡을 붙이다. ③ 음악 작품. ④ 연주(회)(concierto). ⑤ 작곡: escribir ~ 작곡하다. ⑥ 악보(樂譜): leer ~ 악보를 읽다. ⑦ 악단(樂團): ~ del regimiento 군악대. ⑧ (귀에) 듣기 좋은 소리, 아름다운 곡조의 소리, 주악. ⑨ 기분 나쁜 소리[소음], 불쾌한 소리. ⑩ =**música celestial.** ¶ *caja de* ~ 오르골, 자명악(自鳴樂). *papel de* ~ 오선지. ~ *armónica* = música vocal. ~ *celestial* 공연불, 실속 없는 번지르르한 말과 헛 약속, 허풍, 자기 자랑, 실없는[철없는] 소리, 아무도 들어주지 않는 말. ~ *clásica* 고전 음악. ~ *de cámara* 실내악(室內樂). ~ *de fondo* (영화·연극 등의) 배경 음악. ~ *instrumental* 기악(器樂). ~ *ligera* 경음악. ~ *llana* 그레고리오 성가, 단선율 성가. ~ *rítmica* 리듬 음악. ~ *sacra* 종교 음악. ~ *vocal* 성악. ~ *y acompañamiento f.* 와르르 몰려다니는 질이 나쁜 패거리. *con la* ~ *a otra parte* [화나게 하거나 거만한 사람에게 노할 때] 저리 가. *dar* ~ *a un sordo* (…를 설득에) 헛수고하다, 헛일하다. *no entender alguien la* ~ 멋대로 굴다.

musicable *adj.* 작곡할 수 있는.

musical *adj.* ① 음악의[에 관한]: programa ~ 음악 프로그램. velada ~ 음악의 밤. ② 음악적인. ③ 음악이 따르는. ④ 음악을 애호하는, 음악에 재능이 있는. ⑤ 음악가의. ⑥ 뮤지컬의. —*m.* 뮤지컬. ¶ *instrumento* ~ 악기.

musicalidad *f.* 음악성(音樂性).

musicalizar (9) *tr.* 곡(曲)을 붙이다.

musicalmente *adv.* ① 음악의 규칙에 따라. ② 음악적으로.

musicante *m.f.* 음악가(músico).

musicar (7) *tr.* =musicalizar.

musicastro *m.* [경멸] 서툰 음악가, 돌팔이 음악가.

music hall *m. ing.* ① 뮤직홀, 연예장(演藝場), 음악회장. ② 버라이어티 쇼. ③ 버라이어티 쇼의 연예.

músico, ca *adj.* 음악의[에 관한]: composición ~*ca* 작곡. instrumento ~ 악기. —*m.f.* 음악가, 악사, 악단원, 연주자. ¶ ~ *mayor* 군악단장.

musicógrafo, fa *m.f.* 음악 해설가, 음악 평론가, 음악사가(音樂史家).

musicología *f.* ① 음악학. ② 악리.

musicólogo, ga *m.f.* 음악학 연구가.

musicomanía *f.* =melomanía.

musicómano, na *m.f.* =melómano.

musicoterapia *f.* [심리학] 음악 요법.

musiquero *m.* (총보·음악책을 놓는) 선반, 시렁, 상자, 악보장(樂譜欌).

musirse *r. Al.* =enmohecerse.

musitar *intr., tr.* 중얼거리다, 두런거리다, 수근거리다, 속삭이다.

muslim *adj., m.f.* =muslime.

muslime *adj., m.f.* =musulmán.

muslímico, ca *adj.* 이슬람교도의.

muslo *m.* [해부] 넓적다리, 대퇴(大腿).

musmón *m.* [동물] 양의 일종.

muso, sa *adj., m.f. Vall.* =gatomuso.

mustaco *m.* (포도즙·치즈 등으로 반죽한) 밀가루 빵[케이크].

mustela *f.* ① [어류] 상어의 일종. ② [고어] =comadreja.

mustélido, da *adj.* [동물] 족제비속의. —*m.pl.* 족제비과[속] 동물.

mustiamente *adv.* 슬피, 우울하고 풀이 죽어, 울적하게.

mustiar (11) *tr.* =marchitar.

mustio, tia *adj.* ① (식물·꽃·잎이) 시든, 마른. ② 슬픈, 우울한, 울적한.

musuco, ca *adj.* ① *Hond., Nic.* (머리카락이) 곱슬곱슬하고 똘똘 말린. ② *Hond., Nic.* 고수머리[곱슬머리]를 가진, 머리카락이 고수머리[곱슬머리]인. —*m.f. Hond., Nic.* 고수[곱슬]머리.

musulmán, na *adj.* ① 이슬람교를 믿는[신봉하는]. ② 이슬람교(islam)의[에 관한]: religión ~*na* 이슬람교, 마호메트교, 회교. ③ 마호메트(Mahoma)의[에 관한]. —*m.f.* 이슬람교도, 회교도, 마호메크교도.

muta *f.* [드묾] [집합] =**jauría.**

mutabilidad *f.* 변하기 쉬움; 무상.

mutable *adj.* [드묾] =mudable.

mutación *f.* ① 변화, 변경, 전환: ~ de los decorados [연극] (막간에) 무대 장치의 전환. ② (인생의) 홍망성쇠; (세상의) 변천. ③ [생물] 돌연변이(~ de

genes). ④ [생물] 돌연변이에 의한 표현형(表現型). ⑤ [음성학] 음성 변화.
mutacionismo *m.* [생물] 돌연변이설.
mutagénesis *f.* [생물] 돌연변이 생성.
mutagénico, ca *adj.* [생물] 돌연변이를 일으킬 수 있는.
mutágeno *m.* [생물] 돌연변이원(源), 돌연변이 유발 요인.
mutante *adj.* 변하는; 돌연변이의. —*m.* ① [생물] 돌연변이체, 변종. ② [생물] 돌연변이체의 유전.
mutar *tr.* ① 변화시키다. ② 돌연변이시키다. ③ 자리[직]에서 면직시키다[파면시키다]. ~**se** 변화되다; 돌연변이가 되다.
mutatis mutandis *adv. lat.* 필요한 변화를 가해, 변해야 될 것을 변화하여.
mutilación *f.* ① (신체 일부의) 절단, 불구로 만들기. ② 파손, 파괴. ③ 삭제, 개찬(改竄).
mutilado, da *adj.* ① (신체의 일부가) 절단된, 잘린, 팔다리가 없는, 불구의. ② 파손된, 파괴된. —*mf.* 불구자.
mutilador, ra *adj., mf.* (신체의 일부를) 절단하는 (사람).
mutilar *tr.* ① (신체의 일부를) 자르다, 절단하다, 불구로 만들다. ② (미술품 등을) 파손하다. ③ (원문을) 삭제하다, 개찬(改竄)하다: ~ el ejército 군의 일부를 감축하다. ~ el texto 텍스트를 개찬하다. ~**se** 팔다리를 잃다.
mútilo, la *adj.* =mutilado.
mutilón, na *adj. Méj.* =mutilado.
mutis *m.sing.pl.* ① (연극 대본이나 연극 연출에서) 무대에서 한 등장 인물이나 여러 등장 인물이 퇴장해야 하는 것을 가리키는 표현. ② [연극] (무대에서) 퇴장. —*interj.* 쉬 ((떠들지 말라는 뜻으로 하는 소리)). ¶*hacer* ~ ㉮ (무대나 다른 장소에서) 퇴장하다. ㉯ 침묵하다, 잠자코 있다. *medio* ~ (배우가) 무대에서 퇴장한 가장하고 재등장하기.
mutismo *m.* (자발적이거나 강요에 의한) 침묵.
mutro, tra *adj. Chile.* 발음이 나쁜, 나쁘게 발음하는.
mutua *f.* =mutualidad ②: hacerse socio de una ~ médica 의료 보험에 가입하다.
mutual *adj.* =mutuo, recíproco. —*f. AmérM.* 공제 조합. ¶*fondo* ~ [금융] 뮤추얼 펀드.
mutualidad *f.* ① 상호 관계, 상호 부조. ② 공제 조합: ~ de funcionarios 공무원 공제 조합. ~ escolar 학교 공제 조합. ~ obrera 노동자 공제 조합.
mutualismo *m.* ① 상호 부조제, 상호 공제제(共濟制), 상호 부조주의, 상호 부조론. ② [생물] 공생.
mutualista *adj.* ① 상호 부조의, 상호 관계의. ② 공제 조합의. —*mf.* 공제 조합원(miembro de una mutualidad).
mutuamente *adv.* 서로, 상호간에.
mutuante *mf.* 대부자(貸付者), 돈을 빌려 주는 사람.
mutuario, ria *mf.* 대부를 받는 사람, 돈을 빌리는 사람.
mutuatario, ria *mf.* =mutuario.
mutuo, tua *adj.* 서로의, 상호의, 서로 관계 있는, 상호 관계의: ~ acuerdo 상호 협정. amor ~ 서로간의 사랑. odio ~ 반목(反目). seguro ~ 상호 보험. por ~ consentimiento (쌍방의) 합의로. —*m.* [법률] 소비 대차(貸借) 계약. ¶*inducción* ~*tua* [전기] 상호 유도. *inductancia* ~*tua* [전기] 상호 유도 계수.
muy *adv.* ① 매우, 대단히, 몹시, 무척, 퍽: ~ conocido 무척 알려진, 널리 알려진. ~ desengañado 무척 실망한. ~ docto 매우 박식한. ~ importante 매우 중요한. ~ tarde 매우 늦게. ~ temprano 매우 일찍. ~ de prisa 무척 서둘러, 아주 급히. hombre ~ alto 매우 키가 큰 남자. mujer ~ gorda 매우 뚱뚱한 여자. *Muy* buenos días [정중한 오전 인사] 안녕하십니까. *Muy* buenas tardes [정중한 오후 인사] 안녕하십니까. *Muy* buenas noches [정중한 밤 인사] 안녕히 주무십시오, 안녕히 가십시오, 안녕히 계십시오. ② [부정문에서] 그다지[별로] (…이 아니다): Ella no es ~ alta 그녀는 그다지 크지 않다. Mi amigo no es ~ inteligente 내 친구는 별로 영리하지 않다. ③ [+de+명사] 매우, 무척, 대단히: ~ de noche 밤늦게. ~ de nuestro tiempo 매우 현대적인. ④ [정관사+~+명사] 큰, 대(大), 아주, 매우, 대단히, 무척: el ~ ladrón 대도(大盜), 큰 도둑. la ~ coqueta 대단히 요염한 여자. ⑤ [+무관사 명사 등과 함께] 매우, 대단히, 무척, 아주: ~ amigo 친구, 친한 친구. *Muy* señor mío (남자 한 사람에게) 근계(謹啓). *Muy* señora mía (부인 한 사람에게) 근계(謹啓). *Muy* señores míos (회사·공공 기관 앞으로) 근계(謹啓) ((「삼가 아뢰니다」의 뜻으로, 편지 첫 머리에 씀)).
muy muy *m. Perú.* =muimuy.
muzárabe *adj., mf.* =mozárabe.

N n

n *f.* ① 에네 ((스페인어 알파벳의 열여섯 번째 문자)). ② [대문자로, 지명(地名)·인명(人名)의 아직 모르거나 정해지지 않은 고유 명사에 씀] 모(某), 아무개, 어느: el señor *N* 모씨(某氏), 아무개 (씨). la señora *N* 모 부인, 아무개 부인. la ciudad *N* 모 시(某市), 어

느 도시. el señor Kim *N* 김(金)모씨. en Dong *N* en Seúl 서울의 어느 동에서. ③ [수학] 부정 정수(不定整數)의 기호 ((^{n})): 5^n 5의 n승(乘).
N nitrógeno 질소; newton 뉴턴.
n. nacido 태어난; noche 밤; nota 전표; nuestro 폐사의; número 수.
N. norte 북, 북쪽; Número 수.
n/. nuestro 폐사의, 우리들의.
Na sodio 나트륨, 소듐.
n/a nuestra aceptación 폐사의 인수(어음).
N.A. Norte América 북아메리카.
naba *f.* ① [식물] 무. ② 무 뿌리.
nabab *m.* ① (인도에서) 주지사, 도지사, 도백. ② 큰 부자, 부호(富豪).
nababo *m.* [드묾] =**nabab.**
nabal *adj., m.* =**nabar.**
nabar *adj.* ① 무의[에 관한]. ② 무(naba)로 만들어진. —*m.* 무 밭.
nabería *f.* ① [집합] 무(nabos). ② 질은 무 수프.
nabí *m.* (아라비아 사람들 사이에서) 예언자(profeta).
nabicol *m.* =naba.
nabina *f.* 순무(nabo) 씨.
nabiza *f.* ① [주로 *pl.*] 순무의 연한 잎: caldo de ~*s* 순무 잎으로 쑨 수프. ensalada de ~*s* 순무 잎으로 만든 샐러드. ② 무의 연한 잔뿌리.
nabla *f.* [악기] 나블라 ((수금(竪琴) 비슷한 아주 오래된 악기)).
nabo *m.* ① [식물] 순무. ② 순무 뿌리. ③ 굵고 주된 뿌리. ④ 말 꼬리의 두꺼운 부분. ⑤ [건축] (나선 계단 등의) 지주. ⑥ [선박] 돛대를 받치는 둥근 목재. ⑦ [선박] 잘 벗겨지는 목재의 심(芯). ¶ ~ ***gallego*** =**naba.**
naborí *m.f.* =**naboría.**
naboría *f.*(*m.*) [역사] (아메리카의 정복 초기에) 인디오 노무자. —*f.* [역사] (아메리카 정복 초기에 하인으로서 개인의 봉사를 위해 아메리카에서 행해진) 인디오 노무자의 할당.
nácar *m.* ① 진주층(眞珠層). ② 자개.
nácara[1] *f.* (옛 기병이 사용했던) 큰 북.
nácara[2] *f. Cantb., León.* =**nácar.**
nacarado, da *adj.* ① 진주 빛깔의 광택이 나는. ② 자개로 장식된: cajita ~*da* 자개 장식 소형 상자.
nacáreo, a *adj.* ① nácar의[에 관한]. ② nácar와 비슷한.
nacarigüe *m. Hond.* (어떤 고기 음식에 소스로 사용되는) 빻아 볶은 노란 옥수수.
nacarino, na *adj.* ① nácar의. ② 진주 같은 광택이 나는: cutis ~ 옥같이 고운 피부, 아름다운 피부.
nacarón *m.* 질이 나쁜 자개.
nacatamal *m. Hond., Méj., Nic.* [요리] 나까따말 ((돼지고기·닭고기·다른 재료로 채워진 tamal)).
nacatamalero, ra *m.f. Hond., Nic.* nacatamal을 만들어 파는 사람.
nacatambuche *m. Nic.* =nacatamal.
nacatete *m. Méj.* 아직 날개가 나지 않은 병아리.
nacedero *m.* ① (무엇이) 나온[생긴] 장소: ~ de un río 강의 발원지. ② (특히 동물의) 태어남, 탄생.
nacela *f.* [건축] =**escocia.**
nacencia *f.* ① (누구의) 가문, 혈통, 태생, 가계. ② (몸에 생기는) 혹, 종기, 부스럼. ③ [고어·속어] 탄생.
nacer (30) *intr.* ① (태생 동물이) 어머니[어미]의 배에서 나오다, 태어나다, 탄생하다: nene que acaba de ~ 막 태어난 갓난아이. ~ a la felicidad, ~ con fortuna 복을 가지고 태어나다, 행운을 안고 태어나다. ~ con mala suerte 불운하게 태어나다. ~ de padres coreanos 한국인 부모한테서 태어나다. ~ en buena familia 상류 가정에서 태어나다. ② (난생 동물이) 알에서 나오다(salir del huevo). ③ (식물이) 씨앗에서 나오기 시작하다, 싹이 나오다[트다]. ④ 안에서 나오다[돋아나다]: ~ el vello (식물·열매의) 솜털이 나다. ~ las plumas 깃털이 나오다. ~ las flores 꽃이 나오다. ~ los frutos 열매가 나오다. ⑤ (천체가) 지평선에 보이기 시작하다, 나타나다, 뜨다: El sol *nace* a las seis y media 해는 여섯 시 반에 뜬다. ⑥ (육체적·정신적으로) 일어나다, 발생하다, 생기다, 비롯되다, 시작하다: El vicio *nace* de la ociosidad 악덕은 태만에서 비롯된다. ⑦ 나오다, 솟아나다: ~ las fuentes 분수가 솟아나다. ~ los ríos 강물이 나오다. ⑧ 비롯되다, 유래되다, 시작되다, 기원하다: El tango *nació* en Buenos Aires, capital de la Argentina 탱고는 아르헨띠나의 수도, 부에노스아이레스에서 유래되었다. ⑨ (해·모욕 등을) 입다, 받다. ⑩ (숨겨진 것·몰랐던 것·기대하지 않았던 것이) 갑자기 보이다, 갑자기[불의에] 일어나다, 돌발하다. ⑪ [+para] (…에) 천부의 재능[재질]이 있다, 날 때부터 경향이 있다; …에 소질이 있다; …에 운명지어져 있다, …로 타고나다, 갖추고 태어나다: El señor Kim *ha nacido para* ser maestro 김 선생은 태어날 때부터 교사의 재질이 있었다[재질을 가지고 태어났다], 김 선생은 타고난 선생이다. ⑫ [+a] ㉮ 활동하기 시작하다. ㉯ 타고난 …이다: ~ a la poesía 타고난 시인이다, 태어났을 때 이미 시인이다, 시인의 재능을 갖추고 태어나다. ~**se** ① (뿌리·씨앗에서) 싹이 나오다, 싹을 트다, 알뿌리가 퍼지다, 줄기가 밖으로 뻗다. ② (옷감의 가에 홀친 데·꿰맨 곳이) 터지다, 갈라지다. ¶***haber nacido en*** tal día …(날)에 구사일생했다, 죽음의 위험에서 빠져나왔다. ***haber nacido tarde*** alguien (…가) 미숙하다, 경험이 별로 없다, 세상 물정에 어둡다. ***volver a*** ~ = haber nacido en tal día.
nacho, cha *adj.* rur. *Ast.* 코가 납작한,

N

납작코의. —*mf.* rur. *Ast.* 코가 납작한 사람.

nacido, da *adj.* ① 태어난, 탄생한. ② [드묾] 타고난, 천성적인. ③ [드묾] 적당한, 알맞은. —*m.* =**divieso.** —*f.* = **nacencia.** —*mf.* 태어난 사람: recién ~ (생후 3주간까지의) 신생아. los ~*s* el 30 de junio 6월 30일 태어난 사람들. Todos los ~*s* tienen que morir 사람은 누구나 죽기 마련이다. ¶*bien* ~ ㉮ 가문이 좋은, 귀족 가문의. ㉯ 고상하게 행동하는. *mal* ~ 가문이 나쁜, 천출 태생의, 비천한.

N

naciente *adj.* ① 태어나는, 탄생하는. ② 아주 최근의; 나타나기 시작하는: el día ~ 여명, 갓밝이, 어둑새벽. el sol ~ 아침 해, 뜨는 해. ③ [문장학] 문장 위로 머리나 목이 나온 (동물). —*m.* ① [드묾] [주로 N~] 동(東). ② *pl.* 수원(水源).

nacimiento *m.* ① 탄생, 출생: fecha de ~ 생년월일, 탄생일. lugar de ~ 출생지, 탄생지. ② [N~] 예수 그리스도의 탄생. ③ 태생, 출신, 혈통, 가문. ④ 샘물이 솟아나는 곳. ⑤ 샘물이 솟아나는 바로 그 샘. ⑥ (…가) 시작한 곳. ⑦ 베들레헴의 입구 문에 예수 그리스도의 탄생 인형 장식. ⑧ 시작, 출현, 시작 시기(時期): ~ de una nación 신생 국가 탄생. ~ del amor 사랑이 싹틈, 사랑의 시작. ⑨ 천성. ¶*de* ~ ㉮ 타고난, 선천적인. ㉯ 태어날 때부터: el mudo *de* ~ 태어날 때부터 벙어리.

nación *f.* ① [집합] 국민: ~ coreana 한국 국민. voz de la ~ 국민의 소리, 여론. ② 나라, 국가: ~ agrícola 농업국. ~ amiga 우방(友邦). ~ enemiga 적국. ③ [집합] (한 언어와 문화적 공통체로서의) 겨레, 민족: ~ coreana 한민족. ~ judía 유대 민족. ④ [드묾] 탄생. —*m. Arg.* [드묾] 한 국가의 자연인. —*mf. AmérM.* (스페인 어계가 아닌) 외국인. ¶… *de* ~ … 국적의. ***Nación Miembro permanente*** 유엔 상임 이사국. ***Naciones Unidas*** 유엔, 국제 연합; 연합국. ***Asamblea General de las Naciones Unidas*** 유엔 총회. ***Organización de las Naciones Unidas*** 유엔 기구, 국제 연합 기구. ***Sociedad de Naciones*** 국제 연맹.

nacional *adj.* ① 국가[나라]의: economía ~ 국가 경제. himno ~ 국가(國歌). orgullo ~ 국가의 자존심. ② 국립의, 국유의, 국영의: hospital ~ 국립병원. parque ~ 국립 공원. policía ~ 국립 경찰. universidad ~ 국립 대학교. ③ 국민의, 국민적인: carácter ~ 국민성. sentimiento ~ 국민 감정. ④ 국내의, 자국의; 그 고장의: industria ~ 국내 산업. mercado ~ 국내 시장. productos ~*es* 국산품, 그 지방의 제품. vuelo ~ 국내 항공. ⑤ 민족의: guerra de liberación ~ 민족 해방 전쟁. ⑥ (스페인 내전 때의) 국민 전선파의: zona ~ 국민 전선파 점령 지역. —*mf. AmérC., AmérM.* 국민. —*m.* [주로 *pl.*] 국민 전선파(派), 국민 전선군(軍). ¶***bienes ~es*** 국가 재산. ***capital*** ~ 국가 자본. ***colores ~es*** 국가 상징 색. ***fiesta*** ~ 국경일. ***parque*** ~ 국립 공원. ***patrimonio*** ~ 국가 유산. ***soberanía*** ~ 국민 주권(國民主權). ***territorio*** ~ 국토.

nacionalidad *f.* ① 국적; 선적: doble ~ 이중 국적. adquirir [obtener] la ~ española 스페인 국적을 취득하다[얻다]. ② 국민성, 국민적 감정. ③ 민족. ④ *Esp.* 자치 공동체(comunidad autónoma). ⑤ *Esp.* 스페인의 자치 공동체들의 공식 명칭.

nacionalismo *m.* ① 국민 의식. ② 애국심, 애국 운동. ③ 민족주의; 국가주의; 국수주의. ④ 민족 자결주의, 국가독립[자치] 주의.

nacionalista *adj.* ① 민족[국가・국수] 주의(자)의[적인]. ② 민족 자결주의(자)의. —*mf.* ① 민족주의자, 국가주의자, 국수주의자. ② 민족 자결주의자; 국가 자치론자.

nacionalización *f.* ① 국유화, 국영화: ~ de los ferrocarriles 철도의 국유화. ② 귀화: carta de ~ 귀화 승인장. obtener *su* ~ 국적을 취득하다. ③ [역사] 국민 형성.

nacionalizar (9) *tr.* ① 국유화하다, 국영화하다: empresa *nacionalizada* 국유 기업. ~ la industria 산업을 국유화하다. ② [경제] 민족 자본화하다. ③ 귀화시키다. ④ (외국 문화 등을) 자국에 정착시키다. ⑤ [역사] 국민을 형성하다. ~**se** ① 국영이 되다. ② 귀화하다: Ella *se ha nacionalizado* coreana 그녀는 한국 국적을 취득했다.

nacionalmente *adv.* 국가의 본질[풍습]에 따라.

nacionalsindicalismo *m.* (팔랑헤당의) 국가주의적 노동 조합주의[운동].

nacionalsindicalista *adj.* 국가주의적 노동 조합주의의. —*mf.* 국가주의적 노동 조합주의자.

nacionalsocialismo *m.* 국가 사회주의.

nacionalsocialista *adj.* 국가 사회주의의. —*mf.* 국가 사회주의자.

naco[1] *m.* ① *Amér.* 담배의 속잎. ② *Col.* 진한 감자 수프. ③ *Ur.* =**susto.** ④ *Ur.* (특히 사람의) 굳은 똥.

naco[2]**, ca** *adj.* 원주민의, 인디오의. —*mf.* 원주민, 인디오. —*interj. Salv.* 아무것도(…이 아니다)(nada).

necrita *f.* [광물] 네크라이트.

nada *f.* ① 무(無), 없음; 비실재(非實在); 존재하지 않는 것: crear de la ~ 무에서 창조하다[만들어내다]. empezar [comenzar] de la ~ 무에서 시작하다. reducir a la ~ 무로 돌아가다. ② 허무. —*pron.* ① [부정문에서 사용하며, 동사 앞에 놓이면 no는 필요없지만, 동사 뒤에 놓이면 동사 앞에 반드시 no가 필요함] 아무것[일]도 …없다[않다]: ¿Quiere usted algo? —No quiero

~ / *Nada* quiero 무엇을 원하십니까? —아무것도 원하지 않습니다. Más vale algo que ~ / Peor es ~ 아무것도 없는 것보다는 조금이라도 있는 것이 낫다. ② [긍정문에서] 아무것도 아닌 것, 얼마 안 되는 것, 조금, 약간: Con ~ quedo satisfecho 나는 얼마 안 되는 것으로 만족한다. ③ [반어적 의문문에서] 무엇이: ¿Tiene eso ~ que ver con lo que usted me ha dicho? 그것은 당신이 내게 말한 것과 무슨 관계가 있습니까? —*adv.* 조금도 [결코] …않다, 전혀[아주] (… 아니다): ¿Está algo mejor? —*Nada* bueno 조금 더 나은 것이 있습니까? —전혀 없습니다. ¶***Ahí es*** ~, ***Ahí que no es*** ~ =**No es nada.** ***antes de*** ~ 어떤 것보다 먼저. ***como si*** ~ ㉮ 거뜬히, (손)쉽게, 힘 안 들이고, 아무것도 아닌 것처럼. ㉯ 침착한, 냉정한. ***de*** ~ ㉮ 가치가 적은, 중요하지 않은, 중요성이 없는. ㉯ [감사 인사에 대한 대답] 천만에: Muchas gracias —*De* ~ 감사합니다 —천만에. ㉰ 전혀 (… 아니다), 아무것도 (… 아니다). ***en*** ~ 사소한 일로, 아무것도 아닌 일로. ~ ***más*** ㉮ …밖에, …뿐, 다만 그것뿐: ¿Algo más? —No, ~ *más* 더 필요한 것 있습니까?, 더 드릴까요? —아닙니다, 그것뿐입니다[됐습니다]. ㉯ [+*inf.*] …하면 바로[즉시·곧]: *Nada más* doblar la esquina usted encontrará el edificio 모퉁이를 돌면 바로 그 건물이 있습니다[그 건물을 발견하게 될 것입니다]. ~ ***menos*** **(*que*)** 바로, 틀림없이, 확실히; …(이)나; 까지도. ***No es*** ~ [놀랍거나 그렇게 크다고 판단되지 않은 것을 본래의 뜻과 반대로 강조할 때] 중요하다!, 훌륭하다!, 더할 나위 없다!: *¡No es ~!* Ella ha ganado el gran premio 훌륭하다![대단하다!] 그녀가 일등상을 탔다. ***no ser*** ~ 아무것도 아니다; 취할 만한 일이 아니다 ***para*** ~ ㉮ 절대로, 결코 (…이 아니다), 어떤 방법으로도 (…이 아니다), 조금도 (…이 아니다): No sirve *para* ~ 그것은 아무 데도 쓸데가 없다. ㉯ 소용없이, 효과 없이: Me esforcé mucho *para* ~ 나는 많은 노력을 했지만 허사였다. ***por*** ~ ㉮ 결코 (… 아니다). ㉯ 무료로, 거저, 공짜로; 거저나 마찬가지로. ㉰ 사소한[아무것도 아닌] 일로. ㉱ *AmérM.* 천만에요.

nadadera *f.* (수영 연습용) 주머니, 고무 튜브, 낡아빠진 배.

nadadero *m.* 수영장.

nadador, ra *adj.* 수영하는, 헤엄치는. —*m.f.* ① 수영하는 사람, 헤엄치는 사람. ② 수영 선수. ¶***Al mejor*** ~ ***se lo lleva el río*** (속담) 나무에 잘 오르는 놈이 떨어지고, 헤엄 잘 치는 놈이 빠져 죽는다; 원숭이도 나무에서 떨어진다. ***El mejor*** ~ ***se ahoga*** (속담) 원숭이도 나무에서 떨어진다.

nadar *intr.* ① 헤엄치다, 수영하다, 헤엄쳐 가다: ~ en la piscina [el lago · el río · el mar] 풀[호수 · 강 · 바다]에서 수영하다[헤엄치다]. ② (물건이, 어떤 액체에도) 뜨다(flotar). ③ (액체 속에) 잠기다. ④ (…에) 풍부하다, 풍부하게 있다, 많이 있다(abundar). ⑤ (옷이나 신발이) 헐렁하다, 헐렁헐렁하다.

nadería *f.* =**tontería.**

nadie *pron.* [동사의 뒤에 사용될 때는 반드시 동사 앞에 no를 놓는다] 아무도 (… 않다): ¿Espera usted a alguien? —No espero a ~ / A ~ espero 누구를 기다리십니까? —아무도 기다리지 않습니다. *Nadie* lo sabía / No lo sabía ~ 아무도 그것을 모르고 있었다. —*m.* ① 하찮은[시시한 · 무능한] 사람, 별 볼일 없는 사람: No somos ~ 우리들 인간은 하찮은 존재다. ② [반어적 의문문에서] 누가: ¿Habrá ~ tan desgraciado? 그렇게 불행한 사람이 누가 또 있겠는가? ¶***como*** ~ 누구보다도 잘: Ella canta *como* ~ 그녀는 누구보다도 노래를 잘 부른다. ~ ***más*** 누구도 더 (… 아니다): Ya no cabe ~ *más* 이제 누구도 들어가지 못한다.

nadilla *f.* [드묾] 가난하고 음지에서 태어난 사람, 무용지물.

nadir *m.* [천문] 천저(天底), 천저점.

nado ***a*** ~ 헤엄쳐서(nadando).

nafta *f.* ① [화학] 나프타, 석뇌유(石腦油). ② *Arg., Par., Ur.* =**gasolina:** cargar [tomar] ~ 급유(給油)하다.

NAFTA [*ing.* North American Free Trade Agreement] 북미 자유 무역 협정(Tratado de Libre Comercio de la América del Norte).

naftalina *f.* [화학] 나프탈린.

naftero, ra *adj. Arg., Par., Ur.* (자동차 · 기계 · 모터가 연료로) 나프타를 사용하는.

nagua *f. taína.* [주로 *pl.*] 흰 속치마.

nagual *m.* ① *AmérC., Méj.* 마법사, 요술사(brujo). ② *Salv.* (민간 신화에서) 사람이나 장소의 신령을 상징하는 상징성 동물. ③ *Guat., Hond., Méj.* 인간과 친구가 되는 동물, 수호 동물.

nagualismo *m. Hond., Méj.* 마법사를 믿는 신앙.

náguatle *adj., m.f.* =**nahua.**

nahoa *adj., m.f.* =**nahua.**

nahua *adj.* ① 나우아족(族)의 ((스페인 사람들에 의해 정복되기 전에 멕시코 고원과 중앙 아메리카의 일부에 거주한 고대 인디오 부족으로 문명이 고도로 발달함)). ② 나우아족에 관한. ③ 나우아 말의. —*m.* 나우아 말. —*m.f.* 나우아족 사람.

nahual *m.* ① *Salv.* =**nagual** ②. ② *Hond., Méj.* =**nagual** ①③.

nahualismo *m. Méj.* =**nagualismo.**

náhuatl *m.* 나우아뜰 말 ((나우아족의 말)). —*adj.* 나우아뜰 말의.

nahuatlato, ta *adj.* ① (멕시코에서) 나우아뜰 말을 할 줄 아는. ② 나우아뜰

문화와 말에 조예가 깊은. —*mf.* 나우아뜰 문화와 말의 연구자.
náhuatle *adj., mf.* =nahua.
nahuatlismo *m.* ① 나우아 말의 어법. ② 다른 말에 사용되는 나우아 말의 단어[음성학적 요소].
naiboa *f.* ① *Cuba.* 유카(yuca) 뿌리에서 채취한 해로운 즙. ② *RDom.* = **sustancia, enjundia.** ③ *Ven.* 알이 거친 굳은 설탕·치즈 및 다른 양념으로 채워진 카사베(cazabe) 케이크.

N

naif *m.* [미술] 소박 미술, 소박파(素朴派). —*adj.* [미술] 소박한, 원시적인, 소박 미술의[에 관한].
naíf *m., adj.* =**naif.**
naife *m.* 상질(上質)의 다아아몬드.
nailon *m.* 나일론.
naipe *m.* ① (트럼프·타로의) 카드 (한 장). ② (판자·동판 등에 유화로 그려진) 소형 초상화. ③ *pl.* (주로 스페인식) 트럼프 (한 벌)(baraja): una baraja de ~s 트럼프 한 벌. ¶*acudir el* ~ a alguien =**dar bien el juego.** ☞**juego.** *cambiar el* ~ 대화[화제]를 바꾸다. *dar bien el* ~ 재수[운]가 좋아지다. *dar el* ~ (게임에서) 운[재수]이 좋다. *darle* a alguien *el* ~ *por* algo ㉮ …에 취미를 가지다, …에 열을 내다, …에 미치다. ㉯ …(하는 데)에 재능[재간·재주·솜씨]이 있다. *dar mal el* ~ 재수[운]가 나빠지다. *estar como el* ~ ㉮ (사람이) 피골상접하다. ㉯ (물건이, 많이 만져서) 매우 부드러워지다[느슨해지다]. ***florear el*** ~ 속임수를 쓰기 위해 카드를 준비하다. *peinar los* ~***s*** (카드의) 패를 뒤섞다. *tener buen* ~ (게임에서) 운[재수]이 좋다. *tener mal* ~ (게임에서) 운[재수]이 나쁘다.
naipear *tr.* ① *Bol.* (카드의) 패를 섞다. ② *Bol.* 속이다(engañar).
naipera *f. Al.* 카드 공장[제조소]에서 일하는 여자.
naipesco, ca *adj.* 카드의[에 관한].
naja[1] *f.* [동물] 코브라의 일종.
naja[2] *salir de* ~ 허둥지둥 떠나다.
najerano, na *adj.* ① 나헤라(Nájera, 스페인의 라 리오하의 한 도시) 태생의. ② 나헤라의[에 관한]. —*mf.* 나헤라 사람.
najerense *adj., mf.* =**najerano.**
najerino, na *adj., mf.* =**najerano.**
nalga *f.* ① 엉덩이(의 한 쪽). ② *pl.* 양쪽 엉덩이, 둔부.
nalgada *f.* ① 엉덩이로 밀기. ② 엉덩방아. ③ 볼기짝 때리기. ¶*dar* ~*s* (걸을 때) 엉덩이를 흔들다.
nalgamiento *m. Nic., Salv.* =**nalgatorio.**
nalgar *adj.* 엉덩이의[에 관한].
nalgatorio *m.* [집합] 양쪽 엉덩이.
nalgón, na *adj. Amér.* =**nalgudo.**
nalgudo, da *adj.* 엉덩이가 큰.
nalgueada *f. Hond., Méj., Salv.* (걸을 때) 엉덩이를 흔듦.
nalguear *tr.* ① *CRica, Guat., Hond., Méj.* (걸을 때) 엉덩이를 흔들다; (…의) 엉덩이를 때리다. ② *CRica.* 엉덩이를 만지다; 장난으로 엉덩이를 두드리다. —*intr.* (걸을 때) 엉덩이를 과장하여 흔들다.
nambira *f. Hond.* (가정에서 쓰기 위해 속을 파낸) 호박의 반(쪽).
namibiano, na *adj., mf.* =**namibio.**
namibio, bia *adj.* ① 나미비아(Namibia, 남아프리카의 대서양에 면한 공화국; 수도 Windhoek) 태생의. ② 나미비아의[에 관한]. —*mf.* 나미비아 사람.
nanorar *tr.* [드묾] =**enamorar.**
nana[1] *f.* [유아어] ① 자장가. ② (젖먹이용 지퍼가 달린) 작은 포대기. ③ 할머니. ④ *AmérC., Arg., Chile, Col., Méj., Perú.* =**niñera.** ⑤ *AmérC., Arg., Chile, Col., Méj., Perú.* 유모. ⑥ *Chile.* 파출부, 가정부. ¶*el año de la* ~ 옛날, 옛날옛적, 아주 오랜 옛날, 호랑이 담배 먹을 적.
nana[2] *f.* ① *Arg., Chile, Par., Ur.* [유아어] =**pupa, daño.** ② *pl. Arg., Par., Ur.* (특히, 노령기의) 지병, 숙환.
nanacate *m. Méj.* 버섯(hongo).
nanay *interj.* 터무니없다!
nanear *intr.* 아장아장[뒤뚱뒤뚱] 걷다.
nanita *el año de la* ~ 옛날, 옛날옛적, 아주 오랜 옛날.
nano, na *mf.* [구어] 소년, 소녀.
nano- *pref.* 「10억분의 1 (10^{-9})(una milmillonésima) ((기호 n))」의 뜻: *nanó*metro 나노미터.
nanoátomo *m.* 나노아톰.
nanómetro *m.* [길이의 단위] 나노미터.
nanosegundo *m.* [시간의 단위] 나노초(秒) ((10억분의 1초)).
nanotecnología *f.* 나노테크놀로지.
nanquín *m.* (옛날 중국 남경에서 제조된 노르끄레한) 가는 면 옷감.
nansa *f.* ① 어롱, 물고기 잡는 종다래끼(nasa de pescar). ② 작은 양어장.
nansú *m.* (여자용 블라우스·스카프·내의용) 하얀 면 옷감.
nao *f.* =**nave.**
naonato, ta *adj., mf.* 해상 여행 동안 배에산 태어난 (아이).
napa[1] *f.* [집합] (소면기(梳綿機)에서 나올 때 모이는) 직물. ¶~ *de agua* (지표면이나 지하의) 물의 층. ~ *de gas* (바닥에 퍼진) 무거운 가스층.
napa[2] *f.* (감촉이 부드러운) 무두질한 가죽(piel curtida).
napalm *m. ing.* 네이팜탄.
napea *f.* ☞**napeo.**
napeo, a *adj.* 숲의 요정의[에 관한]. —*f.* [신화] (옛 신화에 의하면, 숲속에 살았다는) 요정(妖精)(ninfa).
napias *f.pl.* 큰 코(narices grandes).
napiforme *adj.* 순무(nabo) 모양의.
napoleón *m.* 나폴레옹 ((스페인에서 19레알의 가치로 통용되었던 5프랑에 해당하는 프랑스의 은화; 프랑스 황제 나폴레옹(1769-1821)의 흉상이 새겨진 은화로 독립 전쟁(la Guerra de la Independencia) 동안 스페인에서 통용)).
napoleónico, ca *adj.* (프랑스의 황제) 나폴레옹(Napoleón)의[에 관한]: código ~ 나폴레옹 법전. guerras *~cas* 나폴레옹 전쟁.
napolitano, na *adj.* ① 나폴리(Nápoles, 이탈리아의 도시) 태생의. ② 나폴리의[에 관한]: canción *~na* 나폴리 민요. ③ 옛 나폴리 왕국의[에 관한]. *—m.f.* 나폴리 사람.
naque *m.* (남자 두 사람으로 구성된) 옛 희극단(喜劇團).
narango *m. AmérC.* =**ben.**
naranja *f.* ① [과실] 오렌지: ② (오렌지 크기의 옛날에 사용된) 대포알, 포탄. *—m.* 오렌지색. ¶ ~ ***agria*** 신 오렌지. ~ ***cajel*** =naranja zajarí. ~ ***china*** 중국 오렌지. ~ ***clementina*** 클레멘티나 오렌지. ~ ***de sangre*** = sanguina. ~ ***dulce*** 단 오렌지. ~ ***mandarina***, ~ ***tangerina*** 만다린 오렌지. ~ ***zajarí*** (단 오렌지나무의 접목으로 생산된) 변종 오렌지. ***media ~*** ㉮ 취미나 성격이 잘 맞는 사람. ㉯ 반려, 남편, 아내. ㉰ [건축] 원형 지붕. ***¡Naranjas!*** *interj.* [놀람·경이·불신·거절 등] 설마!, 아무러면!, 아무리!, 당치도 않다!, 터무니없다!, 천만에! ***¡Naranjas chinas!***, ***¡Naranjas de la China!*** *interj.* =**¡Naranjas!**
naranjado, da *adj.* 오렌지색의. *—f.* ① 오렌지에이드 ((오렌지 즙에 설탕과 물을 섞은 음료수)). ② [드묾] 버릇없는 행동[말].
naranjal *m.* 오렌지밭.
naranjero, ra *adj.* ① 오렌지의[에 관한]. ② (대포·도관이) 안지름이 8에서 10센티미터인. *—m.f.* 오렌지장수. *—m.* [식물] 오렌지, 귤나무, 밀감. *—f.* =**trabuco naranjero.**
naranjilla *f.* ① (보통 통조림으로 만드는) 어린 풋오렌지. ② *Ecuad.* [식물] 가지과 관목. ③ *Ecuad.* 가지과 관목의 열매.
naranjillada *f. Ecuad.* 가지과 관목의 열매로 빚은 음료.
naranjillo *m. Arg., Col.* =**naranjilla ②.**
naranjo *m.* [식물] ① 오렌지 ((감귤 종류의 한 가지)). ② 오렌지의 목재. ③ 거친[투박한] 남자, 무식한 남자.
narceína *f.* [화학] 나르세인 ((아편이 함유된 마취성 알칼로이드; 최고의 최면제 중의 하나)).
narcisismo *m.* ① [정신 분석] 자아[자기] 도취(증), 나르시시즘. ② 자애(自愛), 자기애(自己愛), 자기 중심주의.
narcisista *adj.* ① 자아[자기] 도취의, 나르시시즘의. ② 자아[자기] 도취자의. *—m.f.* ① 자아[자기] 도취자, 나르시시스트. ② =**narciso²**.
narciso¹ *m.* ① [식물] 수선화 ((수선화과의 여러해살이풀)). ② 수선화꽃.
narciso² *m.* [희랍 신화의 Narciso의 인용] 미모로 자부심이 강한 남자, 멋쟁이 남자, 멋쟁이.
Narciso *m.* [희랍 신화] 나르시스, 나르키소스 ((물에 비친 자기의 모습을 연모하여 빠져 죽어서 수선화가 된 미모의 청년)).
narco *m.f.* [단축어] =**narcotraficante.**
narco- *pref.* ①「마약(droga)」의 뜻: *narco*traficante 마약 밀매자. *narco*dólar 마약 거래에서 나온 달러. ②「수면·졸음(sueño)」의 뜻: *narco*lepsia 기면 발작(嗜眠發作).
narcoanálisis *m.sing.pl.* [정신 의학] 마취 분석.
narcodólar *m.* 마약 거래에서 나온 달러.
narcolepsia *f.* [의학] 기면 발작.
narcosala *f.* (약물 중독자들이 적당한 위생 상태에서 마약 주사를 맞을 수 있는) 공용 위생실(共用衛生室).
narcosis *f.sing.pl.* [의학] 마취 상태.
narcótico, ca *adj.* ① (약품이) 마취성의. ② 마취 상태의[에 관한]. *—m.* 마취제, 마취약, 마약.
narcotina *f.* 나르코틴.
narcotismo *m.* ① 마취 상태. ② [의학] 마취제[마약] 중독[상용].
narcotización *f.* 마취; 마취제 투여.
narcotizador, ra *adj.* 마취시키는, 마취제를 투여하는. *—m.f.* 마취자.
narcotizante *adj., m.f.* 마취시키는 (사람), 마취제를 투여하는 (사람).
narcotizar (9) *tr.* 마취시키다, 마취제를 투여하다. **~se** 마취되다, 마취제가 투여되다.
narcotraficante *adj.* 마약을 밀거래하는. *—m.f.* 마약 밀매자[거래자].
narcotráfico *m.* (대량의) 마약 거래, 독극물 거래.
nardo *m.* ① =**espicanardo.** ② [식물] 월하향. ③ 월하향의 꽃. ④ (옛날에 월하향 뿌리의 진액으로 만든) 향기로운 조제품. ¶ ~ ***índico*** =**nardo.**
nares *f.pl.* [은어] 코(narices).
narguile *m.* (동양 사람들이 사용했던) 물부리, 빨뿌리, 담뱃대.
nariceado, da *adj. Ven.* 강제된, 억지로 떠맡겨진(obligado).
naricear *tr. Hond., Ven.* (말을 잘 듣거나 걷게 하기 위해) 소의 콧구멍으로 줄을 끼우다, 쇠코뚜레를 끼우다.
naricera *f. Hond., Ven.* [집합] 쇠코뚜레, 코뚜레.
narigada *f. Ecuad.* =**pulgarada.**
narigón, na *adj. m.f.* =**narigudo.** *—m.* ① 코의 물렁뼈에 있는 구멍. ② 코뚜레, 쇠코뚜레.
narigudo, da *adj.* ① 코가 큰. ② 코 모양의. *—m.f.* 코가 큰 사람, 코주부.
nariguera *f.* ① (콧구멍을 나누는 물렁뼈에 인디오들이 끼우는) 고리, 코걸이. ② *Col., Ecuad., Hond.* 코뚜레, 쇠코뚜레(narigón).
narigueta *f.* 작은 코.
nariguetas *adj., m.f.* 코가 큰 (사람).

narigueto, ta *adj., m.f.* 코에 어떤 결함이 있는 (사람).

narina *f.* [해부] (바깥) 콧구멍(의 하나). 비공(鼻孔).

nariz *f.* ① 코: ~ caída 아래로 돌출한 코. ~ chata 납작코. ~ grande 큰 코, 높은 코. ~ pronunciada 긴 코. ~ remangada [repingona · respingada] 들창코. ② (동물의) 주둥이 ((코 · 입 부분)). ③ 후각. ④ 코앞, 눈앞; 코끝: delante de las *narices* de *alguien* …의 눈앞에서, …의 바로 보는 데서. caerse de *narices* 앞으로 푹 꼬꾸라지다; 자빠지다, 쓰러지다. ⑤ (문 · 창문의 고리쇠 · 노커를 끼우는) 코 모양의 쇠. ⑥ (도구 등의) 돌출부, 불쑥 튀어나온 곳; (자동차 등의) 선단(先端), 앞쪽 끝; 총부리, 총구; 뱃머리: la ~ de un puente 다리의 돌출부. ⑦ 선수(船首), 기수(機首). ⑧ [드묾] 콧구멍의 하나. ⑨ [드묾] (포도주가 발산하는) 향기롭고 부드러운 냄새, 향기. ¶ ~ *aguileña* 매부리코. ~ *griega* (옆에서 보아 이마에서 콧날까지 일직선인) 그리스 코, 모양이 좋은 코, 잘생긴 코. ~ *perfilada* 매끈하게 뻗은 코. *narices remachadas* 납작코. *asomar las narices* (특히, 냄새를 맡기 위해 누가) 어떤 장소에 나타나다. *darle* a alguien *en la* ~ ㉮ 냄새가 나다, 냄새를 풍기다. ㉯ 의심하다, 의심을 품다, 생각하다; 미리 알다, 예지하다, 냄새를 맡다. *darle* a alguien *en* [*por*] *las narices* con algo =pasar por las narices. *darse de narices con* alguien …와 딱 마주치다[만나다]. *de dos pares de narices* =de narices. *de narices* 매우 큰, 거대한. *dejar* a alguien *con tantas narices* =dejar con un palmo de narices. *de las narices* 귀찮은, 번거로운, 골치 아픈, 폐가 되는, 화나게 하는, 속이 상한, 언짢은. *hablar* alguien *por las narices* =ganguear. *hacerle* a alguien *las narices* (…를) 괴롭히다, 학대하다, 거칠게 다루다. *hacer* ~ un bastidor o un marco (문 등의 틀이) 네모난 모양의 정밀도를 잃다. *hasta las narices* ㉮ *adj.* =cansado, harto. ㉯ *adv.* 실컷, 물리게. *hincharle* a alguien *las narices* (…를) 화나게[성나게 · 노하게] 하다. *hinchársele* a alguien *las narices* 화내다, 성내다. *inflarle* a alguien *las narices* =hincharle las narices. *inflársele* a alguien *las narices* =hinchársele las narices. *meter las narices en* algo (…에) 호기심을 일으키다, …에 끼어들다, 참견하다, 개입하다. *no ver* alguien *más allá de sus narices* 소갈머리가 없다, 소견이 좁다. *pasar* [*restregar*] algo a alguien *por las narices* (…에게 …을) 과시하다, 일부러 드러내 보이다. *salirle* a alguien algo *de las narices* =darle la gana. ☞gana. *tener* alguien a otra persona *agarrada por las narices* (…가 …를) 뜻대로 하다, 지배하다, 고분고분 따르게 하다. *tener largas narices* 냄새를 잘 맡다, 후각이 예민하다. *tener* a alguien *montado en las narices* (…를) 늘 애먹이다. *tener* alguien *narices de perro perdiguero* =tener largas narices. *tocarle* a alguien *las narices* (…를) 귀찮게 하다, 성가시게 하다, 못살게 굴다. *tocarse* alguien *las narices* 하는 일없이 빈둥빈둥 놀다, 일하지 않고 있다, 아무것도 하지 않고 있다. *torcer* alguien *las narices* (말한 것 · 제안한 것에) 외면하다, 혐오감을 보이다.

narizón, na *adj.* 코가 큰 —*f. Nic.* =pene.

narizotas *f.pl.* 매우 큰 코. —*m.f.* 코가 큰 사람, 코주부. —*m.* [모욕적인 표현] 코주부.

narizudo, da *adj. Hond.* =narizón.

narrable *adj.* 말할 수 있는.

narración *f.* ① 서술, 이야기함. ② 이야기, 말. ③ 지문(地文) ((희곡에서, 해설과 대사를 뺀 나머지 부분의 글; 등장 인물의 동작 · 표정 · 심리 · 말투 등을 서술한 글)).

narrador, ra *adj.* 말하는, 이야기하는. —*m.f.* 말하는 사람, 이야기하는 사람, 화자(話者).

narrar *tr.* 이야기하다, 말하다.

narrativo, va *adj.* ① 이야기체의, 이야기식의: estilo ~ 이야기체. ② 설화의, 화술의. ③ [미술] (그림 · 조각이) 설명적인, 이야기를 표현하는. —*f.* ① 이야기. ② 이야기체의 문학, 단편, 콩트. ③ [드묾] =narración. ④ 서술력: tener gran ~ 서술력이 대단하다.

narria *f.* ① (무거운 짐을 끄는) 운반 수레. ② (간신히 움직이는) 뚱뚱한 여자.

nártex *m.sing.pl.* [건축] 나르텍스.

narval *m.* [동물] 일각고래 ((한대의 바다에 사는 돌고래과(科) 동물)).

narvaso *m. Ast.* (목축 사료용) 잎이 달린 옥수수 대.

nasa *f.* ① (어부들이 물고기를 넣기 위해 가지고 다니는) 주둥이가 좁은 종다래끼, 어롱(魚籠). ② (배가 불룩한 항아리식의 빵이나 밀가루 등을 담는) 그릇, 광주리.

nasal *adj.* ① 코의[에 관한]: cavidad ~ 비강(鼻腔), 콧속. fosas ~*es* 콧구멍. hemorragia ~ 코피. ② [음성] 비음의, 콧소리의. —*f.* 비음, 콧소리.

nasalidad *f.* 비음성(鼻音性), (소리가) 코를 통하여 나옴, 콧속에서의 울림.

nasalización *f.* [음성] 비음화(鼻音化).

nasalizar (9) *tr.* 비음화하다.

naso- *pref.* 「코 · 비(鼻)(nariz)」의 뜻: *naso*logía 비과학(鼻科學).

nasofaringe *f.* [해부] 비인강(鼻咽腔).

nasofaríngeo, a *adj.* [해부] 비인두(鼻咽頭)의.

nasofaringitis *f.* [의학] 비인두염.

N

nasología *f.* 비과학(鼻科學).
nasón *m.* 큰 어롱(魚籠).
nasqueño, ña *adj.* ① 나스까(Nasca, 뻬루의 주) 태생의. ② 나스까의[에 관한]. —*m.f.* 나스까 사람.
nasudo, da *adj.* [드묾] 큰 코의, 코가 큰(de nariz grande).
nata *f.* ① 유지(乳脂), 생크림. ② (우유의 위에 층을 이루는) 희고 끈적끈적한 진한 물질, 유피(乳皮). ③ (알코올 음료에 뜨는) 진한 물질, 상피(上皮). ④ 정수(精髓), 뽑아 냄, 최상의 것: (crema · flor y) ~ de la sociedad 명사(名士), 사교계의 명사[여왕]. ⑤ *Amér.* 광재(鑛滓). ⑥ *pl.* 설탕을 넣어 거품이 이는 생크림. ⑦ =**natillas.**
natación *f.* ① 수영: practicar la ~ 수영 (연습)을 하다. ② 경영(競泳).
natal *adj.* ① 출생[탄생]의[에 관한]: ciudad ~, pueblo ~ 태어난 도시. país ~ 고국, 낳은 나라. tierra ~ 태어난 땅. ② 출생지[탄생지]의[에 관한], 태어난 곳의[에 관한]. —*m.* [고어] 예수 그리스도의 탄생. ¶***suelo*** ~ 고향.
natalicio, cia *adj.* ① 생일[탄생일]의[에 관한]. ② 생일[탄생일]에 자주 행하는 (잔치 · 파티): fiesta ~*cia* 생일 파티. —*m.* 탄생일, 생일.
natalidad *f.* 출생률. ¶***control de*** ~ 산아 제한.
natátil *adj.* 헤엄칠[물위에 뜰] 수 있는.
natatorio, ria *adj.* ① 수영의[에 관한]. ② 수영하는 데 쓰는. ③ [드묾] 수영에 적당한 (장소). ¶***vejiga*** ~***ria*** (물고기의) 부레.
naterón *m.* =**requesón.**
natilla *f.* ① 생우유에서 꺼낸 신 유지. ② *pl.* 커스터드 ((과자의 일종)).
natío, a *adj.* (금속이) 자연의, 천연의: oro ~ 자연금(自然金). —*m.* [드묾] = **nacimiento, naturaleza.**
natividad *f.* ① 탄생, 출생. ② 예수 그리스도의 탄생 (축일) ((12월 25일)); 성모 마리아의 탄생 (축일) ((9월 8일)); 세례자 요한의 탄생 (축일) ((6월 24일)). ③ [드묾] 크리스마스 직전 무렵.
nativismo *m. Fil.* =**innatismo.**
nativo, va *adj.* ① 자연히 낳은. ② 출생지[출생국]의[에 관한], 낳은 곳의[에 관한]: país ~ 태어난 나라. suelo ~ 태어난 고향. ③ 토착민의, 원주민의; 토박이의: profesor ~ 원어민 선생. ④ 타고난, 선천적인, 천부의, 천성의. ⑤ (언어가) 모국어인: lengua ~*va* 모국어. ⑥ (사람이) 모국어를 하는. ⑦ 그 지방 고유의, 향토적인, 지방적인, 토착의, … 원산의: arte ~ 향토 예술. ⑧ (금속이) 천연 그대로의. ⑨ [컴퓨터] 특정 컴퓨터로만 사용하도록 고안된, 특정 운용 프로그램에 내재된. —*m.f.* 현지인; (…에서) 낳은[태어난] 사람. ¶***cobre*** ~ 자연동. ***oro*** ~ 자연금. ***plata*** ~ 자연은(自然銀).
nato, ta *adj.* ① (지위 · 직무가) 직권상 겸무한, 겸직한. ② 타고난, 천부적인, 선천적인. ③ 타고난 소질이 있는.
natura *f.* ① =**naturaleza.** ② [음악] 장음계. ③ [드묾] 생식기. ¶***a*** ~ [드묾] =**naturalmente.** ***contra*** ~ 자연[도덕]에 반(反)하는. ***de*** ~ [드묾] = **naturalmente.** ***pecado contra*** ~ 자연율에 반하는 죄; 도덕에 반하는 죄, 성적 도착(性的倒錯).
natural *adj.* ① 자연(自然)의, 천연(天然)의; 자연 그대로의, 가공하지 않은, 사람 손이 닿지 않은, 개간하지 않은: colores ~*es* 자연 그대로의 색. fenómeno ~ 자연 현상. flores ~*es* (조화에 대하여) 진짜의 꽃. perla ~ 천연 진주. persona ~ [법률] (법인에 대하여) 자연인. puerto ~ 천연의 항구. ② (…의) 태생의. ③ 타고난, 선천적인, 날 때부터의: poeta ~ 천성의 시인, 타고난 시인. ④ (태도 등이) 본래의, 본시 그대로의, 꾸밈 없는: voz ~ 꾸밈없는[자연스런] 목소리. hablar de forma ~ 꾸밈없이 말하다, 자연스런 말투를 쓰다. ⑤ (논리상 · 인정상) 당연한, 지당한, 사리에 맞는: Es ~ el calor [el frío] en esta época 이 시기에 더위[추위]는 당연하다. ⑥ 본능적인: parpadeo ~ 본능적인 눈의 깜박임. ⑦ 서출(庶出)의, 사생(私生)의. ⑧ (그림 등이) 실물과 같은, 꼭 닮은. ⑨ [음악] 본위(本位)의. ⑩ [투우] 왼손으로 칼 없이 하는 (물레따를 사용하는 기본 놀림). ⑪ *Filip.* (혼혈아에 대해) 부모 모두 토착민인 (어린이). —*m.f.* 현지의 주민, 토착민. —*m.* ① (각자의) 성격, 성질, 소질, 기질. ② (비이성 동물의) 본능. ③ [조각 · 미술] 실물, 원물(原物). ¶***año*** ~ 자연년, 태양년. ***ciencias*** ~***es*** 자연 과학. ***derecho*** ~ (자연법에 의거한 인간의) 자연권. ***día*** ~ 자연일 ((해돋이부터 해질 때까지)). ***filosofía*** ~ 자연 철학. ***gas*** ~ 천연가스. ***hijo*** ~ 사생아. ***historia*** ~ 박물학. ***lengua*** ~ (인공 언어 · 기계 언어에 대하여) 자연 언어. ***ley*** ~ ㉮ 자연율, 자연의 이법, 천리(天理). ㉯ [법률] 자연법. ***luz*** ~ 자연광. ***muerte*** ~ 자연사. ***número*** ~ [수학] 자연수. ***recursos*** ~***es*** 천연 자원, 자연 자원. ***religión*** ~ 자연 종교. ***teología*** ~ 자연 신학 ((신의 계시에 의하지 않고 인간 이성에 의거한 신학 이론)). ***vida*** ~ 천수(天壽), 천명(天命), 수명. ***al*** ~ ㉮ *adj.* ㉠ 자연 그대로의: belleza *al* ~ 자연 그대로의 아름다움. ㉡ [요리] 조미(調味)[양념]하지 않은, (특히, 통조림에서) 고기나 야채 등을 싱겁게 익힌. ㉯ *adv.* 자연 그대로. ***copiar del*** ~ [조각 · 미술] 실물을 그리다[조각하다 · 복사하다].
naturaleza *f.* ① 자연, 대자연, 천지 만물, 삼라만상; 자연계; 자연력, 자연 현상, 자연의 법칙: estado de ~ 자연 상태. leyes de la ~ 자연의 법칙. ② 본바탕, 본성, 천성: ~ del hombre 인

N

간의 본성. ~ del terreno 토질(土質). ~ divina 신성(神性). ~ humana 인성(人性), 인간성. ③ (개인의) 성질, 기질. ④ 본연의 힘[활동]. ⑤ (특히, 여성의) 성, 생식기(sexo): despertarse a *alguien* la ~ (…가) 성에 눈을 뜨다. romper la ~ 초경(初經)[첫 월경]을 보다. ⑥ 종류. ⑦ [조각·미술] = natural. ¶ ~ *humana* [집합] 인류, 모든 사람. ~ *muerta* [그림] 정물화. *contra* ~ ㉮ *adj.* 자연에 반(反)한, 자연의 섭리에 반한. ㉯ *adv.* 자연에 반(反)해, 자연의 섭리에 반해. *La costumbre es segunda* ~ (속담) 습관은 제2의 천성이다.

N

naturalidad *f.* ① 자연성, 기교가 없음. ② 소박성, 꾸밈이 없음, 천진성, 천진난만, 자발성. ③ 솔직함: hablar con ~ 솔직히 말하다. ④ 자연스러움.

naturalismo *m.* ① [철학] (자연을 중시하고, 모든 현상을 과학적 법칙으로 설명하는) 자연주의. ② [주로 대문자로 씀] [문예] (현실 또는 자연의 객관적 진실 묘사를 목적으로 하는) 자연주의. ③ [논리] (본능에 따라 행동하는) 자연주의. ④ [신학] (종교적 진리는 자연에 대한 연구에서 얻어진다는) 자연론(自然論).

naturalista *adj.* [문예] 자연주의의[에 관한]. —*m.f.* ① [철학·종교·예술] 자연주의자. ② 박물학자.

naturalización *f.* ① [법률] 귀화: ~ de un extranjero 외국인의 귀화. ② (외국어·외국 문화의) 이입(移入), 들여옴. ③ (외국산 동물·식물의) 이식, 귀화. ④ 자연화(自然化).

naturalizar (9) *tr.* ① (외국인을) 귀화시키다, …에게 시민권을 주다. ② (동물·식물을 …에) 이식하다, 풍토에 익도록 하다, 정착시키다. ③ (외국어·외국 문화 등을) 들여오다, 국어화하다. ④ 자연적으로 하다. ~**se** ① (외국인이 마치 자기 나라에서 생활하는 것처럼 어떤 나라에서) 생활에 익숙해지다. ② 귀화하다. ③ (외국어·외국 문화 등이) 자국화되다.

naturalmente *adv.* ① 의심의 여지없이, 시종일관[수미일관]하여. ② 당연히, 물론. ③ 자연스레, 기교 없이, 간단히, 솔직히. ④ 자연히, 저절로, 제물로, 자연의 법칙에 따라. ⑤ 타고난 그대로, 본래, 천성이.

naturismo *m.* ① 자연 지향, 자연 회귀주의; 자연 숭배(설). ② 나체주의.

naturista *adj.* ① 자연 지향의, 자연 회귀주의의, 자연 숭배의. ② 자연 요법의. ③ 나체주의의. —*m.f.* ① 자연 지향주의자, 자연 회귀주의자, 자연 숭배자. ② 자연 요법사. ③ 나체주의자.

naturópata *m.f.* 자연 요법 의사.

naturopatía *f.* 자연 요법.

naufragar (8) *intr.* ① (배가) 난파하다, 난선하다: barco *naufragado* 난파선. ② (사람이) 조난하다, 조난을 당하다. ③ (의도·사업이) 실패하다, 파산하다.

naufragio *m.* ① (바다·강·호수에서 배의) 난파, 조난. ② 해난(海難) (사고). ③ 난파선. ④ 실패; 파산, 도산.

náufrago, ga *adj.* 난선(難船)된, 파선된, 난파된: buque ~ 난파선. —*m.f.* 조난자.

naumaquia *f.* ① (옛 로마 사람들이 저수지나 호수에서 구경거리로 했던) 해전, 배 싸움. ② 해전[배 싸움]하던 곳: la ~ de Mérida 메리다의 해전 장소.

Nauru (la República de) [국명] 나우루 공화국 ((오스트레일리아 동북방의 섬나라; 수도 Nauru)).

nauruano, na *adj.* ① 나우루 (공화국) 태생의. ② 나우루 (공화국)의[에 관한]. —*m.f.* 나우루 (공화국) 사람. —*m.* 나우루 말.

náusea *f.* ① [주로 *pl.*] 구역질, 욕지기, 외욕질, 토기(吐氣): sentir ~*s* 토기를 느끼다. tener ~*s* 토기가 있다. ② [주로 *pl.*] 혐오감, 불쾌감.

nauseabundo, da *adj.* ① 구역질[토기]을 느끼게 하는, 토할 듯한, 메스꺼운, 역하는, 역겨워지는, 울컥거리는, 메슥거리는, 속이 답답한, 언짢은, 화[불덩이]가 치미는: hedor ~ 역겨운 악취. ② [드묾] 잘 토하는, 토하는 경향이 있는(propenso a vómito).

nauseoso, sa *adj.* =nauseabundo ①.

nauta *f.* 선원, 뱃사람(navegante).

náutica *f.* ① 항해술. ② 항해학.

náutico, ca *adj.* ① 항해(navegación)의[에 관한]. ② 수상(水上)의: club ~ 요트 클럽. deporte ~ (요트를 포함한) 수상 스포츠. esquí ~ 수상 스키.

nautilo *m.* [조개] 앵무조개.

nauyaca *f.* *Méj.* 큰 독사.

nava *f.* (산간의, 때로는 습한) 저지(低地), 분지(盆地).

navacero, ra *m.f.* navazo 경작자.

navaja *f.* ① (손잡이 위에 접을 수 있는) 칼, 작은 칼, 호주머니 칼, 잭나이프: ~ automática [de botón·de muelle·de resorte] 튀어나오는 칼, 잭나이프. ~ suiza 만능칼. ② 면도칼: cortar el pelo a (la) ~ 면도칼로 밀다, 머리를 빡빡 밀다. ③ [조개] 맛조개 무리, 긴맛 ((긴맛과의 바닷조개)). ④ (멧돼지·코끼리 및 다른 동물의) 송곳니. ⑤ (곤충의) 날카로운 침. ⑥ 독설(毒舌), 욕설, 험담. ¶ ~ *barbera* =navaja de afeitar. ~ *cabritera* (짐승의) 가죽 벗기는 칼. ~ *de afeitar* 면도칼. *comer de* ~ (건육·치즈·순대처럼) 마른 음식을 먹다.

navajada *f.* ① 잭나이프(navaja)로 베기[찌르기]. ② 잭나이프에 찔린 상처.

navajazo *m.* =navajada.

navajero, ra *adj.* ① (나쁜 목적으로 습관적으로) 잭나이프를 사용하는. ② (…에) 아주 능숙한. —*m.f.* ① (악한 목적으로) 잭나이프를 사용하는 사람. ② 잭나이프 제조자[수선자·판매자]. —*m.* ① 면도칼 집[케이스]. ② 면도칼 닦는[가는] 천. ③ (면도칼 닦는 데 쓰이는) 고무 끝이 달린 잔의 일종.
navajo *m.* =lavajo.
navajón *m.* 큰 잭나이프.
navajonazo *m.* navajón으로 벤 데; navajón으로 생긴 상처.
naval *adj.* ① 배[조선]의[에 관한]: ingeniería ~ 조선학. ingeniero ~ 조선 기사. ② 항해의[에 관한]. ③ 해군(海軍)의: agregado ~ 대사관부 해군 무관. combate ~ 해전(海戰). Escuela *Naval* 해군 사관 양성 학교. ¶*base* ~ 해군 기지. *táctica* ~ 해군 작전.
navanco *m.* 들오리(pato bravío).
navarca *f.* ① (고대 희랍의) 함대 사령관. ② (고대 로마의) 함장(艦長).
Navarra *f.* [지명] 나바라 ((스페인 북부의 자치주; 정식 명칭은 Comunidad Foral de Navarra)).
navarro, rra *adj.* ① 나바라(Navarra) 태생의. ② 나바라의[에 관한]. —*mf.* 나바라 사람. —*m.* 나바라 사투리[방언·말투].
navarroaragonés, sa *adj.* ① 나바라(Navarra)와 아라곤(Aragón)의[에 관한]. ② 나바라와 아라곤에서 생긴 방언의. —*m.* 나라바와 아라곤 방언.
navazo *m. And.* (해변에 인접한 모래사장에 일구어진) 남새밭[채전(菜田)].
nave *f.* ① 배(barco): ~ de guerra 전함. ~ mercante 상선. ~ satélite 위성선(衛星船). ② 지붕이 있는 돛배. ③ (사원의 기둥 사이의) 공간, 홀. ④ (건물에 딸린) 창고, 공장, 작업실, 작업장, 방: construir dos ~s más 두 동(棟) 더 신축하다. ⑤ 우주선. ¶~ *de San Pedro* 가톨릭 교회. ~ *espacial* 우주선. ~ *principal* (사원의) 중앙홀. *quemar las ~s* 배수진을 치다.
navecilla *f.* =naveta ①.
navegabilidad *f.* 항행(航行) 가능성.
navegable *adj.* (강·호수·운하에서) 항행 가능한.
navegación *f.* ① 항행, 항해; 항공: abierto a la ~ 항해 가능한. ~ de cabotaje, ~ costera 연안 항해. ~ fluvial 하천 항행. ~ submarina 잠항. línea de ~ 항로. sistema de ~ para automóvil 자동차용 항행 장치. ② 선박 여행. ③ 항해학. ④ 항해술. ¶~ *aérea* 항공. ~ *astronómica* 천문 항법. ~ *de altura* 원양 항해. *diario de* ~ 항해 일지.
navegador, ra *adj.* 항해하는. —*mf.* 항해자, 비행자, 항공사.
navegante *adj., mf.* =navegador.
navegar (8) *intr.* ① 항행하다, 항해하다. ② (기구·비행기·다른 적당한 탈 것 등으로) 여행하다, 공중을 날다. ③ 배[비행기]를 조종하다. ④ (배가) 전진하다, 나아가다. ⑤ 인터넷 망을 통해 바꾸어 놓다. ⑥ [드묾] (물건을 팔면서) 여기저기 돌아다니다. —*tr.* ① (바다를) 항행하다. ② [드묾] (바다로 이리저리 물건을 팔기 위해) 상품을 운송하다.
naveta *f.* ① (교회에서 사용하는) 배 모양의 작은 향료 그릇. ② 책상 서랍. ③ (발레아레스 섬의) 청동기 시대의 거석 유적 ((엎어 놓은 배 모양을 함)).
navidad *f.* ① 예수 그리스도의 탄생[강탄]. ② [N~] (예수 그리스도의 탄생을 기리는) 성탄절, 크리스마스, 강탄제(Pascua de *Navidad*) ((12월 25일)): Feliz *Navidad*! 성탄절[크리스마스]을 축하합니다!, 성탄절을 즐겁게 보내십시오!. ③ [주로 *pl.*; N~] 성탄절 무렵[즈음], 크리스마스 시즌 ((세 동방 박사 축제일인 1월 6일까지)); 성탄절[크리스마스] 휴가: pasar las *Navidades* en *su* casa 크리스마스 시즌[휴가]을 집[가정]에서 보내다. felicitar las *Navidades* 성탄절[크리스마스]과 새해를 축하하다. Felieces *Navidades*! 성탄절과 새해 복 많이 받으십시오! ④ 해, 연(年), 열두 달, 12개월. ⑤ [주로 *pl.*] 나이. ¶*árbol de Navidad* 성탄목, 크리스마스트리. *tarjeta de Navidad* 크리스마스카드.
navideño, ña *adj.* 크리스마스 시즌의[에 관한]: fiestas ~*ñas* 크리스마스 시즌의 축제일들, 성탄절 무렵의 기념일들. tarjeta ~*ña* 크리스마스카드.
naviero, ra *adj.* ① 배(nave)의[에 관한]: acciones ~*ras* 해운주(海運株). compañía [empresa] ~*ra* 선박 회사, 해운 회사. ② 항해의[에 관한]. —*mf.* ① 선주(船主). ② 상선(商船)에 식량을 보급하는 사람. —*f.* 선박 회사, 해운 회사.
navío *m.* ① 전함, 전투함(buque de guerra). ② 대형 선박, 큰 배(buque grande). ¶~ *de aviso* (소형의) 증기 경전함, 전함(aviso). ~ *de carga* = **navío de transporte.** ~ *de guerra* =**navío ①.** ~ *de línea* 전열함(戰列艦). ~ *de transporte* 화물선, 수송선. ~ *mercante,* ~ *mercantil,* ~ *particular* 화물선. *alférez de* ~ 해군 중위. *capitán de* ~ 해군 대령. *teniente de* ~ 해군 대위. *montar un* ~ 배를 보내다.
náyade *f.* ① [신화] (강·샘의) 요정(妖精)(ninfa). ② [동물] (곤충의) 번데기.
nazareno, na *adj.* ① 나사렛(Nazaret, Palastina 북부의 작은 도시; 그리스도의 성장지) 태생의. ② 나사렛의[에 관한]. ③ (알코올 음료도 마시지 않고 수염이나 머리카락을 깎지도 않고 특히) 하나님 믿는 일에만 정진하는 히브리인의. ④ 검붉은 빛깔의 긴 옷을 입은 예수 그리스도 상의. ⑤ 그리스도를 믿는. —*mf.* ① 나사렛 사람. ② (알코올 음료도 마시지 않고 수염이나 머리카락을 깎지도 않고 특히) 하나님 믿는 것에만 정진하는 히브리인, 나사렛교도, 초기 기독교도. —*m.* ① (성주간 행렬에서 수난자로 가장한 사람. ② [식물] 아메리카산 노란 염료 수출 식물. —*f.pl. Arg., Ur.* (전통적으로 가우초들(gauchos)이 사용하는) 큰 박차.

N

¶*el Divino Nazareno* =Jesucristo. *el Nazareno* =Jesucristo. *Jesus Nazareno* =Jesus. *cuando vengan los ~s* (도저히 일어날 가능성이 없는 경우에) 해가 서쪽에서 뜨면. *estar* alguien *hecho un* ~ 슬픔[비탄]에 젖어 있다.

nazareo, a *adj.* ① 나사렛 태생의. ② 나사렛의[에 관한]. ③ =nazareno ③. —*m.f.* ① 나사렛 사람. ② =nazareno ②.

N

nazarí *adj.* ① 유숩 벤 나자르(Yúsuf ben Názar, 13세기부터 15세기까지 그라나다에서 통치한 이슬람 왕조의 창시자)의 후손의. ② 나사르 왕조의[에 관한]. —*m.f.* [주로 *pl.*] 유숩 벤 나자르의 후손.

nazarita *adj., m.f.* =nazarí.

nazca ☞nacer (30).

Nazca[1] *f.* [건축 · 역사] 나스까 ((Perú의 이까(Ica)주 나스까 계곡과 Perú 남부 해안 지대에서 발달한 잉카 이전(기원전 400-서기 1000)의 문화)): líneas de ~ 나스까의 지상화(地上畵). reino de ~ 나스까 왕조.

Nazca[2] *f.* [지명] 나스까 ((Perú의 이까주에 있는 도시)).

nazcáis ☞nacer (30).

nazcan ☞nacer (30).

nazcas ☞nacer (30).

nazco ☞nacer (30).

nazi *adj.* [nacionalsocialista의 단축어] ① 국가 사회주의 독일 노동자당의[에 관한], 나치의[에 관한]: Alemania ~ 나치 독일. ② 국가 사회주의 독일 노동자당을 신봉하는, 나치당원의. —*m.f.* 국가 사회주의 독일 노동자당원, 나치당원, (독일의) 국가 사회주의자, 나치주의자, 나치주의 신봉자.

nazismo *m.* [단축어] =nacionalsocialismo.

Nb niobio 니오븀.

N.B. nota bene, Nótese bien 요주의(要注意), 주의하세요.

n/b.° nuestro beneficio 폐사의 차익(差益)[마진].

n/c. nuestra carga 폐사의 하물(荷物). nuestra cuenta 폐사의 계정.

n/cgo. nuestro cargo 폐사의 채무.

n/c(ta). nuestra cuenta 폐사의 계정.

Nd neodimio 네오디뮴.

NE nordeste 북동(北東).

nea *f.* [어두 탈락형] =anea.

nearca *m.* (고대 희랍 · 로마의) 군사령관(jefe de armada).

nébeda *f.* [식물] 개박하 ((순형과 식물; 박하와 비슷한 냄새와 맛을 가짐)).

nebel *m.* =nabla.

nebí *m.* [새] =neblí.

nebladura *f.* ① (농작물의 햇빛 부족으로 인한) 안개 피해. ② (양의) 선회병.

neblí *m.* [새] 매의 일종.

neblina *f.* 연무, 스모그, 별로 짙지 않고 낮게 깔린 안개.

neblinear *intr. Chile.* [단인칭 동사] 안개비가 내리다, 이슬비[가랑비]가 내리다(lloviznar).

neblinero *m. Chile, Cuba.* (연무로 인한 시계의 방해를 줄이는) 발광 장치

neblinoso, sa *adj.* 안개가 (낮게 많이) 낀: día ~ 안개가 많이 낀 날. tiempo ~ 안개가 잔뜩 낀 날씨.

nebral *m.* =enebral.

nebreda *f.* =enebral.

nebrina *f.* 두송(enebro)의 열매.

nebro *m.* =enebro.

nebular *adj.* [천문] 성운(星雲) (모양)의[에 관한]: anillo ~ 성운 모양의 링. hipótesis ~, teoría ~ (태양계의) 성운설(星雲說).

nebulizador, ra *adj.* 안개 모양의, 안개 모양으로 하는. —*m.* (의료용) 분무기.

nebulizar (9) *tr.* 안개 모양으로 하다.

nebulón *m.* [드묾] 의뭉스럽고 위선적인 남자.

nebulosa *f.* ☞nebuloso.

nebulosamente *adv.* ① 잔뜩 흐려, 안개가 낀 것처럼. ② 음침하게, 울씨년스레, 쓸쓸히, 우수에 잠겨. ③ 흐릿하게, 모호하게, 애매모호하게.

nebulosidad *f.* ① 불분명함, 불명료함. ② (날씨가) 흐림. ③ 음침함. ④ 그늘. ⑤ 애매모호함.

nebuloso, sa *adj.* ① 안개가 잔뜩 낀, 안개로 덮인, 흐린: cielo ~ 잔뜩 흐린 날씨. ② 안개로 어두워진[흐려진]. ③ 음침한, 을씨년스러운, 쓸쓸한, 우수에 잠긴. ④ 어두운, 빛이 적은, 밝기가 부족한. ⑤ *Arg., Cuba, Ur.* 흐릿한, 모호한, 애매모호한, 불확실한: idea ~*sa* 흐릿한 생각. —*f.* ① [천문] 성운(星雲) ((엷은 구름같이 보이는 천체; 기체와 작은 고체의 입자로 구성되어 있음)). ② *Arg., Cuba, Ur.* 불확실하고 혼란스럽고 애매모호한 상태.

necear *intr.* ① 무식한[바보 같은] 말을 하다. ② [+en] (…에) 어리석게[무식하게] 고집을 부리다.

necedad *f.* ① 어리석음. ② 바보 같은 말[행동], 어리석은 말[행동], 우행(愚行): decir ~*es*, soltar una ~ 어리석은[바보 같은 · 무식한] 말을 하다. hacer una ~ 어리석은 행동을 하다.

necesaria *f.* =necesario.

necesariamente *adv.* ① 반드시, 꼭, 필히, 무슨 일이 있어도, 어떻게 해서라도. ② [부정 구문] 반드시[꼭] (…은 아니다). ③ 필연적인 결과로서, 불가피하게, 부득이.

necesario, ria *adj.* ① 필연의, 필연적인, 피할 수 없는: consecuencia ~*ria* 필연적 귀결[결과]. La lucha es ~*ria* 투쟁[싸움]은 피할 수 없다. ② (반드시 · 꼭) 필요한, 없어서는 안 될: ~ *para* [*a*] la salud 건강에 필요한. gastos ~*s* 필요(한) 경비. considerar *algo* como un mal ~ …을 필요악으로 생각하다. si es ~ 만일에 필요하면. ③ 유익한, 안성맞춤의, 형편이 좋은: libro muy ~ 매우 유익한[필요한]

책. Es ~ *que* nos distraigamos de vez en cuando 우리는 가끔 기분 전환을 하는 것이 좋다. No es ~ *que* vayas si no quieres 네가 원하지 않으면 갈 필요가 없다. —*f.* =**letrina, retrete.** ¶*hacer* algo ~ …을 필요로 하다.

neceser *m. fr.* (여행용) 세면 도구 상자[넣는 것], 화장 도구 상자, 바느질고리, 반짇고리.

necesidad *f.* ① 필요성, 필요: ~ mental 정신적인 만족. en caso de ~ 필요한 경우에는, 긴급한 경우에는. Tenemos ~ de trabajar para vivir 우리는 살기 위해 일할 필요가 있다. ② 필연(성), 불가피(성); 당연한 결과: ~ lógica 논리적 필연. Yo me encuentro [Me veo] en la ~ de elegir entre ambos 나는 양자택일[이자택일]을 하게 되었다, 나는 불가피하게 양자택일을 하지 않으면 안 된다. ③ [주로 *pl.*] 필수품: ~*es* básicas 최저 필수품. Hoy en día el teléfono móvil es una ~ 오늘날에는 휴대 전화(기)는 필수품이다. ④ [주로 *pl.*] 긴요한 일, 긴급한 필요. ⑤ [때때로 *pl.*] 빈곤, 궁핍, 빈핍, 기아; 궁상, 궁경, 고경, 괴로운 지경: cometer el robo impulsado por la ~ 빈곤 때문에 도둑질을 하다. morir de ~ 아사(餓死)하다. pasar ~*es* 고난을 맛보다[체험하다]. ⑥ [주로 *pl.*] 대소변, 생리적 욕구: hacer ~*es* 용변을 보다, 대소변을 보다, 변소에 가다. ¶***artículo de primera*** ~ 생활 필수품. ***estado de*** ~ 긴급 피난. ~ ***mayor*** 대변. ~ ***de menor*** 소변. ***de*** ~ =**necesariamente:** herida mortal *de* ~ 손을 쓸 수 없는 치명상. ***de primera*** ~ 필요 불가결한: artículos *de primera* ~ 필요 불가결한 물건, 생활 필수품. ***hacer de la*** ~ ***virtud*** ㉮ 부득이한 일을 불평없이 하다, 불가피한 사태를 유효하게 활용하다. ㉯ 당연히 해야 할 일을 하고 공치사하다. ***obedecer a la*** ~ 임기 응변의 조치를 취하다, 궁지를 모면하다, 상황에 따르다. ***por*** ~ 필연적으로, 부득이, 어쩔 수 없이. ***A*** ~ ***no hay ley / Donde no hay regla, la*** ~ ***la inventa / La*** ~ ***carece de ley*** (속담) 사흘 굶어 도둑질 안 할 놈 없다. ***La*** ~ ***es la madre de la habilidad / La*** ~ ***hace maestro*** (속담) 필요는 발명의 어머니.

necesitado, da *adj.* ① [+de] (…을) 필요로 하는, (…이) 없는, 불충분한, 모자라는. ② 가난한, 빈곤한, 빈궁한, 빈한한, 곤궁한: familia ~*ta* 빈곤 가정. —*m.f.* 가난한 사람, 생활 곤궁자: los ~s 가난한 사람들.

necesitar *tr.* ① 필요로 하다: *Necesito* tu ayuda 나는 너의 도움이 필요하다. ¿*Necesitas* dinero? 너 돈 필요하니? Si *necessitas* algo, llámame 필요한 것이 있으면[무엇이 필요하면] 나에게 전화해라. ② [+*inf.*] …할 필요가 있다: *Necesito* verte hoy 나는 오늘 너를 만날[볼] 필요가 있다[만나야 한다]. —*intr.* [+de] (…을) 필요로 하다, (…이) 필요하다: *Necesito de* ti 나는 네가 필요하다. ~**se** ① 필요하다: *Se necesita* chófer [게시·광고] 운전 기사(를) 모집(함). *Se necesitan* diez trabajadores [게시·광고] 직공 10명 모집(함). ② [+*inf.*] …이 틀림없다, 확실하다: Ella *se necesita de* ser abogada 그녀는 변호사임에 틀림없다.

neciamente *adv.* 멍청하게, 바보스럽게, 미욱하게, 어리석게도, 무지하게.

necio, cia *adj.* ① 무지한, 모르는. ② 우둔한, 멍청한. ③ 고집이 센, 옹고집의. ④ 무지로[경솔해서·우쭐해서] 행해지는. —*m.f.* ① 무지한 사람. ② 멍청이, 미련퉁이. ③ 고집쟁이, 고집통이, 고집통, 고집불통. ¶***a necias*** = **neciamente.**

nécora *f.* [동물] 바닷게.

necro- *pref.* 「죽음·시체(muerto); 괴사(壞死); 괴저(壞疽)」의 뜻: *necro*fagia 죽은[썩은] 고기를 먹음. *necro*filia 시간(屍姦).

necrodactilar *adj.* 시체의 지문의.

necrofagia *f.* 시체[썩은 고기]를 먹음.

necrófago, ga *adj.* 시체를 먹는.

necrofilia *f.* ① 죽음에 의한 매력. ② [정신 의학] 시간(屍姦), 시체 간음.

necrofílico, ca *adj.* =**necrófilo.**

necrófilo, la *adj.* ① [정신 의학] 시간(屍姦)의[에 관한]. ② [정신 의학] 시간증(屍姦症)의. —*m.f.* [정신 의학] 시간자(屍姦者), 시체 간음자.

necrofobia *f.* [정신 의학] 시체[사망] 공포증.

necróforo, ra *adj.* 다른 동물의 시체에 알을 보관하기 위해 다른 동물의 시체를 묻는 (갑충류 곤충). —*m.* [곤충] 매장충(埋葬蟲).

necrolatría *f.* 사자(死者) 숭배.

necrología *f.* 부고(訃告), 사망 기사, 사망 광고; 고인의 약력.

necrológico, ca *adj.* necrología의.

necromancia *f.* 강령술(降靈術).

necromancía *f.* =**necromancia.**

necrópolis *f.sing.pl.* (특히, 옛 도시의) 거대한 공동 묘지.

necropsia *f.* [의학] =**autopsia.**

necrópsico, ca *adj.* [의학] 시체 해부(autopsia)의[에 관한].

necrosar *tr.* 괴사(壞死)[괴저(壞疽)]시키다. ~**se** 괴사[괴저]되다.

necroscopia *f.* [의학] =**necropsia.**

necroscópico, ca *adj.* =**necrópsico.**

necrosis *f.sing.pl.* 괴사, 괴저, 탈저.

necrótico, ca *adj.* necrosis의[에 관한], 괴사성(壞死性)의, 괴저성의.

néctar *m.* ① [희랍 신화] 넥타, 신주(神酒), 불로불사의 술. ② 감로, 미주(美酒). ③ [식물] 화밀(花蜜).

nectáreo, a *adj.* néctar의, néctar 같은, 감미로운.

N

nectarina *f.* 살구나무와 복숭아나무의 접목으로 열린 과실.
nectarino, na *adj.* =**nectáreo.**
nectario *m.* [식물] 꿀샘, 밀선(蜜腺).
necton *m.* [생물] [집합] 유영 동물.
nectónico, ca *adj.* 유영 동물의.
neerlandés, sa *adj.* ① 네덜란드(los Países Bajos, 유럽 서부의 북해에 면한 왕국; 수도 Amsterdam) 태생의. ② 네덜란드의[에 관한]. ③ 네덜란드 사람[말]의[에 관한]. —*m.f.* 네덜란드 사람. —*m.* 네덜란드 말.
nefandamente *adv.* 꺼림칙하게, 혐오스레; 추접스레, 군단지럽게.
nefandario, ria *adj.* 흉악한[극악무도한] 죄를 범한.
nefando, da *adj.* 꺼림칙한, 혐오스런, 염기(厭忌)한, (입에 담지 못하게) 추접스러운, 군단지럽한, 군던지럽한, 더러운. ¶*pecado* ~ 남색(男色).
nefariamente *adv.* 흉악하게, 극악무도하게(de modo nefario).
nefario, ria *adj.* 흉악한, 극악무도한.
nefasto, ta *adj.* ① (날·시대가) 슬픈, 불길한, 흉한, 운수가 나쁜: día ~ 불길한 날, 흉일. época ~*ta* 불행한 시대, 수난의 시대. ② (사람·물건이) 불행한, 불우한, 증오스러운, 혐오스런, 가증스러운.
nefelibata *adj., m.f.* =**soñador.**
nefelismo *m.* [기상] 구름의 현상.
nefelometría *f.* 탁도계를 이용한 화학 및 세균 분석 처리.
nefelómetro *m.* [세균·화학] 탁도계(濁度計), 비탁계(比濁計).
nefr- *pref.*「신장(腎臟)(riñón)」의 뜻: *nefr*itis 신장염. ((모음 앞에서 쓰임)). ☞**nefro-.**
nefrectomía *f.* [의학] 신장(腎臟) 외과 적출(술), 신장 절제.
nefridio *m.* [동물] 신관(腎管).
nefrítico, ca *adj.* ① [의학] 신장(腎臟)의. ② [의학] 신장염에 걸린. —*m.f.* 신장염 환자. —*m.* ① =**palo nefrítico.** ② =**piedra nefrítica.** ¶*cólico* ~ [의학] 신산통(腎疝痛). *dolor* ~ [의학] 신장 결석, 신결석(腎結石).
nefritis *f.sing.pl.* [의학] 신장염: ~ aguda 급성 신장염. ~ crónica 만성 신장염.
nefro- *pref.*「신장(腎臟)(riñón)」의 뜻: *nefro*logía 신장학.
nefrología *f.* 신장학, 신장병학.
nefrológico, ca *adj.* nefrología의.
nefrólogo, ga *m.f.* 신장학자, 신장병학자, 신장병 전문 의사.
nefropatía *f.* [의학] 신장애(腎障碍), 신증(腎症), 신장병.
nefrosis *f.sing.pl.* [의학] (상피성) 신장증(腎臟症).
nefrótico, ca *adj.* ① nefrosis의[에 관한]. ② 신장증에 걸린. —*m.f.* 신장증 환자.
neg. negocio 거래.
negable *adj.* 거부할[부정할] 수 있는.
negación *f.* ① 부정, 부인; 거부: ~ de los derechos humanos 인권 무시. ② 무(無), 결여, 비존재, 비실재. ③ 무능. ④ [문법] 부정(否定): adverbio de ~ 부정의 부사. ⑤ [문법] 부정어, 부정 표현.
negado, da *adj.* ① 무능한. ② 믿음을 부정한. —*m.f.* ① 무능한 사람: ser un ~ en ciencia 과학에 무식하다, 과학을 모르다. ② 믿음을 거부한 초기 기독교인.
negador, ra *adj., m.f.* 거부[거절]하는 (사람); 부인[부정]하는 (사람).
negamiento *m.* =**negación** ①.
negar (8) *tr.* ① 부정(否定)하다, 부인하다, …이 아니라고 말하다: ~ la verdad 진실을 부인하다, 진실이 아니라고 말하다. ~ con la cabeza 머리를 옆으로 흔들다. ② 거부하다, 거절하다: ~ la autorización 허가를 거절하다. ~ la entrada al país 입국을 거절하다, 입국을 금하다. ③ (자신과의 관계를) 부인하다: ~ a *su* hijo 자기의 자식이라는 것을 부인하다, 친자 관계를 부인하다, 자식과 의절하다. ~**se** ① [+a] (…을) 거부하다, 거절하다: ~*se a* la evidencia 자명한 이치를 인정하지 않다. ~*se a* la razón 도리에 등을 돌리다. ~*se al* trato 교제를 끊다. ~*se a* pagar 지불을 거절하다. ② 찾아온 사람을 따돌리다.
negativa *f.* 거부, 거절, 부정적 대답: ~ a colaborar 협력 거부[거절]. ~ absoluta, ~ rotunda 단호한 거절.
negativamente *adv.* 부정[소극]적으로.
negatividad *f.* 부정성; 소극성; (반응 등의) 음성.
negativismo *m.* 부정주의; 소극주의.
negativo, va *adj.* ① (의견·대답 등이) 부정(否定)의, 부인의; 부정적인: comentario ~ 부정적인 견해. oración ~*va* 부정문. respuesta ~*va* 부정적인 대답. ② (태도·의지 등이) 거부의, 거부적인; 반대의. ③ (의견·자세·성격 등이) 소극적인, 적극성이 없는: actitud ~*va* 소극적 태도. crítica ~*va* 소극적인 비평. ④ (사람이) 일을 부정적인 측면에서 보는, 비관적인. ⑤ [수학·물리] 음(陰)의, 마이너스의: carga ~*va* 음전하. electrón ~ 음전자. número ~ 음수. ⑥ [의학] 음성(陰性)의: Rh ~*va* (혈액형의) 아르에이치(Rh) 음성[마이너스]. ⑦ [사진] 음화의, 네거티브의. —*m.* [사진] 음화, 사진의 원판(原版). ¶*cantidad* ~*va* 음량(陰量). *electricidad* ~*va* 음전기. *prueba* ~*va* [사진] 음화.
negatrón *m.* [물리] =**electrón.**
negligé *m. fr.* (여자의 통 넓은) 네글리제, 실내복, 화장복.
negligencia *f.* ① 태만, 부주의, 무관심, 등한시: ~ en el cumplimiento de *su* deber 직무 수행 태만. ② 단정치 못함. ③ 태만한 행위. ④ [법률] 부주의로 인한 과실: ~ culpable 부주의로

인한 과실. ~ médica 의료 과실. ~ temeraria 중과실. ⑤ [예술] 법칙의 무시; 자유 분방.

negligente *adj.* 태만한, 부주의한; 무관심한, 등한한; 야무지지 못한, 칠칠치 못한: postura ~ 야무지지 못한 태도. vestimenta ~ 칠칠치 못한 복장. —*mf.* 태만한 사람, 부주의한 사람; 야무지지 못한 사람, 칠칠치 못한 사람.

negligentemente *adv.* 태만히, 부주의하게, 등한히; 야무지지 못하게, 칠칠치 못하게.

negociabilidad *f.* ① 시장성(市場性). ② (증권·어음 등이) 양도할 수 있음, 유통성(流通性)

negociable *adj.* (증권·어음 등이) 양도할 수 있는, 유통성이 있는: título ~ 유통 증권.

negociación *f.* ① 교섭, 절충; 상담: ~ diplomática 외교 교섭. poder en ~ 교섭력. ~ entre patronos y obreros 노사간의 교섭. ② (증권·어음의) 양도, 유통; 거래 ¶~ *colectiva* [법률] 단체 교섭.

negociado *m.* ① (회사 등의) 부, 국(局). ② =**negocio.** ③ *AmérM.* 불법[부정] 거래. ¶***jefe de*** ~ 부장, 국장.

negociador, ra *adj.* ① 거래하는, 장사하는. ② (중요한 일에서) 교섭하는, 담판하는. ③ negociación의[에 관한]: habilidad ~*ra* 상담 능력, 교섭 능력. —*mf.* ① 거래자. ② 교섭 위원. ③ 중개자.

negocianta *f.* 상인의 아내.

negociante *adj.* ① 장사를 하는, 사업을 하는. ② [경멸] 이익만 취하는, 수전노의. —*mf.* ① 상인; 사업가: ~ al por mayor 도매상. ~ en arroz 미곡상. ~ en coches 자동차 딜러. ② [경멸] 장사꾼, 수전노.

negociar *intr.* ① [+en·con] (…의) 장사를 하다, 거래를 하다, 교섭을 하다: ~ *en* [*con*] arroz 쌀장사를 하다. ② [+con] (…와) 장사를 하다, 거래를 하다, 교섭을 하다: ~ *con* México 멕시코와 무역[장사]을 하다. —*tr.* ① …의 교섭을 하다: ~ el tratado comercial 통상 조약의 교섭을 하다. ~ el acuerdo de libre comercio 자유 무역 협정의 교섭을 하다. ② (증권·어음을) 양도하다, 매도하다, 거래하다: ~ una letra 어음을 양도하다. ③ (최단 거리를 통과해) 돌다, 방향을 바꾸다.

negocio *m.* ① 사업, 거래; *pl.* 장사: hombre de ~*s* 비즈니스맨, 사업가, 실업가. viaje de ~*s* 출장, 상용 여행. hablar de ~*s* 사업[장사] 이야기를 하다. tener ~*s* propios 자영업을 하다. ② 유리한 거래. ③ 영업소, 지사, 지점; 상점, 가게. ④ 이익, 이문. ⑤ *Amér.* 사실. ¶~ ***al contado*** 현금 거래. ~ ***de comisión*** 위탁 거래[판매]. ~ ***por correspondencia*** 통신 판매업. ~ ***redondo*** 척척 맞아 들어가는 사업[장사]. ***buen*** ~ 유리한 거래. ***mal*** ~ 불리한 거래. ***evacuar*** alguien ***un*** ~ 거래를 끝마치다. ***hacer*** alguien ~ (큰) 이익[이문]을 얻다, (많은) 이득을 보다. ***hacer*** alguien ***su*** ~ ㉮ 자신의 이익만을 추구하다. ㉯ (자기에게 맡겨진 다른 사람의 일에서) 부당한 이득을 보다. ***ir*** alguien ***a su*** ~ =hacer su negocio ㉮.

negocioso, sa *adj.* [드묾] 부지런한, 근면한(diligente).

negozuelo *m.* 보잘것없는 사업[장사·거래].

negra *f.* ☞**negro.**

negrada *f.* ① [집합] (농장의) 흑인 노예. ② [경멸] *Cuba, Hond., Ven., Ur.* [집합] 흑인종의 사람들, 흑인들. ③ rur. *Ur.* [집합] (어느 장소에 때를 맞추어 도착할) 만반의 준비가 된 사람.

negraje *m. Ven.* [집합] =**negrada** ②.

negral *adj.* 거무잡잡한, 검은 빛을 띠는. —*m.* =**moradura, equimosis.**

negramenta *f.* [경멸] *Hond., Ven.* = negrada ②.

negramentazón *m. Ven.* [집합] 흑인.

negrear *intr.* ① 검게 보이다. ② 거무스름해지다, 검은 빛을 띠다. ③ *Bol.* 동시에 여러 여자를 구슬리다. ④ *Bol.* (택시 기사가) 밤에 면허 없이 불법으로 영업하다. —*tr.* ① *Col., Perú, Par., Ven.* =**menospreciar.** ② *Ur.* 착취하다.

negrecer (31) *intr.*, ~**se** 검어지다, 검게 되다(ponerse negro).

negregar (8) *intr.* [드묾] =**negrear.**

negreguear *intr.* [드묾] =**negrear.**

negregura *f.* =**negrura.**

negrería *f.* [집합] (특히 뻬루의 농장의) 흑인들.

negrero, ra *adj.* 흑인 노예의, 흑인 노예 매매의. —*mf.* ① 흑인 노예 상인[매매 업자]. ② 부하를 잔인하게 다루는 사람, 일꾼을 혹독하게 부려 먹는 고용주.

negrestino, na *adj.* [드묾] 검은 빛을 띠는, 검은 빛이 도는.

negrilla *f.* ① [어류] (등이 검은) 붕장어의 일종. ② 올리브 잎에 기생해 사는 곰팡이의 일종. ③ 고딕체.

negrillera *f.* 느릅나무 숲.

negrillo *m.* ① [식물] 느릅나무(olmo). ② *Mur.* 곡물의 흰가루병 병균. ③ *Amér.* 구리가 함유된 은광.

negrito, ta *adj. Salv.* 원하는 것을 얻기 위해 매우 열심인. —*m.* [새] (꾸바산) 카나리아의 일종. —*f.* 고딕체.

negritud *f.* ① =**negrura.** ② [집합] 흑인 문화의 특질[가치]. ③ (20세기 후반부터 발달된) 프랑스어 문학 운동.

negro, gra *adj.* ① 검은: cabello ~ 검은 머리카락. color ~ 검은빛, 검정, 흑색. tinta ~*gra* 검은 잉크. vestido ~ 검은 드레스. ② 암흑의, 어두운. ③ 거무스름한, 어두운 빛깔의, 암갈색의: cerveza ~*gra* 흑맥주. ④ (담배가) 향[맛]이 강한, 독한: cigarrillo ~ 독한

N

담배. ⑤ 흑인의: música ~*gra* 흑인 음악. ⑥ (피부가 햇볕에 타서) 검은, 구릿빛의, 갈색의. ⑦ 부정한, 사악한: mercado ~ 암시장. ⑧ 악마의, 마력(魔力)의. ⑨ 더러워진, 더러운: aguas ~*gras* 오수, 하수. ⑩ 음기(陰氣)의, 불길한, 어두운; 비참한: futuro ~ 어두운 장래[미래]. un día ~ 비참한 하루. ⑪ 매우 화난[성난·노한]: estar [ponerse] ~ 무척 화내다[성내다·노하다]. ⑫ (문학·영화 등이) 잔혹한 분위기로 발전하는, 암흑가의, 암흑상을 다룬: cine ~ 암흑가를 다룬 영화. —*mf.* ① [경멸] 흑인. ② 대필자. ③ *And., Amér.* (부부·연인·사랑하는 사람들 사이에서 애칭으로) 사랑스러운 사람, 여보: mi ~*gra* 여보!, 내 사랑아!, 귀염둥아! —*m.* ① 검은빛, 검정, 흑색: en ~ (사진·텔레비전 등이) 흑백의: película *en* ~ 흑백 필름. televisor *en* ~ 흑백 텔레비전. ② 검은 것 ((석탄·숯검정 등)). ③ (맛·향이) 강한 담배, 독한 담배. —*f.* ① [펜싱] (끝에 단추가 달린) 쇠 칼, 연습용 칼. ② 불운. ③ [음악] 사분음표. ¶ ~ ***animal*** 골탄. ~ ***de humo*** 그을음. ~ ***de la uña*** 아주 작은 것, 손톱의 때. ***luz ~gra*** 불가시 광선. ***punto*** ~ 사고 다발 지점, 사고가 빈번한 곳. ***con la*** ~ ***Chile.*** ㉮ *adj.* 돈 없는. ㉯ *adv.* 돈 없이. ***en*** ~ ***Arg.*** 질서 없이, 법에 어긋나, 법을 지키지 않고. ***estar [ponerse]*** ~ un asunto (사정이) 악화되다. ~ ***sobre blanco*** 종이에 써서[인쇄해서]. ***pasarlas ~gras*** 잡치다, 잘못 보내다. ***poner*** a alguien ~ (…를) 무척 화나게[노하게·성나게] 하다. ***ponerse*** alguien ~ 무척 화내나[성내다·노하다]. ***trabajar más que un ~ [como un ~]*** 일을 많이 하다, 일을 부지런히 하다. ***verse*** alguien ~ ***para*** hacer algo (…을 (실현)하기 위해서는) 많은 난관[어려움]을 가지고 있다.

negrófilo, la *mf.* 흑인종의 편을 드는 사람, 흑인을 좋아하는 사람.

negroide *adj.* ① 흑색 인종의. ② 흑인 문화의. —*mf.* 흑색 인종(의 한 사람).

negror *m.* [드묾] 검정, 흑색; 암흑.

negrota *f.* [은어] (부엌의) 가마솥, 보일러.

negrumo *m. Nic.* =**hollín.**

negrura *f.* 검정, 흑색; 암흑.

negruzco, ca *adj.* 거무잡잡한, 거무스레한, 약간 검은 (빛의).

neguijón *m.* (벌레가 먹어 검게 되는) 이의 병, 충치.

neguilla *f.* ① [식물] 석죽과 일년생 초본 식물. ② 석죽과 일년생 초본 식물의 씨. ③ [식물] 니겔라(arañuela). ④ (말의 나이를 알아보는 이의 움푹 들어간 곳에 생긴) 검은 반점. ⑤ *pl. Salv.* =**picardía, astucia.**

neguillón *m.* [식물] =**neguilla.**

negus *m.sing.pl.* 이디오피아의 황제.

neis *m.* 편마암(gneis).

néisico, ca *adj.* 편마암의(gnéisico).

neja *f.* ☞**nejo.**

nejayote *m. Méj.* 옥수수 삶은 누르스름한 물.

nejo, ja *adj. Méj.* 더러운(sucio). —*f. Méj.* 삶은 옥수수로 만든 부침개.

neldo *m.* =**eneldo.**

nema *f.* 편지의 봉함(封緘).

nematelminto *adj.* [동물] 선형 동물문(線形動物門)의. —*m.pl.* [동물] 선형 동물문.

nematócero *adj.* [동물] 모기류(類)의. —*m.pl.* 모기류 아목(亞目).

nematodo *adj.* [동물] 선충류(線蟲類)의. —*m.pl.* [동물] 선충류.

neme *m. Col.* 천연 아스팔트.

némine discrepante *adv. lat.* 한 사람의 반대도 없이, 만장일치로.

nemónico, ca *adj.* =**mnemónico.** —*f.* =**mnemotecnia.**

nemoroso, sa *adj.* ① [시어] 숲의[에 관한]. ② [시어] 숲으로 덮인.

nemotecnia *f.* 기억력 증진법, 기억술.

nemotécnico, ca *adj.* 기억술의. —*f.* 기억술.

nene, na *mf.* ① 어린아이. ② [애칭, 특히 여성, 아내·연인·딸에게] 여보, 당신, 애. —*m.* (못된 짓으로) 난폭한 남자.

neneco, ca *adj. Hond.* (사람이) 매우 약한, 허약한. —*mf.* 허약한 사람.

neneque *m. Hond.* (자기 스스로도 주체하기 힘든) 매우 약한 사람.

nenia *f.* ① (고대에 장례식에서 불렀던) 애도의 노래[시작(詩作)]. ② (사망 후) 기리는[칭송하는] 시문(詩文).

nenúfar *m.* [식물] 수련(垂蓮).

neo[1] *m.* [화학] =**neón.**

neo[2], **a** *adj.* =**neocatólico.** —*m.* =**ultramontano.**

neo- *pref.* 「최근(reciente)·새로운, 신(新)(nuevo)」의 뜻: *neo*católico 신가톨릭주의의. *neo*latino 신라틴어의.

neocapitalismo *m.* 신자본주의.

neocatolicismo *m.* 신가톨릭주의.

neocatólico, ca *adj.* ① 신(新)가톨릭주의의[에 관한]. ② 신가톨릭주의를 신봉하는, 신가톨릭주의자의. —*mf.* ① 신가톨릭주의자. ② [경멸] 반동주의자.

neoclasicismo *m.* 신고전주의.

neoclásico, ca *adj.* ① 신고전주의의[에 관한]. ② 신고전주의자의, 신고전주의파(派)의. ③ (현대 예술·양식·문체에서, 옛날 희랍이나 로마에서 사용한 것을) 모방하는 경향의, 모방하려 하는. —*mf.* 신고전주의자, 신고전주의파(派).

neocolonialismo *m.* 신(新)식민지주의 ((제2차 세계 대전 이후 약소국에 대한 강대국의 정치적·경제적 패권)).

neocriticismo *m.* 신(新)비평주의 ((칸트 사상의 개혁에서 나온 철학 운동)).

neodarwinismo *m.* 신(新)다윈설 ((자연 도태를 중시하는 Weismann의 설)).

neodimio *m.* [화학] 네오디뮴.
neoescolasticismo *m.* [철학] 신(新)스콜라 철학.
neofascista *adj.* 신(新)파시스트의, 신(新)국수주의자의. —*mf.* 신파시스트, 신국수주의자.
neófito, ta *mf.* ① 최근 개종자(改宗者), 새 신도(信徒). ② (교단(教團)·정당 등의) 새 가입자, 신입생, 초심자.
neógeno, na *adj.* ① [지질] 신제3기(新第三紀)의. ② [지질] 신제3기에 관한. —*m.* [지질] 신제3기.
neogoticismo *m.* [건축] 신(新)고딕 경향[양식].
neogótico, ca *adj.* [건축] 신고딕 양식의.
neoimpresionismo *m.* [미술] 신인상주의(新印象主義).
neokantiano, na *adj.* ① [철학] 신(新)칸트주의의[에 관한]. ② [철학] 신(新)칸트파의, 신(新)칸트주의를 신봉하는[주장하는]. —*mf.* 신칸트주의자, 신칸트학파 사람[학도].
neokantismo *m.* [철학] 신칸트학파, 신칸트주의.
neolatín *m.* =**latín moderno.**
neolatino, na *adj.* ① 라틴계 사람(los latinos)의: raza *~na* 라틴(계) 민족. ② 라틴어(lengua latina)(계)의, 로망스어(계)의: idioma ~ 라틴어계 언어, 로망스어계 언어.
neolector, ra *mf.* 최근 알파벳을 읽힌 사람.
neoliberal *adj.* ① 신(新)자유주의의[에 관한] ② 신자유주의자의. —*mf.* 신자유주의자.
neoliberalismo *m.* [경제] 신자유주의.
neolítico, ca *adj.* 신석기 시대의[에 관한]. —*m.* 신석기 시대.
neológico, ca *adj.* neologismo의.
neologismo *m.* ① 신어, 신조어. ② 신어법, 신어 사용. ③ [신학] 신학설 신학, 신교리(新教理).
neólogo, ga *mf.* 신어[신조어] 사용자.
neomejicano, na *adj., mf.* =**neomexicano.**
neomexicano, na *adj.* ① 뉴멕시코(Nuevo México, 미국의 주) 태생의. ② 뉴멕시코의[에 관한]. —*mf.* 뉴멕시코 사람.
neomicina *f.* [생화학] 네오마이신 ((방사균에서 얻는 항생 물질의 일종)).
neón *m.* ① [화학] 네온. ② 네온 등, 네온사인.
neonatal *adj.* 신생아의[에 관한].
neonato, ta *mf.* (생후 1개월 이내의) 신생아(recién nacido). —*adj.* 갓 태어난, 신생아의.
neonatología *f.* [의학] 신생아학.
neonatológico, ca *adj.* 신생아학의
neonatólogo, ga *mf.* 신생아 전문 소아과 의사, 신생아 학자.
neonazi *adj.* ① 신(新)나치주의의[에 관한]: ideología ~ 신나치주의 이데올로기. movimiento ~ 신나치주의 운동. ② 신나치주의자의, 신나치주의를 신봉하는. —*mf.* (제2차 세계 대전 이후의) 신나치주의자.
neonazismo *m.* (제2차 세계 대전 이후의) 신나치주의자.
neoplasia *f.* ① 종양 형성(腫瘍形成). ② 신조직 형성, 신생물 형성.
neoplásico, ca *adj.* neoplasia의.
neoplasma *m.* [의학] (체내에 생기는) 신생물, (특히) 종양(腫瘍).
neoplatonicismo *m.* =**neoplatonismo.**
neoplatónico, ca *adj.* ① 신(新)플라톤주의의[에 관한]. ② 신플라톤파의, 신플라톤주의자의, 신플라톤주의를 신봉하는. —*mf.* 신플라톤주의자.
neoplatonismo *m.* 신(新)플라톤주의, 신플라톤 학파 철학.
neopositivismo *m.* 신실증 철학(新實證哲學) 학파, 신실증주의(新實證主義).
neopositivista *adj.* ① 신실증 철학파의[에 관한], 신실증주의의[에 관한]. ② 신실증주의를 신봉하는. —*mf.* 신실증주의자, 신실증 철학파(의 사람).
neopreno *m.* 네오프렌.
neoráceo, a *adj.* [식물] =**cneoráceo.**
neorama *m.* 네오라마.
neorrealismo *m.* ① [영화·문학] 신(新)사실주의. ② (제2차 세계 대전 이후 이탈리아에서 일어난) 영화 운동.
neorrealista *adj.* ① 신사실주의의[에 관한]. ② 신사실주의를 신봉하는, 신사실주의자의. —*mf.* 신사실주의자.
neotenia *f.* ① [생물] 유생(幼生) 생식. ② 유형(幼形) 성숙.
neotérico, ca *adj.* =**nuevo, reciente, moderno.**
neotestamentario, ria *adj.* 신약 성서(Nuevo Testamento)의[에 관한].
neoyorquino, na *adj.* ① 뉴욕(Nueva York, 미국의 도시) 태생의. ② 뉴욕의[에 관한]. —*mf.* 뉴욕 사람.
neozelandés, sa *adj.* ① 뉴질랜드(Nueva Zelanda, 남태평양의 영연방 안의 독립국; 수도 Wellington) 태생의. ② 뉴질랜드의[에 관한]. —*mf.* 뉴질랜드 사람.
neozoico, ca *adj.* [지질] 신생대(新生代)의. —*m.* [지질] 신생대.
nepalés, sa *adj.* ① 네팔(Nepal, 인도 북쪽 히말라야 산속에 있는 나라; 수도 Katmandú) 태생의. ② 네팔의[에 관한]. —*mf.* 네팔 사람. —*m.* 네팔 말.
nepente *m.* ① [식물] 네펜시스, 벌레잡이통풀. ② [신화] 상처와 고통을 치료하기 위해 신들이 사용했던 음료, 시름[근심]을 잊게 하는 영약, 고통을 잊게 하는 약.
néper *m.* [물리] 네퍼.
neperiano, na *adj.* 네퍼(John Neper, 스코틀랜드의 수학자, 1550-1617)의. ¶ *logaritmo* ~ 네퍼 대수(對數), 자연대수 *tablillas ~nas* 대수표.
nepote *m.* 교황의 친척[측근자].
nepotismo *m.* 친척 등용, 친척 중용, 족벌주의.

nepotista *adj.* ① 친척[연고자] 등용의. ② 친척[연고자] 등용의 경향이 있는. —*mf.* 족벌주의자, 친척을 등용하는 사람.
neptúneo, a *adj.* ① [시어] 해신(海神), 바다의 신(Neptuno)의[에 관한]. ② [시어] 바다(mar)의[에 관한].
neptuniano, na *adj.* =**neptúnico.**
neptúnico, ca *adj.* [지질] (흙·바위가) 수성(水成)의, 수성암(水成岩)의.
neptunio *m.* [화학] 넵투늄.
neptunismo *m.* [지질] (암석) 수성론
neptunista *adj.* 수성론(자)의. —*mf.* 수성론자.
Neptuno *m.* ① [로마 신화] 넵튠 ② [천문] 해왕성. ③ [시어] 바다(mar).
nequáquam *adv. lat.* [부정문에서] 어떠한 방법으로도 (…이 아니다)
nequicia *f.* =**maldad, perversidad.**
ne quid nimis *lat.* 어떤 일이나 적당하게, 과하지 않게.
nereida *f.* [희랍 신화] 네레이스 ((바다의 요정[여신]; 몸의 상체는 아름다운 여자, 하체는 물고기)).
nerita *f.* [조개] 복족류 조개의 일종.
nerítico, ca *adj.* ① [생물] 얕은 바다에 사는, 연안(沿岸)에 사는. ② 대륙붕에 해당되는 (지역).
neroli *m.* [약학] 등화유(橙花油).
nerolí *m.* =**neroli.**
nerón *m.* [로마의 황제 Nerón에서] 매우 잔인한 남자(hombre muy cruel).
neroniano, na *adj.* ① 네로 황제의[에 관한]. ② 폭군 네로 같은. ③ 잔인한, 피비린내 나는(sanguinario).
nervadura *f.* ① [건축] 홍예문 틀. ② [식물] 잎맥.
nérveo, a *adj.* ① 신경의[에 관한]. ② 신경 같은.
nervezuelo *m.* [드묾] nervio의 축소사.
nervino, na *adj.* 신경에 잘 듣는 (약): remedio ~ 신경 특효약.
nervio *m.* ① [해부] 신경: ~ facial 안면 신경. ② 활력, 원기, 기력: con mucho ~ 원기 왕성하게. tener ~ 원기[기력]가 있다. ③ 건(腱), 힘줄. ④ *pl.* 신경 과민[이상], 안달, 신경의 흥분; 신경 과민증, 히스테리. ⑤ (책·공책을) 철하는 실[가는 끈]. ⑥ *pl.* 악기의 현(弦)[줄]. ⑦ [식물] 잎맥, 엽맥(葉脈). ⑧ [곤충] 시맥(翅脈). ⑨ [건축] 홍예문 틀. ¶ ~ ***auditivo*** [해부] 청신경. ~ ***ciático*** [해부] 좌골 신경. ~ ***de buey*** =**vergajo.** ~ ***maestro*** (말의 발의) 굴근건(屈筋腱), 굴근 힘줄. ~ ***óptico*** [해부] 시신경. ~ ***vago***, ~ ***neumogástrico*** [해부] 미주 신경(迷走神經). ~ ***vasomotor*** [해부] 혈관운동 신경. ***guerra de ~s*** 신경전. ***alterar los ~s*** a alguien =**ponerle los nervios de punta.** ***alterársele los ~s*** a alguien =**ponérsele los nervios de punta.** ***crispar los ~s*** a alguien =**ponerle los ~s de punta.** ***crispársele los ~s*** a alguien =**ponérsele los nervios de punta.** ***estar*** alguien ***de los ~s*** ㉮ 심리 요법이 필요하다, 신경 이상 증상에 걸리다. ㉯ 신경질이 나 있다. ***perder*** alguien ***los ~s*** 흥분하다, 냉정을 잃다. ***poner*** a alguien ***de los ~s*** = **ponerle los nervios de punta.** ***poner*** a alguien ***los ~s de punta*** (…를) 매우 신경질 나게[화나게·성나게·노하게·울화가 치밀게] 하다, (…의) 약을 올리다. ***ponerse*** alguien ***de los ~s*** =**ponérsele los nervios de punta.** ***ponérsele*** a alguien ***los ~s de punta*** 무척 신경질이 나다, 화나다, 약이 오르다 ***ser*** alguien **(*un*)** puro ~ 매우 신경질적이다.
nerviosamente *adv.* 신경질적으로, 초조하게, 안절부절 못하여.
nerviosidad *f.* 신경질, 신경 과민(성), 신경 이상; 소심.
nerviosismo *m.* [의학] 신경증, 신경질; 스트레스; 흥분.
nervioso, sa *adj.* ① 신경이 있는, 힘줄이 있는: carne ~*sa* 힘줄이 있는 고기. ② 신경의[에 관한], 신경성의, 신경에 작용하는: depresión ~*sa* 신경 쇠약, 울적한 상태. enfermedad ~*sa* 신경 질환, 신경병. gas ~ 신경 가스. tensión ~*sa* 신경의 긴장. ③ 신경질의, 신경 과민의, 흥분하기 쉬운: Ella es muy ~*sa* 그녀는 무척 신경질적이다. ④ 안달복달하는, 안절부절 못하는, 침착성이 없는: ¡No te pongas ~! 침착해라!, 마음을 차분하게 가져라! ⑤ 겁내는, 두려워하는, 불안한: momento ~ 불안한 순간. ⑥ 강한, 굳센, 힘이 센, 역강(力强)한, 힘이 있는, 기력이 있는, 원기 왕성한.
nervoso, sa *adj.* [드묾] =**nervioso.**
nervudo, da *adj.* ① 신경이 강한. ② 근육[혈관]이 튀어나온, 힘줄[혈관]이 불거진, 근육질의. ③ 강인한, 힘센, 역강한, 활력이 있는(fuerte, vigoroso).
nervura *f.* (책 등을) 철하는 실.
nesciencia *f.* [드묾] =**ignorancia.**
nesciente *adj.* =**ignorante.**
nescientemente *adv.* ① 무식하게, 무지하게. ② 생각지도 않게, 뜻밖에, 의외로, 부지중에, 무의식적으로.
nesga *f.* ① [재봉] (옷에 대는) 삼각형의 옷감[천] 조각, 덧천. ② (어떤 물건이건 다른 것에 붙이기 위해) 삼각형으로 자른[만든] 조각.
nesgado, da *adj.* 덧천을 댄, 삼각형 조각을 붙인.
nesgar (8) *intr.* 천[옷감]을 실의 방향과 엇비슷한 방향으로 자르다.
néspera *f.* ① [식물] =**níspero ①.** ② [열매] =**níspero ②.**
nesquisa *f. Nic.* =**nixtamal.**
nesquisar *tr. Nic.* =**nixquear.**
nestóreo, a *adj.* ① [희랍 신화] 네스토르(Néstor, 호머 작 일리어드 중의 슬기로운 노장군) 같은. ② 네스토르의[에 관한].

N

nestorianismo *m.* [종교] 네스토리우스교(敎), 경교.
nestoriano, na *adj.* ① 네스토리우스교를 믿는[지지하는]. ② 네스토리우스교의[에 관한]. —*mf.* 네스토리우스교도[신자], 경교 신자, 경교도(景教徒).
netamente *adv.* 분명히, 명료하게, 명백히; 순수하게.
neto, ta *adj.* ① (선 등이) 분명한, 명확한, 확실한, 명료한: lenguaje ~ 명확한 말. perfil ~ 확실한 윤곽. verdad ~*ta* 명백한 사실. ② (중량 등이) 정미(正味)의, 순(純)…: beneficio ~, ganancia ~*ta* 순이익. sueldo ~ 기본급, (세금 등을 공제하고) 실제로 받는 봉급. ③ (가격이) 정가의: precio ~ 정가(正價). —*m.* [건축] (기둥의) 대석(臺石). ¶*peso* ~ 정미 중량. *producto nacional* ~ 국민 순생산. *en* ~ 정미(正味)로, 정량(正量)으로.
neuma *m.* [음악] 네우마.
neumático, ca *adj.* 공기의, 기체의; 압착 공기에 의한: almohada ~*ca* 공기베개. lancha ~*ca* 고무 보트. tubo ~ 튜브. —*m.* (자동차의) 타이어. —*f.* [물리] 기체학. ¶*bomba ~ca* 진공 펌프. *máquina ~ca* 배기 펌프, 배기종(排氣鐘), 진공 유리 그릇.
neumo- *pref.* 「폐(肺)(pulmón)」의 뜻: *neumo*tórax 기흉(氣胸). *neumo*coco 폐렴 쌍구균.
neumococo *m.* [의학] 폐렴 쌍구균.
neumoconiosis *f.* [의학] 규폐, 규폐증, 진폐증.
neumogástrico, ca *adj.* [해부] 신장의, 위장의.
neumología *f.* [의학] 호흡기병학.
neumológico, ca *adj.* [의학] 호흡기병학의[에 관한].
neumólogo, ga *mf.* 호흡기병학 전문의.
neumonía *f.* [의학] 폐렴(pulmonía).
neumónico, ca *adj.* ① [의학] 폐렴의. ② [의학] 폐렴에 걸린. —*mf.* 폐렴 환자.
neumonitis *f.* =pulmonía.
neumonoconiosis *f.* [의학] 진폐증.
neumopatía *f.* [의학] 폐질환(肺疾患).
neumotórax *m.sing.pl.* [의학] 기흉. ¶ ~ *artificial* 인공 기흉.
neural *adj.* 신경계와 신경 단위[세포]의[에 관한].
neuralgia *f.* [의학] 신경통: ~ ciático 좌골 신경통. ~ facial 안면 신경통.
neurálgico, ca *adj.* ① 신경통의[에 관한]. ② (문제가) 중요한, 미묘한, 어려운: Las negociaciones están en un punto ~ 교섭은 미묘한 점에 있다.
neurastenia *f.* [의학] [드묾] 신경 쇠약.
neurasténico, ca *adj.* ① [의학] 신경 쇠약의[에 관한]. ② [의학] 신경 쇠약에 걸린. —*mf.* 신경 쇠약자.
neurataxia *f.* [의학] 신경 쇠약.
neurisma *m.* [의학] 동맥류(動脈瘤)
neurita *f.* [해부] 신경 돌기(axón).
neuritis *f.sing.pl.* [의학] 신경염.
neuro- *pref.* 「신경(神經)(nervio)·신경계(神經系)(sistema nervioso)」의 뜻: *neuro*tomía 신경 해부. *neuro*biología 신경 생물학.
neuroanatomía *f.* 신경 해부학.
neuroanatómico, ca *adj.* 신경 해부학의[에 관한].
neuroanatomista *mf.* 신경 해부학자.
neurobiología *f.* 신경 생물학.
neurobiológico, ca *adj.* 신경 생물학의[에 관한].
neurobiólogo, ga *mf.* 신경 생물학자.
neuroblasto *m.* 신경모세포, 신경아세포.
neuroblastoma *m.* [의학] 신경모세포종, 신경아세포종.
neurociencia *f.* 신경 과학.
neurocirugía *f.* [의학] 신경 외과(학).
neurocirujano, na *mf.* 신경 외과의.
neurocito *m.* [해부] 신경 세포.
neurodegerativo, va *adj.* [의학] 신경 변성의[에 관한].
neuroeje *m.* 신경 중추(神經中樞).
neuroembriología *f.* 신경 태생학.
neuroembriólogo, ga *mf.* 신경 태생학자(神經胎生學者).
neuroendocrino, na *adj.* 신경 내분비(神經內分泌)의.
neuroendocrinología *f.* 신경 내분비학.
neuroepidemiología *f.* 신경 유행병학.
neuroepitelio *m.* 신경 상피(神經上皮), 감각 상피(感覺上皮).
neuroesqueleto *m.* [해부] 체내 골격.
neurofisiología *f.* 신경 생리학.
neuroglia *f.* [해부] 신경교, 신경아교.
neurohistología *f.* 신경 조직학.
neurohormón *m.* =neurohormona.
neurohormona *f.* 신경 호르몬.
neuroléptico, ca *adj.* [의학] 신경 이완(神經弛緩)의. —*m.* 신경 이완제.
neurología *f.* 신경학(神經學), 신경 내과(神經內科), 신경병학.
neurológico, ca *adj.* 신경학의[에 관한], 신경과의.
neurólogo, ga *mf.* 신경과 의사.
neurona *f.* [의학] 신경 세포, 뉴런, 신경 단위, 신경원.
neuronal *adj.* [의학] neurona의.
neuronosis *f.* [의학] 신경증.
neurópata *adj.* [의학] 신경병의. —*mf.* 신경병 환자.
neuropatía *f.* [의학] 신경병.
neuropatología *f.* 신경 병리학.
neuropsicología *f.* [의학] 신경 심리병.
neuropsicopatía *f.* [의학] 신경 정신병.
neuropsiquiatría *f.* [의학] 신경 정신병학, 신경 정신과학.
neuróptero, ra *adj.* [곤충] 맥시류(脈翅類)의 (곤충). —*m.pl.* 맥시류.
neurosis *f.* [의학] 신경증(神經症), 노이로제: ~ bélica 전쟁 신경증, 전쟁 노이로제.
neurótico, ca *adj.* ① 신경증[노이로제]에 걸린. ② 신경증[노이로제]의[에 관한]. —*mf.* 신경증[노이로제] 환자.
neurotomía *f.* [의학] 신경 절단술.

N

neurótomo *m.* [의학] 신경 절개도.
neurotóxico, ca *adj.* 신경독의.
neurotransmisor, ra *adj.* [생화학] 신경 전달 물질의. —*m.* [생화학] 신경 전달 물질.
neurovegetativo, va *adj.* 식물 신경계의, 자율 신경의, 교감 신경의.
neuston *m.* [생물] [집합] 수면에 떠다니는 미생물.
neutle *m. Méj.* =**pulque.**
neutral *adj.* ① 중립(中立)의, 중립적인: actitud ~ 중립적인 태도. territorio ~ 중립 지대. mantenerse ~ 중립을 유지하다[지키다]. ② 중립국의: país ~ 중립국. ③ (논쟁 등에서) 불편 부당의, 어느 편도 들지 않는, 공평한. ④ (특색·성격이) 분명치 않은, 불명확한, 특성이 없는. —*mf.* 중립자, 중립적인 사람, 중립을 지키는 사람.
neutralidad *f.* ① 중립; 중립적 태도[입장], 중립 상태: ~ permanente 영세 중립. guardar ~ 중립을 지키다. ② 불편부당. ③ [화학] 중성(中性).
neutralismo *m.* ① (외교 문제에 대한) 중립주의, 중립 정책, 중립적 태도[상태], 중립 표명. ② [생물] (진화의) 중립설(中立說).
neutralista *adj.* 중립주의(中立主義)의. —*mf.* ① 중립주의자. ② 중립설론자 ((진화의 중립설을 주장하는 사람)).
neutralizable *adj.* 중립화될 수 있는.
neutralización *f.* ① 중립화, 중립 (상태). ② 무력화(無力化), 상쇄(相殺). ③ [언어] 중화(中和). ④ [음성] 중화(中和). ⑤ [화학] 중화(中和) ((산과 염기가 반응하는 일)). ⑥ 무효화(無效化).
neutralizador, ra *adj.* 중화(中和)시키는. —*m.* 중화제(中和劑), 중화액.
neutralizante *adj.* =**neutralizador.**
neutralizar (9) *tr.* ① 중립화시키다, 중립으로 하다[만들다]. ② (효과 등을) 약화시키다, 무력화시키다, 상쇄하다; 제압하다, 무효로 만들다. ③ [화학] 중화시키다, 중성화시키다. ④ [운동] 무효로 만들다. ~**se** ① 중립화되다. ② 무력화되다, 상쇄되다. ③ 중화되다. ④ 중성이 되다.
neutrino *m.* [물리] 중성 미자.
neutro *m.* ① 중간적인, 개성이 없는: color ~ 중간색. sabor ~ 이도 저도 아닌 맛. ② 감정을 표면에 나타내지 않는: transmitir la noticia con voz ~*tra* 뉴스를 담담하게 전하다. ③ (정치적) 중립의. ④ [화학·물리] 중성(中性)의: detergente ~ 중성 세제. ⑤ [생물] 중성의, 무성(無性)의. ⑥ [언어] 중성의. —*m.* [언어] 중성(中性).
neutrón *m.* [물리] 중성자. ¶ *bomba de neutrones* 중성자 폭탄, 중성자탄.
neutrónico, ca *adj.* [물리] 중성자의.
nevada *f.* ☞**nevado.**
nevadilla *f.* [식물] 턱잎, 엽탁, 탁엽.
nevado, da *adj.* ① 눈으로 덮인, 눈이 쌓인: montañas ~*das* 설산, 눈이 쌓인 산. La montaña estaba ~*da* 산은 온통 눈으로 덮여 있었다. ② (눈처럼) 하얀: cabeza ~*da* 백발의 머리. ③ [투우] (소가) 흰 얼룩이 박힌: toro ~ 흰 얼룩이 박힌 소. —*m. Amér.* 만년설로 덮인[만년설이 쌓인] 산. —*f.* ① 강설(降雪). ② 적설(積雪), 적설량: ~*da* abundante 충분한[흡족한] 적설량.
nevar *intr.* [단인칭 동사; 3인칭 단수로만 활용됨] 눈이 내리다[오다]: *Nieva* mucho 눈이 많이 내린다. Nevó ayer 어제 눈이 내렸다. —*tr.* (…을) 하얗게 하다.
nevasca *f.* ① 강설(降雪). ② 적설(積雪). ③ 눈보라(ventisca de nieve).
nevatilla *f.* [새] 자고새(lavandera).
nevazo *m.* ① 강설(降雪). ② 적설(積雪). ③ 폭설(暴雪)(nevada intensa).
nevazón *m. Arg., Chile, Ecuad.* 눈보라(nevasca, ventisca de nieve).
nevera *f.* ① 눈 보관[저장] 장소. ② (전기) 냉장고(frigorífico): ~ congelador 냉동 냉장고. ③ 아이스박스, 휴대용 얼음통. ④ 썰렁한 방, 너무 찬 방, 냉방: Esta habitación es una ~ 이 방은 냉방이다.
nevería *f. Méj.* =**heladería.**
nevero *m.* ① 일년 내내 눈에 덮인 높은 산, (만년설의) 설원. ② 만년설.
nevisca *f.* 적은 양의 눈.
neviscar (7) *tr.* 눈이 적게 내리다.
neviza *f.* 얼음으로 변하는 과정인 깊게 쌓인 눈.
nevo *m.* [의학] =**nevus.**
nevoso, sa *adj.* ① (고장·날씨가) 눈이 많은, 눈이 많이 내리는: región ~*sa* 눈이 많은 지역. ② 눈에 덮인.
nevus *m.* [의학] (피부에 밤색이나 푸르스름한) 피부의 반점, 모반(母斑).
newton *m.* [힘의 단위] 뉴턴.
newtonianismo *m.* 뉴턴 학설.
newtoniano, na *adj.* ① 뉴턴(Isaac Newton, 영국의 과학자·수학자; 만유인력·미적분의 발명자, 1642-1727)의[에 관한]. ② 뉴턴 학파의, 뉴턴 학설의. —*mf.* 뉴턴의 학설 신봉자.
nexo *m.* 관계, 유대, 연계.
n/f nuestra factura 폐사의 임보이스.
n/fr. nuestro favor
n/g nuestro giro 폐사의 환어음.
ni¹ *conj.* [동사 앞에서는 no는 사용하지 않음] ① …도 …도 아니다: Esa niña no tiene (*ni*) padre *ni* madre. / *Ni* padre *ni* madre tiene esa niña 그 여아는 아버지도 어머니도 안 계신다, 그 여아는 고아다. ② [부정의 강조] …(조차)도 …이 아니다: No tengo tiempo *ni* para comer 나는 밥 먹을 시간도 없다. No quiero *ni* verlo 나는 그의 낯짝도 보고 싶지 않다. ③ [동사의 생략] ¡*Ni* un céntimo! 일전 한 푼도 없다! ¶ ~ *que* [감탄적으로] 마치 …처럼(como si): ¡*Ni que* fuera yo tonto! 마치 내가 바보라도 된 듯하군!
ni² *f.* 뉘 ((희랍어 알파벳의 열네 번째 문자)).

N

Ni níquel 니켈.
niacina *f.* [생화학] 니코틴산(酸).
nial *m.* =almiar, montón de paja.
niara *f.* =almiar, montón de paja.
niazo *m.* *Sal.* =almiar, montón de paja.
nica[1] *adj.* 니까라구아의. —*mf.* 니까라구아 사람.
nica[2] *f.* [희랍 신화] 니케.
nicaragua[1] *m.* [식물] 봉선화.
Nicaragua[2] *m.* [국명] 니까라구아 ((중앙 아메리카의 공화국; 수도 Managua)).
nicaraguanismo *m.* 니까라구아 사람들의 특이한 말투, 니까라구아 방언.
nicaragüense *adj.* ① 니까라구아 태생의. ② 니까라구아의[에 관한]. —*mf.* 니까라구아 사람.
nicaragüensismo *m.* =nicaraguanismo.
nicaragüeñismo *m.* *Esp.* =nicaraguanismo.
nicaragüeño, ña *adj.*, *mf.* =nicaragüense.
niche *adj.* ① 흑인종의. ② *Ven.* = tosco, vulgar, de mal gusto. —*mf.* 흑인(黑人).
nicho *m.* ① 벽감(壁龕) ((조각상 등을 두기 위한 벽의 움푹 들어간 곳)). ② 시체를 놓기 위해 묘구덩이처럼 만들어 놓은 움푹 패인 곳.
nicotiana *f.* *fr.* [식물] 담배(tabaco).
nicotico, ca *adj.* [드묾] nicotismo의.
nicotina *f.* [화학] (담배를 처음으로 프랑스에 소개한 외교관 Jean Nicot (1530-1600)의 이름에서) 니코틴.
nicotinismo *m.* [의학] =nicotismo.
nicotismo *m.* 니코틴 중독.
nictalopía *f.* [의학] 주맹증(晝盲症).
nictémero, ra *adj.* ① [생물] 단 하루 동안만 가지는. ② [생물] =efímero. ③ (새·물고기가) 얼룩덜룩한. —*m.* 24시간마다 반복되는 현상.
nidada *f.* ① [집합] (둥지 안에 낳은) 한 배의 알. ② [집합] 한배 병아리, 한 배 새끼.
nidal *m.* ① (암탉·가금의) 둥지. ② 둥지에 낳은 알. ③ 자주 다녀 환대받는 곳. ④ (…이 일어날) 바탕, 근거, 토대, 동기.
nidificar (7) *tr.* (새가) 둥지를 치다[틀다·만들다](hacer su nido).
nidio, dia *adj.* ① rur. *Ast.* =resbaladizo, escurridizo. ② *Sal.* =limpio, terso, liso.
nido *m.* ① 둥지: hacer el ~ 둥지를 틀다[치다]. ② 보금자리, 주거, 자기 집: tener su ~ de amor 사랑의 보금자리를 가지다. volver al ~ 보금자리로 돌아가다[돌아오다]. ③ 소굴: ~ de víboras 악당의 소굴. ④ (동물들의) 굴. ⑤ 온상: ~ de discordias 불화의 온상. ⑥ 은신처: ~ de ladrones 도둑의 은신처. ⑦ (병원과 조산원의) 신생아실. ⑧ 숨긴[감추어 둔] 장소. ⑨ = nidada. ⑩ =nidal. ¶ ~ *de abeja* (벌집처럼) 주름진 천에 놓은 자수, 벌집 무늬 자수. ~ *de ametralladores* 은폐된 기관총 진지. *caerse del* ~ [*de un* ~] 순진하다, 세상 물정에 어둡다, 세상 물정에 익숙하지 않다.
niebla *f.* ① 안개: la mañana de ~ 안개 낀 아침. Hay ~ 안개가 끼어 있다. El pueblo estaba cubierto de ~ 마을은 안개로 덮여 있었다. ② (눈에 끼는) 안개. ③ (곡물의) 노균병, 버짐병. ④ 몽롱함, 혼돈. ⑤ (엽총의) 산탄. ¶ ~ *meona* 안개비, 무우(霧雨).
niega ☞negar (8) (19).
niegan ☞negar (8) (19).
niegas ☞negar (8) (19).
niego ☞negar (8) (19).
niegue ☞negar (8) (19).
nieguen ☞negar (8) (19).
niegues ☞negar (8) (19).
niel *m.* (금은에 조각한) 검은 칠보 상안(象眼) 세공.
nielado *m.* niel 장식.
nielar *tr.* niel로 장식하다.
niéspera *f.* 비파의 열매(níspero).
niéspola *f.* rur. *Hues.* 비파의 열매.
nietastro, tra *mf.* 의붓손자, 의붓손녀.
nieto, ta *mf.* ① 손자, 손녀. ② 자손.
nietzsheano, na *adj.* ① 니체(Friedrich Nietsche, 독일의 철학자, 1844-1900)의[에 관한]. ② 니체 학설의[에 관한]. ③ 니체 철학의[에 관한]. ④ 니체의 작품의[에 관한]. ⑤ 니체 철학을 추종하는[연구하는]. —*mf.* 니체 철학자.
nieve *f.* ① 눈(雪): ~ fuerte 대설. ② [주로 *pl.*] 강설기, 눈 내리는 때. ③ 내린 눈, 강설: primeras ~*s* 초설(初雪). ④ [시어] 눈처럼 흰 것. ⑤ *Méj.*, *PRico.* =helado. ¶ ~ *carbónica* 드라이아이스. ~*s perpetuas* 만년설. *agua de* ~ 눈물, 눈이 녹아서 된 물. *agua* ~ 진눈깨비. *avecilla de las* ~*s* [새] 할미새. ***Año de nieves, año de bienes*** (속담) 눈이 많이 오는 해는 풍년이다.
NIIF *f.* *N*úmero de *I*dentificación *F*iscal 납세자 번호.
nigeriano, na *adj.* ① 나이지리아(Nigeria, 아프리카 중서부의 영연방에 속한 공화국; 수도 Abuja) 태생의. ② 나이지리아의[에 관한]. —*mf.* 나이지리아 사람.
nigerino, na *adj.* ① 니제르(Níger, 아프리카 중서부의 공화국; 수도 Niamey) 태생의. ② 니제르의[에 관한]. —*mf.* 니제르 사람.
nigérrimo, ma *adj.* 매우 검은, 시커먼.
nigola *f.* =flechaste.
nigromancia *f.* ① 교령술. ② 마법.
nigromancía *f.* =nigromancia.
nigromante *mf.* ① 교령술사(交靈術師). ② 마법사(魔法師).
nigromántico, ca *adj.* nigromancia의[에 관한]. —*mf.* =nigromante.
nigua *f.* [곤충] 모래벼룩, 갯벼룩.

N

nihilidad *f.* 허무(虛無), 무(無), 공허.

nihilismo *m.* ① 무정부주의. ② 허무주의, 니힐리즘.

nihilista *adj.* ① 허무주의[무정부주의]를 신봉하는. ② 허무주의[무정부주의]의[에 관한]. —*mf.* ① 무정부주의자. ② 허무주의자.

níhil óbstat *m. lat.* ① (서적의) 해가 없음을 증명함, 무해(無害) 증명. ② 출판 허가. ③ 허가, 인가.

nilón *m. ing.* =nailon.

nimbar *tr.* …에 후광[배광]을 붙이다.

nimbo *m.* ① (종교화 등의) 후광, 배광, 원광(aureola). ② [기상] 난운, 비구름. ③ [고전학] (로마 시대의 동전에서) 몇몇 황제의 머리를 둘러싼 원.

nimboestrato *m.* [기상] 비층구름. 난층운(亂層雲).

nimiamente *adv.* ① 자상하게. ② 과도히. ③ 인색하게.

nimiedad *f.* ① 하찮은 것, 중요성이 없는 것, 사소한 것. ② 과함, 과도함, 지나침. ③ 번거로움, 귀찮음. ④ 자상함.

nimio, mia *adj.* ① 하찮은, 사소한, 중요성이 없는. ② =**excesivo.** ③ =**prolijo, minucioso, escrupuloso.**

ninfa *f.* ① [로마·희랍 신화] 님프, 요정(妖精), 선녀. ② [시어] 아름다운 소녀, 미녀. ③ =**prostituta.** ④ [곤충] 번데기. ⑤ *Guat., Méj.* [식물] =**nenúfar.** ⑥ *pl.* [해부] 소음순.

ninfea *f.* [식물]=**nenúfar.**

ninfitis *f.* [의학] 소음순염(小陰脣炎).

ninfo *m.* =narciso[2].

ninfómana *f.* 색광증[색정증·음란증]을 앓는 여자, 여자 색광증 환자.

ninfomanía *f.* [의학] (여자의) 색광증(色狂症), 색정증(色情症), 음란증.

ninfomaníaco, ca *adj.* 색광증의.

ningún *adj.* [남성 단수 명사 앞에서 ninguno의 o 탈락형] 어떤[아무런] (…도 아니다): ~ hombre 어떤 남자도 …이 아니다. ~ tiempo 어떤 때도 (…도 아니다). ☞**ninguno.**

ningunear *tr.* ① (…에) 무관심하다. ② (…을) 무시하다, 깔보다, 경멸하다, 업신여기다, 폄하하다(menspreciar).

ninguneo *m.* ① 무관심. ② 무시, 깔봄, 경멸, 폄하.

ninguno, na [부정(否定)의 부정 형용사·대명사. 동사 앞에 오면 no는 필요없으나 동사 뒤에 올 때는 반드시 동사 앞에 no를 써야 함. 남성 단수 명사 앞에서는 o가 탈락되어 ningún이 됨]. *adj.* ① 하나[한 사람]의 …도 (…아니다), 어떤 …도 (… 아니다): No tengo *ningún* diccionario / No tengo diccionario *ninguno* 나는 사전을 한 권도 가지고 있지 않다. [참고: 뜻을 강조할 경우는 명사 뒤에 놓는다]. ② [부정의 강조] No es ~*na* sorpresa 그것은 놀랄 일은 아니다. —*pron.* 누구[어떤 것]도 (… 아니다): No ha venido ~ / *Ninguno* ha venido (생각하고 있던 사람 중에) 아무도 오지 않았다. ¿Qué perfumes usas tú? —*Ninguno* 너는 무슨 향수를 사용하느냐? —어떤 것도 사용하지 않는다.

ninot *m. cat.* (발렌시아의 민속 축제의) 큰 인형.

niña *f.* ☞**niño.**

niñada *f.* (어른이 하는) 어린아이 같은 짓: hacer ~*s* 어린아이처럼 행동하다.

niñato[1] *m.* (새끼를 밴 암소를 도살할 때) 암소의 뱃속에 있는 송아지.

niñato[2]**, ta** *adj.* ① (젊은이가) 경험이 없는, 미숙한. ② 경박하게 우쭐해서 지나치게 자부하는, 잘난 체 빼기는 (젊은이). —*mf.* 풋내기, 미숙한 젊은이, 경험이 없는 젊은이.

niñear *intr.* 어린아이 같은 짓을 하다, 어린아이처럼 행동하다.

niñera *f.* ☞**niñero.**

niñería *f.* ① 어린아이[어린아이 같은] 행동[놀이·오락]. ② 하찮은 것, 사소한 것. ③ 쓸데없는 행동[언행].

niñero, ra *adj.* 어린아이를 좋아하는, 어린아이 같은 행동을 좋아하는. —*f.* (집 지키며) 아이를 봐 주는 하녀.

niñeta *f.* [드묾] 눈동자(niña).

niñez *f.* ① 유년기, 유년 시대, 어린 시절: recuerdos de *su* ~ 어린 시절의 추억, 유년기의 추억. en *su* ~ 유년기에, 어린 시절에, 어릴 때. desde *su* ~ 유년기부터, 어릴 때부터. volver a la ~ ㉮ 어린 시절[어릴 때]로 돌아가다. ㉯ 망령을 부리다, 망령이 들다; (감각·의식 등이) 흐려지다. ② (일의) 시초, 시작, 초기. ③ [드묾] [주로 *pl.*] 어린아이 같은 짓[행동](niñería). ¶ *segunda* ~ 망령 부림, 치매 현상.

niño, ña *adj.* ① 어린: Mi hijo es aún ~ 내 아들은 아직 어리다. ② 갓 태어난, 태어난 지 얼마 안 된. ③ 경험이 적은, 미숙한, 풋…. ④ [경멸] 신중하지 못한, 경솔한. —*mf.* ① 어린이, 어린아이, 아동 ((주로 열두 살까지)): literatura para ~*s* 아동 문학. ropa de ~ 아동복. cuidar ~*s* 아이를 돌보다. ② 갓난아이: ~ de pañales, ~ pequeño 젖먹이, 유아. ③ 풋내기, 미숙한 사람, 경험이 부족한 사람. ④ [경멸] 신중하지 못한 사람, 경솔한 사람. ⑤ 어린 시절을 보낸 사람. ⑥ *And., Can., Hond.* 노총각, 노처녀. ⑦ *Amér.* [존경의 호칭] 선생님, 여사. —*f.* ① 눈동자. ② *Hond., Nic., Salv.* 숫처녀. ¶***el Niño*** ㉮ [고어] 아기 예수. ㉯ [기상] 엘니뇨 ((뻬루의 앞바다의 해수 표면 온도가 이상 기온으로 올라가는 현상)). ***la Niña*** [기상] 라니냐 ((뻬루의 앞바다의 해수 표면 온도가 기상 기온으로 내려가는 현상)). ***la niña bonita*** (특히 추첨에서) 15번. ~ ***bien*** *mf.* 유복한 가정의 젊은이. ~ ***bitongo, ga*** *mf.* =**niño zangolotino.** ~ ***de coro*** *m.* (성당·교회의) 합창단 소년. ***Niño de la bola*** ㉮ 아기 예수상(el Niño Jesús). ㉯ 행복한 소년. ~ ***de la doctrina*** *mf.* (키우고 교육시킬

목적으로 학교에서 떠맡은) 고아. ~ *de la piedra m.f.* 기아(棄兒). ~ *de la rollona m.f.* 어린아이 같은 심성을 가진 사람, 심성이 착한 사람. ~ *de pecho m.f.* =niño de teta. ~ *de teta m.f.* ㉮ 젖먹이, 유아(幼兒). ㉯ 재능이 아주 떨어지는 아이. ~ *gótico, ca m.f.* 허영심이 많고 실속이 없는 젊은이. ***Niño Jesús*** 아기 예수상(像). ~ *probeta m.f.* 시험관 아기. ~ *zangolotino, na m.f.* 장난꾸러기. *niñas de los ojos f.pl.* (…의) 가장 좋아하는 사람[물건], 눈에 넣어도 아프지 않은 사람[물건]. *saltársele* a alguien *las niñas de los ojos* =saltársele los ojos. *sobre las niñas de los ojos* =sobre los ojos. *tocar* a alguien *en las niñas de los ojos* 모진[격한] 감정을 일으키다. *como ~ con zapatos nuevos* 눈에 넣어도 아프지 않을 정도로; 매우 만족해서. *desde ~* 유년기부터, 어린 시절부터, 어릴 때부터. *¿Dónde tiene mi ~ lo feo, que no lo veo?* 누구나 제 자식은 예쁜 법이다. *Los ~s y los locos dicen las verdades* (속담) 아이들은 정직하다. *Los niños y los tontos no saben mentir* (속담) 아이들은 거짓말을 할 줄 모른다. *Niño mal vezado, difícilmente enmendado / Niño mimado, niño ingrato* (속담) 매질을 아끼면 자식을 망친다, (자식이) 귀엽거든 매를 아끼지 마라.

niobio *m.* [화학] 니오븀, 니오브.

nipa *f.* ① [식물] 니파야자. ② 니파야자 잎. ¶*vino de ~* 니파 술.

nipón, na *adj., m.f., m.* =japonés.

nipos *m.pl.* [은어] 돈; 자산.

níquel *m.* ① [화학] 니켈. ② *Cuba, PRico.* 5센따보짜리 동전. ③ *Ur.* 니켈화, 동전. ④ *Ur.* 자산, 재산.

niquelado *m.* 니켈 도금.

niquelador, ra *m.f.* 니켈 도금공.

niqueladura *f.* 니켈 도금.

niquelar *tr.* 니켈 도금을 하다.

niqui *m.* 폴로 셔츠.

nirvana *f. sánscrito.* [불교] 열반; 해탈.

níscalo *m.* =mízcalo.

niscome *m. Méj.* 부침개용 옥수수를 삶는 냄비[솥].

níspera *f.* =níspero ②.

níspero *m.* ① [식물] 비파나무. ② [열매] 비파. ③ *Amér.* [식물] =chico zapote. ④ *Amér.* [열매] =chico zapote. ⑤ *Col., Cuba, Nic., Salv., Ven.* [식물] 적철과 식물. ⑥ *Col., Cuba, Nic., Salv., Ven.* 적철과 식물의 열매. ¶ ~ *del Japón* [식물] 비파나무. ~ *espinoso,* ~ *silvestre* 당산사나무(espino).

níspola *f.* [열매] 비파(níspero).

nispolero *m. Mur.* [식물] =níspero.

nisquear *tr. Hond.* =nixquear.

nistagmo *m.* [의학] 안구 진탕증.

nistayol *m.* rur. *Nic.* =nixtamal.

nitayolero *m.* rur. *Nic.* 샛별.

niste *adj. Nic.* (특히 인디오에 대해) 잿빛의, 회색의: ponerse ~ 잿빛이 되다, 얼굴이 창백해지다(palidecer).

nitaíno *m.* (따이노 인디오 사이에서) 고귀한 사람, 기품 있는 사람.

nitidez *f.* 깨끗함, 청초함, 맑음, 선명함.

nítido, da *adj.* ① 맑은, 깨끗한, 청초한, 투명한: atmósfera *~da* 맑은 대기. cristal ~ 투명한 유리. ② 명확한, 선명한, 똑똑히 보이는: fotografía *~da* 선명한 사진. imagen *~da* 선명한 이미지. palabras *~das* 명확한 말. ③ 공명정대한: conducta *~da* 공명정대한 행동.

nitor *m.* [드뭄] =nitidez.

nitración *f.* [화학] 질화(窒化).

nitrato *m.* [화학] 질산염(窒酸鹽); 질산염류 비료. ¶ ~ *de amonio* [화학] 초산암모늄. ~ *de Chile* [화학] 칠레 초석. ~ *de potasio* [화학] 초산칼리, 초산칼륨, 초산포타슘. ~ *de sodio* [화학] 초산나트륨.

nitrería *f.* 초석산, 초석갱(硝石坑).

nítrico, ca *adj.* ① 초석(nitro)의[에 관한]. ② 질소(nitrógeno)의[에 관한]. ¶ *ácido ~* 초산(硝酸).

nitrificación *f.* 질산화(窒酸化), 질소 화합, 질산 화성(化成) 작용.

nitrito *m.* [화학] 아초산염.

nitro *m.* ① [화학] 초산칼륨. ② (특히 천연의) 초석(硝石). ¶ ~ *cúbico* 초산소다. ~ *de Chile* =nitrato de Chile. ~ *de Noruega* 초산칼슘.

nitro- *pref.* 「질산(窒酸)·질소(窒素)」의 뜻: *nitro*benceno 니트로벤젠.

nitrobenceno *m.* [화학] 니트로벤젠.

nitrocelulosa *f.* [화학] 니트로셀룰로스.

nitrocompuesto *m.* [화학] 니트로 화합물(化合物).

nitrogenado, da *adj.* 질소를 함유한.

nitrógeno *m.* ① [화학] 질소. ② (분자 형태의) 질소 가스.

nitroglicerina *f.* [화학] 니트로글리세린.

nitrosidad *f.* 초산성, 초석성.

nitroso, sa *adj.* ① (3가의) 질소의: óxido ~ 일산화이질소, 아산화질소. ② 아초산의: ácido ~ 아초산(亞硝酸).

nivel *m.* ① =horizontalidad. ② 수위(水位): el ~ de la riada 홍수의 수위. ③ (어떤 기준점에서의) 높이, 고도. ④ 수준, 정도: conferencia de alto ~ 높은 수준의 강연. ⑤ [기계] 수준기: ~ de burbuja 거품 수준기. ¶ ~ *de agua* 통수관식 수준기. ~ *de aire* 기포[거품] 수준기. ~ *de albañil* 다림추. ~ *de vida* 생활 수준. *curva de ~* =*línea de ~*. *línea de nivel* [지리] 등고선. *a ~* ㉮ 수평으로; 같은 높이로. ㉯ …의 수준으로: *a ~ de* país 국가 수준으로. reunión *a ~ de* ministros 장관급 회담. *de ~* 고급의, 호화로운: piso *de* mucho ~ 초고급 아파트, 초호화 맨션. *estar a un ~* 필적하다.

nivelación *f.* 수평화; 균등화, 균형화.
nivelador, ra *adj.* 수평화한, 같은 높이로 한, 균등화한, 균등하게 한; 땅을 고르는. —*m.f.* 땅을 고르는 사람. —*f.* 그레이더, 땅 고르는 기계.
nivelar *tr.* ① 평평하게 하다. ② 같은 높이로 하다. ③ (건설에서) 땅[표면]을 고르게 하다. ④ 균등하게 하다, 평등하게 하다, 균형화시키다, 같은 정도[수준]로 하다. ⑤ 수준기로 측정하다, 수준 측량을 하다. ⑥ 토지의 두 지점 사이의 높이의 차를 발견하다.
níveo, a *adj.* ① [시어] 눈의(de nieve). ② [시어] 눈 같은(semejante a nieve): piel ~*a* 눈같이 하얀 피부.
nivoso, sa *adj.* [시어] 눈이 잦은. —*m.* 프랑스 혁명력의 네 번째 달 ((첫 날과 마지막 날이 각각 12월 21일과 1월 19일로 일치함)).
nixquear *tr. Hond.* (옥수수를 재에 구워) 부침개용으로 옥수수를 준비하다.
nixtamal *m. Hond., Méj., Salv.* 닉스따말 ((빻은 후 부침개를 만들기 위해 사용한 석회수에 삶은 옥수수)).
nixtamalero *m.* ① *Hond., Salv.* 닉스따말 장수. ② *Hond., Salv.* 샛별.
nixte *adj. Hond.* (얼굴이) 창백한(pálido), 잿빛의(de color ceniza).
n/L. nuestra letra 폐사의 어음
NNE nornordeste 북북동(北北東).
NNO nornoroeste 북북서(北北西).
NN.UU. Naciones Unidas 유엔.
no *adv.* ① [질문·부탁에 대하여] 아니(오); [부정의 질문에 대하여] 예, 네. ((참고: 대답의 내용이 부정이면 No, 긍정이면 Sí 라고 하는 것이 원칙; 부정의 질문일 때는 Sí와 No가 우리말로는 반대로 번역되므로 주의할 것)): ¿Te gusta la cebolla? —*No*, no me gusta. 양파 좋아하니? —아니, 안 좋아해. ¿No puedes jugar al tenis? —*No*, no puedo 테니스는 못하니? —네, 못합니다. ② [부정문을 만든다. 술어로 부정하는 경우는 그 동사 앞에, 목적 대명사(me, te, le, lo, la, nos, os, les, los, las)나 재귀 대명사(me, te, se, nos, os, se)가 있으면 그 앞에 놓는다] … 아니다, … 않다: *No* tenemos hijos 우리는 아이가 없다. *No* me levanto temprano 나는 일찍 일어나지 않는다. ③ [부정 명령; 동사 앞에 놓으며, 직접 목적 대명사나 재귀 대명사가 있으면 그 앞에 놓는다] …(하지) 마라, 마십시오: *No* salgas de casa hoy 오늘은 외출하지 마라. *No* te preocupes 걱정하지 마라. *No* me lo digas 나에게 그런 말을 하지 마라. ④ [부가 의문문] 그렇지요?: Te has casado, ¿*no*? 너는 결혼했지, 그렇지? ⑤ [어구의 부정] 비(非)…, 불(不)…, …(하지) 않은, … 아닌, …(하지) 못한: la *no* humanidad 비인간성. la *no* intervención 불간섭. ⑥ [부분 부정] *No* siempre son felices los ricos 부자들이 반드시 언제나 행복한 것은 아니다. *No* todos los coreanos trabajan mucho 한국 사람 모두가 일을 많이 하는 것은 아니다. ⑦ [접속사와 함께 쓰여] 아니다, 않다: El sol sale por el este, y *no* por el oeste 태양은 동쪽에서 뜨지 서쪽에서 뜨는 것이 아니다. ⑧ [다른 부정어와 함께 쓰여도 부정 그대로의 뜻] 아니다, 않다: *No* tengo *nada* en el bolsillo 나는 호주머니에 아무것도 가지고 있지 않다. ⑨ [부정을 더 강조하기 위해 반복해서 사용함] 절대[다시는] … 아니다: *No, no* lo haré / *No* lo haré, *no* 절대로 (다시는) 그런 짓을 하지 않겠습니다. —*m.* [*pl.* ~es] ① '아니오(no)' 라는 말, 부정[거절]의 대답, 반대, 부정, 부인, 거절: contestar con un *no* 부정[거절]의 대답을 하다, '아니오' 라고 대답하다. ② [보통 *pl.*] 반대 투표, 부결: Hubo 153 síes y 140 *no*es 찬성 153표, 반대 140표였다. ¶***a que no** interj.* [부정·거절의 강조]: ¡*A que no* me ganas! 너는 나를 이기지 못할 거야! ***no bien*** =**tan pronto como.** ***no más*** ㉮ 오직, 단지, …뿐, … 밖에: No me dio 50 euros *no más* 그는 나에게 50 유로밖에 주지 않았다. ㉯ 충분하다: *No más* rogar inútilmente. 공연한 부탁은 그만 두어라. ***no, que no*** *interj.* 아니라는 법은 없다. ***no sin*** =**con.** ***no, sino no*** *interj.* =**no, que no.** ***no tal*** 결코 그런 일은 없다. ***no ya*** =**no solamente.** ***y que no*** *interj.* =**no, que no.**
No nobelio 노벨륨.
NO noroeste 북서(北西).
nº; Nº número 번호.
n/o nuestra orden 폐사의 주문.
nobel *m.sing.pl.* 노벨상. —*m.f.* 노벨상 수상자[수상 단체].
nobelio *m.* [화학] 노벨륨.
nobiliario, ria *adj.* ① 귀족의[에 관한]: casta ~*ria* 귀족 혈통. título ~ 작위(爵位). ② 귀족 가문의 (계보). —*m.* 귀족 명부[인명록].
nobilísimamente *adv.* 매우 고귀하게, 매우 귀중하게, 매우 기품 있게.
nobilísimo, ma *adj.* 매우 고귀한; 매우 귀중한.
noble *adj.* ① 고귀한, 고상한, 고결한, 품격이 높은, 위엄이 있는, 기품 있는: actitud ~ 고결한 행동. aspecto ~ 기품이 있는 외모[용모·자태]. espíritu ~ 고귀한 정신. persona ~ 위엄이 있는 사람, 당당한 사람, 훌륭한 사람. ② 귀족의: ser ~ de cuna [por su linaje] 귀족 출신이다. ③ 귀중한; 고급의: madera ~ 고급 목재. ④ (동물이 인간에게) 충실한. ⑤ [화학] 불활성의. —*m.f.* 귀족.
noblemente *adv.* 숭고하게, 고결하게, 고상하게, 위엄이 있게.
nobleza *f.* ① 귀족 신분. ② [집합] 귀족, 귀족 계급. ③ 고귀함, 기품; 위엄.
noblote, ta *adj.* 고결한, 당당한.

nobuk *m.* (소의) 무두질한 가죽.
noca *f.* [동물] 거미게.
nocaut *m. Amér.* [권투] 녁아웃, 케이오: ~ técnico 티케이오.
noceda *f.* 호두나무 숲[밭].
nocedal *m.* 호두나무 숲[밭].
nocharniego, ga *adj.* [드묾] 밤에 돌아다니는.
noche *f.* ① 밤 ((스페인에서는 오후 9시부터 밤 12시까지)): toda la ~ 밤새껏, 밤새도록. todas las ~*s* 매일 밤, 밤마다. ~ de estreno 첫날(의 무대), 첫 출연의 밤, 데뷔의 밤. de la ~ 밤의. en la ~ [주로 *Amér.*] 밤에, 야간에. por la ~ 밤에, 야간에. mañana por [en] la ~ 내일 밤(에). las diez de la ~ 밤 10시. pasar la ~ 밤을 지새다, 밤을 보내다. pasarse la ~ sin dormir 밤에 잠을 이루지 못하다, 밤새우다, 밤새다. trabajar hasta muy tarde por [en] la ~ 밤늦게까지 일하다. ② 혼돈; 야음; 어두움, 암흑; 슬픔, 우울. ¶*Noche Buena* =**Nochebuena.** ~ *cerrada* 칠흑 같은 밤. ~ *de bodas* 첫날밤, 초야(初夜). ~ *de perros* ㉮ 날씨가 지독히 궂은 밤. ㉯ 아주 나쁘게 보낸 밤. ~ *toledana* 잠 못 이룬 밤. *Noche Vieja* =**Nochevieja.** *buena* ~ 즐거웠던 밤, 즐겁게 보낸 밤, 휴식을 잘 취한 밤, 편안히 보낸 밤. *la ~ de los tiempos* 태고(太古), 아주 오랜 옛날, 옛날옛적, 호랑이 담배 먹을 적에. *mala* ~ 괴로워했던 밤, 잠 못 이룬 밤. *media* ~ =**medianoche.** *primera* ~ 초저녁. *a buenas ~s* =**a oscuras.** *a prima* ~ =**a primera noche.** *ayer* ~ =**anoche.** *Buenas ~s* ㉮ [밤의 인사로] 안녕하세요!, 안녕! ㉯ [밤에 헤어지면서] 안녕히 계세요!, 안녕히 가십시오! ㉰ [밤에 잠자리에 들러 갈 때] 안녕히 주무세요!, 잘 자거라! *cerrar la* ~ 해가 지다. *como de la ~ al día* =**como del día a la noche.** ☞ **día.** *de la ~ a la mañana* 돌연, 의외로, 뜻하지 않게, 금세, 갑자기, 순식간에. *de* ~ ㉮ 해가 진 뒤, 밤에, 야간에. ㉯ (의복이) 야간용의. ㉰ (공연이) 밤의, 야간의. *hacer* alguien ~ algo (…가 …을) 훔치다; 숨기다. *hacer ~ en* alguna parte (…에서) 밤을 보내다, 밤을 보내기 위해 멈추다. *hacerse de* ~ 어두워지다, 밤이 되다. *hacerse* ~ algo (…이) 손에서 없어지다. ~ *y día* 늘, 항상, 언제나, 계속해서. *pasar de claro en claro la ~, pasar en claro la* ~ 자지 않고 밤을 보내다, 밤새우다, 밤새다, 뜬눈으로 밤을 새다. *pasar la ~ en blanco* =**pasar de claro en claro la noche.** *romper la* ~ alguien *Arg., Ur.* 단체로[떼지어] 밤에 나가 새벽까지 즐겁게 놀다, 새벽까지 즐겁게 놀기 위해 떼지어 밤에 외출하다. *Temprano es* ~ 아직 때가 이르다, 아직 때[시기]가 아니다. *A la ~, chichirimoche, y a la mañana, chichirinada* (속담) 조령모개(朝令暮改).
Nochebuena *f.* ① 크리스마스이브, 크리스마스의 전야(前夜), 12월 24일 밤. ② *Méj.* 대극과 식물.
nochebueno *m.* ① (크리스마스이브 간식용) 커다란 케이크. ② 크리스마스 밤에 불을 피우는 큰 통나무 장작.
nochecita *f. Arg., Cuba, Ur.* 황혼.
nocherniego, ga *adj., m.f.* 밤에 돌아다니는 (사람).
nochero, ra *adj. Arg.* 밤에 쏘다니는, 밤에 나가는 버릇이 있는. —*m.f. Arg., Chile.* (어떤 일에) 야근하는 사람.
Nochevieja *f.* 섣달그믐 날 밤.
nochizo *m.* [식물] 야생 개암나무.
nocible *adj.* [드묾] =**nocivo.**
noción *f.* ① 관념, 개념; (막연한) 생각, 의견, 견해(idea): Ella no tiene ~ del tiempo 그녀는 시간 관념이 없다. ② 기초 지식, 초보: primeras nociones de ordenador 컴퓨터의 초보 지식.
nocional *adj.* 개념[관념]의[에 관한], 개념[관념]상의.
nocividad *f.* 유독성, 유해성(有害性).
nocivo, va *adj.* 해로운, 나쁜, 유해한, 유독한: gas ~ 유독 가스. influencia ~*va* 악영향. insecto ~ 해충(害蟲).
nocla *f.* =**noca.**
noctambular *intr.* 밤에 돌아다니다.
noctambulismo *m.* ① 밤 외출, 밤에 돌아다님. ② 몽유병(夢遊病).
noctámbulo, la *adj.* ① 밤에 돌아다니는, 밤에 걷는; 밤놀이하는. ② [동물] 야행성의. —*m.f.* ① 밤에 돌아다니는 사람. ② 몽유병 환자.
notiluca *f.* ① =**luciérnaga.** ② [동물] 야광충(夜光蟲).
noctívago, ga *adj., m.f.* [시어] 밤에 돌아다니는 (사람).
nocturnal *adj.* [드묾] =**nocturno.**
nocturnancia *f.* [드묾] 깊은 밤 시간.
nocturnidad *f.* ① 야행성(夜行性). ② [동물·식물] 야행성. ③ [법률] 범죄가 야간에 일어나는 일.
nocturno, na *adj.* ① 밤의[에 관한], 야간의[에 관한]: cielo ~ 밤하늘. tren ~ 야간 열차, 야행 열차. ② 밤[야간]에 행해지는: curso ~ 야간 강좌, 야학(夜學). trabajo ~ 야간 작업. ③ [식물] 꽃이 밤에만 피는. ④ [동물] 야행성의. ⑤ [드묾] 항상 울적하고 슬픔에 잠겨 혼자 걷는. —*m.f.* ① [종교] 저녁 기도. ② [음악] 야상곡: los ~*s* de Chopin 쇼팽의 야상곡. ③ (18세기의 다정다감한) 세레나데.
nodación *f.* [의학] 결절종에 의한 몸의 경직.
nodal *adj.* ① 마디의[에 관한]. ② [해부] 결절의. ③ [물리] 파절(波節)의.
nodo[1] *m.* ① [천문] 교점(交點). ② [물리] 파절(波節). ③ [해부] 결절(結節). ④ [수학] 결절점. ⑤ [컴퓨터] 노드. ¶ ~ *asendente* [천문] 승교점. ~

austral [천문] =nodo descendente. ~ *boreal* [천문] =nodo ascendente. ~ *descendente* [천문] 강교점.
nodo² *m.* [*No*ticiarios y *Do*cumentales의 생략어] (1946년부터 1976년 사이에 스페인의 영화관에서, 본영화가 상영되기 전에 상영되었던) 뉴스 영화, 기록 영화(documental).
No-Do *m.* =nodo².
nodriza *f.* ① 유모(ama). ② 급유선: buque ~ 급유선, 연료 보급선. ③ 급유기(給油機): avión ~ 공중 급유기.
nodular *adj.* ① nódulo의[에 관한]. ② nódulo 모양의.
nódulo *m.* ① [지질] 단괴(團塊). ② [의학] 작은 결절, 작은 혹. ③ [식물] 결절(結節). ¶ ~ ***linfático*** 임파 결절.
Noé *m.* [성경] 노아. ¶***arca de*** ~ 노아의 방주.
noesis *f.* ① 지적 직감력[통찰력], 사고(思考). ② [철학] 순수 이성[지성]의 인식 작용.
noético, ca *adj.* [철학] noesis의.
nogada *f.* 호두(nuez)와 양념(especias)으로 만들어진 소스, 호두 소스.
nogal *m.* ① [식물] 호두나무. ② 호두나무 목재. —*adj.* 호두나무 목재 색(色)의, 호두 빛깔의.
nogalina *f.* 호두 (껍질에서 얻어진) 염료.
noguera *f.* [식물] =nogal.
noguerado, da *adj.* (호두나무 목재 색처럼) 호두 빛깔의.
nogueral *m.* 호두나무 숲[밭].
nogueruela *f.* [식물] 약제(藥劑)로 쓰이는 대극과의 식물.
noli *m. Col.* =nolí.
nolí *m. Col.* [식물] 열매로 기름을 짜는 야자나무.
nolición *f.* [철학] 원하지 않는 행위.
noli me tángere *m. lat.* ① [의학] 악성 궤양. ② 접촉[간섭]해서는 안 되는 물건. ③ 접촉[간섭]을 금하는 경고.
noluntad *f.* [철학] =nolición.
nom. nominal 명목(名目)의, 액면의.
noma *f.* [의학] 입과 얼굴의 괴저(壞疽).
nómada *adj.* ① 유목(遊牧)하는, 유목의: cultura ~ 유목(遊牧) 문화. pueblo [gente] ~ 유목민. tribu ~ 유목 부족. vida ~ 유목 생활. ② 방랑하는, 유랑하는, 방랑의, 유랑의: vida ~ 방랑[유랑] 생활. —*m.f.* ① 유목민. ② 방랑자.
nómade *adj.* =nómada.
nomadismo *m.* 유목, 유목[방랑] 생활.
nomás *adv.* ① *AmérM., CRica., Méj., Hond., Nic.* =no más ㉮. ② *Hond., AmérM., Méj., Salv.* [명령문에서 뒤에 놓아 표현을 강조한다] Atrévase ~ 강행하십시오. Pase ~ 들어오세요. ③ *Arg., Bol., Col., Nic., Salv., Ur.* =apenas, precisamente.
nombradamente *adv.* [드묾] 유명하게, 현저하게, 명백하게, 이름과 달리.
nombradía *f.* 명성, 평판, 고명: de gran ~ 평판이 높은, 명성이 자자한.
nombrado, da *adj.* 유명한, 평판이 높은, 명성이 자자한: Ella es muy ~*da* en el mundo de la canción 그녀는 가요계에서 아주 유명하다.
nombramiento *m.* ① 임명, 지명. ② 사령(장), 임명장.
nombrar *tr.* ① (…의) 이름을 말하다. ② 특별한 언급을 하다, (일반적으로) 존경의 언급을 하다. ③ 임명하다, 지명하다: ~ a *alguien* para un puesto importante …를 요직에 임명하다.
nombre *m.* ① 이름, 성명; 명칭: ~ de familia 성(姓). ~ civil (호적상의) 본명(本名), 실명. ~ de pluma 필명(筆名), 펜네임. ~ y apellido 성명 ((apellido가 단수일 때는 아버지의 성만을 뜻함)). ~ y apellidos 성명 ((참고: apellido가 복수일 때는 아버지와 어머니의 양쪽 성을 뜻함: 스페인에 입국할 때 입국(入國) 카드에는 복수형 apellidos라 쓰였음)). ¿Cuál es su ~? —Mi ~ es Kim Sunam 성함이 어떻게 되십니까? —제 이름은 김수남입니다. ② =nombre propio. ③ 명성, 평판. ¶ ~ ***abstracto*** [문법] 추상명사. ~ ***adjetivo*** [문법] 형용사. ~ ***ambiguo*** [문법] (남녀) 양성(兩性) 명사. ~ ***animado*** [문법] 유생(有生) 명사. ~ ***apelativo*** ㉮ 다른 이름, 별칭, 위명(僞名), 거짓 이름. ㉯ [문법] =nombre común. ~ ***artístico*** 예명. ~ ***colectivo*** [문법] 집합 명사. ~ ***comercial*** 상호, 옥호, 사명(社名). ~ ***común*** ㉮ [문법] 보통 명사. ㉯ =nombre común en cuanto al género. ~ ***común en cuanto al género*** 정해진 성을 가지고 있지 않아 남성과 여성의 사람을 나타내기 위해 남성이나 여성 관사·형용사·대명사로 표기할 수 있는 명사. ~ ***concreto*** [문법] 구상 명사. ~ ***contable*** [문법] 가산 명사. ~ ***continuo*** [문법] =nombre no contable. ~ ***de guerra*** (어떤 활동을 하기 위해 사용하는) 다른 이름, 별칭, 위명, 거짓 이름. ~ ***de pila*** 세례명. ~ ***discontinuo*** [문법] =nombre contable. ~ ***discreto*** [문법] =nombre contable. ~ ***epiceno*** [문법] 양성 통용 명사. ~ ***genérico*** [문법] =nombre común. ~ ***inanimado*** [문법] 무생 명사. ~ ***no contable*** [문법] 불가산 명사. ~ ***numeral*** [문법] 수를 뜻하는 명사. ~ ***postizo*** 별명. ~ ***propio*** [문법] 고유명사. ~ ***sustantivo*** [문법] 명사. ***mal*** ~ =apodo. ***a*** ~ ***de*** alguien =en el nombre de alguien. ***en el nombre de*** alguien o algo (…의) 이름으로. ***en el*** ~ ***de Dios*** [***de Cristo***] [원망·저주·기원] 제발, 바라오니, 원하오니. ***en el*** ~ ***del Padre y del Hijo y del Espíritu Santo*** 성부·성자·성신의 이름으로. ***en*** ~ ***de*** alguien o algo = en el nombre de. ***en*** ~ ***de Dios*** [***de Cristo***] =en el nombre de Dios. ***no tener*** ~ algo 화가 나다, 괘

썸하다. *poner* ~ 가격[값]을 정하다 [매기다]. *por* ~ fulano (아무개)라는 이름으로, 이름을 빌려.

nomenclador *m.* ① =nomenclátor. ② 과학 술어 사전의 목록.

nomenclátor *m.* (성명·도시·인물·과학 기술 용어의) 일람표, 리스트, 인명부(人名簿), 어휘집.

nomenclatura *f.* ① 인명록, 인명부. ② [집합] 전문어, 술어, 술어집, 용어집: ~ química 화학 술어(집)[용어(집)]. ③ [언어] (조직적인) 명명(법).

nomenclatural *adj.* nomenclatura의.

nomeolvides *m.(f.).* [식물] 물망초.

-nomía *suf.* 「…법(法)·학(學)」의 뜻: geo*nomía* 식물 지질학(植物地質學), bibliotecono*mía* 도서관학.

nómico, ca *adj.* =**gnómico.**

nómina *f.* ① (사람·물건의) 명부(名簿), 일람표, 리스트: ~ de directores (회사의) 임원 명부. ~ de tripulantes 선원 명부, 승선 명부 ~ de viajeros 선객 명부, 승객 명부. ② 종업원 명부. ③ 임금 대장: ~ de pagos 임금 (지불) 대장, 급료 지불 명부. ④ 급료, 봉급, 월급. ⑤ [집합] (한 회사의) 정사원. ⑥ 급여 명세서. ⑦ (고대에, 성인의 이름이 쓰여 있었던) 유물, (오늘날에는) 미신을 믿는 부적(符籍).

nominación *f.* 임명(任命); 지명(指名).

nominador, ra *adj.* 임명하는; 지명하는: junta *~ra* 인사 위원회. *—mf.* 임명자, 지명자.

nominal *adj.* ① 이름의[에 관한]: lista ~ 명부(名簿). ② 명목상의, 이름뿐인, 이름만의; 공칭의, 액면의: presidente ~ 이름뿐인[명목상의] 대통령. sueldo ~ 명목 임금. valor [precio] ~ 액면 가격, 명목 가격. acciones de diez mil wones *~es* 액면 만 원의 주권. ③ = **nominativo.** ④ [문법] 명사적인. ⑤ [드묾] 명목론자의. ⑥ [드묾] 명목론의[에 관한]. ¶***predicado*** ~ 명사 술부.

nominalismo *m.* [철학] 명목론(名目論), 유명론(唯名論).

nominalista *adj.* ① 유명론자의, 명목론자의. ② 유명론[명목론]의[에 관한]. *—mf.* 유명론자, 명목론자.

nominalización *f.* [언어] 명사화.

nominalizar (9) *tr.* [언어] 명사화하다. **~se** 명사화되다.

nominalmente *adv.* ① 이름으로. ② 이름만으로, 명목상(으로).

nominar *tr.* ① (사람·물건에게) 이름을 주다, 명명하다. ② 지명하다. ③ [+para] (상에) 추천하다.

nominativo, va *adj.* ① [상업] 기명식의: acción ~ 기명식 주. ② [문법] 주격의. *—m.* [문법] 주격: ~ absoluto (독립 분사 구문의) 독립 주격.

nominilla *f.* 봉급 지급표.

nómino *m.* [드묾] (명예직의) 수임자.

nomo *m.* =**gnomo.**

nomografía *f.* [수학] 계산 도표학.

nomograma *m.* [수학] 계산 도표.

nomon *m.* 해시계(reloj de sol).

nomónico, ca *adj.* =**gnomónico.** *—f.* =**gnomónica.**

nomparell *m.* [인쇄] 6포인트 활자.

nomvos nominativos 기명(記名)의.

non *adj.* 기수(奇數)의, 홀수의(impar). *—m.* 기수(奇數), 홀수(número ~). ¶ *andar de ~es* ㉮ 직업이 없다. ㉯ 할 일 없이[한가로이] 빈둥거리다. ㉰ 외톨이로 남다. ***de*** ~ ㉮ *adj.* (다른 사람이 짝을 이루고 있을 때) 짝 없는, 상대 없는, 파트너 없는. ㉯ *adv.* 짝 없이, 상대 없이, 외톨이로.

nona *f.* ☞**nono.**

nonada *f.* 사소한 것[일], 하찮은 것[일], 시시한 것[일].

nonagenario, ria *adj.* 90대의. *—mf.* 90대 노인.

nonagésimo, ma *adj.* ① 아흔 번째의, 90번째의. ② 90분의 1의, 아흔 등분한. *—m.* 90분의 1.

nonagonal *adj.* 9각형의.

nonágono, na *adj.* [기하] 9각의, 9변의. *—m.* [기하] 9각형, 9변형.

nonato, ta *adj.* ① 자연 분만을 하지 못하고 제왕 절개로 낳은; 죽은 모체(母體)에서 태어난. ② 아직 존재하지 않은, 아직 나타나지 않은.

non bis in ídem *m. lat.* [법률] 일사부재리(一事不再理)(의 원칙).

noneco, ca *adj., mf. CRica, Hond., Nic.* =**tonto.**

nones *adv.* 퇴짜로, 단호히 거절로: *¡Nones!* (절대로) 안돼!

noningentésimo, ma *adj.* ① 900번째의. ② 900분의 1의. *—m.* 900분의 1.

nonio *m.* =**nonius.**

nonius *m.* 아들자.

nono, na *adj.* 아홉 번째의(que sigue al octavo). *—f.* ① (로마 시대에) 하루를 네 등분한 마지막 시간대. ② (가톨릭의) 아홉 시의 기도. ③ *pl.* (고대 로마와 교회의 계산법에서) 3월·5월·7월·10월의 7일과 나머지 달의 5일.

non plus ultra *m. lat.* 구극(究極), 궁극(窮極), 극한, 극점, 극치, 정점.

non sancta *gente* ~ 진절머리나는 생활을 하는 사람들.

noosfera *f.* [생태학] 인지권(人智圈).

noósfera *f. Amér.* =**noosfera.**

nopal *m.* [식물] 노팔선인장, 사보텐. ¶~ ***de la cochinilla*** *Méj.* [식물] 연지벌레 노팔선인장.

nopaleda *f.* 노팔선인장 밭.

nopalera *f.* =**nopaleda.**

nopalito *m. Méj.* (자주 요리해서 먹는) 노팔선인장의 연한 잎.

noque *m.* (가죽 무두질용) 작은 샘.

noqueada *f.* 녹아웃, 케이오.

noquear *tr. ing.* ① [권투] 녹아웃[케이오]시키다. ② (…를) 두들겨 의식을 잃게 하다. ③ 부수다, 엉망으로 만들다.

noquero *m.* =**curtidor.**

nor- *pref.* ☞**nord-.**

norabuena *f.* =**enhorabuena.** *—adv.*

=en hora buena: enviar a *alguien* ~ …를 내쫓다[몰아내다 · 추방하다].
noradrenalina *f.* 노르아드레날린.
nora en tal *adv.* =en hora mala.
noramala *adv.* =en hora mala.
nora tal *adv.* [드묾] =en hora mala.
noray *m.* ① [선박] (잔교의) 계선주. ② [선박] (땅에 배를 묶어 두는) 밧줄.
norcoreano, na *adj.* ① 북한 태생의. ② 북한의[에 관한]. —*mf.* 북한 사람.
nord- *pref.* 「북(北) · 북쪽(norte)」의 뜻: *nord*este 북동.
nordestal *adj.* ① [드묾] 북쪽에 있는. ② [드묾] 북쪽에서 오는.
nordeste *m.* ① 북동(北東). ② (나라 · 한정된 지역의) 북동부, 북동 지역, 북동부 영토[땅]. ③ (다른 나라의) 북동쪽에 위치한 곳. ④ [형용사적] 북동을 향한; 북동쪽에서 오는: rumbo ~북동 방향. viento ~ 북동풍. ⑤ 북동풍.
nordestear *intr.* [선박] (나침반의 바늘이) 북동쪽으로 기울다.
nórdico, ca *adj.* ① 북유럽 게르만계 모든 민족의. ② 북방 인종의[에 관한]. ③ [스키] 노르딕 경기의: pruebas ~*cas* 노르딕 종목 —*mf.* 북유럽 사람, 스칸디나비아 사람. —*m.* 북유럽 모든 언어들.
nordirlandés, sa *adj., mf.* =norirlandés.
nordista *adj.* (미국의 남북 전쟁에서) 북군 편의, 북군을 지지하는. —*mf.* 북군 지지자.
norepinefrina *f.* =noradrenalina.
noreste *m.* =nordeste.
noria *f.* ① 물을 끌어올리는 양수기. ② 양수기로 물을 끌어올리는 샘. ③ (유원지의) 관람차.
norial *adj.* [드묾] noria의.
norirlandés, sa *adj.* ① 북아일랜드 태생의. ② 북아일랜드의[에 관한]. —*mf.* 북아일랜드 사람.
norma *f.* ① 규범, 규준; 규칙, 규정, 법규: ~ de circulación 교통 법규. ~ de seguridad 안전 규칙[규준]. ② [기술] 규격, 표준: ~ industrial 공업 규격. ~ PAL [텔레비전] 팔 방식. ③ [언어] 규범. ④ [컴퓨터] 기준.
normal *adj.* ① 정상적인, 보통의; 통상의: temperatura ~ 평열(平熱); 상온(常溫). más de lo ~ 보통 이상으로. ② 규격대로의, 정규의. ③ [기하] 수직의. ④ [화학] (용액이) 규정의. ⑤ [생물 · 의학] (실험 동물이) 장상의; (면역 등이) 자연의. —*f.* ① 사범 학교 (escuela ~). ② [기하] 법선, 수직선. ¶***escuela*** ~ 사범 학교. ***línea*** ~ [기하] 법선(法線).
normalidad *f.* (특히 국가의 경제 · 정치 · 사회 등이) 정상 상태, 상태(常態): volver a la ~ 정상으로 돌아오다[돌아가다].
normalista *adj.* 사범 학교의[에 관한]. —*mf.* ① 사범 학교 학생. ② *Cuba, Méj., Salv.* 사범 학교에서 취득한 교사(의 자격).
normalización *f.* ① 정상화(正常化). ② 규격화, 표준화.
normalizar (9) *tr.* ① (국교 등을) 정상화하다: ~ el servicio 근무를 정상으로 하다[돌아가다]. ~ la relación diplomática 국교를 정상화하다. ~ la situación 사태를 정상화하다. ② 규격화[표준화]하다: artículo *normalizado* 규격품. ~ la lengua coreana 표준 한글을 정하다. ~**se** 정상화되다, 정상으로 돌아가다[돌아오다].
normalmente *adv.* ① 정상적으로, 순리적으로, 정상 상태로는, 정규로(de manera normal). ② 보통은, 보통으로.
normando, da *adj.* ① [역사] 노르만족(族)의[에 관한]. ② 노르망디(Normandía, 프랑스의 지방) 태생의. ③ 노르망디의[에 관한]. ④ (프랑스 북서 지방에서 사용하는) 프랑스 말 방언의. —*mf.* ① 노르만족 사람. ② 노르망디 사람. —*m.* 노르만 프랑스 말 ((노르망디 사람이 사용하는 프랑스 말)).
normano, na *adj., mf.* =normando.
normar *tr.* ① 표준을 정하다. ② *Cuba, Méj.* 규정[규범]에 따르다.
normativa *f.* ☞normativo.
normativo, va *adj.* 규준을 정한[확립한], 규준에 따르는, 규범적인, 표준의. —*f.* 규정, 규칙, 규범: ~*va* de la empresa 회사의 취업 규칙.
nornordeste *m.* ① 북북동(北北東). ② 북북동풍(北北東風).
nornoroeste *m.* ① 북북서(北北西). ② 북북서풍(北北西風).
nornorueste *m.* =nornoroeste.
noroeste *m.* ① 북서(北西). ② (한 나라나 정해진 지역의) 북서부(北西部), 북서 지방. ③ (다른 나라 · 곳의) 북서쪽에 위치한 곳. ④ 북서풍(北西風). ⑤ [형용사적으로] 북서쪽을 향한; 북서쪽에서 오는: cara ~ 북서쪽을 향한 면. vineto ~ 북서풍.
noroestear *intr.* ① (나침반의 바늘이) 북서쪽으로 기울다. ② (바람이) 북서쪽으로 불다. ③ (특히, 바다에서) 북서쪽으로 향하다.
norsantandereano, na *adj.* ① 산딴데르(Santander, 꼴롬비아의 주) 북부 지방 태생의. ② 산딴데르 북부 지방의[에 관한]. —*mf.* 산딴데르 북부 지방 사람.
nortada *f.* (어느 시기 동안 계속 부는) 시원한 북풍(viento norte fresco).
nortazo *m. Salv.* 강풍(viento fuerte).
norte *m.* ① 북(北), 북쪽, 북부: Europa del ~ 북유럽. problemas del ~-sur 남북 문제. unificación ~-sur 남북 통일. ② (한 나라 · 정해진 곳의) 북부 지방[지역]. ③ (다른 나라 · 다른 곳의) 북쪽에 위치한 곳. ④ [형용사적으로] 북쪽을 향한; 북쪽에서 온: fachada ~ 북향을 한 정면. viento ~ 북풍(北風). ⑤ 북풍(北風). ⑥ 길잡이, 안내, 자침: servir de ~ 길잡이 역할을 하다. ⑦

목표, 목적. ⑧ *Salv.* 강풍, 센바람, 세차게 부는 바람. ⑨ *Ven.* (이미 우기가 지난, 11월부터 1월까지 내리는) 일시적으로 내리는 비. ¶ ~ ***magnético*** 북자극(北磁極). ***Polo Norte*** 북극(北極). ***dar*** ~ *Salv.* 자극시키다, 행동을 조장하다[촉진하다]. ***perder el*** ~ 목표[방향]를 잃다, 어찌할 바를 모르다.

norteado, da *adj. Méj.* [속어] 방향[길]을 잃은(desorientado, perdido).

norteafricano, na *adj.* ① 북아프리카(norte de Africa) 태생의. ② 북아프리카의[에 관한]. —*m.f.* 북아프리카 사람.

Norteamérica *f.* [지명] 북아메리카.

norteamericano, na *adj.* ① 북아메리카 태생의. ② 북아메리카의[에 관한]. ③ 아메리카 합중국 태생의, 미국 태생의. ④ 아메리카 합중국의[에 관한]. —*m.f.* ① 북아메리카 사람. ② 아메리카 합중국 사람, 미국 사람.

nortear *tr.* (특히, 바다에서) 북쪽으로 향하다. —*intr.* ① [비인칭 동사] 바람이 북쪽으로 불다. ② *Salv.* (북풍은 아니지만) 강풍이 불다. ③ *Méj.* 북쪽에서 강풍이 불다.

norteño, ña *adj.* ① 북(쪽)의[에 관한]. ② (주로 스페인의) 북쪽[북부 지역]에 위치한: ciudad ~*ña* 북부 (지방) 도시. —*m.f.* 북쪽 사람, 북부 지방 사람.

nortino, na *adj. Chile.* 북부 주(州)에 사는. —*m.f. Chile.* 북부 주의 주민.

Noruega *f.* [국명] 노르웨이.

noruego, ga *adj.* ① 노르웨이 태생의. ② 노르웨이의[에 관한]. —*m.f.* 노르웨이 사람. —*m.* 노르웨이 말.

norueste *m.* =noroeste.

noruestear *intr.* =noroestear.

nos *pron.* ① [인칭 대명사 1인칭 복수; 직접 목적] 우리를: Ella *nos* invita 그녀는 우리를 초대한다. ② [인칭 대명사 1인칭 복수; 간접 목적] 우리에게: El profesor *nos* hacen muchas preguntas 선생님은 우리에게 많은 질문을 하신다. ③ [재귀 대명사 1인칭 복수] 우리 자신; 우리 서로: Sentémo*nos* aquí 여기 앉읍시다. ④ [위엄을 표하는 복수형; 고위 성직자가 사용하는 1인칭 단수 주어; 동사는 1인칭 복수로 받음] 나는, 이 사람은, 본인은: *Nos*, el Arzobispo, proclamamos … 이 사람 대주교는 …을 선언합니다.

nosocomio *m.* 병원(hospital).

nosogenia *f.* ① [의학] 병[병상(病狀)]의 근원[경과]. ② [의학] 병상학.

nosografía *f.* [의학] 질병 기술학.

nosología *f.* [의학] 질병 분류학.

nosológico, ca *adj.* [의학] 질병 분류학의[에 관한].

nosomántica *f.* 환술 치료법, 기도 요법, 안수 치료법.

nosotros, tras *pron.* [인칭 대명사 1인칭 복수형] ① [주어] 우리: *Nosotros* somos coreanos 우리는 한국 사람들이다. ② [전치사격] 우리: Siéntate entre ~ 우리 사이에 앉아라. ③ [목적 대명사와 「a + nosotros」를 중복시켜 뜻을 강조함] A ~ no nos gusta el café (다른 사람은 모르지만) 우리는 커피를 좋아하지 않는다. ④ (회사·식당·호텔·상점·단체 등이) 폐사, 폐점, 당점, 우리 호텔, 우리 단체: *Nosotros* tenemos la comida especial de la casa 저희 식당에는 저희가 직접 개발한 특별 음식이 있습니다. ⑤ [필자·강연자가 겸손하게] 저, 나: *Nosotros* queremos proponérselo a ustedes 저는 여러분들에게 그것을 제안하고 싶습니다. ¶***entre*** ~ 우리끼리 말이지만, 내밀히.

nostalgia *f.* ① (조국·가족·일가친척·친구에 대한) 그리움, 그리는 마음, (강한) 향수, 회향, 향수병, 회향병. ② (놓쳐 버린 행운의 추억으로 생긴) 울적한 슬픔(tristeza melancólica).

nostálgico, ca *adj.* ① 고향[조국]을 그리는, 향수에 젖은, 과거를 그리는. ② 향수병[회향병]에 걸린. —*m.f.* ① 향수병 환자. ② 과거 찬미자.

nosticismo *m.* =**gnosticismo.**

nóstico, ca *adj.* =**gnóstico.**

nostras *adj.* [의학] (다른 지역에서 발생한 것이 아니라) 유럽 국가들 자체에서 생긴 (병). ¶***cólera*** ~ (설사·경련·구토를 하는) 급성 위장염[위장카타르](gastroenteritis aguda).

nota *f.* ① (짧은) 기록, 메모, 노트, 각서, 수기, 비망록; 원고, 초고, 문안(文案). ② 주, 주해, 주석: ~ al margen 방주. ~ a pie de página [de texto] 각주. ③ 외교상의 문서, 공식 문서, 통고서; (공동) 각서: ~ de prensa 신문발표. ~ diplomática 외교 문서. ④ (학업 등의) 성적, 점수, 평점. ⑤ *pl.* 성적표. ⑥ [상업] 계산서, 전표. ⑦ (특징을 나타내는) 점, 측면. ⑧ (이야기하는 방식·태도 등의) 말투, 어투, 어조, 감각: ~ de humor 해학적 감각, 유머 감각. ⑨ 명성, 평판: escritor de ~ 유명한 작가, 명성이 있는 작가. ⑩ [음악] 악보, 음표: conocer las ~*s* 악보를 읽다. ⑪ [음악] 음부: ~ de negro 사분 음. ~ de mi 미 음부. ⑫ [음악] 가락, 음율, 음역: ~ grave 낮은 음역. ~ profunda 깊은 음역. ⑬ *Arg., Ur.* 신문 기사. ⑭ *Cuba.* 얼근하게 취한 상태, 취기. ⑮ [드묾] 작가의 문체. ¶ ~ ***discordante*** ㉮ 가락이 맞지 않는 음. ㉯ 조화를 깨뜨리는 것. ~ ***dominante*** ㉮ [음악] 속화음(屬和音)의 다섯 번째 음. ㉯ 주조(主調), 기조(基調). ~ ***marginal*** 난외의 주, 방주. ~ ***oficiosa*** 공식 문서. ~ ***verbal*** [외교] (외무부 장관이나 외국 대표자 간의) 무서명 각서[통고·통첩]. ~***s tironianas*** *f.pl.* (고대와 중세에 사용되었던) 속기 부호. ***mala*** ~ 악평. ***dar la*** ~ (어울리지 않게) 행동하다, 조화를 깨뜨리다, (변한 것이) 두드러지다, 눈에 띄다. ***tomar*** ~ ㉮ (기억되어야

할 것을) 써 두다. ㉯ (기억해야 할 것을) 기억력으로 새겨 두다.

nota bene *lat.* (특히 인쇄나 원고에서) 주의(하라).

notabilidad *f.* ① 저명, 고명. ② (유능함이나 공적으로) 저명인사, 유명지인.

notable *adj.* ① (주로 좋은 의미로) 주목할 만한 (가치가 있는), 뛰어난, 두드러진: obra ~ 주목할 만한 작품. Es un trabajo ~ 주목할 만한 연구다. ② 현저한, 저명한, 유명한: progreso ~ 현저한[두드러진] 진보. ③ (평점에서) 부끄럽지 않은: resultado ~ 부끄럽지 않은 성적, B, B⁺. —*m.* ① (평점에서) B, B⁺. ② *pl.* 유력자, 명사, 명망가.

notablemente *adv.* 현저하게, 두드러지게, 빼어나게; 명백히, 뚜렷하게.

notación *f.* ① 표기, 표시. ② (특수한 문자·부호 등에 의한) 표시법, 기호 표기(법), 기호 체계: ~ química 화학 기호(법). ③ [음악] 기보, 기보법(~ musical). ④ [수학] 기수법(記數法).

notar *tr.* ① …을 깨닫다, 눈치 채다, 알아차리다, 인식하다, …에 생각이 미치다: ~ faltas 잘못을 깨닫다[알아차리다]. No *noto* el calor [el frío] 나는 더위[추위]를 느끼지 못한다. ② = **reparar, observar, advertir.** ③ 지적하다(señalar). ④ 간단히 적다[기재하다](apuntar brevemente). ⑤ (필기한 것·책에) 주[주석]를 달다. ⑥ (…의 행동을) 비난하다, 나무라다, 꾸중하다(censurar, reprender). ⑦ 신용 타락을 야기시키다. ⑧ 감정[기분]을 느끼다. ⑨ [드묾] (다른 사람이 쓰도록) 부르다, 구술하다(dictar). ⑩ [+de] (…라) 평가하다, 생각하다. ¶***hacer*** ~ 지적하다, 강조하다. ***hacerse*** alguien ~ 자신을 눈에 띄게 하다, 주의를 끌기 위해 무엇을 하다.

notaría *f.* ① 공증인의 직(무). ② 공증인 사무소.

notariado, da *adj.* 공정 증서화된, 공증인 앞에서 허가된. —*m.* ① 공증인의 직무[직업]. ② 공증인회(會), 공증인 단체.

notarial *adj.* ① 공증인의[에 관한]. ② 공증화된. ¶***acta*** ~ 공정 증서.

notariato *m.* ① 공증인의 직함. ② 공증인의 임명.

notario, ria *mf.* ① 공증인. ② 목격 증인. ¶~ ***mayor de los reinos*** *m.* 법무 장관(ministro de Justicia).

noticia *f.* ① 지식, 앎. ② 알림, 통지, 뉴스. ③ *pl.* 뉴스 프로그램: ver ~*s* en televisión 텔레비전에서 뉴스 프로그램을 보다. ④ [주로 *pl.*] 소식: ~ alegre 기쁜 소식. ~ triste 슬픈 소식.

noticiable *adj.* 보도할 만한, 보도할 가치가 있는, 뉴스 거리가 되는.

noticiar *tr.* 알리다, 통지하다, 통보하다.

noticiario *m.* ① (라디오·텔레비전의) 뉴스 프로그램. ② 뉴스 영화. ③ (신문의) 소식란: ~ cinematográfico 영화란. ~ deportivo 스포츠 소식란.

noticiero, ra *adj.* 보도하는, 통신의, 정보의. —*mf.* (신문 등의) 통신원. —*m. Cuba, Guat., Salv., Ur., Ven.* (라디오·텔레비전의) 뉴스 프로그램.

notición *f.* 빅뉴스, 놀랄 만한 소식, 별로 신빙성이 없는 소식, 신빙성이 적은 소식[뉴스].

noticioso, sa *adj.* ① 알고 있는, 소식을 가지고 있는. ② 박식한, 여러 가지를 알고 있는. —*m. Amér.* (라디오·텔레비전의) 뉴스 프로그램.

notificación *f.* ① 통고, 통지, 시달, 최고(催告): ~ de llegada 도착 통지. ② 통지서, 통고서, 최고장.

notificado, da *adj., mf.* [법률] 통지[최고]를 받은 (사람).

notificar (7) *tr.* ① 통지하다, 통고하다. ② [법률] 최고(催告)하다.

notificativo, va *adj.* 통지의, 통고의.

noto[1] *m.* 남풍(南風)(austro).

noto[2], **ta** *adj.* [드묾] =**notorio.**

noto[3], **ta** *adj.* [드묾] 사생(私生)의, 서자(庶子)의: hijo ~ 사생아, 서자.

notocordio *m.* [해부] 척색(脊索).

notoriamente *adv.* 명백히, 분명히; 유명하게.

notoriedad *f.* ① 명백함. ② 주지(의 사실). ③ 명성, 평판(nombradía, fama).

notorio, ria *adj.* ① 모두가 아는, 세상에 알려진, 주지(周知)의. ② 명백한, 명확한, 분명한. ③ 중요한, 중대한, 의미심장한. ④ 유명한, 명성이 높은.

noúmeno *m.* ① [철학] (칸트 철학에서 fenómeno에 대하여) 본체(本體). ② [철학] 물(物) 자체(cosa en sí).

nov. noviembre 11월.

nova *f.* [천문] 신성(新星).

novación *f.* (증서류의) 개서(改書).

novador, ra *mf.* ① 혁신자. ② (17-18세기 동안) 스페인의 과학 개혁 운동 참가자.

noval *adj.* ① (토지가) 처음으로 개간되는, 새로 개간되는: tierra ~ 신개간지, 처음으로 개간된 땅. ② (식물·열매가) 처음으로 개간된 땅에서 생산되는, (작물이) 첫 수확의.

novatada *f.* ① (집단에서, 신참·신입생에 대한 고참의) 따돌림, 왕따: dar [hace] ~ 신참[신입생]을 따돌리다, 구박하다. ② (경험 부족으로 인한 일이나 사업에서 당한) 곤란, 실패; (신입생·신입 사원의) 환경 부적응 증상. ¶***pagar la*** ~ (무엇을 처음으로 할 때) 고통을 당하다, 미숙으로 인한 고통이 두드러지다, (신입생·신참·신입사원이) 환경 부적응 증상에 걸리다.

novato, ta *adj.* 미경험의, 경험이 없는, 신참의, 갓 시작한, 미숙한, 신출내기의, 새내기의. —*mf.* 미경험자, 풋내기, 신참, 새내기, 신출내기.

novator, ra *mf.* =**novador.**

novecentismo *m.* (1930년경의) 스페인의 문학 운동 ((Ortega y Gasset으로 대표됨)).

novecentista *adj.* ① novecentismo의

[에 관한]. ② novecentismo에 참가한. —*mf.* novecentismo 참가자.
novecientos, tas *adj.* ① 900의. ② 900번째의. —*m.* 900.
novedad *f.* ① 새로움, 참신함: ~ de la idea 착상의 참신함. ② 새로운 것[물건]. ③ (어떤 것에 일어난) 변화(cambio). ④ 최근 사건, 뉴스, 소식. ⑤ 건강상의 변화. ⑥ (전에 보지도 듣지도 못한) 진기한 일, 희한한 일, 기기묘묘한 일. ⑦ *pl.* 신작(新作), 신제품, 유행 제품, 신형, 신간. ¶ ***hacer*** ~ ㉮ (기대하지 않았기 때문에) 신기한[진기한·희한한] 일을 야기시키다. ㉯ (이미 실행 중인 것을 …에서) 새롭게 하다, 혁신하다, 개선하다. ***sin*** ~ 정상적으로, 변함없이, 언제나처럼, 이상없이, 무사히: El viaje transcurrió *sin* ~ 여행은 무사했다. Seguimos *sin* ~ 우리는 변함이 없다. ¿Qué hay de nuevo? —No *sin* ~ 뭐 새로운 것이라도 있습니까? —그저 그렇습니다.
novedoso, sa *adj.* ① 새로운, 참신한. ② [드묾] =**novelero.**
novel *adj.* ① 초심자의, 풋내기의, 신참의, 신출내기의: pintor ~ 신출내기 화가. poeta ~ 풋내기 시인. ② 경험이 적은, 미숙한.
novela *f.* ① 소설; (특히) 장편 소설: ~ contemporánea 현대 소설. ~ policíaca 탐정 소설. ~*s* científicas 과학 공상 소설. ~*s* ejemplares (세르반떼스의) 모범 소설집[단편집]. ② 허구, 거짓, 픽션, 만들어낸[꾸며낸] 이야기. ③ [방송] 연속 멜로드라마.
novelable *adj.* 소설화될 수 있는.
novelador, ra *adj.* ① 소설화시키는. ② 허구의[에 관한]. —*mf.* ① 엉터리 소설가, 자칭 작가. ② =**novelista.**
novelar *tr.* (어떤 사건을) 소설화시키다. —*intr.* ① 소설을 쓰다. ② 이야기를 하다, 허구를 말하다[발표하다].
novelería *f.* ① 새로운 것을 좋아함, 새것을 좋아하는 취미. ② 소설[우화]을 좋아함. ③ 몽상, 허구. ④ [주로 *pl.*] 경박한[천박한] 객담.
novelero, ra *adj.* ① 새로운 것을 좋아하는. ② 허구[꾸며낸 이야기]를 좋아하는. ③ 이야기를 좋아하는. ④ 소문을 좋아하는. ⑤ 새로운 것을 갈망하는. ⑥ 경박한, 변덕스러운. —*mf.* ① 새것[이야기·소문]을 좋아하는 사람. ② 경박한 사람, 변덕쟁이, 변덕꾸러기.
novelesco, ca *adj.* ① 소설의: género ~ 소설 장르. ② 소설 같은, 파란만장한: aventura ~*ca* 파란만장한 모험. ③ 완전히 꾸며낸, 허위의 ④ 진기하고 흥미로운. ⑤ 열광적인, 다정다감한, 몽상적인, 이상적인, 환상적인.
novelista *mf.* 소설가(小說家).
novelístico, ca *adj.* 소설(novela)의[에 관한]. —*f.* ① 소설 장르, 소설 연구, 소설의 기교. ② [집합] 소설 문학.
novelizar (9) *tr.* 소설화하다.
novelo *m. Can.* 실꾸리, 실의 얽힘.
novelón *m.* [경멸] 통속 소설.
novena *f.* ☞noveno.
novenario *m.* ① 구일장(九日葬). ② 사후(死後) 9일째에 행해지는 장례식.
novendial *adj.* [드묾] (죽은 사람을 위해) 거행하는 9일장의.
noveno, na *adj.* ① 아홉 번째의. ② 9분의 1의. —*m.* ① 9분의 1. ② 경작자가 주인에게 지불하는 소작료 ((수확의 9분의 1)). —*f.* ① [기독교] 9일간의 기도. ② 9일간의 기도가 적힌 책. ③ (9일 동안 해야 할 것을 하루나 이틀로 끝내는) 고인(故人)을 위한 공양 기도와 공양.
noventa *adj.* ① 90의. ② 아흔 번째의, 90번째의. —*m.* ① 90, 아흔. ② [los+] 1990년대; 90대 (노인).
noventavo, va *adj.* 90분의 1의(nonagésimo). —*m.* 90분의 1.
noventayochista *adj.* [문학·역사] 98세대의[에 관한]. —*mf.* 98세대 사람.
noventón, na *adj.* 90대(代)의. —*mf.* 90대 노인.
noviar *intr. Arg.* [드묾] 약혼자[연인] 관계를 유지하다.
noviazgo *m.* ① 연인[약혼자] 관계. ② 약혼 기간.
noviciado *m.* ① 수련기. ② 수련소, 수련원. ③ [집합] 수련자. ④ 수련, 수련 제도. ⑤ 수련 기간.
novicio, cia *adj.* ① [천주교] (수도 서원을 하기 전의) 견습 수련을 하는 (수도사·수도녀). ② 입문의, 초심의, 신참의, 풋내기의, 신출내기의. —*mf.* ① [천주교] 수련자, 견습 수도사[수도녀]. ② 초심자, 신참, 신출내기, 풋내기. ③ [드묾] 겸허한 사람.
noviembre *m.* 11월.
novilla *f.* (특히 길들여지지 않은) 두세 살의 암송아지.
novillada *f.* ① [집합] 송아지. ② 견습 투우사가 하는 투우.
novillear *tr. Par.* (남자가) 연정을 품고 여자에게 접근하다.
novillero, ra *mf.* ① 송아지 사육사. ② 견습 투우사. ③ 일을 자꾸 빼먹는 사람. —*m.* ① 송아지 우리. ② 풀이 무성한 목초지.
novillo *m.* ① (특히 아직 길들여지지 않은) 두세 살의 수송아지. ② 아내가 간통한 남자. ③ *Arg., Cuba, Ur., Ven.* 식용 거세 소. ④ *Chile, Hond., Méj.* =**ternero.** ⑤ *pl.* 송아지의 투우. ¶ ***hacer*** ~***s*** alguien (주로 학교를) 가지 않다, 수업을 빼먹다; 사보타주하다, 태업하다.
novilunio *m.* 초승달, 신월(新月).
novio, via *mf.* ① 신랑, 신부, 막 결혼한 사람: traje [vestido] de *novia* 웨딩드레스. ② 약혼자. ③ (장래의 결혼 상대로서의) 연인. ④ (결혼할 의향도 없고 동거도 하지 않고) 깊은 사랑에 빠진 사람. ⑤ (무엇을) 소유하기를[언기를] 갈망하는 사람: Ese puesto tiene muchos ~*s* 그 자리는 원하는 사람이 많다. —*m.* ① 신참, 신출내기, 풋내기. ② 처음으로 소를 죽인 남자. ③ *Col., Ven.* [식물] 이질풀 ((쥐손이풀과의 여러해살이풀; 꽃은 붉고 정원에 아주 흔함)). ④ *pl.* 신혼부부: viaje de ~*s* 신혼 여행. ¶***pedir*** alguien ***la*** ~ (보통 부모의 집에) 정식으로 결혼을 신청하(러 가)다. ***quedarse*** alguien ***compuesto y sin*** ~ 모처럼의 준비가 허사가 되다, 틀림없다고 믿고 준비했으나 바랐던[기대했던] 것을 달성하지 못하다.

novísimo, ma *adj.* 최신의, 아주 새로운. —*m.* [천주교] 사종(四終).

novocaína *f.* [약학] 노보카인 ((치과용 국부 마취제; 상표 이름)).

novohispano, na *adj.* ① 누에바 에스빠냐(la Nueva España, 식민지 아메리카의 옛 부왕 관구, 현재의 멕시코) 태생의. ② 누에바 에스빠냐의[에 관한]. —*mf.* 누에바 에스빠냐 사람.

novomejicano, na *adj., mf.* =neo-mexicano.

novomexicano, ca *adj., mf.* =neo-mexicano.

noxa *f.* [고어] =**daño, perjuicio.**

noyó *m.* 노요 ((증류주·설탕·쓴 편도 열매의 혼성주)).

n/p(ag). nuestro pagaré 폐사의 약속어음.

n/r nuestra remesa 폐사의 송금.

nro nuestro 우리의, 폐사의.

N.S. (J.C.) Nuestro Señor (Jesucristo) 우리 주 (예수 그리스도).

n/t. nuestro talón 폐사의 수표장.

ntro nuestro 우리의, 폐사의.

nubado, da *adj.* =**nubarrado.** —*f.* ① (일반적인 비와는 달리) 구름에서 떨어진 충분한 물, 소나기. ② 다수.

nubarrado, da *adj.* (옷감이) 구름무늬로 염색된. —*f.* [드묾] =**nubada.**

nubarrón *m.* ① 큰 먹구름, 검은 뭉게구름. ② [비유적으로] 먹구름, 암운.

nubazón *m. Nic., Salv.* (비를 예고하는) 검은 구름 떼.

nube *f.* ① 구름: ~ atómica 원자운(原子雲), 버섯구름, 원자구름. ~ de tormenta 폭풍우구름. ~*s* y claros (기상 예보에서) 맑았다 흐렸다 (함). cielo sin ~*s* 구름 한 점 없는 하늘. mar de ~*s* 구름바다, 운해(雲海). cubierto de ~*s* 구름 낀, 구름에 덮인, 구름으로 덮여. ② (공중으로 가는 것의) 떼, 많은 양: ~ de humo 모락모락 피어오르는 연기. ~ de moscas 구름처럼 모여드는 모기. ③ (사람·물건의) 많은 수[양], 다수, 무리, 떼, 구름 같은 것: una ~ de fotógrafos 수많은 카메라맨, 구름같이 모여드는 카메라맨. ④ (덮어 씌워) 어둡게 하는 것, 어둠; 암운, 근심의 빛, 근심하는 기색. ⑤ (보석의 표면에 낀) 흐림, 티, 흠, 금. ⑥ (눈의 각막의 바깥 층에 생긴) 작은 희뿌연 점. ⑦ (밤에 부인들이 외출할 때 머리에 감는) 매우 가벼운 뜨개질한 숄의 일종. ¶ ~ ***de lluvia*** 비구름. ~ ***de verano*** ㉮ (소나기와 함께 여름에 자주 나타나는) 폭풍우 구름, 먹구름. ㉯ 일시적인 소요, 일시적인 불쾌감[따분함]. ***andar por las ~s*** ㉮ =**estar por las nubes.** ㉯ = **estar en las nubes.** ***como caído de las ~s*** 하늘에서 떨어지듯이, 갑자기, 의외로, 뜻하지 않게. ***descargar la*** ~ ㉮ 폭우가 쏟아지다, 억수처럼 쏟아지다. ㉯ 울화통을 터뜨리다, 화를 내다. ***estar [vivir] en las ~s*** 건성이다, 마음이 들뜨다; 몽상(夢想)에 잠기다[빠지다]; 중대한 일에 무지하다, 현실에 어둡다. ***estar por las ~s*** 고가(高價)다, 무척 비싸다, 값이 매우 높다. ***levantar a [hasta] las ~s*** a alguien o algo =**poner en las nubes.** ***levantarse*** alguien ***a las ~s*** =**levantarse a las estrellas.** ☞ **estrella.** ***poner en [por · sobre] las ~s*** a alguien o algo (…를) 칭찬하다, 입에 침이 마르도록 칭찬하다, 극찬하다, 잔뜩 추켜올리다. ***ponerse por las ~s*** ㉮ 잔뜩 화가 나 있다. ㉯ (물건이) 값이 아주 비싸지다. ***remontarse*** alguien ***a las ~s*** 개념[유행]을 아주 높이 올리다. ***subir a [hasta] las ~s*** a alguien o algo =**poner en las nubes.** ***subir*** algo ***a las ~s*** (…의)값이 천정부지로 올라 있다.

nubífero, ra *adj.* [시어] 구름 낀.

núbil *adj.* (주로 여성이) 결혼 적령기의, 혼기의, 나이가 찬: chica ~ 혼기에 이른 아가씨.

nubilidad *f.* ① 결혼 적령기, 혼기(婚期). ② 방년(芳年), 방령(芳齡).

nublado, da *adj.* 구름 낀, 구름으로 덮인: cielo ~ 구름 낀 하늘. —*m.* ① 폭풍우가 몰아칠 듯한 구름, 비구름, 먹구름: *Nublado*, después claro 흐린 뒤 맑음. ② 급박한 위험을 유발하는 사건. ③ 혼란을 야기시키는 일, 마음을 놓을 수 없는 일. ④ [드묾] 다수, 과다. ¶***aguantar el*** ~ (상관의 노여움이 수그러들기를) 꾹 참고[인내로] 기다리다. ***descargar el*** ~ ㉮ 비[눈·우박]가 많이 내리다. ㉯ 화풀이하다, 노여움이 폭발하다; 노여움을 폭발시키다, 화를 내다. ***levantarse*** ~ 하늘이 개다, 날씨가 풀리다. ***pasar el*** ~ (별탈 없이) 위험이 가시다, 노여움이 가라앉다. ***temer*** a alguien o algo ***como [más que] a un*** ~ (…를) 무척[매우·대단히] 두려워하다[무서워하다].

nublar *tr.* ① 흐리게 하다. ② 어둡게 하다. ③ 빛을 잃게 하다, (평판·영광을) 줄이다, 감소시키다, 변해 없어지게 하다, 잃게 하다: ~ la fama 명성의 빛을 잃게 하다, ~ las virtudes 미덕의 빛을 잃게 하다. ④ 시력이 흐려지게 만들다. ⑤ (이성·감정을) 흐리게 만들다, 아찔하게[멍하게] 만들다. ⑥ 얼굴에 수심이 가득하게 만들다. ~**se** ① 흐려지다. ② 어두워지다. ③

시력이 흐려지다. ④ (이성·감정이) 흐려지다, 아찔해지다, 멍해지다. ⑤ 얼굴에 수심이 가득하다. ⑥ [단인칭 동사로 항상 3인칭 단수만 쓰임] 하늘에 구름이 끼다.

nublazón *m.* ① *Cuba.* =nubosidad. ② *Cuba.* 시력이 흐려짐.

nublo, bla *adj.* 구름 낀. —*m.* ① 먹구름, 폭풍우가 몰아칠 듯한 구름. ② (곡물의) 흰가룻병 병균(tizón).

nubloso, sa *adj.* ① 구름 낀, 약간 흐린: cielo ~ 구름 낀 하늘, 약간 흐린 하늘. ② =**desgraciado, adverso, contrario.**

nubosidad *f.* 흐림, 구름이 많아짐, 구름 낀 상태; 어두움, 암담함.

nuboso, sa *adj.* ① 구름 낀. ② = **desgraciado, amenazador.**

nuca *f.* 목덜미, 후두, 뒤통수: Le di un golpe en la ~ 나는 그의 뒤통수를 때렸다.

nuche *m. Col.* (동물의 피부에 생기는) 구더기, 유충(larva).

nucleado, da *adj.* ① 모인. ② (세포가) 핵이 있는.

nuclear *adj.* ① 핵의. ② [물리] 핵의, 원자핵의: zona no ~ 비핵지대. ③ 원자핵 분열이나 융합으로 발생하는 에너지의[에 관한]. ④ 핵에너지[원자력]를 사용하는. ⑤ [생물] 핵의. —*f.* 원자력 발전소(central ~). ¶*arma* ~ 핵병기, 핵무기. ***cabeza*** ~, ***carga*** ~ 핵탄두. ***cohete*** ~ 핵로켓 ***combustible*** ~ 핵연료. ***combustión*** ~ 핵연소. ***desintegración*** ~ 핵분열. ***energía*** ~ 핵에너지, 원자력. ***escisión*** ~ 핵분열. ***explosión*** ~ 핵폭발. ***física*** ~ (원자)핵 물리학. ***físico, ca*** ~ *mf.* (원자)핵 물리학자. ***fisión*** ~ 핵분열. ***fragmentación*** ~ 핵파편. ***fusión*** ~ 핵융합. ***guerra*** ~ 핵전쟁. ***medicina*** ~ 핵의학. ***prueba*** ~ 핵실험. ***reacción*** ~ 핵반응. ***reactor*** ~ 원자로.

nucleario, ria *adj.* 핵의[에 관한].

nuclearización *f.* ① 핵무기[핵시설] 증가. ② 핵무장화; 핵에너지화(化).

nuclearizar (9) *tr.* ① (에너지를) 핵에너지화하다, 원자력화하다. ② (나라를) 핵무장화하다, 핵병기를 보유시키다, (나라에) 핵무기[핵시설]를 증가시키다. ③ (장소에) 원자력 발전소를 만들다.

nucleico ***ácido*** ~ [생화학] 핵산(核酸).

nucleido *m.* [물리] 원자핵(原子核).

núcleo *m.* ① 편도[아몬드]의 열매(almendra); (딱딱한 껍질을 가진 열매의) 물렁물렁한 부분(parte mollar). ② (과실의) 핵(核), 씨 ((핵과의 씨를 싸고 있는 단단한 껍데기))(hueso). ③ [물리] 핵(核), 원자핵(~ atómico). ④ [생물] 핵, 세포핵(~ de la célula). ⑤ [천문] (천체의) 핵, 중심 부분. ⑥ [코일의] 철심(鐵心). ⑦ [물리] (원자로의) 노심(爐心). ⑧ (집단 등의) 중핵, 핵심, 중심. ⑨ (일의) 핵심. ⑩ (인구의) 중심지. ⑪ [언어] 핵. ⑫ [기상] 핵. ¶ ~ ***silábico*** [음성학] 음절의 핵.

nucléolo *m.* [생물] (세포핵 속의) 소핵(小核).

nucleón *m.* [물리] 핵자(核子).

nucleótido *m.* [생화학] 뉴클레오티드.

nuco *m. Chile.* [새] 누꼬 ((부엉이(lechuza) 비슷한 맹금류))

nudamente *adv.* =**desnudamente.**

nudillo *m.* ① (손가락 밑부분의) 손가락 관절, 손가락 마디. ② (스타킹의) 바느질 땀. ③ [건축] 수돌쩌귀.

nudismo *m.* 누디즘, 나체주의.

nudista *adj.* ① 나체주의자의: colonia ~ 나체촌, 누드 마을. ② 나체주의의[에 관한]. —*mf.* 나체주의자.

nudo[1] *m.* ① (실·밧줄의) 매듭. ② 정리, 인연, 연분, 연(緣)(unión, lazo, vínculo). ③ (갈대·대나무·나무 등의 줄기의) 마디, 혹, 옹두리. ④ 합류점, 요소: ~ de comunicaciones 교통의 요소. ⑤ (간선 도로의) 접속점, 교차점. ⑥ (문제의) 요점, 핵심. ⑦ (연극 등의) 고비, 절정. ⑧ [속도의 단위] 노트. ⑨ [의학] 결절(結節). ⑩ [드묾] =**ligamen.** ¶ ~ ***ciego*** 옭매듭. ~ ***de tripas*** =**cólico miserere.** ~ ***gordiano*** ㉮ 고대 Frigia 왕 Gordio의 매듭. ㉯ 어려운 문제[일], 난문(難問). ㉰ 많이 얽혀 풀기가 불가능한 매듭. ㉱ 반지 놀이 ((어린이 놀이의 일종)). ~ ***marinero*** 풀기 쉬운 매듭, 쉽게 풀리는 매듭. ***atrevesársele [ponérsele]*** a alguien ***un*** ~ ***en la garganta*** 놀람[고통·수치심]으로 말할 수 없다, 목이 메다. ***dar [echar] otro*** ~ ***a la bolsa*** 무척 돈을 풀려 하지 않다, 돈을 풀지 않으려고 무척 애쓰다.

nudo[2]**, da** *adj.* =**desnudo.**

nudosidad *f.* [의학] 결절, 결절증.

nudoso, sa *adj.* 매듭[마디]이 있는[많은]: manos ~*sas* 마디가 많은 손.

nuecero, ra *mf.* 호두 장수.

nuégado *m.* ① [주로 *pl.*] 호두 과자, 누가. ② 편도 과자. ③ 콘크리트.

nuera *f.* 며느리, 자부(hija política).

nuestramo *m.* [은어] =**escribano.**

nuestro, tra *adj.* [소유 형용사 1인칭 복수] ① 우리의: ㉮ [전치형: 명사 앞에서 명사와 성과 수가 일치함] ~*tra* casa 우리 집. ~ país 우리 나라. ~ amigos 우리의 친구들. ~*tras* amigas 우리의 여자 친구들. ~*tra* llegada 우리의 도착. ~*tra* salida 우리의 출발. ㉯ [후치형: 명사 뒤에서 앞의 명사와 성과 수가 일치함] una amiga ~*tra* 우리의 한[어떤] 여자 친구. un amigo ~ 우리의 한[어떤] 남자 친구. ㉰ [주격 보어: 정관사 없는 소유 대명사처럼 번역함] 우리의 것: Estas casas son ~*tras* 이 집들은 우리의 것이다. ② ㉮ (필자·강연자가 겸손하게) 나의, 저의, 제, 소생의: ~*tras* opiniones 제[소생의] 견해. ㉯ (국왕 등이) 나의, 짐의: ~*tras* proposiciones 내[짐의] 제안. —*pron.* [정관사와 함께 쓰여]

우리의 것: Su casa es más grande que *la ~tra* 그의 집은 우리의 집보다 크다. ¶*la ~tra* 우리의 호기(好機). *lo ~* ㉮ 우리의 것[일]: *Lo ~* lo resolvemos nosotros mismos 우리의 일은 우리 자신들이 해결한다. ㉯ 우리가 가장 자신 있는 것: *Lo ~* es el estudio 우리가 가장 자신 있는 것은 공부다. ㉰ 우리가 주장하고 싶은 것[말]. ㉱ 꽤, 제법, 상당히, 어지간히. *los ~s* 우리 가족, 우리 당원, 우리 친구, 우리편, 우군, 아군.

nueva *f.* ☞nuevo.

nuevamente *adv.* 다시, 재차(otra vez).

nueve *adj.* ① 아홉의, 9의. ② 아홉 번째의(noveno). —*m.* ① 아홉, 9. ② 9일: el ~ de octubre 10월 9일. ③ 9를 가리키는 카드.

nuevo, va *adj.* ① [명사 뒤에서] 새로운, 신(新)…, 새…, 최신의: brote ~ 새싹, 신아(新芽), 새로 돋은 싹. palabra *~va* 신어, 새로 생긴 말. ② [+en] (…에) 처음의: Soy ~ *en* estas músicas 나는 이런 음악을 듣기는 처음이다. ③ [명사 앞에서] 신규의, 새로운, 새로 시작한; 별도의, 다른, 따로의, 재(再)…, 다시: ~ aeropuerto internacional 신(新)국제 공항. ~ comienzo en la vida 인생의 재출발. ~ país industrial 신흥 공업국. ④ 갓[막] …이 된, 신임의, 새로 부임한, 새로 가입한, 새로 들어온, 애송이의, 신참의, 신출내기의, 풋내기의: ~ empleado 신입 사원. ~ profesor 신임 교사, 새로 부임한 선생. miembro ~ 신입 회원. ⑤ [estar+] 신품 같은. ⑥ [estar+] 피로가 가신[없어진], 생기[원기·기운]를 되찾은[회복한]. ⑦ (농산물을) 막[최근에] 수확한: arroz ~ 막[최근에] 수확한 쌀. cebada *~va* 최근에 거두어 들인 보리. maíz ~ 최근 수확한 옥수수. patatas *~vas* 최근 수확한 감자. —*f.* 소식, 정보, 뉴스. —*m.f.* 신입 사원, 신입생, 신참, 신출내기. ¶***buena ~va*** [기독교] 복음. ***el Nuveo Mundo*** 신대륙. ***~va ola*** (유행·예술·정치 등의) 새 물결 운동, 새 풍조[경향]. ***~ rico, ~va rica*** *m.f.* 벼락부자, 졸부. ***Nuevo Testamento*** 신약 성서. ***~vas tecnologías*** 신기술. ***día de Año Nuevo*** 설날, 정월 초하룻날, 원일(元日), 1월1일. ***cogerle*** a alguien ***de ~vas*** algo (…을) 뜻밖에[생각지도 않게] 알다, 허를 찌르다. ***de ~*** 다시, 재차, 한 번 더. ***¿Qué hay de ~?*** 요즈음 어떠세요?, 무슨 변한 것이라도 있습니까?

nuez *f.* ① [과실] 호두. ② (호두 비슷한) 견과의 열매: ~ de coco 야자의 열매. ③ [해부] 결후. ④ [음악] (현악기의) 조임쇠. ¶ ~ ***de Castilla*** *Méj.* 호두. ~ ***de cola*** [열매] =cola. ~ ***de especia*** =nuez moscada. ~ ***ferreña*** 알이 작고 매우 단단한 호두. ~ ***moscada*** 육두구의 열매. ~ ***póntica*** =avellana. ~ ***vómica*** 마전자. ***apretar*** a alguien ***la ~*** (…를) 목을 죄어 죽이다. ***cascarle*** a alguien ***las nueces*** =cascarle las liendres. ☞liendre. ***volver las nueces al cántaro*** ㉮ 많이 논의하고 결론을 내린 후 다시 한 주제를 만들어 내다. ㉯ (특히 인간 관계를) 이전의 상태로 되돌리다[회복시키다], 원상으로 복구시키다. ***Mucho ruido y pocas nueces*** (속담) 빈 수레가 더 요란하다, 태산명동(泰山鳴動)에 서일필(鼠一匹).

nueza *f.* [식물] 여주, 만여지(蔓茘枝).

nulamente *adv.* =inválidamente.

nulidad *f.* ① [법률] 무효, 실효; 무효의 행위[문서]: ~ de los contratos 계약 무효. ② 무능한 사람, 쓸모없는[쓸데없는] 사람. ③ [드묾] (…의) 평가[효력]를 떨어뜨리는 나쁜 버릇[악습·악벽]. ④ [드묾] 무능(incapacidad).

nullius *bienes* ~ *m.pl.* [법률] 무주물(無主物), 주인 없는 재산.

nulo, la *adj.* ① [법률] 무효의, 실효(失效)의, 효력을 잃은: póliza *~la* 효력을 상실한 보험 증서. voto ~ 무효 투표. ② [+para] (육체적·정신적으로) (…에) 무능한(incapaz). ③ (단 하나도) 없는, 전혀 없는, 무가치한, 가치가 없는. ④ (권투 경기에서) 무승부의. ⑤ [수학] 영(零)의. ⑥ [야구] 아웃의, 파울의. —*m.* [야구] 아웃, 파울.

Núm. número 번호.

numantinamente *adv.* 단호하게, 용감하게, 끝까지 저항하여.

numantinismo *m.* [기원전 134년에 로마군이 누만시아(Numancia)를 포위하고 있는 동안 누만시아 사람들(los numantinos)의 완강한 저항에서 유래된 단어] (기대할 수 없는 조건이나 거의 성공할 가능성이 희박한 상황에서) 끝까지 완강하게 저항하는 행동.

numantino, na *adj.* ① 누만시아(Numancia, 스페인 가스띠야-레온 레온 지방의 Soria 근처 옛 마을) 태생의. ② 누만시아의[에 관한]. ③ 끝까지 완강히 저항하는, (누만시아 주민들이 로마의 침공에 반대해 영웅적으로 저항한 것에서) 용감한, 단호한. —*m.f.* 누만시아 사람.

numen *m.* ① 신령, 신령님, 검님. ② (고전 신화의) 신(dios). ③ (예술가·작가의) 영감, 감흥: ~ poético 시적 감흥[영감].

numerable *adj.* 셀 수 있는, 헤아릴 수 있는, 계산할 수 있는.

numeración *f.* ① 세기, 셈, 세는 법, 계산(법); (인구 등의) 계산, 통계. ② [수학] 숫자 읽기, 명수법, 기수법. ¶ ~ ***arábiga*** =numeración decimal. ~ ***binaria*** 이진법. ~ ***decimal*** 십진법. ~ ***romana*** (라틴어 알파벳의 일곱 문자(I, V, X, L, C, D, M)로 숫자를 표현하는) 로마 숫자.

numerador *m.* ① [기계] 번호 찍는 기계, 넘버링. ② [수학] (분수의) 분자.

numeradora *f.* [인쇄] 번호 찍는 기계,

넘버링.

numeral *adj.* 수의[에 관한], 수를 나타내는. —*m.* [문법] 수사. ¶*adjetivo* ~ 수형용사. *letra* ~ 숫자. *nombre* ~ 수사(數詞).

numerar *tr.* ① 숫자의 순서에 의해 세다. ② 양을 숫자로 표현하다. ③ 숫자로 나타내다[표시하다], 번호를 붙이다[매기다]: ~ las páginas 페이지에 번호를 매기다[붙이다]. ④ (방적업에서) 수를 정하다, 실의 길이와 무게의 관계를 정하다. ~**se** (정렬하여) 번호를 부르다.

numerario, ria *adj.* ① 수(數)[번호] 의[에 관한]. ② 정규직의, 정규 고용의, 정회원의: profesor ~ 정교수. profesor no ~ 시간 강사. —*m.f.* 정규직 사원, 정직원; 정회원. —*m.* ① 주화, 정화(正貨), 정금(正金). ② 현금(現金): pagar en ~ 현금으로 지불하다.

numérico, ca *adj.* ① 수(數)의[에 관한]. ② 수로 구성된, 수에 의한, 수로 표시된, 수치의: cálculo ~ 수치 계산법. objetivo ~ 수치 목표. ③ 숫자상의: superioridad ~*ca* 숫자상의 우세.

número *m.* ① 수(數): ~ de desocupados 실업자 수. ~ de masa [물리·화학] 질량수. ~ de páginas 쪽의 수, 페이지의 수. ~ de personas 사람의 수효, 인수(人數). ② 수량. ③ 숫자. ④ ㉮ 번호, 넘버: ~ atrasado 등 번호, 배번, 백넘버. ~ de fax 팩스 번호. ~ de identificación personal [금융] 개인 식별 번호. ~ de matrícula 허가 번호, 등록 번호. ~ de serie 일련 번호. ~ de teléfono 전화 번호. ㉯ 번지. ⑤ (잡지 등의) 제 (…) 권(券)[호]: ~ especial 특별호, 증간호. último ~ 최신호. ⑥ (구두·장갑 등의) 크기, 사이즈. ⑦ (흥행의) 상연물, 상연 작품, 상연 종목, 상연 목록. ⑧ (복권·추첨의) 권, 표, 장: ~ premiado 당첨된 복권, 당첨 번호. ⑨ (일류의) 부류(部類), 층. ⑩ 장기, 특기. ⑪ (예약 등의) 순번. ⑫ (치안 경비대의) 평대원. ⑬ (경찰의) 일반 경찰관. ⑭ (사람의 주의를 많이 끄는) 이상한[무례한] 행동[짓], 보기 흉한 짓[행동], 꼴사나운 짓[행동]. ⑮ [문법] 수(數). ⑯ [방적업에서] 수(數) ((실의 길이와 무게의 관계)). ¶ ~ *abstracto* [수학] 불명수(不明數). ~ *algebraico* [수학] 대수적(代數的) 수. ~ *arábigo* 아라비아 숫자. ~ *atómico* [물리·화학] 원자 번호. ~ *cardinal* [수학] 기수. ~ *complejo* [수학] 복소수. ~ *compuesto* [수학] 제등수(諸等數). ~ *concreto* [수학] 명수(名數). ~ *decimal* [수학] 소수(小數). ~ *de guarismo* =número arábigo. ~ *dígito* [수학] 아라비아 숫자로 표시할 수 있는 수. ~ *dual* [문법] 양수(兩數). ~ *entero* [수학] 정수. ~ *fraccionario* [수학] = número quebrado. ~ *imaginario* [수학] 허수. ~ *impar* [수학] 홀수, 기수. ~ *irracional* [수학] 무리수. ~ *llano* =número romano. ~ *másico* [물리·화학] 원자핵의 양자와 중성자의 총수. ~ *mixto* [수학] 혼수. ~ *musical* (연극 작품이나 영화 작품의 일부를 이루면서 자주 노래와 춤이 함께 하는) 뮤지컬의 한 절(節). ~ *natural* [수학] 자연수. ~ *ordinal* [수학] 서수. ~ *par* [수학] 짝수, 우수. ~ *perfecto* [수학] 완전수. ~ *plulral* [문법] 복수. ~ *primo* [수학] 소수(素數). ~ *quebrado* [수학] 분수. ~ *racional* [수학] 유리수. ~ *real* [수학] 실수. ~ *redondo* 어림수. ~ *romano* 로마 숫자. ~ *singular* [문법] 단수. ~ *uno* ㉮ 제일인자, 넘버원, 첫째, 제일, 으뜸, 톱, 중심 인물; 제1번, 제1호. ㉯ 지도자. ~*s negros* 흑자. ~*s rojos m.pl.* 적자. **de** ~ 정규[정식] (고용)의, 정(正)…: académico *de* ~ 한림원 정회원. catedrático *de* ~ 정교수. miembro *de* ~ 정회원. *echar* alguien ~*s* =**hacer números.** *hacer* alguien ~*s* (비용 등을) 계산하다. *llenar el* ~ de algo (…을) 완전하게 하다, 완성하다, 완결하다. *tomar el* ~ *cambiado* a alguien (…에 관해서) 완전히 틀리다.

numerología *f.* 숫자점(數字占).

numerosamente *adv.* ① 다수로, 수없이 많이. ② [드묾] 운율적으로.

numerosidad *f.* [드묾] 다수.

numeroso, sa *adj.* ① (사람·물건의) 다수로 이루어진, 다수의, 대(大)…: un grupo ~ de espectadores 다수의 관객. ② [드묾] 곡조가 아름다운, 운율적인, 운율이 있는: versos ~*s* 운율이 있는 시. ③ *pl.* 많은, 수많은, 셀 수 없이 많은: ~*s* libros 많은 책. ~*sas* personas 많은 사람들.

numerus clausus *m. lat.* (입사·입학 등의) 좁은 문.

númida *adj.* ① 누미디아(Numidia, 아프리카 북부에 있었던 옛 왕국) 태생의. ② 누미디아의[에 관한]. —*m.f.* 누미디아 사람.

numídico, ca *adj.* 누미디아(Numidia)의[에 관한].

numinoso, sa *adj.* 신령의[에 관한].

numisma *m.* [고전학] 동전(銅錢).

numismático, ca *adj.* ① 고전(古錢)의[에 관한], 메달의[에 관한]: museo ~ 고전 박물관. ② 고전학(古錢學)의[에 관한]. —*m.f.* 고전 연구가, 고전 수집가, 화폐 수집가, 메달 수집가. —*f.* ① 고전학(古錢學). ② 고전 수집, 화폐 수집, 메달 수집.

numo *m.* [드묾] =**moneda, dinero.**

numular *adj.* 동전처럼 둥그런, 원형의.

numulario *m.* 남자 돈 장수.

numulita *f.* =**numulites.**

numulites *m.sing.pl.* 화폐석(貨幣石).

nunca *adv.* [동사 뒤에 쓰일 경우에는 동사 앞에 no가 놓여 강조함] ① 결코 (… 아니다): No lo haré ~ / *Nunca* lo haré 나는 절대로[결코] 그런 일은 하지 않겠다. ② 한 번도 … 아니다: No he estado ~ en Alemania / *Nunca* he estado en Alemania 나는 한 번도 독일에 간 적이 없다. ¶ ~ *jamás* [강조] =**nunca.**

nunciatura *f.* ① 로마 교황청 대사의 직[임기]. ② (스페인의 가톨릭) 최고 법원. ③ 로마 교황청 대사의 관저. ④ 로마 교황청 대사관.

nuncio *m.* ① 사자(使者), 사절. ② 교황의 외교 사절, 교황청 대사. ③ = **anuncio, señal.** ¶ ~ ***apostólico*** 교황의 외교 사절, 교황청 대사.

Ñ

nuncupativo *testamento* ~ 구두유언.

nuncupatorio, ria *adj.* 유증의 (서한).

nuño *m.* [식물] (아메리카의) 붓꽃과 식물 ((장밋빛 꽃이 핌)).

nupcial *adj.* 결혼의[에 관한]: banquete ~ 결혼 피로연. ceremonia ~ 결혼식, 혼례식. galas ~*es* 결혼복.

nupcialidad *f.* 결혼[혼인] 건수(件數).

nupcias *f.pl.* 결혼: segundas ~ 재혼.

nutación *f.* ① [천문] 장동(章動). ② [물리] 운동 축의 주기적인 진동. ③ [식물] 성장 운동, (줄기의) 회전성.

nutra *f.* =**nutria.**

nutria *f.* ① [동물] 수달. ② 수달피, 수달의 가죽. ③ *Arg.* =**coipo.** ¶ ~ ***de mar*** [동물] 해달(海獺).

nutricio, cia *adj.* ① 영양이 되는, 자양분이 있는: jugo ~ 자양분이 있는 즙. ② 키워 준: padres ~*s* 키워 준 부모.

nutrición *f.* ① 영양, 영양 섭취: mala ~ 영양 불량. ② [의학] 영양제.

nutricional *adj.* nutrición의[에 관한].

nutricionista *m.f.* 영양학자, 영양제 전문 의사.

nutrido, da *adj.* ① 가득한, 넘쳐 흐르는, 충분한, 많은: estudio ~ de ideas 아이디어가 가득한 연구. biografía muy ~*da* de datos 자료가 풍부한[가득한] 전기. ② 영양을 취한: niño bien [mal] ~ 영양이 좋은[나쁜] 아이.

nutriente *adj.* 영양을 주는. —*f.* ① [생화학] 영양소. ② 양분, 영양물[제].

nutriero *m. Arg., Ur.* 물쥐를 잡아 가죽 장사를 하는 남자, 물쥐 가죽 장수.

nutrimental *adj.* 영양이 되는, 자양분이 있는.

nutrimento *m.* ① 영양 섭취, 양분. ② 영양물, 자양물. ③ (활동·힘의) 양육, 육성, 조장, 보호 신장.

nutrimiento *m.* =**nutrimento.**

nutriólogo, ga *m.f.* 영양학자.

nutrir *tr.* ① (…에(게)) 식품[음식물·자양분·영양분]을 주다: ~ al hijo con su leche 아이에게 젖을 주다. ② 새로운 힘을 주다, 육성하다, 보호 신장하다, 조장하다. ~**se** ① (식물·조직이) 영양을 섭취하다[받다]. ② [+de] (…로) 키우다, 기르다, 조장하다, 배양하다: ~*se de* sabiduría 지식을 기르다. ③ =**llenar.**

nutritivo, va *adj.* ① 영양이 되는. ② 영양의[에 관한]: valor ~ 영양가.

nutriz *adj.* 영양이 되는, 영양의.

Ñ ñ

ñ 에녜 ((스페인어 알파벳의 열일곱 번째 문자)).

ña *f. Amér.* [señora의 단축형; 여자 이름 앞에 놓는 경칭] 부인, 여사, 아주머니: *ña* María 마리아 여사[아주머니].

ñácara *f. Hond.* (사람이나 동물의) 피부 종양(llaga en la piel).

ñacurutú *m. Par., Ur.* [새] 부엉이의 일종.

ñagaza *f.* [드묾] (새 잡이용) 미끼 새.

ñajo, ja *adj.* ① *Hond.* 코맹맹이 소리를 하는. ② *Nic.* 언청이의. —*m.f. Hond.* 코맹맹이.

ñame *m.* ① [식물] 참마. ② 참마의 뿌리. ③ [식물] 천마과 식물. ④ *Cuba.* 바보, 얼간이. ⑤ *Pan.* 광인, 미친 사람. —*adj. Pan.* 미친, 정신 나간.

ñamería *f. Pan.* =**locura.**

ñampeado, da *adj. Pan.* =**loco.**

ñampearse *r. Pan.* 미치다, 머리가 돌다, 정신 이상이 되다(volverse loco).

ñampí *m. CRica.* 토란의 먹을 수 있는 알뿌리.

ñandú *m.* [새] 난두 ((아메리카 타조)).

ñandubay *m.* [식물] 난두바이 ((미모사속 식물; 목재는 아주 단단하고 썩지 않으며 불그스레함)).

ñandutí *m.* 난두띠 ((거미줄 결을 모방한 Paraguay 원산의 아주 가는 하얀 레이스)).

ñanga *f.* ① *Ecuad., Hond.* [집합] 홍수(紅樹)의 튀어나온 뿌리. ② *Hond.* 홍수의 습지.

ñangara *f.* rur. *Hond.* [드묾] =**ñácara.** —*m.f. Cuba, Hond., Ven.* [경멸] 좌익 정당의 지지자[동조자].

ñangazo *m. CRica.* =**mordisco.**

ñango, ga *adj.* ① *Salv.* (쇠고기·돼지고기가) 연골(軟骨)이 있는. ② *Méj.* =**ñengo.**

ñangotado, da *adj., m.f.* ① *PRico.* = **servil, adulador.** ② *PRico.* 힘이 없는 (사람), 야망이 없는 (사람).

ñangotarse *r.* ① *PRico., RDom.* 웅크리(고 앉)다. ② *PRico.* =**humillarse, someterse.** ③ *PRico.* 힘[원기]을 잃다(perder el ánimo).

ñangué *m. Cuba.* [식물] 흰독말풀.

ñaña *f.* ☞**ñaño.**

ñañara *f.* rur. *Hond., Méj.* =**pereza.**

ñáñigo, ga *adj.* ① *Cuba.* (남자들로만

결성되는 아프리카 유래의) 흑인 빈민 단체의. ② *Cuba.* 흑인 빈민 단체 회원의. —*m. Cuba.* 흑인 빈민 단체 회원.
ñaño, ña *adj.* ① *Bol., Ecuad., Perú.* 우정으로 뭉친. ② *Col., Pan.* 버릇없이 자란, 너무 귀염을 받은. ③ *Pan.* (남자가) 동성애의. —*m.* ① *Pan.* 남자 동성애자. ② *Chile.* 큰형, 큰오빠. —*m.f.* ① *Ecuad.* 형제(hermano). ② *Perú.* 아이(niño). —*f.* ① *Arg., Chile.* 큰언니, 큰누나(hermana mayor). ② *Chile.* 유모(乳母). ③ *Nic.* 똥.
ñapa *f. Amér., Ant.* =**añadidura.**
ñapango, ga *adj. Col.* =**mestizo.**
ñapindá *f. NE Arg., Ur.* [식물] (아르헨띠나산) 미모사의 일종.
ñaque *m.* ① 허섭스레기 더미. ② (옛날의) 두 사람이 짝지어 하던 희극단.
ñaruso, sa *adj. Ecuad.* (얼굴에) 곰보자국이 있는(picado de viruelas).
ñata *f.* ☞**ñato.**
ñatear *tr. Nic.* 코카인이나 다른 가루 마약을 코로 흡입하다.
ñato, ta *adj. Amér.* 납작코의, 코가 납작한. —*m.f. Ur.* 못된[돼먹지 않은] 젊은이. —*m. Ur.* 권투 선수. —*f. Arg., Cuba, Nic., Salv., Ur.* (사람의) 코.
ñatuso, sa *adj. Chile.* 코가 작은.
ñecla *adj. Chile.* =**débil, enclenque.**
ñeco[1]**, ca** *adj., m.f. RDom.* =**ñoco.**
ñeco[2] *m. Hond.* =**conejo.**
ñecudo, da *adj. Salv.* 강한 이두박근을 가진(que tiene fuertes ñeques).
ñengo, ga *adj., m.f. Méj.* =**flaco, desmedrado, enclenque.**
ñengue *adj., m.f. Méj.* =**ñengo.**
ñeque *adj.* ① *CRica., Ecuad., Nic.* 강한, 힘센. ② *CRica.* 아주 좋은, 훌륭한, 멋진. —*m.* ① *Amér.* 힘. ② *Bol., Ecuad., Guat., Hond., Perú, Salv.* 용기. ③ *Col.* =**agutí.** ④ *Salv., Nic.* 이두박근. ⑤ *Cuba.* 불운, 불행. ⑥ *Hond.* 가운뎃손가락 마디로 머리 때리기. —*f. CRica.* =**agutí.** ¶*de* ~ *Hond.* 강한, 힘센, 억센, 힘찬.
ñinga *f. Cuba, Ven.* =**pizca.**
ñique *m. Hond.* (팽이의) 부딪치기.
ñiquiñaque *m.* [드묾] 쓸모없는 사람[물건].
ñisca *f. Salv.* 똥(excremento).
ñizca *f. Perú.* =**pizca.**
ño *m. Amér.* [señor의 단축어; 남자 이름 앞에 놓는 경칭] 씨, 선생, 아저씨, 나으리: *ño* Antonio 안또니오 씨.
ñocha *f. Chile.* 아나나스과 풀 ((잎은 굵은 밧줄·바구니·모자·돛자리 등을 만듦)).
ñoclo *m.* 뇨끌로 ((밀가루 반죽·설탕·쇠기름·달걀·포도주·회향풀로 만든 호두 크기의 과자)).
ñoco, ca *adj., m.f. Col., PRico., Ven.* 손가락[손]이 없는 (사람).
ñola *f.* ① *Salv.* (사람의) 머리(cabeza). ② *Salv.* 종양, 궤양(llaga, úlcera).
ñomblo, bla *adj. Nic.* =**obeso.**
ñomblón, na *adj. Nic.* (사람이) 무척 뚱뚱하고 엉덩이가 큰.
ñongo, ga *adj.* ① *Cuba.* [경멸] 신중하지 못한 (사람). ② *Ven.* (상황·일이) 불확실한, 불안정한, 위태로운, 난관이 많은, 어려움과 장애투성이인. ③ *Ven.* 지나치게 민감한[예민한].
ñoñería *f.* 어리석은 짓[말], 바보스러운 짓[말]; 냉담함, 쌀쌀맞음.
ñoñez *f.* =**ñoñería.**
ñoño, ña *adj.* ① 매우 무기력하고 재주가 없는. ② 맛이 없는, 양분이 거의 없는. ③ [고어] =**caduco, chocho.**
ñoqui *m.* ① [주로 *pl.*] 뇨끼 ((밀가루·버터·우유·달걀·강판에 간 치즈를 섞어 펄펄 끓는 물에 쪄 잘게 조각을 낸 감자 반죽덩이)). ② *Arg.* [경멸] 월급날만 직장[일터]에 나가는 공무원. ③ *Arg., Ur.* =**puñetazo.** ④ *Ur.* 충돌로 입은 자동차의 차체 손상.
ñor *m.* rur. *Salv., Hond., Nic.* [드묾] [40세 이상의 남자에 대한 경칭] 아저씨, 씨, 선생님(señor).
ñora *f. Mur.* ① 무척 매운 후추. ② 무척 매운 고추(guindilla).
ñorbo *m.* ① *Perú.* 시계풀의 매우 향기로운 작은 꽃 ((창문 장식용임)). ② *pl. Perú.* (여자의) 아름다운 눈.
ñorda *f.* =**mierda.**
ñórdiga *f.* [속어] =**mierda.**
ñu *m.* [동물] 뉴 ((남아프리카 원산으로 소의 머리를 한 작은 말과 비슷한 남아프리카산 영양)).
ñuco, ca *adj.* ① *Hond., Salv.* (소가) 뿔이 없는, 뿔이 매우 더디게 자란. ② *Hond., Salv.* (사람이) 손가락 하나[여러 개]가 없는. ③ *Hond., Salv.* 팔다리의 잘린 부분.
ñudo *m.* [드묾] =**nudo.**
ñudoso, sa *adj.* [드묾] =**nudoso.**
ñurdo, da *adj.* ① *Chile, Hond., Salv.* 왼손잡이의(zurdo). ② *Chile, Hond.* [경멸] 좌익 정당에 속한, 급진파의, 과격파의. —*m.f.* ① *Chile, Hond., Salv.* 왼손잡이(zurdo). ② *Chile, Hond.* [경멸] 좌익 정당원; 급진주의자; 과격주의자. —*f. Salv.* 왼손(mano izquierda).
ñuto, ta *adj. NO Arg., Col., Ecuad., Perú.* =**machacado, molido.** —*m. Perú.* =**añicos, trizas, polvo.**
ñuzco *m. Hond.* =**diablo.**

O o

o[1] *f.* ① 오 ((스페인어 알파벳의 열여덟 번째 문자)): tener forma de ~ O자형(字型)이다. ② [철학] 부정의 특수 명

제. ¶*no saber ni hacer la ~ con un canuto* 낫 놓고 기역자도 모른다, 판무식하다.

o[2] *conj.* [o-·-ho로 시작되는 단어 앞에서는 u가 되며, 아라비아 숫자 사이에서는 혼동을 피하기 위해 ó로 된다. 또 o-·ho-로 시작되는 단어 앞이라도 문장 앞에서는 o 그대로 사용함] ① [둘 또는 그 이상으로 선택해야 할 단어·구·절을 동격적으로 결합하여] (…인지) 또는, 혹은, …이나 …, 아니면: Antonio *o* Francisco 안또니오나 프란시스꼬. blanco *o* negro 하얗거나 검은. plata *u* oro 금(金)이나 은(銀). siete *u* ocho personas 일곱이나 여덟 명. 50 *ó* 60 euros 오십이나 육십 유로. ② [반복해서 쓰여] 혹은 … 혹은, …이거나 …이거나: Lo harás *o* de grado *o* por fuerza 마음에서 자진해서건 억지로건 그 일을 해라. *O* lo hace usted, *o* lo golpeo 당신이 그것을 하든지 내가 당신을 때리든지 둘 중의 하나다! *O* te callas, *o* me marcho 네가 조용히 하든지 아니면 내가 나가든지 하겠다. ③ [명령문에서] 그렇지 않으면: Abreme la puerta, *o* me meto por la ventana 문을 열어 주라, 그렇지 않으면 창문으로 들어가겠다. ④ 다시 말하면, 즉: El protagonista, *o* el personaje principal de la fábula, es Hércules 주인공, 즉 우화의 주요 인물은 헤라클레스다. ¶*o sea* 다시 말하면, 즉, 바꾸어 말하면.

o[3] oxígeno 산소(酸素).

O[4] *m.* O형(의 혈액).

ó *conj.* ☞**o**[2].

O. oeste 서(西).

o/. orden 주문.

OAA *f.* *O*rganización de las Naciones Unidas para la *A*limentación y la *A*gricultura 유엔 식량 농업 기구.

OACI; O.A.C.I. *f.* *O*rganización de *A*viación *C*ivil *I*nternacional 국제 민간 항공 기구.

oasis *m.sing.pl.* ① 오아시스. ② (인생 행로의) 휴식, 휴식처, 위안처.

oaxaqueño, ña *adj.* ① 오아하까(Oaxaca, 멕시코의 주·주도) 태생의. ② 오아하까의[에 관한]. —*m.f.* 오아하까 사람.

obcecación *f.* 외곬으로 생각, 맹추 같은 짓, 고집스러운 행동.

obcecadamente *adv.* 고집스레, 철석같이, 굳게, 외곬으로.

obcecar (7) *tr.* (감정·관념이) 눈을 아찔하게 만들다, 눈을 멀게 하다, 이성을 잃게 하다, 현혹시키다. ~**se** ① 이성을 잃다. ② [+con·en] (…에) 고집하다, (…에)열중하다, (…에) 집착하다: Juan *se obceca en* su idea y no reacciona 후안은 생각에 골몰해 반응이 없다.

ob. cit. obra citada 인용서 중에서, 전게서(前揭書) 중에서.

obduración *f.* 고집, 완고(porfía).

obedecedor, ra *adj., m.f.* 복종[순종]하는, 말을 잘 듣는, 고분고분한 (사람).

obedecer (31) *tr.* 복종하다, 순종하다, 고분고분하다, …에 따르다, (명령을) 준수하다: ~ a los padres 부모의 말에 고분고분하다. ~ a *su* jefe 상관의 말에 따르다. ~ la ley 법에 따르다. ~ (las) órdenes 명령에 따르다. —*intr.* ① (사물·동물이) [+a] (…에) 잘 반응하다, (힘·충동에 의해) 움직이다. ② …에 기인하다, (…에서) 나오다, 발생하다: La obesidad *obedece a* una mala alimentación 비만은 영양 부족에서 온다.

obedecible *adj.* 고분고분하는, 말을 잘 듣는, 복종할 수 있는; 고분고분해야 하는, 따라야만 하는, 복종해야만 하는.

obedecimiento *m.* 복종, 순종, 고분고분함(obediencia).

obediencia *f.* ① 복종, 순종: con ~ 고분고분하게, 공손하게. ② [천주교] (교회가 신자에게 요구하는) 순종, 복종. ③ (교회의) 권위, 지배; 교구. ④ [집합] 교구 신자단(團). ¶ ~ ***ciega*** 맹종(盲從), 맹목적인 복종.

obedencial *adj.* 복종하는, 순종하는; 복종[순종]의[에 관한].

obediente *adj.* ① 순종하는, 고분고분하는: hijo ~ 고분고분하는 아들. ② …의 말을 잘 듣는.

obedientemente *adv.* 고분고분하게, 공손하게(con obediencia).

obelisco *m.* ① 방첨탑, 오벨리스크. ② [인쇄] 칼표, 단검표 ((†)). ③ 방첨탑 모양의 것[물건]. ¶ ~ ***doble*** 이중 단검표 ((‡)).

óbelo *m.* =**obelisco.**

obencadura *f.* [집합] 돛줄(obenques).

obenque *m.* 돛줄.

obertura *f.* [음악] 서곡(序曲).

obesidad *f.* 비만, 비대, 비만증.

obeso, sa *adj.* ① 지나치게 뚱뚱한, 비만한. ② 비만증의. —*m.f.* ① 비만한 사람. ② 비만증 환자.

óbice *m.* 장애, 방해, 방해물.

obispado *m.* ① 주교(主教)의 직. ② 주교구(主教區). ③ 주교관(主教館).

obispal *adj.* 주교(obispo)의[에 관한].

obispalía *f.* ① 주교관. ② 주교직. ③ 주교 관할령(管轄領).

obispar *intr.* ① 주교직을 얻다. ② 주교로 임명되다.

obispillo *m.* ① 몇몇 성당에서 San Nicolás de Barí의 전야와 San Nicolás de Barí 날 주교 복장을 하고 전야와 대미사에 참가하게 하는 소년. ② [요리] 모르시야 ((돼지 선지를 넣은 크고 두툼한 순대)). ③ (새의) 꼬리가 붙어 있는 부분. ④ (대학교에서) 종이 고깔 모자를 씌우고 익살스런 인사를 하게 하는 신입생.

obispo *m.* ① [천주교] 주교(主教): ~ ordinario 교구 주교. ② (그리스정교·성공회 등의) 주교. ③ [감리교] 감독. ④ [어류] 돌묵상어. ⑤ 큰 순대. ¶ ~

auxiliar 보좌 주교. ~ *comprovincial* =coepíscopo. ~ *de anillo* ㉮ =obispo in pártibus. ㉯ =obispo auxiliar. ~ *de la primera silla* 대주교. ~ *de título* ㉮ =obispo in pártibus. ㉯ =obispo auxiliar. ~ *electo* (서품을 받지 않고) 왕이 임명한 주교. ~ *in pártibus*, ~ *in pártibus infidélium* (거주하지 않고) 점령국이나 점령지의 직함만 가진 주교. ~ *regionario* 정해진 자리는 없이 초청을 받은 곳만 설교하는 주교. ~ *sufragáneo* 대주교 교구의 주교. ~ *titular* =obispo in pártibus. *trabajar para el* ~ 보수 없이[보수를 받지 않고] 일하다, 무료 봉사하다.

óbito *m.* (사람의) 사망(fallecimiento).

obituario *m.* ① 사망과 매장의 기록 대장, 사망자 명부. ② 사망 기념일 제정 등기부. ③ 사망 기사(necrología). ④ (신문의) 사망 광고란.

obiubí *m. Ven.* [동물] 오비우비 ((다리 사이에 머리를 넣고 낮에 자는 검은 원숭이)).

objeción *f.* 반대, 이론; 비난: Unos coreanos hicieron *objeciones* a la reforma 일부의 한국인들은 개혁에 반대했다. ¶ ~ *de conciencia* 양심적 병역[참전] 기피.

objetable *adj.* 반대[반론]할 수 있는.

objetante *adj.* 반대하는. —*mf.* ① 반대자. ② (정치 집회 등에서) 야유자, 야유하는 사람.

objetar *tr.* 반대[반론]하다, 반대의 …을 표명하다, 이론을 주창하다. —*intr.* 양심적 병역[참전] 기피를 하다.

objetivación *f.* 객관화(客觀化).

objetivamente *adv.* 객관적으로.

objetivar *tr.* 객관화하다, 객체화하다.

objetividad *f.* 객관성.

objetivismo *m.* 객관주의(客觀主義).

objetivo, va *adj.* ① 목적의[에 관한], 목표의[에 관한]. ② 객관적인, 객관의: análisis ~ 객관 분석. existencia ~*va* 객관적 실재. ③ 공평한, 편견이 없는. ④ [철학] 실존의. ⑤ [의학] (증상이) 환자 이외 다른 사람에게서도 볼 수 있는. ⑥ [문학] 객관주의의. ⑦ [미술] 구상적인. —*m.* ① 목적, 목표. ② [군사] 표적. ③ [군사] 목표 지점, 목적지. ④ [광학] 대물 렌즈. ⑤ [철학] 객관, 인식의 대상, 외계(外界).

objeto *m.* ① 물건, 사물, 물체; *pl.* 물품, 도구: ~ de arte 미술 공예품. ~*s* de regalo 선사품. ~*s* de uso personal 사물(私物), 개인의 물건. ~*s* perdidos 유실물 취급소. ~*s* robados 도난품. ~ volante no identificado *Esp.*, ~ volador no identificado *Amér.* 미확인 비행 물체, 유에프오(UFO). ② (행위·감정의) 대상, 표적, 적(的): ~ del estudio 연구 대상. ③ 목적, 목표: ~ de la reunión 집회 목적. ~ de la visita 방문 목적[용건]. conseguir [lograr] su ~ 목적을 달성하다. ④ [문법] 목적어. ⑤ [철학] 객관, 객체, 대상. ⑥ [광학] (렌즈에서 상을 형성하는) 물체. ⑦ [컴퓨터] (사진·데이터 파일 등과 같이 개별적으로 다루거나 선택될 수 있는) 항목. ⑧ [고어] =objeción, tacha, reparo. ¶ ~ *de atribución* =objeto. ~ *directo* [문법] 직접 목적어, 직접 보어. ~ *indirecto* [문법] 간접 목적어, 간접 보어. *al* [*con*] ~ *de* …을 위해서, …의 목적으로. *al* [*con*] ~ *de que* + *subj*. …하기 위해.

objetor, ra *mf.* ① 이의 신청인. ② (신앙·신조에 의한) 양심적 병역[참전] 기피자(~ de conciencia).

oblación *f.* (신에게 바치는) 봉납(奉納), 봉납물(奉納物), 공물(供物).

oblada *f.* (교회에 가지고 가서 사자(死者)에게 바치는) 공물(供物).

oblata *f.* ☞oblato.

oblativo, va *adj.* oblación의[에 관한].

oblato, ta *adj., mf.* ① (부모에 의해) 신에게 바쳐 교육을 받기 위해 수도원에 맡겨진 (아이). ② [천주교] 헌신 수도회의 (수도사·수도녀). —*m.* (베네딕트파 수도사 사이에서) 하인 같은 복장으로 참여하는 속인. —*f.* ① 성(聖)예수회(congregación del Santísimo Redentor, 매춘으로부터 젊은 여성들을 구하기 위해 19세기에 스페인에서 조직된 가톨릭 단체) 소속 수도녀. ② 교회에 내는 헌금. ③ (미사에서 하느님께 바치기 전 성체 접시에 놓인) 성체(聖體).

oblea *f.* ① (성체용 빵을 싸는) 엷은 종잇장. ② (과자를 싸는) 엷은 종잇장. ③ (물이나 우유에 밀가루·달걀·설탕을 넣고 저어 만든) 아주 얇은 둥그런 과자. ④ 오블라토 ((쓴 약 등을 싸서 먹는 전분으로 만든 얇은 조각)). ⑤ (밀가루와 물 혹은 아라비아 고무로 만든) 아주 얇은 종이 풀, 봉함 풀. ⑥ 아주 얇은 종이풀의 조각. ⑦ 종잇장처럼 얇은 물건; 삐쩍 마른 사람[동물]. ⑧ *Arg.* 작고 길쭉하고 크림이 든 비스킷. ⑨ *Arg.* =pegatina.

obleera *f.* 봉함 풀 그릇[상자].

oblicuamente *adv.* 비스듬히, 경사지게.

oblicuángulo *m.* [수학] 사각(斜角).

oblicuar (14) *tr.* (물건을) 비스듬히 하다, 경사지게 하다, 기울이다: ~ una línea 선을 비스듬히 긋다. —*intr.* [군사] 대각선 방향으로 행진하다.

oblicuidad *f.* ① 경사, 경사도, 경사각(傾斜角): con ~ 비스듬히, 경사지게. ② [기하] 경각, 편각. ¶ ~ *de la Eclíptica* [천문] 황도가 적도와 이루는 각 ((현재는 23도 27분)).

oblicuo, cua *adj.* ① 비스듬한, 기울어진: sección ~*cua* 사절면. ② [기하] 사각의, 사선의, 사면의: línea ~*cua* 사선(斜線). ③ [해부] (근육이) 경사진, 비스듬한, 사(斜)…. —*m.* [해부] 사근(斜筋). —*f.* [수학] 사선(斜線).

obligación *f.* ① (법률·계약·도덕상

의) 의무, 책무: ~ de un funcionario 공무원의 의무. ② 은혜: Tengo cierta ~ hacia ella 나는 그녀한테 신세를 졌다. ③ [상업] 채권, 사채(社債); *pl.* 부채: *obligaciones* del estado 국채. ④ *Nic.* 보수를 받는 직업. ⑤ *pl.* 부양 가족. ¶ ~ *convertible* 전환 사채. ~ *mancomunada* 연대[공동] 책임. ~ *natural* 자연 채무. ~ *por cobrar* 수취 어음, 받을 어음. ~ *sin garantía* 무담보 공채[사채]. ~ *solidaria* 연대 책임. *por* ~ 의무로써, 의무적으로. *constituirse* alguien *en* ~ *de* algo (…가 …의) 의무를 지다, (…가 …을) 떠맡다, 책임지다. *correr* ~ a alguien (…에게) 감사하다, 감사하고 있다.

obligacionista *m.f.* 채권 소지인.

obligado, da *adj.* ① [+a] (…에게) 신세를 진, 은혜를 입은, 은의(恩義)를 입은: Te estoy [quedo] muy ~ 당신에게 많은 신세를 졌습니다[무척 감사하고 있습니다]. ② [+a] 부득이한. —*m.f.* 채무자. —*m.* ① (석탄·식육 등 필수품의) 취급인. ② [음악] 오블리가토.

obligar (8) *tr.* ① 강요하다, 강제하다, 강권하다, 부득이[어쩔 수 없이·하는 수 없이] …하게 하다, 억지로 떠맡기다: Me *obligaron a* firmarlo 나는 그것을 서명하도록 강요받았다. ② …에게 의무를 지게 하다: La ley *obliga* a todos los ciudadanos 법률은 모든 시민을 구속한다. ③ 은혜를 입히다, 신세를 지게 만들다. ④ 담보로 하다. ⑤ 우격다짐으로 넣다[집어넣다·밀어 넣다], (어떤 효과를 얻기 위해) …에 억지로 힘을 내게 하다. ⑥ *Bol., Chile.* 술잔을 돌려 가면서 마시다, 술을 같은 술잔으로 마시다. ~**se** ① 자기 자신에게 강제하다. ② …(을 이행)할 것을 약속하다.

obligativo, va *adj.* =obligatorio[1].

obligatoriedad *f.* 의무[강제적]인 것.

obligatorio[1], **ria** *adj.* ① 의무로서 지워지는, 의무적인; (과목 등이) 필수의, 강제적인: asignatura ~*ria* 필수 과목. enseñanza ~*ria* 의무 교육. servicio militar ~ 병역 의무. ② (도덕·법률상으로) 구속력이 있는, 지켜야 할 의무가 있는. ③ (증서 등이) 권리 의무를 나타내는.

obligatorio[2], **ria** *m.f.* [법률] 불법 채권 소지인.

obliteración *f.* ① [의학] 폐색. ② 차단.

obliterador, ra *adj.* ① [의학] 폐색하는. ② 막는, 차단하는.

obliterante *adj.* [의학] 폐색의.

obliterar *tr.* ① =anular, tachar, borrar. ② [의학] 폐쇄(閉鎖)시키다. ~**se** [의학] 폐색되다.

oblongada *médula* ~ 연수(延髓).

oblongo, ga *adj.* 세로로 더 긴.

obnubilación *f.* ① 몽중(夢中), 매료. ② [의학] 의식 혼탁.

obnubilar *tr.* ① =nublar, ofuscar, confundir. ② =embelesar. ③ (…의) 의식을 몽롱하게 하다. ~**se** ① =nublarse, ofuscarse, confundirse. ② =embelesarse. ③ 의식이 몽롱해지다.

obo *m. Ecuad.* =jobo.

oboe *m.* [악기] 오보에 ((목관 악기)). —*m.f.* =oboísta.

oboísta *m.f.* 오보에 취주자.

óbolo *m.* ① 소액의 기부금. ② 오볼 ((고대 희랍의 동전; 1 dracma의 6분의 1)). ③ (약국에서) 반 약량의 단위 ((열두 알)).

obra *f.* ① 작품; 저서, 저작: ~ de oro 금세공. ~ dramática, ~ teatral, ~ de teatro 희곡; 연극 (작품). ~ de un escritor 어느 작가의 작품. ~ un pintor 어느 화가의 작품. ~*s* de arte 예술 작품, 미술품. ~*s* elegidas 선집. ~ literaria 문학 작품. gran ~ 대작. ② [주로 *pl.*] (토목·건축·증축·개축·수리의) 공사(工事): ~ pública 공공 토목 공사, 공공 사업. ③ 공사 현장: Prohibido entrar en la ~ 공사 현장 출입 금지. ④ (목조에 대해) 석조(石造). ⑤ 일, 업무, 활동, 수고, 손, 기술: Esta joya tiene mucha ~ 이 보석은 많은 손이 간다, 이 보석은 품이 많이 든다. ⑥ 성과, 업적: ~ de un lexicógrafo 한 사전학자의 업적. Su ~ perdurará 그의 업적은 후세에 남을 것이다. ⑦ (도덕·종교적인) 행위; 자선 사업[단체]. ¶ ~ *de caridad* 자선, 선행. ~ *de El Escorial* 장기간이 소요되는 사업, 대역사. ~ *de fábrica* 교량[수도] 토목 공사. ~ *de manos* 손일, 세공. ~ *de misericordia* 자선, 선행. ~ *de romanos* 많은 일과 시간을 요하는 큰 공사, 큰 사업, 난공사. ~ *de taller* (스승의 지도 아래 협력자와 제자들에 의해) 조형 미술 공방에서 행하는 작업. ~ *maestra* 걸작, 대표작. ~ *muerta* [선박] 건현(乾舷). ~ *pía* 종교 시설; 자선 단체. ~ *pública* ㉮ 공공물 ((도로·항구 등)). ㉯ 토목 공사. ~ *social* 사회 사업. ~ *viva* ㉮ 자선 행위. ㉯ [선박] 끽수부. *buena* ~ =**obra de caridad.** *mano de* ~ 일손. *de* ~ 행위로, 물질적·육체적으로, 말과는 반대로, 실제로. *hacer mala* ~ 불편하게 하다, 해를 끼치다. *meter en* ~ =**poner por obra.** ~ *de* 대략. *poner por* ~ algo (…을) 시작하다, 개시하다, 착수하다. *Obra empezada, medio acabada* (속담) 시작이 반. *Obras son amores, que no buenas razones* (속담) 사람의 진가는 말이 아니라 행동이다.

obrada *f.* ① (한 사람·한 쌍의 마소가 하는) 하루의 일의 양. ② 오브라다 ((농지의 단위: Palencia에서는 53.832 아르, Segovia에서는 39.303 아르, Valladolid에서는 46.583 아르)). ③ *Hond., Nic.* 배설(排泄), 대변을 봄.

obradera *f. Hond., Nic.* 설사(diarrea).

obrador, ra *adj.* 행하는; 만드는; 작용

하는. *—mf.* 행위자, 작자, 작위자. *—m.* 수공예업 공장; 제과 공장.

obradura *f.* 착유기에서 짜낸 올리브.

obraje *m.* ① (손이나 기계로 하는) 일, 작업. ② 직물 공장. ③ 제조, 제작, 제품. ④ *Salv.* 인디고 처리 공장[장소]. ⑤ *Méj.* 돼지고기 판매 가게[장소].

obrajero, ra *mf. Méj.* 돼지고기 취급자. *—m.* (공사장 등의) 십장(什長).

obrantina *f. Ven.* 잦은 설사.

obrar *tr.* ① 하다, 행하다, 실행하다. ② (…을) 만들다, (…에) 세공하다: ~ madera 나무에 세공하다. ③ 건축하다, 건조하다, 짓다. *—intr.* ① 행동하다, 굴다: ~ bien 잘 행동하다. ~ mal 서툴게 행동하다. ② 작용하다, 듣다, 효험[효과]이 있다. ③ (미장이 등이) 공사를 하다. ④ [+en] (어떤 장소·수중에) 있다, 와 있다. ⑤ 대변을 보다.

obregón *m.* 오브레곤 회원 ((1565년 Bernardino de Obregón이 마드리드에 세운 자선 단체의 회원)).

obrepción *f.* 허위, 은폐, 속이기 위해 일부러 말을 빼먹는 일.

obrepticiamente *adv.* 허위 은폐하고.

obrepticio, cia *adj.* 허위 은폐에 의한.

obrería *f.* ① 직공의 직. ② 교회[사원]의 영선비. ③ 사원[교회]의 영선과.

obrerismo *m.* ① [집명] 노동 운동 (이론). ② [집합] 노동자. ③ 노동자[근로자] 계급.

obrerista *adj.* 노동 운동의. *—mf.* 노동 운동가, 노동 운동 활동가.

obrero, ra *adj.* ① 일하는. ② 노동자의 [에 관한]. *—mf.* 노동자, 공원, 직공: ~ calificado 숙련공. *—m.* (사원·교회 등의) 영선 담당자. ¶**~ *de villa*** 미장이(albañil). ***abeja ~ra*** 일벌.

obscenamente *adv.* 난잡하게, 음란하게, 외설스럽게.

obscenidad *f.* ① 외설(猥褻), 외설스러운 것. ② 음담, 외설 행위, 난잡한 일: libro lleno de *~es* 음담 패설로 꽉 찬 책. decir *~es* 음담 패설을 하다.

obsceno, na *adj.* 외설스러운, 음란한, 음탕한, 난잡한: canción *~na* 외설 노래. hombre ~ 음탕한 남자. pintura *~na* 춘화. poeta ~ 난잡한 시인.

obscuración *f.* =oscuridad.

obscuramente *adv.* =oscuramente.

obscurantismo *m.* =oscurantismo.

obscurantista *adj., mf.* =oscurantista.

obscurecer (31) *tr.* =oscurecer.

obscurecimiento *m.* =oscurecimiento.

obscuridad *f.* =oscuridad.

obscuro, ra *adj.* =oscuro.

obsecración *f.* =ruego, instancia.

obsecuencia *f.* =sumisión, amabilidad, condescendencia.

obsecuente *adj.*= obediente, rendido, sumiso.

obsequiador, ra *adj., mf.* ① 친절하게 대해 주는 (노인). ② 아부하는, 아첨하는, 알랑거리는 (사람).

obsequiante *mf.* 선물하는 사람.

obsequiar (11) *tr.* ① 선물하다, 증정하다: La *obsequié* con flores 나는 그녀에게 꽃을 증정했다[선물했다]. ② 환대하다, 극진히 대접하다. ③ (여자에게) 사랑을 호소하다, 구슬리다.

obsequias *f.pl.* ① [고어] 장례, 장례식. ② [고어] (고인을 기리는) 장송곡.

obsequio *m.* ① 선물하기. ② 선물: comprar un pequeño ~ para *alguien* (…에게 주려고) 작은 선물을 사다. ③ 환대: recibir con mucho ~ 굉장한 환대를 하다. ¶***en ~ a, en ~ de*** …에게 경의를 표해서, …을 위하여.

obsequiosamente *adv.* 극진하게, 정중하게, 친절하게, 환대하여.

obsequiosidad *f.* 극진함, 정중함, 극진한 대접.

obsequioso, sa *adj.* 극진한, 정중한, 친절한: ~ *con* [*para·para con*] los huéspedes 손님 대접이 극진한.

observable *adj.* ① 관찰할 수 있는, 눈에 띄는, 식별 가능한. ② 주목할 만한. ③ (습관·규칙 등이) 준수해야 할, 지켜야 할.

observación *f.* ① 관찰, 관측: ~ financiera 재계의 관측. año de ~ geofísica internacional 국제 지구 관측년. hacer *observaciones* astronómicas 천체 관측을 하다. ② 소견, 비평; 의견: No hay ~ especial que hacer 특별히 소견이 없다. ③ 주기(註記), 기입(記入). ④ (규칙 등의) 준수.

observacional *adj.* 관찰의, 관측의, 관찰[관측]에 근거한.

observador, ra *adj.* ① 관찰하는, 관측하는: cámara *~ra* 감시 카메라. ② 관찰안이 있는. *—mf.* ① 관찰자, 관측자, 감시자, 평론가: ~ político 정치 평론가. ② (회의의) 옵서버: ~ del país en la Organización de las Naciones Unidas 유엔 (기구)의 국가 옵서버.

observancia *f.* ① (규율 등의) 준수. ② (상관에 대한) 예의, 존경. ③ (종교의) 계율; 의식(儀式), 관례. ¶***regular ~*** =observancia. ***poner en ~*** 엄격히 준수하다.

observante *adj.* ① 규칙을 잘 지키는, 고지식한. ② (성(聖)프란시스코회(會)의) 엄숙파의. *—mf.* (성프란시스코회의) 엄숙파 승려.

observar *tr.* ① (주의 깊게) 관찰하다, 관측하다: ~ las estrellas 별들을 관측하다. ② (관찰의 결과) 알아차리다, 눈치채다. ③ 평하다, 지적하다, 말하다. ④ (규칙 등을) 지키다, 준수하다. ⑤ 주의깊게 바라보다, 지켜보다.

observatorio *m.* ① 천문대. ② 기상 관측소, 기상대. ③ 전망대. ④ 전망이 좋은 곳.

obsesión *f.* ① 망상, 집념, 강박 관념. ② 편집(偏執) 상태.

obsesionante *adj.* 망상을 일으키는, 집념[망상]에 사로잡힌.

O

obsesionar *tr.* (악마가) 붙다, (망상이) 사로잡다, 망상을 일으키다, 괴롭히다. ~**se** 망상[강박 관념]에 사로잡히다.

obsesivo, va *adj.* ① 강박[고착] 관념의[에 관한], 망상의, 귀신들린 듯한, 사로잡힌 듯한, 강박 관념을 일으키는. ② 망상에 사로잡히기 쉬운 (사람).

obseso, sa *adj., m.f.* 망상[강박 관념]에 사로잡힌 (사람).

obsidiana *f.* [광물] 흑요석(黑曜石).

obsidional *adj.* 성[요새] 공격의[에 관한]. ¶*corona* ~ (고대 로마에서 적군의 포위 공격을 견디어 내고 그 도성을 사수한 용사에게 주었던) 영광의 관. *moneda* ~ 포위된 성안의 임시 통화.

obsolescencia *f.* ① 노폐(화), 진부화, 노후화. ② (기계 등의) 구식화. ③ [생물] (기관의) 퇴화, 위축.

obsolescente *adj.* ① (말·습관 등이) 쇠퇴해 가는, 사용되지 않게 되는. ② (기계 등이) 구식(舊式)의. ③ [생물] 퇴폐성의, 퇴행성의.

obsoleto, ta *adj.* ① 쓸모 없게 된, 거의 쓰이지 않는. ② 케케묵은, 시대에 뒤진, 진부한, 오래된, 낡은, 예스러운, 현 상황에 부적합한. ③ 마모된, 닳아서 없어진. ④ [생물] 발육 부진의, 미발육의, 퇴화된.

obstaculización *f.* 방해, 장애물 설치.

obstaculizar (9) *tr.* 방해하다, 훼방놓다, 장애물을 설치하다.

obstáculo *m.* ① 방해, 장애: poner ~s 방해하다. superar los ~, vencer [salvar] un ~ 장애를 극복하다. ② 장애물, 방해물, 걸림돌. ③ [운동] 장애물: carrera de ~s 장애물 경기.

obstante *adj.* ① 방해가 되는. ② 모순되는, 상충하는. ¶*no* ~ ㉮ [단서] 그렇다고 하더라도, 그렇지만, 그럼에도 불구하고, 그러나. ㉯ [전치사적] …에도 불구하고.

obstar *intr.* ①방해가 되다, 거추장스럽다(impedir, estorbar). ② [3인칭으로 부정문에서만 사용된다: +para que+*subj.*] (…하는 데) 방해[장애]가 되다, 걸림돌이 되다.

obstetra *m.f.* [의학] =**tocólogo.**

obstetricia *f.* [의학] 산과(産科), 조산술, 산파술.

obstétrico, ca *adj.* 산과(産科)의[에 관한]. —*m.f.* 산과 의사.

obstinación *f.* ① 완고[완강]함, 고집, 강퍅함, 집요한 끈기. ② *CRica., Ven.* =**exasperación.** ③ *Cuba., Ven.* = **tedio, aburrimiento.**

obstinadamente *adv.* 완고하게, 고집스레, 집요하게, 끈질기게, 끈덕지게, 강퍅하게.

obstinado, da *adj.* ① 완고한, 고집 센, 고집스러운, 끈기 있는; 집요한: ~*da* resolución 굳은 결의[결심]. castigar a un niño ~ 고집 센[알아듣지 못한] 아이를 벌하다. ② *CRica., Cuba, Ven.* =**fastidiado, harto.** ③ *Cuba, Ven.* 싫증나는, 지루한, 따분한(tedioso).

obstinar *tr.* *CRica., Cuba, Ven.* = **exasperar, irritar.** ~**se** ① [+en+*inf.*·que+*ind.*] (…에) 고집 부리다, 억지를 쓰다, 집착하다, 물고늘어지다. ② (죄인이) 기독교 신앙을 부인하다. ③ *Cuba, Ven.* 지루해 하다, 싫증을 내다, 따분해 하다(aburrirse, hastiarse).

obstrucción *f.* ① 방해물, 장애물. ② 막힌 것, 불통; 방해, 장애, 지장: ~ de la línea férrea 철도 불통. ③ [의학] 폐색: ~ intestinal 장폐색. ④ [운동] 반칙이 되는 방해 행위. ⑤ (특히 의회의) 의사 방해.

obstruccionismo *m.* 의사 방해.

obstruccionista *adj.* ① 의사를 방해하는. ② 의사 방해의[에 관한]. —*m.f.* 의사 방해자.

obstructor, ra *adj.* 방해하는. —*m.f.* 방해자, 훼방자.

obstruir (77) *tr.* ① 막다, 차단하다, (통로를) 가로막다, (파이프를) 틀어막다, (길을) 봉쇄하다, 폐쇄하다, 통행을 차단하다: ~ la calle con barricadas 길을 바리케이드로 봉쇄하다. ~ el paso de la luz 빛을 차단하다. ② (행동을) 방해하다, 막다, 저지하다, 훼방놓다; (의사 등의) 진행을 방해하다. ~**se** (구멍·틈·관 등이) 막히다, 메워지다: *Se ha obstruido* el desagüe 배수구[배수로]가 막혔다[메워졌다].

obtemperar *tr.* =**obedecer, asentir.**

obtención *f.* 취득, 획득: ~ del carné de conducir 운전 면허 취득.

obtener (59) *tr.* ① 얻다, 획득하다, 취득하다, 입수하다, 손에 넣다, 달성하다: ~ crédito 신용을 얻다. ~ fondos 자금 조달을 하다. ~ la independencia 독립을 획득하다. ~ un permiso 허가를 얻다. ~ el primer premio 일등상을 타다[받다]. ② 가지고 있다, 소유하다, 보유하다. ③ (물질·생산물을) 만들어 내다, 생산하다, 창작하다, 창조하다, 추출하다. ~**se** ① 얻어지다, 획득되다, 취득되다, 입수되다, 달성되다. ② 만들어지다, 생산되다.

obtenible *adj.* 취득[획득]할 수 있는, 얻을 수 있는.

obturación *f.* 폐색, 밀폐: velocidad de ~ (카메라의) 셔터 속도[스피드].

obturador, ra *adj.* 폐색의, 밀폐(密閉)의. —*m.* ① [광학] (카메라의) 셔터. ② [자동차] 초크 ((자동차의 엔진을 시동시킬 때, 혼합 기체의 농도를 짙게 하기 위하여 공기의 흡입을 적게 하는 밸브)). ③ [기계] 개폐 장치.

obturar *tr.* (구멍·틈·관을) 막다, 틀어막다, 메우다, 밀폐시키다.

obtusángulo *triángulo* ~ [수학] 둔각 삼각형.

obtuso, sa *adj.* ① (끝이) 둥그런, 뭉툭한: punta ~*sa* 뭉툭한 끝. tijeras de punta ~*sa* 끝이 뭉툭한 가위. ② (사람이) 둔한, 둔감한, 이해가 늦은. ③ [수학] 둔각의. ¶*ángulo* ~ [수학] 둔각(鈍角).

obue *m.* =oboe.
obús *m.* ① [군사] 곡사포. ② [군사] (곡사포의) 포탄. ③ (타이어의) 원추 폐쇄 플러그[점화전].
obusera *f.* =lancha bombardera.
obvención *f.* 수당(금), 상여금, 보너스.
obvencional *adj.* obvención의.
obviamente *adv.* ① 분명히, 뚜렷이. ② 어려움 없이. ③ 아무 의심 없이.
obviar (11) *tr.* (장애·불편 등을) 피하다: ~ el obstáculo 장애물을 피하다. —*intr.* [드뭄] =**obstar, estorbar.**
obvio, via *adj.* ① 눈앞에 있는, 눈앞의. ② 매우 분명한, 명백한, 자명한, 뻔한. ③ 어려움이 없는.
objecto, ta *adj.* [고어] =**interpuesto, intermedio, puesto delante.** —*m.* =**objeción, réplica.**
oc *lengua de* ~ 오크 말 ((플로방스의 오래된 방언)).
OC onda corta 단파(短波).
oca[1] *f.* ① [새] (일반적으로 완전히 흰 색의) 집거위. ② 쌍륙(雙六) ((판면(板面)이 63개인 주사위 놀이의 하나)).
oca[2] *f.* ① [식물] 안데스 괭이밥 ((직장초과 한해살이풀; 노란색의 알뿌리는 맛이 달아 Perú와 Ecuador에서는 삶아 먹음)). ② 안데스 괭이밥의 뿌리.
ocal *adj.* ① 맛이 매우 좋은, (과실이) 단 종류의 (사과·배 등). ② 둘이 붙은 (누에고치). —*m.* =**capullo ocal.** —*f.* =**seda ocal.**
ocapi *m.* =**okapi.**
ocarina *f.* [악기] 오카리나 ((구멍이 여덟 개인 진흙이나 금속으로 만든 고구마 모양의 피리)).
ocasión *f.* ① 기회, 호기, 좋은 기회, 찬스, 적당한 때: en buena ~ 때마침, 잘, 계제 좋게. en mala ~ (바람직하지 않게도) 때마침, 공교롭게도. aprovechar una ~ 기회를 이용하다. perder una ~ 기회를 놓치다. tomar la ~ 기회를 잡다[포착하다], 편승하다. ② (특수한) 경우, (특정한) 때: en cierta ~ 어떤 때. en (algunas) *ocasiones* 때때로, 여러 경우에. en otra ~ 근간, 일간(日間), 얼마 안 있어. ③ 원인, 동기, 계기; 이유, 근거: dar ~ para que otro haga algo 다른 사람이 무엇을 하도록 동기를 부여하다. ④ 위험(한 상황). ⑤ 싼 물건, 특가품, 특매품. ¶***asir*** **[*coger · tomar*]** ***la ~ por el copete*** **[*por la melena · por los cabellos*]** 기회를 잘 포착하다, 기회를 잘 이용하다. ***de ~*** ㉮ 중고(中古)의, 싸게 구입한: coche *de* ~ 중고차. librería *de* ~ 고서점, 헌책방. muebles de ~ 중고 가구; 값을 깎은 가구, 특별 할인 가구. precios *de* ~ 특가, 헐값. ㉯ =**ocacional.** *La ~ hace al ladrón* (속담) 견물생심.
ocasionadamente *adv.* ① 골치 아프게, 귀찮게. ② 위험에 노출되어.
ocasionado, da *adj.* ① 화나게 하는, 부아를 돋우는, 골치 아픈, 귀찮은, 번거로운. ② 위험에 노출된, 위험이 많은. ③ [고어] =**defectuoso.**
ocasionador, ra *adj., m.f.* 야기시키는 (사람).
ocasional *adj.* ① 우연의, 우발적인: encuentro ~ 우연한 만남, 조우(遭遇). ② 임시의: ingreso ~ 임시 수입. trabajo ~ 임시 일. ③ 예비의: silla ~ 예비 의자. ④ 임시 방편의, 임시 변통의. ⑤ 이따금의, 가끔의, 때때로의: estómago ~ 이따금 오는 복통. visitante ~ 가끔 오는 손님. ⑥ 특별한 경우를 위한 (시·음악 등).
ocasionalismo *m.* [철학] (데카르트 학파의) 기회 원인론, 우인론(偶因論).
ocasionalmente *adv.* ① 때때로, 가끔, 이따금. ② 임시로.
ocasionar *tr.* ① …의 원인이 되다. ② 일으키다, 야기시키다, 초래하다, 가져오다. ③ 위험하게[위태롭게] 하다.
ocaso *m.* ① 일몰, 낙조. ② (태양 이외의) 천체가 지는 일. ③ =**occidente.** ④ 쇠퇴, 쇠퇴기, 말기.
occidental *adj.* ① 서쪽의[에 관한]. ② 서양의. ③ 서구의: países ~*es* 서구 제국. ④ [천문] 서천(西天)의, 해진 뒤에 볼 수 있는. —*m.f.* 서양 사람.
occidentalización *f.* 서양화, 서구화.
occidentalizar (9) *tr.* 서양화[서구화]시키다. ~**se** 서양화[서구화]되다.
occidente *m.* ① [주로 O~] 서쪽, 서(西)(Oeste): a *Occidente* 서쪽으로. ② 서쪽 지방. ③ (다른 것의) 서쪽(에 위치한 장소). ④ [주로 O~] [집합] 서양; 서구; 서구 제국.
occiduo, dua *adj.* ① 일몰의[에 관한]. ② 쇠퇴(ocaso)의[에 관한].
occipital *adj.* [해부] 후두(後頭)의. 후두부의. —*m.* [해부] 후두골.
occipucio *m.* [해부] 후두(부).
occisión *f.* 살해, 변사(變死).
occiso, sa *adj.* 살해된, 변사한, 난폭하게 죽은. —*m.f.* 살해된 사람.
occitánico, ca *adj.* [역사] (프랑스의 옛 남부의) 오크 지방의[에 관한].
occitano, na *adj.* ① [역사] (프랑스의 옛 남부의) 오크 지방 태생의. ② 오크 지방의[에 관한]. —*m.f.* 오크 지방 사람. —*m.* 오크 말.
OCDE *f.* *O*rganización de *C*ooperación y *D*esarrollo *E*conómico 경제 협력 개발 기구, 오이시디(OECD).
Oceánia, la *f.* [지명] 대양주.
oceánico[1]**, ca** *adj.* 대양(大洋)(océano)의[에 관한], 해양(海洋)의[에 관한].
oceánico[2]**, ca** *adj.* 대양주의, 오세아니아의. —*m.f.* 오세아니아 사람, 대양주 사람.
oceanicultura *f.* (식량이나 다른 목적으로) 해양 동식물의 양식(養殖)[재배].
oceánidas *f.pl.* [희랍 신화] 바다의 요정들, 대양의 신의 딸들.
océano *m.* ① 대양, 대해(大海), 외양(外洋). ② (오대양의 하나인) …양(洋): *Océano* Atlántico 대서양. *Océano* Pa-

O

cífico 태평양. *Océano* Indico 인도양. ③ 많음, 대량, 다수.
oceanografía *f.* 해양학(海洋學).
oceanográfico, ca *adj.* 해양학의.
oceanógrafo, fa *m.f.* 해양학자.
ocelado, da *adj.* ① [동물] 홑눈을 가진. ② [동물] (곤충의 날개·새의 깃에) 눈알 무늬가 있는.
ocelo *m.* ① [동물] 홑눈, 단안(單眼). ② [동물] (곤충의 날개·새의 깃에 있는) 눈알 무늬, 둥근 이색 점.
ocelote *m.* [동물] 표범 비슷한 스라소니 ((미국의 Arizona부터 Argentina의 북부 지방까지에서 서식함)).
ocena *f.* [의학] (코의) 점막의 악취.
ochava *f.* ☞ochavo.

O

ochavado, da *adj.* 팔각형(八角形)의.
ochavar *tr.* (…을) 팔각형으로 하다.
ochavo *m.* ① (15-19세기의 스페인의 8분의 1온스 무게의) 동화(銅貨), 동전. ② 팔각형 건물, 팔각당; 팔각형 장소. ③ 하찮은 물건, 별 가치가 없는 것, 아무런 가치가 없는 것. —*f.* ① 8분의 1. ② (옛날 교회의) 팔일절. ③ 팔일절의 마지막 날. ¶~ ***moruno*** (쐐기가 없고 거칠게 만들어진 스페인의) 작은 동전. ***no tener un*** ~ 일전 한 푼 없다, 돈을 한 푼도 가지고 있지 않다. ***Ochavo a ~ se junta el ducado*** (속담) 티끌 모아 태산.
ochavón, na *adj. Cuba.* 백인과 백인과의 혼혈아 사이에 태어난 (사람).
ochenta *adj.* ① 여든의, 80의. ② 여든 번째의, 80번째의. —*m.* 여든, 80.
ochentañal *m.f.* 팔순 노인.
ochentavo, va *adj., m.* 80분의 1(의).
ochenteno, na *adj.* =**octogésimo.**
ochentón, na *adj.* 팔순의. —*m.f.* 팔순 노인.
ocho *adj.* ① 여덟의, 8의: ~ personas 여덟 사람. hace ~ días 전주(前週)의 오늘, 1주일 전에. de hoy a ~ días 다음 주의 오늘, 오늘부터 1주일 뒤에. ② 여덟 번째의, 8번째의. —*m.* ① 여덟, 8. ② 8일: el ~ de mayo 5월 8일. ③ [카드·트럼프] 8의 패. ④ *Sev.* 포도주 0.5 리터들이의 4분의 1. —*f.pl.* 여덟 시: Son las ~ de la mañana 오전 여덟 시다. ¶***dar*** a alguien ***con los ~s y los nueves*** (…에게) 실컷 불평[원망]을 늘어놓다. ***dar igual*** [***dar lo mismo***] a alguien ~ ***que ochenta*** 대수롭지 않게 생각하다, 대단한 것이 아니다. ***echar*** a alguien ***con los ~s y los nueves*** =dar con los ochos y los nueves. ***más chulo que un*** ~ *adj.* 몹시[여봐란 듯이] 뽐내는[자만하는·우쭐하는·시건방진].
ochocientos, tas *adj.* ① 팔백의, 800의. ② 팔백 번째의, 800번째의. —*m.* 팔백, 800.
ochosén *m.* 오초센 ((옛 아라곤 왕조의 동전)).
ociar *intr.*, ~**se** 게으름을 피우다.
ocio *m.* ① 일의 중지[중단], 활동 중지. ② (사람의) 여가. ③ 레저, 자유 시간, 한가한 시간, 시간 보내기, 심심풀이. ④ 나태, 태만, 느리고 게으름, 무위도식: vivir en el ~ 빈둥빈둥 지내다, 무위도식하다.
ociosamente *adv.* ① 아무 일도 하지 않고, 빈둥빈둥, 일없이, 무위도식으로. ② 아무 성과도 실리도 없이, 무익하게. ③ 필요 없이.
ociosidad *f.* ① 나태, 태만, 무위도식, 안일. ② 여가, 한가함. ¶***La ~ es madre de todos los vicios*** (속담) 나태는 모든 악의 근원이다.
ocioso, sa *adj.* ① 아무 일도 하지 않는, 일 없이 있는, 놀고 있는, 무위도식하는: estar ~ todo el día 온종일 빈둥빈둥 놀다. llevar una vida ~ 무위도식하다. ② (기계가) 놀고 있는, 작동하고 있지 않은: Las máquinas están ~*sas* 기계들이 놀고 있다. ③ 무직의, 한가한, 할 일이 없는. ④ 나태한, 태만한. ⑤ 무익한, 성과 없는, 이익도 실속도 없는: trabajo ~ 헛된 일, 쓸데없는 일, 실속 없는 일, 무익한 일. ⑥ *Cuba, Nic.* 경작하지 않는, 놀고 있는 (땅). ⑦ *Salv.* 부정직한, 정직하지 않은. —*m.f.* ① 무위도식자, 한가한 사람, 태만한 사람, 유한계급[유한층]의 사람. ② 무직자, 실업자.
ocle *m. Ast.* =**sargazo.**
oclocracia *f.* 폭민 정치, 중우 정치, 서민[대중] 정치.
ocluir (77) *tr.* [의학] (관 등을) 닫다, 막다, 틀어막다, 폐색(閉塞)하다. ~**se** 막히다, 닫히다, 폐색되다.
oclusión *f.* ① [의학] 폐색(閉塞): ~ intestinal 장폐색. ② [언어] 패쇄.
oclusivo, va *adj.* ① 폐색의[에 관한]. ② 폐색을 일으키는. ③ [언어] 폐쇄의: consonante ~*sa* 폐쇄 자음. sonido ~ 폐쇄음. —*f.* 폐쇄음.
ocotal *m. Guat., Hond., Méj., Nic., Salv.* [식물] 아메리카 소나무 밭.
ocotaloso, sa *adj. Hond.* 아메리카 소나무가 자란[서식하는].
ocote[1] *m. Guat., Hond., Méj., Nic. Salv.* 아메리카 소나무 ((향기롭고 수지가 많음; México에서 Nicaragua까지 자라며 높이는 15-25미터임)).
ocote[2] *m.* ① *NO Arg.* [속어] 항문(ano). ② *NO Arg.* (내장 요리집에서 파는) 동물의 굵은 창자.
ocotero, ra *adj. Hond., Méj.* 아메리카 소나무의[에 관한]. —*f. Méj.* =**ocotal.**
ocotito, ta *m.f. Méj.* 불화[싸움]를 부추기는 사람, 싸움을 붙이는 사람.
ocotoso, sa *adj. Hond.* (소나무가) 송진이 많은.
ocozoal *m.* [동물] 멕시코 방울뱀.
ocre *m.* ① 황토 ((그림 물감의 원료)). ② (어떤 것이건) 노란색의 흙 같은 광물. ③ 황토색. —*adj.* 황토색의.
oct. octubre 10월.
octacordio *m.* ① [악기] (고대 희랍의) 팔현금. ② [음악] 1옥타브 음계.

octaédrico, ca *adj.* ① [기하] 팔면체의[에 관한]. ② 팔면체 모양의.
octaedro *m.* [기하] 팔면체.
octagonal *adj.* 팔각형의.
octágono, na *adj.* [기하] 팔각형[팔변형]의. —*m.* [기하] 팔각형, 팔변형.
octanaje *m.* 옥탄가(價).
octano *m.* [화학] 옥탄.
octante *m.* ① [선박 · 항공] 팔분의. ② [수학] 팔분원. ③ [천문] 이각(離角) 45도의 위치.
octava *f.* ☞octavo.
octavario *m.* 8일간(의 축제).
octaviano, na *adj.* (로마 황제) 옥타비오 아우구스토의[에 관한].
octavilla *f.* ① [인쇄] 8절판(의 책). ② 8절판 종이; 갱지. ③ (정치 · 사회적) 선전 전단. ④ [시법] 각행 8음절 이하의 8행시. ⑤ (옛날에 소매 판매에서 받았던) 소비세.
octavín *m.* =flautín.
octavo, va *adj.* ① 여덟 번째의. ② 8분의 1의. —*m.* 8분의 1. —*f.* ① [천주교] 팔일절의 마지막 날. ② [천주교] 팔일절 기간. ③ [시법] 8행시. ④ [음악] 옥타브: bajar una ~ 한 옥타브 내리다. elevar una ~ 한 옥타브 올리다. ⑤ (옛날의) 소비세. ¶ *~s de final* [운동] 16강(이 치르는 8시합). *en* ~ [인쇄] 팔절판(八折判)의.
octeto *m.* ① [음악] 8중주, 8중창. ② [음악] 8중주곡, 8중주단. ③ [컴퓨터] 바이트.
octingentésimo, ma *adj.* ① 800번째의. ② 800분의 1의. —*m.* 800분의 1.
octogenario, ria *adj.* 80대의. —*mf.* 80대 노인.
octogésimo, ma *adj.* ① 80번째의. ② 80분의 1의. —*m.* 80분의 1.
octogonal *adj.* 팔각형[팔변형]의.
octógono, na *adj.* [기하] 팔각형[팔변형]의[에 관한]. —*m.* 팔각형, 팔변형.
octópodo, da *adj.* [동물] 문어목(目)의, 다리가 여덟 개의. —*m.pl.* [동물] 문어류(類).
octosilábico, ca *adj.* ① 8음절의. ② 8음절 시구(詩句)의[에 관한].
octosílabo, ba *adj.* 8음절의. —*m.* 8음절 시구(詩句).
octóstilo, la *adj.* [건축] 팔주(八柱)의, 팔주식(八柱式)의, 기둥이 여덟 개의.
octubre *m.* 시월, 10월.
óctuple *adj.* 8배의 (양을 가진). —*m.* 여덟 배, 8배.
óctuplo, pla *adj., m.* =**óctuple.**
OCU *f.* Organización de Consumidores y Usuarios 소비자 연맹.
ocular *adj.* ① 눈(ojos)의[에 관한]: infección ~ 눈병. nervio ~ 시신경. ② 눈에 의한, 눈으로 하는, 시각상의: investigación ~ 눈으로 하는 조사. órgano ~ 시각 기관. —*m.* [광학] 접안 렌즈, 접안경. ¶*globo* ~ 안구(眼球). *testigo* ~ 목격자.
ocularista *mf.* 인공 안구 제작자.
ocularmente *adv.* 눈으로, 육안으로.
oculista *mf.* 안과 의사(médico ~).
oculogiración *f.* 안구 운동(眼球運動).
ocultación *f.* 숨기는 일, 은폐, 은닉, 은폐 행위: ~ de bienes 재산 은닉.
ocultador, ra *adj.* 숨기는, 은폐하는, 은닉하는. —*mf.* 은폐자, 은닉자.
ocultamente *adv.* ① 비밀리에. ② 살그머니, 숨어서.
ocultar *tr.* ① 감추다, 숨기다, 은닉하다, 은폐시키다, 감추어 두다, 숨겨 두다. ② (진실을 말하거나 감추어야 될 것을) 알아서 침묵을 지키다. ~**se** 자신의 …을 가리다[숨기다], 숨다, (자신의) 몸을 숨기다: ~*se* la cara con las manos 손으로 얼굴을 가리다.
ocultis *de* ~ =ocultamente, disimuladamente, en secreto.
ocultismo *m.* 신비학; 심령학(心靈學).
ocultista *adj.* ① 신비학의[에 관한]. ② 심령학의[에 관한]. —*mf.* ① 신비학 연구자. ② 심령학 연구자.
oculto, ta *adj.* ① 숨은, 보이지 않은, 숨겨진, 은닉된, 은폐된: cámara ~*ta* 비밀 카메라, 숨겨진 카메라. ② 신비의, 신비스러운, 신비적인, 알려지지 않은. ¶*de* ~ ① 이름[정체]을 숨기고, 암행으로. ② 아무도 모르게, 보이지 않게. *en* ~ 비밀리에, 몰래, 살짝, 살그머니; 비공개로, 공개하지 않고.
ocume *m.* ① [식물] 오쿠메 ((가구용으로 사용하는 기니 산(産) 나무)). ② 오쿠메 목재(木材).
ocumo *m.* *Ven.* [식물] 오꾸모 감자 ((천남성과 식물; 줄기는 짧고, 잎은 삼각형이고, 꽃은 노랗게 핌)).
ocupa *mf.* *Esp.* [구어] (빈집의) 불법 점거자, 토지 불법 점거자.
ocupación *f.* ① 점유; 점거, 점령: ~ de la fábrica 공장 점유. ~ de la nueva vivienda 새 집에 입주. ejército de ~ 점령군. ② 일, 용무, 업무, 활동. ③ 직업(profesión): ~ propia 본업(本業). nivel de ~ 취업률. dedicarse a *sus ocupaciones* (자신의) 직업에 전념하다. no tener ~ 직업이 없다. ¶ ~ *militar* (군사) 점령.
ocupacional *adj.* 직업의[에 관한]; 노동직의[에 관한], 직업상의, 직업적인.
ocupada[1] *adj.* (여자가) 임신한, 잉태한, 아이를 밴(preñada).
ocupado, da[2] *adj.* ① 바쁜: Ahora estoy ~ 나는 지금 바쁘다. ② 사용중인, 사람이 들어 있는: Esta silla está ~*da* 이 의자는 사용중이다. *Ocupado* ㉮ [표시] (화장실 등에서) 사용중. ㉯ [표시] (버스 좌석 등에) 사람 있음. ㉰ (화장실 안에서, 노크에 대답하여) 사람 있습니다. ③ 점령된, 점거된: zona ~*da* 점령 지대. —*mf.* 취업자.
ocupador, ra *adj.* 점유하는, 점거하는, 점령하는, 차지하는. —*mf.* 점유자, 점거자, 점령자.
ocupante *adj.* 점유하는, 점령하는, 점거하는: tropa ~ 점령군. —*mf.* ① 점

O

유자, 점령자, 점거자. ② 승객(乘客).

ocupar *tr.* ① (장소를) 차지하다, 점유하다, 소유하다, 자기의 것으로 만들다: El armario *ocupa* toda la pared 옷장이 벽면을 전부 차지한다. ② 살다. ③ 점령하다, 점거하다. ④ (지위 · 직에) 취임하다: ~ la presidencia de la Asamblea Nacional 국회 의장직에 취임하다. ⑤ (시간을) 쓰다, 낭비하다, 허비하다. ⑥ 전념시키다, 아주 분주하다. ⑦ (사람을) 고용하다, 쓰다. **~se** ① [+de · en · con] (…에) 종사하다. ② 관여하다, 관심을 가지다. ③ (…에) 신경을 쓰다, 걱정하다. ④ 책임지다, 떠맡다.

O

ocurrencia *f.* ① (사건 등의) 발생, 일어남. ② 사건, 일어난 일(suceso). ③ (식물 · 동물의) 출현, 발견됨; (광물의) 산출; (천연 자원 등의) 존재. ④ 생각, 얼핏 떠오른 생각, 기지(機智).

ocurrente *adj.* ① (사건 등이) 일어나는. ② 얼핏 생각이 떠오른, 재치가 있는, 기지를 발휘하는.

ocurrir *intr.* ① (사건 등이) 일어나다: ¿Qué *ocurre*? 무슨 일입니까? No *ocurrió* nada 아무 일도 일어나지 않았다. ② 머리에 떠오르다. **~se** ① [+a] (…의) 머리에 떠오르다. ② *AmérC.* 참가하다.

ocurso *m.* *Guat., Méj.* 서면 요구[요청](petición por escrito).

oda *f.* 오드, 송가(頌歌).

odalisca *f.* ① (하렘의) 여자 노예. ② 터키의 첩[후궁].

ODECA *f.* *O*rganización de los *E*stados *C*entro*a*mericanos 중미 기구(中米機構), OCAS.

odeón *m.* [고고학] (고대 희랍의) 음악당, 극장.

odiar (11) *tr.* 미워하다, 증오하다, 혐오하다, 싫어하다.

odio *m.* 미워함, 증오, 혐오: ~ de clase 계급적 증오

odiosamente *adv.* 증오심을 가지고.

odiosidad *f.* 밉살스러움, 얄미움.

odioso, sa *adj.* ① 몹시 싫은, 불쾌한, 마음에 들지 않는, 부아가 나는. ② 증오할 만한, 밉살스러운, 혐오스러운.

odisea *f.* ① (장기간의) 모험 여행, 장기간의 방랑. ② (일반적으로) 불쾌한 부침(浮沈)의 연속, 엄청난 고생.

Odisea *f.* 오디세이.

odómetro *m.* ① =**podómetro.** ② =**taxímetro.**

odonato *adj.* [동물] 잠자리목(目)의. —*m.pl.* 잠자리목 곤충의 총칭.

odontalgia *f.* [의학] 치통(齒痛).

odontálgico, ca *adj.* ① 치통의[에 관한]. ② 치통 치료에 쓰이는.

odontología *f.* 구강 외과, 치과학.

odontológico, ca *adj.* 구강 외과의[에 관한, 치과학의[에 관한].

odontólogo, ga *m.f.* 구강 외과 의사, 치과 의사.

odorante *adj.* =**oloroso, fragante.**

odorífero, ra *adj.* 향기로운.

odorífico, ca *adj.* 방향(芳香)을 풍기는[발산하는].

odre *m.* ① (술 · 올리브유를 넣는) 산양 가죽 자루[부대]. ② 취한, 폭주가.

odrería *f.* ① 가죽 부대(odre) 만드는 공장. ② 가죽 부대 파는 가게.

odrero, ra *m.f.* ① 가죽 부대(odre) 만드는 사람. ② 가죽 부대 장수.

odrina *f.* 쇠가죽(으로 만든) 부대. ¶ *estar* alguien ***hecho una*** ~ (가죽 부대의 이은 데처럼) (누가) 병과 종기투성이다.

Oe oersted 에스스텟

OEA; O.E.A. *f.* Organización de los Estados Americanos 미주 기구(美洲機構), 오에이에스(OAS).

OECE *f.* *O*rganización *E*uropea de *C*ooperación *E*conómica 유럽 경제 협력 기구.

oenoteráceo, a *adj.* [식물] 달맞이꽃의. —*f.pl.* 달맞이꽃과(科).

oersted *m.* [물리] 에르스텟.

oerstedio *m.* =**oersted.**

oesnoroeste *m.* ① 서북서(西北西). ② 서북서풍(西北西風). —*adj.* 서북서의.

oesnorueste *m.* =**oesnoroeste.**

oeste *m.* ① 서(西), 서쪽: al ~ 서쪽에. ② (나라 · 특정 지리적 지역의) 서부(西部), 서부 지방[영토], 서쪽에 위치한 지방[영토]: el ~ americano 아메리카의 서부 (지방). ③ (다른 곳의) 서쪽에 위치한 장소. ④ 서풍(西風). ⑤ (미국의) 서부. ⑥ 서양, 서구(西歐), 구미(歐美): países del Oeste 구미 제국. —*adj.* ① 서쪽의, 서쪽에 있는; 서향(西向)의: costa ~ 서해안. ② (바람이) 서쪽에서 부는: viento ~ 서풍.

oesudoeste *m.* ① 서남서(西南西). ② 서남서풍(西南西風).

oesudueste *m.* =**oesudoeste.**

ofendedor, ra *adj., m.f.* =**ofensor.**

ofender *tr.* ① 모욕하다, 무안을 주다, (…의) 감정을 상하게 하다, 성나게 하다, 화나게 하다, 노하게 하다. ② …에 불쾌감을 주다: ~ los oídos 귀에 거슬리다. ~ a la vista 눈에 거슬리다. ~ al olfato 싫은 냄새다. **~se** [+con · de · por] (…에) 화내다, 성내다, 노하다, 마음[기분]을 상하다.

ofendículo *m.* [드묾] =**obstáculo.**

ofendido, da *adj.* ① 모욕을 당한. ② 화낸, 성낸, 노한. —*m.f.* 모욕을 당한 사람. ¶***darse por*** ~ 화내다, 성내다, 노하다, 불쾌해 하다, 마음[기분]을 상하다.

ofensa *f.* ① 모욕, 치욕; 무례; 감정을 해치기. ② [법률] 범죄, 위법.

ofensión *f.* =**daño, molestia.**

ofensiva *f.* ☞**ofensivo.**

ofensivamente *adv.* 해를 끼쳐, 해롭게, 모욕을 주어.

ofensivo, va *adj.* ① 모욕적인, (상대방의) 감정을 상하게 하는 것 같은, (상대방을) 불쾌하게 하는 (것 같은), 무

례한: palabras *~vas* 모욕적인 언사, 상대방을 불쾌하게 하는 말. ② 공격하는, 공격적인, 공격용의; 침략의, 침략적인: guerra *~va* 침략 전쟁. ③ 공격의[에 관한]. *—f.* ① 공격 태세, 공세: *~va* de paz 평화 공세(平和攻勢). *~va* exportadora 수출 공세. *~va* importadora 수입 공세. ② 공격, 습격, 침략. ¶*arma* *~va* 공격용 무기[병기]. *tomar* alguien *la ~va* ㉮ (적을) 습격할 준비를 하다, 습격 태세를 갖추다, 공세를 취하다, 선제 공격을 하다, 선공(先攻)하다. ㉯ (어떤 경쟁·싸움에서) 일등을 하다, 첫째다.

ofensor, ra *adj.* 모욕하는, 창피를 주는, 무례한. *—mf.* 모욕을 주는 사람, 무례한 사람.

oferente *adj.* 제공하는, 증여하는, 주는; 신에게 기도를 올리는. *—mf.* 제공자, 증여자; 신에게 기도를 올리는 사람.

oferta *f.* ① 제안, 제의, 신청; 제공: ~ especial 특가 제공. aceptar una ~ 제안[신청]을 받아들이다. ② [상업] 공급; 공급 가격: el ~ y la demanda 수요와 공급. ③ [상업] 오퍼 (가격), (손님이) 부르는 값, 견적, 견적서: ~ (en) firme 확정 오퍼. ④ [상업] 특별 가격, 특가; 특매, 바겐세일. ⑤ [상업] 특가품, 특매품, 바겐세일 물건. ⑥ 약속. ⑦ 구혼, 청혼, 프로포즈. ¶~ *a pliego cerrado* 봉서 입찰. ~ *pública hostil* (주식의) 적대적 공개 매입[사들임]. ~ *sellada* =**oferta a pliego cerrado.**

ofertante *adj.* ① 특매하는, 바겐세일하는. ② 제공하는, 제안하는. *—mf.* ① 특매자. ② 제공자.

ofertar *tr.* ① [상업] 염가 제공하다, 바겐세일하다. ② 주기로 약속하다. ③ 오퍼하다, 신청하다. ④ *Amér.* (자발적으로) 주다. ⑤ *Amér.* (신·성자에게 바치다[올리다].

ofertorio *m.* ① [천주교] (빵과 포도주의) 봉헌, 성찬 봉헌. ② [천주교] (성찬 봉헌 전에 사제가 하는) 봉헌문, 교송(交誦). ③ =**velo ofertorio.**

offset *m. ing.* ① [인쇄] 오프셋. ② 오프셋 인쇄기.

oficial *adj.* ① 공(公)의, 공무상의, 직무상의, 관(官)의, 공적인: disposición ~ 공적 조치. documento ~ 공문서. ② 관직에 있는, 관선의: residencia ~ 관사, 관저, 공관. ③ 당국[관헌]에서 나온, 공인된, 공식(公式)의: comunicado ~ 공식 성명. lengua ~ 공용어. partido ~ 공식 시합. pasaporte ~ 공용 여권. precio ~ 공정 가격. récord ~ 공인 기록. visita ~ 공식 방문. ④ 공립의: escuela ~공립 학교. ⑤ 관청식의: circunlocución ~ 번문욕례(繁文縟禮). ⑥ (학생이) 등록한: alumno ~ 등록 학생. ⑦ [약학] 약전(藥典)에 의한. *—m.* ① 직업인. ② 직원, 사무원, 관리. ③ 사형 집행인. ④ 백장. ⑤ 시장, 시의원. ⑥ 공장(工匠) ((견습[도제] 기간을 끝낸 기술자; maestro(명인)과 aprendiz(견습생)의 중간)). ⑦ =**provisor.** *—mf.* [군사] 사관, 준위, 장교. ¶~ ***superior*** *mf.* [군사] = **jefe.** *primer* ~ *mf.* 일등 항해사. *ser* alguien ***buen*** ~ 솜씨[손재주]가 좋다, 재능[재간]이 있다

oficiala *f.* ① 직업인의 아내. ② 기술자, 공장(工匠) ((견습 과정[도제 교육]을 끝낸 여자 기술자; maestra(명인)과 aprendiza(견습생)의 중간)). ③ 직원, 사무원, 관리.

oficialía *f.* oficial의 직[계급].

oficialidad *f.* ① [집합] 장교단. ② 공적인 일, 공적(公的) 성격.

oficialismo *m.* ① *Amér.* [집합] 공무원, 관료, 정부 관계자. ② *Amér.* [집합] 여당 성향, 여당 세력, 여당 의원; 정당 정책에 충실한 사람.

oficialista *adj.* ① 여당을 지지하는. ② 여당 소속의. *—mf.* ① 여당 지지자. ② 여당 의원.

oficialización *f.* 공식화, 공인(公認).

oficializar (9) *tr.* 공식화하다, 공인(公認)하다.

oficialmente *adv.* ① 공무상, 직책상. ② 공식으로, 공식적으로, 공적으로, 직권에 의해. ③ 당국의 발표로는, 표면상으로는.

oficiante *adj.* (미사를) 집전하는. *—m.* 제단에서 미사를 집전하는 사제.

oficiar (11) *intr.* ① 미사를 집전하다. ② (의식을) 집행하다, 맡다. ③ 정식으로 문서로 통보[통고]하다. *—intr.* [+de] (…의 역·소임·임무를) 맡다, 역할을 다하다: ~ *de* juez 심판을 맡다. ~ *de* chivato 밀고하다.

oficina *f.* ① 사무소, 사무실: *~s* del gobierno 관청. empleado de ~ (사무계의) 회사원, 샐러리맨, 봉급 생활자. horas de ~ 영업 시간, 업무 시간; (손님 등에 대한) 면담 시간. ir a la ~ 출근하다, 일하러 가다, 직장에 나가다. ② 작업장, 일터. ③ 관청, 관공서: ~ pública 관청, 관공서. ④ 약국의 실험실: ~ de farmacia 조제실. ⑤ 취급소, 영업소, 판매소, …소(所): ~ de cambio 환전소. ~ de colocación 직업 소개소[안정소]. ⑥ 연구소. ⑦ 온상. ⑧ *pl.* (가정의 필요에 따라 사용했던, 다락방이나 지하실과 같은 집의) 허드렛방, 광.

oficinal *adj.* ① [의학] (식물이) 약으로 사용되는, 약용의, 약제(藥劑)의: planta ~ 약용 식물. salvia ~ 약용 사르비아. ② [의학] 약국방[약전(藥典)]에 의해 조제(調劑)된.

oficinesco, ca *adj.* ① 관청의[에 관한]. ② 사무적인, 관청 같은.

oficinista *mf.* 사무원, 회사원.

oficio *m.* ① 일 ((주로 손일, 육체 노동)); 직무, 임무: ~ de pintor 페인트공 일. ~ de relojero 시계 수리공 일. aprender un ~ 일을 익히다[배우다]. ② (공식의) 통고, 통지, 문서: enviar

O

[despachar · remitir · mandar] un ~ 문서를 보내다. ③ [종교] [주로 *pl.*] 제식(祭式), 제례(祭禮), 전례(典禮). ④ [종교] =oficio divino. ¶~ *de difuntos* 죽은 사람을 위한 제식[제례]. *~s de Semana Santa* 성주간의 제식[제례]. ~ *divino* [종교] 성무 일과. ~ *mayor* =oficio divino. *Santo Oficio* 이단 심판소, 종교 재판소. *buenos ~s* 조정, 알선, 주선, 중재, 중개. *de* ~ ㉮ *adj.* 공식의, 공식적인, 정식의; 무료의; 법원의 판단[지명]에 의한: abogado *de* ~ 국선 변호인. ㉯ *adv.* 공식으로, 공식적으로, 정식으로; 무료로; 법원의 판단[지명]에 의해 *hacer* alguien *su* ~ 직[직무]을 잘 수행하다. *sin ~ ni beneficio* 아무 일도 하지 않고, 한가한, 빈둥빈둥 노는, 무직의 *tomar* alguien *por* ~ 일을 자주하다, 일을 맡아보다.

O

oficionario *m.* 기도서(祈禱書).

oficiosamente *adv.* ① 부지런히, 열심히, 착실하게. ② 비공식적으로.

oficiosidad *f.* ① 부지런함, 근면함. ② 남의 일을 보아 주기를 좋아함, 친절, 호의. ③ 비공식(적인 일). ④ 귀찮음, 주책. ¶~ *estúpida* 말단 관리 근성.

oficioso, sa *adj.* ① (정보가) 비공식의: según fuentes *~sas* 비공식 소식통의 정보에 의하면. ② 아직 공인되지 않은, 미공인의: La marca es todavía ~ 그 기록은 아직 공인되지 않았다. ③ (신문이) 정부계의, 어용의. ④ 남의 일에 덥적거리는, 쓸데없이 참견하는.

ofidio *adj.* 뱀의, 뱀류(類)의, 뱀 무리의. —*m.* 뱀. —*m.pl.* 뱀류(類).

ofimática *f.* [oficina e informática의 단축형] 사무 자동화.

ofiolatría *f.* 뱀 신앙.

ofiómaco *m.* 가재(langosta)의 일종.

ofita *f.* [광물] 사문석(蛇紋石).

ofrecedor, ra *adj.* 제공하는. —*m.f.* 제공자.

ofrecer (31) *tr.* ① (…에게 …을) 주기[해 주기 · 말하기]로 약속하다. ② (자발적으로 …을) 주다, 제공하다, 내놓다. ③ (신에게) 바치다, 올리다. ④ [+por] (…에게 팔려고) 내놓다, (…에 · 로) 가격[값]을 매기다: precio *ofrecido* (손님이) 부르는 값. ⑤ 보이다, 나타내다. ⑥ (주소 등을) 알리다, 알려 주다, 통지하다. **~se** ① 몸을 바치다, 도움이 되겠다고 나서다, 스스로 …의 역할을 하다, 자신해서 떠맡다: *~se* en sacrificio 스스로 희생하다[희생물이 되다]. ② [+a · para+*inf.*] (…을) 신청하다. ③ [+a] (…에게) 마음속에[생각이] 떠오르다, 생각하다. ④ (사건 등이) 일어나다, 발생하다. ⑤ 원하다, 가지고 싶어하다, 탐내다: ¿Qué *se* le *ofrece*? / ¿*Se* le *ofrece* algo? (점원이 손님에게) 무엇을 드릴까요?, 무엇을 찾으십니까?

ofrecimiento *m.* 제공, 신청.

ofrenda *f.* ① (신 등에의) 봉납, 봉납물. ② 기부, 헌금. ③ 선물: ~ de flores 꽃 선물.

ofrendar *tr.* [+a · por] (…에게) 봉납하다, 바치다, 올리다.

oftalmia *f.* [의학] 안염(眼炎).

oftalmía *f.* =oftalmía.

oftálmico, ca *adj.* ① [의학] 눈(ojos)의[에 관한]: nervio ~ 눈 신경. ② [의학] 안염의[에 관한].

oftalmología *f.* 안과, 안과학(眼科學).

oftalmológico, ca *adj.* 안과의[에 관한], 안과학의[에 관한].

oftalmólogo, ga *m.f.* 안과 의사.

oftalmoscopia *f.* (검안경에 의한) 눈 안 검사, 안저 검사(眼底檢査).

oftalmoscopio *m.* 검안경(檢眼鏡).

ofuscación *f.* =ofuscamiento.

ofuscador, ra *adj., m.f.* 눈을 아찔하게 하는, 멍하게 하는 (사람).

ofuscamiento *m.* ① 눈이 아찔함, 현혹시킴. ② 판단력이 흐림.

ofuscar (7) *tr.* ① (…의) 눈을 아찔하게 만들다: Me ofuscó el sol 나는 일광으로 눈이 아찔했다. ② (사고 등을) 흐리게 하다, 욱하게 하다. **~se** ① [+con] (…에) 눈이 어두워지다. ② [+con] (…에) 홀리다, 씌다, 판단력을 잃다.

ogaño *m.* [드묾] =hogaño.

ogro *m.* ① (북유럽 주민들의 신화에 의하면) 인육(人肉)을 먹은 거인, 식인귀(食人鬼). ② 무척 잔인한 사람, 악당; 비사교적인 사람.

oh *interj.* ① [놀람 · 경탄 · 공포 · 고통 기쁨] 아, 야, 아니, 어머나, 이런, 저런, 어머, 어머나, 정말: *Oh,* qué pena! 아, 정말 고통스럽군. *Oh,* qué linda! 야, 정말 예쁘다. *Oh,* qué sorpresa! 어머, 정말 놀랍군요. *Oh,* qué alegría! 아, 정말 기쁘군. ② [부정 · 긍정의 강조] *Oh,* sí 그렇고 말고.

ohm *m.* [전기] =ohmio.

óhmico, ca *adj.* 옴(ohmio)의[에 관한].

ohmio *m.* [전기] 옴.

oí ☞oír (76).

oíble *adj.* 들리는, 알아들을 수 있는.

OIC; O.I.C. *f.* *O*rganización *I*nternacional del *C*afé 국제 커피 기구; *O*rganización *I*nternacional del *C*omercio 국제 무역 기구.

oída *f.* 듣기, 듣는 일. ¶*de* [*por*] *~s* 소문으로, 풍문으로, 전하여 들은 바에 의하면, 들어서: conocer [saber] *de ~s* 들어서[소문으로 · 풍문으로] 알다.

-oide *suf.* ① 「… 같은 (것)(parecido a) · … 모양의 (것) · …질(質)의 (것)」의 뜻: metal*oide* 비금속. andr*oide* 로봇. celul*oide* 셀룰로이드. negr*oide* 흑인종적인. 또 **-oideo**, **-oides** 형도 있음: lip*oideo* 지방 모양의, cub*oides* 주사위 모양의, delt*oides* 삼각 모양의. ② [형용사에 붙여 경멸의 뜻을 나타냄] fascist*oide* 파시즘의. siniestr*oide* 왼쪽의.

-oideo *suf.* ☞-oide.

-oides *suf.* ☞-oide.
oídio *m.* 밀가루분균(粉菌).
oído *m.* ① 귀. ② 청각, 청력: ~ fino 예민한 청력[청각]. perder ~ 청력을 잃다, 귀가 멀다. ③ 음감(音感): ~ absoluto 절대 음감. tener (un) (mucho) ~ 음감이 좋다. tener mal ~ 음치(音癡)다. ④ 포의 화문; 도화선 구멍. ⑤ *Col.* 바늘귀(ojo). ¶ ~ *externo* [해부] 외이. ~ *interno* [해부] 내이. ~ *medio* [해부] 중이, 귀청의 속. *abrir* alguien *los ~s* 경청하다, 귀(를) 기울이다. *abrir* alguien *tanto (el)* ~ =abrir los oídos. *aguzar* alguien *los ~s* =abrir los oídos. *al* ~ ㉮ 듣기만 하고 다른 조치 없이. ㉯ 뒤에서, 뒷전에서, 내밀히, 극비리에, 비밀리에. ㉰ 아주 낮은 소리에, 가만히, 귀에 대고. *aplicar* alguien *el* ~ 귀를 기울이다, 경청하다. *cerrarle* a alguien *los ~s* (충고·불평 등을 듣지 않기 위해) 귀를 막다, 들리지 않게 하다, 귀를 기울이지 않다. *dar* alguien *~s* 귀를 기울이다, 남의 이야기를 듣다. *de* ~ 귀동냥으로, 들은 풍월로, 귀로 듣고 배워[알아]. *duro de* ~ ㉮ 약간 귀가 먼. ㉯ 음감(音感)이 나쁜. *entrar [entrarle]* a alguien algo **por un ~, y salir [salirle] por el otro** (…에게 …은) 마이동풍(격)이다, 한 쪽 귀로 듣고 한 쪽 귀로 흘리다, 쇠귀에 경 읽기다. *hacer* alguien *~s de mercader* = hacer oídos sordos. *hacer* alguien *~s sordos* 주의를 기울이지 않다, 마음을 쓰지 않다, 관심을 가지지 않다, 못 들은 척하다, 들리지 않는 척하다. *ladrar* a alguien *al* ~ 계속해서 강력하게 생각을 암시하다. *llegar* algo *a ~s de* alguien (…이 …의) 귀에 들어오다[가다], …라는 소리가 들리다, (…라는) 소리를 듣다. *negar* alguien *los ~s, no dar ~s* 들으려 하지 않다. *¡Oído a la caja!, ¡Oído al parche!* [주의를 환기시킬 때] 말을 들어라! *pitar los ~s* a alguien =zumbar los oídos. *prestar* alguien *~s* =dar oídos. *regalar* a alguien *el* ~ (…에게) 알랑거리다, 아부하다, 아첨하다. *ser* alguien *todo ~s* =abrir los oídos. *silbar los ~s* a alguien = zumbar los oídos. *taparse* alguien *los ~s* (귀에 거슬려서 듣지 않기 위해) 귀를 막다. *tener* alguien *(buen)* ~ 음악에 조예가 깊다. *tener* alguien *~s de mercader* =hacer oídos sordos. *zumbar los ~s* a alguien 귀가 가렵다, (누가 자기를 나쁘게 말하는 것을) 깨닫다, 알아차리다.
oidor, ra *adj.* 듣는. —*m.f.* 듣는 사람, 청취자. —*m.* (16세기의) 판관(判官).
oidoría *f.* oidor의 직[지위].
OIEA *m.* *O*rganismo *I*nternacional de *E*nergía *A*tómica 국제 원자력 위원회.
oiga *interj.* 여보세요 ((사람을 부를 때나 전화를 거는 측에서 하는 말)). ☞ oír.
oiga- ☞oír (76).
oigan ☞oír (76).
oigo ☞oír (76).
oíl *lengua de* ~ 오일 말 ((중세 프랑스의 르와르 강 이북의 방언)).
oír (76) *tr.* ① 듣다, (…가) 들리다: ¿Me *oyes*? —No, no te *oigo* bien 내 말이 잘 들리니? —아니, 네 말이 잘 들리지 않는다. ② [+직접 목적어+현재분사] …가 …하는 것을 듣다, …가 …하는 것이 들리다. ③ [+a] (…에게서) 듣다. ④ (상대의 말에) 주의를 기울이다, (말을) 고분고분 잘 듣다; 이해하다: ¿Me *oye* usted? 제가 말씀드리는 것을 듣고 계십니까?, 제 말을 이해하십니까? ⑤ [의문문에서, 앞 말을 강조하거나 주의를 환기시킬 때] No estoy dispuesto a consentirlo, ¿me *oyes*? 나는 그것을 승낙할 마음의 준비가 되어 있지 않아[않다는 것을 네가 알고 있잖아]. ⑥ (간청·간원·소원 등을) 들어 주다, 듣고 승낙하다: Dios *oyó* mi súplica 하느님께서는 나의 간원을 들어 주셨다. ⑦ (강의를) 청강하다. ⑧ [법률] (재판관이 양쪽의) 주장을 듣다. **~se** [소리가 주어] 들리다: *Se oyó* un tiro 한 발의 총소리가 들렸다. No *se oye* bien [전화에서] 잘 들리지 않습니다. ¶ *¡Ahora lo oigo!* 이제 알았다! *como lo oye, como lo oyes* [믿기 어려운 것에 대한 자신의 확신을 상대방에게 다짐·확인] 정말이다!, 사실이다!, 진짜다! *como quien oye llover* (빗소리를 듣듯이) 냉담하게. *lo que oye, lo que oyes* =como lo oye. *¡oiga!, ¡oigan!* *interj.* ㉮ [상대방의 주의를 환기시킬 때] 여보세요, 이봐요, 잠깐. ㉯ [이상함·노함·비난·놀람·경계] 이봐요!, 여보세요!, 어쩌면!, 빌어먹을! ㉰ [전화를 거는 측에서] 여보세요. ~ *bien* 호의적으로 듣다, 쾌히 듣다, 잘 듣다. *¡Oír, ver y callar!* (상관없는 일에) 개입하지 마세요, 간섭하지 마세요. *Oye* *interj.* = ¡Oiga!, *¿Oyes?, ¿Oye usted?* ㉮ [멀리 있는 사람을 부르기 위해] 여보세요!, 이봐요! ㉯ [주의·경계·명령한 것을 강조하기 위해] 알았죠?, 알아 들었죠?, 됐죠?, 괜찮죠?
oíslo *m.f.* 사랑하는 사람; (특히) 사랑하는 아내.
OIT; O.I.T. *f.* *O*rganización *I*nternacional del *T*rabajo 국제 노동 기구.
ojal *m.* ① 단춧구멍. ② 구멍. ③ 갈라진 곳, 터진 곳[데].
ojalá *interj.* *ár.* ① [+(que)+*subj.* 현재; 현재·미래의 단순한 원망문] 부디[아무쪼록·제발] …하기를!: ¡*Ojalá (que)* me toque la lotería! 부디 내 복권이 당첨되기를! ¡*Ojalá (que)* no llueva mañana! 제발 내일 비가 오지 않기를! ② [+(que)+*subj.* 과거; 실현성이 의심스럽거나 실현성이 없는 현재나 미래

O

의 원망문] …했으면 좋겠는데[좋으련 만]!: ¡*Ojalá (que)* neviera mañana! 내일 눈이라도 내렸으면! ③ [+que+*subj*. 과거 완료; 실현되지 않은 과거의 원망문] …했었더라면 좋았을 텐데[걸]: ¡*Ojalá que* ella hubiera estado conmigo! 그녀가 나와 함께 있었더라면 좋았을 걸! ④ [단독으로] 제발 그랬으면! Deseo que mañana haga buen tiempo －*¡Ojalá!* 내일 날씨가 좋기를 바란다 －제발 그랬으면 (좋겠다)!

OJD *f.* *O*ficina de *J*ustificación de la *D*ifusión 신문 보급 심사 위원회.

ojaladera *f.* 단춧구멍 만드는 여공.

ojalado, da *adj.* 눈 가장자리에 둥그런 선[테]이 있는 (소).

ojalador, ra *mf.* 단춧구멍 만드는 사람. —*m.* 단춧구멍 만드는 기계. —*f.* 옷의 단춧구멍을 꿰매는 기계.

ojaladura *f.* [집합] 옷의 단춧구멍.

ojalar *tr.* (옷의) 단춧구멍을 만들다.

ojeado, da *adj.* *Hond., Ur.* (사람·동물의 새끼가) 저주[원망]의 대상이 된. —*f.* 일별(一瞥), 한 번 흘끗 봄, 한 번 언뜻 봄, 한 번 잠깐 봄, 한 번 봄.

ojeador *m.* (사냥의) 몰이꾼.

ojear[1] *tr.* ① 옆을 보다, 한 눈을 팔다. ② 원망스런[저주하는] 눈으로 보다. ③ 흘끗 보다, 흘낏흘낏 보다. ④ (본문을) 대충[대강] 훑어보다, 수박 겉 핥기로 보다[읽다].

ojear[2] *tr.* ① (사냥에서) 짐승을 몰다. ② (사람·동물을 어떤 방법으로라도) 쫓아내다, 몰아내다.

ojén *m.* (포화할 때까지) 회향풀과 설탕으로 만든 증류주[소주], 회향풀로 빚은 술.

ojeo *m.* (사냥의) 몰이, 짐승을 쫓음. ¶*echar* alguien *un* ~ 몰이하다, 몰이로 사냥하다. *irse* alguien *a* ~ (원하는 것을) 주의깊게[조심스레] 찾다.

ojera *f.* [주로 *pl.*] (과로·과음으로 눈가에 생기는 거무스름한) 기미.

ojeriza *f.* (누구에게 품은) 노여움, 악의, 악감정, 원한.

ojeroso, sa *adj.* (눈가에 거무스름한) 기미가 낀: cara ~*sa* 기미가 낀 얼굴.

ojerudo, da *adj.* 늘 큰 기미가 낀.

ojete *m.* ① 실[끈]을 꿰는 구멍. ② 자수에 장식된 둥그런[타원형의] 구멍. ③ [구어] 항문. ④ *Méj.* 바보, 멍청이. ⑤ *Ur.* [속어] 바람직한 운.

ojetear *tr.* (…에) 실[끈]을 꿰기 위한 둥그런 구멍을 만들다.

ojetillo *m.* *Chile.* =ojete ①.

ojialegre *adj.* 눈이 반짝이는 (사람).

ojienjuto, ta *adj.* 울기 어려운, 눈물을 보이지 않는.

ojigarzo, za *adj.* 눈이 푸른, 벽안의.

ojimel *m.* =ojimiel.

ojimiel *m.* 꿀 2와 식초 1의 비율로 넣어 삶은 약제.

ojimoreno, na *adj.* 눈이 황갈색인.

ojinegro, gra *adj.* 눈이 검은.

ojiprieto, ta *adj.* 눈이 거무스름한.

ojito *m.* *Ur.* 가운데 과자가 든 둥근 카스텔라. ¶*hacer* alguien ~*s* 눈짓으로 교태를 부리다. *ser* alguien *el* ~ *derecho* de otra persona =ser el ojo derecho.

ojiva *f.* ① [건축] 끝이 뾰족한 홍예문. ② [건축] 끝이 뾰족한 아치. ③ (미사일의) 탄두(彈頭): ~ atómica 핵탄두.

ojival *adj.* ① 뾰족 아치의, 홍예문의. ② 고딕식의 (건축): arquitectura ~ 고딕식 건축. estilo ~ 고딕식.

ojizaino, na *adj.* 곁눈질하는, 곁눈질로 보는, 흘기는 눈의.

ojizarco, ca *adj.* 눈이 푸른.

ojo *m.* ① 눈(目): los ~*s* claros 맑은 눈. los ~*s* mágicos 매력적인 눈. los ~*s* negros 검은 눈. ② 안구, 눈알. ③ 시선, 눈길, 눈(의 표정), 보는 눈모습, 눈매, 눈빛: apartar los ~*s* de …에서 시선을 떼다, 시선[눈]을 딴 데로 돌리다. poner ~*s* de cólera 성난[노한·화난] 눈매를 하다. ④ 시각, 시력. ⑤ 관찰안, 감식안, 안목; 주의력. ⑥ (각종의) 구멍, 열쇠 구멍; (b·d·e·o 등의) 문자의 구멍; (빵·치즈에 생기는) 구멍. ⑦ 바늘귀. ⑧ (교각의) 사이. ⑨ 그물코. ⑩ (들의 한복판의) 샘, 물이 솟아오르는 곳. ⑪ (꽃·소용돌이의) 중심, 한가운데. ⑫ 활자의 인쇄면; 인쇄면의 굵은 글자. ⑬ (약국의) 귀중약품 보관함. ⑭ (공작 꼬리의) 무늬. ⑮ 비누칠. —*m.pl.* 귀여운 사람: ¡*Ojos míos!* 귀염둥아! —*interj.* 주의(하시오)!, 조심(하시오)! ¶ ~ *de besugo* 툭 튀어나온 눈. ~ *de la tempestad* =ojo del huracán. ~ *del culo* = ano. ~ *del huracán* [비유] 태풍의 눈 ((논쟁·싸움의 중심)). ~ *mágico* 매직 아이. ~*s de sapo* 튀어나온 눈. *cuatro* ~*s* *mf.* 안경 낀 사람. *a* ~*s vistas* 눈에 띄게, 현저하게, 명백하게, 확실히. *cerrar* alguien *el* ~ (…가) 죽다. *cerrar* alguien *los* ~*s* ㉮ 잠들다. ㉯ 죽다. *salirle* a alguien *a los* ~*s* (감정 등이) 얼굴에 나타나다. *saltar* a alguien *un* ~ …의 눈을 상처[부상]를 입히다, 실명시키다. *saltar a los* ~*s* algo 아주 분명하다, 불을 보듯 뻔하다, 앞일이 의심할 여지없이 명백하다. *saltársele* a alguien *los* ~*s* (…가) 탐나서 보다. *ser* alguien *el* ~ *derecho* de otra persona (…가 …의) 오른팔이다. *tener entre* ~*s* [*sobre* ~] a alguien (…를) 혐오하다, 증오하다, 미워하다. *valer* algo *un* ~ *de la cara* 무척 비싸다, 아주 고가다. *Cría cuervos y te sacarán los* ~*s* (속담) 은혜를 원수로 갚다. *Cuando los labios callan, los* ~*s hablan* (속담) 사람의 마음은 눈에서 읽는다. *Enojar a otro y herirse en el* ~ (속담) 남을 화나게 하면 자기 눈에서 피눈물이 난다. *Los* ~*s son el espejo del alma* (속담) 눈은 마음의

거울. *Los ~s son las ventanas del corazón* (속담) 눈은 마음의 창. *Ojo por ~, diente por diente* (속담) 눈에는 눈, 이에는 이. *Ojos que no ven, corazón que no llora* (속담) 안 보면 정도 멀어진다, 거자일소(去者日疎).

ojoso, sa *adj.* ① (빵·치즈에) 구멍이 많은. ② (사람이) 눈이 큰.

ojota *f. AmérM.* 오호따 ((Perú와 Chile의 인디오들이 사용했던 샌들의 일종; 가죽이나 식물 섬유로 만듦; 남아메리카의 일부 지역에서는 아직도 사용하고 있음)).

ojudo, da *adj.* ① *Cuba.* (특히 어린이가, 남이 가진 것을) 욕심이 나서 달라고 조르는. ② *Hond., Salv.* (사람이) 눈이 크고 튀어나온.

ojuelos *m.pl.* ① 서글서글한 눈. ② 독서용 안경(anteojos para leer).

okapi *m.* [동물] 오카피 ((기린과, 적도 아프리카 우거진 숲속에서 서식함)).

-ol[1] *suf.* [화학] 「수산기, 특히 알코올·페놀을 함유한」의 뜻: colester*ol* 콜레스테롤. cres*ol* 크레졸. benz*ol* 벤졸. glicer*ol* 글리세롤.

-ol[2] *suf.* [화학] 「기름의 이름」의 뜻: cumin*ol* 카민정(精). icti*ol* 이시치올.

ola *f.* ① (물 표면에서 일어나는) 큰 파도, 물결. ② [기상] (기압 등의) 파(波), 변동 ((어떤 장소의 기온에 갑작스런 변화가 일어나는 대기 현상)): ~ de calor 열파(熱波). ~ de frío 한파(寒波). ~ de inflación 인플레이션 경향. nueva ~ [영화·예술] 새로운 경향, 누벨 바그. ③ (크게 움직이는·파도처럼 밀려드는) 인파. ④ (…의) 갑작스런 출현[나타남]. ¶*hacer ~s* 풍파를 일으키다, 평온을 깨뜨리다[어지럽히다]. *quebrar* [*romperse*] *las ~s* =quebrar el mar. ☞mar.

OLADE *f.* *O*rganización *L*atinoamericana *de* *E*nergía 라틴 아메리카 에너지 기구.

olaje *m. Col.* =**oleaje.**

olambre *f.* =**olambrilla.**

olambrilla *f.* 장식용 타일.

OLAS *f.* *O*rganización *L*atino*a*mericana de *S*olidaridad 라틴아메리카 단결기구.

ole *interj.* =**olé.** —*m.* ① 올레 ((안달루시아의 민속춤)). ② 올레 춤곡.

olé *interj.* ① [격려, 투우·플라멩코의 성원하는 소리] 올레, 힘내라!, 잘한다!, 좋아! ② [환희] 만세!, 잘했다!: ¡*Olé* con ~! 만세, 만세.

oleáceo, a *adj.* [식물] 목서과(木犀科)의. —*f.pl.* 목서과 식물.

oleada[1] *f.* ① 큰 파도. ② 인파, 군중, 떼, 무리. ③ 갑작스러운 대량 출현. ④ *Méj.* 빨리 움직이는 짐승 떼.

oleada[2] *f.* 올리브 기름 풍작.

oleado, da *adj., m.f.* (임종의) 성유(聖油)(los santos óleos)를 받은 (사람).

oleaginosidad *f.* 기름기, 유성(油性).

oleaginoso, sa *adj.* =aceitoso.

oleaje *m.* 계속되는 파도, 파도의 계속.

olear[1] *tr.* ① (샐러드나 다른 음식에) 기름을 바르다. ② [천주교] 환자에게 임종의 종부 성사를 하다. ③ [천주교] 성유(聖油)로 십자 표시를 해 주다.

olear[2] *intr.* (바다처럼) 물결을 만들다[일으키다].

oleario, ria *adj.* =**aceitoso.**

oleastro *m.* 야생 올리브(acebuche).

oleaza *f. Ar.* 통의 바닥에 남은 찌꺼기 기름.

oledero, ra *adj.* 냄새를 풍기는.

oledor, ra *adj., m.f.* 냄새를 발산하는 (사람), 냄새를 느끼는 (사람).

oleico *ácido* ~ 유산(油酸).

oleicola *adj.* oleicultura의[에 관한].

oleicultor, ra *m.f.* ① 올리브 재배자. ② 올리브 기름 제조자.

oleicultura *f.* ① 올리브 재배. ② 올리브 기름 제조. ③ 올리브 재배 기술.

oleífero, ra *adj.* (식물이) 기름을 함유한: planta ~*ra* 채유성 식물.

oleína *f.* [화학] 올레산(酸), 유산(油酸).

óleo *m.* ① 올리브유, 올리브 기름. ② [주로 *pl.*] (교회에서 사용하는) 성유: los santos ~*s* 성유. ③ 도유(塗油), 기름을 바름. ④ [미술] 유화. ⑤ 유화 작품. ¶ ~ *de los catecúmenos* 세례 성유. *al* ~ ㉮ *adj.* 유화로 그려진. ㉯ *adv.* 유화로.

oleoducto *m.* (원유의) 송유관.

oleografía *f.* 유화식 석판화.

oleómetro *m.* 기름 비중계.

oleorresina *f.* (식물의) 함유 수지.

oleosidad *f.* 유성(油性), 유질(油質), 기름의 성질, 기름과 같은 성질.

oleoso, sa *adj.* =**aceitoso.**

oler (26) *tr.* ① …의 냄새를 맡다. ② 탐색하다, 남의 뒤를 캐다, 냄새를 맡고 다니다. ③ 깨닫다, 눈치 채다, 알아차리다. —*intr.* ① 냄새가 나다, 향기가 나다: Este plato *huele* bien 이 요리는 냄새가 좋다[좋은 냄새가 난다]. ② [+a+관사 없는 명사] (…의) 냄새가 나다, …인 듯 싶다: ~ *a* mentira 거짓말인 듯 싶다. ③ [+a+관사 없는 명사, 주어 없이 3인칭 단수로] … 냄새가 나다: *Huele a* quemado 무엇이 탄 내가 난다. ~**se** …라고 생각하다, 의심하다. ¶*andar* [*estar*] *oliendo donde guisan* 짭짤한 재미를 볼 수 없을까 하고 냄새를 맡고 다니다[찾아다니다]. *no ~ bien* 수상하다, 의심스럽다, 의심이 가다, 어쩐지 수상쩍다. ~ *mal* =no oler bien. ~ *que apesta* 지독한 악취가 나다.

olfacción *f.* 냄새 맡기; 후각 작용.

olfatear *tr.* ① (열심히 끈질기게) 냄새를 맡다, 냄새를 맡고 다니다, 냄새를 맡아서 찾아내다, 탐색하다. ② 호기심을 가지고 열심히 조사하다.

olfateo *m.* 냄새 맡고 다니기; 탐색.

olfativo, va *adj.* 후각의: nervio ~ 후각 신경.

olfato *m.* ① 후각. ② 직관력(直觀力); (탐지하는) 감각, 코.

olfatorio, ria *adj.* 후각의[에 관한].
olíbano *m.* (향기로운) 향.
oliente *adj.* ① 냄새가 나는. ② 냄새를 풍기는(que exhala olor).
oliera *f.* 성유(聖油) 보관 잔.
olifante *m.* 상아(象牙).
oligarca *m.* 과두 지배자의 한 사람.
oligarquía *f.* ① 과두 정치, 소수 독재 정치. ② 소수의 권력자[독재자] 집단.
oligárquico, ca *adj.* 과두 정치의[에 관한], 소수 독재 정치의[에 관한].
oligisto *m.* [광물] 적철광. ¶ ~ *rojo* =**hematites.**
oligo- *pref.* 「약간·과(寡)(poco)·불충분한(insuficiente)」의 뜻: *oligo*polio 과점. *oligo*frenia 정신 장애[박약].

O

oligoceno, na *adj.* [지질] 점신세(漸新世)[올리고세]의[에 관한]. —*m.* [지질] 점신세, 올리고세(世).
oligoelemento *m.* [생화학] 미량 원소.
oligofrenia *f.* [의학] 정신 장애[박약].
oligofrénico, ca *adj.* ① [의학] 정신 장애의, 정신 장애를 앓는. ② [의학] 정신 장애의[에 관한]. —*mf.* [의학] 정신 장애자.
oligopólico, ca *adj.* 매주 과점(賣主寡占)의, 소수 독점의, 과점의.
oligopolio *m.* [경제] 매주 독점, 소수 독점, 과점(寡占).
oligopolístico, ca *adj.* [경제] 매주 과점의[에 관한], 소수 독점의[에 관한].
oligopsonio *m.* [경제] 매주 과점.
oligotrofia *f.* [생태] (높은 산의 깊은 호숫물의) 빈영양(貧榮養) (상태).
oligotrófico, ca *adj.* [생태] oligotrofia 의[에 관한]: lago ~ 빈영양호.
oliguria *f.* [의학] 오줌 과생산(寡生産).
olimareño, ña *adj., mf.* =**treintaitresino.**
olimpiada *f.* ① [주로 *pl.*; 대문자 O~] (4년마다 개최되는) 국제 올림픽 경기 대회, 올림픽 경기: las *Olimpiadas* de Seúl en 1988 1988년 서울 올림픽 경기 대회. ~ de invierno, ~ blanca 동계 올림픽 (경기 대회). ② 올림피아 경기[축제] ((고대 올림피아 시에서 4 년마다 열렸던 경기·축제)). ③ 올림피아기(紀) ((옛 희랍의 올림피아 경기에서 다음 경기까지의 4년간)).
olimpíada *f.* =**olimpiada.**
olímpicamente *adv.* ① 거만하게, 건방지게. ② 완전히, 아주, 전적으로, 전혀.
olímpico, ca *adj.* ① 올림포스 산(Olimpo)의[에 관한]. ② 고대 희랍의 도시 올림피아의[에 관한]. ③ 올림픽 경기의[에 관한]. ④ (어떤 올림픽이건) 올림픽 경기에 참가한[출장한·참가한 적이 있는·출장한 적이 있는]: atleta ~ 올림픽 참가[출장] 선수. antorcha ~*ca* 올림픽 성화. bandera ~*ca* 올림픽 기(旗). Carta Olímpica 올림픽 헌장. Comité de Organización de los Juegos Deportivos *Olímpicos* 올림픽 경기 조직 위원회. Comité *Olímpico* Internacional 국제 올림픽 위원회[IOC]. Comité Organizador *Olímpico* 올림픽 조직 위원회. emblema ~*ca* 올림픽 엠블럼[심벌 마크]. equipo ~ 올림픽 팀. espíritu ~ 올림픽 정신. estadio ~*co* 올림픽 경기장. himno ~ 올림픽 노래. los juegos ~*s* 올림픽 경기 (대회). mascota ~ 올림픽 마스코트. medalla ~*ca* 올림픽 메달. medallero ~ 올림픽 메달리스트. nuevo récord ~ 올림픽 신기록. villa ~*ca* 올림픽촌. ⑤ 건방진, 거만한, 오만한, 교만한, 방자한, 우쭐거리는, 거들먹거리는. —*m.* *Ur.* 삼겹[삼층] 샌드위치.
olimpismo *m.* [집합] 올림픽 정신.
Olimpo *m.* ① 이교도 신들의 거궁(居宮)[천궁(天宮)]. ② [집합] 올림푸스 산에서 거주하는 신(神)들. ¶*estar* alguien *en el* ~ 자랑하다, 뽐내다, 우쭐거리다, 거만하다; 현실에서 동떨어지다[멀어지다].
olingo *m.* *Hond.* [동물] 올링고 ((코가 납작하고 머리가 큰 원숭이)).
olio *m.* =**óleo.**
olisca *f.* [드묾] 후각(嗅覺)(olfato).
oliscar (7) *tr.* ① 냄새를 맡아 보다, 냄새를 조심스레 계속 맡다. ② 냄새를 맡고 다니다. —*intr.* (물건이) 썩은 냄새가 나기 시작하다, 악취가 나기 시작하다, 악취를 풍기다.
olisco, ca *adj.* ① 냄새가 고약한, 악취가 나는. ② =**husmeador.** —*m.* 악취, 고약한 냄새, 썩은 냄새.
oliscoso, sa *adj.* ① =**husmeador.** ② *Ecuad.* (음식이) 부패한[썩은] 냄새가 나는.
olismear *tr.* 소식을 캐고 다니다, 살살이[꼬치꼬치] 캐다[알아보다].
olisquear *tr.* ① 킁킁 냄새를 맡다, 살짝 냄새를 맡다. ② 냄새를 맡고 다니다(husmear, curiosear).
olisqueo *m.* ① 냄새 맡기. ② 냄새 맡고 다니기, 뒷조사.
oliva *f.* ① [식물] 올리브, 감람나무. ② [열매] 올리브(의 열매), 감람. ③ [새] =**lechuza.** ④ =**paz.** ¶***aceite de*** ~ 올리브유(油), 올리브 기름, 감람유. ***verde*** ~ 올리브색(色), 감람색.
oliváceo, a *adj.* =**aceitunado.**
olivar[1] *m.* 올리브 밭[농원], 감람나무 밭[농원].
olivar[2] *tr.* (윗가지가 잘 자라도록) 아랫가지를 전정하다[치다]. ~**se** (빵을 찔 때) 잘 부풀다.
olivarda[1] *f.* [새] 참매.
olivarda[2] *f.* [식물] 목향(木香).
olivarero, ra *adj.* ① 올리브 재배[생산]의[에 관한]: región ~*ra* 올리브 (재배) 지역. ② 올리브 산업의[에 관한]: industria ~*ra* 올리브 산업. ③ 올리브 재배에 전념하는[열중하는]. —*mf.* ① 올리브 재배자. ② 올리브유 업자.
olivastro ~ *de Rodas* [식물] =**áloe.**
olivera *f.* [식물] =**olivo.**
olivero *m.* (압착기에 가져갈 때까지) 올리브 열매 저장소[보관소].

olivícola *adj.* 올리브 재배[생산]의[에 관한]: producto ~ 올리브 생산물.
olivicultor, ra *mf.* 올리브 재배자.
olivicultura *f.* 올리브 농사, 올리브 재배 (및 개량).
olivífero, ra *adj.* [시어] 올리브가 많은, 감람나무가 무성한.
olivillo *m.* [식물] 쥐똥나무의 일종.
olivino *m.* =**peridoto.**
olivo *m.* ① [식물] 올리브, 감람나무. ② 올리브 목재, 감람나무 목재. ¶~ *manzanillo* 작은 올리브. ~ *silvestre* 개감람, 야생 올리브. *tomar el* ~ ㉮ =**huir, escapar.** ㉯ =**despedirse, marcharse.** ㉰ [투우] (투우사가) 울타리 안으로 몸을 피하다.
olivoso, sa *adj.* [시어] =**olivífero.**
olla *f.* ① 솥, 냄비: cocer en la ~ 솥[냄비]에 끓이다[삶다]. ② 솥[냄비]에 들어 있는 내용물, 솥[냄비]의 용량. ③ 오야 ((고기·절인 돼지고기·야채·이집트콩·감자로 만든 끓인 음식; 스페인에서는 전에는 하루 식사의 주요 요리였음)); 스튜: hacer ~ 스튜를 만들다. ④ (강물 등의) 소용돌이. ¶~ *a presión* 압력솥. ~ *carnicería* 많은 고기를 끓일 수 있는 큰 냄비[솥]. ~ *ciega* 저금통. ~ *de campaña* 야전용 냄비. ~ *de carne CRica.* 고기 넣고 끓인 야채 요리. ~ *de cohetes* 심각한 위험, 큰 위험. ~ *de fuego* (옛날의) 투척탄. ~ *de grillos* 대소동이 벌어진 곳. ~ *de presión Cuba.* = **olla a presión.** ~ *podrida* [요리] 오야 뽀드리다 ((고기·절인 돼지고기·야채 이외에 햄·닭·순대 및 다른 자양분이 풍부한 것을 충분히 넣고 끓인 요리)). *las ~s de Egipto* 옛날의 좋았던 생활. *estar* alguien *a la* ~ *de* otra persona (다른 사람에게) 얹혀 지내다.
ollado *m.* =**ollao.**
ollao *m.* (돛의 노끈 같은 것을 꿰는) 구멍.
ollar[1] *m.* 말의 두 콧구멍의 하나.
ollar[2] *piedra* ~ 사문석의 일종.
ollera *f.* [새] 동고비(herrerillo).
ollería *f.* ① 솥·질그릇 제조 공장. ② 솥 가게·판매 구역. ③ [집합] 솥, 질그릇.
ollero, ra *mf.* 솥 제조자[장수].
olleta *f. Ven.* [요리] 오예따 ((옥수수 물에 닭고기·육류 고기나 돼지 꼬리·포도주·다른 조미료 및 약간의 고형 설탕을 넣고 만든 요리)).
olma *f.* 큰 느릅나무.
olmeca *adj.* ① 올메까족(멕시코 만 주변에 살았던 고대 민족)의. ② 올메까족에 관한. —*mf.* 올메까족 (사람).
olmeda *f.* 느릅나무 숲.
olmedo *m.* 느릅나무 숲.
olmo *m.* [식물] 느릅나무.
ológrafo, fa *adj.* 자필의, 스스로 쓴. ¶*testamento* ~ 자필 유언.
olomina *f. CRica., Hond., Salv.* [어류] 송사리의 일종.
olopopo *m. CRica.* [새] (태평양 연안에 많은) 큰 부엉이의 일종.
olor *m.* ① 냄새. ② 향기: Hay ~ *a* limón 레몬 향이 난다. ③ (…의) 희망, 약속. ④ (숨겨진 …의) 의심. ⑤ [고어] =**olfato.** ¶*de* ~ 향기로운, 그윽한 향내가 나는. *en* ~ *de multitud* 많은 사람들의 환호에 영합하여. *en* ~ *de santidad* 명성으로. *estar* alguien *al* ~ (자신의) 목적을 달성할 기회를 기다리고 있다, (…을) 할 기회를 노리고 있다(estar al husmo).
olorizar (9) *tr.* 냄새[향기]를 풍기다.
olosar *tr. Chile.* [유아어] =**oler.**
oloroso, sa *adj.* (자신의 몸에서) 향기를 내뿜는[발산하는], 향기로운, 향기가 좋은: flor ~*sa* 향기로운 꽃, 향기가 좋은 꽃. —*m.* [술] 올로로소 ((진한 금빛이 나고 향이 많은 18-20도의 스페인 남부 헤레스산 포도주; 오래 묵히면 24-25도까지도 올라감)).
olote *m. AmérC., Méj.* =**zuro** ①.
OLP *f. Organización para la Liberación de Palestina* 팔레스타인해방기구
olvidadizo, za *adj.* ① 쉽게 잊어 버리는, 건망증이 심한. ② 은혜를 저버린, 배은망덕한(desagradecido).
olvidado, da *adj.* ① 잊는, 잊어 버리는. ② 은혜를 저버린, 배은망덕한.
olvidanza *f.* [드묾] =**olvido.**
olvidar *tr.* ① (기억하고 있던 것·기억해야 했던 것을) 잊다, 망각하다, 잊어버리다: ~ la fecha 날짜를 잊다. ~ el dolor 고통을 잊다. ~ el paso del tiempo 시간이 지나간 것을 잊다. ~ a su familia 가정을 잊다, 가정을 돌보지 않다. No puedo ~te 나는 당신을 잊을 수 없다. ② (장소에) 두다: Yo *olvidé* el paraguas en la cafetería 나는 우산을 카페에 두고 왔다. ③ (우정 등을) 저버리다. ④ 등한시하다, 소홀히 하다, 관계하지 않다. ⑤ [드묾] (…의) 기억을 잊게 하다. ~**se** ① ㉮ [+de] (…을) 잊다, 잊어버리다: ~*se de* lo pasado 과거를 잊어버리다. ㉯ [+a+사람] (…가) 깜박[깜빡] 잊다, 잊어버리다: antes de que *se* te *olvide* 네가 잊어버리기 전에. *Se* me *olvidó* tu cumpleaños 나는 당신의 생일을 깜박 잊었다. ㉰ [+de+*inf.*] (…하는 것을) 잊다, 잊어버리다, 깜박 잊다: No *te olvides de* escribirme la tarjeta postal 엽서 보내는 것을 잊어 버리지 마라. ② (…에) 두다, 두고 오다: *Me olvidé* el bolso en la oficina y tuve que volver 가는 핸드백을 사무실에 두고 와서 되돌아가야 했다. ③ 저버리다. ④ 등한시하다, 소홀히 하다, 관계하지 않다. ¶*estar olvidado* algo (…이) 일어난[생긴·행해진] 지 오래 되다[시간이 많이 지나다].
olvido *m.* ① 잊어버림, 망각: ~ de sí mismo 망아. ② 깜박 잊음; 빠뜨리고 못 봄; 실수, 착오; 태만, 부주의. ¶

O

dar [*echar*] *al* [*en*] ~ 잊다, 망각하다. *enterrar en el* ~ 영원히 잊다. *entregar al* ~ 잊다, 망각하다. *no tener en* ~ a alguien o algo (…을) 마음에 지니다[간직하다], 마음속에 품다, 잊지 않고 있다. *poner en* ~ ㉮ 잊다, 망각하다. ㉯ 잊게 하다.
olvidoso, sa *adj.* 배은망덕한, 은혜를 잊어버린(desgradecido).
OM onda media 중파(中波).
Omán *m.* [국명] 오만.
omaní *adj.* ① 오만(Omán) 태생의. ② 오만의[에 관한]. —*mf.* 오만 사람.
omaso *m.* 반추 동물의 세 번째 위(胃).
ombligada *f.* (피부에서) 배꼽에 해당하는 부분.
ombligo *m.* ① [해부] 배꼽. ② 탯줄. ③ 중앙, 중심. ¶ ~ *de Venus* ㉮ [식물] 연꽃의 일종. ㉯ 바닷조개의 일종. ~ *marino* =ombligo de Venus. *encogérsele* a alguien *el* ~ = **amedrentarse, desalentarse.**
ombliguero *m.* (신생아의) 배꼽 보호 붕대.
ombría *f.* (땅의) 응달[그늘진] 부분.
ombú *m.* [식물] 옴부 ((남아메리카산(産) 자리공과 식물; 껍질은 굵고 희며, 재목은 푸석푸석함)).
ombudsman *m.sing.pl.* [스웨덴어「위원」의 뜻] 옴부즈맨 ((스웨덴·뉴질랜드 등에서 국가 기관이나 공무원에 대한 일반 시민의 고충이나 민원을 처리하는 행정 감찰관)).
omega *f.* ① 오메가 ((희랍어 알파벳의 스물네 번째 문자: Ω, ω)). ② 마지막, 끝, 최후.
omental *adj.* [해부] omento의.
omento *m.* [해부] (복강내의) 망(網): ~ gastrocólico 위결장대망.
omero *m.* [식물] 오리나무(aliso).
ómicron *f.* 오미크론 ((희랍어 알파벳의 열다섯 번째 문자: O, o)).
ominar *tr.* =**agorar, predicar.**
ominoso, sa *adj.* 불운한, 불길한, 아주 싫은, 얄미운, 증오스러운.
omisible *adj.* 생략할 수 있는.
omisión *f.* ① 생략; 누락, 탈락: ~ del acento 악센트 부호의 누락. ② 태만, 등한, 실수: Una pequeña ~ conduce a desastre 작은 실수가 큰 재앙을 초래한다. ③ [법률] 부작위(不作爲).
omiso, sa *adj.* ① 생략한: hacer caso ~ 생략해 두다, 불문에 붙이다. ② 탈락한. ③ 태만한, 부주의한.
omitir *tr.* ① 생략하다, 빼다: *Omito* detalles innecesarios 나는 불필요한 세부 사항은 생략한다. ② 누락시키다, 빠뜨리다. ③ …을 잊다, 게을리 하다, 등한히 하다. ④ [+*inf.*] (…하는 것을) 잊다, 등한히 하다, 게을리 하다.
omni- *pref.*「전(全)·총(總)」의 뜻: *omni*potencia 전능(全能).
ómnibus *m.sing.pl.* ① (일반적으로, 도시 안에서 다니는) 승합 자동차, 버스. ② *Arg.* 장거리 버스. ③ *Arg., Perú, Ur.* 시내 버스. ¶ *tren* ~ (각 역에서 정차하는) 보통 열차.
omnidireccional *adj.* [전기] 전(全)방향성의: antena ~ 전방향성 안테나. diplomática ~ 전방위 외교.
omnímodamente *adv.* ① 좌우지간, 하여간. ② 완전히(por completo).
omnímodo, da *adj.* 모든 것을 포함하는, 뒤덮어 버린 (듯한).
omnipotencia *f.* ① (하느님의) 전능: ~ de Dios 하느님의 전능. ② 절대 권력.
omnipotente *adj.* ① 전능하신, 전지전능하신, 무엇이든지 할 수 있는: el *Omnipotente,* Dios ~ 전지전능하신 하느님[신]. ② 절대 권력을 가진, 큰 권력을 가진, 매우 많은 것을 할 수 있는: La ley no es ~ 법률은 만능이 아니다.
omnipotentemente *adv.* 전지전능하게.
omnipresencia *f.* 편재(遍在), 두루 퍼져 있음: ~ divina 신[하느님]의 편재.
omnipresente *adj.* ① 편재하는, 두루 퍼져 있는, 동시에 여러 곳에 있는: Dios es ~ 하느님은 어디에고 계신다. ② 언제나[늘·항상] 있는.
omnisapiente *adj.* =**omniscio.**
omnisciencia *f.* ① 전지(全知). ② 박식, 무한한 지식.
omnisciente *adj.* =**omniscio.**
omniscio, cia *adj.* ① 전지(全知)의. ② 박식(博識)한.
omnívoro, ra *adj.* [동물] 잡식성(雜食性)의. —*m.* 잡식성 동물.
omoplato *m.* =**omóplato.**
omóplato *m.* [해부] 견갑골(肩胛骨).
omoto *m. Ecuad.* [속어] 키가 작은 사람(persona de baja estatura).
OMS *f. O*rganización *M*undial de la *S*alud 세계 보건 기구.
onagra *f.* [식물] 달맞이꽃.
onagro *m.* ① 야생 당나귀. ② (옛 로마의) 석궁(石弓).
onanismo *m.* 자위(自慰), 수음(手淫).
onanista *adj.* ① 자위 행위를 하는. ② 자위의[에 관한]. —*mf.* 자위 행위를 하는 사람.
once *adj.* ① 11의. ② 열한 번째의, 11번째의. —*m.* ① 열하나, 11. ② (달의) 11일: el ~ de noviembre 11월 11일. ③ 축구 팀. —*f.pl.* 11시: las ~ de la mañana 오전 11시. ¶ ***estar*** algo ***a las*** ~ (…이) 약간 기울어져 있다. ***hacer*** [***tomar***] ***las*** ~ (오전 11시와 12사이나 나라에 따라 오후의 다른 시간에) 간식을 들다.
ONCE *f. O*rganización *N*acional de *C*iegos *E*spañoles 국립 스페인 맹인 협회.
oncear *tr.* 온스(onza)로 달다[주다].
onceavo va *adj.* 11분의 1의. —*m.* 11분의 1.
oncejera *f.* oncejo와 다른 작은 새들을 잡는 덫.
oncejo *m.* [새] 제비의 일종.
onceno, na *adj.* =**undécimo.**

O

oncijera *f.* oncejo 잡는 덫.
oncita *f. Méj.* =**comadreja.**
onco- *pref.*「부기(hinchazón)·악성 종양(惡性腫瘍)(tumor maligno)」의 뜻: oncología 종양학.
oncocercosis *f.* [의학] 사상충증.
oncogén *m.* [의학] 종양 유전자.
oncogénesis *f.* [의학] 악성 종양 형성, 발암(發癌).
oncogénico, ca *adj.* [의학] 종양 (형성) 유전자의[에 관한].
oncología *f.* [의학] 종양학, 암연구.
oncológico, ca *adj.* 종양학의[에 관한].
oncólogo, ga *m.f.* 종양학자, 암연구가.
onda *f.* ① (수면의) 파도, 물결(ola). ② 파형(波形); 파동, 기복, 너울거림, 굽이침. ③ [주로 *pl.*] (자연적이건 인위적이건, 천 등의) 물결 무늬, (머리카락 등의) 물결 모양, 웨이브: ~*s* del pelo 머리카락의 물결 모양[웨이브]. formar ~*s* (머리카락을) 물결 모양으로 하다. ④ [복식] 스캘럽 ((옷의 소맷부리나 옷자락 같은 데에 부채꼴이나 물결 모양으로 베푸는 장식)). ⑤ [물리] 파(波); (빛·소리 등의) 파동. ⑥ [컴퓨터] 놀, 파. ⑦ [기상] (기압 등의) 파(波), 변동. ⑧ *Salv.* 강박 관념(idea obsesiva). ¶ ~ ***corta*** 단파(短波). ~ ***de choque*** [전기·물리] 충격파. ~ ***electromagnética*** [전기] 전자파. ~ ***herciana,*** ~ ***hertziana*** ㉮ 헤르츠파. ㉯ 전자파. ~ ***larga*** 장파(長波). ~ ***luminosa*** [물리] 광파. ~ ***media*** ㉮ 중파(中波). ㉯ 주파수 530에서 1600 킬로헤르츠까지 방송되는 라디오방송. ~ ***normal*** =**onda media.** ~ ***portadora*** [전기] 고주파 전자파. ~ ***radioeléctrica*** [라디오 방송·텔레비전] 전자파. ~ ***sinusoidal*** [물리] 사인파(波). ~ ***sonora*** [물리] 음파. ~ ***ultracorta*** 초단파. ~ ***ultrasónica*** 초음파. ***captar*** [***coger***] ***la*** ~ 진의를 파악하다. ***cortar las*** ~***s*** 물살을 가르다. ***estar de*** ~ *Arg.* =**estar de moda.** ***estar en la*** ~ ㉮ 이야기의 취지를 잘 알고 있다. ㉯ (유행에) 뒤떨어지지 않고 있다, 최신 경향에 환하다. ***estar fuera de*** ~ ㉮ 이야기의 취지에서 벗어나다. ㉯ (유행에) 뒤떨어지다, 최신 경향에 어둡다. ***llegar la*** ~ a alguien (…의) 소식이 있다. ***pillar la*** ~ =**captar la onda.**
ondeado, da *adj.* 물결 모양[무늬]의. —*m.* 물결 모양[무늬](으로 된 것).
ondeante *adj.* 물결이 이는; 펄럭이는: bandera ~ 펄럭이는 기(旗).
ondear *tr.* (특히, 기·손수건을 물결 모양으로) 움직이다, 흔들다. —*intr.* ① (물이) 물결치다, 물결이 일다, 파도치다. ② 물결 모양으로 움직이다, 펄럭이다.
ondeo *m.* 물결침, 펄럭임.
ondina *f.* [신화] =**ninfa.**
ondisonante *adj.* 파도치는.
ondoso, sa *adj.* 파도가 이는.
ondulación *f.* ① 파도침. ② 파형, 파동, 기복: ~ permanente 퍼머넌트.
ondulado, da *adj.* 물결[파도] 모양의, 파형(波形)의, 물결치는, 파상의; 기복이 있는: cartón ~ 골판지. hierro ~ 물결[파도] 모양의 철판, 파형 철판.
ondulador, ra *adj.* 파도치는, 물결치는, 펄럭이는.
ondulante *adj.* ① (움직일 때) 물결을 만드는. ② (표면·선이) 물결[파도]을 이루는.
ondular *tr.* (머리카락에) 물결 무늬[웨이브]를 만들다. —*intr.* (바람에 펄럭이는 기와 같은 것이) S자 모양으로 선회하면서 움직이다. ~**se** 파도가 물결치다.
ondulatorio, ria *adj.* ① 파상(波狀)의, 파도 모양으로 펼쳐지는: movimieno ~ 파상 운동. ② 파동의: mecánica ~*ria* 파동 역학. teoría ~*ria* 파동설.
ondulín *m.* ① *Chile.* =**rulo.** ② *Ur.* =**horquilla.**
onecer (31) *intr. Sal.* =**crecer, cundir, aprovechar.**
oneroso, sa *adj.* ① 번거로운, 귀찮은, 성가신. ② 부담이 무거운[많은], 비용이 드는. ③ [법률] 유가(有價)의.
ONG *f.sing.pl* [*pl.* ONG's] *o*rganización *n*o *g*ubernamental 비정부 기구.
ónice *m.(f.)* [광물] 줄무늬 마노(瑪瑙).
onicofagia *f.* 손톱을 깨무는 버릇.
onicomancia *f.* 손톱으로 치는 점.
onicomancía *f.* =**onicomancia.**
-ónimo *suf.*「이름·명(名)(nombre)」의 뜻: top*ónimo* 땅이름, 지명(地名). seud*ónimo* 가명(假名).
ónique *m.* =**ónice, ónix.**
oniquina *piedra* ~ =**ónice.**
onírico, ca *adj.* 꿈(sueño)의[에 관한].
oniromancia *f.* 꿈으로 치는 점.
oniromancía *f.* =**oniromancia.**
ónix *m.sing.pl.* =**ónice, ónique.**
ONO oestenoroeste 서북서(西北西).
onocrótalo *m.* [새] =**pelicano.**
onomancia *f.* 이름으로 치는 점, 성명판단(姓名判斷).
onomancía *f.* =**onomancia.**
onomasiología *f.* [언어] 명의론(名義論), 명칭론(名稱論).
onomasiológico, ca *adj.* 명의론[명칭론]의[에 관한].
onomástico, ca *adj.* 인명(人名)의, 고유 명사의: índice ~ 인명 색인. —*f.* ① 성명학. ② [집합] 지명, 국명, 성명.
onomatopeya *f.* 소리흉내말, 의성어.
onomatopéyico, ca *adj.* 소리흉내말[의성어]의.
óntico, ca *adj.* [철학] (본질적) 존재(存在)의, 실체적(實體的)인
ontogenia *f.* [생물] 개체 발생.
ontogénico, ca *adj.* 개체 발생의.
ontología *f.* [철학] 존재론, 본체론.
ontológico, ca *adj.* [철학] 존재론적인.
ontologismo *m.* 본체론주의.
ontólogo, ga *m.f.* 본체론 학자.

ONU *f.* *O*rganización de las *N*aciones *U*nidas 국제 연합 기구, 유엔 기구.
onz. =oz.
onubense *adj.* ① 고대 오누바(antigua Onuba, 현재의 Huelva) 태생의. ② 우엘바(Huelva) 태생의. ③ 고대 오누바의[에 관한]. ④ 우엘바의[에 관한]. —*mf.* ① 고대 오누바 사람. ② 우엘바 사람.
onza[1] *f.* ① [중량의 단위] 온스. ② (옛날의) 1온스 금화. ③ (초콜릿의) 조각, 부스러기. ④ 로마의 12분의 1파운드. ⑤ (옛날의) 여러 치수의 12분의 1. ¶~ ***de oro*** 1온스 금화. ~ ***troy*** 31.103그램 저울. ***media*** ~ 반 온스 금화. ***por*** ~***s*** 부족하게, 모자라게.
onza[2] *f.* ① [동물] 표범의 일종. ② *Hond., Ven.* =**jaguarundi.**

O

onzavo, va *adj.* =**onceavo.**
oogénesis *f.* [생물] 난자 형성.
oogonia *f.* [생물] 난원(卵原) 세포.
oogonio *m.* [식물] 생난기(生卵器).
oolítico, ca *adj.* [지질] 어란상 석회암을 형성하는.
oolito *m.* [지질] 어란상 석회암.
oosfera *f.* [식물] 난구(卵球), 난세포.
oósfera *f.* =**oosfera.**
OP *o*rdenador *p*ersonal 퍼스널 컴퓨터, 피시(PC), 개인용 컴퓨터.
opa[1] *adj. Arg., Bol., Par., Ur.* 우둔한, 멍청한. —*mf. Arg., Bol., Par., Ur.* 바보, 멍청이, 천치. —*interj. Arg.* [젊은이들이 인사로] 안녕!
opa[2] *interj.* =**aúpa.**
opa[3] *f.* [법률] 공개 매입.
OPA *f.* *O*ferta *P*ública de *A*dquisición 공개 매입.
opacamente *adv.* 불투명하게, 흐릿하게(en estado de opacidad).
opacar (7) *tr.* ① 불투명하게 하다, 어둡게 하다, 흐리게 하다. ② *Cuba, Méj., Ur.* (자질·자격 등에서) (…를) 능가하다. ~**se** 불투명해지다, 어두워지다, 흐려지다.
opacidad *f.* ① 불투명(성). ② 부전도(不傳導). ③ [사진] 불투명도. ④ 불투명체. ⑤ [철학·언어] 불투명성. ⑥ (뜻의) 애매함. ⑦ 우둔, 지둔(遲鈍).
opaco, ca *adj.* ① 불투명한, 빛을 통과시키지 않는. ② (열·전기 등이) 통하지 않는, 불투과성의: cristal ~ 불투명 유리. pantalla ~*ca* a los rayos 엑스선을 통하지 않은 스크린. ③ 어두운, 음침한. ④ 쓸쓸한, 울적한, 마음이 답답하고 쓸쓸한. ⑤ 윤이 안 나는, 광택이 없는, 우중충한. ⑥ 분명하지 않은, 불명료한. ⑦ (머리가) 둔한, 우둔한, 멍청한.
opado[1]**, da** *adj.* =**presumido.**
opado[2]**, da** *adj.* 공개 매입(opa[3])을 통해 회사의 통제를 강화하는.
opalescencia *f.* 젖빛, 유백광(乳白光).
opalescente *adj.* 젖빛[유백색(乳白色)]을 내는, 단백석 같은 광채를 내는.
opalino, na *adj.* ① 오팔[단백석]의[같은]. ② 젖빛의. ③ (유리가) 젖빛[유백색(乳白色)]을 내는. ④ (물건이) 젖빛 유리와 함께 생산되는. —*f.* ① 젖빛 유리, 유백색 유리. ② 젖빛 유리와 함께 생산되는 물건.
opalizar (9) *tr.* (…에) 젖빛을 내다.
ópalo *m.* [광물] 오팔, 단백석. ¶~ ***de fuego*** 파이어 오팔, 화단백석. ~ ***girasol*** 해바라기 단백석, 무지개색 단백석. ~ ***noble*** 노블 오팔, 귀담백석.
opante *mf.* 공개 매입(opa[3]) 작성 법인.
opción *f.* ① 취사 선택, 선택(의 자유), 선택권. ② [+a] (지위·특전 등을 얻을) 권리, 자격. ③ [법률] 선택권, 자유 재량권. ④ [상업] 선택 매매(권), 옵션 ((증권·부동산·상품 등을 계약서의 가격으로 일정 기간 중 언제든지 매매할 수 있는 권리)). ⑤ (자동차·컴퓨터 등의) 옵션, 별도[추가] 선택 ((추가·교환 가능한 부품)). ¶~ ***cero*** [군사] 제로 옵션, 0의 선택.
opcional *adj.* ① 마음대로의, 임의의. ② (과목을) 선택할 수 있는, 선택의, (부속품이) 옵션의: asignatura ~ 선택 과목. viaje [excursión] ~ 옵션 여행, 옵션 투어.
op. cit. *lat.* 앞에 인용한[실은] 책 속에.
open *m. ing.* [운동] 개막전, 연습 경기, 비공식 경기, 오픈 게임.
OPEP *f.* *O*rganización de *P*aíses *E*xportadores de *P*etróleo 석유 수출국 기구, 오펙(OPEC).
ópera *f.* ① 오페라, 가극:~ cómica 희가극. gran ~ 그랜드 오페라. ② 오페라용 극시. ③ (장르로서) 극시. ④ 오페라 음악. ⑤ 오페라 극장. ¶~ ***prima*** (작가의) 처녀작, 첫 작품.
operable *adj.* ① 할 수 있는, 가능한. ② 실현 가능한, 실행할 수 있는. ③ [의학] 수술 가능한, 수술할 수 있는.
operación *f.* ① 수술: ~ quirúrica 외과 수술. hacer una ~ 수술을 하다. ② (기계 등의) 운전, 작동, 조작. ③ (열차 등의) 운행, 운항. ④ 수송. ⑤ (법령·제도 등의) 실시, 시행. ⑥ (약 등의) 효력, 효능. ⑦ (생산적·공업적) 사업; 공사; 영업; 조업; 경영, 운용. ⑧ [군사] [주로 *pl.*] 작전, 군사 행동, 작전 행동: ~ conjunta 공동 작전. ~ de asedio y ataque 포위 공격 작전. ~ de cruce del río 도하(渡河) 작전. ~ (de) limpieza 소탕 작전; 대청소. ~ de tierra arrasada 초토화 작전. ⑨ [상업] 거래, 매매; (시장의) 조작. ⑩ [수학] 연산. ⑪ [컴퓨터] 연산, 오퍼레이션. ¶~ ***automática*** 자동 조작 장치, 오토메이션. ~ ***cesárea*** [의학] 제왕 절개 수술, 제왕 절개술.
operacional *adj.* ① 조작상의, 운영상의. ② 사용할 수 있는, 사용 중인. ③ 작전상의, 작전 (행동)의. ④ [수학] 연산의.
operador, ra *adj.* ① 수술하는. ② 행동하는. ③ 작업하는. ④ 군사 행동을 하는. ⑤ [상업] 거래하는. —*mf.* ①

(수술의) 집도자(執刀者). ② [영화·텔레비전] 촬영 기사, 카메라맨; 영사 기사. ③ (기계의) 조작자, 기사, 기수: ~ de ordenador 컴퓨터 조작자[기사]. ④ 무선 통신사. ⑤ 전화 교환수. ⑥ [상업] 경영자, 운영자. ⑦ [증권] 투기자. —*m.* ① [수학] 연산 기호, 연산자. ② [컴퓨터] 연산자, 작용소(作用素). ③ [유전] 오퍼레이터, 작동 유전자. ④ [언어] 작용어, 기능어.

operando *m.* [수학] 연산수(演算數).

operar *tr.* ① =**realizar:** ~ un milagro 기적을 행하다[가져오다]. ~ una curación 치료를 하다. ② ㉮ [+a] (…를) 수술하다. ㉯ [+de] (…의 부위(部位)를) 수술하다. —*intr.* ① (기계·기관 등이) 움직이다, 일하다; (회사·공장이) 조업하다. ② 작용하다, 영향을 끼치다; 행동하다; 작업하다, 일하다. ③ (약이) 효과를 나타내다, 듣다. ④ 수술을 하다. ⑤ 군사 행동을 취하다. ⑥ [상업] 상거래를 하다. ⑦ [수학] 연산(演算)을 하다. ⑧ 훔치다, 도둑질을 하다(robar), 사취를 하다, 사기를 치다(estafar). ~**se** ① 행해지다, 일어나다, 나타나다, 발생하다, 실현되다. ② [의학] 수술을 받다.

operario, ria *mf.* 공원, 작업원(obrero).

operático, ca *adj. Chile, Cuba, Ven.* 오페라의[에 관한]. —*mf. Ven., Chile.* 오페라 애호가.

operatividad *f.* ① 유효성. ② 작업 능력, 조작성(操作性).

operativo, va *adj.* ① 효과가 있는, 효과적인: medida ~*va* 효과적인 조치, 유효한 수단. ② 작업의, 조업(操業)의. ③ 활동 중의, 작동 중의. —*m.* = **dispositivo.**

operatorio, ria *adj.* ① 수술할 수 있는. ② 외과 수술(外科手術)의[에 관한]. —*mf. Amér.* 작업원.

opercular *adj.* opérculo로 사용되는; opérculo의[에 관한].

opérculo *m.* ① [식물] 선개(蘚蓋). ② (조가비의) 뚜껑. ③ (물고기의) 아감딱지.

opereta *f.* 경가극, 오페레타. ¶*de* ~ 허위의, 거짓의.

opería *f. Bol.* =**tontería.**

operista *mf.* ① 오페라 가수, 가극 가수. ② 오페라 작곡가.

operístico, ca *adj.* 오페라의[에 관한].

operoso, sa *adj.* ① 열심히 일하는, 꾸준히 일하는, 일을 많이 열심히 하는 (사람). ② (일이) 힘드는.

opiáceo, a *adj.* ① 아편의[에 관한]. ② 아편에서 얻어진, 아편으로 조제된. ③ 아편으로 통증을 가라앉히는. —*m.* (아편에서 얻어진) 진통제, 최면제.

opiado, da *adj.* 아편으로 조제된.

opiato, ta *adj.* 아편으로 조제된. —*m.* =**opiata.** —*f.* ① 아편 연약(煉藥), 아편제. ② 아편 없이 가루에 꿀[시럽]을 넣고 만든 연약(煉藥).

opilación *f.* ① [의학] 폐색. ② [의학] 월경 폐지. ③ [의학] 수종(水腫).

opilar *tr.* [고어] =**obstruir, cerrar el paso.** ~**se** ① (여자가) 월경이 끝나다. ② *Bol.* (위가) 물로 채워지다.

opilativo, va *adj.* 폐색의; 월경 폐지의: medicina ~*va* 월경 폐지약.

opimo, ma *adj.* =**rico, fértil, abundante.**

opinable *adj.* 의론(議論)의 여지가 있는, 문제가 되는; 변호할 수 있는.

opinante *adj.* 생각하는, 의견을 가진[말하는·발표하는].

opinar *intr.* ① [+sobre·de] (…에 대해) 의견을 가지다. ② 말로[서면으로] 의견을 표하다[나타내다]. ③ 깊이 생각하다. —*tr.* (…라는) 의견이다, 생각하다: *Opinamos que* se debe promover el plan 우리는 그 계획이 추진되어야 한다는 의견이다.

opinión *f.* ① 의견, 견해, 생각: ~ ajena 다른 사람의 의견[견해]. ~ general 일반 의견[견해]. en mi ~ 내 생각에는. cambiar de ~ 의견[생각]을 바꾸다. dar [decir·emitir] *su* ~ 의견을 말하다[술회하다]. ② (…에 대한) 판단, 평가, 평판: gozar [disfrutar] de buena [mala] ~ 평판이 좋다[나쁘다]. ¶ ~ ***pública*** 여론. ***andar*** alguien ***en opiniones*** 신용을 의심받고 있다; 문제가 되고 있다. ***casarse*** alguien ***con su*** ~ 자신의 주장을 고집하다.

opio *m.* ① 아편: Los chinos fuman mucho ~ 중국 사람들은 아편을 많이 피운다. ② *Arg., Ur.* 따분한 사람[것]. ¶***dar el*** ~ =**embelesar.**

opioide *adj.* =**opiáceo.**

opiómano, na *adj.* 아편을 상용(常用)하는. —*mf.* 아편 상용자.

opíparamente *adv.* (연회·음식이) 훌륭하게, 푸짐하게.

opíparo, ra *adj.* (연회·음식이) 훌륭한, 푸짐한: banquete ~ 훌륭한 연회[잔치]. comida ~*ra* 푸짐한 음식.

opitulación *f.* [드묾] =**auxilio, ayuda, socorro.**

oploteca *f.* 오래된[값진·진귀한] 무기 박물관[진열실].

opobálsamo *m.* 방향성 수지.

oponente *adj.* 적대하는, 반대하는, 대립하는, 대항하는, 반론하는. —*mf.* 반대자, 대항자, 반론자, 적수, 상대.

oponer (61) *tr.* ① (…에 대항해서) 놓다, 대치하다: ~ obstáculos 방해하다. ~ resistencia 저항하다. ② 대립시키다, 반대로 향하게 하다. ③ [고어] = **imputar, achacar, atribuir.** ~**se** ① [+a] (…와) 반대다: Mi opinión *se opone a* la tuya 내 의견은 네 의견과 정반대다. Ellos *se oponen* sus caracteres 그들의 성격은 전혀 다르다. ② (물건이) 다른 것의 앞에 놓여 있다, 서로 마주 대하고 있다, 마주 보고 있다. ③ [+a] (…에) 반대하다. ④ [+a+*inf.*] (…하는 것에) 반대하다. ⑤ (서로) 대립하다. ⑥ 경쟁[채용] 시험을

보다: ~*se a* la cátedra de español 스페인어 교사 채용 시험을 보다.

oponible *adj.* 반대[대항·대적]할 수 있는.

opopánax *m.* =opopónaco.

opopónace *f.* =pánace.

opopánaco *m.* 향료용 고무 수지.

oporto *m.* 오뽀르또 ((주로 포르투갈의 도시 Oporto에서 제조된 적포도주)).

oportunamente *adv.* 안성맞춤으로, 때맞추어.

oportunidad *f.* ① 기회, 호기; 안성맞춤: aprovechar la ~ 기회를 이용하다. ② 싸게 팖, 할인 판매, 바겐세일. precio de ~ 할인 판매 가격. sección de ~*es* 할인 판매 매장.

oportunismo *m.* ① 편의주의, 기회주의. ② 편의주의적 행동[판단].

oportunista *adj.* ① 편의주의[기회주의]의[에 관한], 기회주의적인, 편의주의적인. ② 편의주의자의, 기회주의자의. —*mf.* 편의주의자, 기회주의자.

oportuno, na *adj.* ① 시기 적절한, 시기가 좋은, (때가) 알맞은; 형편에 맞는, 적절한: advertencias ~*nas* 시기 적절한 주의[경고]. respuesta ~*na* 적절한 대답. ② (사람이 응답에) 기지[위트]가 넘치는, 임기응변에 능한.

oposición *f.* ① 반대, 저항; 방해. ② 적대, 대항, 대립, 반목. ③ [집합] 야당(사람), 반대파, 반대당. ④ [주로 *pl.*] 경쟁 시험; [+a] (공무원 채용 등의) 취직 시험. ⑤ [천문] 충(衝).

oposicionista *adj.* 반대[저항]의[에 관한]. —*mf.* 야당원, 반대당 당원.

opositar *intr.* [+a·para] (…직에) 경쟁 시험을 보다.

opositor, ra *mf.* ① 반대자, 대립자. ② [+a] (경쟁 시험의) 지원자, 수험자.

opoterapia *f.* 장기 요법(臟器療法).

opoterápico, ca *adj.* 장기 요법의.

opresión *f.* ① 압박, 압제, 억압, 탄압, 학대, 심한 차별: sufrir bajo la ~ 압제에 고생하다. ② 압박감, 우울, 의기소침; (열병 초기 등의) 나른한 느낌: Siento ~ en el pecho 나는 가슴이 답답하다. ¶ ~ *de pecho* 호흡 장애.

opresivamente *adv.* ① 억압적으로, 압제적으로, 가혹하게. ② 답답하게, 괴롭게, 압박적으로, 견디기 힘들게.

opresivo, va *adj.* ① 억압적인, 압제적인, 가혹한: gobierno ~ 억압적인 정부. ② 압박적인, 중압감을 주는, 답답한, 괴로운. ③ (날씨가) 답답한, 불쾌한, 견디기 힘든: clima ~ 찌무룩한 날씨. calor ~ 숨 막힐 듯한 더위.

opresor, ra *adj.* 억압하는. —*mf.* 압제자, 박해자.

oprimido, da *adj.* 억압받은, 억압된: pueblo ~ 피압박 민족. —*mf.* 억압 받는 자, 피압박자.

oprimir *tr.* ① 단단히 죄다[조이다](apretar); (단추를) 누르다. ② (사람·나라·국민 등을) 억압하다, 압박하다, 억누르다, 학대하다, 박해하다, 탄압하다; 심하게 차별하다: ~ la libertad 자유를 억압하다. ~ a los débiles 약자를 학대하다. ~ al pueblo 국민을 억압하다. ③ 압박감[중압감]을 주다, 우울하게 만들다, 풀이 죽게 만들다, 불안하게 하다, 견디기 힘들게 하다.

oprobiar *tr* (명예 등을) 손상시키다, 더럽히다, 모욕하다, 깔보다.

oprobio *m.* 수치, 치욕, 오명, 불명예.

oprobiosamente *adv.* 수치스럽게, 불명예스레(con oprobio).

oprobioso, sa *adj.* 수치스러운, 불명예스러운, 명예롭지 못한.

OPS *f.* *O*rganización *P*anamericana de *S*alud 범미(汎美) 위생 기구.

optación *f.* ① 채택. ② 취임. ③ [수사학] 원망법(願望法).

optar *tr.* (여럿 중에서 …을) 고르다, 뽑다, 선택하다(escoger). —*intr.* ① [+entre] (… 중에서) 고르다, 선택하다. ② [+por] (…을) 고르다, 뽑다, 선택하다: ~ *por* callar 침묵하기로 하다. ③ [+a·por] (지위 등을) 지망하다.

optativo, va *adj.* ① 선택할 수 있는: asignatura ~*va* 선택 과목. ② 기원[소망]을 나타내는, 희구(希求)의. —*m.* [문법] 기원법(祈願法). —*f.* 선택 과목.

óptica *f.* ☞**óptico.**

óptico, ca *adj.* ① 광학(óptica)의[에 관한]: instrumento ~ 광학 기계. vidrio [cristal] ~ 광학 유리. ② 눈의[에 관한], 시각의[에 관한], 시력의[에 관한]: efecto ~ 시력 효과. ilusión ~*ca* [심리] 착시, 착각. —*mf.* ① 광학 기계 상인[업자]. ② 안경 상인. ③ 광학 기계 기술자. —*m.* ① 광학 기계. ② 확대경. ③ (광학 기계의) 렌즈. —*f.* ① 광학: ~ electrónica 전자 광학. ② 안경[렌즈] 제조 기술, 시력 관계 기계 제작술. ③ [집합] 광학 기계. ④ 관점, 시점. ⑤ 안경점, 광학 기계 판매소. ¶ ***ángulo*** ~ 시각(視角). ***comunicación*** ~***ca*** =**telecomunicación óptica.** ***disco*** ~ 광 (저장) 디스크. ***fibra*** ~***ca*** 광섬유. ***lector*** ~ [전자] 광학식 판독 장치. ***nervio*** ~ [해부] 시신경. ***telecomunicación*** ~***ca*** 광통신.

optimación *f.* 효율화, 최대한 활용, 최적화(最適化).

óptimamente *adv.* 더없이, 훌륭하게, 희한하게.

optimar *tr.* =optimizar.

optimate *m.* [주로 *pl.*] =**prócer.**

optimismo *m.* ① 낙관: ver *algo* con ~ (…을) 낙관하다, (…을) 낙관적으로 보다. ② 낙천주의, 낙관설.

optimista *adj.* ① 낙관적인, 낙천적인: con acento ~ 낙관적인 어조로. ② 낙관주의의. —*mf.* ① 낙관론자. ② 낙천주의자, 낙천가.

optimización *f.* =optimación.

optimizar (9) *tr.* ① 최고로 활용하다, 가장 능률적으로 이용하다. ② [컴퓨터] (프로그램을) 최대한 활용하다.

óptimo, ma *adj.* 극히 좋은, 더없이 좋

은, 최고로 좋은, 더 좋을 수 없는.

optoelectrónica *f.* 전자 광학, 광전자 공학.

optometría *f.* 검안, 시력 검사[측정·검정]; 검안법, 시력 검사법[측정법].

optometrista *m.f.* 검안 의사.

optometro *m.* 시력 측정계; 눈 굴절계.

opuestamente *adv.* 반대로; 서로 마주 보아, 상대하여.

opuesto, ta *adj.* ① [+a] (…에) 반대하는, 적대하는: bando ~ 반대파, 대립파(對立派). ② 대조적인, 정반대의, 상반하는, 대립의. ③ 마주 보는, 마주 대하는, 반대편의, 맞은편의. ④ [식물] 대생(對生)의, 마주나기의: hojas *~tas* 대생엽, 마주나기 잎.

opugnación *f.* ① 강한 반대. ② 반론(反論), 항변.

opugnador *m.* 강한 반대자, 강하게 반대하는 남자.

opugnar *tr.* ① 강하게 반대하다. ② (요새·군을) 습격하다, 강습하다, 공격하다. ③ 반론하다, 반대하다.

opulencia *f.* ① 부유함, 풍부함, 충분함: vivir en la ~ 부유한[호화로운] 생활을 하다, 부유하게[호화롭게] 살다. ② 넘침, 과다, 과잉. ③ (육체의) 풍만함.

opulentamente *adv.* 부유하게, 풍부하게, 충분하게, 넉넉하게; 호화스레, 사치스레(con opulencia).

opulento, ta *adj.* ① 부유한, 풍부한, 충분한, 넉넉한: vida *~ta* 부유한 생활, 호사스러운 생활. ② 넘치는, 과다한, 과잉의. ③ 풍만한: pecho ~ 풍만한 가슴.

opuncia *f.* =**nopal.**

opus *m.sing.pl. lat.* [음악] 작품 (번호): Opus 68 Sinfonía pastoral 작품 68 전원(田園).

opúsculo *m.* (과학·문학의) 작은 작품, 소논문, 소품, 팸플릿(folleto).

oque *de* ~ =**de balde.**

oquedad *f.* ① 공동(空洞), 텅 빈 굴. ② (말한 것·쓴 것이) 내용이 없음, 공허함(insustancialidad).

oquedal *m.* (풀·관목 없이) 나무만 있는 산(monte solo de árboles).

oqueruela *f.* 실이 얽힌 매듭.

ora *conj.* [ahora에서 말의 첫머리 탈락형; 반복하여 배분 접속사] 혹은 … 또 혹은, 때로는 … 또 때로는: tomando ~ la espada, ~ la pluma 칼을 들기도 하고, 펜을 들기도 하고.

oración *f.* ① 기원(의 문구), 기도: rezar *sus* oraciones 기도를 드리다. ② [문법] 문(文), 글, 문장(文章), 절(節). ③ 연설, 식사(式辭). ④ *pl.* 기도의 종, 저녁 예배의 종; 저녁 예배 시간; 새벽: toque de *oraciones* 만종(晩鐘). ¶ ~ ***adjetiva*** [문법] 형용사절. ~ ***adverbial*** [문법] 부사절(副詞節). ~ ***compuesta*** [문법] 복문(複文). ~ ***coordinada*** [문법] 대등절(對等節). ~ ***de relativo*** [문법] =**oración adjetiva.** ~ ***dominical*** 주기도문의 기도. ~ ***jaculatoria*** 절규하는 기도. ~ ***interrogativa*** [문법] 의문문. ~ ***mental*** 묵념. ~ ***nominal*** [문법] 명사구. ~ ***pasiva*** [문법] 수동문. ~ ***principal*** [문법] 주절. ~ ***simple*** [문법] 단문. ~ ***subordinada*** [문법] 종속절. ~ ***sustantiva*** [문법] 명사절. ~ ***vocal*** 말로 하느님께 드리는 간절한 기도. ***parte de la*** ~ [문법] 품사. ***corromper las oraciones*** 일에 끼어들어 실패(失敗)하다. ***romper las oraciones*** (남의) 말허리를 꺾다[끊다], 곁에서 말참견하여 말할 기분을 잡치다.

oracional *adj.* 문(文)의[에 관한]; 절(節)의[에 관한]. —*m.* 기도서.

oracionero, ra *adj., m.f.* =**rezador.**

oráculo *m.* ① 신탁(神託), 탁선(託宣). ② (옛 희랍의) 신탁소, 탁선소. ③ 신의 사도, 신탁을 전하는 사람, 신관, 예언자. ④ [때때로 비꼼] 권위자, 철인, 현인. ¶ ~ ***del campo*** ㉮ [식물] =**manzanilla.** ㉯ manzanilla의 꽃.

orador, ra *m.f.* ① 연사, 연설자. ② 웅변가: ~ sagrado 설교가. ③ 소원하는 사람. ④ 설교사, 포교사.

oraje *m.* 날씨[기온]의 상태.

oral *adj.* ① 구두의, 구술의, 구전의: examen ~ 구두 시험, 구술 시험. lección ~ (실기에 대한) 강의(講義). literatura ~ 구비 문학, 구승 문학(口承文學). promesa ~ 구두 약속. ② [해부] 입의[에 관한]. ③ (약이) 경구의: anticonceptivo ~ 경구 피임약. ④ [언어] (콧소리에 대해) 입소리의, 구음(口音)의.

oralmente *adv.* 구두로, 입을 통해서.

orangután *m.* [동물] 오랑우탄.

orante *adj.* ① 기도하는. ② 기도하는 모습의. —*m.* [미술] (입상의) 기도서.

orar *intr.* ① [por·en favor de] (…를 위하여 하느님께 구두나 마음속으로) 기도를 하다. ② 연설하다, 말하다. —*tr.* =**rogar, pedir, suplicar.**

orario *m.* ① (로마 제국에서) 이마의 땀을 닦는 손수건. ② 예배 복장. ③ 교황이 쓰는 크고 귀중한 영대(領帶).

orate *m.f.* ① 미친 사람, 광인(狂人). ② 판단력[이성]이 거의 없는 사람. ¶ ***casa de ~s*** 정신 병원.

orático, ca *adj. Hond.* [시어] 미친, 정신이 나간, 미친 듯이 날뛰는.

oratoria *f.* ① 웅변술: concurso de ~ 웅변 대회. ② 과장적 문체, 수사(修辭)

oratoriamente *adv.* 연설조[웅변조]로.

oratoriano *adj.* 오라토리오회(會)의[에 관한]. —*m.* 오라토리오회의 수도사.

oratorio[1], **ria** *m.* ① 기도소, 작은 예배당, 신단(神壇), 불단(佛壇). ② 기도실. ③ [종교] [O~] 오라토리오회(會). ④ [음악] 오라토리오, 성담곡(聖譚曲).

oratorio[2], **ria** *adj.* ① 웅변술의[에 관한]. ② 웅변의[에 관한]: tono ~ 웅변조, 연설조. ③ 웅변가의[에 관한].

orbe *m.* ① 구(球), 구체. ② 원(圓). ③

천체. ④ 지구. ⑤ 세계. ⑥ [어류] 북어의 일종.

orbedad *f.* [고어] =**orfandad.**

orbicular *adj.* 둥근, 원형의, 공 모양의. ¶*músculo* ~ [해부] 괄약근(括約筋).

orbicularmente *adv.* 둥글게, 둥그렇게, 원형으로, 공 모양으로, 원을 그리며.

órbita *f.* ① [천문] 궤도. ② (활동·영향 등의) 범위, (인생) 행로, 생활 과정, 세력권, 세력 범위. ③ [해부] 눈구멍. ④ [물리] (원자핵 주위를 도는) 전자 궤도. ¶*estar en* ~ ㉮ 추세에 따라 행동하다, 시류를 따르다. ㉯ 사건에 정통하다. *poner en* ~ ㉮ (미리 정해진 궤도를 돌도록) 인공 위성을 우주에 쏘아 올리다, 궤도에 진입시키다[쏘아 올리다]. ㉯ (…을) 인기에 올리다.

orbitador *m.* 우주 왕복선의 본체(本體), (특히) 인공 위성, 우주선.

orbital *adj.* ① 궤도의[에 관한]: vuelo ~ 궤도 비행. ② 눈구멍의[에 관한].

orbitar *intr.* 궤도에 오르다, 궤도를 그리다, 궤도에서 움직이다.

orbitario, ria *adj.* órbita의[에 관한].

orca *f.* [동물] 범고래.

orchilla *f.* *Ecuad.* =**urchilla** ①.

orco[1] *m.* =**orca.**

orco[2] *m.* ① (고대 로마의) 명계(冥界), 명도(冥途), 명경(冥鏡). ② [시어] 지옥(地獄)(infierno). ③ =**huerco.**

ord. orden 주문, 지시, 지시서(指示書).

órdago *m.* [mus 게임에서] 추가로 건 돈. ¶*de* ~ 예상 외의, 생각 밖의, 뜻밖의, 드문, 놀랄 만한, 현저한, 훌륭한, 멋진.

ordalía *f.* (중세에) 정사(正邪)를 가리기 위해 신에게 맹세시킨 다음 끓는 물에 손을 담그게 한 일 ((옳은 사람은 데지 않는 것으로 여겼음)), 신맹 재판.

orden *m.* [*pl.* *ó*rdenes] ① 순서, 차례, 순번: ~ de palabrs 어순. fijar el ~ 순번을 정하다. ② 질서, 정상 상태; 정돈: ~ social 사회 질서. mantener el ~ 질서를 유지하다. perturbar el ~ 질서를 어지럽히다. ③ (사물의) 성질. ④ 분야, 영역. ⑤ 서열(序列), 석차, 순위: de primer ~ 일류의. ⑥ [군사] 대형(隊形): estar en ~ de batalla 전투 대형으로 있다. ⑦ [생물] (분류상의) 목(目). ⑧ [건축] (희랍·로마의) 기둥 구성 양식, 주식(柱式) 양식. ⑨ [천주교] 품급의 비적(秘跡). ⑩ [수학] 차수(次數). ⑪ (옛날의) 계급, 신분. —*f.* ① 명령, 지령, 훈령: ~ permanente de pago 자동 이체(自動移替). dar *órdenes* 명령을 내리다. seguir la ~ 명령에 따르다. ② 지시, 지시문: ~ de entrega 인도 지시. ~ de pago 지불 명령서[지시서]. ③ [상업] 주문: ~ bancaria confirmada 은행 보증부 주문. ~ de compra 매입 주문(서), 주문서. ④ [천주교] 수도회: la *Orden* Benedictina 베네딕트 수도회. la *Orden* de Santiago 산띠아고 수도회. la *Orden* del Carmelo 까르멜로 수도회. ⑤ 훈위, 훈등; 훈장: la *Orden* de Carlos III 까를로스 3세 훈장. Gran Cruz de la *Orden* de Isabel la Católica 가톨릭 여왕 이사벨 대십자 훈장. ⑥ [역사] 기사단. ⑦ [때때로 *m.*] [주로 *pl.*] (성직자의) 품급, 성품. ⑧ [컴퓨터] 지령. ¶~ ***compuesto*** *m.* [건축] 이오니아식과 코린트식의 복합 기둥 양식. ~ ***corinto*** *m.* [건축] 코린트식 기둥 양식. ~ ***de caballería*** *f.* 기사단. ~ ***del día*** *m.* ㉮ [집합] 의사 일정, 심의 사항. ㉯ *f.* [군사] 일일 명령. ~ ***dórico*** *m.* [건축] 도리아식 기둥 양식. ~ *establecido* *m.* 기성 질서. ~ ***jónico*** *m* [건축] 이오니아식 기둥 양식. ~ ***mayor*** *f.* [주로 *pl.*] [천주교] 상급 성품 ((아래로부터 subdiácono, diácono, presbítero의 세 개)). ~ ***menor*** *f.* [주로 *pl.*] [천주교] 하급 성품 ((아래에서부터 portero, lector, exorcista, acólito의 네 개)). ~ ***militar*** *f.* ㉮ 기사단. ㉯ 군인의 훈위. ~ ***natural*** *m.* 자연의 이법. ~ ***público*** *m.* 치안. ~ *sacerdotal* *m.* [천주교] 품급의 비적. ***real*** ~ *f.* (군주제에서) 왕령(王令). ***a la*** ~ ㉮ *adj.* [상업] 배서에 의해 양도 가능한, 기명식의. ㉯ *interj.* [군사] [상관 앞에서 군대식 인사로] 예, 알았습니다!, 예, 그렇게 하겠습니다! ㉰ *interj.* [다른 사람의 처분에 맡기면서 예의의 표현으로] 잘 부탁드립니다. ㉱ *interj.* *Col.* 천만에요; 어서 오십시오. ***a las órdenes*** *interj.* =a la orden ㉰. ***a sus órdenes*** *interj.* =a la orden ㉯. ***consignar las órdenes*** [군사] 보초에게 할 일을 명령하다. ***dar órdenes*** ㉮ (상관이 부하에게) 명령하다. ㉯ [천주교] (주교가 성직자에게) 품급[성품]을 주다. ***del*** ~ ***de*** 대충[대강·대략] …의. de ~ 보수적인, 체제적인. ***de*** ~ ***de*** …의 명령[지시]에 따라[의해]. ***en*** ~ 규칙 바르게, 정연히, 잘 정리되어, 깔끔히, 말쑥이; 필요한 것이 갖추어져 있는. ***en*** ~ ***a*** …을 위해; …에 관해. **estar a la ~ del día** 유행 중이다. ***hacer órdenes*** =**dar órdenes.** ***llamar*** a alguien ***al*** ~ (규칙을 준수하라고) (…를) 나무라다, (의장이) 발언자에게 주의시키다. ***poner*** algo ***en*** ~ (…을) 정리하다, 정돈하다. ***por su*** ~ 순서에 따라, 차례차례로, 순차적으로. ***sin*** ~ ***ni concierto*** 무질서하게, 혼란하게, 분별없이, (아무) 계획 없이.

ordenación *f.* ① 배치, 배열: ~ de los libros 책의 배치[배열]. plan de ~ del territorio 국토 계획. ② [천주교] (사제의) 서품, 서품식. ③ (그림 등의) 구성. ④ [컴퓨터] 소트, 차례짓기, 정렬(整列). ¶~ ***de montes***, ~ ***forestal*** =**dasocracia.** ~ ***de pagos*** (관청의) 지불 명령을 내리는 부처.

ordenada *adj.* [기하] 와이(y) 좌표의. —*f.* 와이(y) 좌표. ¶***eje de*** ~***s*** y 좌

표축. *línea* ~ 세로줄, 세로금, 종선.
ordenadamente *adv.* 가지런히, 정연히, 질서정연하게.
ordenado, da *adj.* ① 정리된, 질서 있는, 질서정연한: habitación ~*da* 정리가 잘 된 방. ② 착실한, 꼼꼼한, 차근차근한: muchacho poco ~ 별로 꼼꼼하지 못한 소년. —*m.f.* (서품을 받은) 성직자.
ordenador, ra *adj.* ① 정리하는, 정돈하는, 정리[정돈]를 좋아하는. ② 명령하는. —*m.f.* ① 정리를 좋아하는 사람. ② 명령자. —*m.* ① 회계 국장[과장]. ② *Esp.* 컴퓨터: ~ de (sobre)mesa 탁상용 컴퓨터. ¶ ~ ***personal*** [컴퓨터] 퍼스널 컴퓨터, 피시(PC).
ordenamiento *m.* ① 정리, 정돈. ② 배치, 배열. ③ 명령. ④ 주문, 의뢰. ⑤ (성직의) 서품. ⑥ [집합] 법령, 규정, 준칙: ~ administrativo 행정 법령. ~ civil 민법령. ~ penal 형법령.
ordenancismo *m.* 규칙 엄수주의.
ordenancista *adj.* (명령・규칙에 대해) 엄한, 엄수하는. —*m.f.* 규칙 엄수자, 규칙 엄수주의자.
ordenando *m.* [천주교] 수계자.
ordenante *adj.* ① 정리하는, 정돈하는. ② 배치하는, 배열하는. ③ 명령하는. ④ 주문하는. ⑤ [천주교] 서품하는.
ordenanza *f.* ① [집합] [주로 *pl.*] 법령, 법규. ② =**mandato, disposición, arbitrio, voluntad.** —*m.* [군사] 당번병. —*m.f.* (회사의) 사환, 심부름꾼.
ordenar *tr.* ① 정리하다, 정돈하다, 가지런히 하다: ~ un armario 옷장을 정리하다. ② 질서를 세우다, 순서를 세우다, 차례로 늘어놓다: ~ en filas 줄로 세우다. ③ 명하다, 명령하다. ④ [+a・hacia・para] (목적을 향해) 방향을 잡다, 집중시키다, 경주(傾注)하다. ⑤ [천주교] 서품하다, 품급을 수여하다[주다]. ~**se** ① 질서 정연히 늘어서다, 배치되다. ② [천주교] 서품되다, 성품[서품]을 받다.
ordeña *f. Nic.* =**ordeño.**
ordeñadero *m.* ① (소・염소・양의) 젖 짜는 곳, 착유소. ② (젖을 짤 때) 젖이 떨어지는 그릇, 젖 받는 그릇.
ordeñador, ra *adj.* 젖을 짜는, 착유하는: máquina ~*ra* 착유기. —*m.f.* ① 젖 짜는 사람, 착유공. ② 올리브 열매를 손으로 훑어 따는 일꾼. —*f.* 착유기(搾乳器), 젖 짜는 기계.
ordeñar *tr.* ① (…의) 젖을 짜다. ② 올리브 열매를 훑어 따다.
ordeño *m.* 착유, 젖짜기. ¶***a*** ~ 올리브 열매를 훑어서.
órdiga *anda la* ~, *la* ~ [경탄・놀람] 야, 굉장하다!; 야, 어마어마하군!; 야, 지독하다!; 아이, 깜짝이야!
ordinal *adj.* 순서의[에 관한], 순서를 나타내는[표시하는]: número ~ 서수. adjetivo ~ 서수 형용사. —*m.* ① [문법] 서수 형용사. ② [수학] 서수.
ordinariamente *adv.* ① 보통으로, 흔히, 일반적으로, 통상, 보통의 경우는. ② 무례하게, 버릇없이, 통명스럽게, 무뚝뚝하게.
ordinariez *f.* ① 평범함. ② 버릇없음, 교양이 없음, 퉁명스러움, 무뚝뚝함, 거침, 거칠고 촌스러움; 퉁명스러운 행동[표현], 거친 행동[표현].
ordinario, ria *adj.* ① 보통의, 통상(通常)의, 일반적인: coche ~ 보통 승용차. correo ~ 보통 우편. ② 일상의, 매일매일의, 언제나의, 늘 하는, 늘 먹는: comida ~*ria* 늘 먹는 음식. comité ~ 정례 위원회. gastos ~*s* 매일의 지출, 일일 지출. lenguas ~*rias* 일상어. trabajo ~ 늘 하는 일. ③ 평범한, 흔한, 지천의: persona ~*ria* 평범한 사람. ④ 수준이 낮은, 하등(下等)의: tela ~*ria* 품질이 낮은 천[옷감]. ⑤ 상스러운, 인품이 천한, 교양 없는, 투박한: mujer ~*ria* 교양 없는 여자, 상스러운 여자. ⑥ 정기의, 정기적인: dividendo ~ 정기 배당. —*m.f.* 상스러운 사람, 인품이 천한 사람, 교양 없는 사람. —*m.* ① 늘 먹는 음식. ② 매일매일의 잡비. ③ [천주교] 주교. ④ (철도 여행을 하면서) 임무를 수행하는 남자, 하물 운반 남자. ¶***de*** ~ 보통, 보통으로, 일상으로, 평소, 평상시; 자주, 늘.
ordinativo, va *adj.* 정리[정돈]의.
ordovícico, ca *adj.* ① [지질] 오르도비스기(紀)의[에 관한]. ② [지질] 오르도비스기 지층군의. —*m.* ① [지질] 오르도비스기(紀) ((지질 시대의 하나; 고생대 중 캄브리아기의 뒤, 실루리아기 이전의 시대; 삼엽충・필석 등이 발달함)). ② [지질] 오르도비스기 지층군.
orea *f.* =**oréade.**
oréada *f.* =**oréade.**
oréade *f.* [신화] 숲과 산의 요정의 하나.
orear[1] *tr.* ① (시원하게 하기 위해서) 바람을 쏘이다: ~ las pieles (사람이) 바깥 바람을 쐬다. ② (습기를 말리거나 빼기 위해 혹은 냄새를 제거하기 위해) 바람을 쏘이다, 바람을 맞히다. ~**se** ① (말리거나 습기 제거를 위해) 바람맞히다, 바람에 말리다, 바람에 마르다. ② (사람이) 바람 쐬러 나가다.
orear[2] *intr. CRica.* 강에서 금을 찾다.
orebec *m.* [고어] 금세공사(金細工師).
orégano *m.* [식물] 박하의 일종.
oreja *f.* ① 귀; (특히) 외이(外耳), 귓바퀴. ② 청각, 청력, 음감, 음의 식별력: cerrar las ~*s* 귀를 막다. ③ (물건의) 귀; 귀 모양으로 생긴 것. ④ *pl.* (그릇의) 손잡이, 꼭지, 가장자리. ⑤ [음악] 악기의 줄 조르개 부분. —*m.f.* ① 아첨꾼. ② *Cuba, Hond., Nic., Salv.* (정부의) 스파이. ¶ ~ ***de mar*** =**oreja marina.** ~ ***de monje*** [식물] =**ombligo de Venus.** ~ ***de oso*** [식물] 앵초. ~ ***de ratón*** [식물] =**vellosilla.** ~ ***marina*** [동물] 전복(全鰒). ***aguzar las*** ~***s*** ㉮ (말이) 귀를 쫑긋 세우다. ㉯ (잘 듣기 위해) 귀를

기울이다. *apearse* alguien *por las ~s* ㉮ 말에서 떨어지다, 낙마하다. ㉯ 터무니없는 말을 하다[대답을 하다]. *aplastar la ~* 자다. *asomar* alguien *la ~* =**vérsele el plumero.** *bajar* alguien *las ~s* 패배를 인정하다. *calentar* a alguien *las ~s* (…를) 엄하게 나무라다[꾸짖다]. *con las ~s caídas* [*gachas*] 낙담해서, 의기소침하여, 기가 꺾여. *con las ~s tan largas* (…을 듣거나 듣기를 원하는 것에) 호기심을 가지고 귀를 기울여. *descubrir* alguien *la ~* =**vérsele el plumero.** *enseñar* alguien *la ~* = **vérsele el plumero.** *hacer* alguien *~s de mercader* 못 들은 척하다, 들리지 않는 척하다. *ladrar* a alguien *a la ~* =**ladrar al oído.** *mojar la ~* ㉮ 대들다, 싸움을 걸다. ㉯ 모욕하다, 욕을 퍼붓다. *no valer* alguien sus *~s llenas de agua* 매우 천박하다, 무척 업신여기다, 아주 혐오하고 경멸하다. *parar la ~* *AmérM., Guat., Méj.* =**aguzar las orejas** ㉯. *planchar la ~* 자다. *poner* a alguien *las ~s coloradas* (…를) 질책하다, 독설을 퍼붓다, 호되게 나무라다. *taparse las ~s* 귀를 틀어막다. *tirar* alguien *la ~* [*las ~s*] 카드놀이[도박]를 하다. *ver* alguien *las ~s al lobo* 매우 위험한 상태에 있다, 위험에 빠지다. *vérsele* a alguien *la ~* = **vérsele el plumero.**

orejano, na *adj.* (소가) 귀나 몸의 다른 부분에 표시가 없는.

orejeado, da *adj.* 귀를 기울이는.

orejear *intr.* ① *Arg., Ur.* 눈독을 들이다. ② *Col.* (길들이기 위해) 말[노새]의 귀를 단단히 붙잡다. ③ *Nic., Salv.* 남의 말을 소홀히 듣다. —*intr.* ① (동물이) 귀를 쫑긋거리다[움직이다]. ② (…을) 나쁜 의도[폭력]로 하다.

orejera *f.* ① (모자에 달린) 귀덮개. ② (방한용) 귀덮개. ③ (소의 부리망의) 얼망한 널. ④ (인디오의) 귀걸이.

orejisano, na *adj.* ① (소의) 귀에 표시가 없는. ② (소의) 몸의 어느 부분에도 표시가 없는.

orejismo *m.* (경찰에 알리는) 밀정 노릇, 스파이 짓.

orejón, na *adj.* ① =**orejudo.** ② *Col.* 보고따의 사바나 태생의. —*m.* ① [주로 *pl.*] 볕[바람]에 말린 복숭아[다른 과실]의 조각. ② (벌로) 귀를 잡아당기기. ③ (고대 뻬루의) 원주민 귀족. ④ (각지의) 인디오 종족. ⑤ [군사] (성벽 외곽의) 삼각형 축성의 측면 밖으로 튀어나온 부분[돌출부].

orejudo, da *adj.* 귀가 큰[긴]. —*m.* [동물] 식충 박쥐.

orejuela *f.* (그릇·쟁반 등의) 손잡이.

orellana *mf. Salv.* 스파이, 밀정(oreja).

orensano, na *adj.* ① 오렌세(Orense, 스페인의 주·도시) 태생의. ② 오렌세의[에 관한]. —*mf.* 오렌세 사람.

oreo *m.* 산들바람, 미풍; 바람 쐬기.

orfanato *m.* 고아원.

orfanatorio *m. Méj.* =**orfanato.**

orfandad *f.* ① 고아 신세. ② 고아 양육비[보조금]. ③ 버려진 상태, 원조나 보호가 없는 상태.

orfebre *mf.* ① 금은 세공사. ② 금은 세공상. ③ *Col.* 동(銅) 세공사.

orfebrería *f.* 금은 세공, 금은 세공품.

orfelinato *m.* =**orfanato.**

orfeón *m.* 합창단.

orfeonista *mf.* 합창단원.

órfico, ca *adj.* ① 오르페오(Orfeo, 희랍 신화의 시인·작곡가)의[에 관한]. ② 신비주의 종교(orfismo)의[에 관한].

orfismo *m.* (고대 희랍의) 신비주의 종교.

orfo *m.* [어류] 도미의 일종.

organdí *m.* 엷고 투명한 흰 무명천.

organero *m.* 오르간 제조·수리자.

organicismo *m.* ① 사회 유기체설. ② [의학] 기관설(器官說).

organicista *adj.* ① 사회 유기체설을 신봉하는. ② 사회 유기체설의[에 관한]. —*mf.* 사회 유기체설 신봉자.

orgánico, ca *adj.* ① 기관의. ② (병이) 기질적인: lesión *~ca* 기질적 손상. ③ 유기체의, 유기물의; 생물의: vida *~ca* 생물. ④ 유기적인; 조직적인; 계통적인. ⑤ [화학] 유기의, 탄소를 함유한: compuesto ~ 유기 화합물. materia *~ca* 유기물. química *~ca* 유기 화학. ⑥ [언어] 발생적인, 어원적인.

organigrama *m.* (기업 등의) 조직도(組織圖), 기구표.

organillero, ra *mf.* organillo 연주가.

organillo *m.* [악기] 수동식 오르간, 손풍금. ¶ *~ de boca Méj.* =**armónica.**

organismo *m.* ① 유기체. ② 생물, 인간; 인체. ③ 생체; 미생물. ④ 유기적 조직체 ((사회·우주 등)). ⑤ 기관, 기구: *~s* de gobierno 정부 기관. *~s* internacionales 국제 기구. ⑥ [철학] 유기체.

organista *mf.* 오르간 연주가.

organístico, ca *adj.* 오르간의[에 관한].

organización *f.* ① 단체, 조직체, 협회, 조합: ~ política 정치 단체. ~ social 사회 단체. ② 조직화, 편성, 편제, 구성: ~ del partido 당조직. facultad de ~ 조직력. gastos de ~ 창업 비용. ③ =**disposición, arreglo, orden.**

organizado, da *adj.* ① 조직화된; 정연한: fichero ~ 잘 정리된 파일. obreros *~s* 조직 노동자. partido bien ~ 조직이 튼튼한 정당. sociedad *~da* 조직 사회. ② (사람이) 시원시원한, 일을 척척 잘 해내는.

organizador, ra *adj.* ① 조직하는. ② 조직에 탁월한 재능을 가진. —*mf.* 조직자, 주최자, 조정자.

organizar (9) *tr.* ① 조직하다, 편성하다; 설립하다, 창설하다, 주최하다: ~ una empresa 회사를 설립하다. ~ una manifestación 데모를 조직하다. ② 계획하다, 준비하다: ~ una fiesta 파티 준비를 하다. ~ el trabajo 일의 절차를 만들다. ~ las vacaciones 휴가[방학]의 예정을 세우다. ~**se** ① 자신의 일[시간]을 시원시원하게 조직하다. ② (조직을) 자발적으로 만들다. ③ (소동 등이) 일어나다.

órgano *m.* ① [해부] 기관(器官): ~ de la digestión 소화 기관. trasplante de ~*s* 장기 이식. ② 기관(機關), 기구: ~ administrativo 행정 기관; 집행부. ~ de investigación 연구 기관. ~ de locomoción 교통 기관. ~ deliberativo 심의 기구. ~ internacional 국제 기구. ~ representativo (외국 기업의) 대표 기관. ~ supremo 최고 기관. ③ (기계의 일부의) 장치. ④ (정당 등의) 기관지. ⑤ (어떤 기관의) 일원, 구성원. ⑥ [악기] 파이프 오르간. ⑦ [악기] 오르간. ⑧ *Méj.* 키가 크고 곧은 선인장의 여러 종류의 이름. ¶ ~ ***de boca*** *Méj.* =**armónica.** ~ ***de manubrio*** = **organillo.** ~ ***expresivo*** [음악] = **armonio.**

organogénesis *f.sing.pl.* 기관 형성.

organogenia *f.* 기관 형성학.

organografía *f.* 기관학(器官學).

organográfico, ca *adj.* 기관학의.

organoléptico, ca *adj.* (특수) 감각기의; 감각 수용성의.

organología *f.* ① 장기학. ② 기관(器官) 연구.

orgánulo *m.* [생리] 감각 종말기.

organza *f.* (여성 의류 제조용) 투명하고 가벼운 견직물[면직물].

orgásmico, ca *adj.* 성적 흥분의 최고조의, 오르가슴의, 절정감의.

orgasmo *m.* ① 성적 흥분의 최고조, 오르가슴, 절정감: llegar al ~ 오르가슴에 오르다. tener un ~ 오르가슴을 느끼다. ② 극도의 흥분.

orgia *f.* =**orgía.**

orgía *f.* ① 주지육림의 연회, 마구 마시고 법석대는 주연. ② 난교(亂交) 파티. ③ 탐닉, 흥청거리기, 법석대기, 열광. ④ (옛 희랍·로마에서 비밀리에 행해진) 주신제(酒神祭).

orgiástico, ca *adj.* ① 주신제의[에 관한]. ② 술마시고 법석대는.

org. original 원본(原本).

orgnl. original 원본(原本).

orgullo *m.* ① 자존심, 긍지, 자랑: con ~ 자랑스레, 긍지를 가지고. ② 오만, 거만, 교만, 자만, 우쭐거림.

orgullosamente *adv.* 자랑스레, 긍지를 가지고; 오만하게, 교만하게, 으스대며.

orgulloso, sa *adj.* ① 자존심이 강한, 긍지가 대단한, 자랑스러운 듯한. ② [+de·con] (…를) 자랑하는: Estoy ~ *de* mi hermana 나는 내 누이를 자랑으로 여기고 있다. ③ 오만한, 거만한, 교만한: Tú estás demasiado ~ 너는 너무 거만하다.

orí *m.* ① 숨었다!, 찾아라! ((숨바꼭질에서 숨은 사람이 찾기 시작하라고 외치는 소리)). ② 숨바꼭질: jugar a ~ 숨바꼭질을 하다.

oribe *m.* 금세공사(金細工師).

orientación *f.* ① (새 환경·사고 방식에 대한) 적응, 순응; (학생의) 진로[적응] 지도, (신입 사원 등의) 집무 예비 교육[지도]. 보도(輔導), 진로의 결정, 오리엔테이션, 가이던스: ~ profesional 취업 지도[안내]. curso de ~ 오리엔테이션 과정. ② 방위[위치] 결정, 방위 측정; 위치 확정: perder la ~ 방향을 잃다. ③ (건물 등의) 방향, 방면. ④ (진로 등의) 방향, 방면, 경향. ⑤ [동물] 귀소 본능. ⑥ [생물] 정위(定位). ⑦ [심리] 소재 인식 ((자기와 시간적·공간적·대인적 관계의 인식)). ⑧ [운동] 오리엔티어링.

orientador, ra *adj.* 지도하는. —*m.f.* 지도자(líder).

oriental *adj.* ① 동쪽의[에 관한], 동방의[에 관한]. ② 동양의; 근동의; 동양에서 온: historia ~ 동양사. ③ 동양 문명의; 동양식의, 동양적인; 동양인의: civilización ~ 동양 문명. ④ 동부 지방의, 동부 지방에 관한. ⑤ 오리엔떼 주(州)(provincia de Oriente, 꾸바의 오래된 주) 태생의. ⑥ 오리엔떼 주(州)의[에 관한]. ⑦ 우루구아이(Uruguay)의. —*m.f.* ① 동양 사람, 동양인. ② (꾸바의) 오리엔떼 주 사람. ③ 우루구아이 사람. ¶***esmeralda*** ~ 강옥석, 동양 에메랄드. ***hemisferio*** ~ 동반구(東半球). ***topacio*** ~ 황수정(黃水晶).

orientalismo *m.* ① 동양학. ② 동양 취미. ③ 동양인의 특징[성격].

orientalista *adj.* 동양학의[에 관한]. —*m.f.* 동양학자; 동양에 정통한 사람.

orientano, na *adj., m.f. Ecuad.* 아마소니아의 동부 태생의 (사람).

orientar *tr.* ① [+a·hacia] (…로) 방향을 정하다, 향하다, 향하게 하다. ② (진로·방침 등을) 지도하다, 조언하다, 유도하다; (새 환경 등에) 적응시키다, 순응시키다, 익숙하게 하다; 길을 가리켜 주다. ③ [선박] (돛을 바람 부는 쪽으로) 돌리다, 조정하다. ~**se** ① (자신의) 방향[위치]을 정하다. ② 향하다. ③ 진로를 정하다[찾다]: ~*se hacia* las ciencias 이과계로 진로를 정하다. ④ 자신의 현 위치[입장]를 알다. ⑤ (사태·진상을) 명확히 파악하다, 정세[대세]에 정통하다, 정세에 밝다, 정세를 꿰뚫어 보다.

orientativo, va *adj.* 방향[진로]에 도움이 되는; 규준이 되는, 유도하는.

oriente *m.* ① [주로 O~] 동, 동쪽, 동방. ② 동풍. ③ [O~] 동양; (특히) 근동 제국: Cercano *Oriente*, *Oriente* Próximo 근동. Extremo *Oriente*, Lejano *Oriente* 극동. Medio *Oriente*, *Oriente* Medio 중동. ④ (가치를 결정하는) 진주 특유의 광택.

orificación *f.* (초기의 충치에) 금(金) 씌우기[때우기].

orificador *m.* (초기의 충치에) 금 씌우는[때우는] 기구.

orificar (7) *tr.* 어금니[이]의 초기 충치에 금으로 씌우다[때우다].

orífice *m.* 금세공사(金細工師).

orificio *m.* ① (관·굴뚝 등의) 구멍, 뚫린 데: ~*s* de la nariz 콧구멍. ② [해부] (수술로) 짼 곳.

oriflama *f.* ① [역사] (옛 프랑스의 왕들이 전쟁의 깃발로 사용했던 것과 같은) 성(聖) 데니스 수도원의 성기(聖旗). ② (어떤 종류건) 기, 깃발, 바람에 펄럭이는 오색기.

orifrés *m.* 금(金)몰; 은(銀)몰.

origen *m.* [*pl.* orígenes] ① 기원, 발단, 발생, 유래, 원천, 출처; 수원, 원류: ~ de la vida 생명의 기원. ~ de un mal 불행의 원인. ~ de una palabra 말[단어]의 유래. ② 원인: ~ de la guerra 전쟁의 원인. ③ 산지, 원산지, 출생지, 발생지: certificado de ~ 원산지 증명서. lugar de ~ 원산지. país de ~ 원산국, 출신국. vino español de ~ 스페인산(産) 포도주. ④ 태어난 나라, 조국(patria). ⑤ 혈통, 집안, 태생, 가문, 문벌; 출신.

origenismo *m.* ① [집합] 사교(邪教). ② 사교의 한 파.

origenista *adj.* ① origenismo를 신봉하는[믿는]. ② origenismo의[에 관한]. —*mf.* origenismo 신자[신봉자].

original *adj.* ① 최초의, 원시의, 기원의, 원초(原初)의, 원초적, 본원(本源)의: recobrar la forma ~ 원형을 회복하다. ② 본래의, 원래의, 생래(生來)의: ser ~ de España 스페인 원산[태생]이다. ③ 독창적인, 독특한, 독자적인, 창의성이 풍부한; 신선한, 참신한; 기발한, 신기한, 괴이한: idea ~ 독창적인 생각, 창의. comportamiento ~ 독특한 행동. ④ (문헌·작품이) 원형[원작·원문]의, 오리지널의: cuadro ~ (모작 copia에 대한) 원화(原畵). autor ~ 원작자. —*mf.* 괴짜, 좀 색다른 사람. —*m.* ① 원문, 원화, 원작, 원도(原圖), 원전(obra ~); 원서(texto ~): ~ de imprenta [인쇄] 원고. leer el Quijote en el ~ 돈끼호떼를 원문으로 읽다. ② (회화·사진의) 본인, 모델, 실물: parecerse mucho al ~ 실물과 많이 닮다. ③ [법률] 원본(原本).

originalidad *f.* ① 원형임, 원물임, 진짜임. ② 독창력, 창조력, 독창성. ③ 신선미, 신선함; 창의, 기발, 괴이, 신기함. ④ 기행(奇行), 색다른 언동.

originalmente *adv.* ① 원래, 처음에는, 최초에, 처음부터. ② 원작[원형]에서, 원작[원형]에 따라[의하면]. ③ 독창적으로, 창조적으로, 참신하게, 기발하게.

originar *tr.* 시작하다, 일으키다, 야기시키다, 초래하다, 가져오다, (…의) 원인을 만들다. ~**se** 비롯하다, 일어나다, 발생하다, 시작되다, 생기다, 유래되다, 원인이 되다.

originariamente *adv.* =originalmente ②.

originario, ria *adj.* ① [+de] (…에서) 난, 태어난, 출생한; 원산의: país ~ 출신 나라, 출신지, 원산국. ser ~ de Corea 한국 태생[출신·원산]이다. ② 원래의, 본디부터의, 최초의; 근원[근본]이 되는.

orilla[1] *f.* ① (물건의) 끝, 가장자리, 가, 언저리, 모서리: ~ de la mesa 책상 모서리. ② (천·짜는 것의) 끝, 가장자리. ③ (바다·호수·강 등의) 가, 연안: ~ del lago 호숫가. ~ del mar 바닷가. ~ del río 강가, 강변. ④ (집에서 가까운) 산책길. ⑤ *pl. Arg., Bol., Méj., Nic.* 교외, 근교. ¶***a la*** ~ 가까이(에), 근접하여. ***salir*** alguien ***a la*** ~ (누가 난관·위험을) 극복했다, 이겨냈다.

orilla[2] *f.* ① 산들바람, 미풍(微風). ② *And.* 날씨.

orillar *tr.* ① 끝내다, 치우다, 정리하다, 챙기다, 처분하다. ② *Arg.* 가깝다, 가까이 가다, 접근하다. ③ *Méj.* = **acosar, acorralar.** —*intr.* ① 기슭[언덕]에 닿다[도착하다]. ② (천에) 가장자리를 남기다, 모서리가 남다. ③ (천·옷의) 테[테두리·가]를 두르다. ~**se** 기슭[언덕]에 닿다.

orillero, ra *adj., mf. AmérC., Arg., Cuba, Par., Ur., Ven.* 교외의 (사람), 근교의 (사람).

orillo *m.* (천·직물의) 가장자리.

orín[1] *m.* 쇠의 녹.

orín[2] *m.* =**orina:** hacer *orines* 오줌을 누다, 소변을 보다.

orina *f.* 오줌, 소변: expeler la ~ 오줌을 누다[싸다].

orinadera *f. Cuba, Hond., Salv.* 잦은[자주 보는] 소변.

orinal *m.* 요강, 실내용 변기. ¶ ~ ***del cielo*** 비가 자주 내리는 곳.

orinar *intr.* 저절로[무의식중에] 오줌을 싸다[누다]. —*tr.* 요도로 어떤 다른 액체를 배출하다: ~ sangre 혈뇨[피가 섞인 오줌]가 나오다. ~**se** 오줌을 누다[싸다].

orinecer *intr.* [드묾] 녹이 슬다.

oriniento, ta *adj.* ① 녹슨. ② 사용하지 않아 무딘.

oriol *m.* =**oropéndola.**

oripié *m.* 산기슭, 산록(山麓).

oriundez *f.* =**origen.**

oriundo, da *adj.* [+de] (…에서) 난, (…의) 태생의, 출신의, 원산의.

orive *m.* 금세공사(金細工師).

orla *f.* ① (천·옷·다른 물건의) 가장자리, 테, 테두리. ② 가장자리[테·테두리] 두르기[장식]. ③ (동급생들이 졸업이나 수료를 기념해서 찍은) 기념사진, 졸업[수료] 사진.

orlador, ra *adj., mf.* 테두리[가장자리]를 장식하는 (사람).

originalidad *f.* ① 원형임, 원물임, 진짜임. ② 독창력, 창조력, 독창성. ③ 신선미, 신선함; 창의, 기발, 괴이, 신기함. ④ 기행(奇行), 색다른 언동.
originalmente *adv.* ① 원래, 처음에는, 최초에, 처음부터. ② 원작[원형]에서, 원작[원형]에 따라[의하면]. ③ 독창적으로, 창조적으로, 참신하게, 기발하게.
originar *tr.* 시작하다, 일으키다, 야기시키다, 초래하다, 가져오다, (…의) 원인을 만들다. ~**se** 비롯하다, 일어나다, 발생하다, 시작되다, 생기다, 유래되다, 원인이 되다.
originariamente *adv.* =originalmente ②.
originario, ria *adj.* ① [+de] (…에서) 난, 태어난, 출생한; 원산의: país ~ 출신 나라, 출신지, 원산국. ser ~ de Corea 한국 태생[출신 · 원산]이다. ② 원래의, 본디부터의, 최초의; 근원[근본]이 되는.
orilla[1] *f.* ① (물건의) 끝, 가장자리, 가, 언저리, 모서리: ~ de la mesa 책상 모서리. ② (천 · 짜는 것의) 끝, 가장자리. ③ (바다 · 호수 · 강 등의) 가, 연안: ~ del lago 호숫가. ~ del mar 바닷가. ~ del río 강가, 강변. ④ (집에서 가까운) 산책길. ⑤ *pl. Arg., Bol., Méj., Nic.* 교외, 근교. ¶***a la*** ~ 가까이(에), 근접하여. ***salir*** alguien ***a la*** ~ (누가 난관 · 위험을) 극복했다, 이겨냈다.
orilla[2] *f.* ① 산들바람, 미풍(微風). ② *And.* 날씨.
orillar *tr.* ① 끝내다, 치우다, 정리하다, 챙기다, 처분하다. ② *Arg.* 가깝다, 가까이 가다, 접근하다. ③ *Méj.* =**acosar, acorralar.** —*intr.* ① 기슭[언덕]에 닿다[도착하다]. ② (천에) 가장자리를 남기다, 모서리가 남다. ③ (천 · 옷의) 테[테두리 · 가]를 두르다. ~**se** 기슭[언덕]에 닿다.
orillero, ra *adj., m.f. AmérC., Arg., Cuba, Par., Ur., Ven.* 교외의 (사람), 근교의 (사람).
orillo *m.* (천 · 직물의) 가장자리.
orín[1] *m.* 쇠의 녹.
orín[2] *m.* =**orina**: hacer *orines* 오줌을 누다, 소변을 보다.
orina *f.* 오줌, 소변: expeler la ~ 오줌을 누다[싸다].
orinadera *f. Cuba, Hond., Salv.* 잦은[자주 보는] 소변.
orinal *m.* 요강, 실내용 변기. ¶~ ***del cielo*** 비가 자주 내리는 곳.
orinar *intr.* 저절로[무의식중에] 오줌을 싸다[누다]. —*tr.* 요도로 어떤 다른 액체를 배출하다: ~ sangre 혈뇨[피가 섞인 오줌]가 나오다. ~**se** 오줌을 누다[싸다].
orinecer *intr.* [드묾] 녹이 슬다.
oriniento, ta *adj.* ① 녹슨. ② 사용하지 않아 무딘.
oriol *m.* =**oropéndola.**
oripié *m.* 산기슭, 산록(山麓).
oriundez *f.* =**origen.**
oriundo, da *adj.* [+de] (…에서) 난, (…의) 태생의, 출신의, 원산의.
orive *m.* 금세공사(金細工師).
orla *f.* ① (천 · 옷 · 다른 물건의) 가장자리, 테, 테두리. ② 가장자리[테 · 테두리] 두르기[장식]. ③ (동급생들이 졸업이나 수료를 기념해서 찍은) 기념사진, 졸업[수료] 사진.
orlador, ra *adj., m.f.* 테두리[가장자리]를 장식하는 (사람).
orladura *f.* ① 온 가장자리[테두리] 장식. ② =**orla.**
orlar *tr.* ① …의 테두리[가장자리]를 장식하다, 가장자리에 장식[술]을 대다. ② 방패에 술을 달다.
orlo[1] *m.* [악기] (알프스 지방에서 사용하는) 오보에.
orlo[2] *m.* [건축] 주춧돌, 초석(礎石).
ormesí *m.* 광택이 있는 질긴 견포.
ormino *m.* [식물] =**gallocresta.**
orn. orden 주문, 지시, 지시서.
ornadamente *adv.* 잔뜩 꾸며, 아주 보기좋게[모양 있게].
ornamentación *f.* 장식, 꾸밈.
ornamental *adj.* ① 장식의[에 관한], 장식용의: objetos ~*es* de Navidad 크리스마스 장식물. ② 장식물의: cargo ~ 명목뿐인 지위.
ornamentar *tr.* =**adornar.**
ornamento *m.* ① 장식, 장식품. ② [집합] 미덕(美德). ③ 가장자리 장식, 테두리 장식 조각. ④ *pl.* [종교] 제복(祭服). ⑤ 제단 장식.
ornar *tr.* =**adornar.**
ornato *m.* 장식, 장식품.
ornear *intr. Gal., León., Zam.* = **rebuznar.**
ornitología *f.* 조류학(鳥類學).
ornitológico, ca *adj.* 조류학의.
ornitólogo, ga *m.f.* 조류학자.
ornitomancia *f.* 새점(占).
ornitomancía *f.* =**ornitomancia.**
ornitóptero *m.* 헬리콥터의 일종.
ornitorrinco *m.* [동물] 오리너구리.
oro *m.* ① 금; 황금: ~ bajo 순도가 낮은 금. ~ puro 순금. reloj de ~ 금시계. ② 금색, 황금색. ③ [집합] 돈, 동전. ④ 금화. ⑤ 금메달. ⑥ [집합] (보석과 다른) 장신구. ⑦ 재력, 부, 재산. ⑧ [트럼프] 금(金). ⑨ [문장학] 황금색, 노란색, 노란빛. —*adj.* 금색의, 황금색의. ¶***el*** ~ ***y el moro*** (과장해서) 굉장히 가치가 있는 것. ~ ***batido*** 금박(金箔). ~ ***cochano*** *Ven.* (합금하지 않은) 순금. ~ ***de copela*** 분석로로 골라 얻어진 금. ~ ***de tibar*** 정련된 금. ~ ***en polvo*** ㉮ 사금(砂金). ㉯ 금가루. ㉰ 중요한 물건[사람]. ~ ***mate*** 광이 나지 않는 금. ~ ***molido*** ㉮ 금가루. ㉯ 중요한 물건[사람]. ~ ***nativo*** 사금. ~ ***negro*** 석유. ~ ***obrizo*** 순금. ~ ***verde*** 금은 합금. ***bodas de*** ~ 금혼식. ***edad de*** ~

황금 시대. *patrón de* ~ [경제] 금본위. *siglo de* ~ (스페인 문학사의) 황금 세기 ((16-17세기)). *como mil ~s* =como un oro. *como* ~ *en paño* 소중하게. *como un* ~ (아름다운 것을 수식하는 말로) 몹시 아름다운[깨끗한]. *de* ~ 아름다운, 고운; 나무랄 데 없는, 더없는; 번창한, 융성한; 행복한. *de* ~ *y azul* 호화롭게 차린[차려 입은]. *hacerse* alguien *de* ~ (누가) 부자가 되다. *pesar* a alguien *a* [*en*] ~ (누구에게) 충분히 보답하다[보상하다]. *poner* a alguien *de* ~ *y azul* =poner como un trapo. ☞trapo. *ser* alguien o algo *otro tanto* ~ =valer más oro que pesa. *valer* alguien o algo *más* ~ *que pesa* [*más que su peso en* ~ · *tanto* ~ *como pesa* · *todo el* ~ *del mundo*] ㉮ 가치가 많다. ㉯ 매우 훌륭하다[근사하다 · 멋지다 · 굉장하다]. *No es* ~ *todo lo que reluce* (속담) 번쩍이는 것이 다 금은 아니다, 겉만 보고 믿어서는 안 된다.

orobanca *f.* [식물] 초종용.

orobancáceo, a *adj.* [식물] 초종용과(科)의. —*f.pl.* 초종용과 식물.

orobias *m.sing.pl.* 말향, 가루향(香).

orogénesis *f.sing.pl.* [지질] 조산 운동(造山運動).

orogenia *f.* ① [지질] 조산 운동학. ② [지질] 조산 운동.

orogénico, ca *adj.* [지질] 조산 운동의[에 관한].

orografía *f.* ① 산악학, 산지 지형학. ② 산악지(誌). ③ 지세, 산의 기복.

orográfico, ca *adj.* ① 산악학의[에 관한]. ② 산악지(誌)의[에 관한].

orometría *f.* 산악 측량.

orón *m.* 크고 둥근 광주리.

orondo, da *adj.* ① (그릇이) 쑥 들어간, 오목한; 불룩한, 볼록한. ② 푹신푹신한, 말랑말랑한, 부풀어오른. ③ 건방진, 염치없는, 우쭐대는, 자신만만한. ④ =grueso, gordo.

oronimia *f.* (산에 관한) 지명학.

oronímico, ca *adj.* 지명학의.

orónimo *m.* 산맥 · 산 등의 이름.

oronja *f.* 오렌지색 갓 버섯 ((식용)). ¶ ~ *pintada* =falsa oronja. ~ *verde* 올리브색 갓 버섯 ((독버섯)). *falsa* ~ 붉은 갓 버섯, 오렌지색 갓 버섯 ((독버섯)).

oropel *m.* ① 겉만 번드르르하게 보이는 물건, 허식, 빛 좋은 개살구. ② (사람의) 치장, 치장품. ③ 놋쇠박(箔), 진유박. ¶*gastar* alguien *mucho* ~ (누가) 허장성세하다, 허세를 부리다.

oropelero *m.* 놋쇠박 제조자[장수].

oropéndola *f.* [새] 꾀꼬리.

oropimente *m.* [광물] 석웅황(石雄黃), 석황(石黃), 웅황(雄黃).

oroya *f. AmérM.* (강을 건네 주기 위한) 고가 삭도 바구니[상자].

orozuz *m.* [식물] 감초(甘草).

orquesta *f.* ① 관현악단, 오케스트라: ~ de jazz 재즈 밴드. ~ sinfónica 교향악단. ② (무대 앞의) 연주자석, 관현악단석, 오케스트라석. ③ [드뭄] =patio de butacas. ☞patio. ¶ ~ *de cámara* 실내 관현악단.

orquestación *f.* 관현악 편곡(법); 악기 편성법; 관현악 조곡(組曲).

orquestador, ra *adj.* 관현악용으로 편곡하는. —*m.f.* 관현악 편곡자.

orquestal *adj.* 관현악단[오케스트라]의[에 관한].

orquestar *tr.* ① 관현악용으로 편곡하다. ② 담합하다, 공모하다. ③ *Salv.* (…을) 협력하여 하다. ④ *Ur.* 조직하다, 구성하다, (다른 사람과 상의 없이) 미리 준비하다.

orquestina *f.* 작은 악단.

orquialgia *f.* [의학] 고환통.

orquidáceo, a *adj.* [식물] 난초과(蘭草科)의. —*f.pl.* 난초과 식물.

orquidectomía *f.* [의학] 고환절제술.

orquídeo, a *adj.* =orquidáceo. —*f.* ① [식물] 난초, 난(蘭), (특히) 양란(洋蘭). ② 난초의 꽃.

orquiodinia *f.* [의학] 고환통.

orquioneuralgia *f.* 고환 신경통.

orquioplastia *f.* [의학] 고환 성형술.

orquiotomía *f.* [의학] 고환 절개술.

orquitis *f.sing.pl.* [의학] 고환염.

-rrio, rria *suf.* ☞-rro.

-orro, rria *suf.* ☞-rro.

ortega *f.* [새] 뇌조(雷鳥).

orteguiano, na *adj.* ① 호세 오르떼가 이 가세트(José Ortega y Gasset, 스페인의 철학[수필]가, 1883-1955)의[에 관한]. ② 호세 오르떼가 이 가세트의 작품의. ③ 호세 오르떼가 이 가세트 특유의, 호세 오르떼가 이 가세트의 작품 특유의.

ortiga *f.* [식물] 쐐기풀, 쐐기풀 무리. ¶ ~ *de mar* [동물] 해파리. ~ *muerta* 광대나물. *ser* alguien *como unas ~s* (사람을 대하거나 말에서) 무뚝뚝하고 붙임성이 없다.

ortigal *m.* 쐐기풀 밭.

ortivo, va *adj.* 일출(日出)의[에 관한], 해가 뜨는; (해 이외의) 다른 천체가 뜨는[나오는].

orto *m.* ① 일출, 해가 뜸. ② (해 이외의 천체가) 뜸, (하늘에) 출현.

orto- *pref.* 「직(直) · 정(正)」의 뜻: *orto*doncia 치열 교정학. *orto*fonía 발음 교정.

ortocentro *m.* [기하] (삼각형의) 수심(垂心).

ortoclasa *f.* [광물] 정장석(正長石).

ortodoncia *f.* [의학] 치열 교정(술), 치과 교정학.

ortodontista *adj.* 치열(齒列) 교정의. —*m.f.* 치열 교정 의사, 교정 치과 의사.

ortodontología *f.* 치과 교정학, 교정

치과학.
ortodoxia *f.* ① 정통적 신념, 정통성. ② 정설. ③ 정교, 희랍 정교, 러시아 정교. ④ 정교 신봉, 정통 신앙.
ortodoxo, xa *adj.* ① (특히 종교상의) 정설의, 정설을 신봉하는, 정통파의, 초대 교회의 신조를 지키는: escritor ~ 정통파 작가. ② 희랍 교회의[에 관한], (동방)정교회의[에 관한]: cristianismo ~ griego 희랍 정교. Iglesia *Ortodoxa* Griega 희랍 정교회. ③ (특히 신학상) 일반적으로 옳다고 인정된; 정통의: teología ~*xa* 정통 신학. ④ 전통적인; 보수적인, 인습적인, 판에 박힌; 진부한, 흔히 있는: opinión ~*xa* 진부한 의견. —*m.f.* 동방 정교회 신자.
ortodromia *f.* [항공] 대권 항로(大圈航路), 직항법, 최단거리 항로.
ortodrómico, ca *adj.* [항공] 대권 항로의[에 관한].
ortoepía *f.* 정음학, 정음법, 바른[정확한] 발음법.
ortofonía *f.* [의학] 발음 교정.
ortogénesis *f.sing.pl.* ① [생물] 정향 진화. ② [사회] 계통 발생설.
ortogonal *adj.* [수학] 직각[직교]의. **otogonio** *triángulo* ~ 직각 삼각형.
ortografía *f.* ① 정자법, 정서법, 맞춤법. ② 철자, 철자법: cometer una falta de ~ 철자를 틀리다. ③ [기하] 정면도, 정사영법.
ortografiar (12) *tr.* 맞춤법에 맞게 쓰다, 정자법[정서법]에 따라 철자를 쓰다.
ortográfico, ca *adj.* ortografía의[에 관한]: regla ~*ca* 정서법 규칙.
ortógrafo, fa *m.f.* 정자법[정서법] 학자; 정자법[정서법]을 아는 사람.
ortología *f.* 정음법, 정음학(正音學), 올바른 발음법.
ortológico, ca *adj.* ortología의.
ortólogo, ga *m.f.* 정음학자.
ortométrico, ca *adj.* 산악 측량의.
ortopeda *m.f.* 정형 외과 전문의.
ortopedia *f.* [의학] 정형 외과(학).
ortopédico, ca *adj.* 정형 외과의[에 관한]: aparato ~ 정형 외과 기구. —*m.f.* =ortopedista.
ortopedista *m.f.* 정형 외과 의사.
ortóptero, ra *adj.* [동물] 직시류(直翅類)의, 메뚜기류의. —*m.pl.* 직시목(直翅目), 메뚜기목.
ortosa *f.* [광물] 정장석(正長石).
oruga *f.* ① [식물] 나도냉이. ② 나도냉이(로 만든) 소스. ③ 모충(毛蟲). ④ [기계] 무한 궤도(無限軌道).
orujo *m.* ① (포도즙을 짠 후의) 껍질. ② (질이 나쁜 기름을 짜는) 올리브 찌꺼기. ③ =**aguardiente.**
orvallar *intr. Ast., Gal.* =**lloviznar.**
orvalle *m.* [식물] =**gallocresta.**
orvallo *m. Ast., Gal.* =**llovizna.**
orza[1] *f.* (손잡이가 없는 저장용) 항아리, 독, 단지.
orza[2] *f.* 뱃머리를 바람 부는 쪽으로 돌리기[향하기]. ¶***a*** ~ ㉮ 바람 부는 쪽을 향하여[쪽으로 돌리고]. ㉯ 한쪽으로 기울게[틀어지게].
orzaga *f.* [식물] =**marismo.**
orzar (9) *tr.* [선박] 뱃머리를 바람 부는 쪽으로 돌리다[향하다].
orzaya *f.* =**niñera.**
orzoyo *m.* (비로드[우단] 짜는) 부드러운 비단실.
orzuelo[1] *m.* [의학] 다래끼.
orzuelo[2] *m.* (사냥용) 덫.
os[1] *pron.* [인칭 대명사 2인칭 복수] ① [직접 목적] 너희들을, 자네들을, 당신들을: *Os* invito a una copa 너희들을 술자리에 초대하겠다, 내가 너희들에게 한 잔 내겠다. ② [간접 목적] 너희들에게[에게서], 자네들에게[에게서], 당신들에게[에게서]: *Os* lo daré 너희들에게 그것을 주겠다. ③ [재귀 대명사] 너희들 자신에게, 너희들 서로: respetar*os* 서로 존경하다. Senta*os* 앉아라.
os[2] *interj.* [닭·새를 쫓는 소리] 쉬!
Os[3] osmio 오스뮴.
O.S. oro sellado 금화(金貨).
osa *f.* [동물] 암곰. ¶***Osa Mayor*** [천문] 큰곰자리. ***Osa Menor*** [천문] 작은곰자리. ***anda la*** ~ [놀랄 때] 아이, 놀래라!, 아이, 깜짝이야!
-osa *suf.* ☞-**oso.**
osadamente *adv.* 대담하게, 용감하게; 무례하게.
osadía *f.* 대담함, 과감함, 용감함; 무모함.
osado, da *adj.* 대담[과감·무모]한.
osamenta *f.* ① (사람·동물의) 골격. ② [집합] 골격을 이루는 뼈.
osar[1] *m.* =**osario.**
osar[2] *intr., tr.* [+*inf.*] (…하는 것을) 감행하다, 감히 …하다, 대담하게 … 시작하다: ~ invitar a la hija del jefe 대담하게도 상관의 딸을 꾀다.
osario *m.* 납골당(納骨堂).
óscar *m.sing.pl. ing.* 오스카상(賞).
oscense *adj.* ① 오스까(Osca, 현 Huesca의 옛 이름) 태생의. ② 우에스까(Huesca, 스페인의 주·시) 태생의. ③ 오스까의[에 관한]. ④ 우에스까의[에 관한]. —*m.f.* ① 옛 오스까 사람. ② 우에스까 사람.
oscilación *f.* ① 요동, 흔들림. ② (주식 시세 등의) 변동: ~ climática 기후 변동. ~ de los cambios 외환 변동. ~ de precios 물가 변동. ~ del mercado 시장의 변동. ③ [물리] 진동. ④ 주저, 망설임.
oscilador *m.* ① [물리] 진동자(振動子). ② [전기] 발진기.
oscilante *adj.* ① 흔들리는, 요동하는, 진동하는: péndulo ~ 시계추. ② (물가 등이) 오르락내리락하는, 오르내리는, 오락가락하는: precio ~ 변동 가격, 오락가락하는 가격. ③ (마음 등이) 흔들리는, 동요하는,

망설이는.
oscilar *intr.* ① (흔들이·걸어놓은 물건 등이) 흔들리다, 진동하다: La lámpara está *oscilando* 램프가 흔들리고 있다. ② (물가·온도 등이) 오르내리다, 오르락내리락하다, 오락가락하다: ~ el precio de las mercancías 물가가 오르락내리락한다. ③ (마음·의견 등이) 동요하다, 망설이다, 주저하다, 흔들리다.
oscilatorio, ria *adj.* 진동하는, 동요하는, 변동하는.
oscilógrafo *m.* [물리] 오실로그래프.
oscilograma *m.* [전기] 오실로그램.
osciloscopio *m.* [전기] 오실로스코프, 역전류(逆電流) 검출관.
oscitancia *f.* 방심, 부주의, 태만.
ósculo *m.* (존경·애정의) 입맞춤: ~ de paz 화해의 입맞춤.
oscuramente *adv.* 어둡게; 애매모호하게, 막연히(con oscuridad).
oscurana *f.* =**oscuridad.**
oscurantismo *m.* ① 반계몽주의. ② 우민주의, 민중의 우매화.
oscurantista *adj.* 반(反계)몽주의의. —*mf.* 반계몽주의자.
oscurecer (31) *tr.* ① 어둡게 하다: ~ la habitación 방을 어둡게 하다. ② …의 빛을 잃게 하다. ③ (판단력 등을) 흐리게 하다, 둔하게 하다. ④ 어렵게 하다, 난해하게 하다, 애매하게 하다, 애매모호하게 하다, 불명료하게 하다: ~ las ideas 생각을 애매하게 하다. ⑤ [미술] …에 그림자[음영]을 만들다. —*intr.* [비인칭] 날이 어두워지다, 어두워져 가다, 점점 어두워지다. ~**se** ① (날씨·하늘이) 흐려지다. ② (훔쳐서·숨겨서) 보이지 않다, 나타나지 않다.
oscurecimiento *m.* ① 어둡게 함[됨]. ② 애매함, 애매모호함.
oscuridad *f.* ① 어둠, 암흑: No veo nada, hay mucha ~ 칠흑같아 아무것도 보이지 않는다. ② 어두운 곳. ③ [드묾] 천함, 비천함. ④ 우매, 무지, 무교양, 교양이 없음. ⑤ (말·글에서) 불분명, 분명하지 못함, 난해. ⑥ 무명(無名), 세상에 알려지지 않는 일: vivir en la ~ 무명으로 살다, 세상에 알려지지 않고 살다, 속세와 등지고 살다.
oscuro, ra *adj.* ① 어두운, (어두)컴컴한, 어둠에 싸인: cuarto ~ 컴컴한 방. cueva ~*ra* 어두운 동굴. noche ~*ra* 어두운 밤. ② (색이) 거무튀튀한, 우중충한, 진한: azul ~ 감색, 검은빛을 띤 남빛, 진한 푸른색. color ~ 어두운 빛깔, 암색. ③ (신분이) 천한, 미천한, 낮은, 별로 알려지지 않은: orígenes ~*s* 천출, 미천한 출신. ④ 분명치 않은, 불명료한, 희미한: voz ~*ra* 희미한 목소리. ⑤ (뜻을) 이해하기 어려운, 난해한, 모호한, 애매한: lenguaje ~ 이해하기 어려운 말. ⑥ (사람이) 총명하지 못한, 영리하지 못한. ⑦ 불확실한, 위험한, 무서운, 두려운. ⑧ 의심스러운, 떳떳치 못한, 뒤가 구린. ⑨ (날씨가) 잔뜩 찌푸린, 흐린. —*m.* ① [연극] 암전(暗轉). ② [미술] 그림자. ¶***a oscuras*** ㉮ 어둠속에서. ㉯ 보이지 않는. ㉰ [비유적] 어두운. ***estar* [*hacer*]** ~ (구름이 끼어 하늘이) 어두워지다, (밤이 되어) 어두워지다.
osear *tr.* =**oxear.**
oseína *f.* [생화학] 골질(骨質).
óseo, a *adj.* ① 뼈의. ② 뼈 같은. ¶***tejido*** ~ 골조직.
osera *f.* 곰의 굴.
osero *m.* ① (사원·공동 묘지의) 납골당. ② 뼈가 있는 곳.
osezno *m.* 새끼 곰.
osezuelo *m.* 잔 뼈.
osificación *f.* 골화, 화골(化骨).
osificarse (7) *r.* (물렁뼈 등이) 뼈로 되다.
osífraga *f.* [새] =**quebrantahuesos.**
osífrago *m.* [새] =**osífraga.**
-osis *suf.* ☞**-sis.**
osmanlí *adj., mf.* =**turco.**
osmazomo *m.* 자양소(滋養素), (고기 수프의) 맛내기.
osmio *m.* [화학] 오스뮴.
osometría *f.* 삼투압 측정.
osómetro *m.* [물리·화학] 삼투압계, 침투압계
ósmosis *f.* ① [물리·화학] 삼투(滲透), 스며들기, 삼투성. ② (특히, 사상 분야에서 두 사람·집단 사이의) 서로에게 미친 영향.
osmótico, ca *adj.* [물리·화학] 삼투의[에 관한], 삼투성의[에 관한]. ¶***presión*** ~***ca*** 삼투압, 침투압.
oso *m.* [동물] 곰. ¶~ ***blanco*** = oso polar. ~ ***colmenero*** 꿀을 훔쳐먹는 곰, 게으른 곰. ~ ***hormiguero*** [동물] 개미핥기. ~ ***marino*** 물개(foca)의 일종. ~ ***marítimo*** = oso polar. ~ ***marsupial*** 코알라. ~ ***negro*** (주둥이가 튀어나온) 큰 곰의 일종. ~ ***pardo*** 불곰 ((유럽의 흔한 곰)). ~ ***polar*** 흰곰, 백곰, 북극곰. ***hacer*** alguien ***el*** ~ ㉮ 남의 웃음거리가 되다. ㉯ 사람들이 보는 앞에서 여자에게 사랑을 호소하다, 남을 생각하지 않고 숨김없이 사랑을 구하다. ***hacerse*** alguien ***el*** ~ *Arg., Ur.* 바보가 되다, 멍청해지다.
OSO. oessudoeste 서남서(西南西).
ososo, sa *adj.* ① 뼈의[에 관한]. ② 뼈가 있는. ③ 뼈 같은, 뼈와 같은 물질의, 골질(骨質)의. ④ 뼈만 남은.
ossobuco *m. it.* ① [요리] 오소부코 ((소의 뒷다리 무릎을 약한 불에 구운 요리)). ② *Arg., Chile.* 소의 뒷다리의 무릎뼈와 골수 및 붙은 살과 함께 절단하기.
ostaga *f.* 돛대 조정 줄.
oste *interj.* 비켜!, 귀찮아! ((거절할

때)). ¶*no decir ~ ni moste* =no decir oxte ni moxte. ☞oxte. *sin decir ~ ni moste* =sin decir oxte ni moxte. ☞oxte.
ostealgia *f.* [의학] 골통(骨痛).
osteálgico, ca *adj.* [의학] 골통의[에 관한], 뼈가 쑤시는[아픈].
osteícticos *m.pl.* [어류] 경골 어류.
osteína *f.* [생화학] 골질(骨質).
osteítis *f.sing.pl.* [의학] 골염(骨炎).
ostensible *adj.* ① 나타내 보일 수 있는, 여봐란듯한, 노골적인: actitud ~ 여봐란듯한 행동, 노골적인 행동. ② 겉보기의, 표면적인, 표면상의, 허울만의, 겉치레의: razón ~ 표면상의 이유. ③ 명백한, 분명한, 현저한: deterioro ~ 현저한 악화.
ostensiblemente *adv.* ① 표면상. ② 분명하게, 명백하게, 현저하게.
ostensión *f.* 표명, 명시(明示).
ostensivo, va *adj.* 겉으로 드러내는, 표면상의, 명시하는, 구체적으로 나타내는, 노골적으로 나타내는: gesto ~ de desprecio 노골적으로 경멸을 나타내는 몸짓[제스처].
ostensorio *m.* ① [천주교] 성체 현시대, 성체 현시기. ② [천주교] 현체 상자가 놓여 있는 성체 현시대.
ostentación *f.* ① 자랑해 보임, 과시: con ~ 여봐란듯이, 자랑스레. ~ de riquezas 부의 과시. hacer ~ de *algo* …을 과시하다. ② 자만, 자부, 허영, 허장성세, 으스대기, 우쭐거림, 뻐기기. ③ 겉치레, 허식.
ostentador, ra *adj., m.f.* ① 과시하는, 자랑해 보이는 (사람). ② 자만하는, 으스대는, 우쭐거리는, 뻐기는, 뽐내는, 잘난체하는 (사람). ③ 겉치레하는 (사람).
ostentar *tr.* ① 보이다, 보여 주다. ② 과시하다, 자랑해 보이다, 자랑스레 내보이다, 뽐내다, 뻐기다. ③ (합당한 칭호·권리 등을) 가지고 있다, 보유하다.
ostentativo, va *adj.* 과시하는, 자랑삼아 드러내는, 여봐란듯한, 뽐내는.
ostento *m.* 경이적인 일[것], 놀랄 만한 일[것], 기이한 일[것].
ostentosamente *adv.* 여봐란듯이, 과시하는 듯이, 자랑삼아.
ostentoso, sa *adj.* ① 화려한, 훌륭한, 호화스러운, 사치스러운: coche ~ 멋진 자동차. fiesta ~*sa* 화려한 파티. ② 여봐란 듯한, 노골적인.
osteoartritis *f.sing.pl.* [의학] 뼈관절염, 골관절염.
osteoblasto *m.* [해부] 조골세포.
osteocito *m.* [해부] 뼈세포.
osteoclastia *f.* [의학] 쇄골술.
osteogénesis *f.sing.pl.* [생리] 뼈 생성, 뼈 형성.
osteointegrado, da *adj.* [의학] 뼈 보충의, 골보전(骨補塡)의.
osteolito *m.* 뼈 화석(化石), 화석 뼈.
osteología *f.* [해부] 골학(骨學), 골해부학(骨解剖學).
osteológico, ca *adj.* 골학의.
osteólogo, ga *m.f.* 골학자(骨學者).
osteoma *m.* [의학] 골종(骨腫).
osteomalacia *f.* [의학] (칼슘·비타민 D의 결핍에 의한) 골연화(증).
osteomielitis *f.sing.pl.* [의학] 골수염
osteópata *m.f.* 접골사(接骨師).
osteopatía *f.* [의학] 접골 요법.
osteoperiostitis *f.* [의학] 골막염.
osteoplatia *f.* [의학] 뼈 형성술, 조골술(造骨術).
osteoporosis *f.sing.pl.* 골다공증.
osteosarcoma *m.* [의학] 골육종.
osteosíntesis *f.* [의학] 뼈 접합.
osteosis *f.* [의학] 비염증성 골증.
osteotomía *f.* [의학] 절골술(折骨術).
ostia *f.* =**ostra.**
ostial *m.* (항구·운하의) 어귀, 입구.
ostiario *m.* [종교] 문지기.
ostión *m.* =ostrón.
ostra *f.* ① [조개] 굴, 석화, 모려(牡蠣): ~*s* encurtidas 굴회(膾). ② 진주조개의 껍질. ③ 내성적인 사람, 소극적인 사람. ④ 사람을 싫어하는 사람, 염세가. —*adj.* 내성적인, 소극적인; 염세적인. ¶~ ***perlera,*** ~ ***perlífera*** 진주조개. ***aburrirse*** alguien ***como una*** ~ 몹시 지루하다[무료하다·심심하고 따분하다].
ostracismo *m.* ① [역사] 오스트라시즘, 조가비[패각] 추방, 도편(陶片) 추방. ② (정치적 직무에서) 물러남, 사임, 해임; 유배, 정배, 추방, 숙청.
ostral *m.* ① 굴 양식장. ② 진주 양식장.
ostras *interj.* 에이!; 깜짝이야!, 놀래라!((불쾌·놀람을 표현할 때)).
ostrería *f.* 굴 파는 곳; 굴 요리점.
ostrero, ra *adj.* 굴(ostra)의[에 관한]. —*m.f.* 굴 장수. —*m.* ① 굴 양식장. ② 진주조개 양식장. —*f.* (깐따브리아 해안에서) 굴 양식장.
ostrícola *adj.* 굴 양식의[에 관한].
ostricultor, ra *m.f.* 굴 양식가.
ostricultura *f.* 굴 양식.
ostrífero, ra *adj.* ① 굴 양식의. ② 굴이 풍부한[많은].
ostro[1] *m.* =**ostrón.**
ostro[2] *m.* ① (옛날에 천에 자줏빛을 물들이기 위해 사용했던 먹물이 있는) 자줏빛 조개. ② 자줏빛, 자줏빛 염료.
ostro[3] *m.* ① 남풍(南風). ② [방위] 남(南), 남쪽(Sur).
ostrogodo, da *adj.* [역사] 동(東)고트족의. —*m.f.* 동고트족 (사람).
ostrón *m.* [조개] (보통 굴보다 훨씬) 큰 굴.
ostugo *m.* ① =**rincón.** ② =**pizca.**
osudo, da *adj.* 뼈가 많은, 뼈만 앙상한, 뼈만 남은.
osuno, na *adj.* 곰(oso)의[에 관한].
otacusta *m.* [고어] =**espía.**
otacústico, ca *adj.* 보청(補聽)의:

aparato ~ 보청기.
otalgia *f.* [의학] 귀앓이, 귓병, 이통(耳痛)(dolor de oídos).
OTAN *f.* *O*rganización del *T*ratado (del) *A*tlántico (del) *N*orte 북대서양 조약 기구, 나토(NATO).
otar *tr.* [고어] 높은 곳에서 보다.
otario, ria *adj.* *Arg., Par., Ur.* = **tonto, necio.**
OTASE *f.* *O*rganización del *T*ratado del *S*udeste *A*siático 동남 아시아 조약 기구, 시토(SEATO).
otatal *m.* *Méj.* =**guadual.**
otate *m.* ① *Méj.* =**guadua.** ② *Méj.* guadua의 줄기.
otatera *f.* *Méj.* =**guadua.**
otavaleño, ña *adj.* ① 오따발로(Otavalo, 에꾸아도르의 도시) 태생의. ② 오따발로의[에 관한].
-ote, ta *suf.* ① [형용사·명사의 뒤에 붙어 증대의 뜻] grand*ote* 거대한. ② [형용사·명사의 뒤에 붙어 경멸의 뜻] bob*ote* 매우 우둔한. ③ [형용사·명사의 뒤에 붙어 축소사] isl*ote* 작은 섬.
otear *tr.* ① (높은 곳에서 아래에 있는 것을) 감시하다, 망보다. ② 주의 깊게 보다[검사하다·조사하다].
otero *m.* (평원에서 고립된) 언덕.
OTI *f.* *O*rganización de *T*elevisiones *I*beroamericanas 이베로 아메리카 텔레비전 기구.
otilar *intr.* (늑대가) 울부짖다.
otitis *f.sing.pl.* [의학] 귀 염증. ¶ ~ *externa* [의학] 외이염. ~ *interna* [의학] 내이염, 미로염(迷路炎). ~ *media* [의학] 중이염.
oto *m.* [새] 수리부엉이.
otología *f.* 이과학(耳科學).
otológico, ca *adj.* 이과학(otología)의[에 관한].
otólogo *m.* 이과학 전문의.
otomán *m.* [섬유] 오토만.
otomana *f.* 오토만 ((터키 사람이나 아랍 사람이 사용하는 긴 의자)).
otomano, na *adj.* ① 터키(Turquía) 태생의. ② 터키의[에 관한]. ③ [역사] 오토만 터키족의. —*m.f.* ① 터키 사람. ② 오토만 터키족 (사람).
otomía *f.* ① *Salv.* =**destrozo.** ② *Hond., Ven.* =**atrocidad.**
otoñada *f.* ① 가을철, 추계(秋季). ② 가을(otoño). ③ 가을의 풍요로운 목초지, 풍부한 가을철의 목초.
otoñal *adj.* ① 가을의[에 관한]. ② 가을 같은, 가을다운: temperatura ~ 가을 같은 기온, 가을다운 기온. ③ (사람이) 초로(初老)의: edad ~ 초로기(初老期).
otoñar *intr.* ① (사람이) 가을을 보내다. ② [단인칭] 가을에 풀이 나다[자라다], 가을에 새싹이 나오다. ~**se** (토지가, 충분한 비 때문에) 가을에 파종[씨뿌리기]에 적당하다, (흙이) 가을비에 촉촉이 젖다.
otoñizo, za *adj.* ① 가을의[에 관한]. ② 가을 같은, 가을다운.
otoño *m.* ① 가을: en (el) ~ 가을에. ② 연중 온화한 시기, (한 해의 동안) 덥지도 춥지도 않은[따뜻한] 시기. ③ 가을철에 초원[목장]에 두 번째 돋아난 풀[목초]. ④ 초로기: ~ de la vida 인생의 초로기.
otorgadero, ra *adj.* ① 허가할 수 있는. ② 양도할 수 있는. ③ 수여할 수 있는. ④ 허가해야 하는. ⑤ 양도해야 하는. ⑥ 수여해야 하는.
otorgador, ra *adj., m.f.* ① 허가하는 (사람). ② 양도하는 (사람). ③ 수여하는 (사람).
otorgamiento *m.* ① 허가, 허락. ② (서류·권력·유언장 등의) 수여, 양도. ③ 증서(의 작성), 계약서 작성. ④ (서류의) 서명날인, 기명날인.
otorgante *adj.* 허가하는; 양도하는; 수여하는. —*m.f.* 허가자; 양도자; 증서 발행인[작성자].
otorgar (8) *tr.* ① (요청받은·질문받은 것을) 동의[허락·허용]하다, 승낙하다, 쾌락하다, 주다, 수여하다: ~ el apoyo 원조를 주다. ~ el perdón 용서를 하다, 사면하다. ~ el poder 권한을 부여하다. ~ el premio 상을 주다. ② (…에 대해) 용서하다, 사면하다. ③ [법률] (공증인의 입회로 증서를) 작성하다: ~ el contrato 계약서를 작성하다. ~ el testamento 유언장을 작성하다.
otorragia *f.* 귀 출혈(出血).
otorrea *f.* 귀고름.
otorrino *m.f.* =**otorrinolaringólogo.**
otorrinolaringología *f.* 이비인후과.
otorrinolaringólogo, ga *m.f.* 이비인후과 의사.
otosclerosis *f.* [의학] 귀 경화증.
otoscopia *f.* [의학] 귀 검사.
otoscopio *m.* [의학] 검이경(檢耳鏡).
otramente *adv.* 달리, 따로따로.
otraño *adv.* 다른 해에(en otro año).
otro, tra *adj.* [부정 형용사] ① [관사 없이] 다른, 딴: ~ día 다른 날. *otra* persona 다른 사람. ② [정관사·소유 형용사·지시 형용사와 함께] 그 이외의, 그 밖의: No quiero leer las *otras* novelas 나는 그 이외의 소설을 읽고 싶지 않다. Este vino es superior a ese ~이 포도주는 다른 것보다 질이 좋다. ③ [+que] …과 다른: tener ~ parecer *que* alguien (누구와) 다른 의견을 가지고 있다[의견이 다르다]. ④ [ser 동사와 함께] 다른 것, 딴 것: Mis intenciones son muy *otras* 내 의도는 전혀 다르다. ⑤ [관사 없이] 또 하나의, 또 다른, 다음의, 제2의: ¿Quieres *otra* taza de café? 커피 한 잔 더 드시겠어요? *Otra* taza, por favor 한 잔 더 부탁합니다. ⑥ [uno와 대조적으로] 또 다른: *Unas* veces voy al parque y *otras*

(veces) al monte 나는 어떤 때는 공원에 가고 또 어떤 때는 산에 간다. *Una* cosa es criticar y *otra* es despreciar 비판하는 것과 경멸하는 것은 또 다르다. ⑦ [주격 보어·목적격 보어로] 변한, 바뀐, 완전히 다른[딴]: Los tiempos ya son ~*s* 이제 시대가 완전히 변했다. Hoy te encuentro ~ 너는 오늘은 딴 사람 같다[완전히 딴 사람이 되었다]. ⑧ [관사와 함께 día, tarde, noche와 같은 명사들 앞에서 가까운 과거를 나타낸다] El ~ día vi a tu primo en la calle 일전에 네 사촌을 거리에서 만났다. ⑨ [「a+관사」와 함께 día, semana, mes, año와 같은 명사 앞에서] 다음: *al* ~ día 다음날에. *a la otra* semana 다음 주에. —*pron.* [부정 대명사] ① [관사 없이] 다른 사람[물건·것]: mediar en el asunto de ~ 다른 사람의 일에 말참견하다. ¿Quiere usted ~? 다른 것으로 하시겠습니까? ② [정관사와 함께] 나머지 전부: la semana que viene no, la *otra* sí 다음 주는 안 되고 다른 주는 모두 좋다. ③ [관사 없이] 또 한 사람, 또 한 개; 다음 사람[물건·것]: Este es ~ de mis hijos 이 아이는 또 다른 내 아들입니다. ④ [uno와 대조해서] (하나·한 사람은 …) 또 하나[한 사람]는 …: un día sí y ~ no 하루 걸러. ¶ ***¡Otra!*** ㉮ 앙코르!, 재청!, 한 번 더!, 다시 한 번 (부탁합니다). ㉯ (연사·대화자의 지루함이나 실수에 대해) 집어 치워라! ***ser*** alguien ~ (…가, 육체적·도덕적 성질에서) 많이 변했다.

otrora *adv.* [드묾] 전에, 옛날에.

otrosí *adj.* =**además.** —*m.* [법률] 소장(訴狀)의 추가 항목.

OUA *f.* Organización para la Unidad Africana 아프리카 통일 기구.

output *m. ing.* ① [경제] 생산, 산출, 생산고, 산출고(産出高), 산출량. ② [컴퓨터] 출력 (신호).

ova *f.* [식물] 해초, 해조, 녹색 해초[해조](alga verde). ¶ ~ ***de río*** 아름다운 녹색 담수 해초(ajomate).

ovación *f.* ① (집단에 의한) 환호, 환성, 갈채, 열렬한 환영: ~ en [de] pie 관중의 기립 박수. ② (고대 로마의) 조촐한 승전 축하.

ovacionar *tr.* …에게 갈채하다.

ovado, da *adj.* ① 수컷이 수정한 알을 가진. ② 달걀 모양의. ③ 타원형의, 긴둥근꼴의(de forma de óvalo).

oval[1] *adj.* 긴둥근꼴의, 타원형의.

oval[2] *corona* ~ (고대 로마의 승전 축하 행사에 장군이 썼던) 마삭나무[마삭줄] 관(冠).

ovalado, da *adj.* 타원형의.

ovalar *tr.* 타원형으로 만들다.

óvalo *m.* (항상 바깥쪽으로 볼록한) 급커브(curva cerrada).

ovante *adj.* ① 열렬한 환영을 받은. ② 승리한, 이긴, 승리감에 도취된, 승리하여 의기양양한.

ovar *intr.* 알을 낳다(poner huevos).

ovárico, ca *adj.* ① [식물] 씨방의[에 관한]. ② [해부] 난소의, 알집의: cáncer ~ [의학] 난소암.

ovariectomía *f.* [의학] (하나·둘의) 난소 적출술[절제술].

ovario *m.* ① [해부] 알집, 난소. ② [건축] 긴둥근꼴로 장식된 사개. ③ [식물] 씨방.

ovariotomía *f.* [해부] 난소 절개술, 난소 절개 수술.

ovaritis *f.sing.pl.* [의학] 난소염.

ovas *f.pl.* 물고기의 뭉친 알.

oveja *f.* ① [동물] 암양. ② *AmérM.* [동물] 야마. ¶ ~ ***descarriada*** ㉮ [성경] 길 잃은 양. ㉯ 탈선한 사람. ~ ***negra*** (가족·집단의) 골칫거리, 주쳇덩어리, 걱정꾸러기, 말썽꾸러기, 의붓자식 (취급을 받는 사람). ~ ***renil*** 거세된 양. ***encomendar las ~s al lobo*** (사업·재산·기타를 손해 보거나 파괴한 사람에게) 넘기다, 맡기다, 위임하다. ***ser un lobo con piel de*** ~ 양가죽을 뒤집어쓴 이리다. ***Cada ~ con su pareja*** (속담) 유유상종(類類相從). ***Reunión de pastores,*** ~ ***muerta*** (속담) 고래 싸움에 새우 등 터진다.

ovejería *f.* ① *AmérM.* 집에서 기르는 양. ② *AmérM.* 목양장(牧羊場). ③ *Chile.* 목양(牧羊).

ovejero, ra *adj.* 양을 지키는 (개 등). —*m.f.* 목동, 양치기.

ovejuno, na *adj.* 양의[에 관한]: leche ~*na* 양젖, 양유(羊乳).

overa *f.* 새의 난소.

overbooking *m. ing.* 오버부킹.

overo, ra *adj.* ① (동물, 특히 말의 털이) 복숭아색 비슷한 색의. ② = pío[3].

overol *m. ing. Amér.* (원피스) 일복, 일옷, 작업복(mono).

ovetense *adj.* ① 오비에도(Oviedo, 스페인의 쁘린시빠도 데 아스뚜리아스 Principado de Asturias의 수도) 태생의. ② 오비에도의[에 관한]. ③ 꼬로넬 오비에도(Coronel Oviedo, 빠라구아이의 까아구아수 주(州)의 주도) 태생의. ④ 꼬로넬 오비에도의[에 관한]. —*m.f.* ① 오비에도 사람. ② 꼬로넬 오비에도 사람.

óvido *adj., m.* 양 무리의 (동물).

oviducto *m.* [해부] 수란관, 나팔관.

ovil *adj.* =**redil, aprisco.**

ovillar *tr.* 실꾸리를 만들다. ~**se** (수족을 움추려) 둥그렇게 하다, 움츠리다.

ovillejo *m.* 8음절 3행시.

ovillo *m.* ① 실꾸리. ② 엉겨 둥그렇게 된 것[물건]. ③ 아무렇게나[무질서하게] 쌓은 더미[무더기]. ¶ ***hacer*** alguien ***un*** ~ ㉮ (놀람·고통·다

른 자연적인 원인으로) 몸을 움츠리다[웅크리다]. ㉯ (말하거나 생각하면서) 머리가 혼란스럽다, 당황하다, 갈피를 못 잡다, 갈팡질팡하다.

ovino, na *adj.* 양모의, 양털이 있는: ganado ~ 면양. —*m.* [동물] 양 무리, 양떼.

ovíparo, ra *adj.* 난생의, 알을 낳아서 새끼를 까는. —*m.* 난생 동물.

oviscapto *m.* (곤충의) 산란관.

ovni, OVNI *m.* *o*bjeto *v*olador *n*o *i*dentificado 미확인 비행 물체, 유에프오(UFO).

ovo *m.* [건축] 달걀 모양의 장식(물).

ovoide *adj.* 달걀 모양의, 갸름한: rostro ~ 갸름한 얼굴, 달걀 모양의 얼굴. —*m.* ① 달걀 모양의 물건, 난형물. ② 달걀 모양의 석탄 덩어리, 달걀 모양의 물질 덩어리.

ovoideo, a *adj.* 달걀 모양의.

óvolo *m.* ① [건축] =**cuarto bocel.** ② [건축] 달걀 모양 장식.

ovoso, sa *adj.* 알(ovas)을 밴.

ovovivíparo, ra *adj.* 난태생(卵胎生)의. —*m.* 난태생 동물.

ovulación *f.* 배란(排卵).

ovular[1] *intr.* 배란하다.

ovular[2] *adj.* ① 난자(卵子)의[에 관한]. ② 배란(排卵)의[에 관한].

óvulo *m.* ① [생물] 난자, 난세포. ② [식물] 밑씨, 배주(胚珠).

ox *interj.* =**os.**

oxalato *m.* [화학] 수산염. ¶~ ***potásico*** [화학] 수산 칼륨염.

oxálico, ca *adj.* [화학] 수산의, 수산에서 유도된: ácido ~ 수산.

oxalme *m.* 식초를 넣은 간국.

oxe *interj.* =**ox.**

oxear *tr.* (닭 등을) 쫓다.

oxiacanta *f.* [식물] 당산사나무.

oxiacetilénico, ca *adj.* ① 산소 아세칠렌 혼합의. ② 산소 아세칠렌 혼합물을 사용하는.

oxidable *adj.* 산화할 수 있는.

oxidación *f.* [화학] 산화 (작용).

oxidante *adj.* ① 산화하는. ② 산화용으로 쓰이는.

oxidar *tr.* 산화시키다, 녹슬게 하다. ~**se** ① 산화되다, 녹슬다. ② [화학] (원자·이온이) 전자를 잃다.

óxido *m.* ① [화학] 산화물(酸化物): ~ de hierro 산화철. ② 녹.

oxidrilo *m.* [화학] =**hidroxilo.**

oxigenación *f.* ① 산소 처리. ② 환기(換氣). ③ (혈액에의) 산소 공급.

oxigenado, da *adj.* 산소를 함유한.

oxigenar *tr.* ① 산소와 화합시키다[섞다], 산소 처리하다. ② *Arg., Ven.* (어떤 혁신적인 방법을 도입하여) 망가진 상황에 활력을 불어넣다. ~**se** 바람을 쐬다, 신선한 공기를 들이마시다.

oxígeno *m.* ① [화학] 산소: botella de ~ 산소 봄베. inhalación de ~ 산소 흡입. ② 분자형 산소 가스. ¶ ***dar*** ~ *Arg.* =**oxigenar** ②.

oxigonio ***triángulo*** ~ [기하] 예각 삼각형.

oximel *m.* 식초와 꿀 시럽.

oximiel *m.* =**oximel.**

oxipétalo *m.* [식물] (브라질산) 덩굴식물의 일종.

oxitócico *adj.* [의학] 분만을 촉진시키는, 자궁 수축성의. —*m.* 분만 촉진제, 자궁 수축제.

oxítono, na *adj.* [음성학] 끝 음절에 악센트가 있는: palabra ~*na* 끝 음절에 악센트가 있는 단어. —*m.* 끝 음절에 악센트가 있는 말.

oxiuro *m.* [동물] 요충.

oxizacre *m.* ① 옥시사끄레 ((옛날에, 신 석류즙과 설탕으로 담은 술)). ② 옥시사끄레 ((다른 여러 재료를 넣어 만든 시고 달착지근한 술)).

oxoniense *adj.* ① 옥스포드(Oxford, 영국의 도시) 태생의. ② 옥스포드의[에 관한]. —*mf.* 옥스포드 사람.

oxte *interj.* 비켜!, 귀찮아! ((귀찮게 하거나 화나게 하거나 해롭게 하는 것을 거절할 때)). ¶***no decir ~ ni moxte*** 아무 말도 하지 않다, 가타부타 말이 없다, 한 마디 말도 없다. ***sin decir ~ ni moxte*** 가타부타 말없이, 한마디 말도 없이.

oye ☞**oír (76).**

oye- ☞**oír (76).**

oyente *adj.* 듣는. —*mf.* ① 듣는 사람. ② 청강생. ③ 견학자. ④ *pl.* 청중. ⑤ *pl.* (라디오의) 청취자.

oyó ☞**oír (76).**

oz. onzas 온스.

ozena *f.* [의학] 입냄새, 구취.

ozokerita *f.* [광물] =**ozoquerita.**

ozona *f.* [화학] =**ozono.**

ozonido *m.* [화학] 오존화물.

ozonizador *m.* 오존 발생기.

ozonizar (9) *tr.* ① 오존화하다. ② 오존으로 살균 처리하다.

ozono *m.* [화학] 오존. ¶***capa de*** ~ [기상] 오존층.

ozonometría *f.* 오존 측정(법).

ozonómetro *m.* 오존계(計).

ozonosfera *f.* [기상] 오존층.

ozonósfera *f.* *Amér.* =**ozonosfera.**

ozoquerita *f.* [광물] 지랍(地蠟).

P p

p 뻬(pe) ((스페인어 알파벳 열아홉 번째 문자)).

P fósforo 인(燐).

p. pagaré 약속 어음. página 페이지.

pasivo 차변. papel 서류. papa 교황. por … 때문에. pregunta 질문.
P. padre 신부. Papa 교황. por …의 대신[대리]로, …에 대해, …에 의해, … 때문에.
p/; P/ pagaré 약속 어음.
p/. plaza 광장.
pa. para …용.
p/a por autorización 허가[권한]에 의해, 권한으로.
P.A. por ausencia 부재로. por autorización 허가에 의해. Prensa Asociada 연합 통신사. peso atómico 원자량.
pabellón *m.* ① (원뿔꼴의) 야전 천막[텐트]. ② (침대·옥좌·제단 등을 덮거나 장식하는) 접는 보. ③ 국기(國旗). ④ 상선(商船)의 선적국. ⑤ (보석에서, 조각으로 잘린 면을 이루는) 잘린 뿔 (모양). ⑥ (뿔피리·클라리넷과 같은 관악기의) 입김을 불어넣는 구멍의 반대쪽 깔때기처럼 벌어진 부분, 주둥이 부분. ⑦ 원뿔꼴로 세워 놓은 총, (총끼리) 서로 어긋나게 맞대어 세운 총. ⑧ 딴채, 별채, 별동(別棟). ⑨ (전시회·대학촌·병원·병영(兵營) 등의) 전시관, 가설 전시장, …회장, …관, 병동(病棟): *Pabellón* de Corea 한국관. ~ de infecciosos 격리 병동. ⑩ (병영 내의) 대장 숙소[침실], 장교 침실. ⑪ 보호물, 도피처. ⑫ [시어] 반구형 천정[돔] 식으로 덮는 물건[것]. ⑬ [건축] 정자, 누(樓), 누각(樓閣). ⑭ *Ven.* [요리] 빠베욘 ((튀긴 고기·쌀·검은 강낭콩·튀긴 바나나로 만든 요리)). ⑮ *pl.* 크고 번쩍거리는 폭죽. ¶ ~ ***de la oreja*** [해부] 귀, 귓바퀴.
pabilo *m.* ① 초의 심지, 등심(燈心). ② 심지의 불똥, 심지의 타다 남은 부분. ③ *Ven.* 굵은 실.
pábilo *m.* =**pabilo.**
pabiloso, sa *adj.* ① 심지가 많이 타서 불이 희미한. ② =**mortecino.**
pabilar *ni hablar ni* ~ 달다 쓰다 말없이, 이렇다 저렇다 말없이.
Pablo *m.* [인명] 빠블로. ¶ ***¡Guarda, ~!*** [드묾] 위험해!, 조심해!
pábulo *m.* ① 식량, 양식. ② 자양, 영양물. ③ 힘, 활력, 활기. ¶ ***dar*** ~ =**echar leña al fuego.** ☞**leña.**
paca[1] *f.* ① [동물] 빠까 ((아메리카산의 얼룩덜룩한 토끼의 일종; 산의 굴에서 살고 야채를 먹고 돼지처럼 꿀꿀거림; 길들이기가 쉽고 고기는 식용임)). ② *CRica.* [경멸] 경찰대.
paca[2] *f.* (양모·솜 등의) 꾸러미.
pacana *f.* ① [식물] 빠까나나무 ((북아메리카산 호두나무의 일종)). ② 빠까나나무의 열매.
pacato, ta *adj.* ① 지나치게 평화스러운[조용한]. ② 별로 가치가 없는, 하찮은. ③ 허식의, 위선의. —*m.f.* ① 매우 조용한 사람. ② 위선자.
pacense *adj.* ① 바하도스(Bajadoz, 스페인의 주·도시) 태생의. ② 바호도스의[에 관한]. —*m.f.* 바하도스 사람.
paceño, ña *adj.* ① 라빠스(La Paz, 볼리비아의 수도·주) 태생의. ② 라빠스의. —*m.f.* 라빠스 사람.
pacer (31) *intr.* (들·초원·산·목장에서) 풀을 먹다[뜯다]. —*tr.* ① (목초·풀을) 먹다. ② 먹다, (이로) 갉다, 쓰다, 사용하다. ③ (가축에게) 목초를 주다, 풀[목초]을 먹이다.
pacha *f.* ① *Nic., Salv.* =**biberón.** ② *Hond., Nic., Salv.* 작은 술병.
pachá *m.* 터키의 고관. ¶ ***vivir como un*** ~ 호사스러운 생활을 하다.
pachacho, cha *adj.* 땅딸막하고 다리가 짧은.
pachamanca *f. AmérM.* 빠차망까 ((달군 돌에 구운 고추 양념을 한 고기)).
pachanga *f.* ① 빠창가 ((꾸바 기원의 춤)). ② =**alboroto, fiesta, diversión bulliciosa.** ③ (하나의 골대에서만 하는) 비공식[약식] 축구[농구] 경기. ④ *Arg., Cuba, Guat., Nic., Salv., Ur.* (일반적으로 춤과 함께 하는) 민속 축제, 가정 파티.
pachanguear *intr.* ① *Arg., Cuba, Salv., Ur.* 민속 축제[가정 파티]에 참가하다. ② *CRica., Cuba, Hond., Nic.* 흥청거리다, 소란을 피우다.
pachanguero, ra *adj.* ① (파티, 음악 등이) 떠들썩한. ② *Arg., Cuba, Nic., Salv., Ur.* 축제[파티]에 참가하기를 좋아하는.
pacheco *m. Ecuad., Ven.* 강추위.
pachiche *adj. Méj.* (열매가) 너무 익은.
pachichi *adj. Méj.* =**pachiche.**
pacho[1]**, cha** *adj.* =**indolente.**
pacho[2]**, cha** *adj.* ① *Hond., Nic., Salv.* 납작한. ② *Nic., Salv.* (강·샘·호수가) 얕은.
pachocha *f.* ① 냉수프(gaspacho)의 일종. ② *Col., Cuba, Pan., Perú.* =**pachorra.**
pachola *f. Méj.* =**totoposte.**
pacholi *f. Méj.* =**totoposte.**
pachón, na *adj. Hond., Méj., Nic.* =**peludo, lanudo.** —*m.* ① =**perro pachón.** ☞**perro.** ② 하는 짓이 우둔한 남자.
pachorra *f.* =**flema, tardanza.**
pachorrear *intr. Nic.* =**haraganear.**
pachorriento, ta *adj.* ① *Arg., Ur.* =**pachorrudo.** ② *Ecuad.* =**pachón, peludo.**
pachorrudo, da *adj.* 굼뜬, 더딘.
pachucho, cha *adj.* ① 너무 익은, 무르익은. ② =**flojo, alicaido.**
pachuli *m.* =**pachulí.**
pachulí *m.* ① [식물] 파슐리 ((미나릿과의 두해살이풀)). ② 파슐리의

P

향료.

pachuquear *intr. Salv.* =bailar.

paciencia *f.* ① 인내, 인내심, 참을성, 인내력, 견딜성, 인내성, 근기, 참고 견디는 힘 : con ~ 참을성 있게, 끈기 있게, 느긋하게. tener ~ 참다, 인내심을 가지다. No pierda ~ 참으세요. ② 침착하며 성미가 느릿함. ③ 빠시엔시아 ((밀가루·달걀·편도·설탕을 넣고 오븐에 쪄서 만든 아주 작고 둥근 빵)). ¶*acabar* [*consumir·gastar*] a alguien *la* ~ (…를) 노하게 하다, 화나게 하다, 성나게 하다. *~ y barajar* 칠전팔기. *probar* alguien *la* ~ a otra persona (누가, 다른 사람에게) 화나게 계속 동기를 부여하다, 계속 화나게 하다. *tener más ~ que Job* [*que un santo*] 대단한 인내심이다, 인내심[참을성]이 대단하다, 성인군자 같다, 어떤 어려움에도 참아 내다, 큰 고통에도 끄떡없다. *tentar de* [*la*] ~ a alguien = probar la paciencia. *A cualquier duelo la ~ es remedio* (속담) 인내는 모든 슬픔을 치료해 준다. *Con el tiempo y la ~ se adquiere la ciencia* (속담) 지식은 시간과 인내로 얻는다. *Con ~ se gana el cielo* (속담) 인내로 천하를 얻을 수 있다, 모든 것은 기다리는 자를 위한 것이다. *La ~ es una hierba que no nace en todas las tierras* (속담) 인내는 아무 곳에서나 자라지 않는 꽃이다.

paciente *adj.* ① 인내심 있는, 참을성이 있는, 끈기 있는, 느긋한: Ella es muy ~ con los niños 그녀는 아이들에게 매우 인내심이 많다. ② 병환 중인, 앓고 있는, 고통을 겪는. ③ [문법] 수동의. *—m.f.* 환자, 병자: El médico atiende bien a sus ~*s* 그 의사는 환자들을 잘 돌보아 준다. *—m.* [문법] 수동형 주어.

pacientemente *adv.* 참을성 있게, 끈기 있게, 느긋하게.

pacienzudo, da *adj.* 참을성이 많은[매우 강한], 인내심이 강한.

pacificación *f.* ① 평화를 가져오는 일, 강화, 화해, 화의; 평정, 진정. ② (국가들의) 강화 조약.

pacificador, ra *adj.* ① 평화롭게 하는, 평화를 가져오는. ② 달래는, 화해시키는, 중재하는. *—m.f.* 달래는 사람, 화해시키는 사람, 조정자, 중재자.

pacíficamente *adv.* ① 평화롭게, 평화적으로, 조용하게, 평온하게, 온화하게. ② 반대 없이 이의 없이, 반론 없이(sin contradicción).

pacificar (7) *tr.* ① (전쟁·분쟁이 있었던 곳에) 평화를 정착시키다[회복시키다·가져오다], (반란을) 진압시키다, 가라앉히다. ② 진정시키다, 달래다, 화해시키다, 중재하다, 조정하다. *—intr.* 진정되다, 가라앉다, (마음이) 누그러지다, 풀리다. *~se* ① 평화가 정착되다[회복되다]. ② 화해하다, 조정되다. ③ 가라앉다, 멎다, 진정되다: ~*se* el viento 바람이 멎다.

Pacífico *m.* 태평양: ~ Norte 북태평양. ~ Sur 남태평양. Guerra del ~ ㉮ 태평양 전쟁 ((스페인과 뻬루·칠레 사이의 전쟁, 1864-66)). ㉯ 태평양 전쟁 ((칠레와 뻬루·볼리비아 사이의 전쟁, 1879-83)).

pacífico, ca *adj.* ① 고요한, 조용한, 차분한, 안정된, 평온한, 평화스러운, 전쟁이 없는, 분쟁이 없는: hombre ~ 차분한[조용한] 남자. revolución ~*ca* 무혈 혁명. ② 평화에서 전쟁[분쟁]으로 바뀌지 않는, 평화적인. ③ 반대하지 않는, 반대가 없는, 이의 없는, (상태의) 변화가 없는. ¶ *Océano Pacífico* 태평양(Pacífico).

pacifismo *m.* 평화주의, 평화론.

pacifista *adj.* 평화주의의, 온건주의의. *—m.f.* ① 평화주의자, 온건주의자, 평화론자, 반전론자. ② 양심적 병역 기피자.

pación *f. Ast., Cantb.* (벤 뒤에 자라난) 두 번째 목초.

paco[1] *m. quechua.* ① [동물] = paca[1] ①. ② [동물] 야마(llama). ③ *Amér.* (철분 함유 폐석이 섞인) 은광석. ④ *Arg., Bol., Perú.* 연분홍색, 주홍색. ⑤ *Arg., Ur.* 많은 돈, 큰 돈. ⑥ [경멸] *Bol., Chile, Col., CRica., Ecuad., Pan.* 경찰관. ⑦ *Cuba.* (어떤 것의) 상당량. ⑧ *Ur.* 사기, 속임수. *—adj. Arg., Bol., Perú.* 연분홍색의, 주홍색의.

paco[2] *m.* ① (스페인의 아프리카 식민지 시대에, 군대에 가지 않기 위해서) 도망쳐 숨은 모로인. ② (스페인의 아프리카 식민지 시대에, 군에서) 탈주한 전사[전투원], 도망병.

paco[3] *m. Nic.* 빠꼬 ((씻은 옥수수 잎으로 만 떡)).

pacón *m. Hond.* =jaboncillo.

pacora *f. Col.* (물고기를 비늘을 벗기고 얇게 저미는 데 사용하는) 넓고 짧은 칼, 납작한 작은 칼.

pacota *f.* ① *Arg.* (…를) 동행한 사람들. ② *Méj.* 하찮은 사람[물건], 별 가치가 없는 사람[물건].

pacotilla *f.* ① (선원·선장이 무료로 실을 수 있는) 개인 휴대품(의 양). ② *Chile, Guat., Hond.* 불량배, 건달패. ③ *Nic., Salv.* =pandilla ⑤. ¶*hacer* alguien su ~ (투기 등으로) 상당한 돈을 모으다. *ser de* ~ algo 질이 나쁘다, 정성들여 만들어지지 않다.

pacotillero, ra *adj.* (선원·선장의) 개인 휴대품으로 장사하는, 개인 휴대품을 취급하는. *—m.f.* ① (선원·선장의) 개인 휴대품 취급 상인. ② *Amér.* 행상인.

pactar *tr.* ① [+con] (…와) 협정을

맺다, 협정하다, 조약을 체결하다, …에 합의하다, 결정하다, 정하다, 맺다; 계약하다: ~ una tregua navideña 크리스마스 휴전을 협정하다. ② (상사와) 의기 투합하다, 시류를 타다, 영합하다.

pactismo *m.* (협정을 체결해 해결을 도모하는) 협조주의.

pactista *adj.* ① pactismo의[에 관한]. ② 협조주의 경향이 있는, 협조주의파의. —*m.f.* 협조주의자.

pacto *m.* ① 협정, 협약, 조약, 약관, 계약: ~ de no agresión 불가침 조약. ~ social 사회 계약. firmar [hacer] un ~ con …와 협정[계약]을 맺다. ② 협정[계약]에 의해 심의[검토]된 것. ¶*Pacto Andino* 안데스 조약 ((안데스 산맥에 면한 국가들 간에 맺은 경제 협력 협정)). ~ *colectivo* (노사간의) 단체 협약. ~ *de caballeros* 신사 협약. ~ *de indemnización* (손해의) 보상 계약. *Pacto de Varsovia* 바르샤바 조약. *Pacto Tripartito* 삼국 동맹.

pacú *m. Arg., Par.* [어류] 빠꾸 ((길이가 80센티미터까지 자라는 긴 둥근꼴의 민물 고기; 식용임)).

pacumutu *m. Bol.* [요리] 빠꾸무뚜 ((막대기·쇠꼬챙이에 끼어 즉석 불로 만드는 소 불고기)).

paddle *m.* [운동] 패들.

padecer (31) *tr.* ① (정신적·육체적으로) (…에 해를) 입다[받다·받고 있다]: ~ frecuentes dolores de muelas 잦은 치통으로 괴로워하다. ~ una desgracia 불행을 겪다. ~ una ofensa 모욕을 당하다. ② (병 등에) 걸리다, 걸려 있다. ③ 피해를 당하다[보다]: ~ en *su* honor 명예를 훼손당하다. ④ (잘못을) 저지르다, 범하다, 저지르고 있다, 범하고 있다: ~ error 잘못[실수]을 저지르고 있다. ~ engaño 속이고 있다. ⑤ 괴로워하다, 마음 고생을 하다, 번민하다. —*intr.* ① [+de·con·por] (…으로) 괴로워하다, 번민하다, 마음 고생을 하다, 정신적인 고통을 받다. ② [+de] (…병을) 앓다, (…가) 아프다: ~ *de* los ojos 눈병을 앓고 있다. ③ 참다, 인내하다, 견디어 내다.

padecimiento *m.* ① 괴로움, 고통, 번민, 아픔. ② 병에 걸림, 이병(罹病), 이환(罹患). ③ 피해.

padrastro *m.* ① 의붓아버지, 계부(繼父). ② (아이들에게) 나쁜[고약한·무정한] 아버지. ③ 장애, 방해, 불편. ④ 손거스러미, 거스러미. ⑤ (요새가 내려다 보이는) 고지.

padrazo *m.* 자녀들에게 매우 너그러운[관대한·무른·여린] 아버지.

padre *m.* ① 아버지, 부친. ② (자식·새끼에 관해) 사내, 수컷. ③ (생식을 목적으로 하는 가축에서) 수컷 아비, 종축, 씨짐승, 씨…, 종(種)…: caballo ~ 씨말, 종마(種馬). cerdo ~ 씨돼지, 종돈(種豚). gallo ~ 씨닭, 종계(種鷄). toro ~ 씨소, 종우(種牛). ④ (가문의) 시조, 가장, 족장. ⑤ [종교] 신부(神父): el ~ Sánchez 산체스 신부. ⑥ 기원, 시초, 시작. ⑦ (발명 작품의) 작가, 작자; (어떤 것이건 다른 것의) 창시자, 발견자, 발명자. ⑧ [종교] [P~] 성부(聖父), 하나님. ⑨ *pl.* 부모, 양친. ⑩ 조상, 선조: historia de nuestros ~*s* 우리 선조[조상]의 역사. —*adj.* ① [구어] 매우 큰: escándalo ~ 큰 소동. ② *Méj.* [구어] 굉장한, 엄청난, 심한, 훌륭한, 환상적인: susto ~ 기겁. ¶~ *apostólico* 예수 그리스도의 사도들 및 제자들과 이야기했던 교회의 신부들 각자. ~ *conscripto* (옛 로마의) 원로원 의원. ~ *de almas* 성직자, 사제. ~ *de familia*, ~ *de familias* (자식이 없지만) 가장, 호주. ~ *de la patria* ㉮ 국부(國父). ㉯ [풍자적] 하원 의원, 상원 의원. ~ *de mancebía* 성매매 업소[사창가] 관리 책임자. ~ *de pila* (영세에서) 대부. ~ *de pobres* 자비심을 베푸는 남자, 시주하는 남자, 가난한 사람들을 돕는 남자, 가난한 사람들의 아버지. ~ *de su patria* = padre de la patria. ~ *del yermo* 은자, 선인, 수도자. ~ *espiritual* 고해 신부. *Padre Eterno* [종교] 성부, 하느님. ~ *nuestro* 주기도문. ~ *político* 장인, 시아버지. *Padre Santo* 교황. *Beatísimo Padre* 교황 성하. *nuestros primeros ~s* 아담과 이브. *Santo Padre* ㉮ (초기 교회의) 교부(敎父). ㉯ 로마 교황. *de ~ y muy señor mío* 대단한, 엄청난, 굉장한, 굉장히 강한, 굉장히 큰. *dormir* alguien *con* sus *~s* (누가) 사망했다, 죽었다, 서거했다. *no ahorrarse* alguien *con nadie, ni con su* ~ ㉮ 자신의 이익에만 마음을 쓰다, 자기의 이익에만 관심을 가지다. ㉯ (다른 사람은 고려하지 않고) 자기의 생각을 자유분방하게[아무 거리낌없이] 말하다. *sin ~ ni madre, ni perro que me ladre* 천애의 고아인, 사고무친한, 무의무탁의. *no tener ~ ni madre, ni perrito que le ladre* 천애의 고아다, 사고무친하다. *tener el ~ alcalde* 연줄[연고·친분 관계]이 있다, 힘센 보호자가 있다. *¡Tu ~!* (성이 나거나 노할 때) 빌어먹을!, 개새끼!, 짐승만도 못한 새끼! *Cual es el ~, tal es el hijo* / *De tal ~, tal hijo* (속담) 부전자전. *De ~ santo, hijo diablo* (속담) 아버지는 성자, 아들은 악마 / 자식은 부모 마음대로 키워지지 않는다.

padrear *intr.* ① (용모·습관에서)

P

아버지를 닮다. ② (수컷이) 교미하다, 암컷을 덮치다.

padrenuestro *m.* 주기도문.

padrillo *m.* ① *AmérM.* 씨말, 종마. ② *Perú.* (어떤 동물이건) 씨짐승, 종축(種畜)(semental).

padrina *f.* =madrina.

padrinaje *m.* ① *Chile.* [집합] 대부들. ② *Chile.* 대부(代父)의 신분.

padrinazgo *m.* ① (영세·공공 의식에) 대부[교부]로 참석, 들러리역. ② 대부[교부]의 직함[임무, 역할]. ③ 보호(protección), 호의(favor).

padrino *m.* ① [천주교] 대부; [개신교] 교부. ② (결혼식·결투 등의) 시중 드는 남자, 들러리, 입회인. ③ 후원자, 지원자, 스폰서. ④ *pl.* 대부모, 교부모. ⑤ 후원자의 영향력.

padrísimo, ma *adj. Méj.* =**óptimo.**

padrón[1] *m.* ① 매우 너그러운[관대한·무른·여린] 아버지. ② *Arg., Col., Hond., RDom.* 씨말, 종마.

padrón[2] *m.* ① 주민 등록부. ② 본, 형, 틀, 모형. ③ 기념주, 기념탑, 기념비. ④ 오점, 불명예.

padronés, sa *adj.* ① 빠드론(Padrón, 스페인의 라 꼬루냐 주에 있는 소도시) 태생의. ② 빠드론의[에 관한]. —*m.f.* 빠드론 사람.

padrote *m.* ① *AmérC., Ecuad., Col., PRico., RDom., Ven.* (우량종을 번식시키기 위한) 종축용 수컷. ② 성매매 여성을 착취하는 남자. ③ *Méj.* =**alcahuete.**

padrotear *tr.* ① *Ven.* 교미하다. ② *Ven.* (남의 약점을 이용해서) 명령하다, 지배하다. —*intr.* ① *Méj.* 성매매 여성의 일로 부당하게 이익을 보다. ② *Méj.* 뚜쟁이[포주] 노릇을 하다.

paella *f.* ① [요리] 빠에야 ((스페인의 발렌시아 지방의 특색 있는 요리로, 마른 쌀·고기·생선·해산물·야채를 넣은 비빔밥[볶음밥])). ② 빠에야 만드는 프라이팬.

paellera *f.* (바닥이 깊지 않고, 손잡이가 두 개인 프라이팬 식의) 빠에야용 철판 용기[냄비].

paf *interj.* 쿵, 털썩, 쾅, 탁, 뚝 ((사람·물건이 떨어지거나 다른 물건에 부딪칠 때 나는 소리)).

paflón *m.* [건축] (아치 등의) 돌출부의 아랫면.

pág. página 쪽, 페이지.

paga *f.* ① 지불. ② 지불액, 지불금. ③ (직원의) 봉급, 급료(sueldo): ~ de Navidad 크리스마스 상여금[수당]. cobrar la ~ de julio 7월 봉급을 받다. ④ (잘못에 대한) 속죄. ⑤ 벌. ⑥ 애정 편지, 연애 편지. ¶ ~ ***extraordinaria*** (법이나 단체 협약에 의해 주로 여름이나 크리스마스에 받는) 상여금, 보너스. ***buena*** ~ 지불이 좋은 사람. ***mala*** ~ 지불이 나쁜 사람. ***en tres ~s (tarde, mal y nunca)*** 지불이 나쁨. ***ver la ~ al ojo*** (빠른 보상의 안정성이 있을 때) 일을 열심히 하다, (…을) 부지런히 해내다.

pagable *adj.* (금액 등이) 지불할 수 있는.

pagadero, ra *adj.* ① (기한 내에) 지불해야 할: ~ a la llegada 도착불의. ~ a la vista 일람불의. ~ a plazos 분할불로. ~ al portador 지참인불의. ~ al vencimiento 만기불의. ~ en efectivo 현금불의. coche ~ a doce meses 12개월 분할불 차. dinero ~ sobre demanda 콜머니. letra ~*ra* a noventa días 90일불 어음. ② 쉽게 지불할 수 있는. —*m.* 지불 시기, 지불 기한, 지불 상황.

pagado, da *adj.* ① [+de] (…에) 만족한. ② 지불필의: *Pagado* [표시] 지불필.

pagador, ra *adj.* 지불하는; (부·국 등의) 지불 담당의. —*m.f.* 지불인: ser buen [mal] ~ 지불이 좋다[나쁘다]. —*m.* ① 경리 부장, 회계 과장. ② 보상자. ¶ ***Al buen ~ no le duelen prendas / El buen ~ no necesita prendas*** (속담) 금전 관계가 좋은 사람은 누구한테나 환영받는다.

pagaduría *f.* 지불 장소, 지불하는 곳, 지불처, 경리부, 경리과, 재정국.

págalo *m.* [조류] 빠갈로 ((갈매기 비슷한 바닷새지만 몸집이 더 크고 깃은 어두운 색임)).

pagamento *m.* 지불, 불입(拂入).

pagania *f.* [드묾] =**paganismo.**

paganismo *m.* ① 이교(異敎). ② [집합] 이교도(異敎徒)(los gentiles).

paganizar (9) *tr.* 이교도가 되게 하다, 이교도화하다; 이교를 도입하다[들여오다]. —*intr.*, ~**se** 이교도가 되다, 이교를 믿다.

pagano[1] *m.* ① (회식 등에서 늘) 남의 돈을 대신 내게 된 사람. ② 남의 죄를 뒤집어쓴 사람.

pagano[2]**, na** *adj.* ① (옛 로마와 희랍에서) 우상을 숭배하고 여러 신을 믿는, 이교의, 이교도의. ② 세례를 받지 않은, 신앙심이 없는, 믿지 않는. —*m.f.* ① (옛 로마와 희랍의) 우상 숭배하는 다신교도, 이교도. ② 세례를 받지 않은 사람, 신앙이 없는 사람, 믿음이 없는 사람.

pagano[3] *m. Ast.* =**regoldo.**

pagar (8) *tr.* ① 지불하다, 내다: ~ la contribución 기부금을 내다. ~ el sueldo 봉급을 지불하다. ② (…의 대금을) 내다, 불입하다, 지불하다: ~ la cuenta 계산을 하다. ~ el ordenador a plazos 컴퓨터 대금을 분할불로 내다. ~ la universidad 대학교의 수업료를 내다. ~ *su* recibo de gas 가스 요금을 내다. ③ [+a] (…의 대신으로) 내다. ④ 보답하다, 갚다. ⑤ (…의) 보상을 받다,

벌을 받다: ~ *su* crimen 속죄하다. ~ con *su* salud los excesos 무절제로 건강을 해치다. —*intr.* 돈[대가·노임]을 지불하다: ~ a los trabajadores 노동자들에게 임금을 지불하다. ~**se** ① [+de] (…에) 반하다, 빠지다, 열중하다. ② [+de] (…을) 우쭐거리다, 뽐내다, 자랑하다, 자부하다, 자만하다. ¶*a luego* ~=al contado. *~la(s)* el culpable 상응하는[합당한·당연한] 벌을 받다, 마땅한 보복을 받다. *~la doble* 두 배의 보복[복수]을 당하다.

pagaré *m.* 약속 어음. ¶~ *a la orden* 약속 어음. ~ *a la vista* 요구불 약속 어음. ~ *bancario* 은행 어음. ~ *de favor* 공수표. ~ *del tesoro* 국채. ~ *no pagado* 부도 (약속) 어음.

pagaya *f.* (국자 모양의) 필리핀의 노(remo filipino).

pagaza *f.* [새] 갈매기 크기의 바닷새.

pagel *m.* [어류] 도미의 일종.

página *f.* ① (책·공책의) 쪽, 페이지, 면(面): una ~ 한 쪽, 한 페이지. diez ~*s* 열 쪽, 10페이지. la primera ~ 첫 쪽, 첫 페이지. la ~ cincuenta 50페이지, 50번째 페이지. ② 각 쪽에 쓴 것[인쇄된 것]. ③ (인생·일생·기업의 과정에서) 사건, 기록, 진기한 일, 일화, 에피소드, 시기. ④ [컴퓨터] 쪽, 페이지, 면 ((기억 영역의 한 구획)). ¶~ *de Internet,* ~ *web* [컴퓨터] 홈페이지. *~s amarillas* (전화 번호부의) 업종별 번호란, 직업별 번호란, 업종별 기업[영업·제품] 안내.

paginación *f.* ① 쪽[페이지] 매기기. ② 쪽[페이지]수, 면수. ③ 쪽[페이지]을 나타내는 수. ④ [컴퓨터] 페이징 ((주 기억 장치와 보조 기억 장치 사이에 페이지를 교환하기)).

paginante *m. Filip.* =**obrero.**

paginar *tr.* (책 등에) 페이지를 매기다(numerar páginas o planas).

pago[1] *m.* ① 지불, 지불금: ~ a la entrega 즉시불. ~ a plazos 분할불. ~ a término (fijo) 정기불. ~ adelantado 예납, 선불. ~ al contado 현금불. ~ anual 연불, 연부. ~ completo, ~ total 전불(全拂). ~ contra entrega 대금 인환불. ~ de salarios 급료 지불. ~ diferido 후불. ~ en efectivo 현금 지불. ~ en plazos 분할불, 할부불. ~ en suspenso 가불. ~ inicial (할부의) 선불. ~ inmediato 즉시불. ~ internacional 국제 결제. ~ total 전액 지불. ~ urgente 지급불. acuerdo [convenio] de ~*s* 지불 협정. día(s) de ~ 지불일, 봉급날. hacer [efectuar] un ~ 지불하다. ② 보상, 보복, 답례, 상, 벌. ¶*en* ~ 답례로, 보상으로. *hacer* ~ = **cumplir, satisfacer.**

pago[2] *m.* ① 농원, 농장; (특히) 포도밭, 포도원, 올리브 밭. ② 작은 읍, 마을. ③ *Arg., Bol., Ur.* [주로 *pl.*] 고향, 탄생지, 태어난 곳, 뿌리박고 있는[사는] 곳. ④ rur. *Arg., Perú, Ur.* 장소; 마을, 읍; 지방, 지역.

pago[3]**, ga** *adj.* [드묾] 지불필의.

pago[4] *interj. Salv.* (아이에게) 맴매!, 볼기짝을 때려 주겠다!

pagoda *f.* (불교·힌두교의 여러 층의) 탑, 파고다.

pagote *m.* [구어] =pagano[1].

pagro *m.* [어류] (지중해의) 도미의 일종.

pagua *f. Méj.* 변종 아구아까떼의 과실.

paguro *m.* [동물] 소라게.

pahua *f. Méj.* =**pagua.**

pahuichi *m. Bol.* =**bohío.**

paidofilia *f.* (성인이 어린이나 청소년들에게 느끼는) 성적 매력.

paidología *f.* (생리적·심리학적 견지에서) 소아학, 소아과학, 육아학.

paidológico, ca *adj.* paidología의.

paila *f.* ① (둥글고 얕은) 큰 철제 그릇, 큰 철제통, 큰 냄비. ② (부엌에서) 물 덥히는 금속 장치. ③ *Amér.* =**sartén, vasija.** ④ *Cuba.* 나무 국자. ⑤ *Ecuad.* (자동차의) =**caja.** ⑥ *Nic.* (사탕수수를 베는) 큰 낫.

pailada *f. Hond.* (어떤 것의) 많은 양, 큰 양(cantidad grande).

pailebot *m.* =**pailebote.**

pailebote *m. ing.* 소형 스쿠터.

pailero, ra *m.f.* ① *Ant., CRica., Méj., Nic., Ven.* 제당 공장과 소금 공장에서 paila 다루는 사람. ② *Bol., Cuba, Ecuad., Méj., Perú.* paila와 유사 제품 제조자[조립자·판매자]. —*m.* ① *Cuba.* 남자 동성애자. ② 큰 낫(paila)으로 사탕수수를 베는 남성 노동자.

painel *m.* =**panel.**

paipái *m. Filip.* =**paipay.**

paipay *m.* 야자 잎(으로 만든) 부채.

paipudo, da *adj.* ① *Nic.* =**bezudo.** ② *Nic.* 턱이 튀어나온, 튀어나온 턱을 가진 (사람).

pairar *intr.* (배가 돛을 내리거나 기관을 정지시키고) 떠 있다, 조용히 있다, 표류하다.

pairo *m.* (배가 돛을 내리거나 기관을 정지시키고) 떠 있기, 조용히 있기, 표류하기. ¶*estar [quedarse] al* ~ 행동[결단]을 멈추고 있다.

país *m.* [*pl.* ~es] ① 나라, 국가 (nación): ~ acreedor 채권국. ~ adelantado 선진국. ~ agrícola 농업국. ~ de origen 원산지 국가. ~ deudor 부채국. ~ en vías de desarrollo 발전 도상국. ~ en proceso de desarrollo 개발 도상국. ~ exportador de petróleo 석유 수출국. ~ independiente 독립국. ~ industrial 공업국. ~ miembro 회원

P

국, 가맹국. ~ naciente 신흥국. ~ satélite 위성국. ~ signatario 조인국. ~ subdesarrollado 저개발국. ② 지방. ③ 주(州), 도(道). ④ 영토, 국토. ⑤ 풍경화(風景畫)(paisaje). ⑥ (부챗살의 윗부분을 덮는) 종이, 가죽, 천. ¶*del* ~ ㉮ 자국(自國)의, 국산의: producto *del* ~ 국산, 국산품. ㉯ 그 고장산의: vino *del* ~ 토속주(土俗酒), 그 지방 술. *vivir sobre el* ~ ㉮ (군대가) 통치하고 있는 영토에 살고 있는 사람들의 비용으로 유지되다, 점령 지역의 주민 부담으로 유지되다. ㉯ 남의 덕에 살다, 남에게 빌붙어 지내다.

paisaje *m.* ① 풍경, 경치, 경색(景色), 경관. ② 풍경화(país).

paisajismo *m.* ① (장르로서의) 풍경화. ② 조원술, 조원법(造園法).

paisajista *adj.* ① 풍경화의. ② 조원술 전문의. —*m.f.* ① 풍경화가. ② 정원사, 조원가, 조원사.

paisajístico, ca *adj.* 풍경의: belleza ~*ca* 경색미, 경색의 아름다움.

paisana *f.* ☞paisano.

paisanaje *m.* ① [집합] 민간인, 일반 시민. ② 같은 나라[지방] 사람.

paisano, na *adj.* 같은 나라 태생의, 동향의. —*m.f.* ① 동포, 같은 나라 사람. ② 동향인, 고향이 같은 사람. ③ 시골 사람, 농촌 사람, 농민. ④ (군에 대해) 민간인, 일반 사람. —*f.* 시골 사람 식의 노래와 춤, 막춤과 노래. ¶*de* ~ 제복이나 승복과 다른 옷을 입은, 사복의, 사복을 입은: policía *de* ~ 사복 경찰관. traje [vestido] *de* ~ (군복·승복에 대해) 평복, 평상복, 통상복. ir *de* ~ 평상복을 입고 있다[가다].

Países Bajos (los) *m.pl.* [국명] 네덜란드, 화란(和蘭)(Holanda).

paisista *adj., m.f.* =paisajista.

paja *f.* ① 밀짚, 보리 짚, 호밀[라이보리] 짚, (다른 화본과 식물의) 짚: ~ de arroz 볏짚. sombrero de ~ 밀짚 모자. ② [집합] 짚(cañas). ③ 탄[부순] 짚, 지푸라기. ④ 빨대. ⑤ 까끄라기. ⑥ 가벼운 것, 별로 단단하지 않은 것, 별 가치가 없는 것. ⑦ 무익한 것, 무용지물. ⑧ [속어] 자위(自慰), 수음(手淫). ⑨ *Salv., Nic.* (집의 주 파이프가 각 수도꼭지에 공급하는) 물의 양. ⑩ 우둔한 [어리석은] 말[행동]. ⑪ *Salv.* 호언장담, 허세, 우쭐거림. ⑫ *Nic.* 수도꼭지. ⑬ *pl. Guat., Hond., Salv.* 거짓말. ⑭ [성경] 티. ¶~ *brava* 짚풀, 화본과 풀. ~ *cebadaza* 보리 짚. ~ *centenaza* 라이보리 짚, 호밀 짚. ~ *de agua* ㉮ 옛 계량 되. ㉯ *Col., CRica., Guat.* 수도꼭지. ㉰ *CRica.* =riachuelo. ~ *de camello,* ~ *de esquinanto,* ~ *de Meca* [식물] 동심초의 일종, 향동심초. ~ *larga* ㉮ (잘리지 않도록 물에 적시면서) 탈곡하지 않고 타는 보리짚. ㉯ 키꺽다리. ~ *pelaza* 탈곡 대신 연자간에서 빻는 보리 짚. ~ *trigaza* 밀짚. *hombre de* ~ ㉮ 허수아비, 괴뢰. ㉯ 명의인. *alzar* alguien *las* ~*s con la cabeza* 위를 보고 벌렁 나가자빠졌다. *buscar* alguien *la* ~ *en el oído* 트집잡을 꼬투리를 찾다. *correrse* alguien *la* ~ *Perú.* 자위하다, 수음(手淫)하다. *echar* ~*s* 짚으로 제비를 뽑다. *en alza allá esas* ~*s, en daca las* ~*s, en quítame allá esas* ~*s* 식은 죽 먹기로, 아주 쉽게. *hacer buenas* ~*s con* alguien =hacer buenas migas. *hacerse* alguien *la* ~ *Arg., Cuba, Perú.* [속어] 자위하다, 수음하다. *hacerse* alguien *una* ~ [속어] 자위하다, 수음하다. *no dormirse* alguien *en las* ~*s* 기회를 잘 이용하기 위해 조심스럽다, 호기가 오기를 잔뜩 기다리다. *no importar* [*montar*] algo *una* ~ 아무 가치도 없다. *no pesar* algo *una* ~ 별로 중요성이 없다, 별로 실속이 없다. *por quítame allá esas* ~*s* 하찮은 일로, 중요하지 않은 일로, 근거 없이, 이유 없이. *quitar* [*sacar*] ~*s de una albarda* 땅 짚고 헤엄치기다, 아주 쉽다. *tomar* alguien *las* ~*s con el cogote* =alzar las pajas con la cabeza. *un quítame allá esas* ~*s* 별로 어렵지 않은 일[것], 별로 중요하지 않은 일[것]. *Vemos la* ~ *en el ojo ajeno y no vemos la viga en el nuestro* (속담) 남의 눈에 있는 티는 보아도 제 눈에 있는 들보는 보지 못한다, 똥 묻은 개가 겨 묻은 개 나무란다.

pajado, da *adj.* (밀)짚 빛깔의. —*f.* (말먹이용) 밀기울과 뒤섞어 물이 축여진 짚.

pajar *m.* 짚 저장소, 짚 저장 헛간. ¶*Buscar una aguja en un* ~ (속담) 헛간에서 바늘 찾기.

pájara *f.* ① 작은 새. ② 연(鳶). ③ 접은 종이 (새·학·연·비행기). ④ 영악하고 재치 있고 빈틈없는 여자. ⑤ (자전거 경주에서, 선수가 경주의 리듬을 유지하는 것을 막는) 갑작스레 기운[힘·스태미나]이 빠진. ⑥ *Jaén.* 매추리 암컷. —*adj.* (여자가) 영악하고 재치 있고 빈틈없는. ¶~ *pinta* 벌금 놀이.

pajarear *intr.* ① 새를 잡다. ② 일하지 않고 여기저기[빈둥빈둥] 돌아다니다. ③ *Amér.* (말이) 놀라다. ④ *Amér.* =oxear. ⑤ *Méj.* (무언가를) 들으려고[알려고] 시도하다.

pajarel *m.* [새] =pardillo.

pajarera *f.* ☞pajarero.

pajarería *f.* ① 새 떼, 새의 무리. ② 새와 애완 동물 가게.

pajarero, ra *adj.* ① 새의[에 관한]:

redes *~ras* 새 그물. ② 명랑한, 쾌활한. ③ (천·장식·그림이) 색이 칙칙한. ④ (말이) 잘 놀래는. *—m.f.* 새 사냥꾼, 새 기르는 사람, 새 장수. *—m. Amér.* 밭에서 새 쫓는 소년. *—f.* 큰 새장, 새 기르는 장소.

pajarete *m.* [술] 빠하레떼 ((스페인의 헤레스 데 라 프론떼라 Jerez de la Frontera에서 가까운 수도원인 Pajarete에서 빚은 질이 좋은 포도주)).

pajarilla *f.* ① [식물] 매발톱꽃. ② (특히, 돼지의) 비장(脾臟). ③ *Ar.* 나방. ¶*abrazarse las ~s* 날씨가 무척 덥다, 날씨가 푹푹 찌다. ***alegrársele*** a alguien ***la ~*** [***las ~s***] 무척 즐거워하다[좋아하다]. ***asarse*** [***caerse***] ***las ~s*** =abrazarse las pajarillas. ***hacer temblar la ~*** a alguien (…를) 무섭게[공포심을 가지게] 하다, (…에게) 공포감을 주다. ***traerle*** a alguien ***las ~s volando*** (아무리 어렵더라도) (…에게) 기쁨을 주다, (…를) 기쁘게 하다, 즐겁게 하다, 비위를 맞추다.

pajarillo *m.* 작은 새. ¶***A cada ~ le llega su veranillo*** (속담) 쥐구멍에도 볕들 날이 이다.

pajarita¹ *f.* ① 종이로 접은 것[학·연], (특히) 종이로 접은 새. ② 나비넥타이. ¶***~ de las nieves*** [새] 할미새.

pajarita² *f.* (밀)짚 저장소(pajar)의 문 위에 낸 높은 창문.

pajarito *m.* ① 작은새. ② 몸집이 작은 남자. ¶***morirse*** [***quedarse***] alguien ***como un ~*** 평온히[편안히·조용히] 숨을 거두다[영면하다·죽다]. ***quedarse*** alguien ***~*** 추위로 손발이 곱다.

pájaro *m.* ① 새(ave), (특히) 작은 새. ② [새] 새끼 자고새 수컷. ③ (늘 의심을 품게 하는) 영악하고 빈틈없는 남자. ④ [새] 참새목[연작목]의 새. ⑤ *CRica., Cuba.* 남성 동성애자. ⑥ *Guat., Ven.* [구어] =pene. *—adj.* 영악하고 빈틈없는, 교활한 (남자). ¶***~ arañero*** [새] =treparriscos. ***~ bitango*** 연. ***~ bobo*** ㉮ [새] 펭귄. ㉯ *CRica., Ur.* 깃이 아름다운 일반 새. ***~ burro*** [새] =rabihorcado. ***~ carpintero*** [새] 딱따구리. ***~ del sol*** [새] 극락조. ***~ de cuenta*** 조심해야 할 인물, 신중히 다루어야 할 사람, 소홀히 할 수 없는 사람. ***~ de mal agüero*** (장차 나쁜 일이 일어날 것을 알리는) 점성가, 예언자. ***~ diablo*** [새] 가마우지. ***~ gordo*** =pez gordo. ***~ loco*** [새] =pájaro solitario. ***~ mosca*** [새] 벌새, 꿀새. ***~ moscón*** [새] 큰 벌새, 큰 꿀새. ***~ niño*** [새] =pájaro bobo ㉮. ***~ polilla*** [새] =martín pescador. ***~ resucitado*** [새] =pájaro mosca. ***~ solitario*** [새] 벌참새. ***~ tonto*** [새] =ave tonta. ***El (ya) ~ voló*** =Voló el golondrino. ☞golondrino. ***Matar dos ~s de una pedrada*** [***de un tiro***] 일석이조, 일거양득. (***muchos***) ***~s en la cabeza*** 헛된 환상[공상], 건성, 마음이 들뜸. ***saltar el ~ del nido*** (사람이) 있을 것이라고 예상한 곳에서 도망치다. ***Más vale ~ en mano que cien(to) volando / Más vale ~ en mano que buitre volando*** (속담) 숲 속의 두 마리 새보다 수중의 새 한 마리가 더 가치가 있다, 남의 돈 천 냥보다 제 돈 한 냥. ***Pájaro viejo no entra en jaula*** (속담) 경험이 풍부한 사람은 쉽게 속지 않는다.

pajarota *f.* 낭설, 낭보, 유언비어, 헛소문, 허보(虛報)(infundio, bulo).

pajarotada *f.* =pajarota.

pajarraco *m.* ① [경멸] 괴조(怪鳥). ② 영악한[교활한·엉큼한] 놈.

pajaza *f.* (말이 먹고 남긴) 여물 찌꺼기.

pajazo *m.* (말의) 각막에 생긴 흉터 모양의 반점.

paje *m. fr.* ① (제후·귀족·양반을 모셨던) 몸종, 종, 시동, 근시, 신하. ② (배의 청소를 하고 일을 배우는) 견습 선원. ③ 고위 성직자의 가족. ④ (여인들의 옷이 땅에 끌리지 않도록) 매다는 줄[끈]을 집는 것. ⑤ 화장용 경대. ¶***~ de armas*** (주인의 칼·창 등을 들고 따르는 종자. ***~ de bolsa*** 서류 가방[문서 가방]을 옮겼던 일반 사무소[왕실 재판소]의 사무장의 심부름꾼. ***~ de cámara*** 주인을 방 안에서 모시는 몸종. ***~ de escoba*** (배의) 견습 선원(paje). ***~ de guión*** (군의) 대장의 기나 군기를 드는 기수. ***~ de hacha*** (길을 밝히면서) 유명 인사들을 인도하는 종. ***~ de jineta*** 창을 들고 대장을 따랐던 부하. ***~ de lanza*** =paje de armas.

pajea *f.* 쑥의 일종(ajea).

pajear *tr. CRica., Nic., Salv.* 이익이 없는 것을 이야기하다. *—intr.* ① (말이) 많은 짚을 잘 먹다. ② 행동하다, 처신하다. ③ *Salv., Ur.* 거짓말을 하다. *~**se*** *Nic., Salv.* 자위하다, 수음하다(masturbarse).

pajecillo *m.* ① 세면기 받침. ② *And.* 촛대.

pajel *m.* =pagel.

pajera *f.* 작은 짚[건초] 저장소.

pajería *f.* 짚 판매소, 짚 파는 가게.

pajero¹ *m.* ① 짚 장수. ② *Nic.* [드뭄] =fontanero.

pajero², ra *adj.* ① *Perú, Salv.* 자위를 하는; 자위를 당한 ((*Arg., Cuba, Ur.*에서는 속어로 사용됨)). ② *Salv.* 거짓말을 잘 하는. *—m.f.* ① *Perú, Salv.* 자위 행위를 하는 사람,

P

상습 자위 행위자 ((*Arg., Cuba, Ur.*에서는 속어로 사용됨)). ② *Nic., Salv.* 바보 같은 말을 하는 자.

pajil *adj.* paje의[에 관한].

pajilla *f.* ① 옥수수 잎담배. ② (음료수를 빠는) 빨대.

pajillera *f.* [드뭄] 고객들을 자위해 주는 윤락녀.

pajista *adj. Nic.* =**vago, holgazán.**

pajita *f.* =**pajilla** ②.

pajizo, za *adj.* ① 짚으로 만든, 짚으로 덮인: techo ~ 짚으로 이은 지붕. ② 짚 빛깔의.

pajla *quechua. adj. Bol.* 대머리의. —*mf. Bol.* 대머리.

pajo *m.* ① [식물] 빠호 ((필리핀 원산의 화서과 나무; 망고의 일종)). ② 빠호의 열매 ((익은 열매로 과자를 만듦)).

pajolero, ra *adj.* ① 괴롭히는, 귀찮은, 성가신 (사람). ② 말하는 사람을 괴롭히는 (물건). —*mf.* 귀찮게 구는 사람, 괴롭히는 사람.

P

pajón *m.* ① 모르고 베지 않아 남겨진 줄기[사탕수수]. ② (섬유질이 풍부한) 야생 벼과 식물. ③ *Ecuad.* 밀짚으로 덮인 땅. ④ *RDom.* 곱슬곱슬한 머리카락.

pajonal *m.* ① pajón으로 덮인 땅. ② *AmérM., Hond.* =**herbazal.** ③ *Arg., Ur.* 빽빽한 풀로 덮인 범람하기 쉬운 낮은 땅. ④ *Cuba.* (사람의) 뒤얽힌 머리카락.

pajonear *intr. Cuba.* 방심하다, 한눈을 팔다, 건성이다.

pajoso, sa *adj.* ① 짚이 많은. ② 짚의, 짚 같은. ③ *CRica.* =**fanfarrono.** ④ *Cuba.* 자위 행위를 하는, 자위 행위를 당한.

pajote *m.* (농부들의 식물을 덮는) 갈대와 짚 돗자리.

pajucero *m. Ar.* 두엄[퇴비] 썩히는 곳, 두엄자리, 두엄터, 퇴비장.

pajuela *f.* ① 유황을 묻힌 호밀 짚, 유황 바른 불쏘시개. ② (금·은붙이·기타 물질로 만든) 귀이개, 이쑤시개.

pajuerano, na *mf. Arg., Bol., Par., Ur.* 서울[수도]의 풍습을 모르는 시골(에서 온) 사람.

pajuil *m.* ① *Hond., Salv.* =**paují.** ② *Salv.* 능구렁이, 느리고 둔한 사람.

pajuila *f.* =**paují.**

pajuilla *f.* =**paují.**

pajuncio *m.* [경멸] =**paje.**

pajuno, na *adj.* paje의[에 관한].

pajuz *m.* ① rur. *Ar.* 구유통의 썩은 짚. ② rur. *Ar.* (농부들이 탈곡장에서 버려 퇴비용으로 사용하는) 자잘한 짚.

pajuzo *m.* rur. *Ar.* =**pajuz.**

pakistaní *adj.* ① 파키스탄(Pakistán, 인도 서북쪽에 있는 이슬람 공화국; 동(東)파키스탄과 서(西)파키스탄으로 분리되어 있다가 동(東)파키스탄은 1971년 Bangladesh로 독립함; 수도 Islamabad) 태생의. ② 파키스탄의[에 관한]. —*mf.* 파키스탄 사람.

pala *f.* ① [연장] 삽: ~ automática, ~ mecánica 자동 삽. una ~ de arena 모래 한 삽. ② 부삽. ③ 쟁기. ④ 주걱. ⑤ 라켓. ⑥ (도끼·괭이의) 날, 날끝. ⑦ (이의) 넓은 부분. ⑧ (노의) 넓적한 앞 부분. ⑨ (구두의) 등. ⑩ (경첩의) 날개. ⑪ (선인장의) 잎줄기. ⑫ 능숙함, 익숙함. ⑬ 영악함, 교활함. ⑭ [운동] (스키의 얇고 굽은 모양의) 앞 부분. ⑮ [운동] (공놀이용) 강한 나무 판. ¶ ~ ***de cuchara,*** ~ ***del timón*** (산업용) 나무·쇠 삽. ***corta*** ~ 얼간이, 바보, 멍청이. ***meter la*** ~ 교묘하게[능숙하게] 속이다. ***meter*** alguien ***su media*** ~ 거들다, 협력하다, 끼어들다.

palabra *f.* ① 말, 낱말, 단어. ② (말한·쓴) 말: decir unas ~*s* de despedida 작별의 인사를 하다, 작별을 고하다. ③ 언어 능력. ④ 발언, 발언권. ⑤ 언론: libertad de ~(*s*) 언론의 자유. ⑥ 약속: cumplir *su* ~ 약속을 이행하다. faltar a *su* ~ 약속을 어기다. guardar [mantener] la ~ 약속을 지키다. ⑦ 웅변. ⑧ 공허한 말, 쓸데없는 말. ⑨ 엄한 표현, 공격적인 표현. ⑩ ¶ ~ ***clave*** [컴퓨터] 키워드, 주요 단어. ~ ***de Dios*** 복음, 복음서. ~ ***de honor*** 맹세, 서약. ~ ***de matrimonio*** 약혼, 결혼 약속. ~ ***de rey*** 어기는 일이 없는 약속. ~ ***funcional*** 기능어. ~ ***gruesa*** 비어, 점잖지 못하고 천한 말. ~ ***mágica*** 주문. ~ ***ociosa*** 공연한 말, 쓸데없는 말. ~ ***picante*** 신랄한 말, 혹독한 말. ~ ***preñada*** [주로 *pl.*] 함축성이 있는 말. ~ ***vacía*** =**palabra funcional.** ***santa*** ~ (식사에 초대받는 등의) 즐거운 약속. ***última*** ~ 불변의 결정[결심], 최종 결정[결심]. ~***s al aire*** 헛말. ~***s cruzadas*** 글자 맞추기 놀이, 크로스워드 퍼즐. ~***s de la ley,*** ~***s del duelo*** 모욕적인 언사[말]. ~***s de oráculo*** 신탁(神託). ~***s de presente*** (결혼식에서) 부부의 서약[언약]. ~***s libres*** 음담패설, 음탕하고 상스러운 이야기, 상소리, 쌍소리. ~***s mayores*** 모욕적인 언사[말]. ***cuatro*** [***dos***] ~***s*** 간단한 표명[말], 두세 마디. ***medias*** ~***s*** ㉮ (말을 더듬어) 명확하지 못한 말. ㉯ 암시적인 말, 슬쩍 돌려서 하는 말, 넌지시 비치는 듯한 말. ***ahorrar*** ~***s*** 쓸데없는 말을 하지 않다, 말을 아끼다. ***a la primera*** ~ ㉮ 한마디로 말해서. ㉯ 처음 부른 값으로는. ***alzar la*** ~ =**soltar la palabra.** ***a media*** ~ 끝까지 들어보지도 않고, 끝까지 다 말할 필요도 없이. ***bajo*** su ~ ㉮

구두 약속만으로, 말로만 약속하고. ㉯ 위험하게. *beber las ~s* a alguien ㉮ (누구의 말을) 경청하다, 주의 깊게 듣다, 귀를 기울이다. ㉯ 하자는 대로 따르다, 말대로 하다. *coger la ~* 언질을 이용하다. *coger las ~s* (…가 말한 것을) 주의깊게 듣다. *comerse las ~s* ㉮ 말을 빠뜨리다. ㉯ 단어를 글에서 누락시키다, 단어를 빠뜨리고 쓰다. *correr la ~* [군사] (보초병들이 밤새도록 지키기 위해) 경계의 말을 연달아 알리다. *cruzar la ~ con* alguien …와 사귀다[교제하다]. *dar la ~* (토론에서) 발언권을 주다, 발언을 허락하다. *dar* alguien (*su*) *~* 약속하다. *dar ~ y mano* ㉮ 약혼을 하다. ㉯ 굳은 약속을 하다, 굳게 맹세하다. *de ~* ㉮ *adj.* 약속을 지키는. ㉯ *adv.* 구두로, 말로, 구두 표현으로. *de ~ en ~* (입씨름 등이) 말끝마다, 한두 마디 주고받는 사이에, 한두 마디 주고받을 때마다 (격렬해지는 등). *de pocas ~s* 말수가 적은. *decir* alguien *la última ~* en un asunto (…을) 결정적으로 해결하다[해명하다]. *dejar* a alguien *con la ~ en la boca* (상대방이) 말하려 하는 것을 듣지 않고 등을 돌리다[돌아서다], (상대방의) 말을 채 듣지도 않고 등을 돌리다[돌아서다]. *dirigir la ~* a alguien (…에게) 말[이야기]을 걸다. *empeñar* alguien *la ~* =dar palabra. *en dos ~* =en una palabra. *en cuatro ~s, en pocas ~s* =en una palabra. *en una ~* 요약하여, 한두 마디로, 간단하게, 한 마디로 (말해), 아주 간단히. *escapársele* a alguien *una ~* 귀에 거슬리는[괴롭힐 수 있는] 표현[말]을 생각 없이 [주의하지 않고] 말하다. *estar colgado* [*pendiente*] *de las ~s* de alguien (누구의 말을) 경청하다, 아주 주의깊게 듣다, 귀를 기울이다. *faltar* alguien *a la* [*a su*] *~* (약속한 것을) 하기를 중단하다[그만두다], 약속을 어기다. *gastar ~s* 쓸데없는 말을 하다, 말해도 소용없는 말을 하다, 헛소리를 하다. *írsele* a alguien *una ~* =escapársele una palabra. *llevar la ~* alguien 대표로 말하다, 말을 전하다. *mantener* alguien su *~* 약속을 지키다. *medir* alguien *las ~s* 신중히 말하다, 조심해서[주의해서] 말하다. *mudar las ~s* =torcer las palabras. *ni* (*media*) *~* =nada. *no decir ~* 침묵을 지키다. *no tener* alguien *~* 약속[계약]을 쉽게 파기하다[어기다]. *~ por ~* 말 그대로, 한 말 한 말을 그대로[충실히], 직역으로. *pasar la ~* [군사] =correr la palabra. *pedir la ~* ㉮ 발언을 요구하다. ㉯ 약속 이행을 요구하다. *quitarle* alguien a otra persona *la ~* [*las ~s*] *de la boca* ㉮ (이야기 상대가) 막 표현하려고 한 것과 똑같을 것을 말하다, 말하기 전에 먼저 말하다. ㉯ (이야기 상대의) 말을 가로채다. *remojar la ~* (술) 한 잔 하다, 한 모금 마시다, 꿀꺽 삼키다. *ser* algo *~s mayores* 상당히[꽤] 중요하다, 생각보다 더 중요하다. *sin decir* [*hablar*] *~* ㉮ 한 마디 말도 없이, 아무 말도 하지 않고, 침묵으로, 말없이. ㉯ (제안 받은·부탁 받은 것을) 반대도 반론도 하지 않고. *sobre* su *~* =bajo su palabra. *soltar la ~* ㉮ 약속을 면제해 주다. ㉯ (…을 할 것을) 약속하다[약속해 버리다]. *tener la ~* alguien (…가) 말할 차례다, (…에게) 말할 차례가 왔다. *tener ~s* [*dos ~s · más de dos ~s · unas ~s*] *con* alguien (…와) 말다툼[언쟁]을 하다, 서로 불쾌한 말을 주고받다. *tomar la ~* ㉮ =coger la palabra. ㉯ 말[이야기]하기 시작하다. *torcer las ~s* 말을 얼버무리다, 원래의 의미와 다른 말을 하다. *trabarse de ~s* =tener palabras. *traer en ~s* a alguien (…를 약속으로) 달래다, 어르다. *tratar mal de ~* a alguien (…를) 욕하다, 험담하다, 모욕적인 말로 욕하다. *trocar las ~s* =torcer las palabras. *vender ~s* 말로 속이다. *venir* alguien *contra* su *~* 약속을 어기다. *volverle* a alguien *las ~s al cuerpo* (…에게, 약속 등을) 파기하라고 강요하다, (…에게) 사실에 어긋났다는 것을 납득시키다. *La espada vence, la ~ convence* (속담) 문(文)은 무(武)보다 강하다. *La ~ honesta mucho vale y poco cuesta* (속담) 말 한 마디에 천 냥 빚도 갚는다. *Más apaga la buena ~ que caldera de agua* (속담) 부드러운 대답은 분노를 가라앉힌다. *Palabra dada, ~ sagrada* (속담) 한 번 한 말은 주워 담을 수 없다, 말은 사람을 구속시킨다. *Palabra suelta no tiene vuelta* (속담) 한 번 내뱉은 말은 돌이킬 수 없다.

palabrada *f.* 욕, 욕설, 험담, 악담, 모욕적인 말(palabras ofensivas).

palabrear *tr. Chile, CRica., Nic., Salv.* ① 납득시킬 목적으로 말하다. ② *Cuba, Salv., Ven.* (형식을 갖추지 않고) 말로 하다. —*intr. Méj., Salv.* 이야기하다, 말하다. **~se** ① *Ecuad., Salv.* 약혼하다. ② *Ecuad.* =informarse. ③ *Nic.* (두 사람이) 서로 욕설을 퍼붓다.

palabreja *f.* [경멸] (연설에서) 별로 중요하지 않은 말, 크게 중요성이 없는 말.

palabreo *m.* 잡담, 쓸데없는 말, 지

P

루한 말.
palabrería *f.* 쓸데없이 지루한 말.
palabrerío *m.* =palabrería.
palabrero, ra *adj.* ① 말이 많은, 수다스러운. ② (아무것도 이행하지 않으면서) 쉽게 생각 없이 약속하는, 말만 앞세운. —*m.f.* ① 말이 많은 사람, 수다쟁이. ② (이행은 하지 않고) 약속만 하는 사람.
palabrimujer *adj., m.f.* 말씨가 여자 같은 (남자).
palabrista *adj.* =palabrero.
palabrita *f.* 아리송한 말, 많은 의도가 있는 말, 숨은[딴] 뜻이 있는 말. ¶ *~s mansas* (꿍심을 가지고 하는) 부드러운 말.
palabro *m.* 잘못 말한 말, 엉뚱한 말, 터무니없는 말.
palabrón, na *adj.* =palabrero.
palabroso, sa *adj. Col.* 말이 많은, 수다스러운, 지나치게 말이 많은.
palabrota *f.* [경멸] 욕, 욕설, 야비한 말: decir [soltar] ~*s* 욕을 퍼붓다.
palacete *m.* 궁전 같은 저택[별장].
palacial *adj.* 궁전의[에 관한].
palaciano, na *adj.* =palaciego.
palaciego, ga *adj.* ① 궁전의[에 관한]. ② 궁궐[왕궁]의. ③ 궁인(宮人)의, 나인의. —*m.f.* ① 조신(朝臣), 신하. ② 궁인(宮人), 나인.
palacio *m.* ① 왕궁, 궁, 궁궐, 궁전, 대궐. ② (고관대작이 사는) 대저택, 호화 저택: ~ presidendial 대통령 관저. ~ real 왕궁. ③ 회관; (극장·관청 등의) 큰 건축물: ~ de bellas artes 미술관(美術館). ~ de comunicaciones 체신청, 우정회관. *Palacio* de Congreso(s) 국회 의사당. ~ de exposiciones 전시 회관. *Palacio* de Justicia 법원, 재판소. ~ municipal 시청, 시청사. ④ (명문가의) 고택(古宅). ⑤ (똘레도와 안달루시아의 옛 왕국에서) 개인 주택의 큰 응접실. ¶ *dar* ~ 금[은]을 실로 뽑다[실에 칠하다]. *echar a* ~ algo (무엇을) 거들떠 보지(도) 않다, 무관심하다, 본척만척하다, 본체만체하다, 보고도 못 본 체하다. *estar* alguien *embargado para* ~ (해야) 할 일[볼일·용무]이 있는 체하다. *hacer* alguien ~ (숨긴 것·비밀을) 공표하다, 폭로하다. *hacer* [*mantener·tener*] ~ 신이 나서[유쾌하게] 지껄이다, 유쾌한 이야기판을 벌이다.
palada *f.* ① (삽이) 한 번 뜨는 분량, 한 삽. ② (삽을 사용할 때) 움직임, 삽질. ③ (노의) 한 번 젓기, (노로) 물을 한 번 치기. ④ (배의) 프로펠러형 추진기[스크루]의 한 회전.
paladar *m.* ① [해부] 입천장, 구개(口蓋). ② 혀끝의 감촉, 맛, 미각. ③ (예술적인) 감각, 미적 감각; 기호, 취미. ¶ ~ *blando* [해부] 연구개. ~ *duro* [해부] 경구개.
paladear *tr.* ① (…의) 맛을 조금씩 보다, 천천히 맛보다. ② (동물의) 입[입천장]을 깨끗하게 하다[닦아내다]. ③ 갓난아기의 입천장에 꿀[다른 부드러운 음식]을 넣어 주다[맛보이다]. ④ (주로 예술 작품을) 음미하다, 향수(享受)하다, 예술상의 미감 등을 음미하고 즐기다. —*intr.* (갓난아기가) 젖을 찾아 입을 놀리기 시작하다. ~**se** …의 맛을 조금씩 보다.
paladeo *m.* 맛보기, 시식(試食).
paladial *adj.* ① 입천장[구개]의[에 관한]. ② 입천장소리의, 구개음의: consonante ~ 구개 자음. letra ~ 구개 문자. vocal ~ 구개 모음.
paladín *m.* (옛날의) 용사; 옹호자.
paladinamente *adv.* 공공연히, 공개적으로, 내놓고, 털어놓고, 솔직히, 분명히, 명백히, 단도직입적으로.
paladino, na *adj.* 공공연한, 공개적인, 솔직한, 분명한, 뚜렷한, 명백한, 단도직입적인, 숨기지 않는. —*m.* = paladín ①.
paladio *m.* 팔라듐.
paladión *m.* 수호물(守護物).
palafito *m.* (원시인의) 호상 가옥(湖上家屋), 수상 가옥(水上家屋).
palafrén *m.* ① (귀부인·왕·왕자용) 순한 말. ② (기수의 하인용) 말, 시종의 말.
palafrenero *m.* ① 말의 재갈 운반하인. ② 마부. ③ palafrén을 타는 하인[시종].
palahierro *m.* (맷돌의) 축심(軸心).
palamenta *f.* ① [집합] (배의) 노. ② *Col.* =**palizada, palenque.** ¶ *estar* alguien *debajo de la* ~ [드묾] 속박되어 있다.
palanca *f.* ① 지레, 지렛대, 레버: ~ de cambios, ~ de velocidades 변속 레버. ~ de mando 조종간, 조작 레버. hacer ~ 지레를 사용하다, 지레로 움직이다; (비틀어) 억지로 열다. ② (가마·상여 등의) 멜대, 긴 장대. ③ 악취 나는 관목. ④ 목적 달성의 수단; 연줄, 영향력, 친분 관계: mover ~*s* 연줄을 이용하다[움직이다]. tener una buena ~ en el gobierno 정부에 얼굴[이름]이 알려져 잘 통하다. ⑤ (수영 선수가 물에 뛰어드는) 다이빙대, 다이빙 보드. ⑥ [군사] 성채, 작은 보루. ⑦ [선박] 돛줄. ⑧ *Cuba, Salv.* (누구를 도와 주는) 영향력 있는 인사. ⑨ *Salv.* 키 큰 사람, 키꺽다리, 꺽다리(persona de alta estatura).
palancada *f.* 지렛대로 때리기.
palancana *f.* =**jofaina.**
palancazo *m. Cuba, Salv.* 영향력 이용.
palancón, na *adj. Hond., Salv.* 키가 무척 큰(muy alto de estatura).
palangana *f.* ① 세면기, 대야. ② *Ur.* (수도꼭지가 있는) 세면대.

P

—*m.f.* ① *Arg., Perú, Ur.* 뻐기는 사람, 허세부리는 사람. ② *CRica.* 우유부단한 사람, 결단성[결단력]이 없는 사람. ③ *CRica.* (남의 일에) 공연히 참견하는 사람. ④ *CRica., Ur.* 바보, 멍청이). —*adj. Arg., Perú, Ur.* 뻐기는, 허세부리는.

palanganear *intr. Arg., Chile, Perú.* [경멸] =**fanfarronear.**

palanganeo *m. CRica.* 우유부단, 결단성[결단력] 부족.

palanganero *m.* (보통, 다리 세 개로, 세면대야 가끔은 물통·비누·기타 세면 도구를 놓는) 나무[쇠] 세면대.

palangre *m.* ① 주낙, 연승(延繩): pesca de ~ 주낙 낚시. ② *Ven.* (수익을 많이 얻는) 안성맞춤의 사업. ③ *Ven.* (신문·신문 기자에게 주는) 불법 지불금, 불법 촌지.

palangrero *m.* 주낙배; 주낙 어부.

palangrismo *m. Ven.* (신문 (기자)의) 불법 지불금[촌지] 수령 행위.

palangrista *adj. Ven.* (신문·신문 기자가) 촌지를 받는. —*m.f. Ven.* 촌지 받는 기자.

palanqueador, ra *m.f.* 연줄 이용자.

palanquear *tr.* ① (…을) 지레로 움직이다. ② *AmérM., Cuba, Hond., Nic., Salv.* (목적한 것을 얻기 위해) 연줄[백]을 이용하다.

palanqueo *m. Cuba, Ecuad.* 연줄[백] 이용.

palanquero, ra *adj.* 지레를 움직이는[사용하는]. —*m.f.* (소형 지렛대를 이용해 문·창문·자물통을 여는) 도둑. —*m.* 대장간에서 풀무질하는 직공. —*f.* 나무 울타리[담장].

palanqueta *f.* ① (문·창문·자물통을 여는) 작은 쇠 지렛대. ② [군사] (탄환 대신 장전용) 머리 두 개인 작은 쇠 지렛대. ③ *Ecuad.* 길고 가는 대형 식빵. ④ *Méj.* 빨랑께따 ((설탕과 호박씨[땅콩·호두]로 만든 과자)).

palanquetazo *m.* [속어] palanqueta로 때리기.

palanquilla *f.* 작은 지레.

palanquín[1] *m.* ① (짐을 옮기는) (부두) 인부. ② [선박] 돛줄. ③ (배에서 포대에 대포를 장전하기 위한) 도구.

palanquín[2] *m.* (동양에서 주요 인물을 태웠던) 가마(andas).

palasan *m.* =rota[2].

palastro *m.* ① (자물통의 혀가 씌워진) 판금, 쇠판. ② 얇은 조각으로 만든 쇠[강철].

palatabilidad *f.* (음식 등이) 입에 맞음, 기호성(嗜好性).

palatable *adj.* (음식 등이) 입에 맞는, 맛이 좋은.

palatal *adj.* ① 입천장[구개]의, 입천장[구개]에 관한. ② 입천장소리의, 구개음의: vocal ~ 구개 모음. —*f.* 입천장소리 글자 ((예 la *i* 와 la *ñ*)).

palatalización *f.* [음성] 구개음화.

palatalizar (9) *tr.* [음성] 구개음화하다. —*intr.*, ~**se** 구개음화되다.

palatina *f.* ☞**palatino.**

palatinado *m.* ① (옛 독일의) 백작(palatino)의 지위[직함]. ② (옛 독일의) 백작의 영지(領地).

palatino[1], **na** *adj.* ① 입천장[구개]의. ② [해부] 상악골의. —*m.* [해부] 상악골.

palatino[2], **na** *adj.* ① 왕궁(王宮)[궁궐]의[에 관한]. ② 궁궐 같은. ③ 백작의. —*m.* (독일·헝가리·폴란드의) 백작.

Palau *m.* [국명] 팔라우.

palauano, na *adj.* ① 팔라우(Palau) 태생의. ② 팔라우의. —*m.f.* 팔라우 사람. —*m.* 팔라우 말.

palay *m. Filip.* 벼 ((껍질 있는 쌀)).

palazo *m.* 삽(pala)으로 때리기.

palazón *m.* [집합] (집·가건물·배 등과 같이, 공장을 만드는) 재목류.

palca *f.* ① *NO Arg., Bol.* (두 강·두 길의) 교차점. ② *NO Arg., Bol.* (나뭇가지의) 갈래(horquilla).

palco *m.* ① (극장·놀이 장소의) 특별석: ~ de autoridades, ~ de honor 로열박스, 귀빈석, 특별석. ~ de proscenio 무대 옆 박스 석. ~ presidencial [투우] 주재자(主宰者) 자리. primer ~ 2층 박스 석. ② (관람 장소의) 칸막이한 좌석. ③ (공연을 보기 위해 사람들이 들어오게 만든) 칸막이 판자[나무] 울타리(를 친 곳). ¶ ~ ***de platea*** 무대 정면의 관람석. ~ ***escénico*** (극장의) 무대.

palé *m.* 팔레트 ((창고·공장 등의 화물을 운반·저장하기 위한 받침대; 지게차의 포크로 끼워 운반함)).

paleador, ra *adj.* 삽으로 일하는, 삽을 사용하는, 삽질하는. —*m.f.* 삽으로 일하는 사람, 삽을 사용하는 사람, 삽질하는 사람.

paleal *adj.* [동물] (연체 동물을 덮는) 껍질의[에 관한].

palear *tr.* 삽으로 일하다.

Palencia *f.* [지명] 빨렌시아 ((스페인의 주·주도)). ¶***jabón de*** ~ 빨래 방망이.

palencón *m. Hond., Nic.* 큰 나무의 줄기[몸통].

palenque *m.* ① (축제나 다른 목적으로 쳐 놓은) 나무 울타리, 나란히 박은 말뚝. ② (공연·행사를 개최하기 위해) 말뚝을 박은 땅. ③ (공연 같은 것이 있을 때, 땅에서 극장 무대까지 올라가는) 판자로 만든 길. ④ *Arg., Ur.* (동물을 묶는) 말뚝. ⑤ *CRica.* 원주민의 다가구 주택. ⑥ *Cuba.* (도주한 흑인 노예들이 몸을 숨겼던) 접근하기 어려운 오지. ⑦ *Nic.* (전에 원주민들이 살았던) 벽이 없고 지붕이 넓은 집.

palenquear *tr. Arg., Ur.* 말뚝(pa-

lenque)에 동물을 묶다.
palente *adj.* [드묾] =descolorido.
palentino, na *adj.* ① 빨렌시아(Palencia) 태생의. ② 빨렌시아의[에 관한]. —*m.f.* 빨렌시아 사람.
paleo- *pref.*「옛·고(古)·구·원시(primitivo)」의 뜻: *paleo*cristiano 원시 기독교 예술. *paleo*lítico 구석기 시대.
paleoantropología *f.* 고인류학(古人類學), 화석 인류학.
paleobotánica *f.* 고식물학.
paleoceno, na *adj.* [지질] 팔레오세(지층)의, 효신세[효신기]의. —*m.* [지질] 팔레오세, 효신세, 효신기.
paleocristiano, na *adj.* 초기 기독교(도)의; 원시 기독교 예술의. —*m.* 원시 기독교 예술 ((6세기까지)).
paleofitología *f.* [지질] 고식물학.
paleógeno, na *adj.* [지질] 고제3기(古第三紀)의. —*m.* [지질] 고제3기 ((제3기의 전반)).
paleogeografía *f.* 고지리학.
paleogeográfico, ca *adj.* 고지리학의[에 관한].
paleogeógrafo, fa *m.f.* 고지리학자
paleogeología *f.* 고지질학.
paleogeológico, ca *adj.* 고지질학의[에 관한].
paleogeoólogo, ga *m.f.* 고지질학자.
paleografía *f.* 고문서학(古文書學).
paleográfico, ca *adj.* 고문서학의.
paleógrafo, fa *m.f.* 고문서학자.
paleolítico, ca *adj.* [고고학] 구석기 시대의[에 관한]. —*m.f.* 구석기 시대 사람. —*m.* [고고학] [P~] 구석기 시대.
paleología *f.* (특히, 유사 이전의) 유물 연구[지식]; 고대학(古代學); 고대어(古代語) 연구.
paleólogo, ga *m.f.* 고대어 학자.
paleontografía *f.* 고생물지(古生物誌), 기술 화석학(記述化石學).
paleontográfico, ca *adj.* 고생물지의[에 관한], 기술 화석학의[에 관한].
paleontología *f.* 고생물학(古生物學).
paleontológico, ca *adj.* 고생물학의.
paleontólogo, ga *m.f.* 고생물학자.
paleopatología *f.* 고생물 병리학.
paleopatológico, ca *adj.* 고생물 병리학의[에 관한].
paleopatólogo, ga *m.f.* 고생물 병리학자.
paleoterio *m.* [고생물] (점신세에 살았던) 기제류 포유 동물, 말목(目) 포유 동물.
paleozoico, ca *adj.* [지질] 고생대의[에 관한]. —*m.* [지질] 고생대.
palera *f.* *Mur.* =nopal.
palería *f.* 습지[낮은 땅] 배수(법).
palero[1] *m.* ① 삽으로 일하는 노동자. ② 삽 제조자, 삽 장수. ③ 습지 배수 담당자. ④ (배의) 견습 화부(火夫). ⑤ (배의) 견습 사원. ⑥ [군사] 삽으로 일하는 병사.
palero[2] *m.* ① *León, Tierra de Campos* =sauce, salguero. ② *León.* =chopo, álamo.
Palestina *f.* [국명] 팔레스타인 ((지중해 동쪽의 옛 국가; 현재 독립을 선포한 상태하에 이스라엘과 첨예한 대립중임)).
palestino, na *adj.* ① 팔레스타인(Palestina) 태생의. ② 팔레스타인의[에 관한]. —*m.f.* 팔레스타인 사람.
palestra *f.* ① (고대 희랍·로마의) 투기장, 레슬링 도장, 체육관, 체육 학교. ② [시어] (고대 희랍·로마의 투기장의) 투기. ③ (문학 등의) 논쟁 장소, 토론장, 경연 장소. ¶*salir* [*saltar*] *a la* ~ ㉮ 토론[논쟁·경연]에 참가하다. ㉯ 유명해지다, 세간의 주목을 집중시키다[받다].
paléstrico, ca *adj.* [드묾] palestra의[에 관한].
palestrita *m.* [드묾] palestra에서 연습하는 남자.
paleta *f.* ① (화가의) 팔레트, 조색판(調色板), 화판(畫板). ② (특정 화가·그림의) 색채(의 범위·종류), 색조. ③ (프라이팬에서 튀긴 것을 꺼내는) 구멍 뚫린 둥그런 쇠주걱. ④ 부삽. ⑤ (미장이의) 흙손. ⑥ [해부] 어깨뼈, 주걱뼈, 견갑골. ⑦ 앞니. ⑧ (물레방아의) 물받이; [기계] 바퀴 멈추개. ⑨ [투우] 쇠뿔의 앞쪽 끝부분의 바깥 쪽. ⑩ *Amér.* 나무 라켓. ⑪ *AmérC., Méj., PRico., RDom.* 아이스케이크, 얼음과자. ⑫ *Ur.* (시녀처럼) 파트너를 동반하는 사람. ¶*barco de ~s* 외륜선(外輪船). *media* ~ *Ar.* (아직 봉급을 받지 못한) 견습 석공[미장이]. *de* ~ *adv.* 안성맞춤으로.
paletada[1] *f.* ① (한 번에 뜰 수 있는) 삽[부삽·흙손]의 양, 한 삽, 한 부삽, 한 흙손. ② 부삽[흙손]으로 때리기. ③ (미장이가) 흙손으로 매번 문지르기. ¶*en dos ~s* =en dos palabras.
paletada[2] *f.* =paletería.
paletazo *m.* (소가) 뿔로 (옆을) 받기[찌르기].
paletear *intr.* ① 노를 헛 젓다. ② (배의) 추진기를 공전시키다[헛돌게 하다]. ~**se** 각별한 호의를 베풀다.
paleteo *m.* 노를 헛 젓기; 추진기의 공전.
paletería *f.* ① 멋없는 행동. ② [집합] 사슴(paletos). ③ *Méj.* 아이스케이크[얼음과자] 가게.
paletero[1] *m.* 2년생 사슴[황록(黃鹿)].
paletero[2], **ra** *m.f.* *Hond., Méj., Nic., Salv.* 아이스케이크 제조자, 아이스케이크 판매자[장수].
paletilla *f.* ① [해부] 어깨뼈, 주걱뼈, 견갑골. ② (양 같은 짐승의) 몸의 앞부분. ③ [해부] 검상 연골, 칼 모양의 물렁뼈. ④ 손잡이 달린 낮은 촛대. ¶*ponerle* a alguien *la* ~ *en*

su lugar (…를) 심하게[몹시] 나무라다[꾸중하다].

paleto, ta *adj.* ① (사람이) 촌스러운, 무지막지한. ② 사교성이 없는, 붙임성이 없는. —*m.f.* ① 촌스러운 사람, 무지막지한 사람. ② 사교성[붙임성]이 없는 사람. —*m.* [동물] 사슴, 황록(黃鹿)(gamo).

paletó *m.* (두꺼운 천으로 만든) 긴 외투.

paletón *m.* (자물쇠의 열쇠 꼭지가 있는) 열쇠의 머리 부분.

paletoque *m.* (무릎까지 내려오는 소매 없는) 두 폭의 긴 망토.

pali *adj.* 팔리 말의. —*m.* 팔리 말 ((산스크리트 말의 자매어로 불교 경전에 쓰인 말; 석가모니가 설법한 말)).

palia *f.* ① 성단포(聖壇布), 제단보. ② 제단 앞 막[커튼]. ③ 성배(聖杯) 덮개. ④ 제상(祭床) 보[덮개].

paliacate *m.* *Méj.* =pañoleta ①.

paliación *f.* ① 둘러대기. ② (병세의 일시적인) 완화.

paliadamente *adv.* 살그머니, 은밀히, 비밀리에, 몰래, 시치미를 떼고, 모른 척하고.

paliar (11) (12) *tr.* ① (병세를) 일시적으로 완화시키다[진정시키다]. ② (고통·아픔을) 진정시키다, 완화시키다, 가라앉히다. ③ 변명하다, 둘러대다. ④ [드묾] 감추다, 숨기다, 은닉하다, 시치미를 떼다, (나쁜 일을 좋은 일인 것처럼) 꾸미다.

paliativo, va *adj.* ① (병세를) 일시적으로 완화시키는. ② (고통 등을) 진정시키는, 누그러뜨리는, 완화시키는, 가라앉히는. ③ =paliatorio. —*m.f.* 둘러대는 사람. —*m.* ① 진정제, 완화제. ② 일시적 모면 수단, 변명, 둘러대기. ¶*unidad de ~s* 말기 환자 전문 병동.

paliatorio, ria *adj.* 둘러대는, 변명하는, 일시적으로 모면하기 위한.

pálida *f.* ☞pálido.

palidecer (31) *intr.* ① (얼굴이) 창백해지다, 핏기를 잃다. ② (색이) 연해지다; (빛이) 약해지다; 빛이 바래다, 퇴색하다. ③ 생기를 잃다; (세력이) 쇠(약)해지다, 쇠퇴하다.

palidez *f.* ① 창백(함). ② 퇴색, 빛이 바램. ③ 생기를 잃음, 쇠약, 쇠퇴.

pálido, da *adj.* ① 창백한, 핏기가 없는, 생기가 없는, 새파란: ponerse ~ (얼굴이) 창백해지다, 새파래지다. ② (특히 문학 작품이) 무기력한, 산뜻하지 못한, 신통치 못한, 시원찮은: La traducción es *~da* al lado del texto original 번역은 원문에 비해 시원찮다. ③ (색이) 엷은, 담(淡)…: vestido azul ~ 담청색[엷은 푸른빛] 드레스. ④ (빛이) 약한, 희미한: luz *~da* 약한 빛, 희미한 빛. ⑤ 퇴색된, 빛이 바랜. —*f.* ① *Arg., Ur.* 기분이 우울함, 원기 상실, 정신을 잃음. ② *Arg., Ur.* 억압적인 사건. ③ *Hond.* 말라리아.

paliducho, cha *adj.* (얼굴이) 쉬 창백해지는, 창백해지는 경향이 있는.

palier *m. fr.* ① [기계] 축받이, 베어링. ② *Arg., Ur.* 층계참, 계단참.

palilla *f.* *Hond.* (아이스케이크의 손잡이로 쓰이는) 매우 가는 작은 막대기.

palillero *m.f.* 이쑤시개 제조자[판매자]. —*m.* ① 이쑤시개 곽. ② 구멍 뚫린 이쑤시개 그릇. ③ 펜대.

palillo *m.* ① 뜨개바늘. ② 나무 이쑤시개. ③ 보빈 ((실을 감는 막대 모양의 물건). ④ 북채. ⑤ (플라멩코 가수가 앉아서 의자의 모서리를 치면서 장단을 맞추는) 가느다란 막대기(varita). ⑥ 담배 잎의 굵은 줄기. ⑦ 별로 중요하지 않은 이야기, 쓸데없는 이야기, 잡담. ⑧ 말라깽이, 빼빼 마른 사람. ⑨ *Ur.* 빨래집게. ⑩ (당구에서 쓰는) 픽. ⑪ (조각가의, 조각상용) 회양목[나무] 주걱. ⑫ *pl.* 젓가락. ⑬ (예술·과학의) 초보, 자세한 원리. ⑭ 실속 없는 것, 공허한 것, 별로 중요하지 않은 것, 대수롭지 않은 것. ⑮ [고어] [악기] =castañuelas. ¶*~ de barquillero, ~ de suplicaciones* 룰렛 비슷한 놀이 기구. *como ~ de barquillero* [*de suplicaciones*] 한시도 앉아 있을 사이가 없이, 쉴 사이가 없이 왔다갔다 하면서. *tocar todos los ~s* (목적을 위해) 온갖 수단을 다하다.

palimpsesto *m.* ① 인위적으로 지운 흔적이 있는 전에 쓴 것 위에 쓴 옛날 양피지, 겹쳐 쓴 고문서. ② 쓴 것을 지우고 다시 쓸 수 있었던 옛날 나무 판자.

palíndromo *m.* 회문(回文) ((앞뒤 어느 쪽에서 읽어도 같은 말이 되는 어구; 예 anilina, dábale arroz a la zorra el abad)).

palingenesia *f.* 재생(再生), 소생.

palingenésico, ca *adj.* palingenesia 의[에 관한].

palinodia *f.* 했던 말의 취소[철회], 먼저 한 말의 취소[철회]. ¶*cantar la ~* 먼저 한 말을 취소하다[철회하다], 공개적으로 취소하다[철회하다], (사적이지만) 자신의 잘못을 인정하다.

palinología *f.* 꽃가루[화분(花粉)]·포자(胞子) (연구) 학(學).

palio *m.* ① 이동 천개(移動天蓋). ② (고대 희랍의) 망토 모양의 겉옷. ③ 법의(法衣). ④ (교황이 대주교에게 수여하는) 교황 기장. ⑤ (육상 경기에서 승자에게 상으로 주었던) 명주[값진 천] 옷감. ⑥ [동물] 연체 동물의 껍질. ¶*correr el ~* (결승점에서 명주 옷감을 상으로 받았던) 육상 경기에 참가하다. *recibir con* [*bajo*] *~* 성대한 환영을 하다.

P

palique *m* ① 별로 중요하지 않은 이야기, 쓸데없는 이야기, 잡담(雜談): estar de ~ 잡담을 하다, 쓸데없는 이야기를 하다. ② 비난[유머러스한] 어조의 간단한 기사.
paliquear *intr.* 잡담을 하다, 쓸데없는 이야기를 하다(estar de palique).
palisandro *m.* (고급 가구 건축용) 자단(紫檀) 목재.
palista *m.f.* ① 카누 선수, 카누 애호가. ② 라켓을 사용하는 운동 선수.
palito *m.* ① *Cuba, Guat., Salv.* [속어] 성행위(acto sexual). ② *Cuba.* 북채. ③ *Cuba.* 담배 잎의 가운데 줄기. ④ *Hond.* 아주 어린 나무[관목], (특히) 커피의 어린 나무. ⑤ *Par.* 길쭉한 작은 빵조각. ⑥ *Ur.* 아이스크림. ¶ ~ ***de tendedera*** *Cuba.* 빨래집게.
palitoque *m.* =palitroque.
palitroque *m.* ① 작은[조잡한·엉성하게 다듬은] 몽둥이[통나무]. ② (투우사의) 작은 깃발 달린 작살, 반데리야(banderilla). ③ *Cuba.* 길쭉한 작은 빵조각.
paliza *f.* ① 몽둥이세례, 몽둥이찜, 몽둥이찜질. ② (논쟁·운동·노름 등에서) 완패. ③ 소모적인 노력. —*m.f.* 성가신[귀찮은·번거로운] 사람, 치근치근한 사람. ¶***dar la*** ~ 진절머리나게[넌더리나게] 하다.
palizas *m.f.sing.pl.* =paliza *m.f.*: un ~ 귀찮은 한 사람.
palizada *f.* ① 말뚝을 친 곳. ② (말뚝과 둑을 쌓은) 강변의 호안 시설. ③ [군사] =**empalizada.**
palizón *m.* paliza의 증대사.
palla *f.* ① *Arg., Bol.* 법정 규준에 의한 광물의 정선. ② *Chile.* = payada.
payada *f.* *AmérM.* =payada, canto del payador.
pallador *m.* *AmérM.* =payador.
pallaquear *tr.* *Bol., Perú.* =pallar² ①.
pallar¹ *m.* (페루의) 굵은 강낭콩.
pallar² *tr.* (광물에서, 금속질 부분이나 가장 좋은 부분을) 고르다[가려내다]. —*intr.* *AmérM.* =**payar.**
pallas *f.* 빠야스 ((페루 원주민들의 춤)).
pallaza *f.* (한 쪽은 주거로, 다른 한 쪽은 가축용인) 지붕을 짚으로 이은 돌집[석조 건축물].
palliri *f.* *Bol.* 광산에서 빼낸 광물을 고르는 여자.
palloza *f.* =pallaza.
palma *f.* *lat.* ① [식물] 야자나무, 야자, 야자수, 종려나무. ② 야자나무 잎, 종려나무 잎: aceite de ~ 야자유, 야자 기름. ③ =**datilera.** ④ [식물] =**palmito.** ⑤ 손바닥 ((손목부터 손가락까지)). ⑥ (사람의) 손(mano). ⑦ 영광, 영예. ⑧ 승리. ⑨ [식물] 외떡잎류 속씨식물. ⑩ [수의학] (말의) 발굽의 아랫부분, 발바닥. ⑪ *pl.* 환호의 박수: dar ~ 박수를 치다. ⑫ [식물] palma 이름을 가진 식물의 과(科), 야자나무 무리. ¶ ~ ***africana*** [식물] 아프리카 야자나무. ~ ***brava*** [식물] (필리핀의) 부채야자. ~ ***cana*** *Cuba.* [식물] (코코야자나무 비슷한) 야생 야자나무의 변종. ~ ***de coro*** *Méj.* [식물] 코코야자나무(coco). ~ ***datilera*** [식물] 대추야자나무. ~ ***enana*** [식물] = palmito. ~ ***indiana*** [식물] 코코야자나무(coco). ~ ***negra*** *Amér.* [식물] =carnauba. ~ ***real*** [식물] 빈랑나무, 대왕야자나무. ***cera de*** ~ 야자 밀랍. ***andar*** alguien ***en*** ~***s*** 모든 사람들로부터 박수갈채[절찬]를 받고 있다. ***batir*** ~ ㉮ 박수갈채를 보내다, 환호하다, 환호의 박수를 치다. ㉯ 안달루시아 춤의 다른 리듬을 손바닥으로 치다. ***como por la*** ~ ***de la mano*** (무엇을 행하거나 달성하기) 쉽게, 손바닥(을) 뒤집듯. ***enterrar con*** ~ a alguien (누구를) 처녀 상태로 묻다. ***ganar*** alguien ***la*** ~ ㉮ =**llevarse la palma.** ㉯ =**ganar la palmeta.** ***laso*** [***llano***] ***como la*** ~ ***de la mano*** 아주 반반한. ***llevar en*** ~***s*** a alguien (…를) 극도로 환대하다, (…에게) 빈틈없이 마음을 배려하다, (…를) 모든 것에서 편안하게 해 주다, 애지중지하다. ***llevarse*** alguien ***la*** ~ (다른 사람들과 경쟁에서) 빼어나다, 두드러지다, 뛰어나다, 탁월하다. ***raso como la*** ~ ***de la mano*** =**liso como la palma de la mano.** ***recibir*** [***traer***] ***en*** ~***s*** a alguien =**llevar en palmas.**
palmáceo, a *adj.* [식물] 야자속(屬)의. —*f.pl.* 야자속 식물.
palmacristi *f.* [식물] =**ricino.**
palmada *f.* ☞**palmado¹.**
palmadilla *f.* 빨마디야 ((손바닥을 쳐서 상대방을 불러들이는 유희의 춤)).
palmado¹, da *adj.* palma 모양의. —*f.* ① 손바닥으로 때리기: dar una ~ 손바닥으로 때리다[치다]. dar ~*s* 손바닥을 치다; 박수를 치다. dar ~*s* en la espalda 등을 툭툭 두드리다. ② 손뼉 치기.
palmado², da *adj.* ① *Nic.* 돈 없는, 일전 한푼 없는 (사람). ② *Nic.* = **aburrido, sin ánimo.**
palmar¹ *intr.* 죽다(morir). —*tr.* ① (무엇을) 억지로 주다. ② *Nic.* 죽이다. ~***se*** *Nic.* 죽다.
palmar² *adj.* ① 야자 제품의. ② 손바닥의[에 관한]. ③ (말의) 발바닥의[에 관한]. ④ (길이의 단위인) palmo의. ⑤ 분명한, 명백한, 쉽게 알 수 있는. —*m.* ① 야자나무 숲[밭], 야자수림(椰子樹林). ② (옷감 공장의) 보풀을 일으키는 기계. ¶

P

ser alguien o algo *más viejo que un* ~ (사람·물건이) 매우 늙다; (무엇이) 매우 오래되다.

palmarés *m.* ① (시합의) 승자의 명부, 성적표. ② (특히, 운동 선수의) 수상 경력, 수상(受賞) 관계.

palmariamente *adv.* 아주 분명히[명백히].

palmario, ria *adj.* 분명한, 명백한.

palmatoria *f.* ① =palmeta. ② (손잡이와 다리가 있는) 낮은 촛대의 일종 ((일반적으로 작은 접시 모양임)). ¶*ganar* alguien *la* ~ = ganar la palmeta.

palmazón *m. Nic.* 슬픈[지겨운·위안거리가 없는] 분위기[환경].

palmeado, da *adj.* ① palma 모양의. ② [식물] 편 손 같은 (잎·뿌리): hoja ~*da* 편 손 같은 잎. ③ [동물] 물갈퀴가 있는: pata ~*da* 물갈퀴발.

palmear *intr.* (기쁨과 환호의 표시로) 손뼉[박수]을 치다. —*tr.* ① [인쇄] (조판에서 활자를) 두들겨 고르다. ② (배를) 손으로 밀다. ~**se** 매놓은 밧줄을 잡고 손으로 밀고 나아가다.

palmenta *f.* [은어] 인편 편지.

palmentero *m.* [은어] =cartero.

palmense *adj.* ① 라스 빨마스(Las Palmas) 태생의. ② 라스 빨마스의[에 관한]. —*m.f.* 라스 빨마스 사람.

palmeo *m.* ① (길이의 단위인) palmo로 재기. ② (기쁨과 환호·플라멩코 노래의 반주에 맞추어) 손뼉치기.

palmera *f.* ① [식물] 야자나무 ((야자과의 상록 교목으로 20미터까지 자람)). ② 야자 모양의 케이크[겹비스킷].

palmeral *m.* 야자나무 숲.

palmerita *f. Arg.* =palmera ②.

palmero[1] *m.* ① 팔레스티나 성지 참배자. ② (푸르러지지 않도록) 야자나무 잎을 묶는 담당자.

palmero[2]**, ra** *adj.* ① 라 빨마(La Palma, 스페인의 카나리아 제도의 섬) 태생의. ② 라 빨마의[에 관한]. —*m.f.* 라 빨마 사람.

palmero[3]**, ra** *m.f.* 안달루시아의 플라멩코 춤과 리듬에 맞추어 손뼉을 치는 사람.

palmesano, na *adj.* ① 빨마 데 마요르까(Palma de Mallorca, 발레아르 제도 자치 단체의 수도) 태생의. ② 빨마 데 마요르까의[에 관한]. —*m.f.* 빨마 데 마요르까 사람.

palmeta *f.* ① (학교에서 어린이의 손을 때리는 체벌용으로 사용했던) 매, 회초리. ② 매[회초리]로 때리기. ¶*ganar la* ~ ㉮ 다른 학생보다 먼저 학교에 도착하다, 학교에 일찍 등교하다. ㉯ 어느 분야에 다른 사람보다 먼저 도착하다. ㉰ 다른 사람을 앞지르다, 남보다 앞서다.

palmetazo *m.* ① 매[회초리]로 때리기. ② 징계, 벌.

palmiche *m.* ① [식물] 대왕야자나무, 빈랑나무. ② 대왕야자나무의 열매. ③ [식물] (몸통이 매우 가는) 야자나무 ((키는 약 6미터; 재목 부스러기로 아메리카 인디오들이 야간 사냥에서 불을 켜는 데 사용함)).

palmífero, ra *adj.* [시어] 야자나무가 많이 나는.

palmilla *f.* ① (특히, 꾸엥까에서 가공되었던) 천의 일종. ② (구두의) 깔창(plantilla del zapato).

palmípedo, da *adj.* 물갈퀴발이 있는, 물갈퀴발의, 유금류(游禽類)의 (조류) —*m.* 물갈퀴발이 있는 새. —*f.pl.* 유금류(游禽類).

palmiste *m. Hond.* (기름을 짜는) 아프리카 야자나무의 씨.

palmita *f. Ur.* =palmera ②. ¶*llevar* [*recibir · traer*] a alguien *en* ~*s* =llevar en palmas. ☞ palma.

palmitieso, sa *adj.* 발굽이 반반한 [가운데가 볼록한] (말).

palmito[1] *m.* ① [식물] (잎이 부채꼴인) 종려나무의 일종. ② palmito의 먹을 수 있는 하얀 속(부분) ((모양은 원통형에 가깝고 길이는 3-4센티미터, 두께는 1센티미터)). ¶*como un* ~ 기생오라비처럼 (차려 입고).

palmito[2] *m.* ① 여자의 얼굴: buen ~ 여자의 잘생긴 얼굴. ② 여자의 날씬한 체격.

palmo *m. lat.* ① 빨모 ((길이의 단위; 손가락을 펴서 엄지손가락 끝에서 새끼손가락 끝까지의 길이; 약 20센티미터)). ② 한 뼘. ③ 약 20센티미터 길이의 자. ④ =palmo menor. ⑤ 빨모 ((아이들의 벽에 동전을 던져 상대방의 동전을 따먹는 돈치기 놀이)). ¶~ *de tierra* 땅뙈기, 손바닥만한 땅. ~ *menor* 네 손가락 (검지·장지·약지·새끼손가락)을 합한 넓이 ((약 7.5센티미터)). *con un* ~ *de lengua (fuera)* 지쳐서, 녹초가 되어. *dejar* a alguien *con un* ~ *de narices* (…의) 기대에 어긋나다, (…를) 실망시키다, (…의) 의표를 찔러 놀라게 만들다. *no adelantar* [*no ganar*] *un* ~ *de terreno* [*de tierra*] *en* algo (…에서) 거의 앞으로 나아가지 못하다[전진하지 못하다]. *no levantar* alguien, especialmente un niño *un* ~ *del suelo* (…가, 특히 어린아이가) 키가 아주 작다. ~ *a* ~ ㉮ 어렵게, 서서히, 조금씩 조금씩, 차차, 점차, 점점. ㉯ 완벽하게, 완전하고 상세히. *tener medido a* ~*s* un terreno, un lugar, etc. (…를) 샅샅이 알다.

palmotada *f.* =palmoteo ①.

palmotear *intr.* 손바닥을 마주치다.

palmoteo *m.* ① 손바닥을 마주치기.

P

② 매[회초리](palmeta)로 때리기.

palo *m.* ① (주로 목재의) 막대기, 방망이, 홍두깨, 곤봉, 몽둥이, 말뚝: ~ de amasar 밀방망이. ② (일반적으로, 연장·기구 등에 박거나 낀 손잡이로 사용되는) 목재, 자루: ~ de escoba 빗자루. ③ 목재, 나무의 단단한 부분: cruz de ~ 나무 십자가. cuchara de ~ 나무 수저. pata de ~ 나무 의족(義足). ④ (일반적으로, 남아메리카의) 재목의 여러 가지 형: ~ de rosa 향목, 자단. ⑤ (일반적으로, 남아메리카의) 여러 나무[관목]: ~ brasil 브라질 다목. ⑥ 몽둥이질. ⑦ (교수형처럼) 몽둥이로 행하는 사형. ⑧ (트럼프에서) 같은 모양의 네 패[짝]: seguir el ~ 처음에 냈던 패와 같은 모양의 패를 내다. ⑨ (열매가 나무에 매달려 있는) 꼭지(pezón). ⑩ (d자나 p자처럼 다른 문자보다 위로나 아래로 삐친 문자의) 획(trazo). ⑪ 플라멩코 노래의 전통적 다양성의 하나. ⑫ = **daño, perjuicio.** ⑬ [문장] (방패 중앙의) 세로 줄. ⑭ [수렵] = **alcándara.** ⑮ [운동] (야구의) 방망이, 배트; (골프의) 채, 클럽; (하키·폴로의) 스틱; [운동] (특히, 축구의) 골대, 골포스트. ¶ ~ ***áloe*** ㉮ 알로에. ㉯ =**palo del águila.** ~ ***campeche*** =**palo de Campeche.** ~ ***codal*** (고행을 위해 목에 다는) 고행봉. ~ ***cortado*** 향기로운 맛과 헤레스산 백포도주 냄새가 나는 셰리주. ~ ***de áloe*** =**palo áloe.** ~ ***de Bañón*** 쐐기풀의 일종. ~ ***de Campeche*** [식물] 다목. ~ ***de ciego*** ㉮ 엉뚱한 곳 때리기. ㉯ 엉뚱한 장난[욕]. ~ ***de Fernambuco*** 브라질 다목의 일종. ~ ***de hule*** 고무나무. ~ ***de jabón*** 비누나무. ~ ***del águila*** palo áloe 비슷한 서향나무과 나무의 목재. ~ ***de la rosa*** ㉮ 가시 있는 관목. ㉯ =**palo de rosa.** ~ ***de las Indias*** =**palo santo.** ~ ***de piso*** 자루걸레. ~ ***de planchar*** 다리미판. ~ ***de rosa*** 향목, 자단. ~ ***dulce*** 감초의 뿌리. ~ ***duz*** 감초. ~ ***mayor*** 주 돛대, 메인 마스트. ~ ***nefrítico*** 고추냉이. ~ ***santo*** 유창목(癒瘡木). ~***s de ciego*** *m.pl.* (추구하는 목적을 달성하지 못하는) 우유부단한 행동. ***andar a ~s*** 항상 싸우고[말다툼하고] 있다. ***a ~ seco*** ㉮ 벌거벗고, 아무 것도 걸치지 않고, 아무 장식물도 없이. ㉯ 먹지도 마시지도 않고. ㉰ [선박] 돛을 내리고. ***caérsele*** a alguien ***los ~s del sombrajo*** 기가 꺾이다, 기가 죽다, 풀이 죽다, 사기가 떨어지다, 축 늘어지다, 용기를 잃다, 낙담하다, 낙심하다. ***correr a ~ seco*** (배가) 폭풍이 몰아칠 때 돛대도 없이 항행하다. ***dar ~*** 기대했던[원했던] 것과 반대의 결과가 되다. ***derrengar* [*doblar*]** a alguien ***a ~s*** 일어나지 못할 때까지 등에 몽둥이찜질을 하다. ***echar a ~s*** a alguien (…를) 내쫓다, 몰아내다, 추방하다. ***Ello dirá si es ~ o pedrada*** =**Ello dirá.** ☞ **decir.** ***estar del mismo ~*** (사람이, 다른 사람과) 똑같은 상태[처지]에 있다. ***estar más pelado que el ~ del acial*** 가난에 시달리고 있다, 경제적 빈곤 상태에 있다. ***meter el ~ en candela*** 싸움이 될 수 있는 상황을 유발하다. ***ni a ~s*** =**ni a tiros.** ***no dar*** alguien **(*un*)** ***~ al agua*** 빈둥빈둥 놀며 지내다. ***poner*** a alguien ***en un ~*** 교살하다, 교수형에 처하다, 효수하다, 사형에 처하다. ***ser*** alguien ***del mismo ~*** (다른 사람과) 똑같은 상태[처지]에 있다. ***terciar*** alguien ***el ~*** 때리려고 몽둥이를 치켜들다. ***De tal ~, tal astilla*** (속담) 부전자전.

paloapique *m.* ① (땅에 줄을 맞추어 일렬로) 말뚝을 박아 만든 울타리. ② 울타리를 만든 말뚝 하나하나.

paloduz *m.* 감초(甘草)(orozuz).

paloma *f.* ① [새] 집비둘기: ~ de la paz 평화의 비둘기. ② 얌전한[온순한] 사람. ③ (정치적으로) 비둘기파, 반전파. ④ [선박] 돛대의 중간 부분. ⑤ 윗부리 끝이 굽의 새 ((예 비둘기, 멧비둘기)). ⑥ *CRica.* 나방. ⑦ *AmérC., Ven.* =**pene.** ⑧ *Guat.* =**vulva.** ⑨ [은어] 침대의 홑이불. ⑩ *pl.* (시원한 바람이 불기 시작할 때 바다에서 일어나는) 파도. ⑪ (사용하지 않는 동물 분류에서) 비둘기류. ¶ ~ ***brava*** =**paloma silvestre.** ~ ***calzada*** 발목과 발가락에 털이 난 집비둘기. ~ ***de Castilla*** *CRica.* 일반 집비둘기. ~ ***de moño*** 도가머리 집비둘기. ~ ***de toca*** 두건비둘기. ~ ***duenda*** 집비둘기. ~ ***mensajera*** 전서구(傳書鳩), 통신(에 이용하는) 비둘기. ~ ***monjil*** = **paloma de toca.** ~ ***moñuda*** = **paloma de moño.** ~ ***palomariega*** 비둘기장에서 자라 들로 나가는 비둘기. ~ ***real*** 제왕비둘기. ~ ***rizada*** 깃이 곱슬곱슬한 집비둘기. ~ ***silvestre*** 들비둘기. ~ ***tocaz*** 목걸이비둘기. ~ ***tripolina*** 왕관비둘기. ~ ***zorita,*** ~ ***zura,*** ~ ***zurana,*** ~ ***zurita*** 목걸이비둘기.

palomadura *f.* (돛의) 묶는 줄.

palomar[1] *m.* ① 구사(鳩舍), 비둘기의 집, 비둘기장. ② *Guat.* =**casa de vecindad.** ¶***alborotar el ~*** = **alborotar el cortijo.** ☞**cortijo.**

palomar[2] *adj.* (규격품보다) 더 가늘게 꼰 (삼끈).

palomariega *paloma* ~ 비둘기장에서 자란 후에 들로 나가는 비둘기.

palomear *intr.* ① 비둘기를 사냥하

러 (나)가다. ② 오랫동안 비둘기 사육에 종사하다.

palomera *f.* ☞palomero.

palomería *f.* (날아가는) 비둘기사냥.

palomero, ra *mf.* ① 비둘기를 사고 파는 사람. ② 비둘기 애호가, 비둘기 사육을 좋아하는 사람. —*f.* ① 작은 집비둘기장. ② 적은 면적의 황무지.

palometa *f.* ① [어류] (고등어보다는 약간 크지만) 고등어 비슷한 물고기. ② 지중해의 식용어의 일종. ③ [건축] 까치발. ④ 팝콘(palomita).

palomilla *f.* ① [곤충] 나방. ② 매우 작은 나비. ③ (곤충의) 번데기. ④ [식물] 현호삭(玄胡索). ⑤ [식물] = **onoquiles.** ⑥ (말의) 엉덩이의 앞부분, 뒷등. ⑦ 새하얀 말. ⑧ 안장의 끝에 튀어나온 부분. ⑨ [건축] 까치발. ⑩ (굴대의) 축받이. ⑪ [기계] 너트 ((볼트에 끼워 돌려서 물건이 움직이지 않도록 하는, 쇠로 만든 공구)). ⑫ 튀긴 옥수수 알. ⑬ 물과 회향풀 증류주의 혼합 술. ⑭ *Hond., Méj., Pan.* 떠돌이패. ⑮ *pl.* (바다의) 넘실거리는 파도. ¶ ~ *de tintes* =onoquiles.

palomillear *intr.* ① *Chile.* =**vagabundear.** ② *Chile.* 작은 잘못을 저지르다.

palomina *f.* ① 비둘기 똥. ② [식물] 현호삭(玄胡索).

palomino *m.* ① 들비둘기 새끼. ② 속옷에 묻은 똥 자국.

palomita *f.* ① 팝콘, 튀긴 옥수수, 튀긴 강냉이. ② 물과 회향풀 증류주의 혼합 술. ③ [운동] (골키퍼의) 멋진 도약[점프].

palomo *m.* ① 수비둘기. ② = **paloma torcaz.** ③ 아주 노련한 선전가. ¶ ~ ***ladrón*** 비둘기 도둑. ~ ***zarandalí*** *And.* 검게 칠한 사람. ~ ***zumbón*** *And.* 배가 작고 키가 큰 사람. ***Juan Palomo*** 이기주의자.

palón *m.* [문장] 기(旗) 비슷한 기장(紀章)[기념장].

palopique *m. Salv.* =**paloapique.**

palor *m.* [드묾] =**palidez.**

palotada *f.* 북채로 때리기. ¶***no dar ~ alguien*** ㉮ 엉뚱한 말[짓]을 하다, 말한 대로 하지 않다, 하라는 것은 하지 않다. ㉯ 책임 맡을 것[맡은 것]을 아직 시작도 하지 않았다.

palotazo *m.* [투우] =**varetazo.**

palote *m.* ① 북채 (같은 중간 크기의 막대기). ② (아이들의 초보 습자를 위해 줄이 그어진 종이에 쓴) 선[줄], 작대기 글자: hacer ~*s* 글자 쓰는 연습을 하다. ③ *Arg., Ur.* 밀 방망이(rodillo).

paloteado *m.* ① 음악에 맞추어 북채를 치면서 발레리나가 몸짓을 하는 춤. ② 시끄러운 싸움, 서로 치고 받는 싸움.

palotear *intr.* ① 몽둥이로 때리다, 소란을 피우다. ② 입씨름하다.

paloteo *m.* ① 몽둥이질. ② 입씨름.

palpable *adj.* ① (손으로) 만질 수 있는. ② 명백한, 분명한, 확실한.

palpablemente *adv.* (마치 손으로 만질 수 있듯이) 명백히, 분명히, 의심 없이.

palpación *f.* ① 만져 봄, 손을 댐. ② [의학] 촉진(觸診).

palpadura *f.* =**palpación ①.**

palpamiento *m.* =**palpación ①.**

palpar *tr.* ① 손으로 만져 보다: ~ la tela 옷감을 만져 보다. ② [의학] 촉진하다. ③ 어둠 속에서 방향을 정하기 위해 더듬다, 손으로 더듬으며 걸어가다: ~ las tinieblas 어둠 속에서 손으로 더듬으며 걸어가다. ④ (무엇을 손으로 만지는 것처럼) 분명히[명확히·확실히] 알다.

pálpebra *f.* [해부] =**párpado.**

palpebral *adj.* párpedo의[에 관한].

palpitación *f.* ① (심장의) 고동. ② 가슴이 두근거림, 가슴이 울렁거림, 동계(動悸): con *palpitaciones* en el corazón 가슴을 두근거리며. ③ 마음의 동요: sentir *palpitaciones* 마음의 동요를 느끼다. ④ [의학] 심계항진(心悸亢進).

palpitante *adj.* ① 맥박이 뛰는, 고동치는. ② 가슴이 두근거리는, 가슴이 울렁거리는, 가슴이 방망이질을 치는 듯한: con ~ corazón 두근거리는 가슴으로. ③ 마음이 동요하는. ④ 생생한, 최근의.

palpitar *intr.* ① 심장이 뛰다, 고동치다: Ella aún *palpita* 아직도 그녀는 심장이 뛰고 있다. ② (기대 등으로) 가슴이 뛰다, 가슴이 두근거리다[울렁거리다·방망이질을 치다], 가슴이 설레다. ③ (몸이) 떨리다. ④ (감정·애정이) 격렬하게[열정적으로] 나타나다.

pálpito *m.* 예감(豫感).

palpo *m.* [동물] 촉수(觸鬚).

palquista *m.* 발코니나 창문으로 들어가는 도둑(ladrón).

palta *adj.* 빨따족(에꾸아도르의 로하주와 뻬루의 북부 지방에서 살았던 원주민)의[에 관한]. —*mf.* 빨따족 사람. —*m.* 빨따 말. —*f. Chile, Arg., Perú, Ur.* [열매]=**aguacate.**

palto *m. Arg., Chile, Perú, Ur.* [식물] =**aguacate.**

paltó *m.* =**chaqueta, americana.**

palucha *f. Cuba.* 경박하고 사려분별이 없는 말.

paluchear *intr. Cuba.* =**parlotear.**

paluchería *f. Cuba.* =**palucha.**

paludamento *m.* (옛 로마의 황제와 장군이 착용했던) 금장(金裝)한 자줏빛 망토.

palude *f.* [드묾] =**laguna, charca, paúl.**

palúdico, ca *adj.* ① =**palustre**[2]**.** ② 말라리아(paludismo)의[에 관한].

paludícola *adj.* 소택지에 사는.

paludismo *m.* [의학] 말라리아.
paludo, da *adj. Méj., Salv.* (식물 · 열매 · 알뿌리가) 섬유질의.
palumbrario *halcón* ~ [새] 큰 매.
palurdo, da *adj.* (시골 사람들이) 거친, 우락부락한, 세련되지 않은, 투박한, 촌스러운. —*m.f.* 촌스러운 사람, 거친 사람, 투박한 사람.
palustre[1] *m.* (미장이의) 흙손.
palustre[2] *adj.* 늪의[에 관한]; 소택지의[에 관한].
pamandabuán *m.* 거룻배와 비슷한 필리핀의 노 젓는 배.
pamba *f.* ① *Ecuad.* 농경지, 경작지, 밭. ② *Méj.* 몽둥이찜질.
pambaceada *f. Méj.* 몽둥이찜질.
pambacear *tr. Méj.* 몽둥이찜질을 하다(dar una paliza).
pambil *m Ecuad.* [식물] (대왕야자나무보다 더 작은) 야자나무.
pambiza *f.* 몽둥이찜질.

P

pamela *f.* (특히 여름에, 부인용) 맥고모자.
pamema *f.* ① 무의미한[쓸모없는 · 대수롭지 않은] 말[행동], 입에 발린 말, 공치사. ② =**melindre.** ③ =**fingimiento.**
pamentero, ra *adj., m.f. Ur.* 호들갑스러운 (사람).
pamento *m. Ur.* 호들갑(apaviento).
pampa *adj.* ① 빰빠족(아르헨띠나 중부 지방의 평원에 살았던 원주민)의. ② 빰빠족에 관한. —*m.f.* 빰빠족 사람. —*m.* 빰빠족의 말. —*f.* ① (남아메리카, 특히 아르헨띠나의 나무 없는) 대초원, 팜파. ② *Ecuad.* 농경지, 경작지: ~ de maíz 옥수수밭. ~ de papas 감자밭.
pámpana *f.* 포도나무 잎. ¶ *tocar [zurrar] la* ~ a alguien (…를) 때리다, 두들기다, 벌하다, 혼내주다.
pampanada *f.* 포도나무잎 즙.
pampanaje *m.* ① 포도나무 잎이 무성함. ② 헛일(hojarasca).
pampanilla *f.* (원주민의) 생식기를 가리는 천.
pámpano *m.* ① 포도나무의 연하고 푸르고 가는 덩굴, 포도나무의 어린 싹. ② =**pámpana.** ③ [어류] =**salpa.** ④ *Méj.* [어류] 빰빠노 ((멕시코만 연안의 식용 바닷고기)).
pampanoso, sa *adj.* 포도나무 덩굴이 무성한.
pampeano, na *adj.* ① 대초원 태생의. ② (아르헨띠나에 있는) 대초원 지방의[에 관한]. ③ 라 빰빠(La Pampa, 아르헨띠나의 주) 태생의. ④ 라 빰빠의[에 관한]. —*m.f.* ① 대초원 사람. ② 라 빰빠 사람.
pampear *intr. AmérM.* 대초원을 돌아다니다(recorrer la pampa).
pamperdido *adj.* =pan perdido.
pampero, ra *adj.* ① (아르헨띠나의) 대초원 태생의. ② 대초원의[에 관한]. —*m.f.* 대초원 사람. —*m.* 대초원의 남서쪽에서 부는 매서운 바람.
pampino, na *adj.* 초석 함유 대초원에서 일하는.
pampirolada *f.* ① 빵과 맷돌에 갈아 물에 탄 마늘로 만든 소스. ② 어리석은짓, 실속이 없는 일.
pamplina *f.* ① [식물] 별꽃 ((석죽과의 두해살이풀)). ② [식물] 노란양귀비. ③ [주로 *pl.*] 쓸모없는 일[말], 근거가 희박한 말[일]. ④ [주로 *pl.*] (…의 기분을 맞추려고 하는) 별로 성실치 못한 말, 믿음이 가지 않는 말, 어리석은 짓. ¶ ~ *de canarios* [식물] 별꽃(álsine).
pamplinada *f.* 쓸모없는 말[것], 무용지물.
pamplinero, ra *adj.* 쓸데없는 말을 곧잘 하는, 어리석은 말을 하는 경향이 있는.
pamplinoso, sa *adj.* =pamplinero.
pamplona *f. Ur.* (구워 먹는) 양념해서 창자를 둘둘 말아 싼 고기.
pamplonés, sa *adj.* ① 빰쁠로나(Pamplona, 스페인의 Comunidad Foral de Navarra의 수도) 태생의. ② 빰쁠로나의[에 관한]. —*m.f.* 빰쁠로나 사람.
pamplonica *adj., m.f.* =**pamplonés.**
pampón *m. Perú.* 담장을 둘러치지 않은 넓은 시골 땅.
pamporcino *m.* ① 시클라멘 ((앵초과의 여러해살이풀)). ② 시클라멘의 열매.
pamposado, da *adj.* [드뭄] =**desidioso, flojo, poltrón.**
pampringada *f.* ① 돼지기름에 적신 빵의 길쭉한 조각. ② 중요성이 없는 일, 시기를 놓친 일.
pamue *m.* 파무에족(族)(적도 기니 공화국에 속한 서아프리카 원주민)의. —*m.f.* 파무에족 사람. —*m.* 파무에 말.
pan[1] *m.* ① 빵: ~ blanco 식빵. ~ casero 집에서 만든 빵. ~ de barra 막대기 빵. ~ negro 흑빵. ~ rallado 빵가루. un pedazo [trozo] de ~ 빵 한 조각. ② (케이크 · 파이용) 기름을 넣고 주무른 반죽덩이. ③ 빵 모양의 다른 것의 덩어리: ~ de higos 마른 무화과. ~ de jabón 고형 비누. ~ de sal 소금 덩어리. ④ 먹을거리, 식량, 식품: ~ de cada día 나날의 식량. ganarse ~ 밥벌이하다. ⑤ 밀(trigo). ⑥ [기독교] 성체(聖體) 빵: ~ de los ángeles, ~ de vida, ~ del cielo, ~ de los fuertes 성체(聖體). ⑦ (금은의) 박(箔), 박편(薄片): ~ de oro 금박. ~ de plata 은박. ⑧ *Nic., Salv.* 여자의 생식기. ⑨ *pl.* (싹튼 다음부터 벨 때까지의) 밀, 호밀, 보리 등. ¶ ~ *ácimo* 효모를 넣지 않는 빵. ~ *aflorado* =**pan de flor.** ~ *agradedico* 은혜에 감사하는 사람. ~ *ázimo* =**pan ácimo.**

~ *bazo* 흑빵. ~ *bendito* ㉮ (미사에서 축복하고 주민들에게 나누어주는) 성체 빵. ㉯ (여러 사람 사이에서) 나누어 가진 것. ~ *cañón* 대포 모양의 부드러운 아니스 향이 나는 빵. ~ *cenceño* =pan ácimo. ~ *de azúcar* 정제된 설탕 덩어리. ~ *de flor* 정제 밀가루 빵. ~ *de horma Ur.* =pan de molde. ~ *de la boda* 신혼 부부가 맛보는 즐거움, 신혼의 달콤함[기쁨·즐거움·환희], 신혼의 짜릿한 맛. ~ *de molde* 식빵. ~ *de munición* (군인·죄수 등에게 주는 대량으로 만든) 맛없는 빵. ~ *de perro* ㉮ 개에게 주는 빵. ㉯ (개를 죽이기 위해 개에게 주는 독약 탄 빵에 인용하여) (…에게 입힌) 해, 손해; 벌, 징계. ~ *de pistola* (특히, 수프용) 길고 단단한 빵. ~ *de salvado* = pan integral. ~ *de tierra Amér.* =cazabe. ~ *eucarístico* 성체(聖體). ~ *fermentado* 보통 이스트를 넣고 오븐에 찐 빵. ~ *floreado* = pan de flor. ~ *francés* ㉮ 매우 퍼석퍼석한 밀가루 빵. ㉯ *Guat.* 밀가루에 소금과 아주 적은 양의 치즈를 넣고 만든 빵. ~ *integral* 완전한 밀가루 빵. ~ *de mal conocido* 고마워하지 않는 호의[은혜]. ~ *mediado* =pan por mitad. ~ *mollete* 달걀 모양의 부풀린 바람빵. ~ *perdido* 집을 버리고 빈둥빈둥 떠돌아다니는 사람. ~ *porcino* [식물] =pamporcino. ~ *por mitad* (농민들이) 밀과 보리를 같은 분량으로 곡물로 내는 소작료[토지임대료]. ~ *regañado* 부풀어 터진 빵. ~ *seco* (다른 음식물 없이 먹는) 맨 빵. ~ *subcinericio* 재 속에 묻어 놓은 숯불에[재 밑에다] 찐 빵. ~ *supersubstancial* =pan eucarístico. ~ *terciado* 밀 3분의 2와 보리 3분의 1을 곡물로 내는 소작료. ~ *y agua* 제한된 적은 양. ~ *y quesillo* [식물] 냉이. *al ~, ~ y al vino, vino* 솔직히, 가식 없이, 꾸밈없이, 단도직입적으로 (말해서). *coger* a alguien *el ~ bajo el sabaco* (…를) 제편으로 끌어들이다. *comer el ~* de alguien (…에 의해) 부양되다, 양육되다, (…의) 한 가족이다. *comer* alguien *el ~ de los niños* 이미 늙어 부드러운 음식이 필요하다, 세상만사를 겪다, 세상에서 일어나는 온갖 일을 겪다, 세상 물정에 밝다. *comer ~ con corteza* ㉮ 어른이 되어 제 몫을 할 수 있게 되다, 독립할 수 있게 되다. ㉯ (환자가) 이미 회복되다, 좋아지다. *Con su ~ se lo coma* 마음대로 해라, 내가 알 바 아니다, 내가 알게 뭐야. *Contigo, ~ y cebolla* 당신과 함께라면 지옥도 마다하지 않겠다, 그대와 함께라면 깡통을 차 고라도 감수하겠다 ((이성에게 홀딱 반해서 하는 말)). *del ~ y del palo* ㉮ 달래기도 하고 꾸중도 하면서. ㉯ 더러 좋은 일도 있게 해 주면서. *el ~ de cada día* 일상사, 날마다 일어나는 일, 늘 있는 일. *El ~ de cada día!* 에끼, 또 그 타령인가 ((계속 반복되는 불평·요구·충고 등에)). *engañar el ~* 빵과 함께 좋아하는 것을 곁들여 먹다. *ganar* [*ganarse*] alguien *el ~* [*su ~*] 일을 해서 먹고 살다. *hacer un ~ como unas hostias* [*como unas tortas*] 큰 실패를 하다. *negar el ~ y la sal* a alguien (…의) 장점[기본권]을 인식하지 못하다. *no cocérsele* a alguien *el ~* (…할 때까지) 불안하다, (…의) 본심을 알 수 없다; 원하는 것을 말하다[알다]. *no comer* alguien *el ~ de balde* 공짜로 받지 않고 대가를 치르다. *no haber ~ partido* (두 사람이나 그 이상의 사람 사이에) 우정과 신뢰가 두텁다. ~ *por ~, vino por vino* =al pan, pan, y al vino, vino. *repartir como ~ bendito* 빵을 아주 적은 양으로 나누다. *ser* algo ~ *comido* (달성하기) 쉽다, 용이하다, 손바닥 뒤집기다. *ser* algo *el ~ nuestro de cada día* 매일 일어나다, 자주[빈번히] 일어나다. *ser* algo ~ *y miel* 매우 좋고 마음에 들다. *ser* alguien *un ~ de Dios* 매우 친절하다[다정다감하다]. *valerle* a alguien *un ~ por ciento* (…을 할 때 물질적·정신적으로) 상당한 이득을 얻다. *A falta de pan buenas son tortas* (속담) 꿩 대신 닭, 궁여지책. *A ~ duro diente agudo* (속담) 시장이 반찬. *La esperanza es el ~ del alma* (속담) 희망은 마음의 양식이다. *Mejor es ~ duro que ninguno* (속담) =A falta de pan buenas son tortas. *Por el ~ baila el can* (속담) 돈만 있으면 귀신도 부릴 수 있다.

Pan² *m.* [희랍 신화] 판, 목신(牧神).

pan- *pref.* 「전(全)·범(汎)·총(總)」의 뜻: *panteímo* 범시론(汎神論).

pana¹ *f.* ① 우단 비슷한 두꺼운 천. ② [선박] 거룻배의 발판, 바닥 널.

pana² *f.* ① *CRica.* 빵나무의 열매. ② *Ecuad., PRico., Ven.* =amigo, camarada, compinche.

pánace *f.* [식물] 오포파낙스 ((향료용 고무 수지(樹脂)의 일종)).

panacea *f.* ① 여러 가지 병에 효험이 있는 약제. ② 만병통치약. ¶~ *universal* (옛날 연금술사가 찾아 헤매던) 만병통치약.

panaché *m. fr.* 여러 가지 야채를 삶아서 만든 요리.

panadear *tr.* [드묾] 빵을 만들어 팔다, 빵을 팔기 위해 만들다.

P

panadeo *m.* 빵을 만들어 팖, 빵을 팔기 위해 만듦.
panadería *f.* ① 빵집, 빵가게, 빵을 만들어 파는 집[곳], 빵공장. ② 제빵업.
panadero, ra *m.f.* 빵을 만들어 파는 사람, 빵장수, 빵집 주인. —*m.pl.* 빠나데로스 ((발장단을 맞추며 추는 zapateado 비슷한 스페인의 춤)).
panadizo *m.* ① [의학] 손가락의 급성 염증, 표저(瘭疽), 생인손, 생인발. ② [드묾] 얼굴이 창백하고 계속 병을 달고 다니는 사람.
panado, da *adj.* 튀긴 빵을 넣어 끓인 (수프), 빵을 뜯어 넣은.
panafricanismo *m.* 범(汎)아프리카주의, 범아프리카 운동.
panal *m.* ① 벌통. ② 벌집. ③ =azucarillo.
panamá[1] *m.* ① =sombrero de jipijapa. ② (자수용으로 아주 적당한) 실이 굵은 무명 천.
Panamá[2] *m.* [국명] 파나마.
panamaca *adj.* 빠나마까족(los panamacas, 온두라스 북동부와 니까라구아 대서양 지역에 살았던 원주민)의[에 관한]. —*m.f.* 빠나마까족 사람. —*m.* 빠나마까 말.
panameñismo *m.* 파나마 사람들 특유의 말씨[말투], 파나마 사투리.
panameño, ña *adj.* ① 파나마(Panamá, 중앙 아메리카의 공화국・그 수도) 태생의. ② 파나마의[에 관한]. —*m.f.* 파나마 사람.
panamericanismo *m.* 범(汎)아메리카주의, 범미주의, 전미(全美)주의.
panamericanista *adj.* 범아메리카주의의. —*m.f.* 범아메리카주의자, 범미주의자, 전미주의자.
panamericano, na *adj.* 범아메리카의[에 관한], 범미의[에 관한], 전미의[에 관한]: carretera ~*na* 팬아메리컨 하이웨이. ¶*la Panamericana* 팬아메리컨 하이웨이.
panapén *m.* *PRico.* [식물] 빵나무.
panarabismo *m.* 범아랍주의.
panarizo *m.* =panadizo.
panarra *m.f.* ① 바보, 멍청이, 멍텅구리. ② =murciélago.
panatela *f.* 크고 길다란 카스텔라.
panateneas *f.pl.* (고대 아테네의) 아테네[미네르바] 여신제(女神祭).
panática *f.* (배에서) 빵 보급[공급].
panatier *m.* (왕실의) 식량 창고 담당자.
panavisión *f.* [영화] 파나비전.
panca[1] *f.* 필리핀의 배 banca의 일종.
panca[2] *f.* *Perú.* 옥수수의 이삭을 싸는 잎.
pancada *f.* ① 상품 매매 계약. ② *Gal.* 갑작스러운 구타.
pancarpia *f.* 여러 가지 꽃으로 된 관, 화관(花冠).
pancarta *f.* ① 여러 가지 서류를 복사해 둔 양피지. ② 플래카드, 포스터, 광고.
pancellar *m.* (옛날에 배를 덮었던) 갑옷의 배가리개.
pancera *f.* =pancellar.
panceta *f.* (돼지의) 삼겹살.
panchito *m.* 껍질을 벗겨 볶은 땅콩.
pancho[1]**, cha** *adj.* ① 조용한, 잔잔한, 편안한, 변하지 않은. ② [+con] (…에) 만족한: tan ~ 매우 만족한. —*m.* ① 도미의 새끼. ② 배, 복부.
pancho[2] *m.* ① *Arg., Ur.* 핫도그. ② 소시지 샌드위치.
panchón *m.* *Ast.* 흑빵.
pancismo *m.* 기회주의.
pancista *adj.* 기회주의적인, 영합적인. —*m.f.* 기회주의자.
pancit *m.* *Filip.* 쌀가루 국수.
pancita *f.* *Méj., Perú.* =callos.
panciteria *f.* *Filip.* 쌀가루 국수 (전문) 식당.
panclastita *f.* 강력 피크린산 폭약.
panco *m.* 필리핀 연안의 돛단배.
pancraciasta *m.* pancracio 선수.
pancracio *m.* (고대 희랍의) 권투와 레슬링을 합친 격투기.
pancrático, ca *adj.* =pancreático.
pancrealgia *f.* [의학] 췌장통.
páncreas *m.sing.pl.* [해부] 췌장(膵臟), 이자.
pancreatalgia *f.* =pancrealgia.
pancreatectomía *f.* 췌장 절제(술).
pancreático, ca *adj.* 췌장의[에 관한], 이자의[에 관한]. ¶*jugo* ~ 췌장액, 이자액.
pancreatina *f.* 췌장 효소.
pancreatitis *f.* [의학] 췌장염.
pancreatotomía *f.* 췌장 절개(술).
pancromático, ca *adj.* [사진] 전색(全色)의, 전정색의: película ~*ca* 전정색필름. plato ~ 전색건판.
pancutra *f.* *Chile.* =pantruca.
panda[1] *f.* ☞pando.
panda[2] *m.* [동물] 판다(oso ~): ~ gigante 자이언트 판다, 큰 판다. ~ menor 레서 판다, 작은 판다.
pandear *intr.*, ~**se** (특히, 벽・도리가) 중간에서 휘다[비뚤어지다].
pandectas *m.pl.* ① 법전, 법전 전서. ② 총론, 총람; 요람. ③ 성경 사본. ④ [P~] 유스티니아누스 법전.
pandeiro *m.* *Ur.* 엉덩이, 궁둥이.
pandemia *f.* 전국적[세계적] 유행병.
pandémico, ca *adj.* (전염병이) 전국적[세계적]으로 퍼지는; pandemia의.
pandemonio *m.* =pandemónium.
pandemónium *m.* ① 지옥의 상상의 도시. ② 수라장, 혼돈의 장소.
pandeo *m.* ① 복판이 휨[비뚤어짐]. ② [건축] 도리의 굴곡.
pandera *f.* [악기] =pandero ①.
panderada *f.* ① [집합] 탬버린대(隊). ② 어리석은 짓, 공허한 말.
panderazo *m.* 탬버린으로 때리기.
pandereta *f.* ① 방울 달린 소형 탬버린. ② *Cuba, Ur.* (특히, 여자의)

엉덩이. —*mf.* *CRica.* 지나치게 종교적인 사람.

panderetazo *m.* 작은 탬버린으로 때리기.

panderete[1] *tabique de* ~ 벽돌 칸막이벽.

panderete[2] *m.* [은어] 속임수용 카드 두 장의 발견.

panderetear *intr.* ① 탬버린을 치다. ② 탬버린 소리에 맞추어 재미있게 놀다[춤추다].

pandereteo *m.* ① 탬버린 치기. ② 탬버린 소리에 맞추어 재미있게 놂[춤을 춤].

panderetero, ra *mf.* ① 탬버린 치는 사람. ② 탬버린을 치기를 좋아하는 사람. ③ 탬버린 제조 판매자.

panderetólogo *m.* pandereta에 능숙한 학생.

pandero *m.* ① [악기] 탬버린. ② 미욱하고 쓸데없는 말을 많이 하는 사람. ③ 연(鳶). ④ [구어] =**culo.**

pandiculación *f.* 기지개, 팔을 폄, 스트레칭.

pandilla *f.* ① (특히, 카드에서) 속임수. ② 동맹, 연합, 결합. ③ (다른 사람을 속이거나 해치기 위해 몇 사람이 만든) 결속, 연합. ④ 패거리, 도당, 당파, 무리, 동아리. ⑤ (자주 모여 즐기는) 친구들의 동아리.

pandillaje *m.* (불순한 목적으로 모인) 패거리.

pandillero, ra *adj., mf.* 패거리를 만드는 (사람).

pandillista *mf.* 패거리의 주모자.

pando, da *adj.* ① (벽·도리 등이) 휜, 뒤틀어진. ② (평지로 흐르는 강물처럼) 완만한, 느릿느릿한, 천천히 움직이는. ③ (물·오목한 것이) 낮은, 깊지 않은, 운두가 낮은. ④ (사람이) 굼뜬. ⑤ *Salv.* 운이 나쁜. —*m.* (두 산 사이에 있는) 거의 편편한 땅. —*f.* ① (수도원의) 회랑, 낭하. ② (남을 해치기 위해 만든) 패거리 모임. ③ (재미있게 즐기기 위한) 사람들의 모임.

Pandora *f.* [희랍 신화] 판도라. ¶ *caja de* ~ [희랍 신화] 판도라의 상자.

pandorga *f.* ① 연(鳶). ② 배, 복부. ③ 뚱뚱하고 둔한 여자. ④ *Mur.* [악기] =**zambomba.** ⑤ 카드놀이의 일종.

pandura *f.* *Salv.* 나쁜 운, 악운.

pandureco, ca *adj.* *Nic.* =**pando ①.**

panecillo *m.* ① 작은 빵. ② (주로, 아침 식사용) 부푼 빵. ③ 작은 빵 모양의 물건.

panegírico, ca *adj.* (…를) 칭찬하는, 찬양하는: discurso ~ 칭찬[찬양]하는 연설. oración ~*ca* 찬양 기도. —*m.* ① 칭찬[찬양] 연설, 찬양 설교. ② 글로 쓴 칭찬[찬양].

panegirista *mf.* ① 찬양 연설[설교]를 하는 연사. ② (…을) 말[글]로 칭찬[찬양]하는 사람.

panegirizar (9) *tr.* [드묾] (사람의) 칭찬을 하다.

panel[1] *m.* ① [건축] 패널, 판벽(板壁), 널벽, 유리 칸막이: ~ acústico 음향 패널. ~ solar 태양 전지판. ② [건축] 머름, (창)틀. ③ (광고 등의) 표지판. ④ (자동차·비행기 등의) 계기반, 패널: ~ de control 제어반, ~ de mandos 조종 패널.

panel[2] *m.* ① (공개 토론회의) 패널, 강사단. ② *Cuba, PRico.* 심사원[배심원] 명단.

panela *f.* ① 각기둥 모양의 카스텔라. ② (문장의 무늬로 쓰이는) 백양나무 잎. ③ *Col., Hond., Salv.* 원뿔대 모양의 흑설탕.

panelero, ra *adj.* panela를 제조 판매하는. —*mf.* panela 제조 판매자.

panelista *mf.* *Amér.* 패널(panel[2]) 참가자.

pane lucrando *adv. lat.* (예술을 사랑해서가 아니라) 오직 살기 위해서, 오직 돈을 벌기 위해서.

panenteísmo *m.* [철학] 만유 내재신론(萬有內在神論).

panera *f.* ① (곡식·빵·밀가루 등을 보관하는) 광, 창고, 방. ② (빵을 나르는) 손잡이 없는 큰 광주리[바구니]. ③ 낚시 광주리의 일종. ④ (식탁 위에 놓는) 빵그릇. ⑤ *Ast.* (여섯 개 이상의 기둥이 있는) 고가식 곡식 창고(hórreo).

panero[1] *m.* ① (오븐에서 꺼내는 빵을 담기 위해 빵집에서 쓰는) 둥그런 바구니. ② 작고 둥그런 돗자리[멍석].

panero[2], **ra** *adj.* 빵을 많이 먹기를 좋아하는.

paneslavismo *m.* 범(汎)슬라브주의, 슬라브 민족 통일주의.

paneslavista *adj.* ① 범슬라브주의의[에 관한]. ② 범슬라브주의를 지지하는[찬성하는]. —*mf.* 범슬라브주의자, 슬라브 민족 통일주의자.

panetela *f.* ① [요리] 빠나뗄라 ((영양분이 풍부한 수프와 강판에 간 빵으로 만든 감자 요리; 자주 잘게 다진 닭고기·달걀 노른자위·설탕 및 다른 재료를 첨가하기도 함)). ② 길고 가는 여송연. ③ *Cuba, PRico.* 카스텔라의 일종.

panetería *f.* (왕실의) 식량과 의료 보관소[사무실].

panetero, ra *mf.* panetería 담당자.

paneuropeísmo *m.* 범(汎)유럽주의.

paneuropeo, a *adj.* 범(汎)유럽의[에 관한], 전(全)유럽의[에 관한].

panfilismo *m.* 지나친 자비심[호의].

pánfilo, la *adj.* 어리석은, 멍청한; 동작이 굼뜬, 동작이 느린, 굼벵이 같은. —*mf.* 어리석은 사람; 느린 사람, 굼벵이 같은 사람.

panfletario, ria *adj.* ① 정치 선전

소책자[팸플릿]의. ② 중상적인 (글). —*m.f.* =**panfletista.**
panfletista *m.f.* ① 소책자[팸플릿] 필자[저자]. ② 괴문서 작성자.
panfleto *m.* ① 괴문서, 비방 문서. ② 공격 성격의 소책자[팸플릿].
panga *f.* ① *CRica., Hond., Nic.* 소형 모터보트[발동기선]. ② *Ecuad.* 소형 배[선박]. ③ *Hond.* (설거지·가축 여물용) 구멍 판 직사각형의 마호가니[삼나무]의 원통. ④ *Méj.* (강에서, 승객·짐·차량의 실어나르는) 큰 거룻배(lanchón).
pangal *m. Chile.* pangue 숲[서식지].
pangasinán *m.* 팡가시난 ((필리핀 루손 섬의 내륙 지방에서 쓰이는 인도네시아 말에 속하는 방언)).
pangelín *m.* [식물] 판젤린 ((브라질산 큰 나무의 일종; 콩과에 속하는 약용 식물)).
pangermanismo *m.* 범(汎)[전(全)]게르만주의[독일주의].
pangermanista *adj.* ① pangermanismo의[에 관한]. ② pangermanismo를 지지하는[찬성하는], pangermanismo 파의. —*m.f.* 범[전]게르만주의자, 범[전]독일주의자.
pangolín *m.* [동물] 천산갑.
pangue *m.* [식물] 빵게 ((칠레산 습지 식물)).
panguero, ra *adj. Hond., Nic.* panga를 조종하는[운전하는].
panhelénico, ca *adj.* ① 범[전(全)]희랍의[에 관한]. ② panhelenismo의[에 관한].
panhelenismo *m.* 범[전]희랍주의, 범[전]그리스주의; 범[전]희랍 운동, 범[전]그리스 운동.
panhispánico, ca *adj.* 범스페인어 사용 민족의[에 관한].
paniaguado *m.* ① (주인집에 입주해서 월급과 식량을 받는) 심부름꾼. ② 측근, 부하(allegado).
pánico, ca *adj.* ① [희랍 신화] 판[목신(牧神)](Pan)에 관한. ② 으스스하게 기분 나쁜, 으스스하게 무서운. ③ 공황의. —*m.* ① (원인을 알 수 없는) 돌연한 공포, 공황, 당황, 겁먹음. ② [경제] 공황: ~ financiero 재정 공황. ¶ ***síndrome de*** ~ 패닉 증후군. ***tener*** ~ a alguien o algo (…을) 무서워하다, 두려워하다, 공포심을 가지다(tener temor).
panícula *f.* [식물] 원추(圓錐)꽃차례, 원추 화서(圓錐花序).
paniculado, da *adj.* panícula 형의.
panicular *adj.* [해부] panículo의.
panículo *m.* [해부] 피하 지방층. ¶ ~ ***adiposo*** [해부] =**panículo.**
panida *m.f. Nic.* 판[목신(牧神)](Pan)의 시인[후손].
paniego, ga *adj.* ① 양이 큰, 빵을 많이 먹는, 빵을 무척 좋아하는. ② 밀을 생산하는, (밀 같은 것이 잘 자라는) 기름진 (땅). —*m. Sal.* (담고 팔기 위한) 숯 포대, 숯가마니.
panificable *adj.* 빵을[빵으로] 만들 수 있는.
panificación *f.* ① 제빵. ② (땅의) 개간(開墾).
panificador, ra *adj.* 빵을 제조하는[만드는]. —*m.f.* 제빵 업자, 제빵 기술자. —*f.* 제빵소, 빵 굽는 곳.
panificar (7) *tr.* ① (밀가루 등을) 빵을[빵으로] 만들다. ② (황무지를) 개간하다, 밭으로 만들다.
paniguado, da *adj.* =**paniagudo.**
panilla *f.* [기름의 용량 단위] 4분의 1 리터.
panique *m.* [동물] (오세아니아의) 박쥐(murciélago).
panislámico, ca *adj.* 범(汎)[전(全)] 이슬람주의의[에 관한].
panislamismo *m.* 범[전]이슬람주의.
panislamista *adj.* 범[전]이슬람주의(자)의. —*m.f.* 범[전]이슬람주의자.
panitela *f. Bol.* 소화가 잘 된 옥수수 비스킷.
panizal *m. Ast.* (컵에 따를 때 사이다가 일으키는) 약한 거품.
panizo *m.* ① [식물] 기장, 피. ② 기장의 알맹이. ③ 옥수수(maíz). ④ *Chile.* 큰 이득을 얻는[얻으려고 생각하는] 사람, 물주. ⑤ 큰 벌이가 되는 일, 큰 이득을 얻을 수 있는 상황. ¶ ~ ***de Daimiel*** [식물] 화본과 식물. ~ ***negro*** ㉮ [식물] 수수. ㉯ [열매] 수수. ㉰ =**panizo de Daimiel.** ***aguársele*** a alguien ***el*** ~ *Chile.* 이익을 얻을 가능성이 없어지다.
panjí *m.* =**árbol del paraíso.**
panléxico *m.* (전문 분야·종교 등 범위가 매우 폭넓은) 사전.
panlogismo *m.* [철학] 범(汎)논리주의 ((우주의 근원을 로고스로 하고, 우주를 그 실현으로 하는 입장; 헤겔 철학 등)).
panocha *f.* ① =**panoja.** ② *CRica.* 만두(empanada). ③ *Cuba, Salv.* =**vulva.** ④ *Cuba.* =**vagina.**
panocho, cha *adj.* (스페인, 무르시아 지방의) 관개 농지[경작지]의[에 관한]. —*m.f.* 경작지[관개 농지]의 주민. —*m.* 경작지에서 사용하는 말.
panoja *f.* ① (옥수수·피·수수의) 이삭. ② (포도 등의) 송이(racimo). ③ [집합] (멸치 등) 작은 물고기를 꿴 것. ④ [식물] [집합] 이삭.
panoli *adj.* [속어] 어리석은, 바보 같은, 얼빠진. —*m.f.* 바보, 어리석은 사람, 얼빠진 사람.
panoplia *f.* ① (기사·장식용) 무기[무구(武具)] 일체 ((갑옷·방패·칼·투구 등)). ② 무기 수집, 무기 연구. ③ 고무기학. ④ (방패의) 무기 장식.
panóptico, ca *adj.* (건물이) 모든 것이 한 눈에 보이는, 전체가 보이는, 파노라마적인. —*m.* 한 곳에서 내부

전체가 보이도록 지은 건물[감옥 · 수용소].

panorama *m.* ① 전경, 전망(展望): ~ de la economía 경제 전망. ② 파노라마, 회전 그림, 주마등. ③ (문제 등의) 광범위한 조사, 개관(概觀). ④ 파노라마관(館). ⑤ 연달아 바뀌는 광경; 사건의 전개.

panorámico, ca *adj.* ① 전경(全景)의: vista ~*ca* 전경. ② 파노라마(식)의, 파노라마 같은. ③ 개관적인. —*f.* ① [영화 · 사진] 파노라마식 사진, 파노라마식 사진의 연속 ② [영화 · 텔레비전] 파노라마 (촬영), 팬(촬영) ((카메라를 고정하고 좌우로 돌려가며 하는 촬영)).

panoso, sa *adj.* =**harinoso.**

panque *m. Chile.* =**pangue.**

panqué *m. Amér.* =**panqueque.**

panqueque *m. Amér.* 전병, 부꾸미.

panquesa *f. Ven.* =**tortita.**

pansa *f. Ar.* 건포도.

pansexual *adj.* 범성설의[에 관한].

pansexualismo *m.* [정신 의학] 범성설(汎性說).

pansido, da *adj.* =**pasado.**

panspermia *f.* [생물] 범종설(汎種說), 배종(胚種) 발달설.

pantagruélico, ca *adj.* (음식이) 푸짐한, 양이 지나친: comida ~*ca* 푸짐한 음식, 너무 많은 음식. festín ~ 음식이 푸짐한 연회.

pantalán *m.* 작은 부두(埠頭).

pantaleta *f.* ① [주로 *pl.*] *Col., Méj., Ven.* (여성용) 팬티. ② *Salv.* (집에 있을 때나 운동을 할 때 입는) 헐렁하고 편한 바지.

pantalla *f.* ① (전등의) 갓. ② (불꽃이 튀거나 과도한 열로부터 몸을 보호하기 위해 난로의 앞에 놓는) 칸막이, 가리개. ③ 영사막, 스크린; (텔레비전 등의) 화면: ~ chica *Amér.* 소형 스크린. ~ de radar 레이더 스크린. ~ gigante 대형 스크린. ~ grande 대형 스크린; 영화, 영화관. ~ plana 평판 스크린. ~ táctil [컴퓨터] 터치 스크린. ④ 텔레비전계(界), 영화계. ⑤ =**pantalla electrónica.** ⑥ 차폐물, 막고 가리는 물건[사람]. ⑦ 엄호물, 방패막이. ⑧ *AmérM.* 부채의 일종, 바람을 일으키는 기구. ⑨ *Arg.* (인도의 가 · 거리의 모퉁이에 놓는) 작은 광고물. ⑩ *Salv.* (감동을 주고 싶은 사람이 하는) 꾸민 겉모양. ⑪ *PRico.* 귀고리. ⑫ *pl.* [경멸] (사람의) 귀. ¶ ~ *electrónica* 전자 스크린. ~ *radioscópica* 형광막, 형광판, 형광면. *pequeña* ~ ㉮ =**televisión.** ㉯ 텔레비전 세트.

pantallear *tr. Arg., Par.* pantalla로 부치다, 부채로 부치다.

pantalón *m.* ① [주로 *pl.*] 바지: llevar *pantalones* 바지를 입고 있다. ponerse *pantalones* 바지를 입다. quitarse *pantalones* 바지를 벗다. ② (여자의) 팬티, 슈미즈, 속 스커트. ③ *pl.* 남자(들). ¶ ~ *bermudas* 무릎 높이까지 닿은 통이 넓은 바지. ~ *bombacho* 헐렁헐렁한 팬티[바지] ((*pl.*로도 같은 뜻임)). ~ *corto* 반바지 ((*pl.*로도 같은 뜻임)). ~ *de brincacharcos Méj.* 너무 짧은 바지. ~ *largo* (발목까지 닿는) 긴 바지 ((*pl.*로도 같은 뜻임)). ~ *tejano* (미국 텍사스의 카우보이들에게서 유래된) 진 바지 ((*pl.*로도 같은 뜻임)). ~ *vaquero* =**pantalón tejano.** ((*pl.*로도 같은 뜻임)). *pantalones de mezclilla Méj.* =**pantalón tejano.** *bajada de pantalones* [속어] 굴욕적인 양보. *amarrarse* alguien *los pantalones Caribe, CRica., Salv., Ecuad.* (…가) 용기와 결단력이 있다. *bajarse los pantalones* [속어] 굴욕적으로 양보하다[굴복하다], 별로 명예스럽지 않은 상태로 양보하다. *fajarse* alguien *los pantalones Méj.* =**amarrarse los pantalones.** *llevar* [*llevar bien puestos*] alguien *los pantalones* (가정에서) 주도권을 잡고 있다, (…가) 남편을 깔고 뭉개다. *ponerse* alguien *los pantalones* (…가) 엄처시하다, 내주장하다.

pantalonero, ra *m.f.* 바지 만든 사람, 바지 깁는 사람.

pantaloneta *f. CRica., Hond., Salv.* (운동용) 반바지, 짧은 바지. ¶ ~ *de baño* 수영복(bañador).

pantana *f.* (스페인, 카나리아 제도의 속은 하얗고 껍질이) 푸른 작은 호박, 작은 청호박(calabacín)의 일종.

pantanal *m.* 늪지, 소택지(沼澤地).

pantano *m.* ① 늪, 소택지, 수렁, 진구렁. ② [비유적으로] 진구렁, 수렁, 구렁텅이. ③ 저수지, 연못. ④ 어려움, 난관, 방해물, 장애.

pantanoso, sa *adj.* ① 늪지의, 소택지의, 늪지[소택지]가 있는, 질퍽한 (땅): terreno ~ 소택지, 늪지. ② 물웅덩이[수렁]가 많은. ③ 난관[어려움 · 장애 · 방해물]이 많은.

pantasana *f.* 후릿그물[트롤] 어법, 저인망 어업.

panteísmo *m.* 범신론, 만유 신교.

panteísta *adj.* ① 범신론을 추종하는. ② 범신론의[에 관한]. —*m.f.* 범신론자.

panteístico, ca *adj.* 범신론의.

panteón *m.* ① 판테온 ((고대 희랍의 신들을 모신 신전)), 만신전(萬神殿). ② 한 나라의 위인들을 모신 전당. ③ 영묘(靈廟) ((선조의 영혼을 모신 사당)). ④ *And., Amér.* 공동 묘지. ⑤ *RDom.* 위인용 묘.

panteonero *m.* ① *And., Amér.* =**sepulturero.** ② *Nic., Perú.* 묘지기, 묘직(墓直), 공동 묘지 관리인.

pantera *f.* ① [동물] =**leopardo.** ②

[광물] (표범 가죽처럼 황갈색이나 붉은 반점이 있는) 황마노(黃瑪瑙). ③ *Cuba, Méj., Ur.* 대담한 사람. ④ *Ur.* 능력이 현저한[빼어난] 사람. —*adj.* 대담한. ¶ ~ ***negra*** [동물] 흑표범.

pantocrátor *m.* [미술] (비잔틴・로마 회화에서) 앉아 있는 그리스도 상(像).

pantógrafo *m.* ① 축도기(縮圖器), 사도기(寫圖器). ② (전차・전기 기관차 등의) 집전기, 팬터그래프.

pantómetra *f.* ① (면에 여러 눈금이 표시된) 비례 컴퍼스의 일종. ② 각도 측정기.

pantomina *f.* ① 손짓, 몸짓, 과장된 동작. ② 팬터마임, 무언극(無言劇).

pantominero, ra *m.f.* 팬터마임[무언극] 배우.

pantomímico, ca *adj.* ① 팬터마임[무언극]의[에 관한]; 몸짓의, 손짓의. ② pantomino의[에 관한].

pantomino *m.* (극장에서, 여러 가지 흉내를 내는) 익살꾼, 어릿광대.

pantoque *m.* 배 밑바닥, 선저(船底).

pantorra *f.* [주로 *pl.*] =**pantorrilla.**

pantorrilla *f.* 장딴지.

pantorrillera *f.* 장딴지를 굵게 보이기 위해 신는 두꺼운 스타킹.

pantorrilludo, da *adj.* 장딴지가 매우 굵은.

pantruca *f.* [주로 *pl.*] (물 등에 넣어 삶아먹는) 반죽 덩어리.

pantufla *f.* =**pantuflo.**

pantuflazo *m.* 슬리퍼로 때리기.

pantuflo *m.* 실내화(室內靴), 슬리퍼.

panty *m. ing.* [주로 *pl.*] (여성용) 팬티 스타킹.

panucha *f. Salv.* =**vulva.**

panuchero, ra *m.f. Méj.* panucho 제조자[판매자].

panucho *m. Méj.* 강낭콩과 고기를 넣은 옥수수 부침개[부침・지짐이].

panudo, da *adj. Cuba.* (특히, 아구아까떼・호박・붉은 마메이(mamey colorado)가 물기가 과하지 않고) 단단한: calabaza ~*da* 단단한 호박. —*m. Salv.* 여자들의 일에 끼어드는 남자.

panul *m. Chile.* [식물] =**apio.**

panza *f.* ① (특히, 불룩한) 배, 복부. ② (그릇이나 다른 물건의) 불룩하게 튀어나온 부분, 배. ③ [동물] (되새김 동물의) 첫 위, 첫 번째 위, 제일 위. ¶ ~ ***al trote*** 남의 덕에 사는 사람, 늘 남에게 붙어 사는 사람, 항상 남의 것을 뜯어먹고 사는 사람. ~ ***de burra*** ㉮ (대학에서 주는) 수료증, 졸업장, 학위 증서. ㉯ *adj.* 흐려져 검은 잿빛[암회색]의 (하늘). ~ ***de oveja*** =**panza de burra** ㉮. ~ ***en gloria*** *m.f.* 아주 얌전한 사람, 조용조용한 사람, 차분한 사람. ***entrar de*** ~ *Méj.* (학생이) 준비 없이 시험을 치르다.

panzada *f.* ① 배치기, 큰 배로 부딪침. ② 배가 가득 참, 만복(滿腹).

panzón, na *adj.* 배가 큰. —*m.* 큰 배, 불룩한 배, 올챙이배, 똥배.

panzudo, da *adj.* 배가 튀어나온, 올챙이배의, 똥배의.

pañal *m.* ① 기저귀. ② (옛날에, 갓난아기를 감쌌던) 천 조각, 작은 천. ③ [드묾] (남성용) 와이셔츠의 옷자락. ④ *pl.* (갓난아기의) 포대기. ⑤ 양육・탄생의 초기. ¶***estar*** alguien ***en*** ~***es*** (…가 …에) 거의 모르다, 초심자다, 애송이다, 미숙하다, 아무것도 모르다, 지식이 없다. ***sacar de*** ~***es*** a alguien (…를) 궁지[어려움]에서 구해 주다, 더 좋은 상태[상황]로 놓다.

pañalón *m.* (부주의로) 와이셔츠의 옷자락을 바지 밖으로 내놓고 다니는 남자.

pañanga *adj. Hond.* (물건이) 질이 나쁜(de mala calidad).

pañería *f.* ① 옷감 가게, 포목점, 복지상. ② 복지(服地) 산업. ③ [집합] 양복지.

pañero, ra *adj.* 양복지의[에 관한]: industria ~*ra* 복지 산업. —*m.f.* 양복지 장수[판매자].

pañetar *tr. Col.* (건물의 벽・천정 등을) pañete로 바르다[씌우다].

pañete *m.* ① 질이 낮은 천[옷감]. ② 올이 툭툭한 천[옷감]. ③ (벽에 바르는) 석고・회반죽 등의 층[부분]. ④ *pl.* 십자가에 벗거벗은 예수의 상을 두른 천. ⑤ (어부・가죽 가공 인부・맨발 종파의 승려용) 속옷의 일종.

pañí *m.* [은어] 물(agua).

pañito *m.* (쟁반・소파・탁자 등을 덮거나 꾸미는 데 사용하는) 천 조각, 덮개.

pañizuelo *m.* =**pañuelo.**

paño *m.* ① (올이 매우 촘촘한) 털[양털] 천[옷감], 나사(羅紗). ② (각종) 실의 천[옷감]. ③ 천의 폭: tela de tres ~*s* 세 폭짜리 천. ④ 벽걸이 융단, 태피스트리, 벽걸이, 커튼. ⑤ (주방에서 그릇을 말리거나 다른 용도로 쓰는) 네모난 천 조각, 보. ⑥ 삼베 조각, 다른 천 조각, 헝겊, 걸레, 행주(~ de cocina): secar los platos con el ~ 행주로 접시를 닦다. ⑦ 몸의 검은 반점, (특히, 얼굴의) 검버섯, 주근깨. ⑧ (시야를 가리면서, 눈의 안 각에서 각막까지 펼쳐진) 막질의 군살. ⑨ (거울・유리 등의) 흐림. ⑩ (벽에 바르는) 석고[회반죽]의 층[부분]. ⑪ 벽의 구획. ⑫ (팽팽히 펴져 있을 때의) 돛. ⑬ *CRica., Nic., Ven.* (몸 닦는) 수건, 타월. ⑭ *pl.* =**vestiduras.** ⑮ [조각・미술] (옷・휘장의) 완만한 주름, 드리워진 천의 느슨한 주름(장식), 주름을 이루고 있는 넓게 재단한 옷 부분. ¶ ~ ***buriel*** 표백 전의 모직물. ~ ***de altar*** 제단 보. ~ ***de Arrás*** (옛날에는 플랑드르의 도시였고 현재는 프랑스의 도시인) 아라스에서 만든 벽걸이 융단. ~ *de cáliz* 성배(聖杯) 덮는 천. ~ *de lágrimas* 남을 위로하며 자주 도움을 주는 사람. ~ *de lampazo* 식물만 그린 벽걸이 융단. ~ *de manos* (몸 닦는) 수건, 타월(toalla). ~ *de mesa* 식탁보. ~ *de púlpito* 설교대[설교단]의 겉을 장식하는 장식물. ~ *de ras* =**paño de Arrás.** ~ *de tumba* 장례(식)용 검은 덮개. ~ *pardillo* (천민과 가난한 사람들이 입었던, 염색하지 않고 회갈색으로 만들어진) 제일 투박하고 두꺼운 천. ~*s calientes* ㉮ 헛수고, 효과 없는 처방[수단]. ㉯ 일시적인 방책. ㉰ 부추김. ~*s de agua tibia Ecuad.* =**paños calienes** ㉮. ~*s de corte* (겨울에) 방 장식용 벽걸이 융단. ~*s de escusa* (옛날의) 실내복의 일종. ~*s menores* 겉옷 아래 입은 옷. ~*s tibios Amér.* =**paños calientes** ㉮. *al* ~ [연극] 무대 뒤에서 ((대사를 읽어 줄 때)). *conocer* alguien *el* ~ 사정에 정통하다[밝다], 인물을 잘 알고 있다. *dar un* ~ el traspunte (프롬프터가 무대 뒤에서 배우에게) 대사를 읽어 주다. *haber* ~ *de que cortar* 재료[이야깃거리]가 충분하다. *poner el* ~ *al púlpito* 우쭐해서 장광설을 늘어놓다, 거드름을 피우며 이야기를 길게 하다. *ser* algo *del mismo* ~ *que* otra cosa (…이 다른 것과) 재료[기원·질]가 똑같다, (다른 것과) 나은 것이 전혀 없다. *tender el* ~ *del púlpito* = **poner el paño al púlpito.** *El buen* ~ *en el arca se vende* (속담) 좋은 물건은 선전이 필요없다.

pañol *m.* (식량·탄약용 등의) 선창(船倉): ~ de municiones 탄약고.

pañolería *f.* 손수건 가게[장사].

pañolero[1], ra *m.f.* 손수건 장수. —*f.* 손수건 장수의 아내.

pañolero[2] *m.* [선박] 선창 담당 선원.

pañoleta *f.* ① (부인용) 삼각형 숄[스카프]. ② (투우사가 금빛 복장과 함께 목에 매는) 좁은 넥타이.

pañolito *m.* 작은 손수건.

pañolón *m.* 큰 손수건, 숄.

pañosa *f.* ① 양털 천 망토. ② [투우] (투우사들의) 망토. ③ [투우] = **muleta.**

pañoso, sa *adj.* 꾀죄죄한: vestido ~ 꾀죄죄한 옷차림.

pañuelo *m.* ① 손수건 ((주로 콧물을 닦지만 땀을 닦거나 다른 용도로 쓰는 것 전부)): sonarse con un ~ 손수건으로 코를 풀다. ② (호주머니에 넣고 다니는 손수건보다 좀더 큰) 스카프, 목도리, 네커치프 ((몸에 두르거나 남녀 의상에 장식용)). ¶ ~ *de bolsillo* (콧물이나 땀을 닦는) 손수건. ~ *de hierbas* (보통 손수건보다 약간 더 크고 어두운 빛깔로 날염된 그림이 들어 있는) 천이 조잡한 손수건. ~ *de la mano* =**pañuelo de bolsillo.**

pañuso, sa *adj.* ① *Hond.* (사람이) 굼뜬, 손재주가 없는. ② *Hond.* (학생들의 은어로) 질이 나쁜. ③ *Hond.* (축구팀이) 졸전을 한, 아주 서툰 시합을 한. —*f. Salv.* 별 값어치 없는 물건.

papa[1] *m.* ① [천주교] [주로 대문자 P~] 교황, 로마 교황, 그리스도의 대리자. ② [유아어] [아버지를 부를 때] 아빠. ¶*ser* alguien *más papista que el Papa* (어떤 일에) 직접 관계 있는 사람보다도 (그 일에) 더 열성을 보이다, 자기와 관계도 없는 일에 더 열성이다.

papa[2] *f. quechua.* ① [식물] 감자(patata). ② [알뿌리] 감자(patata). ③ *Arg., Ur.* (편물에 생긴) 구멍, 헤진 데. ④ *Arg., Ur.* 편리한 것, 하기 쉬운 것. ⑤ *Salv.* 돈. ⑥ *Méj.* 거짓말. ⑦ *Ur.* 미녀. ¶ ~ *caliente Cuba.* =**patata caliente.** ☞**patata.** ~ *de caña* =**aguaturma** ②. ~ *suave Cuba.* 쉽게 얻어지는 이익. *ser* alguien *una* ~ *Méj.* 무능하다, 실력이 없다, 바보스럽다.

papa[3] *f. lat.* ① 어리석은 짓, 바보짓, 헛소리, 넌센스, 유언비어, 낭설, 헛소문. ② 어떤 종류건 식사(의 모든 것). ③ 매우 부드러운 수프, 매우 묽은 죽. ④ (진흙이나 다른 것의) 연한 덩어리. ¶*ni* ~ [부정문에서] 아무것도 (…이 아니다)(nada): No sabe *ni* ~ 그는 아무것도 모른다. No entiende *ni* ~ 그는 아무것도 이해하지 못한다.

papá *m. fr.* ① 아빠, 아버지(padre). ② *pl.* 부모, 양친, 아버지와 어머니. ¶*hijo de* ~ [경멸] (부자의) 도련님, 도령, 아드님.

papable *adj.* ① (추기경이) 교황 후보의, 교황 후보가 될 수 있는, 교황의 자격을 가진. ② 일자리를 얻을 가능성이 있는 사람으로 지정된.

papacara *f. Ecuad.* =**nevisca.**

papada *f.* ① (턱 밑의) 처진 살, (턱과 목 사이의) 볼록한 살, 겹턱. ② (동물의 가슴까지 처진) 목 밑 피부의 처진 살.

papado *m.* ① 교황의 직위. ② 교황의 재임 기간.

papafigo *m.* ① [새] 찌르레기. ② =**oropéndola.** ③ 큰 돛(papahígo).

papagaya *f.* [새] 암앵무새.

papagayo *m.* ① [새] 앵무새. ② [어류] 놀어의 일종. ③ [식물] 색비름. ④ [동물] (에꾸아도르의 열대 나무 위에서 사는) 녹색 독사의 일종. ⑤ 밀고자, 고발자. ⑥ *Arg., Perú.* (환자의 오줌 수거용) 특이한 모양의 병. ⑦ *Ven.* 연(鳶). ⑧ *Ven.* =**flor de Nochebuena.** ¶ ~ *de noche*

소쩍새. *hablar como el* ~ [*un* ~] ㉮ 알지도 못하면서 아는 척 말하다. ㉯ 말이 많다, 말을 많이 하다, 잘 지껄이다(hablar mucho).

papahígo *m.* ① (추위를 막기 위해 눈과 코를 제외하고 목까지 얼굴 전체를 덮는) 두건(montera). ② = parafigo ①. ③ [선박] 큰 돛.

papahuevos *m.* =papanatas.

papaína *f.* [화학] 파파인 ((파파야의 열매에 함유된 효소)).

papal[1] *adj.* 교황의[에 관한]: sello ~ 교황인(印).

papal[2] *m. Amér.* 감자밭.

papalina *f.* =embriaguez.

papalisa *f. Bol., Perú.* 감자의 일종.

papalmente *adv.* 교황처럼, 교황으로서, 교황의 권위로.

papalomayo *m.* ① *CRica.* 매우 깊은 종양을 일으키는 바이러스. ② *CRica.* (종양을 일으키는) 바이러스로 생긴 종양.

papalota *f. Salv.* 연(鳶)(cometa).

papalote *m. Cuba, Hond., Méj.* 종이연. ¶*a empinar ~s Cuba.* =a freír espárragos. *hacer un* ~ a alguien *Cuba.* =perjudicar.

papamoscas *m.sing.pl.* ① [새] 딱새. ② =papanatas.

papamóvil *m.* (장갑된 하얀) 교황 전용차.

papanatas *m.f.sing.pl.* 단순해서 잘 속는 사람, 너무나 순진해 속기 쉬운 사람.

papanatismo *m.* 너무 순진해서 속기 쉬움.

papandujo, ja *adj.* (과실 등이) 너무 익어 물러진, 속이 썩기 시작한, 싱싱한 맛이 없는.

papar *tr.* ① (수프·감자 등 씹지 않는) 부드러운 것을 먹다. ② 식사를 하다, 음식을 먹다. ③ 본체만체하다, 수수방관하다, 경시하다. **~se** 해치우다, 꼼짝 못하게 하다.

paparapa *adj. Nic.* 빨리 말해서 소리를 간신히 발음하는[내는].

paparazzi *m.pl. it.* [*sing.* paparazzo] 파파라치 ((유명인을 좇아다니는 프리랜서 사진가·카메라맨)).

paparote, ta *m.f.* =papanatas.

paparrabias *m.f.* =cascarrabias.

paparrucha *f.* ① 유언비어, 낭설, 헛소문. ② =tontería, estupidez. ③ (진흙 덩이처럼) 부드러운 반죽덩이.

paparruchada *f.* ① 유언비어, 낭설, 헛소문. ② =paparrucha, tontería, estupidez.

paparulo, la *adj., m.f. Arg., Ur.* = torpe, ignorante, ingenuo.

papasal *m.* ① =friolera, bagatela. ② 재에 금 그리기 놀이 ((진 아이에게 재로 채워진 천으로 턱 밑을 때리는 어린이 놀이)). ③ [드묾] 바로 이 재로 채워진 천.

papatoste *m.f.* =papanatas.

papaveráceo, a *adj.* [식물] 양귀비과의. *—f.pl.* [식물] 양귀비과 식물.

papaverina *f.* [화학] 파파베린 ((아편에 함유된 알칼로이드)).

papaya *f.* ① [과실] 파파야. ② *Cuba, Nic.* 여자의 생식기.

papayáceo, a *adj.* [식물] 파파야과의. *—f.pl.* [식물] 파파야과 식물.

papayal *m. Méj., Salv.* 파파야 밭[농장].

papayero *m. Méj.* [식물] =papayo.

papayo *m.* [식물] 파파야.

papazgo *m.* [드묾] =papado.

pape *m.* ① *Chile.* (사람을) 두들겨 패기, 매질. ② *Chile.* 팽이 치기.

papear *intr.* 말을 더듬다.

papel *m.* ① 종이: un ~, una hoja de ~ 종이 한 장. ~ de carta 편지지. ~ de envolver, ~ de embalaje, ~ de embalar 포장지. ~ de goma 뒷면이 풀이 묻혀진 종이. ~ de periódico, ~ de diario 신문지, 신문 용지. ~ de regalo 선물용 포장지. avión de ~ 종이 비행기. envolver en ~ 종이로 포장하다[싸다]. escribir en un ~ 종이에 쓰다. ② 종잇장, 종이쪽, 종잇조각. ③ [집합] (종이의) 연(連)(resma), 16절지 분, 접은 종이. ④ 편지; 신임장; 제목, 표제(título). ⑤ [주로 *pl.*] (신분 증명 등의) 서류(documento): ~ timbrado 인지 첨부 서류. *~es* de negocios 업무 서류. ⑥ 원고(原稿). ⑦ 인쇄물(impreso). ⑧ [연극] 역. ⑨ [연극] 인물, 등장 인물, 맡은 역: ~ principal 주연. ~ secundario 조연. hacer [representar] primeros [segundos] *~es* 주연[조연]을 하다[맡다]. ⑩ (맡겨진) 역할, 임무, 일, 직무(cargo, función): el ~ del periódico 신문의 역할. ⑪ [주로 *pl.*] 신문, 일간지(periódico diario): salir en los *~es* 신문에 게재하다[싣다·나다]. ⑫ [상업] 채권, (유가) 증권, 약속[지불] 어음. ⑬ 지폐(billete de banco). ¶ ~ ***biblia*** 인도지, 인디언지(紙). ~ ***blanco*** (글씨를 쓴 종이에 대해) 백지(白紙). ~ ***carbón*** 탄산지(炭酸紙), 탄소지(炭素紙), 카본지(紙), 카본 페이퍼. ~ ***cebolla*** 얇다란 반투명 용지 ((카본 복사용 등)). ~ ***coreano*** 한지(韓紙). ~ ***de aluminio*** [화학] 알루미늄박(箔), 알루미늄 포일, 은박지(銀箔紙). ~ ***de barba,*** ~ ***de barbas*** (공문서용의) 아직 가를 재단하지 않은 종이. ~ ***de calcar,*** ~ ***de calco*** ㉮ =papel carbón. ㉯ 투사지(透寫紙), 카본 페이퍼. ~ ***de fumar*** 담배 마는 종이. ~ ***de oficio*** (인지를 첨부한) 공식 서류. ~ ***de pagos*** 인지(印紙), 증지(證紙). ~ ***de seda*** 박엽지(博葉紙). ~ ***del Estado*** 국채. ~ ***en blanco*** = papel blanco. ~ ***higiénico*** (개인

의 위생용) 종이, 화장지. ~ *maché* =cartón piedra. ~ *mojado* ㉮ 근거 없는 일. ㉯ 무용지물, 소용없는 일, 공약(空約). ~ *moneda* 지폐. ~ *picado* *Amér.* =confeti. ~ *pintado* 벽지(壁紙). ~ *secante* 잉크 흡수지. ~ *sellado* 인지 첨부 서류. ~ *sulfurizado* 황산지. ~ *vergé,* ~ *vergueteado,* ~ *verjurado* 떼낼 수 있도록 잔 구멍이 있는 종이, 평행 괘선이 비쳐 보이는 종이. ~ *volante* (광고·선전용) 전단. *embadurnar* [*embarrar*·*emborronar*] ~ 쓸데없는 것을 쓰다, 무익한 것을 쓰다, 낙서하다. *hacer* alguien *buen* ~ (사업 등에서) 잘 나가다, 잘 되다. *hacer el* ~ 흉내를 잘 내다, 멋지게 나타내다. *hacer* ~ ㉮ =hacer figura. ㉯ =haer el papel. *hacer* alguien *mal* ~ (사업 등에서) 잘못[서툴게] 나가다, 실패하다. *hacer* algo o alguien *su* ~ ㉮ 임무[소임·책임]를 다하다. ㉯ 쓸모가 있다, 유용하다, 도움이 되다. *manchar* ~ = embadurnar papel. *perder* alguien *los ~es* (흥분해서) 자제력[평정]을 잃다. *sobre el* ~ 이론상으로는(en teoría). *traer* alguien *los ~es mojados* (전하는) 소식은 거짓이다[근거가 없다].

papela *f.* 신분 증명서.

papelear *intr.* ① (서류 등을) 장마다 뒤지다[찾다], 뒤져 찾다. ② (…에서) 뛰어난 역할을 한 체하다.

papeleo *m.* ① (서류 등을) 장마다 뒤짐, 뒤져 찾음. ② (사건 해결에서) 번잡한 서류 수속, 관료적 형식주의.

papelera *f.* ☞papelero.

papelería *f.* ① 문방구, 문방구점. ② 지물포. ③ [집합] 무질서하게 흩어진 서류, 서류 더미.

papelerío *m.* *Amér.* =papelería ②.

papelero, ra *adj.* ① 종이의[에 관한]. ② 종이 제조[판매]의[에 관한]; 제지(製紙)의[에 관한]: asociación *~ra* 제지 협회. industria *~ra* 제지업. ③ 과시하는 듯한, 약간 연극적인 데가 있는, 자기에게 해당되지 않은 일을 하기를 좋아하는. *—m.f.* ① 제지 업자, 종이 판매 업자. ② *Méj.* 거리의 신문 장수. ③ 자기와 관계없는 일을 하기를 좋아하는 사람. *—f.* ① 휴지통. ② 제지 공장. ③ 쓴 종이가 많음[넘침]. ④ [드묾] 책상, (서류 보관용) 가구, 서류함.

papeleta *f.* ① 쓴 종이, 쓸 종이, 종이쪽, 종이쪽지, 용지(cédula): ~ de citación 소환장. ~ de rifa 제비뽑기 표. ② (시험) 답안지, 답지(答紙): ~ de examen 시험 체점표, 답안지. ③ 투표 용지. ④ 해결하기 어려운 건[일]. ⑤ [드묾] (특히 텁을 넣는) 원뿔꼴의 종이 봉지. ¶ ~ *de empeño* 전당표. ~ *del monte* = papeleta de empeño.

papeletear *tr.* (관심 있는 자료를) 종이쪽에 적다.

papeleteo *m.* (관심 있는 자료를) 종이쪽에 기재[적음].

papeletizar (9) *tr.* =papeletear.

papelillo *m.* ① (종이를 만) 여송연. ② (한 회 분 가루약을 넣는 작은) 종이 봉지(paquete de papel). ③ (머리카락을 곱슬곱슬하게 하기 위해 머리 단을 묶는) 종이 끈, 종이 댕기. ④ *Ven.* =confeti.

papelina[1] *f. lat.* [드묾] (다리 부분이 좁고 주둥이 부분이 넓은) 잔(vaso).

papelina[2] *f. fr.* 엷은 비단천.

papelina[3] *f.* (소매로 팔기 위해 마약을 넣은 한 회 분의) 작은 종이 봉지.

papelista *m.f.* ① 제지[종이] 제조업자. ② 종이 창고업자. ③ [드묾] 종이 전문가. ④ [드묾] 도배장이.

papelón, na *adj.* [드묾] 약간 연극적인 데가 있는, 과시하는 듯한, 우쭐거리는, 뽐내는. *—m.f.* 약간 연극적인 데가 있는 사람, 우쭐거리는 사람. *—m.* ① 쓸데없는 문서. ② 종이 두 장을 붙여 만든 얇은 마분지[판지]. ③ 우스운 행동, 웃음거리. ④ *Amér.* (정제하지 않은) 설탕 덩어리, 고형(固形) 설탕.

papelonear *intr.* 허세를 부리다, 과장하다, 척하다. *~***se** ① *Ven.* (말·행동할 때) 당황하다, 쩔쩔매다, 어찌 할 바를 모르다. ② *Ven.* = acobardarse.

papelonero, ra *adj., m.f.* *Arg., Ur.* 우스운 짓을 하는 (사람).

papelorio *m.* [경멸] [주로 *pl.*] 파지(破紙), 못쓰는 종이.

papelote *m.* ① [경멸] 못쓰는 종이[문서]. ② 파지(破紙), 헌 종이, 종이 나부랑이.

papelucho *m.* [경멸] 못쓰는 종이[문서].

papelujo *m.* =papelucho.

papera *f.* ① [주로 *pl.*] [의학] 유행성 이하선염, ② [의학] 갑상선종. ③ [수의학] (어린 말의) 전염성이 있는 염증성 종양. ④ *pl.* [의학] (목에 생기는) 나력(escrófulas).

papero[1] *m.* ① (어린이용의 묽은 수프를 끓이는) 냄비. ② (어린이용) 묽은 수프.

papero[2]**, ra** *m.f.* 감자 경작자.

papialbillo *m.* [동물] (북아메리카산의) 사향고양이(jineta).

papiamento, ta *adj.* (카리브해에 있는 쿠라사오 섬의) 방언의, 토착어의. *—m.* (쿠라사오의) 토착어, 방언 ((스페인어·포르투갈어·화란어·아프리카어의 혼합어)).

papiche *adj.* *Chile.* 아래턱이 튀어나온.

papilitis *f.* [의학] 유두염(乳頭炎).

papila *f.* ① [해부] 유두(乳頭) ((동물의 혀나 피부에 있는 젖꼭지 모양의 작은 돌기)): ~ lingual 혀돌기, 설유두(舌乳頭). ② [해부] 유두(乳頭) ((안저(眼底)에 시신경을 이루는 돌기)): ~ óptica 시신경 돌기, 시신경 유두. ③ [식물] (일부 식물의 기관에 있는) 원뿔꼴 돌기.

papilar *adj.* [해부·식물] 유두의[에 관한], 유두 모양의.

papilectomía *f.* [의학] 유두 절제술.

papilionáneo, a *adj.* ① 나비 모양의. ② [식물] 나비 모양의 (꽃의), 나비 모양의 꽃부리[화관(花冠)]가 있는. ③ [식물] 콩과의. *—f.pl.* 콩과.

papilla *f.* ① (어린이·환자용) 죽, 가벼운 식사. ② 교활함, 간사함, 의뭉스러움, (누구를 속이기 위한) 아부하는 (듯한) 간사한 짓, 달콤한 말. ③ [의학] (소화기의 방사선과 연구에서 사용된) 엑스레이 불투명체. ¶*arrojar* alguien ***hasta la*** ~ = echar hasta la papilla. ***dar*** ~ a alguien (…를) 영악하게[교활하게·간사하게] 속이다, 달콤한 말로 속이다. ***echar*** alguien ***hasta la (primera)*** ~ 많이 토하다, 심한 구토를 하다, 심하게 게우다. ***hacer*** ~ a alguien o algo (육체적·정신적 의미로) (…을) 완전히 조각내다[부수다], 완전히 분쇄하다[격파하다·파괴하다]. ***hecho*** ~ *adj.* 무척 혼이 난, 완전히 파괴된; 매우 피곤한.

papillote *m.* 종이로 둥글게 말아 올린 고수머리. ¶*a la* ~ (고기·생선을 굽기 위해) 치즈와 기름을 바르고 종이로 둘둘 말아.

papilocarcinoma *f.* [의학] 유두암.

papiloma *m.* [의학] 유두종(乳頭腫).

papilomatosis *f.* [의학] 유두종증.

papilotomía *f.* [의학] 유두 절개술.

papín *m* 집에서 만든 과자의 일종.

papión *m.* [동물] =**zambo.**

papiro *m.* ① [식물] 파피루스. ② 파피루스 ((옛 이집트에서 파피루스 줄기의 섬유를 종횡으로 겹쳐 만든 종이)). ③ 파피루스(로 만든 종이)에 적은 필사본[고대 문서].

pápiro *m.* 지폐; (특히) 고액권.

papiroflexia *f.* 종이 접기 (공예).

papirofléxico, ca *adj.* papiroflexia의[에 관한].

papirola *f.* 종이 접기로 만든 인형.

papirolada *f.* 빵과 다진 마늘 소스.

papirología *f.* 파피루스학(學).

papirólogo, ga *m.f.* 파피루스학자, 파피루스 전문가.

papirotada *f.* 머리 구타.

papirotazo *m.* =**papirotada.**

papirote *m.* ① 머리 구타. ② 바보, 멍청이, 천치.

papisa *f.* [*lat.* Pappisa (Johanna) *la papisa Juana*] 여자 교황 ((풍문에 의하면 León 4세와 Benedicto 3세 사이에 교황직을 수행했다는 여자 교황 조안나에서 유래됨)).

papismo *m.* (개신교도와 이교도 사이에서 경멸조로 말하는) 천주교.

papista *adj.* ① (개신교도와 이교도 사이에서 경멸조로 말하는) 천주교도의, 가톨릭교도의. ② 교황 절대주의의. *—m.f.* ① [경멸] 천주교도, 가톨릭교도. ② 교황 절대주의자.

papo[1] *m.* ① (동물의) 턱과 목 사이에 처진 부분[살]. ② (새의) 모이주머니, 멀떠구니(buche). ③ [주로 *pl.*] =**moflete.** ④ 파렴치, 몰염치, 물불을 가리지 않음. ⑤ [속어] 여자 생식기의 외음부. ⑥ 부풀어 오른 천 조각. ⑦ 맹금류에게 한 번에 주는 먹이의 양. ⑧ *Esp.* =**bocio.** ⑨ *pl.* (옛날에, 여자가 사용했던) 귀를 덮는 머리 형.

papo[2] *m.* (일부 식물의) 날아 다니는 털이 많이 난 꽃.

papo[3]**, pa** *adj. Hond.* =**tonto.**

papón[1] *m.* (어린이를 놀라게 하기 위한) 유령, 도깨비.

papón[2]**, na** *adj.* ① *Gal., León, Sal.* =**babieca, simplón.** ② *Sal.* = **glotón, comilón.**

paporrear *tr.* ① 되풀이해서 때리다. ② 근거 없는 말을 하다.

paporreta *f.* [경멸] (이해하지 못하고) 외운 것의 기계적 반복.

paporretear *tr.* ① *Perú.* [경멸] (배운 것을 이해하지도 못하고) 외우다. ② *Perú.* (무엇을) 이해하지도 못하면서 반복하다[되풀이하다].

paporretero, ra *adj., m.f. Perú.* 이해하지도 못하면서 외우는 (사람).

páprika *f.* [식물] 파프리카 ((단맛이 나는 고추의 일종)).

papú *adj.* ① 파푸아(Papuasia, 뉴기니아의 파푸아 섬) 태생의. ② 파푸아의[에 관한]. *—m.f.* 파푸아 사람.

papúa *adj., m.f.* =**papú.**

papudo, da *adj.* (특히 새가) 모이주머니가 큰[불룩해진].

papujado, da *adj.* ① (새, 특히 닭이) 목의 처진 부분(papo)에 털과 살이 많은. ② =**abultado, elevado, sobresaliente, hueco.**

pápula *f.* [의학] 구진(丘疹).

papuloso, sa *adj.* 구진성(丘疹性)의.

paquear[1] *tr.* (군에서) 탈영한 모로인처럼 사라지다.

paquear[2] *tr.* (젊은이들의 말에서) 속이다, 사기치다(engañar).

paquebot *m.* =**paquebote.**

paquebote *m. fr.* (우편물과 승객을 운반하는) 정기선(定期船)

paquete *m.* ① 소포, 수화물, 소화물: ~ bomba 소포 폭탄. ~ con valor declarado 가격 표시 소포. enviar por ~ 소포로 (만들어) 보내다. ② 포장, 짐꾸리기. ③ 꾸러미, 다발, 뭉치, 단, 묶음, 뭇, 속(束): un ~ de cigarrillos 담배 한 상자. ④ =**paquebote.** ⑤ 일괄(一括), 일괄

거래. ⑥ (오토바이·자전거에서) 운전하는 사람의 뒤에 앉아 가는 사람. ⑦ [집합] 제공되는 서비스, 요구 조건, 요건. ⑧ 벌; 징벌, 제재; 체포, 구류. ⑨ 꽉 조인 옷 아래 불룩 튀어나온[불거진] 남성 성기. ⑩ [인쇄] 약 1000 자가 들어가는 조판(組版)(의 틀), 한 페이지 분량의 활자판. ⑪ [컴퓨터] [집합] 패키지, 프로그램, 자료. ⑫ 패키지 투어, 패키지여행 ((운임·숙박비 등을 일괄해서 내는 여행사 알선 단체 여행)). ⑬ *Arg., Cuba, Ur.* 둔하고 따분한 사람, 굼뜬 사람. ⑭ *CRica, Cuba, Perú, PRico.* 거짓말. ⑮ *Cuba, Ur.* (연극·운동·영화의) 매우 지루한[따분한] 광경[구경거리]. ¶ ~ ***de acciones*** 한 사람의 명의인에 속한 전 주식. ~ ***de medidas*** 일련의 조치. ~ ***postal*** 우편 소포. ***darse*** alguien ~ *Méj.* 젠체하고 뽐내다, 잘난 체하고 으스대다. ***marcar*** ~ 꽉 조인 옷을 통해 남성 성기를 불거지게[튀어나오게] 하다. ***meter un*** ~ a alguien (…를) 벌하다, 체포하다, (…에게) 제재를 가하다.

paquete, ta *adj.* ① *Arg., Bol., Ur.* (옷·몸가짐 등에서) 멋[모양]을 낸, 특별히 신경을 쓴. ② *Arg., Bol., Ur.* (옷·주거·축하 행사에서) 한껏 모양을 낸, 멋을 부린, 아주 우아한, 특별히 정성을 쏟아 화려하게 꾸민. ¶ ***de*** ~, ***hecho un*** ~ *Arg., Cuba, Ur.* (옷차림이) 매우 화려한 [깨끗한·청결한·깔끔한·세련된].

paquetear[1] *intr. Arg., Nic., Par., Ur.* 빼기다, 우쭐대다, 젠체하다, 잘난 체하다.

paquetear[2] *intr. CRica.* 거짓말하다.

paquetería[1] *f.* ① 꾸러미[다발·묶음]로 보관하는[파는] 작은 상품. ② 꾸러미 상품 장사.

paquetería[2] ① *Arg., Par., Ur.* 옷 장식[꾸밈], 집[사무실·점포] 단장. ② *Arg., Par., Ur.* [집합] (사람이 입고 외출하기 위한) 복장, 단장.

paquetero, ra *adj.* 포장하는, 짐을 꾸리는. —*m.f.* ① 포장하는 사람, 짐 꾸리는 사람, 이삿짐 센터 직원. ② (판매자에세 분배하기 위해) 신문 포장 담당자. ③ *Cuba.* 거짓말쟁이.

paquetudo, da *adj. Méj.* 재는, 젠체하는, 잘난 체하는, 우쭐거리는.

paquidermia *f.* ① [의학] (만성 부종[염증]과 같은 여러 가지 원인에 의한) 병적 부기(病的浮氣). ② [의학] =**mixedema.**

paquidérmico, ca *adj.* 후피동물 아목(los Paquidermos)의[에 관한].

paquidermo *adj.* [동물] 후피동물의. —*m.* [동물] 후피동물. —*m.pl.* [동물] [P~] 후피동물 아목(亞目).

paquín *m.* ① *Salv.* =**cómic.** ② *Hond.* =**pasquín.**

paquistaní *adj., m.f.* =**pakistaní.**

Paquita *f.* [인명] 빠끼따 ((Francisca의 애칭)).

Paquito *m.* [인명] 빠끼또 ((Francisco의 애칭)).

par[1] *adj.* ① 똑같은, 동일한, 동등한. ② 짝수의, 우수(偶數)의: número ~ 짝수, 우수. ③ [해부] (기관이) 좌우 대칭의. —*m.* ① (같은 종류의) 두 사람, 두 개: un ~ de euros 2유로. un ~ de huevos 달걀 두 개. ② (일반적으로) 두 개가 한 짝[쌍·벌]인 것, 짝, 쌍, 한 쌍, 2인조, 켤레: un ~ de calcetines 양말 한 켤레. un ~ de guantes 장갑 한 켤레. un ~ de zapatos 구두 한 켤레. dos ~*es* de medias 스타킹 두 켤레. ((남녀·암수 한 쌍은 *pareja*)). ③ [집합] (농사일에 쓰이는 노새·소의) 두 마리, 두 필. ④ (몇몇 나라에서) 고위직, 중신; 대귀족. ⑤ [건축] 서까래. ⑥ [골프] 파, 기준 타수: cuatro golpes sobre [bajo] ~ 포 오버[언더] 파. ⑦ [전기] 두 금속의 접합, 열에 의한 전위차로 생기는 합금. ⑧ 동등한 것, 비길 만한 것. ⑨ 두 개 정도, 두 개쯤, 두세 개, 두세 잔. —*f.* ① [경제] 평가(平價), 액면 동가(同價), 액면 가격; 환평가. ② *pl.* 태반(胎盤). ¶ ~ ***de fuerzas*** [기계] 짝힘, 우력. ***a la*** ~ ㉮ 함께, 일시에, 동시에. ㉯ 동등하게, 구별 없이, 분리하지 않고. ㉰ [경제] 평가(平價)로, 액면 가격으로. ***al*** ~ ㉮ =**a la par** ㉮. ㉯ =**a la par** ㉯. ***a*** ~ ㉮ 가까이에, (…의) 바로 옆에, (…에) 붙어. ㉯ 똑같이, 동등하게. ㉰ =**a la par** ㉮. ㉱ =**a la par** ㉯. ***a ~es*** 둘씩. ***de ~ en ~*** ㉮ (문·창문을) 완전히, 활짝 (열다). ㉯ 어떤 방해도 없이, 막힘 없이; 분명히. ***echar a ~es y nones*** [***a ~es o nones***] =**jugar a pares y nones.** ***ir a la*** ~ (노름·장사에서) 이익[손해]을 똑같이 나누다, 눈대중으로 똑같이 나누다. ***jugar a ~es y nones*** [***a ~es o nones***] (주먹에 감춘 물건이 짝수인지 홀수인지 알아맞히면서 추첨하다[놀다]. ***sentir a ~ de muerte*** =**sentir de muerte.** ☞**muerte.** ***sin*** ~ (누구의 우수함을 강조하기 위해) 비길 데 없는, 비교할 만한 것이 없는, 유례가 없는[드문].

par[2] *prep.* (맹세의 문구에서) =**por:** ~ Dios 하느님[신]에 맹세코.

para *prep.* ① [목적] …을 위하여, …을 목적으로, …을 노리고, …이 되려고, …을 하려고: *¿Para* qué trabaja usted tanto? 무엇을 위해 그렇게 일하십니까? ② [용도·적응] …용(用)의[으로], …대상의[으로], …에 적합한: caña ~ pescar 낚싯대. ③ [대상] …에 대해서, 몫으로, 주려고: Esto es ~ mí 이것은 내 몫이다. Los libros son ~ los amigos 책들은 친구들 줄 것이다. ④ [관여] …에 있어서, …로서, …에 대하여: El viaje siempre es agradable ~ mí 여행은 나한테는 언제나 즐거운 일이다. El tabaco es muy nocivo ~ la salud 담배는 건강에 무척 해롭다. ⑤ [분량] …분의: paella ~ tres personas 3인분의 빠에야. ascensor ~ quince personas 정원 15명의 승강기. ⑥ [+*inf.*/+que +*subj.*] ㉮ [목적] …하기 위하여; …하여: Vamos pronto ~ no llegar tarde 늦지 않도록 빨리 갑시다. ㉯ [결과] …하여 …하다: Juan se detuvo ~ encender un cigarrillo 후안은 멈춰 서서 담배에 불을 붙였다. ⑦ [대비·비교] …치고는, …에 비해, …으로서는, …하기에는: Ella es muy alta ~ su edad 그녀는 나이치고는 키가 매우 크다. ⑧ [목적지·방향] …을 향하여, …에 가기 위해[위한], …행: tren ~ Barcelona 바르셀로나행 열차. mirar ~ el exterior en la habitación 방에서 바깥을 바라보다. ⑨ [시간] ㉮ [기한] …까지: aplazar ~ el mes que viene 다음 달까지 연기하다. Faltan ocho días ~ la Navidad 크리스마스까지는 아직 일주일 남았다. ㉯ [예정일·시각] …로: La boda estaba anunciada ~ el sábado por la tarde 결혼식은 토요일 오후로 알려져 있다. ㉰ [기간] … 동안, … 동안에 걸쳐(durante, por): ~ toda la vida 일생을 통해, 일생 동안에 걸쳐, 일평생[전생애]을 바쳐. prestar mil euros ~ quince días 천 유로를 2주일간 빌려 주다. ⑩ [사람의 능력·솜씨] …에 대한: Antonio es ~ todo [mucho] 안또니오는 매사에[많은 것에] 재주가 있다. ⑪ [동기·이유] … 때문에, … 이유로: *¿Para* qué madrugas tanto? 무엇 때문에 그렇게 새벽같이 일어나느냐? ⑫ [+con] (어떤 것을 다른 것과 비교하여 설명하기 위해) …에게: ¿Quién es usted ~ *con*migo? 당신은 나와 어떤 관계가 있습니까? ¶~ ***con*** …에 대해서, …에 대한. ~ ***eso*** [손쉬움·무익함에 어떤 것을 무시함] 그런[그까짓] 일 같으면[이라면·로]. ~ ***qué*** [목적] 무엇에: *¿Para qué* sirve ese instrumento? 그 기구[연장]는 무엇에 씁니까?

para- *pref.* 「근처·근사·보호·반대·역(逆)·낙하산의[에 의한]」의 뜻: *para*cronismo 시대 착오. *pará*frasis 부연 해설. *para*doja 역설. *para*brisa 바람막이. *para*caídas 낙하산.

paraba *f. Bol.* [새] 앵무새의 일종.

parabién *m.* =felicitación.

parábola *f.* ① (교훈적인) 비유 이야기, 비유담, 우화. ② [기하] 포물선.

parabolano *m.* ① (원시 희랍 정교의) 장례 담당 승려. ② 비유담을 사용하는 사람. ③ 거짓[과장된] 소식을 만들어내는[전파하는] 남자. ④ =embustero.

parabólico, ca *adj.* ① 비유담[우화]의[에 관한]. ② [물리] 파라볼라 형의 (안테나). ③ [기하] 포물선의: línea ~*ca* 포물선. ④ 포물선 모양의: espejo ~ 포물면 거울. movimiento ~ 포물선 운동. —*f.* 파라볼라 안테나 ((극초단파의 중계·수신용 안테나)).

parabolizar (9) *intr., tr.* 비유하다, 예를 들다, 비유담을 하다.

paraboloidal *adj.* [기하] 포물면의.

paraboloide *m.* [기하] 포물면.

parabrisa *f. Ecuad.* =parabrisas.

parabrisas *m.sing.pl.* (자동차 등의) 앞 유리.

paraca *f. quechua, Amér.* 태평양에서 불어오는 매우 강한 바람.

paracaídas *m.sing.pl.* 낙하산

paracaidismo *m.* ① 낙하산 강하 연습. ② 스카이다이빙(~ deportivo).

paracaidista *m.f.* ① 낙하산병, 공정대원, 공정 부대원: división de ~*s* 공정 부대(空挺部隊). ② 스카이다이버. ③ *CRica., Cuba, Nic., Salv., Ur., Ven.* 초청 받지 않고[약속되지 않고] 어떤 장소에 나타난 사람. ④ *Ecuad.* 식객, 남에 빌붙어 사는 사람. ⑤ *Hond., Ur.* 한직에 있는 사람. ⑥ *Nic.* 남의 땅에 사는 사람.

paracentesis *f.sing.pl.* [의학] 천자(穿刺) ((몸의 일부에 속이 빈 가는 침을 찔러 넣어 체내의 액체를 뽑아내는 일)); 배에 구멍내기.

parachispas *m.sing.pl.* (굴뚝 등에 달린) 불꽃 막는 장치.

parachoques *m.sing.pl.* ① (자동차의) 범퍼 ((자동차의 앞뒤에 단 완충 장치)). ② [철도·기계] 완충기.

paracleto *m.* =paráclito.

paráclito *m.* [천주교] 성령(聖靈).

paracronismo *m.* (연월일을 실제보다 뒤로 매기는) 기시 착오.

parada *f.* ☞parado.

paradera *f.* ① (물레방아의) 수문. ② [어업] 정치망(定置網).

paradero *m.* ① 머문 곳, 행선지, 멈춘 곳, 멈출 곳, 목적지, 행방, 주소, 거처, 거소. ② (어떤 것의) 끝, 마지막, 종말, 최후, 장래, 전도(前途), 미래, 앞날. ③ *Amér.* 택시 정류소[정류장], 다른 승합버스 정류소[정류장]. ④ *Bol., Col., Perú.* 버스와 전차 정류장. ⑤ *Cuba.* 시내버스 노선의 마지막 정류장. ⑥ *Cuba.* 시내버스 차고.

paradigma *m.* ① 예, 모범. ② 패러다임, 이론적 틀[짜임새]. ③ [문법] 어형 변화표. ④ [언어] 변화 계열.

paradigmático, ca *adj.* ① 예증의[에 관한], 모범의[에 관한], 전형적인. ② [문법] 어형 변화(표)의. ③ [언어] 연합적인, 계열적인.

paradina *f.* ① (방목지가 되어 있는) 야산(野山). ② *pl.* 무너진 벽.
paradisiaco, ca *adj.* 천국[낙원]의.
paradisíaco, ca *adj.* =paradisiaco.
paradislero *m.* ① 길목을 지키는 사냥꾼. ② 소문을 퍼뜨리기[꾸미기] 좋아하는 사람.
parado, da *adj.* ① 멈춘, 정지된, 움직이지 않는: El reloj está ~ 시계가 멎었다. ② (말·행동·동작에서) 우유부단한, 활발하지 못한, 내성적인, 소심한, 게을러터진, 게을러빠진. ③ 일자리를 잃은, 실업의, 실직된, 직업이 없는. ④ *Amér.* 똑바른; 선, 서 있는: estar ~ 서 있다. ⑤ *Chile, Perú, PRico.* =**orgulloso, engreído.** ⑥ *Cuba.* (자지가) 빳빳이 선. ⑦ *Nic.* =**rebelde.** ⑧ *Nic.* (남성이) 자지가 빳빳이 선. —*m.f.* 실업자. —*f.* ① 멈춤, 정지; 정거, 정차: ~ brusca 급정거. ② (버스·전차의) 정류소, 정류장: ~ de taxis 택시 승강장. ~ de coches 주차장. ③ (어떤 것의 움직임, 특히 달리기의) 끝, 마지막, 최후. ④ [음악] = **suspensión, pausa.** ⑤ 축사(畜舍). ⑥ (수말·수노새가) 암말·암노새와 교미하는 곳. ⑦ 퍼레이드, 열병식(閱兵式): ~ militar 군사 퍼레이드. ⑧ (강의) 둑, 댐(presa). ⑨ (도박에서) 단 한 번에 거는 돈. ⑩ [축구] 골키퍼가 몸 전체로 공을 막아내는 일. ⑪ [펜싱] 수비[방어] 동작, 칼을 받아 치우기[비킴]. ⑫ *Arg., Ur.* 노천 시장. ⑬ *Ur.* 자주 가는 클럽[바]. ¶ ***estar*** alguien ***bien*** ~ *Cuba, Nic.* 좋은 위치에 있다. ***estar*** ~ *Cuba.* (노인·아픈 사람이) 강하고 건강하다. ***quedar*** [***salir***] ***bien*** ~ (…에서) 운이 좋다. ***quedar*** [***salir***] ***mal*** ~ (…에서) 운이 나쁘다
paradoja *f.* ① 역설(逆說), 패러독스 ((모순되어 보이나 실제로는 옳은 설)). ② 기설(奇說); 자가 당착의 말; 모순된 일[말·사람]. ③ 세간의 통설에 반(反)하는 의견[말·사고 방식].
paradójico, ca *adj.* 역설적인, 자기 모순의, 모순된, 모순의, 사리에 맞지 않는 말을 하는: opinión ~*ca* 역설적인 의견.
parador, ra *adj.* ① 멈추는, 정지하는. ② (말이) 쉽게 서는, 잘 멈추는, 자세가 좋은. ③ (노름꾼이) 돈을 많이 거는, 많은 위험을 감수하는. ④ *Bol.* 뻔뻔스러운, 철면피한, 낯가죽이 두꺼운. —*m.f.* ① (노름판에서) 돈을 많이 거는 사람. ② *Bol.* 뻔뻔스러운 사람, 낯가죽이 두꺼운 사람, 철면피. —*m.* ① 숙박소, 여인숙, 여관. ② =**parador nacional de turismo.** ¶ ~ ***nacional de turismo*** (스페인의) 국영 관광 호텔.
paraestatal *adj.* 반관반민(半官半民)의, 반관(半官)의: empresa ~ 반관반민 기업, 반국영 기업. entidad ~ 반관반민 기관.
parafango *m. Ven.* =**salvabarros.**
parafernales *bienes* ~ [법률] 아내의 재산[소유물].
parafernalia *f.* (행사 등의) 화려함; 화려한 장비[설비·장치].
parafilia *f.* [정신 의학] 성욕[성적] 도착(증)(desviación sexual).
parafilíaco, ca *adj.* [정신 의학] 성욕[성적] 도착(증)의. —*m.f.* 성적[성욕] 도착자.
parafina *f.* [화학] 파라핀: aceite de ~ 파라핀유(油).
parafinar *tr.* …에 파라핀을 바르다.
parafínico, ca *adj.* 파라핀의.
parafraseador, ra *adj., m.f.* 부연하여 설명하는 (사람).
parafrasear *tr.* ① 부연해서 설명하다. ② (알기 쉽게) 바꾸어 쓰다[말하다], 의역하다.
paráfrasis *f.sing.pl.* ① 부연 해설[설명]. ② (알기 쉽게) 바꾸어 쓰기[말하기]; (시의) 의역, 번안(飜案).
parafraste *m.* ① 부연 설명자[해설자]. ② 의역자, 번안가(飜案家).
parafrásticamente *adv.* 부연해서; 바꾸어 말해; 의역으로.
parafrástico, ca *adj.* ① 부연 설명의[에 관한], 부연적인. ② 바꾸어 말하는, 의역의: traducción ~*ca* 의역.
paragoge *f.* [문법] 어미음 첨가 ((예 frac →fraque)).
paragógico, ca *adj.* [문법] 어미음 첨가의[에 관한].
paragolpe *m. Arg., Ur.* =**parachoques.**
paragolpes *m.sing.pl. Arg., Ur.* = **parachoques.**
paragonar *tr.* =**comparar.**
parágrafo *m.* =**párrafo.**
paragranizo *m.* [농업] (우박·서리 방지용으로 밭·열매를 덮는) 투박한 천[비닐] 덮개.
paraguas *m.sing.pl.* ① 우산: ~ plegable 접는 우산. abrir el ~ 우산을 펴다. cerrar el ~ 우산을 접다. ② 보호용으로 이용하는 사람[물건].
paraguay *m.* [새] (빠라구아이의) 앵무새.
Paraguay (República del) *m.* [국명] 빠라구아이 (공화국), 파라과이 (공화국) ((남아메리카의 공화국; 수도 Asunción)).
paraguaya *f.* ☞**paraguayo.**
paraguayismo *m.* 빠라구아이 방언[사투리].
paraguayo, ya *adj.* ① 빠라구아이 (Paraguay) 태생의. ② 빠라구아이의[에 관한]. —*m.f.* 빠라구아이 사람. —*m.* ① *Bol.* (설탕·전분 등으로 만든) 큰 빵. ② *Cuba.* (날이 길고 곧은) 큰 낫(machete). —*f.* [과

실] 빠라구아야 ((복숭아의 일종)).
paraguazo *m.* 우산으로 때리기.
paragüería *f.* 우산 가게.
paragüero, ra *m.f.* 우산 제조자[장수]. —*m.* 우산꽂이, 지팡이꽂이.
parahusar *tr.* 송곳으로 구멍을 뚫다.
parahúso *m.* 송곳.
paraíso *m.* ① [성경] 에덴 동산. ② 천국, 극락세계: ~ perdido 실락원. ir al ~ 천국[극락세계]에 가다. ③ (지상의) 낙원, 천국, 무릉도원(武陵桃源): ~ de los pescadores 낚시꾼의 천국. ~ del Caribe, Cuba 카리브해의 낙원, 꾸바. ④ [집합] (극장의) 지붕 밑 자리, 맨 꼭대기 층의 좌석. ⑤ 매우 즐거운 장소. ¶ ~ ***fiscal*** [경제] 세금 피난지, 세금 피난국, 조세 회피지, 조세 회피국 ((저과세·비과세 등 세제상의 특전이 많은 지역[나라])). ~ ***terrenal*** 에덴 동산. ***árbol del*** ~ [식물] 낙원수. ***ave del*** ~ [새] 극락새.
paraje *m.* ① (주로 먼) 곳, 장소. ② 상태(estado): estar en mal ~ 나쁜 상태에 있다.
parajismero, ra *adj.* 얼굴을 찡그리는.
parajismo *m.* 찡그린 얼굴, 과장된 몸짓[손짓].
paral *m.* ① (발판용) 가로대, 횡목(橫木). ② [건축] 까치발. ③ (선박 진수 때의) 활주대(滑走臺).
paraláctico, ca *adj.* ① [천문] 시차(視差)의. ② [천문] 각차(角差)의.
paralaje *m.* ① [천문·광학] 시차. ② 각(角)의 차. ¶ ~ ***horizontal*** 지평 시차(地平視差).
paralasis *f.* [드묾] =paralaje.
paralaxi *f.* =paralaje.
paralela *f.* ☞paralelo.
paralelamente *adv.* 평행으로, 나란히(con paralelismo).
paralelar *tr.* =parangonar, comparar, hacer paralelo.
paralelepípedo *m.* 평행 육면체.
paralelismo *m.* ① 평행 위치[관계·상태]. ② 유사; 비교, 대응. ③ [철학] 병행론. ④ [생물] 병행 진화. ⑤ [수사학] 대구법(對句法).
paralelo, la *adj.* ① 평행의, 나란한: líneas ~*las* 평행선. ② (목적·경향 등이) 서로 같은; 같은 방향의; 같은 종류의, 비슷한, 유사한. ③ 동시 진행의. ④ [전기] 병렬의. ⑤ [컴퓨터] (데이터 전송 등이, 동시에 복수 처리하는) 병렬의. —*m.* ① (물건의) 대비, 대조, 비교. ② (글이나 말로, 사람의) 비교. ③ [지리] 씨줄, 위선(緯線): ~ 38 삼십팔도선, 38도선. —*f.* ① [군사] 평행호(平行壕), 평행 참호. ② *pl.* 평행선(líneas ~*las*). ③ *pl.* [체조] =barras paralelas. ¶ ~***s asimétricas*** [체조] 이단 평행봉. ***barras*** ~***las*** [체조] 평행봉. ***en*** ~ ㉮ *adj.* [전기] 병렬(식)의; *adv.* [전기] 병렬(식으)로. ㉯ [+a] (…에) 평행으로. ㉰ 동시에.
paralelogramo *m.* 평행 사변형.
paralimpiada *f.* [주로 *pl.*] 파랄림픽 ((국제 신체 장애인 올림픽 대회)).
paralimpíada *f.* =paralimpiada.
paralímpico, ca *adj.* ① 파랄림픽의 [에 관한]: los Juegos Paralímpicos 국제 신체 장애인 올림픽 대회, 파랄림픽. ② 파랄림픽에 참가하는. —*m.f.* 파랄림픽 참가 선수.
paralipómenos *m.pl.* (어떤 문서의) 부본, 추가분(suplemento, adición).
paralipsis *f.* [수사학] 역언법(逆言法) ((중요 부분을 생략함으로써 오히려 주의를 끄는 생략법)).
parálisis *f.sing.pl.* ① [의학] 마비, 불수(不隨); 중풍: ~ completa 전신 불수. ~ de cintura para abajo 하반신 불수. ② 무력, 무기력, 무능; (교통·거래 등의) 정체(停滯), 마비 상태: ~ de la circulación 교통 마비 상태. ¶ ~ ***agitante*** [의학] (성인의) 진전 마비. ~ ***cerebral*** [의학] 뇌성 마비. ~ ***infantil*** [의학] 소아마비.
paraliticado, da *adj.* [드묾] 마비로 방해가 되는, 마비에 걸린.
paraliticarse *r.* [드묾] 마비되다.
paralítico, ca *adj.* ① 중풍을 앓은. ② 몸이 마비된. —*m.f.* 중풍 환자.
paralización *f.* ① 마비, 마비 상태; 무력화; 부진. ② 기능 정지.
paralizador, ra *adj.* ① 마비시키는. ② 무력화시키는, 부진한, 침체한.
paralizante *adj.* =paralizador.
paralizar (9) *tr.* ① 마비시키다, 불수로 만들다. ② 무디게 만들다, 못쓰게 만들다, 무력화시키다, (행동 등을) 방해하다, 정체시키다. ~**se** ① 마비되다, 불수가 되다. ② 무디어지다, 못쓰게 되다, 정체되다, 방해되다.
paralogismo *m.* [논리] 잘못된 추리, 배리, 반리(反理) ((논자(論者) 자신이 깨닫지 못하는 그릇된 추론)).
paralogizar (9) *tr.* 잘못 추론하다. ~**se** 잘못 추론되다.
paramada *f.* *Ecuad.* 이슬비[보슬비·가랑비]가 내림.
paramagnético, ca *adj.* [물리] 상자성(常磁性)의, 상자성체의.
paramagnetismo *m.* [물리] 상자성.
paramar *intr.* *Ecuad.* [비인칭 동사] =lloviznar.
paramear *intr.* *Ven.* [비인칭 동사] 눈보라가 치다.
paramecio *m.* [동물] 짚신벌레 ((짚신벌렛과의 원생 동물)).
paramédico, ca *adj.* ① 준(準)의료 활동의. ② *Chile.* 전문의를 보좌하는. —*m.f.* ① 준의료 활동자. ② *Chile.* 의료[진료] 보조자 ((간호사·검사 기사·약제사 등)).
paramentar *intr.* 장식하다, 꾸미다.

paramento *m.* ① (물건을 덮는) 치장, 장식, 장식품, 장식물. ② 말의 옷. ③ [건축] (벽의) 면. ④ (절단한 직사각형 돌의) 면(面)(cara). ¶ ~*s sacerdotales* ㉮ (사제의) 제복(祭服)과 장식물. ㉯ 제단 장식물[장식품](adornos del altar).

paramero, ra *adj.* ① (베네수엘라의) 안데스 황무지 지방 태생의. ② (베네수엘라의) 황무지 지방의[에 관한]; 황무지 지방 주민의[에 관한]. ③ *Ecuad.* 황무지의[에 관한]. ④ *Ecuad.* 황무지 생활에 대해 알고 있는, 황무지 생활을 경험한. ⑤ *Ecuad.* 황무지를 여기저기 돌아다니는 버릇이 있는 (말). —*m.f.* (베네수엘라의) 안데스 황무지 사람. —*f.* (황무지가 많은) 지방, 광활한 영토.

parámetro *m.* ① [통계] 모수(母數). ② [수학] 보조 변주, 매개 변수(媒介變數). ③ [컴퓨터] 매개 변수.

paramilitar *adj.* (민간 기관의) 준(準)군사적인, 준(準)군사 조직의, 군대식의.

paramnesia *f.* [의학] 정신 착오.

páramo *m.* ① 황무지. ② 춥고 황폐한 곳, 시베리아 벌판과 같은 곳. ③ *Col., Ecuad.* =llovizna.

paramoso, sa *adj.* =lloviznoso.

parancero *m.* 덫 사냥 사냥꾼.

parangón *m.* 비교, 대조, 대비.

parangona *f.* [인쇄] 패러건 활자 ((20포인트)).

parangonar *tr.* ① 비교하다, 대비하다. ② [인쇄] 정판하다.

paranieves *m.sing.pl.* 방설책(防雪柵), 방설림(防雪林).

paraninfo *m.* ① (몇몇 대학의) 강당 (salón de actos). ② (옛날의 대학에서) 개강을 알렸던 사람. ③ [드묾] 결혼식의 들러리. ④ [드묾] 기쁜 소식을 전하는 사람.

paranoia *f.* [정신 의학] 편집증, 편집병, 망상증.

paranoico, ca *adj.* ① 편집증의[에 관한]. ② 편집증에 걸린. —*m.f.* 편집증 환자.

paranoide *adj.* [정신 의학] 편집증의, 피해 망상의; 편집증 비슷한: desorden ~ 편집 장애. personalidad ~ 편집성 인격.

paranomasia *f.* =paronomasia.

paranormal *adj.* (초자연은 아니나) 과학적으로 설명할 수 없는.

paranza *f.* ① (사냥꾼의) 숨는 장소, 길목. ② 낚시터.

parapente *m.* ① 패러글라이딩 ((날개 같은 파라슈트로 비행기에서 강하하여 착지장까지 활공하는 스포츠)): practicar el ~ 패러글라이딩을 하다. ② (패러글라이딩에서 사용하는) 파라슈트[낙하산]의 형.

parapentista *m.f.* 패러글라이딩을 하는 사람, 패러글라이딩 애호가.

parapetar *tr.* (흉벽 등으로) 감추다, 숨기다, 보호하다. ~**se** ① (흉벽의 뒤에) 몸을 숨기다, 흉벽으로 막다. ② (어떤 방어 수단으로) 위험을 막다, 몸을 보호하다.

parapeto *m.* ① [건축] (다리·에스컬레이터 등에서 떨어지는 것을 막기 위한) 난간, 손잡이, 벽. ② [군사] 흉벽(胸壁), 흉장(胸墻) ((성곽·포대 등의 중요한 곳에 쌓은, 사람의 가슴 높이만한 담)).

paraplejia *f.* [의학] (하반신의) 대마비(對痲痺), 양마비(兩痲痺) ((다리나 팔 등이 좌우 대칭으로 운동 마비를 일으키는 상태)).

paraplejía *f.* =paraplejia.

parapléjico, ca *adj.* ① [의학] 대마비[양마비]의[에 관한]. ② [의학] 대마비[양마비]에 걸린. —*m.f.* 대마비[양마비] 환자.

parapoco, ca *m.f.* 별로 현명하지 못한 사람, 저능자, 무능력자.

parapsicología *f.* 초(超)심리학 ((천리안(千里眼)·염력(念力)·텔레파시 등의 심령 현상을 다룸)).

parapsicológico, ca *adj.* 초심리학의[에 관한], 초심리학적인.

parapsicólogo, ga *adj.* 초심리학을 연구하는. —*m.f.* 초심리학 연구자, 초심리학자.

parar *tr.* ① (움직임·동작을) 멈추다, 세우다, 정지하다, 방해하다, 막다, 차단하다: ~ *su* coche (운전자가) 차를 세우다. La policía *paró* el tráfico 경찰이 교통을 차단했다. La lluvia *paró* las obras 비로 공사가 중단되었다. ② 미리 준비하다, 예방 조치하다, 대비하다, 마련하다: ~ una emboscada 숨어 기다리다, 복병을 두다. ③ (도박에서) 돈을 걸다 (arriesgar dinero). ④ (사냥에서, 개가 짐승을 발견하고) 가르쳐 주다 (mostrar). ⑤ (누구를 어떤 상태로) 두다, 만들다. ⑥ [운동] (골키퍼·다른 선수가, 공이 골문으로 들어오는 것을) 막다. ⑦ [펜싱] (상대방의 공격을) 칼로 막다[막아내다·받아내다·받아 뿌리치다], (적당히) 받아 넘기다. ⑧ *Mur., Amér.* 세우다. —*intr.* ① 멈추다, 서다, 정지하다, (움직임·동작이) 중지되다, 정지되다, 멎다: *Pare* 일단 정지. *¡Para!* 정지!, 기다려라! *Pare* aquí (택시에서) 여기서 세워 주세요. ② 끝에 다다르다, (목적지에) 도착하다. ③ (결과가) …이 되다. ④ (물건이, 생각·예상했던 것과 다르게) 되다. ⑤ 묵다, 유숙하다, 숙박하다, 머물다. ⑥ [부정문에서] (어느 장소에) 머물다. ⑦ *Cuba, Perú, Ur.* 확고한 경제적 위치를 차지하다[확보하다] ⑧ 포기하다. ⑨ [+de+*inf.*] (…하는 것을) 중단하다, 그만두다, 중지하다. ~**se** ① 서다, 멈추다, 멎다, 정지하다: Mi reloj *se paró* 내 시계가 멈췄다. Aquí no *nos* podemos ~ 우리는 여기서 멈출[설] 수 없다. No *se* me *para* la sangre 피가 멈추지 않는다. ② (누가 어떤 상태로) 되다: Al oír esto, la doncella *se paró* colorada 아가씨는 이 말을 듣자 얼굴이 홍당무가 되었다[빨개졌다]. ③ *Mur., Amér.* 서다, 서 있다. ④ 얽매이다, 정체되다, 구애를 받다: No *me paro en* menudencias 나는 사소한 일에 구애되지 않는다. ⑤ (위험 등에) 굽히지 않고 맞서다. ⑥ [+a+*inf.*] 주의 깊게 조용히 …하다: ~*se a* considerar 곰곰히 생각에 잠기다. ~*se a* pensar 숙고하다. Ella *se para a* meditar 그녀는 조용히 명상에 잠긴다. ¶*no* ~ 계속 활동 중이다. ~ *mal* =malparar. *sin* ~ ㉮ 즉각, 재빨리, 즉시, 지체 없이. ㉯ 그치지 않고, 계속.

pararrayo *m.* =pararrayos.

pararrayos *m.sing.pl.* 피뢰침.

parasanga *f.* 파라상 ((고대 페르시아에서 사용했던 이정 단위; 5,250미터)).

parasceve *f.* ① 금요일 ((유대인들이 토요일에 먹을 음식을 장만했던 날)). ② 성금요일 ((그리스도가 사망한 날))

paraselene *f.* [기상·천문] 환월(幻月) ((달무리에 나타나는 광륜)).

parasemo *m.* (고대 희랍과 로마의 배의) 마귀의 얼굴을 새긴 이물 장식.

parasexualidad *f.* 성욕 도착.

parasicología *f.* =parapsicología.

parasicológico, ca *adj.* =parapsicológico.

parasicólogo, ga *adj., m.f.* =parapsicólogo.

parasimpático, ca *adj.* [해부] 부교감 신경의. —*m.* 부교감 신경.

parasíntesis *f.sing.pl.* [문법] 병치종합 ((복합어에서 다시 파생어 만들기: 예 pordiosero, picapedrero)).

parasintético, ca *adj.* parasíntesis의[에 관한].

parasismo *m.* =paroxismo.

parasitar *tr.* …에 기생하다. —*intr.* [+en] (…에) 기생하다.

parasitario, ria *adj.* 기생의.

parasiticida *adj.* 기생충 구제(驅除)의, 기생충 박멸의. —*f.* 구충제.

parasítico, ca *adj.* 기생의[에 관한], 기생적인.

parasitismo *m.* ① 기생, 기생 상태. ② 식객 노릇, 기식 생활.

parásito, ta *adj.* ① [생물] 기생하는: insecto ~ 기생충. planta ~*ta* 기생 식물. ② [라디오] 기생 (진동)의. ③ [언어] 기생음의, 기생자(字)의. —*m.* ① [동물] 기생충(寄生蟲). ② 기생 생물[식물]. ③ 식객, 기식자, 군식구. ④ [언어] 기생음(寄生音). ⑤ *pl.* [방송] 잡음(雜音).

parasitología *f.* 기생충학.

parasitólogo, ga *m.f.* 기생충학자.

parasitosis *f.sing.pl.* ① 기생충 감염. ② 기생충증, 기생충병.

parasol *m.* ① (여자용) 양산(陽傘), 파라솔. ② (자동차 등의 직사광선을 피하는) 차광판(遮光板), 선바이저. ③ [사진] (카메라의 렌즈에 여분의 빛이 들어오는 것을 차단하기 위한) 렌즈 씌우개.

parástade *m.* [건축] 곁기둥.

parata *f.* 계단식 밭(bancal).

paratáctico, ca *adj.* [문법] parataxis의[에 관한].

parataxis *f.sing.pl.* [문법] 병렬.

paratífico, ca *adj.* ① [의학] 파라티푸스의[에 관한]. ② 파라티푸스에 걸린. —*m.f.* 파라티푸스 환자.

paratifoideo, a *adj.* [의학] 파라티푸스의. —*f.* [의학] 파라티푸스.

paratifus *f.* [의학] 파라티푸스.

paratiroides *adj.* [해부] 부갑상선의: hormona ~ 부갑상선. —*m.* [해부] 부갑상선.

paratopes *m.sing.pl. Col.* 완충기, 완충 장치.

paraulata *f. Ven.* [새] 개똥지빠귀(tordo) 비슷한 새 ((크기가 같음)).

parazonio *m.* (고대 희랍·로마 군인들이 쓰던) 날이 넓고 끝이 뾰족하지 않은 칼.

parca *f.* ① [신화] 운명의 세 여신 ((사람의 명줄을 잣고, 실패에 감고, 자르는 노파 모습의 세 자매 신: Cloto, Láquesis, Atropos)). ② [시어] 사망, 죽음(muerte).

parcamente *adv.* 검소[소탈]하게.

parce *m.* (옛날 초등 학교에서 주던 것으로, 장래의 어떤 실수도 용서되는) 포상, 선행증.

parcela *f.* ① 땅뙈기. ② (토지의) 구획; 분양지: ~ de cultivo 구획된 농지. ③ (어떤 것의) 작은 부분, 단편(斷片).

parcelable *adj.* (토지 등을) 나눌 수 있는, 분할할 수 있는.

parcelación *f.* 분할, 구획.

parcelar *tr.* ① (토지 대장에 올리기 위해 토지를) 측량하다, 재다, 조사하다(medir). ② (큰 토지를 팔거나 임대하기 위해 더 작게) 나누다, 분할하다, 구획하다(dividir).

parcelario, ria *adj.* 구획의[에 관한], 분양지의[에 관한].

parchar *tr.* 고약을 붙이다.

parchazo *m.* ① (갑작스러운 바람의 방향이 바뀌거나 혹은 배의 조종을 잘못하여) 돛이 돛대에 세게 부딪치는 일. ② 야유, 조롱, 빈정댐. ¶*pegar un* ~ a alguien =pegar un parche.

parche *m.* ① (일반적으로, 구멍을 막기 위해 물건 위에) 붙이는 천[헝겊·종이·가죽 등의] 조각. ② (몸에 붙이는) 고약. ③ 안대(眼帶). ④ (옛날에 투우의 비결로 황소의 이마에 붙였던 송진이나 테레빈유를 바르고 리본으로 장식한) 둥그런 종이. ⑤ 북에 붙인 두 개의 가죽의 각각. ⑥ [악기] 북(tambor). ⑦ (원래의 것을 고쳐) 다른 것 위에 붙이는 것. ⑧ (특히, 그림에서 서툰) 수정, 손질, 가필, 고침. ⑨ (어떤 문제에서 썩 만족하지 못한 것의) 일시적[임시적] 해결. ¶*pegar un* ~ a alguien (돌려 줄 뜻이 없이 돈이나 다른 것을 빌리거나 다른 방법으로) 속여 사취하다, 빌려 가지다, 돌려줄 뜻이 없이 빌리다.

parchear *tr.* ① (…에) parche를 붙이다. ② (…를) 만지작거리다, 주무르다.

parcheo *m.* parche 붙이기: política de ~ 임시방편 정책.

parchís *m.* 주사위 놀이의 일종.

parchista *m.f.* [드묾] (남의 돈이나 물건을) 돌려줄 의향이 없이 빌리는 사람, 사취자.

parcho *m. PRico.* =**parche.**

parchón *m. CRica.* (몸에 묻은) 얼룩(mancha).

parcial *adj.* ① 일부분의, 부분적인: embarque ~ [상업] 부분 선적, 분할 선적. negación ~ 부분 부정(部分否定). ② 불완전한: eclipse ~ 부분 일식. ③ 불공평한, 편파적인, 일방적인, 편애하는, 역성을 드는: escritor ~ 편파적인 작가. juez ~ 불공평한 재판관. juicio ~ 일방적인 판단, 불공평한 판결. testigo ~ 편파적인 증인. ④ 파벌의, 당파의, 당파적인. ⑤ =**partícipe.** —*m.f.* 당원, 한편, 같은 편. —*m.* 중간 시험.

parcialidad *f.* ① 파, 파벌, 당파, 도당: ~ carlista 까를로스 지지파. ② [집합] 많은 사람. ③ (원시인들이 나눈) 집단. ④ 불공평, 편파, 편견, 편애, 역성. ⑤ (교제에서) 우정, 친교, 친밀.

parcializar (9) *tr.* 편파적으로 판단하다, 한쪽의 편을 들다, 역성들다, 역성하다.

parcialmente *adv.* ① 부분적으로, 일부분은: puerta ~ cerrada 반만 닫힌 문. ② 불공평하게, 편파적으로: juzgar ~ 불공평하게 재판하다. ③ [고어] 친밀하게, 사이좋게, 정답게, 의좋게.

parcidad *f.* [드묾] =**moderación.**

parcir *tr.* [고어] =**perdonar.**

parco[1] *m.* [드묾] =**parce.**

parco[2]**, ca** *adj.* ① (사용·양도에서) 적은, 많지 않은, 부족한, 모자라는, 흡족하지 못한: ~ sueldo 많지 않은 급료. ② (식사·술에서) 양이 적은, 절제하는, 삼가는, 절도 있는.

parcómetro *m.* =**parquímetro.**

pardal *adj.* (시골 사람들이 황갈색의 옷을 입는 데서) 시골뜨기의, 촌사람 같은, 촌놈 같은. —*m.* ① [동물] =**leopardo.** ② [동물] 기린. ③ [새] =**gorrión.** ④ [새] =**pardillo.** ⑤ =**acónito, anapelo.** ⑥ 교활한[영특한] 남자.

pardear *intr.* ① 회갈색이 두드러지게 나타나다. ② 회갈색으로 되어 가다. ¶*al* ~ *Méj.* =**al atardecer, al anochecer, al oscurecer.**

pardela *f.* [새] 갈매기의 일종.

pardiez *interj.* =**par Dios.**

pardillo, lla *adj.* ① 시골의, 촌스러운. ② (사람이) 조심성이 없는, 주의력이 부족한, 남에게 속기 쉬운. —*m.f.* ① 촌사람, 시골뜨기. ② 조심성이 없는 사람, 남에게 속기 쉬운 사람. —*m.* ① [새] 홍방울새. ② =**paño pardillo.** ③ =**vino pardillo.** —*f.* [새] =**pardillo.**

pardina *f. Ar.* =**paradina.**

pardisco, ca *adj.* =**pardusco.**

pardo, da *adj.* ① 회갈색의. ② (특히, 구름·구름 낀 날이) 어두운: cielo 어두운 하늘. día ~ 구름으로 어두운 날. nubes ~*das* 먹구름. ③ (목소리가) 맑지 못한, 분명치 못한, 쩡쩡 울려 퍼지지 못한: voz ~ 맑지[분명치] 못한 목소리. ④ *Amér.* =**mulato.** —*m.* [동물] =**leopardo.**

pardomonte *m.* (18세기, 장인들의 긴 망토용) 보통의 천 종류.

pardusco, ca *adj.* 회갈색을 띤.

parduzco, ca *adj.* =**pardusco.**

pareado, da *adj.* [시법] 평운(平韻)의. —*m.* [시법] 평운.

parear *tr.* ① (두 개를 비교하면서) 맞추다, 함께 두다. ② 두 개씩 놓으면서 짝[쌍]을 이루다, 두 개씩 나란히 놓다. ③ [투우] 반데리야를 꽂다[푹 찌르다](poner banderillas).

parecencia *f.* [드묾] =**parecido.**

parecer[1] (31) *intr.* ① (물건이) 나타나다, 보이다. ② (…로·…처럼) 보이다, …인 듯하다, …으로 생각되다, …으로 추측되다, … (하는) 것 같다: ㉮ [주격 보어와 함께] Esta película *parece* muy interesante 이 영화는 무척 재미있을 것 같다. *Parece* bien 좋을 것 같다, 좋을 것처럼 보인다. Tú *pareces* mucho más joven para tu edad 당신은 나이에 비해 훨씬 젊어 보인다. ㉯ [동사 원형과 함께] Ella *parece* ser una mujer responsable 그녀는 책임감이 있는 사람으로 보인다. ㉰ [parece+ que+*ind.*] *Parece que* va a llover [nevar] por la noche 밤에 비가[눈이] 올 것 같다. ㉱ [no *parece*+que +*subj.*] *No parece que* llueva mañana 내일 비가 내릴 것 같지 않다. ㉲ [*parece(n)*+a+사람] ¿Qué le *parece*? 당신은 어떻게 생각하십니까? ¿Qué te *parece este* libro? 너는 이 책을 어떻게 생각하느냐? ③ (잃어버렸던 것이) 발견되다. ④ …과 닮다, 비슷하다. ~**se** ① [+a] (…를) 닮다, (…과) 비슷하다: la hija que *se parece* mucho *a* su madre 어머니를 쏙 뺀 딸. *~se a su* padre 아버지를 닮다. *¿A* quién *te pareces*? 너는 누구를 닮았니? ② [복수형] 서로 닮다: Vosotros dos *os parecéis* mucho 너희들 둘은 붕어빵이다. ¶***a lo que parece, al ~*** 아마, … 같다. ***~se como dos gotas de agua*** 빼닮다, 쏙 빼다, 붕어빵이다.

parecer² *m.* ① 의견, 생각, 판단 (opinión): Dime tu ~ 나에게 네 생각을 말해라. A mi ~ ella volverá a casa dentro de poco 내 생각에는 그녀가 곧 귀가할 것이다. Soy del mismo ~ que tú 나는 당신과 같은 의견이다. ② 얼굴 모습, 용모, 모습, 외양, 외견, 겉모습: Ella tiene buen ~ 그녀는 잘생겼다. ¶***arrimarse al ~ de*** alguien (…의) 의견에 따르다, (…의) 편을 들다.

parecido, da *adj.* ① [+a] (…를) 닮은: hijo muy ~ *a* su padre 아버지를 쏙 뺀 아들. ② [+en] (…이) 닮은: La madre y la hija son muy *~das en* carácter [*en* los ojos · *en* la nariz] 모녀는 성격[눈 · 코]이 빼닮았다. —*m.* 닮은 점, 비슷한 점, 유사(類似). ¶***bien ~*** 잘생긴, 용모[얼굴]가 준수한, 몸매가 잘 빠진. ***mal ~*** 얼굴이 못생긴, 미운, 몸매가 좋지 않은. ***ser bien ~*** 좋게 보이다. ***ser mal ~*** 나쁘게 보이다.

pared *f.* ① 벽: colgar un cuadro en la ~ 벽에 그림을 걸다. ② 담; 담벽; 칸막이. ③ [해부] (조직의) 벽, 내벽(內壁), 안면(面): ~ abdominal, ~ del estómago 위벽. ~ del intestino 장벽(腸壁), 창자벽. ④ (그릇의) 안벽, 내벽, 안면(面): ~ de una caja 상자의 안면. ⑤ (산의) 벽면(壁面): ~ norte 북벽. ⑥ [집합] 빽빽이 들어찬 물건, 밀집한 사람들, 인간 울타리, 인간 띠. ⑦ [축구] (리턴 패스를 받기 위해) 우군에게 패스하고 전진하기. ¶ ~ ***arterial*** 동맥벽. ~ ***celular*** 세포벽. ~ ***de cerramiento*** [건축] (구조물이 없는) 외벽, 막벽. ~ ***horma*** 돌담식 벽. ~ ***maestra*** [건축] 주벽(主壁). ~ ***medianera*** 경계벽, 공유벽, 두 집 사이의 벽. ***andar a tienta ~es*** ㉮ 손으로 더듬으며 걷다. ㉯ 방향도 확고한 생각도 없이 불안정한 행동을 계속하다. ***arrimarse*** alguien ***a las ~es*** 술에 (만)취해 있다. ***coserse*** alguien ***con la ~*** 담[벽]에 꼭 붙어 있다[붙어서 걷다]. ***darse*** alguien ***contra una ~*** 분노하다, 비분강개하다, 미친 듯이 노하다[성내다]. ***darse*** alguien ***contra [por] las ~es*** (원하는 것을) 찾다가[구하려다 · 찾지도 못하고] (빈껍데기가 되어) 지치다, 몹시 찾다가 제풀에 지치다. ***de ~*** 벽에 기대어 놓는, 벽걸이용의. ***descargar las ~es*** [건축] (아치 · 교각대를 통해) 무게를 줄이다. ***entre cuatro ~es*** 집안에 틀어박혀, 집안에서 죽치고. ***hablar las ~es*** 은밀히 말한[행한] 것이 밝혀지다, 세상에 비밀은 없다. ***hasta la ~ de enfrente*** 결연히, 단호히, 주저 없이, 망설이지 않고. ***~ en [por] medio*** ㉮ 벽을[벽 하나를] 사이에 두고. ㉯ …의 가까이에. ***pegado a la ~*** [dejar · quedarse+] 크게 부끄러워, 수치로 알고, 당황하여, 어리둥절하여. ***poner*** a alguien ***contra la ~*** (…를) (거의 빠져나갈 구멍 없이) 궁지에 몰아넣다, 빠져나갈 수 없는 어려운 처지에 빠뜨리다. ***subirse por las ~es*** 불같이 노하다, 잔뜩 골이 나다. ***Las ~es oyen / Las ~es tienen oídos*** (속담) 밤 말은 쥐가 듣고 낮 말은 새가 듣는다.

paredaño, ña *adj.* 벽 하나를 사이에 둔, 바로 이웃한.

paredón *m.* ① (건물의 폐허처럼) 서 있는 벽. ② 담 앞에 있는 총살하는 장소. ¶ ***¡Al ~!*** 총살하라!

pareja *f.* ☞**parejo.**

parejamente *adv.* ① 같게, 유사하게. ② 동시에, 일시에.

parejería *f. Cuba, Ven.* 으스대기, 뽐내기, 아는 체함.

parejero, ra *adj.* ① 짝지어 뛰었던 (말). ② 달리기 조련을 받은. ③ 경마용의, 준족의 (말). ④ *Ant., Ven.* 우쭐대는, 으스대는, 자만하는, 시건방진. ⑤ *Cuba.* =**confianzudo.** ⑥ *Cuba.* (아이가 실제보다) 마치 나이를 더 먹은 것처럼 행동하는. ⑦ *Ven.* (자기가 그렇게 보이려고) 늘 능력 있는 사람을 따라다니려 애쓴. —*m.* 경마용 말, 경주마, 준족의 말, 명마. —*m.f.* 시건방진 사람, 우쭐대는 사람, 거만한 사람.

parejo, ja *adj.* ① 같은, 유사한: jersey ~ 같은 스웨터. ② 미끈한, 반반한, 편편한. —*f.* ① (사람의) 한 쌍, 남녀 한 쌍, 커플, 부부, 약혼자: en ~ 한 쌍으로, 커플로. Ellos hacen buena ~ 그들은 잘 어울리는 부부[커플]다 ② (동물의) 한 쌍, 암수 한 쌍: una ~ de bueyes 한데 매인 소 두 마리. una ~ de palomas 비둘기 한 쌍. ③ (물건이 두 부분으로 되어 분리할 수 없는) 한 벌, 한 개. ④ (사람 · 동물 · 물건의) 짝진 것의 한 쪽. ⑤ (춤의) 상대, 파트너. ⑥ (경찰의) 2인조, 콤비. ⑦ *pl.* (주사위 놀이에서) 한 번 던져 나오는 같은 수[점수]. ⑧ (트럼프에서) 숫자가 같은 카드, 그림이 같은 카드. ⑨ [어업] 쌍끌이. ⑩ [승마] 쌍두 경마. ¶***correr parejas [a las parejas]*** ㉮ (몇 가지 일이) 보조를 맞추다; 동시에 일어나다. ㉯ (두 사람 이상이, 의류 · 능력에서) 비슷하다. ***por parejos*** 짝을 지어, 두

개씩. *por (un) parejo* 같게, 똑같은 방법으로.

parejura *f.* =igualdad, semejanza.

parella *f. Mur.* 걸레(rodilla).

paremia *f.* 속담, 격언, 금언.

paremiario *m. Méj.* 속담집, 격언집.

paremiología *f.* 속담학, 격언학, 속담[격언] 연구.

paremiológico, ca *adj.* 속담[격언]학의[에 관한], 속담[격언] 연구의[에 관한].

paremiólogo, ga *m.f.* 속담[격언]학자, 속담[격언] 연구가.

parénesis *f.* 훈계, 권고.

parenético, ca *adj.* 훈계의[에 관한], 권고의[에 관한].

parénquima *m.* ① [식물] 연한 세포에 의한 식물 조직. ② 샘[선(腺)] 세포 조직. ③ [해부] (기관·샘의) 실질(實質).

parenquimatitis *f.* [의학] 실질염.

parenquimatoso, sa *adj.* parénquima의[에 관한].

parenquímula *f.* 유충기.

parentación *f.* [드묾] 장례식.

parental *adj.* ① 부모[어버이]의[에 관한], 친척의[에 관한]. ② [생물] 선조[조상]의. —*m.f.* 선조, 조상, 선대. ¶***generación*** ~ [유전] 어버이 세대 ((P_1, P_2 등으로 나타냄)).

parentela *f.* [집합] 친척(parientes).

parenteral *adj.* [의학] 장관외(腸管外)의, 비경구(非經口)의 (주사·투여·감염).

parentesco *m.* ① 혈연 관계, 친척 관계: ~ colateral 인척 관계. ~ directo, ~ en línea directa 직계 혈연. grado de ~ 친척의 촌수. ② 관련, 연관. ¶ ~ ***espiritual*** (세례·견신식으로 대부·성직자와 맺은) 정신적 인연[정리]. ~ ***lingüístico*** (두 개 이상의 언어간의) 유사 관계.

paréntesis *m.sing.pl.* ① [문법] 삽입구. ② 괄호, (특히) 둥근 괄호(~ curvo) ((( ))): ~ cuadrado 각괄호, 대괄호. ③ 중지, 중단; 휴게, 휴식. ¶***abrir (el)*** ~ ㉮ 괄호를 열다. ㉯ 휴게[휴식]에 들어가다. ㉰ 중단하다. ***cerrar (el)*** ~ ㉮ 괄호를 닫다. ㉯ 휴게[휴식]를 끝내다. ㉰ 재개(再開)하다. ***entre [por]*** ~ 괄호에 넣어서; 덧붙여 말하자면.

parentético, ca *adj.* ① 삽입구의[에 관한]. ② 삽입[설명]적인 어구가 있는[많은].

pareo[1] *m.* 짝 맞추기.

pareo[2] *m.* (일반적으로, 여성들이 몸을 가리기 위해 허리나 팔 아래를 묶어, 수영복 위에 사용하는) 큰 숄[타월](pañuelo grande).

parergón *m.* (장식용으로) 덧댄 것, 덧댄 장식, 액세서리.

paresa *f.* 귀족(par[1]④)의 아내.

paresia *f.* [의학] 부전 마비.

parestesia *f.* [의학] 감각[지적] 이상(증), 이상 감각, 둔감각(증).

pargo *m.* [어류] =pagro.

parguela *adj., m. Cád., Jaén, Mál.* (인품·태도에서) 여자 닮은[비슷한] (남자).

parhelia *f.* [기상] =parhelio.

parhelio *m.* [기상] 환일(幻日) ((햇무리 밖에 나타나는 광륜(光輪))).

parhilera *f.* [건축] 도리.

paria *m.f.* ① 경시[무시]당한 사람, 업신여겨진 사람. ② (인도 남부의) 최하층민, 천민.

pariambo *m.* =pirriquio.

parián *m. Méj.* =mercado.

parias[1] *f.pl.* 태반(胎盤)(placenta).

parias[2] *f.pl.* (우세를 인정하고) 공작이 다른 공작에게 바쳤던 세금.

parición *f.* ① 가축이 새끼 낳은 시기[때]. ② 분만, 출산.

parida *adj.* (여자·암컷이) 출산한 지 얼마 안 되는, 해산한 지 며칠 안 되는, 출산 직후의. —*f.* ① 산모(産母), 산부(産婦). ② =**sandez, despropósito, simpleza.**

paridad *f.* ① 동가(同價), 동질(同質), 동액, 동량, 동률; 동위(同位), 동격. ② 동일성, 동등성. ③ 현저한 유사(類似); 일치. ④ 두 적대국간의 군사적 균형. ⑤ [금융] (외국 통화와의) 평가: ~ de cambio 환어음 평가. ⑥ [경제] 평가, 패리티. ⑦ [물리] 반전성(反轉性), 우기성(偶奇性). ⑧ [컴퓨터] 패리티, 홀짝 맞춤.

paridera *adj.* (어떤 종류의 암컷이건) 다산의, 다산계의. —*f.* ① (가축, 특히 면양이) 분만소, 새끼 낳는 장소. ② (가축의) 분만. ③ 분만 시기.

paridigitado, da *adj.* [동물] 발가락이 짝수인.

paridora *adj.* (암컷이) 다산(多産)의.

pariente, ta *adj.* ① 친척의. ② 가까운, 비슷한, 닮은. —*m.f.* 친척: ~ cercano 가까운 친척. ~ lejano, medio ~ 먼 친척. —*m.* ① (아내에 대한) 남편(marido). ② 대공작의 신분이 없는 성의 귀족들에게 서면으로 했던 이름. ③ *pl.* [고어] 부모. —*f.* (남편에 대한) 아내, 처. ¶ ~ ***mayor*** *m.* 한 가문의 현재의 주인[종손]. ~ ***pobre*** *m.f.* (자기 부류의 나머지에 대해) 가장 불리한[형편이 나쁜] 사람[것].

parietal *adj.* ① 벽의[에 관한]. ② [해부] 강벽(腔壁)의, 두정골의. —*m.* [해부] 두정골, 노정골(hueso ~).

parietaria *f.* [식물] 개물통이.

parificación *f.* [드묾] 예증(例證).

parificar (7) *tr.* [드묾] 예증하다.

parigual *adj.* 같은, 매우 비슷한.

parihuela *f.* ① 담가 모양의 운반 기구. ② [주로 *pl.*] 담가, 들것.

paripé *m.* 거짓, 허위, 속이기, 위선 행위. ¶***hacer el*** ~ 속이다, 거짓으로 꾸미다.

parir *intr.* ① 새끼를 낳다. ② 알을

낳다, 산란하다(aovar). —*tr.* ① (새끼를) 낳다, 출산하다. ② 생기게 하다, 만들어 내다, 일으키다. ③ (생각한 것을) 분명히 표현하다. ④ (작품 등을) 쓰다, 낳다: ~ una novela 소설을 쓰다. ~ un plan 계획을 세우다. ⑤ (숨겨져·모르고 있던 것을) 공표하다, 알리다. ¶*no* ~ 납득이 가지 않다. ~ ***a medias*** dos o más personas (두 사람 이상이) 어려움을 서로 돕다, 품앗이하다.

París *m.* [지명] 파리, 빠리.

parisién *adj., m.f.* =**parisiense.**

parisiena *f.* [인쇄] 5포인트 활자.

parisiense *adj.* ① 파리(París, 프랑스의 수도) 태생의. ② 파리의[에 관한]. —*m.f.* 파리 사람.

parisilábico, ca *adj.* =**parisílabo.**

parisílabo, ba *adj.* (단어·시가) 음절의 수가 같은: versos ~*s* 음절의 수가 같은 시.

parisino, na *adj., m.f.* =**parisiense:** moda ~*na* 파리 모드.

paritario, ria *adj.* ① 노사(勞使)가 동수와 같은 권리로 대표가 구성된: comité ~ 노사 조정 위원회, 경영협의회. ② (위원회·회의가) 회원의 수와 권리에서 동등하게 구성된.

paritorio *m.* ① 분만실(分娩室). ② *And., Col., Cuba.* 출산, 분만(parto).

Parkinson *enfermedad de* ~ [의학] 파킨슨병(病). ***mal de*** ~ = **enfermedad de Parkinson.**

párkinson *m.* [의학] 파킨슨병(病).

parkinsoniano, na *adj.* [의학] 파킨슨병의, 파킨슨 증후군의: síndrome ~ 파킨슨 증후군.

parkinsonismo *m.* [의학] 파킨슨병.

parla *f.* ① 군말, 허튼 소리. ② = **labia.**

parlador, ra *adj.* 수다스러운, 말이 많은. —*m.f.* 수다쟁이.

parladuría *f.* 수다, 다변(多辯).

parlaembalde *m.f.* 수다쟁이.

parlamentar *intr.* ① (다른 사람과) 이야기하다. ② (휴전 등의) 교섭을 하다, 절충하다.

parlamentariamente *adv.* 국회[의회]에 의해, 국회[의회]를 통하여, 국회법에 의해, 국회[의회]와 관련하여.

parlamentario, ria *adj.* 의회의, 국회의, 의회제의: debates ~*s* 국회 토론. democracia ~*ria* 의회 민주주의. régimen ~ 의회 제도. —*m.f.* ① 국회 의원. ② 휴전 교섭 사절.

parlamentarismo *m.* 의회주의, 의회제도, 의회정치.

parlamento *m.* ① 의회, 국회, 지방의회: *Parlamento* Europeo 유럽 의회. ② [P~] 국회 의사당, 지방 의회 의사당. ③ (휴전 등의) 교섭, 담판, 회담. ④ [연극] 긴 대사. ⑤ 담화, 이야기. ⑥ [P~] (영국에서) 상원과 하원. ⑦ [P~] (프랑스 왕들이 소집했던) 왕국 귀족 회의. ⑧ (옛 프랑스의) 최고 재판소.

parlanchín, na *adj.* 수다스러운, 말이 많은, 입이 가벼운. —*m.f.* 수다쟁이, 입이 가벼운 사람.

parlante *adj.* 말하는, 이야기하는, 잘 지껄이는. —*m.* *AmérM., CRica., Nic., Salv.* =**altavoz.**

parlar *tr.* (입을 다물고 있어야 할 것·말할 필요가 없는 것을) 지껄이다, 말하다 —*intr.* ① 쓸데없는 말을 많이 하다. ② (새들이) 사람 말씨 비슷한 소리를 내다.

parlatorio *m* ① (다른 사람과 하는) 잡담, 회담. ② 접견실. ③ (수도원·교도소의) 면회실.

parlería *f.* ① =**verbosidad.** ② = **chisme, cuento, hablilla.**

parlero, ra *adj.* ① 말이 많은, 수다스러운. ② 남의 말을 잘 전파하는, 입이 가벼운. ③ (새가) 지저귀는. ④ 말하는 듯한, 표정적인, 표정이 얼굴에 나타난: ojos ~*s* 말하는 듯한 눈. ⑤ 듣기에 좋은: arroyo ~ 졸졸거리는 개울의 물소리.

parleta *f.* 잡담(雜談).

parlón, na *adj.* 수다스러운, 말이 많은(parlero). —*m.f.* 수다쟁이.

parlotear *intr.* (두 사람 이상이) 잡담을 하다, 수다떨다, 쓸데없는 소리를 하다.

parloteo *m.* 잡담.

parnasianismo *m.* [문학] (19세기 프랑스에서 꽃피운) 고답파(高踏派).

parnasiano, na *adj.* [문학] 고답파의[에 관한]: poeta ~ 고답파 시인. —*m.f.* 고답파 시인.

parnaso *m.* ① [집합] 시인들, 시단(詩壇). ② (여러 작가의) 시집.

parné *m.* [속어] 돈; 자산(資産).

paro[1] *m.* [새] 박새. ¶~ *carbonero* [새] 진박새.

paro[2] *m.* ① (움직임·동작의) 멈춤, 정지(하기): ~ automático 자동 정지. ~ cardíaco 심장 정지. ② (경영자 측에서 공장 등의) 조업 정지, 공장 폐쇄. ③ 파업: ~ general 총파업, 전면적 파업. ④ 실업(失業): ~ coyuntural 주기적 실업. ~ encubierto 잠재적 실업. obrero en ~ 실업자. ⑤ [집합] 실업자. ⑥ 실업 보험 수당.

parodia *f.* 패러디, 모방; 풍자[조롱]적인 개작[모방] 시문(詩文).

parodiador, ra *adj.* (원작을) 비꼬아 개작[변작]한, 패러디화한. —*m.f.* 패러디 작가.

parodiar (11) *tr.* (원작을) 비꼬아 개작하다, 서투르게 흉내내다, 패러디화하다.

paródico, ca *adj.* 패러디의[에 관한], 풍자적 시문의, 비꼬아 개작한, 서투르게 흉내낸, 가사[가락]를 바꾸어 부르고 노래의 글귀를 바꾸는.

parodista *m.f* 패러디 작가.

parola *f.* 잡담, 다변, 쓸데없는 소리.

parolero, ra *adj.* =parlero.
parolimpiada *f.* =paralimpiada.
parolimpíada *f.* =paralimpiada.
parolímpico, ca *adj., m.f.* =paralímpico.
parolina *f.* =parola.
paronimia *f.* [언어] 어음(語音) 유사.
parónimo, ma *adj.* [언어] 유음어(類音語)의. —*m.* [언어] 유음어.
paroniquia *f.* [의학] 손톱[발톱] 주위염(周圍炎)(panadizo).
paronomasia *f.* ① 유형 이의(類形異義) ((예 azar, azor; lago, lego, Lugo; jácara, jícara)). ② 근사어(近似語) ((예 adaptar, adoptar; acera, acero; Marte, mártir)). ③ [수사학] (동음이의어를 쓰는) 익살, 말 재롱, 말장난, 신소리.
paronomásticamente *adv.* ① 유형 이의로. ② 근사어로. ③ 익살로, 신소리로.
paronomástico, ca *adj.* paronomasia의[에 관한].
parótida *f.* ① [해부] 귀밑샘, 이하선. ② [의학] 이하선염(耳下腺炎).
parotídeo, a *adj.* [해부] 귀밑샘의[에 관한], 이하선의[에 관한].
parotiditis *f.* [의학] 이하선염.
paroxismal *adj.* paroxismo의.
paroxismo *m.* ① (감정·감각의) 악화, 절정, 격발: en el ~ de los celos 지나친 질투로. ② [의학] (병의) 악화. ③ [의학] (환자가 오랫동안 의식이나 행동을 잃는) 위험한 실신, 거의 치명적인 실신.
paroxístico, ca *adj.* =proxismal.
paroxítono, na *adj.* [언어] 끝에서 두 번째 음절에 악센트가 있는. —*m.* [때때로 *f.*] [언어] 끝에서 두 번째 음절에 악센트가 있는 단어.
parpadeante *adj.* ① 눈을 깜박이는. ② 떠는.
parpadear *intr.* ① 눈을 깜박이다, 깜박거리다. ② (별 등이) 반짝이다.
parpadeo *m.* ① (눈을) 깜박임, 윙크. ② 떪.
párpado *m.* 눈꺼풀: Siento los ~*s* pesados 나는 졸린다[졸음이 온다].
parpalla *f.* (옛날, 2 꾸아르또(cuarto) 가치가 있었던) 동전.
parpallota *f.* =parpalla.
parpar *intr.* (오리가) 울다.
parpayuela *f.* *Ast.* =codorniz.
parque *m.* ① 공원: ~ provincial 도립 공원. pasear(se) [dar un paseo] por el ~ 공원을 산책하다. ② 유원지. ③ (성 등의) 정원. ④ (공공 봉사를 하기 위해 설비를 해 둔 곳·기자재 등을 두는 곳·집결 장소인) 소(所), 청, 창(廠): ~ de aviación 항공청. ~ de bomberos 소방서. ~ de incendios 소방청. ~ sanitario 위생청. ⑤ (도시에서 일시적인) 주차장(~ de estacionamiento). ⑥ (아직 걷지 못하는 유아용) 울타리 ((혼자 놀도록 보호하기 위한 조립식 울)). ⑦ (국토·도시 개발에서) …지구, 지대, 단지: ~ de viviendas 주택 지구. ~ empresarial 상업 지구. ~ industrial 공업 단지. ⑧ [군사] (병영·야영지에 있는) 군수 물자 저장소. ⑨ [군사] 식품과 영내 매점이 있는 곳. ¶ ~ ***acuático*** 수영장과 물놀이 시설이 되어 있는 유원지[놀이터]. ~ ***automovilístico español*** [집합] 스페인의 전(全) 차량[자동차 보유 대수(臺數)]. ~ ***de artillería*** 포 관련 기자재 집결지. ~ ***de atracciones*** (탈것이 있는) 유원지. ~ ***de diversiones*** *Arg., Cuba, Ur.* =parque de atracciones. ~ ***infantil*** 어린이 놀이터. ~ ***móvil*** [집합] (정부·부처 및 유사 기관의) 공용차. ~ ***nacional*** 국립공원. ~ ***natural*** 자연 보호 구역. ~ ***tecnológico*** 컴퓨터 관련 기업 중심 공업 단지. ~ ***temático*** 테마 공원. ~ ***zoológico*** 동물원.
parqué *fr. m.* ① 나무 토막을 짜맞춰서 만든 마루판. ② (증권 거래소의) 입회소. ③ [경제] [집합] 시가(時價).
parqueadero *m.* *Bol., Col.* 주차장.
parquear *tr.* *Amér.* =aparcar.
parquedad *f.* ① (물건의 사용에서) 절약, 검소. ② 절제(節制).
parqueo *m.* ① *Amér.* 주차(駐車). ② *Bol., Col., Cuba, Nic., Salv.* 주차장(aparcamiento).
parquímetro *m.* 주차 시간 자동 표시기.
parra[1] *f.* ① 포도나무; (특히 인위적으로 만들어진) 포도 덩굴. ② 포도 시렁. ③ *AmérC.* 등나무[덩굴 식물]의 일종 ((나그네들이 마시는 수액이 방울방울 떨어지는 식물)). ¶ ~ ***de Corinto*** 코린토 원산 포도나무 ((포도는 씨가 없어 건포도로 만듦)). ***subirse*** alguien ***a la*** ~ ㉮ =montar en cólera. ㉯ =darse importancia, enorgullecerse.
parra[2] *f.* (보통, 꿀을 넣는 손잡이 두 개인 납작한) 질항아리, 꿀단지.
parrado, da *adj.* 가지가 옆으로 뻗은, 포도 덩굴 모양의[인].
parrafada *f.* ① 밀담, 쑥덕공론. ② (일방적으로 말하는) 긴 이야기, 장황한 이야기.
parrafear *intr.* ① 밀담을 하다, 쑥덕공론을 하다. ② 마구 지껄여 대다.
parrafeo *m.* ① 밀담, 쑥덕공론. ② 마구 지껄임.
párrafo *m.* ① (문장의) 절(節), 항(項), 단락: dividir en ~*s* 단락으로 나누다. ② 단락 부호 ((§)). ¶ ***echar*** ~***s*** 수다스럽다, 말이 많다, 말을 많이 하다. ***echar un*** ~ 정답게 이야기하다. ~ ***aparte*** 화제를 바꾸어.
parragón *m.* (은의 질을 검사하는)

법정 은봉(銀棒).

parral[1] *m.* ① 포도 덩굴. ② 포도 덩굴의 시렁. ③ (가지를 치지 않아 싹이 많이 자란) 포도밭(viña).

parral[2] *m.* (꿀항아리 비슷한) 큰 질그릇.

parrancas *a* ~ *Vall.* =a horcajadas.

parranda *f.* ① 떠들썩한 술잔치. ② (악기를 연주하거나 노래를 부르며 즐겁게 노는) 악단, 아마추어들. ③ *RDom., Salv., Ven.* (특히, 밤에 술을 곁들인) 그룹 파티. ④ *Ven.* (주로, 동물로 변장한 사람 주변에서 그룹으로 노래하고 춤추는) 민속 놀이.

parrandear *intr.* 신나게 마시고 떠들다.

parrandeo *m.* 신나게 마시고 떠들기.

parrandero, ra *adj., m.f.* 신나게 마시고 떠드는 (사람).

parrandista *m.* 떠들썩한 놀이의 참가자.

parrar *intr.* (식물이 포도 덩굴처럼) 가지를 많이 뻗치다.

parricida *adj.* 근친[가까운 친척]을 살해하는, (특히) 부모를 살해하는. —*m.f.* 근친 살해자, 부모 살해자.

parricidio *m.* 근친 살해, (특히) 부모 살해.

parrilla[1] *f.* 바닥이 넓고 주둥이가 좁은 항아리.

parrilla[2] *f.* ① 석쇠, 쇠꼬챙이: poner la ~ al fuego 불 위에 석쇠를 놓다. ② (굽는 데 사용하는) 철판, 불고기 판. ③ (반사로·용광로·증기 기계의) 철제 대(鐵製臺). ④ 그릴 ((손님 보는 앞에서 불고기를 만들어 파는 식당)). ⑤ (호텔 안에 있는) 식당, 술집. ⑥ (라디오·텔레비전의) 프로그램 표. ⑦ *Amér.* = **portaequipaje** ②. ⑧ *Cuba.* (자전거·오토바이의 뒷부분에 있는 짐을 싣는) 쇠 짐받이. ⑨ *Salv.* [구어] (사람의) 커다란 궁둥이. ⑩ *Ur.* = **somier.** ⑪ *pl.* [은어] 고문대. ¶ ~ ***de salida*** (자동차 경주의) 출발점.

parrillada *f.* ① [요리] (여러 가지 생선·해산물의) 석쇠구이, 쇠꼬챙이구이. ② [요리] (쇠고기·소시지·순대 등의) 쇠꼬챙이구이. ③ *Gal., Amér.* 그릴(parrilla).

parrillero, ra *adj. Arg., Chile.* parrillada의[에 관한]. —*m. Cuba.* 오토바이·자전거의 뒤에 앉아 있는 사람(paquete). —*m. Ur.* 불고기용 화덕(chimenea)과 불고기 판이 딸린 건축물. —*f. Ur.* 불고기용 화덕과 불고기 판이 딸린 건축물.

parrilludo, da *adj.* ① *Salv.* =**nalgón.** ② *Perú.* =**pantorrilludo.**

parriza *f.* =labrusca.

parro *m.* [조류] =**pato.**

parrocha *f.* [어류] 새끼 정어리.

párroco *m.* (교구가 있는) 주임 사제. —*adj.* 주임 사제의. ¶ ***cura*** ~ 본당 주임 사제.

parrón *m.* ① =**parriza.** ② *Chile.* =**parral, emparrado.**

parroquia *f.* ① [천주교] (소)교구 교회. ② [집합] (소교구 교회 소속) 신자. ③ [천주교] (소)교구. ④ [집합] 성직자단, 성직자들. ⑤ [집합] 고객, 단골손님.

parroquial *adj.* parroquia의[에 관한]. —*f.* 교구 교회(iglesia ~).

parroquialidad *f.* 교구 소속[지정].

parroquiano, na *adj.* parroquia의[에 관한]. —*m.f.* ① 교구 신자. ② 고객, 단골손님.

parsec *m.* [천문] 파섹.

pársec *m.* =parsec.

parsimonia *f.* ① 극도의 절약. ② 인색. ③ 온화, 평정.

parsimonioso, sa *adj.* ① =**escaso, cicatero, ahorrativo.** ② =**cachazudo, lento, flemático.**

parte *f.* ① 부분; 일부, 약간: ~ dividir en cuatro ~*s* 네 부분으로 나누다. dividirse en dos ~*s* 두 부분으로 나누어지다. ② 중요 부분, 요소, 성분. ③ (책·희곡·시 등의) 부(部), 편, 권: la primera ~ de una novela 소설의 전편[제1부]. la segunda ~ del Quijote 돈 끼호떼의 후편[제2부]. una novela en tres ~*s* 3부작 소설. ④ (어느 특별한) 부분, 신체의 일부, 기관. ⑤ 장소(sitio, lugar): por todas ~*s* 사방으로. ⑥ (기계·컴퓨터 등의) 부품: ~*s* de una máquina 기계의 부품. ~*s* del automóvil 자동차 부품. ~*s* del ordenador 컴퓨터의 부품. ⑦ (서수에 관하여) …분의: una cuarta ~ 4분의 1. ⑧ 할당, 배당, 몫; 분담: ~ del botín 전리품의 몫. ⑨ 당파, 분파, (당파의) 측. ⑩ (당사자의) 한쪽, 일방, 측: ~ obrera 노동자측. ambas ~*s* 양측. ⑪ (가계의) …계(系)의: primo por [de] padre [madre] 부계[모계]의 사촌. ⑫ [연극·음악] 역, 파트: ~ de por medio 단역. ⑬ *pl.* (주로 남성의) 생식기, 국소. ⑭ *pl.* 자질, 재능. ⑮ *pl.* 부분품: ~*s* defectuosas 결함품(缺陷品). —*m.* ① (공적인) 보고서. ② [방송] 뉴스 (프로그램). ¶ ~ ***actora*** *f.* [법률] 원고(측). ~ ***de defunción*** *m.* (의사가 쓴) 사망 증명서. ~ ***facultativo*** *m.* =**parte médico.** ~ ***médico*** 진단서. ~***s naturales,*** ~***s pudendas,*** ~***s vergonzosas*** 생식기. ***a*** ~***s*** =**a trechos.** ***dar*** ~ 보고하다. ***dar*** ~ ***sin novedad*** 아무 일도 일어나지 않았다는 것을 상관에게 말하다. ***de mi*** ~ 나로서는(por mi ~). ***de su*** ~ …의 이름으로, …의 부탁으로. ***de*** ~ ***a*** ~ ㉮ 관통하여. ㉯ 이 사람 저 사람에게, 이 측 저 측으로.

de ~ *de* ㉮ …의 편에 서서, …의 편을 들어. ㉯ …의 이름으로; …의 명령으로; …의 대리로. ㉰ …로부터, …로서는: *¿De* ~ *de* quién? −*De* Kim (전화에서・방문자에게) 누구십니까? −김입니다. *en* ~*s* =a trechos. *hacer* alguien *de su* ~ 노력하다, 최선을 다하다. *hacer las* ~*s* 나누다, 분할하다, 분배하다. *no ir* algo *a ninguna* ~ 아무런 가치가 없다, 중요성이 없다. *por* ~*s* 서서히, 하나씩 하나씩. *ser* ~ *en* algo =tener parte en algo. *tener* ~ *con* una mujer (여성과) 성관계를 가지다. *tener* ~ *en* algo = tomar parte en algo. *tomar en mala* ~ …을 나쁜 의미로 해석하다. *tomar* ~ *en* algo ㉮ (…에) 관여하다. ㉯ (…에) 참가하다.

partear *tr.* 출산 시중을 들다, 분만하는 여성을 돕다.

parteluz *m.* 유리창의 세로 창살, 창의 장식 기둥.

partenaire *m.f. fr.* (주로 예술 활동에서) 파트너.

partenogénesis *f.sing.pl.* [생물] 단위 생식, 단성 생식, 홀성불이. ¶ ~ *artificial*, ~ *experimental* 인공 수정.

partenogenético, ca *adj.* partenogénesis의[에 관한].

Partenón *m.* 파르테논 신전(神殿).

partero, ra *m.f.* 조산사(助産師). —*f.* 돌팔이 조산사, 무자격 조산사.

parterre *m. fr.* 정원, 잔디・꽃・넓은 산책길 있는 정원의 일부.

partesana *f.* (반달 모양의 칼이 달린) 긴 창 식의 방패

partible *adj.* 나눌 수 있는, 분할할 수 있는; 나누어야[분할해야] 하는.

partición *f.* ① (유산 등의) 분배. ② [수학] (집합의) 분할. ③ [컴퓨터] 파티션.

particionero, ra *adj.* =**partícipe.**

participación *f.* ① 참가, 참여, 가담, 관여: ~ oficial 공식[정식] 참가. ~ en un complot 음모에 가담. ~ en una reunión 모임[집회]에 참가. tener ~ en …에 참가하다. ② (출자 등의) 분담, 분배: ~ en beneficios 이익 분배. ~ en el capital 자본의 분배. ③ (결혼 등의) 통지, 알림, 소식, 청첩장. ④ [경제] (시장) 점유율: tener una ~ elevada 시장 점유율이 높다. ⑤ [경제] 자본 참가: ~ obrera 경영 참가. ⑥ 분할 판매 복권.

participacionismo *m.* 경영 참가(주의).

participante *adj.* ① 참가하는, 참여하는: país ~ 참가국. atletas ~*s* 참가 선수들. ② 알리는, 통지하는, 통보하는. —*m.f.* ① 참가자: ~*s* en un concurso 콩쿠르 응모자[참가자]. ② 통보자.

participar *intr.* ① [+en] (…에) 참가하다, 참여하다, 관여하다. ② [+de] (…을) 공유하다. ③ …에 자본을 출자하다, …의 동업자가 되다. —*tr.* 알리다, 통보하다, 통지하다.

partícipe *adj.* …에 참가하는, 관여하는. —*m.f.* 참가자.

participial *adj.* [문법] participio의.

participio *m.* ① [문법] 분사: ~ (de) pasado 과거 분사. ~ (de) presente 현재 분사. ~ absoluto 독립 분사. ② [문법] =**participio pasivo.** ¶ ~ *activo* 능동 분사. ~ *pasivo* 수동 분사.

partícula *f.* ① [물리] 입자. ② [물리] 미립자. ③ [문법] 소사(小辭) ((접속사・전치사・관사 등 불변화사)). ¶ ~ *alfa* [물리] 알파 입자. ~ *compositiva* [문법] 접두어, 접두사. ~ *elemental* [물리] 소립자. ~ *prepositiva* [문법] 접두어.

particular *adj.* ① 특별한, 특수한, 보통과 다른; 특정한. ② 독특한. ③ 특유의. ④ 개인의, 개인적인, 사적인: bienes ~*es* 사유 재산. camino ~ 사도(私道), 개인 도로. clase ~ 개인 교수. coche ~ 자가용 차. correspondencia ~ 사신. domicilio ~ 사저, 개인 저택. interés ~ 개인의 이익. profesor ~ 가정 교사. ⑤ 개개의, 개별의. —*m.f.* 일개인, 사인(私人); (자격・직함 등이 없는) 일반인. —*m.* 문제, 사정, 일. ¶ *de* ~ 특별한: ¿Qué hay de nuevo? −(No hay) Nada *de* ~ 무슨 새로운 소식이라도 있습니까? −별로 변한 것이 없습니다, 그저 그렇습니다. *en* ~ 특히, 특별히; 유별나게, 유난히, 그 중에서도; 뚜렷이, 분명하게. *sin otro* ~ [편지의 맺는 말] 할 말이 더 이상 없어 이만 줄입니다.

particularidad *f.* ① 특별, 독특; 독자성, 특수성. ② (서술・묘사 등의) 상세, 정밀, 면밀. ③ [주로 *pl.*] (중요하지 않은) 세부 (사항), 상세한 사항. ④ 까다로움, 꼼꼼함. ⑤ 사사로운 일, 내막의 사정.

particularismo *m.* 개별주의, 개인주의, 지방주의, 배타주의.

particularista *adj.* 개별주의의, 개인주의의, 분립・지방주의의, 배타주의의. —*m.f.* 개인주의자, 개별주의자, 분립・지방주의자, 배타주의자.

particularización *f.* 상술; 열거.

particularizar (9) *tr.* ① (다른 것과 구별하여) 특수화하다, 특징을 붙이다. ② 상세히 설명하다, 하나씩 열거하다. ③ 한쪽만 편들다, 편애하다, 역성들다. ~**se** ① 특수화되다, 특징지어지다. ② [+en] (…에) 두드러지다, 눈에 띄다. ③ [+con] (…와) 특별히 친해지다.

particularmente *adv.* ① 특히, 각별히, 두드러지게. ② 하나씩, 별개로, 따로. ③ 자세히, 낱낱이.

partida *f.* ☞partido.

partidario, ria *adj.* ① 지지하는, …의 편의. ② 신봉하는. —*m.f.* ① 지지자, 찬성자, 같은 편. ② 신봉자.

partideño, ña *m.f. Méj.* =vaquero.

partidismo *m.* 파벌심, 파벌주의, 당파심, 종파심(宗派心), 학벌(學閥).

partidista *adj.* ① 분파의, 학파의, 종파의, 당파의, 파벌주의의. ② 당파심이 강한. —*m.f.* ① 당파심[종파심]이 강한 사람. ② 파벌주의자, 학벌[파벌]에 속한 사람.

partido, da *adj.* ① 나누어진, 분할된, 갈라진: ~ en dos partes 두 부분으로 나누어진. ② 선심을 쓰는, 남에게 베푸는 마음이 후한(franco). ③ (노동 시간·시간표가) 두 부분으로 나누어진. ④ (문장(紋章)·문장의 동물 등이) 위에서 아래로 똑같이 나누어진. ⑤ *Cuba.* 몹시 배고픈, 무척 시장한. —*m.* ① (정치적) 파, 당파, 정당: ~ comunista 공산당. ~ conservador 보수당. ~ del gobierno, ~ gubernamental, ~ gubernante, ~ del poder 여당, 정부당. ~ de la oposición, ~ opositor, ~ antigubernamental 야당. ~ demócrata, ~ democrático 민주당. ~ laborista 노동당. ~ republicano 공화당. ~ socialista 사회당. ② 이익, 이득, 이문, 편의. ③ 연줄, 연고, 배경. ④ (주로, 구기의) 시합(試合), 겨루기, 승부, 경기: ~ de homenaje 자선 시합, 자선 경기. bola de ~, punto para ~ 매치 포인트. jugar un ~ de tenis 테니스 시합을 하다. jugar en el ~ 시합에 나가다. ⑤ (대전하는) 팀: ~ contrario 상대팀. ⑥ 수단, 방책; 결심. ⑦ 관할 구역[지역], 행정 구역: cabeza de ~ 도청[시청] 소재지. ⑧ (의사의) 환자 책임 구역. —*f.* ① 출발: hora de ~ 출발 시간. línea de ~ 출발선. ② (교회·관공서의) 등록, 신고, 접수. ③ (교회·관공서의) 증명서, (호적) 등본, (호적) 초본: ~ de bautismo 세례 증명서. ~ de defunción 사망 증명서. ~ de nacimiento 출생 증명서, 호적 등본. ④ (발송·주문하는 상품의) 일정량: ~ de aceite 기름의 양. ~ de arroz 쌀의 양. ⑤ (물건·양의) 몫: por ~*s* 여러 몫으로 나누어. ⑥ (사람의) 무리, 떼, 동아리, 그룹. ⑦ (군의) 작은 부대, 유격대, 무장대. ⑧ [등산] 일행. ⑨ [장기·바둑] 대국(對局). ⑩ (골프·당구 등의) 시합: jugar una ~ 시합하다. ⑪ (장부·예산의) 항목, 품목, 종목: ~ asignada a educación 교육비. ~ del arancel 관세 품목. ⑫ 사망. ⑬ 행실, 행동, 거동. ⑭ *Méj.* =hato (de ganado). ¶ ~*da de campo* (몇 사람의) 소풍객. ~*da de caza* 수렵대. ~*da doble* 복식 부기. ~*da serrada* 부당하고 충실하지 못한 행실[행동], 배반 행위. ~ *de ida* 원정 경기, 로드 게임. ~ *de vuelta* 홈경기, 홈 게임 ((운동 경기에서, 팀의 본거지에서 하는 경기)). ~ *judicial* 지방 법원의 관할 구역. *andar* alguien ***las siete ~das*** 여기저기 돌아다니다, 팔도강산을 누비고 다니다. ***comerse*** alguien ***la ~da*** (다른 사람의) 사기성 의도를 알다. ***darse*** alguien ***a*** ~ 고집을 꺾다, 마음을 고쳐 먹다. ***formar*** ~ alguien 당파를 만들다. ***tomar*** ~ ㉮ 결정을 내리다, 결심하다, 태도를 분명히 하다. ㉯ 편을 들다, 역성들다. ㉰ [군사] 배반하여 적의 편이 되다, 의거하다. ***tragarse*** alguien ***la ~da*** =comerse la partida.

partidor *m.* ① (무엇을) 나누는 남자, 분배하는 남자. ② 쪼개는 남자: ~ de leña 장작을 패는 남자. ③ 가르는[쪼개는] 도구. ④ (여자들이 가르마 타는 데 사용했던) 가늘고 긴 꼬챙이. ⑤ [수학] =**divisor.**

partidura *f.* 가른 머리카락, 머리 단.

partija *f.* (특히, 재산의) 분배.

partimiento *m.* =**partición.**

partiquino, na *m.f.* 오페라의 단역 가수.

partir *tr.* ① [+en] (둘 이상으로) 나누다(dividir): ~ *en* dos partes 둘로 나누다, 두 부분으로 나누다. ~ un papel *en* dos 종이를 둘로 나누다. ② 쪼개다, 짜개다, 빠개다, 깨다. ③ [+entre] (여러 명이) 분배하다, 나누다. ④ (몇몇 열매의 씨·단단한 껍질을) 깨다, 쪼개다, 빠개다. ⑤ (각자에게 속한 것을 정하면서) 구별하다, 분리시키다, 떼어놓다. ⑥ 등급으로 나누다. ⑦ 분봉(分蜂)하다. ⑧ [수학] 나누다. —*intr.* ① 출발하다, 떠나다: ~ para Barcelona 바르셀로나로 (향하여) 출발하다[떠나다]. ~ de Corea 한국을 출발하다[떠나다]. ② (행동·날짜·어떤 기점에서) 나가다, 나오다, 출발하다: ~ de un supuesto falso 그릇된[잘못된] 가정에서 출발하다. a ~ de ese día 그 날부터. ③ (얼떨떨해·의심스러워하고 있는 사람이) 결정하다, 결심하다. ④ 걷기 시작하다. ~**se** ① 나누어지다. ② 쪼개지다, 빠개지다, 부러지다. ③ 분배되다. ④ 분리되다. ⑤ 의견이 나누어지다, 파벌로 나누어지다. ⑥ 걷기 시작하다. ⑦ =**desternillarse de risa.** ☞**risa.** ¶ ***medio*** ~ una cantidad [수학] (어떤 양을) 0부터 9까지의 수로 나누다.

partisano, na *m.f.* =**guerrillero.**

partitivo, va *adj.* ① 나눌 수 있는, 분할할 수 있는. ② [문법] 부분의, 부분을 나타내는 (말). ((예 medio litro 반 리터)). —*m.* [문법] 부분사(部分詞), 부분 표현, 부분 수사(部

分數詞) ((예 la mitad de los asistentes 참석자의 반. la cuarta parte de la herencia 유산의 사분의 일)).

partitura *f.* [음악] 총보, 악보(樂譜).

parto *m.* ① 출산, 분만: ~ difícil, ~ doloroso, ~ laborioso 난산(難産). ~ normal 정상 분만. ~ revesado 이상 분만. ~ sin dolor 무통 분만. buen ~ 순산(順産). ② 갓난아이, 갓난아기, 신생아. ③ 육체적 생산, 소산. ④ 창작. ⑤ 일어날 수 있는 특별한 것.

parturienta *adj.* ① 출산[분만] 중인. ② 최근 출산한. —*f.* 임산부.

parturiente *adj., f.* =**parturienta.**

parturiómetro *m.* 진통 측정계.

parva *f.* ☞**parvo.**

parvedad *f.* ① 소량, 근소. ② (금식일 아침에 먹는) 적은 식사.

parvidad *f.* =**parvedad.**

parvifundio *m. Méj.* =**minifundio.**

parvo, va *adj.* =**pequeño.** —*f.* ① =**parvedad** ②. ② 벤 곡식. ③ (농민들의) 아침밥. ④ 노적, 노적가리. ¶*salirse* alguien ***de la*** ~ 손을 떼다, 단념하다.

parvulario *m.* 유치원; 유치원생.

parvulez *f.* ① =**pequeñez, poquedad.** ② =**sencillez, candor.**

parvulista *m.f.* 유치원 선생.

párvulo, la *adj.* ① 나이가 아주 어린. ② 어린, 유치한(niño). ③ 순진한, 아는 것이 별로 없는, 속기 쉬운. ④ =**humilde, cuitado.** —*m.f.* 어린아이, 유아, 유치원생: escuela [colegio] de ~*s* 유치원.

pasa[1] *f.* ① 건포도(uva seca). ② 빠사 ((여인들이 사용했던 화장품의 일종; 건포도로 화장을 했기 때문에 이렇게 말함)). ③ (흑인들의) 곱슬곱슬한 머릿단. ¶ ~ ***de Corinto*** 알이 작고 씨가 없는 코린토 건포도 ((그리스의 코린토산)). ~ ***gorrona*** 볕에 말린 알이 굵은 건포도.

pasa[2] *f.* (선박이 지나갈 수 있는) 좁은 수로(水路).

pasable *adj.* 건널[지나갈] 수 있는.

pasacaballo *m.* (바닥이 평평하고 돛대가 없는) 옛날의 배.

pasacalle *m.* ① [음악] 빠사까예 ((스페인 유래의 매우 경쾌한 무용곡)). ② *Arg., Ur.* (대로의 위를 가로질러 걸린) 플래카드.

pasacasete *m. Arg., Ur.* 카세트 플레이어.

pasacintas *m.* 카세트 플레이어.

pasacólica *f.* 일시적 복통.

pasada *f.* ☞**pasado.**

pasadera *f.* ☞**pasadero.**

pasaderamente *adv.* 어정쩡하게; 보통으로; 꽤, 상당히.

pasadero, ra *adj.* ① 쉽게 통과할 수 있는, 다니기 쉬운. ② (결점은 있지만) 묵인할 수 있는. ③ (건강·아름다움 등이) 보통의, 중간의, 좋지도 나쁘지도 않은. ④ 건강이 꽤 좋은. ⑤ 석조 벽면으로 튀어나온 (돌). —*m.* ① 징검다리, 돌다리. ② 육교, 조교, 현교, 현수교(懸垂橋). —*f.* ① =**pasadero** ①. ② =**pasadero** ②. ③ 세 가닥 이상으로 꼰 밧줄. ④ *Col., Cuba, Ven.* (한 장소를) 반복해서 지나감. ⑤ *Salv.* 설사(diarrea).

pasadía *f.* 생활하기 위한 소득[수입].

pasadillo *m.* 천의 양면에 놓는 수의 일종.

pasadiscos *m. Ur.* =**tocadiscos.**

pasadizo *m.* ① (집·거리에서 지름길로 가기 위한) 뒷길, 골목길, 샛길. ② (두 건물을 연결하는) 통로, 복도; 회랑(回廊).

pasado, da *adj.* ① 지난, 지나간, 전의: año ~ 작년, 지난해, 거년(去年). los días ~*s* 지난날들. el mes ~ 지난달, 전월(前月). la noche ~da 지난밤, 어젯밤, 간밤, 작야(昨夜). la semana ~*da* 지난주. ② 과거의: lo ~ 과거의 일, 지난 일. vida ~*da* 과거의 생활. ③ *Cuba.* (사람이) 매우 영리한. ④ *Cuba.* (물건이) 질이 매우 좋은. ⑤ *Cuba.* (여자가) 매력적이고 풍만한. —*m.* ① 과거, 옛날. ② 과거에 일어났던 일들. ③ (적군으로 간) 탈주병, 투항병. ④ *CRica.* 볕에 말린 바나나. ⑤ *pl.* 선조, 조상. ⑥ [문법] 과거 (pretérito). —*f.* ① 통과, 통행, 지나가기. ② 가벼운 다리미질. ③ (어떤 일이건) 마지막 손질, 마무리, 끝손질, 뒷마감. ④ =**paso geométrico.** ⑤ 생활하기에 충분한 소득[수입]. ⑥ 시합, 승부. ⑦ 지나가는 장소. ⑧ [재봉] 시침질. ⑨ (사람의 다른 사람에 대한 나쁜) 행동, 짓: una mala ~ 나쁜 행동, 못된 짓. ¶***dar*** ***~da*** 참다; 눈감아 주다, 용서하다; 지나가게 두다. ***dar una ~da a*** algo (이미 했던 일에) 가벼운[마지막] 손질을 하다. ***de ~da*** =**de paso.**

pasador, ra *adj.* ① (이쪽에서 저쪽으로) 건너는, 지나가는. ② 밀수입하는. —*m.f.* 밀수업자. —*m.* ① (여자가, 모자·머리·장식용) 핀, 머리핀, 비녀. ② (제복에 훈장을 다는) 안전핀. ③ 넥타이핀. ④ 커프스단추 (gemelo). ⑤ (문을 잠그는) 고리, 빗장, 걸쇠. ⑥ (경첩의) 고리, 고리쇠. ⑦ 구멍 뚫린 국자. ⑧ 강판(薑板). ⑨ 매우 날카로운 화살.

pasaje *m.* ① 건너기, 통행, 통과. ② 통로. ③ 통행료. ④ (여객) 운임, 요금, 선박료, 항공료. ⑤ (여행의) 표, 승선권, 승차권. ⑥ 승객 전체. ⑦ (두 섬·섬과 육지 사이의) 해협. ⑧ (책·서류·문장·연설의) 일절(一節), 한 구절. ⑨ 작가의 원문. ⑩ 환대, 환영(acogida). ⑪ (두 길 사이의)

골목, 골목길, 샛길. ⑫ [음악] 전조(轉調), 조바꿈. ⑬ 빠사헤 ((베네수엘라의 민속 무용[음악])).

pasajero, ra *adj.* ① 잠깐 사이의, 일시적인, 빨리 지나가는, 시간이 별로 걸리지 않는: amor ~ 일시적인 사랑, 덧없는 사랑, 풋사랑. amor ~ de una noche 하룻밤의 풋사랑. dolor ~ 일시적인 고통. vida *~ra* 덧없는 목숨. ② (새가) 이동하는, 이주하는, 통과 (여행)하는. ③ (승무원이 아닌 사람이) 탈것으로 여행하는, (특히) 비행기[배 · 기차] 등으로 여행하는. ④ [고어] 사람의 왕래가 많은. *—m.f.* ① 통과 여행자 (viajero transeúnte). ② (버스 · 열차 · 배 · 비행기 등의) 승객, 여객, 선객(船客): avión de *~s* 여객기. barco [buque] de *~s* 여객선. tren de *~s* 여객 열차. ¶***ave ~ra*** 철새.

pasamanar *tr.* (무엇을) 장식 끈으로 만들다.

pasamanería *f.* ① pasamano 작품. ② pasamano 공장. ③ pasamanero의 직. ④ pasamano 가게.

pasamanero, ra *m.f.* ① pasamano 제조자. ② pasamano 장수.

pasamano *m.* ① (옷 등의) 술, 장식 끈, 금몰, 은몰, 비단 장식, 면 장식, 털 장식. ② (난간의) 가느다란 손잡이(listón). ③ [선박] (뱃머리에서 고물까지) 선박의 통로. ④ *CRica.* (사람이 지나다니도록 만든) 현관 옆의 좁은 공간. ⑤ *Salv.* (시골 집의) 기둥 사이에 앉기 위해 만들어진 것.

pasamanos *m.* ① (난간의) 가느다란 손잡이. ② *CRica.* =pasamano ③.

pasamiento *m.* =**paso, tránsito.**

pasamontañas *m.sing.pl.* 방한용 모자 ((얼굴이나 최소한 눈과 코를 제외하고 목까지 온 얼굴을 덮을 수 있는 모자)).

pasante *adj.* ① 지나가는, 통과하는, 건너는. ② [문장학] 걷는 모습의 (동물). *—m.* 담당 교수. *—m.f.* ① 지나가는 사람. ② 조수, 실습생, 견습생, 연수생: ~ de médico 인턴, 수련의. ③ *Méj.* 논문을 준비중인 대학교 졸업생.

pasantía *f.* ① 실습생[연수생]의 훈련. ② 실습생의 훈련 기간.

pasapán *m.* =**garguero.**

pasapasa *f.* (마술사의) 마술, (요술사의) 요술(juego de manos).

pasaportar *tr.* ① 여권을 주다[발행하다]. ② (…를) 내쫓다, 쫓아내다. ③ 죽이다, 살해하다.

pasaporte *m.* ① 여권, 패스포트: ~ diplomático 외교관 여권. ~ falso 가짜 여권. ~ oficial 관용 여권. ley de ~ 여권법. sección de ~ 여권과. dar [expedir] ~ 여권을 교부하다[발행하다]. pedir [solicitar] ~ 여권을 신청하다. sacar el ~ 여권을 꺼내다[제시하다]. visar un ~ 여권을 사증하다. ② 외출증. ③ 통행증.

pasapurés *m.sing.pl.* (감자 · 야채 · 콩 등을 삶은 뒤에 눌러) 으깨는[짜는] 주방 기구.

pasar *tr.* ① 통과시키다, 지나가게 하다. ② 옮기다, 이전하다[시키다], 이동하다[시키다], 건네다. ③ 넘다, 넘어가다, 건너다: ~ la sierra 산(맥)을 넘다. ~ un río 강을 건너다. ④ 보내다, 전하다: ~ un recado 쪽지[전언]를 보내다. ~ los autos 자동차를 보내다[전하다]. ⑤ 침투하다. ⑥ 합격하다: ~ el examen 시험에 합격되다. ⑦ 상회하다. ⑧ (때를) 보내다, 지내다: ~ las vacaciones de verano en Varadero 바라데로에서 여름 휴가를 보내다. ~ bien el fin de semana 주말을 즐겁게[잘] 보내다. ⑨ (구멍 등에) 넣다, 꿰다. ⑩ 거르다, 밭다, 여과하다. ⑪ 체로 치다. ⑫ 참다, 견디다: ~ hambre 배고픔을 참다, 배고픔에 시달리다. ⑬ (쓴 것을) 훑어보다, 대충 읽다, 대충 공부하다. ⑭ 마시다, 삼키다. ⑮ 볕[바람]에 말리다. *—intr.* ① [+por] (…를) 넘다, 건너다: ~ *por* la sierra 산을 넘다. ~ *por* un río 강을 건너다. ② 지나가다, 통과하다. ③ 들르다: *Paso* por tu oficina a las tres de la tarde 오후 세 시에 네 사무실에 들리겠다. ④ 옮기다, 이동하다. ⑤ (때가) 지나다, 경과하다. ⑥ 멈추다, 사라지다. ⑦ 살아가다, 지내다: ~ bien 잘 지내다, 잘 살아가다. ⑧ 쓸 만하다, 쓸 수 있다. ⑨ 유통되다, 통용되다. ⑩ 전해지다. ⑪ 계승되다, 넘겨지다. ⑫ 죽다(morir). ⑬ 무관심하다. ⑭ 인내하다, 참아가다, 이겨내다. ⑮ [무인칭] (일 · 사건이) 일어나다, 생기다, 발생하다: *¿Qué pasa?* 무슨 일입니까? **~se** ① 지나가다, 옮기다, 이동하다: *~se* el plazo 기한이 넘다. ② 시간을 보내다. ③ 삼키다. ④ 적에게 붙다, 내통하다. ⑤ 끝나다(acabarse, dejar de ser). ⑥ (기억에서) 잊혀지다, 지워지다. ⑦ (과실 · 고기 등이) 맛이 변하다, 변질되다, 상하다, 썩기 시작하다. ⑧ (물건이 효과 면에서 활동의 기회 · 때가) 다하다, 끝나다, 없어지다, 지나다. ⑨ (숯불이) 잘 붙다. ⑩ 과하다, 지나치다, 과도하다, 도를 넘다, 지나치게 사용하다. ⑪ (그릇이) 새다, (액체가) 배다, 배어 나오다. ⑫ (교수가) 자격 시험을 치르다. ⑬ (자물쇠 등이) 느슨해지다, 풀어지다, 느슨해서 못쓰게 되다. ¶***Lo pasado, pasado*** 지난 일은 탓하지 말자, 이왕지사는 묻지 말자, 과거는 과거. ~ ***de largo*** ㉮ 그냥 지나치다, 멈추지 않고 통과하다. ㉯ 대충 눈으로 훑어보다. ~ ***en blanco*** [***en claro***] algo (…을)

생략하다, (…에 대해) 언급하지 않다, (…을) 경고하는 것을 중지하다. *~lo* 지내다, 살아가다: ¿Cómo *lo pasa* usted? 어떻게 지내고 계십니까? ~ alguien *por alto* ㉮ 생략하다, 말할 것을 그만두다. ㉯ (할 말을) 잊어버리다. ㉰ 기억하지 못하다. ㉱ 묵과하다. ~ alguien *por encima* ㉮ 짓밟다, 유린하다. ㉯ (진급에서 남보다 먼저) 승진하다, 앞서다. *~se de listo* 재주가 과해 틀리다[실수하다].

pasarela *f.* ① 작은 다리, 임시 다리: ~ de embarque (공항의) 탑승교, 로딩 브리지 ((공항의 터미널 빌딩에서 항공기를 연결하는 통로)). ② (증기선에서) 굴뚝 앞에 놓인 가로지른 다리; 뱃전 통로. ③ (도로·철로의) 육교. ④ (배우·패션쇼의) 돌출 무대, 밖으로 튀어나온 무대, 돌출한 좁고 높은 무대. ⑤ (높은 곳의) 작업용 통로.

pasatiempo *m.* ① [때때로 *pl.*] 기분 전환, 심심풀이, 시간 보내기; 취미: pintar como ~ 심심풀이[취미]로 그림을 그리다. ② *pl.* (신문 등의) 퍼즐란: hacer los ~ 퍼즐을 풀다.

pasavante *m.* ① (적국의 선박에 주는) 항행 허가증. ② (나포 선적에 주는) 가선적(假船籍).

pascal *m.* [물리] 파스칼.

pascua *f.* ① [기독교] 부활절. ② *pl.* 크리스마스: ¡Felices *Pascuas* y próspero Año Nuevo! 즐거운 크리스마스가 되시고 새해 복 많이 받으세요. ③ *pl.* 부활절. ④ *pl.* 성령 강림절. ⑤ [유대교] 유월절 ((이스라엘 사람들의 이집트 탈출 기념)). ⑥ *pl.* 성탄절에서 주현절까지의 기간, 연말 연시. ¶ ***Pascua de Flores, Pascua Florida*** 부활절. ***Pascua del Espíritu Santo*** 성령 강림절. ***dar las Pascuas*** 크리스마스를 축하하다, 성탄절의 축하 인사를 하다. ***de Pascuas a Ramos*** 때때로, 이따금, 가끔. ***estar*** alguien ***como una ~ [como unas ~s]*** 기뻐서[들떠서] 야단법석을 떨다, 홍겹게 떠들다. ***hacer la*** ~ a alguien (…를) 귀찮게 하다, 성가시게 하다, 괴롭히다, 폐를 끼치다. ***hacer*** ~ 사순절에 고기를 먹기 시작하다.

pascual *adj.* Pascua의[에 관한].

pascuense *adj.* ① 빠스꾸아 섬(la isla de Pascua, 칠레의 태평양에 있는 이스터 섬) 태생의. ② 빠스꾸아 섬의[에 관한]: cultura ~ 빠스꾸아 문화. *—m.f.* 빠스꾸아 섬사람.

pascuilla *f.* 부활절 후 첫 일요일.

pase[1] *m.* ① 통과, 통행. ② (트럼프에서) 패스, 통과. ③ [운동] (공의) 패스: ~ largo 롱 패스. dar ~ 패스하다. ④ [펜싱] 덤벼들어 도전하기, 찌르기(finta). ⑤ [투우] 빠세 ((물레따 (muleta)로 소가 찌르는 것을 몸을 획 돌려 피하기·비키기)). ⑥ (최면술사의) 손의 움직임. ¶ ***~ de castigo*** 소가 받으려고 큰 노력을 해 힘을 잃도록 투우사가 하는 빠세. ***~ de muleta*** [투우] 물레따로 소가 찌르는 것을 몸을 획 돌려 피하기[비키기].

pase[2] *m.* ① 정기권. ② 통행 허가증. ③ 무료 입장권[승차권]. ¶ ***~ de pernocta*** [군사] 외박 허가증.

paseador, ra *adj.* 산책을 좋아하는, 산책을 자주 하는, 산책을 즐겨 하는. *—m.* 산책 장소.

paseandero, ra *adj. Arg., Bol., Chile, Par., Perú, Ur.* =**paseador.** *—m.f.* 산책을 좋아하는 사람.

paseante *adj.* 산책하는. *—m.f.* ① 산책하는 사람. ② *Méj.* =**pasajero, viajero transeúnte.**

pasear *intr.* ① 산책하다, 산보하다: ~ por la calle 거리를 산책[산보]하다. ~ por el parque 공원을 산책[산보]하다. ② 드라이브하다(~ en coche). ③ 보트 놀이를 하다. ④ (말이) 느리게 걷다. *—tr.* 산책시키다. **~se** ① 산책[산보]하다: *~se por* la calle 거리를 산책하다. ② 빈둥빈둥 돌아다니다[놀다]. ③ (생각이) 머리에 떠오르다. ④ 한가하다. ⑤ *CRica., Salv.* 망가뜨리다.

paseata *f.* 장시간의 산책.

paseíllo *m.* (투우 시작 전에) 투우사들의 입장 행진: hacer el ~ (투우사들이) 입장 행진을 하다.

paseo *m.* ① 산책, 산보: ~ de vigilancia 순찰, 순시, 정찰. ir de ~ 산책[산보] 가다. ② 산책길: ~ marítimo 해안 산책길. ③ (산책으로 갈 수 있는) 단거리, 짧은 거리. ④ 간단한[쉬운] 것. ⑤ [투우] = **paseíllo.** ¶ ***¡Anda [Andad] a ~!*** 똥이나 처먹어라, 에이 제기랄, 젠장, 뒈져라. ***dar un ~*** ㉮ 걸어서[도보로] 산책하다. ㉯ (말·차·배로) 드라이브하다. ***¡Vete [Idos] a ~!*** = **¡Anda a paseo!**

pasera[1] *f.* 벽을 가로지르는 돌.

pasera[2] *f.* ① (건포도를 만들기 위해) 과실을 말리는 곳, 건과장(乾果場). ② 과일 말리는 작업.

paseriforme *adj.* ① 새 모양을 한. ② [동물] 참새목(目)의: ave ~ 참새목[연작목]의 새. *—m.pl.* 참새목, 연작목(燕雀目).

pasibilidad *f.* 감동성, 감수성.

pasible *adj.* 감동할 수 있는, 감동하기 쉬운, 감수성이 있는.

pasicorto, ta *adj.* 보폭(步幅)이 좁은[짧은], 아장아장 걷는.

pasiega *f.* (특히, 같은 혈통의) 유모.

pasificación *f.* 신선한 포도를 건포도로 변화시키는 과정.

pasiflora *f.* [식물] =**pasionaria.**

pasifloráceo, a *adj.* [식물] 시계풀과의. *—f.pl.* 시계풀과 식물.

pasiflóreo, a *adj.* =pasifloráceo.
pasil *m.* ① (강·개울의) 징검다리. ② (강·개울을) 걸어서 건널 수 있는부분. ③ 좁은 길, 오솔길.
pasilargo, ga *adj.* 보폭이 넓은.
pasillo *m.* ① (건물의) 복도, 낭하: No corras por ~ 복도를 달리지 마라. ② (기내의) 통로. ③ 길고 좁은 통로. ④ 듬성듬성 꿰맨 자국. ⑤ 짧은 연극 작품, 촌극, 소극(笑劇), 웃음극. ⑥ (부활절에 자주 부르는) 예수 수난의 한 절. ⑦ *Col., Ecuad., Pan.* 빠시요 ((민속 무용)). ⑧ *Col., Ecuad., Pan.* 빠시요를 출 때 연주되는 4분의 3박자의 악곡. ⑨ *Col., Ecuad. Méj.* 복도에 까는 길고 좁은 돗자리[멍석]. ¶ ~ ***rodante*** 움직이는 보도[인도]. ***política de ~s*** 사전 교섭, 이면공작(裏面工作).
pasión *f.* ① 열정, 격정, 정념; 정열: dejarse llevar por la ~ 열정에 사로잡히다. querer con ~ 열렬히 사랑하다. ② 열애. ③ *pl.* 정욕. ④ [P~] 예수 그리스도의 수난. ⑤ 수동. ⑥ 열광, 열중, 애착: ~ por la música 음악광, 음악 마니아. ~ por la colección 수집광, 수집 마니아. ⑦ 그리스도의 수난곡: *Pasión según San Mateo* 마태 수난곡. ⑧ (성목요일과 성금요일에 행하는) 예수 그리스도의 수난과 죽음에 대한 설교. ⑨ 울화, 성화, 격노, 격앙; 흥분. ⑩ 고통, 수난, 비애. ¶ ~ ***de ánimo*** =**tristeza, depresión.**
pasional *adj.* 열정의, 열정적인; 정열의, 정열적인; 연애의, 연정의; 정욕의: crimen ~ 치정 범죄[살인].
pasionaria *f.* ① [식물] 시계풀. ② 시계풀의 꽃.
pasionario *m.* (부활절에 부르는) 그리스도 수난곡집, 영가집(靈歌集).
pasioncilla *f.* 일시적인[가벼운] 열정[정열].
pasionera *f. Mur.* =**pasionaria.**
pasionero *m.* ① (부활절의) 그리스도 수난 영가 대원. ② (환자의 영적 도움을 주기 위해) 병원에 소속된 사제[승려].
pasionista *m.* (부활절에) 그리스도 수난곡을 부르는 사람.
pasito *m. CRica.* [집합] 예수·성녀 마리아·노새·황소의 조각상(彫刻像). —*adv.* ① 부드럽게, 다정다감하게. ② 작은[낮은] 소리로, 작게.
pasitrote *m.* (말의) 총총걸음, 종종걸음.
pasiva *f.* ☞**pasivo.**
pasivamente *adv.* ① 수동적으로, 소극적으로. ② 저항 없이, 순순히. ③ [문법] 수동적 의미로.
pasividad *f.* 수동성, 소극성.
pasivo, va *adj.* ① 수동의, 수동적인, 소극적인, 활기 없는: tomar una actitud *~va* 소극적인 태도를 취하다. ② (연금·보조금을) 받는, 수급(受給)의. ③ [문법] 수동의: voz ~ 수동태. ④ 무이자의. —*m.* [상업] 부채, 채무. —*f.* [문법] 수동태. ¶ ~ ***refleja*** [문법] 재귀 수동. ***clases ~vas*** 연금 생활자층(層). ***fumador ~, fumadora ~va*** 간접 흡연자. ***haberes ~s*** (퇴직) 연금. ***oración ~va*** [문법] 수동문.
pasma *f.* [경멸·속어] 경찰.
pasmado, da *adj.* ① =**alelado, absorto, distraído.** ② [문장학] 입을 벌리고 혀·지느러미·수염이 없는 (물고기 형상). ③ *CRica.* =**enclenque.** ④ *Cuba.* (사람·열매가) 제대로 성숙하지 못한, 익기 전에 시든[마른]. ⑤ *Cuba.* (수속·절차가) 보류된. ⑥ *Salv.* (음식이) 선, 잘못 삶아진. ⑦ *Salv.* (환자가) 잘못 치료된(mal curado).
pasmar *tr.* ① 얼어붙게 만들다. ② (식물을) 얼리다. ③ 실신시키다, 이성을 잃게 하다. ④ 깜짝 놀라게 하다, 기겁을 하게 하다, 아연하게 하다, 아연실색하게 하다. ~**se** ① 얼어붙다. ② (식물이) 얼다. ③ 실신하다, 이성을 잃다. ④ 놀라다, 아연실색하다, 기겁을 하다: *Me pasmé de* lo que acababa de oír 방금 들은 것에 내 귀를 의심했다. ⑤ 경련을 일으키다. ⑥ [미술] (빛깔·니스가) 흐려지다, 광택을 잃다. ⑦ *Chile, Cuba, Perú.* 병약해지다, 쇠약해지다(encanijarse).
pasmarota *f.* =**pasmarotada.**
pasmarotada *f.* ① 경련으로 과장한 태도. ② 과장된 몸짓.
pasmarote *m.f.* 작은 일에 놀란[정신을 빼앗긴] 사람.
pasmo *m.* ① 경탄, 놀람, 아연, 아연실색: Su belleza fue el ~ de los visitantes 그 아름다움에 구경꾼들은 경탄했다. ② 경탄을 자아내게[깜짝놀라게] 하는 물건. ③ 근육의 경련성 긴장[강직]. ④ (코감기·관절통 등의) 증상. ⑤ 파상풍(破傷風). ¶ ***de*** ~ =**pasmosamente.**
pasmón, na *m.f.* =**pasmarote.**
pasmosamente *adv.* 놀라, 경악해서, 아연해, 아연실색하여; 놀랄 정도로, 감탄할 정도로, 경악할 정도로; 훌륭하게.
pasmoso, sa *adj.* 경탄할 만한, 놀랄 만한, 놀라운.
paso[1] *m.* ① 지나가기, 통과, 통행: ~ del tiempo 시간의 추이. Se prohíbe el ~ 통행이 금지됨. Ceda el ~ [표시] 양보. Prohibido el ~ de los vehículos [표시] 차량 통행 금지. ② ㉮ 걸음, …보(步), … 걸음, … 발: adelantarse un ~ 한 걸음 앞으로 나가다. ㉯ [주로 *pl.*] 발소리. ㉰ [주로 *pl.*] (점점 사라져 가는) 발자국, 족적. ㉱ 보폭(步幅). ㉲ 걸음걸이, 걷는 모습, 걸음, 보조(步調): con ~ lento 느린 걸음으로.

con ~ rápido 빠른 걸음으로. ③ = **paso romano.** ④ ㉮ 통로. ㉯ (숲 속에 난) 짐승의 통로. ⑤ 산마루, 고개. ⑥ 해협. ⑦ *pl.* 수단, 행동; 수속, 절차. ⑧ 진보, 전진. ⑨ 위기, 난국. ⑩ =**exequátur.** ⑪ (인생의) 중대 국면. ⑫ (전화) 한 통화. ⑬ 듬성듬성 꿰매기, (실) 땀, 코. ⑭ (철새가 겨울을 나기 위한) 이동(tránsito). ⑮ *pl.* [운동] (농구·핸드볼에서) 트래블링 ((선수가 공을 가지고 세 걸음 이상 움직이는 반칙)). —*adv.* ① =**blandamente.** ② 조용히, 낮은[작은] 소리로. —*interj.* 가만!, 기다려! ((싸움을 말리거나 화해시킬 때)). ¶ ~ ***a desnivel*** *Perú, Salv.* 입체 교차(로). ~ ***a nivel*** 평면 교차(로); (철도의) 건널목. ~ ***de peatones*** 횡단보도. ~ ***de la madre*** =**pasitrote.** ~ ***del Ecuador*** ㉮ (배에서 자주 하는) 적도 통과제(祭). ㉯ (학생들이) 대학 과정의 전반을 끝낸 기념 파티[여행]. ~ ***elevado*** (철로 위의) 구름다리, 육교. ~ ***geométrico*** [길이의 단위] 5 피트, 다섯 걸음 ((1.393미터)). ~ ***grave*** [무용] 반원을 그리는 스텝. ~ ***largo*** [군사] 빠른 걸음, 총총걸음, 큰 걸음. ~ ***lento*** [군사] 느린 행진. ~ ***libre*** 장애물·위험·적이 없는 길[통로], 안전한 길. ~ ***ligero*** [군사] 구보(驅步). ~ ***ordinario*** [군사] 보통 걸음. ~ ***redoblado*** [군사] (현대 전술학에 의한) 보통 걸음. ~ ***regular*** [군사] =**paso lento.** ~ ***romano*** [로마의 길이의 단위] 5피트, 다섯 걸음. ~ ***subterráneo*** 지하도. ***buen*** ~ 안락한 생활, 축복받은 생활. ***mal*** ~ 곤궁, 곤경, 난국. ***abrir*** ~ 길을 트다[열다]; 혈로를 열다. ***a buen*** ~ = **aceleradamente, de prisa.** ***a cada*** ~ 계속해서, 반복해서, 자주, 빈번히. ***a cuatro*** **~s,** ***a dos*** **~s** =**a pocos pasos.** ***alargar el*** ~ 급히 걷다[가다], 걸음을 재촉하다. ***al*** ~ ㉮ 멈추지 않고. ㉯ 지나는 길에. ㉰ 걸어서, 달리지 않고. ***a*** ~ ***de buey*** 아주 느리게, 천천히, 황소걸음으로. ***a*** ~ ***de carga*** 급히, 허둥지둥, 멈추지 않고. ***a*** ~ ***de tortuga*** =**a paso de buey.** ***a*** ~ ***largo*** 몹시 서둘러, 급히, 총총히, 나는 듯이, 비호처럼. ***a*** ~ ***llano*** 순탄하게, 장애물 없이, 아무 방해를 받지 않고. ***a*** ~ ***tirado*** =**a paso largo.** ***a pocos*** **~s** ㉮ 아주 가까이, 별로 멀지 않은 곳에, 엎드리면 코 닿을 곳에. ㉯ 별로 근면성이 없이. ***apretar el*** ~ =**alargar el paso.** ***asentar*** alguien ***el*** ~ 편안한[안락한] 생활을 하다. ***a unos*** **~s,** ***a un*** ~ =**a pocos pasos** ㉮. ***avivar el*** ~ = **alargar el paso.** ***ceder el paso*** alguien 길을 양보하다[비켜 주다]. ***cerrar el*** ~ ㉮ 통로를 막다, 진로를 방해하다. ㉯ 사업을 방해하다. ***contar los*** **~s** a alguien (…의 하는 일을 모두) 조사하다. ***dar*** ~ 통행[접근]을 허용하다, 통하다. ***dar*** **~s** =**gestionar.** ***de*** ~ ㉮ 임시로. ㉯ 기회를 이용하여. ㉰ 지체 없이, 신속히. ***de*** ~ ***en*** ~ =**paso a paso.** ***más que de*** ~ 급히, 황급히, 허둥지둥, 허겁지겁. ~ ***a*** ~ 조금씩, 점점, 천천히. ~ ***ante*** ~ = **paso entre paso.** ~ ***entre*** ~ 천천히, 느리게, 조금씩, 점점(poco a poco). ~ ***por*** ~ 한걸음 한걸음, 힘들게; 확실히. ***por los mismos*** **~s** (누구의) 발자취를 따라서, (누구의) 행동을 이용하여. ***por sus*** **~s** ***contados*** 정상적인[규칙적인] 순서[과정]로. ***seguir los*** **~s** a alguien (의심을 받고 있는 것이 근거가 있는 가를 조사하기 위해, 누구의) 뒤를 밟다. ***seguir los*** **~s** ***de*** alguien (…의 행동을) 모방하다. ***tomar*** alguien ***un*** ~ 황급히[재빨리·신속히] 걷다. ***volver*** alguien ***sobre sus*** **~s** (약속 등을) 어기다; 의견[행동]을 고치다[교정하다].

paso², sa *adj.* 볕에 늘어놓아 마른[말린]: higo ~ 마른[말린] 무화과. uva ~*sa* 건포도.

pasodoble *m.* ① 빠소도블레 ((투우사의 입장 때 연주되는 행진곡; 군대가 평상시의 걸음걸이에 맞추는 행진곡)). ② 빠소도블레에 맞추어 추는 춤.

pasoso, sa *adj.* ① *Salv.* (질그릇의) 물이 넘치게 두는[하는]. ② *Nic.* = **contagioso.**

pasparse *r. Arg., Bol., Ur.* (추위와 건조로) 살가죽[피부]이 트다.

paspartú *m.* [*pl.* ~s] 사진틀, 액자.

pasquín *m.* ① (공공 장소에 붙여진) 낙서, 풍자적인 글. ② *Nic., Salv., Ur., Ven.* (저질·선정적 기사와 화보가 있는) 삼류 신문[주간지·잡지].

pasquinada *f.* 풍자적인 말, 혹독한 풍자.

pasquinar *tr.* 저질 기사와 화보로 풍자하다.

pássim *lat. adv.* 여기저기에; 여러 곳에(en lugares diversos).

pasta *f. lat.* ① (한 가지·여러 가지를 빻아 섞은) (밀가루) 반죽, 파스타. ② (케이크·겹비스킷·만두 등을 만드는 데에 사용하는) 버터나 기름을 섞어 만든 반죽. ③ 쿠키. ④ (국수 등을 만드는) 밀가루 반죽. ⑤ 풀: ~ de pegar 접착제. ⑥ (수프에 넣는) 작은 빵 조각. ⑦ (제지의) 펄프. ⑧ 두꺼운 종이. ⑨ (책의) 가죽[피혁] 장정. ⑩ 돈(dinero). ⑪ 재산, 큰돈. ⑫ [미술] =**empaste.** ⑬ 성질. ⑭ *Salv.* 마약 정제(錠劑). ⑮ *Perú.* 코카인의 기본 반죽. ¶ ~ ***de***

arcilla 점토. ~ ***de chocolate*** 단단하게 하기 위해 빻아서 설탕을 섞은 코코아 반죽. ~ ***de dientes,*** ~ ***dental,*** ~ ***dentífrica*** 튜브 치약. ~ ***española*** 밤색 물감을 들인 양가죽 장정. ~ ***gansa*** 쉽게 번 큰돈. ~ ***italiana*** 아주 엷은 양피지를 덮은 마분지 장정. ~ ***valenciana*** (물들이기 위해) 주름이 잡힌 양가죽 장정. ***media*** ~ (경제적인) 반 가죽 장정, 배혁 장정.

pastadero *m.* 가축이 풀을 뜯는 곳, 목장, 풀밭, 방목장.

pastador, ra *m.f. Ecuad.* 목동.

pastaflora *f.* (밀가루·설탕·달걀로 만들어진) 질 좋은 반죽 (덩어리). ¶***ser*** alguien ***de*** ~ 부드럽고 지나치게 너그러운 성격이다.

pastar *tr.* ① (가축을) 목장으로 안내하다. ② (가축이 방목장에서 풀을) 뜯다, 먹다. —*intr.* (가축이 방목장에서) 풀을 뜯다.

pastear[1] *tr.* 가축을 풀을 뜯어먹게 데리고 가다. —*intr.* (가축이) 풀을 뜯어먹다.

pastear[2] *tr. Salv.* (차체를) 닦다[윤을 내다].

pastel *adj.* (색조가) 부드러운. —*m.* ① 케이크: ~ de queso 치즈 케이크. ② (고기·과실·생선) 파이: ~ de carne 고기 파이. ~ de frutas 과실 파이. ~ de pescado 생선 파이. ③ [식물] =**glasto.** ④ 대청(잎으로 만든) 물감[염료]. ⑤ [미술] 파스텔. ⑥ [미술] =**pintura al pastel.** ⑦ (노름에서) 협잡, 사기, 부정. ⑧ [인쇄] 필요없는 활자. ⑨ [인쇄] 잉크 얼룩. ⑩ 땅딸보, 땅딸이. ⑪ (나쁜 의도로 여러 사람 사이에 맺은) 비밀 협약. ⑫ [군사] (땅에 적당한 모양의 불규칙한) 각면보(角面堡). ¶ ~ ***en bote*** ㉮ 양의 다리 요리. ㉯ 땅딸보, 땅딸이. ***descubrirse el*** ~ (숨기려고 했던) 비밀이 밝혀지다[폭로되다].

pastelear *intr.* 시류에 따르다, 시대의 풍조[추세]를 따르다, 세상 돌아가는 대로 삶.

pasteleo *m.* 시류에 따름, 세상 돌아가는 대로 삶.

pastelería *f.* ① 케이크 공장, 생과자 공장. ② 케이크집, 생과자점, 다과점. ③ 케이크 제조 기술. ④ [집합] 케이크류(類).

pastelero, ra *adj.* pastelería의[에 관한]. —*m.f.* ① 케이크[생과자] 제조자. ② 케이크[생과자] 장수. ③ 시류에 영합하는 사람, 기회주의자.

pastelillo *m.* ① 작은 고기[생선·과실] 파이. ② 작은 케이크[생과자].

pastelista *m.f.* 파스텔 화가.

pastelón *m.* ① (다진 고기 이외에 새끼 비둘기·닭·조류의 내장이나 머리나 발 등을 넣은) 파이. ② *Chile.* (포장용) 큰 시멘트 포석.

pastenco, ca *adj., m.f.* (갓 젖을 떼고) 풀을 먹기 시작한 (말·소).

pasterización *f.* =pasteurización.

pasterizar (9) *tr.* =pasteurizar.

pastero *m.* 빻은 올리브 열매를 바구니에 담는 사람.

pasteurización *f.* ① 저온 살균(법). ② 광견병 예방 접종.

pasteurizar (9) *tr.* ① 저온 살균하다, 저온 살균법을 행하다: leche *pasteurizada* 저온 살균 우유. ② 예방 접종법을 행하다.

pastiche *m.* (창작한 듯한 인상을 풍기는) 모방 (작품), 표절 (작품).

pastilla *f.* ① (둥근·네모난) 덩어리: ~ de jabón 비누 (덩어리), 비누 한 개. ② (설탕과 다른 것과 조합해 만든) 매우 작은 덩이: ~ de menta 박하 덩이. ③ [의학] 알약, 정제(錠劑), 정(錠): ~ de aspirina 아스피린정. ~ para la tos 기침약. ④ [속어] 경구 피임약. ⑤ [속어] 환각제. ¶***a toda*** ~ ㉮ 전속력으로. ㉯ 있는 힘을 다해. ***gastar*** alguien ~***s de boca*** 헛된 약속을 하다, 공약(空約)을 하다.

pastillero *m.* 작은 알약 갑[병].

pastinaca *f.* ① [식물] 아메리카 당근. ② [어류] 노랑가오리.

pastizal *m.* (풀이 무성한) 목초지.

pasto *m.* ① 풀[목초] 뜯어 먹기. ② 목초, 풀. ③ (동물의) 사료. ④ [주로 *pl.*] 목초지. ⑤ 양식, 먹을거리. ⑥ (무엇을 유발시키는) 행위, 소식, 원인, 동기, 이유. ⑦ 새에게 한 번에 주는 음식의 양. ⑧ *Arg., Col., Méj., Ur.* 잔디. ⑨ ¶ ~ ***espiritual*** 신자에게 주는 가르침[설교], 마음의 양식. ~ ***seco*** (짚이나 마른 열매로 된) 가축의 겨울용 사료. ~ ***verde*** (봄과 여름의 일부에서 말과 가축에게 주거나 직접 들에서 뜯어 먹는) (푸른) 목초, 풀. ***a*** ~ 실컷, 배불리, 배가 터지도록. ***a todo*** ~ 충분히, 풍족히, 많이, 넉넉히, 흥청망청, 실컷. ***de*** ~ 매일 사용하는, 상용하는, 항상 쓰는, 애용하는, 즐겨 쓰는, 좋아하는.

pastoforio *m.* (옛날의) 승방(僧房).

pastón[1] *m. Ast.* 목초지로 부적당한 [척박한] 땅.

pastón[2] *m. Esp.* 큰돈, 거금.

pastor, ra *m.f.* ① 목동. ② 양치기, 목자. ③ [개신교] 목사. —*m.* ① [천주교] 성직자. ② rur. *Ur.* 씨말, 씨돼지. —*f.* ① *CRica.* =**flor de Nochebuena.** ② *Cuba.* 돈(dinero). ¶ ~ ***protestante*** [개신교] 목사. ***el Buen Pastor*** 그리스도. ***el*** ~ ***sumo, el*** ~ ***universal*** 교황.

pastorada *f.* ① 목동 같은 행동. ② =**pastoreo.** ③ 목자들의 모임.

pastoral *adj.* ① 목동의, 목자의. ② 사목(司牧)의[에 관한]; 목사(牧師)[교황]의[에 관한]; 성직자의[에 관한]:

ministerio ~ 목사직. ③ 전원(田園) 생활을 묘사한 시(詩)의[에 관한]; 목가적인, 소박한: literatura ~ 전원 문학. música ~. 전원 음악. poesía ~ 전원시, 목가. Sinfonía ~ 전원 교향곡. —*f.* ① 목인극(牧人劇). ② 주교 교서. ③ 목가(牧歌).

pastoralmente *adv.* 목동처럼, 목동 식으로; 목사처럼, 목사 식으로.

pastorear *tr.* ① (목축을) 목초지로 데리고 가 풀을 뜯어먹는 동안 돌보다, 목양(牧羊)하다. ② (성직자가) 신자들을 인도하다. ③ *CRica., Ur.* =**vigilar.**

pastoreo *m.* 양을 침, 목양(牧羊).

pastorela *f.* ① 목가(牧歌), 양치기 노래. ② 전원시(田園詩).

pastoría *f.* ① 목동의 직. ② = **pastoreo.** ③ [집합] 목동들.

pastoril *adj.* 목동 같은, 목동풍[식]의; 목동의; 전원의, 목가적인. ¶ *novela* ~ 전원 소설.

pastorilmente *adv.* 목동 식으로.

pastosidad *f.* 부드러움, 유연(함).

pastoso[1], **sa** *adj.* ① (반죽처럼) 부드러운, 유연한. ② (목소리가) 부드러운, 듣기에 좋은. ③ [미술] 그림 물감을 많이 칠한 (그림).

pastoso[2], **sa** *adj. Amér.* 목초(牧草)가 좋은.

pastrano, na *adj.* 거칠고 나쁜, 나쁘게 만들어진: letra ~*na* 서툰 글씨. —*f.* 꾸며낸[황당무계한] 거짓말.

pastrija *f.* =**patraña, embuste.**

pastueño *adj.* [투우] 속임수에 속지 않고 달려드는, (맹렬하게 돌진하는) 용감한 (소).

pastura *f.* ① 목초(牧草). ② (소의) 한 회 분의 사료. ③ 목초지.

pasturaje *m.* ① 공동 목초지. ② 공동 목초지의 사용료.

pasudo, da *adj., m.f.* ① *Col., Cuba, Méj., Ven.* (머리카락이) 곱슬곱슬한 (사람). ② *Col., Cuba, Méj., Ven.* 머리카락의 모양이 곱슬곱슬한 (사람).

pata[1] *f.* ① (동물의) 발과 다리. ② (가구의) 다리, 발(pie): mesa de cuatro ~*s* 네 발 탁자. ③ [새] 암오리. ④ (호주머니의) 뚜껑, 덮개. ⑤ [구어] (사람의) 다리. ⑥ (소 등의) 넓적다리 고기. —*m.f. Cuba, Perú.* 친구(amigo). ¶ ~ ***de banco*** =**absurdo, despropósito.** ~ ***de cabra*** ㉮ (구두 수선공의) 구두창 칼. ㉯ =**pie de cabra.** ㉰ *Perú.* 못뽑이. ~ ***de perro*** *Méj., Perú.* 길에서 어정거리는 사람. ~ ***galana*** ㉮ 저는 다리. ㉯ 다리를 저는 사람, 한 쪽 다리가 짧은 사람, 절름발이. ***mala*** ~ 불운. ***a cuatro ~s*** 네 발로 기어서. ***a la ~ coja*** (한 쪽 발을 들고 뛰는) 깽깽이로. ***a ~*** 걸어서, 도보로. ***bailar en una ~*** *Can., Amér.* 매우 만족하다. ***dormir a ~ ancha*** 푹 자다. ***echar la ~*** =**aventajarse.** ***enseñar*** alguien ***la*** [***su***] ~ (비밀로 간직하고 싶었던 것이) 들통이 나다, 꼬리를 잡히다. ***estirar la ~*** 죽다. ***hacer la ~*** *Chile.* =**adular.** ***hacer (la) ~ ancha*** *Arg., Ur.* 위험[어려움]에 직면하다. ***meter*** alguien ***la ~*** 공연한[쓸데없는] 참견을 하다, 부적절한 말[행동]을 하다, 틀린[잘못된] 말[행동]을 하다. ***parar*** alguien ***las ~s*** *CRica.* 넘어지다, 자빠지다. ~ ***caliente*** *Cuba, Ecuad., Ven.* 돌아다니기를 좋아하는. ~***s arriba*** ㉮ 거꾸로, 뒤집혀서. ㉯ 혼란해져, 무질서해져. ***sacar*** alguien ***la*** [***su***] ~ =**enseñar la pata.**

pata[2] *f.* (경기에서) 동점. ¶ ~***es la traviesa*** 남을 속이더니 잘 됐다.

patada *f.* ① (사람이) 발로 차기, 차내기, 걷어차기: ~ de inicio [축구] 킥오프. dar una ~ al balón 공을 차다, 공을 멀리 차(내)다. ② (동물이) 발로 걷어차기. ③ (어떤 목적을 위한) 품, 일손, 노력, 걸음걸이, 방문, 조치, 행동. ④ *CRica., Salv.* 악취. ⑤ *Cuba.* 담배 빨기. ⑥ *Salv.* (입에서 나는) 악취. ⑦ *Salv.* (총의) 반동. ¶ ~***s de ahogado*** *Méj., Salv.* 헛된 노력. ***a ~s*** ㉮ 어디에나 많이[풍족하게]. ㉯ 거들떠 보지도 않고, 경의를 표하지 않고, 제대로 대우하지 않고. ***darle*** a alguien ***cien ~s*** 무척 싫어하다, 무척 불쾌해 하다. ***de la ~*** *adj., adv. Méj., Salv.* =**pésimo.** ***de ~ larga*** *CRica.* 오랜 기간의, 장기간의. ***en dos ~s*** 쉽게; 노력하지 않고; 일순간에, 일순에, 즉각.

patadura *f. Arg., Ur.* 경기가 서툰 축구 선수.

patagón, na *adj.* ① 빠따고니아 (Patagonia) 태생의. ② 빠따고니아의[에 관한]. ③ 빠따고니아족(族) (아르헨띠나 남극 지방의 원주민)의. —*m.f.* ① 빠따고니아 사람. ② 빠따고니아족 사람.

patagónico, ca *adj.* ① 빠따고니아의. ② 빠따고니아족(族)의.

patagorrilla *f.* =**patagorrillo.**

patagorrillo *m.* [요리] 빠따고리요 ((돼지나 다른 동물의 잘게 다진 창자로 만들어진 요리)).

patalear *intr.* ① (다치거나 사고·통증으로) 다리를 마구 흔들다. ② 발을 동동 구르다.

pataleo *m.* ① 다리를 마구 흔듦. ② 발을 동동 구르기. ③ 발을 동동 구르는 소리.

pataleta *f.* ① (특히, 일부러 그러는 듯한 인상을 풍기는) 경기, 경련. ② =**disgusto, enfado.**

patalsuelo *adj. Ecuad.* 맨발의.

patán *m.* ① 시골 사람, 촌사람, 촌놈. ② 촌스러운 남자, 거친 남자.

—*adj.* 촌스러운, 거친.
patanería *f.* =grosería, rustiquez, simpleza, ignorancia.
patango, ga *adj. Nic.* =regordete.
patantaca *m.f. Guat.* 걷기 힘든 사람.
pataplum *interj.* =cataplum.
patas *m.* =diablo.
patata *f.* ① [식물] 감자 ((가짓과의 여러해살이풀. 칠레 원산. 중남미에서는 주로 papa를 사용)). ② (땅속의 덩이줄기로) 감자: ~ dulce 고구마. ~*s* fritas (얇게 썬) 감자튀김. ③ 고구마(batata). ④ 질이 떨어진 물건, 작동이 잘 안 된 물건. ¶~ *caliente* 해결이 어려운 심각하고 불편한 문제. ~ *de caña* [식물] 뚱딴지. *ni* ~ =nada.
patatal *m.* 감자밭.
patatar *m.* 감자밭.
patatero, ra *adj.* ① 감자의[에 관한]. ② 감자를 파는. ③ 자주 감자를 먹는, 감자를 주식으로 하는. ④ [드묾] =chusquero. —*m.f.* 감자 장수.
patatús *m.* 실신, 기절.
paté *m. fr.* [요리] 파테 ((일반적으로 돼지고기나 닭의 간 요리)).
pateada *f. Méj.* =pateadura ①.
pateadura *f.* ① 발로 (걷어)차기. ② 나무람, 꾸중, 질책.
patear *tr.* ① 발로 걷어차다, 마구 차다, 발로 몹시 세게 차다. ② 욕지거리를 퍼붓다, 심하게 비난하다. ③ 제대로 대우하지 않다. ④ *CRica., Ur.* 복통을 일으키게 하다, 소화불량을 일으키게 하다. —*intr.* ① (화가 나서·분해서·고통으로·불만으로) 발을 동동 구르다. ② (무엇을 얻기 위해) 여기저기 쏘다니다[돌아다니다], 동분서주하다. ③ 무척 화가 나 있다.
patelar *adj.* [해부] 슬개골의.
patematología *f.* 감정학.
patena *f.* ① (금·은제 등의) 성체 접시. ② (시골 아낙네들이 장식용으로 사용하는) 가슴에 다는 패[메달], 가슴걸이. ¶*limpio como una ~, más limpio que una ~* 매우 깨끗한(muy limpio).
patentar *tr.* ① 특허를 주다, 특허권을 발급하다. ② …의 특허권을 얻다, …의 특허를 취득하다: artículo *patentado* 특허품. ~ una idea 신안 등록하다. ③ *Arg., Ur.* (차량을 공식 대장에) 등록하다.
patente *adj.* ① 뚜렷한, 두드러진, 눈에 띄는. ② 명백한, 명확한; 인지할[지각할] 수 있는, 느낄 수 있는. —*f.* ① =patente de invención. ② 특허: conseguir la ~ 특허를 얻다[취득하다]. tener la ~ de una máquina 기계의 특허를 가지고 있다. *Patente* presente [표시] 특허 출원중. ③ 특허권: derechos de ~ 특허권 사용료. ④ 특허장. ⑤ 허가서. ⑥ [종교] 임명장. ⑦ 증명서. ⑧ (제일 오래된 사람들이) 신입 사원[신입생]에게 한턱 씌우는 식사[술]. ⑨ *Arg., Ur.* (차의) 번호판. ¶~ *de invención* 발명 특허. ~ *de navegación* 선적 증명서. ~ *de sanidad* (출항지에서 발행하는) 선박 검역 증명서, 선원 건강 증명서.
patentemente *adv.* ① 뚜렷하게, 두드러지게, 눈에 띄게. ② 명백히, 분명히, 명확히, 인지할 수 있게.
patentizar (9) *tr.* 명백히 하다, 분명히 하다, 명확히 하다.
pateo *m.* ① (화가 나서·분해서·고통으로·불만으로) 발을 동동 구르기. ② 욕지거리, 심한 비난.
páter *m.* =sacerdote.
patera[1] *f.* (목장의 과도한 습기로 인한) 양의 발톱에 생기는 병.
patera[2] *f.* (용골이 없는) 바닥이 편편한 작은 배.
pátera *f.* (고대의) 제물을 바치던 희생제에서 사용했던 접시[그릇].
paterfamilias *m.sing.pl.* (고대 로마의) 가장(家長); (오늘날의) 가장.
páter familias *m.* =paterfamilias.
paternal *adj.* ① 아버지의: regresar a la casa ~ 부모 슬하로 돌아오다[돌아가다]. ② 아버지 같은, 아버지다운. ③ 부성애의: cariño [afecto] ~ 부성애, 아버지의 사랑[애정]. ④ (혈연이) 아버지 편의, 부계(父系)의, 아버지로부터 이어받은: abuelo ~ 친할아버지. ⑤ 온정이 넘치는, 자애심이 많은.
paternalismo *m.* ① 가부장주의, 가부장적 태도. ② (인간 관계·고용 등에서) 온정주의, 가족주의.
paternalista *adj.* ① 가부장적인. ② 온정적인, 가족적인. —*m.f.* ① 가부장적인 사람. ② 온정적인 사람, 가족적인 사람.
paternalmente *adv.* 아버지로서, 아버지같이, 아버지답게, 자애롭게.
paternidad *f.* ① 아버지임, 부성. ② [법률] 부자 관계. ③ [상급 사제에게 붙이는 호칭] 님: su [vuestra] ~ 사제님.
paterno, na *adj.* ① 아버지의[에 관한]: casa ~*na* 실가(實家), 자기가 태어난 집. ② 아버지다운, 아버지 같은: figura ~*na* 아버지 같은 사람, 아버지를 대신한 사람. ③ 부계의, 아버지 편의, 아버지로부터 이어받은: bisabuelo ~ 증조할아버지.
paternóster *m.* ① 주기도문의 기도. ② (미사 때의) 주기도문. ③ 굵은 매듭.
patero, ra *adj. Chile, Perú.* 아부하는, 아첨하는. —*m.f. Chile, Perú.* 아부자, 아첨하는 사람. —*m.* 들오리 사냥꾼.
pateta *m.* ① =diablo. ② 발[다리]가 불편한 사람. ③ [주로 *pl.*] *Méj.*

=diablo.

patéticamente *adv.* ① 감상적으로, 정서적으로. ② 애처롭게, 비창하게 비통하게.

patético, ca *adj.* ① 감상적인, 정서적인. ② 애처로운, 연민의 정을 자아내는, 비창(悲愴)한, 비통한, 슬프고 마음 아픈: *~ca* mirada 비창한[비통한] 표정[눈빛].

patetismo *m.* 비애, 비통, 애수.

-patía *suf.*「고통・감정・…증(症)・요법」의 뜻: homeo*patía* 동종[유사] 요법. tele*patía* 정신 감응.

patiabierto, ta *adj.* 앙가발이의.

patialbillo *m.* [동물] 사향고양이의 일종.

patialbo, ba *adj.* 다리가 하얀 (동물): perro ~ 다리가 하얀 개.

patiblanco, ca *adj.* 다리가 하얀 (동물): caballo ~ 점박이 말, 다리가 하얀 말.

patibulario, ria *adj.* ① 사형장[교수대]의[에 관한]. ② 무서운, 소름 끼치는: cara *~ria* 무서운 얼굴, 소름 끼치는 얼굴. drama ~ 소름 끼치는 드라마, 무서운 드라마.

patíbulo *m.* 교수대, 사형장.

paticojo, ja *adj.* 다리를 저는, 다리가 불편한. —*m.f.* 다리를 저는 사람, 다리가 불편한 사람.

paticorto, ta *adj.* (보통의 것보다) 다리가 더 짧은.

patidifuso, sa *adj.* (놀라) 아연한, 어안이 벙벙한, 아연실색한; (공포감에) 오금이 펴지지 않는, 다리가 부들부들 떨리는.

patiestevado, da *adj.* 다리가 휜[굽은]. —*m.f.* 다리가 휜[굽은] 사람.

patihendido, da *adj.* 발굽이 갈라진 (동물).

patilla *f.* ① 안경다리. ② 구레나룻: tener las *~s* largas 구레나룻이 길다. ③ (총의) 방아쇠. ④ (버클의) 고리쇠. ⑤ (호주머니의) 뚜껑. ⑥ [목공] 장붓구멍. ⑦ 나침반. ⑧ *Col., PRico., RDom., Ven.* 수박. —*m. pl.(sing.)* 악마. ¶ ***levantar*** a alguien ***de*** ~ (…를) 격분시키다, 성나게 하다, 화나게 만들다, 신경질이 나게 만들다. ~ ***y cruzado, y vuelta a empezar*** 쓸데없이 되풀이해 보아야 소용없는 짓이다, 자꾸 해 보아야 헛수고다.

patilludo, da *adj.* ① 구레나룻을 (길게) 기른. ② *Arg., Ur.* =harto, aburrido.

patín[1] *m.* [새] =petrel.

patín[2] *m.* ① [주로 *pl.*] 스케이트화(靴): ~ de ruedas 롤러 스케이트. andar sobre *patines* 스케이트로 미끄러져 가다. ② =**patinete.** ③ *Salv.* 입내. ④ *Nic.* (젊은이들의 말에서) 강박 관념. ⑤ 썰매. ¶ ~ ***del diablo*** *Méj.* =patinete.

pátina *f.* ① 녹청, 녹. ② 고색(古色).

patinada *f.* ① *Méj., Ur.* =patinazo ①. ② *Ur.* 미끄러짐(resbalón).

patinadero *m.* 스케이트장, 아이스 링크, 빙상 경기장.

patinador, ra *adj.* 스케이트를 타는. —*m.f.* 스케이트를 타는 사람, 스케이트 선수.

patinaje *m.* ① 스케이팅, 스케이트 타기: ~ de velocidad (en pista corta) 스피드 스케이팅 (의 쇼트 트랙). ~ artístico 피겨 스케이팅. ② 스케이트 경기: pruebas de ~ artístico 피겨 스케이팅 경기 대회.

patinar[1] *intr.* ① 스케이트를 타다, 스케이트로 미끄러지다: pista de ~ 스케이트장, 스케이트 링크. ~ sobre hielo 아이스 스케이트를 타다. ~ sobre ruedas 롤러 스케이트를 타다. ② (차바퀴가) 헛돌다, 공돌다. ③ (차바퀴가) 미끄러지다. ④ (바닥・미끄러운 표면에서) 미끄러지다. ⑤ (말・행동에) 방향을 잃다, 실수하다, 실언하다. **~se** *Arg., Ur.* =**despilfarrarse.**

patinar[2] *tr.* …에 녹이 슬게 하다.

patinazo *m.* ① 횡전(橫轉), 옆으로 회전함[미끄러짐]. ② 실책, 실수.

patineta *f.* ① *Cuba, Hond., Ven.* =patinete. ② *Salv., Ven.* =mano-patín.

patinete *m.* 스쿠터, 외발 롤러스케이트.

patinillo *m.* 안마당, 뒤뜰, 뒷마당, 울안의 작은 공지.

patinódromo *m.* 스케이트장, 스케이트 링크.

patio *m.* ① 파티오 ((스페인식 가정의 안뜰)): ~ de armas 연병장, 열병장. ~ de caballos (투우장의 주투우사인 picador의) 마구간. ~ de escuela, ~ de recreo, ~ de juego 운동장, 교정(校庭), 학교 운동장. ~ de operaciones (거래소의) 입회장. ② =**patio de butacas.** ③ (극장・영화관의) 일층 일반석, 무대 정면 바닥의 관람석. ④ *Méj.* (기차역 근처의) 기관차 조차장. ¶ ~ ***de butacas*** (무대 앞의) 특등석.

patiperrear *intr. Chile.* =callejear.

patiperro, rra *adj. Chile.* 돌아다니기 좋아하는(callejero).

patiquebrar *tr.* 동물의 다리를 부러뜨리다. **~se** 동물의 다리가 부러지다.

patitas *f.pl.* ***poner*** a alguien ***de ~ en la calle*** (누구를) 몰아내다, 쫓아내다.

patitieso, sa *adj.* ① (갑작스러운 사고・추위로) 다리에 감각이 없고 움직이지 않는, 다리가 말을 듣지 않는. ② 몹시 놀란, 기겁을 하는. ③ 점잔을 빼고 꼿꼿이 걷는.

patituerto, ta *adj.* ① 다리[발]가 휜[굽은]. ② (잘못 만들어져・휘어서 가구의 다리의 길이가) 가지런하지 못한.

patizambo, ba *adj.* 다리가 엑스자(字) 모양인, 엑스각(X脚)의, 외반슬(外反膝)의. *—m.f.* 다리가 엑스자 모양인 사람.

pato[1] *m.* ① [조류] 오리: ~ salvaje, ~ silvestre 들오리. ② 싱거운 사람, 촌스러운 사람, 용렬한 사람. ③ *Ant., Nic., Ven.* 여자 같은 남자. ④ [운동] 폴로 비슷한 경기. ⑤ *Col., Cuba, Ecuad.* 병상에 있는 남자의 오줌을 받는 병. ⑥ *Ecuad.* 장난의 희생자. ⑦ *Salv., Ven.* 환자의 대소변 용기. *—adj.* ① 싱거운, 촌스러운, 용렬한. ② Ecuad. 장난의 희생자가 된. ¶ ~ ***negro*** 청둥오리, 물오리. ***estar*** alguien ***hecho un*** ~ ***(de agua)*** (물로) 흠뻑 젖다, 땀으로 목욕하다, 땀에 흠뻑 젖다. ***hacerse*** alguien ~ *Méj.* 바보가 되다. ***salga ~ o gallareta*** =salga lo que saliere. ☞salir.

pato[2] ***pagar el*** ~ alguien (…가) 남의 허물을 뒤집어쓰다, 억울한 처벌을 받다.

pato- *pref.* 「질병·감정(afección)」의 뜻: *pato*grafía 병력(病歷).

patochada *f.* 엉터리, 억지, 이치에 닿지 않는 일, 무례한 말, 상말.

patogénesis *f.* 병인(病因), 발병.

patogenia *f.* 병원학(病源學), 병원론(病原論), 병인론(病因論).

patogénico, ca *adj.* patogenia의.

patógeno, na *adj.* [의학] 병인이 되는: gérmenes ~*s* 병원균. *—m.* 병원체.

patognomía *f.* [의학] 질병 징후학; 진단학.

patognomónico, ca *adj.* [의학] (어떤 질병에) 특징적인.

patografía *f.* [의학] 병력(病歷).

patojear *intr.* ① *Ecuad.* 주저하다, 망설이다. ② *Salv.* 오리걸음을 걷다, 오리처럼 뒤뚱거리며 걷다.

patojera *f.* 오리발의 기형[불구].

patojo, ja *adj.* ① 다리[발]가 휜[균형을 잃은], 오리발의, 물갈퀴의. ② 오리걸음을 걷는, 오리처럼 뒤뚱거리며 걷는, 걸을 때 몸을 이리저리 흔들면서 오리의 흉내를 내는.

patología *f.* ① 병리학(病理學). ② 병(病)의 징후, 병의 경과[상태].

patológico, ca *adj.* ① 병리학의[에 관한]. ② 병적(病的)인.

patólogo, ga *m.f.* 병리학자.

patón, na *adj.* 발이 큰.

patoso, sa *adj.* ① (동작이) 둔한, 어색한. ② 하찮은, 시시한; 따분한, 지루한, 무료한. ③ 준비성[조심성]이 없이 말하는. ④ 서툰.

patota *f.* ① *Arg., Bol., Par., Perú, Ur., Ven.* (젊은이들로 구성된 공공장소에서의) 폭력적 집단. ② *Arg., Perú, Ur., Ven.* (일반적으로 젊은 이들의) 친구들의 동아리[집단].

patraña *f.* 거짓말, 꾸며낸 이야기.

patrañero, ra *adj.* 거짓말을 잘 하는, 자주 이야기를 꾸며내는. *—m.f.* 거짓말쟁이, 허풍쟁이.

patria *f.* ① 조국: volver a la ~ 조국에 돌아가다[돌아오다]. Moriré por la ~ 조국을 위해 죽겠다. ② 탄생지, 태어난 도시, 태어난 나라; 고향: la segunda ~ 제2의 고향. ¶ ~ ***celestial*** 천국, 하늘 나라. ~ ***chica*** 고향, 태어난 곳, 태어난 도시, 태어난 지방. ~ ***madre*** ㉮ 모국. ㉯ (중남미에서 본) 스페인. ~ ***potestad*** [법률] 친권(親權). ***padre de la*** ~ 국부(國父).

patriarca *m.* ① 가장(家長), 족장(族長) ((옛날의 대가족·종족의 장)). ② [성경] 족장(族長), 이스라엘 민족의 조상 ((아브라함, 이삭, 야곱 및 그들의 조상)). ③ (알렉산드리아·예루살렘·콘스탄티노플의 교회들처럼 본 교회의) 주교(主教)의 직. ④ 총대주교 ((교황이 임명한 업무나 사법권이 없는 사제 직의 칭호)): ~ de las Indias 동인도의 총대주교. ⑤ 교파[종파]의 창시자, 개조(開祖), 시조. ⑥ (어떤 사회·단체의) 장로, 원로. ¶***como un*** ~ 안락하게, 편안히.

patriarcado *m.* ① patriarca의 지위. ② patriarca의 관할 지역. ③ patriarca의 재임 기간. ④ 족장 정치 ⑤ 가부장제(家父長制), 부권 제도. ⑥ patriarca 지배 시대의 기간.

patriarcal *adj.* ① patriarca의[에 관한]. ② 족장[가장] 정치의[에 관한]. ③ 가부장제의[에 관한], 가부장적인. ④ 원로[장로]의[에 관한]. ⑤ 선정을 베푼 (정치). *—f.* ① patriarca의 교회. ② patriarca의 관구(管區).

patricio, cia *adj.* ① (옛 로마의) 원로원 의원의 후손의. ② 귀족의 지위를 얻은. ③ 귀족의, 귀족에 관한. *—m.f.* ① (옛 로마의) 원로원 의원의 후손. ② (옛 로마의) 귀족, (일반적으로) 귀족. *—m.* (국민 사이에서 출생·부·덕망에 의해) 빼어난 사람, 명문 출신자, (대대로 내려오는) 유지(有志), 세도가 집안 사람.

patrilineal *adj.* 부계(父系)의, 아버지 쪽의, 부계 사회의.

patrimonial *adj.* ① 세습 재산의[에 관한]. ② 세습의, 세습적인, 조상 전래의, 대대로 물려받은, 집안 내림의, 전승의, 유전의. ③ [언어] (외래어에 대해) 본래의. ¶***mar*** ~ (200 마일의) 경제 수역, 영해(領海).

patrimonialidad *f.* ① 생득권(生得權), 타고난 권리. ② (맏아들의 상속권 등의) 계승권.

patrimonio *m.* ① 세습[상속] 재산. ② (납세자의) 고유 자산. ③ (사회적인) 유산, 전통: ~ cultural 문화유산, 문화재. *Patrimonio* de la Humanidad (유네스코의) 세계 유

산. ④ 재산, 자산: ~ de la sociedad 회사의 자산. ~ familiar 가족 자산. ~ histórico-artístico 국보(國寶). ⑤ =**patrimonialidad.** ¶ ~ ***nacional*** 국유 재산. ~ ***neto*** [경제] 순자산, 정미 자산. ~ ***real*** 왕실 재산.

patrinquear *intr. Ur.* 싸움[도전]을 포기하다.

patrio, ria *adj.* ① 조국(patria)의[에 관한]: deber ~ 조국에 대한 의무. ② 고향[탄생지]의[에 관한]: suelo ~ 고향, 고향 땅. ③ 부계의, 아버지의: ~*ria* potestad 부권(父權).

patriota *m.f.* ① 애국자, 우국 지사. ② [드묾] =**compatriota.** —*m.* ① *Cuba.* 1빼소짜리 지폐[동전]. ② *Nic.* 익은 바나나(plátano maduro).

patriotería *f.* =**patrioterismo.**

patrioterismo *m.* 사이비 애국주의.

patriotero, ra *adj.* 사이비 애국주의의. —*m.f.* 사이비 애국자.

patrióticamente *adv.* 애국적으로.

patriótico, ca *adj.* 애국의, 애국적인, 애국자의, 애국심이 강한.

patriotismo *m.* 애국심, 조국애.

patrístico, ca *adj.* ① 초기 그리스도교 교부의. ② 교부의 저서[연구]의, 교부학의. —*f.* 교부학(敎父學).

patricinado, da *adj.* (선전 목적으로 자주) 경제적 지원을 받은. —*m.f.* (다른 사람의) 지원을 받은 사람.

patrocinador, ra *adj.* ① 후원하는, 지원하는. ② (광고 목적으로 자주 활동을) 후원[지원]하는 (사람·업체). —*m.f.* ① 후원자, 지원자. ② (상업 방송의) 스폰서 ((프로그램을 지원하는 광고주)).

patrocinar *tr.* ① 돕다, 지원하다, 두둔하다, 보호하다, 옹호하다. ② (광고 목적으로) 후원하다, 지원하다, 광고주가 되다, 스폰서가 되다.

patrocinio *m.* 도와 줌, 후원, 지원, 원조, 보호.

patrología *f.* ① =**patrística.** ② 교부 연구. ③ 교부 저작집.

patrón, na *m.f.* ① 보호자, 후원자, 비호자. ② 후원(회) 담당자. ③ (나라·도시·동업 조합 등의) 수호 성인. ④ [주로 *pl.*] (하숙집·셋집의) 주인. ⑤ 주인. ⑥ 고용주(patrono). —*m.* ① (소형 상선의) 선장. ② 원형, 모형: ~ de la economía 경제 모형[모델]. ③ 본(本), 형지(型紙), 종이본; 주형(鑄型), 목형(木型): ~ de un vestido 옷의 본. ④ [경제] 본위제: ~ doble (금은의) 복본위제. ~ plata 은본위제. ⑤ (접목에서) 접본, 접대, 대목. ¶ ~ ***de bote,*** ~ ***de lancha*** 소형 선박의 선장. ~ ***oro*** [경제] 금본위제. ***cortado por el mismo*** ~ (사람·물건이) 다른 것과 아주 비슷한.

patronado, da *adj.* 후원자가 있는.

patronal *adj.* ① 고용주[고용자·경영자]의[에 관한]: interés ~ 고용주[경영자]측 이익. sindicato ~ 고용주[고용자] 조합. ② 후원(회)의[에 관한]. ③ 수호 성인의: fiesta ~ 수호 성인(을 기리는) 축제. —*f.* ① 경영진. ② 경영자 단체: ~ bancaria 은행가 협회. ③ 재계(財界).

patronato *m.* ① 자본가[고용주]의 권리[힘·권한]. ② 경영자[고용주] 단체. ③ 자선 단체의 후원회[이사회]. ④ 자선 (사업) 재단.

patronazgo *m.* =**patronato.**

patronear *tr.* (선박의) 선장을 맡다.

patronímico, ca *adj.* ① (옛 희랍과 로마에서) 아버지[조상]의 이름을 딴. ② (옛날 스페인에서) 아버지[조상]의 성을 딴. —*m.f.* (옛 스페인에서) 조상의 성을 딴 이름.

patrono, na *m.f.* ① 보호자, 후원자, 원호자. ② patronato의 권리[직]를 가진 자. ③ 수호 성인. ④ 고용주, 경영자. ⑤ 주인. ⑥ 하숙집 주인, 묵고 있는 집주인. ⑦ (봉건) 영주.

patrulla *f.* ① 순찰병, 척후, 경비병; 순찰 경찰관. ② [집합적] 순찰대, 경비대, 초계 부대: ~ costera 연안 경비대. ~ de rescate 구조대. ③ 초계정, 초계기(哨戒機). ④ 순찰, 순시, 감시, 정찰: coche ~ 순찰차, 패트롤카. policía ~ 순찰 경찰관. andar de ~ 순찰[정찰]하다. ⑤ 악당 패거리. ⑥ *Amér.* (경찰의) 순찰차, 패트롤카. —*m. Pan.* (경찰의) 순찰차, 패트롤카.

patrullaje *m.* 순찰, 순시, 정찰, 초계.

patrullar *intr., tr.* ① 순찰[순시]하다. ② (비행기·배가) 초계하다.

patrullero, ra *adj.* ① 순찰[순시·정찰·초계]의: avión ~ 초계기. barco [buque] ~, lancha ~*ra* 초계정. ② *Arg., Bol., Cuba, Ecuad., Nic., Ur.* 순찰차의. —*f.*(*m.*) 초계정, 순시정, 초계기. —*m.* ① *Arg., Bol., Cuba, Ecuad., Nic., Ur.* (경찰의) 순찰차, 패트롤카. ② *Col., CRica., Méj., Salv., Ur., Ven.* 순찰차를 타는 경찰관. ③ *Salv.* 군대 조직에 속한 농부[시골 사람].

patuco *m.* ① 유아용 편물 보선[양말]. ② 성인용 잠자리 발 덮개.

patudez *f. Chile.* =**osadía.**

patudo, da *adj.* ① 발이 큰. ② *Chile.* =**osado, confianzudo.**

paují *m.* [조류] (열대 아메리카의) 산닭. ¶ ~ ***de piedra*** [조류] =**paují.**

paúl[1] *m.* 풀로 덮인 습지(濕地).

paúl[2] *adj.* 바울회(los Paúles, 17세기에 San Vicente de Paúl이 창설한 전도회)의. —*m.* 바울회 사제. —*m.f.* 바울회 회원

paulino, na *adj.* 사도 바울(apóstol San Pablo)의[에 관한].

pauperismo *m.* 항구적 궁핍.

pauperizar (9) *tr.* (나라·지방·사

회 집단을) 가난하게 하다, 궁핍하게 만들다.
paupérrimo, ma *adj.* 매우 가난한.
pausa *f.* ① (일 등의) 잠깐 멈춤, 중지, 중단, 단절; 참, 중간 휴식; (이야기의) 중단, 숨 돌림. 휴지(休止): hacer ~ (낭독 등에서) 잠깐 쉬다, 중단하다, 휴지(休止)하다. ② 지체, 지연, 느림, 완만함. ③ 구두(句讀), 단락, 구절 끊기. ④ [시학] 휴지(休止). ⑤ [음악] (노래·연주를 중단하는) 잠깐 휴지[멈춤]. ⑥ [음악] 온쉼표, 연장 (기호), 늘임표. ¶*a ~s* 간헐적으로, 띄엄띄엄.
pausadamente *adv.* 느리게, 더디게, 천천히, 차근차근, 차분하게.
pausado, da *adj.* 느린, 차분한, 완만한. —*adv.* =pausadamente.
pausar *intr., tr.* 중단하다, 도중에서 끊기다; 잠시 멈추다, 숨을 돌리다.
pauta *f.* ① 줄 치는 자. ② 줄; [집합] 줄 쳐진 자로 친 줄. ③ 규준, 지침, 규범. ④ 본보기, 모범, 본.
pautado, da *adj.* 줄이 쳐진: papel ~ 괘지, 인찰지. —*m.* [음악] 오선지(五線紙).
pautador *m.* 종이에 줄 치는 담당자.
pautar *tr.* ① pauta로 종이에 줄을 치다. ② 행동 규범을 정하다, 규준을 정하다. ③ [음악] (악보를 그리기 위해) 종이에 필요한 줄을 치다.
pava[1] *f.* ① [조류] 암칠면조. ② 촌스러운 여자. ③ *Arg., Par.* (윗부분에 손잡이와 뚜껑 및 주둥이가 있으며, 물을 덥히는 데 사용하는 에나멜 칠을 한) 쇠 주전자. ④ *CRica.* (여자가 이마에 늘어뜨린) 곱슬 머리카락. ⑤ *Ven.* 악운. —*adj.* 촌스러운, 볼품없는. ¶*pelar la ~* (남자는 창문 밖 거리에서, 여자는 격자창이나 발코니에서) 사랑을 속삭이다.
pava[2] *f.* (야금 용광로에서 사용되는) 큰 풀무(fuelle grande).
pavada *f.* ① 칠면조 떼. ② 다리를 펼치고 둥그렇게 앉아 하는 어린이들의 놀이. ③ =sosería.
pavana *f.* ① 빠바나 ((옛 스페인의 무용)). ② 빠바나 춤곡. ③ (옛날 부인용) 숄의 일종.
pavero, ra *m.f.* ① 칠면조 사육자. ② 칠면조 장수. —*m.* 빠베로 ((안달루시아 사람들이 쓰는 챙이 넓은 모자)).
pavés *m.* (투사의 거의 전신을 덮기에 크기가 충분한) 타원형 방패. ¶ *alzar* [*levantar*] a alguien *sobre el ~* ㉮ (누구를) 두목[추장]으로 추대하다. ㉯ (누구를) 칭찬하다.
pavesa *f.* 불똥. ¶*estar* alguien *hecho una ~* (누가) 매우 쇠약해져 있다. *ser* alguien *una ~* (누가) 매우 가냘프다.
pavesada *f.* =empavesada.
pavesina *f.* 작은 타원형 방패.
pavezno *m.* =pavipollo.
pavía *f.* ① [식물] 페르시아 복숭아나무의 변종. ② [과실] 페르시아 복숭아. ¶*echar por las de Pavía* 고자세로 말하다[대답하다], 위압적인[고압적인] 태도로 말하다.
pávido, da *adj.* =tímido, medroso, lleno de pavor.
pavimentación *f.* 포장, 포장하기.
pavimentar *tr.* (바닥을) 포장하다.
pavimento *m.* 포장한 바닥, 포장면(鋪裝面)(suelo).
pavimiento *m.* [드묾] =pavimento.
paviota *f.* =gaviota.
pavipollo *m.* 칠면조 새끼
pavisoso, sa *adj.* =bobo.
pavitonto, ta *adj.* =estúpido.
pavo *m.* ① [조류] 칠면조. ② 촌스러운 남자, 조심성이 없는 남자. ③ *Bol., Chile, Pan., Perú.* 밀항자(polizón). ④ *Ecuad.* 돈을 내지 않고 공연[서커스]에 들어가는 사람. ⑤ *Ecuad.* 곱사등. —*adj.* ① 촌스러운. ② 조심성이 없는. ¶ *~ real* [조류] 공작. *~ ruan* =pavo real. *~ ruante* [문장학] 꼬리의 깃을 둥그렇게 펼친 공작. *comer ~* una mujer (무도회에서, 여자가) 상대가 없어[춤을 추자는 사람이 없어] 춤을 못 추고 있다. *subírsele* a alguien *el ~* (누구의) 얼굴이 붉어지다[상기되다], 얼굴을 붉히다.
pavón *m.* ① [조류] 공작(pavo real). ② [곤충] 공작나비 ((날개에 눈 모양으로 둥그런 점이 있는 나비)). ③ (쇠에 바른) 녹 방지용 색칠을 한 표면 (층), 철제 표면의 푸른[검은·커피색] 산화 피막(酸化被膜).
pavonado, da *adj.* ① 검푸른. ② 녹 방지제를 바른. —*m.* 녹 방지제. —*f.* ① 뻐기기, 뽐내기, 우쭐대기. ② 산책; 산책 비슷한 가벼운 기분 전환. ¶*darse* alguien *una ~* (누가) 바람 쐬러 나가다, 기분 전환을 위해 외출하다, 가벼운 산책을 하다.
pavonador, ra *adj., m.f.* 녹 방지제를 바르는 (사람).
pavonar *tr.* (쇠·강철에) 녹 방지제를 바르다.
pavonear *intr.* ① 우쭐거리다, 거드름을 피우다, 점잔을 빼다. ② 남에게 신소리를 치다, 탐나게 하다. ~se 점잔을 빼다, 거드름을 피우다.
pavoneo *m.* 우쭐거림, 거드름 피우기, 점잔 빼기.
pavor *m.* 공포, 공포감[심], 두려움.
pavorido, da *adj.* 두려움에 찬, 공포로 질린, 겁에 질린, 공포에 떠는.
pavorosamente *adv.* 공포에 질려, 두려워, 질겁해서, 깜짝 놀라.
pavoroso, sa *adj.* 두려운, 무서운, 무시무시한, 공포에 떠는, 모골이 송연한, 몸이 오싹하는: escena *~sa* 모골이 송연한 장면.
pavura *f.* =temor, pavor.
payada *f.* ① *Arg., Chile, Ur.* 빠야

다 ((payador의 노래)). ② *Arg., Bol., Chile, Ur.* (두 사람 이상의) payador의 경연 대회[콩쿠르]. ③ *Ur.* 모른 것을 은폐하기 위해 즉흥적으로 만들어 낸 설명.

payador, ra *adj.* 모른 것을 은폐하기 위해 즉흥적으로 만들어 설명하는. —*m.* 빠야도르 ((칠레·아르헨띠나·우루구아이의 민속 음악인 빠야다(payada)를 부르는 목동)).

payar *intr. Arg., Chile, Ur.* payada를 부르다.

payasada *f.* ① 어릿광대 같은 짓[말]. ② 우스운[익살스러운] 행동.

payaso, sa *adj.* 별로 진지하지 않은, 곧잘 농담을 하는, 행동[말]으로 곧잘 웃기는. —*m.f.* (서커스의) 어릿광대.

payés, sa *m.f.* (까딸루냐·발레아레스 제도의) 촌사람, 시골 사람.

payo, ya *adj.* 시골의, 촌의(aldeano). —*m.* ① 촌사람, 시골 사람. ② 무식하고 거친 시골 사람. ③ (집시들 사회에서) 자기 종족에 속하지 않는 사람.

payulo, la *adj. Hond., Salv.* 얼굴이 창백한(pálido).

paz *f.* ① 평화: ~ universal 세계 평화. en tiempo de ~ 평상시에는. ② 강화 조약: firmar la ~ 강화 조약을 체결하다[조인하다]. ③ (가족 등의) 화합. ④ [주로 *pl.*] 화해. ⑤ (마음의) 평안, 평온. —*interj.* 그만들 하시오, 화해하시오 ((싸우는 사람들 사이에 들어 화해를 시킬 목적으로 하는 말)). ¶*a la ~ de Dios* ㉮ [인사] 안녕하세요. ㉯ [헤어질 때 인사] 안녕히 계세요, 안녕히 가세요. *andar la ~ por el coro* 불화[싸움]가 있다. *dar la ~* a alguien ㉮ (미사에서 하는 것처럼) 화해와 우정의 표시로 성모상을 포옹하다[성모상에 입맞추다]. ㉯ [고어] =dar paz. *dar ~* a alguien 우정의 표시로 얼굴에 입맞추어 인사하다. *dejar en ~* a alguien (누구를) 조용히 내버려두다. *descansar en ~* 고이 잠들다, 영면하다, 죽다: Que *en ~ descanse* 고이 잠드소서, 부디 영면하소서 ((약어: Q.E.P.D.)). *estar en ~* 동점이다, 비기다. *hacer las paces* 화해하다. *meter ~* 화해시키다. *poner en ~* a dos o más personas, *poner ~* entre las personas (두 사람 이상을, 사람들 사이에서) 화해시키다. *quedar en ~* =estar en paz. *reposar en ~* =descansar en paz. *sacar a ~ y a salvo* a alguien (누구를) 모든 위험에서 구해 내다. *Vaya [Vete] en ~ [con la ~] de Dios* 안녕히 가십시오(Vaya con Dios). *venir* alguien *de ~* (상대방이 두려웠을 때) 싸울 생각 없이 오다, 적대 감정을 버리고 오다, 우호적인 목적으로 내방하다.

Paz (La) [지명] 라 빠스 ((볼리비아의 수도)).

pazo *m.* (특히 시골에 지어진, 갈리시아의) 대저택.

Pb plomo 납.

PB. Planta Baja 일층.

PBI *p*roducto *b*ruto *i*nterno 국내 총생산.

PCA *m. P*artido *C*omunista *A*ndaluz 안달루시아 공산당.

PCC *m. P*artido *C*omunista de *C*uba 꾸바 공산당.

PCE *m. P*artido *C*omunista *E*spañol 스페인 공산당.

PCT *m. P*rograma de *C*ooperación *T*écnica 기술 협력 계획.

P/cta. por cuenta 계산에 의해.

PD. posdata, post data 추신(追伸).

P.D. por delegación 위임을 받아, 대리로.

pdo. pasado 전의, 전(前)…, 지난 …

pe *f.* 뻬 ((문자 p의 명칭)). ¶*de ~ a pa* ㉮ 완전히, 온통, 몽땅, 아주, 모두, 죄다. ㉯ 처음부터 끝까지, 시종, 하나에서 열까지.

p.e. peso específico 비중(比重). por ejemplo 예를 들면. por encargo 주문으로.

pea *f.* [속어] =**embriaguez.**

PEA *f. p*oblación *e*conómicamente *a*ctiva 경제 활동 인구.

peaje *m.* ① (도로·다리 등의) 통행료, 통행세: carretera [autopista] de ~ 유료 도로. ② 톨게이트, 통행료 징수소, 통행료를 내는 곳.

peajero *m.* 통행료 징수원, 톨게이트 직원.

peal *m.* ① (양말·스타킹의) 등. ② 편물 각반. ③ 쓸모없는 사람, 얼간이, 바보. ④ *Cantb., Amér.* (동물의 다리를 묶는) 줄, 끈. ⑤ *Amér.* (동물을 쓰러뜨리기 위해 던지는) 밧줄.

peana *f.* ① (조각상 등의) 받침, 대좌, 대(臺). ② (제단 앞에 있는) 대(臺), 발판, 디딤돌.

peaña *f.* =**peana.**

peatón, na *m.f.* 보행자: isla de ~ (도로상의) 교통 안전 지대. Ceda el paso a *peatones* 보행자 우선. —*m.* 우편집배원, 우체부.

peatonal *adj.* 보행자의, 보행자 전용의: isla ~ (도로상의) 교통 안전 지대. —*m. AmérM.* 횡단 보도.

peatonalización *f.* 보행자 전용화.

peatonalizar (9) *tr.* (차량의 통행을 차단하면서 도로·도시의 일부를) 보행자 전용으로 하다.

pebete, ta *m.f. Arg., Par.* [드묾] =**niño, niña.** —*m.* ① 선향(線香). ② (꽃불의) 심지. ③ 냄새가 고약한 물건. ④ *Arg., Ur.* 계란 (모양의) 빵.

pebetero *m.* ① 향로(香爐). ② (기념 불을 붙이는) 그릇. ③ (올림픽

의) 성화대.
pebida *f. Ast.* =pepita.
pebrada *f.* pebre 소스, 후추 소스.
pebre *m.(f.)* ① 뻬브레 ((후추·마늘·미나리·식초 및 여러 가지 양념이 들어간 소스)). ② 후추. —*m.* 진한 감자 수프.
pebrina *f.* (누에의) 미립자병.
peca *f.* [주로 *pl.*] 주근깨: rostro lleno de ~*s* 주근깨투성이의 얼굴.
pecable *adj.* ① 잘못하기 쉬운, 틀리기 쉬운. ② 죄 지을 수 있는.
pecado *m.* ① (종교·도덕상의) 죄, 죄업: confesar *sus* ~*s* 죄를 고백하다[고해하다]. pagar (por) *sus* ~*s* 속죄하다. ② 실수, 잘못, 과오, 과실, 위반. ③ 악덕. ④ 악마의 피를 받은 자식, 개망나니, 다루기 어려운 나쁜 놈. ⑤ 악마. ¶ ~ ***actual*** 알면서 지은 죄, 고의범. ~ ***capital*** 대죄(大罪). ~ ***contra natura,*** ~ ***contra naturaleza*** =**sodomía.** ~ ***de bestialidad*** =**bestialismo.** ~ ***de comisión*** (기독교 교리에 의하면) 하느님의 법 위반. ***el*** ~ ***de la lenteja*** 누가 야단스레 강조하거나 과장한 가벼운 결함[결점]. ~ ***de omisión*** 태만의 죄. ~ ***grave*** = pecado mortal. ~ ***material*** 모르고 지은[범한] 죄. ~ ***mortal*** 대죄, 큰 죄. ~ ***nefando*** 외설죄. ~ ***original*** ㉮ (기독교 교리에 의하면 아담과 이브로부터 내려와 인간에게 잉태된) 원죄. ㉯ 태생적 결함. ~ ***solitario*** =**masturbación.** ~ ***venial*** 작은 죄. ***conocer*** alguien ***su*** ~ (누가) 죄를 고해하다. ***de mis*** **~*s*** 나 자신의. ***estar de*** ~ 무척 식욕을 돋우다, 무척 바람직하다. ***estar*** algo ***hecho un*** ~ (무엇이) 실패하다, 결과가 나빴다. ***llevar en el*** ~ ***la penitencia*** 자업자득이다. ***pagar*** alguien ***su*** ~ (시간이 많이 흘러 잊혀진 줄 알았지만) 죄값을 받다. ***por mis*** **~*s,*** ***por malos*** [***por negros***] ***de mis*** **~*s*** 내 잘못으로, 내 죄의 벌로. ***ser de*** ~ = estar de pecado.
pecador, ra *adj.* ① 죄의. ② 죄를 범하는. ③ 죄를 범할 수 있는. ④ 죄가 많은. —*m.f.* 죄인, 범죄자. —*f.* =prostituta. ¶ ***¡Pedador de mí!*** 아, 죄 많은 이 몸이여! ((자신의 과오를 표현할 때)).
pecadorizo, za *adj., m.f.* 죄를 범하는 경향이 있는 (사람), 곧잘 죄를 범하는 (사람).
pecaminoso, sa *adj.* ① 죄의[에 관한]. ② 죄인의[에 관한]. ③ 죄에 물든 것 같은, 죄에 물들어 있는.
pecante *adj.* 심한, 도가 지나친, 도를 넘은.
pecar (7) *intr.* ① 죄를 범하다[짓다]. ② 도덕적인 잘못을 범하다, 잘못하다, 실수하다. ③ 도를 넘다, 도가 지나치다. ④ …에 빠지다, …에 반하다, 악에 물들다.
pecarí *m. AmérM.* =**saíno.** ¶ ~ ***de collar*** *Méj.* 목에 하얀 털이 있는 멧돼지.
pecblenda *f.* [광물] 역청 우란광.
peccata minuta *lat.* 잘못, 실수, 과오, 가벼운 죄, 경범죄.
pece[1] *m.* (논밭의 두 이랑 사이의) 두둑.
pece[2] *m.* (담·공장 등을 만들기 위한) 반죽 흙, 모르타르 회반죽.
peceño, ña *adj.* ① 송진[역청] 색의. ② 송진[역청] 같은.
pecera *f.* 어항(魚缸).
pecero, ra [약자 *PCE,* Partido Comunista de España를 한 자씩 읽은 말] *m.f. Esp.* 스페인공산당원.
pecha *f.* ① =**tributo, contribución.** ② *Can.* =**competición, encuentro.** ③ *Can.* =**puja**[2].
pechada[1] *f.* ① *And.* =**panzada, hartazgo.** ② *Arg., Bol., Ur.* 돈 뜯어내기(sablazo).
pechada[2] *f.* ① *Amér.* 구타, 주먹으로 가슴[어깨] 때리기. ② *Amér.* 기수가 말의 가슴 때리기. ③ *Arg., Chile.* =**atropello, empujón.** ④ *Ur.* =**sorpresa.**
pechador, ra *m.f.* =**sablista.**
pechar[1] *tr.* ① (세금을) 내다, 납부하다. ② *Amér.* =**sablear, estafar.** —*intr.* [+con] (…을) 떠맡다, 인수하다, 받아들이다.
pechar[2] *tr. Gal., León, Sal.* 자물쇠로 잠그다, 자물쇠를 채우다.
pechar[3] *tr. Amér.* 때리다, 구타하다, 주먹으로 가슴을 때리다. ~**se** *Ur.* 놀라다.
pechazo *m.* ① 주먹으로 가슴 때리기. ② *AmérM.* =**sablazo, estafa.**
pechblenda *f.* =**pecblenda.**
pechera[1] *f.* ① (와이셔츠나 다른 옷의) 가슴 부분. ② (천 등의) 가슴받이. ③ 가슴 장식. ④ *Chile.* (목수의) 앞치마. ⑤ 가슴의 바깥 부분, (특히, 여성의 풍만한) 젖가슴, 유방.
pechera[2] *f.* ☞**pechero**[2].
pechero[1] *m.* ① 턱받이. ② *Arg.* (말의) 가슴 보호대, 가슴걸이.
pechero[2]**, ra** *adj.* ① 세금을 내야 하는, 납세의 의무가 있는. ② 평민의, 서민의. —*m.f.* ① 납세자. ② 평민, 서민, 상놈.
pechiblanco, ca *adj.* 가슴이 하얀 (동물).
pechicolorado *m.* =**pechirrojo.**
pechil *m. Sal.* =**cerradura.**
pechín *m.* =**alpechín.**
pechina *f.* ① (순례자들이 달고 있는) 조개. ② [건축] 모서리 박공.
pechirrojo *m.* [새] 홍방울새.
pechisacado, da *adj.* =**engreído, arrogante.**
pecho[1] *m.* ① 가슴, 흉부: tener el

~ amplio 가슴이 넓다. ② 호흡기, 폐: angina de ~ 협심증(狹心症). enfemedad de ~ 폐병. ③ (여성의) 가슴, 유방. ④ 마음속, 의중, 내심, 가슴. ⑤ 힘, 용기(valor, fortaleza). ⑥ 노력(esfuerzo). ⑦ 성량(聲量). ⑧ (네 발 짐승의 목과 앞발 사이에 있는) 몸통의 앞 부분. ⑨ [드묾] 급경사, 가파른 비탈[언덕]. ¶*abierto de ~s* 걸을 때 앞쪽으로 발을 너무 내딛는 (말). *abrir* alguien su ~ *a* [*con*] alguien (누가 누구에게) 속내를 터놓다, 흉금을 털어놓다, 속말을 하다. *abrir* alguien su ~ *a la esperanza* (누가) 믿기 시작하다. *a ~ descubierto* ㉮ 무방비로, 맨손으로, 적수공권으로. ㉯ 정정당당히. *¡Buen ~!* 힘내라!, 기운을 내라!, 가슴을 펴라!(¡Animo!). *criar* a alguien *a los ~s* (누구를) 키우다, 교육시키다. *criar* alguien *a* sus *~s* a otra persona (누가, 다른 사람을) 보호하다, 육성하다, 조성하다, 장려하다. *dar el ~* 젖을 주다[먹이다]. *declarar* alguien su ~ =declarar su corazón. ☞corazón. *de ~* 가슴을 대고, 가슴으로, 엎드려. *descubrir* alguien su ~ a otra persona =abrir su pecho. *echar el ~ al agua* (매우 위험한[어려운] 일을) 결단성 있게 시작하다[착수하다]. *echarse* alguien *a ~s* un vaso, taza, etc. (누가 술을) 벌컥벌컥 마시다. *entre ~ y espalda* 뱃속에, 위의 속에. *fiar el ~* =abrir su pecho. *no caber* a alguien algo *en el ~* (누가 무엇을) 털어놓고 싶어 안달이 나다, 가슴속에 새겨 두지 못하다, 마음속 깊이 간직하지 못하다. *no pudrírsele* a alguien algo *en el ~* 끝내 입밖에 내고 말다, 결국 털어놓고 말다. *partirse el ~ por* alguien o algo (누구·무엇을 위해) 마음을 쓰다, 고심하다, 무척 노력하다. *¡Pecho al agua!* 용기를 내서!, 젖먹는 힘까지 내서!. *~ arriba* =a repecho. *~ por el suelo* [*por tierra*] ㉮ 비굴하게, 자신을 낮추어, 설설 기듯이, 허리를 굽실거리며, 매우 공손하게. ㉯ (새가) 매우 낮게, 땅을 기듯이 (날다). *tener ~* 끈기와 활력이 있다. *tomar(se)* alguien *a ~(s)* ㉮ 마음속[가슴]에 간직하다, 집착하다, 집심(執心)하다, 꽁하게 마음에 두다. ㉯ 무척 마음에 걸리다, 매우 마음이 상하다. *tomar el ~* un niño (어린아이가) 젖을 빨기 위해 어머니의 젖꼭지를 입으로 물다, 입으로 어머니의 젖꼭지를 물고 젖을 빨다, 젖을 먹기 위해 젖꼭지를 물다.

pecho[2] *m.* ① (왕이나 봉건 영주에게 냈던) 제산세. ② 공물, 조세.

pecho[3] *m. León, Sal.* =pestillo, cerradura.

pechuga *f.* ① [주로 *pl.*] (조류의 두 부분으로 나누어진) 가슴(pecho). ② (조류의 두 부분으로 나누어진) 가슴의 한쪽. ③ [요리] (닭의) 가슴살. ④ [구어] (사람의) 가슴. ⑤ [드묾] 비탈길, 언덕길. ⑥ *Ecuad., Pan., Perú.* =desfachatez. ⑦ *Pan.* 화, 성, 노여움(enfado).

pechugazo *m.* 가슴 부딪치기[충돌].

pechugón, na *adj.* ① (여자가) 가슴이 풍만한[큰]. ② *AmérC., Chile, Col., Perú, Ven.* 투박한; 뻔뻔스러운, 낯가죽이 두꺼운, 철면피한; 이기주의적인. ③ *Chile.* (사람이) 무척 박력이 있는. —*f.* 가슴이 풍만한[큰] 여자. —*m.f.* ① *AmérC., Chile, Col., Perú, Ven.* 철면피, 낯가죽이 두꺼운 사람. ② *Chile.* 무척 박력 있는 사람. —*m.* ① (남의) 가슴 강타[구타·쥐어박기]. ② 가슴 부딪치기[충돌]. ③ 물불을 가리지 않는 노력, 극단적인 노력; 강한 추진력.

pecina[1] *f.* [고어] 양어장.

pecina[2] *f.* (하천 바닥의) 진흙.

pecio *m.* (난파선의) 잔해[표류물].

peciolo *m.* [식물] 잎자루, 엽병.

pecíolo *m.* =peciolo.

peciolado, da *adj.* [식물] 잎자루가 있는.

pécora *f.* ① (양을 세는) 마리, 두(頭). ② =mala pécora. ¶*mala ~* ㉮ (일반적으로 여자가) 교활한[간사한] 사람, 미꾸라지 같은 사람. ㉯ =prostituta.

pecoso, sa *adj.* 주근깨가 있는, 주근깨투성이의.

pectar *tr.* 벌금을 물다.

pectina *f.* [화학] 펙틴.

pectíneo *m.* [해부] 빗살 모양 근육, 즐상근(櫛狀筋).

pectiniforme *adj.* [생물] 빗살 형의.

pectoral *adj.* ① 가슴의, 흉부(胸部)의: aletas ~es (물고기의) 가슴지느러미. músculos *~es* 가슴 근육, 흉근. ② 호흡기 질환에 잘 듣는: jarabe ~ 감기약. —*m.* ① 호흡기 질환약, 폐병약, 감기약. ② (사제 등의) 가슴에 차는[다는] 십자가. ③ (고대의) 고승의 가슴 장식.

pectosa *f.* [화학] 펙토오스.

pecuario, ria *adj.* 목축의, 축산의: industria *~ria* 목축업.

peculiar *adj.* ① 독특한, 특유의, 고유의. ② 특이한, 특수한, 눈에 띄는. ③ 기묘한, 이상한, 색다른.

peculiaridad *f.* ① 특색, 특성, 버릇. ② 특유, 독특, 독자성. ③ 이상한 점, 색다른 점, 기벽(奇癖).

peculiarmente *adv.* ① 특히, 특별히, 각별히. ② 이상하게, 괴이하게, 색다르게, 독특하게.

peculio *m.* ① 자금, 자산. ② 용돈, 푼돈.

pecunia *f.* 돈(moneda, dinero).

pecuniariamente *adv.* ① 현금으로.

② 금전상으로.
pecuniario, ria *adj.* ① 현금의[에 관한]. ② 금전의[에 관한]: cuestión ~*ria* 금전 문제.
ped. pedido 주문(注文).
pedagogía *f.* ① 교육학, 아동 교육학. ② 교육법, 교수법.
pedagógicamente *adv.* 교육학적으로.
pedagógico, ca *adj.* ① 교육학의. ② 교육법의, 교수법의. ③ 교육적인.
pedagogo, ga *m.f.* ① 초등 학교 교사. ② 교육가, 교육자, 교육학자. ③ (가정에서 어린아이의) 가정 교사. ④ 길 안내원.
pedal *m.* ① (자전거·재봉틀 등의) 페달, 디딤판, 발판: ~ de arranque (오토바이 등의 페달을 밟아 하는) 시동기. ~ de bicicleta 자전거의 페달. ~ de freno, ~ de frenado 브레이크 페달. ② [음악] (피아노·하프 등의) 발판, 페달. ③ [음악] 저속음, 페달음(音), 저속음부(低續音部).
pedalada *f.* 페달 밟기.
pedalear *intr.* ① 페달[발판]을 밟다; (특히, 자전거의) 페달을 밟다: ~ en agua 선헤엄을 치다. ② *Nic.* 긴 여행을 하다.
pedaleo *m.* (자전거의) 페달 밟기.
pedáneo *m.* ① (옛날의, 시·읍·면·마을의) 동장, 통장, 반장, 이장. ② (옛날의) 간이 재판관(juez ~).
pedanía *f.* ① (옛날의 시에 인접해 pedáneo가 관할하던) 지구(地區). ② (옛날의, 간이 재판관의) 관할 지구.
pedante *adj.* 학자 티를 내는, 아는 척하는, 현학적인. —*m.f.* 학자 티를 내는 사람, 현학자(衒學者).
pedantería *f.* ① 학자 티를 냄. ② 현학적 태도[언행].
pedazo *m.* 조각, 토막, 부스러기, 단편, 파편, 일부분: ~ de papel 종잇조각, 지편(紙片). un ~ de pan 빵 한 조각. un ~ de queso 치즈 한 조각. partir la carne [el pescado] en ~*s* 고기[생선]를 토막으로 나누다. ¶~ ***del alma,*** ~ ***de las entrañas,*** ~ ***del corazón*** 무척 사랑하는 사람, (특히 어머니에 의한) 어린아이, 사랑하는 아이, 귀여운 자식, 깨물어 먹고 싶을 정도의 사랑스러운 자식. ~ ***de pan*** ㉮ 생활에 가장 필요한 것, 생활에 빠듯한 것, 얼마 안 되는 돈. ㉯ 낮은 값, 싼 값, 아주 적은 이익. ***a ~s*** 갈기갈기, 조각조각, 갈갈이 찢겨, 박살이 나서. ***caerse*** alguien ***a ~s*** ㉮ 녹초가 되어 걷다, 기진맥진해 걷다. ㉯ (육체적인 노동으로) 매우 피곤하다[지치다·녹초가 되다]. ㉰ 사람이 아주 좋다, 무골호인이다. ***en ~s*** =a pedazos. ***estar*** alguien ***hecho ~s*** =caerse a pedazos ㉯. ***hacer ~s*** 산산조각으로 만들다, 부셔 버리다. ***hacerse*** alguien ***~s*** ㉮ (운동 등에) 분투하다, 있는 힘을 다해 싸우다. ㉯ 산산조각이 나다. ***morirse*** alguien ***por*** los ***~s*** de otra persona (누가, 다른 사람에게) 무척 열을 올리다. ***ser*** alguien ***un ~ de pan*** 사근사근하고[붙임성이 있고] 다정하다, 무골호인이다.
pederasta *m.* (특히, 소년을 대상으로 하는) 남색자(男色者).
pederastia *f.* ① 소년과 행하는 비역. ② 비역, 계간, 남색(男色).
pedernal *m.* ① [광물] 부싯돌, 규석. ② 단단한 것, 돌처럼 굳음.
pedernalino, na *adj.* ① 부싯돌의. ② 부싯돌 같은, 단단한. ③ 냉혹한: entrañas ~*es* 냉혹한 마음.
pedestal *m.* ① (원주·조각 등의) 주춧돌, 받침돌, 주석, 대좌, 대석, 대(臺). ② [기계] 축받이. ③ 발판, 기초, 근거, 기반, 믿는[의지하는] 것[곳]. ¶***en un ~*** 좋게, 좋은 의견[생각]으로, 존경하는 마음으로.
pedestre *adj.* ① 도보의, 걷는. ② 걸어서 하는, 보행의: deporte ~ 도보 운동. viaje ~ 도보 여행. ③ [운동] 걷고 달리는. ④ 일상(日常)의, 통속의, 저속한, 속된.
pedestrismo *m.* [집합] 도보 경주, 경보; 도보 여행.
pediatra *m.f.* 소아과 의사.
pediatría *f.* [의학] 소아과, 소아과학.
pediátrico, ca *adj.* 소아과의[에 관한], 소아과학의[에 관한].
pedicelo *m.* (버섯류의) 밑뿌리.
pedicular *adj.* ① 이의[에 관한]. ② 이에서 전염되는: enfermedad ~ 이로 인한 전염병.
pediculicida *adj.* 이를 죽이는 (화학 제품). —*m.* 이 박멸약.
pedículo *m.* ① [식물] 꽃자루, 잎자루, 잎꼭지. ② [해부] (기관에 혹이나 암 같은 이상 형태를 이루는) 가는 줄기. ③ [곤충] 이(piojo).
pediculosis *f.sing.pl.* [의학] 이 기생증(寄生症).
pedicura *f.* 페디큐어.
pedicurista *m.f.* *Méj., Salv.* =pedicuro, pedicura.
pedicuro, ra *m.f.* (굳은살·티눈 등을 뽑고 치료하는) 발 치료 의사.
pedida *f.* 구혼, 청혼.
pedido, da *adj.* ① 주문받은. ② 부탁받은. —*m.* ① 주문: ~ de ensayo, ~ de prueba 시험 주문. ~ por escrito 서면 주문. ~ posterior 추가 주문. ~ reiterado, ~ repetido 재주문. ~ urgente 긴급 주문. ~ verbal 구두 주문. hoja de ~ 주문표. anular el ~ 주문을 취소하다. colocar un ~ 발주(發注)하다. hacer un ~ 주문하다. ② 주문품, 주문서. ③ 의뢰, 부탁, 청구, 요구, 요청. ④ 세금.
pedidura *f.* 주문; 부탁.
pedigrí *m.* *ing.* ① (동물의) 혈통:

tener ~ 혈통이 좋다. ② (동물의) 혈통서: perro de [con] ~ 혈통서가 있는 개.

pedigüeño, ña *adj., m.f.* 잘 조르는 (사람), 부탁을 많이 하는 (사람), 요구하는 것이 많은 (사람).

pedilón, na *adj. Perú, Ven.* = **pedigüeño.**

pediluvio *m.* [주로 *pl.*] 피로를 풀기 위해 발을 뜨거운 물에 담그는 치료법.

pedimento *m.* ① 부탁, 청원, 청구, 신청. ② [법률] 청원서. ③ [법률] 청원. ¶*a* ~ 청원[청구]에 따라.

pedinche *adj., m.f. Méj.* =**pedigüeño.**

pedio, a *adj.* 발(pie)의[에 관한].

pedir (42) *tr.* ① 부탁하다, 간청하다. ② 주문하다: ¿Qué *pide* usted? −*Pido* un helado. 무엇을 주문하시겠습니까? −아이스크림을 주문하겠습니다. ③ 구걸하다. ④ (장사꾼이) 상품에 값을 붙이다[놓다・매기다・부르다]. ⑤ (필요로) 요구하다, 요청하다, 필요로 하다, 요하다. ⑥ 원하다, 바라다, 가지고 싶어하다, 탐내다. ⑦ (여자의 부모・친척에게) 결혼의 승낙을 요구하다, 구혼하다, 청혼하다(~ la mano): ir a ~ a su novia 애인의 부모에게 구혼하러 가다. ⑧ (트럼프에서) (카드를) 요구하다. ⑨ (판사에게 권리 등을) 고소하다, 청구하다. ⑩ 빌리다. ⑪ (시간 등을) 예약하다: Quisiera ~ hora [vez] para una consulta 진찰 시간을 예약했으면 싶습니다.

pedo *m.* ① 방귀. ② [속어] 만취, 대취, 고주망태. ③ *Méj., Salv.* 파티, 즐겁게 노는 모임(fiesta). —*adj.* (술・마약에) 취한.

pedofilia *f.* =**paidofilia.**

pedofilo, la *adj.* =**paidófilo.**

pedología *f.* 토양학(edafología).

pedorra *f.* ☞**pedorro.**

pedorrear *intr.* 방귀를 자주 뀌다.

pedorreo *m.* 방귀를 자주 뀜.

pedorrero, ra *adj.* 방귀를 잘 뀌는. —*m.f.* 방귀쟁이. —*f.* ① 자꾸만 뀌는 방귀, 계속해서 뀌는 방귀, 줄방귀. ② *pl.* (방패지기들이 입었기 때문에 방패지기 바지로 불렸던) 꼭 조인 바지.

pedorreta *f.* 입으로 흉내내는 방귀 소리.

pedorriento, ta *adj., m.f. Méj.* = **pedorrero.**

pedorro, rra *adj.* ① 방귀를 자주 뀌는. ② 어리석은, 멍청한. —*m.f.* ① 방귀쟁이. ② 바보, 멍청이, 어리석은 사람. —*f.* ① =**prostituta.** ② *Hond.* =**ametralladora.**

pedrada *f.* ① 돌팔매질, 투석(投石): ahuyentar a un perro a ~*s* 돌을 던져 개를 쫓다. romper el cristal de una ~ 돌을 던져 유리를 깨다. ② 돌에 맞음. ③ 돌에 맞은 자리. ④ (옛날에 군인들이 모자의 차양에 달았던) 리본끈, 리본 장식(adorno de cinta). ⑤ (여자들이 자주 머리 옆에 달았던) 매듭 장식. ⑥ 비양조: lanzar a *alguien* una ~ (누구에게) 빗대어 빈정거리다. ¶*como ~ en ojo de boticario* 안성맞춤으로, 형편에 맞게.

pedral *m.* [주로 *pl.*] (그물이나 밧줄에 매다는) 돌.

pedrea *f.* ① 돌팔매질. ② 돌팔매 싸움. ③ =**pedrusco, granizada.** ④ (복권의) 적은 상금들.

pedregal *m.* 돌밭, 돌투성이의 땅.

pedregoso, sa *adj.* ① 돌로 덮인, 돌투성이의: terreno ~ 돌투성이 땅. ② [고어] 결석병(結石病)(mal de piedra)에 걸린. —*m.f.* [고어] 결석병 환자.

pedregullo[1] *m. Arg., Ur.* (틈새를 채우는) 부스러기 돌, 돌 부스러기.

pedregullo[2] *m.* 부스러기 돌, 자갈.

pedrejón *m.* 큰 돌(piedra grande).

pedrera *f.* 채석장(採石場)(cantera).

pedrería *f.* [집합] 보석, 보석류.

pedrero *m.* ① 석공(石工). ② 투석포(投石砲). ③ =**hondero.** ④ *Ast.* 채석장(cantera). ⑤ *Ast.* 돌로 가득한 길(camino lleno de piedras). ⑥ *Tol.* =**expósito.** ⑦ [고어] 보석 세공자. ⑧ [고어] 보석 상인.

pedrezuela *f.* 돌멩이.

pedrisca *f.* 커다란 우박.

pedriscal *m* 자갈밭.

pedrisco *m.* ① 큰 우박. ② 비 오듯 떨어지는 돌멩이. ③ 많은 돌.

pedrisquero *m.* 큰 우박.

pedrizo, za *adj.* 돌멩이투성이의: terreno ~ 돌멩이투성이 땅. —*f.* [드묾] =**pedregal.**

pedro[1] *m.* ① [은어] 도둑이 입었던 우단 같은 옷. ② [은어] =**capote, tudesco.** ③ [은어] (문・창의) 작은 빗장(cerrojo).

Pedro[2] *m.* [남자 이름] 뻬드로. ¶~ *Jiménez* =**pedrojiménez.** *como ~ por su casa* 제집 드나들듯, 마음대로 (드나들다).

pedrojiménez *m.* ① 헤레스 데 라 프론떼라(Jerez de la Frontera) 지방의 포도의 변종. ② 헤레스 데 라 프론떼라 지방의 포도로 빚은 포도주.

pedrusco *m.* (미가공의) 돌 조각.

pedunculado, da *adj.* [식물] 꽃꼭지가 있는.

pedúnculo *m.* ① [식물] 꽃자루, 잎자루, 잎꼭지. ② [해부] 다리.

peer *intr.* ~**se** 방귀를 뀌다.

pega[1] *f.* ① 첨부, 붙이기, 칠하기. ② 접착제, 풀. ③ 옷의 덧댄 천. ④ 대답하기 어려운 질문. ⑤ 장애, 어려움, 불행. ⑥ =**chasco, burla.** ⑦ =**zurra, paliza:** Le di una ~ de patadas 나는 그를 발로 마구 걷어찼다. ⑧ *Bol., Col., Cuba, Ecuad., Perú.* 일, 직업, 일자리: encontrar la ~ 일자리를 얻다. perder la ~ 일자리를 잃다. ⑨ *Cuba, PRico.* (새 잡는) 끈끈이(liga). ⑩ *Méj.* [어류] 빨판상어(rémora). ⑪ *Perú.* (한 어린이가 다른 어린이를 쫓아가 잡는) 어린이들의 놀이. ¶***de*** ~ 거짓말의, 가짜의, 사이비의: billete *de* ~ 위조 지폐, 가짜 돈. diplomático *de* ~ 가짜 외교관. erudito *de* ~ 사이비 학자. ***saber*** alguien ***a la*** ~ (누가) 나쁜 버릇을 모방해 따르다, 나쁜 버릇이 남아 있다. ***ser*** alguien ***de la*** ~ (망나니·악당과) 한패다, 같은 패다, 한패에 속하다.

pega² *f.* [새] =**urraca.** ¶ ~ ***reborda*** =**alcaudón.**

pegada *f.* ① 펀치력(力), 발로 공을 차는 힘. ② *Arg., Ur.* 신중, 사려, 분별(acierto, cordura). ③ *Nic.* (사람의) 특별한 매력.

pegadillo ~ ***de mal de madre*** (대화에서) 성가시게[귀찮게] 끼어드는 사람.

pegadizo, za *adj.* ① 잘 붙는, 쉽게 붙는, 끈적끈적한(pegajoso). ② 쉽게 기억되는, 이해하기 쉬운: música ~*za* 이해하기 쉬운 곡. ③ 쉽게 감염되는, 감염되기 쉬운, 남에게 옮기 쉬운(fácilmente contagioso). ④ 식객의, 남에게 붙어 먹는, 남의 집에 얹혀 얻어먹고 지내는, 남의 덕에 사는: hacerse el ~ 남의 집에 얹혀 얻어먹고 지내다, 식객이 되다. ⑤ 인공의, 인조의, 가짜의, 자연이 아닌, 붙였다 뗐다 하는(postizo, no natural). —*m.* =**piojo pegadizo.** ☞**piojo.**

pegado *m.* 고약(parche medicinal).

pegador *m.* ① [어류] 빨판상어(rémora). ② (광산·채석장에서) 폭약에 불붙이는 사람.

pegadura *f.* ① 붙이기, 부착. ② 꿰매기, 홀치기.

pegajosidad *f.* 끈적끈적함, 들러붙음.

pegajoso, sa *adj.* ① 잘 붙는, 쉽게 붙는, 끈적끈적한. ② 쉽게 감염되는, 감염되기 쉬운, 쉽게 옮기는. ③ =**empalagoso.**

pegalón, na *adj. Méj.* =**pegón.**

pegamento *m.* 접착제, 풀.

pegamiento *m.* 붙이기, 접착, 부착: aplicar ~ 풀칠하다.

pegamoide *m.* 모조 피혁.

pegamoscas *f.sing.pl.* [식물] 끈끈이대나물.

pegar (8) *tr.* ① 붙이다, 부착하다, 바르다(adherir): ~ un sello *en* un sobre 봉투에 우표를 붙이다. ~ un cartel *en* [*sobre*] la pared 벽에 벽보를 붙이다. ② (묶어서·기워서·쇠사슬로 매서) 잇다, 접합시키다, 연결시키다, 이어 맞추다(unir): ~ un botón *a* la camisa 와이셔츠에 단추를 달다. ③ 대다, 서로 맞닿게 하다, 붙이다: ~ un armario *a* la pared 벽에 옷장을 붙이다. ~ el oído *a* la puerta 문에 귀를 대다. ④ (사상 등에) 물들게 하다, (특히, 나쁜 버릇·전염병에) 감염시키다, 옮기다: Ella me *pegó* la gripe 그녀는 나에게 감기를 옮겼다. ⑤ 때려서 벌하다[학대하다], 구타하다: ~ a un niño 아이를 구타하다. Ellos me *pegaron en* la cara 그들은 내 얼굴을 구타했다. ⑥ (타격을) 가하다, 주다, 먹이다(dar): ~ un bofetón 손바닥으로 때리다. ~ una paliza 몽둥이로 때리다. ~ un puntapié 발로 차다. ~ un tiro 총격을 가하다. ~ un triple 3루타를 치다. ⑦ (명사와 함께하여 명사가 뜻하는 행위를) 하다: ~ un grito 소리 지르다, 외치다. ~ saltos 깡충깡충 뛰다. ~ voces 소리치다, 소리를 크게 지르다. ⑧ (식물이 뿌리를) 박다, 뻗다(arraigar). ⑨ (불을) 붙이다:~ fuego *al* papel 종이에 불을 붙이다. —*intr.* ① (식물이) 뿌리를 박다[뻗다]: La planta *pegó a* la tapia 식물이 담에 (뿌리를) 뻗었다. ② 접하다, (바싹) 들러붙다, 들러붙어 있다: La mesa *pega en* la pared 책상이 벽에 붙어 있다. El edificio *pega a* mi casa 그 건물은 내 집과 붙어 있다. La carga *pegó en* el puerto 화물이 항구에 도착했다. ③ 어울리다, 꼭 들어맞다, 알맞다: Estas razones no *pegan* 이런 이유는 서로 모순이다. No *pega* lo azul con lo verde 푸른색은 녹색과 어울리지 않는다. Esa corbata *pega* bien con el traje 그 넥타이는 옷과 잘 어울린다. ④ 때리다, 치다, 두들기다: ~ a la puerta 문을 두들기다. Las ramas del árbol *pegan en* los cristales 나무의 가지가 창문 유리를 친다. ⑤ 부딪치다: El coche *pegó contra* un poste 자동차가 전봇대에 부딪쳤다. El sol *pega* fuerte 햇살이 따갑다[세다]. ⑥ 인상을 주다, 효과가 있다: Mis palabras les *pegaron* bien 내 말은 그들에게 좋은 인상을 주었다[인상이 깊었다]. ⑦ 운(韻)을 달다. ⑧ 유행하다: Su canción *pegará* en el futuro 그의 노래는 장차 유행할 것이다. ⑨ [+a] (…을) 좋아하다: ¡Cómo les *pegan a* la paella! 그들은 빠에야를 정말로 좋아한다. ⑩ (불이) 붙다: *Ha pegado* el fuego *a* la cama 침대에 불이 붙었다. **~se** ① (착) 달라붙다: *Se ha pegado* la venda *a* la herida 붕대가 상처에 착 달라붙었다. ② (불이) 붙다: *Se* le *ha pegado* fuego *a* la cortina 커튼에 불이 붙었다. ③ 눌어 붙다: ~*se* el arroz 밥이 눋다[눌어 붙다]. *Se* me *ha pegado* el arroz 나는 밥을 눌렸다. ④ 꾀다, 유혹하다: *Se* me *pegó* un mujer para que le invitase a beber 한 여자가 나에게 한 잔 사라고 졸랐다. ⑤ (부르지 않은 곳에) 밀어닥치다, 우르르 몰려가다: Ellos *se han pegado* a la fiesta 그들은 부르지도 않은 파티에 우르르 몰려갔다. ⑥ (나쁜 버릇·전염병이) 감염되다, 옮다: *Se* me *pega* la influenza 나는 유행성 감기에 걸렸다[감염되었다]. *Se* le *pega* el acento andaluz 그는 안달루시아 억양에 물들어 있다. ⑦ 인상에 남다. ⑧ 서로 주먹질하며 싸우다, 서로 치고 받다, 험한 말로 서로 욕하다. ⑨ (…을) 무척 좋아하다, 홀딱 빠지다, 심취하다, 열중하다(aficionarse o inclinarse mucho). ⑩ [+contra · con] (…에) 부딪치다, 충돌하다: Ella *se pegó contra* la puerta 그녀는 문에 부딪쳤다. *Me pegué con* la silla en el pie 나는 의자에 발을 부딪쳤다. ¶ **~(*la*) *con*** alguien (누구와) 말다툼하다, 언쟁하다, 서로 싸우다. ***pegársela a*** alguien (누구를) 놀리다(chasquear); (누구의) 믿음[신앙·성실]을 조롱하다[놀리다], 장난으로 속이다: *A* Juan no hay quien se *la pegue* 호세를 놀리는 사람은 없다. ***pegársela*** alguien (누가) 넘어지다, 충돌하다, 사고를 당하다: *Te la* vas a *pegar* 너 넘어지겠다[부딪치겠다]. *Me la pegué* con la bicicleta 나는 자전거와 부딪쳤다. ***pegársele*** a alguien algo ㉮ (취급한 것에서) 이익을 얻다. ㉯ 남의 재산을 취급하면서 손해를 끼치다.

pegaseo, a *adj.* (신화상의 말인) 페가수스(Pegaso)의[에 관한]; 시(詩)의 신(神) 뮤즈의[에 관한].

Pegaso *m.* ① [희랍 신화] 페가수스 ((시(詩)의 신(神) 뮤즈가 타는 날개 달린 말)). ② [천문] 페가수스자리. ③ 시흥(詩興), 시적 감흥, 시재(詩才). ④ [우주 공학] 페가수스 ((미국의 유성진(流星塵) 관측용 과학 위성)).

pegásides *f.pl.* ① 시(詩)의 신(神). ② 시흥(詩興), 시적 감흥.

pegata *f.* 놀리기, 속여 넘기기, 속임수, 사기.

pegatina *f.* (정치·상업용 등으로 선전하기 위해 인쇄된 풀이 붙은) 부착물, 접착물, 스티커.

pegmatita *f.* 페그마타이트 ((화강암의 일종)).

pego *m.* 카드 두 장을 붙여 하는 속임수. ¶ ***dar* [*tirar*] *el*** ~ ㉮ 트럼프를 두 장 겹쳐 속여 이기다. ㉯ 속이다.

pegón, na *adj.* ① (남을) 때리기를 좋아하는. ② *Cuba.* 공부를 열심히 하는. —*m.f.* ① 남을 잘 때리는 사람. ② *Cuba.* 공부를 열심히 하는 학생.

pegote *m.* ① (문학·예술 작품에서) 군더더기. ② 고약. ③ 도꼬마리의 열매. ④ (특히) 식사 시간의 불청객.

pegotear *tr.* [드묾] (더러움·땀 등 때문에 무엇을) 붙이다. —*intr.* (초대도 받지 않고 식사 시간에) 남의 집에 들어 닥치다, 식사 시간에 불청객이 들어오다.

pegujal *m.* ① 작은 밭. ② 적은 가축. ③ 주인이 소작인에게 돈 대신 주는 땅뙈기.

peina *f.* =peineta.

peinado, da *adj.* ① 머리 손질을 한, 곱게 빗은. ② (남자가) 지나치게 꾸민[치장한]. ③ (양털 등을) 빗질한: lana ~ 소모 직물(梳毛織物). —*m.* ① 머리 모양, 머리의 형(型), 헤어스타일: Ella lleva un ~ muy bonito 그녀의 머리의 형은 아주 예쁘다. ② 빗질하기, 머리 땋기, 이발하기, 머리 단장. ③ 소모(梳毛). —*f.* 머리 빗기, 머리 손질: Voy a darme una *~da* 나는 머리를 빗으려고[손질하려고] 한다.

peinador, ra *adj.* 머리를 빗는. —*m.f.* 머리 빗는 사람, 이발사, 미용사. —*m.* (머리 단장이나 면도하는 손님의 옷을 보호하기 위해) 목에 걸치는 수건. —*f.* ① (방적업에서) 양털 빗는 기계. ② *Bol., Col., Ecuad., Nic., Pan., Ven.* 화장대, 경대(鏡臺). —*adj.* (양털을) 빗는, 소모(梳毛)의.

peinar *tr.* ① (머리카락을) 빗다, 빗질하다, 단장하다, 빗겨 주다, 손질해 주다: ~ a *su* hija el cabello 딸의 머리카락을 빗겨 주다. ② (동물의 털을) 빗다, 빗질하다, 빗겨 주다. ③ (돌의 일부를) 자르다, 떼다, 깎아내다, 바위[산]의 흙을 깎아내다, 잘라내다. ④ (지역 안의) 일제 수사를 하다. ⑤ (목수가) 표면을 슬슬 문지르다. **~se** ① (자신의) 머리카락을 빗다[손질하다]. ② 이발[미용]하다. ¶ ***no ~se*** una mujer ***para*** el hombre que la solicita (여자가 청혼한 남자의) 마음에 들려고 하지 않다.

peinazo *m.* (문과 창문의) 가로대, 가로 나무.

peine *m.* ① 빗: ~ de bolsillo 접는 빗. ~ fino 살이 가는 빗, 머리 빗는 빗. arreglarse el pelo con el ~ 빗으로 머리를 빗다. ② (양털을) 빗는 빗, 보푸라기 세우는 빗. ③ (베틀의) 바디. ④ (총기의) 탄창(彈倉). ⑤ (극장의) 무대 위의 막을 다는 틀[대]. ⑥ 발등(empeine). ⑦ (옛날의) 고문 기구[장치], 고문대. ⑧ 간사한[교활한] 사람. ¶ ***a sobre*** ~ 불완전하게, 대충대충, 대강대강, 건성으로. ***sobre*** ~ ㉮ (머리카락을)

대충대충 (자르다). ㉯ 경솔하게, 조심성 없이, 심사숙고하지 않고.
peinecillo *m.* 작은 peineta.
peinería *f.* 빗공장; 빗 파는 가게.
peinero, ra *m.f.* ① 빗 제조자. ② 빗장수.
peineta *f.* (여자들이 사용하는 가운데가 볼록한) 장식용 빗, 머리의 형을 잘 고정시키기 위한 빗. ¶ ~ ***de teja*** 모양과 크기가 기와 같은 빗, (만띠야(mantilla)를 뒤집어쓸 때 머리에 꽂는) 큰 빗.
peinetero *m.* 빗(peine)[장식용 빗(peineta)]의 제조자[장수].
peinilla *f.* ① *Córd., Jaén.* 양쪽에 살이 있는 빗. ② *Col., Ecuad., Pan., PRico., Ur.* 빗(peine). ③ *Col., Ecuad., Ven.* 작은 낫.
p.ej. por ejemplo 예를 들면.
peje *m.* ① 물고기(pez). ② 교활한[간사한·영악한] 남자.
pekinés, sa *adj.* ① 베이징[북경(北京)](Pekín, 중국의 수도) 태생의. ② 베이징[북경]의[에 관한]. —*m.f.* 베이징[북경] 사람.
pela[1] *f.* ① 껍질 벗기기. ② *Cuba, Pan., PRico.* 구타, 몽둥이찜.
pela[2] *f.* ① 뻬세따(peseta) ((유로화 이전의 스페인의 화폐 단위)). ② *pl.* 돈, 뻬세따들(pesetas): Ella se enfadó por un asunto de ~*s* 그녀는 돈 문제로 화를 냈다.
pelada *f.* ① 털을 뽑은 양[염소]의 가죽. ② 선인장의 열매(fruto de un cacto).
pelado, da *adj.* ① 초목이 없는, 벗겨진: campo ~ 아무 것도 나지 않는 밭. monte ~ 민둥산. ② 껍질이 벗겨진, 맨살을 드러낸, 알몸의: cabeza ~*da* 대머리. hueso ~ 살을 완전히 드러낸 뼈. paredes ~*das* 벽지를 바르지 않은 벽. ③ 따로 아무것도 없는: sueldo ~ 본봉(本俸), 기본급, 본급. Yo vivo de mi sueldo ~ 나는 봉급만으로 산다. ④ (숫자가) 우수리가 없는, 꼭, 딱: el veinte ~ 딱[정확히] 20. Tengo cien euros ~*s* 나는 딱[꼭] 백 유로를 가지고 있다. ⑤ 가난한(pobre); 돈 없는, 빈털터리의(sin dinero). ⑥ *And., Arg., Bol., Cuba, Ecuad., Ur.* 대머리의, 머리가 없는, 머리가 벗겨진(calvo). —*m.f.* ① 가난뱅이, 빈털터리. ② *And., Arg., Bol., Cuba, Ecuad., Ur.* 대머리. ③ *E Bol., Col.* 소년, 소녀. ④ *Hond., Méj., Salv.* 최하층 사람. —*m.* 머리카락 자르기, 이발하기. —*f.* ① *CRica.* =**vergüenza.** ② *Ecuad.* =**prostituta.** ¶***bailar*** alguien ***el*** ~ (누가) 돈 한푼 없다, 빈털터리다.
pelador, ra *m.f.* 가죽[껍질] 벗기는 사람. —*adj.* 가죽[껍질]을 벗기는.
peladura *f.* ① 가죽[껍질] 벗기기. ② 벗겨 놓은 껍질.
pelaje *m.* ① (동물의) 털의 질, 털빛. ② (사람의) 풍채, 자태, 겉모양; (특히 옷의) 외견, 겉보기.
pelandusca *f.* =**prostituta.**
pelar *tr.* ① (…의 머리카락을) 자르다(cortar), 뽑다(arrancar), 벗기다(quitar), 깎다(raer). ② (새·닭의 털을) 벗기다, 뽑다(quitar). ③ (동물의 가죽을) 벗기다. ④ (과실 등 물건의 가죽·껍질·엷은 막을) 벗기다(mondar, quitar). ⑤ (사기·폭력 등으로 …에게서) 재산을 빼앗다(quitar los bienes). ⑥ 비난하다, 비평하다, 험담하다, 욕설을 퍼붓다. ⑦ (누구를) 빈털터리로 만들다. ⑧ (매가) 아직 털이 있는 새를 먹다. **~se** ① 자신의 머리카락을 자르다, 산발하고 있다: Voy a ~*me* 나는 머리카락을 자르려고[짧게 하려고] 한다. ② (병·사고로) 머리카락이 빠지다. ③ (햇볕을 많이 쪼여·찰과상 등으로) 피부가 벗겨지다: *Se* me *han pelado* los hombros 나는 햇볕을 많이 쪼여 어깨의 피부가 벗겨졌다. ④ *Ecuad.* 틀리다, 잘못하다, 실수하다(equivocarse): El niño *se peló* en la recitación 아이는 암송에서 틀렸다. ⑤ *Salv.* 죽다. ⑥ *Méj.* 가버리다, 떠나다(irse); 도망치다(escapar); 허둥지둥 도망치다. ¶ ***duro de*** ~ ㉮ 달성하기 어려운, 실행에 옮기기 어려운. ㉯ (사람을) 납득시키기 어려운. ~***se*** alguien ***de fino*** (누가) 매우 영악하다[교활하다·간사하다]. ***pelársela*** ㉮ *CRica.* 실패하다. ㉯ *CRica.* 실망(失望)하다. ***pelárselas*** ㉮ (…에) 열중하다, 정신이 없다, 푹 빠져 있다: *Se las pela* por figurar 그는 그림 그리기에 푹 빠져 있다. ㉯ (…을) 열심히[민첩하게·신속히] 실행하다: Ella corre que *se las pela* 그녀는 빨리 달린다. Ella escribe que *se las pela* 그녀는 글을 빨리 쓴다. Ella grita que *se las pela* 그녀는 열심히 소리친다. ㉰ *Ecuad., Salv.* 빨리 가버리다[떠나다]. ***que pela*** *adj.* (물건이 뜨겁거나 차거나) 극단적인 느낌을 일으키는: Esta sopa está *que pela* 이 수프는 뜨겁다[차다].
pelarruecas *f.* 실을 자아 살아가는 가난한 여자.
peldaño *m.* (계단의) 단, 층계.
pelea *f.* ① 싸움, 전투; (격투기의) 시합. ② (동물의) 싸움: ~ de gallos 투계, 닭싸움. ③ 언쟁, 말다툼. ④ 노력, 분투. ¶***gallo de*** ~ 투계(鬪鷄), 싸움닭.
peleada *f. Méj., Salv.* =**pelea.**
peleadera *f. Méj., Salv.* 잦은 싸움.
peleador, ra *adj.* ① 싸우는. ② 싸우기를 좋아하는, 싸우는 경향이 있는.
pelear *intr.* ① (무기로) 싸우다, 전투하다, 전쟁하다: Ella *peleó* a

brazo partido con su amiga 그녀는 친구와 맨손으로 싸웠다. Los ejércitos *pelearon* duramente 양군은 격렬하게 싸웠다. ② 다투다, 말다툼하다, 언쟁하다, 싸우다. ③ (동물들이) 자기들끼리 싸우다. ④ [+por] (…을 얻기 위해) 싸우다, 투쟁하다: Cada uno *pelea por* ser el líder 각자가 주도권 싸움을 하고 있다. ⑤ 노력하다, 분투하다: En la posguerra nuestros padres *pelearon* mucho para darnos de comer 전후(戰後) 우리의 부모님들은 우리를 먹여 살리기 위해 무척 애쓰셨다. El profesor *pelea* mucho *con* nosotros 선생님은 우리에게 무척 필사적이시다. ⑥ (격투기의) 시합을 하다. ~**se** ① 다투다, 말다툼하다, 언쟁하다, 입씨름하다. ② 서로 싸우다. ③ 사이가 틀어지다[나빠지다], 사이가 좋지 않다: Ella *se ha peleado con* su novio 그녀는 연인과 사이가 틀어졌다.

pelela *f. Arg., Chile, Ur.* [유아어] 요강.

pelele *m.* ① (사육제 때 발코니 같은 곳에 내놓는) 짚 인형, 헝겊 인형. ② (아이들의) 잠옷. ③ 얼빠진 사람, 쓸모없는 사람.

peleón, na *adj.* ① 싸우기 잘 하는, 싸우기 좋아하는. ② =**vino peleón.** —*f.* 말다툼, 언쟁, 싸움.

peletería *f.* ① 모피 가공 직. ② 모피 가공. ③ 모피 장사[거래]. ④ [집합] 모피. ⑤ 모피점, 모피 가게. ⑥ *Cuba.* 양화점(zapatería).

peletero, ra *adj.* peletería의[에 관한]. —*m.f.* ① 모피 가공 기술자. ② 모피 가공 업자. ③ 모피 장수.

peliagudo, da *adj.* ① (토끼·새끼 산양 등과 같이) 털이 길고 가는. ② 해결하기[풀기] 어려운, 이해하기 어려운. ③ 교묘한(mañoso, sutil).

peliblanco, ca *adj.* 털이 흰.

peliblando, da *adj.* 털이 부드러운.

pelicano[1], **na** *adj.* 백발(白髮)의, 머리카락이 하얀.

pelícano, pelicano[2] *m.* ① [새] 펠리컨. ② (이를 뽑는) 집게(gatillo). ③ *pl.* [식물] 매발톱꽃(aguileña).

pelicorto, ta *adj.* 털이 짧은.

película *f.* ① 엷은 가죽. ② (물건 위·위에 씌우는) 엷은 막[층]: ~ de aceite 유막(油膜), 유층(油層), 기름 층[막]. ③ (상처·종기를 덮는) 얇은 천. ④ (과실의) 껍질(pellejo, hollejo). ⑤ (사진의) 필름: ~ en colores 천연색 필름, 컬러 필름. ~ en rollo 두루마리 필름. ~ virgen 생필름. ⑥ (영화의) 필름: ~ cinematográfica 영화용 필름. ~ de 16 mm 16밀리 필름[영화]. ⑦ 영화 (작품): ~ coreana 한국 영화. ~ corta 단편 영화. ~ de largo metraje 장편 영화. ~ documental 기록 영화. ~ en colores 천연색 영화. ~ española 스페인 영화. ~ muda 무성 영화. ~ sonora 발성 영화. ~ X 성인 영화. hacer una ~ 영화를 만들다. ㉮ 영화를 만들다[제작하다]. ㉯ 영화에 출연하다. dar [echar · proyectar] la ~ 영화를 상영하다. rodar [filmar] la ~ 영화를 촬영하다. He visto una buena ~ 나는 좋은 영화를 보았다. ¿Quién trabaja en la ~? 그 영화에 누가 나오느냐? ⑧ *CRica.* 보기와는 딴판인 것: No hagas caso a las amenazas del jefe; ese hombre es pura ~ 사장님의 위협에 신경 쓰지 마라. 그 분은 보기와는 완전 딴판이다. ¶ ~ ***de dibujos animados*** 만화 영화(dibujos animados). ***de*** ~ ㉮ *adj.* 보통이 아닌, 드문, 빈도가 낮은, 습관적이 아닌, 상습적이 아닌: Ella se vio envuelta en una situación *de* ~ 그녀는 드문 상황에 휩싸여 있다. ㉯ 아주 훌륭한, 아주 좋은, 호화스러운, 사치스러운, 아름다운: Ella se ha comprado una casa *de* ~ 그녀는 호화스러운 집을 샀다. ㉰ *adv.* 아주 훌륭하게, 호화스레, 사치스레: vivir *de* ~ 호화스레 살다.

pelicular *adj.* película의[에 관한].

peliculero, ra *adj.* ① 영화의[에 관한]: arte ~ 영화 예술. ② 영화를 좋아하는. ③ =**fantacioso.** —*m.f.* 영화인, 영화 배우(artista de cine).

peliculón *m.* ① 명화(名畵). ② 길고 지루한 영화.

peliforra *f.* =**prostituta.**

peligrar *intr.* 위험 상태에 있다, 위험에 처해 있다(estar en peligro).

peligro *m.* ① 위험: ~ de muerte [표시] 위험. zona de ~ 위험 구역. escapar de un ~ 위험에서 도망치다. poner *algo* en ~ (무엇을) 위험에 빠뜨리다. ponerse en ~ 위험에 처해 있다. Su vida está en ~ 그의 목숨이 위태롭다[위험에 처해 있다]. No hay ~ de su vida 그는 생명에 위험은 없다. El delincuente es un ~ para la sociedad 범죄자는 사회에 위험하다. El barco está en ~ de zozobrar 그 배는 침몰할 위험성이 있다. Hay ~ de que fracase en la empresa 그는 사업에 실패할 위험성이 있다. ② 위험이 절박한 곳[상황]. ¶ ***correr*** ~ 위험에 노출되어 있다, 위험에 처해 있다, 위험하다, 위험을 무릅쓰다: Aquí *corremos* ~ 이 곳은 위험하다. ***correr*** ~ ***de*** + ***inf***. …할 염려[우려]가 있다: Yo *corro* ~ *de* perder todo el dinero 나는 돈을 몽땅 잃을 염려가 있다. ***El ~ pasado, el voto olvidado*** (속담) 뒷간에 갈 적 마음 다르고 올 적 마음 다르다. ***Peligros no pueden faltar***

ni en la tierra ni en el mar (속담) 위험은 도처에 숨어 있다, 위험을 당해 보지 않은 자는 큰 일을 할 수 없다.

peligrosamente *adv.* 위험하게, 위태롭게.

peligrosidad *f.* 위험성.

peligroso, sa *adj.* ① 위험한, 위태로운: enfermedad *~sa* 생명에 관계되는 병. ideas *~sas* 위험 사상. jueguete ~ 위험한 장난감. Es ~ jugar con las cerillas 성냥을 가지고 노는 것은 위험하다. ② (사람이) 위해를 주는, 죄를 범할 수 있는, 다른 사람에게 해로운 일을 할 수 있는: Es un sujeto ~ 그는 위험 인물이다. ¶*Dejar lo cierto por lo dudoso, es* ~ (속담) 한 번도 가보지 않은 길은 위험하다.

pelinegro, gra *adj.* 털[머리카락]이 검은.

pelirrojo, ja *adj.* 털[머리카락]이 붉은. —*m.f.* 머리카락이 붉은 사람.

pelirrubio, bia *adj.* 금발(金髮)의.

pelleja *f.* ① (동물의 몸에서 벗긴) 생가죽. ② (털이 붙은) 무두질한 가죽(cuero curtido). ③ (동물의 털을 깎은) 양모. ④ =**prostituta.** ¶*dar* [*dejar · perder*] alguien ***la*** ~ (누가) 죽다. *salvar* alguien ***la*** ~ = **salvar el pellejo.** ☞**pellejo.** *soltar* alguien ***la*** ~ (누가) 죽다.

pellejería *f.* ① 피혁 가공소. ② 피혁 판매소. ③ 피혁업. ④ [집합] 피혁. ⑤ *Bol.* =**contratiempo.**

pellejero, ra *m.f.* ① 피혁업자. ② 피혁 장수.

pellejo *m.* ① (동물의) 가죽, (특히) 몸에서 벗긴) 생가죽. ② (사람의) 피부. ③ (과실 · 야채의) 껍질. ④ 기운 가죽 자루. ⑤ 취객(醉客). ¶ *dar* [*dejar · perder*] alguien ***el*** ~ 죽다. *estar* [*hallarse*] alguien ***en el*** ~ (특히, 조건문에서) 똑같은 입장에 서다: si yo *me hallara en su* ~ 만일에 내가 당신과 똑같은 입장이라면. si usted *estuviera en mi* ~ 당신이 나와 똑같은 입장이라면. *jugarse* ***el*** ~ 생명이 위험하다. *mudar* alguien ***el*** ~ 생활 양식을 일신하다, 행실을 고치다, 처신을 달리하다. *no caber* alguien ***el*** ~ ㉮ 무척 뚱뚱해지다[살찌다]. ㉯ 매우 만족하다(estar muy contento o satisfecho). *no tener* alguien ***más que el*** ~ 피골상접(皮骨相接)하다, 뼈와 가죽만 남다, 뼈만 앙상하다 (estar sumamente flaco). *pagar* alguien ***con el*** ~ 목숨을 걸다 (pagar con la vida). *quitar* a alguien ***la vida*** ㉮ (누구의) 목숨을 빼앗다, (누구를) 죽이다(quitar la vida). ㉯ (누구를) 험담하다. ㉰ (누구에게서) 가진 것을 몽땅 빼앗다, 알몸으로 만들다. *salvar* alguien ***el*** ~ (누가) 위험에서 생명을 구하다 [목숨을 건지다]. *soltar* alguien ***el*** ~ 죽다(morir).

pellejudo, da *adj.* 살가죽[피부]이 처진[늘어난].

pellica *f.* ① 모피로 만든 침대 커버. ② 모피로 만든 조끼. ③ 무두질한 모피 조각.

pellico *m.* ① (목동의) 모피 조끼[외투]. ② 모피 조끼[외투] 비슷한 옷.

pellizcador, ra *adj.* 꼬집는.

pellizcar (7) *tr.* ① (손가락으로) 꼬집다: ~ el brazo de *alguien* (누구의) 팔을 꼬집다. ② 훑다, 잡아 뽑다, 잡아 뜯다. ③ (적은 양을) 먹다. **~se** ① (자신의) …을 꼬집다. ② [드묾] …에 안달하다, …에 탐내다.

pellizco *m.* ① 꼬집기: dar un ~ a *alguien* (누구를) 꼬집다. ② 꼬집힌 자국. ③ 손끝으로 한 번에 집는 양, 아주 적은 양. ④ (우연한 방법으로 이익을 얻은) 돈의 양: conseguir un buen ~ 큰돈을 얻다.

pelo *m.* ① (인간 · 동물의) 털, 체모(體毛), 몸털: ~ de la axila 겨드랑이의 털. ~ fino 솜털(vello). de ~ duro 털이 빳빳한. de ~ suave 털이 부드러운. Este perro tiene el ~ corto [largo] 이 개는 털이 짧다[길다]. ② (사람의) 머리카락(cabello de la cabeza humana): cortar el ~ a alguien …의 머리카락을 자르다. cortar el ~ al cero 머리를 빡빡 깎다, 대머리로 만들다. tener poco ~ 머리카락 숱이 적다. tener un ~ difícil 한 쪽으로 자는 버릇이 있는 머리카락이다. trenzarse el ~ 머리카락을 엮다. Me he cortado el ~ 나는 머리카락을 잘랐다. ③ 사소한 것, 하찮은 것, 미세한 것. ④ (말 · 다른 동물의) 털의 빛깔. ⑤ (복숭아 같은 과실의 껍질에 · 일부 식물에는 잎과 줄기에 있는) 솜털(vello). ⑥ (천의) 보푸라기: caérsele el ~ a un vestido 옷에서 보푸라기가 떨어지다. ⑦ (양모 · 비단 등의) 가는 섬유(hebra delgada). ⑧ (새의 바깥 날개 아래 있는) 우모(羽毛), 깃털 (pluma fina). ⑨ (글을 쓸 때 펜촉 끝에 묻은) 가느다란 실. ⑩ 생사(生絲)(seda en crudo). ⑪ (보석에서, 값을 떨어뜨리는) 불투명한 선[줄 · 금](raya opaca). ⑫ (유리 · 돌 등의) 갈라진 금, 흠. ⑬ (목재의) 섬유질 부분(parte fibrosa). ⑭ (부인들의 젖가슴에 앓는) 병. ⑮ (말의 발굽에 생기는) 병. ¶ ~ *de aire* 거의 느낄 수 없는 바람: No hace ni corre un ~ *de aire* 바람이 전혀 없다. *no tener* alguien **(*un*)** ~ *de tonto* (누가) 빈틈이 없다(ser listo y avisado). *no tener* alguien ~***s en la lengua*** 거리낌 없이 말하다. *no tocar* a alguien ***al*** ~ [***al*** ~ ***de la ropa***] =**no tocar a la ropa.** ☞

ropa. *por los ~s* 마지막 순간에, 간발의 차로: coger el tren *por los ~s* 간발의 차로 열차를 타다. ***ser capaz de contarle los ~s al diablo*** 솜씨가 아주 좋다, 매우 능숙하다, 매우 노련하다. ***ser** alguien **de buen ~*** (누가) 본성이 나쁘다, 성질이 나쁘다. ***tener** alguien **pelos en el corazón*** ㉮ (누가) 아주 용감하다. ㉯ (누가) 냉담하다, 냉정하다, 인정이 없다, 쌀쌀하다. ***un ~** adv.* 아주 적게, 간발의 차로: Le faltó *un ~* para llegar 그는 간발의 차로 늦었다. No acerté por *un ~* 나는 살짝 빗나갔다, 나는 간발의 차로 맞추지 못했다.

pelón, na *adj.* ① 머리카락[털]이 없는, 머리카락[털]이 거의 없는. ② 머리를 빡빡 깎은. ③ 가난한, 빈털터리의. ④ *Ecuad.* 머리 숱이 많은. —*m.f.* ① 대머리. ② 머리를 빡빡 깎은 사람. ③ 빈털터리. —*f.* ① 탈모(증). ② *AmérC., Cuba, Méj., Ven.* 사망(muerte).

pelota[1] *f.* ① 공, 볼: ~ de goma 고무공. jugar con una ~ 공을 가지고 놀다, 공놀이를 하다. lanzar una ~ 공을 던지다. ② 큰 공(balón). ③ 공놀이, 공던지기 놀이: jugar a la ~ 구기(球技)를 하다. ④ (쉽게 반죽할 수 있는 눈이나 진흙 같은) 부드러운 공. ⑤ =**prostituta.** ⑥ (리듬체조의) 여러 연습용 기구. ⑦ *Ant., Ven.* 야구(béisbol). ⑧ *Nic.* 친구의 무리. ⑨ 펠로따 ((맨손이나 글러브·라켓 등을 사용해 벽면에 양편이 교대로 공을 치는 경기; 바스크 지방을 중심으로 스페인·프랑스 등에서 행해짐)). ⑩ *pl* [속어] 불알, 고환(testículos). —*m.f.* 아부자, 아첨자. ¶ ***~ de vasca*** 펠로따 경기장에서 하는 펠로따. ***hacer la ~** a alguien* (무엇을 얻기 위해 누구에게) 아부하다, 아첨하다.

pelota[2] ***en ~(s)*** =**desnudo, en cueros.** ***dejar** a alguien **en ~(s)*** ㉮ (누가) 가진 것을 몽땅 빼앗다[훔치다]. ㉯ (누구의) 겉옷을 벗기다, 옷을 벌거벗기다.

pelotari *m.f.* pelota 선수.

pelotazo *m.* 공으로 때리기.

pelotear *tr.* (계산을) 맞추어 보다, 대조해 보다. —*intr.* ① (연습으로) 공을 차다[던지다·치다]. ② (무엇을) 여기저기 던지다. ③ (두 사람 이상이) 서로 싸우다, 언쟁하다, 말다툼하다. ④ 논쟁하다, 토론하다.

peloteo *m.* ① 공던지기. ② 아부.

pelotera *f.* 싸움, 언쟁, 말다툼(riña).

pelotero[1] *m.* =**pelotera.**

pelotero[2]**, ra** *m.f.* ① 공 제작자. ② (놀이에서) 공 공급자. —*m. Ant., Nic., Ven.* 야구 선수.

pelotero[3]**, ra** *adj.* ① *CRica.* =**entremetido.** ② *CRica.* (특히, 아이들이) 해서는 안 되는 일을 하는. ③ *Nic.* =**tacaño.**

pelotillero, ra *adj.* 아부하는, 아첨하는, 알랑거리는. —*m.f.* 아부자, 아첨자, 알랑거리는 사람.

pelotón[1] *m.* ① (사람의) 무리, 떼, 군중. ② [운동] 자전거 선수들의 무리.

pelotón[2] *m.* [군사] 분대, 반(班).

peluca *f.* ① 가발(cabellera postiza). ② 가발을 쓴 사람. ③ (아랫사람에 하는) 질책, 심한 꾸중.

peludo, da *adj.* ① 머리카락[털]이 많은. ② *Hond., Nic., Salv.* 어려운 (difícil). —*m.* ① 구두 닦는 천. ② *Arg., Par., Ur.* =**borrachera.**

peluquería *f.* ① 이발소; 미용원: alta ~ 고급 미용원. ② 이발업; 미용술: academia de ~ 미용 학교.

peluquero, ra *m.f.* ① 이발사, 미용사. ② 이발소[미용원]의 주인. —*f.* [드묾] 이발사의 아내.

peluquín *m.* ① 작은 가발. ② (18세기 말에서 19세기 초까지 사용했던) 어여머리.

pelusa *f.* ① (식물·과실의) 솜털. ② (천의) 보푸라기. ③ (사람의 얼굴·새의 새끼의 몸에 나는) 솜털 (vello).

pelviano, na *adj.* [해부] 골반(骨盤) (pelvis)의[에 관한]: cavidad *~na* 골반강(骨盤腔).

pelvímetro *m.* 골반계(骨盤計).

pelvis *f.* [해부] 골반: ~ mayor 대골반. ~ menor 소골반.

pemex *m.* petróleos mexicanos 멕시코 석유.

pena[1] *f.* ① 벌, 형벌: condenar a *alguien* a una ~ rigurosa (누구를) 엄벌에 처하다. pronunciar una ~ 형을 선고하다. ② 슬픔, 괴로움, 걱정. ③ 고통(dolor). ④ 어려움, 곤란 (dificultad). ⑤ 고생, 노고(勞苦), 일 (trabajo). ⑥ (옛날 부인용) 양 끝에 보석 달린 띠 목걸이. ⑦ (여자들이 모자에 달았던) 상(喪) 면사포. ⑧ *AmérC., Caribe, Méj.* =**vergüenza.** ⑨ *CRica., Guat., Hond., Nic.* =**pudor.** ⑩ =**encogimiento, cortedad.** ¶ ***~ capital*** 사형. ***~ de la vida*** =pena capital. ***~ pecuniaria*** =multa. ***a duras [graves · malas] ~s*** 겨우, 간신히, 가까스로. ***merecer la ~ de + inf.*** =**valer la pena.** ***valer la ~ de + inf.*** … 할 가치가 있다.

pena[2] *f.* ① (새의 날개 끝이나 꼬리에 있는 날 때 사용하는) 큰 깃, 칼깃. ② (글 쓰는) 펜(pluma de escribir). ③ (돛의) 평행 돛대의 끝부분. ④ [고어] 새의 깃.

penachera *f.* =**penacho.**

penacho *m.* ① (새의) 도가머리, 관모(冠毛). ② (머리·모자 등의) 깃털 장식. ③ 도가머리 모양의 물건.

④ 거만, 우쭐거림.

penado, da *adj.* ① 괴로운, 걱정이 많은(penoso). ② 어려운, 힘드는(difícil, trabajoso). —*m.f.* 죄수, 수형자(受刑者).

penal *adj.* ① 형벌의[에 관한]. ② 형법의[에 관한], 형사법상의: responsabilidad ~ 형사 책임. ③ 범죄의[에 관한]: acción ~ 범죄 행위. —*m.* ① (중범죄용) 교도소, 형무소. ② *Arg.* =penalti. ¶***cláusula*** ~ 위약 조항. ***código*** ~ 형법(전). ***Corte Penal Internacional*** 국제사법 재판소. ***derecho*** ~ 형법. ***Tribunal Penal Internacional*** = **Corte Penal Internacional.**

penalidad *f.* ① [주로 *pl.*] 노고, 곤란: pasar muchas ~*es* 고생하다, 애쓰다. ② [법률] 형벌.

penalista *adj.* 형법 전문의: abogado ~ 형사 변호사. —*m.f.* 형법학자.

penalizar (9) *tr.* ① (…에게) 형벌을 가하다. ② [운동] 반칙을 주다, 페널티를 주다.

penalti *ing. m.* ① [운동] 반칙, 페널티: área de ~ 페널티 에어리어. gol de ~ 페널티 골. ② [운동] 페널티킥(tiro de ~). ¶***casarse de*** ~ 여자가 임신이 됐기 때문에 결혼하다.

penar *tr.* ① 벌을 주다, 벌하다. ② [법률] =**penalizar.** —*intr.* ① 괴로워하다, 고통스러워하다. ② 고통을 당하다. ③ [+por] (…을) 열망하다, 갈망하다.

penco *m.* ① 여윈 말. ② 촌스러운 사람, 거친 사람. ③ 쓸모없는 사람. ④ *Can.* =**prostituta.**

pendencia *f.* 언쟁, 말다툼, 싸움.

pendenciar *intr.* 언쟁하다, 말다툼하다, 싸우다.

pendenciero, ra *adj.* 싸움질을 좋아하는, 툭하면 싸우려 드는.

pender *intr.* ① 매달려 있다, 걸려 있다. ② 의지하다. ③ 미결 상태다, 계쟁 중이다.

pendiente *adj.* ① 걸린, 매달린, 매달려 있는: araña ~ del techo 천장에 매달린[천장에서 축 늘어진] 샹들리에. ② 기운, 경사진(inclinado, en declive): terreno ~ 경사진 토지, 경사지. ③ …을 기대하는, …을 기다리는: Todos estaban ~*s* de las palabras del orador 모두가 연사의 말을 기다리고 있었다. Estoy ~ de que me llame mi padre 나는 아버지가 나에게 전화하실 것이라 기대하고 있다. ④ 미해결의, 아직 결재되지 않은, 현안 중인: asunto ~ 현안 사항. deuda ~ 미불 차금(未拂借金). ⑤ 매우 주의를 기울인: Ella está ~ de lo que dice el profesor 그녀는 선생님이 말하는 것에 귀를 기울이고 있다. —*m.* ① 귀고리, 귀걸이(arete). ② (몸에 차고 다니는) 장신구, 보석(joya). ③ [건축] 지붕의 경사. ④ [문장학] 기의 아랫부분. ⑤ 광맥의 표면. ⑥ *Méj.* =**preocupación.** —*f.* ① 고개, 비탈길. ② 경사(도): fuerte ~, ~ muy pronunciada [inclinada], ~ grande 급경사. ~ máxima 최대 경사도. ~ pequeña 완만한 경사. ③ (그래프의) 경사. ¶***asignatura*** ~ 재이수 과목(再履修科目).

péndola[1] *f.* ① (글 쓰는) 펜(pluma de escribir). ② [드뭄] 새의 깃.

péndola[2] *f.* ① (시계의) 추. ② 추시계. ③ [건축] (다리의) 달아맨 밧줄. ④ [건축] (조교(弔橋)(puente colgante)의 바닥을 받치는) 가느다란 수직 쇠막대.

pendolario *m.* =**pendolista ①.**

pendolista *m.f.* ① 달필가(達筆家). ② =**memorialista.**

pendón[1] *m.* ① (부대의, 작은) 기, 깃발. ② 군기(軍旗), 단기. ③ (종교 단체의) 기. ④ (나무의 큰 줄기에서 나온) 싹, 눈(vástago). ⑤ (특히, 여자가) 키만 크고 단정하지 못한 사람. ⑥ 불규칙적이고 난잡한 생활을 하는 사람. ⑦ [문장학] 기(旗)와 비슷한 깃발. ⑧ *pl.* 안내 노새의 고삐 줄.

pendón[2]**, na** *adj.* 생활이 불규칙하고 난잡한. —*m.f.* 생활이 불규칙하고 난잡한 사람. —*f.* ① 행동이 부도덕한 여자. ② =**prostituta.**

pendonear *intr.* 거리를 어슬렁어슬렁 돌아다니다, 거리를 돌아다니다.

pendular *adj.* ① 추[흔들이]의[에 관한]. ② 추[흔들이] 같은.

péndulo *m.* 시계의 추; 흔들이.

pene *m.* [해부] (주로 사람의) 자지, 음경, 남근, 남경, 양근.

penene *m.f. Esp.* =**PNN.**

penetrabilidad *f.* 관통성, 침투성, 투입성(透入性).

penetrable *adj.* ① 꿰뚫을 수 있는, 관통[침투]할 수 있는. ② 꿰뚫어 볼 수 있는, 간파[통찰]할 수 있는. ③ 영향을 받기 쉬운.

penetración *f.* ① (탄알 등의) 관통, 들어가 꽂힘, 침투, 침투력: ~ de una bala 탄알의 관통. ② 투시력, 간파, 안식, 통찰, 통찰력: tema de difícil ~ 이해하기 어려운 주제. tener gran ~ 대단한 통찰력을 가지고 있다. ③ [경제] 시장 획득, 시장 진출[침투]. ④ 세력 침투[확장], 영향력. ⑤ [군사] (방어망·대미사일망의) 돌파, 돌파구; 침공, 침범, 침입: ~ en el espacio territorial 영공 침범. ⑥ (성교의) 삽입. ⑦ (컴퓨터의) 침해.

penetrador, ra *adj.* =**agudo, perspicaz, sutil, de vivo ingenio.**

penetrante *adj.* ① 관통하는, 꿰뚫는, 꿰뚫고 들어가는, 침투(浸透)하는: dolor ~ 찌르는 듯한 통증. olor ~ 코를 찌르는 냄새. ② (소리 등이) 날카로운: sonido ~ 귀청을 찢는 소리. ③ (감각 등이) 예민한, 통찰력이 있는: análisis ~ 통찰력이 풍부한 분석. mirada ~ 예리한 안광(眼光). ④ (소리가) 멀리까지 잘 들리는. ⑤ 신랄한. ⑥ (상처가) 관통성(貫通性)의.

penetrar *tr.* ① (…에) 들어박히다, 꽂히다: ~ un clavo la madera 못이 나무에 박히다. ② 관통하다: ~ los rayos ultravioleta la piel 자외선이 피부에 관통하다. ③ (…에) 들어가다, 들어오다: Las ideas ilustradas *penetraron* el país con rapidez 계몽 사상이 빠른 속도로 나라에 유입되었다. ④ 육체 관계를 가지다(poseer). ⑤ (추위·통증·목소리 등이) 찌르다, 찌르는 듯하다, (가슴에) 스며들다. ⑥ (누구의) 속마음[뱃속·내심]을 꿰뚫어 보다, 간파하다: ~ unas intenciones 의도를 간파하다. —*intr.* ① 억지로 들어가다, 침입하다; 통과하다, 침투하다: El tren *penetró en* el túnel 열차는 터널로 들어갔다. El ladrón *penetró por* la ventana 도둑이 창문으로 들어왔다. ② (습기·비·액체·냄새 등이) 스며들다: La humedad *penetra en* la pared 습기가 벽에 스며든다. ③ 깊이 이해하다: ~ *en su* espíritu (누구의) 마음을 잘 이해하다. ④ (성교에서) 삽입하다. ~**se** ① 뚫어 버리다. ② 깊이 이해하다, 통찰하다.

penetrativo, va *adj.* ① 침투하는. ② 통찰력 있는, 예민한; 날카로운. ③ 마음에 사무치는, 감동적인.

penicilina *f.* [약학] 페니실린.

penillanura *f.* [지질] 준평원(準平原).

península *f.* 반도(半島): *Península* Coreana 한반도. *Península* Ibérica 이베리아 반도.

peninsular *adj.* ① 반도 태생의. ② 반도의[에 관한]. ③ (특히, 섬이나 아프리카의 스페인령에 반대되는) 이베리아 반도의. —*m.f.* 반도 사람.

penique *m.* 페니 ((영국의 통화 단위; 옛 페니는 12분의 1실링, 나중에는 100분의 1파운드에 해당)).

penitencia *f.* ① [기독교] 개전(改悛), 회개, 참회, 통회. ② (속죄를 위한) 고행. ③ (일반적으로) 벌; 고행.

penitencial *adj.* 개전의, 회개의; 고행(苦行)의.

penitente *adj.* 개전[회개]의[에 관한]. —*m.f.* 참회자, 속죄자; 고행자.

penoso, sa *adj.* ① 고된, 힘든. ② 괴로운, 가슴 아픈. ③ 슬픈, 측은한, 처참한. ④ 뻐기는, 우쭐거리는. ⑤ *Cuba, Méj., Salv.* 겁 많은, 내성적인(tímido). —*m.f. Cuba, Méj., Salv.* 겁 많은 사람, 내성적인 사람.

pensado, da *de* ~ [고어] 고의로, 일부러. *mal* ~ (남의 행동·의도·말을) 의심[곡해]하기 잘하는. *peor* ~ =mal pensado.

pensador, ra *adj.* 생각하는; 사색적인; 생각에 잠긴. —*m.f.* ① 사상가(思想家). ② 사색하는 사람.

pensamiento *m.* ① 사고(思考), 생각, 사고력: ~ lateral 수평적 사고. tener malos ~*s* 악한 생각을 품다. ② 의도, 심중, 복안. ③ [집합] 사상(思想): control del ~ 사상 통제. historia del ~ 사상사(思想史). ④ 격언, 잠언. ⑤ (작품 등에 표시된 저자의) 생각, 작품 내용. ⑥ 의심, 악의, 의혹, 의구심. ⑦ [식물] 팬지. ⑧ 술집, 주점(taberna).

pensante *adj.* 생각하는, 사고하는.

pensar[1] *tr.* ① 생각하다: *Pienso* salir por la tarde 오후에 외출할 생각이다. *Pienso* que ahora no es el momento oportuno 지금은 적당한 시기가 아니라고 생각한다. No *pienses* hacer novillas 수업을 빠질 생각을 하지 마라. ② 숙고하다: *Piensa* lo que vas a hacer 자신이 무엇을 하려고 하는 지 숙고해라. ③ 의도하다(intentar). ④ 생각 나다, 생각이 떠오르다: Ese plan lo *pensó* él 그는 그 계획이 생각 났다. —*intr.* ① 생각하다: *Pienso*, luego existo 나는 생각한다. 고로 존재한다. ② [+en · sobre] (…에 대해) 생각하다: ¿En qué *piensa* usted? 당신은 무엇을 생각하고 계십니까? *Pienso* en el examen final 나는 기말 시험에 대해 생각하고 있다. ~**se** 생각되다: *Se piensa* que es necesario un cambio 변화가 필요하다고 생각된다.

pensar[2] *tr.* (동물에게) 건초[사료]를 주다.

pensativo, va *adj.* 생각에 잠긴, 생각에 골몰한.

pensil *adj.* 매달린, 공중에 뜬[걸린]. —*m.* 아름다운[환상의] 정원.

pénsil *adj., m.* =**pensil.**

pensión *f.* ① 연금(年金), 은급(恩給): ~ de jubilación, ~ de retiro 퇴직 연금. ~ de vejez 노령 연금. ~ de viudedad, ~, de viudez 과부 연금. cobrar una ~ 연금을 받다[수령하다]. ② 연구 조성금(助成金), 연구 기금, 장학금. ③ 조세(租稅), 세(稅). ④ 하숙집(pupilaje). ⑤ 하숙비(precio del pupilaje). ⑥ *Amér.* 고통, 걱정(pena). ⑦ *Méj.* (월세를 받는) 주차장. ¶ ~ ***alimenticia*** (이혼 후의) 부양 수당(alimentos). ~ ***completa*** (하루에) 세 끼 먹는 하숙: hospedarse con ~ *completa* 세 끼 먹는 하숙을 하다[방을 빌리다]. ***media*** ~ ㉮ 점심 식사만 포함된 기숙사 제도. ㉯ 하루 한 끼만 먹는 하숙 (제도).

pensionado, da *adj.* 연금[연구 기금·장학금]을 받는. —*m.f.* 연금[장학금·연구 기금] 수령자, 장학생,

급비생. —*m.* 기숙 학교, 기숙사.
pensionar *tr.* ① 연금[세금]을 부과하다. ② 연금[연구 기금·장학금]을 지급하다.
pensionario *m.* 연금 지불자, 연금을 내는 사람.
pensionista *m.f.* ① 연금 생활자. ② 기숙생, 하숙생: medio ~ 학교에서 점심 급식을 받는 자택 통학생.
penta- *pref.* 「5, 다섯(cinco)의 뜻」: *pentá*gono 오각형.
pentacampeón, na *adj., m.f.* 다섯 번 챔피언이 된 (사람).
pentacordio *m.* [악기] (옛날의) 오현금(五玄琴).
pentadáctilo, la *adj., m.f.* [동물] 발가락이 다섯 개인 (동물).
pentadecágono *adj.* [기하] 15각형의. —*m.* [기하] 15각형.
pentaedro *m.* [기하] 오면체(五面體).
pentagonal *adj.* [기하] 오각형의.
pentágono *adj.* 오각형의. *m.* ① [기하] 오각형. ② [P~] 펜타곤 ((오각형의 미국 국방부 건물)), 미국 국방총성, 미군 당국. ③ *AmérC.* [야구] 본루(本壘).
pentagrama *m.* [음악] 오선(五線), 보표(譜表).
pentágrama *m.* =**pentagrama.**
pentámero, ra *adj.* ① [식물] 꽃잎이 다섯 개인 (식물). ② [동물] 관절이 다섯 개인 (동물).
pentámetro *m.* [시법] 5보격(의 시행), (특히) 약강(弱强) 5보격.
Pentápolis *f.* (옛날의) 다섯 도시 동맹, 오시(五市) 동맹.
pentapolitano, na *adj.* ① Pentápolis 태생의. ② Pentápolis의[에 관한]. —*m.f.* Pentápolis 사람.
pentarquía *f.* 5두(頭) 정부[정치·체제].
pentasílabo, ba *adj.* 5음절의 (시구): verso ~ 5음절 시. —*m.* 5음절(音節).
pentatónico, ca *adj.* [음악] 5음(音)의: escala ~*ca* 5음 음계.
Pentateuco *m.* [성경] 모세의 오서(五書).
pentatleta *m.f.* 오종 경기 선수.
pentatlón *m.* [운동] 오종 경기: ~ moderno 근대 오종 경기.
pentavalente *adj.* [화학] 5가(價)의.
pentecostal *adj.* Pentecostés의.
Pentecostés *m.* [기독교] 성령 강림제(Pascua de ~; 부활절 후의 일곱 번째 일요일).
pentélico, ca *adj.* 펜텔리코 산(monte Pentélico, 희랍에 있는 산)의[에 관한].
pentodo *m.* [전기] 5극관, 5극 진공관(五極眞空管).
penúltimo, ma *adj.* 끝에서 두 번째의: ~*ma* sílaba 끝에서 두 번째 음절. —*m.f.* 끝에서 두 번째 사람.
penumbra *f.* ① 어스름, 희미한 불빛, 빛과 어두움 사이의 약한 그림자[그늘]. ② [천문] 반영(反影).
penumbroso, da *adj.* 희미한, 어스름한.
penuria *f.* (생활 필수품 등의) 부족, 결핍(escasez, falta): ~ de petróleo 석유 부족. vivir en la ~ 궁핍한 생활을 하다.
peña *f.* ① 바위. ② 암산(巖山), 작은 암산: escalar ~*s* arriba 암산을 기어오르다. ③ 친구들의 모임. ④ 레크레이션 서클. ⑤ (주로 문화적인) 동아리, 동호회: ~ de aficionados a las bellas artes 미술 동호회.
peñascal *m.* 큰 바위로 덮인 곳.
peñasco *m.* ① 크고 우뚝 솟은 바위. ② 아주 질긴 천. ③ [조개] 뿔고둥, 뿔소라(múrice). ④ [해부] 추체(椎體).
peñascoso, sa *adj.* 크고 우뚝 솟은 바위가 많은, 크고 우뚝 솟은 바위투성이의: montaña ~*sa* 크고 우뚝 솟은 바위가 많은 산.
peñol *m.* =**peñón.**
peñón *m.* 암산(巖山), 암벽(巖壁): ~ de Gibraltar 지브롤터 암산 ((스페인 남쪽 끝에 있는 영국령)).
peón[1] *m.* ① 날품팔이, 일급 노동자, (단순 작업의) 노무원, 작업원, 인부, 막일꾼. ② 보병(步兵)(soldado de infantería). ③ 팽이(trompo). ④ (장기의) 졸. ⑤ 회전축. ⑥ 벌통, 벌집(colmena de abejas). ⑦ 다른 사람의 계획과 이익을 위해 행동하는 사람, 부하, 휘하. ⑧ [투우] =**peón de brega.** ⑨ [고어] 보행자(步行者)(peatón). ¶ ~ *caminero* 도로공사 인부. ~ ***de brega*** [투우] (투우하는 동안) 주 투우사(matador)를 돕는 말단 투우사. ~ ***de mano*** [건축] 미장이의 조수. ***a*** ~ (특히, 메추리가) 걸어서.
peón[2] *m.* [시학] 사음절각(四音節脚).
peonada *f.* ① (날품팔이의) 하루 작업량, 하루분 노동[작업]. ② (몇몇 주에서 사용되는) 농지 면적의 단위 ((3.804 아르)). ③ [집합] 공사장에서 일하는 날품팔이. ④ [고어] = **peonaje ①.**
peonaje *m.* ① [집합] 보병(soldados de infantería). ② [집합] 공사장에서 일하는 날품팔이.
peonía[1] *f.* [식물] 작약.
peonía[2] *f.* (날품팔이의) 하루분 노동[작업], 하루 작업량.
peonza *f.* ① 팽이(peón, trompo). ② 끝에 쇠가 없는 팽이 비슷한 것. ③ 땅딸막한 사람. ¶***a*** ~ 걸어서.
peor *adj.* [malo의 비교급] ① 더 나쁜: Este ordenador es ~ que el tuyo 이 컴퓨터는 네 것보다 더 나쁘다. ② [정관사+~: 최상급] 가장 나쁜: prepararse para lo ~ 최악의 사태에 대비하다. Ella es la ~ de todos 그녀는 모든 사람 중에서 제

일 성질이 못 됐다. —*adv.* [mal의 비교급] 더 나쁘게: Hoy estoy ~ que ayer 나는 오늘이 어제보다 상태가 더 나쁘다. ¶ ~ *que* ~ (사태를) 더욱 나쁘게, 더욱 심하게. *ponerse* alguien ***en lo*** ~ (누가) 최악의 경우를 생각하다. ***tanto*** ~ 한결 더 나쁘게, 더더욱 나쁘게.

pepa[1] *f.* =pepita[2] ①.

Pepa[2] *f.* [여자 이름] 뻬빠. ¶ ***¡Viva la ~!*** [반어적] 어머나, 좋아라!, 만세!

pepe *m.* ① 오이 같은 나쁜 참외[멜론]. ② *Bol.* =**petimetre, lechuguino, pisaverde.**

pepinar *m.* 오이밭.

pepinazo *m.* ① 대포[중무기]의 발사. ② [축구] 공을 아주 세게 던지기.

pepinillo *m.* 작은 오이.

pepino *m.* ① [식물] 오이. ② [열매] 오이. ③ 하찮은 것, 별로 가치가 없는 것, 아무런 가치도 없는 것. —*adj.* (멜론이) 거의 익지 않은: melón ~ 거의 익지 않은 멜론.

pepita[1] *f.* 닭의 혀에 생기는 종기.

pepita[2] *f.* ① (참외·배·사과와 같은 과실의) 씨. ② (홍수 때 자주 발견되는) 금덩이, 광물 덩이.

pepito *m.* ① 쇠고기 샌드위치. ② 크림 빵, 초콜릿 빵.

pepsina *f.* [생화학] 펩신.

péptico, ca *adj.* 펩신의[에 관한].

péptido *m.* [생화학] 펩티드.

peptona *f.* [생화학] 펩톤 ((단백질이 펩신에 의하여 가수(加水) 분해된 것)).

pequeñez *f.* ① 작은 것[일], 적은 것: ~ de la figura 몸의 왜소함, 왜소한 몸. ~ del sueldo 적은 봉급. ② 어린 시절, 유년 시절(infancia). ③ 사소한 일: reñir por *pequeñeces* 사소한 일로 다투다[싸우다]. ④ =**mezquindad, ruindad.**

pequeño, ña *adj.* ① 짧은(corto): lápiz ~ 짧은 연필. ② (사람·동물·물건이 같은 종류의 다른 것보다) 작은: coche ~ 소형차. habitación ~*ña* 작은[좁은] 방. hombre ~ 몸집이 작은 남자. letra ~*ña* 가는 글자. mujer ~*ña* 몸집이 작은 여자. ratón ~ 생쥐. Mi hermano es más ~ que yo 내 형은 나보다 작다. ③ (나이가) 어린: hijo ~ 어린 아들. hija ~*ña* 어린 딸 Mi hija todavía es ~*ña* 내 딸은 아직 어리다. ④ 천한, 비천한, 신분이 낮은(bajo, humilde). ⑤ 간단한, 사소한, 하찮은, 별로 중요하지 않은, 보잘 것 없는, 변변치 못한, 자그마한: ~ negocio 간단한[작은] 거래. ~ regalo 보잘 것 없는 선물. ⑥ [경멸] =**pequeñoburgués.** —*m.f.* 꼬마, 어린이. ¶***en*** ~ 간단히, 손쉽게, 짤막하게, 요약하면.

pequeñoburgués, sa *adj.* ① 편견이 있는, 선입견이 있는. ② 소 부르주아의, 소 부르주아적인, 소시민적인. —*m.f.* 편견[선입견]이 있는 사람.

pequinés, sa *adj., m.f.* =pekinés. —*m.* =**perro pequinés.**

per- *pref.* ①「강함·전부·완전히·끝까지 (…하다)」의 뜻: *per*tinaz 완고한. *per*fecto 완전한. ②「나쁜」의 뜻: *per*jurar 거짓 선서하다. *per*vertir 못쓰게 만들다.

pera *f.* ① [과실] 서양 배. ② 서양 배 모양으로 생긴 관장기의 고무 그릇[용기]. ③ 서양 배 모양으로 생긴 초인종[노커·전기 스위치]. ④ 카이저 수염. ⑤ 수지 맞는 일. ⑥ *Arg., Ur.* =**mentón.** —*adj.* 우쭐대는, 시건방진. ¶ ~ ***ahogadiza*** 매우 떫은 배의 일종. ~ ***almizcleña*** = pera mosqueruela. ~ ***mosquerola,*** ~ ***mosqueruela,*** ~ ***musquerola*** 완전히 둥근 배. ***dar para ~s*** a alguien (누구를) 학대하다, 벌하다, 꾸중하다. ***escoger*** alguien ***como entre ~s*** (누가) 자신이 제일 좋은 것을 골라 가지다. ***hacerse*** alguien ***la*** ~ *Ecuad., Perú.* = hacer novillas. ***hacerse*** alguien ***una*** ~ [속어] =**masturbarse.** ***partir ~s con*** alguien (누구와) 사이좋게[친하게] 지내다. ***pedir ~s al olmo*** 기대해서는 안 되는 일에 기대를 걸다, 나무에 올라가서 물고기를 구하듯 불가능한 일을 하려 하다, 연목구어(緣木求魚).

perada *f.* ① 배 통조림. ② 배 즙 (발효) 술.

peral *m.* [식물] 배나무.

percance *m.* 임시 수당, 임시 수입.

per cápita *adj. lat.* 1인당, 개인별로.

percatar *intr.* =**advertir, considerar, cuidar.** ~**se** [+de] (…을) 눈치채다, 알아차리다: Ella no *se percató de* su error 그녀는 자기의 잘못을 알아차리지 못했다.

percepción *f.* ① 지각, 지각력, 지각작용, 인식, 인지(認知), 이해. ② 직관, 직시. ③ [법률] 취득력, 점유 취득, (임차료 등의) 징수.

perceptibilidad *f.* 지각 가능성, 지각[인지·감지]할 수 있음.

perceptible *adj.* ① 지각[인지]할 수 있는. ② 받아들일 수 있는, 수취할 수 있는.

perceptiblemente *adv.* 느낄 수 있을 정도로, 상당히.

perceptivo, va *adj.* 지각의, 지각하는, 지각력이 있는.

perceptor, ra *adj.* 지각하는. —*m.f.* 지각하는 사람.

percha *f.* ① 옷걸이, 양복걸이: poner el abrigo en la ~ 오버를 옷걸이에 걸다. ② 모자걸이. ③ (물건을 거는) 고리(colgadero). ④ (포도시렁 등의) 버팀대. ⑤ (닭장·새장 속의) 홰. ⑥ (사람의) 용자(容姿)

(figura): Con la ~ que tiene ella, le sienta bien cualquier prenda 그녀는 용모 때문에 어떤 옷을 입어도 잘 어울린다.

perchero *m.* ① [집합] 옷걸이. ② 옷걸이가 있는 곳. ③ 옷걸이, 모자걸이(percha).

percibir *tr.* ① (급료·연금 등을) 받다, 수취하다: ~ el dinero 돈을 받다. ~ la renta 연금을 받다. ~ el sueldo del Estado 국가에서 급여를 받고 있다. ~ un interés del seis por ciento al año 연 6부의 이자를 받다. ② 지각하다, 감지하다, 느끼다: ~ un luz 빛을 느끼다. ~ un ruido 소리를 감지하다[느끼다]. ③ 인식하다: Debemos ~ que los tiempos han cambiado 우리는 시대가 변했다는 것을 인식해야 한다.

perclorato *m.* [화학] 과염소산염.

percusión *f.* ① 구타, 때리기, 두드리기, 충격. ② [음악] [집합] (오케스트라의) 타악기(instrumento de ~). ③ [의학] 진찰(법), 타진(打診), 타진법.

percusionista *m.f.* 타악기 연주자.

percusor *m.* ① (총기의) 격침. ② =**percutor.**

percutir *tr.* ① 때리다, 구타하다. ② [의학] 타진(打診)하다.

percutor *m.* [의학] 타진추(打診鎚).

perdedor, ra *adj.* ① 잃은. ② 패한. —*m.f.* ① 분실자. ② 패자(敗者).

perder (20) *tr.* ① 잃다, 분실하다: ~ dinero 돈을 잃다. ~ las gafas 안경을 분실하다[잃어버리다]. ~ la confianza 신용을 잃다. ~ un brazo 한쪽 팔을 잃다. ~ mucho 많은 것을 잃다, 큰 손해를 보다. ~ cinco kilos 5킬로그램 빠지다. ~ el apetito 식욕을 잃다. ~ la esperanza 희망을 잃다. ~ *su* posición 지위를 잃다. ~ toda *su* fortuna 전재산을 잃다. ~ a *su* padre 아버지를 잃다. *Perdí* un pendiente 나는 한쪽 귀고리를 잃었다. ② (기회를) 놓치다, 잃다: ~ la buena ocasión 호기(好機)를 놓치다. ③ (시간·노력 등을) 쓸모없게[못쓰게] 만들다, 무효로 만들다: No *pierdas* más palabras con él 그 사람과 더 이야기 해보아야 소용없다. Si llegamos tarde, perdemos las entradas 우리가 늦게 도착하면 입장권은 무효가 된다. ④ (탈것을) 놓치다: ~ el autobús [el avión·el tren] 버스[비행기·기차]를 놓치다. ⑤ 손해를 주다, 망치다: La sequía *ha perdido* la cosecha 가뭄으로 수확이 엉망이 되었다. La droga le *perdió* 마약이 그를 망쳤다. Me *pierden* los dulces 나는 과자라면 사족을 못쓴다. ⑥ (승부 등에서) 지다, 패하다: ~ la batalla 전투에서 지다. ~ el juego 경기를 지다. Ayer *perdimos* el partido de fútbol contra el Irán 어제 우리는 이란과의 축구 시합에서 졌다. —*intr.* ① 손해 보다: Tú no *pierdes* nada 너는 조금도 손해 보지 않는다. ② 지다, 패하다: ~ al [en el] juego 내기에서 지다. *Perdimos* (por) 4 a 3 우리는 4대3으로 졌다. ③ (천이) 빛이 바래다, 퇴색하다. ④ (용기가) 새다. ⑤ (상황 등이) 악화되다: ~ en salud 건강이 악화되다[나빠지다]. Vas a ~ con el cambio de gobierno 정권의 변화로 네 입장은 나빠질 것이다. Con esta decisión él *ha perdido* mucho 이 결정으로 그는 평판이 많이 나빠졌다. ~**se** ① 잃어버리다: *Se* me *han perdido* las gafas 나는 안경을 잃어버렸다. ② 없어지다, 사라지다, 보이지 않다: El monte *se perdió* de vista 산이 시야에서 사라졌다. El cohete *se perdió* en el cielo 로켓이 하늘에서 보이지 않았다. ③ 길을 잃다: *Me perdí* en el monte 나는 산에서 길을 잃었다. ④ (정신적·육체적·금전적으로) 파멸하다, 신세를 망치다: José *se perdió* por culpa de una mujer 호세는 여자 때문에 신세를 망쳤다. ⑤ 쓸모없이 되다: construir una presa para que no *se pierda* el agua 물을 헛되지 않게 하기 위해 댐을 건설하다. ⑥ 썩다: Esta carne de vaca *se* va a ~ si no se come hoy mismo 이 쇠고기는 오늘 당장 먹지 않으면 썩을 것이다. ⑦ =**naufragar.** ⑧ 홀딱 반하다[빠지다]. ⑨ (여자가) 타락하다, 정조를 버리다.

perdición *f.* ① 분실, 유실. ② 타락, 파멸; 타락[파멸]의 원인: lugar de ~ 풍기가 문란한 곳, 악의 장소. El vino le llevó a la ~ 술이 그를 망쳤다, 그는 술로 몸을 망쳤다. Esa mujer fue su ~ 그 여자가 그의 파멸의 원인이었다. ③ [종교] 영원한 파멸.

perdida *f.* ☞**perdido.**

pérdida *f.* ① 잃음, 분실: ~ de las gafas 안경의 분실. ~ de un reloj 시계의 분실. ② 잃음, 상실: ~ de la vista 실명(失明). ~ de la memoria 기억 상실. ~ de *sus* padres 부모의 사망(死亡). ~ de velocidad [항공] 실속(失速). ~ del empleo 실직(失職). ③ 낭비: Es una ~ de tiempo 그것은 시간 낭비다. ④ 누출(漏出): Hay una ~ de gas [agua] 가스[물]가 샌다. ⑤ [주로 *pl.*] 손실, 손해, 피해 (반 *ganancias*): ~ de capital 자본 손실. ~ de operación 영업 손실. ~*s* de la cosecha 농작물의 피해. ~*s* humanas 인적 피해. ~*s* materiales 물적 피해. ~*s* y ganancias 손익(損益). ⑥ 손실량. ⑦ 분실물(cosa perdida).

perdidamente *adv.* ① 열중하여, 열심히, 홀딱 빠져, 정신 없이, 지나치게, 과도하게: enamorarse ~ de *alguien* (…에게) 홀딱 반하다. ② 헛되이, 무익하게, 쓸데없이.

perdidizo, za *adj.* ① (물건을) 잃어버린 척하는. ② 살그머니 빠진[도망친]. ¶ ***hacer*** ~ algo (무엇을) 숨기다(ocultar). ***hacerse*** alguien ***el*** ~ (누가) 살그머니 없어지다[도망치다]. ***hacerse*** ~ un jugador (운동 선수가) 일부러 지다.

perdido, da *adj.* ① 잃은, 잃어버린, 분실된: cosa ~*da*, objeto ~ 분실물. tiempo ~ 낭비된 시간. ② (길을) 잃은, 행방불명의: documento ~ 분실된 서류. niño ~ 미아(迷兒), 길을 잃고 헤매는 아이. un montañero ~ 행방불명된 등산자. ③ (멀리) 떨어져 있는: isla ~*da* en pleno mar 절해고도(絶海孤島). ④ 열중한, 반해 버린, 홀딱 빠진, 정신없이 하는: estar ~ *por* el juego 도박에 빠져 있다. ⑤ 절망적인. ⑥ (사람이) 타락된. ⑦ [형용사 다음에서, 부사적으로 강조] 완전히, 아주, 모두, 죄다, 온통, 몽땅, 홀딱: histérica ~*da* 완전히 히스테리성의. enamorado ~ 홀딱 반한. tonto ~ 아주 멍청한. —*m.* ① 타락한 남자. ② [인쇄] 여분 인쇄, 예비 인쇄. —*f.* =**prostitura.** ¶ ~ ***por*** alguien (누구에게) 홀딱 반한: Ella está loca ~*da por* él 그녀는 그에게 홀딱 반해 있다. ~ ***por*** algo (무엇을) 무척 좋아하는. ***ponerse*** ~ 매우 더러워지다: *ponerse* ~ *de* barro 진흙으로 더러워지다.

perdigón[1] *m.* ① 자고새의 새끼. ② 갓난 자고새. ③ (미끼로 쓰는) 수자고새. ④ (사냥용) 산탄.

perdigón[2] *m.* ① 노름에서 많이 잃은 남자. ② 탕아(蕩兒). ③ (군 사관 학교 등의) 낙제생.

perdis *m.* 탕아, 난봉꾼, 불량배.

perdiz *f.* [새] 자고새.

perdón *m.* ① 용서: pedir a *alguien* ~ por *algo* (누구에게 무엇의) 용서를 빌다[요청하다]. Te pido ~ por haberte hecho esperar tanto 오래 기다리게 해서 미안하다. No tengo ~ (de Dios) 나는 변명할 말이 없다. No cabe ~ 변명의 여지가 없다. ② ㉮ [감탄사적으로] 실례합니다, 죄송합니다, 미안합니다. ㉯ [반문해서] 뭐라고 하셨습니까?, 뭐라고요?, 다시 한 번 말씀해 주세요. ③ (타면서 떨어지는) 물질, 기름 방울, 촛물. ④ *pl.* 순례[참배 여행]에서 돌아오는 길에 가져오는 선물.

perdonable *adj.* 용서할 수 있는, 용서할 만한.

perdonador, ra *adj., m.f.* 용서하는 (사람).

perdonamiento *m.* =**perdón.**

perdonar *tr.* ① 용서하다: *Perdóname* 용서해 주세요, 실례합니다, 미안합니다 ((친칭에서 사용)). ② (의무 등을) 면제하다: Le *perdonaron* los últimos dos años de cárcel 그는 형기를 2년 면제받았다[감형받았다]. Te *perdono que* vengas mañana a trabajar 내일은 일을 쉬어라. ③ [no 와 함께, 기회 등을] 최대한 이용하다; 놓치지 않다, 포기하지 않다: *no* ~ un baile 무도회에 빠지지 않고 참석하다. *no* ~ modo [medio] de conseguir una cosa 어떤 것을 얻는 방법을 최대한 이용하다. *no* ~ ocasión de lucirse 성공할 기회를 최대한 이용하다. *no* ~ ni un pormenor del suceso 사건을 남김없이 털어놓다(referir ce por be). Ella *no perdonó* esfuerzo hasta batir el récord 그녀는 신기록을 낼 때까지 힘껏 노력했다. ¶ ~ ***hecho y por hacer*** 지나치게 관대하다.

perdurabilidad *f.* 영속성, 영원성.

perdurable *adj.* ① 영속하는, 영원의, 영구한(perpetuo): vida ~ 영원한 생명. ② 오래 지속되는[계속되는], 오래 가는: ~*s* obras de reparación 오래 끄는 수복(修復) 공사.

perdurablemente *adv.* 영원히, 영속적으로, 오래, 끝없이.

perduración *f.* 영속, 지속, 오래 계속함.

perdurar *intr.* 오래 지속하다, 존속하다, 오래 견디다, 변치 않다.

perecedero, ra *adj.* 오래 가지 못하는; 결국은 죽어야 할, 죽어 없어질: esta vida ~*ra* 덧없는 이 생명. este mundo ~ 덧없는 이 세상. alimentos ~*s* 썩기 쉬운 식품(食品). —*m.* 궁핍, 빈궁.

perecer (31) *intr.* ① 죽다: ~ de hambre 기아(飢餓)로 죽다. Muchos *perecieron* en la inundación [el fuego · la guerra] 많은 사람들이 홍수[화재 · 전쟁]로 죽었다. ② 시들다, 없어지다, 사라지다, 소멸하다. ③ 파멸하다. ④ 빈궁에 빠지다. ~**se** ① [+por] (…을) 갈망하다, 가지고 싶어하다, 욕심내다, 애태우다: ~*se por* una mujer 한 여인에게 애를 태우다. ~*se por* venir juntos 함께 오길 갈망하다. ② 애간장을 녹이다: ~*se de* risa 데굴데굴 구르며 웃다.

perecible *adj.* =**perecedero.**

peregrina *f.* ☞**peregrino.**

peregrinación *f.* 순례, 편력: hacer una ~ a Jerusalén 예루살렘을 순례하다. ir en ~ a Madrid 마드리드 순례에 가다.

peregrinaje *m.* =**peregrinación.**

peregrinar *intr.* ① [+por] (외국 · 낯선 땅에) 여행[유람 · 편력]하다: ~ *por* el mundo 세계를 여행[유람]하

다. ② [+a] (성지에) 순례 가다: ~ *a* La Meca 메카에 순례 가다. ③ (목적을 실행하기 위해) 동분서주하다.

peregrino, na *adj.* ① (외국을) 여행하는. ② (특히, 성지를) 순례하는. ③ (새가) 이주하는: aves ~*nas* 철새. ④ (동물・물건이) 외국에서 온. ⑤ 이상한, 진기한, 특별한, 드문, 귀한, 보기 드문. ⑥ 멋진, 근사한. —*m.f.* (성지의) 순례자.

perejil *m.* ① [식물] 미나리. ② [주로 *pl.*] 칙칙한 장식, (특히, 여자들의) 얼굴에 더덕더덕 바른 화장.

perendengue *m.* ① 귀고리(pendiente). ② (여자들의) 싸구려 장신구. ③ (펠리뻬 4세 때 주조된) 동전의 하나. ④ *pl.* 장신구.

perennal *adj.* =perenne.

perennalmente *adv.* =perennemente.

perenne *adj.* ① 계속하는, 그치지 않는, 지속적인, 영원의, 영속하는, 불멸의, 영구한: belleza ~ 영구 불멸의 미. vida ~ 영원한 생명. ② [식물] 2년 이상 사는, 다년생(多年生)의: planta ~ 다년생 식물.

perennemente *adv.* 영구히, 오래오래, 계속적으로, 그치지 않고.

perennidad *f.* 영구성, 영원성, 불멸성, 지속성.

perennifolio, lia *adj.* [식물] 상록수(常綠樹)의.

perentoriedad *f.* 긴급성.

perentorio, ria *adj.* 긴급한, 지체될 수 없는; 연장[변경]의 여지가 없는, 결정적인: fallo judicial ~ 최종 판결. pago ~ 긴급을 요하는 지불. plazo ~ 최종 기한.

perestroika *f. ruso.* 페레스트로이카, 민주화.

pereza *f.* ① 나태, 태만, 게으름. ② 더딤, 한가로움: ~ mental 두뇌의 움직임이 둔함. ③ 노곤함, 피곤함, 피로함. ④ *Ven.* [동물] =**perezoso.** ¶*sacudir la* ~ ㉮ 나태를 극복하다, 무기력을 물리치다. ㉯ 일을 힘을 내서[부지런히] 시작하다[계속하다].

perezosa *f.* ☞**perezoso.**

perezosamente *adv.* 게을리, 태만하게, 나태하게; 더디게, 느리게, 한가로이.

perezoso, sa *adj.* ① 게으른, 나태한, 태만한. ② (동작이) 느린, 굼뜬. ③ 기능이 나쁜. ④ 늦잠을 자는, 아침에 억지로 일어나는. —*m.* ① [동물] 나무늘보. ② *Bol., Hond., Salv., Ur.* 접의자(tumbona, silla con tijera). —*f.* ① *Arg., CRica, Perú.* 접의자(tumbosa). ② *Nic.* (넓고 높은 등받이가 있는) 나무 의자. ③ *Nic.* =**mecedora.**

perfección *f.* ① 완전, 완벽; 완성, 완성도: ~ formal 형식면에서의 완벽함. pretender la ~ 완벽을 기하다. ② 완전한 물건[것]. ③ [주로 *pl.*] 장점, 이점, 좋은 점: hallar perfecciones en …의 장점을 발견하다. ¶*a la* ~ =**perfectamente.**

perfeccionador, ra *adj., m.f.* 완성하는 (사람).

perfeccionamiento *m.* ① 완성, 완료, 통달: ~ de español 스페인어의 통달[완성]. ② 개량, 개선.

perfeccionar *tr.* ① 완성시키다, 완전히 끝내다: ~ *su* obra 작품을 완성시키다. ② 개량하다, 개선하다, 더 좋게 만들다: ~ *su* técnica 기술 개량을 하다. ~**se** 완성하다, 완성[완결]되다; 개선하다: Quiero ~*me* en la conversación española 나는 스페인어 회화를 향상시키고 싶다. La vida *se perfecciona* en la muerte 삶은 죽음에 의해 완결되다.

perfeccionismo *m.* 완벽주의, 완전주의.

perfeccionista *adj.* 완벽[완전]주의의. —*m.f.* 완벽주의자, 완전주의자.

perfectamente *adv.* 완전하게, 결점없이, 잘: Lo entiendo ~ 잘 알았습니다. Anoche dormí muy ~ 간밤에 나는 아주 잘 잤다. —*interj.* 잘 알았습니다, 아주 건강합니다.

perfectibilidad *f.* 완전성.

perfectible *adj.* 완전하게 할 수 있는, 완성할 수 있는.

perfectivo, va *adj.* ① 완전하게 되는[하는], 완성시키는. ② [문법] (동사가) 완료상(完了相)의.

perfecto, ta *adj.* ① 완전한, 완벽한, 나무랄 데 없는, 더할 나위 없는: crimen ~ 완전 범죄. éxito ~ 완전한 성공. triunfo ~, victoria ~*ta* 완승. Es ~*ta* su representación 그의 연기는 나무랄 데가 없다. Ella está en ~ estado de salud 그녀의 건강 상태는 나무랄 데 없다. Jesús es un ~ caballero 헤수스는 나무랄 데 없는 신사다. ② [명사 앞에서] 어지간한: Juan es un ~ imbécil 후안은 어지간한 바보다. ③ [문법] 완료의: tiempo ~ 완료 시제. ④ 질이 좋은: vino ~ 질이 좋은 포도주. ⑤ [감탄사적으로] 좋다, 잘 알았다, 다행이다, 훌륭하다.

perfil *m.* ① (사람의) 옆얼굴, 옆모습. ② (물건의) 외형, 윤곽. ③ 측면도, 종단면도(縱斷面圖). ④ (문자의) 선의 가는 부분. ⑤ [금속] 형강(形鋼). ⑥ *pl.* 마무리, 끝손질, 뒷마감, 최후의 가필.

perfilar *tr.* ① …의 윤곽을 잡다; …의 측면도를 그리다, 옆모습을 그리다. ② 옆으로 돌리다. ~**se** ① 옆으로 향하다. ② 치장하다.

perforación *f.* 구멍뚫기, 천공(穿孔), 시추(試錐): ~ de pozos de petróleo 유정 시추.

perforador, ra *adj.* 구멍을 뚫는, 천공(穿孔)의. —*m.f.* 구멍 뚫는 사람,

시추자. —*f.* 천공기, 착암기(鑿巖機).
perforar *tr.* ① …에 구멍을 뚫다. ② 착암(鑿巖)하다.
perfumadero *m.* 향로.
perfumador, ra *adj.* 향수를 만드는, 향내가 나게 하는. —*m.f.* 향수[향료] 제조자. —*m.* ① 향로(香爐). ② 향수 뿌리개.
perfumar *tr.* ① …에 향을 피우다. ② 향긋하게 만들다, 향기를 풍기게 하다. ③ 향수를 치다[뿌리다]: ~ el pañuelo 손수건에 향수를 치다[뿌리다]. —*intr.* 향기가 나다. ~**se** (자신의 몸에) 향수를 뿌리다.
perfume *m.* ① 향수, 향료, 방향 물질: ~ de rosas 장미 향수. ② 향기, 방향(芳香), 향내.
perfumear *tr.* 향기를 풍기다.
perfumería *f.* ① 향수[향료] 가게. ② 향수[향료] 제조술. ③ [집합] 향수 제조. ④ 향수[향료] 제조소.
perfumero, ra *m.f.* 향수[향료] 제조자[장수].
perfumista *m.f.* =**perfumero.**
perfusión *f.* [의학] (국소) 관류(灌流), 관주(灌注).
pergaminero *m.* 양피지 제조자; 양피지 장수.
pergamino *m.* ① 양피지. ② (양피지에 쓴) 고문서: *Pergaminos* de Mar Muerto [성경] 사해서(死海書). ③ *pl.* 귀족의 칭호: familia de ~*s* 귀족의 가계(家系).
perianal *adj.* 항문 주변의.
pericardio *m.* [해부] 심막(心膜), 심낭(心囊).
pericarditis *f.sing.pl.* [의학] 심막염.
pericarpio *m.* [식물] 과피(果皮).
pericia *f.* 숙련, 노련, 숙달, 교묘(함): conductor con mucha ~ 아주 능숙한 운전수.
pericial *adj.* 전문가의: prueba ~ 감정서. —*m.* 세관 공무원.
pericialmente *adv.* 노련[교묘]하게.
perico *m.* ① [새] 잉꼬. ② [식물] 대형 아스파라가스. ③ (뒷쪽 두 번째의) 돛대. ④ 큰 부채. ⑤ (높은) 변기, 요강. ⑥ (특히) 돌아다니기 좋아하는 여자. ⑦ [은어] 코카인. ¶ ~ ***ligero*** [동물] 나무늘보.
pericráneo *m.* [해부] 두개골막.
periferia *f.* ① (원·곡선 등의) 주위, 바깥둘레, 외주(外周); (물체의) 표면, 겉면. ② (도시의) 근교, 주변 부근: en la ~ de Seúl 서울 근교에서. ③ [컴퓨터] 주변 기기[장치].
periférico, ca *adj.* 주변의[에 관한]: dispositivo ~ [컴퓨터] 주변 장치. memoria ~*ca* [컴퓨터] 주변 기억 장치. nervio ~ [해부] 말초 신경. procesador ~ [컴퓨터] 주변 처리기. —*m.pl.* [컴퓨터] 주변 기기[장치]: ~*s* de salida 출력 주변 장치.
periforme *adj.* 배(pera) 모양의.
perifrasear *intr.* 에둘러서[완곡하게] 말하다.
perifrasi *f.* =**perífrasis.**
perífrasis *f.sing.pl.* ① [수사학] 완곡법. ② 에두르는 말씨[글귀·표현].
perifrástico, ca *adj.* ① [수사학] 완곡한. ② 에두르는.
perigeo *m.* [천문] 근지점.
periglaciar *adj.* 빙하 주변의.
perihelio *m.* [천문] 근일점(近日点).
perilla *f.* ① 염소수염, 카이저 수염. ② 배(pera) 모양의 장식. ③ (안장의) 아치형 윗부분. ④ (담배를 피우는 쪽의) 여송연의 끝. ⑤ *Méj.* = **picaporte.**
perimétrico, ca *adj.* perímetro의.
perímetro *m.* ① 경계선: dentro del ~ urbano 도시의 경계 안에. ② [수학] (2차원 도형의) 주변[주위](의 길이): ~ de la circunferencia 주위. La isla tiene veinte kilómetros de ~ 섬은 주위가 20킬로미터다.
perinatal *adj.* [의학] 주생기(周生期)의; (산과에서) 주산기의 ((임신 20주 이후 분만 28일 사이)).
periné *m.* [해부] 회음, 회음부.
perineal *adj.* 회음의[에 관한].
perineo *m.* =**periné.**
periódicamente *adv.* 정기적으로, 주기적으로; 순환적으로.
periodicidad *f.* 정기성, 주기성.
periódico, ca *adj.* 정기적인, 주기적인: entrevista ~*ca* 정례 회견. fracción ~*ca* [수학] 순환 소수. inundaciones ~*cas* del Nilo 나일강의 정기적 범람. revisión ~*ca* 정기 점검[검진]. sistema ~ (원소의) 주기계(周期系). tabla ~*ca* (원소의) 주기표. —*m.* ① 신문, 일간지: ~ de la mañana 조간신문, 조간. ~ de la tarde 석간신문, 석간. ~ dominical, ~ del domingo 일요신문. leer el ~ 신문을 읽다. ② 정기 간행물.
periodiquero, ra *m.f.* *Méj.* 신문 배달원.
periodismo *m.* ① 저널리즘, 신문계, 신문업. ② (대학의) 신문학과.
periodista *m.f.* 저널리스트, 신문 기자: ~ deportivo 스포츠 기자. ~ gráfico 보도 카메라맨.
periodísticamente *adv.* 신문[신문 기자]의 견지에서 (보면).
periodístico, ca *adj.* ① 신문의[에 관한]: anuncio ~ 신문 광고. equipo ~ 기자단. ② 신문 기자의[에 관한].
periodo *m.* =**período.**
período *m.* ① 기간: ~ de celo 발정기. ~ de incubación (병의) 잠복 기간. ~ electoral 선거 운동 기간. Estamos en el ~ de exámenes 우리는 시험 기간 중이다. ② 시기. ③ 주기(周期): ~ del péndulo 흔들이의 주기. ~ de la tierra 지구의 공전 주기. ④ 월경(月經), 월경기(~

mensual): retraso en el ~ 월경 지연. tener el ~ 생리 중이다. ⑤ [지질] …기(紀): ~ jurásico 주라기. ⑥ [수사학] 복합문, 종합문(綜合文). *f.* 치주병학(齒周病學).

periodontal *adj.* 치주(齒周)의

periodontitis *f.* [의학] 치주염.

periodonto *m.* [해부] 치주 조직.

periodoscopio *m.* 임신 기간 계산표.

periostio *m.* [해부] 골막(骨膜).

periostitis *f.sing.pl.* [의학] 골막염.

peripecia *f.* ① (국면의) 급전(急轉). ② (인생의) 부침.

periplástica *f.* [의학] 복막 성형술.

períptero, ra *adj.* [건축] (주위에 기둥을 빙 둘러 세운) 주주식(周柱式)의: templo ~ 주주식 사원.

periscópico, ca *adj.* 잠망경의.

periscopio *m.* 잠망경.

perista *m.f.* 장물아비.

peristilo *m.* [건축] 주주식(周柱式), 열주랑(列柱廊).

peritación *f.* 감정업; 감정학.

peritaje *m.* ① =**peritación.** ② 감정가의 연구[경력].

peritar *tr.* 사정(査定)하다; 사정 보고서를 제출하다.

perito, ta *adj.* 숙련된, 노련한, 경험이 풍부한. —*m.f.* ① 경험가, 노련한 사람. ② 기사(技師)(ingeniero técnico). ③ 전문가. ④ [법률] 감정인(鑑定人); 청산인(清算人).

peristoma *f.* =**peristome.**

peristome *m.* 구기(口器).

peritonealgia *f.* [의학] 복막통.

peritoneo *m.* [해부] 복막(腹膜).

peritonitis *f.sing.pl.* [의학] 복막염.

perjudicado, da *adj.* ① 손해를 입은. ② 훼손된, 무효로 된 (수표 등). —*m.f.* 피해자.

perjudicador, ra *adj., m.f.* (남에게) 손해를 끼치는 (사람), 유해한 (사람).

perjudicar (7) *tr.* (…에게, 물질적·정신적) 해[손해]를 끼치다[주다]: ~ la imagen de *alguien* …의 이미지를 손상하다. El tabaco *perjudica* la salud 담배는 건강을 해친다. Él alcohol *perjudica* mucho a la salud 알코올은 몸에 무척 해롭다. ~**se** 해를 입다, 손해를 입다, 해롭다, 해가 되다.

perjudicial *adj.* 유해한, 해로운: ~ *a* [*para*] la vista 눈에 해로운. El tabaco es ~ *para* la salud 담배는 몸에 해롭다. La lluvia fuerte es ~ *para* las cosechas 큰 비는 작물에 해롭다.

perjudicialmente *adv.* 해[손해]를 끼쳐, 해를 입혀, 손해를 주어, 해롭게.

perjuicio *m.* 손해, 해: causar ~ a las plantas 식물에 해를 끼치다. La subida de los valores del dólar nos ha causado ~*s* económicos 달러의 가치 상승으로 우리는 경제적 손해를 입었다. ¶*daños y ~s* [상업] 손해. *sin* ~ 해 없이, 폐를 끼치는 일 없이.

perjuicioso, sa *adj.* *Méj., Salv.* = **perjudicial.**

perjurador, ra *adj.* 거짓 선서하는, 위증하는. —*m.f.* 거짓 선서자; 위증자(僞證者).

perjurar *intr.* 거짓 선서를 하다; 위증하다. ~**se** 선서를 어기다, 선서를 위반하다.

perjurio *m.* ① 거짓 선서, 위증(죄). ② 선서를 어김, 선서 위반.

perjuro, ra *adj.* ① 거짓 선서하는, 위증하는. ② 선서를 어기는. —*m.f.* 거짓 선서자.

perla *f.* ① 진주: ~ cultivada, ~ de cultivo 양식 진주. ~ de imitación 모조 진주(模造眞珠). ~ natural, ~ verdadera 천연 진주. concha de ~ 진주층, 진주질층. pescador de ~ 진주 채취자. ② 진주 모양의 것. ③ [약학] 정제, 알약, 캡슐. ④ 보물: Ella es una ~ de nuestra universidad 그녀는 우리 대학교의 보물이다. ⑤ [인쇄] 4포인트 활자. ¶*de ~s* 완전하게, 완벽하게, 꼭 들어맞게(perfectamente, de molde).

perlado, da *adj.* ① 진주 빛의. ② 진주 모양의. ③ 진주 같은 광택이 나는. ④ 진주로 장식된. ⑤ 모조 진주로 장식된. ¶*cebada ~da* 쌀보리.

perlar *tr.* [시어] (물방울·눈물 등으로) 덮다[튀기다].

perlería *f.* [집합] 많은 진주.

perlero, ra *adj.* 진주의[에 관한]: industria ~*ra* 진주 산업. ostra ~*ra* 진주조개.

perlesía *f.* 마비(痲痺).

perlicultura *f.* 진주조개 양식.

perlífero, ra *adj.* 진주를 가지고 있는, 진주를 생산하는.

perlino, na *adj.* 진주 빛의.

permanecer (31) *intr.* ① (어떤 기간 동안, 어떤 장소에) 있다, 머물다, 체류하다: ¿Cuánto tiempo hace que *permaneces* en Corea? 너는 한국에 머물고 있는 지 얼마나 되느냐? *Permanezco* tres meses en Seúl 나는 서울에 3개월 머물고 있다. ② 움직이지 않고 있다, 변함없이 있다. ③ [형용사와 함께] 그대로 있다, 꼼짝하지 않고 있다: Yo *permanecía* inmóvil en un lugar 나는 한 곳에서 꼼짝하지 않고 있었다. La situación *permanece* indecisa 상황은 유동적이다. Sonó el despertador, pero ella *permaneció* dormida 괘종시계가 울렸으나 그녀는 일어나지 않았다.

permanencia *f.* ① 체류, 체재(滯在). ② 영속성, 항구성. ③ (수업 시간 이외의 선생의) 업무 시간, 업무 시간 수당.

permanente *adj.* ① 영구적인, 영속하는: diente ~ 영구치. movimiento ~ 영구 운동. nieve ~ 만년설. ② 상설의, 상임의: comisión ~ 상임 위원회. ejército ~ 상설군. guardia ~ 24시간 경비. miembro ~ (유엔 안전 보장 이사회의) 상임 이사국. miembro no ~ (유엔 안전 보장 이사회의) 비상임 이사국. —*f.* 파마: Ella se hizo la ~ 그녀는 파마를 했다.

permanentemente *adv.* 영속적으로, 영구적으로, 오래.

permanganato *m.* [화학] 과망간산염: ~ potásico 과망간산 칼륨.

permeabilidad *f.* 삼투성, 투과성, 투수성(透水性).

permeable *adj.* ① (액체·광선 등을) 통과하는, 투과성이 있는, 삼투[침투·투과]할 수 있는: terreno ~ 물을 잘 흡수하는 땅. ② (다른 사람의 의견에) 곧 마음이 움직이는.

permisible *adj.* 허가[허락·허용]할 수 있는.

permisividad *f.* 관대함.

permisivo, va *adj.* ① 묵인하는. ② (도덕적으로) 관대한, 용인하는.

permiso *m.* ① 허가(許可): ~ de conducir, ~ de conducción 운전 면허(증). ~ de pesca 낚시 허가, 어로 허가. ~ de residencia 체류 허가. ~ de trabajo 노동 허가. dar ~ 허가하다. tener ~ para usar el seminario 세미나실 사용 허가를 받다. ② (노동·군 등의) 휴가, 휴직: ~ por enfermedad 병가(病暇). solicitud de ~ 휴가원. coger el ~ maternal 산휴(産休)를 얻다. estar de ~ 휴가중이다. tomarse el ~ 휴가를 얻다. He venido con ocho días de ~ 일주일 휴가를 얻어 왔다. ③ 허가증, 면허증, 면장(免狀), 감찰(鑑札). ④ (화폐의) 공차(公差). ¶*con* ~ 잠깐 실례하겠습니다, 실례합니다 ((남의 앞을 지나가거나 방 등에 들어갈 때)).

permitir *tr.* ① 허가하다, 허락하다: El gobierno no *permite* la exportación de armas 정부는 무기 수출을 금지하고 있다. Te *permito* salir 네 외출을 허가한다. ② 용인하다. ③ 가능하게 하다: Su fortuna le *permite* permanecer por mucho tiempo en el hospital 그는 재산이 있기 때문에 장기 입원이 가능하다. ~**se** ① (일반에게) 허용되다, 용인되다: No *se permite* fumar en el estudio 스튜디오 안에서 금연. No se puede ~ que echen basuras aquí 이 곳에 쓰레기를 버릴 수 없습니다. ② 감히 …하다, 실례가 되는 줄 알면서 …하다: *Me permito* dudarlo 실례지만 나는 그것을 의심한다. *Me permito* hacerle una pregunta 실례지만 한 가지 물어 보겠습니다.

permuta *f.* ① (물건과 물건의) 교환, 물물 교환. ② 교대; (특히 두 공무원 사이의) 배치 교환.

permutación *f.* ① 교환. ② 교대. ③ [수학] 순열(順列).

permutar *tr.* ① [+por] (…을) 바꾸다, 교환하다: ~ los monedas [los billetes · los sellos] con *alguien* (…와) 동전[지폐·우표]을 교환하다. *Hemos permutado* mi diccionario por su disco 나는 책과 그의 레코드를 교환했다. ② (직무 등을) 교대하다. ③ 바꾸어 놓다: ~ la colocación de las sillas 의자를 바꾸어 놓다.

pernera *f.* 바지의 가랑이 부분.

pernio *m.* 경첩(gozne).

perno *m.* [기계] 나사못, 볼트.

pernoctación *f.* 외박.

pernoctar *intr.* (특히, 자택 이외의 곳에서) 밤을 보내다, 외박하다.

pero[1] *m.* ① [식물] 뻬로 ((사과나무의 변종으로 열매가 굵기보다 길쭉함)). ② 뻬로의 열매.

pero[2] ~*jimén* =**pedrojiménez.** ~*jiménez* =**pedrojiménez.**

pero[3] *conj.* ① 그러나, …이지만: El dinero hace ricos a los hombres, ~ no dichosos 돈은 사람들을 부자로 만들지만 행복하게 하지는 않는다. ② [같은 형용사를 반복해서 강조] 아무튼, 하여튼, 어쨌든: Ella tiene unas manos muy frías, ~ muy frías 그녀는 아주 찬 아무튼 아주 찬 손을 가지고 있다. ③ [글의 앞에서 강조·놀람·비난] 그런데, 야, 아니: *Pero* ¿tú por aquí? 야, 여기서 너를 만나다니. *Pero* ¿qué hace aquí a tal hora? 아니[그런데], 이런 시간에 여기 뭐 하니? Pero ¿dónde vas a meter tantos libros? 그런데 그렇게 많은 책을 어디에 넣을 거냐? Pero ¡qué hermosa noche! 야, 참 아름다운 밤이군! —*m.* ① 흠, 결점: Este cuadro no tiene ~ 이 그림은 결점이 없다. ② 반대, 이론(異論)(objeción): Ella no admite ~*s* 그녀는 이론을 받아들이지 않는다. ¶***No hay hombre sin*** ~ (속담) 흠 없는 사람은 없다.

perogrullada *f.* 자명한 진리.

perogrullesco, ca *adj.* 자명한.

perojimén *m.*=**pedrojiménez.**

perojiménez *m.* =**pedrojiménez.**

perol *m.* (밑이 반 원형의) 냄비.

perola *f.* 작은 perol.

peroné *m.* [해부] 비골, 비녀뼈.

peronismo *m.* (아르헨띠나의) 페론주의, 뻬론주의.

peronista *adj.* 페론주의의. —*mf.* 페론주의자.

peroración *f.* ① 장광설. ② (연설의) 결론, 마지막 말.

perorar *intr.* ① 연설을 하다. ② 장

광설을 늘어놓다, 열변을 토하다. ③ 간절히 바라다.

perorata *f.* 장광설.

peróxido *m.* [화학] 과산화물. ¶ ~ *de hidrógeno* 과산화수소.

perpendicular *adj.* [기하] 수직의; 직각으로 교차되는: ~ *al* plano 평면에 수직한. Esta calle es ~ *a* la Gran Vía 이 길은 그란 비아와 직각으로 교차되고 있다. —*f.* [기하] 수직선.

perpendicularidad *f.* 수직 (교차).

perpendicularmente *adv.* 수직으로; 직각으로.

perpetración *f.* 범행, (범죄의) 감행.

perpetrar *tr.* (나쁜 짓·과오 등을) 범하다, 저지르다: ~ un crimen 범죄를 저지르다.

perpetua *f.* ☞perpetuo.

perpetuación *f.* 영구[영속·불후]화; 영구 보존: ~ de las especies 종(種)의 보존.

perpetuamente *adv.* 영구히, 영원히, 영속적으로, 오래.

perpetuar (14) *tr.* ① 영속시키다, 영구하게 하다. ② (물건을) 오래 계속되게 하다.

perpetuidad *f.* ① 영속, 영존, 무궁, 불멸. ② 영원한 것. ③ 영속성, 영원성, 항구성. ¶*a* ~ ㉮ *adv.* 영구히: estable *a* ~ 영구히 흔들리지 않는. ㉯ *adj.* 종신의: presidente *a* ~ 종신 대통령.

perpetuo, tua *adj.* ① 영구한, 영속적인: destierro ~ 영구 추방. paz ~*tua* 항구 평화. ② 종신(終身)의 (vitalicios): encarcelamiento ~ 종신형. ③ 끝없는, 한이 없는: en ~*tua* inquietud 불안의 연속으로. —*f.* ① [식물] 천일홍, 천일초. ② 천일홍의 꽃.

perplejidad *f.* 당혹, 곤혹, 당황, 불안; 우유 부단; 난처한 일.

perplejo, ja *adj.* 난처한, 어찌할 바를 모르는, 당황한, 당혹을 금치 못한, 곤혹스러운: Sus palabras me han dejado ~ 그의 말로 나는 곤혹스러웠다. Quedamos todos ~*s* 우리는 모두 어찌할 바를 몰랐다.

perra *f.* ① [동물] 암캐. ② = prostituta. ③ 아이의 보챔[칭얼거림]. ④ 고집, 끈덕짐, 집요함. ⑤ [주로 *pl.*] 돈(dinero); 재산, 부(富): tener ~*s* 돈을 가지고 있다. ⑥ = embriaguez, borrachera.

perrada *f.* ① [집합] 개들(perros). ② 배신, 변절.

perramente *adv.* 아주 나쁘게.

perrera *f.* ☞perrero.

perrería *f.* ① 개 떼. ② 악당의 무리, 못된 놈들의 무리. ③ 화난[성난] 표정. ④ 못된 짓, 비열한 짓.

perrero, ra *m.f.* ① 버려진[떠돌이] 개 포획자. ② 애견가. ③ 사냥개 관리자. —*m.* (성당에서) 개 쫓는 사람. —*f.* ① 개집. ② (시의) 버려진[떠돌이] 개 포획차. ③ (열차에 있는) 개 전용 칸. ④ 일이 많은 직[직업], 성가시기만 하고 별로 재미가 없는 일. ⑤ 지불이 나쁜 사람. ⑥ (어린아이의) 보챔, 칭얼거림. ⑦ *CRica.* 체포된 사람 호송차.

perrezno *m.* 작은 개, 개의 새끼.

perrillo *m.* (총의) 격철.

perrito *m.* 개의 새끼. ¶ ~ *caliente* 핫도그.

perro[1]**, rra** *adj.* ① 아주 나쁜, 극악한, 혹독한. ② *Salv.* 성질이 고약한.

perro[2] *m.* ① [동물] 개, 수캐. ② 천박한 사람. ③ 협정[조약]에서 속일 때 생기는 해[악]. ④ [유대인·이슬람 교도에 대한 경멸] 개: ser un ~ fiel 충견이다. ¶ ~ ***caliente*** = perrito caliente. ~ ***gozque*** 아주 예민하고 잘 짖는 개. ~ ***guión*** 사냥개의 선도견. ~ ***jateo*** =perro raposero. ~ ***mastín*** 목장견의 일종. ~ ***mudo*** [동물] 북극곰의 일종 (mapache). ~ ***pachón*** 포인터 개의 일종. ~ ***pequinés*** 북경개 ((목장견의 일종)). ~ ***policía*** 경찰견. ~ ***raposero*** 폭스하운드 ((여우 사냥용 개)). ~ ***viejo*** 경험이 많고 노련한 사람. ~ ***zorrero*** =perro raposero. ***como el ~ y el gato*** 견원지간처럼. ***como ~s y gatos*** =como el perro y el gato. ***tratar*** a alguien ***como a un*** ~ (누구를) 나쁘게 대하다, 학대하다; 경멸하다, 멸시하다. ***A ~ flaco todo son pulgas, Al ~ flaco todo se le vuelven pulgas*** (속담) 엎친 데 덮치기, 설상가상. ***Perro ladrador, poco mordedor*** (속담) 짖는 개는 물지 않는다, 말이 없는 사람을 경계하라.

perruna *f.* ☞perruno.

perruno, na *adj.* 개의[에 관한]. —*f.* ① 개 먹이용 비스킷. ② 밀가루·치즈·설탕으로 만든 케이크.

persa *adj.* ① 페르시아(Persia, 현재의 이란) 태생의. ② 페르시아의[에 관한]. ③ 페르시아 말의. ④ 페르시아 말에 관한. —*m.f.* 페르시아 사람. —*m.* 페르시아 말.

persecución *f.* ① 추적, 수색(搜索): antena de ~ 추적 안테나. salir en ~ de *alguien* (누구를) 추적하기 시작하다. ② 추구, 탐구: ~ de la felicidad 행복의 추구. ③ 박해: ~ de los cristianos 기독교도의 박해.

persecutor, ra *adj.* 추적하는.

persecutorio, ria *adj.* 추적의; 추구의; 박해의.

perseguible *adj.* 추적당해야 하는, 추적당할 수 있는.

perseguidor, ra *m.f.* ① 추적자. ② 박해자.

perseguimiento *m.* 추적(追跡).

perseguir (46) *tr.* ① 쫓다, 추적하

다, 추격하다: La policía *persiguió* al fugitivo 경찰은 도망자를 추적했다. ② 추구하다, 구하다, 바라다: ~ la ganancia 이익을 추구하다. ~ una plaza de profesor 교수직을 구하다. ~ a una chica 아가씨의 뒤를 따라다니다[쫓아다니다]. ③ 박해하다: ~ a los cristianos 기독교도를 박해하다. ④ [법률] 기소하다.

perseverancia *f.* 인내, 인내력, 참을성, 끈기, 불굴(의 노력), 악착스러움, 견인불발: ~ en el estudio 공부에서의 끈기.

perseverante *adj.* 인내심이 강한, 끈기 있는, 불요불굴의.

perseverar *intr.* 집요하게 계속하다[반복하다]; 고집하다.

persiana *f.* ① 미늘창. ② (광선을 가리는) 차양. ③ 꽃무늬의 비단 천.

persianista *m.f.* 미늘창[차양] 건설업자.

persiano, na *adj.* ① 페르시아 태생의. ② 페르시아의[에 관한]. —*m.f.* 페르시아 사람.

persicaria *f.* =duraznillo.

pérsico, ca *adj.* =**persa.** —*m.* ① [식물] 페르시아 복숭아나무. ② 페르시아 복숭아.

pérsigo *m.* ① [식물] 페르시아 복숭아나무. ② 페르시아 복숭아.

persistencia *f.* ① 끈기, 끈덕짐, 고집, 버팀, 집요함: con ~ 집요하게. ② 지속(성), 영속: ~ de la crisis económica 경제 위기의 지속.

persistente *adj.* ① 고집센, 완고한, 버티는; 끈덕진, 악착같은, 불굴의. ② 영속하는, 지속성의, 끊임없는, 계속적인; 불변의: árbol de hojas ~*s* 상록수.

persistir *intr.* ① 고집하다: Ella *persiste* en sus ideas 그녀는 완고하게 생각을 바꾸지 않는다. ② 지속하다, 계속하다, 오래 끌다: *Persiste* la gravedad 중태가 계속되고 있다.

persona *f.* ① 사람: ser buena ~ 좋은 사람이다. No hay ninguna ~ que hable mal de ti 너를 나쁘게 말하는 사람은 아무도 없다. ② 인물; 인간: retratar a una ~ 인물을 묘사하다. ③ (이름을 알지 못하는) 어떤 사람. ④ (누구의) 자신. ⑤ 중요 인물, 등장 인물. ⑥ [문법] 인칭. ⑦ [신학] 위(位), 페르소나. ¶ ~ ***física*** 개인(個人). ~ ***jurídica*** 법인(法人). ~ ***no grata*** =persona non grata. ~ ***social*** =persona jurídica. ***primera*** ~ [문법] 제1인칭: pronombre de *primera* ~ 1인칭 대명사. ***segunda*** ~ [문법] 제2인칭. ***tercera*** ~ ㉮ 중개자: Llegó a mí la noticia por *tercera* ~ 중개자를 통해 나한테 소식이 왔다. ㉯ 제3자(tercero): sin perjuicio de *tercera* ~ 제3자의 손해 없이. sin intervención de *tercera* ~ 제3자의 간섭 없이. ㉰ [문법] 3인칭. ***de ~ a ~*** 일대일로, 제3자를 끼우지 않고. ***en ~*** ㉮ 자신이, 손수, 몸소, 스스로: El presidente *en* ~ ha asistido a la fiesta 대통령이 몸소 파티에 참가했다. ㉯ 실물로, 직접: conocer a esa actriz *en* ~ 그 여배우에게 직접 인사하다. ***por su ~*** =en persona.

personaje *m.* ① (사회적으로 중요한) 인물, 요인. ② (소설 등의) 등장 인물, 작중 인물. ③ (극의) 배역. ④ (그림 등에 그려진) 인물.

personal *adj.* ① 개인의, 사적인: carta ~, correspondencia ~ 사신(私信). derecho ~ 개인의 권리. opinión ~ 개인 의견. de uso ~ 개인용의. por razones ~*es* 일신상의 이유로. ② 직접의, 제3자가 끼지 않고: encuentro ~ 두 사람만의 회담, 단독 회담. ③ 주관적인: valoración ~ 주관적[개인적] 평가. ④ [문법] 인칭의: pronombre ~ 인칭 대명사. ⑤ [편지] 친전(親展). —*m.f.* ① [집합] (회사 등의) 직원, 인원. ② [집합] 인사(人事). ③ 사람들. —*f.* [농구] 퍼스널 파울, 신체 접촉 반칙, 거친 동작의 반칙.

personalidad *f.* ① 인격. ② 개성. ③ 명사(名士), 중요 인물. ④ [법률] 법적 능력.

personalismo *m.* ① [철학] 인격주의, 개성주의. ② *pl.* 개인 공격.

personalista *adj.* ① 개인적인, 이기적인. ② 인격주의의. —*m.f.* 인격주의자.

personalizar (9) *tr.* ① 개인화하다, 인격화하다, 인간화하다. ② (…에) 자기의 이름을 붙이다[넣다]. ③ (…을) 개인의 전유물로 하다. ④ [수사학] 의인화하다.

personalmente *adv.* ① 자신이, 손수, 몸소, 스스로. ② 개인적으로, 직접: conocer al presidene ~ 대통령을 개인적으로 알다.

persona non grata *f. lat.* 기피 인물 (persona no grata).

personarse *r.* ① 모습을 나타내다, 자신이 직접 가다. ② 출두하다.

personificación *f.* ① 의인화(擬人化), 인격화. ② 체현(體現), 구현(具現). ③ 전형(典型), 화신(化身): la ~ de la duda 회의(懷疑)의 화신.

personificar (7) *tr.* ① 의인화하다, 인격화하다, 인격[인성]을 부여하다. ② (미술 등에서) 인간으로 표현하다, 인간화하다. ③ 구체화하다, 구현하다, 체현하다. ~**se** ① 의인화되다. ② 상징하다; …의 전형[화신]이 되다.

personilla *f.* ① [경멸] 몸집이 아주 작은 사람. ② 어린아이. ③ 매우 사랑하는 사람.

perspectiva *f.* ① 조망(眺望), 경치,

시야: una ~ magnífica 웅대한 경치[조망]. ② [주로 *pl.*] 전망, 전도, 가능성, 예상: ~ del porvenir 장래의 전망. La economía tiene buenas ~*s* 경제 전망은 밝다. ③ 견해, 관점, 사고 방식: ~ histórica 역사적 관점. ④ 대상과의 거리: Todavía nos falta ~ para hablar de la paz 우리가 평화에 대해 말하기는 아직 이르다. ⑤ [미술] 원근법; 투시도, 원근도; 투시 화법.

perspicacia *f.* 예리한 통찰력, 형안(炯眼), 혜안(慧眼).

perspicaz *adj.* ① 예리한, 선견지명이 있는, 통찰력이 있는: crítica ~ 예리한[날카로운] 비판. ② (두뇌가) 명석한, 총명한, 트인.

perspicuo, cua *adj.* ① 맑은, 맑게 개인. ② (사람이) 납득하는. ③ (언어·문체 등이) 명료한, 명쾌한.

persuadir *tr.* [+de] (…을) 설득하다, 설득시키다, 이해시키다, 타이르다, 훈계하다: ~ a los estudiantes *de* la importancia del español 학생들에게 스페인어의 중요성을 설득시키다. ~ al pueblo *de* la necesidad de la reforma 국민들에게 개혁의 필요성을 이해시키다. Le *persuadí* para que regresara 나는 그에게 돌아오라고 설득했다. Le *he persuadido de que* lo mejor es esperar 가장 좋은 것은 기다리는 것이라고 나는 그를 타일렀다. ~**se** [+de] (…을) 확신(確信)하다, 믿다: *Me he persuadido de* su bondad 나는 그의 선량함을 믿어 왔다.

persuasible *adj.* 설득될 수 있는, 납득시킬 수 있는, 믿게 하는.

persuasión *f.* ① 설득: Ella tiene dotes de ~ 그녀는 사람을 설득시키는 재능이 있다. ② 확신, 납득: Tengo la ~ de que ese problema se solucionará 나는 그 문제가 해결될 것이라고 확신한다.

persuasividad *f.* 설득력.

persuasivo, va *adj.* 설득력 있는, 설득 잘 시키는; 말씨가 능란한: dotes ~*vas* 사람을 설득시키는 재능. explicación ~*va* 납득이 잘 가는 설명. palabras ~*vas* 설득력 있는 말. talento ~ de un orador 연설자의 사람을 설득시키는 재능.

persuasor, ra *adj.* 설득시키는, 이해시키는. —*m.f.* 설득자.

persuasorio, ria *adj.* =**persuasivo.**

pertenecer (31) *intr.* [+a] (…에) 속하다: ㉮ [소유] Este terreno *pertenece al* Estado 이 땅은 국가 소유다. ㉯ [소속·귀속] Esta pieza *pertenece al* ordenador 이것은 컴퓨터의 부품이다. Esta aldea *pertenece a* otra provincia 이 마을은 다른 주에 속한다. ㉰ [역할·의무] Hoy me *pertenece* cocinar *a* mí 오늘의 식사 당번은 나다. ㉱ [관계] Los preparativos *pertenecen a* la primera fase 준비하는 것이 첫 단계다.

perteneciente *adj.* [+a] (…에) 속하는, 소속된: dinero ~ *al* banco 은행의 돈.

pertenencia *f.* ① [+a] (…에) 소속, 귀속: Es evidente su ~ a la organización terrorista 그는 테러 조직에 소속되어 있음이 분명하다, 그는 테러 조직의 일원이다. ② *pl.* 소유물; 귀속물: finca con todas sus ~*s* 모든 부속물을 포함한 대지[땅]. ¿Cuáles son tus ~*s*? 네 것은 어떤 것들이냐?

pértiga *f.* ① 긴 막대, 장대. ② (높이뛰기의) 장대: saltar con ~ 장대높이뛰기를 하다.

pertiguista *m.f.* 장대높이뛰기 선수.

pertinacia *f.* ① 끈질김, 완고함, 완강함, 고집, 집요함. ② 영속(永續).

pertinaz *adj.* ① 끈질긴, 집요한, 완고한, 완강한, 고집 센: ser ~ de carácter 성격이 완강하다[고집불통이다]. ② 오래 끄는: ~ sequía 오랜 가뭄. enfermedad ~ 지병(持病). lluvia ~ 장마비.

pertinazmente *adv.* 끈질기게, 완고하게, 완강하게, 집요하게, 고집스레.

pertinente *adj.* ① (시기적으로) 적당한, 적절한, 타당한: pronunciar unas palabras ~*s* 적절한 발언을 하다. No es reprenderle ahora 지금 그를 나무라는 것은 적절하지 않다. ② [+a] …에 속하는, …에 관련된, 관계 있는: En lo ~ *al* precio estoy de acuerdo 가격면에서는 나는 동의한다.

pertinentemente *adv.* 적절하게, 적당하게, 타당하게, 안성맞춤으로.

pertrechar *tr.* ① [+de] (무기·탄약 등을, …에) 보급하다, 공급하다: ~ *de* armamento a los terroristas 테러리스트들에게 무기를 공급하다. ② (필요한 것을) 준비하다, 갖추어 두다. ~**se** [+de·con] ㉮ (…을) 보급받다: ~*se de* agua 물을 보급받다. ~*se de* los datos 자료를 넘겨받다. ㉯ (…을) 갖추어 두다, 준비하다: ~*se con* [de] lo necesario 필요한 것을 갖추어 두다.

pertrechos *m.pl.* ① [*sing.*로도 씀] (병사용) 탄약, 무기, 군수품, 장비. ② (일반적인) 장비, 용구, 도구, 비품: ~*s* para las excavaciones 굴착용 기계 장비.

perturbable *adj.* 교란시킬 수 있는, 어지럽힐 수 있는.

perturbación *f.* ① 교란, 방해: ~ atmosférica 대기의 교란. ~ del orden público 치안 방해. ~ del tráfico 교통 방해. ② 혼란: La reunión causó gran ~ 그 집회는 무척 혼란했다. ③ 착란, 광기(狂氣).

perturbadamente *adv.* 교란으로, 방

해로, 혼란으로.

perturbado, da *adj.* 정신 착란(精神錯亂)의. —*m.f.* 정신 착란자.

perturbador, ra *adj.* (인심·질서 등을) 어지럽히는, 교란시키는. —*m.f.* 교란자, 방해자. —*m.* [군사] 레이더 교란 장치.

perturbar *tr.* ① 어지럽히다, 교란시키다, 혼란하게 하다, 방해하다: La huelga *perturbó* el tráfico 파업으로 교통이 방해되다. El ruido de los coches *perturba* el sueño de los ciudadanos 자동차의 소음으로 시민들은 안면할 수 없다. ② (정신적으로) 동요시키다. ③ 착란을 일으키게 하다: La muerte de su mujer *perbertó* su mente 아내의 사망으로 그는 정신 착란을 일으켰다. ~**se** ① 엉클어지다, 혼란되다. ② 정신적으로 동요되다. ③ 착란이 일어나다.

perú[1] *m. Méj.* [식물] =**turbinto.**

Perú[2] *m.* [국명] 뻬루, 페루 ((남아메리카의 공화국; 수도 Lima)). ¶ *valer* algo *un* ~ (무엇이) 무척 가치가 있다.

peruanismo *m.* 뻬루 사투리[방언], 뻬루식 발음.

peruano, na *adj.* ① 뻬루(Perú) 태생의. ② 뻬루의[에 관한]. —*m.f.* 뻬루 사람.

perulero[1] *m.* 바닥이 좁고 주둥이가 넓은 그릇[단지·항아리].

perulero[2], **ra** *adj.* ① 뻬루 태생의. ② 뻬루의[에 관한]. —*m.f.* 뻬루에 갔다 스페인에 막 돌아간[돌아온] 사람, (특히) (벼락)부자.

peruviano, na *adj.* ① 뻬루 태생의. ② 뻬루의[에 관한].

perversamente *adv.* 심술궂게, 악랄하게, 괴팍하게.

perversidad *f.* 사악함, 악랄함, 괴팍함, 심술궂음.

perversión *f.* ① 퇴폐, 타락: camino a la ~ 타락으로 가는 길. ② 도착: ~ sexual 성적 도착, 변태 성욕.

perverso, sa *adj.* 사악한, 심술궂은, 마음이 비뚤어진, 악랄한: acción ~*sa* 사악한 행위, 악랄한 행위. —*m.f.* 성적 도착자, 변태 성욕자.

pervertido, da *adj.* 도착된. —*m.f.* 성적 도착자, 변태 성욕자.

pervertidor, ra *adj.* 퇴폐적인, 미풍양속을 해치는: novela ~*ra* 퇴폐적인 소설. —*m.f.* 퇴폐적인 사람.

pervertimiento *m.* 퇴폐, 타락.

pervertir (55) *tr.* 타락시키다, 퇴폐하게 하다, 문란하게 하다: Las malas compañías *pervirtieron* al muchacho 나쁜 동료들이 그 소년을 타락시켰다. ~**se** 타락되다, 문란해지다, 퇴폐하다.

pervivencia *f.* 존속, 잔존(殘存).

pervivir *intr.* (시간·난관이 있음에도 불구하고) 존속하다, 잔존하다, 살아 남다.

pesa *f.* ① (저울·시계의) 추, 분동(分銅): reloj de ~*s* 추시계. ~*s* y medidas 도량형. ② *pl.* [운동] 바벨: levantamiento de ~*s* 역도. alzar ~*s* 바벨을 들어올리다. hacer ~*s*, entrenar con ~*s* 심한 훈련을 하다. ③ *Col., Hond.* 정육점(carnicería).

pesabebés *m.* 유아용 체중계.

pesacartas *m.sing.pl.* 편지용 저울.

pesada *f.* ☞pesado.

pesadamente *adv.* ① 무거운 듯이, 무겁게. ② 마지못해. ③ 집요하게, 끈질기게: insistir ~ 끈질기게 주장하다. ④ 느릿느릿, 어슬렁어슬렁.

pesadez *f.* ① 무거운 것. ② (지구의) 중력. ③ 비만(obesidad). ④ 답답함, 거북함, 트릿함, 묵직함, 뻐근함(cargazón): ~ de la cabeza 머리의 묵직함. sentir ~ de estómago 위가 (체한 듯) 트릿하다[거북하다]. sentir ~ de todo el cuerpo 온몸이 찌뿌드드하다. ⑤ 고집, 완고함. ⑥ =**molestia, trabajo, fatiga.**

pesadilla *f.* ① 악몽: Esta noche he tenido una ~ 간밤에 나는 악몽을 꾸었다. ② 악몽(과 같은 일): Su vida matrimonial se convirtió en una ~ 그의 결혼 생활은 악몽으로 변했다.

pesado, da *adj.* ① 무거운: piedra ~*da* 무거운 돌. Este paquete es muy ~ 이 소포는 매우 무겁다. ② 비만한(obeso). ③ (잠이) 깊은: tener un sueño muy ~ 깊은 잠에 빠져 있다. ④ (날씨가) 무더운, 후덥지근한. ⑤ (머리가) 멍한, 답답한, 묵직한(aturdido). ⑥ (매우) 느린 (tardo, muy lento). ⑦ 번거로운, 귀찮은, 골치 아픈, 불쾌한(molesto). ⑧ 지루한(aburrido). ⑨ 많은 주의를 요하는, 하기가 힘든. ⑩ = **ofensivo, sensible.** ⑪ 힘드는, 참기 어려운. ⑫ *CRica., Cuba.* = **orgulloso.** —*f.* ① 한 번에 다는 분량. ② 계량, 무게. ③ *Arg.* (운동 등에서) 난폭한 행동을 하는 무리. —*m.* [권투] 헤비급. ¶*agua* ~*da* [화학] 중수(重水). *industria* ~*da* 중공업. *sueño* ~ 깊은 잠.

pesador, ra *adj.* (무게를) 다는, (눈금을) 재는, 계량(計量)하는. —*m.f.* ① (무게를) 다는 사람, (눈금을) 재는 사람. ② *Col.* 정육점 주인[점원], 고기 파는 사람.

pesadumbre *f.* ① 무거움, 묵직함, 무게가 나감. ② 지구 중력의 힘. ③ 모욕(injuria, agravio). ④ 괴로움, 고민, 슬픔, 시름. ⑤ 괴로움[슬픔]의 원인[동기]. ⑥ 말다툼, 입씨름, 언쟁, 싸움(riña, contienda).

pésame *m.* 애도(哀悼), 조의(弔意), 조사(弔辭): telegrama de ~ 조전(弔電). dar el ~ a *alguien* (…에게) 조의를 표하다. Reciba mi más sincero [sentido] ~ por la muerte de su madre 귀하의 모친의 불행에 삼가 깊은 애도의 뜻을 표합니다.

pesar[1] *tr.* ① 계량하다, 무게를 달다, 저울에 달다: ~ el pan 빵을 저울에 달다. ② 무게가 나가다: ¿Cuánto *pesa* usted? −*Peso* cincuenta y cinco kilos 몸무게가 얼마나 됩니까? −55킬로그램입니다. ③ 신중히 검토하다, 잘 생각[감안]하다: ~ las ventajas y desventajas de *algo* (…의) 득실을 잘 생각하다. ~ *sus* palabras 말을 골라 하다. ④ [수학] =**ponderar.** —*intr.* ① 무게가 …이다: ¿Cuánto *pesa* este paquete? −*Pesa* diez kilos 이 소포는 무게가 얼마나 됩니까? −10킬로그램입니다. ② 무겁다, 무게가 있다. ③ [+en] (…에) 중요성을 가지고 있다, 영향력이 있다. ④ [간접 목적 대명사 me, te, se, le 등과 함께 쓰여 제3인칭에서만 활용함] 후회하다, 슬퍼하다, 괴로워하다, 원통해 하다: Me *pesa* no haberle dicho eso 나는 그것을 그에게 말하지 못했던 것을 후회한다. ¶***pese a*** =**a pesar.** ***pese a quien pese*** 만난(萬難)을 무릅쓰고, 어떤 희생을 치르더라도: Lo conseguiré, *pese a quien pese* 만난(萬難)을 무릅쓰고 나는 그것을 손에 넣고 말겠다.

pesar[2] *m.* ① 슬픔, 고통, 괴로움, 고뇌: ~ por la muerte de sus padres 부모님을 여윈 슬픔. ② 기분 나쁘게 하는 행동[말], 감정을 상하게 하는 행동[말]. ③ 후회: Tengo ~ por haberla tratado así 나는 그녀를 그렇게 대했던 것을 후회하고 있다. ¶***a ~, a ~ de*** (사람들의) 의사[뜻]에 반(反)해서, …에도 불구하고. ***a ~ de los pesares*** 어떤 일이 있어도, 만난을 무릅쓰고.

pesario *m.* [의학] 자궁전(子宮栓), 페서리 ((자궁의 위치 이상을 바로잡기 위해 쓰는 고무제 기구; 임신 조절에도 씀)).

pesaroso, sa *adj.* 후회하고 있는, 괴로워하는, 걱정하는.

pesca *f.* ① 낚시(~ con caña): arte de ~ 낚시 도구. ir de ~ al mar [al río] 바다[강]에 낚시하러 가다. ② 어로, 어업: ~ con red 어망 어업. ~ submarina 잠수 어업[어법]. barco de ~ 어선. convención de pesca 어업 조약. ③ 잡힌 물고기, 어획물. ④ 어획고. ¶~ ***costera*** 연안 어업 ((해안에서 최대 60마일의 거리에서 중간 크기의 선박으로 행하는 어업)). ~ ***de altura*** 원양 어업. ~ ***de arrastre*** 쌍끌이. ~ de bajura 근해 어업 ((소형 선박으로 해안 근처에서 하는 어업)). ~ ***de gran altura*** 원양 어업. ~ ***litoral*** =**pesca costera.** ***brava ~, buena ~, linda ~*** ㉮ 재치있는[빈틈없는] 사람, 근면한 사람, 간사한[교활한·잔재주 부리는] 사람. ㉯ 버릇이 나쁜 사람.

pescada *f.* ① [어류] =**merluza.** ② 건대구, 마른 대구(merluza seca). ③ [은어] 갈고리(ganzúa). ¶~ ***en rollo,*** ~ ***fresca*** [어류] =**merluza.**

pescadería *f.* 어물전, 생선 가게, 생선 파는 곳.

pescadero, ra *m.f.* 어물상, 생선 장수, (특히) 소매 생선 장수.

pescadilla *f.* [어류] 대구 새끼[유어(幼魚)](cría de la merluza).

pescadito *m.* 대구의 치어(稚魚) ((pescadilla 보다 작은 것)).

pescado *m.* ① (식품으로서의) 생선: ~ frito 튀긴 생선. Me gusta el pescado 나는 생선을 좋아한다. ② 소금에 절인 대구(abadejo salado). ¶***ahumársele*** a alguien ***el*** ~ 격앙하다, 성내다, 화내다, 노하다(sulfurarse, irritarse, enfurruñarse).

pescador, ra *adj.* 고기잡이를 하는, 낚시질하는. —*m.f.* ① 어부: pueblo de ~*es* 어촌. ② 낚시꾼. —*m.* [어류] 아귀(pejesapo).

pescante *m.* ① (벽·기둥·배의 옆 등에 무엇을 받치거나 걸기 위해 나무나 쇠로 만든) 돌출 부분. ② (기중기의) 팔. ③ (마차의) 마부석. ④ (극장에서) 무대에 구멍을 뚫고 밑에서 준비한 무대 장치나 배우를 무대 위로 밀어 올리는 장치. ⑤ [드묾] (자동차의) 운전석.

pescar (7) *tr.* ① (물에서 사람에게 유익한 물고기와 다른 동물을) 잡다, 낚시질하다: ~ los calamares 오징어를 잡다. ~ una trucha 송어를 잡다. ~ cangrejos 게를 잡다. ~ una ballena 고래를 잡다. ② 병에 걸리다: ~ un resfriado 감기에 걸리다. ③ (어떤 것이건) 잡다, 붙잡다, 붙들다, 움켜잡다, 손에 넣다: ~ una buena mujer 좋은 아내를 얻다. ~ un buen empleo 좋은 직을 얻다. ~ beneficios 이익을 얻다. ~ novio 애인을 구하다. ④ (갑자기 덮치듯이 하여) 붙잡다: Le *he pescado* 나는 그를 붙잡았다. El policía le pescó entrando por la ventana 경찰관이 창문으로 들어가 그를 붙잡았다. ⑤ (꾀를 써서) 목적을 달성하다, 바라던 것을 얻다. ⑥ (무엇의 의미를) 이해하다, 빨리 포착하다. ⑦ (바다·강 밑에서 무엇을) 끌어올리다: ~ un ancla 닻을 끌어올리다. ¶***caña de*** ~ 낚싯대.

pescozudo, da *adj.* 목덜미가 매우 굵은[두툼한].

pescuezo *m.* ① (동물·사람의) 목덜미. ② 오만, 교만, 거만: tener ~ 거만하다, 교만하다, 오만하다. sacar el ~ 뻐기다, 우쭐대다. ¶***apretar*** **[*estirar*]** a alguien ***el*** ~ (누구를) 교살하다, 교수형에 처하다

(ahor- car). *torcer el* ~ alguien (누가) 죽다. *torcer* [*retorcer*] a alguien *el* ~ (누구를) 교살해 죽이다.

pese a =a pesar. ☞pesar.

pesebre *m.* ① 구유, 여물통. ② 구유[여물통]가 있는 곳. ③ [기독교] 구유(nacimiento, belén).

pesebrejo *m.* ① 작은 구유(pesebre pequeño). ② 작은 구유가 있는 곳.

peseta *f.* ① 뻬세따 ((유로화로 되기 전까지 스페인의 화폐 단위)). ② *Cuba.* 뻬세따 ((20 센따보 동전)). ③ *pl.* [구어] 돈(dinero), 재산(riqueza): tener ~*s* 돈을 가지다. ¶*cambiar la* ~ (멀미나 술에 취해) 토하다, 게우다(vomitar). *mirar la* ~ (쓰기 전에 가장 적당한 선택권을) 주의깊게 생각하다, 절약하다.

pésimamente *adv.* 매우 나쁘게, 가장 나쁜 방법으로.

pesimismo *m.* 비관론, 비관주의, 염세(주의).

pesimista *adj.* ① 비관적인, 염세적인. ② 비관론의, 비관주의의, 염세주의의. —*m.f.* 비관론자, 염세가.

pésimo, ma [malo의 절대 최상급] *adj.* 가장 나쁜, 최악의, 더 이상 나쁠 수 없는.

peso *m.* ① 무게, 중량, 근수, 체중: medir el ~ 무게를 달다. vender *algo* a ~ (…을) 달아서 팔다. Quiero perder ~ 나는 체중을 줄이고 싶다. El ~ de este paquete es de diez kilos 이 소포의 무게는 10 킬로다. ② 중압, 중하(重荷). ③ (몸의) 피로감. ④ 중요성: ~ de un título académico 학위의 중요성. ⑤ 영향력: ~ del presidente 대통령의 영향력. ⑥ 뻬소, 페소 ((필리핀 및 중남미 여러 나라의 화폐 단위)). ⑦ 저울. ⑧ (정신적인) 부담, 피로. ⑨ [운동] 원반·포환·해머의 총칭. ⑩ [운동] (체중별의) 급, 체급. ¶~ *atómico* 원자량. ~ *bruto* (포장 무게 포함한) 총중량. ~ *duro* ㉮ 1온스 은화. ㉯ 두로(duro) ((5뻬세따짜리 동전)). ~ *específico* 비중. ~ *fuerte* =peso duro. ~ *gallo* 밴텀급. ~ *ligero* 라이트급. ~ *medio* 미들급. ~ *molecular* 분자량. ~ *mosca* 플라이급. ~ *pesado* 헤비급. ~ *wélter* 웰터급.

pespunte *m.* 박음질.

pespuntear *tr.* 박음질하다.

pesquera *f.* ☞pesquero.

pesquería *f.* ① 어업: problemas de ~ 어업 문제. ② 어장(漁場).

pesquero, ra *adj.* ① 고기를 잡는, 낚시질하는. ② 어업의: barco ~ 어선. industria ~*ra* 어업. país ~ 어업국. —*m.* 어선(barco ~). —*f.* ① 어장. ② 댐(presa).

pesquis *m.* 통찰력, 머리가 좋음, 두뇌의 명석함: de poco ~ 머리가 나쁜. tener ~ 통찰력이 있다.

pesquisa *f.* [주로 *pl.*] 수사(搜査): hacer ~*s* 수사하다.

pesquisar *tr.* 수사하다.

pesquisidor, ra *adj.* 수사(搜査)하는. —*m.f.* 수사관.

pesquisón, na *adj. Nic.* =curioso.

pestaña *f.* ① 속눈썹: ~*s* falsas, ~*s* postizas 붙인 속눈썹. tener las ~*s* largas 속눈썹이 길다. ② (천·옷의) 가장자리 장식. ③ (삼베의) 가장자리, 모서리, 귀퉁이. ④ (차륜의) 바퀴테. ⑤ 솜털. ⑥ (식물의) 털. ¶*quemarse las* ~*s* 열심히 공부하다(estudiar con ahínco).

pestañear *intr.* 눈을 깜박거리다: sin ~ 눈썹 하나 까딱하지 않고.

pestañeo *m.* 눈을 깜박거림.

peste *f.* ① [의학] 페스트, 흑사병: ~ neumónica 폐 페스트. ② 역병(疫病). ③ 악취. ④ 해로운 사람[물건·것].

pestilencia *f.* 악취; 역병(疫病).

pestilente *adj.* 악취가 나는.

pestillo *m.* 빗장, 문빗장.

pétalo *m.* [식물] 꽃잎, 화판.

petición *f.* ① 바람, 소망, 청원, 탄원, 신청, 청구: ~ de divorcio 이혼 신청[청구]. ② 신청서, 탄원서. ③ [법률] 청원서, 소장(訴狀).

peticionar *tr. Amér.* 신청하다, 탄원하다.

peticionario, ria *adj.* (무엇을 공식적으로) 신청하는, 청구하는. —*m.f.* 신청자.

petifoque *m.* [선박] 보조 삼각돛.

petigrís *m.sing.pl.* ① (시베리아에서 자라는) 다람쥐(ardilla)의 변종. ② petigrís의 가죽.

petimetre, tra *m.f.* 멋쟁이.

petirrojo *m.* [조류] 로빈, 유럽 울새.

petitorio, ria *adj.* 청원의[에 관한], 탄원의[에 관한]: mesa ~*ria* 모금 운동. —*m.* ① 반복된 청원, 애원, 집요한 부탁. ② (약국의) 약품 목록. —*f.* ① 부탁의 말. ② 부탁하기.

peto *m.* ① (갑옷의) 가슴받이, 흉갑. ② (여자들의) 가슴 장식. ③ (거북의) 뱃가죽. ④ [운동] (펜싱·야구에서) 가슴 보호대. ⑤ [투우] (주투우사 picador의 말의) 가슴받이, 흉갑.

petral *m.* (말의 안장 앞 부분의 양쪽에 묶는) 가슴걸이.

petrel *m.* [새] 바다제비.

pétreo, a *adj.* ① 돌의, 바위의. ② 돌투성이의, 많은 돌로 덮인. ③ 돌같은: dureza ~ 돌처럼 단단함.

petrificación *f.* 석화(石化).

petrificar (7) *tr.* ① 석화(石化)시키다: hojas *petrificadas* 잎 화석. ② 돌처럼 굳게 만들다. ③ (누구를) 놀라[무서워] 꼼짝 못하게 하다. ~**se** ① 석화되다. ② 돌처럼 되다, 굳어지다.

petrífico, ca *adj.* 석화시키는, 석화 작용의, 석화력이 있는.
petro- *pref.* 「돌(石)·바위·석유」의 뜻: *petró*leo 석유.
petrodólar *m.* [경제] 석유 달러, 오일 달러.
petrogénesis *f.sing.pl.* [지질] 암석 생성(론).
petroglifo *m.* (유사 이전의) 암면 음각(巖面陰刻), 암면 조각.
petrografía *f.* 기재 암석학.
petrolear *tr.* ① 석유를 분무기로 뿜다. ② 석유로 씻다. —*intr.* (배가 연료로) 석유를 비축하다.
petróleo *m.* 석유: ~ crudo 원유, 중유. ~ lampante 등유(燈油). ~ no refinado 원유. ~ sintético 합성 석유. campo de ~ 유전(油田). estufa de ~ 석유 난로. ¶*pozo de* ~ 유정(油井). ***sudar*** ~ *Col.* 큰 어려움[난관]을 가지고 있다; (특히) 경제적으로 아주 어렵다.
petroleología *f.* 석유학(石油學).
petroleoquímico, ca *adj.* 석유 화학의[에 관한]: industria ~*ca* 석유 화학 공업. —*f.* 석유 화학 (기술).
petrolero, ra *adj.* ① 석유의[에 관한]: compañía ~*ra* 석유 회사. crisis ~*ra* 석유 위기. ② (파괴를 목적으로) 조직적으로 석유로 방화하는, 석유로 방화하려고 하는. —*m.f.* ① 석유 소매업자. ② 석유로 방화하는 사람. —*m.* 유조선, 석유 수송선, 기름배, (석유) 탱커.
petrolífero, ra *adj.* 석유를 함유한: campo ~ 유전. ¶***plataforma*** ~***ra*** (석유의) 해저 유전 굴착 장치.
petrología *f.* 암석학(巖石學).
petrolquímico, ca *adj.* =petroleoquímico.
petroquímico, ca *adj.* =petroleoquímico. —*f.* =petroleoquímica.
petroso, sa *adj.* 돌투성이의, 돌이 많은: sitio [paraje] ~ 돌이 많은 곳, 돌투성이인 곳.
Petrus in cunctis *m. lat.* 매사에 간섭하는 사람.
petulancia *f.* 오만불손, 거만, 건방짐, 뻐기기, 우쭐대기.
petulante *adj.* 오만불손한, 거만한, 건방진, 뻐기는, 우쭐대는. —*m.f.* 오만불손한 사람.
petulantemente *adv.* 오만불손하게, 거만하게, 건방지게.
petunia *f.* ① [식물] 페튜니아 ((가지과 식물로 덩굴풀의 일종)). ② 페튜니아 꽃.
peúco *m.* (어린아이용) 털 양말, 털 구두.
pez[1] *m.* ① 물고기. ② (강의) 물고기: Hay muchos *peces* en este río 이 강에는 물고기가 많다. ③ (노천 작업장에 늘어놓은) 밀의 노적(露積), 쌓아놓은 밀. ④ 노적 더미. ⑤ 애써 구한 물건: caer el ~ 애써 구하던 물건이 손에 들어오다 ⑥ *pl.* [동물] 어류(魚類). ¶ ~ ***de colores*** 금붕어. ~ ***de San Pedro*** [어류] 점도미, 달고기. ~ ***emperador*** = pez espada. ~ ***espada*** [어류] 황새치. ~ ***gordo*** ㉮ 매우 중요한 인물, 거물, 중요 인물: Ella es un ~ *gordo* del mundo 그녀는 정계의 거물이다. ㉯ 부자, 부유한 사람. ~ ***luna*** [어류] 개복치. ~ ***martillo*** [어류] 귀상어. ~ ***mujer*** [어류] 해우(海牛)(manatí). ~ ***reverso*** [어류] 빨판상어, 흡반상어(rémora). ~ ***sierra*** [어류] =pez espada. ~ ***volante*** [어류] 날치. ***estar*** alguien ***como el*** ~ ***en el agua*** (누가) 물 얻은 고기 같다, 생기가 넘치다, 아주 잘 지내다, 매우 풍족한 생활을 하고 있다. ***estar*** alguien ~ ***en*** alguna materia (누가, 무엇을) 완전히 모르다: Yo *estaba* ~ *en* matemáticas 나는 수학이 전혀 이해가 되지 않았다. ***picar el*** ~ ㉮ 속다, 사기당하다, 함정[속임수]에 빠지다. ㉯ 도박에서 이기다, 노름에서 따다(ganar al juego). ***salga*** ~ ***o salga rana*** 죽이 되든 밥이 되든, 결과는 어찌 되든 상관없이, 어떤 결과가 나더라도: *Salga* ~ *o salga rana*, lo aceptaré 어떤 결과가 나더라도 그것을 받아들이겠다. ***Quien quiera peces que se moje el culo*** (속담) 범굴에 들어가야 범을 잡는다. ***El*** ~ ***grande se come al pequeño*** [***al chico***] (속담) 약육강식(弱肉强食).
pez[2] *f. lat.* ① 송진, 역청. ② 갓난아이의 똥.
pezón *m.* ① 젖꼭지. ② (마차·자동차의) 바퀴에서 튀어나온 축의 끝[머리]. ③ (장대에 묶어진) 길이 약 40센티미터, 두께 5센티미터의 나무. ④ (레몬처럼 어떤 과실의) 나온 부분. ⑤ [식물] 입꼭지, 화병(花柄). ⑥ [은어] 가방의 손잡이.
pezonera *f.* ① (차축의) 쐐기. ② (여자들이 아이를 기를 때 젖꼭지를 만들기 위해 사용하는 가운데가 움푹 패인) 둥그런 것.
pezuña *f.* ① [집합] (동물의) 발굽. ② [경멸] (사람의) 발. ③ *AmérC, AmérM.* 발냄새.
pi *f.* ① 빠이 ((희랍어 알파벳의 열여섯 번째 문자; Π, π)). ② 원주율, 파이 ((π)).
piada *f.* (병아리가) 삐악삐악 울기[우는 소리].
piador, ra *adj.* (병아리가) 삐악삐악 우는.
piadosamente *adv.* ① 인정이 넘쳐. ② 기독교 믿음[신앙]에 의해.
piadoso, sa *adj.* ① 인정 많은, 인자한, 다정한. ② 신앙심이 돈독한, 경건한.
piamadre *f.* [해부] 연막(軟膜), 유막.

piamáter *f.* =piamadre.
pianista *m.f.* 피아노 연주가, 피아니스트.
pianístico, ca *adj.* 피아노의.
piano *m.* [악기] 피아노: tocar el ~ 피아노를 치다. —*adv.* [음악] 부드럽고 약하게: tocar ~ 부드럽고 약하게 치다.
pianoforte *m. it.* =piano.
pianola *f.* 피아놀라 ((자동 피아노; 상표 이름)).
pian pian *adv.* =pian piano.
pian pianito *adv.* =pian piano.
pian piano *adv.* 조금씩(poco a poco); 느린 걸음으로(a paso lento).
piar *intr.* ① (특히, 병아리가) 삐악삐악 울다. ② 간절히 부르다, 간원하다. ③ [은어] 술을 마시다(beber).
PIB *m.* producto interno [interior] bruto 국내 총생산.
pica[1] *f.* ① 장창(長槍), 긴 창. ② 장창으로 무장한 병사. ③ [투우] (삐까도르(picador)의) 막대기창(garrocha). ④ (석공의) 돌 깎는 망치. ⑤ 삐까 ((깊이를 재는 단위; 14피트, 3.89미터)). ⑥ (프랑스의 트럼프에서) 스페이드.
pica[2] *f.* [의학] 이미증(異味症), 이기증(異嗜症) ((별난 음식이나 음식 이외의 이상한 물질을 먹기 좋아하는 증상; 아이들이 흙을 먹거나, 임산부가 신 것을 좋아하는 등)).
picada *f.* ☞picado.
picadero *m.* ① 마장(馬場), 말 조련장, 승마 연습장. ② (비밀) 정사(情事) 장소, 밀회 장소.
picadillo *m.* 잘게 썬 고기 요리; 잘게 썬 고기. ¶*hacer* ~ a alguien (육체적·정신적·사회적 견지에서, 누구를) 파멸시키다, 아주 나쁜 상황으로 두다.
picado, da *adj.* ① 곰보 자국투성이의. ② 벌레 먹은: diente ~, muela ~*da* 충치. ③ (장식용으로) 구멍을 뚫어 놓은: zapato ~ 구멍이 숭숭 뚫린 구두. ④ 파도가 이는, (바다가) 거친. ⑤ (포도주가) 시어진. ⑥ [요리] 잘게 썬: carne ~*da* 기계로 갈거나 저민 고기. ⑦ *Amér.* = **achispado, calamocano.** —*m.* ① 양념하여 잘게 썬 고기 (요리). ② (비행기·새의) 급강하: bombardeo en ~ 급강하 폭격. caída en ~ del won 원화의 급락. bajar en ~ 급강하하다. Las ventas cayeron en ~ 매상이 급감했다. ③ [음악] 스타카토, 끊음표, 단음 기호. ④ [영화·텔레비전] 부감(俯瞰), 부관(俯觀). ⑤ *Arg.* 비공식 친선 축구팀. ⑥ *Cuba.* =**picada** ③. —*f.* ① (새·파충류·곤충이) 쪼기, 물기, 찌르기, 쏘기: ~ de mosca 모기의 물기. ② (물고기의) 낚시 물기. ③ *AmérC., Arg., Bol., Perú, Ur.* (산·밀림의 사람이 낸) 오솔길. ④ *Arg., Bol., Ur.* (술안주로 먹는) 가벼운 먹을거리, 술안주. ⑤ *Col.* 찌르는 듯한 고통(punzada).
picador *m.* ① 말 조련사, 조마사(調馬師). ② 삐까도르 ((소를 작대기창(garrocha)으로 찌르는 말탄 투우사)). ③ [광산] 곡괭이나 곡괭이 비슷한 연장을 사용하는 광부.
picadora *f.* (여러 가지 물건을) 잘게 써는 기계[기구], 고기 써는 기계.
picadura *f.* ① 찌르기. ② (예리한 기구로) 찔린 상처. ③ (옷·신발에 장식용으로 또는 편하게 하기 위해 일부러 만든) 숭숭 뚫린 구멍, 장식 구멍. ④ (새·곤충·파충류의) 쪼기, 쏘기, 물기: ~ de polilla (의복의) 벌레먹음. morirse por una ~ de serpiente 뱀에 물려 죽다. Las ~*s* de mosquito son molestias 모기가 무는 것은 귀찮은 일이다. ⑤ 물린[쏘인·쪼인] 자국. ⑥ (피우기 위해) 잘게 썬 담배. ⑦ 충치의 초기. ⑧ (금속 표면에 녹으로 생긴) 구멍, 금, 균열.
picante *adj.* ① (맛이) 매운: comida ~ 얼얼하도록 매운 요리. No me gusta lo ~ 나는 매운 것을 싫어한다. La comida mexicana es muy ~ 멕시코 음식은 무척 맵다. ② 톡톡 쏘는, 아릿아릿한, 찌르는 듯한, 자극적인. ③ 신랄한, 통렬한, 절박한, 날카로운. —*m.* ① (매운) 향신료; 얼얼하도록 매운 맛. ② (말속에 품은) 가시, 신랄함. ③ *Bol., Chile, Cuba, Ecuad., Méj., Ven.* 매운 고추로 양념된 소스[요리]. ④ *Méj.* 고추의 매운 열매. ⑤ [은어] = **pimienta.** ¶*palabra* ~ 신랄한 말.
picantemente *adv.* ① 찌르는 듯이, 자극적으로. ② 신랄하게, 통렬하게. ③ (맛을) 맵게.
picantería *f.* ① *Bol., Chile, Eduad.* 매운 요리 전문점. ② *Chile.* 교육을 잘못 받은 사람 같은 행동.
picapedrero *m.* =cantero.
picapinos *m.sing.pl.* [새] 딱따구리.
picapleitos *m.f.sing.pl.* ① =**pleitista.** ② 소송 의뢰가 없는 변호사. ③ 엉터리 변호사, 돌팔이 변호사.
picaporte *m.* ① 스프링식 자물쇠. ② 스프링식 자물쇠를 여는 열쇠. ③ 노커(llamador, aldaba).
picaposte *m.* [새] 딱따구리.
picar (7) *tr.* ① (끝이 뾰족한 것으로) 찌르다: ~ el brazo con la aguja 바늘로 팔을 찌르다. ② (벌레·뱀 따위가) 물다, 쏘다: ~ el mosquito 모기가 물다. ~ la abeja 벌이 쏘다. ③ 잘게 썰다: ~ la carne de vaca 쇠고기를 잘게 썰다. ④ 금을 새기다. ⑤ (돌을) 콕콕 쪼다, 숭숭 구멍을 뚫다. ⑥ (도끼 같은 것으로) 패다. ⑦ 자극하다: ~ la curiosidad 호기심을 자극하다. ⑧ 화나게[성나게·노하게] 하다. ⑨

얼얼하게[따끔따끔하게·톡톡 쏘게] 만들다[하다]: El chile picante *pica* la lengua 매운 고추는 혀를 얼얼하게 한다. ⑩ (말에) 박차를 가하다. ⑪ 추격하다. ⑫ [미술] 점점이 채색하다[새기다]. ⑬ (펌프를) 누르다. ⑭ [항공] 급강하시키다, 급강하 공격하다. ⑮ (사기에) 걸리다. —*intr.* ① 따끔따끔하(게 아프)다, 얼얼하다. ② 근질근질하다. ③ 자극하다, 혀를 쏘다. ④ 집어먹다. ⑤ 볕이 따갑도록 내리 쬐다. ⑥ (비행기가) 급강하하다. ⑦ (물고기가) 먹이를 물다. ⑧ (조사·시험 등을 위해) 책을 아무 곳이나 펴 보다. ⑨ 징조가 보이다, 나타나기 시작하다: ~ la peste 흑사병의 징조가 보이다. ⑩ 갈쭉거리다. ⑪ 티가 나다, …인 듯하다: ~ *en* maestro 선생 티가 나다. ~**se** ① (의류 등이) 좀먹다, 좀이 쏠다(apolillarse). ② 충치가 생기다. ③ 상처가 나다. ④ 썩기 시작하다. ⑤ (술 등이) 시어지다. ⑥ (뾰족한 것에) 찔리다. ⑦ 파도가 일다. ⑧ 화내다, 성내다, 노하다, 발끈하다. ⑨ 흥분하다. ⑩ 한창 좋아지다. ⑪ [+de] (…인) 척하다, 듯이 굴다: ~*se de* caballero 신사인 척하다. ⑫ 허세를 부리다.

pícaramente *adv.* 간사하게, 교활하게, 간교하게, 약게.

picaraza *f.* [새] 까치(urraca).

picardear *tr.* (…에게) 못된 짓을 가르치다. —*intr.* 못된 짓[행동]을 하다. ~**se** 타락하다, 악습에 물들다, 망나니가 되다.

picardía *f.* ① 비열한 짓, 사기, 악행. ② 말의 교활함. ③ (소년들의) 장난질. ④ 부정한[음탕한] 의도[행동]. ⑤ *pl.* 욕지거리.

picaresco, ca *adj.* ① pícaro의[에 관한]. ② pícaro의 생활을 그린 (문학). —*f.* ① [집합] 악당들(pícaros). ② 악당들의 직업. ③ 악당 소설에 의해 형성된 문학 장르. ④ 비열한 [악당 같은] 짓[행동].

picaril *adj.* pícaro의[에 관한].

picarizar (9) *tr.* (…에게) 못된[비열한] 짓을 하다.

pícaro, ra *adj.* ① 비천한, 천박한; 가엾은, 불쌍한; 체면이 없는, 야비한, 파렴치한. ② 교활한, 간교한, 간사한, 영악한, 의뭉한. ③ 부정한, 음탕한: una mirada ~*ra* 음탕한 시선. ④ 유해한, 아주 나쁜. —*m.f.* ① (16-7세기 스페인의 악당 소설에 나오는) 악당, 악동, 망나니. ② (진짜) 악당, 망나니, 무뢰한, 불량배. ③ 골칫거리. ④ 귀여운 것[사람], 장난꾸러기.

pichel *m.* ① (보통 주석으로 만든) 높고 둥근 잔. ② *CRica.* (유리·플라스틱·금속제) 물[술]항아리.

pichón *m.* ① 집비둘기 새끼. ② 귀여운 남자.

Picio *más feo que* ~ 몹시 못생긴.

pícnico, ca *adj.* 땅딸막하고 비만한 경향이 있는.

pico[1] *m.* ① (새의) 주둥이, 부리. ② (새의) 부리 모양으로 생긴 것, ③ (석공의) 돌 깎는 망치. ④ 곡괭이. ⑤ (산의) 뾰족한 봉우리, 산정(山頂). ⑥ 뾰족한 정상의 산. ⑦ (아이들의) 삼각형 기저귀. ⑧ [수사와 함께] 조금, 약간, 소량: mil euros y 3 de ~ 겨우 1000 유로와 겨우 3 유로. Ella llegó a las diez y ~ 그녀는 세 시가 조금 넘어 도착했다. ⑨ *pl.* 돈의 어줍잖은 액수. ⑩ (갑각류의) 앞발의 집게. ⑪ 가축의 뿔. ⑫ [동물] (반시류의) 빠는 기관. ⑬ 사람의 입. ⑭ 능변(能辯). ⑮ *Bol., Col.* 입맞춤(beso). ¶ ~ ***barreno*** [새] 딱따구리. ~ ***cangrejo*** = **cangrejo.** ~ ***carpintero*** [새] 딱따구리. ~ ***de oro*** 말을 잘 하는 사람. ***echar mucho*** ~ 말을 너무 하다, 말이 과하다.

pico[2] *m.* [새] 딱따구리.

picor *m.* ① (물려서) 근지러움. ② (매운 것을 먹어) 혀가 얼얼함.

picotazo *m.* (새·파충류·곤충의) 쪼기, 물기, 쏘기.

picotear *tr.* (새가) 부리로 쪼다. —*intr.* ① (말이) 머리를 흔들다. ② 쓸데없는 말을 많이 하다. ~**se** (여자들이) 욕하면서 싸우다.

pícrico ***ácido*** ~ 피크린산(酸).

pictografía *f.* 그림[상형] 문자 기술법.

pictograma *m.* 그림[상형] 문자.

pictóricamente *adv.* ① 회화적으로. ② 회화적인 관점에서.

pictórico, ca *adj.* ① 그림의[에 관한]. ② 회화적인, 그림 같은.

picudo, da *adj.* ① 부리[주둥이]가 있는. ② 부리 모양의. ③ (동물이) 주둥이[콧등]가 있는. ④ 말이 많은, 수다스러운. ⑤ *Cuba.* 마지못해. ⑥ *Méj.* 교활한, 간교한, 영악한(sagaz, astuto). —*m.* ① 쇠꼬챙이, 적쇠. ② *Méj., Salv.* (목화나무를 해치는) 해충(害蟲). ¶ ~ ***del algodón*** = **picudo ②.**

pidgin *m. ing.* ① 혼합어, 혼성어 ((의사 소통 보조어)). ② 중국의 상업 영어 ((영어에 중국어·포르투갈어·말레이어 등이 뒤섞인 영어)).

pid- ☞**pedir (42).**

pidie- ☞**pedir (42).**

pídola *f.* (아이들의) 말 타기 ((등을 구부린 아이를 뛰어넘는 놀이)).

pidón, na *adj.* 떼를 잘 쓰는, 잘 조르는.

pie *m.* ① (사람의) 발 ((발목의 아래를 가리킴; 다리 전체는 pierna)): saltar con los ~*s* juntos 양다리로 뛰다. ② (다른 동물들의) 발: huellas de los ~*s* de un oso 곰의 발자국[족적(足跡)]. ③ ㉮ (가구·

기물의) 발, 다리, 대(臺), 반침, 밑부분(base): ~ de la columna 기둥의 밑부분. ~*s* de la mesa 탁자의 다리. ~ de una lámpara 전기 스탠드의 아랫부분. ㉯ (건물의) 아랫부분: al ~ de la escalera 계단 아래에. ㉰ (산의) 기슭, 산기슭: al ~ de la montaña 산기슭에. ④ 걸음, 걸음걸이, 보행, 발: ser lento de ~*s* 걸음[발]이 느리다. tener los ~*s* rápidos 걸음[발]이 빠르다. ⑤ (스타킹·양말·장화 등의) 발 부분: limpiarse los ~*s* antes de entrar en la sala 응접실에 들어가기 전에 신발의 밑바닥을 닦다[털다]. Estos calcetines tienen un agujero en la punta del ~ 이 양말은 발끝에 구멍이 나 있다. ⑥ ㉮ (식물의) 줄기 (tallo). ㉯ (나무의) 줄기(tronco). ⑦ 식물 한 그루 (전부). ⑧ 앙금, 찌꺼기, 침전물, 무거리. ⑨ (시의) 각운(脚韻). ⑩ 피트 ((길이의 단위)). ⑪ (서류 등의) 아랫부분 ((날짜·서명 등을 쓰는 부분)); (페이지 아랫부분의) 여백: a ~ de página 페이지의 아래에. ⑫ (사진·도판의) 설명문. ⑬ 상태: estar en ~ de guerra 전쟁 상태에 있다. ⑭ (경기의) 보결. ⑮ [주로 *pl.*] (침대 등에서, 머리 부분(cabecera)에 대한 반대쪽인) 발이 놓이는 부분; (건물의) 뒷부분: los ~*s* de la iglesia 교회의 뒷부분. a los ~*s* de la cama 침대의 언저리에. ¶ ~ ***de cabra*** 쇠지렛대. ~ ***de gato*** (화기의) 방아쇠. ~ ***de imprenta*** (책의) 판권장. ~ ***de liebre*** [식물] 클로버의 일종. ~ ***de tierra*** 땅뙈기, 손바닥만한 땅(palmo de tierra). ~ ***plano*** 평발, 편평족(扁平足). ~ ***quebrado*** 4음절 행(行)과 5음절 이상의 행이 서로 어긋매끼는 시형(詩形). ***siete ~s de tierra*** *m.pl.* 무덤, 묘. ***a ~*** 걸어서. ***a cuatro ~s*** 네 발로 기어(a patas). ***al ~ de*** ㉮ …의 옆에, 가까이에: *al ~ del* árbol 나무 옆에[가까이에]. ㉯ 거의, 대략: Ella me dio *al ~ de* cien euros 그녀는 나에게 거의 100유로를 주었다. ***al ~ de la letra*** ㉮ 문자[글자] 그대로. ㉯ 완전히 변화 없이; 가감없이. ***besar los ~s*** a alguien (누구에게) 경의를 표하다. ***caer de ~(s)*** 운이 있다(tener suerte). ***con ~(s) de plomo*** 천천히, 조심성 있고 신중히: andar [ir] *con ~s de plomo* 천천히 걷다[가다]. ~ ***ante*** ~ =paso a paso. ~ ***con*** ~ (한 사람이 다른 사람과) 아주 가까이, 발과 발이 서로 부딪치듯이 딱 붙어(muy cerca). ***poner*** alguien ***los ~s en el suelo*** (누가) 침대에서 일어나다 (levantarse de la cama). ***poner ~s en polvorosa*** 달아나다, 도망치다, 뺑소니치다(huir, escapar). ***ponerse a los ~s de*** alguien =besar los pies. ***ponerse*** alguien ***de ~s en*** algo (누가, 무엇을) 이해하다. ***quedar a los ~s de*** alguien = besar los pies. ***tres ~s [un ~] a la francesa*** 즉시, 곧.

piedad *f.* ① 경건함, 믿음, 신앙심, 신심(信心): con ~ 믿음을 가지고, 신심이 깊어. ② 동정, 불쌍히 여김, 동정심, 자비심: lleno de ~ 동정심으로 가득찬. sentir [tener] ~ de *alguien* (…를) 불쌍히 여기다, (…를) 동정하다. ③ (부모에 대한) 효심, 효도(amor entrañable). ④ (십자가에서 내려진) 예수 그리스도의 시체를 껴안은 성모 마리아의 고통스러운 그림[조각상].

piedemonte *m. Ven.* 산기슭, 산록(山麓)(falda): el ~ andino 안데스 산기슭.

piedra *f.* ① 돌: casa de ~ 돌집. camino de ~ 납작한 돌을 깐 길. edificio de ~ 석조 건물. primera ~ 초석. Hay una gran ~ en el patio 뜰에 큰 돌이 하나 있다. ② (건축용으로 다듬은) 바위 조각 (trozo de roca), 석재(石材). ③ 비(碑), 비석(碑石), 비문(碑文), 석상(石像): Se hallan escrituras, ~*s* y otros vestigios que aseguran esta verdad 이 사실을 보증할 서류와 비문과 다른 증거물이 있다. ④ [의학] 결석(結石)(cálculo). ⑤ 큰 우박. ⑥ (놀이에서) 이긴 점수. ⑦ 라이터돌. ⑧ (풍차의) 맷돌(muela). ⑨ 어린아이를 버리는 곳. ⑩ 부싯돌. ⑪ (보석의) 원석(原石): ~ artificial 인조보석. ~ de cumpleaños 탄생석. ¶ ~ ***angular*** (건물의) 주춧돌. ~ ***falsa*** 모조 보석. ~ ***fina*** 반(半)귀석, 준(準)귀석. ~ ***mármol*** = mármol. ~ ***nefrítica*** 경옥(瓊玉), 비취(jade) ((옛날에 신장병을 고치기 위해 부적(amuletos)으로 사용했던 것에서 유래됨)). ~ ***preciosa*** 귀석(貴石) ((장신구로서 보석 다음으로 귀하게 여기는 돌; 수정, 마노 등)). ***echar la primera ~*** =poner la primera piedra. ***no dejar*** alguien ***~ por mover*** (누가, 목적 달성을 위해) 온갖 수단을 강구하다[다 쓰다]. ***no dejar ~ sobre ~*** (건물·도시·성채를) 완전히 파괴하다. ***no quedarle*** a alguien ***~ por mover*** =no dejar piedra por mover. ***no quedar ~ sobre ~*** = no dejar piedra sobre piedra. ***poner la primera ~*** ㉮ (공사에서) 초석을 놓다, 기공식[착공식]을 하다. ㉯ (청혼·사업을) 착수하다, 기초를 구축하다[다지다]. ***tirar*** alguien ***piedras*** ㉮ (누가) 미치다, 정신 이상이 되다(estar loco). ㉯ (누가) 매우 성이 나 있다, 머리끝까지 흥분되다(estar irritado).

piedrero *m. Hond., Salv., Ven.* = **pedregal.**
piedrín *m. Nic.* =**gavilla.**
piejo *m.* [속어] =**piojo.**
piel *f.* ① (사람의) 피부, 살갗, 가죽: Ella tiene la ~ bonita 그녀는 피부가 아름답다. No le quedan más que huesos y ~ 그는 뼈와 가죽밖에 남지 않았다. ② (동물의) 가죽, 껍질: ~ de cocodrilo 악어 가죽. ③ 다룸가죽, 무두질한 가죽(cuero curtido). ④ 모피(毛皮): abrigo de ~ (es) 모피 코트. ⑤ (과실의) 껍질 (epicarpio): comer una manzana con ~ 사과를 껍질째 먹다. quitar la ~ de un melocotón [una manzana · una pera]. 복숭아[사과 · 배]의 껍질을 벗기다. ¶*dar* alguien *la* ~ (누가) 죽다(morir). *dejar* alguien *la* ~ ㉮ =**dar la piel.** ㉯ 최대의 노력을 하다(esforzarse al máximo). *darse* alguien *la* ~ 최대의 노력을 하다, 노력을 아끼지 않다: Ella *se deja la* ~ en su trabajo 그녀는 자기의 일에 최선을 다했다. *quitar* [*sacar*] *la* ~ *a tiras* a alguien (누구를) 심하게[혹독하게] 비평하다(criticar duramente). *soltar* alguien *la* ~ =**dar la piel.**
piélago *m.* ① 먼바다. ② 바다(mar). ③ [고어] =**balsa, estanque.** ④ 셀 수 없을 만큼 많음, 대량, 다수, 무수함, 풍부함: un ~ de problemas 산적한 문제.
pielero *m.* 다룸가죽 매입자[상인].
pielitis *f.sing.pl.* [의학] 신우염.
pielonefritis *f.sing.pl.* [의학] 박테리아 감염에 의한 신장염.
pienso[1] *m.* ① (가축의) 건조된 사료, 건초: ~ compuesto 배합 사료. ② (가축의) 사료, 먹이. ¶*a* ~ 방목이 아니라 사료로(con piensos).
pienso[2] ☞**pensar (19).**
pierd- **perder (20).**
pierna *f.* ① (사람의) 다리, 하체(下體) ((넓적다리 이하 하지(下肢) 전체)): tener las ~*s* largas 다리가 길다. tener las ~*s* gordas 다리가 굵다. tener buenas [malas] ~*s* 다릿심이 좋다[나쁘다]. ② 다리 ((무릎에서 발 사이)): ~*s* curvadas hacia fuera 오각(O脚). ③ (네 발 짐승과 조류의) 넓적다리(muslo). ④ 다리 모양으로 생긴 것: ~*s* del compás 컴퍼스의 다리. ⑤ 다른 것과 연결해 전체를 이루는 것. ⑥ (바지 · 양말의) 다리[정강이] 부분. ¶*a* ~ *suelta* [*tendida*] 걱정 없이, 마음 편히, 안심하고, 푹: dormir *a* ~ *suelta* 푹 자다. *estirar* alguien *la* ~ (누가) 죽다(morir). *estirar* [*extender*] alguien *las* ~*s* (누가) 걸어 가다, 산책하다(pasear). *hacer* ~ *Arg., Ur.* =**contribuir.** *salir* alguien *por* ~*s* (누가) 달아나다, 도망치다, 뺑소니치다(huir).
piernitendido, da *adj.* 두 다리를 편[벌린 · 뻗은](extendido de piernas).
pierrot *m. fr.* 어릿광대.
piesco *m.* =**melocotón.**
pietismo *m.* 경건주의, 경건파.
pietista *adj.* 경건주의의. —*m.f.* 경건주의자.
pieza *f* ① (물건의) 조각(pedazo). ② 천조각. ③ (금속) 화폐, 경화(硬貨): ~*s* sueltas 잔돈. ~ de 2 euros 2 유로 동전. ④ 장신구, 연장, 도구: ~ de plata 은 장신구. ⑤ 예술 작품, (특히, 1막물의) 극작품, 희곡: representar una ~ de alguien (누구의) 작품을 상연하다. ⑥ 음악 작품, 곡(~ musical): escuchar dos ~*s* 두 곡을 듣다. ⑦ 부품, 전체를 구성하는 한 개: juego de 10 ~*s* 10개 한 세트. A esta máquina le falta una ~ 이 기계는 부품이 한 개 부족하다. ⑧ ㉮ (단위로서의) 한 개: comprar dos ~*s* de pan 빵 두 개를 사다. vender el jabón por ~*s* 비누를 낱개로 팔다. ㉯ (수집품 · 가구 등의) 한 점, 한 개: Esta ~ es valiosísima 이 한 점은 아주 고가다. ㉰ (종이 · 천의) 한 장, 한 필: Esta ~ mide sólo un metro y medio de ancho 이 천은 폭이 1미터 반밖에 아니다. ㉱ (어업 · 사냥의) 잡은 것: ~*s* pescadas 낚시질한 물고기. Hoy he cazado dos ~s 오늘은 두 마리 사냥했다. ⑨ 시간, 기간, 공간: Hemos recorrido una buena ~ hasta aquí 우리가 여기까지 오는 데는 상당한 시간이 걸렸다. ⑩ 방(habitación). ⑪ 포(砲). ⑫ 그림, 서류. ⑬ (장기 등의) 말. ⑭ 사람, 녀석, 놈, 여자.
piezoelectricidad *f.* [물리] 압전기, 피에조 전기.
piezoeléctrico, ca *adj.* [물리] 압전기[피에조 전기]의[에 관한].
piezometría *f.* [물리] 압축율 측정.
piezómetro *m.* [물리] 피에조미터.
pigmentación *f.* ① 염색, 착색. ② [생물] 색소 형성.
pigmentar *tr.* (안료로) 착색하다, 채색하다.
pigmentario, ria *adj.* pigmento의.
pigmento *m.* ① [생화학] 색소(色素). ② 안료(顔料).
pigmentoso, sa *adj.* 색소성(色素性의): lunar ~ 색소성 모반(母班).
pigmeo, a *adj.* ① 피그미족의. ② 매우 작은, 왜소한. —*m.f.* ① 피그미족 사람. ② 난쟁인, 소인(小人), 왜소한 사람.
pignoración *f.* (부동산의) 근저당(계약), 담보, 저당.
pignorar *tr.* 저당잡히다.
pijama *m. ing.* 잠옷, 파자마 ((아메리카의 몇몇 나라에서는 *f.*)).

pila[1] *f.* ① 더미, 노적가리, 퇴적(montón): ~ de leña 장작 더미. ② (어떤 것의) 상당한 수, 대량(大量): ~ de años 상당한[많은] 나이. ~ de gente 상당한[많은] 사람. ③ (주인 몫의) 매년 자른 양모.

pila[2] *f.* ① 전지, 건전지(~ seca): ~ solar 태양 전지. Se ha agotdo la ~ (건)전지가 다 됐다. Este motor funciona con ~*s* [a ~(*s*)] 이 모터는 전지로 움직인다. ② (공원 등의) 분수반(噴水盤). ③ (교회의) 세례반, 성수반: ~ de agua bendita 성수. ④ 교구 신도(parroquia, feligresía). ⑤ 용광로. ⑥ *Bol., Cuba.* 수도꼭지(grifo). ⑦ *Salv.* =**idea fija.** ⑧ *Ven.* 공동 우물. ⑨ [건축] 교각. ¶ ~ ***atómica*** 원자로(原子爐). ~ ***bautismal*** 세례반, 성수반(聖水盤). ~ ***reversible*** 축전지. ***nombre de*** ~ 세례명. ***padre de*** ~ (세례식의) 대부(代父).

pilar[1] *tr.* 탈곡하다, 맷돌에 타다.

pilar[2] *m.* ① 기둥, 주석(柱石): ~ de hierro 철주(鐵柱), 쇠기둥. ② (길의) 도표, 이정표(hito, mojón). ③ (무엇을) 받치는 것, 받침, 버팀, 지주, 기둥: La familia es el ~ de la sociedad 가족은 사회의 기둥이다.

pilar[3] *m.* ① =**pilón**[2] **①.** ② = **abrevadero.**

pilastra *f.* [건축] 네모 기둥.

píldora *f.* ① 알약, 환약(丸藥), 정제(錠劑), 환(丸), …정(錠): tomar una ~ 약을 먹다. ② 경구 피임약(經口避妊藥)(píldora anticonceptiva). ③ 알약처럼 생긴 것. ④ 나쁜[불길한] 소식. ¶ ~ ***alefangina*** [의학] 하제정(下劑錠), 하제환(下劑丸). ***dorar la*** ~ 나쁜[불길한] 소식을 적당히 꾸며서 말해 주다[듣기 좋게 말하다]. ***tragarse*** alguien ***la*** ~ (누가) 거짓말[허풍]을 믿다.

pilila *f.* [구어] =**pene.** ((어린아이들의 말에서는 *m.*)).

pillada *f.* 건달 같은 행동, 교활한 행동, 못된 짓.

pillaje *m.* ① 도둑질, 사취, 강탈, 약탈. ② [군사] (적국에서 군인들이 자행한) 약탈, 강탈, 탈취, 도둑질.

pillar *tr.* ① 도둑질하다, 훔치다, 약탈하다, 강탈하다(hurtar, robar). ② (누구·무엇을) 잡다, 붙잡다, 체포하다: ~ el tren 기차를 잡다, 기차 시간에 대다, 기차를 타다. El perro *ha pillado* la liebre 개가 토끼를 잡았다. La policía *pilló* al ladrón 경찰이 도둑을 잡았다. ③ (자동차가) 받아서 나가떨어지게 하다, 치다: A Pedro le *pilló* un automóvil 빼드로는 차에 받쳤다[치었다]. Al cruzar la calle le *pilló* un coche 그는 거리를 건널 때 차에 받쳤다[치었다]. ④ (문이 손 등을) 끼다, 끼우다: La puerta me *pilló* la mano 나는 문에 손이 끼었다. ⑤ (누구를) 불의에 덮치다[습격하다]: Lo *he pillado* durmiendo 나는 그가 한창 자고 있을 때 갑자기 들이닥쳤다, 내가 갑자기 갔을 때 그는 자고 있었다. ⑥ 병에 걸리다: ~ una pulmonía 폐렴에 걸리다. ~ un resfriado 감기에 걸리다. ⑦ (정신 상태로) 되(기 시작하)다: ~ una rabieta 부아가 나다[치밀다]. ⑧ (무엇이 누구에게) 돌발하다, 불의에 일어나다: La enfermedad me *pilló* sin dinero 나는 돈이 없을 때 갑자기 병에 걸렸다. La noche nos *pilló* en el monte 산에서 우리는 갑자기 밤을 맞이했다. ⑨ (누구를 어떤 상태·기분으로) 만나다, 발견하다: Me *pillas* de buen humor 너는 나를 기분 좋게 만난다. —*intr.* (사람·물건에서 보아 …에) 위치하다, 있다: La oficina me *pilla* cerca 회사는 내 집에서 가깝다. ~**se** (자신의 몸·의복의 일부를) 끼다, 끼우다: ~*se* los dedos en la puerta 문에 손가락을 끼다. ¶***Aquí te pillo, aquí te mato*** (속담) 호기는 바로 잡아라. ***Los peces gordos no se deja ~ fácilmente*** (속담) 놓친 고기가 더 크다.

pillear *intr.* 건달 생활을 하다.

pillería *f.* ① 건달패. ② 건달 성격. ③ =**pillada.**

pillo[1] *m.* [새] 따오기(ibis)의 일종 ((섭금류의 새)).

pillo[2], **lla** *adj.* ① 불량한. ② 교활한, 간사한, 간교한, 엉큼한, 영악한(astuto, sagaz). —*m.f.* ① 불량한 사람. ② 교활한[영악한·간사한] 사람. ③ 악당, 불량배, 깡패, 건달. —*m. Pan., Perú, PRico.* 소매치기(ratero). —*f. Ecuad.* =**prostituta.**

pilón[1] *m.* ① (원뿔꼴의) 사탕 덩어리. ② (대저울의) 추, 분동(分銅). ③ (압착기의) 눌림돌. ④ 모래와 섞인 석탄 더미. ⑤ 담배 잎 더미. ⑥ 더미(montón); 대량(大量). ⑦ *Méj.* =**añadidura.**

pilón[2] *m.* ① (물이 떨어지면서 가축이 물도 마시고, 빨래도 하고, 기타 다른 용도로도 사용하게 분수에 만들어 놓은) 돌 그릇, 수도물터, 물통, 빨래터, 마소에게 물 먹이는 곳. ② (돌·금속제의) 맷돌, 절구통: ~ de piedra 돌 맷돌, 돌 절구통.

pilón[3] *m.* (고대 이집트의) 사원의 정문(正門)(portada de los templos).

pilórico, ca *adj.* [해부] 유문(píloro)의[에 관한].

píloro *m.* [해부] 유문(幽門).

piloro- *pref.*「유문(píloro)」의 뜻: *piloro*plastia 유문 성형술.

piloso, sa *adj.* ① 털[머리카락]이 많은. ② 털[머리카락]의[에 관한].

pilotaje[1] *m.* ① 조종: ~ automático 자동 조종. ~ sin visibilidad 계기

비행. realizar un buen ~ 조종을 잘 하다. ② 조종술. ③ 수로 안내. ④ 수로 안내료. ⑤ (자동차·오토바이의) 운전.

pilotaje² *m.* [집합] (기초 공사에 박아 넣는) 말뚝.

pilotar *tr.* ① (배의) 수로[물길] 안내를 하다, 도선(導船)하다. ② (비행기·기구를) 조종하다: ~ un avión 비행기를 조종하다. ③ (자동차·오토바이를) 운전하다: ~ el coche de carreras 경주용 자동차를 운전하다.

pilote *m.* (기초 공사용) 말뚝: ~ de hormigón armado 콘크리트 말뚝.

pilotear¹ *tr.* =pilotar.

pilotear² *tr.* (건축물의 기초를 단단히 하기 위해) 말뚝을 박아 넣다 (hincar pilotes).

piloto *m.* ① 도선사(導船士), 수로 안내원: barco-~ 도선선(導船船), 수로 안내선(船). ② (상선의) 항해사. ③ (비행기·기구의) 조종사, 파일럿: ~ automático 자동 조종 장치. ~ de línea 정기 항공로의 조종사[파일럿]. ~ de pruebas 시험 조종사, 테스트 파일럿. ④ (자동차·오토바이의) 운전사. ⑤ 레이서, 경주용 자동차 경기자: ~ de formula uno F1 레이서. —*m.* ① 파일럿 램프, 표시등(lámpara ~). ② (자동차의) 붉은 미등(尾燈): El ~ del contestador está encendido. 응답 미등이 켜져 있다. ③ (어떤 것이건) 조종자, 안내자, 지도자. ④ [형용사적으로, 남녀 동형] 모델의, 견본의, 실험적인: experiencia ~, programa ~ 실험 계획. granja ~ 시험 농장. instituto ~ 실험 학교, 견본 학교, 모델 학교. piso ~ 견본[모델] 아파트, 모델 룸, 견본 방. planta ~ (새로운 생산 방식 등의) 시험[실험] 공장.

pimental *m.* 피망 밭; 고추 밭.

pimentero *m.* ① [식물] 후추나무. ② (식탁용) 후춧가루 그릇. ¶ ~ *falso* [식물] =**turbinto.**

pimentón *m.* ① pimiento 가루. ② [열매] 피망(pimiento).

pimentonero *m.* ① pimentón 장수. ② [새] 삐멘또네로 ((붉은 가슴털을 제외하고는 모든 털이 거무스레한 까스띠야의 새)).

pimienta *f.* ① 후추. ② pimiento 수확. ¶*comer* alguien ~ (누가) 노하다, 화내다, 성내다. *tener mucha* ~ un género o mercancía (상품이) 값이 매우 비싸다.

pimiento *m.* ① [식물] 피망 ((스페인산 고추의 일종)). ② 피망의 열매. ③ 후추(pimienta)의 관목. ④ 피망 가루(pimentón). ⑤ =**roya, hongo.** ¶ ~ *bonete* =**pimiento morrón.** ~ *de hocico de buey* = **pimiento morrón.** ~ *de las Indias* =**guindilla.** ~ *morrón* 붉은 피망. (*no*) *importar* algo *un* ~ 별[아무] 상관없다. *no valer un* ~ 거의 가치가 없다.

pimpollo *m.* ① 어린 소나무(pino nuevo). ② 어린 나무(árbol nuevo). ③ (식물의) 새순, 새싹, 어린 싹, 새 줄기. ④ (장미의) 꽃망울. ⑤ 귀여운 아이, 귀여운 젊은이.

pin¹ *m. ing.* (옷에 다는) 핀 달린 기장(記章).

pin² *m* [전기] (접속부의) 핀.

pináculo *m.* ① (건물·사원의) 제일 높은 곳, 꼭대기. ② (고딕 건축의) 첨탑, 뾰족탑, 뾰족한 끝. ③ 전성기, 절정: hallarse en el ~ de la fama 인기 절정에 있다.

pinada *f.* =**pinar.**

pinado, da *adj.* [식물] =**pinnado.**

pinal *m. Méj.* =**pinar.**

pinar *m.* 솔숲, 송림(松林), 솔밭.

pinariego, ga *adj.* 소나무의.

pinaza *f.* ① (지면을 덮고 있는) 소나무의 낙엽. ② (옛날의) 작은 돛배.

pincel *m.* ① 붓, 화필(畵筆): ~ fino 가는 붓, 세필(細筆). ~ grueso 굵은 붓. pintar con el ~ 붓으로 그리다. dejar correr *su* ~ 붓을 휘두르다. ② 필치, 화법(畵法), 화풍(畵風): Su ~ es muy real 그의 화풍은 아주 리얼하다.

pincelada *f.* ① 필치, 필법. ② 말씨.

pincelar *tr.* ① 붓으로 그리다. ② 색칠하다. ③ (디자인·그림·사진을) 복사하다.

pincelero, ra *m.f.* ① 붓 제작자. ② 붓 장수. —*m.* ① 솔 제작자[장수](brucero). ② 화구(畵具) 상자.

pinchadiscos *m.f.sing.pl.* 디스크자키, 디제이.

pinchadura *f.* 찌르기; 찔린 상처.

pinchar *tr.* ① (가시·핀 등 뾰족한 것으로) 찌르다, 쏘다(picar, punzar, herir): ~ una aceituna con el tenedor 포크로 올리브를 찌르다. Me *ha pinchado* un clavo del zapato en la planta del pie 구두의 못에 발바닥이 찔렸다. ② 주사를 놓다(poner inyecciones). ③ 사주(使嗾)하다(picar, estimular). ④ 노하게[성나게·화나게] 하다 (enojar, zaherir). ⑤ (도청하기 위해 전화선을) 부정으로 조작하다, 전화선을 조작하여 도청하다. ⑥ 레코드를 틀다. —*intr.* ① 레코드를 틀다. ② (자동차를) 펑크가 나다(sufrir un pinchazo una rueda): *Pinchamos* en el kilómetro treinta 30킬로미터 지점에서 우리 차는 펑크가 났다. *He pinchado* en la autopista 내 차가 고속도로에서 펑크가 났다. Fulano *pinchó* al salir de la curva 누군가의 차가 커브에서 벗어났을 때 펑크가 났다. ③ (회사·계획·사람·기계가) 실패하다: El estreno *pinchó*

초연[개봉·데뷔]은 실패했다. La oposición *pinchó* en el debate parlamentario 야당은 의회 토론에서 실패했다. ~**se** ① (가시·핀 등에) 찔리다: *Me he pinchado* con las espinas 나는 가시에 찔렸다. ② (자기 몸에) 주사를 놓다. ③ [은어] (자기의 몸에) 마약을 주사하다 (inyectarse droga). ④ (타이어가) 펑크나다. ⑤ (풍선이) 터지다.

pinchaúvas *m.sing.pl.* ① (시장에서 핀 등으로 찔러 포도를 먹었던) 불량배. ② 비열한 인간.

pinchazo *m.* ① 찌르기. ② 찔린 상처, 쏘인 상처. ③ 찌르는 듯한 통증: sentir un ~ en la muela del juicio 사랑니에 쿡쿡 쑤시는 통증을 느끼다. ④ [투우] (검투사가 깊이 찔리지 않은 소를 큰 칼로 찔러 내는) 별로 깊지 않은 상처(herida poco profunda).

pinchito *m.* 꼬치구이.

pincho, cha *adj.* 멋을 부린, 멋을 낸, 잘 차려 입은(compuesto, bien vestido). —*m.* ① (뾰족한) 쇠꼬챙이, 나무 꼬챙이. ② 꼬치구이. ③ 멋쟁이 젊은이, 우쭐거리는 젊은이, 시건방진 젊은이. ④ *Perú.* [속어] =**pene.** —*f.* ① (식물·생선의) 가시(espina). ② 부엌[주방]에서 심부름하는 여자.

pinchón *m.* [새] =**pinzón.**

pinchonazo *m.* =**pinchazo.**

pinchudo, da *adj.* 가시가 많은, 가시투성이의.

pineal *adj.* 송과체(松果體)의.

pineda[1] *f.* =**pinar.**

pineda[2] *f.* 양말 댓님의 일종.

pinero *m.* ① (통나무를 싣고 내리는 작업을 하는) 부두 노동자. ② 통나무를 강으로 띄우는 노동자.

ping-pong *m. ing.* [운동] 탁구(tenis de mesa): bola de ~ 탁구공.

pingüinera *f. Arg.* (산란기의 둥지를 트는 시기에) 해안의 펭귄이 모이는 장소.

pingüino *m. fr.* [새] 펭귄.

pinífero, ra *adj.* [시어] 소나무가 우거진.

pinito *m.* ① [주로 *pl.*] (어린아이·회복기에 있는 환자의) 첫 걸음, 걸음마, 비칠거리는 걸음, 아장아장 걷기: hacer ~*s* 아장아장 걷다, 비칠비칠 걷다, 첫 걸음마를 떼다. Está haciendo ~*s* 걸음마를 하고 있다, 아장아장 걷고 있다, 비칠거리는 걸음을 걷고 있다. ② *pl.* (예술·과학의) 첫걸음, 첫 출발, 첫 단계.

pinnado, da *adj.* [식물] 깃털 모양의 (잎).

pino[1] *m.* ① [식물] 소나무. ② 소나무의 목재: muebles de ~ 소나무 목재 가구. ③ 물구나무서기: hacer el ~ 물구나무서다. ④ [시어] 배, 선박(barco). ⑤ (빵 같은 데 끼워 먹는) 저민 살코기. ¶*el quinto* ~ 매우 먼 곳(lugar muy lejano).

pino[2]**, na** *adj.* ① 경사가 심한, 급경사의, 깎아지른 듯한: La cuesta del monte es muy ~*na* 산의 언덕길이 경사가 심하다. ② 직립(直立)의, 아주 똑바른, 매우 곧은. —*m.* [주로 *pl.*] (어린아이·회복기에 있는 환자의) 첫 걸음, 걸음마, 아장아장 걷기, 비칠거리는 걸음: hacer ~*s* 걸음마를 떼다, 아장아장 건다, 비칠거리는 걸음을 걷다. ¶*en* ~ 서서, 똑바로.

pinocha[1] *f.* ① 솔잎, 송엽(松葉). ② 소나무의 가지.

pinocha[2] *f. Ar.* 옥수수의 이삭.

pinta[1] *f.* ☞**pinto.**

pinta[2] *f.* 파인트 ((옛날 액량(液量)의 단위; 0.568리터)).

pintada *f.* ☞**pintado.**

pintado, da *adj.* ① 색칠한, 채색한: papel ~ 벽지. ② =**pintojo.** ③ 화장한: Ella está muy ~*da* 그녀는 짙은 화장을 하고 있다. —*f.* ① [조류] 색시닭(gallina de Guinea). ② (벽에 쓰는) 정치[사회]적 슬로건, 낙서. ③ (정치적·사회적 슬로건이 적힌) 벽보.

pintalabios *m.* 입술연지, 립스틱.

pintamonas *m.f.* 엉터리 화가.

pintar *tr.* ① (그림을) 그리다: ~ un retrato 초상화를 그리다. ~ una flor al óleo 유화로 꽃을 그리다. No *pintes* en la pared 벽에 낙서를 하지 마라. ② (페인트로) 칠하다: ~ la pared de [en] blanco 벽을 하얗게 칠하다. ③ (문자를) 쓰다. ④ (정자법 기호를) 표시하다, 그리다, 찍다: ~ el acento 악센트를 찍다. ⑤ (연필이나 비슷한 것으로) 스케치하다, 데생하다, 표를 하다: Este bolígrafo ya no *pinta* 이 볼펜은 이제 써지지 않는다. ⑥ (말·영상으로) 묘사하다. ⑦ 과장하다. ⑧ [요리] (빵 등에) 장식을 하다. —*intr.* ① (과일 등이) 물들어 익기 시작하다. ② 칠하다: Ojo, *pinta* [표시] 페인트 칠 주의. ③ 색이 나오다: Este carboncillo no *pinta* 이 목탄은 써지지 않는다. ④ 중요하다, 의미가 있다, 가치가 있다, 볼일이 있다: ¿Qué *pintas* tú aquí? 너는 여기서 무슨 볼일이 있느냐? Yo aquí no *pinto* nada, y por tanto, me voy 나는 여기서 아무 가치가 없으므로 나는 간다. ~**se** ① 과일이 물들어 익기 시작하다: Las manzanas *se pintan* 사과가 물들어 익기 시작한다. ② (페인트 등으로) 자신의 …을 더럽히다. ③ 화장을 하다: ~*se* demasiado 화장이 짙다, 짙은 화장이다. ~*se* los labios 입술연지[립스틱]을 바르다. ~*se* los ojos 아이섀도를 하다, 아이라인을 그려 넣다. ④ (표정에) 나타나다, 드러내다: La felicidad *se pinta* en tu rostro 행복이 네 얼굴에 나타나 있다, 너는 행복한 얼굴이구나.

pintarrajar *tr.* 더덕더덕 칠하다[화장하다].

pintarrajear *tr.* =**pintarrajar.** ~**se** ① 더덕더덕 칠하다. ② 짙은 화장을 하다.

pintarrajo *m.* 더덕더덕 칠하기.

pintarroja *f.* [어류] 뿔상어(lija).

pintauñas *m.* 매니큐어 액(液).

pintear *intr.* =**lloviznar.**

Pinto[1] *m.* [인명] 삔또. ¶*estar* alguien *entre ~ y Valdemoro* ㉮ (누가) 얼근히 취하다. ㉯ (누가) 우물쭈물하다, 우유부단하다, 망설이다, 주저하다.

pinto[2], **ta** *adj.* [쓰이지 않음] (동물·물건이) 여러 가지 색의, 얼룩덜룩한. —*m. Méj.* 열대 백반성 피부병(carate). —*f.* ① (동물의 깃·털·피부에 있는) 작은 반점[얼룩]. ② 물방울 무늬. ③ 방울, 물방울. ④ (특징을 나타내는) 외모, 모양, 풍채, 키. ⑤ [의학] 티푸스(tifus). ⑥ (천의) 디자인과 색.

pintojo, ja *adj.* 반점이 있는.

pintor, ra *m.f.* ① 화가. ② 페인트공, 칠장이.

pintoresco, ca *adj.* ① 그림 같은, 그림처럼 아름다운: paisaje ~ 그림 같은 풍경[경치], 아름다운 풍경[경치]. ② (언어·문체가) 생기 있는, 생생한. ③ 단정치 못한.

pintura *f.* ① 그림, 회화(繪畵): colección de ~(s) abstracta(s) 추상화 컬렉션. La ~ de Miró es única 미로의 그림은 독특하다. Picasso fue un maestro de la ~ 피카소는 그림의 대가였다. ② 화법(畵法). ③ 도장(塗裝): ~ de la casa 집의 도장. ④ 페인트, 도료(塗料): ~ de aceite 유성 페인트. ~ de agua 수성 도료. ⑤ (말 등의) 묘사(描寫): hacer la ~ de las costumbres de un país 어떤 나라의 풍습을 묘사하다. ¶ ~ *a la aguada* 수채화. ~ *al fresco* 프레스코화. ~ *al óleo* 유화. ~ *al pastel* 파스텔화. ~ *al temple* 묽은 그림 물감. ~ *rupestre* (동굴 안의) 벽화. *no poder ver* a alguien *ni en* ~ (누구의) 얼굴도 보고 싶지 않다, (누구에) 대단한 반감[증오심]을 가지다, (누구를) 꿈[그림] 속에서도 볼까 무섭다.

pinza *f.* ① 집는 도구. ② *pl.* (게 등의) 집게발. ③ [양재] 다트 ((몸의 볼륨을 나타내기 위하여 주름을 잡아서 솔기가 겉에 나타나지 않게 기운 부분)). ④ *pl.* 핀셋, 겸자, 펜치, 못뽑이, 족집게.

pinzar (9) *tr.* ① 집게로 집다. ② 손가락으로 (꼬집어서) 접다[주름을 내다].

pinzón *m.* ① [새] 방울새. ② (펌프의) 손잡이(guimbalete).

piña *f.* ① 솔방울. ② 솔방울처럼 생긴 것. ③ 파인애플(ananás). ④ 옥수수의 이삭. ⑤ 단결된 작은 집단. ⑥ [선박] 매듭의 일종. ⑦ (정련 과정의) 은덩이. ⑧ *Can., Arg., Bol., Cuba, Hond., Par., Ur.* =**puñetazo.** ⑨ *Salv.* 칠면조의 볏[계관(鷄冠)]. ⑩ *Cuba.* 한 소켓에 세 개의 플러그가 연결되는 장치. ⑪ *Cuba.* [경멸] =**camarilla.** ⑫ *Salv.* 남자 동성애자.

piñata *f.* 배가 나온 냄비[솥].

piño *m.* [주로 *pl.*] 이(diente).

piñón[1] *m.* ① 소나무의 씨. ② (새의) 날개의 마지막 뼈. ③ (총의) 격철, 공이치기.

piñón[2] *m.* (기계의 큰 톱니바퀴에 물려 움직이는) 작은 톱니바퀴.

piñón[3] *m.* [사냥] (매가 날개 아래 가지고 있는 두 번째 날개 모양의) 작은 깃들의 각각.

pío[1] *m.* ① 삐악삐악 ((병아리나 어떤 종류의 새건 새끼의 울음소리의 소리흉내말)). ② 삐악삐악 ((병아리들에게 모이를 주면서 부르는 소리)). ③ (어떤 것에 대한) 갈망, 열망. ④ [은어] 포도주(vino de uvas). ¶*no decir (ni)* ~ 입을 열지 않다, 입을 떼지 않다, 한 마디도 하지 않다.

pío[2], **a** *adj.* ① 경건한, 신앙심이 돈독한[깊은]. ② 인정이 많은, 다정한. ③ 자선의. ¶*obra pía* 자선 사업.

pío[3], **a** *adj.* (말·노새·당나귀가) 흰 바탕에 (검정·밤색 등) 다른 얼룩이 있는.

piogenia *f.* [의학] 화농(化膿).

piogénesis *f.* [의학] 화농 작용.

piógeno, na *adj.* [의학] 화농의, 화농성의.

piojento, ta *adj.* ① 이(piojo)의[에 관한]. ② 이가 있는, 이투성이의.

piojillo *m.* [곤충] 깃털 이 ((새에 꼬이는 이)).

piojo *m.* ① [곤충] 이. ② =**piojillo.** ¶ ~ *de mar* 바다의 이 ((고래 같은 큰 바다 동물의 피부에 기생해서 삶)). ~ *regadizo* 남에게 빌붙어 사는 사람. ~ *resucitado* 나쁜 방법으로 승진하는 출신이 천한 사람. *como* ~**(s)** *en costura* 비좁게, 꽉 채워져, 옹색하게: En el metro estábamos *como ~s en costura* 지하철은 초만원이었다. *guindar* alguien *el* ~ *Cuba.* (누가) 죽다.

piojoso, sa *adj.* ① 이투성이의. ② 인색한. ③ 더러운, 불결한, 누더기를 걸친. —*m.f.* ① 이투성이인 사람. ② 인색한 사람.

piolet *m. ing.* [*pl.* ~s] (등산용) 소형 피켈.

pionero, ra *m.f.* ① (미개지의) 개척자. ② (새 분야의) 개척자, 선구자, 주창자, 선봉: ~ en la lexicografía 사전학의 선구자. ③ [생물] 선구 식

물[동물]. —*adj.* ① 초창기의, 선구적인. ② 개척자의. ③ 선구자의.

piorrea *f.* [의학] 농루, 농루증: ~ alveolar 치조(齒槽) 농루.

pipa[1] *f.* ① 빨부리, 물부리. ② (담배를 피우기 위해) 빨부리에 넣는 담배의 양. ③ (포도주·다른 액체를 운반하고 보관하기 위한) 통(tonel). ④ [음악] 리드(lengüeta) ((관악기·하모니카·오르간 등에 부착되어 소리를 내는 얇은 떨림판)). ⑤ 도화선, 신관(espoleta). ⑥ 보릿짚 피리, 보리 피리(flautilla de alcacer). ⑦ *Col., Hond., Nic.* 올챙이배(barriga abultada). ⑧ *Cuba.* 기름차, 유조차(油槽車). —*adv.* 아주 잘, 아주 멋지게: pasarlo [pasárselo] ~ 아주 잘 지내다.

pipa[2] *f.* ① (과일의) 씨(pepita): ~ de limón 레몬 씨. ② *CRica.* (겉껍질과 속껍질이 포함된) 완전한 야자열매. ③ *CRica.* (사람의) 머리(cabeza): Me duele la ~ 나는 머리가 아프다. ④ *CRica.* =**inteligencia.** —*adj.* *CRica.* =**inteligente:** Carlos es muy ~ 까를로스는 매우 영리하다[총명하다].

pipar *intr.* 빨부리로 담배를 피우다.

pipero, ra *m.f.* (길거리에서) 빨뿌리·캐러멜·과자를 파는 상인.

pipí[1] *m.* [새] =**pitpit.**

pipí[2] *m.* [유아어] 쉬, 오줌(orina): hacer ~ 쉬하다. hacerse ~ en la cama 잠을 자면서 오줌을 싸다, 이부자리에 오줌을 싸다.

pipiolo, la *m.f.* 신참자, 초심자, 신출내기, 풋내기, 경험이 부족한 사람. —*m.* =**niño, muchacho.**

pique[1] *m.* ① 원한, 분노: tener un ~ con *alguien* (…에게) 원한을 품다. ② 지기 싫어하는 성격, 라이벌의식, 경쟁심, 고집. ③ (책갈피에 끼운) 서표(書標). ④ *NO Arg., Bol., Nic., Par.* (밀림에 난) 좁은 길, 오솔길(senda estrecha). ¶***irse a*** ~ ㉮ (배가) 물에 갈아앉다, 침몰하다. ㉯ =**malograrse.**

pique[2] *m.* (뱃머리 부분에 놓인) 갈퀴 모양의 목재.

pique[3] *m.* *Perú.* [곤충] 모래 벼룩.

piqué *m.* 피케 ((코르덴처럼 골지게 짠 면직물)).

piquera *f.* ① (벌집의) 출입구. ② (통의) 구멍. ③ (용광로의 주물이 나오도록 낸) 아랫부분의 구멍. ④ (석유 램프 등의) 화구(火口).

piquería *f.* 창병 부대.

piquero *m.* 창병(槍兵).

piqueta *f.* ① =**zapapico.** ② (석공용) 해머.

piquete *m.* ① 작은 찔린 상처. ② (의복 등에 생긴) 작은 구멍. ③ (측량용) 말뚝. ④ [군사] (특별 임무의) 작은 부대. ⑤ 피켓을 들고 시위를 하는 적은 무리. ⑥ (평화적이건 폭력적이건) 파업의 수칙을 지키려는 적은 무리. ⑦ *Col.* 야외 도시락. ⑧ *Cuba.* 소규모 악단. ⑨ *Ecuad.* = **punzada.** ⑩ *Nic.* (곤충에 물려 피부에 생긴) 콩알 모양의 종기.

piragua *f.* ① (카누보다 더 큰) 길고 좁은 통나무배. ② (강과 해변에서 사용하는) 작고 좁고 아주 가벼운 배. ③ [식물] 덩굴식물의 일종. ④ *PRico.* 얼음 음료수, 빙수.

piragüero, ra *m.f.* ① piragua 조종자. ② *PRico.* 빙수 장수.

piragüismo *m.* [운동] 카누 경기.

piragüista *m.f.* ① 카누 선수. ② 카누 타는 사람.

piramidal *adj.* ① 피라미드 모양의: venta ~ 피라미드식 판매. ② [해부] 쐐기 모양의. ¶***hueso*** ~ [해부] 추체골(椎體骨). ***músculo*** ~ [해부] 추체근(椎體筋).

pirámide *f.* ① [기하] 각뿔. ② [건축] (이집트의) 피라미드: las ~s egiptas 이집트 피라미드. las ~s aztecas 아스떼까 피라미드. ③ 피라미드 모양의 물건: ~ de la población 인구 (분포) 피라미드[그래프]. ~ invertida 역(逆)피라미드. ¶~ ***regular*** [기하] 정각뿔. ~ ***truncada*** [기하] 각뿔대.

piraña *f.* ① [어류] 피라냐 ((이빨이 날카로운 남미산(產) 민물고기)). ② *Nic.* 싸움배. ③ *Perú.* 그룹으로 훔치는) 좀도둑. —*m.f.* 독점자, 욕심쟁이. —*adj.* 독점하는, 욕심이 많은.

pirar *tr.* 수업(授業)을 빼먹다(hacer novillos, faltar a clase). ~**se** 도망치다, 뺑소니치다(fugarse): Manolo *se piró* de casa 마놀로는 집에서 도망쳤다. ¶***pirárselas*** =**pirarse.**

pirata *adj.* ① =**pirático.** ② = **clandestino.** —*m.f.* ① 해적. ② 잔인한[무자비한] 사람. ¶~ ***aéreo, a*** *m.f.* 공중 납치범, 하이재커. ***edición*** ~ 해적 출판, 불법 출판. ***radio*** ~ 해적 방송, 무허가 방송.

piratear *intr.* ① 해적 행위를 하다, 해적질을 하다. ② 저작권을 침해하다, 표절하다.

pirateo *m.* 저작권 침해 (행위).

piratería *f.* ① 해적질, 해적 행위. ② 해상 약탈. ③ 해상 약탈품. ④ (누구의) 재산 약탈.

pirático, ca *adj.* ① 해적의[에 관한]. ② 해적질[약탈]의[에 관한].

pirenaico, ca *adj.* ① 피레네 산맥(los montes Pirineos) 태생의. ② 피레네 산맥에 사는. ③ 피레네 산맥의[에 관한]. —*m.f.* ① 피레네 산맥 태생 사람. ② 피레네 산맥 거주자.

pireneísmo *m.* 피레네 산맥 등산.

pireneísta *adj.* 피레네 산맥 등산의[에 관한]. —*m.f.* 피레네 산맥 등산객.

piretógeno, na *adj.* [의학] 발열(發

熱)의, 열병의.
piretología *f.* [의학] 열병학, 발열학.
piretoterapia *f.* [의학] 발열 요법.
pirexia *f.* [의학] 발열; 열병.
pírico, ca *adj.* 불(fuego)의[에 관한]; (특히) 꽃불의.
piriforme *adj.* 배(梨)(pera) 모양의
pirinaico, ca *adj., m.f.* =pirenaico.
pirineísmo *m.* =pireneísmo.
pirineísta *adj., m.f.* =pireneísta.
pirineo, a *adj.* 피레네 산맥의.
piripi *adj.* 술에 취한(ebrio): Ella está ~ 그녀는 술에 취해 있다.
pirita *f.* [광물] 황철광(黃鐵鑛).
piritoso, sa *adj.* 황철광을 함유한.
piro *m.* 도망, 뺑소니. ¶***darse el*** ~ 도망치다, 뺑소니치다: Juan *se dio el* ~ 후안은 뺑소니쳤다.
piro- *pref.* 「불」의 뜻: *piro*tecnia 꽃불[화약] 제조(술).
piroelectricidad *f.* [물리] 열전기.
piroeléctrico, ca *adj.* [물리] 열전기의[에 관한].
piróforo *m.* [화학] 자연 발화성물질.
pirógeno, na *adj.* [의학] 발열성(發熱性)의. —*m.* 발열 물질.
pirograbado *m.* ① 낙화(烙畵), 낙화술(烙畵術). ② 낙화 조각품.
pirograbador, ra *m.f.* 낙화 화가[조각가].
pirolatría *f.* 배화교(拜火敎).
pirólisis *f.sing.pl.* [화학] 열분해.
pirología *f.* ① 열처리학(熱處理學). ② 열분석(熱分析).
pirolusita *f.* [광물] 연망간광.
piromancia *f.* 불점(占).
piromanía *f.* =piromancia.
piromanía *f.* 방화광(放火狂), 방화범.
pirómano, na *adj.* 방화범의. —*m.f.* 방화범.
piromántico, ca *adj.* 불점의[에 관한]. —*m.f.* 불(로 치는) 점쟁이.
pirometría *f.* 고온 측정법.
pirométrico, ca *adj.* 고온계의[에 관한].
pirómetro *m.* [물리] 고온계(高溫計).
pirosis *f.sing.pl.* [의학] 가슴앓이.
pirotecnia *f.* ① 꽃불[폭발물] 제조술. ② 폭발 물질, 꽃불용 원료. ③ 꽃불[폭발물] 공장.
pirotécnico, ca *adj.* pirotecnia의[에 관한]. —*m.f.* 꽃불 제조 기술자; 화약 제조가.
piroxena *f.* [광물] 휘석(輝石).
pirroniano, na *adj.* =pirrónico.
pirrónico, ca *adj., m.f.* =escéptico.
pirronismo *m.* =escepticismo.
pirueta *f.* ① (댄스・스케이트의) 발끝 회전. ② 도약. ③ (말의 뒷발을 일으켜서 하는) 선회.
piruétano *m.* ① [식물] 야생 배나무. ② 야생 배.
piruetear *intr.* (발끝 등으로) 선회(旋回)하다.
pis *m.* =pipí[2].
pisa *f.* ① 밟기, 짓밟기. ② (올리브・포도를) 한 번 짜는 분량. ③ 발로 걷어차기. ④ [은어] 성매매 여성의 집.
pisada *f.* ① 밟기, 짓밟기. ② 발자취. ③ 발길질, (동물의) 발차기. ¶ ***seguir las ~s de*** alguien (누구를) 모방하다(imitar); (누구의) 전철을 밟다, 전례를 따르다.
pisador, ra *adj.* ① 밟는, 짓밟는. ② 발소리도 드높이 걷는 (말). —*m.* 포도 짜는 담당. —*f.* 포도 짜는 기계.
pisadura *f.* =pisada.
pisapapeles *m.sing.pl.* 문진(文鎭), 서진(書鎭).
pisar *tr.* ① 밟다, 짓밟다: ~ el freno 브레이크를 밟다. Me *has pisado* el pie 네가 내 발을 밟았다. No ~ el césped 잔디를 밟지 마세요. ② 다지다, 밟아 굳히다. ③ (포도를) 발로 짓밟다. ④ 밟아 뭉개다, 짓밟아 버리다, 부당하게 취급하다. ⑤ 가로채다. ⑥ (손가락으로 건반을) 두들기다, 누르다. ⑦ (장소에) 들어가다, 있다: Hace un año que no *piso* un hospital 나는 입원하지 않은 지가 1년 되었다. ⑧ (새의 수컷이) 암컷을 덮치다. ⑨ *Cuba, Salv.* 성관계를 하다. —*intr.* ① (건물에서, …의) 위에 받치고 있다. ② 걷다.
pisaúvas *m.f.sing.pl.* (포도를 빚을 때) 포도를 밟는 사람.
pisaverde *m.* 여자처럼 아양떠는 남자, 여자를 호리는 남자.
piscatorio, ria *adj.* ① 어업의[에 관한]. ② 어부의[에 관한]. ③ 어부를 노래한. —*f.* 어부가(漁夫歌).
piscícola *adj.* 양어(養魚)의[에 관한], 양어법의[에 관한].
piscicultor, ra *m.f.* 양어가(養魚家).
piscicultura *f.* 양어(법), 양식.
piscifactoría *f.* 양식장(養殖場).
pisciforme *adj.* 물고기 모양을 한.
piscina *f.* ① 수영장, 풀장, 풀: bañarse en la ~ 수영장에서 수영하다. ② (물고기 등의) 양식장. ③ 세례장(洗禮場). ④ 성수반(聖水盤).
piscis[1] *adj.* 물고기자리[쌍어궁] 태생의. —*m.f.* 물고기자리띠, 쌍어궁띠: Yo soy ~, ella es leo 나는 쌍어궁띠이고, 그녀는 사자궁띠다.
Piscis[2] *m.* ① [천문] 물고기자리. ② [천문・점성] 쌍어궁(雙魚宮).
piscívoro, ra *adj., m.f.* [동물] 물고기를 먹고 사는 (동물).
pisco[1] *m.* 삐스꼬 ((포도 증류주)).
pisco[2] *m.* ① *Col., Ven.* [새] = pavo. ② *Col.* [경멸] 놈, 인간.
piso *m.* ① 밟기, 짓밟기. ② (방・거리・길 등의) 바닥. ③ (건물의) 층: ~ bajo 1층. ~ principal, primer ~ 2층. segundo ~ 3층. edificio de 63 ~*s* 63층 건물. en el [un] ~

alto 제일 윗층에, 꼭대기 층에, 최상층에. Vivimos en el segundo ~ 우리는 3층에 산다. Esta casa tiene cinco ~*s* 이 집은 5층이다. ④ 아파트, 맨션: ~ de cuatro habitaciones 방 네 개의 아파트[맨션]. ⑤ (신발의) 바닥(suela). ⑥ (여러 개로 한 단위를 형성하는 것의) 층, 단: ~ de vegetación 식물의 수직 분포층. ~ geológico 지층(地層). autobús de dos ~*s* 이층 버스. tarta de cuatro ~*s* 4층[단] 케이크. ⑦ 층계참.

pisón *m.* 달구.

pisonear *tr.* =**apasionar.**

pisoneada *f. Méj.* =**pisoteo.**

pisotear *tr.* ① (무엇을) 자주 밟다. ② (누구를) 모욕하다, 밟아 뭉개다, 부당하게 취급하다. ③ (법률 등을) 무시하다, 어기다.

pisoteo *m.* 밟기, 짓밟기.

pista *f.* ① (동물의) 발자국, 족적(足跡), 발자취: seguir la ~ del oso 곰의 발자국을 따라가다. ② (범죄 수사 등의) 단서, 실마리. ③ [운동] (경주의) 트랙. ④ (주로) 원형 경기장: ~ de hielo 아이스링크. ⑤ [스키] 겔렌데 ((광대하고 기복이 많은 비탈진 스키 연습장)). ⑥ [테니스] 코트: ~ de hierba 잔디 코트. ~ de tierra batida 클레이 코트 ((겉에 점토나 적토(赤土)를 깐 테니스 코트)). ~ dura 하드 코트. ⑦ (서커스의) 무대, 링. ⑧ [볼링] 레인 ((공이 굴러가는 바닥)). ⑨ (댄스 등의) 플로어. ⑩ [항공] 활주로(~ de aterrizaje): ~ de estacionamiento 주기장(駐機場). ~ de rodaje, ~ de rodadura 유도로(誘導路). ⑪ (가설의) 도로. ⑫ 고속도로(autopista). ⑬ [음악] 녹음대(錄音帶), 트랙.

pistilo *m.* 암술, 암꽃술.

pistola *f.* ① 권총: ~ automática 자동 권총. disparar la ~ 권총을 쏘다. ② 분무기, 스프레이 건. ③ (서민용) 긴 식빵 ((스페인에서 제일 싼 빵)).

pistolerismo *m.* 권총의 사용.

pistolera *f.* 권총집.

pistolero *m.* 권총 강도.

pistoletazo *m.* ① 권총 사격. ② 권총 사격 소리. ③ 권총 사격에 의한 부상[상처].

pistolón *m.* 대형 권총.

pistón *m.* ① 피스톤. ② (총의) 뇌관. ③ (관악기의) 조음판.

pita¹ *f.* ① [식물] 용설란. ② 용설란 잎으로 만든 실. ③ *Bol.* 삼끈.

pita² *interj.* [주로 *pl.*] 구구 ((닭을 부르는 소리)). —*f.* 암탉(gallina).

pita³ *f.* 작은 유리 구슬.

pita⁴ *f.* 휘파람을 통한 야유.

pitada *f.* ① 호루라기 소리. ② = pita⁴.

pitagórico, ca *adj.* ① 피타고라스 (Pitágoras, 기원전 6세기의 철학자·수학자)의. ② 피타고라스 학파의. —*m.f.* 피타고라스 학파의 사람.

pitagorismo *m.* 피타고라스의 학설.

pitanza *f.* ① (식료품 등의) 배급, 분배. ② (단체·가난한 사람들에게 배급되는) 식사의 양. ③ 매일의 식량. ④ 대가, 보수, 급여.

pitar¹ *tr.* ① (누구에 대해) 호루라기[휘파람]를 불면서 야유하다. ② (빚을) 갚다. ③ [운동] =**arbitrar.** ④ [운동] (심판이) 반칙을 지적하다: El árbitro *pitó* un penalti sin comtemplaciones 심판은 신중하지 못하게 페널티를 지적했다. ⑤ *AmérM.* 담배를 피우다. ⑥ *Bol., Chile.* =**burlar, chasquear.** ⑦ *Salv.* 소식을 알리다. —*intr.* ① 호루라기[호각]를 불다. ② 클랙슨을 울리다. ③ 울리다, 계속 소리가 나다: A Jesús le *pitan* los oídos 헤수스는 귀가 울린다. ④ 기대한 이익을 주다. ⑤ 영향력이 있다. ¶ ***irse* [*marcharse · salir*] *pitando*** 서둘러[급히] 출발하다[나가다].

pitar² *tr.* (식료품 등을) 배급하다, 분배하다, 주다.

pitarra *f.* ① =**legaña.** ② *Ext.* 집에서 빚은 포도주. ③ *Ext.* 포도주 수확.

pitido *m.* ① 호루라기 소리. ② 새 우는 소리. ③ 윙윙거림(zumbido).

pitillera *f.* ① 담배 공장의 여공[여성 근로자]. ② 담배갑.

pitillo *m.* ① 궐련(cigarrillo). ② *Col., Ven.* 빨대(pajilla).

pito¹ *m.* ① 호루라기, 호각: tocar el ~ 호루라기[호각]를 불다. ② 호루라기 부는 사람. ③ 클랙슨, 경적; 경적 소리. ④ 기적(汽笛); 기적 소리. ⑤ 크고 예리한 소리[목소리]. ⑥ 병아리. ⑦ 지궐련(cigarrillo de papel). ⑧ =**pene.** ¶ **~*s flautas*** 헛소리. ***no tocar* ~** (어떤 일에) 관여[참여]하지 않다. ***tomar* a alguien *por el* ~ *del sereno*** (누구에게는) 별로[전혀] 관심이 없다. ***tres* ~*s*** =un pito. ***un* ~** 거의 … 아니다, 아무것도 (… 아니다): no valer *un* ~ 아무 가치도 없다. No importa *un* ~ 괜찮다, 상관없다. No le importa *un* ~ 그는 상관없다. No se le da *un* ~ 그는 아무 관계없다.

pito² *m.* [새] 딱따구리.

pito³, ta *adj.* ① *Ar.* =**tieso, robusto.** ② *Ar.* =**valiente.**

pitón¹ *m.* ① (양·염소 등의) 새로 나오기 시작한 뿔, 어린 뿔. ② 소뿔의 끝. ③ (그릇의) 주둥이, 목. ④ (나무의) 새싹. ⑤ 용설란의 꽃줄기. ⑥ (물건의 표면에 튀어나온) 작은 혹.

pitón² *m.* ① =**adivino, mago.** ② =**serpiente pitón.**

pitopausia *f.* 남성 갱년기 (장애).
pituita *f.* [의학] 점액(粘液).
Pu plutonio 플루토늄.
pívot *m.f.* *fr.* [농구] 피벗 플레이어, 포스트 플레이어, 센터 ((되튀겨나오는 공을 잡거나 점수를 내기 위해 골대 근처에 위치한 농구 선수)).
pivotar *intr.* (축을 중심으로) 회전하다, (…을 축으로 하여) 선회하다.
pivote *m.* ① 추축(樞軸), 피벗; 선회축. ② (주차 등을 방지하기 위한) 기둥. ③ [농구] 센터, 중심 선수.
piyama *m.* =**pijama.** ((참고: 중남미 몇몇 나라에서는 *f.*)).
pizarra *f.* ① 흑판, 칠판: escribir en la ~ 흑판에 쓰다. salir a la ~ (학생이) 흑판 앞으로 나가다. ② (글자 등을 쓰기 위한) 석판(石板). ③ [광물] 점판암(粘板巖). ④ 슬레이트: techo de ~ 슬레이트 지붕.
pizarral *m.* pizarra 나는 곳.
pizarreño, ña *adj.* ① pizarra의[에 관한]. ② pizarra 같은.
pizarrería *f.* pizarra 채석장.
pizarrero *m.* pizarra 공(工).
pizarrín *m.* 석필(石筆).
pizarrista *m.f.* ① 슬레이트 기와 만드는 사람. ② [운동] 흑판에 선수의 이름을 적는 사람.
pizarrón *m.* *Amér.* 흑판.
pizarroso, sa *adj.* ① pizarra가 많은[풍부한]. ② pizarra 같은.
pizca *f.* 소량, 미량(微量), 아주 적은 양. ¶*ni* ~ 아무것도 (… 아니다).
pizza *f.* *it.* [요리] 피자.
pizzería *f.* ① 피자 가게. ② (피자와 다른) 이탈리아 음식 전문 식당.
pizzicato *adj.* *it.* [음악] 손톱으로 뜯는. —*m.* [음악] 피치카토 ((손톱으로 뜯는 곡)).
pl. plaza 광장. plazo 기간. plural 복수(複數).
placa *f.* ① (금속·목재 등의 얇은) 판. ② (안내·광고·금지 등을 알리는 공공 장소에 부착된) 표찰(標札). ③ (거리·공공 건물·조각상 등의 설명을 한) 표시판, 현판. ④ (차량의) 번호판(matrícula). ⑤ (경찰관의) 배지, 휘장. ⑥ 훈장. ⑦ (호텔·식당·기계 공장의 현관 입구에 걸린) 등급 표시판. ⑧ [사진] 감광판. ⑨ [전기] 극판(極板); (진공관의) 양극. ⑩ [기계] 금속판. ⑪ (기사단의) 휘장. ⑫ (네덜란드의) 옛 동전. ⑬ [지질] 플레이트 ((지각(地殼)을 구성하고 있는 암판(岩板))) ⑭ (주방의) 전기 레인지 대(臺).
placaje *m.* [럭비] 태클.
placar (7) *tr.* [럭비] 태클하다.
pláceme *m.* [주로 *pl.*] =**felicitación.**
placenta *f.* ① [동물·해부] 태반(胎盤). ② [식물] 태좌(胎座) ((암술의 한 부분; 밑씨가 씨방 안에 붙어 있는 자리)).
placentación *f.* ① [동물·해부] 태반 형성. ② [식물] 태좌 배열, 태좌 형식.
placentario, ria *adj.* ① [동물·해부] 태반의[에 관한]. ② [식물] 태좌의[에 관한]. —*m.pl.* [동물] 유태반류(有胎盤類).
placenteramente *adv.* 즐겁게, 유쾌하게.
placentero, ra *adj.* 즐거운, 유쾌한 (agradable, apacible: vida ~*ra* en el campo 즐거운 전원 생활.
placer[1] (34) *intr.* 기쁘게 하다, 즐겁게 하다, 유쾌하게 하다(agradar, dar gusto): Me *place* escuchar la música 나는 음악 듣기를 좋아한다. Me *place* verte saludable 당신이 건강한 것을 보니 기쁘다. Puedes hacer lo que te *place* 네가 좋아하는 것을 해도 좋다. Me *place* mucho que te acuerdes de mí 네가 나를 기억하고 있으니 무척 기쁘다.
placer[2] *m.* ① 기쁨, 즐거움: ~ de la labor 노동의 즐거움. ~ de la poesía 시의 즐거움. ~*es* de la vida 생의 기쁨. Es un ~ trabajar contigo 너와 함께 일할 수 있어서 기쁘다. ② 만족 ③ 의지, 뜻, 심중. ④ 오락, 여흥, 위안, 심심풀이, 기분 전환: viaje de ~ 행락, 관광 목적의 여행. ⑤ 쾌락: buscar los ~*es* carnales 육체적 쾌락을 추구하다. ¶***a*** ~ ㉮ 아주 기꺼이(con todo gusto); 아주 만족스레(a toda satisfacción); 아무런 방해도 지장도 없이. ㉯ *rur.* *Ar.* 천천히(despacio).
placer[3] *m.* ① 사주(砂洲), 모래톱. ② 사금상(砂金床), 사금광(砂金鑛). ③ (아메리카 해안의) 진주패(眞主貝) 채취장. ④ *Cuba.* 황무지, (한 도시 안·근교에 있는) 미개간지.
placero, ra *adj.* ① 광장의[에 관한], ② 시장의[에 관한]. ③ 시장[광장] 같은. ④ 시장[광장]에서 상품과 먹을거리를 파는. ⑤ 광장[시장]을 잡담하면서 돌아다니는. —*m.f.* ① 시장[광장] 상인. ② 광장[시장]을 잡담하면서 돌아다니는 게으름뱅이.
plácet *m.* *lat.* 찬성, 승인.
plácidamente *adv.* 평온하게, 조용하게, 온화하게, 차분하게.
placidez *f.* 평온함, 조용함, 온화함, 차분함.
plácido, da *adj.* 평온한, 조용한, 온화한, 차분한: carácter ~ 온화한 성격. niño ~ 온순한[얌전한] 아이.
plácito *m.* =**parecer, dictamen, sentido.**
plafón *m.* ① (방의 천장 중앙 부분의) 램프 장식. ② 천장 등[램프]. ③ (처마 굽도리 아래의) 장식판.
plaga[1] *f.* ① (한 지방 전체에 미치는) 재앙, 재액(災厄), 자연 재해, 천재지변. ② (작물의) 역병, 해충. ③ 불행, 귀찮은 일, 성가신 일. ④ (해를 주는·불쾌한) 대량의 것, 떼: una ~ de langostas 구름 같은 메뚜기 떼.

plaga² *f.* 방위, 방향; 지평선의 점.

plagado, da *adj.* 상처 입은, 벌을 받은.

plagar (8) *tr.* [+de] (나쁜 것으로) 가득 채우다: *Han plagado* los cines *de* películas pornográficas 영화관에는 외설 영화가 판을 치고 있다[범람하고 있다]. ~**se** [+de] (…로) 채워지다: La cocina *se plagó de* cucarachas 주방은 바퀴벌레의 소굴이 되었다.

plagiado, da *adj.* 유괴된, 인질로 잡힌(secuestrado). —*m.f.* 인질로 잡힌 사람, 유괴된 사람.

plagiador, ra *adj. Amér.* 유괴하는, 인질로 잡은. —*m.f. Amér.* 유괴자, 유괴범, 인질범.

plagiar (11) *tr.* ① (남의 작품을 자기의 것처럼) 베끼다, 표절하다, 도작(盜作)하다, 도용하다. ② *Amér.* (몸값을 벌기 위해, 누구를) 유괴하다, 인질로 잡다(secuestrar).

plagiario, ria *adj.* (남의 작품을) 베끼는, 표절하는, 도작하는, 도용하는. —*m.f.* ① 표절자, 도용인. ② 유괴자, 유괴범, 유괴자, 인질범.

plagio *m.* ① 표절, 도작(盜作), 도용. ② *Amér.* 유괴, 인질.

plagioclasa *f.* [광물] 사장석(斜長石).

plaguicida *adj.* 농약의. —*m.* 농약.

plan *m.* ① 높이; 수준(nivel). ② 계획, 안(案), 플랜, 예정; 기획: ~ de acción 행동 계획. ~ de estudios 연구 계획, 커리큘럼. ~ de vuelos 비행 계획. ~ maestro 기본 계획. 마스터플랜. tener un buen ~ 좋은 계획이 있다. trazar [hacer] el ~ para las vacaciones de verano [invierno] 여름[겨울] 방학[휴가]의 계획을 세우다. Mi ~ es recorrer toda la América Latina 내 계획은 전 라틴 아메리카를 일주하는 것이다. ③ 식이 요법, 다이어트(dieta): El ~ que siguió fue muy severo 계속되는 다이어트는 매우 엄했다. ④ 행동, 목적. ⑤ 일시적 연애 관계. ⑥ 일시적 연애 관계 대상[상대]. ⑦ 도면, 설계도, 평면도. ⑧ 지도(地圖). ⑨ 광상(鑛床). ¶*a todo* ~ 충분히 대처해서, 아주 잘(a lo grande). *no ser* ~ algo (무엇이) 적당하지 않다, 만족스럽지 못하다: *No es* ~ trabajar tantas horas diarias 매일 그렇게 많은 시간을 일하는 것은 적당하지 못하다.

plana¹ *f.* 흙손(llana).

plana² *f.* ☞plano.

plancha *f.* ① (주로, 금속의) 판: ~ de blindaje 장갑판. ~ de cobre 동판. ~ de hierro 철판. ② 다리미: ~ de carbón 숯 다리미. ~ de vapor 증기 다리미. ~ eléctrica 전기 다리미. ③ 다리미질: día de ~ 다리미질하는 날. habitación de ~ 다리미질하는 방. ④ 다리미질한 옷[빨래]. ⑤ [인쇄] 판(版); 판목(板木). ⑥ [요리] 철판, 그릴. ¶*a la* ~ 뜨거운 철판 위에 구운[볶은]: carne a la ~ 철판구이 고기.

planchada *f.* ① 널판자 둘러치기. ② 선창.

planchado, da *adj.* ① 다리미질된. ② *Chile, Cuba, Perú.* 일전 한푼 없는, 빈털터리의. —*m.* ① 다리미질: Mañana es día de ~ 내일은 다리미질하는 날이다. ② [집합] 다리미질할 옷, 다리미질된 옷.

planchador, ra *m.f.* ① 다리미질하는 사람. ② 다리미질이 직업인 사람.

planchar *tr.* ① (…을) 다리다, (…에) 다리미질하다. ② (옷의) 주름을 없애다. ③ 반질반질하게 하다. ④ *Cuba.* (…와) 애정 관계를 끊다. ⑤ *Cuba.* (…를) 팀의 일에서 제외시키다[해고하다]. ⑥ *Cuba.* (제안을 부적당하다고 생각해) 거절하다. ⑦ *Salv.* (남자가, …와) 성관계를 가지다. —*intr. Cuba.* 맨발로 걷다.

planchazo *m.* 실수(desacierto).

plancton *m.* [생물] 플랑크톤.

planctónico, ca *adj.* [생물] 플랑크톤의[에 관한].

planeación *f. Méj.* =planeamiento.

planeador *m.* 글라이더, 활공기.

planeadora *f.* 고속 모터보트.

planeamiento *m.* ① 입안(立案), 구상, 계획. ② 활공(滑空). ③ 활수.

planear *tr.* ① (…의) 계획을 수립하다: ~ el itinerario 여정(旅程)을 세우다. ② 계획하다: Ella *planeaba* irse de vacaciones de verano a Barcelona 그녀는 여름 휴가[방학]에 바르셀로나에 가기로 계획했다. —*intr.* ① (새가) 날개를 움직이지 않고 날다. ② (비행기가) 활공하다. ③ 활수하다.

planeo *m.* ① (새가) 날개를 움직이지 않고 낢. ② [항공] 활공.

planeta *m.* ① [천문] 유성(遊星). ② [천문] 혹성(惑星), 행성(行星): ~ pequeño 소혹성. ~ rojo [속칭] 화성(火星). nuestro ~ 지구. ③ 위성(衛星)(satélite). —*f.* (천주교 신부의) 제의(祭衣)(casulla)의 일종. ¶ ~ *exterior* [천문] =planeta superior. ~ *inferior,* ~ *interior* [천문] 내혹성(內惑星). ~ *secundario* =planeta ③. ~ *superior* [천문] 외혹성(外惑星) ((예 Marte)).

planetario, ria *adj.* planeta의[에 관한]. —*m.* 플라네타륨, 천문관; 성좌투영기(星座投影機).

planetícola *m.f.* (지구 이외의, 가상적인) 유성에 사는 사람, 우주인, 화성인.

planetoide *m.* =asteroide.

planetología *f.* 혹성학(惑星學).

planicie *f.* 대평원, 평야.

planificación *f.* 계획(화): ~ a largo plazo, ~ de largo alcance 장기 계획. ~ de la familia, ~ familiar 가족 계획. ~ de ventas 판매 계획. ~ urbana 도시 계획.

planificado, da *adj.* 계획화(計劃化)된: economía *~da* 계획 경제.

planificador, ra *adj.* ① 입안하는, 계획하는. ② 계획화의[에 관한]. *—m.f.* 입안자.

planificar (7) *tr.* ① 계획을 세우다. ② 계획하다. ③ 계획화하다.

planilla *f.* ① *Amér.* 결제, 청산. ② *Amér.* 급료 지불 대장. ③ *Amér.* (관공서에 제출하는) 신청서. ④ *Méj.* (선거에서) 입후보자의 명단. ⑤ *Méj.* 표(billete).

planimetría *f.* 면적 측정.

planímetro *m.* 면적계(面積計), 측면기(側面器).

planisferio *m.* ① 평면 지구도(平面地球圖), 평면 천구도(平面天球圖), 평면 구형도(平面球形圖). ② [천문] 성좌 조견도(星座早見圖).

plano, na *adj.* ① 반반한, 납작한. ② 평면(plano)의[에 관한]: espejo ~ 평면 거울, 평면경(平面鏡). *—m.* ① 평면, 면: ~ de cola [항공] 수평 꼬리 날개. ~*s* paralelos [수학] 평행 평면. ② 도면(圖面): ~ del edificio 건물의 도면. ③ (시가의) 지도: ~ acotado 등고선. dibujar [trazar] el ~ de la ciudad 시가도를 그리다. ④ (문제 등의) 면, 측면: estudiar desde el ~ teórico 이론적 측면에서 검토하다. ⑤ [미술·연극] 경(景): ~ de fondo, último ~ 원경, 배경. ⑥ [영화] 한 화면, 쇼트; 촬영 거리. ⑦ 높이: Estas capas están trazadas [situadas] en un mismo ~ 이 지층들은 같은 높이에 있다. ⑧ 지위, 신분: ser de un ~ social inferior 신분이 낮다. Ella y yo estamos en un ~ social diferente 그녀와 나는 사회적 지위[신분]가 다르다. ⑨ (칼의) 옆면. ¶ ~ ***corto*** [영화·텔레비전] 클로즈업. ~ ***general*** [영화·텔레비전] 원사(遠寫). ~ ***horizontal*** 수평면. ~ ***inclinado*** 사면(斜面), 경사면. ~ ***largo*** [영화·텔레비전] 원사(遠寫). ~ **vertical** 수직면. ***primer*** ~ 클로즈업; 전경(前景): en el *primer* ~ 클로즈업으로; 전경에. ***segundo*** ~ 후경(後景). ***dar de*** ~ (칼 등의) 옆면으로 치다. ***de*** ~ ㉮ 완전히, 분명히, 명명백백히. ㉯ (태양 등이) 정면으로, 수직으로: caer *de* ~ 푹 쓰러지다. El sol daba *de* ~ sobre las murallas 태양이 성벽을 정면으로 비치고 있었다. ㉰ 냉담하게, 단호히, 딱 잘라: rechazar *de* ~ un proyecto 계획을 단호히[냉담하게] 거절하다.

planta *f.* ① 식물, 초목 (㉥ *animal*): ~ de adorno 관엽 식물. Las ~*s* y los árboles de este jardín están bien cuidados 이 정원의 초목은 잘 손질이 되어 있다. ② (나무에 대해) 풀, 초본. ③ 층(piso): primera ~ 2층. casa de una sola ~ 단층집. ④ (건물 등의) 평면도, 배치도: ~ de la casa 집의 설계도. ⑤ 플랜트, 공장, 제조 공장; 기계 장치; 기계 한 벌; (생산) 시설, 설비 ((기계류·건물·부지(敷地) 등도 포함)): ~ productora de máquina 기계 제조 공장. ~ siderúrgica 제철소. ⑥ 발바닥. ⑦ 실행 방법[계획]. ⑧ (사람의) 외모, 풍채. ⑨ (직원의) 배치; 직원 명단; [집합] 직원. ⑩ 발전소. ⑪ [플라멩고] 발 동작[위치]. ¶ ~ ***baja*** (건물의) 일층, 아래층(piso bajo del edificio): Mi oficina está en la ~ *baja* 내 사무실은 건물의 아래층에 있다. ***de ~, de nueva ~*** 다시, 새로(de nuevo); 기초 (공사)부터(desde los cimientos); 땅바닥 높이로(a ras del suelo); 땅바닥에서 약간 더 올라온 높이로(a ras de poco elevado sobre el suelo): hacer *de* ~ [*de nueva* ~] un edificio 건물을 다시 짓다, 건물을 대대적으로 보수하다. construir la casa *de* ~ 집을 신축하다. ***echar ~s*** 겁을 주다, 위협하다. ***fijar*** alguien ***las ~s*** (누가) 확고한 생각[의견]을 가지다, 계획을 굳히다.

plantación *f.* ① 나무 심기, 식수(植樹). ② (단일 재배의 대규모) 농원: ~ de café 커피 농원. ③ (단일 재배의 대규모) 재배지.

plantado, da *adj.* ① 심어진: campo ~ de cebada [trigo] 보리[밀]가 심어진 밭. ② 서 있는: Un hombre se quedó ~ a la puerta 한 남자가 출입구에 서 있었다. ¶ ***bien*** ~ 외모[체격]가 좋은.

plantador, ra *adj.* 심는, 식수하는. *—m.f.* ① 나무를 심는 사람, 식수자. ② *Arg.* [드묾] (대규모의) 농장주. *—m.* (원예가들이 사용하는) 작은 심는 기계.

plantar[1] *tr.* ① (식물을) 심다: ~ un rosal en el patio 뜰에 장미를 심다. ② [+de] (…을) 이식하다: ~ el solar de árboles frutales 공지(空地)에 과수를 이식하다. ③ (어떤 장소에) 놓다: ~ la silla delante de la mesa 의자를 책상 앞에 놓다. ④ 똑바로 세우다: ~ un poste de la luz 가로 등을 세우다. ⑤ (커튼 등을) 펼치다. ⑥ (누구를 뜻에 반해서 어느 곳에) 세우다, 넣다: ~ en la calle 길에 세우다. ~ en la cárcel 감옥에 넣다. ⑦ (타격을) 가하다. ⑧ (모욕을) 하다. ⑨ (누구를) 몰아내다, 쫓아내다. ⑩ (연인 등을) 버

리다: ~ a *su* novia por una mujer rica 부유한 여자 때문에 애인을 버리다. ~ el trabajo para irse a una expedición 탐험을 가기 위해 직장을 버리다. ⑪ 약속을 어기다: La estuve esperando durante dos horas y me *plantó* 나는 그녀를 두 시간 동안 기다렸으나 그녀는 오지 않았다. **~se** ① 꼼짝하지 않고 서 있다: *~se* ante *su* jefe 상사 앞에 꼼짝하지 않고 서 있다. ② 저항하다. ③ 고집하다. ④ (곧) 도착하다: En una hora *nos plantamos* en Seúl 한 시간 만에 우리는 서울에 도착했다. ⑤ (의복 등을) 몸에 걸치다, 차려 입다: *~se* un sombrero 모자를 머리에 쓰다. ⑥ [트럼프] 손에 든 패를 바꾸지 않다.

plantar² *adj.* [해부] 발바닥(planta del pie)의[에 관한].

plantario *m.* 모판, 묘상(苗床), 못자리(semillero, almáciga).

plante *m.* 취업 거부, 스트라이크. ¶ *dar un* ~ =**dar un plantón.**

planteamiento *m.* 입안(立案); 문제 제기.

plantear *tr.* ① (문제 등을) 제기하다, 제출하다: ~ la discusión 의제(議題)를 제출하다. ② (문제 등을) 일으키다, 야기시키다. ③ 계획하다, 착수하다. ④ 현실화하다. ⑤ 완수하다. **~se** ① 숙고하다. ② (문제·가능성 등이) 생기다.

plantel *m.* ① [농업] 모판, 못자리, 묘상. ② (유능한·우수한) 회원, 멤버, 스탭.

planteo *m.* ① =**planteamiento.** ② *Arg., Ur.* 집단 항의.

plantificar (7) *tr.* ① (무엇을, 장소·사람에 무리하게) 넣다, (부적절한 장소에) 놓다. ② 때리다(dar un golpe). ③ (누구를 의사에 반해서 어떤 곳에) 놓다, 넣다. **~se** ① (어디에) 즉시[벼락같이] 나타나다, 즉시 도착하다. ② (기묘한 복장 등을) 몸에 걸치다.

plantígrado, da *adj., m.f.* [동물] 네 발바닥으로 걷는 (동물) ((곰(oso) 등)).

plantilla *f.* ① (구두의) 밑창. ② 깔창. ③ (스타킹·양말 등의) 덧대는 천. ④ (시험의) 정답표. ⑤ [집합] (정규 고용의) 종업원, 정사원, 정직원. ⑥ [집합] 종업원 명부. ⑦ [집합] (부문별) 직장의 개요. ⑧ [집합] 팀. ⑨ 허세, 떵떵거리기, 큰소리치기. ⑩ (실물 크기의) 원형, 지형(紙型). ⑪ (제도용) 곡선자.

plantillar *tr.* (신의) 바닥에 가죽을 대다.

plantillazo *m.* [축구] 난폭하게 상대방의 공을 빼앗기.

plantío, a *adj.* 심어진, 식수된; 심을 수 있는, 조림할[식수할] 수 있는. —*m.* ① 조림, 식수. ② (최근) 조림한 곳, 조림지. ③ [집합] 최근 조림한 식물.

plantón *m.* ① 묘목. ② 이식된 꺾꽂이[나뭇가지]. ③ 벌로 보초 서는 병사. ¶ *dar un* ~ (다른 사람이 기다리고 있는 곳에) 매우 늦게 가다, 가지 않다, 기다리다가 허탕을 치게 만들다.

plántula *f.* (갓 싹이 튼) 어린 나무.

plañir (52) *intr.* ① (큰 소리로) 울다, 대성통곡하다, 흐느껴 울다. ② 탄식하다. **~se** (큰 소리로) 울다, 대성통곡하다, 흐느껴 울다.

plaqué *m. fr.* 금도금, 은도금.

plaqueta *f.* ① (벽·바닥에 붙이는) 타일. ② [해부] 혈소판.

plasma¹ *m.* ① [해부] 혈장, 임파장(淋巴漿), 플라스마. ② [생물] 원형질, 유장(乳漿). ③ [물리] 플라스마.

plasma² *m.* [광물] 암녹색 마노.

plasmación *f.* 구체화(具體化).

plasmar *tr.* (…의) 모양을 만들다, (주로 흙으로) 반죽하다. **~se** 구체화되다.

plasmático, ca *adj.* plasma의.

plasta *f.* ① 반죽(한 것). ② 똥.

plaste *m.* 틈[사이]을 막는 회반죽.

plastecer (31) *tr.* plaste로 막다[채우다·덮다].

plastecido *m.* 틈새 틀어막기.

plastia *f.* [의학] 형성술(形成術).

-plastia *suf.* 「재건(再建)·개조(改造)」의 뜻: rino*plastia* 코 정형 수술. auto*plastia* 자기 성형 (수술).

plástica *f.* ☞**plástico.**

plásticamente *adv.* ① 유연하게. ② 조형적으로.

plasticidad *f.* ① 가소성(可塑性). ② 유연성. ③ 풍부한 표현성.

plástico, ca *adj.* ① 플라스틱 (제)의, 합성 수지의: caja *~ca* 플라스틱 상자. materiales *~s* 플라스틱 재(材). ② 가소적(可塑的)인, 유연한. ③ (기술이) 생생한, 구체적인. ④ 조형의: artes *~cas* 조형 예술. imagen *~ca* 소상(塑像). —*m.* ① 플라스틱, 합성 수지: cubo de ~ 플라스틱 물통. ② 플라스틱 제품. ③ 플라스틱 폭탄(bomba de ~). ④ 레코드. —*f.* 조형술. ¶ ***cirugía ~ca*** [의학] 성형 외과, 성형 외과 수술. ***dinero de*** ~ 크레디트 카드(tarjeta de crédito).

plastificación *f.* =**plastificado.**

plastificado *m.* ① 가소화(可塑化). ② 플라스틱 가공[씌우기].

plastificante *m.* 가소제(可塑劑).

plastificar (7) *tr.* ① 가소화(可塑化)하다. ② 플라스틱 가공하다, 플라스틱[비닐]으로 씌우다. ③ (신분증 등을) 플리스틱으로 씌우다.

plastilina *f.* 색점토(色黏土).

plata *f.* ① [광물] 은: ~ alemana 양은. ~ baja 질이 나쁜 은. ~ de ley 법정 순은. anillo de ~ 은반지.

patrón de ~ [경제] 은본위. ② 은돈, 은화(銀貨)(moneda de ~): pagar en ~ 은화로 지불하다. No tengo ~ 나는 은화가 없다. ③ [집합] 은그릇, 은제품(~ laborada). ④ (경기의) 은메달. ⑤ (일반적으로) 돈(dinero), 부(riqueza): llenarse de ~ 큰 부자가 되다. Ella tiene mucha ~ 그녀는 돈이 많다. —*adj.* 은색의(plateado) ¶ ~ ***córnea*** 각은광(角銀鑛). ***bodas de*** ~ 은혼식. ***como una*** ~ 깨끗한, 반짝반짝 빛나는. ***en*** ~ ㉮ 간단히; 단도직입으로. ㉯ 결국.

plataforma *f.* ① 대(臺), 단(壇), 높은 곳: ~ de lanzamiento (로켓 등의) 발사대. ~ espacial 우주 정거장. ② (열차·버스의) 승강장, 플랫폼(andén). ③ 대륙붕. ④ (목적 달성을 위한) 발판. ⑤ [집합] (정당·조합 등의) 강령, 정강(政綱), 주의, 기본 방침: ~ electoral 선거 강령. ~ reivindicativa (노동 조합의) 요구. ⑥ 조직 모체, 조직화 단체. ⑦ (나무·코르크 등의) 대(臺) 모양의 구두 밑바닥: zapato de ~ (나무·코르크제(製)의) 바닥이 두꺼운 구두. ¶ ~ ***continental*** 대륙붕. ~ ***petrolífera*** 해양 석유 굴착 장치.

platal *m.* 막대한 금액.

platanal[1] *m.* =platanar.

platanal[2] *m. Ecuad.* 큰 돈(의 양).

platanar *m.* 바나나 밭.

platanero, ra *adj.* ① 바나나의[에 관한]. ② *Cuba, PRico.* 온화하지만 바나나나무를 넘어뜨릴 정도로 센: viento ~ 온화하지만 바나나나무를 넘어뜨릴 정도로 센 바람. —*m.* ① [식물] 바나나나무(plátano, banano). ② 바나나 재배자; 바나나 장수. —*f.* ① [식물] 바나나나무(plátano, banano). ② =platanar.

plátano *m.* ① [식물] 바나나나무. ② [식물] 플라타너스. ③ [과실] 바나나. ¶***estar*** alguien ***más pelado que un*** ~ *Cuba.* (누가) 경제적으로 나쁜[어려운] 상황을 보내다. ***no comer*** ~ ***por no botar la cáscara*** *Perú.* 인색하다.

platea *f.* (오페라 극장·영화관의) 무대 정면 바닥에 바둑판 모양으로 간지른 관람석.

plateado, da *adj.* 은색의. —*m.* 은도금(銀鍍金).

plateador, ra *adj.* 은도금(銀鍍金)하는. —*m.f.* 은도금공(銀鍍金工).

platear *tr.* ① (…에) 은을 입히다, 은도금하다, 은색으로 만들다. ② *Nic.* 물건을 사고팔다.

platería *f.* ① 은세공술. ② 은세공업. ③ 은세공사 작업장. ④ 금은방(金銀房), 보석상(寶石商). ⑤ 금은방 거리, 금은방가(街).

platero ra *adj.* 은회색 털의 (당나귀). —*m.f.* ① 은세공사. ② 보석상(寶石商). ¶***Platero y yo*** [문학] 은세공사와 나 ((Juan Ramón Jiménez 작)).

plática *f.* ① =**conversación.** ② 설교(說敎).

platicar (7) *tr., intr.* ① =**conversar.** ② (계약 등을 위해) 교섭하다.

platija *f.* [어류] 가자미류.

platillero, ra *m.f.* 심벌즈 연주자.

platillo *m.* ① 작은 접시. ② 접시 비슷한 것. ③ (홍차 잔 같은 것의) 받침 접시. ④ 저울 접시. ⑤ 원반. ⑥ 화제, 화제거리. ⑦ *pl.* [악기] 심벌즈. ⑧ *Méj.* 요리(plato). ¶ ~ ***volador,*** ~ ***volante*** 비행 접시.

platina *f.* ① (현미경의) 슬라이드 글라스. ② (배기종의) 반. ③ [인쇄] 조판대.

platinado *m.* 백금 도금.

platinar *tr.* 백금 도금하다.

platinífero, ra *adj.* 백금을 함유한.

platinista *m.* 백금 세공사.

platino *m.* ① [화학] 백금, 플라티나 : anillo de ~ 백금 반지. ② [자동차] 차단기 접점.

plato *m.* ① 접시: servir la carne en el ~ 접시에 고기를 내오다. ② (접시에 수북이 담은) 요리: ~ sabroso 맛있는 요리. ((참고: 중남미에서, 요리는 주로 comida, guiso를 사용함)). ③ 부양(扶養): dar a alguien ~ y cama (…에게) 침식을 제공하다. ④ 접시 모양의 물건. ⑤ (저울의) 접시. ⑥ 화제, 이야깃거리. ⑦ 레코드 플레이어의 회전반. ⑧ [사격] 클레이, 표적 접시: tiro al ~ 클레이 사격. ⑨ [야구] 본루(本壘), 홈 베이스, 홈 플레이트. ¶ ~ ***del día*** (식당·카페테리아에서, 한 주의 매일 제공하는) 정식. ~ ***hondo*** 수프용 접시. ~ ***llano*** 납작하고 얇은 접시. ~ ***pando*** *Col.* =**plato llano.** ~ ***playo*** *Arg., Par.* =**plato llano.** ~ ***sopero*** =**plato hondo.** ~ ***tendido*** *Méj.* =**plato llano.** ~ ***trinchero*** ㉮ 음식을 썰어 나누기 위해 내놓는 접시. ㉯ =**plato llano.** ***comer en un mismo*** ~ dos o más personas (두 사람 이상이) 한솥밥을 먹다, 친한 사이다, 아주 사이가 좋다. ***hacer el*** ~ a alguien (누구를) 부양하다(mantener); (누구에게) 먹을 것을 주다, (누구를) 먹여 주다(dar de comer). ***no haber quebrado [roto]*** alguien ***un*** ~ 한 번도 실수한 적이 없다, 접시 하나 깬 적이 없다. ***ser*** ~ ***del gusto*** (사람·물건이) 호감이 가다, 마음에 들다.

plató *m. fr.* [영화·텔레비전] (스튜디오의) 무대.

platónicamente *adv.* 이상적으로, 관념적으로, 비현실적으로, 정직하게.

platónico, ca *adj.* ① 사심을 버리고, 공평하게, 이해 관계 없이, 정직하게; 이상적인, 관념적인, 비현실적인. ② 플라톤 학파[철학]를 지지하는. ③ 플라톤 학파[철학]의[에 관한]. —*m.f.* 플라톤 학파의 사람.

platonismo *m.* 플라톤 철학.

playa *f.* ① 해변, 강변, 모래사장: traje de ~ 해수욕복. ir (a bañarse) a la ~ 해수욕하러 가다. pasar las vacaciones en la ~ 휴가를 해변에서 보내다. Vamos a dar un paseo por la ~ 해변[강변]에 산책갑시다. ② 해안. ③ 해수욕장: ~*s* andaluces 안달루시아 지방의 해수욕장. ④ *Arg., Bol., Par., Perú, Ur.* (수송 관계 등에 사용되는) 넓은 공간: ~ de estacionamiento 주차장. ~ de juegos 운동장. ~ de maniobras [철도] 조차장(操車場).

playado, da *adj.* 해변이 있는 (강·바다).

playazo *m.* 크고 널찍한 해변[강변].

playero, ra *adj.* 해변[강변]의[에 관한]; 해변[강변]용의: vestido ~ 해수욕복. —*m.f.* 해변에서 물고기를 날라다 파는 사람. —*m.* ① *Arg.* 해변 담당 인부. ② *Cuba.* (어린이용 가슴받이와 멜빵이 달린) 짧은 바지. —*f.* ① (여름용 고무 바닥을 댄) 즈크화. ② [주로 *pl.*] 쁠라예라 ((안달루시아의 민요)). ③ *Méj.* 소매가 짧고 목이 없는 셔츠, 티셔츠.

playo, ya *adj. Arg., Par., Ur.* 납작하고 얕은. ¶*plato* ~ =plato llano. ☞plato.

plaza *f.* ① 광장: ~ circular 로터리. ~ de aparcamiento, ~ de garaje 주차장. *Plaza* de España 스페인 광장. En el centro de la ~ hay una fuente 광장의 한가운데 분수가 있다. ② (식료품의) 시장(mercado). ③ 자리, 좌석; 스페이스: ~ libre 공석(空席), 빈자리. El avión tiene 350 ~*s* 비행기는 350인석이다. ④ 직, 지위: ⑤ 투우장. ⑥ [군사] 요새. ⑦ [상업문] 지역, 지구, 시(市): nuestro representante en la ~ 당사의 지역 대리점. ⑧ [주로 *Amér.*] 시장(市場). ¶ ~ ***de abastos*** 시장(mercado). ~ ***de armas*** [군사] 연병장. ~ ***de toros*** 투우장. ~ ***fuerte*** =plaza de armas. ~ ***mayor*** 대광장, 중앙 광장. ~ ***montada*** [군사] 기마병, 기마 장교. ***asentar*** ~ =**sentar plaza.** ***atacar bien la*** ~ 많이 먹다. ***sentar*** ~ 군에 지원하다.

plazo *m.* ① 기한, 기간: fijar un ~ 기한을 정하다. poner el ~ 기간을 두다. prorrogar el ~ 기한을 연장하다. dar un ~ de ocho días para + *inf.* …하는 기간을 1주일 주다. Se ha terminado [Ha expirado] el ~ 기한이 끝났다. Hay quince días de ~ para terminar la obra 공사를 끝내기 위해서는 기간은 2주간이다. ② (분할불의) 지불, 분할불, 월부금: a [en] ~*s* 분할불로, 나누어서. Me quedan dos ~*s* 나는 대부금 지불이 두 번 남았다. ¶***a (muy) corto*** ~ ㉮ *adv.* 단기로: La solución es, *a corto* ~, imposible 해결은 단기로는 불가능하다. ㉯ *adj.* 단기의. ***a (muy) largo*** ~ ㉮ *adv.* 장기로: *A largo* ~, su decisión le ocasionó la ruina 장기적으로는 그의 결정은 그에게 몰락을 야기시켰다. ㉯ *adj.* 장기의. ***a medio*** ~ ㉮ 중기(中期)로: Esperemos que *a medio* ~ la empresa comience a ser rentable 중기적으로 회사가 이문이 나기 시작하리라는 것을 기대해 봅시다. ㉯ *adj.* 중기의. ***a*** ~ ***fijo*** 정기적으로, 정기 예금으로: Tengo el dinero *a* ~ *fijo* 나는 그 돈을 정기 예금으로 가지고 있다. ***en tres ~s*** 3회불로, 3회 분할로, 세 번에 나누어.

plazoleta *f.* (공원 등의 안에 있는) 작은 광장.

plazuela *f. Ecuad.* 악당, 망나니.

pleamar *f.* 만조(滿潮); 만조 때.

plebe *f.* ① 최하층 계급. ② (고대 로마에서) 천민. ③ (과거에는) 평민, 서민.

plebeyo, ya *adj.* ① 최하층 계급의[에 속한]. ② 평민의, 서민의, 귀족이 아닌. ③ (고대 로마에서) 천민의. —*m.f.* ① 평민, 서민. ② (고대 로마에서) 천민.

plebiscitar *tr.* 국민 투표에 붙이다.

plebiscitario, ria *adj.* plebiscito의[에 관한].

plebiscito *m.* 국민 투표, 주민 투표: someter *algo* a ~ (…을) 국민 투표에 붙이다.

pleca *f.* [컴퓨터] 괘선, 테두리 틀.

plegable *adj.* 접고 펼 수 있는: cama ~ 접는 침대. silla ~ 접의자.

plegadera *f.* 종이 자르는 칼.

plegadizo, za *adj.* 접기 쉬운, 쉽게 접을 수 있는.

plegado, da *adj.* 주름이 있는. —*m.* 접기.

plegador, ra *adj.* 접는. —*m.f.* 접는 사람, 접지공. —*m.* 접지기(摺紙機).

plegadura *f.* ① 접기. ② 주름.

plegamiento *m.* [지질] 습곡(褶曲).

plegar (8) (19) *tr.* ① (…에) 주름을 잡다[내다·넣다]: ~ una falda 치마[스커트]에 주름을 넣다. ② (천·종이 등을) 접다: ~ una camisa 와이셔츠를 접다. ~ una servilleta 냅킨을 접다. ~ una silla 의자를 접다. ③ [인쇄] 접지하다. ~**se** ① 주름이 생기다. ② 굴복하다, 항복하다 (doblarse, someterse). ③ 양보하다.

plegaria *f.* ① 기도, 기원. ② (모든 신자가 기도하도록 교회의 종이) 정오를 알리는 신호.

pleiteador, ra *adj., m.f.* ① 소송을 건 (사람). ② 소송하기를 좋아하는

(사람).

pleitear *tr.* 소송을 걸다, 소송을 제기하다.

pleitesía *f.* 경의, 존경.

pleitista *adj., m.f.* 사소한 일로 소송을 거는, 소송을 좋아하는 (사람).

pleito *m.* ① 소송: dar el ~ por concluso 결심(結審)하다. ganar el ~ 승소하다. perder el ~ 패소하다. poner ~ a *alguien*, entablar ~ contra *alguien* (…에 대해) 소송을 제기하다. ② 분쟁. ③ (가정·개인의) 싸움, 다툼, 불화: armar un ~ 불화를 일으키다, 싸움을 걸다. ¶ ~ ***civil*** 민사 소송. ~ ***criminal*** 형사 소송. ~ ***homenaje*** (왕·영주에게) 신하로서의[충성을 표시하는] 맹세

plena *f.* ☞**pleno.**

plenamar *f.* =**pleamar.**

plenamente *adv.* 가득히, 완전히, 충분히.

plenariamente *adv.* ① 완전히, 전부. ② [법률] 법률로 정해진 형식을 생략하지 않고, 완전한 재판으로.

plenario, ria *adj.* ① 완전한, 충분한. ② 전원의, 전부의: sesión *~ria* 전원 회의, 총회. —*m.* 총회(pleno).

plenilunio *m.* 보름달, 만월(滿月).

plenipotencia *f.* 전권(全權): dar ~ a un embajador 대사에게 전권을 주다.

plenipotenciario, ria *adj.* 전권의, 전권을 위임받은, 전권을 가진. —*m.f.* 전권 사절, 전권 위원. ¶***ministro*** ~ 전권 공사.

plenitud *f.* ① 완전함. ② 절정, 절정기: Estás en la ~ de la vida 너는 인생의 절정기에 있다. ¶ ~ ***de los tiempos*** 예수 그리스도의 현현(顯現) 시기.

pleno, na *adj.* ① 완전한(completo): ~ empleo 완전 고용. *~s* poderes 전권(全權). poner la máquina en ~ funcionamiento 기계를 완전 가동하다. ② 가득한(lleno). ③ 최고의, 절정기의, 한창 때의(culminante): Juan está en *~s* exámenes 후안은 한창 시험 중이다. Era ~ verano [invierno] 한여름[한겨울]이었다. ④ (어떤 것의) 중심부의, 중앙의(de la parte central): La bala le hirió en ~ pecho 총알이 그의 가슴 한복판에 상처를 입혔다. ⑤ *Ecuad.* =**estupendo.** —*m.* ① 총회(reunión o junta general). ② (공인 도박 경기에서) 모든 성적의 적중. —*f. PRico.* 아프리카 카리브 리듬의 노래와 춤. ¶***en*** ~ 완전한, 전원의, 전체의: dimitir *en* ~ 총사직하다. Se retiró el equipo *en* ~ 팀 전원이 퇴장했다.

plétora *f.* ① 과잉. ② [의학] 다혈(증), 혈액 과다[과도].

pletórico, ca *adj.* ① 과잉의. ② [의학] 다혈(증의).

pleura *f.* [해부] 흉막(胸膜).

pleural *adj.* [해부] 흉막의[에 관한].

pleuresía *f.* [의학] 흉막염, 늑막염. ¶ ~ ***falsa*** [의학] =**pleurodinia.**

pleurítico, ca *adj.* ① [의학] 흉막염에 걸린. ② 흉막염의[에 관한]. —*m.f.* 흉막염 환자.

pleuritis *f.* [의학] =**pleuresía.**

pleurodinia *f.* [의학] 흉막통, 측흉통(側胸痛).

pliego *m.* ① (접은) 종이; 용지. ② 봉서(封書); (봉함된) 문서. ③ (어떤 종류의) 서류. ④ [인쇄] 접책(摺冊).

pliegue *m.* ① (종이·옷의) 주름, 구김살. ② *pl.* 주름, 구김살: *~s* de una cortina 커튼의 주름. ③ 접은 금[자국]. ④ (팔꿈치·무릎 등) 팔다리의 굽은 곳. ⑤ [지질] 습곡.

plinto *m.* [건축] 주춧돌, (기둥의) 사각 대좌(四角臺座).

plioceno, na *adj.* [지질] 선신세(鮮新世)의. —*m.* [지질] 선신세.

plisar *tr.* (가는) 주름을 잡다: falda *plisada* 주름 치마, 주름 스커트.

plomada *f.* ① (직업인들이 사용하는) 연필. ② [집합] (그물을 가라앉히기 위해 끝에 단) 추, 봉돌. ③ [선박] 측연(測鉛).

plomería *f.* ① 연판 지붕. ② 납 보관소. ③ 납 제품 제작자의 공장. ④ *Arg., Cuba, Méj.* (가스·수도의) 배관. ⑤ Ven. (가스·수도의) 배관 시설[장치].

plomero, ra *m.f.* ① 납 제품 제작자. ② *And., Amér.* (가스·수도 등의) 배관공(fontanero).

plomífero, ra *adj.* 납을 함유한.

plomizo, za *adj.* ① 납을 함유한. ② 납빛의: cielo ~ 납빛 하늘. ③ 납 같은.

plomo *m.* ① [화학] 납, 연(鉛). ② (낚싯줄 등의) 추, 봉돌, 낚싯봉. ③ 퓨즈(fusible). ④ 무료한[심심하고 따분한] 사람[물건]: Este libro es un ~ 이 책은 따분하다. ⑤ [속어] 총알, 탄환, 총탄.

pluma *f.* ① (조류의) 깃, 깃털: almohada de ~(*s*) 깃털 베개. colchón de ~(*s*) 깃털 이불. sombrero con *~s* 깃털 장식 모자. ② 펜, 펜촉: a ~ 펜으로 쓴. dibujo a ~ 펜화(畵). escribir con una ~ 펜으로 쓰다. tomar la ~ 펜을 잡다, 쓰기 시작하다. ③ =**pluma estilográfica.** ④ [주로 *Amér.*] 볼펜. ⑤ 서체(書體): Su ~ es fácil [difícil] de leer 그의 서체는 읽기가 쉽다[어렵다]. ⑥ 문체(文體), 작풍(作風): ~ ágil 경쾌한 문체. ⑦ 작가(作家): Fue la mejor ~ de la época 그는 당대 제일의 작가였다. ⑧ 작가의 직업. ⑨ 깃털 장식. ⑩ 인조 깃털. ⑪ (크레인의) 팔. ⑫ 방귀(pedo, ventosidad). ⑬ (남자가) 여성적임(afeminamiento). ⑭ *Col.,*

E Cuba, Pan., PRico. =**grifo.** ⑮ *Méj., Salv.* =**calumnia.** ¶ ~ ***atómica*** *Méj.* 볼펜(bolígrafo). ~ ***estilográfica*** 만년필. ~ ***fuente*** *Amér.* =**pluma estilográfica.** ~ ***viva*** (늘 푹신푹신함을 유지하기 때문에, 베개·이불 등에 넣기 위해) 살아 있는 새에서 뽑은 깃털. ***al correr de la ~, a vuela ~*** 재빨리, 단숨에, 영감으로, 붓 가는 대로, 생각도 하지 않고, 주저도 노력도 없이: escribir *al correr de la ~* 단숨에 쓰다. componer *a vuela ~* 영감으로[단숨에] 작곡[작사]하다.

plumado, da *adj.* 깃(털)이 난. —*f.* ① 일필(一筆), 짧은 것 쓰기. ② (단번에 쓰는) 장식 문자.

plumafuente *f. Amér.* 만년필.

plumaje *m.* [집합] 깃털; 깃털 장식.

plumazo *m.* ① 큰 깃털 이불[베개]. ② 갈겨쓰기.

plúmbeo, a *adj.* ① 납의. ② 납처럼 무거운.

plúmbico, ca *adj.* [화학] 납의[에 관한].

plumeado *m.* [미술] (세밀화에서 자주 사용하는) 펜으로 만들어진 선.

plumear *tr.* ① [미술] 연필이나 펜으로 선을 만들다. ② 펜으로 쓰다.

plumero *m.* ① 깃털 빗자루. ② 깃털 장식 잔[상자]. ③ 도가머리, 관모(冠毛). ¶ ***vérsele*** a alguien ***el ~*** 본심[생각]을 털어놓다, 본심[생각]이 보이다: *Se* te *ve el ~* 네가 생각하고 있는 것이[네 본심이] 얼굴에 쓰여 있다.

plumier *m. fr.* 필통, 필갑.

plumífero, ra *adj.* [시어] 깃이 있는. —*m.f.* ① 문필가, 신문 기자. ② [경멸] 사이비 문필가. —*m.* 깃털 든 비옷.

plumilla *f.* ① [식물] 떡잎. ② 펜촉.

plumín *m.* (만년필의) 펜촉.

plumión *m.* =**plumón** ①.

plumista *m.* ① 대서사(代書士). ② 깃털 제품 제조자[장수].

plumón *m.* ① (새의) 솜털. ② 솜털 이불. ③ *Salv.* =**rotulador.**

plumoso, sa *adj.* 깃털이 있는, 깃털이 많은.

plúmula *f.* [식물] 떡잎.

plural *adj.* ① 다양한(múltiple): José alardeaba de su ~ conocimiento en el campo de las ciencias 호세는 과학 분야에서 그의 다양한 지식을 과시했다. ② [문법] 복수(형)의: sustantivo ~ 복수 명사. primera [segunda · tercera] persona (del) ~ 1[2·3]인칭 복수. —*m.* [문법] 복수(형)(número ~): poner un adjetivo en ~ 형용사를 복수형으로 하다. usarse en ~ 복수형으로 사용되다. ¶ ~ ***de modestia*** 겸양(謙讓)의 복수 ((㊞ Decíamos un poco antes que … 조금 전에도 제가 …라 말씀 드렸습니다)).

pluralidad *f.* ① 다수, 다양함: ~ de opiniones 의견의 다양함. ② 다원성, 복수성. ¶ ***a ~ de votos*** 절대 다수로, 과반수를 얻어, 다수결에 의해(por mayoría).

pluralismo *m.* 다원론, 다원성.

pluralista *adj.* 다원론의, 다원성의, 다원적인: democracia ~ 다원적 민주주의. sociedad ~ (여러 인종으로 된) 복합 사회.

pluralizar (9) *tr.* ① 복수화하다, 배가하다. ② [문법] 복수형으로 하다.

pluri- *pref.*「다수」의 뜻: *pluri*empleo 겸임. *pluri*lingüe 여러 언어를 말하는.

plurianual *adj.* ① 여러 해 계속되는. ② 여러 해 영향을 미치는.

pluricelular *adj.* [생물] 다세포의.

pluridimensional *adj.* 다면(多面)의.

pluriempleado, da *m.f.* 겸직자(兼職者), 겸임자(兼任者).

pluriempleo *m.* 겸임, 겸직: acabar con el ~ 겸직을 잃다.

plurilingüe *adj.* ① 여러 언어를 말하는. ② 여러 언어로 쓰인.

plurilingüismo *m* (한 나라·영토에) 여러 언어의 공존.

plurimembre *adj.* 여러 부분[요소]으로 이루어진.

plurinacional *adj.* 여러 국가의, 다국적의.

pluripartidismo *m.* [정치] 다당제.

pluripartidista *adj.* 다당제의[에 관한]. —*m.f.* 다당제 지지자.

plurivalencia *f.* 다면적 가치; 사용 목적의 다양성.

plurivalente *adj.* 가치가 다면적인; 용도가 넓은.

plus *m.* ① (기본급 이외의) 수당, 할증 임금: ~ de hijos 가족 수당. ~ de peligrosidad 위험 수당. ② 초과 요금.

pluscuamperfecto *m.* [문법] 과거 완료(pretérito ~).

plusmarca *f.* [운동] (최고) 기록.

plusmarquista *m.f.* 기록 보유자.

plus minusve *adv. lat.* =**más o menos.**

plus ultra *adv. lat.* 저쪽에.

plusvalía *f.* ① (물가의) 앙등, 등귀, 상승: ~ de los terrenos 땅값[지가(地價)]의 상승. ② [경제] 잉여 가치; 자본 이득. ③ 부동산의 매매 이득세.

plutocracia *f.* ① 금권 정치, 금권 지배. ② (정치를 움직이는) 부호 계급, 재벌.

plutócrata *m.f.* ① 금권 정치가. ② 부호(富豪).

plutocrático, ca *adj.* 금권 정치의[에 관한].

Plutón *m.* ① [희랍·로마 신화] 풀루토 ((하계(下界)(Hades)의 왕)). ② [천문] 명왕성.

plutoniano, na *adj.* =**plutónico.**
plutónico, ca *adj.* [지질] 화성(火成)[심성(沈成)]의; 지각 화성론의: roca ~*ca* 심성암(深成巖). teoría ~*ca* 지각 화성론.
plutonio *m.* [화학] 플루토늄.
plutonismo *m.* [지질] 심성론(沈成論), 화성론(火成論).
plutonista *adj.* [지질] plutonismo를 지지하는. —*m.f.* 심성[화성]론자.
pluvia *f.* [시어] 비(lluvia).
pluvial *adj.* ① 비의. ② [지질] 강우(降雨) 작용에 의한: regímenes ~*es* 강우에 의한 하천의 유량(流量) 변화. —*m.* [새] 댕기물떼새. ¶ *agua* ~ 빗물. ***capa*** ~ 승려의 예복의 일종.
pluvímetro *m.* =**pluviómetro.**
pluviometría *f.* [기상] 우량학.
pluviométrico, ca *adj.* 우량계의[에 관한].
pluviómetro *m.* 우량계(雨量計).
pluviosidad *f* 강수량(降水量), 우량.
pluvioso, sa *adj.* [시어] 비가 많은 (llovioso). —*m.* 비의 달 ((프랑스 공화력의 다섯 번째 달; 1월 20일부터 2월 18일까지)).
pluvisilva *f.* 열대 다우림.
PM *m.f.* policía militar 헌병.
p.m. post meridiem 오후.
PMM *m.* parque móvil de ministerios [집합] 정부 공용차.
pmo. próximo 다음의, 내(來)….
p.n. peso neto 정미 중량(正味重量).
PNB *m.* producto nacional bruto 국민 총생산, GNP.
P.N.D. *m.* personal no docente 사무직원.
pneuma *m.* [철학] (스토아 철학에서) 영(靈), 정신.
PNN *m.f.* *P*rofesor *N*o *N*umerario 시간 강사.
PNUD *m.* Programa de las Naciones Unidas para el Desarrollo 유엔 개발 계획.
PNV *m.* Partido Nacionalista Vasco 바스크 민족주의당.
Po polonio 폴로늄.
P°. Paseo …로(路).
p.o. por orden 주문[지시]에 의해.
poblacho *m.* ① [경멸] 한촌(寒村), 빈촌(貧村). ② [고어] 하층민(gente baja), 천민(plebe).
población *f.* ① 식민(植民), 입식(入植). ② [집합] 주민, 시민. ③ 거주 지역, 취락(聚落), 촌락(村落); 촌, 마을. ④ 인구: ~ agrícola 농업 인구. ~ de derecho 상주 인구. baja de la ~ 인구 감소. crecimiento de la ~ 인구 증가. ⑤ [통계] 모집단(母集團). ⑥ [생태학] (어떤 지역 안의) 개체군(個體群), 개체수(個體數).
poblado, da *adj.* (사람・동물이) 살고 있는; 초목이 나 있는: casa ~*da* de ratas 쥐들이 살고 있는 집. hombre de ~*da* barba 수염이 짙은 남자. jardín ~ de rosas 장미가 심어진 정원. zona muy ~*da* 인구 밀집 지역. —*m.* 시, 읍, 마을, 촌락, 집단촌, 장소: ~ de indios 인디오 집단촌.
poblador, ra *adj.* ① 거주하는. ② 식민지[마을]를 세운. —*m.f.* ① 주민. ② 식민지 건설자, 마을 건설자.
poblamiento *m.* ① 식민, 입식. ② 정착화.
poblano[1], **na** *adj.* *Amér.* 마을의, 시골의. —*m.f.* 시골 사람, 촌사람.
poblano[2], **na** *adj.* ① 뿌에블라(Puebla, 멕시코의 주・주도) 태생의. ② 뿌에블라의[에 관한]. —*m.f.* 뿌에블라 사람.
poblar (24) *tr.* ① (…에) 마을[식민지]을 세우다. ② 식민하다, 입식하다, 사람을 살게 하다. ③ (어떤 곳에, 생물・초목・물고기・벌레 등을) 넣다, 서식시키다, 이식시키다: ~ *de* pinos el monte 산에 소나무를 이식시키다. ~ el río *de* peces 강에 물고기를 방류하다. ④ 번식시키다, 무성하게 하다. —*intr.* 마을을 만들다. ~**se** ① (인구 등이) 불어나다, 증가되다: ~*se de* gente 사람이 많이 들어가다. El valle *se pobló* rápidamente 계곡은 급속히 인구가 증가되었다. ② (나무・가지・잎이) 무성하다, 번식하다, 뻗어 퍼지다.
pobre *adj.* ① 가난한, 빈곤(貧困)한: labrador ~ 가난한 농부. Ella es muy ~ 그녀는 무척 가난하다. ② 빈약한, 넉넉하지 못한: lengua ~ de palabras 어휘의 수가 적은 언어. ③ [명사 앞에서] 가련한, 불쌍한, 가엾은, 안쓰러운: ~ mujer 가엾은 여인. ~ hombre 가엾은 남자. —*m.f.* ① 가난한 사람. ② 가엾은[가련한] 사람. ③ 불쌍한[가엾은] 사람.
pobremente *adv.* 가난하게; 불쌍하게, 가엾게.
pobrería *f.* [집합] 가난한 사람들.
pobrete, ta *adj., m.f.* ① 불행한 (사람). ② 쓸모없는 (사람).
pobretear *intr.* 가난한 사람처럼 행동하다.
pobretería *f.* ① [집합] 가난한 사람들. ② 빈궁, 가난. ③ 인색(함).
pobretón, na *adj., m.f.* 매우 가난한 (사람).
pobreza *f.* ① 가난, 빈곤, 빈핍: vivir en ~ 가난하게 살다. ② 결핍, 부족: ~ de espíritu 정신의 빈곤; 마음의 청빈. ~ de inteligencia 지성의 부족. ¶***Pobreza no es vileza*** (속담) 가난은 죄가 아니다, 가난은 수치가 아니다. ***La ~ carece de muchas cosas; la avaricia de todas*** (속담) 욕심은 한이 없다, 가난은 많은 것이 부족

하지만 욕심은 모든 것이 부족하다. *¿Qué mayor riqueza que vivir contento en la ~?* 가난에 만족하는 자는 멋진 (마음의) 부자다.

pocero, ra *m.f.* ① 우물 파는 업자. ② 우물 청소 업자.

pocha *f.* ☞pocho.

pocho, cha *adj.* ① 퇴색한. ② (특히, 과일이) 썩은, 썩기 시작한: tomate ~ 썩은[썩기 시작한] 토마토. ③ 여윈, 건강이 나쁜. ④ 아주 좋은, 훌륭한. ⑤ *Méj.* 미국 문화에 물든. —*m.f. Méj.* 미국 문화에 물든 멕시코 사람. —*f. P.Vasco, Ar., Nav., Rioja.* 조생종 흰 강낭콩.

pocilga *f.* ① 돼지우리. ② 악취가 나는 곳, 더러운 곳: Esta habitación está hecha una ~ 이 방은 쓰레기통이나 마찬가지다. Esta casa es una verdadera ~ 이 집은 돼지우리나 마찬가지다.

pócima *f.* ① (식물을) 달인 약. ② 약 음료. ③ 마시기에 좋지 않은 액체.

poción *f.* 마실 것, 음료; 마시는 약.

poco, ca *adj.* ① [부정적으로] 얼마 안 되는, 극히 적은: En la botella quedó ~ vino 병에 포도주가 얼마 남아 있지 않다. ② [unos+] (수적으로) 조금의, 적은: Unos ~*s* alumnos están ausentes 결석한 학생은 적다. —*pron.* 얼마 안 되는 사람[물건]. —*adv.* ① [짧은 시간을 나타내서] 조금: Tardó ~ en llegar 그는 얼마 되지 않아 도착했다. ② [비교의 관념에서] 조금: ~ antes 조금 전에. ~ después 조금 뒤에. ~ más 조금 더. ~ menos 조금 덜. ③ [거의 부정적인 뜻으로] 거의 … 않다: Avanzaba muy ~ 거의 진척되지 않았다. ¶ ~ ***a*** ~ ㉮ 조금씩, 천천히, 서서히, 느리게(despacio, con lentitud). ㉯ 양을 적게. ***un*** ~ 조금, 약간: Ella está *un* ~ sucia 그녀는 약간 더럽다.

poda *f.* ① 가지치기, 전정(剪定). ② 가지치는 시기, 전정기(剪定期).

podada *f. Méj.* 가지치기, 전정.

podadera *f.* 가지치기용 가위.

podador, ra *adj., m.f.* 가지치는 (사람), 전정하는 (사람).

podal *adj.* 발(pie)의[에 관한].

podar *tr.* ① 가지치다, 전정하다, 전지하다: ~ los árboles del jardín 정원의 나무들을 가지치기하다. ② (불필요하거나 부정적으로 생각하기 때문에, 어떤 것에서 어떤 부분을) 제거하다(eliminar): *Podó* la biografía de datos superfluos 그는 쓸데없는 자료를 자서전에서 없앴다.

poder[1] *tr.* ① [능력] …할 수 있다: ¿Sabe usted conducir? −Sí, yo sé, pero hoy no *puedo* 운전할 줄 아십니까? −예, 압니다. 그러나 오늘은 할 수 없습니다. *Puedo* nadar 나는 헤엄칠 수 있다. El hombre *puede* hablar 인간은 말할 수 있다. ② [가능성] …하는 일이 있다, …할지도 모른다: Una persona culta *puede* cometer un delito 교양인도 죄를 범할 수 있다. *Puede* estallar la guerra 전쟁이 일어날지도 모른다. ③ [허가] ㉮ …해도 좋다: ¿Se *puede*? 들어가도 좋습니까? ¿Se *puede* usar este teléfono? 이 전화를 써도 좋습니까? ㉯ [부정문일 때] …해서는 안 된다: Aquí no *puedes* patinar 여기서는 스케이트를 타서는 안 된다. ④ …보다 힘이 있다: Tú eres más alto que yo, pero yo te *puedo* 너는 나보다 키가 크지만 나는 너보다 힘이 세다. ~**se** (사람들은) …할 수 있다: No *se puede* entrar sin permiso 무단 출입을 금함.

poder[2] *m.* ① 힘, 능력, 역량: ~ adquisitivo 구매력. ~ de reflexión 사고력. Ella tiene ~ para ayudarte 그녀는 너를 도울 만한 힘이 있다. ② 영향력, 지배력. ③ (지배적·허락된) 능력, 권력, 권한, 권능: ejercer el ~ 권력을 행사하다. obtener el ~ 권력을 잡다. ④ 소유, 소지(所持). ⑤ [주로 *pl.*] 위임(장), 대리권. ¶ ~ ***ejecutivo*** 행정권(行政權). ~ ***judicial*** 사법권. ~ ***legislativo*** 입법권. ***de*** ~ ***a*** ~ 대등하게: La lucha fue *de* ~ *a* ~ 싸움은 대등했다[엇비슷했다]. ***hacer un*** ~ 노력하다. ***por*** ~ 대리로, 대신으로 사람을 내세워: casarse *por* ~ 대리 결혼을 하다. votar *por* ~ 대리 투표를 하다. ***Querer es*** ~ (속담) 정신일도 하사불성(精神一到何事不成), 뜻이 있는 곳에 길이 있다.

poderdante *m.f.* [법률] 위임자, 위탁자.

poderhabiente *m.f.* ① [법률] 대리인. ② [법률] (법인의) 대표자.

poderío *m.* ① 힘, 세력, 권력: ~ en los mares 제해권(制海權). ejercer su ~ 권력을 행사하다. ② 재산, 부(富), 부귀. ③ =**potestad, facultad, jurisdicción.** ④ =**vigor, facultad.**

poderosamente *adv.* 힘으로, 힘차게, 강력하게.

poderoso, sa *adj.* ① 힘있는, 권력이 있는: nación ~*sa* 강대국. ② 유력한; 강력한, 강대한: máquina ~*sa* 강력한 기계. ③ 효력이 강한; 효능이 있는, 잘 듣는: calmante ~ 잘 듣는 진통제. ④ (이유 등이) 확고한: Ellos tienen motivos ~*s* para no venir aquí 그들은 이 곳에 오지 못할 확고한 동기가 있다. ⑤ 재력(財力)이 있는, 부유한. —*m.f.* 힘있는 사람, 권력자, 유력자.

podiátra *m. Amér.* =**podólogo.**

podio *m* ① 시상대, 표창대. ② [음악] 지휘대. ③ [건축] 열주 대석(列

柱臺石). ④ 대(臺), 단(壇): ~ de salida [수영] 출발대.
pódium *m.* =podio ①.
podo- *pref.*「발(足)(pie)」의 뜻: *po-dólogo* 발병 전문가.
-podo *suf.*「발(足)(pie)」의 뜻: mi-rió*podo* 다족류(多足類).
podología *f.* [의학] 발병학, 발병 치료(학).
podólogo, ga *mf.* 발병 전문가, 발병 치료 의사.
podómetro *m.* 만보계, 보도계.
podrón *m.* 대형 전정 가위.
podredumbre *f.* ① 썩은 것, 부패: olor a ~ 썩은 냄새. ② (인간·사회의) 부패, 타락: ~ del mundo político 정치계의 부패.
podredura *f.* (물건의) 부패.
podrición *f.* =**podredura.**
podridero *m.* (물건의) 썩는 장소.
podrido, da *adj.* 썩은, 부패된: pera *~da* 썩은 배. repollo ~ 썩은 배추. político ~ 부패 정치가. frecuentar un ambiente ~ 풍기 문란한 장소에 출입하다[드나들다]. El gobierno está ~ 정부는 부패되어 있다. ¶ ***estar ~ de*** (돈·재산이) 남아 돌아가다, 쌔고 쌨다, 썩을 정도로 많다, 너무 많아 주체를 못하다: Ellos *están ~s de* dinero 그들은 돈이 많아 주체를 못 한다.
podrir *tr.* =**pudrir.** ((참고: 동사 원형 podrir과 과거 분사 podrido만 쓰이고, 이 밖에는 pudrir를 쓴다)).
poema *m.* ① (보통, 한 편의) 시(詩): componer un ~ 시를 쓰다[짓다]. recitar un ~ 시를 낭송하다. ((참고: poema는 개개의 작품으로서의 시, poesía는 장르로서의 시)). ② (전통적으로, 어떤 범위에서의) 시(작품): ~ épico 서사시(敍事詩). ~ dramático 극시. ~ heroica 영웅 서사시. ~ lírico 서정시. ③ 서사시(~ épico). ¶~ ***en prosa*** 산문시. ~ ***sinfónico*** [음악] 고향시. ***ser*** algo ***(todo) un*** ~ (무엇이) 현실과 동떨어져 있다, 놀랄 일이다: El vestido de la novia *era todo un* ~ 신부의 드레스는 현실에서 동떨어졌다[놀라 자빠질 지경이었다].
poemario *m.* 시집(詩集).
poemático, ca *adj.* ① 시의[에 관한]. ② 서정시[서사시]의 성격을 띤.
poesía *f.* ① 시문(詩文). ② (문학 장르로서의) 시(詩): ~ épica 서사시. ~ lírica 서정시. ~ romántica 극시. ③ 서정시(~ lírica). ④ 시작(詩作). ⑤ (한 시대·나라·시인의) 시: ~ española contemporánea 현대 스페인의 시. ⑥ (한 시대·나라·시인의) 시집. ⑦ 시풍(詩風). ⑧ (한 편의) 시: leer una ~ de Machado 마차도의 시를 읽다[낭송하다]. ⑨ 시정(詩情), 시취(詩趣): Este paisaje tiene mucha ~ 이 풍경은 시정이 넘쳐 나온다.
poeta *mf.* 시인(詩人): El ~ nace, pero no se hace 시인은 태어나는 것이지 만들어지는 것이 아니다.
poetastro *m.* 엉터리 시인(詩人).
poética *f.* ① 작시법(作詩法). ② 시학(詩學). ③ 시론(詩論), 시에 대한 논문, 시(詩) 전문 서적: En la biblioteca hay una colección de ~*s* 도서관에는 시론에 대한 수집이 잘 되어 있다.
poéticamente *adv.* 시로(con poesía), 시적으로(de manera poética).
poético, ca *adj.* ① 시의[에 관한]: arte ~ 시법. obra *~ca* 시작품. ② 시적(詩的)인. ③ 시정(詩情)이 풍부한[넘치는]: *~ca* música 시정이 넘치는 곡.
poetisa *f.* 여류 시인.
poetización *f.* 시작(詩作).
poetizar (9) *tr.* (무엇을) 시로 하다, 시적으로 표현하다, 시의 매력으로 미화시키다. —*intr.* 시작(詩作)하다.
pogromo *m.* [*pl.* ~s] (피압박 소수 민족에 대한) 학살; (제정 러시아 시대의) 유대인 학살.
poíno *m.* (술창고의) 술통받이.
poiquilotermia *f.* [동물] (기온의 변화로) 체온 조절 불능
poiquilotérmico, ca *adj.* ① [동물] 기온에 따라 체온을 바꾸는, 변온(성)의. ② 냉혈 동물의. —*mf.* ① 변온 동물. ② 냉혈 동물.
poiquilotermo, ma *adj., mf.* = **poiquilotérmico.**
polaca *f.* ☞**polaco.**
polaco, ca *adj.* ① 폴란드 태생의. ② 폴란드의[에 관한]. —*mf.* 폴란드 사람. —*m.* ① 폴란드 말. ② *Cuba, CRica.* 행상, (특히, 시골 지방을 돌아다니는) 옷장수. ③ *CRica.* 유태인(hebreo, judío). —*f.* (몇몇 군 계급에서 입었던) 군복.
polaina *f.* 각반(脚絆).
polar *adj.* 극지(極地)의[에 관한]: regiones *~es* 극지.
polaridad *f.* [물리] 극성(極性).
polarímetro *m.* 편광계(偏光計).
polariscopio *m.* 편광기(偏光器).
polarización *f.* ① 집중. ② 분극(分極). ③ 편광(偏光).
polarizador, ra *adj.* 편광(偏光)시키는: filtro ~ 편광 필터.
polarizar (9) *tr.* ① (주의 등을) 집중시키다, 자신에게 집중시키다: ~ sus esfuerzos en + *inf.* …하는 데 노력을 집중시키다. ~ la mirada de todos 모든 사람의 시선을 한 몸에 모으다. ② 극성을 갖게 하다, 분극하다; 편광시키다. **~se** ① 집중되다. ② 극성을 얻다, 편광되다.
polca *f.* ① 폴카 ((폴란드의 무용)). ② 폴카곡(曲). ¶***año de la*** ~ 옛날옛적, 아득한 옛날, 호랑이 담배 먹을 적(época remota).

pólder *m.* [*pl.* ~s] 간척지(干拓地).
polea *f.* 도르래, 활차(滑車). ¶ ~ ***fija*** 고정 도르래. ~ ***movible*** 움직 도르래.
poleadas *f.pl.* 밀가루 죽(gachas).
polémico, ca *adj.* ① 논쟁[논전]의[에 관한]. ② 논쟁을 일으키는: artículo ~ 물의를 일으킨 기사. obra ~*ca* 문제작. —*f.* (잡지 등에 의한) 논전(論戰), 논쟁(論爭). ¶ ***zona ~ca*** 군사 시설 지대.
polemista *m.f.* ① 논전자. ② 논객.
polemizar (9) *tr.* 논쟁하다.
polen *m.* [식물] [집합] 꽃가루.
poli-[1] *pref.* 「다수(pluralidad)·풍부(abundancia)」의 뜻: *poli*fásico 다면(多面)의. *poli*morfo 모양이 다양한. *poli*uria 오줌량 과다.
poli-[2] *pref.* 「도시(ciudad)」의 뜻.
poliandria *f.* ① 일부다처(一夫多妻). ② [식물] 다수술.
poliarquía *f.* 다두 정치(多頭政治).
poliárquico, ca *adj.* 다두 정치의.
polibán *m.* 좌욕용 욕조.
pólice *m.* =**dedo pulgar.**
polichinela *f.* (인형극의) 어릿광대.
policía *f.* 경찰: ~ de tráfico 교통 경찰, 고속 도로 순찰대. ~ militar 헌병. ~ municipal (주로 교통 정리를 담당하는) 시 경찰, 지방 자치 단체의 경찰. ~ nacional 내무부 관할의 도시 치안 담당 경찰, 국가 경찰. avisar a la ~ 경찰에 알리다[통보하다]. llamar a la ~ 경찰을 부르다. ((참고: 스페인의 경찰은 세 종류가 있다: policía nacional, guardia civil, policía municipal)). —*m.f.* 경찰관 ((여자 경찰관은 mujer ~ 도 있음)): Ahí viene el ~ 저기 경찰관이 온다. Voy a buscar al ~ 내가 경찰관을 부르러 가겠다. ¶ ~ ***acostado*** *m. Col.* 과속 방지턱. ~ ***gubernativa*** *f.* 정부의 정책을 집행하는 경찰, 공공 질서 유지 경찰, 치안 경찰. ~ ***judicial*** *f.* 재판관[법원]의 명령을 집행하는 경찰, 사법 경찰. ~ ***secreta*** *f.* 사복 형사. ~ ***urbana*** *f.* 도시 경찰.
policiaco, ca *adj.* =**policíaco.**
policíaco, ca *adj.* ① 경찰의[에 관한]: estado ~ 경찰 국가. investigaciones ~*cas* 경찰 수사. ② (문학·영화 작품의 주제가) 범인을 수색하는, 형사물의, 탐정(물)의: novela ~*ca* 추리 소설, 탐정 소설.
policial *adj.* 경찰의[에 관한].
policlínica *f.* (개인) 종합 병원.
policopia *f.* 복사기.
policopiador *adj., m. Bol.* =**multicopista.**
policopista *adj., m.f. Bol.* =**multicopista.**
policromar *tr.* 다색 장식하다.
policromía *f.* 다색 장식.
policromo, ma *adj.* =**polícromo.**
polícromo, ma *adj.* 다색(多色)의, 다색 채색의, 다색 인쇄의: imagen ~*ma* 다색상(多色像).
policultivo *m.* (각종 작물의) 동시 재배.
polideportivo, va *adj.* 종합 운동장의, 스포츠 센터의. —*m.* 종합 운동장, 스포츠 센터.
poliédrico, ca *adj.* [기하] 다면체의.
poliedro *m.* [기하] 다면체(多面體): ~ regular 정다면체.
polielectrólito *m.* [화학] 고분자 전해질.
poliéster *m.* [화학] 폴리에스텔.
poliestireno *m.* [화학] 폴리스틸렌.
polietileno *m.* [화학] 폴리에틸렌.
polifacético, ca *adj.* ① 다면적인: estudio ~ 다면적인 연구. ② 다재한, 다재다능(多才多能)한: artista ~ 다재다능한 예술가, 다방면에서 활동하는 예술가.
polifagia *f.* 잡식(雜食); 대식(大食).
polífago, ga *adj.* ① 잡식(雜食)의. ② 대식(大食)의.
polifásico, ca *adj.* [전기] 다상(多相)의: corriente ~*ca* 다상 교류.
polifonía *f.* [음악] 대위법(對位法).
polifónico, ca *adj.* [음악] 대위법의[에 관한].
poligamia *f.* ① [동물] 다혼성(多婚性). ② 일부다처(제).
poligámico, ca *adj.* poligamia의[에 관한].
polígamo, ma *adj.* ① 다혼(多婚)의. ② 일부다처(제)의. —*m.f.* 일부다처주의자.
poligenismo *m.* 인류 다원 발생설.
poligenista *m.f.* 인류 다원 발생설주의자.
poliginia *f.* 일부다처(一夫多妻).
políglota *f.* ☞**polígloto.**
poliglotía *f.* 수 개 국어에 능통함.
poliglotismo *m.* 수 개 국어 통달.
poligloto, ta *adj., m.f.* =**polígloto.**
polígloto, ta *adj.* ① 여러 나라말로[수 개 국어로] 쓰여진: diccionario ~ 여러 나라말로 쓰인 사전. ② 여러 나라말에[수 개 국어에] 능통한. ((참고: 남성으로 políglota를 쓸 수 있음: 예 un traductor políglota 수 개 국어 번역가)). —*m.f.* 수 개 국어에 능통한 사람, 여러 나라 말을 하는 사람. ((참고: políglota를 남성으로 쓰기도 함: 예 un políglota)).
poligonal *adj.* [기하] 다각형의.
polígono *adj.* [기하] =**poligonal.** —*m.* ① [기하] 다각형, 다변형: ~ esférico 구면 다각형. ~ regular 정다각형. ② (특정 용도의) 지구(地區): ~ de tiro 사격 연습장[훈련장]. ~ industrial 공업 단지. ~ residencial 주택 단지.
poligrafía *f.* 암호 통신법.
polígrafo, fa *m.f.* 암호 통신자.
polilla *f.* ① [곤충] 나방. ② (곤충의)

유충. ③ 남의 험담을 하고 다니는 행동. ④ *Cuba.* 매우 부지런한 학생. ⑤ *Cuba.* 책을 많이 읽는 사람, 독서가. ⑥ *Perú.* =prostituta. ¶ ***no tener*** alguien ~ ***en la lengua*** (누가) 자기의 느낌을 솔직히 말하다, 하나도 숨김없이 말하다, 거리낌없이 말하다, 털어놓고 말하다.

polimérico, ca *adj.* polímero의.

polimerización *f.* 중합(重合).

polimerizar (9) *tr.* 중합시키다.

polímero *m.* [화학] 중합체(重合體): ~ elevado 고분자.

poli-mili *m.f.* (ETA의) 정치 군사 부문의 일원[멤버].

polimórfico, ca *adj.* =polimorfo.

polimorfismo *m.* ① [생물·화학] 다형성(多形性). ② [결정] 동질 이상.

polimorfo, fa *adj.* ① 다형성의, 다형을 지닌. ② 동질 이상의.

polinesio, sia *adj.* ① 폴리네시아(Polinesia, 남태평양의 여러 섬) 태생의. ② 폴리네시아의[에 관한]. ③ 말레이-폴리네시아 어계(語系)[어군]의. —*m.f.* 폴리네시아 사람. —*m.* 폴리네시아 말.

polineuritis *f.* [의학] 다발성 신경염.

polínico, ca *adj.* 꽃가루의, 화분(花粉)의.

polinización *f.* [식물] 수분(受粉).

polinizar (9) *tr.* 수분시키다.

polinomio *m.* [수학] 다항식: ~ cuadrático 이차 다항식.

polinosis *f.sing.pl.* [의학] 꽃가루병, 화분병(花粉病).

polinuclear *adj.* [물리·생물] 다핵(多核)의.

polio[1] *m.* [식물] =zamarrilla.

polio[2] *f.* [구어] =poliomielitis.

poliomielítico, ca *adj.* ① [의학] 소아마비의[에 관한]. ② [의학] 소아마비에 걸리는, 소아마비에 걸린. —*m.f.* 소아마비 환자.

poliomielitis *f.sing.pl.* 소아마비.

polipétalo, la *adj.* 꽃잎이 많은.

polis *f.sing.pl.* (고대 희랍에서) 도시국가, 폴리스.

polisarcia *f.* [의학] 비만증, 다육성.

polisario *m.* (Frente) Político de Liberación del Sáhara y Río de Oro 폴리사리오 전선 ((서(西)사하라 독립을 목표로 한 게릴라 조직으로 1976년 결성)).

polisemia *f.* ① [언어] 다의(多義) ((하나의 말이 몇 개의 뜻을 가지고 있음)). ② 다의성(多義性).

polisémico, ca *adj.* ① [언어] 다의의[에 관한]. ② [언어] 다의성의.

polisépalo, la *adj.* [식물] 꽃받침이 많은.

polisílabo, ba *adj.* 다음절의. —*m.* 다음절어.

polisíntesis *f.sing.pl.* [언어] 다종합(多綜合) ((문장으로 나타내야 할 내용을 한 낱말로 표현하는 일)).

polisintético, ca *adj.* (언어가) 다종합적인.

polista *m.f.* 폴로 선수. —*adj.* 폴로(polo)의.

politburó *m.* (구 소련 공산당 등의) 정치국(政治局).

politécnico, ca *adj.* 여러 가지 공예의, 과학 기술의: instituto ~ 과학기술 전문 학교. universidad ~*ca* 공과 대학, 공업 대학.

politeísmo *m.* 다신교(多神敎).

politeísta *adj.* ① 다신교의[에 관한]. ② 다신교를 믿는. —*m.f.* 다신교 신자.

política *f.* ☞político.

políticamente *adv.* ① 정치적으로. ② 정책적으로.

politicastro *m.* [경멸] 사이비 정치가, 정상배, 악덕 정치가.

político, ca *adj.* ① 정치의, 정치상의, 정치적인, 정치에 관한: asamblea ~*ca* 정치 집회. derecho ~ 헌법학. lucha ~*ca* 정치 투쟁(政治鬪爭). régimen ~ 정치 체제. ② 예의 바른, 정중한(cortés, urbano). ③ 정부의 일에 간섭하는. ④ 타산적인; 수완이 좋은, 임기응변에 능한. ⑤ 의리(義理)의, 남남끼리 혈족과 같은 관계를 맺는: familia ~*ca* 처가, 처갓집. hermana ~*ca* 처형, 처제, 계수, 제수, 의붓누이. hermano ~ 매형, 매부, 매제, 처남, 시동생, 시숙, 동서, 의붓형제. hija ~*ca* 며느리(nuera). hijo ~ 사위(yerno). madre ~*ca* 장모, 시어머니, 의붓어머니, 양어머니. padre ~ 장인(丈人), 시아버지, 의붓아버지, 양아버지. —*m.f.* ① 정치가. ② 임기응변에 능한 사람, 수완가. —*f.* ① 정치(政治): ~ interior 내정(內政). ~ exterior 외교(diplomacia). hablar de ~ 정치를 논하다, 정치에 대해 이야기하다. ocuparse en ~ 정치에 관계되다. ② 정치학. ③ 정치 활동[운동]. ④ 정책: ~ económica 경제 정책. ~ liberal 자유화 정책. ~ monetaria 금융[통화] 정책. ~ para suprimir la inflación 인플레이션 억제 정책. ~ petrolera 석유 정책. ~ presupuestaria 예산 정책. ⑤ 정강, 정견. ⑥ 책략, 홍정. ⑦ 예의, 예절.

politicón, na *adj., m.f.* ① 지나치게 예의를 갖춘 (사람), 지나치게 점잔을 빼는 (사람). ② 정치에 관심이 많은 (사람), 정치 문제에 지나친 흥미를 가진 (사람), 정치 문제에 열을 올리는 (사람).

politiquear *intr.* ① 정치에 관여하다; 정치를 논하다. ② 정치를 가볍게 다루다. ③ *Amér.* 음모로 정치를 하다.

politiqueo *m.* 쓸모없는 정치 논쟁.

politiquería *f.* =politiqueo.

politiquero, ra *adj., m.f.* 정치를 논하기를 좋아하는 (사람).

politizar (9) *tr.* …에 정치색을 부여하다. ~**se** 정치화하다.
politología *f.* 정치학.
politólogo, ga *m.f.* 정치학자.
politonalidad *f.* [음악] 다조성.
poliuretano *m.* [화학] 폴리우레탄.
poliuria *f.* [의학] 오줌량 과다.
polivalencia *f.* 다목적성.
polivalente *adj.* ① 다목적 (사용)의: satélite ~ 다목적 위성. ② [화학·생화학] 다가(多價)의: vacuna ~ 다가 백신.
polivalvo, va *adj.* 등껍질이 두 개 이상인 (갑각류).
polivinílico, ca *adj.* [화학] polivinilo 의[에 관한].
polivinilo *m.* [화학] 폴리[중합(重合)] 비닐.
póliza *f.* ① 수입 인지: poner una ~ en *algo* (…에) 수입 인지를 붙이다. ② (보험 등의) 증서, 보험 증권 (~ de seguros): ~ de tiempo 정기 보험 (증권).
polizonte *m.* [경멸] 경찰관.
polla *f.* ① [조류] 암평아리. ② (도박의) 판돈(puesta). ③ [천한 말] =**pene.** ④ [구어] 젊은 여자(mujer joven). ⑤ *Amér.* (특히, 경마의) 내기, 거는 돈(apuesta). ⑥ *Amér.* 내기가 빗나가는 경마. ⑦ *Ecuad.* 커닝 페이퍼(chuleta). ⑧ *Salv.* 침, 가래침(esputo). ⑨ *Méj.* 뽀야 ((우유·달걀·계피 및 가끔 술(licor)을 첨가한 음료)). ¶~ ***de agua*** ㉮ [조류] 흰눈썹뜸부기. ㉯ [새] 물닭 ((뜸부깃과의 새)).
pollada *f.* (특히) 한 배의 병아리.
pollacón *m.* ① 큰 수평아리, 영계. ② 겨우 사춘기에 접어든 소년.
pollacona *f.* ① 큰 암평아리, 영계. ② 겨우 사춘기에 접어든 소녀.
pollastre *m.* ① 약간 자란 병아리. ② 교활한[영악한·약은] 소년.
pollastro, tra *m.f.* =**pollastre.**
pollear *intr.* (아이가) 어른스러워지기 시작하다, 점잖아지기 시작하다.
pollera *f.* ☞**pollero.**
pollería *f.* 닭 파는 곳[집·거리].
pollero, ra *m.f.* ① 양계가. ② *Méj.* 서류를 갖추지 못한 노동자들을 미국에 보내는 운반책. —*m* ① 양계장. ② *Salv.* 서류를 갖추지 못한 노동자들을 미국에 보내는 운반책. —*f.* ① 양계장(pollero). ② 병아리 기르는 바구니. ③ (아기용) 보행기(andador). ④ (옛날에 여인들이 허리통 펴는 것 위에 입었던) 스커트(falda). ⑤ *Amér.* (여성의) 겉 스커트(falda exterior). ⑥ *Pan.* 뽀예로 ((호화로운 수가 놓아진 블라우스와 스커트로 구성된 파나마 여인들의 전통 의상)).
pollina *f.* ① 길들지 않은 어린 암당나귀. ② [동물] =**borrica.** ③ 단순하고 무식하고 촌스러운 여자. ④ *PRico.* 이마에 늘어뜨린 앞머리(flequillo). ⑤ [고어] (조류·네발 짐승의) 새끼 (암컷). —*adj.* 단순하고 무식하고 촌스러운.
pollino *m.* ① 길들지 않은 어린 수당나귀. ② [동물] =**asno.** ③ 단순하고 무식하고 촌스러운 남자. ④ *Hond.* 씨당나귀(burro semental). ⑤ [고어] (조류·네 발 짐승의) 새끼 (수컷).
pollito, ta [pollo[1]의 축소사] *m.f.* ① 어린아이. ② 병아리.
pollo[1] *m.* ① (알에서 깐) 병아리, (조류의) 새끼. ② 벌의 새끼(cría de abejas). ③ 영악한[교활한·간교한] 남자(hombre astuto y sagaz). ④ [사냥] 아직 털갈이를 하지 않은 새. ⑤ [고어] (어떤 동물이건 동물의) 새끼. ¶~ ***tomatero*** 튀김용 병아리의 살코기. ***estar*** alguien ***hecho un ~ de agua*** =estar hecho una agua. ☞**agua.** ***sudar como un ~*** 땀을 많이 흘리다(sudar mucho).
pollo[2] *m.* 침, 가래침, 담.
polo[1] *m.* ① (지구 등의) 극(極). ② 극지(極地). ③ 전극(電極). ④ 자극(磁極). ⑤ 대극(對極), 정반대: ser el ~ opuesto 정반대다. ⑥ (관심 등의) 중심, 표적, 대상, 목표: El ~ de atención del pueblo es la asamblea nacional 국민들의 관심의 대상은 국회다. ⑦ 아이스크림 바, 아이스 캔디. ¶***Polo Antártico*** =Polo Sur. ***Polo Artico*** =Polo Norte. ***Polo Austral*** =Polo Sur. ***Polo Boreal*** =Polo Norte. ~ ***industrial*** 공업 지대(工業地帶). ~ ***magnético*** 지자기극(地磁氣極). ~ ***negativo*** 음극(陰極). ***Polo Norte*** 북극: pasar por el *Polo Norte* (비행기가) 북극을 통과하다. ~ ***positivo*** 양극(陽極). ***Polo Sur*** 남극(南極). ***de ~ a ~*** ㉮ *adv.* 끝에서 끝까지. ㉯ *adj.* 양극단의, 정반대의, 큰 차이가 있는.
polo[2] *m.* 뽈로 ((안달루시아의 민속 춤과 노래)).
polo[3] *m.* ① [운동] 폴로 ((네 명이 한 조가 되어 말을 타고 하는 공치기)): ~ acuático 수구(水球). ② 폴로 셔츠 ((스포츠 셔츠)).
polonés, sa *adj.* ① 폴란드(Polonia) 태생의. ② 폴란드의, 폴란드에 관한. —*m.f.* 폴란드 사람. —*f.* ① (여성용) 짧은 외투. ② [음악] 폴란드 춤과 노래 풍을 모방한 작곡.
Polonia *f.* [지명] 폴란드.
polonio *m.* [화학] 폴로늄.
poltrón, na *adj.* 게으른, 나태한. —*f.* =**silla poltrona.**
poltronería *f.* 태만, 나태, 게으름.
poltronizarse *r.* 게을러지다, 나태해지다, 태만해지다.
polución *f.* ① 오염, 공해(公害): ~ atmosférica 대기(大氣) 오염. ~

medioambiental 환경 오염. ② [의학] 유정(遺精), 누정(漏精) ((성행위 없이 무의식중에 정액이 나오는 일; 흔히 몸이 허약할 때 일어남)): ~ nocturna 몽정(夢精).
polucionar *tr.* (환경, 특히 물과 공기를) 오염시키다, 더럽히다.
poluto, ta *adj.* =**sucio, inmundo.**
polvareda *f.* ① (보얗게 피어 오르는) 흙먼지, 사진(沙塵), 모래 섞인 먼지: levantar una gran ~ 흙먼지가 자욱하게 일어나다. ② (뉴스 등이 일으키는) 대소동, 센세이션.
polvera *f.* [화장] 콤팩트.
polvo *m.* ① 먼지: levantar ~ 먼지를 일으키다. limpiar el ~ 먼지를 털다. Se me ha metido ~ en el ojo 내 눈에 먼지가 들어갔다. La habitación se ha llenado de ~ 방이 먼지로 가득하다. ② 가루: ~ cósmico 우주진(宇宙塵). café en ~ 인스턴트 커피. oro en ~ 사금(砂金); 금가루. ③ 미립자. ④ [화장] 분, 가루분(~*s* compactos): ponerse ~ 분을 바르다. ⑤ 한 자밤(의 양): echar un ~ de chile 고추를 한 자밤 넣다. ⑥ [마약 용어로] 헤로인(heroína). ⑦ [속어] 성교(coito): echar un ~ 성교를 하다. ⑧ (메이크업용 여러 가지 색깔의) 화장품. ¶ ***hacerle*** a alguien ~ ㉮ (누구를) 괴멸시키다, (누구를) 입씨름에서 이기다. ㉯ (누구를) 몹시 피곤하게 하다. ㉰ 대소동을 일으키다. ***hacer*** ~ algo (무엇을) 가루로 만들다, 분쇄하다, 완전히 부수다: *hacer* ~ un libro 책을 찍찍 찢다. ***levantar del*** ~ **(*de la tierra*)** (불행한 처지에 있던 사람을) 어떤 지위[직]에 승진시키다. ***sacar del*** ~ a alguien = **levantar del polvo.** ***Aquellos ~s traen estos lodos, De aquellos ~s vienen estos lodos*** (속담) 인과응보(因果應報), 개미구멍으로 공든 탑 무너진다, 사소한 실수가 큰일을 망친다.
pólvora *f.* ① 화약(火藥). ② 불꽃. ¶ ~ ***de algodón*** 면화약(綿火藥).
polvorera *f.* =**polvera.**
polvoriento, ta *adj.* 먼지투성이의, 먼지로 덮인: hombre ~ 먼지투성이의 남자, 먼지를 뒤집어쓴 남자.
polvorín *m.* ① 화약고. ② 가루 화약. ③ 화약 상자.
poma *f.* ① (나무의) 과실. ② [열매] 사과. ③ 향로. ④ 향수병. ⑤ 향수 주머니.
pomada *f.* ① 포마드, 향유(香油): ponerse [aplicarse · echarse] ~ en la mano 손에 포마드를 바르다. ② 연고. ③ *Arg.* 구두약(bétun).
pomar *m.* 과수원; (특히) 사과밭.
pomarada *f.* 사과밭.
pomelo *m.* =**toronja.**
pómez *f.* 경석(輕石)(piedra ~).
pomífero, ra *adj.* [시어] 사과가 열린[달린].
pomo *m.* ① (문·서랍 등의) 손잡이(agarrador, tirador). ② =**poma ④.** ③ (유리·도자기·쇠 제품의) 작은 술병[향수병]. ④ 칼의 손잡이 끝. ⑤ *Mur.* 꽃다발.
pomología *f.* 과실학, 과수 원예학, 과수 재배학; 과실 재배법[재배론].
pomológico, ca *adj.* pomología의[에 관한].
pomologista *m.f.* =**pomólogo, ga.**
pomólogo, ga *m.f.* pomología 전문가(專門家).
pompa[1] *f.* ① 화려한 의식. ② 장려, 호화, 호사; 허영, 허세. ③ 장엄한 행렬: ~*s* fúnebres 장례식. ④ (공작의) 둥그렇게 꼬리 펼치기(rueda). ¶ ***hacer*** ~ ㉮ (나무가) 사방으로 가지를 뻗치다. ㉯ 허세[허식]를 부리다.
pompa[2] *f.* ① 거품. ② (바람을 받을 때) 불룩해지는 스커트[웃옷](fuelle). ③ (물을 올리는) 펌프(bomba). ④ *pl. Méj.* 궁둥이(nalgas). ¶ ~ ***de jabón*** 비누 거품: hacer ~*s de jabón* 비누 거품을 만들다[날리다]. ***hacer*** ~ una mujer (여자가) 바람에 치마[스커트]가 부풀게 하다.
pompático, ca *adj.* =**ostentoso.**
pompear *intr.* ① 으스대다, 우쭐거리다, 뽐내다. ② 수행원을 많이 거느리고 다니다. ③ =**pavonearse.**
pompeyano[1]**, na** *adj.* ① 폼베이(Pompeya, 이탈리아의 고대 도시) 태생의. ② 폼베이의[에 관한]. ③ 폼베이에서 발견된 예술품의. ④ 옛 예술품을 현대적으로 모방해 만들어진. —*m.f.* 폼베이 사람.
pompeyano[2]**, na** *adj.* ① 폼페이우스 대왕(Pompeya el Magno, 로마의 장군·정치가; 기원전 106-48)의[에 관한], 폼페이우스 대왕의 아들의[에 관한]. ② 폼페이우스 대왕과 그 아들을 추종하는 (사람).
pomposamente *adv.* 호화찬란하게, 으리으리하게, 화려하게.
pomposidad *f.* 호화찬란함, 으리으리함, 화려함.
pomposo, sa *adj.* ① 점잔 빼는, 거드름 피우는. ② (말·문체 등이) 젠체하는, 과시하는, 지나치게 화려한. ③ 화려한, 으리으리한, 호화찬란한, 아름다운. ④ 부푼, 둥글게 펼쳐진.
pómulo *m.* ① 광대뼈. ② 광대뼈에 해당되는 얼굴 부분, 얼굴의 윗부분.
pon[1] *m. PRico.* =**autostop.** ¶ ***dar*** ~ *PRico.* 운송편을 제공하다.
pon[2] [poner 동사의 2인칭 단수 긍정 명령] 놓아라.
ponche *m.* [*ing.* punch] 펀치 ((술·물·레몬·설탕을 넣어 만든 음료)).
poncho[1] *m.* ① 폰초, 뽄초 ((남아메리카 원주민이 몸에 걸치고 다니는 모포로 다용도로 쓰임; 비올 때는 비옷으로, 추울 때는 외투로, 야간 여행 때는 이부자리로 사용함)). ② 산악 지방의 가빠의 일종. ③ 군인용 외투.

poncho², cha *adj.* ① 게으른, 나태한, 굼뜬. ② *Ven.* (동물, 특히 새가) 꼬리가 짧은, 꼬리가 잘린. ③ *Ven.* (옷·머리카락이 보통보다) 짧은.

ponderable *adj.* ① 일고(一考)의 가치가 있는, 심사숙고할 만한. ② 무게를 달 수 있는.

ponderación *f.* ① 심사숙고, 심사숙고할 만한 것. ② 과장(誇張). ③ 계량(計量), 무게 달기. ④ (두 무게 사이의) 균형.

ponderamente *adv.* 심사숙고하여, 신중히.

ponderado, da *adj.* 신중한, 사리가 깊은, 생각이 깊은, 심사숙고하는.

ponderador, ra *adj.* ① 과장하는, 격찬하는. ② 무게를 다는. ③ 균형을 잡히게 하는. ④ 신중한, 심사숙고하는. *—m.f.* ① 과장하는 사람, 격찬자. ② 무게를 다는 사람.

ponderar *tr.* ① (무게를) 달다, 재다. ② 심사숙고하다, 신중히 생각하다, 곰곰이 생각하다. ③ =**contrapesar, equilibrar.** ④ 강조하다: ~ la ex-celencia de *alguien* (…의) 우수함을 강조하다. ⑤ [수학] (수치 등을) 조절하다, 가중하다.

ponderativo, va *adj.* ① 과장하는, 격찬하는. ② 과장하는 버릇이 있는.

ponderosamente *adv.* ① 무척 무겁게. ② 심사숙고하여, 신중히.

ponderosidad *f.* ① 무거움, 묵직함. ② 심사숙고, 신중.

ponderoso, sa *adj.* ① 무척 무거운, 무게가 많이 나가는. ② 심사숙고하는, 신중한.

ponedero, ra *adj.* ① 놓을 수 있는, 놓을 준비가 되어 있는. ② (닭·조류가) 알을 낳는, 산란하는. *—m.* ① (조류·닭의) 산란소, 둥지(nidal). ② 닭의 둥지가 있는 곳.

ponedor, ra *adj.* ① 놓는. ② (말이) 뒷다리로 서는. ③ (닭·새가) 알을 낳는, 알을 잘 낳는: gallina *~ra* 알을 잘 낳는 닭. *—m.* 입찰자, 경매자(postor, licitador).

ponencia *f.* ① (회의 등에 제출되는) 보고. ② 연구 발표. ③ 보고자(ponente)의 직. ④ 보고자의 기능. ⑤ 조사 위원회.

ponente *adj.* 조정하는. *—m.f.* ① (조사·연구의) 보고자, 발표자. ② [법률] 선서 진술인. ③ 조정자, 중재자, 심사관, 심사 위원.

poner (61) *tr.* ① ㉮ 놓다, 두다: ~ los platos sobre la mesa 식탁에 접시를 놓다. ㉯ 얹다: ~ la mano sobre la mesa 식탁에 손을 얹다. ② 넣다, 치다(meter): ~ la leche en la nevera 냉장고에 우유를 넣다. ~ azúcar en el café 커피에 설탕을 넣다. ~ sal en la sopa 수프에 소금을 넣다. ~ sal en la carne [el pescado] 고기[생선]에 소금을 치다. ③ (누구에게, 의류 등을) 입히다, 신기다, 끼우다, 씌우다: *Puse* los pantalones a mi sobrino 나는 내 조카에게 바지를 입혔다. ④ (어떤 목적을 위해) 준비하다, 대비하다, 마련하다: ~ la mesa 상을 차리다. ⑤ (거리·소요 시간에 대해) …으로 하다, 계산하다, 세다, 결정하다: De Madrid a Toledo ponen setenta kilómetros 마드리드에서 똘레도까지는 70킬로미터라 한다. ⑥ 생각하다, 추정하다, 추측하다, 상정(想定)하다, …로 하여 두다: *Pongamos* que esto sucedió así 이 일은 그렇게 일어났던 것으로 추정된다. ⑦ 붙이다, 첨가하다(añadir). ⑧ (기계·기구 등을) 움직이다, 작동시키다. ⑨ 써넣다, 쓰다; 쓰여져 있다: ~ la dirección 주소를 쓰다. ~ la carta en español 편지를 스페인어로 쓰다. ⑩ 상연하다, 상영하다. ⑪ 설치하다, 달다: ~ el contador de gas 가스 계량기를 달다. ⑫ 설립하다, 개업하다: ~ una tienda 가게를 개업하다. ⑬ (세금 등을) 부과하다(imponer). ⑭ (조류·닭이, 알을) 낳다. ⑮ (전보·팩스를) 보내다. *—intr.* ① (닭 등이) 알을 낳다: Esta gallina ya no *pone* 이 암탉은 이제 알을 낳지 않는다. ② 도박하다. **~se** ① (어떤) 자세를 취하다: *~se* de pie 일어서다. *~se* al lado de la puerta 문 옆에 서다. ② [형용사가 보어] …으로 되다: *~se* rojo de ira 화가 나서 얼굴이 붉어지다. ③ [+a+*inf.*] …하기 시작하다: *~se a* cantar 노래하기 시작하다. *~se a* llorar 울기 시작하다. *~se a* servir 시중들기 시작하다, 봉사하기 시작하다, 고용되다. *Se pone a* llover [nevar] 비[눈]가 내리기 시작한다. Mi mujer *se puso a* toser 내 아내가 기침을 하기 시작했다. *Me puse a* escribir a mi amigo en España 나는 스페인에 있는 친구에게 편지를 쓰기 시작했다. ④ (의복 등을) 몸에 걸치다, 입다, 신다, 끼다, 쓰다: *~se* el abrigo 외투를 입다. *~se* la falda 스커트를 입다. *~se* la camisa 와이셔츠를 입다. *~se* la blusa 블라우스를 입다. *~se* el sombrero 모자를 쓰다. *~se* los zapatos 구두를 신다. *~se* los guantes 장갑을 끼다. *~se* las gafas 안경을 끼다. *~se* los calcetines 양말을 신다. *~se* las medias 스타킹을 신다. ⑤ [+de] (…의) 투성이가 되다: *~se de* tinta en las manos 손에 잉크투성이가 되다. *Me puse de* barro hasta la cintura 나는 허리까지 진흙투성이가 되었다. ⑥ (해·달이) 지다: *Se* *pone* el sol por el oeste 태양은 서쪽으로 진다. ⑦ (짧은 시간에) 도착하다: *Nos pusimos* en Busan en dos horas 우리는 두 시간만에 부산에 도착했다. ⑧ [+con] (…에) 손을 쓰다, 시작하다: *Me pondré con* el francés 나는 프랑스어에 도전하겠다. ⑨ 전화에 나오다: Llamé a casa, pero no *se puso* nadie 나는 집에 전화를 걸었으나 아무도 받지 않았다. ⑩ 말하다.

póney *m.* [*pl.* ~s] =**poni.**

ponga ☞**poner (61).**

ponga- ☞**poner (61).**

pongo[1] *m. malayo.* [동물] 오랑우탄(orangután)의 일종.

pongo[2] *m.* ① *Bol., Perú.* 인디오 하인. ② *Bol., Perú.* 농장에서 일했던 원주민. ③ *Perú.* (강의) 좁고 위험한 길.

pongo[3] ☞**poner (61).**

poni *m.* 조랑말, 포니.

poniente *adj.* (천체가) 지는. —*m.* ① 서(西), 서쪽(Oeste). ② 서풍(西風)(viento del oeste).

ponte [ponerse의 2인칭 단수 명령형] 입어라, 신어라, 써라, 껴라: *Ponte* los zapatos 구두를 신어라. *Ponte* el sombrero, que hace mucho sol 볕이 뜨거우니 모자를 써라.

pontificado *m.* ① 주교[대주교]의 지위. ② 교황의 재임 기간. ③ 주교[대주교]의 교회 재임 기간.

pontifical *adj.* ① 교황의[에 관한]. ② 주교[대주교]의[에 관한]. —*m.* ① [주로 *pl.*] 주교의 예장(禮裝)[제복(祭服)]. ② 주교 의식서(儀式書). ③ 교구의 부과금. ¶*de* ~ 예복을 입고, 예식 복장을 하고, 주교복 차림으로: estar [ponerse] *de* ~ 예복을 입고 있다[입다].

pontificalmente *adv.* 주교[교황]의 방식대로, 주교[교황]의 권위로.

pontificar (7) *tr.* ① 교황의 자리에 앉다. ② 주교로서 의식을 집행하다. ③ 거드름피우며 말하다.

pontífice *m.* ① 주교(obispo). ② 대주교(arzobispo). ③ 교황(Romano Pontífice, Sumo Pontífice). ④ (고대 로마의) 대신관(大神官).

pontificio, cia *adj.* 교황[주교·대주교]의[에 관한].

ponto *m.* [시어] 바다(mar).

pontón *m.* ① (강을 건너거나 배다리 가설용의) 납작한 너벅선. ② 부잔교(浮棧橋), 부교(浮橋). ③ 배다리, 주교(舟橋). ¶ ~ *flotante* 배다리, 주교(舟橋).

pontonero *m.* [군사] 교량 가설병(橋梁架設兵).

ponzoña *f.* ① (동식물의) 독(毒), 독액(毒液): ~ de la víbora 살모사의 독. ② (정신·사회에) 해로운 것, 유해한 것, 유해물, 해악(害惡), 독: El odio es una ~ 증오는 일종의 독이다.

ponzoñosamente *adv.* ① 독으로, 독을 가지고. ② 유해하게.

ponzoñoso, sa *adj.* ① (자체에) 독이 있는, 유독(有毒)한: agua ~*sa* 독수(毒水), 몸에 좋지 않은 물. ② (정신 건강·좋은 풍습에) 해로운(nocivo): idea ~ 유해한 사상, 좋지 않은 생각. ③ 악의(惡意)가 있는: palabras ~*sas* 악의가 있는 말.

pop *adj.* ① 대중적인, 통속적인: cultura ~ 대중 문화. ② 대중 음악의. —*m.f.* ① 대중 음악가. ② 팝 아트 작가. —*m.* ① 팝스, 팝 뮤직. ② 대중 미술.

popa *f.* 고물, 선미(船尾), 배의 뒷부분. ¶***de* ~ *a proa*** 완전히, 모조리.

popar *tr.* ① 업신여기다, 경멸하다, 멸시하다, 혐오하다. ② 애무하다, 쓰다듬다, 귀여워하다. ③ 부드럽게 대하다. ¶***Quien a su enemigo popa, a sus manos muere*** (속담) 적을 업신여기는 자는 적의 손에 죽는다, 적은 늘 강하다고 생각해야 한다, 적은 늘 위험하기 때문에 적(의 힘)을 업신여겨서는 안 된다.

pope *m.* (그리스 정교회의) 사제.

popelín *m. fr.* =**popelina.**

popelina *f.* [섬유] 포플린.

poplín *m. Arg., Ur.* =**popelina.**

poplíteo, a adj. [해부] 오금(corva)의: arteria ~*a* 오금 동맥. músculo ~ 오금 근육.

populacho *m.* 서민, 하층민.

popular *adj.* ① 국민[인민]의[에 관한], 민중[대중]의[에 관한]: clase ~ 서민 계급. democracia ~ 인민 민주주의. gobierno ~ 국민[인민] 정부. partido ~ 국민당, 인민당. voz ~ 국민[인민]의 소리. ② 민간에 널리 보급된: cuento ~ 민간 설화. lenguaje ~ 속어. ③ 대중적인, 통속적인: canción ~ 대중 가요, 유행가; 민요. música ~ 대중 음악. novela ~ 대중 소설. objetos de arte ~ 민예품. ④ 인기 있는: actor ~ 인기 배우. político ~ 인기 정치인. El fútbol es muy ~ en España 축구는 스페인에서 매우 인기가 있다. El tenis es poco ~ en mucos países 테니스는 많은 나라에서 인기가 별로 없다. —*m.f. Esp.* 국민당원.

popularidad *f.* 인기, 평판: adquirir [ganar] ~ 인기를 얻다.

popularización *f.* 보급, 통속화.

popularizar (9) *tr.* ① (일반에게, 신제품 등을) 보급[유행]시키다: ~ un nuevo producto 신제품을 보급시키다. ② 대중화[통속화]시키다. ③ 인기[평판]를 좋게 하다: Su última novela le *ha popularizado* mucho 그는 신작 소설로 인기가 대단히 높아졌다. ~**se** ① 보급되다. ② 인기

를 얻다.

popularmente *adv.* ① 일반적으로, 통속적으로. ② 시끄럽게, 떠들썩하게.

populismo *m.* ① 인민주의. ② (일반) 대중의 주장[칭찬].

populista *adj.* ① 국민[인민]의[에 관한]: partido ~ 인민당. ② 인민주의의. —*m.f.* ① 인민주의자. ② 인민파 당원.

poquedad *f.* ① 근소함, 적은 양, 소량. ② 소심함, 무기력. ③ 하찮은 일[것], 아무런 가치가 없는 것[일].

póquer *m. ing.* ① [트럼프] 포커. ② (포커의) 포 카드. ③ 포커 주사위.

poquísimo, ma *adj.* [poco의 절대 최상급] 매우 적은.

poquito, ta *adj., adv., m.* [poco의 축소사] ¶***a*** ~ =**poco a poco.** ***a ~s*** 조금씩. ***de*** ~ ㉮ 배짱이 없는. ㉯ 능력[수완]이 부족한. ㉰ 소심한, 겁이 많은.

por *prep.* ① [이유·원인] …으로, …때문에: ver ~ un negocio 사업 때문에 만나다. ② [동기] …을 위해: morir ~ su patria 조국을 위해 죽다. ¡*Por* tu salud! 네 건강을 위해 (건배)! ③ [찬성] …에[…을] 찬성하여: votar ~ la reforma 개혁에 찬성하다, 개혁에 찬성표를 던지다. votar ~ un candidato honrado 청렴한 후보자에게 투표하다. ④ [목적] …을 구하러, …을 찾으러, …을 부르러: bajar ~ agua a la fuente 물을 뜨러 샘에 내려가다. ir ~ los comestibles a la calle 식료품을 구하러[사러] 거리에 가다. salir por el médico 의사를 부르러 나가다. ⑤ [수단·방법] …로, …을 통해서, …에 의해서: ~ violencia 폭력으로 [에 의해]. ~ teléfono 전화로. ~ fuerza 힘으로. ⑥ [대체] …의 대신으로: asistir ~ el jefe 사장 대신 참가하다. ⑦ [대가] …로: comprar ~ cien euros 100유로로 사다. ⑧ [평가·자격] …로: recibir a *alguien* ~ esposo …를 남편으로 맞이하다. ⑨ [시간] ㉮ …동안: ~ mucho tiempo 오랫동안. guardar ~ ocho días 일주일간 누워 있다. ㉯ …쯤: volver ~ el invierno 겨울쯤 돌아오다. ㉰ [기회] …에: regalar una muñeca ~ *su* cumpleaños 생일에 인형을 선물하다. ir a España ~ la Navidad 크리스마스 휴가로 스페인에 가다. ⑩ ㉮ [공간] …의 근처[부근·주변·언저리]에: estar ~ la universidad 대학교 근처에 있다. ㉯ [통과] …으로, …을 통해서: entrar ~ la ventana 창문으로 들어가다. *Por* aquí, por favor 이쪽으로 오십시오[가십시오]. ㉰ …를 쭉: viajar ~ la América Latina 라틴 아메리카를 여행하다. ㉱ [부위] …의 곳을: Ella me cogió ~ la mano 그녀는 내 손을 잡았다. Le agarré ~ la cintura 나는 그의 허리를 붙잡았다. ⑪ ㉮ [단위] …에 대하여, …당: ~ hora 시간당. ~ cada persona 한 사람당. ㉯ [곱하기] Cinco ~ tres, quince 5 곱하기 3은 15다. ㉰ [명사+*por*+같은 명사] …씩: examinar cosa ~ cosa 한 건씩 검토하다. ⑫ [+*inf.*] ㉮ [이유·원인] Hoy no salgo ~ estar resfriado 나는 오늘 감기로 외출하지 못한다. ㉯ [목적] …하기 위해서: Ella se levantó temprano ~ no llegar tarde a la clase 그녀는 수업에 늦지 않기 위해 일찍 일어났다. ㉰ [개시] 우선, 최초에, 첫째로: Empezaré ~ abrir todas las ventanas 우선 모든 창문을 열겠다. ㉱ [결과] 마지막으로 …하는 것으로 되다: Los dos acabaron ~ reñir 두 사람은 결국 싸움으로 끝났다. ¶***¿~ qué?*** 왜?: No pude dormir anoche? —*¿Por qué?* 나는 간밤에 잠을 잘 수 없었다 —왜? ***~ entre*** …의 사이로, …의 가운데를 통해: andar ~ *entre* la nieve 눈이 내리고 있는 가운데 걷다. espiar a *alguien* desde ~ *entre* los árboles 나무들 사이에서 …를 살피다[엿보다].

porcel *m. rur. Mur.* =**chichón, porcino.**

porcelana *f.* ① 자기(磁器): ~ coreana 한국제 자기. ② 자기 제품(磁器製品). ③ 청자색(靑磁色). ④ *Méj.* 요강(orinal).

porcentaje *m.* ① 백분율, 퍼센티지. ② 이율. ③ 비율.

porcentual *adj.* 백분율의, 퍼센티지의: cálculo ~ 백분율 계산.

porche *m.* [건축] 현관; 주랑(柱廊).

porcicultor, ra *m.f.* 양돈가.

porcicultura *f.* 양돈(養豚).

porcino, na *adj.* 돼지의[에 관한]. —*m.* ① 돼지 새끼. ② =**chichón, porcel.**

porción *f.* ① 부분. ② 몫, 할당, 배분: exigir *su* ~ 자기의 몫을 요구하다. ③ 1인분의 식량. ④ 상당한 양[수].

porcuno, na *adj.* ① 돼지의[에 관한]: crianza ~*na* 양돈(養豚). ② 나쁜 (과실), 돼지에게 주는 (과실).

pordiosear *intr.* ① 구걸하다, 동냥하다, 문전걸식하다. ② 끈질기게[집요하게] 부탁하다.

pordioseo *m.* 문전걸식, 구걸.

pordiosería *f.* =**pordioseo.**

pordiosero, ra *adj.* —*m.f.*

porfía *f.* ① (집요한) 언쟁, 말다툼. ② 고집 (셈), 끈덕짐.

porfiadamente *adv.* 집요하게, 끈덕지게, 고집을 부려, 집념을 가지고.

porfiado, da *adj., m.f.* 집요한, 끈덕진, 고집스러운 (사람).

porfiador, ra *adj., m.f.* 무척 끈덕진 [집요한·고집 센] (사람).

porfiar (12) *intr.* ① (집요하게) 말다툼하다, 언쟁하다. ② [+en] (…을) 고집하다, 집요하게 계속하다, 열심히 …하다, 애쓰다: ~ *en* abrir la puerta 문을 열려고 애쓰다. Ella *porfía en* salir 그녀는 외출하겠다고 고집을 부렸다. ③ 계속해서 귀찮게 조르다.
porfolio *m.* 사진집, 사진첩, 앨범.
pormenor *m.* ① [주로 *pl.*] 상세, 세목. ② 부수적인[이차적인] 것.
pormenorizar (9) *tr.* 상술하다, 상세히 열거하다[쓰다].
porno *adj.* =**pornográfico**: una película ~ 포르노 영화. —*m.* =**pornografía.**
pornografía *f.* ① 문학[예술] 작품의 외설성(猥褻性). ② 포르노, 춘화(春畵), 도색[외설·포르노] 문학[예술] (작품). ③ 성매매[매춘]에 대한 연구 논문.
pornográfico, ca *adj.* ① 춘화의[에 관한], 도색[포르노] 문학[예술]에[관한]. ② 외설 작품을 쓴 (작가).
pornógrafo, fa *m.f.* ① 성매매[매춘]에 관해 글을 쓴 사람. ② 도색[포르노] 작가, 춘화가.
poro *m.* ① (피부 등의) 털구멍, 가는 구멍. ② [식물] 기공(氣孔). ③ [광물] 작은 구멍.
porosidad *f.* 다공질(多孔質).
poroso, sa *adj.* 다공질의, 작은 구멍이 있는[많은].
porque *conj.* ① [이유·원인] [¿Por qué? (왜?)에 대한 대답으로] … 때문에: ¿Por qué llegas tarde? —*Porque* dormí demasiado 왜 늦었니? —너무 잤기 때문입니다. ② [보통은 주절 다음에서] … 때문에, …이므로: Tengo que descansar ~ estoy muy cansado 무척 피곤하기 때문에 나는 쉬어야 한다. Voy a comer algo ~ tengo mucha hambre 배가 많이 고파 무얼 좀 먹어야겠다. ③ [목적, +*subj.*] …하도록 (para que).
porqué *m.* ① 이유, 원인, 동기 (causa, razón, motivo): no saber ~ de *su* negativa (…의) 거절하는 이유를 모르다. ② [드묾] =**ganancia, sueldo, retribución.**
porquera *f.* ☞porquero.
porquería *f.* ① 더러움; 오물, 쓰레기 (basura): La calle está llena de ~ 거리가 쓰레기투성이다. ② 낡은[깨진] 것, (원래대로) 제 기능을 발휘하지 못한 것. ③ 더러운[비열한] 행위: hacer la ~ de + *inf.* 비열하게도 …하다. ④ 무례(한 짓), 실례. ⑤ 별로 가치가 없는 것. ⑥ 싫은 것. ⑦ 영양가가 별로 없는 음식, 소화가 안 되는 음식.
porqueriza *f.* 양돈장.
porquerizo *m.* 양돈업자, 양돈가.
porquero, ra *m.f.* 양돈업자, 양돈가. —*f.* ① (산의) 멧돼지 서식지. ② 짧은 화살(lanza porquera).
porra *f.* ① 짧은 방망이, 곤봉. ② 경찰봉. ③ 큰 망치, 해머. ④ (막대기 모양의) 도넛. —*m.* (아이들 사이에서) 노는 순서의 마지막. —*interj.* 체! ((불쾌감·노함)).
porrada *f.* ① 몽둥이 구타. ② (손·도구로) 구타. ③ 부딪치기, 타박. ④ 어리석은 짓. ⑤ 대량, 더미.
¡porras! *interj.* =**¡porra!**
porrazo *m.* ① 몽둥이찜, 몽둥이 구타. ② 도구로 구타. ③ 부딪치기, 타박. ④ *Ecuad., Hond.* 대량, 더미.
porrería *f.* ① =**necedad, tontería.** ② =**tardanza, pesadez.**
porreta *f.* ① 파의 푸른 잎. ② 마늘 잎, 양파 잎. ③ (곡물이 줄기가 나오기 전에) 싹 튼 첫[보드라운] 잎. ¶*en ~(s)* 알몸으로, 맨몸으로, 발가벗고, 나체로(en cueros).
porrilla *f.* (대장간의) 쇠망치.
porrillo *a* ~ 많이, 풍부히.
porro[1] *m.* =**puerro.**
porro[2] *adj.* 어리석은(torpe). —*m.* 어리석은 남자.
porro[3] *m.* *inca.* (마리화나·담배와 섞은 인도삼으로) 만 궐련.
porrón[1] *m.* ① 물항아리. ② 유리 술병. ③ =**porrada** ⑤.
porrón[2], **na** *adj.* 굼뜬, 느린, 둔한.
porta *f.* ① [선박] 현창(舷窓), 뱃전에 낸 창. ② [군사] 포문. ③ [고어] =**puerta.**
porta- *pref.*「사람·장치·도구를 받치거나 운반하기 위해 쓰는 것을 뜻함」 *porta*estandarte 기수(旗手).
portaalmizcle *m.* [동물] =**almizclero.**
portaautomóviles *m.* 자동차 운반차.
portaaviones *m.sing.pl.* 항공모함.
portabandera *f.* ① 기를 받치는 가죽 띠. ② *Méj.* 기수(旗手).
portabebés *m.sing.pl.* (갓난아이용) 휴대 침대, (플라스틱 등의) 휴대 바구니, 포대기.
portacaja *f.* (북을 칠 수 있도록) 매는 가죽 끈.
portacartas *m.sing.pl.* ① 우편 행낭, 우편물 자루. ② [고어] 우편집배원.
portacontenedores *m.* 컨테이너선.
portada *f.* ① [건축] (장식을 한) 현관, 건물의 정면[문]: ~ de los templos del antiguo Egipto 고대 이집트의 사원들의 정면[문]. ② (책의 이름·저자의 이름·인쇄한 곳·인쇄한 해를 적은 인쇄된 책의) 첫면, 속 표지(primera plana). ③ (신문·잡지의) 첫 페이지, 제1면(primera página): Apareció la noticia en las ~*s* de los principales periódicos 그 소식은 주요 신문들의 일면에 게재되었다. ④ (책·출판물·문서의) 앞 표지: diseñador de ~ 겉 표지의 디자이너. ⑤ (물건의)

정면(frontispicio). ⑥ (실크 제품에서) 날실의 수효의 단위: Esta tela lleva ochenta ~*s* 이 옷감은 80수다.

portadilla *f.* (책의) 면지(面紙).

portador, ra *adj.* 운반하는. —*m.f.* ① (물건의) 운반자: ~ del mensaje 메시지 전달자, 심부름꾼. ② [의학] 보균자, 보균 동물: ~ de SIDA 에이즈 보균자. ③ 소지자: ~ del paquete 하물의 소지자. ④ [상업] 지참인: pagadero al ~ 지참인불(拂)의. acción al ~ 무기명주(株).

portaequipaje *m.* =**portaequipajes.**

portaequipajes *m.sing.pl.* ① (관광버스의 예비 타이어·수하물 등을 보관하는) 뚜껑으로 덮여진 공간, 트렁크. ② 자동차의 지붕 위 짐받이, 루프랙. ③ (열차의) 망 선반.

portaestandarte *m.* (옛날 연대 등의) 기수(旗手).

portafolio *m.* =**portafolios.**

portfolios *m.sing.pl.* 서류 가방, (책·서류 등을 넣는) 손가방.

portafusil *m.* 소총의 멜빵.

portaherramientas *m.sing.pl.* 연장받치는 물건.

portainjerto *m.* (접목의) 접본(接本).

portaje *m.* ① 통행세. ② [고어] =**puerto.**

portal *m.* ① (집의) 현관. ② 현관에 딸린 방. ③ =**soportal, pórtico.** ④ (사원·웅장한 건물의) 아케이드. ⑤ (도시의) 입구 문, 관문. ⑥ 예수 탄생 장면의 모형.

portalámpara *m.* =**portalámparas.**

portalámparas *m.* (전구의) 소켓.

portalápiz *m.* [*pl.* portalápices] (뾰족한 심을 보호하는) 연필 뚜껑.

portalibros *m.sing.pl.* (책·공책 휴대용) 끈, 띠.

portaligas *m.sing.pl.* (여자의) 양말[보선] 대님의 끈.

portalira *m.* 시인(詩人)(poeta).

portalón *m.* ① (고궁·집이 아닌 곳의) 큰 문, 대문. ② [선박] 현문.

portamaletas *m.sing.pl.* (자동차의) 트렁크(maletero); (비행기·열차 좌석의 위에 있는) 하물 넣는 곳, 망 선반.

portamantas *m.sing.pl.* (여행용 모포·외투 등을 묶는) 가죽 끈, 밴드.

portaminas *m.sing.pl.* 샤프펜슬.

porramonedas *m.sing.pl.* (지퍼 달린) 동전 지갑.

portanuevas *m.sing.pl.* 소식통, 소식을 전하는 사람.

portañola *f.* =**cañonera, tronera.**

portañuela *f.* 바지 앞 터진 곳을 덮는 천조각.

portaobjeto *m.* =**portaobjetos.**

portaobjetos *m.sing.pl.* (현미경의) 슬라이드 유리.

portaplumas *m.sing.pl.* 펜대.

portar *tr.* ① (개가 사냥꾼에게 노획물을) 물고 오다. ② [고어] 휴대하다, 운반하다, 착용하다. —*intr.* 돛이 바람을 잘 받다. ~**se** ① (정해진 대로·일정한) 행동하다: ~*se* bien 행실이 좋다, 행동을 잘 하다. ~*se* como un hombre 남자처럼 행동하다. *Me porté* con frialdad 나는 냉담하게 행동했다. ② 좋은 인상을 주다. ③ 뛰어나다.

portarretrato *m.* =**portarretratos.**

portarretratos *m.sing.pl.* (초상화용) 액자(marco).

portarrollos *m.sing.pl.* (주방·화장실용 벽에 부착된) 두루마리 화장지 홀더.

portátil *adj.* ① 들고 다닐 수 있는, 휴대용의: radio ~ 휴대용 라디오. televisión ~ 휴대용 텔레비전. ② 이동식의, 이동할 수 있는, 운반할 수 있는: grúa ~ 이동식 기중기.

portaválvulas *m.sing.pl.* 소켓.

portaventanero *m.* 문과 창문(을 전문으로 만드는) 목수.

portavoz *m.f.* [*pl.* portavoces] 대변인, 대변자: ~ del partido 정당의 대변인. —*m.* [선박] 전성관(傳聲管).

portazgar (8) *tr.* 통행세를 받다[징수하다].

portazgo *m.* ① 통행세, 통행료. ② 통행세[통행료] 징수소, 톨게이트.

portazguero *m.* 통행료 받는 사람[징수자].

portazo *m.* ① (문짝이 떨어져 나갈 정도로) 세게 문을 두드리기. ② (바람에) 문이 쾅 닫히기: cerrar la puerta dando un ~ con el viento 바람으로 문 쾅 닫히다. ③ (누구를 무시하기·업신여기기 위해) 문을 닫는 행위.

porte *m.* ① 운반, 운송. ② 운임, 운송료. ③ (건물·탈것의) 크기, 용량(capacidad). ④ 행동, 거동, 행실, 태도. ⑤ (사람의) 용모, 자태, 풍채. ⑥ 종류, 부류. ¶***carta de*** ~ 선하증권, 선화 증권.

porteador, ra *adj.* 운반하는, 운송하는. —*m.f.* ① 운송업자. ② 짐꾼.

portear[1] *tr.* 나르다, 운반하다, 운송하다. ~**se** (철새가) 이동하다.

portear[2] *intr.* 문과 창문을 두드리다.

porteño, ña *adj.* ① (스페인·아메리카의) 항구 도시 태생의. ② (스페인·아메리카의) 항구 도시의[에 관한]. ③ (아르헨띠나의 수도인) 부에노스아이레스 태생의. ④ (칠레의 도시인) 발빠라이소 태생의. ⑤ (꼴롬비아의 도시인) 뿌에르또 까레뇨 태생의. ⑥ (베네수엘라의 도시인) 뿌에르또 까베요·뿌에르또 라 끄루스 태생의. ⑦ 뿌에르또 까바요[뿌에르또 라 끄루스]의[에 관한]. ⑧ (꼬스따리까의 주·주도인) 뿐따레나스의[에 관한]. —*m.f.* ① (스페인·아메리카의) 항구 도시 사람. ② (아르헨띠나의 수도인) 부에노스

아이레스 사람. ③ (칠레의 도시인) 발빠라이소 사람. ④ (꼴롬비아의 도시인) 뿌에르또 까레뇨 사람. ⑤ (베네수엘라의 도시인) 뿌에르또 까베요 사람, 뿌에르또 라 끄루스 사람. ⑥ (꼬스따리까의 주·주도인) 뿐따레나스 사람.

portería[1] *f.* ① (건물의 입구·출구의) 수위실, 관리인실. ② (건물의) 수위[관리인] 직. ③ (건물의) 수위[관리인]의 방. ④ [운동] (축구 등의) 골, 골문(marco rectangular). ¶ ~ ***de damas*** (궁전·중요한 집의) 여자 전용 문.

portería[2] *f.* [선박] [집합] 모든 현창(舷窓)들(todas las portas).

porteril *adj.* portero [portería]의[에 관한].

portero, ra *adj.* (벽돌이) 충분히 구워지지 않은. —*m.f.* ① (아파트 등 큰 건물의) 관리인, 수위, 문지기. ② (관공서의) 수위, 청소원. ③ (개인 건물의) 관리인, 수위. ④ [운동] 문지기, 골키퍼. ¶ ~ ***automático*** (인터폰을 접속해서) 문을 여닫는 장치. ~ ***de estrados*** 의회[법정]의 수위[경위]. ~ ***de vara*** 집행관의 하급 관리. ~ ***eléctrico*** =**portero automático.**

portezuela *f.* ① (비행기 등 탈것의) 승강구. ② 호주머니의 뚜껑.

portezuelo *m.* 작은 항구.

porticado, da *adj.* [건축] 주랑(柱廊)(soportal)이 있는.

pórtico *m.* ① 주랑 현관(柱廊玄關). ② (본건물에서 달아낸 지붕 달린) 현관, 포치.

portilla *f.* ① (농장 울타리를 친) 출입구. ② [선박] 현창(舷窓).

portillera *f.* (농장의 울타리를 친) 출입구.

portillo *m.* ① (벽에 난) 구멍. ② (담·울타리의) 작은 출입구. ③ 샛문, 쪽문. ④ 골짜기의 길. ⑤ (성벽·흙담 등의) 출입구. ⑥ (접시·목기(木器) 등의) 깨진 곳에 남아 있는 흠[자국·이 빠진 자국]. ⑦ (문제 해결 등의) 돌파구: buscar el ~ de la crisis económica 경제 위기를 해결할 돌파구를 찾다.

portón *m.* ① 현관의 안문(짝). ② [투우] 광장으로 난 외양간의 문. ③ *Ven.* (집·건물의) 대문(大門).

portor *m.* (서커스에서) 동료를 밑에서 받치거나 받는 곡예사.

portorriqueño, ña *adj., m.f.* = **puertorriqueño.**

portuario, ria *adj.* 항구의[에 관한]: instalaciones ~*rias* 항만 시설.

Portugal *m.* [국명] 포르투갈.

portugués, sa *adj.* ① 포르투갈 태생의. ② 포르투갈의, 포르투갈에 관한. —*m.f.* 포르투갈 사람. —*m.* ① 포르투갈 말. ② 뽀르뚜게스 ((1570년경 스페인에서 통용되었던 금화)).

portuguesismo *m.* 포르투갈식 발음[사투리].

portuguesista *m.f.* 포르투갈의 말과 문화에 조예가 깊은 사람.

porvenir *m.* 장래, 미래: hombre [mujer] de ~ 장래성이 있는 남자[여자]. sin ~ 가망이 없는, 장래성이 없는. hacer planes para el ~ 장래의 계획을 세우다. estudiar en previsión del ~ 장래에 대비해서 공부하다. tener (un gran) ~ 장래성이 있다. Ella tiene el ~ asegurado 그녀는 장래가 약속되어 있다. ¡Quién conoce el ~! 장래의 일은 어느 누구도 모른다.

pos *m.* [*lat.* post] 디저트(postre). ¶ *en* ~ =**detrás.**

pos- *pref.* 「…의 뒤에(detrás de)·…후에(después de)」의 뜻: *pos*bélico 전후(戰後)의. *pos*poner 뒤에 두다. *pos*tónico 강세 뒤의 ((가끔 라틴어 형태를 보존해서 *post-*: *post*dorsal 후설음의. *post*fijo 접미어)).

posada *f.* ① (길가의) 작은 여관, 여인숙, 객줏집. ② 주거. ③ 하숙집(casa de huéspedes). ④ (군의) 야영지. ⑤ 휴대용 식기 주머니 ((숟가락·포크·칼 주머니)). ⑥ 숙박(alojamiento). ⑦ 숙박료(precio del hospedaje).

posaderas *f.pl.* 궁둥이, 엉덩이.

posadero, ra *m.f.* 여인숙의 주인.

posar[1] *tr.* ① (쉬기 위해 짐을) 내려놓다. ② 가만히[살짝] 놓다(poner suavemente). —*intr.* ① (여인숙·개인집에) 묵다, 유숙하다, 숙박하다(alojarse, hospedarse). ② 쉬다, 휴식을 취하다(descansar, asentarse, reposar). ③ (새·다른 나르는 동물·비행기·우주선이 비행 후에, 어떤 장소·물건 위에) 앉다, 내리다, 착륙하다(situarse). ④ [고어] 거주하다, 살다(morar, habitar). ~**se** ① (새 등이) 앉다. ② 바닥에 가라앉다(depositarse en el fondo). ③ (가루가) 물건 위[바닥]에 떨어지다.

posar[2] *intr.* [*fr.* poser] (모델이 화가·조각가를 위해) 포즈를 취하다: ~ para el pintor [el escultor] 화가[조각가]를 위해 포즈를 취하다.

posavasos *m.sing.pl.* (접시·잔·컵 등의) 밑받침, 컵 받침.

posbélico, ca *adj.* 전후(戰後)의.

poscoital *adj.* 성교 후의: recetar la píldora ~ 성교 후 알약을 처방하다.

poscomunión *f.* [천주교] 영성체 후 미사에서 하는 기도.

posdata *f.* (편지의) 추신: agregar una ~ 추신을 쓰다.

posdiluviano, na *adj.* 노아의 홍수 후의.

posdoctoral *adj.* 박사 과정 수료의.

posdorsal *adj.* [언어] 후설음의.

pose *f.* ① 자세, 포즈. ② 젠체하기,

우쭐거리기.

poseedor, ra *adj.* 소유하고 있는, 가지고 있는. —*m.f.* 소유자, 보유자, 보지자(保持者): ~ de patente (전매) 특허권 소유자. ~ del récord mundial 세계 기록 보유자. ~ del título 타이틀 보유자, 선수권 보유자, 챔피언. ~*es* de acciones 주식 소유자.

poseer (78) *tr.* ① 소유하다, 소지하다, 가지고 있다: ~ una finca en el campo 시골에 토지를 가지고 있다. ② (외국어 등을) 충분히 알다, …에 통달하다. ③ (다른 사람과) 육체 관계를 가지고 있다. ④ (감정 등을) 억제하다. ¶***estar poseído*** (…에) 사로잡혀 있다, …에 열중해 있다, …에 미쳐 있다.

poseído, da *adj.* ① (신령·악마 등에) 들린, 홀린, 씌워진, …에 사로잡힌(poseso): estar ~ *de* afán de fama 명예욕에 사로잡혀 있다. ② 자부하고 있는: Ella está ~*da de* su belleza 그녀는 자신의 아름다움을 자부하고 있다. —*m.f.* (악마·신령 등에) 씐[들린] 사람: gritar como un ~ 신들린 사람처럼 소리를 지르다.

posesión *f.* ① 소유: derecho de ~ 소유권. ② [주로 *pl.*] 소유물; (특히) 땅, 토지. ③ *pl.* 속령(屬領). ④ [법률] 점유. ⑤ [역사] 토지 영구 이용권. ⑥ (신령·악마 등에) 홀리는 일, 신들림. ¶***tomar*** ~ [+de] ㉮ (…을) 획득하다, 입수하다, 손에 넣다: *tomar* ~ *de* la herencia 유산을 손에 넣다. ㉯ 취임하다: tomar ~ de *su* cargo de ministro de Unificación 통일부 장관에 취임하다.

posesional *adj.* ① 소유의[에 관한]. ② [법률] 점유를 나타내는: acto ~ 점유 증서.

posesionar *tr.* [+de] (…을) …에게 양도하다. ~**se** ① [+de] (…을) 손에 넣다, 입수하다; (특히) 부당하게 입수하다: ~*se de su* casa (…의) 집의 소유권을 빼앗다. ② 취임하다.

posesivo, va *adj.* ① 소유의[에 관한]. ② 독점욕이 강한: un amante ~ 소유욕이 강한 연인. una madre ~*va* (자식에 대한) 독점욕이 강한 어머니. ③ [문법] 소유를 나타내는. —*m.* ① 소유 형용사(adjetivo ~). ② 소유 대명사(pronombre ~).

poseso, sa *adj.* 악령[신령]에 씐, 신들린. —*m.f.* 악령에 씐 사람, 신들린 사람.

posesor, ra *adj.* 소유하는. —*m.f.* 소유자.

posesorio, ria *adj.* ① 소유의[에 관한]. ② [법률] 점유에 관한.

posfijo, ja *adj., m.* =**sufijo.**

posglacial *adj.* 빙하기 후의.

posgrado *m.* 대학원 (과정)(curso de ~): Escuela (de) *Posgrado* 대학원. hacer un ~ 대학원에서 공부하다.

posgraduado, da *adj.* ① 대학원의[에 관한]. ② 대학원 과정을 공부하는. —*m.f.* 대학원생.

posguerra *f.* 전후(戰後), 전쟁이 끝난 직후; (특히) 제2차 세계 대전후: en la ~ 전후에, 전쟁 직후에.

posibilidad *f.* ① 가능성, 있을[일어날] 수 있는 일: Las ~*es* de medalla son muchas 메달 가능성이 높다. ② 가능한 일. ③ *pl.* 수단(手段): ~*es* económicas 경제력. vivir por encima de *sus* ~*es* 신분에 맞지 않는 생활을 하다.

posibilismo *m.* 현실적 개혁주의.

posibilista *adj.* ① 현실적 개혁주의의[에 관한]. ② 현실적 개혁주의를 지지하는. —*m.f.* 현실적 개혁주의자.

posibilitar *tr.* 가능하게 하다: La postura del gobierno *ha posibilitado* las conversaciones con los terroristas 정부의 자세가 테러리스트들과 회담을 가능하게 했다.

posible *adj.* ① 가능한, 실행할 수 있는: La obra es ~ 공사는 가능하다. Ven hoy si es ~ 가능하면 오늘 오너라. No es ~ repararlo 그것을 수리하는 것은 불가능하다. ② 가능한 한: Quiero leer todos los libros ~*s* 나는 가능한 한 모든 책을 읽고 싶다. ③ 있음직한, 일어남직한. ④ 어울리는, 적절한. —*m.* ① 가능성, 능력, 수단. ② *pl.* [*sing.* 로도 쓰임] 재산, 부, 재력: Mis ~*s* no alcanzan a eso 내 재산은 거기에는 이르지 못한다. ¶***hacer*** alguien ***(todo) lo*** ~ (누가) 있는 힘을 다하다, 최선을 다하다, 전력을 다하다, 가능한 모든 것을 다하다: *Haré todo lo* ~ para tener éxito 나는 성공하기 위해 최선을 다하겠다.

posiblemente *adv.*=**probablemente, quizá:** Ella ~ llegará [llegue] mañana 그녀는 아마 내일 도착할 것이다.

posición *f.* ① 위치: señalar la ~ de Madrid en un mapa 지도에서 마드리드의 위치를 가리키다. ② 자세, 포즈. ③ 입장, 상황: estar en una ~ ventajosa 유리한 입장에 있다. ④ 견해: Mi ~ es invariable 내 입장은 변하지 않는다. ⑤ (주로, 높은) 지위, 신분: ~ social 사회적 지위. abusar de *su* ~ 지위를 악용하다. ⑥ 순위. ⑦ [군사] (작전상의) 요지, 거점: defender una ~ 거점을 지키다. ⑧ [펜싱] 자세. ⑨ [발레] 포지션. ⑩ [음악] (음의) 위치. ⑪ [체스] 말의 위치. ⑫ [논리] 명제.

posicional *adj.* posición의[에 관한].

posicionamiento *m.* 입장, 자세.

posicionar *intr.*, ~**se** 입장(立場)을

취하다.

posimpresionismo *m.* [미술] 후기 인상파, 후기 인상주의.

posimpresionista *adj.* [미술] 후기 인상파의, 후기 인상주의의. *—m.f.* 후기 인상파 화가.

positivado *m.* [사진] 인화(印畵).

positivamente *adv.* ① 적극적으로. ② 명확히, 확실히, 분명히.

positivar *tr.* [사진] 인화하다.

positivismo *m.* ① [철학] 실증 철학, 실증론, 실증주의, 실리주의, 현실주의. ② 적극성, 적극주의, 명확성. ③ [법률] 실증주의.

positivista *adj.* ① 실증주의의[에 관한], 현실주의의[에 관한]. ② 실증주의를 지지하는. *—m.f.* 실증주의자, 현실주의자.

positivo, va *adj.* ① 긍정적인, 절대적인, 무조건의: Los análisis son ~*s* 분석은 긍정적이다. ② 적극적인, 건설적인, 호의적인: tomar una actitud ~*va* 전향적인 태도를 취하다. ③ 확실한, 명확한; 실증적인, 사실[경험]에 기초한; 현실주의적인, 실제적인. ④ [수학] 정(正)의, 플러스의: número ~ 정수. saldo ~ 흑자(黑字). ⑤ 양(陽)의, 양성(陽性)의: carga ~*va* [전기] 양전하. reacción ~*va* [의학] 양성 반응. ⑥ [문법] (형용사가) 원급의. ⑦ [법률] 실정(實定)의: ley ~*va* 실정법. *—m.* ① [사진] 양화(陽畵). ② [문법] 원급.

pósito *m.* ① 공동 창고. ② 협동 조합, 공제 조합: ~ de pescadores 어업 협동 조합.

positrón *m.* [물리] 양전자(陽電子).

posma *f.* 굼뜸. *—adj.* 느린, 굼뜬. *—m.f.* 느린 사람, 굼뜬 사람.

posmeridiano, na *adj.* 오후의[에 관한], 정오 후의. *—m.* 오후.

posmodernidad *f.* [문예] 포스트모던 운동, 탈근대주의의 예술 운동.

posmodernismo *m.* [문예] 포스트모더니즘, 탈근대주의 ((20세기의 모더니즘에 대항하여 1970년대에 일어난 예술 운동으로 고전적·역사적 양식이나 수법을 받아들이고자 함)).

posmodernista *adj.* ① 포스트모더니즘의[에 관한]. ② 포스트모더니즘을 지지하는. *—m.f.* 포스트모더니스트, 탈근대주의자.

posmoderno, na *adj.* 포스트모더니즘의, 탈근대(脫近代)의.

posnatal *adj.* 출생 후의.

posnominal *adj.* [언어] 명사[형용사]에서 파생된.

poso *m.* ① 침전물, 앙금: ~ del café 커피 앙금. formar ~ 침전하다. ② 휴식, 휴게, 쉼. ③ [고어] 쉼터, 쉬는 곳.

posología *f.* ① [의학] 약량학(藥量學). ② [의학] 복용량, 투약량.

posoperatorio, ria *adj.* [의학] 수술 후에 일어나는[적용하는]: choque ~ 수술 후 쇼크. *—m.* 수술 후.

pospalatal *adj.* [언어] 후부 경구개음의. *—f.* [언어] 후부 경구개음.

posparto *m.* =puerperio.

pospierna *f.* (말의) 넓적다리.

posponer (61) *tr.* ① [+a] (누구·무엇을) 아래에 놓다, 뒷전으로 하다: ~ el interés personal *al* general 개인의 이익보다 전체의 이익을 우선시키다. ② 연기하다(diferir): *Han propuesto* el partido para mañana 시합은 내일로 연기되었다. ③ [언어] [+a] (…의) 뒤에 놓다.

posposición *f.* ① 연기, 뒤로 미룸. ② [문법] 후치(後置).

pospositivo, va *adj.* [문법] 후치의.

posprandial *adj.* [의학] 식후의.

pospuesto, ta *adj.* 뒤에 둔; 연기된.

posromanticismo *m.* 후기 낭만주의(운동).

posromántico, ca *adj.* 후기 낭만주의의[에 관한].

post- *pref.* =pos-.

posta *f.* ① 역마: silla de ~ 역마차. ② 역참(驛站). ③ 산탄(散彈). ④ [건축] 물결 모양의 장식. ⑤ (고기·생선의) 토막. ⑥ (도박에서의) 판돈. ¶***a*** ~ =adrede. ***irse*** un enfermo ***por la*** ~ (환자가) 막 운명하려고 하다, 죽을 참나다, 막 숨이 끊기려고 하다. ***por la*** ~ 급히, 부랴부랴.

postal *adj.* 우편의, 우편에 관계된: servicio ~ 우편 업무. tarifa ~ 우편 요금. tren ~ 우편 열차. *—f.* 우편엽서(tarjeta ~). ¶***apartado*** ~ *Hond., Salv.* 우편 사서함(apatado de correos). ***casilla*** ~ *Amér.* 우편 사서함. ***código*** ~ 우편 번호. ***giro*** ~ 우편환. ***objeto*** ~ 우편물. ***paquete*** ~ 우편 소포. ***sello*** ~ 우표.

postcoidal *adj.* =poscoidal.

postdata *f.* =posdata.

postdiluviano, na *adj.* =posdiluviano.

postdorsal *adj.* =posdorsal.

poste *m.* ① 기둥: ~ de alta tensión 고압선의 철주(鐵柱)[쇠기둥]. ~ eléctrico 전주(電柱), 전신주, 전봇대. ~ indicador 도로 표지. ② [운동] 골대, 골 포스트: ~ de llegada [경마] 결승표.

postema *f.* [의학] 농양(膿瘍).

postemero *m.* [의학] (종양의) 절개용 메스, 랜싯(lanceta).

póster *m. ing.* 포스터(cartel).

postergación *f.* ① 연기(延期). ② 경시(輕視).

postergar (8) *tr.* ① 연기하다, 뒤로 미루다, 뒷전으로 하다: La ejecución del plan ha quedado *postergada* a causa de la falta de fondos 자금 부족으로 계획의 실시는 연기되었다. ② (부당하게) 아래에 놓다, 격하시키다, 소홀히 하다: *Poster-*

gan a la familia por el trabajo 일 때문에 가정이 소홀히 되고 있다.

posteridad *f* ① 후예, 자손; 후세(後世): La ~ le reconocerá sus méritos 후세가 그의 공적을 인정할 것이다. ② 장래, 미래: en la ~ 장차, 장래에는. ③ 사후(死後)의 명성.

posterior *adj.* ① [+a] (…보다) 뒤의, 후의: ㉮ [시간] Mi cumpleaños es cinco días ~ *al* tuyo 내 생일은 너보다 5일 뒤다. ㉯ [공간] 뒷부분의: Ella se sentó en el asiento ~ *al* mío 그녀는 나보다 뒷 자리에 앉았다. ② [언어] 후설(後舌)의: vocal 후설 모음.

posterioridad *f.* ① (위치·시간적으로) 뒤임, 다음임. ② 후천성.

posteriormente *adv.* [+a] (…보다) 뒤에, 이후에(después, detrás).

postfijo, ja *adj., m.* =**posfijo.**

postgrado *m.* =**posgrado.**

postgraduado, da *m.f.* =**posgraduado.**

postigo *m.* ① (큰 문에 붙어 있는) 작은 문, 쪽문, 샛문. ② (밝은 빛을 통하게 하기 위한·비바람을 막기 위한) 덧문, 셔터. ③ (간소한) 한 쪽 문. ④ (도시의) 후문, 곁문.

postila *f.* 주기(註記), 주해(註解).

postilación *f.* 주기(註記), 주해(註解).

postilador, ra *m.f.* 주기자(註記者), 주해자(註解者).

postilar *tr.* 주기하다, 주해하다.

postilla[1] *f.* (부스럼의) 딱지.

postilla[2] *f.* 주기(註記), 주해(註解).

postimpresionismo *m.* =**posimpresionismo.**

postimpresionista *adj., m.f.* =**posimpresionista.**

postizo, za *adj.* ① 인공의, 인조의, 자연이 아닌: barba ~*za* 붙인 수염, 가짜 수염. dentadura ~*za,* diente ~ 의치, 틀니. mano ~*za* 의수. pierna ~*za* 의족. ② 허위의. ③ 떼었다 붙였다 할 수 있는, 끼운: adorno ~ 떼었다 붙였다 할 수 있는 장식품. cuello ~ 떼었다 붙였다 할 수 있는 옷깃. —*m.* 가발; 틀니.

postmeridiano, na *adj.* =**posmeridiano.**

post merídiem *adv. lat.* 정오 후에.

postmodernismo *m.* =**posmodernismo.**

postmoderno, da *adj.* =**posmoderno.**

post mórtem *adj. lat.* 사후(死後)의. —*adv. lat.* 사후에.

postnominal *adj.* [문법] =**posnominal.**

postónico, ca *adj.* [언어] (단어가) 강세 음절 다음에 있는: sílaba ~*ca* 강세 음절 다음에 있는 음절. vocal ~*ca* 강세 음절 다음에 있는 모음.

postoperatorio, ria *adj.* =**posoperatorio.**

postor, ra *m.f.* (경매의) 입찰자.

postpalatal *adj.* =**pospalatal.**

postración *f.* ① 기운이 빠짐, 맥이 빠짐. ② (병으로 인한) 쇠약: ~ nerviosa 신경 쇠약. ③ 허탈 (상태). ④ 무릎을 꿇음.

postrador, ra *adj.* ① 기운이 빠진, 맥이 빠진. ② 쇠약해진. —*m.* (기도할 때 무릎을 꿇는) 받침.

postrar *tr.* ① 넘어뜨리다, 쓰러뜨리다. ② 쇠약하게 만들다, 기운 빠지게 만들다. ~**se** ① 기운이 빠지다, 쇠약해지다. ② (누구의) 발에 무릎을 꿇다, 부복하다: ~*se* ante el altar 제단 앞에 무릎을 꿇다. ③ 넘어지다, 쓰러지다, 자빠지다.

postre *adj.* =**postrero.** —*m.* 후식(後食), 디저트. ¶***a la ~, al ~*** 최후에(는), 마지막에(는)(a lo último), 결국, 마침내(al fin). ***a ~*** [고어] = **a la postre. *de ~*** 후식으로: ¿Qué quieres tomar *de* ~? 후식으로 무엇을 드시겠습니까?

postremero, ra *adj.* =**postrimero.**

postremo, ma *adj.* =**postrero.**

postrer *adj.* [축약어] =**postrero.**

postrera *f.* ☞**postrero.**

postreramente *adv.* =**a la postre.**

postrero, ra *adj.* [남성 단수 명사 앞에서 *postrer*] ① (명단·연속물에서) 마지막의, 최후의: el *postrer* tomo 마지막 권. mi *postrer* deseo 내 마지막 소원. en los días ~*s* del mes 월말에. ② (장소에서) 가장 뒷부분의, 마지막 부분의: llegar el ~ a *un sitio* (…에) 마지막에 도착하다. —*m.f.* 마지막 사람. —*f. Hond.* (10월에 시작해 1월이나 2월에 거두는 옥수수나 강낭콩의) 두 번째 파종과 수확.

postrimer *adj.* [축약어] =**postrimero.**

postrimeramente *adv.* 마지막으로, 결국.

postrimería *f.* ① 만년(晩年), 인생의 마지막 시기: en *sus* ~*s* 죽음의 순간에, 죽음 직전에, 막 죽으려고 하는 순간에. ② 마지막, 끝, 종말; (달의) 하순; (해의) 세모(歲暮); (세기의) 말: en las ~*s* del siglo veinte 20세기 말에. ③ [천주교] 사종(四終)의 하나(cada uno de los novísimos del hombre) ((인간의 종말 상태: muerte 죽음, juicio 최후의 심판, infierno 지옥, gloria 천국)).

postrimero, ra *adj.* =**postrero.**

postromántico, ca *adj.* =**posromántico.**

post scríptum *m. lat.* =**posdata.**

postseparación *f.* 이혼 후.

póstula *f.* =**postulación.**

postulación *f.* 모금, 가두 모금.

postulado *m.* ① 기본 조건. ② [수학] 공준(公準). ③ (옹호하는) 사상, 주의(主義).

postulanta *f.* 성직 지원 여자, 종교에 귀의하려는 여자.
postulante *adj.* 지원하는, 청원하는. —*m.* 성직 지원자. —*m.f.* ① 청원자. ② 모금자. ③ *Amér.* (직에) 입후보자, 지원자.
postular *tr.* ① 요구하다, 요청하다. ② (가두에서) 모금하다: ~ para La Cruz Roja 적십자를 위해 가두 모금을 하다. ③ (성직에) 지원하다. ④ *Arg., Cuba, Méj., Salv., Ur.* (누구를) 입후보로 내세우다; (직에) 추천하다. ~**se** *Arg., Cuba, Méj., Salv., Ur.* 입후보로 나가다, (직에) 자천하다.
póstumo, ma *adj.* ① 사후(死後)의, 사후에 생긴; 저자의 사후에 출판된; 유복자의: hijo ~ 유복자. obra ~*ma* 유작(遺作), (저자) 사후 출판된 작품. ② (공훈·명예를) 고인에게 바치는: conferir honores ~*s* a un difunto 고인에게 추서하다.
postura *f.* ① ㉮ 자세, 포즈: ~ de loto 결가부좌(結跏趺坐). tomar [ponerse] una ~ cómoda 편안한 자세를 취하다. ㉯ (성교의) 체위(體位): ~ del misionero 정상 체위(正常體位). ② 태도: adoptar una ~ de indiferencia 무관심한 태도를 취하다. ③ 의견. ④ (경매의) 입찰 가격, 부르는 값: la mayor ~ 최고 입찰 가격. ⑤ (노름의) 판돈, 건 돈. ⑥ 해가 짐. ⑦ [집합] 한 번에 낳는 알. ⑧ 산란(産卵). ⑨ (이식한) 어린 식물[나무], 묘목. ⑩ 묘목 심기. ⑪ =**pacto, concierto, ajuste, convenio.** ¶~ *del Sol* 지는 해, 낙양(落陽), 낙일(落日). *hacer* ~ (경매에) 입찰자로 참가하다, 가격을 적다[부르다]. *plantar de* ~ 묘목을 심다.
postventa *f.* =**posventa.**
posventa *f.* 사후 관리 기간, 사후 봉사 기간, 애프터서비스 기간, 보증 기간. ¶*servicio* ~ 애프터서비스, 사후 관리, 사후 봉사, 에이에스(AS).
potable *adj.* ① (물이) 마실 수 있는, 마시기에 적당한, 마셔도 해가 없는. ② 그저 그런, 그런 대로의, (만족스럽지는 못하지만) 그만하면 아쉬운 대로 괜찮은: Su obra poética es bastante ~ 그의 시작품은 아쉬운 대로 괜찮다.
potaje *m.* ① 냄비 수프, 냄비 요리. ② (특히 금식 기간에 먹는) 야채 요리. ③ 마른 야채: provisión de ~*s* para la Cuaresma 사순절용으로 야채 저장[비축]. ④ 많은 재료가 들어간 음료[맛없는 음료]. ⑤ [집합] 잡탕.
potar[1] *tr.* (중량·치수를) 같게 하다.
potar[2] *tr.* =**beber.**
potasa *f.* [화학] 칼륨[칼리] 화합물: ~ cáustica 가성 칼리.
potásico, ca *adj.* potasa의[에 관한]: abono ~ 칼리 비료. sal ~*ca* 칼리염.
potasio *m.* [화학] 칼륨: hidróxido de ~ 가성 칼륨[칼리].
pote *m.* ① (항아리 모양의) 화분. ② 단지, 항아리: echar la mermelada en un ~ 단지에 잼을 넣다. ③ 뽀따헤 ((갈리시아·아스뚜리아스 지방에서 까스띠야의 고기와 야채를 끓인 요리(olla) 비슷한 요리)). ④ 질그릇 잔(vaso de barro) ((마시거나 액체 보관용으로 사용했음)). ¶*a* ~ 충분히, 많이, 대량으로 (abundantemente): tomar *a* ~ 많이 먹다[마시다]. *darse* ~ 허세를 부리다, 허풍을 떨다.
potencia *f.* ① 힘, 능력: ~ al freno 브레이크 마력. ~ hidráulica 수력(水力). ~ muscular 완력. ~ visual 시력. ② 권력, 권세, 지배력: ~ del gobierno 정부의 권력[힘]. ~ económica 경제력; 경제 대국. ~ naval 해군력. ③ 강국, 대국: ~ militar 군사 대국[강국]. ~ nuclear 핵보유국. gran ~ 대국. ④ [물리] 출력(出力); 일률 ((단위 시간에 행하는 일의 분량)): ~ eléctrica 전력. ~ nominal 공칭 출력. ⑤ [수학] 거듭제곱. ¶*de* ~ *a* ~ =**de igual a igual.** *en* ~ [철학] =**potencialmente.** *lo último de* ~ 할 수 있는 모든 노력, 젖 먹는 힘.
potencial *adj.* ① 잠재적인, 가능성이 있는: habilidades ~*es* 잠재 능력. ② [문법] 가능법의. ③ [물리] 위치의, 전위(電位)의: energía ~ 위치 에너지. —*m.* ① 잠재력, 가능성; 힘: ~ humano 인적 자원. ~ militar 군사력. ~ para el futuro 미래에의 가능성. ② [물리] 전위(電位): ~ eléctrico 전위. ③ [문법] =**modo potencial.** ¶*modo* ~ [문법] 가능법.
potencialidad *f.* (잠재적) 가능성.
potencialmente *adv.* 잠재적으로; 가능성 있게.
potenciar (11) *tr.* 가능하게 하다, 강력하게 하다, 육성하다.
potenciómetro *m.* [전기] 전위차계.
potentado *m.* ① 제후, 군주. ② 실력자, 대실업가, 돈과 권력이 있는 사람.
potente *adj.* ① 힘이 있는; 강대한: máquina ~ 강력한 기계. nación ~ 강대국, 대국. ② 부유한, 재산이 많은. ③ (남성이) 생식 능력이 있는. ④ 큰, 덩치가 큰.
potentemente *adv.* 힘있게, 힘차게, 강력하게.
potestad *f.* ① 권력, 권한: ~ matrial (아내와 그 재산에 대한) 부권(夫權). ② *pl.* [기독교] 능천사(能天使) ((천사의 여섯 번째 계급)). ③ [드묾] [수학] 거듭제곱. ¶*patria*

～ [법률] 친권(親權).

potestativo, va *adj.* 수의(隨意)의, 임의(任意)의: condición ～*va* 임의 조건. La asistencia es ～*va* 참가는 강제적이 아니다.

potosí *m.* 엄청난 부, 거부(riqueza extraordinaria).

Potosí *m.* [지명] 뽀또시 ((현재, 볼리비아의 산)). ¶*valer* algo *un* ～ =valer un Perú. ☞Perú.

potra[1] *f.* ① 암망아지, 어린 암말 ((태어나서 젖니를 갈 때까지; 보통 네 살 반까지)). ② *Hond.* 비공식 친선 축구 시합.

potra[2] *f.* ① 헤르니아(병). ② 음낭 헤르니아. ③ 행운(buena suerte).

potrero[1] *m.* ① (목장에서) 망아지 지기. ② 망아지 목장.

potrero[2] *m.* 망아지 전문 수의사.

potrillo *m.* 세 살이 넘지 않는 말.

potro *m.* ① 망아지, 어린 말 ((태어나서 젖니를 갈 때까지, 보통 네 살 반까지)). ② [체조] 뜀틀. ③ ((발굽을 갈 때나 치료할 때 저항하면 말을 묶는)) 목재 기구. ④ (양봉가들이 벌집을 나누기 위해) 땅에 내는 구멍. ⑤ 고문용 목마(木馬). ⑥ 왕따, 심한 괴롭힘.

poyo *m.* (별장 등의 문 옆 벽이나 현관에 붙여 만든, 돌 등의) 벤치, 긴 의자.

poza *f.* ① 물웅덩이. ② (강의) 가장 깊은 곳.

pozal *m.* ① (우물에서 물을 떠 올리는) 두레박. ② 우물의 땅 위로 올라온 부분, 우물 틀. ③ (물을 뜨기 위해) 땅에 단단히 박아 놓은 항아리[통·용기].

pozo *m.* ① 샘, 우물: hacer un ～ 샘[우물]을 파다. sacar agua del ～ 우물에서 물을 푸다[뜨다]. ② [광산] 수직갱. ③ (깊은) 구멍. ④ (강에서) 가장 깊은 곳. ⑤ (자기 분야에서) 가득찬 것, 깊은 것, 심오한 것, 완전한 것: ser un ～ de ciencia 과학 분야에 박식하다. ⑥ [선박] 선창(船倉). ⑦ *Arg., Bol., Par., Ur., Ven.* (길·도로의 포장한 곳에 생긴) 구덩이, 움푹 패인 곳(bache). ¶～ *de petróleo* 유정(油井). ～ *negro* 정화조. ～ *sin fondo* 깊이[끝]를 알 수 없는 사람[물건], 큰 액수의 돈을 요하는 것, 밑빠진 가마에 물 붓기, 밑 없는 독에 물 붓기, 바닥 없는 우물: Las relaciones humanas son un ～ *sin fondo* 인간관계는 어떻게 될 지 알 수 없다. La construcción de la autopista se convirtió en un ～ *sin fondo* 고속도로의 건설은 밑 빠진 가마에 물 붓기가 되었다. Este negocio es un ～ *sin fondo*: siempre estoy invirtiendo 이 사업은 한강에 돌 던지기다, 나는 늘 투자만 하고 있다. Su ambición es un ～ *sin fondo* 그의 야망은 어디가 끝인지 알 수 없다.

PP *m.* *P*artido *P*opular 국민당, 인민당.

pp. páginas 페이지들.

P.P. por orden 대리로. porte pagado 우세 별납, 운임 선불[지불필].

p/p. pronto pago 직불.

PPD *m.* *P*artido *P*opular *D*emocrático 민주인민당.

ppdo próximo pasado 직전의.

pqte. paquete 소포.

pr. por …로, …에 의해.

práctica *f.* ☞práctico.

practicable *adj.* ① 실현할 수 있는, 실행 가능한. ② (길이) 통행 가능한, 다닐 수 있는. ③ (무대 장치의 문·창문이) 실제로 여닫을 수 있는.

prácticamente *adv.* 실지로, 실제로는; 사실상; 실용적으로, 실질상.

practicanta *f.* 보조 의사; 보조 약사.

practicante *adj.* ① 실습하는; 연습하는; 행하는. ② (종교의) 규율을 실천하는. —*m.f.* ① 보조 의사. ② 보조 약사. ③ 교육 실습생, 교생. ④ (종교의) 규율을 실천하는 사람.

practicar (7) *tr.* ① ㉮ 행하다: ～ el yoga 요가를 행하다. ㉯ 하다, 일하다, 영업하다: ～ la abogacía 변호사를 하다. ② 실시하다, 수행하다: ～ una operación quirúrgica 외과 수술을 하다. ～ a *alguien* la respiración artificial (누구에게) 인공 호흡을 실시하다. ③ (열심히) 연습하다, 훈련하다, 반복하다: ～ el español 스페인어를 연습하다. ④ (신앙 등을) 실천(實踐)하다: ～ el protestantismo 개신교를 믿다. ～ la virtud 덕을 실천하다. ⑤ (굴을 파서, 창·통로를) 만들다. —*intr.* 훈련을 받다, 훈련하다, 연습하다, 반복하다, 실습하다: ～ con un profesor 교생 실습을 하다. ～ en un hospital 병원에서 실습하다. Tendrás que ～ más si quieres la medalla de oro 네가 금메달을 원한다면 더 열심히 훈련해야 한다.

práctico, ca *adj.* ① 실천적인, 실용적인; 실지의: clase ～*ca* 실습. conocimientos ～*s* 실천적인 지식. uso ～ 실용. utilidad ～*ca* 실용성. El paraguas es muy ～ en los días de lluvia 우산은 비오는 날에는 아주 쓸모가 있다. ② (사람이) 실제적인, 실리적인: hombre ～ 실제적인 사람. ③ (사람이) 정통한, 경험이 많은, 노련한: ser ～ en pintura 그림에 정통하다. ser muy ～ en poner inyecciones 주사가 능숙하다. —*m.* ① 수로 안내인, 도선사. ② 수로 안내선. —*f.* ① 실행, 실천: la teoría y la ～*ca* 이론과 실천. ② (기술 등을) 실행에 옮기는 일, 실시: ～*ca* de la medicina 의료(행위). ③ [주로 *pl.*] 훈련, 연습, 실습, 교습: hacer ～*cas* de química

화학 실험을 하다. hacer ~*cas* de tiro 사격 훈련을 하다. ④ 경험, 숙련: tener mucha ~*ca* en la enseñanza 교육 경험이 풍부하다. Me falta ~*ca* 나는 경험이 부족하다. ⑤ 습관, 관행: El carnaval es una ~*ca* pagana 카니발은 이교의 습관이다. ¶*en la ~ca* 거의 실제로는[현실에서는](casi en realidad): Dictan leyes que *en la ~ca* nadie cumple 법률은 공포되지만 거의 실제로는 아무도 지키지 않는다. *llevar a la ~ca* =poner en práctica. *poner en ~ca* (계획 등을) 실행에 옮기다.

pradera *f.* ① (광대한) 목장, 목초지. ② 초지(草地). ③ 초원, 대초원.

prado *m.* ① (작은) 목장, 목초지. ② 산책길.

pragmático, ca *adj.* ① 실용적인. ② [철학] 실용주의의. ③ [언어] 어용론적인. —*m.f.* 실제가. —*f.* ① 조칙(詔勅), 조서(詔書). ② [언어] 어용론(語用論).

pragmatismo *m.* [철학] 실용주의, 프래그머티즘.

praxis *f.sing.pl.* 실천(práctica).

pre- *pref.* 「미리; …이전의; …의 앞쪽에 있는; 우선해서, 선행해서; 예비의」 뜻: *pre*fijar 미리 결정하다. *pre*historia 유사 이전. *pre*pósito 우두머리.

preacuerdo *m.* 예비 협정.

prealerta *f.* 예비 경보, 주의보.

preámbulo *m.* ① (책·연설 등의) 머리말, 서문, 서언(序言), 서론, 서두: Ella se entretiene en el ~ 그녀는 서론이 길다. ② (법률·조약 등의) 전문(前文).

preaviso *m.* (계약 해제 등의) 예고.

prebenda *f.* ① [종교] 성직자 보수. ② 수입이 많고 편한 공직, 수입이 많은 한직(閒職). ③ 보조금, 찬조금.

precalentamiento *m.* ① [운동] 워밍업. ② [기계] 예열(豫熱). ③ (엔진의) 난기(暖氣).

precalentar *intr.* 워밍업을 하다, 준비 운동을 하다. —*tr.* 예열하다, 난기하다.

precampaña *f.* 예비전, 사전 운동: ~ electoral 사전 선거 운동.

precariedad *f.* 불안정함, 부족, 일시성.

precario, ria *adj.* ① 불안정한, 부족한, 일시적인: ~*ria* situación económica 불안정한 경제 상태. ~*ria* salud 불안정한 건강 상태. ② 가상의, 추정적인. ③ 권리 없이 보유[사용]하는.

precaución *f.* ① 조심, 주의, 경계, 예방: andar [ir] con ~, tener ~ 조심하다, 주의하다, 경계하다. tomar [adoptar] *precauciones* 예방 조치를 취하다. ② (취급상의) 주의. ③ *pl.* 피임(避妊).

precautorio, ria *adj.* 주의하는, 조심하는, 예방에 도움이 되는: medida ~*ria* 예방 조치.

precaver *tr.* 예방하다, 주의하다, 조심하다: ~ una tercera guerra mundial 제3차 세계 대전을 막다. ~**se** [+de · contra] (…을) 예방하다, 경계하다: ~*se de* la infección 감염이 없도록 예방하다.

precavido, da *adj.* 신중한, 주의 깊은, 용의주도한: andar ~ 조심하다, 주의하다. ser ~ 신중하다, 신중한 성격이다.

precedencia *f.* ① 우선, 우위, 상위. ② (좌석·의식 등에서의) 우선권.

precedente *adj.* 전(前)의: el año ~ 전년. el día ~ 전날, 전일. —*m.f.* 전임자. —*m.* ① 선례, 전례: sin ~ 전대미문의, 이례적인. sentar ~*s* [(un) ~] (주로 나쁜 뜻으로) 선례를 만들다. servir de ~ 선례로 되다. No hay tal ~ 그런 전례는 없다. ② [법률] 전과(前科): tener varios ~*s* 전과가 있다.

preceder *intr.* ① [+a] (시간적·공간적으로, …에) 선행하다, …의 앞에 있다: El artículo *precede al* nombre 관사는 명사의 앞에 놓인다. El saludo del presidente *precedía a* la fiesta 파티에 앞서 회장의 인사가 있었다. ② [+a] (…보다) 상위에 있다: Mi padre le *precedía* en categoría 내 아버지가 그 사람보다 직급이 위였다.

preceptista *adj., m.f.* 규칙을 중시하는 (사람).

preceptiva *f.* ☞preceptivo.

preceptivo, va *adj.* 의무적인. —*f.* [집합] 규칙. ¶~ *literaria* 문학상의 약속한 일.

precepto *m.* ① (종교상의) 계율, 규율. ② 규칙, 약속한 일: ~*s* del juego 게임의 규칙[룰]. ③ 명령, 지령: ~*s* gubernativos 행정 명령.

preceptor, ra *m.f.* ① (주로 입주한) 가정 교사. ② (옛날에) 라틴어 교사.

preceptuar (15) *tr.* 지시하다, …의 규칙을 정하다.

preciado, da *adj.* ① =precioso, excelente. ② =jactancioso.

preciar (11) *tr.* [드묾] =apreciar. ~**se** [+de] (…에) 우쭐하다, 뻐기다, 으스대다, 자만하다.

precintado *m.* 봉인(封印) (행위).

precintar *tr.* ① …에 봉인하다. ② 봉쇄하다.

precinto *m.* ① (상품 화물 등의) 봉인 (행위), 봉인인(封印印). ② (범행 현장 등의) 봉쇄, 출입 금지. ③ (짐을 싸는) 점착[접착] 테이프.

precio *m.* ① 값, 가격: ~ al productor 생산자 가격. ~ con IVA 부가 가치세 포함 가격. ~ contractual 협정(協定) 가격. ~ de exportación 수출 가격. ~ de fábrica 공장도 가격. ~ de importación 수입(輸入) 가격. ~ indicativo 표준 가격. por un ~ de nada 월등히 싸게. alzar [aumentar] el ~ 값을 올리다. rebajar [disminuir] el ~ 값을 내리다. comprar a ~ bajo 싸게 사다. reducir el ~ 값을 깎다. ¿Cuál es el ~ de este móvil? 이 휴대 전화기는 얼마입니까? ② 요금. ③ *pl.* 물가: ~*s* al consumidor 소비자 물가. ~*s* al por mayor 도매 물가. ~*s* al por menor 소매 물가. nivel de los ~*s* 물가 수준. ④ 대가: tener que pagar un ~ muy alto para conseguir la victoria 승리를 얻기 위해서는 아주 큰 대가를 지불해야 한다[큰 희생을 치러야 한다]. ⑤ 평가. ⑥ 장점: Ella es mujer de gran ~ 그녀는 대단한 여자다.

preciosidad *f.* ① 귀중함. ② 아름다움. ③ 멋진 것, 근사한 것: Estos pendientes son una ~ 이 귀걸이들은 근사하다.

precioso, sa *adj.* ① 귀중한, 중요한, 소중한, 가치 있는: consejo ~ 고마운[소중한] 충고. piedra ~*sa* 귀석(貴石) ((수정·마노 등 장신구로서 보석 다음으로 귀하게 여기는 돌)). Son ~*s* todos los minutos 일분 일초가 소중하다. ② 아름다운, 귀여운, 사랑스러운(hermoso): bebé ~ 귀여운 갓난아이. mesa ~*sa* 아름다운 테이블. Esta mujer es ~*sa* 이 여인은 아름답다. Aquel niño es ~ 저 아이는 귀엽다[사랑스럽다]. ③ 멋진, 근사한.

preciosura *f.* 예쁜 사람, 예쁜 것.

precipicio *m.* ① 단애(斷崖), 절벽. ② 정신적인 파멸. ③ 급격한 타락[몰락].

precipitación *f.* ① 몹시 서두름, 화급함, 조급함; 성급함: con ~ 화급히, 조급히, 성급히. Las *precipitaciones* nunca son buenas 서두름은 결코 좋을 것이 없다. ② [기상] 강수(降水); *pl.* 강수량: En marzo hay muchas *precipitaciones* 3월에는 비가 많다. Las *precipitaciones* han sido abundantes este verano 금년 여름은 강수량이 풍부했다. ③ [화학] 침전.

precipitadamente *adv.* ① 분주하게, 몹시 서둘러, 급히, 허둥지둥, 당황하여. ② 경솔히.

precipitado, da *adj.* ① 분주한, 성급한, 바쁜: decisión ~*da* 성급한 결정. con paso ~ 급한 발걸음으로. El fin de año es la época de días ~*s* para todos 연말은 누구에게나 바쁜 시기이다. ② 경솔한. ③ [화학] 침전의. —*m.* [화학] 침전물.

precipitar *tr.* ① (높은 곳에서) 던지다, 밀어 붙이다. ② 전락시키다, 재촉하다, 서두르게 하다: ~ el paso 발걸음을 재촉하다. ~ la huida 급히 도망치다. La noticia *precipitó* su muerte 그 소식은 그의 죽음을 재촉했다. ③ [화학] 침전시키다. —*intr.* [화학] 침전되다. ~**se** ① 뛰어들다, 몸을 던지다, 떨어지다: ~*se* por la ventana 창문으로 몸을 던지다. ② 급히 가다, 돌진하다, 쇄도하다, 밀려들다: ~*se* sobre el enemigo 적에게 덤비다, 적을 덮치다. La gente *se precipitó* a la salida 사람들은 출구로 밀려들었다[쇄도했다]. El toro *se precipitó* contra la barrera 소는 울타리를 향해 돌진했다. ③ (일이) 급속히 일어나다: *Se precipitaron* los acontecimientos 사건이 계속 일어났다. ④ [+a+*inf.*] 서둘러[급히] …하다: Ella *se precipitó a* contar lo que le había ocurrido 그녀는 자기에게 일어난 일을 서둘러 이야기했다.

precisa *f.* ☞**preciso.**

precisado, da *adj.* ① *CRica., Nic.* =**urgente.** ② *CRica.* =**impaciente.** ③ *Hond.* 급한, 급히 가는. ④ *Méj.* =**obligado, forzado.**

precisamente *adv.* ① 정확히. ② 명확히. ③ 필요에 의해, 필연적으로, 피할 수 없이.

precisar *tr.* ① 명확히 정하다[결정하다], 명확히 하다: ~ la fecha de salida 출발 날짜를 명확히 결정하다. ~ la idea 생각을 명확히 하다. ② [+a+*inf.*·que+*subj.*] 무리하게 …하다, …을 강요하다: Le *precisé a* que dijera la verdad 나는 그에게 진실을 말하라고 강요했다. ③ 필요로 하다: ~ dinero 돈을 필요로 하다, 돈이 필요하다. —*intr.* [+de] (…이) 필요하다, 불가결하다: *Preciso de* tu ayuda 나는 네 도움이 필요하다.

precisión *f.* ① 명확함, 정확함: con ~ 명확히, 정확히. ② 필요성: Ella tiene ~ de mi ayuda 그녀는 내 도움이 필요하다.

preciso, sa *adj.* ① 명확한: órdenes ~*sas* 명확한 지시[명령]. ② 정확한: mapa ~ 정확한 지도. ③ 적확(的確)한: respuesta ~*sa* 적확한 답변. ④ 간결한: estilo ~ 간결한 문체. ⑤ (목적을 위해) 필요한: Es ~ poseer más datos 더 많은 자료가 필요하다. Es ~ que trabajen más 사람들이 더 많은 일을 하는 것이 필요하다. —*f. Nic.* =**prisa.**

preclaro, ra *adj.* 찬란한, 저명한, 유명한, 존경받을 만한: joven ~ de la patria 조국의 명예를 짊어진 청년. Es una familia de ~ abolengo 유서 깊은 가문이다.

preclásico, ca *adj.* (특히, 희랍·로마 예술·문학의) 고전기 이전의.

precocidad *f.* 조숙함, 일찍 꽃이 핌; (야채·과일 등의) 조생(早生).

precocinado, da *adj., m.* (빨리 조

리하도록) 거의 익힌 (식품).
precognición *f.* 미리 앎, 사전 인지; (초과학적인) 예지(豫知).
precolombino, na *adj.* 콜럼버스(의 아메리카 여행·발견) 이전의.
preconcebido, da *adj.* 미리부터[전부터] 생각했던, 예감했던, 예단된: ideas *~das* 선입관. plan ~ 예단된 계획.
preconcebir (42) *tr.* 예감하다, 미리부터[전부터] 생각하다, …에 대해 선입관을 가지다.
precondición *f.* 전제 조건.
preconización *f.* ① 칭찬, 예찬, 찬양. ② 제안, 추천, 지지. ③ (교황의) 새 주교 지명.
preconizador, ra *adj.* ① 칭찬하는, 예찬하는, 찬양하는. ② 제안하는, 추천하는, 지지하는. ③ (교황이) 새 주교를 지명하는. —*m.f.* ① 칭찬자, 예찬자, 찬양자. ② 제안자, 추천자, 지지자.
preconizar (9) *tr.* ① (누구·무엇을, 공개적으로) 칭찬하다, 예찬하다, 찬양하다. ② 제안하다, 추천하다, 추장(推奬)하다, 지지하다: ~ un cambio de política 정치의 변화를 제안하다. ③ (교황이) 새 주교를 지명하다(designar un nuevo obispo).
preconocer (32) *tr.* 미리[사전에] 알다, 예지(豫知)하다.
preconstitucional *adj.* (국가의) 헌법 이전의.
preconstrucción *f.* 조립 건축.
precontrato *m.* 선약(先約).
preconyugal *adj.* 혼전(婚前)의.
precordial *adj.* [해부] 심장 앞의 가슴 부분의, 심장의 앞에 있는, 전흉부(前胸部)의.
precortesiano, na *adj* 에르난 꼬르떼스(Hernán Cortés)가 아메리카에 도착하기 전 (시기)의.
precoz *adj.* ① (열매가) 이른, 올된, 조생(早生)의: manzana ~ 조생 사과. ② (꽃이) 일찍 핀. ③ (시기적으로) 이른: diagnóstico ~ de un cáncer 암의 조기 발견. heladas *precoces* 이른 서리. matrimonio ~ 조혼(早婚). Es ~ este invierno 금년 겨울은 이르다. ④ (사람이) 조숙한: Es un niño ~ para su edad 나이에 비해 조숙한 아이이다.
precursor, ra *adj.* 선구(先驅)의; 전조(前兆)의, 예보적인: signo ~ de la crisis 위기의 전조. síntoma ~ de un ataque 발작 전에 일어나는 증상. —*m.f.* 선구자, 선각자. —*m.* [P~] (예수 전에 태어나 예수의 도래를 세상에 알린) 세례자 요한(San Juan Bautista).
predador, ra *adj.* ① 약탈하는. ② (동물이 다른 동물을) 먹기 위해 죽이는, 포식(捕食)하는. —*m.f.* 약탈자.
predatorio, ria *adj.* ① [동물] 포식성의: el instinto ~ de la araña 거미의 포식 본능. ② 훔치는, 약탈하는: expediciones *~rias* de guerrilleros 게릴라 대원들의 약탈 원정.
predecesor, ra *m.f.* ① (지위·직·임무에서) 선임자, 전임자, 선배: Yo soy su ~ en la dirección de esta escuela 나는 당신의 앞에 이 학교의 교장이었다. ② 선조, 선인(先人)(antepasado): Nuestros *~s* eran muy pobres 우리의 선조들은 매우 가난했다.
predecible *adj.* 예언할 수 있는, 예지(豫知)할 수 있는.
predecir (70) *tr.* 예언하다, 예지하다: ~ un terremoto 지진을 예지하다. La gitana me predijo mi destino 집시 여인은 내 운명을 예언했다.
predeterminación *f.* 예정, 숙명.
predeterminar *tr.* 미리 예정하다
predial *adj.* 소유지의: servidumbre ~ [법률] 지역권(地役權).
prédica *f.* ① 설교. ② 열변, 장광설.
predicable *adj.* 설교받을 만한. —*m.* [철학] 속성(屬性).
predicación *f.* 설교, 전도.
predicaderas *f.pl.* 설교술, 말솜씨의 재능
predicado *m.* ① [논리] 술어, 빈사(賓辭). ② [문법] 술부(述部), 술어.
predicador, ra *adj.* 설교하는. —*m.f.* 설교사.
predicamento *m.* ① 권위, 영향력. ② 명성. ③ [논리] 범주.
predicar (7) *tr.* ① 설교하다. ② 공표하다, 명시하다. ③ [문법] (주어에 대하여) 서술하다. —*intr.* ① 설교를 하다. ② 고언을 주다.
predicativo, va *adj.* [문법] 술어의: adjetivo ~ 술어 형용사.
predicción *f.* 예언, 예지, 예보: ~ del tiempo 일기 예보.
predicho, cha predecir의 불규칙 과거 분사.
predilección *f.* 편애, 특히 좋아함.
predilecto, ta *adj.* 편애하는, 특히 좋아하는, 마음에 들어하는; 총애를 받는: Ella es la niña *~ta* de sus padres 그 아이는 부모의 총애를 받고 있다.
predio *m.* 토지, 땅, 대지, 부동산, 농장. ¶~ *rústico* 농지(農地). ~ *urbano* (지상 건물이 딸린) 택지.
predisponer (61) *tr.* ① [의학] (사람을) 병에 걸리기 쉽게 하다. ② (…의) 소인(素因)을 만들다, …에 기울어지게 하다. ~**se** …하는 경향[소질]이 있다, 곧잘 …하다.
predisposición *f.* ① 경향, 소질: tener una ~ para la pintura 그림에 소질이 있다. ② [의학] 체질, 소인(素因), 질병 소질: ~ alérgica 알레르기 체질.
predispuesto, ta *adj.* [a·hacia] (…의) 경향이 있는: Ella es muy *~ta*

a coger la gripe 그녀는 감기에 잘 걸리는 체질이다.
predominante *adj.* 우세한, 지배적인: tendencia ~ 지배적인 경향.
predominantemente *adv.* 우세하게, 지배적으로.
predominar *tr.* 지배하다: El dinero no lo *predomina* todo 돈이 모든 것을 지배하는 것은 아니다. —*intr.* [+sobre] (…에 대해) 지배적이다, 우위[우세]를 점하고 있다: Las ideas conservadoras *predominan* sobre las reformadoras 보수적인 사상이 개혁적인 사상을 압도하고 있다. En el cuadro *predomina* el color azul 그 그림에서는 청색이 지배적이다[압도하고 있다].
predominio *m.* 우월, 우위: ~ de la razón sobre la pasión 감정에 대한 이성의 우위.
predorsal *adj.* ① [해부] 등뼈 앞에 위치한. ② [언어] 혀 등의 앞부분의 (음). —*f.* [언어] 전부 설배음(前部舌背音).
predorso *m.* [언어] 혀 등의 앞부분.
preelectoral *adj.* 선거 전의.
preelegir (45) *tr.* 미리 뽑다.
preeminencia *f.* 우위, 상위: dar ~ a *alguien* (…에게) 고위직을 주다; 최우선시키다.
preeminente *adj.* 탁월한, 우위의, 상위의: Corea ocupa un lugar ~ en la fabricación de los teléfonos móviles 한국은 휴대 전화기의 생산에서 상위를 점하고 있다.
preencogido, da *adj.* [섬유] 방축(防縮) 가공된.
preescolar *adj.* 취학 전의: educación ~ 취학 전 교육. —*m.* 보육원, 유치원.
preestablecido, da *adj.* 미리 설립[제정]된.
preestableder (32) *tr.* 미리 설립[제정]되다.
preestreno *m.* 시사, 시사회(試寫會), 시연(試演); 초대전.
preexcitación *f.* 조기 흥분.
preexistencia *f.* ① 이전에 존재했던 것, 전부터 존재하는 것. ② [철학] 선존(先存).
preexistente *adj.* 이전에 있었던: gobierno ~ 전(前) 정부.
preexistir *intr.* 이전에 존재하다.
prefabricado, da *adj.* [건축] 조립식의: vivienda ~*da* 조립식 주택.
prefabricar (7) *tr.* 조립식의 각 부분을 맞추어 (집을) 짓다.
prefacio *m.* ① 머리말, 서문, 서언. ② [천주교] 서창(敍唱).
prefecto *m.* ① (교회 조직의) 장(長). ② 감독자: ~ de estudios 학감. ③ (프랑스 정부 기관의) 장관. ④ (고대 로마의) (군의) 장; (민간인의) 태수.
prefectura *f.* prefecto의 직[권한・임기・관할 구역].
preferencia *f.* ① [때때로 *pl.*] 편애, 한쪽만 편듦: tratamiento de ~ 차별 대우. mostrar ~ por *alguien* (…를) 편애하다. ② 우선, 우위; 우선권. ③ (경기장 등의) 특별 관람석, 지정석. ④ [교통] 선행권(先行權). ⑤ [경제] 특혜: ~ comercial 무역 특혜.
preferencial *adj.* =**preferente.**
preferente *adj.* ① (지위 등이) 보다 나은, 월등한: ocupar un puesto ~ por su edad 나이에 비해 고위직을 차지하다. ② 우선적인: acción ~ [상업] 우선주. tarifa ~ 특혜 관세, 특혜 관세율. tratamiento ~ 특별 대우.
preferentemente *adv.* 우선적으로.
preferible *adj.* 고를 만한, 오히려 나은, 보다 바람직한, 선택하고 싶은: El agua fría es ~ *a* la caliente para la salud 몸에는 냉수가 온수보다 낫다.
preferido, da *adj.*, *m.f.* 마음에 드는 (사람): acción ~*da* [상업] 우선주. Ella es mi ~*da* 그녀는 내 마음에 드는 사람이다.
preferir (54) *tr.* ① [+a] (…보다) 오히려 …의 쪽을 더 좋아하다, 오히려 …을 택하다: *Prefiero* la primavera *a*l otoño 나는 가을보다 봄을 좋아한다. ② [+*inf.*] (…보다) 차라리 …을 택하다: *Preferiría* morir *a* casarme con él 그 사람과 결혼하는 것보다 차라리 죽음을 택하겠다. ③ [+que+*subj.*] …하는 것이 좋다: *Prefiero que* tú te quedes en mi casa 네가 내 집에 머무는 것이 좋겠다.
prefigurar *tr.* …의 형상을 미리 나타내다, 예시하다, 예증하다. ~**se** 미리 머리에 그리다.
prefijación *f.* [문법] 접두어를 붙여 새로운 낱말을 형성함.
prefijar *tr.* ① (조건 등을) 미리 정하다. ② [문법] (어근에) 접두어를 붙이다.
prefijo, ja *adj.* ① 미리 정하는. ② [문법] 접두어의. —*m.* ① [문법] 접두어. ② [전화] 시외 국번.
prefilatelia *f.* 우표 발명 이전의 우편 관련물 연구.
prefinición *f.* (기일・시간 등의) 예정.
prefinir *tr.* (기일・시간 등을) 예정하다.
pregón *m.* ① [역사] 고시(告示), 공시(公示). ② (상인의) 외쳐 팔기: ~ de vendedor ambulante 행상의 외쳐 팔기. ③ (축하 행사의) 개회 선언, 개회 연설.
pregonar *tr.* ① 큰 소리로 알리다, 소리쳐 알리고 다니다, 큰 소리로 부르다. ② 외치고 다니며 팔다, 선전하다. ③ (비밀 등을) 세상에 알리다, 폭로하다, (조용히 해야 될 것을) 떠들고 다니다. ④ 공개적으로 [마구] 칭찬하다.
pregonería *f.* ① pregonero의 직. ② 세금.
pregonero, ra *adj.* 폭로하는; 입이 가벼운. —*m.f.* ① 폭로자. ② 행상. ③ [역사] (관청의 고시를) 큰 소리로 알리는 하급 관리.
preguerra *f.* 전쟁 직전 시기.
pregunta *f.* ① 질문, 물음: ~*s* y respuestas 질의응답(質疑應答). hacer [formular] una ~ 질문하다, 묻다. ¿Tienen ustedes alguna ~? 무슨 질문 있나요? ② *pl.* 시험 문제 (serie de preguntas). ¶***absolver las ~s*** (증인이) 선서하고 대답하다. ***andar* [*estar · quedar*]** alguien ***a la cuarta*** (누가) 돈이 부족하다, 돈 한 푼 없다.
preguntadera *f. Col., CRica., Guat., Ven.* 귀찮게 되풀이하는 질문.
preguntador, ra *adj.* ① 질문하는, 묻는. ② (귀찮게) 꼬치꼬치 캐묻는. —*m.f.* ① 질문자, 묻는 사람. ② 꼬치꼬치 캐묻는 사람.
preguntar *tr.* 질문하다, 물어보다, 묻다: ~ a *alguien su* edad (…에게) 나이를 묻다. Ella me *preguntó* si sabía tocar la guitarra 그녀는 나에게 기타를 칠 줄 아느냐고 물었다. —*intr.* ① [+por · sobre] (…에 대해) 묻다, 물어보다, 질문하다: ~ a los alumnos *sobre* la lección de ayer 학생들에게 어제 배운 것을 묻다. ② [+por+사람] (…를) 찾다, (…의) 안부를 묻다, (…의) 일을 묻다: Juan me *ha preguntado por* ti 후안이 나에게 너 있는 곳을 물었다. *Preguntaron por* ti en el teléfono 너에게 전화가 걸려 왔다. **~se** 자문(自問)하다.
preguntón, na *adj., m.f.* 꼬치꼬치 캐묻는 (사람), 질문하기 좋아하는 (사람).
prehelénico, ca *adj.* 고대 희랍 문명 이전의 그리스의[에 관한].
prehispánico, ca *adj.* 정복과 스페인 문명 이전의 아메리카의.
prehistoria *f.* ① 유사 이전, 선사 시대. ② 선사학(先史學). ③ 선사 시대에 관한 작품. ④ 기원(起源), 초기 단계.
prehistórico, ca *adj.* ① 유사 이전의, 선사(先史)의: tiempo ~ 선사 시대. ② [경멸] 아주 옛날의, 구식의, 시대에 뒤떨어진, 낡은, 고풍의 (anticuado, viejo).
prehomínido, da *adj.* 선행 인류(先行人類)의. —*m.f.* 선행 인류.
preignición *f.* (엔진의) 조기 점화.
preinca *adj.* =preincaico.
preincaico, ca *adj.* 잉카족 지배 이전의.
preindustrial *adj.* 산업 경제의 발전 이전의.
preinforme *m.* 보고서의 초고(草稿).
preinscribir *tr.* (과목 등을) 가등록하다.
preinscripción *f.* (과목 등의) 가등록(假登錄).
preinscripto, ta *adj. Arg., Ur.* = preinscrito.
preinscrito, ta *adj.* 사전(에) 등기된: quedar ~ 사전 등기되다.
prejudicial *adj.* [법률] 선결(先決)의, 선결할: cuestión ~ (재판에서의) 선결 문제.
prejuiciado, da *adj.* 편견[선입관]을 가진.
prejuicio *m.* ① 편견, 선입관: ~ racial 인종적 편견. tener ~*s* contra *algo* (…에) 편견을 가지다. mirar con ~ 편견의 눈으로 보다, 색안경을 쓰고 보다. ② 예단(豫斷), 예견, 억측.
prejuzgar (8) *tr.* 예단하다, 예견하다, 억측하다.
prelacía *f.* 고위 성직자의 지위[직].
prelación *f.* 우선 (순위).
prelado *m.* 고위 성직자 ((대주교, 주교, 큰 수도원 원장 등)).
prelaticio, cia *adj.* 고위 성직자의.
prelatura *f.* ① 고위 성직자의 지위. ② (교황청의) 고관단(高官團).
preliminar *adj.* ① 예비의, 예비적인, 미리하는, 전제(前提)의: acuerdo ~ 예비 협정. negociación ~ 예비 교섭. ② [운동] 예선의. —*m.pl.* (주로 문서에 의한) 예비 교섭[절충].
preliminarmente *adv.* 미리, 앞당겨.
preludiar (11) *tr.* …의 전조(前兆)가 되다, 사전 준비하다. —*intr.* [음악] (본 연주 전에) 악기 · 소리를 조정하다.
preludio *m.* ① (중요한 행동 · 사건 등의) 전조. ② 준비[예비] 행위; 서막, 서장(序章). ③ [음악] (연주 전의) 악기 · 소리의 조정. ④ [음악] 전주곡, 서곡.
premamá *adj.* 임산부의: accesorio ~ 임산부의 액세서리. ropa ~ 임산부 옷.
prematrimonial *adj.* 결혼 직전에 하는[행하는]: cursillos ~*es* 결혼 강의[강좌]. experiencias ~*es* 혼전 경험. relaciones ~*es* 혼전 관계.
prematuramente *adv.* 시기상조하게, 너무 일찍이; 올되게, 조숙(早熟)하게: morir ~ 요절하다.
prematuridad *f.* 조산(早産).
prematuro, ra *adj.* ① 시기상조의, 너무 이른: calvacie ~*ra* 젊어서 된 대머리. muerte ~*ra* 요절(夭折). parto ~ 조산(早産). vejez ~ 조로(早老). tomar decisiones ~*ras* 시기상조의 결정을 하다. ② 조산(早産)의, 미숙아의. —*m.f.* 조산아, 미숙아(niño ~).
premeditación *f.* ① 미리 계획함[생각함], 사전에 심사숙고함. ② [법률]

예모(豫謀).

premeditadamente *adv.* 미리 계획하여, 사전에 숙고하여.

premeditar *tr.* 미리 숙고하다, 꼼꼼히 준비하다, 잘 생각하다, 심사숙고하다: asesinato *premeditado* 모살(謀殺). crimen *premeditado* 계획적인 범죄. ~ los pros y los contras 이해득실을 잘 생각하다.

premenstrual *adj.* 월경 전의, 월경기 전의.

premiación *f. Amér.* 입상(入賞), 수상(受賞).

premiado, da *adj.* 입상(入賞)된, 수상(受賞)한. —*m.f.* 입상자, 수상자.

premiador, ra *adj.* 상을 주는, 수여하는, 표창하는. —*m.f.* 수여자, 표창자, 상을 주는 사람.

premiar (11) *tr.* [+con] (상·포상을, 사람·행위에 대해) 수여하다, 표창하다; 칭찬하다: El Sr. D. Kim Dae Jung fue *premiado con* el Nobel de Paz 김대중 씨는 노벨 평화상을 받았다.

premier *m.f.* (영국 등의) 수상(首相).

premio *m.* ① 상, 상금; 포상(褒賞): ~ a la mejor película 최우수 영화상. ~ de honor 우등상. Gran *Premio* de España 스페인 그랑프리. *Premio* Cervantes de literatura 세르반떼스 문학상. ganar [obtener] el ~ 상을 받다. ganar [obtener] el primer ~ en el concurso 콩쿠르에서 일등상을 받다. ② 수상자: ~ Nobel de literatura 노벨 문학상. ③ (복권의) 당첨: Le tocó un ~ en el sorteo 그는 복권이 당첨되었다. ④ [상업] 프리미엄. ¶~ ***de consolación*** 애석상. ~ ***extraordinario*** 최우수상: ~ *extraordinario* fin de carrera 대학 졸업생의 우등상. ~ ***gordo*** (복권의) 일등상; (특히, 크리스마스의) 일등상. ***a*** ~ 프리미엄조로.

premiosamente *adv.* 둔중하게; 긴밀하게; 엄정하게; 비좁게; 거북한 듯이, 답답하게.

premiosidad *f.* 둔중함; 긴밀함; 거북함, 답답함.

premioso, sa *adj.* ① 둔중한, 얼간이[바보] 같은, 바보스러운. ② (문체 등이) 복잡한, 딱딱한. ③ 지급의, 긴급의: orden ~*sa* 긴급 명령.

premiso, sa *adj.* 미리 보낸, 전제로 한. —*f.* ① [논리] 전제(前提). ② (교섭 등의) 전제 조건. ¶~ ***mayor*** [논리] 대전제. ~ ***menor*** [논리] 소전제.

premolar *m.* 송곳니와 어금니 사이의 이.

premonición *f.* ① 예감. ② [의학] 전구 증상(前驅症狀).

premonitorio, ria *adj.* ① 전조(前兆)의, 예감적인. ② [의학] 전구성(前驅性)의: síntomas ~*s* 전구 증상.

premura *f.* ① 긴급성: con ~ 급히, 긴급히, 서둘러. ② (시간·공간의) 적음, 비좁음: con ~ de tiempo 시간에 쫓겨. debido a ~ de espacio 장소가 비좁아[불충분해서].

prenatal *adj.* 출생 전의, 낳기 전의.

prenda *f.* ① 의류, 옷, 의복(~ de vestir): ~*s* de cama 시트, 침대 커버. ② 저당: dar [entregar] *algo* en ~(*s*) (…을) 저당잡히다. tomar *algo* en ~ (…을) 저당잡다. ③ 전당물. ④ 증거. ⑤ (정신적·육체적) 장점. ⑥ 벌금 ⑦ 귀여운 사람. ⑧ (특히, 좋은) 성질: hombre de ~ 성질이 좋은 남자. ⑨ *Ven.* 보석 장식(joya). ¶***en*** ~**(*s*)** 담보로, 보증으로. ¶***Al buen pagador no le duelen ~s, El buen pagador no necesita ~s*** (속담) 빚을 제때에 잘 갚는 자는 보증이 필요없다, 여유 있는 사람은 어떤 약속에도 태연하다.

prendador, ra *adj.* 저당[담보]하는. —*m.f.* 저당 잡는[잡히는] 사람.

prendamiento *m.* 저당[담보]을 잡음[잡힘].

prendar *tr.* ① 저당[담보]으로 잡다[잡히다]. ② (…의 사랑을) 얻다, 마음을 사로잡다. ~**se** [+de] (…에게) 반하다, 빠지다, 열중하다: ~*se de* una muchacha 한 소녀에게 반하다.

prendario, ria *adj.* 저당의[에 관한], 담보의[에 관한]: contrato ~ 저당[담보] 계약. mercancía ~*ria* 저당 상품, 담보 상품.

prendedero *m.* ① 걸쇠, 고리쇠. ② 브로치. ③ 핀. ④ (머리카락을 묶는) 리본.

prendedor *m.* ① 잡는 사람, 포박자. ② 핀. ③ 종이를 끼우는 핀. ④ (여자들이 사용하느) 브로치.

prender *tr.* ① 붙잡다, 잡다. ② 체포하다, 포박하다. ③ 걸다, 끼우다, 꽂다. ④ 불을 붙이다[켜다], 점화하다, 점등하다. ⑤ (수컷이) 교미하다. ⑥ 장식하다, 꾸미다. ⑦ [고어] = **tomar, recibir.** —*intr.* ① (식물이) 뿌리를 뻗다[박다·내리다]. ② 불이 붙다, 불길이 솟다. ~**se** ① 성장(盛裝)하다. ② (암컷이) 새끼를 배다. ③ 불이 붙다. ④ (자신의 것에) 걸다, 끼우다, 꽂다.

prendería *f.* ① 헌옷 가게. ② 고가구점.

prendero, ra *m.f.* ① 헌옷 장수, 헌옷 가게 주인. ② 고가구 장수, 고가구점 주인.

prendido, da *adj. Méj.* 매우 깔끔한, 매우 세련된(acicalado, muy pulcro). —*m.* 장식, (특히, 여자들의) 머리 장식: ~ de flores 꽃장식.

prendimiento *m.* ① 체포, 포박. ② 예수의 체포.

prensa *f.* ① 신문, 잡지: libertad de ~ 언론[보도]의 자유. leer la ~ 신

문을 읽다. estar en la ~ 신문에 나와 있다. ② 보도 기관, 신문계, 저널리즘계(界): centro de ~ 프레스 센터. trabajar en la ~ 보도 기관에 근무하다. ③ [집합] 기자단, 보도 관계자: club de ~ 기자 클럽. ④ 인쇄기: ~ rotativa 윤전기. ⑤ 인쇄: libros recién salidos de la ~ 신간서(新刊書). ⑥ 압착기, 압축기: hidráulica 수압기, 유압기. ¶~ *amarilla* 황색 신문 ((흥미 본위의 선정적 대중지)). *dar a la* ~ (작품을) 인쇄하다(imprimir), 출판하다 (publicar). *en* ~ ㉮ *adv.* 인쇄 중에, 출판 중에: meter *en* ~ (원고를) 인쇄로 돌리다, 인쇄에 넣다. ㉯ *adj.* 인쇄 중의, 출판 중의. ㉰ 근간(近刊)의.

prensado, da *adj.* 압축[압착] 가공된. —*m.* 압축[압착] 가공, 프레스 가공.

prensar *tr.* 누르다, 조이다, 압착하다, 압연하다, 압착기에 넣다: ~ la aceituna 올리브를 짜다.

prensil *adj.* 거머잡기에 적당한[알맞은]: cola ~ 거머잡기 알맞은 꼬리. trompa ~ 거머잡기 알맞은 코끼리의 코.

prenunciar (11) *tr.* 미리 알리다, 예고하다, 예보하다.

prenuncio *m.* 예고, 예보; 징후.

prenupcial *adj.* 결혼 전의.

preñado[1] *m.* ① 임신(embarazo). ② 임신[수태] 기간. ③ 태아(feto).

preñado[2]**, da** *adj.* ① (여자 · 암컷이) 임신 중인, 임신한, 수태한: La perra está ~*da* 암캐가 배가 불러 있다[수태 중이다 · 새끼를 배고 있다]. ② (벽이) 튀어나온: pared ~*da* 볼록 튀어나온 벽. ③ [+de] (…로) 가득찬, 머금은(lleno, cargado): asunto ~ *de* dificultades 어려움이 많은 문제. camino ~ *de* dificultades 고난의 길. nubes ~*das de* amenazas 비바람이 한바탕 몰아칠 것 같은 구름.

preñar *tr.* ① 임신시키다, 수태시키다. ② [+de] (…로) 가득 채우다.

preñez *f.* ① (여자 · 암컷의) 임신, 수태(embarazo). ② 임신[수태] 기간. ③ (결정에 이르지 못한 일의) 상태. ④ =**confusión, dificultad, oscuridad:** La obligación de ser rey era una ~ espiritual 국왕이 되는 의무는 정신적 혼란이었다.

preocupación *f.* ① 걱정, 근심: ~ por el porvenir de los hijos 자식들의 장래에 대한 걱정. Mi única ~ es la salud de mi mujer 내 유일한 걱정은 내 아내의 건강이다. ② [주로 *pl.*] 걱정거리: Ella tiene grandes *preocupaciones* 그녀는 큰 걱정거리가 있다. ③ 편견, 선입관.

preocupadamente *adv.* 걱정으로; 편견[선입관]을 가지고; 무심코.

preocupado, da *adj.* 걱정하(고 있)는, 마음을 쓰는: estar ~ *por* lo del examen 시험 걱정을 하고 있다. Ella está ~*da por* conservar la belleza 그녀는 아름다움을 간직할 것에 마음을 쓰고 있다.

preocupante *adj.* 걱정하는, 마음을 쓰는.

preocupar *tr.* ① 걱정시키다, 마음을 쓰게 만들다: Me *preocupa* mucho la enfermidad de mi mujer 내 아내의 병 때문에 나는 무척 걱정을 하고 있다. ② (…의) 마음을 사로잡다 [빼앗다]. ③ 편견[선입관]을 가지게 하다. ~**se** [+de · por] (…을) 걱정하다: ~*se de sus* asuntos 자신의 일을 걱정하다. No *te preocupes* 걱정하지 마라. No *se preocupe* usted 걱정하지 마십시오. No *os preocupéis* 너희들 걱정하지 마라. No *se preocupen* ustedes 여러분들은 걱정하지 마세요. No *nos preocupemos* 우리 걱정하지 맙시다.

preolímpico, ca *adj.* ① 프레올림픽의. ② 프레올림픽에 참가하는. —*m.* 프레올림픽. —*m.f.* 프레올림픽 참가 선수.

preoperatorio, ria *adj.* [의학] 수술 전의.

preparación *f.* ① 준비(하는 일): ~ de la ceremonia de graduación 졸업식 준비. ~ de la fiesta 파티 준비. ② 예습: ~ *para* el examen 시험 공부[준비]. ③ 학식, 지식: tener una buena ~ en [de] lexicología 사전학에 조예가 깊다. ④ 조제.

preparado, da *adj.* ① 준비된: Ya estoy ~ 난 벌써 준비되었다. Ya está ~*da* la comida 식사가 이미 준비되었다. ② [의학] 조제된: medicina ~*da* 조제된 약. ③ 숙련된, 정통한: instructor ~ 숙련된 조교, 노련한 강사[교사]. —*m.* 조제약, 매약(賣藥).

preparador, ra *m.f.* ① 준비하는 사람. ② (실험실 등의) 조수, 도우미. ③ [운동] 트레이너, 코치, 감독: ~ del púgil [권투] 선수 보조자, 세컨드. ④ [경마] 조교사(調敎師).

preparamento *m.* =**preparamiento.**

preparamiento *m.* 준비.

preparar *tr.* ① 준비하다: ~ el examen 시험을 준비하다. ~ la comida 식사를 준비하다. ~ las maletas 여행 준비를 하다. ② 예습하다: ~ la lección de español 스페인어를 예습하다. ~ *su* ingreso en la universidad 대학 수험 준비를 하다. ③ 가르치다: ~ en [de] la literatura española en la universidad 대학교에서 스페인 문학을 가르치다. ④ 훈련시키다, 트레이닝시키다. ⑤ 마음의 준비를 하게 하다, 각오하게 하다. ⑥ (약 등을) 조제하다, 만들다. ~**se** ① [+para] (…의)

준비를 하다: *~se para* el examen de ingreso en la universidad 대학 입학 시험 준비를 하다. *Prepárate para* salir 외출 준비를 해라. ② 훈련[연습]하다, 트레이닝하다: *~se para* las Olimpiadas 올림픽을 위해 연습[훈련]하다. ③ 각오하다, 마음의 준비를 하다. ④ 징조[징후·전조(前兆)]가 있다: *Se* está *preparando* una nueva tormenta 아직 태풍이 올 조짐이 있다.

preparativo, va *adj.* (…용으로) 준비하는. *—m.* [주로 *pl.*] 준비(된 것), 준비물: hacer los *~s* del viaje 여행 준비를 하다. Los *~s* de la boda me ocupa todo el día 결혼 준비로 나는 온종일 바쁘다.

preparatoriamente *adv.* 준비로, 예비로.

preparatoriano, na *adj. Méj.* 예비 학교[대학 입시 전문 학원]의[에 관한]. *—m.f. Méj.* 예비 학교 학생, 대학 입시 전문 학원 학생.

preparatorio, ria *adj.* ① 준비의, 예비적인: conversaciones *~rias* 예비 회담. ejercicios *~s* 준비 운동. ② 예비[준비] 교육의: curso *~ para* enfermeras 여자 간호사 양성 강좌. *—m.* 대학 예비[준비] 학교[코스], 대학 입시 전문 학원. *—f. AmérC.* 고등 학교. ¶***escuela ~ria*** 예비[준비] 학교, 대학 입시 전문 학원.

preplatónico, ca *adj.* 플라톤 이전 학파의. *—m.* 플라톤 이전 학파의 사람.

preponderancia *f.* ① 우월성, 주도성. ② 패권.

preponderante *adj.* 탁월한, 지배적인.

preponderar *intr.* ① …보다 무게가 더 나가다. ② 지배적 역할을 하다, 우세하다, 주도하다.

preposición *f.* [문법] 전치사.

preposicional *adj.* ① 전치사의: locución ~ 전치사 관용구. pronombre personal ~ 전치사격 인칭 대명사. ② 전치사를 포함한.

prepositivo, va *adj.* 전치사의[에 관한]. ¶***locución ~va*** 전치사 관용구. ***partícula ~va*** 접두어.

prepósito *m.* [종교] 교단의 장, 수도회장.

prepotencia *f.* 절대 권력.

prepotente *adj.* 절대 권력을 가진. *—m.f.* 절대 권력자.

prepucio *m.* [해부] 포피(包皮), 음경 꺼풀. ¶**~ *del clítoris*** 음핵 포피, 음핵꺼풀. **~ *del pene*** 음경 포피, 음경꺼풀.

prerrafaelismo *m.* [미술] 라파엘(Rafael) 전파주의(前派主義).

prerrafaelista *adj.* [미술] prerrafaelismo의[에 관한]. *—m.* 라파엘 전파(前派) 그룹 회원. *—m.f.* 라파엘 전파주의자.

prerrogativa *f.* ① 특권, 특전: ~ de inmunidad parlamentaria (국회) 의원 특권. ② 대권(大權), 국가 최고 권력.

prerromance *adj.* 라틴어 도입 이전의 (언어). *—m.* 전(前) 로망스 말 시대, 라틴어 도입 이전.

prerrománico, ca *adj.* [미술] 전 로마네스크 양식의. *—m.* [미술] 전 로마네스크 양식.

prerromano, na *adj.* 고대 로마 지배[문화] 이전의.

prerromanticismo *m.* [문학] 전 로망주의.

prerromántico, ca *adj.* 전 로망주의의. *—m.f.* 전 로망주의 작가.

presa *f.* ① 포획, 체포. ② 획득물, 노획물, 포획물, 훔친 물건. ③ 사냥감: buscar la ~ 사냥감을 찾아다니다. ④ (관개) 수채, 도랑, 고랑. ⑤ 댐. ⑥ 둑, 제방. ⑦ (먹을거리의) 한 조각. ⑧ (사나운 새의) 발톱. ⑨ (사나운 동물의) 이빨.

presagiar (11) *tr.* 예언하다, …의 징조[전조(前兆)]를 나타내다.

presagio *m.* ① 전조, 징조, 징후, 조짐: ~ siniestro 불길한 조짐. buen ~ 길조. mal ~ 흉조. ② 예감.

presagioso, sa *adj.* presagio의[에 관한].

presbicia *f.* [의학] 노안(老眼), 원시: estar afectado de ~ 노안이다.

presbiofrenía *f.* [의학] 노망병.

présbita *adj.* [의학] 노안의, 원시안의. *—m.f.* 노안인[원시안인] 사람.

présbite *adj., m.f.* =**présbita.**

presbiterianismo *m.* 장로주의.

presbiteriano, na *adj.* ① [기독교] 장로파의: igleisa *~na* 장로(파) 교회. ② 장로 교회 신도의[에 관한]. *—m.f.* ① 장로 교회 신도, 장로 교회파 사람. ② 장로제주의자.

presciencia *f.* 미래의 것을 아는 일, 예지(豫知), 예지 능력, 예견(豫見).

prescindible *adj.* 떼어 버릴 수 있는, 물리칠[배제할] 수 있는.

prescindir *intr.* [+de] (…을) 떼어 내다, 벗어 던지다, 잊어 버리다: ~ de los detalles 세부를 생략하다. ~ de un empleado 한 사람을 고용하다. Han formado un equipo *prescindiendo* del jugador más destacado 스타 플레이어를 뽑아 팀을 결성했다.

prescribir *tr.* ① 지시하다, 명령하다. ② 규정하다. ③ (의사가) 처방하다. *—intr.* 시효가 되다.

prescripción *f.* ① 지시, 명령. ② (의사의) 처방. ③ 시효(時效).

preselección *f.* ① [운동] 시드. ② (최종) 선발 후보자 명단.

preseleccionar *tr.* [운동] 시드하다, (최종) 선발 후보자 명단에 넣다.

presencia *f.* ① 존재. ② 출석, 참가; 출정, 출두; 출현. ③ 입회: requerir la ~ del testigo 증인의 입회를 요

구하다. ④ 눈앞, 면전, 목전: en ~ de *alguien* (…의) 면전에서. ⑤ (사람의) 외견, 용자(容姿), 용모와 자태.

presencial *adj.* ① (어떤 장소에) 있는. ② 현재의, 현존하는. ③ 목격의: testigo ~ 목격자, 증인.

presenciar (11) *tr.* ① 마침 그 자리에 있다, 목격하다: ~ el accidente 사고를 목격하다. ~ un partido de fútbol 축구 시합을 보다. ② 참가하다: ~ las regatas 요트 레이스에 참가하다. ③ …에 입회하다; 출석하다.

presentable *adj.* 사람들 앞에 내놓을 만한, 보기 흉하지 않은, 볼품이 좋은[있는], 소개할 수 있는, 소개할 만한.

presentación *f.* ① 소개; 자기 소개: ~ en sociedad 사교계 데뷔. carta de ~ 소개장. mediar una ~ 소개를 하다. ② 제시, 제출: ~ de cartas credenciales 신임장의 제출. ~ de una condición 조건의 제시. ~ del pasaporte 여권의 제시. ③ 전시, 진열 (방법); (작품 등의) 발표(회), 공개: ~ de una obra 신작 발표(회). ④ (물건의) 외견, 외관, 겉보기. ⑤ (프로그램의) 사회, 해설. ⑥ 후보자 세우기; 추천. ⑦ [의학] 태위(胎位).

presentado, da *adj.* ① 성직에 추천된. ② 응모된: obra ~*da* 응모 작품. ③ *PRico.* =**entremetido.** —*m.* (어떤 교파에서, 종교상의) 교사 후보자, 성직에 추천된 사람.

presentador, ra *adj.* 제시하는, 제출하는, 내미는. —*mf.* ① 제시자, 제출자. ② (프로그램의) 사회자, 해설다, 뉴스 해설자.

presentar *tr.* ① 소개하다: Te *presento* a mi mujer 당신에게 내 아내를 소개합니다. Tengo el gusto de ~les a ustedes a Juan 여러분에게 후안을 소개합니다. ② (후보자 등을) 세우다, 내다; 추천하다: ~ a *alguien* como su representante (…를) 대표자로 세우다. ~ el libro en la feria 책을 도서 전시회에 출품하다. ~ a un candidato 입후보자를 내다. ③ 내밀다, 권하다, 권유하다: ~ la mano 손을 내밀다. ~ una bandeja de dulces 과자 그릇을 내밀다. ④ 제시하다, 보이다: ~ *su* pasaporte 여권을 제시하다. ~ una condición 조건을 제시하다. ~ *su* billete al revisor 차장[검표원]에게 표를 보이다. ~ disculpas 사의(辭意)를 표하다. ~ respetos 경의를 표하다. ⑤ 전시하다, 진열하다. ⑥ (작품 등을 처음에) 발표하다, 공개하다; 상연하다, 공연하다, 방송하다, 방영(放映)하다: ~ *sus* colecciones de invierno 겨울 컬렉션을 발표하다. ⑦ 제출하다: ~ las pruebas 증거를 제출하다. ~ una instancia 청원서를 제출하다. ~ una denuncia 고소하다. ~ la tesis doctoral 박사 논문을 제출하다. ⑧ (양상을) 보이다, 나타내다. ⑨ 표현하다. ⑩ [방송] 사회를 맡다, 해설을 맡다. ~**se** ① 자기 소개를 하다: Permítame ~*me* a mí mismo 제 자신을 소개하겠습니다. ② 지원하다, 응모하다, 입후보하다: ~*se* a una audición 오디션을 받다. ~*se* como candidato para la presencia 대통령 입후보를 하다. ③ 출두하다. ④ 나타나다. ⑤ 생기다.

presente *adj.* ① (어떤 장소에) 있는, 출석하고 있는: Ella está ~ en la reunión 그녀는 회의에 출석하고 있다. Yo estaba ~ cuando ocurrió la pelea 그 싸움이 일어났을 때 나는 그 자리에 있었다. ② [점호] 예, 출석했습니다. ¿Señor Kim? — *Presente!* 김 선생! —예. ③ 현재의, 지금의: tiempo ~ [문법] 현재 시제. en las circunstancias ~*s* 현 상황에서, 이런 사정으로. ④ 이, 본(本): el ~ escrito 본 서류, 이 서류. —*mf.* 출석자. —*m.* ① 현재, 지금. ② [문법] 현재(형): ~ de indicativo 직설법 현재. ~ de subjuntivo 접속법 현재. ~ histórico 역사적 현재. ③ 선물(regalo). —*f.* [la+] (주로 공문서에서) 이 편지, 본장(本狀). ¶***al*** ~, ***de*** ~ ㉮ 지금, 현재는: *Al* ~ este puesto está vacante 현재는 이 자리는 공석이다. ㉯ 현세(現世)에. ***por el*** ~, ***por la*** ~, ***por lo*** ~ 지금으로서는, 이 순간에는. ***tener*** ~ a alguien (누구를) 마음속에 품다, 마음에 간직하다, 마음에 지니다, 기억하다.

presentemente *adv.* =**ahora.**

presentimiento *m.* 예감, 예지(豫知).

presentir (53) *tr.* 예감하다, 예지(豫知)하다.

preservación *f.* 예방, 보호.

preservante *m.* 자연 환경 보호관.

preservar *tr.* 예방하다, 보호하다 (proteger): ~ el medio ambiente 환경을 보호하다. La vitamina C *preserva* contra el resfriado 비타민 C는 감기를 예방한다. ~**se** 몸을 보호하다, 몸을 지키다.

preservativo, va *adj.* 예방의: medicamento ~ 예방약. —*m.* ① 예방. ② 피임 용구, 콘돔.

presidencia *f.* ① 대통령[총리 · 수상 · 의장 · 회장 · 총장 · 주재자] 직: candidato a la ~ 대통령 입후보자. ② (회의 등의) 주재(主宰), 사회: bajo la ~ de *alguien* (…의) 주재[사회] 아래. ③ 대통령[수상 · 총리] 관저[사무소]: ~ del gobierno 대통령[총리] 관저. ④ 대통령[총리 · 의장 · 회장 · 총장]의 임기. ⑤ [집합] 주재자.

presidenciable *adj., mf. Amér.* 대통령 후보(의).

presidencial *adj.* ① presidente의[에 관한]: avión ~ 대통령 전용기. consejero ~ 대통령 보좌관. silla ~ 대통령의 지위. ② presidencia의[에 관한]: elección ~ 대통령 선거.
presidencialismo *m.* 대통령제.
presidencialista *adj.* ① 대통령제의[에 관한]. ② 대통령제를 지지하는. —*m.f.* 대통령제 지지자.
president *m.f.* *cat.* 까딸루냐 자치주 정부의 수상.
presidenta *f.* ① 여자 주재자[사회자]. ② 여자 수상[총리・의장・회장・총재・총장・법원장・이사회장・위원장]. ③ (여자) 대통령. ④ presidente의 아내.
presidente *adj.* 주재하는, 사회를 보는; 지배하는. —*m.f.* ① (회의 등의) 주재자, 사회자. ② 의장, 회장, 총재, 총장, 법원장, 이사회장, 위원장, 사장, …장(長): ~ de empresa 회사의 회장[사장]. ~ de la Cámara de Diputados 하원 의장. ~ de mesa 투표 검표원의 대표. ~ del tribunal 법원장. ③ (임기가 보장된 정상적인 선거로 선출된) 대통령, 국가 원수: ~ de la república 공화국 대통령. ④ *Esp.* 수상(首相), 총리(~ del gobierno). ¶~ ***municipal*** *m.* *Méj.* 시장(市長)(alcalde).
presidiario, ria *m.f.* 수감자, 재감자(在監者); 죄수.
presidio *m.* ① 교도소, 형무소, 감옥. ② 징역형; 노역형(勞役刑). ③ [집합] 죄수, 수감자, 재감자.
presidir *tr.* ① …의 의장을 맡다, 사회를 보다: ~ una asamblea 회의의 의장을 맡다. ~ la tribunal 법원장[재판장]을 맡다. ② 주재(主宰)하다, 맡다: ~ el banquete 연회를 맡다. ~ el duelo 상주(喪主)를 맡다. ③ …의 제일 좋은 장소에 있다, …의 눈에 띄는 곳에 있다: Su retrato *preside* el despacho 그의 초상화는 집무실에서 제일 눈에 띄는 곳에 걸려 있다.
presilla *f.* *Cuba.* =**grapa.**
presilladora *f.* *Cuba.* =**grapadora.**
presión *f.* ① 압력(壓力): ~ de aire 공기압(空氣壓). ~ del agua 수압, 물의 압력. alta ~ 고압. baja ~ 저압. ② 기압(氣壓). ③ 혈압(血壓). ④ (정신적인) 압박, 압력: ~ fiscal 세금의 중압(重壓). grupo de ~ 압력 단체. ⑤ [경제] 압력: *presiones* inflacionarias 인플레이션 압력. ¶~ ***arterial*** =**tensión arterial.** ~ ***atmosférica*** 기압(氣壓). ~ ***sanguínea*** 혈압(血壓).
presionar *tr.* ① 누르다: ~ el timbre 초인종[벨]을 누르다. ② (사람에게) 압력을 가하다: Le *están presionando* para que cambie de opinión 의견을 바꾸도록 그를 압박하고 있다[그에게 압력을 가하고 있다]. ③ [운동] 집요하게 마크하다.
preso, sa *adj.* 붙잡힌: estar ~ en la cárcel 투옥되어 있다. —*m.f.* ① 포로. ② 죄수, 수형자(受刑者): ~ de conciencia 국사범(國事犯). ~ político 정치범. llevar ~ 연행하다. tomar ~ 체포하다.
presocrático, ca *adj.* 소크라테스(Sócrates) 이전의, 소크라테스 철학 이전의. —*m.* 소크라테스 이전의 철학자.
prestación *f.* ① 봉사, 원조, 서비스 제공: ~ social sustitutoria (병역 거부자가 병역 대신으로 복무하는) 사회 봉사. ② [주로 *pl.*] (사회 보험 등의) 수당, 급부(給付), 교부금: ~ por maternidad 출산 수당. ③ (도시・마을의) 부역(賦役). ④ (기계 등의) 특성. ⑤ *pl.* (기계 등의) 성능, 기능: altas *prestaciones* 고성능. ¶~ ***personal*** 부역(賦役). ~ ***social*** 사회 보장 급부.
prestadizo, za *adj.* 빌려줄 수 있는.
prestado, da *adj.* 빌린, 차용한, 차용물의. —*m.* [고어] =**préstamo.** ¶***de*** ~ ㉮ 빌려, 차용해: Lo tengo *de* ~ 나는 그것을 빌렸다, 그것은 내가 빌린 물건이다. Vivo *de* ~ en casa de un amigo 나는 친구의 집에 방을 빌려 살고 있다. ㉯ (직업 등이) 임시의, 가(假)의. ***pedir*** ~ 빌리다, 꾸다: Ella vino a *pedir*me dinero ~ 그녀는 나에게 돈을 빌리러 왔다. *Pedí ~das* unas revistas en la biblioteca 나는 도서관에서 잡지를 몇 권 빌렸다.
prestador, ra *adj.* 빌려 주는. —*m.f.* 빌려 주는 사람, 대주(貸主), 대부업자(貸付業者).
prestamista *m.f.* 고리 대금 업자, 돈을 빌려 주는 사람.
préstamo *m.* ① 대부, 대여, 차관, 융자: casa de ~*s* 전당포. solicitar un ~ al banco 은행에 차관[융자]을 신청하다. ② 대여금, 대부금, 빌린 돈: devolver el ~ 빌린 돈을 갚다. recibir un ~ de *alguien* (…로부터) 돈을 빌리다. ③ [언어] 차용어.
prestancia *f.* ① 우수함, 상질(上質), 품질이 썩 좋음. ② 당당한 풍모[풍채], 관록: actuar con gran ~ 아주 당당하게 행동하다.
prestar *tr.* ① 빌려 주다, 꾸어 주다: ~ dinero 돈을 빌려 주다. ~ un texto 교과서를 빌려 주다. ¿Puedes ~me mil euros hasta el lunes próximo? 오는 월요일까지 천 유로를 나에게 빌려 줄 수 있니? ② 돕다, 조력(助力)하다, 기여(寄與)하다(ayudar, asistir, contribuir): ~ *su* colaboración 협력하다. ③ 주다, 알리다, 전하다(dar, comunicar): ~ la noticia triste 슬픈 소식을 전하다. ④ [atención, paciencia, silencio 등을 목적어로 하여] 주다, 기울이다,

주의하다: ~ atención 귀를 기울이다, 주목[주의]하다. ~ paciencia 참다, 인내하다. ~ silencio 침묵을 지키다. —*intr.* ① 이용하다, 유익하다, 편리하다, 적당하다. ② (천・옷감 등이) 늘어나다: Esta tela nunca *presta* 이 천은 절대로 늘어나지 않는다. ~**se** ① 봉사하다, 도와 주다. ② [+para] (…에) 적당하다. ③ 동의하다. ④ [+a] (…을) 야기할 위험성이 있다.

prestatario, ria *adj.* 돈을 차관하는[빌리는]. —*m.f.* 돈을 빌리는 사람, 채무자.

preste *m.* (미사를 주재하는) 사제.

presteza *f.* 날쌤, 기민함, 민첩함.

prestidigitación *f.* 요술.

prestidigitador, ra *m.f.* 요술사.

prestigiar (11) *tr.* (…의) 위신[명성]을 높이다.

prestigio *m.* (지위・업적 등에 따르는) 명성, 위신: por el ~ del país 나라의 위신 때문에. disfrutar de gran ~, tener mucho ~ 명성을 떨치다, 평판이 높다, 신망이 두텁다. guardar *su* ~ 위신을 지키다.

presto[1]**, ta** *adj.* ① 민첩한, 날쌘, 기민한. ② 준비가 된. —*adv.* 곧, 즉시, 빨리. ¶*de* ~ 날쌔게, 민첩하게, 신속하게, 기민하게.

presto[2] *adv.* [음악] 급속히, 빠르게. —*m.* [음악] 급속조, 급속곡, 프레스토 (악장).

presumible *adj.* 추측할 수 있는, 짐작할 수 있는.

presumido, da *adj.* ① 우쭐거리는, 자만하는, 자부하는, 시건방진. ② (사람이) 잘 꾸민, 잘 차려 입은. —*m.f.* 우쭐거리는 사람, 자만하는 사람, 시건방진 사람.

presumir *tr.* ① 추측하다. ② [법률] 추정하다. ③ [+que+*subj.*] …라 생각하다. —*intr.* ① [+de] (…을) 자만하다, 자부하다: Ella *presume de* guapa 그녀는 미인임을 자부하고 있다. ② (매력적으로 보이기 위해) 치장에 신경을 많이 쓰다.

presunción *f.* 추측; [법률] 추정.

presunta *f.* ☞presunto.

presuntamente *adv.* 추정으로.

presunto, ta *adj.* ① 추정된: ~ heredero 추정 상속인. ② …의 용의(容疑)의: ~ atracador 강도 용의자. ~ autor, ~ criminal 용의자. denunciar a *alguien* por ~ cohecho 뇌물 혐의로 …를 기소하다.

presuntuosidad *f.* 자부심, 허영심.

presuntuoso, sa *adj.* 허영심[자부심]이 강한, 우쭐거리는.

presuponer (61) *tr.* ① 미리 가정하다, 예상하다, 전제로 하다: ~ la aprobación del proyecto de ley 법안의 통과를 전제로 하다. ② 견적하다, 예산을 세우다.

presuposición *f.* ① 상정(想定). ② 전제(前提).

presupuestar *tr.* 예산을 세우다[짜다]. ~**se** 예산이 세워지다[짜이다].

presupuestario, ria *adj.* (특히, 국가의) 예산의[에 관한].

presupuesto[1] *m.* ① 예산(豫算): ~ familiar 가계(家計). ~ general 일반 회계 예산. ~ del Estado, ~ nacional 국가 예산. ② 견적. ③ 이유. ④ 예상, 상상, 상정(想定), 가정(假定): partir de un ~ falso 틀렸다는 가정에서 출발하다.

presupuesto[2]**, ta** *adj.* 전제된: partir de una base ~*ta* falsa 틀렸다는 전제에서 출발하다.

presurización *f.* [전기] 고압 밀봉법.

pretemporada *f.* 시즌 전(前).

pretender *tr.* ① 바라다, 희구하다: ~ el puesto de director general 사장 자리를 원하다. ② 노리다, 은근히 바라다. ③ [+*inf.*] (…하려고) 하다, 해보다, 시도하다: ~ engañar a *alguien* (…를) 속이려 하다. ④ (의심스러운 것을) 주장하다: ~ haber visto un OVNI 미확인 비행 물체[유에프오]를 보았다고 주장하다. ⑤ (직 등을) 지망하다, 지원하다. ⑥ 구혼하다, 구애하다.

pretendido, da *adj.* =supuesto, presunto.

pretendienta *f.* (무엇을) 바라는[희구하는] 여자.

pretendiente *adj.* ① (무엇을) 바라는, 희구하는. ② (직을) 지망하는, 지원하는. ③ 구애하는, 구혼하는. —*m.f.* ① 바라는 사람, 희망자. ② 지망자, 지원자. ③ 구혼자, 구애자. ④ 왕위 계승을 요구하는 왕자.

pretensión *f.* ① 목표, 표적. ② (권리 등의) 요구, 주장. ③ *pl.* 야망. ④ *pl.* 자부, 자만, 우쭐거리기.

pretérito, ta *adj.* [문법] 과거(過去)의. —*m.* [문법] 과거(형).

preternatural *adj.* 초자연적인, 불가사의한.

pretextar *tr.* (…을) 핑계[구실]로 하다[삼다].

pretexto *m.* 구실, 핑계, 변명: so [a・bajo・con] ~ de una enfermedad 병을 구실로.

pretil *m.* ① (교량의) 손잡이, 난간. ② (추락 방지의) 목책(木柵), 울짱, 가드레일.

pretina *f.* 허리띠, 혁대, 벨트.

pretónico, ca *adj.* [언어] 강세가 있는 음절 앞의.

pretor *m.* (고대 로마의) 집정관, 법무관; 지방 장관.

pretorianismo *m.* 군부(軍部)의 정치 개입.

preuniversitario, ria *adj.* 대학 입학 준비 과정의. —*m.* 대학 준비 과정 ((COU의 옛 명칭)).

prevalecer (31) *intr.* ① 이기다, 우위를 차지하다, 압도하다. ② 존속하

다, 오래 계속하다. ③ (식물이) 뿌리를 뻗다.

prevaleciente *adj.* ① 우세한, 지배적인: opinión ~ 일반적인 의견, 통설. ② 보급되고 있는.

prevaler (62) *intr.* =**prevalecer.** ~**se** [+de] (…을) 이용하다: *~se de su* puesto para conseguir la entrada 입장권을 손에 넣기 위해 자신의 지위를 이용하다.

prevaricación *f.* 부정(不正), 배임(背任); 부정 행위, 배임 행위.

prevaricar (7) *intr.* [법률] 부정[배임] 행위를 하다.

prevención *f.* ① 예방, 주의: ~ de las enfermedades 병의 예방. ② [집합] (예방의) 수단, 준비: Ya están tomadas todas las *prevenciones* para evitar accidentes 사고 방지를 위해 이미 모든 조치가 취해지고 있다. ③ 불신감, 반감(反感). ④ 편견(prejuicio): tener mucho ~ contra los extranjeros 외국인에 대해 많은 편견을 가지고 있다. ⑤ (유치장이 있는) 경찰서. ⑥ [군사] 위병소(衛兵所).¶*a* ~ =**de prevención.** ***de** ~* 예비의, 만일을 위해, 예방을 위해: víveres *de* ~ 예비 식량.

prevenidamente *adv.* 미리, 미리 앞당겨, 예비로.

prevendido, da *adj.* ① 준비된, 갖춘, 가득찬, 풍부한: frasco bien ~ 가득찬 병. jarro ~ de agua 물이 가득찬 항아리. ② 경계하는, 조심스러운. ¶***Un hombe ~ vale (por) dos*** (속담) 유비무환(有備無患).

prevenir (60) *tr.* ① 준비하다, 미리 준비하다: ~ los alojamientos para el viaje 여행을 위해 숙박소를 미리 알아 두다. ② 예방 조치하다, 예방하다: ~ la infección 전염을 미리 예방하다. ③ 방지하다, 피하다, 막다. ④ 알리다, 경고하다, 주의하다. ⑤ 예견하다, 예지하다. ⑥ 예비 지식을 주다: Me *han prevenido* a favor del nuevo jefe 신임 사장은 좋은 분이라는 것을 나는 들어 알고 있다. ~**se** ① [+contra] (…에) 주의하다, 조심하다: Hay que *~se contra* un accidente de tráfico 교통사고를 일으키지 않도록 조심해야 한다. ② [+con] (…을) 준비하다: *Me he prevenido con* todo lo necesario 나는 필요한 것을 모두 준비했다. ¶***Más vale ~ que curar*** (속담) 예방은 치료보다 낫다, 유비무환(有備無患).

preventivo, va *adj.* 예방의, 방지하는: arresto ~, prisión *~va* 예방 구금. inyección *~va* 예방 주사. medicina *~va* 예방 의학. tomar medidas *~vas contra algo* (…에 대해) 예방책을 강구하다.

preventorio *m.* (결핵) 예방 진료소.

prever (38) *tr.* ① 예견하다, 예지하다: ~ el buen éxito del teatro 연극의 성공을 예견하다. ② 준비하다, 세우다: El gobierno *prevé* el plan de refugio 정부는 대피 계획을 세우고 있다.

previamente *adv.* 미리, 사전에: informarse ~ 예비 지식을 가지다.

previo, via *adj.* 앞선, 사전의, 예비적인: ~ acuerdo 사전 합의. autorización *~via* 사전 허가. condición *~via* 전제 조건. conocimiento ~ 예비 지식. cuestión *~via* (의회의) 선결 문제.

previsibilidad *f.* 예측성, 예상할 수 있는 일.

previsible *adj.* 예측할 수 있는, 예상할 수 있는.

previsión *f.* ① 예상, 예측: ~ del futuro 미래 예측. ~ del tiempo 일기 예보. ② 예방 (대책), 예방 조치.

previsivo, va *adj.* *Méj., Ven.* = **previsor.**

previsor, ra *adj.* 선견지명이 있는, 용의주도한. *—m.f.* 선견지명이 있는 사람, 용의주도한 사람.

previsto, ta *adj.* 예상된, 예지된, 미리 준비된: fecha *~ta* 예정일. Estaba ~ su éxito [su triunfo] 그의 성공[승리]은 예상되었다. Hace el tiempo ~ 날씨가 예보한 대로다.

prez *m.(f.)* [문어] 영광, 영예: para gloria [honra] y ~ de *alguien* (…의) 명예와 영광을 위해서.

PRI *m.* *P*artido *R*evolucionario *I*nstitucional (멕시코의) 제도 혁명당.

priapismo *m.* [의학] 지속 발기, 음경 강직(陰莖强直).

prieto, ta *adj.* ① =**ajustado, ceñido, estrecho, duro, denso.** ② (색이) 진한 갈색의. ③ =**mísero, escaso, codicioso.** ④ *Cuba.* 흑인종의(de raza negra). ⑤ *Méj.* 갈색 피부의(de piel morena). *—m.f.* *Cuba.* 흑인종(raza negra).

priísta *adj.* (멕시코의) 제도 혁명당(PRI)의. *—m.f.* (멕시코의) 제도 혁명당 당원.

prima *f.* ☞**primo.**

prima bellerina *f.* *it.* 프리마 발레리나.

primacía *f.* ① 우위, 우월(優越). ② primado의 지위[직].

primacial *adj.* ① primado의[에 관한]. ② primacía의[에 관한].

primado, da *adj.* ① 대주교[주교]의 특권을 가진. ② 대주교[주교]의[에 관한]: silla *~da* 대주교좌, 주교좌. *—m.* ① 수위, 상석. ② 수석 대주교[주교]. ③ =**primacía ②.**

prima donna *f.* *it.* 프리마 돈나.

prima facie *adv.* *lat.* =**a primera vista.**

primar *tr.* (…에) 우월성(優越性)을 주다. *—intr.* [+sobre] (…보다) 우위(優位)에 있다, 우월하다: *Prima* lo espiritual *sobre* lo material 정신적인 것이 물질적인 것보다 중요하다.

primariamente *adv.* ① =**principalmente, fundamentalmente.** ② = en primer lugar.

primario, ria *adj.* ① (순서·등급에서) 첫째의(primero): objetivo ~ 첫째 목적. ② 주요한, 본질적인(principal, esencial). ③ 기초의, 초보의, 초보적인, 기본적인(primitivo, elemental): conocimientos ~*s* 초보적 지식. enseñanza ~*ria* 초등 교육. escuela ~*ria* 초등 학교. necesidades ~*rias* 기본적 욕구; 생활 필수품. ④ 원시[미개]의(primitivo, poco civilizado): instintos ~*s* 야생적 본능. ⑤ [전기] 일차(一次)의: arrollamiento ~ 일차 코일. ⑥ [지질] 원시의, 고생대 이전의. —*f.* ① 초등 교육. ② (미국 등의) 예비 선거.

primate *adj.* [동물] 영장류(靈長類)의. —*m.* ① 영장류 동물. ② 저명 인사, 거물, 중요 인물. ③ *pl.* 영장류.

primavera *f.* ① 봄: en ~ del año 2004, 2004년 봄에. ② 일년의 따뜻한 시기 ((북반구에서는 3월·4월·5월, 남반구에서는 9월·10월·11월)). ③ 청춘, 전성 시대, 전성기, 한창때: en la ~ de *su* vida 인생의 전성기에, 청춘 시대에. ④ [식물] 앵초(櫻草). ⑤ [주로 *pl.*] (젊은 사람들의) 나이, …살, …세: Ella contaba quince ~*s* 그녀는 꽃다운 15세였다. ⑥ 여러 색깔의 꽃무늬 비단천. ⑦ 화려하게 장식한 물건. —*adj.* 순진한, 속기 쉬운. —*m.f.* 순진한 사람, 속기 쉬운 사람, 호인.

primaveral *adj.* 봄의[에 관한].

primer *adj.* =**primero.** ((primero의 남성 단수 명사 앞에서 o 탈락형; 항상 명사 앞에서만 쓰임)).

primera *f.* ☞**primero.**

primeramente *adv.* 사전에, 미리, 무엇보다 먼저.

primerizo, za *adj.* ① 초보의, 애숭이의, 신출내기의: esquiador ~ 스키 초심자. ② (특히, 암컷의) 초산(初産)의. —*m.f.* 풋내기, 애숭이, 신출내기. —*f.* 초산자(初産者).

primero, ra *adj.* [남성 단수 명사 앞에서 *primer*] ① (순서·등급에서) 첫째의, 최초의: *primer* amor 첫사랑. *primer* cajón 첫 번째 서랍. *primer* número de una revista 잡지의 창간호. primer secretario 제일 서기. ~*ra* impresión 첫 인상. ~*s* años noventa 1990년대 초두(初頭)[첫머리]. ~*ra* película que vi 내가 본 첫 영화. Juan Carlos ~ [I] 후안 까를로스 1세. asiento de ~*ra* fila 첫 줄의 좌석. ② 근본의, 기본적인, 필수적인. ③ 매우 중요한: cubrir las ~*ras* necesidades 필수품을 조달하다. —*m.f.* ① 최초의 사람, 선두: el ~ en la cola 줄의 선두. situarse entre los ~*s* 상위에 있다, 상위 입상하다. ② 수석: ser el ~ de la clase 반의 수석이다. ③ 전자(前者)(aquél). —*adv.* ① 처음에, 무엇보다도 먼저(primeramente). ② 차라리, 오히려(antes): *Primero* pediría limosna que prestado 돈을 빌리느니 차라리 구걸하겠다. —*m.* ① 1일: el ~ de enero 1월 1일. ② [+남성 명사의 생략] ¿Qué hay de ~? 전채(前菜)[오르되브르]에는 무엇이 있습니까? Ella estudia ~ 그녀는 1학년이다. —*f.* ① [+여성 명사의 생략] (자동차 변속기의) 제1속도, 저(低)속도(~*ra* velocidad). arrancar en ~*ra* 저속도로 발진하다. meter ~*ra* 제1속도로 넣다. ② (탈것의) 1등 (~*ra* clase). billete de ~*ra* 1등표. viajar en ~*ra* 1등으로 여행하다, 1등에 타다. ¶*de* ~*ra* 일류의, 극상의(sobresaliente): hotel *de* ~*ra* 일류 호텔. carne *de* ~*ra* 극상품. de ~ 먼저, 처음에.

primicia *f.* ① 맏물, 햇것: ~*s* de la huerta 첫 수확물, 맏물. ② 특종, 특종 기사(記事)(~ informativa): La televisión dio la noticia como ~ 텔레비전은 그 뉴스를 특종으로 보도했다.

primigenio, nia *adj.* 처음의, 초기의; 원시의, 본원의: destino ~ del plan 계획의 처음 목표.

primípara *f.* 초산부(初産婦).

primitivismo *m.* ① 미개성, 원시성. ② 소박, 메부수수함. ③ 원시주의, 상고(尙古)주의. ④ [미술] 원초(原初)주의 ((선사 시대나 미개 민족의 예술 또는 문예 부흥기의 소박함을 존중하는 입장)).

primitivo, va *adj.* ① 원시(原始)의, 원시 시대의; 미개의: religión ~*ra* 원시 종교. sociedad ~*ra* 원시 사회, 미개 사회. utensilio ~ 원시적 도구. ② 처음의, 최초의, 본래의, 본디의, 본디 상태의(original): texto ~ 원문. ③ 소박한, 메부수수한, 야만스러운: costumbre ~*va* 야만적인 습관. ④ [언어] 조어(祖語)의, 원시의. ⑤ [문법] 원(原) …: sentido ~ 원의(原義). palabra ~*ra* (파생어에 대해) 어근어(語根語). ⑥ [미술] 원시의: arte ~ ㉮ 원시 미술. ㉯ 르네상스 이전의 기독교 미술. —*m.f.* ① 미개인, 원시인(hombre ~). ② 르네상스 이전의 화가. —*f.* = **lotería primitiva.** ☞**lotería.**

primo, ma *adj.* ① 첫째의, 처음의(primero). ② 훌륭한, 뛰어난, 우수한(primoroso, excelente). —*m.f.* ① 사촌(四寸). ② (국왕의 대공(大公)에 대한 호칭으로) 경(卿). ③ 얼간이, 멍청이, 호인. —*f.* ① 보조금, 장려금, 수당, 특별 수당: ~ de peligrosidad 위험 수당. El director da una ~ a la puntualidad 사장은

지각을 하지 않는 사람들에게 특별 수당을 준다. ② 상금. ③ [상업] (주식의) 프리미엄, 할증금. ④ [상업] (보험의) 부금, 월부금, 보험료. ⑤ [악기] (현악기의) 가장 높은 소리를 내는 현(弦). ⑥ (고대 로마의, 하루를 네 등분한) 첫 번째 시간, 새벽. ⑦ [종교] 이른 아침의 근행(勤行). —*adv.* =primeramente. ¶***prima de seguro*** [상업] 보험료. ***primo, ma carnal*** *m.f.* =primo hermano, prima hermana. ***primo hermano, prima hermana*** *m.f.* 친사촌, 고종사촌, 친삼촌[친고모]의 아들[딸]. ***primo segundo, prima segunda*** *m.f.* 육촌, 육촌 형제, 육촌 누이, 육촌 자매. ***a primas*** [고어] 처음에, 시초에. ***caer* [*coger*] *de* ~** 쉽게 속이다. ***hacer el* ~** 쉽게 속다, 쉽게 넘어가다. ***ser*** algo ~ ***hermano*** de otra cosa (무엇이, 다른 것과) 비슷하다, 꼭 닮다.

primogénito, ta *adj.* 처음에 낳은, 장자의: hijo ~ 장자, 큰아들. hija ~*ta* 장녀, 큰딸. —*m.f.* 장남, 큰아들; 장녀, 큰딸.

primogenitura *f.* 장자(長子)의 권리[신분].

primor *m.* ① 정교함, 섬세함. ② (작품의) 아름다움, 우아함. ③ 훌륭한 사람. ④ [고어] =primacía, principalidad.

primordial *adj.* 가장 중요한, 제일의적(第一義的)인; 기본적인(primitivo, primero): fin ~ 제일 목표.

primorosamente *adv.* 완전히, 완벽하게; 교묘하게, 섬세하게, 우아하게.

primoroso, sa *adj.* ① 섬세한, 우아한, 정교한: labor ~*sa* 정교한 세공. labios ~*s* 아름다운 입술. ② 숙달된: ~*sa* mano 숙달된 솜씨.

prínceps *adj.sing.pl. lat.* 최초의, 제일의, 초판(初版)의: edición ~ 초판. —*m.* 초판.

princesa *f.* ① 공주, 왕녀. ② 왕자비. ③ 공국(公國) 통치자. ④ (스페인에서) 왕위 계승 공주. ¶~ ***de Asturias*** 스페인의 왕위 계승 공주.

principado *m.* ① 왕족[대공]의 지위. ② 공국(公國): ~ de Mónaco 모나코 공국.

principal *adj.* ① 제일 중요한; 주요한, 주된: motivo ~ 가장 큰 이유. problema ~ 주요한 문제. Lo ~ es tener buena salud 제일 중요한 것은 건강이다. ② 정면의, 손님용의 (반 ~*de servicio*): puerta ~ 정문, 정문 입구. ③ =prínceps. ④ (건물의) 2층의. —*m.* ① 2층(의 방)(piso ~). ② (공장 등의) 책임자, 중심인물. ③ [상업] 원금.

principalmente *adv.* ① 첫째로, 우선, 무엇보다 먼저, 미리. ② 주로, 대체로, 대개, 근본적으로.

príncipe *m.* ① (어떤 분야에서) 가장 뛰어난 사람, 제일인자, 왕: A Cervantes se le conoce como el ~ de los ingenios 세르반떼스는 재사(才士)[재인(才人)]들의 왕으로 불리고 있다. ② 왕자, 왕위 계승자. ③ 왕족, 귀족. ④ 대공(大公). ⑤ 국가원수, 통치자, 군주. ⑥ 경(卿) ((왕이 주는 호칭)). ⑦ (여왕 계급의) 벌 새끼. —*f.* 초판(edición ~). ¶~ ***de las tinieblas*** *m.* (악마의 수령인) 사탄, 마왕(diablo). ~ ***azul*** (여성들이 꿈꾸는·바라는) 이상의 남자, 백마 탄 왕자(hombre ideal). ~ ***de Asturias*** *m.* 아스뚜리아스공(公) ((스페인의 왕위 계승자)). ~ ***de Gales*** *m.* ㉮ 웨일즈공(公) ((영국 왕위 계승자)). ㉯ [복식] 글랜체크 ((일반적으로 회색 격자 무늬의 직물)). ~ ***de la sangre*** *m.* 왕가의 왕자. ~ ***de las sombras*** = **príncipe de las tinieblas.** ~ ***heredero*** *m.* 왕위 계승자로 지명되어 있는 왕자, 왕위 계승 왕자. ***tratar*** a alguien ***como a un*** ~ (누구를) 성대하게 환대하다, 극진히 대하다, 왕자처럼 취급하다.

principesco, ca *adj.* 왕자 같은, 공주 같은.

principiador, ra *adj., m.f.* 시작하는 (사람).

principianta *f.* (어떤 예술이나 직(職)이건) 여자 초심자, 여자 견습생, 여자 도제(徒弟)(aprendiza).

principiante *adj.* ① 착수하는, 개시하는, 시작하는. ② (직·예술·직업 등을) 공부하기[배우기·훈련하기] 시작하는, 견습의, 초심자의. —*m.f.* ① 착수자, 시작하는 사람. ② 초심자, 초보자: conductor ~ 초보 운전자. diccionario español-coreano para los ~*s* 서한 입문 사전. el español para los ~*s* 스페인어 입문, 초보자를 위한 스페인어.

principiar (11) *tr.* 시작하다, 개시하다, 착수하다(empezar, dar principio): *Han principiando* la construcción de la autopista desde enero de 2004 고속도로의 건설이 2004년 1월부터 시작되었다. —*intr.* 시작되다, 착수되다, 개시되다: *Ha principiado* el calor [el frío] 더위[추위]가 시작되었다. *Principia a* llover [nevar] 비[눈]가 내리기 시작한다. La representación *principió* con unas palabras del autor 작가의 인사말로 상연이 시작되었다.

principio *m.* ① 시작, 개시, 시초, 기원, 처음(의 부분): ~ de pulmonía 폐렴 초기, 초기 폐렴. empezar la historia por el ~ 말을 처음부터 시작하다. Los ~*s* son difíciles 처음이 어렵다. Vuelva a poner el disco desde el ~ 레코드를 처음부터 다시 틀어라. ② 근원, 근본 원인: La pereza es el ~ de todos sus males 나태는 그의 모든 불행의 원인이다. ③ 원리, 원칙: ~ de Arquímedes 아르키메데스의 원리. ~ de la conservación de la energía 에너지 본존의 법칙. ④ [주로 *pl.*] 행동 원리, 주의(主義): ~s liberales 자유주의적 신조. no tener ~*s* 절조가 없다. José nunca cede en sus ~*s* 호세는 자기의 주의주장을 굽히지 않는다. ⑤ [주로 *pl.*] 초보, 기초 지식: estudiar los ~*s* de la filosofía 철학의 초보를 배우다. estudiar la biología desde la ~ 생물학을 초보부터 배우다. ⑥ [요리] 앙트레 ((생선과 고기 중간에 내는 요리)). ⑦ (물질의) 요소, 성분. ⑧ *pl.* [인쇄] (서적의) 권두언 ((서문·헌사 등)). ¶~ ***de contradicción*** [논리] 모순율(矛盾律). ***a los ~s, al*** ~ 당초에는, 처음에는. ***a ~(s) de*** (월·연·세기 등의) 초순에, 초엽에: Volveré *a ~s de* marzo 삼월 초순에 돌아오겠다. ***dar ~ a*** algo (…을) 시작하다: *dar ~ a su* conferencia 강연을 시작하다. ***del ~ al fin*** 시종, 처음부터 끝까지, 완전히, 모조리, 모두(entera y absolutamente). ***desde un*** ~ 처음부터, 애초부터, 시작부터(desde los comienzos, desde el inicio). ***en*** ~ 원칙적으로, 대체적으로; 처음에, 임시적으로: *En* ~ estoy de acuerdo con tu plan 나는 원칙적으로 네 계획에 동의한다. ***tener [tomar·traer]*** algo ***de*** otra cosa (무엇이, 다른 것에서) 유래되다, 생기다, 나오다, 시작되다(proceder, provenir). ***Principio quieren las cosas*** (속담) 어떤 일에도 시작이 있다. ***A buen ~, la mitad está hecha, Buen ~, la mitad está hecha*** (속담) 시작이 반, 시작이 좋으면 반이 끝난다.

pringado, da *adj.* 기름에 적신 (빵). —*m.f.* 쉽게 속는 사람. —*f.* 기름에 적신 길쭉한 빵조각.

pringapié *m. Salv.* =**diarrea.**

pringar (8) *tr.* ① (빵·다른 먹을 거리를) 기름에 적시다. ② 기름으로 더럽히다. ③ 기름으로 고문하다. ④ 피를 흘리게 하다. ⑤ 헐뜯다, 중상모략하다, 명예(名譽)를 손상시키다. —*intr.* ① *Méj., Salv.* =**lloviznar.** ② 사업에 참가하다. ③ (특히 고되고 적은 보수로, 다른 사람보다) 일을 더 많이 하다. ~**se** ① 더럽혀지다. ② (나쁜 일 등에) 손을 내밀다. ③ 횡령하다.

pringoso, sa *adj.* ① 기름진. ② 기름기가 있는.

pringue *m.(f.)* ① (고기를 태울 때 등에 나는) 냄새. ② (옷 등에 묻은) 때. ③ 펄펄 끓는 기름으로 하는 고문.

prioridad *f.* ① 우선 (순위); (시간적·공간적인) 선행(先行): en orden de ~ 선착순으로. dar ~ a *alguien* (…를) 우선시키다. tener ~ 우선권이 있다. ② [주로 *pl.*] 우선 사항, 급무(急務): las *prioridades* del gobierno 정부의 우선 과제. ③ [교통] 선행권(先行權).

prioritariamente *adv.* 우선적으로.

prioritario, ria *adj.* 우선권을 가진.

prisa *f.* ① 신속, 서두름, 급함: con mucha ~ 황급히, 매우 급하게. ② 긴급성: No hay ~ de terminar ese trabajo 그 일을 끝마치는 것은 급하지 않다. ③ [레슬링] 기(技), 공격수단[방법]. ¶***a*** ~ =**aprisa:** Ella vino *a* ~ para comunicarnos la buena noticia 그녀는 우리에게 좋은 소식을 전하기 위해 급히 왔다. ***a toda*** ~ 황급히, 매우 급하게: Hazlo *a toda* ~ 황급히 그것을 해라. ***correr*** ~ 급하다, 긴급을 요하다(ser urgente): Este trabajo no *corre* ~ 이 일은 급하지 않다. ***dar*** ~ a alguien ㉮ (누구에게) 서두르게 하다, (누구를) 재촉하다. ㉯ (상대를) 맹렬히 공격하다. ***dar*** ~ algo =**correr prisa.** ***darse*** alguien ~ 서두르다(acelerarse, apresurarse): *Date ~!* 서둘러라. No *te des* ~ 서둘지 마라. de ~ =**deprisa.** ***de ~ y corriendo*** 황급히, 허둥지둥, 허겁지겁. ***estar*** alguien ***de*** ~ (누가, 무엇을) 급히 해야 하다. ***meter*** alguien ~ (누가) 서두르게 하다. ***tener*** alguien ~ =**estar de prisa.**

prisión *f.* ① 교도소, 형무소, 감옥: estar en ~ 투옥되어 있다, 교도소에 들어가 있다. reducir a *alguien* a ~ (…를) 투옥시키다, 교도소에 넣다. ② [법률] 금고(禁錮), 금고형: condenar a un año de ~ 1년 금고형에 처하다. ③ 교도소[감옥] 같은 장소. ④ 속박(하는 일). ⑤ 묶는 것. ⑥ 매의 발을 묶는 끈. ⑦ *pl.* 족쇄, 포승, 오랏줄. ¶~ ***de Estado*** 국사범 교도소. ~ ***mayor*** 장기형 ((6년에서 12년까지)). ~ ***menor*** 단기형 ((6개월에서 6년까지)). ~ ***preventiva*** [법률] 미결감(未決監). ***reducir*** a alguien ***a*** ~ [법률] (누구를) 투옥시키다, 감옥에 넣다(encarcelar).

prisionero, ra *m.f.* ① (전장에서) 포로가 된 군인[민간인], 포로. ② (사상범 등의) 죄인 ((범죄를 저지른 죄수는 preso, recluso)): ~ de conciencia, ~ político 정치범. ~ de estado 국사범. ③ 애정[열정]의 포로: Juan es un ~ de sus perjuicios 후안은 편견에 사로잡혀 있다. ¶~ ***de guerra*** 전쟁 포로.

prisma *m. lat.* ① [기하] 각기둥: ~ recto 직각 기둥. ~ oblicuo 빗각기둥. ② 관점(punto de vista), (앞으로의) 전망(perspectiva): mirar desde el ~ de *algo* (…의) 관점에서 보다. ③ [광학] 프리즘; (프리즘

에 의한) 분광(分光). ④ (결정체의) 삼각기둥, 기둥: ~ triangular 삼각기둥.

prismático, ca *adj.* ① [수학] 각기둥의[에 관한]. ② 프리즘의[에 관한]: telescopio ~ 프리즘 망원경. ③ 각기둥 모양의: cristal ~ 각기둥 모양의 결정. —*m.pl.* [광학] 프리즘 쌍안경(anteojos ~*s*).

privacidad *f.* (남의 간섭을 받지 않는 개인의) 사생활; 사적[개인적] 자유, 프리이버시: no respetar la ~ de *alguien* (…의) 프라이버시를 침해하다.

privación *f.* ① (권리 등의) 박탈, 면직: ~ de libertad 자유의 박탈. ② 상실: ~ de la vista, ~ del oído 시력 상실. ③ [주로 *pl.*] 결핍, 궁핍, 부자유: sufrir [pasar] *privaciones* 여러 가지로 불편하다[애먹다], 자유롭지 못한 생활을 하다. ④ 의욕의 부재. ⑤ 자발적인 포기[체념]: ~ voluntaria al placer 금욕(禁慾).

privada *f.* ☞privado[1].

privadamente *adv.* 사적으로, 개인적으로.

privadero *m.* 우물 청소부(procero).

privado[1], da *adj.* ① 박탈당한, 빼앗긴, 잃은, 상실한: ~ de vista 시력을 잃은. ② 사적인, 개인적인, 사용(私用)의, 개인용의: baño ~ 개인용 욕실. bienes ~*s* 사유 재산. carta ~*da* 사신(私信). secretario ~, secretaria ~*da* 개인 비서. vida ~*da* 사생활. ③ 개인 소유의, 민간의, 사영(私營)의, 개인이 경영하는 (㉥ *público, estatal*): clínica ~*da* 개인 병원. empresa ~*da* 사기업, 개인 기업. propiedad ~*da* 사유(私有), 개인 소유. escuela ~*da* 사립 학교. ④ 비공식의: reunión ~*da* 비공식 회의. ⑤ 집안[가족]끼리의: fiesta ~ 가족 파티, 집안[가족]끼리 하는 파티. ⑥ [+por] (…에게) 홀딱 반한: Estoy ~ *por* tu hermana 나는 네 누이한테 홀딱 반해 있다. ⑦ *Can.* 매우 만족한(muy contento), 환희에 찬, 기쁨에 겨운(lleno de gozo): Estoy ~ 나는 매우 만족한다. —*m.* 총신(寵臣), 행신(幸臣), 측근. —*f.* ① 변소(retrete). ② 땅바닥[길거리]에 버려진 큰 오물덩이[똥]. ¶*en* ~ 비공식적으로, 은밀히, 내밀(內密)히: Quiero hablarte *en* ~ 너에게 은밀히 말하고 싶다.

privado[2] *adv.* [고어] =**puesto.**

privanza *f.* 총애: gozar de la ~ del presidente 대통령의 총애를 받다, 대통령의 (최)측근이다.

privar *tr.* ① [+de] (누구에게서, …을) 빼앗다, 박탈하다: ~ *de* la libertad 자유를 박탈하다. ② [+de] (…의 직을) 파면하다, 그만두게 하다: ~ *de* la secretaría 비서직을 파면하다. ③ 금지(禁止)하다(prohibir, vedar): Como castigo me *han privado de* salir a la calle 벌로 나는 외출 금지를 당했다. ④ 의식[감각]을 잃게 하다. ⑤ 무척 좋아하다: A Juan le *priva* este género de pasteles 후안은 이런 종류의 케이크를 좋아한다. —*intr.* ① [+con] (…의) 총애를 받다(tener privanza): Ella *priva con* el rey 그녀는 왕의 총애를 받고 있다. ② 유행하고 있다, 인기가 있다: Este año *privan* las minifaldas 금년에는 미니스커트가 유행하고 있다. ~**se** ① [+de] (좋아하는 것의 …(하는 것)을) 끊다, 그만두다, 중지하다: ~*se de*l paseo 산책을 그만두다[중지하다]. ~*se de* fumar 금연하다, 담배를 끊다. ② *CRica., Salv.* 깊이 잠이 들다[들어 있다].

privatista *m.f.* 사법학자.

privativamente *adv.* 다른 사람을 제쳐 두고[놓고], 배타적으로; 혼자, 오직, 다만

privativo, va *adj.* ① 고유의, 특유의: Esta facultad es ~*va* del gobierno 이 권능은 정부 고유의 것이다. ② [+de] (…을) 박탈당한: pena ~*va* de libertad 자유를 박탈한 형벌. ③ [+de] (…이) 금지된.

privatización *f.* 사유화, 민영화; (민간에) 불하(拂下).

privatizador, ra *adj., m.f.* 사유화[민영화]하는 (사람); 불하하는 (사람).

privatizar (9) *tr.* 사유화하다, 민영화하다; 불하하다.

privilegiadamente *adv.* 특권[특전]을 가지고, 우대하여.

privilegiado, da *adj.* ① 특권을 누리는; 특별 취급의: acción ~*da* [상업] 우선주. clase ~*da* 특권 계급. ② 우수한, 뛰어난, 특히 혜택을 받은, 천부의 재능을 받은: Ella tenía una memoria ~*da* 그녀는 뛰어난 기억을 가지고 있다. —*m.f.* ① 특권을 누리는 사람. ② 특히 혜택을 받은 사람: ~*s* de la fortuna 행운의 사람들.

privilegiar (11) *tr.* (…에게) 특권[특전]을 부여하다[주다], 우대하다.

privilegio *m.* ① (좋은 의미로) 특권, 특전: conceder [ortegar] un ~ 특권[특전]을 주다. gozar [disfrutar] un ~ 특권을 가지고 있다. ② 특허권: ~ de invención 발명 특허권.

pro *m.(f.)* 유익, 유용, 이익, 이점(provecho, ventaja): hombre de ~ 유익한[유용한] 사람. —*prep.* …을 위하여(en favor de): Asociación ~ Corea-España 한서(韓西) 우호 협회. ¶ ***Buena ~!*** ㉮ 많이 드십시오 ((식사 중이거나 술을 마시고 있는 사람들에게 인사로 쓰였던 말)). ㉯ 효력을 발하다 ((계약서의 마지

막에 쓰였던 말)). *el ~ y el contra* 찬반(贊反), 찬부(贊否), 찬성과 반대. **de ~** ㉮ (사람이) 성실한, 자기의 의무를 다하는. ㉯ 빼어난, 우수한, 뛰어난. **en ~ de** =**en favor de:** luchar *en ~ de* la libertad 자유를 위해 싸우다[투쟁하다].

pro- *pref.* ①「…대신으로·대(代)(por·en vez de)」의 뜻: *pro*nombre 대명사. *pro*cónsul 지방 총독. ②「앞·전(前)」의 뜻: *pró*logo 머리말. *pro*genitor 선조. ③「앞으로 향하는·전진하는」의 뜻: *pro*mover 진흥하다. *pro*pulsar 추진하다. *pro*seguir 앞으로 계속하다. ④「공표·발표(publicación)」의 뜻: *pro*clamar 포고하다, 선언하다. *pro*ferir 말하다. ⑤「부정·부인(negación)·금지(contradicción)」의 뜻: *pro*hibir 금지하다. *pro*scribir 금지하다.

proa *f.* ① 뱃머리, 이물, 선수(船首). ② 기수(機首), 다른 탈것의 앞부분.

proal *adj.* proa의.

probabilidad *f.* ① 있을 법함, 있음직함, 그럴싸함, 가능성, 공산(公算): Hay muchas [grandes] *~es* de abrir una ruta aérea entre Corea y España 한국과 스페인 간에 항공로가 개설될 공산이 크다. Tengo alguna ~ de tener éxito 나에게도 어느 정도 성공할 가능성이 있다. La ~ de su restablecimiento era cada día mayor 그의 회복 가능성은 날마다 커졌다. ② [수학] 확률: *~es* de vida 평균 여명(餘命)[남은 목숨]. cálculo de *~es* 확률 계산. teoría de las *~es* 확률론. ③ [철학] 개연성. ④ [컴퓨터] 확률.

probabilismo *m.* ① [철학] 개연론(蓋然論). ② [천주교] 개연설.

probabilista *adj.* [천주교] 개연설의. —*m.f.* 개연설 주장자.

probable *adj.* ① (현실에) 있음직한, 있을 법한, 그럴싸한, 가능성이 있는, 공산이 큰; 예상되는, 틀림없을 것 같은; 유망한: opinión muy ~ 실제로 있음직한 의견, 그럴싸한 견해. acontecimiento ~ 일어날 수 있는 사건. error ~ 확률 오차. ganador ~ 우승이 예상되는 사람. resultado ~ 예상되는 결과. Es ~ que llueva [nieve] 비[눈]가 내릴지도 모른다[내릴 가능성이 있다]. ((참고: posible보다 확실도가 높은)). ② 입증할 수 있는, 믿을 근거가 있는, 확실한: evidencia ~ 확실한 증거. ③ [논리] 개연적인.

probablemente *adv.* [때때로, +*subj.*] 아마, 대개는, 십중팔구는, 어쩌면, 필시: *Probablemente* María no vendrá [venga] mañana 아마 마리아는 내일 못 올거야.

probado, da [probar의 과거 분사] *adj.* ① 증명[입증]이 끝난, 증명필의: medicamento de *~da* eficacia 효능이 증명[입증]된 약. Su paciencia está bien *~da* 그의 인내심은 충분히 증명되고 있다. ② [법률] 증명된, 입증된.

probador, ra *adj.* 시도하는, 시험해 보는; 시식하는, 시음하는. —*m.f.* 시도하는 사람; 시식자, 시음자. —*m.* (양복점·옷가게·백화점 등의) 옷을 입어 보는 곳.

probadura *f.* 시식(試食), 시음(試飮).

probanza *f.* [법률] 증거; 증거물.

probar (24) *tr.* ① (성질·성능 등을) 시험하다, 테스트하다: ~ la resistencia del acero 강철의 내구력을 시험하다. ~ el valor de *alguien* (…의) 용기를 시험하다. ② 옷을 입히다[입혀 보다], 신을 신기다[신겨 보다]: ~ a su hijo unos zapatos 아들에게 구두를 신겨 보다. ③ 먹어 보다, 마셔 보다, 시식하다, 시음하다: *Pruebe* usted este vino chileno 이 칠레산 포도주를 시음해 보세요. ¿Ella pasa muchos días sin ~ bocado 그녀는 여러 날 동안 음식물을 입에 대지 않고 있다. ④ 먹어[마셔] 본 경험이 있다: No *he probado* la carne de perro 나는 개고기를 먹어 본 적이 없다. ⑤ 증명하다, 입증하다, 입증[증명]해 보이다: ~ la inocencia de *alguien* (…의) 무죄를 입증하다. ⑥ 나타내다, 보이다: José no ha venido, y esto *prueba* que no tiene interés por el plan 호세는 오지 않았다. 이것은 그가 계획에 관심이 없다는 것을 나타낸다. —*intr.* ① [+a+*inf.*] (··을) 시도해 보다, 시험삼아 해보다, …하려고 하다: ~ a levantar el equipaje 짐을 들어 보려고 하다. ② [+bien] 적합하다; [+mal] 적합하지 않다: No me *prueba* (bien) el clima aquí 이 곳 기후는 나한테 맞지 않다. **~se** 옷을 입어 보다: ¿Puedo *~me* este abrigo? 이 오버를 입어 볼 수 있을까요?

probatoirio, ria *adj.* 증거로 내세우는.

probatura *f.* =**ensayo, prueba.**

probeta *f.* ① 시험관: bebé ~, niño ~ 시험관 아기. ② 압력계, 수압계. ③ (사진의) 현상 접시. ④ 화약 시험기. ⑤ (총포의) 폭압계(暴壓計). ¶~ *graduada* (유리컵에 눈금을 새긴 액체의) 용적 계량기.

probidad *f.* =**honradez.**

problema *m.* 문제, 과제(課題): ~ económico 경제 문제. ~ filosófico 철학 문제. ~ del paro 실업(失業) 문제. enfrentarse con un ~ 문제와 씨름하다. plantear un ~ 문제를 제기하다. presentar [poner] un ~ 문제를 내다. resolver un ~ de matemáticas 수학 문제를 풀다.

problemática *f.* ☞problemático.
problemáticamente *adv.* 까다롭게, 의심스러워, 수상쩍어.
problematicidad *f.* =**problematismo.**
problemático, ca *adj.* (해결 등이) 의심스러운, 불확실한; 문제가 있는: chico muy ~ 문제아. préstamos ~*s* 불량 채권. Su futuro se presenta ~ 그의 미래에는 문제가 있다. —*f.* [집합] (하나의 과학·영역에 속하는) 문제: ~*ca* política de nuestro país 우리 나라의 정치 문제.
problematismo *m.* 문제성, 문제 의식, 의심스러운 점.
probo, ba *adj.* 성실한, 정직한, 곧은, 강직한: funcionario ~ 성실한 공무원.
procacidad *f.* ① 철면피, 파렴치, 낯가죽이 두꺼움, 뻔뻔스러움. ② 파렴치한 말[행동].
procaz *adj.* 철면피한, 파렴치한, 낯가죽이 두꺼운, 뻔뻔스러운.
procedencia *f.* ① 기원(起源), 출신 (origen): ser de ~ madrileña 마드리드 출신이다. ② 출처, 발송지, 출발지: ~ de la carta 편지의 발송지. contenedores de ~ coreana 한국에서 온 컨테이너. ③ (법적·도덕적) 근거: admitir la ~ de una reclamación 정당한 요구로 인정하다. No hay ~ de que nos hagan tal exigencia 우리에게 그런 요구를 할 근거가 없다.
procedente *adj.* ① [+de] (…에서) 온, …발(發)의: tren ~ *de* Madrid con destino a Barcelona 마드리드발 바르셀로나행 열차. palabra ~ *de*l griego [latín] 희랍어[라틴어] 어원의 말. regalo ~ *de* un desconocido 알지 못한 사람에게서 온 선물. ② (법적·도덕적) 근거가 있는, 타당한, 적절한: demanda ~ 타당한 요구.
proceder[1] *intr.* ① [+de] (…에서) 비롯되다, 나오다, 생기다, 시작되다, 유래되다: ~ *de* la Argentina 아르헨띠나산이다. El plástico *procede de*l petróleo 플라스틱은 석유에서 만들어진다. Este barco *procede de* Las Palmas 이 배는 라스 빨마스에서 온다. El vuelo *procede de* La Habana 항공편은 아바나발(發)이다 [아바나에서 온다]. Toda su fortuna *procede de* negocios sucios 그의 전 재산은 부정한 사업으로 얻은 것이다. ② [+de] (사람이, …의) 출신이다, …에서 태어나다: ¿*De* dónde *procede* ella? 그녀는 어디 출신입니까? Ella *procede de* una familia noble [pobre] 그녀는 양반[가난한] 가정 출신이다. ③ 행동하다, 굴다, 처신하다: ~ injustamente con alguien (…에게) 부당한 행동을 하다. ~ precipitadamente 성급하게 행동하다. ④ [+a] (행동에) 착수하다, 조치를 취하다: ~ a abonar 불입 수속을 밟다. ~ al embargo 압류 조치를 취하다. ⑤ 타당하다, 적절하다: En caso de urgencia *procede* abreviar los trámites 긴급한 경우에는 수속을 간소화하는 것이 좋다. ⑥ [+contra] (…에 대해) 소송을 제기하다. ⑦ 계속하다, 계속되고 있다. ¶~ ***en infinito*** 한없이 계속되다.
proceder[2] *m.* 행동, 하는 행동, 하는 짓, 거동: Su ~ merece alabanza 그의 행동은 칭찬받을 만하다.
procedimental *adj.* 방법상의, 수속상의; 방법에 관한, 수속에 관한.
procedimiento *m.* ① 방법, 수단: ~ seguro 확실한 방법. con este ~ 이런 방법으로. ② (일련의) 조치. ③ (법적·행정적인) 절차, 수속. ④ 소송: ~ civil 민사 소송. ~ penal 형사 소송. ⑤ 공정(工程): ~ de producción 생산 공정. ⑥ [컴퓨터] 서브루틴 ((특정 또는 다수 프로그램에서 되풀이해서 사용되는 독립된 명령군)).
procela *f.* [시어] =**borrasca.**
proceloso, sa *adj.* =**borrascoso, tormentoso, tempestuoso.**
prócer *adj.* =**eminente, elevado, alto.** —*m.f.* ① (지위가 있는·영향력이 있는) 명사, 거물, 중요 인물. ② (독립 전쟁 등에서의) 국민적 영웅, 애국 지사.
procerato *m.* prócer의 지위, 고관대작.
procesado, da *adj.* ① 고소된, 기소된. ② 처리된. —*m.f.* 고소[기소]당한 사람, 피고.
procesador[1] *m.* ① [컴퓨터] 처리 장치, 프로세서. ② [컴퓨터] 워드 프로세서, 문서 작성기: escribir con ~ 워드 프로세서를 치다. ¶~ ***de datos*** [컴퓨터] 데이터 처리 장치. ~ ***de textos*** [커뮤터] 문서 작성 프로그램.
procesador[2], **ra** *adj.* 처리하는: máquina ~*ra* 문서 작성기. sistema ~ de lanzamiento (위성의) 발사 조작 장치.
procesal *adj.* [법률] 소송의[에 관한]: costas ~*es* 소송 비용(訴訟費用). derecho ~ 소송법.
procesamiento *m.* ① [법률] 기소; 고발, 고소. ② 가공, 처리: ~ de la leche 우유의 가공. ③ [컴퓨터] 처리: unidad central de ~ 중앙 처리 장치. ¶~ ***de datos*** 데이터 처리. ~ ***de textos*** 문서 작성(文書作成)(tratamiento de textos).
procesar *tr.* ① [+por] (…의 이유로) 기소(起訴)하다, 재판에 걸다: Le *procesaron* por corrupción 그는 독직으로 고발되었다. ② 처리하다.
procesión *f.* ① 행렬: La gente fue

en ~ 사람들이 행렬을 지어 갔다. ② (사람·동물의) 열(列): ~ de hormigas 개미의 열. ③ (종교상의) 행렬: ~ de Semana Santa 부활절[성주간]의 행렬. ~ del Corpus 성체(聖體)의 행렬. ¶*andar* [*ir*] *por dentro la* ~ 내심(內心)은[속으로는] 고민하다[성내다·불안하다·평온하지 않다]: Juan permaneció inmutable, aunque *iba por dentro la* ~ 후안은 침착했지만 속으로는 고민하고 있었다.

procesional *adj.* ① 행렬의[에 관한]. ② 줄을 이룬.

procesionalmente *adv.* 행렬을 지어, 줄을 지어.

procesionaria *f.* [곤충] 모충(毛蟲), 송충이.

procesionario *m.* 행렬 찬미가집.

proceso *m.* ① 과정, 경과; 진전: ~ de la enfermedad 병의 진전. ~ de fabricación 제조 공정. ~ químico 화학 처리. El ~ hacia la democracia está en marcha 민주화가 진행 중이다. En un ~ de un mes solucionaré este problema 일 개월 사이에 이 문제를 해결하겠다. ② 재판, 소송; 재판[소송]의 일건 서류: ~ civil 민사 소송. Han abierto un ~ contra él por posible estafa 사기를 이유로 그에 대한 재판이 열렸다. ③ [컴퓨터] 처리, 작성: ~ de datos 데이터 처리. ~ de textos 문서 작성. ④ [해부] 돌기: ~ ciliar 모양(毛樣) 돌기. ⑤ [el P~] 군부 독재 ((아르헨띠나, 1976-83; 우루구아이, 1973-85)). ¶~ ***en infinito*** 끝이 없는 것, 무한히 계속되는 것.

proclama *f.* ① 포고, 공시(公示). ② (교회에서 행하는) 결혼 공시, 서품(敍品) 공시. ③ (왕의) 즉위 연설; (대통령의) 취임 연설. ④ (병사 등에게 행하는) 격려 연설.

proclamación *f.* ① 선언, 성명: ~ de la república 공화국 선언. ② 공표, 포고, 반포(頒布), 발포(發布): ~ de una ley 법률의 발포. hacer la ~ de candidatos (정당이) 후보자를 발표하다. ③ 즉위(식), 취임(식): ~ del rey 국왕의 즉위식.

proclamar *tr.* ① 선언하다: ~ el estado de emergencia 비상 사태를 선언하다. ② 공표하다, 포고하다, 반포하다, 발포(發布)하다, 발표하다: ~ la constitución 헌법을 공포하다. ~ el resultado de las elecciones generales 총선거의 결과를 공표하다. Le *proclamaron* premio Nobel de Literatura 그의 노벨 문학상 수상이 발표되었다. La *proclamaron* reina del país 그녀는 그 나라의 왕비로 공표되었다. ③ 명시하다: El silencio *proclama* su consentimiento 침묵은 그의 동의의 표시다. ④ 환호하다, 갈채를 보내다(aclamar).

proclive *adj.* ① 앞[아래]쪽으로 기운. ② (주로 나쁜 것에 기운) 경향이 있는: naturaleza ~ a las enfermedades 병에 잘 걸리는 체질.

proclividad *f.* (나쁜) 경향, 성벽.

procomún *m.* 공익(公益).

procomunal *m.* 공익(公益).

procónsul *m.* (고대 로마에서) 식민지[지방] 총독.

proconsular *adj.* procónsul의.

procreación *f.* 출산; 생식(生殖).

procrear *tr.* (아이를) 낳다, 출산하다; (자손을) 번식시키다.

proctitis *f.* [의학] 직장염, 항문염.

proctología *f.* [의학] 직장병학(直腸病學), 항문병학(肛門病學).

proctológico, ca *adj.* [의학] proctología의[에 관한].

proctólogo, ga *m.f.* [의학] proctología 전문 의사.

proctorragia *f.* [의학] 직장 출혈.

proctoscopia *f.* =**rectoscopia.**

proctoscopio *m.* =**rectoscopia.**

procura *f.* ① 대리권. ② procurador의 직. ③ procurador의 사무소. ④ (사업에서) 노력.

procuración *f.* ① 대표, 대리. ② (대리) 위임장.

procurador, ra *adj.* 대리하는. —*m.f.* ① 검사, 검찰관(~ público): ~ general 검찰총장. ② [법률] 대리인. ③ (수도회의) 회계 담당, 관재인(管財人). ④ (일부 국가에서) 행정 감찰관, 옴부즈맨. ¶~ ***a Cortes*** =**procurador en Cortes.** ~ ***de Cortes*** =**procurador en Cortes.** ~ ***en Cortes*** [역사] (국회에 파견된 각 도시의) 대의원.

procuraduría *f.* produrador의 임무[직무실].

procurar *tr.* ① [+a+*inf.*·que+*subj.*] …하려고 노력하다, 애쓰다, 진력하다, …하려고 하다: ~ apoderarse del sitio 장소를 얻으려고 애쓰다. *Procuraré* terminarlo mañana 그것을 내일 끝내도록 노력하겠다. ② [+a] (…에게) 제공하다: Te *procuraré* un trabajo 너에게 일을 주선하겠다. ③ 얻다, 손에 넣다, 입수하다(conseguir, adquirir). ④ 대리하다, 대행하다. ~**se** (자신을 위해) 손에 넣다, 입수하다, 얻다: Ella *se procuró* un buen empleo 그녀는 좋은 일자리를 얻었다.

prodición *f.* =**traición, entrega.**

prodigalidad *f.* ① 낭비, 허비; 탕진. ② 풍부, 풍족, 많음, 다수.

pródigamente *adv.* 풍부하게, 푸짐하게, 듬뿍.

prodigar (8) *tr.* ① 낭비하다. ② 푸짐하게 주다: ~ elogios 칭찬[찬사]을 아끼지 않다. ③ 탕진하다. ~**se** ① 자신을 지나치게 칭찬하다. ② 자신을 (지나치게) 과시하다: Ella *se prodiga* tanto en la conferencia que ya nadie la escucha 그녀는 회의에서 지나치게 과시해서 아무도 그녀의 말을 듣지 않는다.

prodigio *m.* ① 불가사의, 경이(적인 일), 놀랄 만한 일(maravilla): ~ del arte 예술의 경이로움. los ~*s* de Moisés 모세의 기적. ② 비범한 사람, 기재(奇才): niño ~ 신동(神童). Esta chica es un ~ de amabilidad 이 소녀는 놀랄 만큼 마음이 친절하다. ③ 기적(milagro): realizar un ~ 기적을 행하다.

prodigiosamente *adv.* ① 불가사의하게, 경이로이, 놀라울 만큼. ② 훌륭하게, 뛰어나게.

prodigiosidad *f.* 불가사의, 경이.

prodigioso, sa *adj.* ① 불가사의한. ② 놀랄 만한, 경이로운: éxito ~ 놀랄 만한 성공, 경이로운 성공. velocidad ~*sa* 경이로운 속도, 놀랄 만한 스피드. ③ 기적적인. ④ 훌륭한, 뛰어난. ⑤ 완벽한, 완전한.

pródigo, ga *adj.* ① 방탕한, 낭비성의. ② 낭비하는, 탕진하는. ③ 물건을 아끼지 않는, 선심을 잘 쓰는, 인심이 좋은, 관대한(muy dadivoso). ④ 다작(多作)의; 다산(多産)의: ~*ga* naturaleza 결실이 풍요로운 자연. novelista ~ 다작 소설가. poeta ~ 다작 시인. La naturaleza es más ~*ga* y fecunda que la imaginación humana 자연은 인간이 상상하는 것보다 더 (결실이) 풍요롭다. —*m.f.* 낭비가. ¶*hijo* ~ 탕아.

prodrómico, ca *adj.* [의학] 전구 증상(前驅症狀)의.

pródromo *m.* [의학] 전구 증상.

producción *f.* ① 생산, 제조; 생산고: ~ coreana 한국제, 한국산. ~ de arroz 쌀 생산(고). ~ nacional de acero 강철의 국내 생산(고). medios de ~ 생산 수단. ② 제품, 생산물(producto): *producciones* industriales 공업 제품. *producciones* naturales 자연의 산물. ③ (영화 등의) 제작; 영화 작품: ~ cinematográfica coreana 한국 영화. ④ 텔레비전[라디오] 프로그램. ⑤ [집합] 작품: ~ literaria 문학 작품. ⑥ [법률] 제출, 제시.

producibilidad *f.* 생산[산출·상연]할 수 있음.

producible *adj.* 생산[산출·상연]할 수 있는.

producidor, ra *adj., m.f.* =**productor.**

producir (71) *tr.* ① 생산하다, 산출하다, 제조하다: ~ mucho vino 많은 포도주를 생산하다. ~ electrodomésticos 가전 제품을 생산하다. ② (결과 등을) 가져오다, 낳다, 초래하다: La guerra siempre *produce* muchos estragos 전쟁은 항상 많은 재앙을 가져온다. ③ (이익을) 가져오다, 낳다, 만들어 내다: El depósito en el banco *producirá* el cinco por ciento de interés 은행 예금은 5퍼센트의 이자를 낳을 것이다. ④ (작품을) 창작하다: ~ una novela 소설을 쓰다. ⑤ (영화·프로그램을) 제작하다: ~ una película 영화를 제작하다. ⑥ [법률] 제출하다, 제시하다. ~**se** ① (일이) 생기다, 일어나다: ~*se* una revolución 혁명이 일어나다. ~*se* un malentendido 오해가 생기다. ② 소신을 표명하다, 자신의 의견을 말하다. ③ (상처 등이) 자신에게 생기다.

productibilidad *f.* =**producibilidad.**

productible *adj.* =**producible.**

productividad *f.* 생산성, 생산력: ~ laboral 노동 생산성. ~ marginal 한계 생산성. aumentar la ~ 생산성을 향상시키다. ¶***Agencia Europea para la Productividad*** 유럽 생산성국(局).

productivo, va *adj.* 생산적인, 생산력이 있는: actividad ~*va* 생산 활동. discusión no muy ~*va* 비생산적인 의론(議論). fuerzas ~*vas* 생산력. negocio muy ~ 수입이 좋은 사업. personal ~ 생산 부문의 인력. tierra ~*va* 비옥한 땅.

producto *m.* ① 제품, 산물, 생산물: ~ acabado 완성품. ~ accesorio 부산물. ~ agrícola, ~ agrario 농산물. ~ alimenticio 식료품(食料品). ~ básico 일차 산품. ~ de primera necesidad 생활 필수품(生活必需品). ~ elaborado 가공품. ~ financiero 금융 상품. ~ primario 일차 산품. ~ químico 화학 제품(化學製品). ~ semiacabado, ~ semiterminado, ~ semimanufacturado 반제품(半製品). ~ terminado 완성품. ② (지적 활동 등의) 산물, 소산: ~ de la época 시대의 산물. ③ 수익, 이익; (부가 가치로서의) 생산고: ~ bruto 총매상고, 총수입. ~ de las ventas de ayer 어제의 매상고. ~ interior [interno] bruto, ~ bruto interno 국민 총생산. ~ per cápita, ~ por habitante 국민 1인당 생산고. ④ [수학] 곱 ((둘 이상의 수 또는 식을 곱하여 얻은 수치)): ~ de x por y 엑스(x)와 와이(y)의 곱. ¶~ ***nacional bruto*** [경제] 국민 총생산, 지엔피(GNP). ~ ***nacional neto*** [경제] 국민 순생산.

productor, ra *adj.* ① 생산하는, 만들어 내는: capacidad ~*ra* 생산 능력. país ~ de petróleo 산유국. ② [영화·텔레비전] 제작의. —*m.f.* ① 생산자, 제조업자: precio al ~ 생산자 가격. venta directa del ~ al consumidor 산지 직매(産地直賣). ② [영화·텔레비전] 제작자, 프로듀서. —*f.* [영화·텔레비전] 제작 회사 (compañía ~*ra*).

proemial *adj.* proemio의[에 관한].

proemio *m.* (책의) 머리말, 서문.
proeza *f.* 위업, 공훈, 공적(功績): ~ bélica, ~ guerrera 무훈(武勳).
profa *f.* [구어] =**profesora.**
profanación *f.* 모독(冒瀆), 불경: ~ de tumbas 무덤을 파헤치는 일.
profanador, ra *adj.* 모독하는. —*m.f.* 모독자.
profanamente *adv.* 불경하게, 신[하느님]을 두려워하지 않고.
profanamiento *m.* =**profanación.**
profanar *tr.* 모독하다, (신성한 것을) 더럽히다, 불경을 저지르다: ~ la casa de Dios 교회를 모독하다.
profanidad *f.* ① 불경, 신성 모독. ② 남용.
profano, na *adj.* ① 불경한, 믿음이 없는. ② 세속(世俗)의, 속계(俗界)의: música ~*na* 세속 음악. ③ 종교가 없는, 무(無)종교의, 반(反)종교적인: rito ~ 무종교 의식. ④ 천한, 상스러운, 비속(卑俗)한: palabras ~*nas* 상스러운 말. ⑤ [+en] (…에) 문외한의: ser ~ *en* arte contemporáneo 현대 미술에 문외한이다. —*m.f.* 문외한, 초보자.
profe *m.f.* [구어] =**profesor, ra.**
profecía *f.* ① 예언 능력, 예언의 사물(賜物)(don · espíritu de ~). ② 예언, 신탁(信託): ~ de la venida de Cristo al mundo 구세주 출현의 예언. hacer una ~ 예언을 하다. ③ 예지(豫知), 예측.
proferir (54) *tr.* 말하다, 지껄이다.
profesar *tr.* ① (신앙 · 사상 등을) 표명하다, 신봉하다: ~ la religión protestante 신교를 신봉하다. ~ comunismo 공산주의를 신봉하다. ② …을 전문 직업으로 하다: ~ la medicina 의사의 개업을 하다. ③ (중등 학교 이상에서) 가르치다: ~ las matemáticas en la escuela superior 고등 학교에서 수학을 가르치다. ④ (감정을) 품다, 느끼고 있다. —*intr.* 수도원[수도회]에 들어가다.
profesión *f.* ① 직업(職業) ((참고: profesión은 주로 변호사나 의사 등 특별한 자격을 필요로 하는 직업, ocupación은 특별한 자격이나 직함을 필요로 하지 않는 운전사 · 목수 · 초등 학교 교사 등 전문성이 크게 필요하지 않은 직업)): ¿Qué ~ tiene usted? −Soy zapatero de ~ 직업이 무엇입니까? −구두 수선공입니다. ② (신청 서류 등의) 직업란(職業欄). ③ (종교 · 신조 등의) 표명: ~ de fe 신앙 고백. ¶***hacer ~ de*** una costumbre o habilidad (습관 · 능력을) 자랑하다, 자만하다, 뽐내다, 으스대다(jactarse de).
profesional *adj.* ① 직업(職業)의: enfermedad ~ 직업병. enseñanza ~ 직업 교육. ② 본직(本職)의, 전문가의, 직업적인, 프로의: carpintero ~ 본직인 목수. esquiador ~ 프로 스키 선수. —*m.f.* ① (변호사 · 의사 등) 전문 직업인, 직업 선수, 프로. ② (지적) 직업인, 기술 전문가. ③ 상습자, 상습범: ~ de la droga 마약 상습자.
profesionalidad *f.* 직업성, 직업 의식, 직업 근성.
profesionalismo *m.* 직업가 기질, 프로 정신[의식].
profesionalización *f.* 프로화(化), 전문화.
profesionalizar (9) *tr.* 프로화시키다. ~**se** 프로화되다.
profesionalmente *adv.* 직업적으로, 전문적으로, 전문적인 견지에서.
profesionista *m.f.* *Méj.* 전문가, 전문 직업인, 직업 선수, 프로.
profeso, sa *adj.* 서원한. —*m.f.* 서원 수도사, 서원 수도녀.
profesor, ra *m.f.* (중등 학교 이상의, 어떤 과목을 전문으로 가르치는) 교사, 선생; 교수: sala de ~*es* 직원실. hacerse ~ de español 스페인어 선생이 되다. trabajar [estar] de ~ en una universidad 한 대학교에서 가르치고 있다. Buenos días, ~ 선생님, 안녕하세요. ¶~ ***adjunto,*** ~***ra adjunta*** *m.f.* 전임 강사. ~ ***agregado,*** ~***ra agregada*** *m.f.* 조교수. ~ ***asociado,*** ~***ra asociada*** *m.f.* 부교수. ~ ***no numerario,*** ~***ra no numeraria*** *m.f.* 시간 강사. ~ ***numerario,*** ~***ra numeraria*** *m.f.* 전임 교수. ~, ~***ra titular*** *m.f.* 전임 교수.
profesorado *m.* ① [집합] 교수진, 교수들, 선생들: sindicato de ~ 교원 조합. El ~ de esta universidad es muy bueno 이 대학교의 교수진은 아주 우수하다. ② 교수직, 교직: ejercer el ~ 교직에 있다.
profesoral *adj.* 교사[교수]의[에 관한]; 교사직의[에 관한].
profeta *m.* [기독교] 예언자.
profetal *adj.* =**profético.**
proféticamente *adv.* 예언하듯이, 예언자처럼.
profético, ca *adj.* ① 예언의[에 관한]. ② 예언자의[에 관한].
profetisa *f.* 여자 예언자.
profetismo *m.* 예언하는 경향.
profetista *m.f.* 예언자.
profetizador, ra *adj.* 예언(豫言)하는. —*m.f.* 예언자.
profetizar (9) *tr.* 예언하다.
profiláctico, ca *adj.* 병 예방(豫防)의. —*m.* 콘돔(preservativo). —*f.* 예방 의학.
profilaxia *f.* *Méj.* =**profilaxis.**
profilaxis *f.* *sing.pl.* (병의) 예방, 예방법.
pro forma *adj.* *lat.* 형식상의.
prófugo, ga *adj.* 도망하는, 기피하는: esclavo ~ 도망 노예. —*m.f.* 도

망자. —*m.* (단순한 혐오·공포 등에 의한) 병역 기피자.

profundamente *adv.* 깊게, 깊이: dormir ~ 푹[깊이] 자다.

profundar *tr.* =ahondar.

profundidad *f.* ① 깊이: Este pozo tiene diez metros de ~ 이 샘은 깊이가 10미터이다. Este río tiene poca ~ 이 강은 얕다. ② *pl.* 깊은 곳. ③ *pl.* 심해(深海), 대해(大海). ④ 안길이: Este armario tiene cincuenta centímetros de ~ 이 옷장은 안길이가 50센티미터이다. ⑤ (감정·정신적인) 깊이, 깊은 마음 속: ~ de los sentimientos 감정의 깊이. en la ~ de *su* alma 마음속 깊은 곳에는. ⑥ (내용의) 심원함, 심원한 문제: tema de gran ~ 매우 심원한 주제. ⑦ [광학] 심도(深度): ~ de foco 초점 심도. ¶*en* ~ ㉮ *adv.* 깊이, 철저히, 심도 있게: examinar *en* ~ 깊이[철저히] 검토하다. La obra analiza *en* ~ el problema del paro 작품은 파업 문제를 심도 있게 분석하고 있다. ㉯ *adj.* 깊은, 철저한.

profundización *f.* 깊게 함; 깊이 연구함.

profundizar (9) *tr.* ① 깊게 하다, 깊이 파다: ~ el pozo 샘을 깊이 파다. ② 깊이 연구하다, 깊이 캐다: ~ el tema 주제를 깊이 연구하다. —*intr.* ① 깊이 들어가다. ② 연구를 깊이 하다: ~ más en el asunto 사건을 더 깊이 파고들다.

profundo, da *adj.* ① 깊은: arruga ~*da* 깊은 주름. herida ~*da* 깊은 상처. pozo poco ~ 얕은 샘. raíces ~*das* 땅속 깊이 박힌 뿌리. en las aguas ~*das* 심해(深海)에. El lago es poco ~ en esta parte 호수의 이 부분은 얕다. ② (안길이가) 깊은: armario ~ 속이 깊은 옷장. cajón ~ 속이 깊은 서랍. cueva ~*da* 깊은 동굴. selva ~*da* 깊은 밀림[정글]. ③ (동정 등이) 마음에서 우러나는, 충심의; 의미 심장한; 충분한: gratitud ~*da* 심심한 사의[감사]. ④ (소리가) 깊이가 있는, 중후한: voz ~*da* 중후한 목소리, 깊이가 있는 소리. ⑤ (책·학설·작품·연설 등이) 깊은, 심원한; 심층의; (책·사상 등이) 뜻 깊은, 난해한: discurso ~ 심원한 내용의 연설. estructura ~*da* 심층 구조. pensamiento ~ 깊은 생각. psicología ~*da* 심층 심리학. ⑥ (머리를) 깊이 숙인, 공손한: hacer una ~*da* reverencia 머리를 깊이 숙여 인사하다. ⑦ (정도가) 강한, 큰, 깊은: ~ amor 깊은 사랑. ~*da* diferencia 확실한 차이. ~ dolor 심한 통증, 격통(激痛). ⑧ (잠이) 깊은, 곤한: sueño ~ 깊은 잠. ⑨ (한숨이) 깊은. ⑩ (병이) 뿌리 깊은. —*m.* ① 깊이. ② 심연(深淵). ③ (사람의) 속마음. ④ [시어] 바다(mar). ⑤ [시어] 지옥(infierno). ⑥ [시어] 죽은 자의 영혼이 사는 곳(infierno).

profusión *f.* ① 다량, 많음, 풍부함: explicar con ~ de detalles 자상하게 설명하다. Tengo ~ de sellos, monedas y billetes 나는 엄청난 우표와 동전과 지폐를 가지고 있다. ② 과다, 과잉.

profusamente *adv.* ① 푸짐하게, 많이. ② 과다하게, 지나치게.

profuso, sa *adj.* ① 많은, 풍부한, 푸짐한, 엄청난(abundante, copioso): libro con ~*sas* citas 인용투성이의 책. dar ~*sas* muestras de cariño a *alguien* (…를) 익애(溺愛)하다, 지나치게 귀여워하다. ② 과다한, 지나친, 낭비적인.

progenie *f.* ① 혈통, 가계. ② 자손.

progenitor, ra *m.f.* ① (직계의) 선조(先祖). ② *pl.* 부모.

progenitura *f.* 혈통(血統).

prognatismo *m.* 턱이 튀어나옴.

prognato, ta *adj.* 턱이 튀어나온. —*m.f.* 턱이 튀어나온 사람.

progne *m.* [시어] [새] =**golondrina.**

prognosis *f.* ① 미리 앎, 예지(豫知). ② 일기 예보.

programa *m.* ① 프로그램, 상연 목록, 상연[연주] 종목: escuchar un ~ 프로그램을 듣다. intervenir en un ~ 프로그램에 나가다[출연하다]. ver un ~ 프로그램을 보다. Esta noche hay un ~ interesante en la emisora KBS 오늘 밤에 케이비에스 방송국에서는 재미있는 프로그램이 있다. ② [집합] (한 방송국의) 프로그램 전체. ③ 상연[상영·공연] 소책자[팸플릿]: ~ de mano 길에서 나누어 주는 팸플릿. comprar un ~ 공연 팸플릿[프로그램]을 사다. ④ (의식의) 식순(式順). ⑤ [정치] 정책 강령: ~ electoral 선거 강령. ⑥ [교육] 교과 과정, 커리큘럼, 수업 계획: ~ de (la asignatura de) la conversación española 스페인어 회화 수업 계획. ⑦ 계획, 예정: ¿Qué ~ tenemos para este fin de semana? 이번 주말은 무엇을 할까요? ⑧ [음악] 표제(標題): música de ~ 표제 음악. ⑨ [컴퓨터] 프로그램: ~ Basic 베이식 ((간단한 언어를 사용한 컴퓨터 용어)). ⑩ *Ecuad., Ur.* 은밀하고 일시적인 애정 관계. ⑪ *Ur.* 사랑 약속. ⑫ *Ur.* 일시적인 성관계를 가진 사람.

programable *adj.* 계획을 세울 수 있는.

programación *f.* ① 프로그램 편성, 계획 작성, 계획화. ② 강령 작성. ③ [집합] (방송의) 프로그램 (전체): ~ de hoy 오늘의 프로그램. ④ [컴퓨터] 프로그래밍: lenguaje de ~

프로그래밍 언어.

programador, ra *m.f.* [컴퓨터] 프로그래머. —*m.* (전기 기구의) 예약 등의 기능[장치].

programar *tr.* ① 프로그램을 짜다, 계획을 세우다: ~ el curso 강의 커리큘럼을 짜다. ~ las vacaciones de primavera 봄 휴가의 계획을 세우다. ② (전기 기구의 예약 등을) 장치하다. ③ [컴퓨터] 프로그램을 짜다.

programático, ca *adj.* 프로그램의[에 관한], 정책[방침]에 따른, 정책 강령(政策綱領)의.

progresar *intr.* ① [+en] (…에서) 진보하다, 향상하다: La humanidad *progresa* sin cesar 인류는 끊임없이 진보하고 있다. Ella no *progresa* nada *en* sus estudios 그녀는 공부에서 전혀 진척이 없다. La miope me *ha progresado* 나는 근시가 진행되었다. ② [+hacia] (…을 향해) 전진하다.

progresía *f.* ① [집합] 진보적인 사람. ② [집합] 유행의 첨단을 걷는 사람.

progresión *f.* ① 진전, 진행: La infección va en ~ 화농(化膿)이 진행되고 있다. ② [수학] 급수, 수열. ③ [음악] 진행. ¶~ *aritmética* 산술[등차] 급수. ~ *ascendiente* 상승 급수. ~ *descendiente* 체감 급수. ~ *geométrica* 기하[등비] 급수.

progresismo *m.* 진보주의.

progresista *adj.* ① 진보주의의[에 관한]. ② 진보적인. ③ 유행의 첨단을 걷는. ④ (스페인의) 자유당의[에 관한]: periódico ~ 자유당 기관지. senador ~ 자유당 상원의원. —*m.f.* ① 진보주의자, 혁신주의자. ② 유행의 첨단을 걷는 사람. ③ (스페인의) 자유당원.

progresivamente *adv.* 서서히, 단계적으로.

progresivo, va *adj.* ① 전진적인, 점진적인: aumento ~ del paro 실업자의 점진적인 증가. imposición ~*va* 누진 과세. política ~*va* de industrialización 단계적 공업화 정책. ② 진보하는, 향상하는. ③ [문법] 진행형의. ④ [의학] 진행성의: parálisis ~*va* 진행성 마비.

progreso *m.* ① 진보, 향상, 발전: ~*s* de la industria 산업 발전. hacer ~*s* rápidos [lentos] en español 스페인어에서 빠른[늦은] 발전을 하고 있다. ② 진전, 진행: ir en ~ 진전하다. ③ (적진에의) 전진(前進).

prohibición *f.* ① 금지, 금제(禁制): ~ de caza 금렵(禁獵), 사냥 금지. ~ de importación de armas 무기 수입 금지. ~ de pesca 금어(禁漁), 어로 금지, 낚시 금지. levantar la ~ 금지를 해제하다. ② 금수(禁輸), 수입 금지.

prohibicionista *adj.* 금지론의. —*m.f.* 금지론자.

prohibido, da *adj.* 금지(禁止)된: *Prohibido* la entrada [표시] 출입 금지. *Prohibido* fumar [표시] 금연. dirección ~*da* 진입 금지. el paso ~, circulación ~*da* 통행 금지. Está ~ llevar pistolas 권총 휴대가 금지되어 있다.

prohibir (16) *tr.* 금하다, 금지하다: ~ la droga 마약을 금지하다. Se *prohíbe* la entrada [표시] 출입 금지. Se *prohíbe* fumar [표시] 금연. Se *prohíbe* fijar carteles 벽보 첨부 금지. El médico le *prohíbe* fumar / El médico le *prohíbe* que fume 의사는 그에게 담배를 피우는 것을 금하고 있다. ((참고: prohibir que 다음에는 접속법 동사를 사용함)).

prohibitivo, va *adj.* ① 금지하는, 금지의: ley ~*va* 금지령. ② (가격이) 매우 높은, 매우 비싼, 살 수 없을 정도의: Las frutas se han puesto a un precio ~ 과일 값이 살 수 없을 정도로 비싸졌다. Los pisos son cada vez más ~*s* 아파트 값은 매번 치솟고 있다.

prohibitorio, ria *adj.* 금지의[하는].

prohijación *f.* 양자 결연, 양자 맞음.

prohijador, ra *adj.* 양자 결연하는. —*m.f.* 양자 결연자.

prohijamiento *m.* =**prohijación.**

prohijar (16) *tr.* ① 양자로 삼다 (adoptar por hijo). ② (남의 의견·학설을 자신의 것으로) 만들다, 받아들이다.

prohombre *m.* 권위자, 대가(大家).

prójima *f.* 단정치 못한 여인, 행실이 나쁜 여자.

prójimo *m.* ① 놈, 녀석, 자식. ② 이웃, 다른 사람. ¶*no tener* ~ alguien (누가) 냉혹하다, 매정하다, 인정머리가 없다.

prolapso *m.* [의학] (기관의 일부나 전부가 몸에서) 빠짐: ~ del riñón 탈 신장. ~ del útero 탈 자궁.

prole *f.* ① 자손, 후손. ② 수많은 사람들.

proletariado *m.* [집합] 프롤레타리아 [무산·노동자] 계급: dictadura del ~ 프롤레타리아 독재.

proletario, ria *adj.* 프롤레타리아의, 무산(無産)[노동자] 계급의, 평민의, 하층 계급의: revolución ~*ria* 프롤레타리아 혁명. —*m.f.* 프롤레타리아, 무산자, 노동자 계급자. —*m.* (고대 로마의) 최하층 계급 백성.

proliferación *f.* ① [생물] 증식, 번식: ~ de bacterias 박테리아의 증식. ② 급증, 격증: ~ de crímenes 범죄의 격증. Tratado de No *Proliferación* Nuclear 핵확산 방지 조약.

proliferar *intr.* ① [생물] 증식하다,

번식하다. ② 급증하다, 격증하다.
prolífico, ca *adj.* 번식력이 있는, 다산(多産), 다작(多作)의: escritor ~ 다작 작가. Las ratas son muy ~*cas* 쥐는 번식력이 왕성하다.
prolijidad *f.* 지루함, 장황함, 따분함; 귀찮음.
prolijo, ja *adj.* ① 장황한, 지루한, 따분한. ② 귀찮은.
prologar (8) *tr.* …의 서문을 쓰다.
prólogo *m.* ① 서문, 머리말, 서언(序言), 프롤로그. ② 발단.
prologuista *mf.* (다른 사람의 작품의) 서문을 쓰는 사람.
prolongable *adj.* 연장할 수 있는, 연장 가능한: contrato ~ por un año 1년 연장 가능한 계약.
prolongación *f.* ① (시간적·공간적) 연장: ~ del contrato 계약의 연장. ~ del metro 지하철의 연장. ~ de la sesión por diez días 회기의 10일간 연장. ② (…의) 연장 부분.
prolongadamente *adv.* 길다랗게.
prolongado, da *adj.* 넓이보다 더 긴, 길다란.
prolongador, ra *adj., mf.* 연장하는 (사람).
prolongamiento *m.* 연장(延長).
prolongar (8) *tr.* (시간적·공간적으로) 길게 하다, 늘이다, 연장하다: ~ la tregua una semana 1주일간 휴전을 연장하다. ~ las negociaciones 교섭을 지연시키다[끌다]. ~ la carretera veinte kilómetros 도로를 20킬로미터 연장하다. ~**se** ① 시간이 오래 걸리다: La reunión *se ha prolongado* más de lo previsto 회의는 예정보다 오래 걸렸다. ② (공간적으로) 연장되다.
promediar (11) *tr.* 평균을 내다; 절반으로 나누다, 이등분하다. —*intr.* ① 중재하다. ② 중간쯤이 되다.
promedio *m.* 평균: más arriba del ~ 평균 이상의. más abajo del ~ 평균 이하의. Yo corro un ~ de cinco kilómetros al día 나는 하루 평균 5킬로미터를 달린다.
promesa *f.* ① 약속(約束): ~ de cortesano 감언, 미사여구(美辭麗句). ~ matrimonial, ~ de matrimonio 약혼. ~ vana, ~ de borracho 헛된 약속. cumplir la ~ 약속을 지키다. hacer una ~ 약속을 하다. incumplir la ~ 약속을 지키지 않다. ② (좋은 결과의) 예상. ③ 유망한 사람. ④ [종교] 서원(誓願).
prometedor, ra *adj.* 유망한, 가망이 있는: joven muy ~ 전도 유망한 청년.
prometer *tr.* ① 약속하다. ② (주로, 좋은 것을) 예고하다. —*intr.* 기대되다, (장래가) 촉망되다, 전도 유망하다: Julio es un investigador joven que *promete* 훌리오는 전도 유망한 젊은 연구자다. *Promete* mucho su negocio 그의 사업은 장래성이 많다. ~**se** ① (서로) 약혼하다. ② (근거 없이, 여행이나 휴일 등에) 기대를 품다[가지다]. ¶***prometérselas** alguien **felices*** (누가) 근거 없이 기대를 품다.
prometido, da *adj.* ① 약혼하고 있는. ② 약속된: regalo ~ 약속한 선물. —*mf.* 약혼자.
prometimiento *m.* =promesa.
prometio *m.* [화학] 프로메튬.
prominencia *f.* ① 돌기, 돌출, 융기. ② 걸출(傑出)
prominente *adj.* ① 돌출한: barriga ~ 튀어나온 배. nariz ~ 높은 코. ② 걸출(傑出)한, 훌륭한, 뛰어난: ~ científico 뛰어난 과학자.
promiscuidad *f.* ① 뒤섞음, 뒤범벅, 난잡, 잡탕, 뒤죽박죽, 범벅. ② 상대를 가리지 않는 성행위, 난혼(亂婚), 잡혼제.
promiscuo, cua *adj.* ① 난잡한, 뒤범벅의, 잡탕의, 뒤죽박죽의. ② (성행위가) 상대를 가리지 않는, 난교(亂交)의. ③ 잡다한.
promisión *f.* 약속. ¶***tierra de*** ~ [성경] 약속의 땅.
promisorio, ria *adj.* ① 장래가 유망한. ② [상업] 지불을 약속한.
promoción *f.* ① 판매 촉진(~ de ventas). ② 촉진, 진흥, 장려: ~ de las exportaciones 수출 촉진. ③ 승진, 진급. ④ [집합] 동기(同期) 승진자[임관자], 동기생: Todos los de mi ~ han encontrado trabajo 내 동기생은 전원 취직했다. ¶***video para [de]*** ~ 프로모션 비디오 ((신곡을 낼 때 선전용으로 만드는 비디오)). ***en*** ~ 판매 촉진 중의, 선전 중의.
promocionar *tr.* ① (판매 등을) 촉진하다, 장려하다, 진흥하다: ~ un nuevo producto 신제품을 팔다. ② 승진시키다, 진급시키다. 발탁하다. ~**se** 승진하다, 진급하다.
promontorio *m.* ① 둔덕, 작은 언덕. ② 너무 쌓인 것: tener un ~ de papeles sobre la mesa 책상 위에 서류가 쌓여 있다. ③ [지리] 곶, 갑(岬).
promotor, ra *adj.* 촉진하는, 장려하는, 진흥하는. —*mf.* ① 발기인; 주도자, 주모자: ~ de una reforma 개혁의 주도자. ~ de los desórdenes públicos 폭동의 주모자. ② 촉진자, 선전원: ~ de ventas 판매 촉진자, 판매 선전원. ~ inmobiliario 택지 개발 업자, 부동산 업자. ③ 흥행사, 흥행주, 프로모터. —*f.* 택지 개발 회사(~*ra* inmobiliaria).
promover (25) *tr.* ① 촉진하다, 장려하다, 진흥하다: ~ el ahorro 저축을 장려하다. ~ la venta 판매를 촉진하다. ② 일으키다, 야기시키다: Su artículo *promovió* un escándalo

en todo el país 그의 기사로 온 나라가 큰 소동이 일어났다. ③ [+a] (…로) 승진시키다, 진급시키다: Le *promovieron a* capitán general 그는 대장으로 진급되었다. ④ (택지를) 개발하다. ⑤ [법률] 소송을 제기하다.

promulgación *f.* (법률의) 공포(公布), 발포(發布).

promulgar (8) *tr.* ① (법률을) 공포하다. ② 발표하다, 알리다.

pronador *m.* [의학] 내전근(內轉筋).

pronaos *f.* [건축] (옛 사원의) 주랑.

pronombre *m.* [문법] 대명사. ¶~ ***demostrativo*** 지시 대명사. ~ ***indefinido,*** ~ ***indeterminado*** 부정 대명사. ~ ***interrogativo*** 의문 대명사. ~ ***personal*** 인칭 대명사. ~ ***posesivo*** 소유 대명사. ~ ***relativo*** 관계 대명사.

pronomidado ***verbo*** ~ [문법] 대명동사(代名動詞) ((se를 거느리는 재귀 동사나 상호 동사의 총칭)).

pronominal *adj.* [문법] 대명사의[에 관한], 대명사적인. ¶***verbo*** ~ 대명동사(代名動詞).

pronosticación *f.* 예상, 예측, 예지.

pronosticador, ra *adj.* 예상하는, 예측하는, 예보하는. —*m.f.* 예상자, 예측자, 예보자, 예언자.

pronosticar (7) *tr.* 예상하다, 예측하다, 예보하다: Los meteorólogos *pronostican* lluvias 일기 예보관은 비가 내릴 것을 예보한다. Los periódicos *pronosticaron* que ganaría el campeón 신문들은 챔피언이 이길 것을 예측했다.

pronóstico *m.* ① 예상, 예측, 예보: ~ del tiempo 일기 예보. ② 조짐, 전조(前兆): Es un buen ~ que le haya bajado [subido] la fiebre 그의 열이 내릴[오를] 조짐이다. ③ [의학] 예후(豫後), 병세의 예측. ¶***de*** ~ ***reservado*** ㉮ 요검사(要檢査)의. ㉯ 결과가 불확실한, 결과가 나쁜. ㉰ 위험한(peligroso, amenazador).

prontamente *adv.* 재빨리, 신속히, 기민하게(con prontitud).

prontitud *f.* ① 신속, 기민, 재빠름: con ~ 재빨리, 신속히, 기민하게. ② 영특함, 영민함.

pronto, ta *adj.* ① 재빠른, 날쌘, 신속한, 기민한, 조속한, 빠른; 즉석의: Le deseo una ~*ta* mejoría de sus dolencias 귀하의 병세가 조속히 회복되기를 바랍니다. ② 준비가 된: Siempre estoy ~ *para* ayudarte 나는 언제나 너를 도울 준비가 되어 있다. ¿Estás ~ *para* salir? 외출 준비되었소? El enfermo está ~ *para* dejarse operar 환자는 수술을 받을 준비가 되어 있다. La comida está ~*ta* 식사 준비가 되어 있다. —*m.* ① 갑작스러운 결정, 충동, (감정의) 격발(激發). ② (병의) 갑작스러운 발작. —*adv.* ① 재빨리, 날쌔게; 곧, 머지 않아, 즉시: Vuelve ~, que te necesito 네가 필요하니 빨리 돌아오너라. Mis padres volverán a la patria ~ 내 부모님께서는 머지 않아 조국에 돌아오실 것이다. ② 미리, 일찍: Hoy he terminado ~ 나는 오늘 일찍 끝냈다. ¶***al*** ~ 처음에(는), 첫 눈에: *Al* ~ te reconocí 나는 너를 첫 눈에 알아보았다. ***de*** ~ ㉮ 별안간, 돌연, 갑자기, 느닷없이: Ella estaba tranquila y *de* ~ se puso a llorar 그녀는 조용하더니 갑자기 울기 시작했다. ㉯ 서둘러, 부랴부랴(apresuradamente). ㉰ *Col.* =**posiblemente.** ***por de*** ~, ***por el*** [***lo***] ~ 우선은, 지금으로서는, 당장은, 먼저: No necesito tu ayuda *por de* ~ 지금으로서는 네 도움이 필요 없다. *Por lo* ~ tráigame el vino; luego la comida 우선 포도주를 가져오고, 나중에 식사를 가져오세요. ***tan*** ~ ***como***+*ind.*[+*subj.* 미래의 경우] …하자마자: *Tan* ~ *como* llegue a Madrid, pasaré por la Plaza de España 나는 마드리드에 도착하자마자, 스페인 광장에 들르겠다.

prontuario *m.* ① 편람, 안내서. ② 요약, 개요, 각서.

pronunciable *adj.* 쉽게 발음할 수 있는.

pronunciación *f.* ① 발음(發音): ~ española 스페인어 발음. ② (찬성·반대의) 의사 표시. ③ [법률] (판결의) 언도, 선고: ~ de la sentencia 판결의 언도.

pronunciador, ra *adj., m.f.* ① 발음하는 (사람). ② 선고하는 (사람).

pronunciamiento *m.* ① 군부의 봉기, 군사 쿠데타. ② [법률] (판결의) 선고, 언도.

pronunciar (11) *tr.* ① 발음하다: ~ bien [mal] el español 스페인어 발음이 좋다[나쁘다]. ~ la palabra correctamente 단어를 정확히 발음하다. ② 말하다, 발언하다, 술회하다: ~ un discurso 연설을 하다. No *he pronunciado* ni una palabra 나는 한 마디도 하지 않았다. ③ [법률] (판결을) 선고하다, 언도하다. ④ 강조하다, 눈에 띄게 하다, 두드러지게 하다: El vestido ajustado *pronuncia* más sus curvas 꼭 맞는 드레스를 입은 몸의 선이 한층 뚜렷하다. ~**se** ① (찬성·반대의) 의사 표시를 하다. ② 눈에 띄다, 두드러지다: ~se las diferencias 차이가 두드러지다. ③ (군대가) 봉기하다, 쿠데타를 일으키다.

pronuncio *m.* [천주교] 교황청 대사 대리.

propagación *f.* 전파, 보급: ~ de la fe 신앙의 보급[전파]. ~ de las llamas 연소(延燒), 불길이 이웃으로

번져 탐. velocidad de ~ de la luz 빛의 전달 속도.

propagador, ra *adj.* 선전(宣傳)하는. —*m.f.* 선전자.

propaganda *f.* ① 선전: ~ de un artículo por televisión 텔레비전으로 하는 상품의 선전. hacer la ~ 선전하다. ② (선전의) 전단, 포스터: repartir ~ 전단을 배포하다.

propagandista *m.f.* (주로 정치적인) 선전자.

propagandístico, ca *adj.* 선전의[에 관한].

propagar (8) *tr.* ① 번식시키다, 증식시키다: ~ la especie de algo (…의) 품종을 번식시키다. ② 널리 퍼뜨리다, 보급시키다, 전파시키다: ~ infundios 근거 없는 말을 퍼뜨리다. ~ la fe 신앙을 전파시키다. ~**se** 퍼지다, 전파되다, 보급되다: El fuego *se propagó* a las casas vecinas 불이 이웃집으로 퍼졌다. La noticia *se propagó* por todo el país 소식이 전국으로 전파되었다.

propágulo *m.* [식물] 태아(胎芽).

propalador, ra *adj.* 폭로하는. —*m.f.* 폭로자.

propalar *tr.* (비밀 등을) 폭로하다, 누설하다: La prensa *propaló* un secreto militar 신문이 군사 기밀을 누설했다.

propano *m.* [화학] 프로판 ((탄화수소의 일종)): gas (de) ~ 프로판 가스.

proparoxítono, na *adj.* 끝에서 세 번째 음절에 악센트가 있는.

propasar *tr.* (한도 등을) 넘다. ~**se** ① [+con · en] (…에) 도를 넘다, 지나치다: ~*se con* la comida 과식하다, 너무 먹다. ~*se en* la confianza 지나치게[너무] 믿다. ② [+con] (특히, 남자가 여자에게) 무례한 짓[말]을 하다, 괘씸한 언행을 하다.

propedéutica *f.* 예비[준비] 교육.

propender *intr.* [+a] (…에의) 경향[성벽]이 있다: Su cuerpo *propende a* la gordura 그는 쉽게 살이 찌는 체질이다.

propensión *f.* [+a] (…에의) 경향, 성벽(性癖): ~ *a*l ahorro 저축 성향. ~ *a*l consumo 소비 성향. tener ~ *a*l vino 술을 좋아하다. Mi hijo tiene gran ~ *a* resfriarse 내 아들은 감기에 쉽게 걸린다.

propenso, sa *adj.* [+a] (…에의) 경향이 있는, 쉽게 …하는, 곧잘 …하는, …하기 쉬운: ~ *a* borrachear 술에 잘[쉽게] 취하는. ~ *a* hacer reír con sus dichos o hechos 말이나 행동으로 곧잘 웃기는. carácter ~ *a* enojarse 쉽게 성내는 성격, 성을 잘 내는 성격. ser ~ *a* acatarrarse 감기에 잘 걸리다.

propiamente *adv.* 본래는, 정확히는, 적절히: ~ dicho 본래의 의미로는.

propiciar (11) *tr.* ① (…의 화를) 달래다, 누그러뜨리다. ② 유리하게 하다, 안성맞춤으로 하다. ③ (호의 등을) 얻다: ~ la voluntad de *sus* padres 부모의 동의를 얻다.

propiciatorio, ria *adj.* [종교] 속죄(贖罪)의: víctima ~*ria* 속죄의 희생물. —*m.* ① (유대인이 하느님의 앉은 곳으로 생각하여 성경의 궤 위에 씌웠던) 황금의 뚜껑. ② 성전(聖殿). ③ 성상(聖像). ④ 무릎 받침.

propicio, cia *adj.* ① 친절한, 호의적인: hombre ~ *a*l perdón 용서에 호의적인 사람. Muéstrate ~ *a* nosotros 우리에게 호의를 보여라. ② 안성맞춤의, 적당한, 적절한: lugar ~ *a* los pensamientos 생각하기에 적당한 장소. momento ~ 적당한 순간. ocasión ~*cia* 적당한 기회.

propiedad *f.* ① 소유권(所有權): ~ industrial 공업 소유권 ((특허권, 상표권, 실용 신안권 등)). ~ intelectual 지적 소유권. ~ literaria 저작권, 판권. ~ mineral 광업권. ② 소유물; (특히) 소유지, 부동산(~ inmobiliaria): ~ particular 사유 재산; 사유지. ~ privada 사유 재산. ~ pública 공유 재산. ③ 특성, 속성(屬性): El imán tiene la ~ de atraer el hierro 자석은 철을 끌어당기는 특성이 있다. ④ (말의) 적확(的確)함, 정확함: emplear la palabra con ~ 말을 정확히 사용하다. ⑤ (진짜와 위조품 사이의) 유사성. ¶~ *horizontal* 분양 아파트(의 소유권). *nuda* ~ [법률] 허유권(虛有權) ((지상권, 영소작권 등의 용익물권이 설정되어 그 내용이 공허하게 된 소유권)). *en* ~ ㉮ 소유물로서: Como herencia mi padre me dejó *en* ~ la casa en que vivía 부친께서는 자신이 살았던 집을 유산으로 나에게 남기셨다. ㉯ (담당하는 일이 임시나 대리가 아닌) 정식의, 전임의: Ella tiene cátedra *en* ~ 그녀는 정교수다.

propietario, ria *adj.* ① 소유하는. ② 속된. —*m.f.* ① 소유자, 소유주, 임자, 주인, 지주: ~ del restaurante 식당 주인. ② 속된 승려. ¶*nudo* ~ [법률] 허유권자(虛有權者).

propileo *m.* (고대 희랍의) 열주문(列柱門).

propina *f.* ① 팁: dar una ~ 팁을 주다. dar una buena ~ al camarero 종업원에게 팁을 듬뿍 주다. ② 앙코르 곡(曲). ¶*de* ~ ㉮ 그 위에, 더욱더(además). ㉯ 팁으로.

propinar *tr.* ① 투약하다, 처방하다 (administrar una medicina). ② 먹이다, 때리다(dar un golpe): ~ una bofetada 따귀를 때리다. ~ una paliza 몽둥이찜질을 하다. ~ una patada 짓밟다, 발로 차다. ③ [드묾] 마실 것을 주다(dar a beber).

propincuo, cua *adj.* =allegado, cercano, próximo.

propio, pia *adj.* ① 고유의, 본래의: frecuencia *~pia* 고유 진동수. fruta *~pia* del tiempo 계절 (고유의) 과일. en el ~ sentido de la palabra 말의 본래의 의미에서. ② 특유의. ③ 자기 자신의: coche ~ 마이 카. defensa *~pia* 자기 방어. de fabricación [producción] *~pia* 자사 제품의. según su ~ criterio 독자적인 판단으로. Ella vive en casa *~pia* 그녀는 자기 집에서 살고 있다. Lo he visto con mis *~s* ojos 나는 내 자신의 두 눈으로 그것을 보았다. ④ … 본인의, … 자신의; … 자체의: el ~ día que él se presentó al tribunal 그가 법정에 출두한 바로 그 당일. El ~ interesado debe firmar (당사자) 본인이 서명해야 한다. El ~ Kim aparece en el zaguán 김씨 본인이 현관에 나타난다. ⑤ 자연의, 인공이 아닌: pelo ~ (가발에 대해) 제 머리(털). ⑥ [+para] (…에) 적합한: Este vestido no es ~ *para* ir a la fiesta 이 드레스는 파티에 가기에는 적당하지 않다. ⑦ 같은: lo ~ 같은 일. —*m.* 사자(使者), 메신저(mensajero).

proponer (61) *tr.* ① 제안하다. ② [+para] (…에 적당한 인물로) 추천하다. ③ (문제를) 제출하다, 제기하다. **~se** …하려고 하다, …할 계획을 세우다. ¶***El hombre propone y Dios dispone*** (속담) 모사(謀事)는 재인(在人), 성사는 재천(在天).

proporción *f.* ① 조화, 균형, 균제(均齊). ② 비율. ③ [수학] 비, 비례, 비례식: en ~ con [de] …의 (정)비례로. en la misma ~ [+que] (…과) 같은 비율로. ④ 크기, 규모. ⑤ 중요도. ⑥ 기회, 호기(oportunidad): Todavía no he tenido ~ para verle 나는 아직 그를 만날 기회가 없었다.

proporcionado, da *adj.* ① 균형이 잡힌, 정돈된. ② [+a] (…에) 맞는, 적합한: sueldo ~ *al* trabajo 일에 적합한 급료.

proporcional *adj.* ① [+a] (…에) 비례의[에 관한]: expresión ~ [수학] 비례식. reparto ~ 비례 배분. ② 균형이 잡힌, 조화된, 비례하는. ③ [문법] 배수(倍數)의.

proporcionalidad *f.* 균형.

proporcionalmente *adv.* 비례하여.

proporcionar *tr.* ① 균형을 잡히게 하다. ② 비례시키다. ③ 제공하다, 주다. ④ (감정을) 일으키다. **~se** 손에 넣다, 획득하다.

proposición *f.* ① 제안, 건의, 신청, 제의: ~ de la paz 평화 제안. aceptar una ~ 제안을 받아들이다. rechazar una ~ 제안을 거절하다. ② 논제, 의제(議題): ~ de ley (의원 제출의) 법안. ~ no de ley 동의(動議). ③ (직무에) 추천, 제시. ④ [논리·수학] 명제, 정리(定理). ⑤ [문법] 절(節): ~ principal 주절. ~ subordinada 종속절.

propósito *m.* 목적, 의도. ¶***a*** ~ ㉮ 바라던 바와 같이; 안성맞춤으로, 때마침, 알맞게. ㉯ =**de propósito.** ㉰ (이야기를 처음 꺼낼 때) 그런데, 그건 그렇다 치고. ***a*** ~ ***de*** = acerca de: Ella no decía nada *a* ~ *del* plan 그녀는 계획에 관해서 아무 말도 하지 않았다. ***de*** ~ 고의로, 일부러: No lo hice *de* ~ 나는 고의적으로 그것을 하지 않았다. ***fuera de*** ~ 시의(時宜)에 맞지 않게, 좋지 않은 때에, 철이 지나

propuesta *f.* ① (거래 등의) 신청: ~ de matrimonio 결혼 신청. hacer una ~ 신청하다. ② 견적, 견적서. ③ (직무에의) 추천. ④ (정부·상사 등에의) 제안: a ~ de *alguien* …의 제안으로. El consejo va a examinar su ~ 중역회는 그의 제안을 검토할 것이다. ⑤ 논제(論題), 의제(議題): ~ de ley 법안.

propuesto, ta *adj.* 신청된, 제안된.

propugnación *f.* 옹호, 지지.

propugnador, ra *adj.* 옹호하는, 지지하는. —*m.f.* 옹호자, 지지자.

propugnar *tr.* (학설 등을) 옹호하다, 지지하다.

propulsar *tr.* ① 추진하다; 전진시키다: ~ un cohete 로켓을 추진하다. ~ el desarrollo de la agricultura 농업 개발을 밀고 나아가다. ② 배격하다(rechazar, repulsar).

propulsión *f.* 추진: ~ a chorro, ~ a [de·por] reacción 로켓 추진. ~ por hélice 프로펠러 추진.

propulsor, ra *adj.* 추진하는, 추진용의. —*m.f.* 추진하는 사람. —*m.* 추진제.

prora *f.* [시어] =**proa.**

pro rata *f.* =**prorrata.**

pro rata parte *f.* =**prorrata.**

prorrata *f.* 배당, 몫, 할당. ¶***a*** ~ 비례 배분으로(mediante prorrateo).

prorratear *tr.* 비례 배분하다, 할당(割當)하다.

prorrateo *m.* 비례 배분, 할당.

prórroga *f.* ① (기한·기간의) 연장, 연기: ~ de las negociaciones 교섭 기간의 연장. dar ~ 지불 기일을 연장하다. ② [운동] 연장전: ganar el partido en la ~ 연장전에서 시합에 이기다. ③ [군사] 징병 유예.

prorrogable *adj.* 연장[연기]할 수 있는, 연장[연기] 가능한.

prorrogar (8) *tr.* ① (기한·기간 등을) 연장하다, 연기하다: ~ el día del pago 지불 기일을 연장하다. ~ la reunión media hora más 모임을 30분 연장하다[지연시키다]. ② 중지

하다, 정지하다(suspender).
prorrumpir *intr.* [+en] (감정적으로) 갑자기[돌연·별안간] …하기 시작하다: ~ *en* gritos 갑자기 호출하다. ~ *en* sollozos 갑자기 흐느껴 울기 시작하다. ~ *en* suspiros 별안간 한숨을 쉬다.
prosa *f.* ① 산문, 산문체(의 문장), 산문성: escribir en ~ 산문으로 쓰다. ② (중요하지 않은 것의) 다변(多辯): No utilices tanta ~ y vete al grano 쓸데없는 말은 그만하고 본제(本題)로 들어가거라. ③ 범속(凡俗), 평범하고 속됨: ~ de la vida 인생의 무미건조함. ¶*poema en* ~ 산문시.
prosado, da *adj.* 산문으로 쓰인.
prosador, ra *m.f.* ① 산문가. ② 수다쟁이.
prosaicamente *adv.* ① 산문적으로. ② 살풍경하게.
prosaico, ca *adj.* ① 산문의[에 관한]. ② 산문으로 쓴. ③ (시작품이) 산문적인, 시적 흥취가 없는. ④ 살풍경한, 따분한.
prosaísmo *m.* ① (시적 흥취가 없는) 시작품의 결함. ② 멋이 없음, 재미가 없음, 평범.
prosapia *f.* 가계(家系), 혈통.
proscenio *m.* ① 무대 앞 부분, 무대 옆. ② (고대 희랍·라틴 연극에서) 무대.
proscribir *tr.* ① 추방하다. ② 금지하다. ③ (출판물의) 발매[배포]를 금지하다.
proscripción *f.* ① 추방. ② 금지. ③ (출판물의) 발매[배포] 금지.
proscripto, ta *adj., m.f. Arg., Ur.* =proscrito.
proscrito, ta *adj., m.f.* =desterrado.
prosecución *f.* 계속, 속행.
proseguible *adj.* 계속할 수 있는, 속행할 수 있는.
proseguimiento *m.* =prosecución.
proseguir (46) *tr.* 계속하다, 속행하다: ~ *sus* estudios 공부를 계속하다. —*intr.* 계속되다: La huelga de trenes *proseguirá* toda la semana 철도 파업이 일주일 내내 계속될 것이다. La lluvia *proseguía* sin cesar 비가 그치지 않고 계속되었다. El precio *prosiguieron* elevándose violentamente 물가는 자꾸 올라만 갔다.
proselitismo *m.* 개종(改宗)[가입] 권유, 열렬한 권유.
proselitista *adj.* 개종[가입]을 권유하는, 열렬히 권유하는. —*m.f.* 개종[가입] 권유자.
prosélito, ta *m.f.* ① (종교·정당 등에) 신규 가입자. ② (종교에) 개종자(改宗者). ③ (도당·파벌·주의 등에) 찬성자.
prosificación *f.* 산문화(散文化).
prosificador, ra *adj.* 산문화하는, 산문으로 쓰는. —*m.f.* 산문가(散文家).
prosificar (7) *tr.* 산문으로 쓰다, (시작품을) 산문으로 고치다, 산문화(散文化)하다.
prosista *m.f.* 산문가.
prosístico, ca *adj.* 산문의[에 관한], 산문체의[에 관한].
prosodia *f.* ① 음운론. ② 발음법. ③ 운율학(韻律學). ④ 시형론(詩形論).
prosódico, ca *adj.* ① 음운론의. ② 운율적인.
prosopopeya *f.* ① [수사학] 의인법(擬人法). ② 뽐내기, 으스대기.
prospección *f.* ① (지하의) 탐사, 조사; 채광(採鑛): ~ geológica 지질 탐사[조사]. ~ petrolífera 석유 탐사. ② (장래성 등의) 조사: ~ de mercado 시장 조사.
prospectiva *f.* 미래학, 미래 연구.
prospectivo, va *adj.* 미래[장래]의.
prospecto *m.* ① (선전의) 전단. ② (주로 약 등의 사용법의) 설명서, 내용 설명서. ③ (설립 등의) 취지서.
prospector, ra *m.f.* 탐광자(探鑛者).
prosperar *tr.* 융성하게 하다, 번영시키다: Dios te *prospere* 하느님께서 너를 융성케 하시기를. —*intr.* ① 번영하다, 번창하다, 융성하게 되다, 흥하다: El comercio *prospera* 상업이 번창한다. La industria automovilística de Corea *prospera* mucho en todo el mundo 한국의 자동차 산업은 전세계에서 호황을 누리고 있다. ② (의견·계획 등이) 힘을 받다, 받아들여지다: No *ha prosperado* la idea de viajar por España 스페인 여행 안(案)은 받아들여지지 않았다.
prosperidad *f.* ① 번영, 호황: Goza de ~ la industria de la construcción 건설업계는 호황을 누리고 있다. ② (개인의) 번창, 번성, 융성, 성운(盛運), 행운, 성공: Le deseo ~ en sus negocios 사업이 번창하기를 기원합니다. ¶***Muhas veces la adversidad es causa de*** ~ (속담) 역경은 자주 성공의 원인이 된다.
próspero, ra *adj.* 번영하고 있는, 번창하는, 성장하는, 호황을 누리는: industria ~*ra* 성장 산업. estar en estado ~ 호황이다, 호황을 누리다.
Próspero Año Nuevo! 근하신년(謹賀新年), 새해 복 많이 받으십시오. Le deseo felices Pascuas y ~ Año Nuevo / Feliz Navidad y *Próspero* Año Nuevo! 즐거운 크리스마스가 되시고 새해 복 많이 받으십시오.
prostaglandina *f.* [생화학] 프로스타글란딘.
próstata *f.* [해부] 전립선(前立腺).
prostático, ca *adj.* ① [해부] 전립선의[에 관한]. ② (남자가) 전립선염

에 걸린. —*m.* 전립선염 환자.
prostatitis *f.sing.pl.* [의학] 전립선염.
prosternación *f.* (존경의 뜻으로) 무릎을 꿇음.
prosternarse *r.* 무릎을 꿇다.
próstesis *f.* [문법] =**prótesis.**
prostético, ca *adj.* =**protético.**
prostibulario, ria *adj.* prostíbulo의[에 관한].
prostíbulo *m.* 성매매 업소, 유곽, 매음굴, 매춘굴.
prostitución *f.* ① 성매매, 매춘, 매음, 추업(醜業): ley contra la ~ 성매매[매춘] 금지법. ② 변절, 타락.
prostituir (77) *tr.* ① (…에게) 성매매[매춘]를 시키다, 몸을 팔게 하다, 윤락을 시키다. ② (명예·재능 등을) 돈[나쁜 목적]을 위해 팔다. ~**se** ① 성매매를 하다, 몸을 팔다, 매춘 행위를 하다, 성매매 여성이 되다, 매춘부가 되다. ② 변절하다, 타락하다.
prostituta *f.* 성매매 여성, 윤락녀, 매춘부, 갈보.
prostituto *m.* 남창(男娼).
protactinio *m.* [화학] 프로트악티늄.
protagonismo *m.* ① 주역의 조건. ② 주역[중심 인물]이 되는 일.
protagonista *m.f.* ① 주인공. ② [연극·영화] 주연. ③ 중심 인물.
protagonizar (9) *tr.* (…의) 주역을 연출하다.
prótasis *f.sing.pl.* ① [문법] (조건문의) 조건절, 전제절(前提節). ② [논리] 대전제(大前提). ③ [연극] 도입부(導入部).
protático, ca *adj.* prótasis의.
proteasa *f.* [생화학] 프로테아제.
protección *f.* ① 보호, 비호(庇護), 가호(加護): ~ del medio ambiente 환경 보호. ~ divina, ~ de Dios 하느님[신]의 가호. solicitar la ~ de la policía 경찰의 보호를 요청하다. ponerse bajo la ~ de *alguien* (…의) 비호를 받다. ② 방지, 방비: ~ contra el fuego 방화(防火). ~ civil 민간 방위 조직, 자경단.
proteccionismo *m.* 보호 무역주의.
proteccionista *adj.* ① 보호 무역주의를 지지하는. ② 보호 무역주의의[에 관한]: tarifa ~*ra* 보호 관세. —*m.f.* 보호 무역주의자.
protector, ra *adj.* 보호하는: derechos aduaneros ~*es* 보호 관세. sociedad ~*ra* de animales 동물 애호 협회. —*m.f.* 보호자, 비호자, 옹호자: ~ de las artes 예술 옹호자. —*m.* [운동] 보호하는 물건, 안전[보호] 장치; 가슴받이; [권투] 마우스피스.
protectorado *m.* ① 보호령. ② 보호제. ③ 보호국.
proteger (3) *tr.* 보호하다, 비호하다, 옹호하다, 감싸다, 지키다: ~ *sus* intereses 자신의 이익을 지키다. ~ la industria nacional 국내 산업을 보호하다. ~ a los niños *de* los accidentes de tráfico 아이들을 교통사고에서 보호하다[지키다]. ~ a *alguien* de las iras del jefe 상사의 노여움에서 …를 비호하다[감싸다]. ~**se** (자신의) 몸을 보호하다[지키다]: ~*se de*l frío 추위에서 몸을 보호하다.
protegido, da *adj.* ① 보호받는. ② [컴퓨터] 써 넣기 금지의, 기입 금지의. —*m.f.* ① (다른 사람의) 비호를 받는 사람, 총애를 받는 사람. ② = **ahijado.** —*f.* 애인.
proteico, ca *adj.* ① (방식·생각을) 바꾼. ② [화학] =**proteínico.**
proteído *m.* [생화학] 복합 단백질.
proteína *f.* [생화학] 단백질: rico en ~*s* carnícolas 동물성 단백질이 풍부한.
proteínico, ca *adj.* 단백질의.
protervamente *adv.* 사악하게, 악의를 가지고.
protervia *f.* =**protervidad.**
protervidad *f.* 사악함, 악의를 품음.
protervo, va *adj.* 사악한, 악의가 있는, 악의를 품은.
prótesis *f.sing.pl.* ① (의족 등의) 인공 장구(裝具)[기관(器官)]; 보철(補綴), 보철술: ~ dental 틀니, 의치(義齒). ~ ortopédica 의족. ② [언어] 어두음(語頭音) 첨가 ((예 arrebañar ←rebañar)).
protésico, ca *adj.* 보철의. —*m.f.* 치과 기공사(技工士).
protesta *f.* 항의, 이의; 항의 집회[데모]; 항의문: grito de ~ 항의의 절규. Han hecho ~*s* a la policía contra la opresión 그들은 경찰의 탄압에 대해 항의를 했다.
protestante *adj.* ① 항의하는. ② 신교(新教)의[에 관한]: religión ~ 신교(의 신앙). ③ 신교를 신봉하는. —*m.f.* [기독교] 신교도(新教徒).
protestantismo *m.* ① 신교(新教). ② [집합] 신교도.
protestar *intr.* ① [+contra · de · por] (…에) 항의하다, 반대하다: La gente *prostestó* contra la guerra de agresión 사람들은 침략 전쟁에 항의했다. ② 불평을 말하다. —*tr.* ① (어음 지불을) 거절하다. ② (신앙 등을) 선언하다. ③ …에게 항의하다.
protesto *m.* [법률] 거절 증서: hacer el ~ por falta de pago 어음 지불을 거절하다.
protestón, na *adj., m.f.* 불평이 많은 (사람).
protético, ca *adj.* [언어] 어두음 첨가(prótesis)의[에 관한].
proto- *pref.* 「최초의, 원시의, 주요한」의 뜻: *proto*mártir 최초의 순교자. *proto*médico 시의(侍醫). *proto-*

tipo 원형(原型).

protocolar[1] *tr.* =protocolizar.

protocolar[2] *adj.* protocolo의.

protocolario, ria *adj.* ① 의례의, 공식 의례에 의한: visita *~ria* 예방(禮訪). ② 의례적인: Su visita fue puramente *~ria* 그의 방문은 완전히 의례적이었다.

protocolizar (9) *tr.* 의정서[등록부]에 기록하다.

protocolo *m.* ① [집합] (공식적인) 의례(儀禮): según el ~ 공식 의례에 의해. ② 의전서(儀典書). ③ 관습, 관례. ④ [외교] 의정서. ⑤ [법률] 등기부, 등록부. ⑥ [컴퓨터] 프로토콜 ((컴퓨터 상호간의 대화에 필요한 통신 규약)). ⑦ [의학] 프로토콜 ((과학적 연구・환자 치료를 실행하기 위한 계획)). ⑧ [철학] 프로토콜 명제.

protohistoria *f.* 원사(原史).

protomártir *m.* 최초의 순교자 ((성 스테판 San Esteban)).

protomédico *m.* (옛날, 왕의) 시의(侍醫).

protón *m.* [물리] 양자(陽子).

protónico, ca *adj.* [물리] 양자의.

protoplasma *m.* [생물] 원형질.

protoplasmático, ca *adj.* 원형질의[에 관한].

protórax *m.sing.pl.* [곤충] 앞가슴.

prototípico, ca *adj.* 전형적인.

prototipo *m.* ① (공업 제품의) 시작품(試作品): ~ de coche 자동차의 시작품. ② 원형(原型), 견본, 전형(典型); 모범(模範): Dicen que Don Quijote es el ~ del español 돈 끼호떼는 스페인 사람의 원형이라고들 말한다. ③ [생물] 원형(原形).

protóxido *m.* [화학] 제일산화물.

protozoo *adj.* 원생 동물의. —*m.* 원생 동물.

protuberancia *f.* ① [해부] 돌기, 융기. ② (일반적으로) 돌기물, 혹, 결절. ③ [천문] (태양의) 홍염(紅焰).

protuberante *adj.* ① 돌출한, 돌기한, 융기한, 불룩 솟은. ② 현저한, 뚜렷한.

provecho *m.* ① 이익, 이윤(利潤) (ganancia). ② 유용. ③ (정신적인) 진보. ¶*Buen* ~ 많이 드십시오 (Buen apetito, Que aproveche). ***de* ~** ㉮ 유용한, 유익한, 쓸모있는 (útil): hombre *de* ~ 쓸모있는 사람. ㉯ =**de pro.**

provechosamente *adv.* 유익하게, 유용하게.

provechoso, sa *adj.* 유익한, 유용한, 이로운.

provecto, ta *adj.* 중년(中年)의, 장년(壯年)의: mujer de edad *~ta* 중년의 여인.

proveedor, ra *m.f.* 조달자, 납품자, 공급자; 조달 회사, 납품 회사, 공급 회사: ~ de buques 선식(船食) (납품) 업자.

proveer (78) *tr.* ① (필요한 것을) 준비하다, 갖추다. ② …에 공급하다, 지급하다, 납입하다. ③ (직책을) 제공하다, 구인(求人)하다. ④ (사건 등을) 취급하다, 처리하다. ⑤ (법정이 결정을) 선고하다, 언도하다: ~ la causa 판결 이유를 말하다. **~se** [+de] (…을) 준비하다, 갖추다: *~se de* ropa para el invierno 겨울옷을 준비하다.

proveniencia *f.* =procedencia.

proveniente *adj.* =procedente.

provenir (60) *intr.* [+de] (…에서) 유래하다, 나오다, 비롯되다: Su enemistad *proviene de* una cosa insignificante 그의 적대감은 사소한 것에서 비롯하고 있다.

provenzal *adj.* ① 프로방스(Provenza, 프랑스 남동부의 옛 주) 태생의. ② 프로방스의[에 관한]. —*m.f.* 프로방스 사람. —*m.* ① 프로방스 말. ② 옥 말(lengua de oc).

provenzalismo *m.* 프로방스 말에서 차용한 말, 프로방스 말 특유의 표현, 프로방스식 발음.

provenzalista *m.f.* 프로방스 말 학자[문학자].

proverbial *adj.* ① 속담[격언]의[에 관한]. ② 속담[격언]을 포함한. ③ 주지(周知)의.

proverbialmente *adv.* 속담[격언] 형태로, 속담[격언]처럼.

proverbio *m.* ① 속담, 격언: como dice [va] el ~ 속담[격언]에 의하면. ② *pl.* [성경] 잠언(箴言).

providencia *f.* ① [종교] 섭리, 신의 뜻; 천우(天佑). ② [P~] (세계를 지배하는) 신(神): Divina *Providencia* 신의 섭리. ③ [법률] 재정(裁定). ④ [주로 *pl.*] (예방적인) 수단.

providencial *adj.* ① 섭리에 의한, 천우(天佑)의, 천우신조의. ② 운이 좋은. ③ 우연의. ④ 임시의.

providencialismo *m.* 만상 섭리설.

providencialista *adj.* 만상 섭리설을 신봉하는[주장하는]. —*m.f.* 만상 섭리설 신봉자[주장자].

providencialmente *adv.* 하늘의 도움으로, 천우신조로.

providente *adj.* ① =**avisado, prudente.** ② =**próvido, prevenido.**

próvido, da *adj.* ① 신중한, 용의주도한(prevenido, cuidado). ② 친절한, 마음씨가 따뜻한.

provincia *f.* ① 주(州), 도(道): España está dividida en cincuenta y seis *~s* 스페인은 56주로 나누어져 있다. ② [때때로 *pl.*] (수도에 대해) 지방, 시골: ciudad de ~(*s*) 지방 도시. vida en ~ 시골 살림. Ella vive en una ~ [en *~s*] 그녀는 지방에서 산다. ③ (수도회의) 관구(管區)(~ religiosa). ④ (고대 로마의)

속주(屬州).

provincial *adj.* 주의[에 관한]; 지방의[에 관한]: acento ~ 지방 사투리[말투·발음]. —*m.* (수도회의) 관구장(管區長).

provinciala *f.* (수도회의) 여자 관구장(管區長).

provincialismo *m.* ① 지방 제일주의. ② 방언, 지방 사투리[말투].

provincianismo *m.* ① 시골 사람의 조건. ② (편협한) 지방 기질, 시골 근성, 편협.

provinciano, na *adj.* ① 지방에 거주하는. ② 지방 티를 내는, 시골 근성의, 지방 기질의, 편협한. ③ 지방의[에 관한]. ④ 덜 세련된 —*m.f.* 지방 사람, 시골 사람.

provisión *f.* ① 저장, 비축: ~ de fondos 준비금, 예비금. ~ de vino 포도주의 저장[비축]. hacer ~ de *su* energía 에너지를 비축하다. ② [주로 *pl.*] 식량(의 비축): *provisiones* para el invierno 겨울용 식량의 비축. ③ 공급, 지급. ④ (일의) 처리, 결재. ⑤ 구인(求人). ⑥ [법률] (판사·법정의) 결정 언도[선고].

provisional *adj.* 일시적인, 잠정적인, 가(假)…, 임시의: arreglo ~ 임시방편, 임시변통, 응급 수리. contrato ~ 가계약. gobierno ~ 임시 정부. oficina ~ 임시 사무소. pago ~ 가불, 임시불. presupuesto ~ 잠정 예산. trabajador ~ 임시 노동자.

provisionalmente *adv.* 일시적으로, 임시로, 잠정적으로.

proviso *al* ~ =al instante.

provisor *m.* ① =proveedor. ② [천주교] (주교가 임명하는) 교구 법무관.

provisorio, ria *adj.* =provisional.

provisto, ta [proveer의 과거 분사] *adj.* [+de] (…을) 갖춘, 가진, 준비된: animal ~ de cuernos 뿔이 있는 동물. Estamos ~*s* de petróleo para todo el invierno 우리는 겨울용 석유를 비축하고 있다.

provocación *f.* 도발, 선동.

provocador, ra *adj.* 도발하는, 선동하는. —*m.f.* 도발자, 선동자, 파괴분자.

provocar (7) *tr.* ① 도발하다, 선동하다. ② (주로, 여성이) 욕정을 자아내다[돋우다]. ③ 사주하다, 꾀다, 유발하다: ~ el incendio 화재를 유발하다. ④ 토하다, 게우다(vomitar). ⑤ 화나게 하다, 성나게 하다. ⑥ *Salv., Ven.* …하고 싶어하다, …을 좋아하다(apetecer, gustar): Me *provoca* comer el mango 나는 망고를 먹고 싶다. —*intr.* 욕정이 일어나다[생기다].

provocativo, va *adj.* ① 도발적인, 도전적인: actitud ~*va* 도전적인 태도. ② 선정적(煽情的)인: vestido ~ 선정적인 드레스.

proxeneta *m.f.* 조방꾸니, 성매매 업자, 매춘 업자, 뚜쟁이.

proxenético, ca *adj.* proxeneta의[에 관한].

proxenetismo *m.* 조방(助幇), 성매매 행위, 매춘 행위.

próximamente *adv.* ① 곧, 가까운 미래에, 머지않아(pronto, en un futuro próximo, dentro de poco tiempo). ② 가까이(con proximidad). ③ 대략, 대충, 대강(aproximadamente).

proximidad *f.* ① 가까움, 근접. ② [주로 *pl.*] 가까운 곳, 주변, 근처: vivir en las ~*es* de una ciudad grande 대도시의 근처에 살다.

próximo, ma *adj.* ① (시간적·공간적으로) 가까운(cercano): futuro ~ 가까운 장래. Este hotel está ~ *a* la playa 이 호텔은 해변에 가깝다. La primavera ya está ~*ma* 이제 봄이 임박했다. ② 다음의, 오는(siguiente): el ~ domingo 오는 일요일, 다음 일요일. el año ~ 내년. el mes ~ 다음 달. la semana ~*ma* 다음 주. Vamos a bajar en la ~*ma* parada 다음 정류소에서 내립시다. ③ [+a+*inf.*] (…할) 찰나의, 임박한: Está ~ *a* amanecer 곧 날이 샌다, 동이 트려 하고 있다.

proyección *f.* ① 발사, 사출(射出); 분출, 분출물, 방출, 방출물: ~ de un volcán 화산 분출. ángulo de ~ 발사각. ② 영사(映寫): cabina de ~ 영사실. irse a media ~ 상영 중에 자리를 떠나다[일어서다]. ③ [수학] 사영, 투영. ④ (지도의) 도법(圖法): ~ cónica 원뿔 도법. ⑤ 보급, 영향. ⑥ 중요성: figura de ~ internacional 국제적 명사(名士). ⑦ [심리] 투영(投影).

proyeccionista *m.f.* 영화 기사(技師).

proyectar *tr.* ① 발사하다, 사출하다; 분출하다, 방출하다: El volcán *proyecta* la lava 화산이 용암을 분출하고 있다. ② 투영[투사]하다, 그림자를 비추다: Los árboles *proyectan* su sombra sobre la calle 나무들이 거리에 그림자를 비추고 있다. ③ 영사하다, 상영하다: máquina de ~ sonora 발성(發聲) 영화 영사기. ~ diapositivas en la pantalla 슬라이드를 스크린에 영사하다. ¿Qué película *proyectan* esta semana en el cine? 극장에서 이번 주에 어떤 영화를 상영합니까? ④ [+*inf.*](…할) 계획이다, 계획을 세우다: *Proyecto* dar la vuelta a la isla 나는 섬을 일주할 계획이다. ⑤ 설계하다: ~ el edificio 건물을 설계하다. ⑥ (감정 등을) 생생하게 전하다. ⑦ [수학] 사영하다, 투영하다. ⑧ [심리] 투영하다. **~se** 그림자를 비추다: La silueta de la torre *proyecta* sobre la plaza 탑이 광장에 그림자

를 비추고 있다.
proyectil *m.* ① 발사물, 방사물. ② 탄환, 포탄: ~ atómico 원자탄. ~ balístico 탄도탄. ~ cohete 로켓탄. ~ teledirigido 무선 유도탄.
proyectista *m.f.* 설계가, 제도가, 디자이너(diseñador).
proyectivo, va *adj.* ① 계획의[에 관한]. ② 발사[분출]의[에 관한].
proyecto *m.* ① 계획, 기획, 프로젝트: hacer un ~ de la vida 생활 설계를 하다. organizar un ~ para un nuevo diccionario español-coreano 새 서한 사전의 기획을 수립하다. Tengo el ~ de viajar por Europa 나는 유럽 여행 계획을 가지고 있다. ② 초안, 초고(草稿): ~ de resolución 결의안. ③ (전체적인) 설계, 설계도. ¶~ ***de ley*** (정부가 제출한) 법안(法案).
proyector *m.* ① 영사기(~ de cine): ~ de diapositivas, ~ de transparencias 슬라이드 영사기. ② 투광기(投光器). ③ 탐조등, 서치라이트.
proyectura *f.* [건축] (난간의) 내민 곳, 돌출부.
prudencia *f.* ① 신중, 주의, 조심: conducir con ~ 안전 운전을 하다, 조심해서 운전하다. como medida de ~ 만일을 위해, 만일에 대비하여. Le falta ~ 그는 신중하지 못하다. ② 현명(함): saber conducirse con ~ 분별(력)이 있다.
prudencial *adj.* ① 신중한, 조심성이 있는, 분별(력)이 있는. ② 대략적인, 대강의.
prudencialmente *adv.* 신중히, 만전을 기해.
prudente *adj.* 신중한, 주의 깊은, 조심성 있는: actitud ~ 신중한 태도. respuesta ~ 신중한 대답.
prudentemente *adv.* 신중히, 조심성 있게, 용의주도하게.
prueba *f.* ① 증거; 증명: ~ absoluta 확증. peso [carga] de la ~ 입증 책임. aportar [ofrecer] una ~ 증거를 제시하다. dar ~*s* de devoción 신앙의 증거를 증명하다. dar ~*s* de valor 용기가 있음을 증명하다. demostrar con ~*s* 증거를 가지고 증명하다. ② 시용(試用): pedido de ~ 시험 주문. período de ~ 시용 기간. hacer una ~ con una medicina 약을 시험으로 사용해 보다. ③ (개개의) 시험: ~ de nivel (신입생의 실력을 보는) 반 편성 시험. ~ práctica 실기 시험. ~ teórica 학과 시험. Hoy tenemos la ~ de gramática española 우리는 오늘 스페인어 문법 시험이 있다. ④ (옷의) 시착(試着). ⑤ 실험, 시험: ~ nuclear 핵실험. mesa de ~ 실험대. piloto de ~ 시험 조종사, 테스트 파일럿. ⑥ [의학] 검사, 측정, 테스트: ~ del alcohol, ~ de la alcoholemia 음주 측정. ~ del embarazo 임신 측정[테스트]. ⑦ [수학] 검산: hacer ~ de la operación 계산의 검산을 하다. ⑧ [운동] 시합, 경기, 종목: ~ de atletismo 야외 경기, 필드 경기[게임]. ~ de ruta (특히 자동차의) 로드 레이스. ~ preliminar 예선. ~*s* mixtas [스키] 복합 경기. campeón en la ~ de salto de altura 높이뛰기의 우승자. ⑨ [운동] 연습: hacer una ~ del peso 역도의 연습을 하다. ⑩ (쓰라린) 시련. ⑪ [주로 *pl.*] [인쇄] 교정쇄, 게라쇄(~*s* de galera, ~*s* de imprenta): ~ de artista (판화의) 최초의 인쇄. primera ~ 초교(初校). segunda ~ 재교(再校). corregir ~*s* 교정을 하다. ⑫ [사진] 인화(印畫), 프린트: sacar ~*s* por ampliación (사진을) 확대하다. ¶~ ***de fuego*** 내화성(耐火性): caja a ~ *de fuego* 내화성 금고. ~ ***de incidios,*** ~ ***indiciaria*** [법률] 상황 증거. ~ ***negativa*** [사진] 음화(陰畫). ~ ***positiva*** [사진] 양화(陽畫). ~ ***semiplena*** [법률] 불완전한 증거. ***a*** ~ ㉮ 시험[실험·검증]을 거친. ㉯ 시험삼아, 시험적으로. ***a*** ~ ***de agua, a*** ~ ***de bomba*** (물·폭탄에도 견딜 만하게) 견고한, 단단한: salud *a* ~ *de bomba* 대단한 건강체. ***de*** ~ 견고한, 단단한. ***en*** ~ ***de*** …을 증거로. ***poner a*** ~ a alguien o algo (누구·무엇을) 시험하다, 시험해 보다.
pruna *f.* [과실] =**ciruela.**
pruno *m.* [식물] =**ciruelo.**
prurigo *m.* [의학] 양진(痒疹).
prurito *m.* ① (과도한) 욕망. ② [의학] 가려움(comezón, picazón).
Prusia *f.* [역사] 프러시아 ((옛 북부 독일의 나라)).
prusiano, na *adj.* ① 프러시아 태생의. ② 프러시아의[에 관한]. —*m.f.* 프러시아 사람.
prúsico ***ácido*** ~ 청산(青酸).
P.S. post scriptum 추신.
pseudo- *pref.* =**seudo-.**
pseudoperitonitis *f.* [의학] 복막 증상(腹膜症狀).
psi *f.* 프시 ((희랍어 알파벳의 스물세 번째 문자; Ψ, ψ)).
psicastenia *f.* [의학] 정신 쇠약(증).
psicasténico, ca *adj.* ① [의학] 정신 쇠약의[에 관한]. ② 정신 쇠약에 걸린. —*m.f.* 정신 쇠약 환자.
psico- *pref.* 「영혼(alma)·정신(精神)(espíritu)」의 뜻: *psico*análisis 정신 분석. *psico*tecnia 정신 공학.
psicoativo, va *adj.* (약물이) 정신에 영향을 주는, 정신 활성의.
psicoanálisis *m.(f.).sing.pl.* 정신 분석(학·법), 심리 분석(학·법).
psicoanalista *adj.* 정신 분석이 전문인. —*m.f.* 정신 분석 학자, 정신 분

석 전문의.
psicoanalítico, ca *adj.* ① 정신 분석의[에 관한]. ② (특히, 마리화나 같은 마약의) 흥분[자극]을 유발시키는. ③ =**raro, extravagante, fuera de lo normal.**
psicoanalizar (9) *tr.* 정신 분석을 하다. ~**se** 정신 분석을 받다.
psicobiología *f.* 정신 생물학.
psicodélico, ca *adj.* ① [의학] (약이) 환각을 일으키는, 환각제의. ② (예술 등이) 사이키델릭조(調)의: música ~*ca* 사이키델릭조 음악.
psicodiagnóstico, ca *adj.* 정신병 징후의.
psicodinámico, ca *adj.* 정신 역학의. —*f.* 정신 역학.
psicodrama *m.* [정신 의학] 심리극.
psicofármaco *m.* 향정신약.
psicofísico, ca *adj.* 정신 물리학의[에 관한]. —*f.* 정신 물리학.
psicofisiología *f.* [정신 의학] 정신 생리학.
psicofisiológico, ca *adj.* [정신 의학] 정신 생리학의[에 관한].
psicogénico, ca *adj.* 심인성(心因性)의.
psicógeno, na *adj.* =**psicogénico.**
psicohistoria *f.* 역사 심리학 ((심리학적 방법으로 역사적 사건과 인물을 분석하는 학문)).
psicokinesis *f.sing.pl.* 염력(念力).
psicolingüístico, ca *adj.* 심리 언어학[언어 심리학]의[에 관한]. —*f.* [언어] 심리 언어학, 언어 심리학.
psicología *f.* ① 심리학(心理學): ~ del trabajo 직업 심리학. ~ experimental 실험 심리학. ~ industrial 산업 심리학. ~ infantil 아동 심리학. ~ social 사회 심리학. ② 심리, 심리 상태. ③ (다른 사람의) 심리 파악.
psicológicamente *adv.* 심리적으로, 심리학적으로.
psicológico, ca *adj.* ① 심리의[에 관한], 심리적인: drama ~ 심리극. guerra ~*ca* 심리전. ② 심리학의[에 관한].
psicologismo *m.* ① 심리학주의, 심리학 용어 사용. ② [철학] 심리주의(心理主義).
psicólogo, ga *m.f.* ① 심리학자. ② 인간 심리의 통찰자.
psicomatemática *f.* 정신 수학.
psicometría *f.* 정신 측정(학); 신비력(神秘力).
psicomotor, ra *adj.* 정신 운동(성)의[에 관한].
psicomotricidad *f.* 정신 운동(성)
psicomotriz *adj.* 정신 운동(성)의[에 관한].
psiconeurosis *f.sing.pl.* [의학] 정신 신경증.
psicópata *m.f.* [의학] 정신병자, 정신병 환자.
psicopatía *f.* ① [의학] 정신병. ② [의학] 정신 이상.
psicopático, ca *adj.* ① 정신병의[에 관한]. ② 정신병에 걸린. —*m.f.* 정신병 환자.
psicopatología *f.* 정신 병리학.
psicopatológico, ca *adj.* 정신 병리학의[에 관한].
psicopedagogía *f.* [정신 의학] 정신 교육학.
psicopedagógico, ca *adj.* [정신 의학] 정신 교육학의[에 관한].
psicopedagogo, ga *m.f.* 정신 교육학자.
psicosis *f.sing.pl.* [의학] 정신병: ~ maniacodepresiva 조울병(躁鬱病).
psicosomático, ca *adj.* [정신 의학] 심신의, 심신 상관의, 정신 신체 (의학)의.
psicotecnia *f.* 정신 공학.
psicotécnico, ca *adj.* 정신 공학의[에 관한].
psicoterapeuta *m.f.* [의학] 정신 요법 의사.
psicoterapéutico, ca *adj.* 정신 요법의[에 관한].
psicoterapia *f.* 정신[심리] 요법.
psicoterápico, ca *adj.* 정신 요법의[에 관한].
psicótico, ca *adj.* ① 정신병의[에 관한]. ② 정신병에 걸린. —*m.f.* 정신병 환자.
psicotrópico, ca *adj.* (약물 등이) 정신에 작용하는, 향정신성의.
psicótropo, pa *adj.* =**psicotrópico.**
psicrómetro *m.* 건습구 습도계.
psique *f.* 인간의 영혼.
psiquiatra *m.f.* [의학] 정신과 의사.
psiquiatría *f.* 정신 의학, 정신병학.
psiquiátrico, ca *adj.* 정신 의학의[에 관한]. —*m.* 정신 병원.
psíquico, ca *adj.* 정신의, 심적인.
psiquis *f.sing.pl.* ① =**psique.** ② =**psiquismo.**
psiquismo *m.* [집합] 심리 현상, 심령 현상.
psitacosis *f.sing.pl.* [의학] 앵무병(病) ((앵무새에게서 옮는 티푸스형의 전염병)).
PSOE *m.* *P*artido *S*ocialista *O*brero *E*spañol 스페인사회주의노동자당.
psoriasis *f.* [의학] 건선(乾癬).
PSS prestación social sustitutoria 사회 봉사.
Pta. Punta 갑(岬).
pta(s) peseta(s) 뻬세따.
Pte. presente 본서(本書), 본장(本狀), 금(今)….
pto. puerto 항구.
ptosis *f.sing.pl.* [의학] (내장의) 하수증(下垂症): ~ gástrica 위하수.
pu *interj.* =**puf**[1].
púa *f.* ① 작고 끝이 뾰족한 물건. ② 가시, 바늘, 침: alambre de ~*s* 가시철사, 철조망. ③ (축음기·성게·

고슴도치의) 가시, 바늘. ④ 빗살. ⑤ (접목용의) 어린 가지. ⑥ (악기의) 골무. ⑦ (팽이의) 축. ⑧ 아픔[괴로움·골칫거리]의 원인. ⑨ 약삭빠른 사람(persona sutil y astuta): Joaquín es buena ~ 호아낀은 아주 약삭빠른 사람이다.

puado *m.* [집합] 빗살.

puar (15) *tr.* (빗 등에) 빗살을 만들다.

púber *adj.* 사춘기의, 꽃다운 나이의, 혼기에 이른. *—m.f.* 사춘기의 소년[소녀].

puberal *adj.* 사춘기의[에 관한].

púbero, ra *adj., m.f.* =**púber.**

pubertad *f.* (성징이 시작하는) 사춘기(思春期), 묘령(妙齡), (여자의) 꽃다운 나이.

pubes *m.* [해부] =**pubis.**

pubescencia *f.* ① =**pubertad.** ② [식물] 솜털로 덮여 있음[있는 상태], 솜털.

pubescente *adj.* ① =**púber.** ② =**velloso.**

pubescer *intr.* 사춘기에 이르다(llegar a la pubertad).

pubiano, na *adj.* =**púbico.**

púbico, ca *adj.* pubis의[에 관한]: vello ~ 음모(陰毛).

pubis *m.sing.pl.* ① 불두덩, 두덩: vello del ~ 음모(陰毛). ② [해부] 두덩뼈, 치골(恥骨).

pública *f.* ☞**público.**

publicable *adj.* 발표[공표]할 수 있는, 출판[발행]할 수 있는.

publicación *f.* ① 출판, 간행: ~ del diccionario español-coreano 서한사전의 출판[간행]. fecha de ~ 출판[간행] 연월일. ② 공표, 발표: ~ de información 정보 공개. Se ha prohibido la ~ de la noticia referida a este asunto 이 사건의 보도는 금지되었다. ③ (이미 출판된 책·잡지·신문 같은) 출판물, 간행물, 저작물: ~ periódica 정기 간행물, 잡지. catálogo de *publicaciones* 출판 목록. Sus *publicaciones* son muchas 그의 저작물은 많다.

publicador, ra *adj.* ① 출판[간행]하는. ② 공표[발표]하는. *—m.f.* ① 출판자, 간행자, 발행자. ② 공표자, 발표자.

públicamente *adv.* 공적으로, 공공연히, 공개적으로, 여론에 의해.

publicano *m.* (고대 로마의) 세리(稅吏), 세금을 받는 관리.

publicar (7) *tr.* ① 출판하다, 간행하다: ~ novelas policíacas 추리 소설을 출판하다. Esta editorial *publica* todas clases de diccionarios extranjeros 이 출판사는 각종 외국어 사전을 출판하고 있다. Este autor *ha publicado* muchos libros 이 작가는 많은 책을 썼다. ② 공표하다, 발표하다, 보도하다: Los periódicos *publican* hoy grandes noticias sobre la guerra iraquí 오늘 신문들은 이라크 전쟁에 관한 뉴스를 대대적으로 보도하고 있다. ③ 폭로하다. ④ (결혼의) 공시를 하다. ⑤ (신문이 전단을) 끼워 넣다.

publicata *f.* 발행 증명서.

publicidad *f.* ① 광고, 선전: ~ estática 게시판 광고. medios de ~ 선전 매체. sección de ~ (기업의) 선전부, 광고부. repartir ~ 선전 전단을 분배하다. ② 광고 방송: película de ~ 광고 방송 필름. ③ 전단(傳單). ④ 공개, 공개성. ¶*en* ~ =**públicamente.**

publicista *m.f.* ① 공법(에 관해 쓰는) 작가. ② 공법 학자, 공법 연구가. ③ 정치 기자. ④ 광고업자. ⑤ 선전 부원.

publicitario, ria *adj.* 상업 목적으로 이용되는 광고의[에 관한]. *—m.f.* ① 광고업자. ② 선전 부원.

público, ca *adj.* ① 공(公)의, 공공(公共)의, 공중(公衆)의; 공유(公有)의 (반~*privado*): bienes ~*s* 공공 재산, 국유 재산. enseñanza ~*ca* 공교육. escuela ~*ca* 공립 학교. vida ~*ca* 공적 생활. ② 공개의, 일반을 위한: cursillo ~ 공개 강좌. jardín ~ 공원. transporte ~ 공공 수송 수단. vía ~*ca* 공도(公道). ③ 공무(公務)의, 관공(官公)의: poder ~ 공권력. poderes ~*s*, organizaciones ~*cas* 공기관, 관공서. ④ 공연(公然)의, 주지의: escándalo ~ 공공연한[누구나 알고 있는] 스캔들. *—m.* [집합] ① 공중, 대중: ~ infantil 아이들. El puente se abrirá al ~ el mes que viene 다리는 다음 달에 일반에게 공개될 것이다. ② 관객, 청중: El ~ aplaudió al jugador 관객은 선수에게 박수를 보냈다. Cada teatro tiene su ~ 오페라 극장마다 극장만의 관객이 있다. ③ (가게의) 손님: precio de venta al ~ 희망 소매 가격. ④ 독자(讀者): Cada escritor tiene su ~ 작가마다 자기의 독자가 있다. Este autor tiene un ~ muy adicto 이 작가는 매우 열렬한 독자를 가지고 있다. ¶*hombre* ~ 공인(公人), 정부 요인. ***mujer*** ~***ca*** 성매매 여성, 윤락녀, 매춘부, 창녀. ***dar al*** ~ =**publicar** ②. ***de público*** 공공연히, 드러내놓고, 세상에 널리 알려(notariamente, públicamente). ***en público*** 공공연히, 모든 사람들이 보는 가운데서, 대중의 면전에서(públicamente, a la vista de todos). ***sacar al*** ~ algo (무엇을) 공표하다.

pucherazo *m.* ① 질그릇으로 때리기. ② 선거 부정. ¶*dar* ~ 선거 결과를 속이다, 부정 투표를 하다.

puchero *m.* ① 질그릇, 전골 냄비. ② 탕 요리, 전골 요리. ③ 평상시에

먹는 음식: Véngase usted a comer el ~ conmigo 저와 식사하게 오세요. ④ [주로 *pl.*] 울상, 우거지상: Ella empezó a hacer ~*s* 그녀는 울상을 짓기 시작했다. ¶~ ***de enfermo*** ㉮ 죽. ㉯ 실속이 없는 것. ***empinar el*** ~ 배곯지 않고 살다. ***salírsele*** a alguien ***el*** ~ (누가) 실패하다. ***volcar el*** ~ =dar pucherazo.

puches *m.(f.)pl.* =gachas.

pud- ☞poder (67).

pude ☞poder (67).

pudie- ☞poder (67).

pudo ☞poder (67).

pudendo, da *adj.* 부끄러운, 수줍은, 수치스러운. —*m.* [고어] =miembro viril. ¶***partes ~das*** 음부(陰部), 치부(恥部).

pudibundez *f.* 부끄럼, 수줍음.

pudibundo, da *adj.* 매우 부끄러운, 매우 수줍은.

pudicia *f.* 정직, 청렴 결백.

pudicicia *f.* =pudicia.

púdico, ca *adj.* 정직한, 청렴 결백한: funcionario ~ 청렴 결백한 공무원.

pudiente *adj.* ① 세력이 있는. ② 부유한, 돈이 있는. —*m.f.* ① 유력자. ② 부자.

pudin *m.* =pudín.

pudín *m. ing.* ① 푸딩 ((밀가루 등에 과일·우유·달걀 등을 섞어 단맛[향료]을 들여 구운 과자)). ② [요리] 푸딩.

pudor *m.* ① 정직(함). ② 수줍음, 정숙. ③ 신중함.

pudoroso, sa *adj.* ① 정직한, 청렴 결백한. ② 수줍은, 정숙한. ③ 신중(愼重)한.

pudrición *f.* 부패. ¶~ ***roja*** 나무 줄기의 가운데를 먼지로 만드는 병.

pudridero *m.* ① (무엇을) 썩히는 곳. ② 시체 안치소.

pudrimiento *m.* =putrefacción.

pudrir *tr.* ① 썩히다, 부패시키다: El calor *pudre* el pescado 더위는 생선을 썩힌다. ② 귀찮게 하다, 성가시게[귀찮게] 하다, 신경질나게[싫증나게] 하다. —*intr.* 죽었다(haber muerto); 매장되어 있다, 묻혀 있다(estar sepultado). ~**se** ① 썩다, 부패하다. ② 귀찮게 생각하다, 성가시다, 신경질나다: ~*se de* aburrimiento 갑갑하다, 갑갑증이 나다, 갑갑증이 나서 못 견디다.

puebla *f.* ① 야채 밭. ② [고어] = población, pueblo, lugar.

pueblerino, na *adj.* ① 마을[고을·시골]의[에 관한]: costumbre ~*na* 마을 사람, 시골 사람, 촌사람. ② 촌스러운, 촌티가 나는, 덜 세련된. —*m.f.* 촌스러운 사람, 촌티가 나는 사람, 덜 세련된 사람.

pueblero, ra *adj.* ① rur. *Arg., Méj., Par., Ur.* 도시[읍] 태생의, 도시[읍]에서 사는((참고: *Ur.* 에서는 경멸적으로 사용됨)). ② rur. *Arg., Ur.* 도시의[에 관한]. —*m.f.* 도시 주민, 읍 주민.

pueblo *m.* ① 도시(ciudad), 마을(villa). ② 소도시. ③ [집합] 마을 사람, 지방 사람, 국민, 민족: ~ coreano 한국 국민, 한민족. ~ español 스페인 국민, 스페인 사람. ~ judío 유대 민족. independencia del ~ coreano 한민족의 독립. soberanía del ~ 주권 재민(主權在民), 인민 주권. ④ (국가에 대해) 인민. ⑤ (하층의) 민중, 대중, 서민. ⑥ 나라, 국가; 독립 국가.

pued- ☞poder (67).

puente *m.* ① 다리, 교량(橋梁): ~ metálico 철교. ~ peatonal 인도교(人道橋). construir un ~ 다리를 놓다, 다리를 건설하다. cruzar [pasar] el ~ 다리를 건너다. ② [선박] 배다리, 선교(船橋), 함교(艦橋), 브리지(~ de mando): dirigir desde el ~ 함교에서 지휘하다. ③ 갑판: ~ alto 상갑판. ~ de botes [항해] 단정(短艇) 갑판, 보트 덱 ((구명 보트 설치 갑판)). ~ principal 주(主) 갑판. ④ [전기] 전교(電橋), 브리지: hacer un ~ 회로를 (직접) 연결하다. ⑤ (현악기의) 줄받침. ⑥ (징검다리) 연휴: Este ~ me voy a la montaña 이번 연휴에 나는 산에 간다. ⑦ (안경의) 코걸이. ⑧ [의학] (이의) 치교(齒橋), 가공 의치, 브리지: poner un ~ (이를) 보철하다, 치교를 놓다. ⑨ [음악] 경과부 ((악곡·악장의 각 부분을 연결)). ⑩ [레슬링] 브리지. ⑪ [라디오·텔레비전] 브리지 ((프로그램 사이의 음악·해설·대화 등)). ⑫ [연극] 브리지 ((올리고 내릴 수 있는 현수교)). ⑬ [화학] (분자의) 교상 결합. ⑭ [당구] 브리지 ((당구 채 끝을 안정시키기 위해 손과 손가락으로 만드는 아치 모양)); 당구 채 받침, 큐 받침. ⑮ [무용] 브리지 ((무용수 등이 몸을 크게 뒤집어 손으로 바닥을 짚는 동작)). ¶~ ***aéreo*** ㉮ 근거리 왕복 운행(편). ㉯ (공항의) 탑승교(搭乘橋), 비행 갑판. ~ ***cerril*** (풀어 놓은 가축이 지나가도록 만든) 좁은 가설 다리. ~ ***colgante*** 매단 다리, 조교(弔橋), 현수교(懸垂橋). ~ ***de barcas*** 배다리, 주교(舟橋), 선교(船橋), 부교(浮橋). ~ ***de los asnos*** (학술 연구 등에서) 타개하기 어려운 난관. ~ ***transbordador*** 고가식 운반교. ***día*** ~ 징검다리 연휴. ***hacer*** ~ 휴일과 휴일 사이의 하루를 쉬다[놀다], 두 휴일 사이의 근무일을 휴일처럼 간주하다, 징검다리 연휴다: El miércoles *hacemos* ~ (화요일과 목요일이 공휴일이어서) 수요일은 연휴다. ***hacer la ~ de***

plata a alguien (누구에게) 모든 편의를 (성심껏) 제공해 주다, (누구를 위해서) 모든 장애를 없애[제거해] 주다.

puentear *tr.* ① [전기] …의 회로를 연결하다. ② …의 당사자를 제치고 교섭하다.

puentecilla *f.* ① (현악기의) 줄받침, 기러기발. ② 작은 다리.

puentismo *m.* [운동] 번지 점프.

puerca *f.* ① [동물] 암퇘지(hembra del puerco). ② [곤충] 짚신벌레. ③ 나력. ④ 경첩(pernio, gozne). ⑤ (논밭의 이랑 사이에 있는) 두둑(lomo). ⑥ 단정하지 못한 여자, 불결한 여자. ⑦ 무례한[버릇없는] 여자. ⑧ 천박한 여자. —*adj.* ① 단정하지 못한, 불결한. ② 무례한, 버릇없는. ③ 천박한. ¶~ ***montés,*** ~ ***salvaje*** 암멧돼지.

puercamente *adv.* ① 더럽게, 추접스레. ② 무례하게, 버릇없이.

puerco *m.* ① [동물] 돼지, 수퇘지(cerdo). ② 단정하지 못한 남자, 불결한 남자. ③ 무례한[버릇없는] 남자. ④ 천박한 남자. ⑤ [사냥] 멧돼지(jabalí). —*adj.* ① 단정하지 못한, 더러운, 불결한. ② 무례한, 버릇없는. ③ 천박한(ruin). ¶~ ***de mar*** [동물] 돌고래(marsopa). ~ ***de simiente*** 씨돼지, 종돈(verraco). ~ ***espín,*** ~ ***espino*** ㉮ [동물] (북아프리카산의) 멧돼지의 일종. ㉯ [군사] 가시 철조망으로 둘러쳐진 두꺼운 (통)나무. ~ ***jabalí*** [동물] 멧돼지(jabalí). ~ ***marino*** [동물] 돌고래(delfín). ~ ***montés,*** ~ ***salvaje*** [동물] 멧돼지, 수멧돼지(jabalí). ***De rabo de ~ nunca buen viote*** (속담) 콩 심은 데 콩 나고 팥 심은 데 팥 난다.

puericia *f.* 소년기(少年期).

puericultor, ra *m.f.* (보육 면허를 가진) 보모(保姆), 육아 전문가.

puericultura *f.* 육아학(育兒學).

pueril *adj.* ① 어린아이의[에 관한], 소년기의[에 관한]. ② 어린아이 같은, 철부지의, 철부지 같은, 유치한. ③ =**fútil, trivial, infundado.**

puerilidad *f.* ① 유년(幼年). ② 유치한 행동[말]. ③ 별로 중요하지 않은 일[것], 대수롭지 않은 일[것].

puérpera *f.* 임산부(姙産婦).

puerperal *adj.* ① 산욕(産褥)의: fiebre ~ 산욕열. ② 산욕기의.

puerperio *m.* ①[의학] 산욕기(産褥期). ② [의학] 산후 쇠약.

puerro *m.* [식물] 파.

puerta *f.* ① 문: abrir una ~ 문을 열다. cerrar una ~ 문을 닫다. ② 문짝. ③ 입구: entrar por la ~ 입구로 들어가다. ④ (마을·촌의) 입구. ⑤ (중세 도시의) 성문. ⑥ 문호, 가능성. ⑦ 집. ⑧ 건물. ⑨ (하키·축구 등의) 골. ⑩ [스키] 기문(旗門). ⑪ [컴퓨터] =puerto ④. ¶***de ~ en ~*** 구걸하면서. ***Puerta abierta al santo tienta*** (속담) 견물생심(見物生心), 물건을 보면 가지고 싶은 욕심이 생기는 법.

puertaventana *f.* =contraventana.

puerto *m.* ① 항(港), 항구. ② 피난소. ③ 산마루, 고개. ④ [컴퓨터] 포트 ((퍼스널 컴퓨터 등의 입출력 터미널)).

Puerto Rico [국명] 뿌에르또리꼬, 푸에르토리코 ((서인도 제도의 섬; 미국의 자치령; 수도 San Juan)).

puertorriqueñismo *m.* 뿌에르또리꼬의 방언.

puertorriqueño, ña *adj.* ① 뿌에르또리꼬(Puerto Rico) 태생의. ② 뿌에르또리꼬의[에 관한]. —*m.f.* 뿌에르또리꼬 사람.

pues *conj.* ① [이유·원인] …하기 때문에, 왜냐하면. ② [조건] …이면. ③ [문장 앞에서] 그럼, 그러면. ④ 왜? ⑤ [말문을 꺼낼 때] 저 …, 그런데. ⑥ [감탄사적으로] 그래, 으흠.

puesta *f.* ① (기계 등의) 작동, 조정. ② (해·달의) 들어감, 지는 일: ~ de(l) sol 일몰, 해가 짐. ③ 산란: época de ~ 산란기. ④ [집합] 한 번에 낳은 알. ⑤ 판돈.

puesto, ta *adj.* ① 놓인. ② (옷을) 차려 입은. ③ 내기를 건. —*m.* ① 장소, 위치: ~ de socorro 구호소. ② 부서(部署). ③ 자리. ④ (경찰서 등의) 대기소: ~ de policía 파출소. ⑤ 순위. ⑥ 이동식 포장마차, 노점. ⑦ 직(職), 지위. ⑧ [수렵] 매복하고 기다리는 장소. ¶~ ***de trabajo*** 워크 스테이션 ((정보 처리 시스템에 연결된, 독립해도 처리할 수 있는 단말 장치)).

puf¹ *interj.* 아이 싫어!

puf² *m.* 쿠션식 부드러운 자리.

pufo *m.* 사기, 속임수.

púgil *m.* 권투 선수.

pugilato *m.* 권투, 복싱.

pugilismo *m.* 권투, 복싱.

pugilista *m.* 권투 선수, 복서.

pugilístico, ca *adj.* 권투의[에 관한].

pugna *f.* ① 전투, 싸움. ② 대립.

pugnacidad *f.* 호전성(好戰性).

pugnar *intr.* ① 싸우다, 다투다, 투쟁하다. ② [+por·para] (…하려고) 애쓰다, 노력하다.

pugnaz *adj.* 호전적인.

puja *f.* ① 경합. ② 엎치락덮치락. ③ 낙찰가 상승. ④ (…하기 위한) 싸움. ⑤ (아이 낳을 때의) 배에 힘주기.

pujante *adj.* 힘이 좋은: ~ industria 성장 산업.

pujanza *f.* 세력, 기운, 추세, 활력: tomar gran ~ 급성장하다.

pujar¹ *tr.* 밀어 붙이다. —*intr.* ① 말을 주저하다, 입속말을 하다. ② 주저하다. ③ 울상을 하다.

pujar² *tr.* (경매 등에서) 값을 올리

다.
pujo *m.* ① (배가) 무지근함. ② [주로 *pl.*] 지망. ③ 욕망, 충동. ¶~ *de sangre* 피똥, 혈변(血便). *a ~s* 조금씩, 점점(poco a poco), 간신히 (con dificultad).
pularda *f.* (5-6 개월의) 암탉.
pulcritud *f.* 청결함.
pulcro, cra *adj.* ① 깨끗한, 청결한. ② 세련된.
pulga *f.* ① [곤충] 벼룩. ② 아주 작은 팽이. ¶*mercado de (las) ~s* 벼룩 시장.
pulgada *f.* [길이의 단위] 인치.
pulgar *m.* 엄지가락, 엄지손가락, 엄지발가락.
pulgarada *f.* ① 엄지손가락으로 튕기기. ② 한 번 집는 분량.
pulgón *m.* [곤충] 진딧물.
pulgoso, sa *adj.* 벼룩이 있는.
pulido, da *adj.* ① 닦아 놓은, 윤을 낸: uñas *~das* 잘 손질된 손톱. ② 정성을 들인, 공들인: trabajo ~ 정성을 들인 일. ③ 세련된. —*m.* 연마(硏磨).
pulidor, ra *adj.* 닦는, 연마(硏磨)하는. —*m.f.* 닦는 사람, 연마공. —*m.* ① 연마기(硏磨器). ② 연마분. —*f.* 연마기(硏磨機).
pulimento *m.* 연마, 광(내기): dar ~ a los muebles 가구를 닦다, 가구에 광을 내다.
pulimentar *tr.* 닦다, 광내다, 연마(硏磨)하다.
pulimento *m.* 연마, 광택, 윤.
pulir *tr.* ① (표면을) 닦다, 연마하다: ~ el suelo 바닥을 닦다. ② (문장 등을) 다듬다, 퇴고하다. ③ (교양 등을) 닦다, 연마하다. ④ (누구를) 교육시키다. **~se** ① 윤을 내다, 광을 내다. ② (돈을) 다 써버리다. ③ 치장하다, 멋을 부리다.
pulmón *m.* ① [해부] 폐, 폐장(肺臟). ② [때때로 *pl.*] 성량(聲量). ③ [때때로 *pl.*] 지구력. ④ 녹지대. ¶~ *de acero* 철폐(鐵肺), 인공 호흡기. ~ *marino* 해파리(medusa).
pulmonado, da *adj.* [동물] 폐를 가진, 유폐(有肺)의. —*m.* 폐가 있는 동물, 유폐 동물. —*m.pl.* 유폐류(有肺類).
pulmonar *adj.* 폐(肺)의, 폐에 관한: enfermedad ~ 폐질환.
pulmonía *f.* [의학] 폐렴.
pulóver *m.* [*pl.* ~s] =**jersey.**
pulpa *f.* ① (뼈가 없는) 살, 물렁살. ② (과실의) 과육(果肉). ③ (목재의) 속. ④ (제지의) 펄프. ⑤ [해부] 수질(髓質): ~ dentaria 치수(齒髓), 이골.
pulpejo *m.* (인체의) 물렁살,
pulpería *f.* *Amér.* 식료 잡화점.
pulpeta *f.* 고기의 살 토막.
púlpito *m.* ① 설교대, 설교단. ② 설교사의 지위[직].
pulpo *m.* [동물] 낙지, 문어.
pulque *m.* *Ecuad., Méj.* 뿔께 ((용설란으로 빚은 술)).
pulquería *f.* *Méj.* pulque 판매소.
pulquero, ra *adj.* *Méj.* pulque의[에 관한]. —*m.f.* *Méj.* pulque 제조자[판매자].
pulquérrimo, ma *adj.* 매우 깨끗한.
pulsación *f.* ① [주로 *pl.*] 맥박, 고동. ② (전류 등의) 맥동(脈動). ③ (피아노 · 기타 · 타자기 등의) 터치, 키를 치는 일.
pulsador *m.* 누름단추, 스위치.
pulsar[1] *tr.* ① 스위치를 누르다. ② 손가락으로 누르다[만지다]. ③ (악기를) 켜다. ④ 맥박을 재다. —*intr.* 맥박[심장]이 뛰다.
pulsar[2] *m.* [천문] 펄서, 맥동성(脈動星) ((전파 천체의 하나)).
pulsátil *adj.* 맥박치는, 고동치는, 두근거리는.
pulsear *intr.* 팔씨름을 하다.
pulsera *f.* ① 팔찌: ~ de pedida 약혼 팔찌. ② (손목시계의) 줄. ③ 손목에 감는 붕대. ④ 귀밑까지 가리는 머리카락.
pulsímetro *m.* 맥박계.
pulsión *f.* [심리] 동기, 동인(動因).
pulso *m.* ① 맥, 맥박: frecuencia del ~ 맥박수. ② (손끝의) 기술의 확실함: tener buen ~ 팔이 좋다. ③ 신중함, 용의주도함: obrar con ~ 신중히 행하다. ④ 대립: ~ entre patronal y sindicatos 노사 대립. ⑤ =**sien.** ¶~ *sentado* 정상맥, 평맥.
pulsómetro *m.* 맥박계.
pulular *intr.* ① (동식물이) 꼬이다. ② 번식하다. ③ 우글거리다.
pulverizable *adj.* 빻을 수 있는, 잘게 부술 수 있는, 가루로 만들 수 있는.
pulverización *f.* ① 가루로 만듦, 분쇄, 고운 가루. ② 분무(噴霧), 분무 도장(塗裝).
pulverizador *m.* 분무기, 스프레이.
pulverizar (9) *tr.* ① 가루로 만들다, 빻다, 분쇄하다. ② 분무기로 뿜다. ③ 괴멸하다, 패배시키다.
pulverulento, ta *adj.* 가루 모양의, 분말 모양의.
pum *interj.* 빵, 꽝 ((총성 · 폭발음)).
puma *m.* [동물] 퓨마 ((아메리카 라이온)).
pumba *interj.* 쿵, 털썩, 꽝 ((무거운 물건이 떨어지는 소리)).
puna *f.* ① (안데스 산맥의) 고원. ② *AmérM.* 황야. ③ *AmérM.* 고산병(高山病)(soroche).
punción *f.* [의학] 천자(穿刺): ~ lumbar 요추 천자(腰椎穿刺).
puncionar *tr.* 천자(穿刺)하다.
pundonor *m.* 자존심, 자랑, 긍지.
pundonoroso, sa *adj., m.f.* 자존심이 있는 (사람).
punible *adj.* 처벌해야 마땅한, 처벌

할 만한.

punir *tr.* 벌하다, 처벌하다.

punitivo, va *adj.* 벌[처벌]의.

punta *f.* ① 앞쪽의 끝, 선단(先端): ~ del pie 발끝. ② (사각 물건의) 가장자리, 끝, 모난 귀퉁이: ~ de la mesa 테이블의 가장자리. ③ 머리카락의 끝. ④ 코끝. ⑤ 곶, 갑(岬). ⑥ 못(clavo): colocar unas ~*s* en la pared 벽에 못을 박다. ⑦ (담배의) 꽁초. ⑧ [미술] (에칭용의) 조각 끌[정]. ⑨ (가축의 큰 무리에서 이탈한) 작은 무리. ⑩ 소뿔. ⑪ 조금. ⑫ [축구] 포드, 스트라이커 ((위치)). ⑬ *pl.* 레이스 편물. ⑭ (강의) 수원(水源). ⑮ [무용] 발끝 춤, 토댄스. —*adj.* =**puntero**: tecnología ~ 최신 기술. —*m.f.* 포드, 스트라이커.

puntada *f.* ① 바느질 자리, 땀. ② 찌르는 듯한 고통(punzada). ③ 빗대어 빈정댐: soltar [tirar] una ~ [~*s*] 빗대어 빈정거리다. ④ 암시, 계기, 실마리. ¶*a torna* ~ 서로, 상호간에. ***estar de*** ~ alguien ***con*** otra persona (누가, 다른 사람과) 사이가 틀어지다[나빠지다]. ***Una ~ a tiempo ahorra nueve*** (속담) 호미로 막을 것을 가래로 막는다.

puntal *m.* ① 버팀대, 기둥, 지주. ② (정신적인) 지주, 기둥: el ~ de la familia 한 집안의 기둥. ③ = **apoyo, fundamento.** ④ *Amér.* 가벼운 식사(refrigerio).

puntapié *m.* 발끝으로 차기. ¶*a ~s* ㉮ 가볍게 보아, 경시해서. ㉯ 난폭하게.

puntazo *m.* ① 무기의 끝[날카로운 연장]으로 다친 상처. ② 소뿔에 찔린 상처.

punteado *m.* 점묘(點描).

puntear *tr.* ① …에 점을 그리다, 점선을 긋다. ② 점검하다. ③ [미술] 점묘하다. ④ [음악] 손톱으로 튀기다: ~ la guitarra 기타를 손톱으로 연주하다. ⑤ [플라멩코] 발끝으로 마루[땅바닥]를 두드리다.

punteo *m.* ① 점묘. ② 손톱으로 줄을 튕기기. ③ 점검.

puntera *f.* ① (구두·양말의) 발끝. ② (구두의) 앞 축 가죽.

puntería *f.* ① 겨냥, 조준. ② (사격의) 솜씨, 기량.

puntero, ra *adj.* ① 걸출한, 발군의. ② 겨냥이 확실한. —*m.f.* ① 걸출한 사람. ② [운동] (다른 사람보다) 뛰어난 선수. —*m.* ① (흑판 등을 가리키는) 지시봉, 회초리, 채찍. ② 정, 끌. ③ [운동] 수위(首位) 팀. ④ *Amér.* 시계의 바늘.

puntiagudo, da *adj.* 끝이 뾰족한[날카로운]: zapatos ~*s* 끝이 뾰족한 구두.

puntillazo *m.* [구어] 발끝으로 차기, 발끝으로 차는 행위.

puntilla *f.* ① 갓단을 꿰맨 레이스. ② 작은 칼. ③ (투우사의) 단검. ④ 펜촉. ⑤ 곶, 갑(岬).

puntillero *m.* 마지막 숨통을 끊는 투우사(cachetero).

puntillismo *m.* [미술] 점묘 화법.

puntillista *adj.* 점묘 화법의. —*m.f.* 점묘 화가.

puntillo *m.* ① 과도한 자만심. ② [음악] (음부의) 부점(附點), 점.

puntillón *m.* 발끝으로 차기.

puntilloso, sa *adj.* ① 옹졸한, 사소한 일에 얽매이는. ② 화를 잘 내는. ③ 성미가 까다로운.

punto *m.* ① 점(點): ~*s* y líneas 점과 선. línea de ~*s* 점선. ② 시점, 순간. ③ (운동·시험·트럼프 등의) 득점, 점수. ④ (택시의) 승강장. ⑤ 가벼운 취기. ⑥ 방위. ⑦ 솔기, 땀; 편물. ⑧ (구두 등의) 크기, 사이즈. ⑨ (활자의) 포인트. ⑩ (요리의) 가감. ⑪ [주로 *pl.*] 펜촉의 끝. ⑫ [인쇄] 구두점. ⑬ [물리·화학] 한계점. ⑭ [군사] 조준점, 표적; (총의) 가늠쇠. ⑮ 적은 양, 소량: un ~ de 소량의.¶~ ***de mira*** (총의) 가늠쇠. ***con ~s y comas*** 정확히. ***en*** ~ 정각, 꼭, 딱, 때마침 (잘): Son las doce *en* ~ 정각 열두 시다. Llegas *en* ~ 너 때마침 잘 왔다.

puntuable *adj.* (도박·운동·시험 등에서) 점수로 인정될 수 있는.

puntuación *f.* ① 구두점, 구두법. ② (시험 등의) 성적, 점수, 득점. ③ [운동] 득점.

puntual *adj.* ① 시간을 엄수하는[정확히 지키는]. ② (임무에) 충실한. ③ (설명 등이) 면밀한, 정확한. ④ 적절한. ⑤ 점의, 점 같은.

puntualidad *f.* ① 시간 엄수. ② 면밀함.

puntualmente *adv.* ① 시간을 지켜. ② 면밀히.

puntualización *f.* 명확한[상세한] 설명, 명확화.

puntualizar (9) *tr.* ① 명확히 하다. ② 상세히 말하다. ③ 기억에 새겨 넣다, 마음 속에 간직하다.

puntuar (15) *tr.* ① …에 구두점을 찍다. ② (시험 등에서) 채점하다. —*intr.* ① [운동] 득점하다. ② [운동] [+para] (…의 대회 출전 자격의) 표준 기록으로 인정되다. ③ 성적을 매기다.

punzada *f.* ① 찔린 상처. ② 찌르는 듯한 고통. ③ 마음의 고통.

punzante *adj.* ① (고통이) 찌르는 듯한. ② (칼 등이) 예리한, 날카로운.

punzar (9) *tr.* ① 콕[따끔하게] 찌르다. ② 찌르는 듯이 아프다. ③ 격정시키다, 마음을 아프게 하다. ④ [의학] 천자(穿刺)하다.

punzón *m.* ① 송곳, 돗바늘. ② (동전의) 각인기(刻印器). ③ (조각용) 끌, 정. ④ (동물의) 어린 뿔(pitón).

puñada *f.* 주먹질.
puñado *m.* ① 한 웅큼, 한 줌. ② 소량, 적은 양. ¶*a ~s* ㉮ (모자랄 때에는) 듬뿍, 많이: gastar dinero *a ~s* 돈을 물 쓰듯하다. ㉯ (남을 듯 싶을 때에는) 조금씩.
puñal *m.* 단도, 비수.
puñalada *f.* ① (단도나 비슷한 무기로) 한번 찌르기. ② (단도나 비슷한 무기로) 찔린 상처. ③ 큰[극심한] 타격, 큰 마음의 상처. ¶*ser ~ de pícaro* 긴급을 요하다: Este asunto no *es ~ de pícaro* 이 문제는 긴급을 요하지 않는다[급하지 않다].
puñeta *f.* =**pejiguera, dificultad, molestia.**
puñetazo *m.* 주먹질, 구타.
puñete *m.* ① 주먹질. ② (여자의) 팔찌.
puñeteada *f. Méj.* =**puñada.**
puñetear *tr. Méj.* =**apuñear.**
puñetería *f.* ① 귀찮은 일, 불쾌한 일, 성가신 일. ② [주로 *pl.*] = **bobada, insignificancia.**
puñetero, ra *adj.* ① =**molesto, fastidioso, cargante.** ② 자위(自慰)[수음(手淫)]를 행하는. —*m.f.* 자위 행위자.
puño *m.* ① 주먹, 쥔 손. ② 한 줌, 한 웅큼. ③ (와이셔츠나 다른 옷의) 소맷부리, 커프스. ④ 소맷부리 장식. ⑤ (무기의) 손잡이. ⑥ (지팡이·우산·양산 등의) 손잡이. ⑦ *Amér.* [고어] 주먹질. ⑧ *pl.* = **fuerza, valor.**
pupa *f.* ① [의학] 입술의 부스럼. ② (입술의) 부스럼 딱지. ③ [유아어] 아픔, 상처, 부상.
pupila *f.* ① =**prostituta.** ② 총명함, 명민함: Ese hombre tiene mucha ~ 그 남자는 무척 총명하다. ③ 눈동자.
pupilaje *m.* ① 미성년 고아 신분[기간]. ② 하숙집. ③ 하숙비.
pupilar *adj.* ① 미성년 고아의[에 관한]. ② 어린 시절의[에 관한]. ③ 눈동자의[에 관한].
pupilero, ra *m.f.* 하숙집 주인.
pupilo, la *m.f.* ① 미성년 고아. ② 하숙생. ¶*medio ~, media ~la m.f.* ㉮ 하숙집에서 점심만 먹는 사람. ㉯ (학교에서 점심을 먹으면서) 밤에까지 학교에 머무는 학생. ***a*** ~ 돈을 내고 (하숙을 하는).
pupitre *m.* 경사진 책상, (특히, 뚜껑 달린 아동용) 나무 책상.
puramente *adv.* ① 순수하게. ② 단순히. ③ 엄격히. ④ [법률] 조건 없이, 무조건으로.
puré *m. fr.* ① 퓨레 ((야채류를 익혀 으깬 음식)). ② 퓨레 수프.
purear *intr.* 여송연을 피우다.
purera *f.* 여송연 곽.
pureza *f.* ① 순수함, 깨끗함. ② 순결, 처녀성.
purga *f.* ① 설사약. ② (설탕을 만들 때 나오는) 찌꺼기. ③ 숙청.
purgable *adj.* ① 깨끗이 할 수 있는. ② 깨끗이[맑게] 해야 할.
purgación *f.* ① 정화, 깨끗이 하기. ② 경혈(經穴). ③ 설사. ④ [법률] 무죄 증명.
purgante *adj.* ① 깨끗이 하는. ② 설사용(用)의. —*m.f.* 깨끗이 하는 사람. —*m.* 설사약.
purgar (8) *tr.* ① 깨끗이 하다, 정화하다. ② (죄를) 갚다, 청산하다. ③ 속죄하다. ④ 설사약을 먹이다. ⑤ 설사하게 하다. ⑥ 혐의를 벗기다, 무죄를 증명하다. —*intr.* ① 죄 갚음을 하다, 속죄하다. ② 설사하다. **~se** ① 깨끗해지다. ② 혐의가 풀리다, 무죄가 되다. ③ 설사약을 먹다. ④ 설사하다.
purgativo, va *adj.* 설사하게 하는, 뒤를 보게 하는. —*m.* 설사약.
purgatorio, ria *adj.* =**purgativo.** —*m.* ① [천주교] [주로 P~] 연옥. ② 연옥의 고통.
puridad *f.* ① 순수함. ② 은밀함. ③ =**reserva, sigilo.** ¶*en ~* ㉮ 솔직히, 분명히, 단도직입적으로. ㉯ = **secretamente.**
purificación *f.* ① 정화, 순화. ② 정련(精鍊).
purificadero, ra *adj.* 정화[순화]하는; 정련하는.
purificador, ra *adj.* 깨끗이 하는, 정화하는; 정련하는. —*m.f.* 깨끗이 하는 사람. —*m.* ① 정화 장치, 정화조; 정화기. ② 성배(聖杯) 수건. ¶*~ra de agua* 정수장.
purificar (7) *tr.* ① 깨끗이 하다, 맑게 하다, 정화하다: ~ el aire 공기를 정화하다. ~ la sangre 피를 깨끗이 하다. ② (사람의 죄·잘못을) 씻다. ③ [금속] 정련하다, 정제하다. **~se** ① 몸을 깨끗이 하다. ② 깨끗해지다. ③ (죄·잘못이) 씻기다. ④ 정련되다, 정제되다.
purificatorio, ria *adj.* 깨끗하게 하는, 정제용의, 정화용의.
Purísima *f.* 무원죄의 신비스런 성모 마리아.
purismo *m.* (예술·사상의) 순수주의(純粹主義).
purista *adj.* 순수주의의. —*m.f.* 순수주의자.
puritanismo *m.* ① 청교주의. ② (지나친) 엄격주의.
puritano, na *adj.* ① 청교도의. ② 청교도적인, 지나치게 엄격한. —*m.f.* ① 청교도. ② 엄격한 사람.
puro, ra *adj.* ① 순수한, 불순물이 섞이지 않은. ② 청정한, 깨끗한: aire ~ 깨끗한 공기, 청정 공기. ③ 청순한, 순결한: una joven *~ra* 청순한[순결한] 처녀. ④ (미적으로) 단정한, 깨끗한, 완벽한: rostro ~ 단정한[깨끗한] 얼굴. ⑤ 단순한, 순

전한: por ~*ra* casualidad 순전한 우연으로. —*m.* ① 여송연: fumar un ~ 여송연을 피우다. ② 벌, 징계, 제재(制裁)(castigo, sanción). ¶ *a puro* =a fuerza de: El enfermo se sostiene *a puras* inyecciones 환자는 주사의 힘으로 버티고 있다. *de puro* 굉장히, 매우, 극도로: *De puro* fatigado, él no podía andar 그는 굉장히 피곤해서 걸을 수가 없었다.

púrpura *f.* ① [조개] 뿔고둥, 뻐고둥, 뿔소라 ((자색 물감을 뽑음)). ② (뿔고둥에서 뽑은) 자줏빛 염색. ③ 자줏빛 염색을 한 천. ④ 자줏빛, 자주색, 자주, 자색. ⑤ 자줏빛 옷. ⑥ (황제·왕·추기경·영사 등의) 지위. ⑦ [시어] 사람의 피. ⑧ [의학] 자반병(紫斑病).

purpurado *m.* (로마 교회의) 추기경.

purpurar *tr.* ① 자줏빛으로 물들이다. ② 자줏빛 옷을 입히다.

purpúrea *f.* ☞**purpúreo.**

purpúreo, a *adj.* ① 자줏빛의. ② 황제[왕·추기경]의 지위의[에 관한]. —*f.* [식물] 우엉.

purpurino, na *adj.* =**purpúreo.** —*f.* ① 꼭두서니의 물감. ② 청동 가루. ③ 청동 가루를 사용한 그림.

purulencia *f.* 곪음, 화농(化膿).

purulento, ta *adj.* 곪은, 고름이 나오는.

pus *m.* 고름.

pusilánime *adj., m.f.* 겁이 많은 (사람), 소심한 (사람).

pusilanimidad *f.* 겁이 많음, 소심함.

pústula *f.* (고름투성이의) 고름집.

pustuloso, sa *adj.* 고름집의.

put *m. ing.* [골프] 풋.

puta *f.* =**prostituta.** ¶*casa de ~s* 성매매 장소, 윤락녀의 집. ***hijo de ~*** 개새끼, 갈보 새끼 ((욕)).

putaísmo *m.* ① 윤락녀 생활. ② 성매매 여성[윤락녀]들의 모임. ③ =**prostíbulo.**

putanismo *m.* =**putaísmo.**

putañear *intr.* 성매매 여성과 성관계를 가지다.

putañero *adj.* =**putero.**

putativo, va *adj.* (부모·형제 등으로) 추정하는: padre ~ 추정상의 아버지.

putear *intr.* ① =**putañear.** ② 윤락녀[매춘부] 생활을 하다. ③ *Amér.* =**injuriar.** —*tr.* [속어] =**fastidiar, perjudicar.**

putería *f.* ① =**putaísmo.** ② =**arrumaco, roncería.**

puterío *m.* ① [속어] 매춘, 윤락 행위. ② [집합] 성매매 여성들. ③ *Salv.* =**prostíbulo.**

putero *adj.* (남자가) 성매매 여성과 성관계를 유지하는. —*m.* *CRica.* =**prostíbulo.**

putesco, ca *adj.* 성매매 여성의[에 관한].

puto, ta *adj.* ① 불쾌한. ② 곤란한, 귀찮은, 성가신. ③ 비열한, 용렬한. ④ (여자가) 행실이 나쁜, 몸가짐이 헤픈; (남자가) 동성애자의, 호모의. ⑤ [부정문에서] 전혀 (…이 아니다): No tengo ni un ~ día libre 나는 한가한 날이 하루도 없다. —*m.* 남창(男娼).

putón *m.* [경멸] 바람기가 있는 여자

putrefacción *f.* 부패(腐敗), 썩는 일.

putrefactivo, va *adj.* 부패하기 쉬운, 부패시키는.

putrefacto, ta *adj.* 부패한, 썩은.

putrescencia *f.* (몸이) 부패 과정에 있는 상태.

putrescente *adj.* (몸이) 부패 중인.

putridez *f.* 부패성(腐敗性).

pútrido, da *adj.* ① 썩은, 부패한. ② 부패가 따르는, 부패에 의한.

puzle *m. ing.* =**rompecabezas.**

PVP *m.* *p*recio de *v*enta al *p*úblico 희망 소매 가격.

pxmo. próximo 다음의, 오는, 내(來)….

pyme *f.* *p*equeña *y* *m*ediana *e*mpresa 중소 기업.

pz. pieza …개(個).

pza(s), Pza(s) *pieza(s)* …개(個).

Q

Q q

q *f.* 꾸 ((스페인어 알파벳의 스무 번째 문자)).

q. quintal 낀딸.

Qatar [국명] 카타르 ((페르시아 만에 있는 아랍 국가; 수도 Doha)).

qatarí *adj.* ① 카타르 태생의. ② 카타르의[에 관한]. —*m.f.* 카타르 사람.

q.b.s.m. que besa(n) su mano 경구(敬具).

q.D.g. que Dios guarde 하느님의 가호가 있기를, 명복을 빕니다, 고(故)….

q.e.p.d. que en paz descanse 영면(永眠)하기를.

q.e.s.m. que estrechan su mano 경구(敬具).

qm. quintal métrico 100킬로그램.

quark *m. ing.* [*pl.* ~s] [물리] 쿼크 ((양성자, 중성자와 같은 소립자를 구성하는 기본 입자)).

quasar *m. ing.* [천문] 준성(準星), 항성(恒星) 모양의 천체.

quáter *adv. lat.* 네 번 (반복해서).

que *pron.* [관계 대명사] ① [선행사가 사람·사물·일의 명사·대명사;

성과 수는 변화하지 않음] ㉮ [한정 용법] …하는: Conozco al señor ~ está allí 나는 저기 있는 저 분을 알고 있다. La casa ~ se quemó no estaba asegurada 타 버린 집은 보험에 들어 있지 않았다. ㉯ [계속 용법] …하는데, …는: Tengo una sobrina, ~ estudia en España 나는 여 조카가 있는데, 그녀는 스페인에서 공부하고 있다. ② [정관사+] …하는 사람[사물 · 일]: *El* ~ estudia mucho, aprende mucho 많이 공부한 사람이 많이 배운다. No comprendo *lo* ~ has dicho 네가 말할 것을 나는 이해하지 못한다. ③ [콤마 다음에 오는 lo que는 앞 문장을 받는다] 그것, 그 일: Ella me dijo que no lo sabe, *lo* ~ no es verdad 그녀는 그 일을 모른다고 말했는데 그것은 사실이 아니다. —*conj*. ① [명사절을 이끌어 주어나 직접목적어가 된다] …하는 것은, …하는 것을, …한다고: Es importante ~ tú vuelvas a casa pronto 네가 빨리 귀가하는 것이 중요하다. Se dice ~ ella es abogada 그녀가 변호사라고 하더라. Creo ~ él saldrá para Méjico la semana que viene 나는 그가 다음 주에 멕시코로 출발할 것이라고 믿고 있다. ② [동사 원형 앞에서] …해야 할: ¿Tiene usted algo ~ *declarar*? 신고해야 할 것 있습니까? ③ [문장 앞에서 접속법과 함께] ㉮ [간접 명령] …하게[하라고] 하십시오: *Que* espere un momento 잠깐 기다리라고 하십시오. ㉯ [접속법 현재와 함께, 현재나 미래의 단순한 원망] 원컨대 …하기를: *Que* haga buen tiempo mañana! 내일 날씨가 좋기를! ④ [비교급 다음에서] …보다: Ella es *más alta* ~ yo 그녀는 나보다 키가 크다. José no estudia *menos* ~ Esteban 호세는 에스떼반보다 공부를 덜 한다.

qué *pron*. [의문 대명사] ① 무엇: ¿*Qué* es esto? 이것은 무엇이냐? ¿*Qué* pasa? (지금) 무슨 일이냐? ¿*Qué* pasó? 무슨 일이었습니까? ¿*Qué* le pasa a ella? 그녀는 무슨 일이냐? ¿*Qué* busca usted? 무엇을 찾고 계십니까? ② [동사 원형과 함께 쓰여 명사구를 만든다] 무엇을[뭐라고] …할 것인가: No sé ~ *hacer* 나는 무엇을 해야 할 지 모르겠다. Ella no sabía ~ *contestar* [*decir*] 그녀는 뭐라고 대답[말]할지 몰랐다. —*adj*. [의문 형용사] 무슨, 어떤: ¿*Qué* profesión tiene usted? 무슨 직업을 가지고 계십니까? ¿*Qué* preocupaciones tiene ella? 그녀는 무슨 걱정거리가 있습니까? ¿De ~ color es tu corbata? 네 텍타이는 무슨 색이냐? —*adv*. [감탄] 정말, 참, 얼마나, 야, 아이구: *Qué* hermosa! 정말 아름답구나. *Qué* pena! 참[정말] 안됐습니다! —*interj*. 저런, 어쩌나!, 설마!, 뭐!, 그럴 리가 (있을 수 있나)! ¶***¿qué tal?*** ㉮ =¿cómo?: ¿*Qué tal* fue el viaje? 여행은 어땠어요? ¿*Qué tal* lo has hecho? 어떻게 그런 일을 했니? ¿*Qué tal* resultó el estreno? 초연은 결과가 어땠습니까? ㉯ [인사] 어떻게 지내십니까?(¿Cómo estás?, ¿Cómo está usted?) ((¿*Qué tal* estás?, ¿*Qué tal* está usted? 등의 줄인 말; 말하는 사람이 이야기 상대자의 건강(salud) · 기력의 상태(estado de ánimo)에 관심을 가지고 하는 질문)). ***por*** ~ 왜, 무엇 때문에: ¿*Por* ~ llegas tarde? 왜 늦게 오느냐?

quebrada *f*. ☞quebrado.

quebradillo *m*. ① (신발의) 나무 뒤축. ② (춤에서 자주 사용하는) 몸을 꼬는 것처럼 하는 특이한 동작.

quebradizo, za *adj*. ① 깨지기[부서지기] 쉬운, 쉬 부서지는[깨지는], 무른: El cristal es ~ 유리는 깨지기 쉽다. ② (건강 · 몸이) 쇠약한, 약한(delicado): salud ~ 허약(한 건강). ③ (목소리가) 떨리는. ④ (사람이 의지가) 약한(frágil). ⑤ 덧없는, 허망한(caduco, perecedero).

quebrado, da *adj*. ① 깨진, 부서진, 부러진: plato ~ 깨진 접시. pierna ~*da* 부러진 다리. ② 파산된. ③ 헤르니아를 앓는. ④ 변색된, 퇴색된: ~ de color 색이 바랜. ⑤ (노면이) 울퉁불퉁한, 험한(desigual): camino ~ 울퉁불퉁한 길. ⑥ *Nic*. 약혼을 파한, 파약한. ⑦ *Nic*. =**tonto.** —*m.f*. ① 파산자. ② 헤르니아 환자. —*m*. ① =**verso quebrado.** ② [수학] 분수(分數)(número ~): ~ decimal 소수(小數). ③ 파산(破産)(quiebra): ~ rehabilitado 면책 파산. ~ no rehabilitado 비면책 파산. ④ *Cuba*. 상질(上質)이나 구멍이 뚫린 담뱃잎. —*f*. ① 산의 좁은 길. ② (산의) 협곡, 길고 좁은 골짜기. ③ *Amér*. 작은 내, 개울.

quebrador, ra *adj*. ① 깨는, 부수는. ② (법 등을) 어기는. —*m.f*. ① 파괴자. ② (법의) 위반자, 범법자. —*f*. *Nic*. 온몸이 쑤시는 장기 열병.

quebradura *f*. ① 균열, 갈라진 금[틈]. ② [의학] 헤르니아. ③ *Arg., Ur*. 골절(fractura).

quebraja *f*. =**grieta, rendija, raja.**

quebrajar *tr*. 금이 가게 하다[만들다]. —*intr*., ~**se** 금이 가다.

quebrajoso, sa *adj*. ① 깨지기[부서지기] 쉬운. ② 사방에 금이 간, 균열투성이의.

quebramiento *m*. 깨기, 부수기, 파괴; 부서짐.

quebrantable *adj*. 깰 수 있는, 부술 수 있는.

Q

quebrantado, da *adj.* ① 부서진(roto). ② 아파 오는, 통증을 느끼는, 아픈(dolorido): Tengo las espaldas ~*das* 등에 통증이 있다.
quebrantador, ra *adj.* 깨는, 부수는, 빻는. —*m.f.* 부수는 사람. —*f.* 분쇄기, 파쇄기, 쇄광기.
quebrantadura *f.* =quebramiento.
quebrantahuesos *m.sing.pl.* ① [조류] 수염독수리 ((지중해를 면한 나라의 험준한 산악에서 서식하며, 멸종 위기에 있음)). ② 아이들의 놀이의 일종. ③ 귀찮은 사람, 성가시게 구는 사람.
quebrantamiento *m.* 침해, 위반.
quebrantar *tr.* ① 부수다, 깨다, 쪼개다, 빻다, 파괴하다. ② 침해하다, 위반하다, 어기다, 범하다. ③ (활력·저항 등을) 약화시키다, 저하시키다, 뒤흔들다: ~ la moral 사기를 저하시키다. ④ (비틀어) 억지로 열다: ~ los sellos de las urnas 투표함의 봉인을 억지로 열다. ~**se** ① 부서지다, 깨지다. ② 약해지다: Su salud *se ha quebrantado* en estos últimos años 그의 건강은 최근 몇 년 동안 쇠해졌다.
quebranto *m.* ① 부수기, 깨기; 부서짐, 깨짐. ② 손실, 손해, 타격: sufrir un ~ económico 경제적 타격을 입다. ③ 비탄, 낙심, 낙담. ④ 쇠약.
quebrar (19) *tr.* ① 부수다, 깨다, 파괴하다, 가르다: ~ la amistad 우정을 깨다. ② (법을) 어기다, 위반하다, 범하다, 짓밟다. ③ 방해하다, 중단시키다. ④ (몸을) 틀다, 꼬다, 굽히다. ⑤ 극복하다. ⑥ (색을) 바래게 하다. ⑦ 누그러뜨리다. —*intr.* ① 파산하다, 도산하다: ~ la empresa 회사가 도산하다. ② [+con] (…와) 사이가 틀어지다, 티격나다. ~**se** ① (폭력 등으로) 부서지다, 깨지다, 파괴되다: ~*se* el vaso 잔이 깨지다. ② (자신의) …을 구부리다, 골절되다, 삐다, 부러지다: ~*se* el tobillo 발목을 삐다. ③ (안색이) 나빠지다. ④ (지형이) 험해지다, 끊기다. ⑤ 기운이 빠지다, 축 늘어지다. ⑥ 헤르니아에 걸리다.
quechemarín *m.* 돛대 두 개의 작은 배.
quechua *adj.* 께추아족(族)(los quechuas, 뻬루 및 안데스 산맥에 면한 여러 나라에 살았고 현재도 살고 있는 인디오 종족; 12세기에 잉카 제국을 세움)의. —*m.f.* 께추아족 사람. —*m.pl.* 께추아족. —*m.* 께추아 말.
quechuismo *m.* 다른 언어에서 사용되는 께추아 말의 단어[말투].
quechuista *adj.* 께추아 말에 정통한. —*m.f.* 께추아 말 학자, 께추아 말에 정통한 사람.
queco *m.* *Ur.* =prostíbulo.
queda *f.* ☞quedo.
quedada *f.* 체류, 체재.
quedadizo, za *adj.* *Méj.* =lento, tardo.
quedamente *adj.* 작은[낮은] 소리로.
quedar *intr.* ① 있다, 남다, 존속하다, 잔존하다: ¿Hay azúcar? —Sí, todavía *queda* un poco 설탕 있습니까? —예, 아직 약간 남아 있습니다. A mí me *quedaron* cien euros 나한테 100유로 남아 있었다. ② [+형용사·과거 분사·부사] (…의 상태로) 되다, 남다: Ella *quedó* viuda 그녀는 미망인이 되었다. ③ [어떤 상태] 그대로 되다[있다]: La carta *queda* sin terminar 편지는 끝맺지 못한 채로다. ④ (위치가) …에 있다, 위치하다, 있다: Anyang *queda* cerca de Seúl 안양은 서울 가까이에 있다. Ese pueblo *queda* lejos de aquí 그 마을은 여기서 멀리에 있다. ⑤ [+para] (시간·거리가 도달점까지에) 있다: Ya sólo *quedan* ocho días para mi cumpleaños 내 생일까지는 일주일 남았다. ⑥ [+en] (…을) 결정하다: *Quedamos en* vernos a las dos de la tarde 우리는 오후 두 시에 만나기로 정했다. ⑦ (최후로) …이 되다, 끝나다: Aquí *quedó* la reunión 회의는 여기서 끝났다. —*tr.* 남기다, 남겨 두다, 놓다, 두다(dejar): No *quedes* el libro ahí 거기에 책을 놓지 마라. ~**se** ① 머물다, 남다, 잔류하다: *Me quedaré* en casa 나는 집에 남겠다. ② [+con] (…을) 자기의 것으로 만들다: Yo *me quedaré con* los libros 책들은 내가 가지겠다. ③ (바람이) 자다, 세력이 약화되다. ④ (바다가) 파도가 자다. ⑤ [당구] 쉬운 공이 남다. ⑥ 죽다. ⑦ [+con] (…를) 속이다: José *se quedó con* Arturo 호세는 아르뚜로를 속였다.
quedito *adv.* 다소곳이, 아주 조용히; 낮은[작은] 소리로.
quedo, da *adj.* 조용한, 고요한: con voz ~*da* 낮은 목소리로, 작은 소리로. —*adv.* 조용히, 낮은 소리로, 작은 소리로, 거의 들리지 않게: hablar ~ 작은 소리로 말하다. —*f.* ① 귀가를 알리는 종(鐘). ② 소등종(消燈鐘). —*interj.* (남을 제지하기 위해) 쉿!, 조용히!
quehacer *m.* ① 볼일, 용건. ② [때때로 *pl.*] 일, 가사.
queja *f.* ① (한탄·탄식의) 신음 소리, 탄식 소리. ② 고충, 불평.
quejar *tr.* =aquejar. ~**se** ① [+de] (…에 대해) 탄식[한탄]하다: ~*se de* la corrupción del mundo político 정계의 부패를 한탄하다. ② [+de] (…에 대해) 불평하다, 투덜대다: No *te quejes* 불평 마라.
quejica *adj.* =quejicoso.
quejicoso, sa *adj.* 불평이 많은.
quejido *m.* 탄식, 한탄.

Q

quejo *m.* =**mandíbula, quijada.**
quejosamente *adv.* ① 불평스레, 원망스레. ② 불평하는 투로.
quejoso, sa *adj.* 불평하는, 원망하는. —*m.f.* 불평가.
quejumbrar *intr.* 늘 별 이유도 없이 불평하다.
quejumbre *m* 늘 이유 없는 불평.
quejumbroso, sa *adj.* ① 별 이유도 없이 불평하는, 버릇으로 불평하는. ② (소리·어조·말 등이) 신음하는 것 같은, 탄식[한탄]하는 것 같은: tono ~ 호소하는 것 같은 어조[말투]. voz ~*sa* 처량한 목소리.
queloide *m.* [의학] 켈로이드.
quema *f.* ① 소각, 태우기, 굽기, 타기. ② 화재, 불; 연소. ③ *Salv.* 나쁜 경제 상태.
quemada *f.* ① 불탄 산의 일부분. ② *Cuba, Méj.* =**quemadura.**
quemadero, ra *adj.* 탈, 구울, 타야 할. —*m.* ① (옛날의) 화형장. ② 소각장: ~ de basuras 쓰레기 소각장.
quemado, da *adj.* ① 탄, 그을린: ~ por el sol 햇볕에 그을린. morir ~ 타 죽다. ② 검은. ③ 흑인의. —*m.* ① 산불이 난 자리. ② (불)탄 것: Huele a ~ 탄내가 난다.
quemador, ra *adj.* ① 타는, 굽는. ② =**incendiario.** —*m.f.* 굽는 사람; 소각자, 방화자. —*m.* 연소기, 버너.
quemadura *f.* ① 화상(火傷). ② 화상 흔적, 화상 자리. ③ 타서 눌음, 탐. ④ =**tizón.** ⑤ [식물] 깜부깃병, 흑수병(黑穗病), 맥각병(麥角病).
quemante *adj.* 태우는, 굽는. —*m.* [은어] 눈(ojo).
quemar *tr.* ① (불로) 태우다: ~ la leña 장작을 태우다. ~ las cartas 편지를 태우다. ② 굽다. ③ 데다. ④ 애태우다, 초조하게 하다. ⑤ (매운 것이) 입속을 아리게 하다. ⑥ 투매하다. ⑦ 아프게 하다, 다치다. ⑧ 상하게 하다: ~ la ropa 옷을 상하게 하다. ⑨ 낭비하다. —*intr.* 타는 듯이 덥다[뜨겁다], 무척 뜨겁다. ~**se** ① 데다. ② 그을리다. ③ 태워 버리다, 눋다: ~*se* el arroz 밥이 눋다[타다]. *Se* le *quemó* el arroz (a ella) 그녀는 밥을 눌렸다. ④ 전소되다, 다 타다: *Se* me *quemó* la casa 내 집은 전소되었다. ⑤ 몹시 덥다. ⑥ (격정에) 불타오르다, 애간장이 녹다. ⑦ 초조해하다, 안달하다.
quemarropa *a* ~ ㉮ 아주 가까이에서, 지근(至近) 거리에서(desde muy cerca): disparar *a* ~ 아주 가까이에서 발사하다. ㉯ 불의에, 갑작스레, 단도직입으로: preguntar *a* ~ 갑작스레 질문하다.
quemazón *f.* ① 연소, 타기; 소각, 태우기. ② 극심한 열[더위], 혹서. ③ 가려움. ④ 신랄한 말, 빈정거리기. ⑤ 원한, 앙심.
quena *f.* [악기] 께나 ((남아메리카 안데스 산맥의 고원 지대에서 갈대·뼈·진흙으로 만든 원주민의 피리)).
quepa ☞**caber** (65).
quepa- ☞**caber** (65).
quepí *m. Perú.* =**quepis.**
quepis *m.sing.pl. fr.* ① 원통형 군모(軍帽). ② quepis 모양의 학생모.
quepo ☞**caber** (65).
queratina *f.* [화학] 각질(角質).
queratitis *f.* [의학] 각막염(角膜炎): ~ herpética 헤르페스성 각막염.
querella *f.* ① 고통의 호소. ② 말싸움, 입씨름, 불화, 논쟁. ③ 고소, 고발. ④ 고소장, 고발장.
querellado, da [querellarse의 과거분사] *adj.* 제소된, 고소된, 고발된. —*m.f.* [법률] 피고.
querellador, ra *adj.* 입씨름하는, 말싸움하는. —*m.f.* 논쟁자.
querellante *adj.* [법률] 고소하는, 소송을 제기하는, 제소하는. —*m.f.* [법률] 제소자, 고소자.
querellarse *r.* [+contra] (…를) 고소하다, 소송을 제기하다, 제소하다.
querencia *f.* ① 애정, 애착. ② (사람·동물의) 귀소 본능. ③ 귀소 본능의 장소. ④ [투우] (투우장의) 정해진 장소를 택하는 경향[본능].
querencioso, sa *adj.* ① 귀소 본능이 강한. ② 귀소 본능에 의한.
querendón, na *adj. Amér.* 매우 사랑하는. —*m.f.* =**querido, da.**
querer[1] (68) *tr.* ① 원하다, 바라다, 탐내다, 가지고 싶어하다(desear, apetecer): ¿Qué *quiere* usted? —*Quiero* un ordenador 무엇을 원하십니까? —컴퓨터를 원합니다. ② 좋아하다, 사랑하다(amar, tener cariño): Yo te *quiero* 당신을 사랑하오. ③ 필요로 하다. ④ [가까운 미래, 주로 자연 현상에서] …하려 하다, 할 듯하다: *Quiere* llover 비가 올 듯하다. ⑤ 시도하다, 꾀하다, 마음먹다. ⑥ [+*inf.*] …하고 싶다: Quiero salir 나는 외출하고 싶다. *Quiero* comprar un televisor 텔레비전을 사고 싶다. ⑦ [현재 분사로] 고의로, 일부러: Lo he roto *queriendo* 나는 그것을 일부러 부셨다. ~**se** 서로 사랑하다: Marido y mujer *se qieren* mucho 부부는 무척 서로를 사랑하고 있다. ¶~ ***decir*** 뜻하다, 의미하다. ***cuando quiera*** 아무 때고(en cualquier tiempo). ***donde quiera*** =**donde-quiera.** ***do quiera*** =**doquiera.** ***sin*** ~ 마지못해: llorar *sin* ~ 마지못해 울다. ***Querer es poder*** (속담) 정신일도 하사불성(精神一到何事不成), 뜻 있는 곳에 길이 있다. ***Quien más tiene, más quiere*** (속담) 사람의 욕망은 한이 없다. ***Quien todo lo quiere, todo lo pierde*** (속담) 토끼 둘을 잡으려다가 하나도 못 잡는다.

Quien bien quiere a Beltrán, bien quiere a su can (속담) 아내가 귀여우면 처갓집 말뚝 보고도 절한다. *Quien bien te quiere, te hará llorar* (속담) 믿는 도끼에 발등 찍힌다, 너를 가장 사랑하는 사람이 너를 울릴 것이다.

querer² *m.* 애정, 사랑(cariño, amor).

querido, da *adj.* ① 사랑하는, 친애하는: Mi ~ amigo, Mi ~*da* amiga [편지] 근계(謹啓), 배계(拜啓), 사랑하는 친구에게. *Queridos* padres 부모님전 상서. ② 바람직한, 마음에 드는, 호감이 가는: situación no ~*da* 바람직하지 않은 상황. —*m.f.* ① (불륜 관계의) 연인, 애인; 정부(情夫), 정부(情婦). ② [친애의 호칭] 여보, 이봐: Por favor, ~, ¿quieres tráermelo? 여보, 그것 좀 가져다 주겠소?

quermes *m.sing.pl.* ① [곤충] 연지벌레. ② [의학] 기관지 약.

querosén *m. Amér.* =**queroseno.**

querosene *m. Arg., Cuba, Hond., Perú, Salv., Ur.* =**queroseno.**

queroseno *m.* 등유(燈油).

querosín *m. Nic., Pan.* =**queroseno.**

querr- ☞**querer (68).**

querub *m.* [시어] =**querubín.**

querube *m.* [시어] =**querubín.**

querúbico, ca *adj.* [시어] querubín 의[에 관한]; querubín 같은.

querubín *m.* ① [천주교] 케루빈 ((Serafín 다음의 천사로 9위 중 제2위; 지식 관장 천사)). ② =**serafín¹ ②.**

quesada *f.* =**quesadilla.**

quesadilla *f.* ① 치즈가 든 케이크. ② 치즈 과자. ③ *Méj.* (치즈나 다른 재료가 든) 옥수수 전병[부침개].

quesear *intr.* 치즈를 만들다.

quesera *f.* ☞**quesero.**

quesería *f.* ① 치즈 만들기에 적당한 시기. ② 치즈 공장. ③ 치즈 가게.

quesero, ra *adj.* ① 치즈의[에 관한]. ② 치즈를 무척 좋아하는. —*m.f.* ① 치즈를 좋아하는 사람. ② 치즈 제조자. ③ 치즈 장수. —*f.* ① 치즈 공장. ② 치즈 제조용 탁자[판]. ③ 치즈 보관용 질그릇. ④ (식탁용) 뚜껑 달린 유리 치즈 그릇.

quesito *m.* ① 삼각형 치즈. ② *PRico.* 흰 치즈가 채워진 단 파이.

queso *m.* ① 치즈. ② (사람의) 발.

quetzal *m.* ① [새] 껫살((구아떼말라의 국조)). ② 껫살 ((구아떼말라의 화폐 단위)).

Quetzalcóatl [아스떼까 신화] 껫살꼬아뜰 ((창조와 문명의 신)).

quevedesco, ca *adj.* ① 께베도 (Francisco de Quevedo y Villegas, 스페인의 풍자 작가, 1580-1645)의[같은], 께베도풍(風)의: esquivar la denuncia ~*ca* 께베도풍의 고발을 피하다. ② 께베도의 작품과 비슷한 [관계가 있는].

quevedos *m.pl.* 코안경.

quiasma *m.* ① [해부] 교차(交差). ② [생물] 염색체 교차.

quiasmo *m.* [수사학] 교차 대구법 (交差對句法) ((예 Cuando quiero llorar no lloro, y a veces lloro sin querer 나는 울고 싶을 때 울지 않고, 가끔 마지 못해 운다)).

quiche *m.* 키시 ((치즈·베이컨 파이의 일종)).

quiché *adj.* 끼체족(los quichés, 구아떼말라의 마야족의 한 종족)의[에 관한]. —*m.f.* 끼체족 사람. —*m.* 끼체 말.

quicha *adj., m.f. Ecuad.* =**quechua.** —*m.* (에꾸아도르에서 사용되는) 께추아 말.

quicial *m.* (문·창문의) 경첩이 달린 쪽의 문설주.

quicialera *m.* =**quicial.**

quicio *m.* ① (문·창문의) 경첩이 달린 쪽의 문설주. ② 열린 문[창문]과 벽의 사이.

Quico *m.* 끼꼬 ((Francisco의 애칭)). ¶*ponerse como el* ~ 물리도록 먹다, 배가 터지도록 먹다, 과식하다 (hartarse de comer).

quid *m.* 요점, 핵심; 난점.

quídam *m.* ① 아무개, 모씨. ② 쓸모없는 인간, 보잘것없는 인간.

quid divínum *m. lat.* 영감(靈感).

quiebra *f.* ① 파산: declararse en ~ 파산 선고를 하다. ② 붕괴, 파탄, 실패: ~ de los valores humanos 인류 가치관의 붕괴. Ese negocio no tiene ~ 그 거래는 반드시 성공한다. ③ 갈라진 틈[금]. ④ 산사태가 난 자리.

quiebro *m.* ① 몸을 구부리기. ② 목이 떨리는 소리. ③ [음악] 떨리는 소리. ④ [투우] (쏜살같이) 몸을 굽혀 피하기.

quien *pron.* [관계 대명사; 선행사가 사람; 수의 변화를 함] ① [계속적 용법; 보통 앞에 콤마를 찍음] 그 사람, …하는 사람: mis padres, a ~*es* respeto 내 부모님, 나는 그 분들을 존경한다. ② [한정적 용법] …하는, …한: las personas de ~*es* él recibió la ayuda 그가 도움을 받았던 사람들. ③ [관사와 함께 쓰이지 않음] (…하는) 사람, (…하는) 사람은 누구나: *Quien* no puede es ~ más quiere (속담) 성취할 수 없는 사람이 더 원한다.

quién *pron.* [의문 대명사] 누구: ¿De ~? 누구의. ¿A ~? 누구를, 누구에게. ¿Con ~? 누구와. ¿Para ~? 누구를 위해. ¿*Quién* es usted? 당신은 누구냐?, 직업이 무엇입니까? ((성명이나 직업을 물음)). ¿A ~ invitas? 너는 누구를 초대하느냐? ¿De ~ es este libro? 이 책은

Q

누구의 것입니까? ¿Con ~ hablo? —Con José. [전화에서] 누구십니까? —호세입니다. ¶*¿Quién es Quién?* 신사록(紳士錄).
quienquiera *pron.* [*pl.* quienesquiera] 누구나, 누구든지, 누구이건: *Quienquiera* que sea se arrepentirá 사람은 누구나 후회할 것이다.
quier- ☞querer (68).
quiera ☞querer (68).
quiero ☞querer (68).
quietamente *adv.* 평화롭게, 조용히; 침착하게.
quietar *tr.* 가라앉히다, 진정시키다.
quietismo *m.* ① 평온, 정숙. ② [신학] 정숙주의.
quietista *adj.* [철학] 정숙주의(靜肅主義)의. —*m.f.* 정숙주의자.
quieto, ta *adj.* ① 움직이지 않는: las piernas ~*tas* 움직이지 않는 다리. ② 평안한, 평온한, 조용한: El mar está ~ 바다가 평온하다. ③ 침착한: chica muy ~*ta* 매우 침착한 소녀.
quietud *f.* ① 움직이지 않음. ② 평온, 평정, 정막.
quif *m.* =**hachís.**
quijada *f.* [해부] 턱뼈.
quijotada *f.* 돈 끼호떼 같은 짓, 엉뚱한 행동.
quijote[1] *m.* ① (마구의) 넓적다리 받이[가리개 · 덮는 부분]. ② [주로 *pl.*] 말의 궁둥이 윗부분.
quijote[2] *m.* ① 돈 끼호떼 같은 사람, 비현실적인 사람, 이상주의적인 사람. ② 빼빼 마르고 껑충한 사람.
Quijote (el) *m.* [작품] 돈 끼호떼 ((원제는 El Ingenioso Hidalgo Don Quijote de la Mancha; 전편 1605년, 후편 1615년 간행됨)).
quijotería *f.* 돈 끼호떼 같은 행동.
quijotesca *f.* 돈 끼호떼 같은 (정신을 가진) 여자.
quijotescamente *adv.* 돈 끼호떼식으로, 비현실적[이상주의적]으로.
quijotesco, ca *adj.* ① 돈 끼호떼식의, 돈 끼호떼적인, 비현실적인, 이상주의적인: aventuras ~*cas* 돈 끼호떼적인 모험. ② 돈 끼호떼 같은, 돈 끼호떼 성격[기질]의.
quijotil *adj.* 돈 끼호떼 같은 사람의[에 관한].
quijotismo *m.* ① 돈 끼호떼적 성격[발상 · 언동]. ② =**engreimiento, orgullo.**
quilate *m.* ① [금의 순도 · 보석의 무게의 단위] 캐럿. ② 완성도. ③ 낄라떼 ((옛 까스띠야의 화폐)).
quilla *f.* ① [선박] 용골(龍骨). ② (새의) 용골 돌기(龍骨突起).
quilo[1] *m.* [생리] 유미(乳糜). ¶ *sudar* alguien *el* ~ (누가) 비지땀을 흘리다, 일을 많이 하다.
quilo[2] *m.* =**kilo.**
quilo- *pref.* =**kilo-.**
quilogramo *m.* =**kilogramo.**
quilolitro *m.* =**kilolitro.**
quilométrico, ca *adj.* =**kilométrico.**
quilómetro *m.* =**kilómetro.**
quimera *f.* ① 환상, 망상, 공상; (근거 없는) 의심. ② 불화, 싸움, 언쟁, 입씨름. ③ [희랍 신화] 키메라. ④ [생물] 혼합 염색체.
quimérico, ca *adj.* 공상적인, 실존하지 않는.
química *f.* ☞**químico.**
químicamente *adv.* 화학적으로; 화학 작용에 의해.
químico, ca *adj.* 화학의, 화학적인: producto ~ 화학 제품. —*m.f.* 화학자. —*f.* 화학.
quimioautótrofo, fa *adj.* 영양을 화학 합성하는.
quimiosíntesis *f.sing.pl.* 화학 합성.
quimiotaxis *f.sing.pl.* [생물] 주화성(走化性).
quimioterapia *f.* [의학] 화학 요법.
quimiotropismo *m.* =**quimiotaxis.**
quimificación *f.* 유미화(乳糜化).
quimificar (7) *tr.* 유미화(乳糜化)시키다. ~**se** 유미화되다.
quimo *m.* [생리] 유미(乳糜).
quina *f.* ① 기나[기나 나무 · 기나수](quino) 껍질, 기나피(幾那皮). ② 기나피 추출액.
quinado, da *adj.* quina로 제조하는 (포도주 등).
quince *adj.* ① 15의. ② 열다섯 번째의(decimoquinto). —*m.* 15, 열다섯.
quinceañero, ra *adj.* ① 열다섯 살의. ② 열다섯 살 가량의. —*m.f.* ① 열다섯 살 먹은 소년[소녀]. ② 열다섯 살 가량의 소년[소녀].
quinceavo, va *adj., m.* 15분의 1(의).
quincena *f.* ☞**quinceno.**
quincenal *adj.* ① 15일마다의, 보름마다의, 보름마다 반복되는. ② 15일 동안의, 15일 계속되는.
quincenario, ria *adj.* 15일마다 일어나는, 보름마다의.
quinceno, na *adj.* 열다섯 번째의 (decimoquinto). —*m.* 생후 15개월의 노새. —*f.* ① 15일간, 보름동안. ② 반월급, 보름마다 받는 급료. ③ 15일 구류.
quincuagena *f.* [집합] 같은 종류의 50개.
quincuagenario, ria *adj.* ① 50을 단위로 한. ② 만 50세의, 만 쉰 살의. —*m.f.* 만 쉰 살인 사람.
quincuagésimo, ma *adj.* ① 50번째의. ② 50분의 1의. —*m.* 50분의 1. —*f.* [기독교] 오순절의 주일(主日) ((부활절의 50일전(前))).
quindécimo, ma *adj.* 15등분의.
quinesiología *f.* 운동 과학[위생학].
quinesiológico, ca *adj.* quinesiología의[에 관한].

quinesiólogo, ga *m.f.* quinesiología 전문가.
quinesioterapia *f.* 운동 (과학) 요법.
quinesiterapia *f.* =quinesioterapia.
quinesioterápico, ca *adj.* [의학] quinesioterapia의[에 관한].
quinesiterápico, ca *adj.* =quinesioterápico.
quingentésimo, ma *adj.* ① 500번째의. ② 500분의 1의. —*m.* 500분의 1, 오백 분의 일.
quiniela *f.* ① 끼니엘라 ((다섯 선수가 하는 공놀이)). ② 끼니엘라 ((축구·경마 등의 스포츠 복권)). ③ 끼니엘라 응모권. ④ *Arg., RDom., Ur.* 복권 일등상의 마지막 숫자에 내기를 건 도박. ⑤ [집합] *Arg., RDom., Ur.* 복권 일등상의 마지막 숫자에 내기를 건 도박에 건 돈.
quinielista *m.f.* quiniela 내기꾼.
quinielístico, ca *adj.* quiniela의[에 관한].
quinientista *adj.* 16세기의[에 관한].
quinientos, tas *adj.* ① 500의. ② 500번째의. ③ 500분의 1의. —*m.* 500.
quinina *f.* [약학] 키니네제(劑).
quinismo *m.* 키니네 중독.
quino *m.* ① [식물] 기나, 기나 나무, 기나수(幾那樹). ② 기나 수지(樹脂). ③ 기나 껍질(quina).
quinquelingüe *adj.* ① 다섯 나라의 말을 하는. ② 다섯 나라의 말로 쓰인, 5개 국어로 쓰인.
quinquenal *adj.* ① 5년마다의, 5년마다 일어나는[반복되는]. ② 5년간의, 5년 동안 지속되는: plan ~ de desarrollo económico 경제 발전 5개년 개획.
quinquenio *m.* ① 5년간: durante el último ~ 최근 5년간. ② 5년 근속자에게 주는 급료 인상.
quinta *f.* ☞quinto.
quintacolumnista *m.f.* 제오열(第五列), 제오부대(第五部隊).
quintaesencia *f.* ① 정(精), 정수(精髓), 진수(眞髓)(quinta esencia). ② 전형(典型). ③ [철학] 제오원(第五元), 제오 원소(第五元素) ((흙·물·불·바람 이외에 존재하는 우주의 구성 요소로 생각했던 것)).
quintaesenciar (11) *tr.* =**refinar, apurar, alambicar.**
quintal *m.* ① 낀딸 ((무게의 단위; 까스띠야에서 약 46킬로그램에 해당하는 100파운드의 무게)). ② 100파운드 추. ¶~ *métrico* 100킬로그램의 무게.
quintar *tr.* ① 다섯 개마다 하나씩 뽑다. ② 입대(入隊)의 제비를 뽑다. —*intr.* 달(la Luna)이 닷새째가 되다, 월령(月齡)이 닷새가 되다.
quintero *m.* ① 소작인(小作人). ② 농장 농부. ③ 땅 경작 노동자.
quinteto *m.* ① [집합] 5인조, 다섯 마리, 다섯 개 한 벌. ② [음악] 5중주, 5중창. ③ [음악] 5중주곡, 5중창곡. ④ [음악] 5중주단, 5중창단.
quintilla *f.* [시법] (8음절의) 5행시(五行詩).
quintillizo, za *adj.* 다섯 쌍둥이의[로 태어난]. —*m.f.* 다섯 쌍둥이.
Quintín *armarse* [*haber*] *la de San* ~ (두 사람 이상의 사이에서) 싸움이 있다, 분쟁이 일어나다.
quinto, ta *adj.* ① 다섯 번째의. ② 5분의 1의. —*m.* ① 5분의 1. ② (5분의 1리터 들이의) 작은 맥주병. ③ 2할세. ④ (현역 입대의) 신병(新兵). —*f.* ① 별장. ② (병역을 위한) 징병(徵兵), 징모(徵募): ~ del dos mil cinco 2005년 징병[징모]. ③ 동년배(同年輩). ④ [음악] 5도 (음정). ¶ *entrar en ~tas* (병역의) 추첨 나이에 이르다.
quíntuple *adj.* ① =**quíntuplo.** ② 같은[비슷한] 요소가 다섯 번 있는[반복된]: ~ campeón 같은 종목의 다섯 차례 챔피언, 5연패자. ~ crimen 다섯 번의 같은 범죄.
quintuplicación *f.* 다섯 배(로 하기).
quintuplicar (7) *tr.* 다섯 배로 하다. **~se** 다섯 배가 되다.
quíntuplo, pla *adj.* 5배의, 다섯 배의. —*m.* 5배, 다섯 배.
quinzavo, va *adj.* 5분의 1의. —*m.* 5분의 1.
quiosco *m.* ① (공원·정원 등의 일반적으로 사방이 트인) 정자, 야외 음악당(templete, pabellón). ② 키오스코 ((거리나 공공 장소에 설치된 신문 가두판매대·꽃 파는 곳·매점·구멍가게)). ¶~ *de necesidad* 공중변소(retrete público).
quiosquero, ra *m.f.* quiosco에서 일하는 사람, (특히) 신문 가두판매대 점원.
Quique *m.* [남자 이름] 끼께 ((Enrique의 애칭)).
quiquiriquí *m.* 꼬끼요 ((수탉의 울음소리)).
quir- *pref.* (모음 앞에서) =**quiro-.**
quiragra *f.* 손 통증.
quiro- *pref.* 「손」의 뜻: *quiro*mancia 수상점.
quirófano *m.* [의학] (유리를 통해서 외부에서 볼 수 있는) 수술실.
quirología *f.* 수화법(手話法).
quiromancia *f.* 손금점(占), 수상점(手相占).
quiromancía *f.* =**quiromancia.**
quiromántico, ca *adj.* 손금점의[에 관한]. —*m.f.* 손금쟁이, 수상가.
quiromasaje *m.* (손) 마사지.
quiromasajista *m.f.* (손) 마사지사.
quiropráctico, ca *m.f.* (척주) 지압사, (척주) 지압 요법사. —*f.* 카이로프랙틱, (척주) 지압 요법, 척주 교정(脊柱矯正).
quirúrgico, ca *adj.* 외과(外科)의[에

관한].
quirurgo *m.* =cirujano.
quis- ☞querer (68).
quise ☞querer (68).
quisicosa *f.* 수수께끼, 퍼즐.
quiso ☞querer (68).
quisquilla *f.* ① 사소한 일, 하찮은 일. ② =camarón.
quisquilloso, sa *adj., m.f.* ① 사소한 일에 신경을 쓰는, 화를 잘 내는 (사람). ② 가냘픈, 허약한, 연약한 (사람).
quiste *m.* ① [의학] 낭포(囊胞). ② [생물] 포낭(包囊).
quístico, ca *adj.* ① [의학] 낭포(성)의[에 관한]. ② [의학] (몸의 일부에) 낭포가 있는.
quisto, ta *adj.* =querido.
quita *f.* ☞quito.
quitador, ra *adj.* 제거하는, 없애는.
quitaesmalte *m.* 매니큐어 제거제.
quitaipón *m.* =quitapón.
quitamanchas *m.f.sing.pl.* 옷의 얼룩을 빼는 사람. —*m.* (옷의) 얼룩 제거제.
quitameriendas *f.* [식물] 개사프란.
quitamiedos *m.sing.pl.* (사고 방지용) 난간, 줄, 로프; 가드 레일, 사고 방지용 철책.
quitamento *m.* =quita.
quitamotas *m.f.sing.pl.* 아부꾼, 아첨쟁이.
quitanieves *m.* 제설기(除雪機).
quitanza *f.* (빌린 돈의) 청산서(清算書), 영수증.
quitapelillos *m.f.* =quitamotas.
quitapenas *m.sing.pl.* =licor.
quitapón *m.* (다채로운 빛깔의) 노새의 머리 장식. ¶*de* ~ =de quita y pon. ☞quitar.
quitar *tr.* ① 없애다, 제거하다, 치우다, 벗기다: ~ la piel a la pera 배의 껍질을 벗기다. ~ las manchas 얼룩을 제거하다. ~ la maleta 가방을 치우다. ② (옷 등을) 벗기다: ~ los pantalones al niño 아이의 바지를 벗기다. ③ 빼앗다: ~ la vida 생명을 빼앗다, 죽이다. ④ 훔치다. ⑤ (약속·의무·계약 등을) 해소하다, 면제하다. ⑥ 방해하다. ⑦ [자동사적] 방해가 되다. ⑧ 금하다, 금지하다. ⑨ 파면하다. ⑩ (법령을) 파기하다. ⑪ (덤비는 사람이나 칼 등을) 피하다, 비키다. ~**se** ① (몸의 것을) 벗다: ~*se* el sombrero 모자를 벗다. *Quítate* los zapatos 구두를 벗어라. ② [+de] (…에서) 떠나다. ③ 그만두다, 멈추다. ¶*al* ~ 순식간에, 일시적으로. ***de quita y pon*** (물건을) 떼었다 붙였다 할 수 있는. ***Quita [Quite] allá!*** 안돼!, 저리 치워라! ***~se de encima*** a alguien o algo (누구·무엇을) 적으로부터 해방되다[벗어나다], 귀찮은 [성가신] 일에서 벗어나다. ***Quite de ahí!*** = **Quita allá!** *sin* ~ *ni poner* 문자 그대로, 고스란히 그대로, 과장이나 생략 없이. ***vender al*** ~ 다시 사들인다는 약정을 하고 양도하다.
quitasol *m.* 양산, 파라솔. ¶~ *de brujas Cuba.* =quitasolillo ②.
quitasolillo *m.* ① *Cuba.* [식물] 양산풀. ② *Cuba.* 먹는 버섯(hongo comestible).
quitasueño *m.* 걱정거리, 고민거리.
quite *m.* ① 방해, 훼방. ② [펜싱] 공격을 피하는 방어 동작, (칼을) 받아 치우기. ③ [투우] (위험한 상황에 있는 투우사가) 가빠(capote)로 소를 피하기.
quiteño, ña *adj.* ① 끼또(Quito, 에꾸아도르의 수도) 태생의. ② 끼또의[에 관한]. —*m.f.* 끼또 사람.
quito, ta *adj.* =libre, exento. —*f.* (차용금의) 면제, 일부 면제.
quivi *m.* =kiwi.
quizá *adj.* ① [+*ind.*] 아마 (…일 것이다): *Quizá* él trató de engañarme 아마 그는 나를 속이려고 했을 것이다. *Quizá* hará mal [buen] tiempo mañana 아마 내일 날씨가 궂을[좋을] 것이다. ¿Vendrá Juan? —*Quizá.* 후안이 올까? —아마 (올 거야). ② [+*subj.*] 혹시, 어쩌면 (…일지도 모르다): *Quizá* llueva mañana 어쩌면[혹시] 내일 비가 올지도 모른다. *Quizá* sea verdad lo que dice ella 어쩌면[혹시] 그녀가 말하는 것이 사실일지도 모른다. *Quizá* no lo creas, pero es cierto 혹시 네가 그것을 믿지 않을지 모르지만, 사실이다. ¶~ ***y sin*** ~ 확실히, 분명히, 틀림없이, 꼭: Quizá ella llegue a la hora —*Quizá y sin* ~ 혹시 그녀가 제시간에 도착할지 모른다. —꼭 도착한다.
quizás *adv.* =quizá.
quórum *m. lat.* (선거·투표·주주 총회 등의 의결에 필요한) 정족수(定足數): falta de ~ 정족수 미달. constituir el ~ 정족수에 달하다.

R r

r *f.* 에레 ((스페인어 알파벳의 스물한 번째 문자)).
raba *f.* ① (대구 알로 만든) 낚시 먹이. ② [주로 *pl.*] *Cantb., P.Vasco.* 밀가루에 묻혀 기름에 튀긴 오징어 조각.
rabadán *m.* 목동의 우두머리.

rabadilla *f.* ① [해부] 꽁무니뼈, 미골(尾骨). ② (새의) 꽁무니. ③ (소의) 엉덩이 살 부분.
rabanal *m.* 무 밭.
rabanero, ra *adj.* (말하는 태도가) 천박한, 뻔뻔스러운. —*m.f.* 무 장수. —*f.* ① 천박한 여자, 닳고 닳은 여자, 뻔뻔스러운 여자. ② 무 그릇.
rabanillo *m.* ① [식물] 야생 독(毒)무. ② (술의) 신맛. ③ 무뚝뚝함. ④ 경멸.
rabaniza *f.* 무 씨; [식물] 야생 무.
rábano *m.* ① [식물] 무. ② 무 뿌리. ③ (술의) 신맛. ¶*importar* [*no importar*] algo *un* ~ (무엇은) 별[전혀] 상관없다: Me *importa un* ~ que te vayas o no 네가 가건 말건 나는 상관없다. *tomar* alguien *el* ~ *por las hojas* (누가) 오해하다, 곡해하다.
rabear *intr.* ① (동물이) 이리저리 꼬리를 흔들다. ② (배의) 고물이 심하게 흔들리다.
rabí *m.* ① 랍비 ((유대인 목사·학자·교사에 대한 경칭)). ② =**rabino.**
rabia *f.* ① [의학] 광견병, 공수병(恐水病). ② 화남, 성남, 격노. ③ 혐오, 반감. ¶*con* ~ 무척, 과하게, 지나치게: llover *con* ~ 비가 억수처럼 쏟아지다. *tener* ~ a alguien (누구를) 증오하다, 미워하다, (누구에게) 나쁜 의도를 가지다. *tomar* ~ 격노하다; 노하다, 화내다, 성내다.
rabiar (11) *intr.* ① [+contra] (…에) 격노하다. ② [+de] (…에) 무척 괴로워하다[번민하다]: ~ *de* hambre 공복에 시달리다. ③ [+por] (…을) 열망하다, 절망(切望)하다. 간절히 바라다. ④ 지나치다, 도를 넘다. ¶ *a* ~ 많이, 무척, 지나치게: aplaudir *a* ~ 열광적으로 갈채를 보내다. Me gusta el béisbol *a* ~ 나는 야구를 무척 좋아한다. *estar a* ~ *con* alguien (누구에게) 무척 화가 나 있다.
rábico, ca *adj.* 광견병의[에 관한].
rabicorto, ta *adj.* 꼬리가 짧은.
rábido, da *adj.* =**violento, airado.**
rabieta *f.* 화남, 부아, 분노; (아이들의) 보챔.
rabihorcado *m.* [새] 군함새, 군함조.
rabilargo, ga *adj.* ① (동물이) 꼬리가 긴. ② 자락이 긴 옷을 입은. —*m.* [새] 물까치.
rabillo *m.* ① (꽃·잎·열매 등의) 꼭지, 자루. ② 꼬리 모양으로 물건을 늘이기. ③ [식물] 독보리. ④ (조끼·바지의) 조임끈. ¶~ *del ojo* 눈꼬리(ángulo del ojo).
rabínico, ca *adj.* ① rabino의[에 관한]. ② 유대 학자의 말[가르침]의[에 관한].
rabino *m.* (유대) 율법 박사, 유대의 학자.
rabión *m.* 급류(急流).
rabiosamente *adv.* ① 화가 나서, 노해서, 성이 나서, 미쳐 날뛰어. ② 강하게, 열렬히: Ella es ~ guapa 그녀는 아주 잘생겼다.
rabioso, sa *adj.* ① 광견병[공수병](rabia)에 걸린. ② 노한, 화난, 성난. ③ 격렬한, 열렬한, 심한.
rabo *m.* ① (동물의) 꼬리(cola): ~ de zorra 여우의 꼬리. ② 꼬리 모양의 물건. ③ (꽃·열매·잎의) 자루, 꼭지(pezón). ④ 풍구질하고[체로 치고] 남은 밀[다른 씨앗]. ⑤ [속어] =**pene.** ⑥ *Col., CRica., Ven.* = **trasero, nalgas.** ¶~ *del ojo* 눈꼬리.
rabón, na *adj.* (동물의) 꼬리가 짧은, 꼬리가 없는.
rabona *f.* 행군에서 자주 군인들을 따라다니는 여자. ¶*hacer* ~ 수업을 빼먹다.
RACE *m.* *R*eal *A*utomóvil *C*lub de *E*spaña 왕립 스페인 자동차 클럽.
racha[1] *f.* ① 돌풍. ② (도박 등에서) 일시적인 행운[불행].
racha[2] *f.* ① =**raja**[1]. ② 큰 나무 부스러기.
racheado, da *adj.* 일시적으로 강하게 부는 (바람).
racial *adj.* 인종(人種)의[에 관한].
racimado, da *adj.* 송이 모양을 한, 주렁주렁 열린.
racimal *adj.* 송이의[에 관한]. —*m.* =**trigo racimal.**
racimo *m.* ① [집합] 포도 송이. ② (다른 과일의) 송이. ③ [집합] (포도 송이 비슷한) 잔 물건. ④ [식물] 총상화(總狀花), 총상꽃차례의 꽃.
racimoso, sa *adj.* ① 송이가 있는. ② 송이가 많은.
racimudo, da *adj.* 큰 송이가 있는.
raciocinar *intr.* 추론하다, 추리하다, 판단하다, 생각하다.
raciocinio *m.* 분별; 추론, 추리.
ración *f.* ① (각자에게) 배분되는 양, 배급량, 몫. ② 1인분. ③ 한 접시: una ~ de tortillas 또르띠야 한 접시. ④ [군사] 1일 분의 양식. ¶~ *de hambre* 입에 풀칠하기조차 어려운 봉급, 기아 임금.
racional *adj.* ① 이성적(理想的)인: pensamiento ~ 이성적 사고. un ser ~ 이성적인 존재, 인간. ② 합리적인: método ~ 합리적인 방법. organización ~ del trabajo 노동의 합리화. ③ 추론(推論)의, 이론적인: convicción ~ 이론적 확신. ④ [수학] 유리(有理)의. ¶*número* ~ 유리수.
racionalidad *f.* 합리성.
racionalismo *m.* ① 합리주의. ② [철학] 이성론(理性論).
racionalista *adj.* 합리주의의, 합리주의적인. —*m.f.* 합리주의자.
racionalización *f.* ① 합리화: ~ de la industria 산업 합리화. ② 유리화

R

(有理化).

racionalizar (9) *tr.* ① 합리화하다: ~ la administración [la industria] 경영[산업]을 합리화하다. ② [수학] 유리화하다.

racionalmente *adv.* 합리적으로.

racionamiento *m.* ① 배급 (제도): cartilla de ~ 배급 수첩. ② (소비량의) 제한.

racionar *tr.* ① (각자에게) 배분하다, 배급하다: ~ el pan a los alumnos 학생들에게 빵을 배분하다. ② (소비량을) 제한하다.

racionista *m.f.* ① 급료[급식]를 받는 사람. ② 연기가 서툰 배우.

racismo *m.* ① 인종주의. ② 인종차별. ③ 인종 우열설.

racista *adj.* 인종[민족]주의의[에 관한]. —*m.f.* 인종 차별주의자.

rad- *pref.* =**radio-**.

radar *m. ing.* 레이더: ~ meteorológico 기상 레이더. base de ~ 레이더 기지. pantalla de ~ 레이더 스크린. red de ~ 레이더망.

radarista *m.f.* 레이더 전문가, 레이더 조작원.

radi- *pref.* ☞**radio-**.

radiación *f.* ① [물리] 방사, 복사: ~ cósmica 우주 방사. ~ solar 태양 복사, 일사(日射). ② 방사선: ~ nuclear 핵방사선. El uranio emite *radiaciones* 우라늄은 방사선을 방출한다. ③ [수학] 방사상 배열. ¶~ *ionizante* [물리] 전리 방사선.

radiactividad *f.* 방사능: Se detectó una fuerte ~ en la lluvia 비에서 강한 방사능이 검출되었다.

radiactivo, va *adj.* 방사성(放射性)의: contaminación ~*va* 방사능 오염. desechos ~*s* 방사성 폐기물. elemento ~ 방사성 원소. lluvia ~*va* 방사능비, 방사능우(放射能雨). material ~ 방사능 물질.

radiado, da *adj.* 방사상(放射狀)의.

radiador *m.* ① (복사) 난방기, 방열기, 히터: ~ eléctrico 전기 히터. ~ infrarrojo 적외선 히터. ② 냉각기, 라디에이터.

radial[1] *adj.* ① 방사상(放射狀)의. ② 반경(半徑)의.

radial[2] *adj. Amér.* 라디오 방송의.

radián *m.* [수학] [각도의 단위] 라디안, 호도(弧度).

radiante *adj.* ① 방사의. ② 복사(輻射)의: calor ~ 복사열. ③ 반짝반짝 빛나는.

radiar (10) *tr.* ① 방사하다: ~ luz y calor 빛과 열을 방사하다. ② [의학] 엑스선을 쬐다. ③ (라디오로) 방송하다.

radicación *f.* ① 정착, 정주. ② [수학] 근풀이.

radical *adj.* ① 근본적인: cambio ~ 근본적인[급격한] 변화. ② 급진적인, 과격한: idea ~ 급진 사상(急進思想). estudiantes ~*es* 과격파 학생들. ③ [식물] 뿌리의, 잎이 뿌리 부근에서 나는. ④ [언어] 어기(語基)의. —*m.f.* 급진주의자, 과격파: ~ de derechas [izquierdas] 우익[좌익] 과격파. —*m.* ① [수학] 근호(根號). ② [화학] 기(基). ③ [언어] 어기(語基).

radicalismo *m.* 급진주의, 과격론.

radicalista *adj.* 급진주의의. —*m.f.* 급진주의자.

radicalización *f.* 급진화; 첨예화.

radicalizar (9) *tr.* 급진적으로 하다. ~**se** ① 과격하게 되다. ② 첨예화되다.

radicalmente *adv.* 근본적으로, 철저하게.

radicar (7) *tr.* ① (…에) 존재하다, 유래하다. ② (식물이) 뿌리를 내리다. ~**se** 정주하다, 정착하다.

radio[1] *m.* ① [기하] 반경(半徑). ② (수레바퀴의) 살. ③ [해부] 요골(橈骨). ¶~ *de acción* ㉮ 행동 반경, 활동 범위. ㉯ 항속 거리.

radio[2] *m.* [화학] 라듐.

radio[3] *f.* ① 라디오 (수신기)(aparato de ~): apagar la ~ 라디오를 끄다. escuchar [oír] la ~ 라디오를 듣다. escuchar música por ~ 라디오로 음악을 듣다. poner la ~ 라디오를 켜다. ② 라디오 방송 ((radiodifusión의 생략어)). ③ 라디오 방송국. ¶~ *pirata* 해적 방송.

radio[4] *m.(f.)* =**radiorreceptor.**

radio[5] *m.* =**radiotelegrama.**

radio[6] *m.f.* =**radiotelegrafista.**

radio- *pref.* ①「방사, 복사; 반경; 요골; 라듐; 무선, 전파; 방사성」의 뜻: *radio*terapia 방사선 요법. ② [모음 앞에서] **radi-**: *radi*activo 방사성의.

radioactividad *f.* =**radiactividad.**

radioactivo, va *adj.* = **radiactivo.**

radioaficionado, da *m.f.* 아마추어 무선가.

radioaltímetro *m.* 전파 고도계.

radioastronomía *f.* 전파 천문학.

radiobaliza *f.* 무선 표지(소).

radiobiología *f.* 방사선 생물학.

radiocasete *m.* 라디오 카세트.

radiocomunicación *f.* 무선 통신.

radiodespertador *m.* 자명종 부착 라디오.

radiodetector *m.* 무선 검파기.

radiodiagnóstico *m.* [의학] 방사선[엑스선] 진단.

radiodifundir *tr.* 라디오로 방송하다.

radiodifusión *f.* ① 라디오 방송: estación de ~ (라디오) 방송국. ② [집합] 방송 설비[시설]. ③ (라디오) 방송국.

radiodifusor, ra *adj.* 라디오로 방송하는. —*f. Arg., Bol., Nic., Ven.* = **radiodifusión** ③.

radioelectricidad *f.* ① 전파 기술.

② 무선 공학.
radioeléctrico, ca *adj.* 전파 기술[무선 공학]의[에 관한].
radioemisora *f. AmérM., CRica., Hond., Salv.* 라디오 방송국.
radioenlace *m.* [통신] 무선 결합.
radioescucha *m.f.* 라디오 청취자.
radiofaro *m.* 무선 표지.
radiofonía *f.* =radiotelefonía.
radiofónico, ca *adj.* ① 무선 전화의[에 관한]. ② 라디오 방송의[에 관한]: novela ~*ca* 라디오 연속극.
radiofonista *m.f.* =radiotelefonista.
radiofrecuencia *f.* 무선 주파수.
radiogalaxia *f.* 전파 은하.
radiogoniómetro *m.* (무선) 방향 탐지기, 방위 측정기.
radiograbador *m. Arg., Cuba, Ur., Hond., Salv.* =radiocasete.
radiograbadora *f. Arg., Cuba, Ur., Hond., Salv.* =radiocasete.
radiografía *f.* ① 방사선[뢴트겐] 사진술. ② 뢴트겐 사진, 엑스선 사진: hacer [sacar] a *alguien* una ~ del pecho (…의) 가슴을 뢴트겐 사진 촬영을 하다. ③ 상세한 묘사[기술], 상세한 분석.
radiografiar *tr.* (…의) 뢴트겐 사진을 촬영하다.
radiográfico, ca *adj.* radiografía의[에 관한].
radiograma *m.* =radiotelegrama.
radiogramola *f.* 전축 겸용 라디오
radioingeniería *f.* 무선 공학.
radioinmunoensayo *m.* [의학] (방사성 동위 원소에 의한) 표지(標識) 면역 검정(법), 방사 면역 검정(법).
radiointerferencia *f.* 전파 방해.
radioisótopo *m.* 방사성 동위 원소.
radiola *f. Bol., Col., Perú.* =radiogramola.
radiolario *m.* [동물] 방산충.
radiolocación *f.* 전파 탐지법.
radiología *f.* 방사선 의학.
radiológico, ca *adj.* 방사선 의학의[에 관한]: estudio ~ 방사선 의학 연구.
radiólogo, ga *m.f.* 방사선 학자, 뢴트겐 기사.
radiometría *f.* 방사 분석, 복사[방사] 측정(술), 라디오미터 사용법.
radiómetro *m.* [물리] 방사계, 복사계, 라디오미터.
radionavegación *f.* 무선 항법[항행], 전파 항법.
radionavegante *m.f.* (비행기의) 무선사, 기사, 기술자.
radionovela *f.* 라디오 연속 소설, 라디오 연속극.
radiopatrulla *f.* (경찰의) 무선 순찰차, 무선 패트롤 카.
radiorreceptor *m.* 라디오 (수신기).
radioscopia *f.* 방사선[엑스선] 투시.
radioscópico, ca *adj.* 방사선 투시의[에 관한]: examen ~ 엑스선 검사(X線檢査).
radioso, sa *adj.* 빛을 발하는.
radiosonda *f.* [기상] 라디오 존데.
radiotaxi *m.* 무선 택시.
radioteatro *m. Arg., Bol., Ur.* = radionovela.
radiotecnia *f.* 무선 공학.
radiotécnico, ca *adj.* 무선 공학의[에 관한]. —*m.f.* 무선 공학자, 무선 공학 전문가.
radiotelecomunicación *f.* 무선 통신, 전파 통신.
radiotelefonía *f.* 무선 전화.
radiotelefónico, ca *adj.* 무선 전화의[에 관한].
radiotelefonista *m.f.* 무선 전화수, 무선 전화 설치자.
radioteléfono *m.* 무선 전화기.
radiotelegrafía *f.* 무선 통신.
radiotelegrafiar *tr.* 무선 통신[무전]으로 타전하다.
radiotelegráfico, ca *adj.* 무선 통신의[에 관한]: despacho ~ 무선 전보(無線電報).
radiotelegrafista *m.f.* 무선 통신사.
radiotelégrafo *m.* 무선 통신기.
radiotelegrama *m.* 무선 전보.
radiotelescopio *m.* 전파 망원경.
radiotelevisar *tr.* 텔레비전이나 라디오로 방송하다.
radiotelevisión *f.* 텔레비전·라디오 방송.
radioterapeuta *m.f.* [의학] 방사선 요법 전문가.
radioterapéutico, ca *adj.* [의학] 방사선 요법의[에 관한].
radioterapia *f.* [의학] 방사선 요법.
radioterápico, ca *adj.* [의학] = radioterapéutico.
radiotérmica *f.* 초단파 가열론, 초단파 가열학.
radiotoxicidad *f.* 방사성 독성.
radiotóxico, ca *adj.* 방사성 독성의[에 관한].
radiotransmisor *m.* 무선 통신기.
radioyente *m.f.* (라디오의) 청취자.
radiumterapia *f.* =radioterapia.
radón *m.* [화학] 라돈.
RAE *f. Real Academia Española* 스페인 왕립 한림원.
raedera *f.* ① 긁는 도구. ② 흙손. ③ 쇠고무래. ④ 작은 괭이.
raedizo, za *adj.* ① 깎기 쉬운. ② 쉽게 닳은, 닳기 쉬운.
raedor, ra *adj.* 깎는, 긁는. —*m.* 평미레(rasero).
raedura *f.* ① 깎아내기. ② 땅 다지기. ③ [주로 *pl.*] 깎아낸 부분.
raer (74) *tr.* ① (…의 표면을) 긁다, 긁어내다, 깎다, 깎아내다. ② 평미레로 고르다. ③ (악습 등을) 근절시키다, 뿌리째 뽑다(extirpar).
Rafa *m.* [남자 이름] 라파 ((Rafael의 애칭)).
ráfaga *f.* ① 일진 광풍(一陣狂風), 돌

R

풍. ② 섬광. ③ 구름 조각. ④ [군사] 소사(掃射).

raglán *m.* (19세기 중엽에 입었던) 헐렁한 남자 외투의 일종.

ragtime, rag-time *m. ing.* 래그타임 ((빠른 박자로 당김음을 많이 사용한 곡; 재즈 음악의 일종)).

ragú *m.* 라구 ((감자와 야채를 넣은 고기 요리)).

raído, da *adj.* ① (옷·천 등이) 낡은, 닳아 빠진. ② 뻔뻔스러운, 염치없는.

raigambre *f.* ① [집합] 야채의 뿌리. ② (누구의) 과거, 과거 경력.

raigón *m.* 이의 뿌리, 치근(齒根).

rail, raíl *m. ing.* 궤도, 선로, 레일.

raíz *f.* ① (식물의) 뿌리: ~ bulbosa 알뿌리. ~ de nabo 무 뿌리. ~ del diente 이의 뿌리, 치근(齒根). ~ del pelo 모근(毛根). ② 물건이 붙어 있는 부분, 밑, 뿌리. ③ 근원(根源): La ~ de todos los males es el afán de lucro 모든 악의 근원은 돈을 좋아하기 때문이다. ④ 선조, 조상, ⑤ 고향: Las *raíces* tiran 뿌리는 강하다, 피는 진하다. ⑥ [수학] 근(根). ⑦ [언어] 어근. ⑧ (척추 동물의 잇몸에 붙어 있는) 이 부분. ¶~ *cuadrada* [수학] 제곱근. ~ *cúbica* [수학] 세제곱근. ***bienes raíces*** 부동산. ***a ~ de*** 가까이에, 곁에; …에 바로 이어: *a ~ de* las carnes 살에 붙어. *a ~ de* la conquista de Granada 그라나다 정복에 이어 바로. ***de ~*** ㉮ 뿌리째, 근본부터: arrancar [cortar] el mal *de ~* 악을 뿌리뽑다, 악을 근절하다. sacar las malas hierbas *de ~* 잡초를 뽑아내다. ㉯ 완전히, (어떤 것의) 처음부터 끝까지. ***echar raíces*** ㉮ 뿌리를 내리다[박다·뻗다]: El tallo *ha echado raíces* 줄기에서 뿌리가 뻗었다. ㉯ 정착하다, 정주하다: Después de vagar por varios países, él *echó raíces* en la República Dominicana al fin 그는 여러 나라를 돌아다니다가 결국 도미니까공화국에 정착했다. ***tener raíces*** 뿌리를 내리고 있다, 정착하고 있다: El patriotismo fue *teniendo raíces* profundas en su corazón 애국심이 그의 마음 깊숙이 뿌리내리고 있다.

raizar *intr. Méj.* =**arraigar.**

raja[1] *f.* ① 장작 조각. ② 틈, (갈라진) 균열, 금. ③ (참외·수박·치즈 등 과일이나 다른 먹을거리가) 길게 [넓게] 잘려진 조각. ¶***hacer ~s*** algo (무엇을) 나누다, 분배하다. ***hacerse*** alguien ***~s*** (누가) 갈기갈기 째다, 산산조각을 내다.

raja[2] *f.* (옛날에 사용했던) 질이 낮고 두꺼운 천.

rajá *m.* 인도의 왕. ¶***vivir como un ~*** 호화로운 생활을 하다, 왕처럼 살다.

rajable *adj.* 깨지기[찢어지기] 쉬운.

rajada *f.* ☞**rajado.**

rajadizo, za *adj.* 깨지기 쉬운, 찢어지기 쉬운.

rajado, da *adj. Ven.* =**auténtico.** —*f.* ① *Arg., Ur.* (장소에서) 갑작스러운 도망. ② *Méj.* (약속 등을) 어김.

rajador *m.* 목재[장작] 쪼개는 사람.

rajadura *f.* 균열, 금(raja).

rajar *tr.* ① 빠개다, 쪼개다, 가르다, 찢다, 세로로 자르다. ② 금[균열]이 가게 하다. ③ [속어] 무기로 다치게 하다. ④ *Arg., Ur.* (누구를 장소에서) 몰아내다, 해고하다, 쫓아내다. ⑤ *Ven.* 마시다. —*intr.* ① 거짓말을 많이 하다. ② 말을 많이 하다. ③ *Amér.* 험담하다, 나쁘게 말하다, 평을 나쁘게 하다, 신용을 떨어뜨리다. ④ *Arg., Cuba, Ur.* 아무도 알아채지 못하게 허둥지둥 떠나다. **~se** ① 쪼개지다, 금이 가다. ② *Arg., Cuba, Ur.* 아무도 모르게 허둥지둥 도망치다. ③ 겁을 내다, 주춤하다.

rallador *m.* (무 등을 가는) 강판.

ralladura *f.* ① 강판의 홈. ② 가는 홈. ③ 강판에 간 것.

rallar *tr.* ① 강판에 갈다. ② 귀찮게 하다, 성가시게 하다.

rallo *m.* ① 강판. ② 다른 용도로 사용하는 구멍 뚫린 강판과 같은 얇은 판. ③ 작은 구멍이 뚫린 주둥이가 넓은 물항아리.

rally *m. ing.* 랠리 ((자동차·오토바이의 장거리 경주))

ralo, la *adj.* ① 듬성듬성한, 드문드문한, 엷은. ② [고어] =**raro.**

rama[1] *f.* ① (나무의) 가지: ~ de olivo 올리브 가지. cortar las ~*s* bajas 밑가지를 자르다. extender sus ~*s* 가지를 뻗다. ② 분가(分家)(~ de la familia). ③ 분파, 지파(支派): ~ de la raza semítica 셈족에서 갈라진 지족(支族). ④ (sector를 새로나눈) 분야, 작은 부문(ramo): Actualmente la electrónica es la ~ más importante de la física 현재 전자 공학은 물리학의 가장 중요한 분야다. ⑤ *Amér.* (정부의) 입법·사법·행정부의 하나: ~ ejecutiva 입법부. ~ judicial 사법부. ¶***andarse [irse]*** alguien ***por las ~s*** (누가) 주된 일은 잊고 지엽적인 일에 얽매이다, 사소한 것에 구애되다. ***asirse*** alguien ***a las ~s*** (누가) 공연한 핑계를 대다, 궁색한 변명으로 둘러대다. ***de ~ en ~*** 이 가지에서 저 가지로; 지향없이, 계속 바꾸면서. ***plantar de ~*** un árbol (나무를) 꺾꽂이하다, 삽목하다.

rama[2] *f.* [*al.* Rahmen, *marco*] [인쇄] 활자 조임틀.

rama[3] [*fr.* rame] ***en ~*** ㉮ 가공[정

제]되지 않은: algodón *en* ~ 원모(原毛). tabaco *en* ~ 잎담배. ㉯ [인쇄] 아직 제본이 안 된:
ramada *f.* ① =**ramaje.** ② 가지치기, 전정. —*m. Amér.* 가지치기, 전정.
ramadán *m.* 라마단 ((회교도가 30일간 금식하는 회교 달력의 9월)).
ramaje *m.* [집합] 나뭇가지.
ramal *m.* ① (끈 밧줄의) 한 가닥. ② 밧줄. ③ 분기선. ④ 지도(枝道), 지도(支道). ⑤ [철도] 지선(支線). ⑥ [지리] 지맥(支脈). ⑦ (짐승의) 고삐(ronzal). ¶*a ~ y media manta* 가난에 시달려.
rambla *f.* ① 협곡. ② (바르셀로나 등 일부 도회지의) 대로(大路), 큰 거리(avenida).
ramera *f.* =**prostituta.**
ramería *f.* ① 성매매 여성의 집, 매음굴. ② 윤락, 매춘 (행위).
ramificación *f.* ① 나뭇가지 자르기, 분지(分枝), 분기(分岐). ② 분지법(分枝法). ③ *pl.* 영향, 여파. ④ (혈관 등의) 지맥(支脈), 지류.
ramificar (7) *tr.* 가지를 내게 하다, 분파(分派)시키다, 분기(分岐)시키다. —*intr.*, ~**se** 가지를 내다[뻗다]; 갈라지다, 분기하다, 분지하다.
ramilla *f.* ① 잔 가지, 곁 가지, 막 나온 가지. ② 사소한 단서.
ramillete *m.* ① 작은 꽃다발: ~ de rosas 장미 꽃다발. ② 화려하게 차려 놓은 과자. ③ (과일이나 과자를 놓은) 식탁 한가운데 장식. ④ [집합] 뽑힌 것, 선집(選集), 사화집(詞華集): ~ de máximas 격언집. ~ de muchachas 소녀들의 집단.
ramilletero, ra *m.f.* 꽃다발 만드는 사람, 꽃다발 장수. —*m.* ① 꽃병(florero). ② 꽃이 있는 화분.
ramito *m.* [식물] 작은 가지.
ramiza *f.* [집합] 잘린 가지.
ramo *m.* ① (원줄기에서 갈라져 나간) 작은 가지. ② (나무의) 잘린 가지. ③ 꽃다발(~ de flores): dos ~*s* de rosas 장미 꽃다발 두 개. ④ (마늘·양파의) 묶음(ristra). ⑤ 분야, 부문(rama): una ~ de la ciencia 과학의 한 부문[분야]. ~ de ferretería 철물 부문. ~ de textiles 섬유 부문. ~ profesional 전문 분야. ⑥ 질병의 가벼운 증세[징후], 초기 증세[징후]: ~ de locura 정신착란 증세[징후]. ~ de perlesía 마비 증세[징후]. ⑦ (포도주가 팔린 장소를 알리기 위해 놓여진) 소나무[올리브] 가지. ¶*vender al* ~ el vino los cosecheros (수확자가 포도주를) 소매로 팔다.
ramonear *intr.* ① 나뭇가지의 끝을 전정하다[자르다]. ② (동물이) 나뭇잎이나 나뭇가지의 끝을 먹다.
ramoneo *m.* ① 가지치기, 전정(剪定). ② 가지치는 시기, 전정 시기.
ramoso, sa *adj.* 나뭇가지가 무성한.
rampa[1] *f.* [의학] (근육의) 경련, 쥐(calambre).
rampa[2] *f.* ① (승강구 등의) 경사면, 경사로: ~ de un almacén 창고의 짐싣기용[내려가는] 경사면. ② (고속도로의) 램프 ((인터체인지에서 두 개의 도로를 이어 주기 위한 경사로)). ③ 경사지(傾斜地).
rana *f. lat.* ① [동물] 개구리. ② 개구리 인형의 입에 멀리서 동전을 던져 넣는 놀이. ③ *Col.* [경멸] 고자쟁이(soplón). ④ *pl.* =**ránulas.** ¶*cuando las ~s críen pelo* (어떤 일이 행해질 시기가 까마득하거나 가능성이 의심스러울 때) 언젠가는, 어느 때에 가서는, 천지가 개벽이라도 하면, 해가 서쪽에서라도 뜨면, 혹시 개구리에 털이라도 나면. *no ser* ~ alguien (누가) 솜씨가 있고 적당하다. *salir* ~ alguien o algo (누가·무엇이) 기대에 어긋나다, 실패로 돌아가다, 실패하다(defraudar).
ranacuajo *m.* =renacuajo.
ranchería *f.* [집합] 판잣집 촌, 오두막 촌.
ranchería *m. Arg., Chile, Ur.* [집합] 빈민가, 슬럼.
ranchero, ra *adj.* ① rancho의[에 관한]. ② *Méj.* =**tímido.** —*m.f.* ① 오두막지기. ② 농장 감독. ③ (군대 등의) 식사 당번. ④ 목장주, 목동. ⑤ *Méj.* 소심한[내성적인] 사람.
rancho *m.* ① (군인·죄수 등에게 주는 한 끼의) 식사, 급식. ② [집합] 급식을 함께 먹는 사람들. ③ (여러 가족·사람들이 숙박하는) 캠프, 임시 막사: ~ de gitanos 집시 캠프. ~ de pastores 목동들의 캠프. ④ (교외의 나뭇가지나 짚으로 이은) 오두막, 판잣집. ⑤ 배에 실은 양식. ⑥ *And.* 소규모 농장. ⑦ *Amér.* 농장, 목장.
ranciedad *f.* ① (식품이) 오래되어 나는 신맛. ② (식품의) 변질. ③ 낡은 것, 오래된 것, 케케묵은 것.
rancio, cia *adj.* ① (식품이) 오래되어 변한[변질된], 기간이 경과한. ② (술이) 오래 묵은, 숙성된: vino ~ 묵은 포도주, 숙성된 포도주. ③ (전통 등이) 오래된, 예로부터의: ~*cia* nobleza 오래된 가계의 귀족. ~ cristiano 대대로 내려온 기독교도. ④ 케케묵은, 신선미가 없는, 유행이 지난: canción ~*cia* 케케묵은 유행가. ⑤ 옛것에 집착한, 진부한: filósofo ~ 진부한 철학자. —*m.* ① 썩은 냄새: oler a ~ 썩은 냄새가 나다. ② 오래된[묵은] 베이컨. ③ (옷에 묻은) 기름때.
rancioso, sa *adj.* =**rancio.**
rand *m.* 랜드 ((남아프리카 공화국의 화폐 단위)).
ranero *m.* (개구리가 많이 자라는) 습한 땅.
ranglan, ranglán *m.* =raglán.

R

rango *m.* ① (주로 높은) 지위, 신분. ② 수준(nivel): una ley de ~ constitucional 헌법 수준의 법. ③ 등급(categoría): ~ de salarios 임금 등급(賃金等級). ④ =**rumbo, desprendimiento.**

rangoso, sa *adj. Chile.* =**rumboso, desprendido.**

ranita *f.* (다리를 내놓는) 유아용 옷.

ranking *m. ing.* 랭킹, 순위, 등급 매김, 서열: ~ mundial 세계 랭킹. ~ nacional 국내 랭킹. el primer lugar en el ~ mundial 세계 랭킹 1위.

ránula *f.* ① [의학] 설하 낭종(舌下囊腫), 혀밑 종기. ② [수의학] (마소의) 혀밑 탄저 종양.

ranúnculo *m.* [식물] 미나리아재비.

ranura *f.* ① 문지방. ② 문지방의 홈. ③ (자동 판매기·공중 전화 등의) 동전 투입구: introducir dos fichas en la ~ 동전[코인]을 두 개 투입구에 넣다. ④ [컴퓨터] 슬롯: ~ de expansión 확장 슬롯.

rapa *f.* 올리브 꽃(flor del olivo).

rapabarbas *m.* 이발사(barbero).

rapacidad *f.* ① 도벽(盜癖). ② 탐욕.

rapado *m.* 단발(短髮).

rapador, ra *adj.* 수염을 깎는. —*m.f.* 수염을 깎는 사람. —*m.* 이발사.

rapadura *f.* ① 수염 깎기. ② 머리를 빡빡 깎기.

rapapolvo *m.* 엄한 질책[꾸중].

rapar *tr.* ① 수염을 깎다[면도하다]. ② 머리를 빡빡 깎다[밀다]. ③ 날치기하다, 강탈하다.

rapaz *adj.* ① 도벽이 있는. ② *pl.* [조류] 맹금류의. —*m.* 어린 소년. —*f.* 맹금(猛禽).

rapaza *f.* 어린 소녀.

rape[1] *m.* 대충 수염 깎기[밀기].

rape[2] *m.* [어류] 아귀(pejesapo).

rapé *m.* 코담배(tabaco rapé).

rápidamente *adv.* 빨리, 신속하게.

rapidez *f.* 신속함, 빠름: tener ~ mental 두뇌 회전이 빠르다.

rápido, da *adj.* ① (움직임·동작 등이) 빠른, 신속한, 날랜, 민첩한: crecimiento ~ 급성장. tener la cabeza ~ 두뇌 회전이 빠르다. La vida pasa ~*da* 인생은 짧다. ② (시간이) 짧은, 시간이 걸리지 않는: hacer una limpieza ~*da* 거춤거춤 청소하다. Hice una comida ~*da* 나는 간단히 식사를 했다. Eché un vistazo ~ a la novela 나는 소설을 대충대충 훑어보았다. —*m.* ① =**rabión.** ② =**tren rápido.** —*adj.* =**rápidamente.**

rapiña *f.* 약탈, 강탈; 절도.

rapiñador, ra *adj.* 약탈하는, 강탈하는. —*m.f.* 약탈자, 강탈자.

rapiñar *tr.* 훔치다, 약탈하다, 강탈하다, 도둑질하다.

raposa *f.* ① [동물] 암여우(zorra). ② 영악한[앙큼스러운] 여자.

raposera *f.* ☞**raposero.**

raposero, ra *adj.* =**raposino.** —*f.* 여우굴.

raposino, na *adj.* raposo의.

raposo *m.* ① [동물] 여우, 수여우(zorro). ② 영악한[교활한] 남자, 뱃속이 검은 사람. ¶~ *ferrero* 은여우 ((한대 나라의 여우)).

raposuno, na *adj.* =**raposino.**

rapsoda *m.* ① (고대 희랍 역사시의) 음유 시인. ② =**poeta.** ③ 시의 암송자.

rapsodia *f.* ① (주로 호머의) 시의 한 절(節). ② [음악] 광시곡(狂詩曲). ③ [음악] (남의 작품의 여기저기를 짜깁기하는) 표절 작품.

rapsódico, ca *adj.* ① rapsoda의[에 관한]. ② rapsodia의[에 관한].

rapsodo *m.* =**rapsoda ①.**

raptar *tr.* ① 유괴하다. ② 강탈하다, 약탈하다. ③ (부녀자를) 호리다.

rapto *m.* ① 약탈, 강탈. ② 유괴. ③ 충동, 자극, 발작. ④ 황홀. ⑤ [의학] 실신(失神). ⑥ [드묾] 도둑질.

raptor, ra *adj.* ① 유괴하는. ② [고어] 훔치는. —*m.f.* 유괴자, 유괴범.

raqueta *f.* ① [운동] 라켓. ② 라켓을 사용하는 경기. ③ (도박대에서) 판돈을 긁어모으는 라켓 모양의 나무 기구. ④ (라켓 비슷한 눈 속에 빠지지 않게) 신 밑에 대는 것. ⑤ [교통] (반원 모양의 방향을 바꾸기 위한 두 개의) 로터리[샛길].

raquetazo *m.* 라켓을 때리기.

raquetero, ra *m.f.* 라켓 제조자; 라켓 판매자.

raquetista *m.f.* 하이알라리 선수.

raquialgia *f.* [의학] 척추통.

raquianestesia *f.* [의학] 척추 마비.

raquídeo, a *adj.* [생물] raquis의[에 관한]: bulbo ~ 연수(延髓).

raquis *m.sing.pl.* ① [식물] 잎줄기, 엽축(葉軸). ② [동물] (새의) 날개축. ③ [해부] 척추.

raquítico, ca *adj.* ① 구루병[곱삿병]에 걸린. ② (사람이) 약골의, 나약한. ③ (물건이) 작은, 빈약한. —*m.f.* 구루병[곱삿병] 환자.

raquitis *f.* [의학] =**raquitismo.**

raquitismo *m.* [의학] 곱삿병.

raquitomía *f.* [의학] 척추 수술.

raquítomo *m.* [의학] 척추 절개 기구(脊椎切開器具).

raramente *adv.* ① 드물게, 좀처럼 …아니다: Vengo aquí ~ 나는 이곳에는 좀처럼 오지 않는다. ② 기묘히: mujer ~ vestida 기묘한 옷을 입은 여자.

rarefacción *f.* 희소화, 희박화.

rarefacto, ta *adj.* 희소(稀少)한, 희박한, 드문.

rareza *f.* ① 희소성(稀少性). ② 진품(珍品)(cosa rara). ③ (사람의) 기행(奇行), 괴짜 같은 짓: tener (*sus*) ~*s* 기묘한 행동을 하다, 기묘한 생

R

각을 가지고 있다.
raridad *f.* 희소성(稀少性).
rarificar (7) *tr.* 희박하게 하다, 희소하게 하다. ~**se** 희박해지다, 희소해지다, 드물어지다: Las materias primas *se rarifican* en el mundo 그 원료는 세계에서 희소화되고 있다.
raro, ra *adj.* ① 드문, 희소한, 좀처럼 없는, 거의 없는, 유례가 드문: ~*ra* hermosura 유례가 드문 아름다움[미녀]. ~*ras* veces 드물게, 드문드문, 더러. Son ~*ras* las personas puntuales 시간을 엄수하는 사람은 드물다. ② 기묘한, 진기한, 색다른, 낯익지 않은, 귀에 익지 않은: fenómeno ~ 기묘한 현상. ③ [물리·화학] 희박한: gas ~ 희가스. —*m.f.* 괴짜, 기인(奇人). ¶*de* ~ *en* ~ =**raramente, de tarde en tarde.**
ras *m.* (표면·높이에서) 평탄함, 같은 높이. ¶*a* ~ 거의 닿을 듯이, 닿을락말락하게, 닿을 듯 말 듯하게, 거의 같은 높이로. ~ *con* ~, ~ *en* ~ ㉮ 같은 높이[선]로. ㉯ 닿을락말락하게 스쳐, 닿을 듯 말 듯하게. ㉰ 정확한 시간에.
rasa *f.* ☞**raso.**
rasante *adj.* 지면에 거의 닿을 듯한, 아슬아슬한: vuelo ~ 초저공 비행. tiro ~ 지상 소사(地上掃射). —*f.* (길의) 경사.
rasar *tr.* ① 스치다, 스쳐 지나가다: La bala pasó *rasando* la pared 탄환이 벽을 스쳐 지나갔다. ② 평미레로 밀다, 반반하게 다지다, 평평하게[평탄하게] 하다. ③ 완전히 파괴하다.
rasca *f.* ① 엄한(嚴寒). ② *Ven.* =**borachera.**
rascacielos *m.sing.pl.* 마천루(摩天樓), 초고층 건물.
rascador *m.* ① 등긁이, 효자손. ② (옥수수 등의) 타작기. ③ (여자들이 머리에 꽂는) 장식 핀, 비녀.
rascadura *f.* ① 긁기. ② 할퀴기. ③ 긁힌 자국, 찰과상.
rascar (7) *tr.* ① 긁다. ② 할퀴다. ③ 없애다, 완전히 지우다: ~ la mancha 얼룩을 없애다. ④ (현악기를) 서투르게 타다. ⑤ (은혜·이익을) 얻다. ⑥ (피부가) 따끔따끔하다. ⑦ (술이 혀 등을) 쏘다. ⑧ *Ven.* =**embriagar.** ~**se** ① (자기의 몸을) 긁다: Deja de ~*te* la cabeza 머리를 긁지 마라. ② *Ven.* 술에 취하다. ③ *Ur.* =**haraganear.**
rascatripas *m.f.sing.pl.* ① 서툰[엉터리] 현악기 연주자. ② 서툰[엉터리] 바이올린 연주가.
rascazón *f.* 근질근질함.
rascón, na *adj.* 혀를 찌르는 듯한, 혀를 얼얼하게 하는. —*m.* [새] 흰눈썹뜸부기, 물닭, 수계.
rasera *f.* ① =**rasero.** ② (프라이등에 쓰이는) 구멍 뚫린 국자.
rasero *m.* 평미레, 평목(平木).
rasgado, da [rasgar의 과거 분사] *adj.* (발코니·창문이) 큰, 활짝 열린. —*m.* =**rasgón.** —*f.* =**rasgadura.**
rasgador, ra *adj.* 찢는.
rasgadura *f.* ① 찢기. ② (천의) 터진 곳.
rasgar[1] (8) *tr.* (직물·가죽·종이 등을) 찢다. ~**se** (직물·가죽·종이 등이) 찢어지다.
rasgar[2] (8) *tr.* 기타를 아주 요란하게 치다.
rasgo *m.* ① 선, 줄. ② 자획, 필치, 필적: tener una escritura de ~*s* enérgicos 필적이 힘이 있다. ③ *pl.* 용모, 풍모. ④ 표정. ⑤ (성격의) 일면. ⑥ (생각·감정의) 표출. ⑦ 업적, 공적.
rasgón *m.* (옷·천의) 찢어진 곳, 터진 곳.
rasgueado *m.* =**rasgueo.**
rasguear *tr.* ① (기타 등을) 요란하게 치다. ② (문자를) 익숙하게 쓰다. —*intr.* 글자를 장식 자체로 쓰다, 글자를 꾸며 쓰다.
rasgueo *m.* 기타를 요란하게 치기.
rasguñada *f. Méj.* =**rasguño.**
rasguñadura *f.* =**rasguño.**
rasguñar *tr.* ① (손톱 등으로) 할퀴다. ② [미술] 소묘하다, 데생하다, 스케치하다.
rasguño *m.* ① (손톱 등으로) 할퀸 상처, 할퀸 자국. ② [미술] 소묘, 데생, 스케치.
raso, sa *adj.* ① 매끄러운, 매끈매끈한, 반들반들한: superficie ~*sa* 매끈매끈한[반들반들한] 표면. ② 평탄한, 평평한(llano): campo ~ (나무·집이 없는) 평원, 평탄지(平坦地). explanada ~*sa* 가리는 것 없는 평지[대지]. ③ (하늘이) 맑은: La noche estaba ~*sa* 밤하늘은 맑았다. ④ (의자가) 등받이가 없는: silla ~*sa* 등받이 없는 의자. ⑤ (지면에) 스칠 듯한: vuelo ~ 저공 비행. tirar una pelota ~*sa* 낮은 공을 던지다. ⑥ 완전히 가득, 가장자리를 넘치지 않은: una cucharada ~*sa* 반반하게 한 스푼. ⑦ (사람이) 직함이 없는, 졸병의: soldado ~ 졸병. —*m.* 융단. —*f.* ① 뒤가 비칠 정도로 짜진 천. ② =**raso.** ¶*a la* ~*sa* 들에서, 노천에서, 야외에서(en el campo, a cielo descubierto). *al* ~ 야외(野外)에서, 노천(露天)에서(a la intemperie).
raspa *f.* ① (생선의) 뼈. ② (곡식의 이삭에 나는) 수염. ③ (펜촉 끝에 엉긴) 티. ④ 포도 송이. ⑤ (과일 등의) 자루. ⑥ =**zuro**[1]. ⑦ 성미가 급한 사람, 신경이 과민한 사람, 무뚝뚝한 사람: Qué ~ eres! 너 참 성미가 급하군! ⑧ [식물] 화축(花

R

軸), 열매 축. ⑨ *Amér.* 질책, 꾸중, 나무람.

raspado *m.* ① 깎아냄, 갉아냄. ② [의학] 소파(搔爬)(legrado).

raspador *m.* 잘못 쓴 글씨를 긁어내는 칼.

raspadura *f.* ① 깎아내기, 긁어내기. ② 찰과상(擦過傷).

raspamiento *m.* 깎아내기, 긁어내기.

raspar *tr.* ① 깎아내다, 갉아내다. ② 훔치다, 사취하다, 야바위치다. ③ 스치고 지나가다. ④ *Ven.* 낙제시키다. ⑤ *Ven.* 머리를 빡빡 깎다, 중머리를 만들다. —*intr.* ① (까끄러운 천이) 피부에 불쾌한 감촉을 주다. ② (포도주·술이) 혀를 톡 쏘다, 혀를 얼얼하게 하다.

raspilla *f.* [식물] 물망초.

raspón *m.* ① =**rasponazo.** ② *Col.* (시골 사람·농부들이 쓰는) 밀짚모자.

rasponazo *m.* 쓸린 상처.

rasposo, sa *adj.* ① (생선의) 뼈가 많은. ② 까끄러운. ③ 불쾌하게 대하는. ④ *Arg., Ur.* (옷이) 누덕누덕한. ⑤ *Arg., Ur.* 누덕누덕한 옷을 입은 (사람). ⑥ *Arg.* 보잘것없는, 많지 않은. ⑦ *Ur.* 인색한(tacaño). —*m.f. Ur.* 인색한 사람, 노랑이.

R

rastillador, ra *adj, m.f.* =**rastrillador.**

rastillar *tr.* =**rastrillar.**

rastillo *m.* =**rastrillo.**

rastra[1] *f.* ① 갈퀴. ② 자국, 흔적. ③ (마차의 무거운 물건을) 끄는 틀. ④ (쟁기질 후에 땅을 고르는) 써레. ⑤ (탈곡장의 밴 곡식을 모으는) 말이 끄는 판자. ⑥ 매다는 물건. ⑦ (마늘 등의) 다발: una ~ de ajos 마늘 한 다발. ⑧ (깊이를 재는) 닻. ⑨ (행동의) 결과. ¶***a la ~, a ~, a ~s, en ~*** ㉮ 질질 끌어. ㉯ 마지못해, 하는 수 없이

rastra[2] *f.* 마른 과일을 염주알처럼 꿴 꿰미.

rastreador, ra *adj.* ① 추적하는, 수색하는. ② 질질 끄는: barco ~ 트롤선, 저인망 어선. —*m.f.* 추적자, 수색자: ~ de minas 소해정.

rastrear *tr.* ① (…의) 뒤를 밟다. ② 캐다, 넌지지 떠보다. ③ 질질 끌다. ④ (물 바닥을) 훑다, 끌다. ⑤ 저인망 어업을 하다. ⑥ (도살장에서 고기를) 저울로 달아 팔다. —*intr.* ① (수면·지상을) 스칠 듯 말 듯 하게 날다, 닿을락말락하게 날다, 저공 비행을 하다. ② 갈퀴로 일하다. ③ 탐문 수사를 하다.

rastreo *m.* ① 물 바닥 탐색, 소해(掃海). ② 트롤 어업, 저인망 어업. ③ 수사, 수색.

rastrera *f.* ☞**rastrero.**

rastreramente *adv.* ① 기듯이, 질질 끌어. ② 천박하게, 추접스레, 비굴하게.

rastrero, ra *adj.* ① (동물이) 기는, 기어가는: animal ~ 기는 동물. ② 땅에 닿을 듯 말 듯 나는, 저공 비행의: vuelo ~ 초저공 비행. ③ 천박한, 천한, 비천한; 비굴한, 비열한: ambiciones ~*ras* 지나치게 욕심을 부리는 야망. conducta ~*ra* 비열한 행위. ④ [식물] 덩굴의[로 되는].

rastrillado *m.* 긁어 모으기.

rastrillador, ra *adj., m.f.* 긁어 모으는 (사람).

rastrillar *tr.* ① (삼 등을) 빗다. ② 갈퀴로 긁어 모으다. ③ 써레질하다. ④ (공원·정원의 길을) 갈퀴로 풀을 긁어 모으다.

rastrillo *m.* ① 갈퀴. ② 삼을 빗는 기구. ③ 보리 훑는 기구. ④ (성문·하수구 등의) 철책.

rastro *m.* ① 갈퀴. ② (삽 대신 사용하는) 이가 강한 괭이 모양의 연장. ③ (사건의) 흔적. ④ 포도나무 덩굴. ⑤ 고기 파는 장터. ⑥ 도살장(matadero). ⑦ (어떤 것이 남긴) 흔적, 자국. ⑧ (마드리드에서, 온갖 새 것이나 헌 것을 파는) 길거리 시장, 벼룩 시장.

rastrojar *tr.* (밀·보리의) 그루터기를 뽑다.

rastrojo *m.* ① (보리 등의 베고 남은) 그루터기. ② 베고 난 뒤의 밭.

rasuradora *f. Méj., Salv.* =**afeitadora.**

rasurar *tr.* =**afeitar.**

rata[1] *f.* ① [동물] 쥐. ② [동물] 암쥐 (hembra del **rato**[3]). ③ (곳에 따라) 땋아 늘어뜨린 머리카락. ④ 보잘것없는 사람. ⑤ [은어] (옷의) 호주머니. —*m.* 소매치기(ratero). —*m.f.* 노랑이. ¶***hacer(se) la ~*** *Arg., Ur.* =**hacer novillas.** ***más pobre que las ~s [una ~]*** 째어지게 가난한: Ellos son *más pobres que las ~s* 그들은 째어지게 가난하다.

rata[2] *f.* ① 비례 부분. ② [물리] 시간 단위에 의한 편차.

ratear[1] *tr.* ① 똑같이 나누어 줄이다. ② 할당하다.

ratear[2] *tr.* 훔치다, 슬쩍하다. —*intr.* ① 땅에 몸을 붙이고 기어가다. ② =**tacañear.**

ratera *f.* ☞**ratero.**

ratería *f.* ① 좀도둑질. ② 사취. ③ 비천함, 천박함.

ratero, ra *adj.* ① 소매치기하는, 좀도둑질하는. ② 기어가는. ③ 땅에 닿을락말락하게 나는, 땅에 스칠 듯 말 듯하게 나는. ④ =**bajo, vil, despreciable.** —*m.f.* 소매치기. —*f. Méj.* 쥐덫.

raticida *m.* 쥐약.

ratificación *f.* ① 비준, 재가; 인가, 승인, 인증: ~ del acuerdo de libre comercio 자유 무역 협정 비준. ~ del tratado de paz 평화 조약의 비준. canje de ~ 비준서 교환. ②

[법률] 추인(追認).

ratificar (7) *tr.* ① 비준하다, 재가하다; 승인하다, 인가하다, 인증하다. ② [법률] 추인하다. ~**se** [+en] (…을) 유효로 인정하다: *Me ratifico* en la promesa de ayer 나는 어제의 약속을 다시 한 번 확인한다.

ratificatorio, ria *adj.* 비준(批准)의, 비준하는.

ratio *f.* 비(比), 비율(razón).

rato[1] *matrimonio* ~ 결혼식만 마친 부부.

rato[2] *m.* ① 잠깐, 짧은 시간, 짧은 동안, 단시간: ~*s* libres 한가(한 때). el ~ del estudio 잠깐 동안의 공부. un ~ de conversación 잠깐의 대화. hace un ~ 조금 전에. hace mucho ~ 훨씬 전에, 오래 전에. Estuve esperando un ~ 나는 잠깐 기다리고 있었다. Voy a descansar un ~ 나는 잠깐 쉬려고 한다. Pasamos un ~ agradable 우리는 즐거운 시간을 보냈다. Quiero estar otro ~ aquí 이 곳에 조금만 더 있고 싶다. Quisiera hablar contigo un ~ 잠깐 너하고 이야기를 했으면 싶은데. ② 일시적인 기쁨[불쾌감], 즐거운[언짢은] 시간: pasar un buen ~ 즐거운 시간을 보내다. Me has dado un mal ~ 너는 나를 언짢게 했다. ¶*buen* ~ 많은 양. ~***s perdidos*** 한가로울 때: Yo estudiaba a ~*s perdidos* 나는 한가한 때에 공부를 하곤 했다. ***a cada*** ~ 언제나, 늘, 항상, 끊임없이, 매 순간. ***al poco*** ~, ***al*** ~, ***a poco*** ~ 조금 뒤에: *Al poco* ~ apareció ella 그녀는 조금 뒤에 나타났다. ***a*** ~***s*** ㉮ =**de rato en rato.** ㉯ =**a veces.** ***de*** ~ ***en*** ~ 때때로, 이따금, 간헐적으로. ***para*** ~ 오랫동안: Hay *para* ~ hasta que llegue el tren 열차가 도착하기까지는 시간이 많이 있다. Si esperas que el asunto se resuelva, tienes *para* ~ 만일 네가 그 사건이 해결되기를 기대한다면 시간이 많이 걸릴 것이다. ***pasar el*** ~ 시간을 보내다[때우다]. ***un*** ~ **(*largo*)** *adv.* =**mucho:** Ella sabe *un* ~ *largo* de geografía 그녀는 지리학에 대해 많이 알고 있다. Eso es *un* ~ difícil 그것은 아주 어렵다.

rato[3] *m.* ① [동물] =**ratón.** ② [동물] 수쥐(macho de **rata**[1]).

ratón *m.* ① [동물] 생쥐. ② [컴퓨터] 마우스. ③ (바다 밑에 있는) 뾰족 바위. ④ *CRica.* =**bíceps.** ⑤ *Ven.* 숙취(resaca): tener ~ 숙취되어 있다. ⑥ *Ur.* =**engreímiento.** ¶~ ***almizclero*** 사향쥐. ~ ***de biblioteca*** 책벌레, 독서광.

ratona *f.* 생쥐의 암컷.

ratonar *tr.* ① (쥐가 치즈·빵 등을) 쏠다, 갉다. ② (사람이) 물어뜯다, 갉아 먹다. ~**se** (고양이가) 많은 쥐를 먹어 식상하다.

ratonero, ra *adj.* ① 쥐의[에 관한]. ② *Ur.* =**engreído.** —*m.f. Ur.* 우쭐대는 사람. —*f.* ① 쥐덫. ② 쥐구멍. ③ 쥐의 집[굴]. ④ (누구를 잡을 목적의) 속임수, 덫. ¶***caer*** alguien ***en la*** ~***ra*** (누가) 속임수에 넘어가다, 덫에 걸리다.

raudal *m.* ① 급류, 격류. ② 풍부함, 풍족함, 많음, 대량. ¶***a*** ~***es*** = **abundantemente.**

raya[1] *f.* ① 선(線), 줄, 금. ② 괘, 괘선(罫線). ③ 줄표, 대시 (—). ④ 줄무늬. ⑤ 가르마: hacerse la ~ 가르마를 타다. Hágame ~ a la derecha [a la izquierda · al medio] 오른쪽[왼쪽·가운데]으로 가르마를 타 주세요. ⑥ 경계, 경계선. ⑦ 한계, 한도. ⑧ (총포의) 강선(腔線). ⑨ (경기에서의) 득점. ⑩ 방화선. ⑪ 바지의 주름. ⑫ (마약 용어로) 코카인의 복용량.

raya[2] *f.* [어류] 가오리.

rayadillo *m.* 무늬가 든 무명베.

rayado, da *adj.* ① 줄을 그은, 줄을 친: papel ~ 괘지. ② 줄무늬의: tela ~*da* 줄무늬 천. ③ *Arg., Perú, Ur.* =**desequilibrado.** —*m.* ① (천·종이 등의) 줄, 선. ② = **rayadillo.** ③ *Hond.* [동물] 호랑이 (tigre). —*f.* 찌르는 듯한 통증.

rayar *tr.* ① (…에) 줄[선]을 긋다. ② 선(線)으로 지우다. ③ =**subrayar.** —*intr.* ① 인접하다. ② 날이 새다, 동이 트다(amanecer, alborear). ③ (옷·행동에서 다른 사람보다) 뛰어나다. ④ (물건이) 다른 것과 많이 닮다. ~**se** *Arg., Chile, Ur.* 미치다, 정신이 나가다.

rayo *m.* ① 광선(光線): ~*s* del sol 태양 광선. ② [물리] 복사선, 방사선: ~*s* caloríficos 열선(熱線). ~*s* cósmicos 우주선. ③ 천둥, 우레; 벼락(에 맞음): caída de ~ 낙뢰. caer fulminado por un ~ 벼락에 맞아 죽다. ④ (희망 등의) 빛, 서광, 한 줄기의 광명: un ~ de esperanza 일루의 희망의 빛. ~ de razón 이성의 빛. ⑤ 갑작스러운 불행, 뜻밖의 재앙. ⑥ (차·수레 바퀴의) 살. ⑦ 민첩한[날쌘] 사람. ⑧ 순간적인 찌르는 듯한 통증. ¶~ ***láser*** 레이저 광선. ~ ***reflejo*** 반사 광선. ~ ***refracto*** 굴절 광선. ~***s gamma***, ~***s g.*** 감마선. ~***s X*** 엑스선. ***echar*** alguien ~***s***, ***estar que echa*** ~***s*** 격노하다, 열화(烈火)같이 화를 내다. ***oler*** **[*saber*]** ***a*** ~***s*** 냄새가 고약하다, 고약한 냄새가 나다.

rayón *m.* 레이온, 인조 견사.

rayoso, sa *adj.* 줄이 있는.

raza *f.* ① 인종(人種): ~ amarilla 황인종. ~ blanca 백인종. ~ negra 흑인종. ② 민족: ~ latina 라틴 민

R

족. ③ 혈통, 핏줄: No desmiente su ~ 핏줄은 속일 수 없다. ④ (동물의 외견으로 나누는) 종(種), 유(類): oveja de ~ merina 메리노종의 양. ¶~ *humana* 인류(人類).

razón *f.* ① 이성(理性), 분별: juzgar con la ~ 이성적으로 판단하다. ② 도리(道理): contrario a la ~ 도리에 반(反)한. seguir a la ~ 도리에 따르다. ③ [주로 *pl.*] 논거. ④ 이유, 동기, 까닭. ⑤ 정보, 설명. ⑥ 알림, 설명. ⑦ 비율. ⑧ [수학] 비례: ~ directa 정비례. ~ inversa 반비례. ¶~ ***aritmética*** [수학] 등차중항. ~ ***geométrica*** [수학] 등비중항. ~ ***por cociente*** [수학] =razón geométrica. ~ ***por diferencia*** [수학] =razón aritmética. ***perder*** alguien ***la*** ~ ㉮ (누가) 미치다, 정신이 나가다(volverse loco). ㉯ 이성을 잃다. ***tener*** ~ 옳다, 일리가 있다, 타당하다: *Tiene* usted ~ 당신의 말이 옳다.

razonable *adj.* ① (사고·감정·의견 등이) 도리에 맞는, 이치에 닿는, 논리적인, 조리가 서는, 정당한, 지당한: excusa ~ 이치에 닿는 변명. pretensión ~ 도리에 맞는 주장, 지당한 주장. ② 온당한, 적당한. ③ (값 등이) 과하지 않은, (기부 등이) 합당한: precio ~ 적당한 값. ④ (사람·행동이) 분별이 있는, 사리를 아는: persona ~ 분별이 있는 사람. ⑤ [고어] =racional.

R

razonablemente *adv.* ① 사리에 맞게, 합리적으로; 분별 있게, 이성을 가지고. ② 알맞게. ③ 상당히, 꽤. ④ 당연히, 마땅히.

razonadamente *adv.* 이론적으로.

razonado, da [razonar의 과거 분사] *adj.* ① 도리에 맞는. ② 서류에 근거한. ③ 세목이 명세된.

razonador, ra *adj., m.f.* 따지기 좋아하는 (사람), 이론적인 (사람).

razonamiento *m.* 추론; 논법, 도리, 이치.

razonar *intr.* ① 추론하다, 논리적으로 생각하다: Antes de decidirte, *razona* un poco 결정하기 전에 조금 생각해라. ② 이유[이치]를 말하다. ③ 도리를 설명하다. —*tr.* (계산 등을) 증명하다, 논증하다.

re *m.sing.pl.* [음악] 레음, 장음계의 두 번째 음.

re- *pref.* ①「반복·재(repetición)」의 뜻: *re*construir 재건축하다. ②「후퇴·뒤로 움직임」의 뜻: *re*fluir 역류하다. ③「강화·증대·증가(intensificación)」의 뜻: *re*cargar 다시 짐을 지우다. ④「반대·저항(resistencia)」의 뜻: *re*chazar 거부하다. *re*pugnar 반발하다. ⑤「부정(negación)·단순한 의미의 전도」의 뜻: *re*probar 불합격시키다.

reabierto, ta *adj.* reabrir의 불규칙 과거 분사.

reabrir *tr.* 다시 열다. ~**se** 다시 열리다: *Se reabrió* su herida 그의 상처는 다시 터졌다.

reabsorber *tr.* 다시 흡수하다. ~**se** [의학] (분비물이) 없어지다.

reabsorción *f.* 재흡수.

reacción *f.* ① 반응: Su primera ~ es negativa 그의 첫 반응은 부정적이었다. ② 반발: ~ de los obreros contra la automatización 자동화에 대한 노동자들의 반발. provocar una ~ 반발을 초래하다. ③ 반동(파). ④ [물리·화학·생물] 반응; 반작용: ~ alérgica 알레르기 반응. ~ de fusión 핵융합 반응. principio de la acción y de la ~ 작용과 반작용의 법칙. ⑤ (약의) 부작용.

reaccionar *intr.* ① [+a] (…에) 반응하다: ~ *a* la luz 빛에 반응하다. ② [+contra] (…에) 반발하다: ~ *contra* la actitud del gobierno 정부의 태도에 반발하다. ③ (작용·힘에 대하여) 반작용하다. ④ 반격하다. ⑤ 다시 활발해지다.

reaccionario, ria *adj.* 반동적(反動的)인. —*m.f.* 반동적인 사람.

reacio, cia *adj.* [+a] (…에) 반발적(反撥的)인.

reacondicionar *tr.* 수리하다, 고치다, 개선하다.

reactancia *f.* [전기] 리액턴스, 유도저항, 감응 저항.

reactivación *f.* (경기 등의) 회복.

reactivar *tr.* 다시 활발해지다.

reactivo, va *adj.* ① 반응하는. ② 반작용적인. —*m.* [화학] 반응체, 시약(試藥).

reactor *m.* ① 제트 엔진, 제트기. ② 반응 장치, 반응로. ③ 원자로. ¶~ ***atómico,*** ~ ***nuclear*** 원자로. ~ ***de agua ligera*** 경수로.

readaptación *f.* 재적응, 재적합: ~ profesional 직업 재훈련. ~ social 사회 복귀.

readaptar *tr.* 재적응시키다. ~**se** 재적응하다: ~*se a* la sociedad 사회에 복귀하다.

readmisión *f.* 재복귀, 재고용, 복학.

readmitir *tr.* 재복귀시키다, 재고용하다, 재입회시키다, 복학시키다.

readquirir (23) *tr.* 되찾다, 회복하다, 재취득하다.

reafirmar *tr.* 재확인하다, 다시 단언하다. ~**se** 재확인되다.

reagrupación *f.* 재편성.

reagrupar *tr.* 재편성하다.

reajustar *tr.* (재)조정하다, (재)수정하다, 개정하다: ~ los precios 물가를 조정하다.

reajuste *m.* (재)조정, 개정, 개편: ~ ministerial 내각 개편.

real¹ *adj.* 실존하는.

real² *adj.* ① 국왕(國王)의[에 관한]: familia ~ 왕가, 왕실, 왕족, 황족.

poder ~ 왕권. ② 왕립(王立)의: *Real* Academia Española 왕립 스페인어 한림원. *Real* Conservatorio de Música 왕립 음악원. ③ [명사+] 현실의, 실재의: vida ~ 현실 생활. persona ~ 실재 인물. ④ 실질적인: salario ~ 실질 임금. tasa ~ de crecimiento 실질 성장률. ⑤ 거대한; 장엄한; 굉장한. ⑥ 진실의, 진짜의, 실물의: ~ placer 참다운 기쁨. ⑦ 군함 형의. ⑧ 왕기를 게양한. ⑨ 아주 좋은. ⑩ (사람이) 풍채가 좋은. —*m.* ① 레알 ((스페인의 옛 화폐)). ② 레알 ((25 센띠모 짜리 동전)). ③ *pl. Nic., Salv., Ven.* 돈 (dinero). ¶*no valer* algo o alguien *un* ~ [*ni un* ~] (무엇·누가) 별 가치가 없다, 아무런 가치가 없다, 한 푼 가치도 없다.

real³ *m.* ① [군사] 진영, 야영지. ② 장이 서는 곳.

realce *m.* ① 부조(浮彫) (세공), 돋을새김. ② 돋을새김한 자수(刺繡). ③ [미술] 직사 광선이 비친 부분. ④ 위광, 광채.

realengo, ga *adj.* ① (마을 등이) 왕실령의. ② (토지가) 국유의. ③ *Col., PRico., Ven.* =**holgazán.** ④ *Méj., PRico., RDom., Ven.* (동물이) 주인이 없는.

realeza *f.* ① 왕권. ② 왕의 위력[존엄]. ③ 호화스러움. ④ [집합] 왕가(王家).

realidad *f.* ① 진실(성). ② 현실(성): huir de la ~ 현실 세계에서 도피하다. ③ 실제. ¶*en* ~ 실은, 정말은, 진짜는, 실제로는; 현실적으로는; 실질적으로는. *en* ~ *de verdad* = **verdaderamente.**

realismo¹ *m.* ① 현실주의. ② [예술] 사실주의, 리얼리즘. ③ [철학] 실재론, 실념론(實念論).

realismo² *m.* ① (스페인의) 왕제주의(王制主義). ② (스페인의) 왕당파, 근왕당.

realista¹ *adj.* ① 현실주의의. ② 사실파의: pintor ~ 사실파 화가. —*m.f.* ① 현실주의자. ② 사실파, 사실주의자.

realista² *adj.* ① 왕제주의의. ② 왕당파의, 근왕당의. —*m.f.* ① 왕제주의자. ② 왕당파, 근왕당원.

realizable *adj.* ① 실현할 수 있는, 실제적인: plan ~ 실현 가능한 계획. ② 현금화할 수 있는, 환금할 수 있는: fortuna ~ 현금화할 수 있는 재산.

realización *f.* ① 실현, 현실화; 실행. ② 성과, 소산(所産). ③ 작품: ~ cinematográfica 영화 작품. ④ 제작. ⑤ [영화] 감독, 연출. ⑥ [텔레비전] 제작. ⑦ 환금, 현금화. ⑧ [철학] 실재성.

realizador, ra *m.f.* ① [영화] 감독. ② [텔레비전] 프로듀서.

realizar (9) *tr.* ① 실현하다: ~ un sueño 꿈을 실현하다. ② 실행하다: ~ un plan 계획을 실행하다[달성하다]. ~ un esfuerzo 노력하다. ~ gestiones 교섭하다. ~ un viaje 여행하다. ③ 만들다, 제작하다. ④ [영화] 감독하다. ⑤ [텔레비전] 제작하다. ⑥ 현금화시키다, 환금하다. ⑦ [철학] 실재화하다. ~**se** ① 실현되다. ② 실행되다. ③ 자신의 목표를 달성하다. ④ 자기를 실현하다.

realmente *adv.* ① 진짜로, 진실로, 현실로. ② 실제로는.

realquilado, da *adj.* 다시 빌려 준, 전대(轉貸)의. —*m.f.* 전대인(轉貸人).

realquilar *tr.* 전대하다, 다시 빌려주다.

realzar (9) *tr.* ① 원래보다 더 높이 올리다. ② 돋을새김을 하다. ③ 한결 훌륭하게 하다. ④ [미술] (무엇에) 빛[광채]을 주다.

reanimación *f.* 소생: ~ respiratoria 호흡 소생, 인공 호흡.

reanimar *tr.* 원기를 돋우다, 활기를 주다. ~**se** 기운이 나다, 원기[기력]를 회복하다.

reanudación *f.* 재개(再開).

reanudar *tr.* 재개(再開)하다. ~**se** 재개되다.

reaparecer (31) *intr.* 다시 나타나다; 재등장하다.

reaparición *f.* 재현, 다시 나타남; 재발(再發).

reapertura *f.* 재개(再開).

rearmar *tr.* 재군비시키다, 재무장시키다. ~**se** 재군비하다, 재무장하다.

rearme *m.* ① 재군비, 재무장. ② 군비 강화.

reasegurador *m.* 재보험자.

reasegurar *tr.* 재보험하다.

reaseguro *m.* 재보험.

reasumir *tr.* ① (임무·책임 등을) 다시 맡다, 복직하다. ② (상급자가 하급자의 직무·권한 등을) 맡다.

reavivar *tr.* 소생시키다, 부활시키다. ~**se** 다시 소생하다, 부활하다.

rebaja *f.* ① 할인, 가격 인하, 에누리. ② *pl.* 바겐세일. ③ 바겐세일 기간.

rebajado, da *adj.* ① 할인된. ② (임무를) 면제한: Mañana estaré ~ de servicio 내일은 비번이다. —*m.* 비번 병사(非番兵士).

rebajar *tr.* ① 낮게 하다. ② 내리다: *He rebajado* dos kilos 나는 체중이 2킬로그램 내렸다. ③ 값을 내리다, 할인하다: ¿Puede usted ~me un poco? 조금만 할인해 줄 수 있습니까? ④ 때려 눕히다, 굴복시키다, 콧대를 꺾다. ⑤ (그림 등의) 빛깔을 어둡게 하다. ~**se** ① 그치다, 기가 죽다, 의기소침해지다. ② 면제되다: *Me rebajo* hoy de la marcha 나는 오늘 행진에 참가하지 않는다.

rebaño *m.* ① (양 등의) 떼, 무리. ② 신도단(信徒團). ③ [집합] 신도.

R

rebasar *tr.* ① (한도 등을) 넘다, 초과하다: Ya *he rebasado* los cincuentas 이제 나는 50대를 넘었다. ② 앞지르다, 추월하다.
rebatible *adj.* 반박[반론]할 수 있는.
rebatimiento *m.* 반박, 반론, 반격.
rebatiña *f.* 쟁탈전.
rebatir *tr.* ① 반박하다, 반론하다. ② 보강하다. ③ 에누리하다. ④ [펜싱] (상대의) 칼을 쳐서 물리치다.
rebato *m.* ① 경종, 경보: tocar a ~ 경보를 울리다, 위급을 알리다. ② 급습.
rebautizar (9) *tr.* 다시 세례를 받게 하다.
rebeca *f.* (여자의, 얄팍한) 카디건.
rebeco *m.* [동물] 영양(gamuza).
rebelar *tr.* 궐기시키다, 반란을 일으키게 하다. ~**se** ① 반란을 일으키다, 반역하다. ② 반항하다.
rebelde *adj.* ① 반란의, 반역의. ② 반항적인. ③ 다루기가 벅찬, 힘겨운: gripe ~ 잘 떨어지지 않는 감기. pelo ~ 곱슬머리, 고수머리. ④ [법률] (재판에) 결석한, 궐석(闕席)한. —*m.f.* ① 반역자, 모반인. ② [법률] 결석자, 궐석자.
rebeldía *f.* ① 반역: estar en ~ 반란을 일으키고 있다. ② 반항(적인 태도): ~ ante la injusticia 부정에 대한 저항. ③ [법률] (재판에) 결석, 궐석, 불출두. ¶*en* ~ [법률] 피고는 불참한 채, 궐석으로: juicio *en* ~ 결석 재판, 궐석 재판. condenar [declarar] *en* ~ 결석[궐석] 재판을 하다.
rebelión *f.* 반란, 반역, 모반.
rebisabuelo, la *m.f.* =**tatarabuelo.**
rebisnieto, ta *m.f.* =**tataranieto.**
reblandecer (31) *tr.* 말랑말랑하게 하다, 연하게[부드럽게] 하다. ~**se** 말랑말랑해지다, 연해지다, 부드러워지다.
reblandecimiento *m.* 부드럽게 하기, 연화(軟化).
reblandecimiento
rebociño *m.* 베일.
reborde *m.* 가장자리, 가, 테두리.
rebosadero *m.* (액체가) 넘치는 곳, 새는 구멍.
rebosadura *f.* (액체가) 넘침, 샘, 흘러나옴.
rebosamiento *m.* =**rebosadura.**
rebosante *adj.* 넘치는.
rebosar *intr.* ① (액체가) 넘치다, 넘쳐 나오다: El agua del vaso *rebosaba* 잔의 물이 넘치고 있었다. ② (그릇이 용량이 많아) 넘쳐 나오다: El vaso *rebosaba* 잔이 넘치고 있었다. ③ (물건이) 넘칠 만큼 많다, 아주 풍족하다: Le *rebosan* los bienes 그는 재산이 아주 많다. ④ (장소가) 꽉 차다, 발을 딛을 틈이 없다, 초만원을 이루다, 콩나물시루 같다: El cine *rebosaba de* gente dispuesta a ver la película 영화관은 영화를 보려는 사람으로 만원이었다. ⑤ 입 밖으로 넘쳐 나오다: Ella *rebosaba de* satisfacción 그녀는 만족감으로 넘쳐 있었다. —*tr.* ① 풍족하게 가지다. ② 넘쳐 나게 하다. ~**se** ① (액체가) 넘치다. ② (그릇이) 넘치다.
rebotado, da *adj., m.f.* 환속(還俗)한 (사람).
rebotador, ra *adj.* ① 보풀을 일으키는. ② 튀겨 나오는. —*m.f.* 보풀을 세우는 사람.
rebotar *intr.* ① (공 등이) 튀겨 돌아오다, (반동으로) 튀다: El balón *rebotó* en el suelo 공이 땅에 튀었다. ② 부딪치다, 충돌하다: Mi cabeza *rebotó* en la puerta 나는 문에 머리를 부딪쳤다. —*tr.* ① (날카로운 물건의 끝을) 구부리다: ~ un clavo 못을 구부리다. ② 튀기다. ③ 치우다, 물리치다. ④ 화나게 하다. ⑤ 색과 질을 바꾸다[변질시키다]. ~**se** ① 변색되다, 변질되다. ② 화내다. ③ 넋을 잃다.
rebote *m.* ① (공이) 튀겨 나오기, 되튀기. ② 반발. ③ 되울림. ④ 노함, 화남. ⑤ [농구] 리바운드 볼. ¶*de* ~ ㉮ 튀겨 나와. ㉯ 여파로, 간접적인 결과로. ㉰ 반동으로.
rebotica *f.* (약국의) 휴식용 뒷방.
rebozar (9) *tr.* ① (얼굴을) 가리다, 감싸다: ~ la cara con la bufanda 머플러로 얼굴을 가리다. ② (의도·생각·감정 등을) 감추다, 숨기다. ③ 식료품을 달걀·밀가루·꿀 등을 묻히다: ~ la carne de vaca 쇠고기에 달걀을 풀어 밀가루를 묻히다. ④ [+de] (…로) 더럽히다. ~**se** 얼굴을 가리다[감싸다].
rebozo *m.* ① 얼굴을 가리는 방법. ② =**rebociño.** ③ =**simulación, pretexto.** ¶*de* ~ 숨어서, 몰래, 살그머니. *sin* ~ 솔직히, 진실하게, 성실하게.
rebrillo *m.* =**brillo.**
rebrincar (7) *intr.* 깡충깡충 뛰다.
rebrotar *intr.* ① 다시 싹이 트다, 새싹이 나다. ② 다시 살아나다.
rebrote *m.* 새싹, 어린 싹.
rebudiar (11) *intr.* 멧돼지가 꿀꿀거리다.
rebudio *m.* 멧돼지의 꿀꿀거리는[끙끙거리는] 소리.
rebufar *intr.* ① (소가) 다시 씩씩거리다. ② (소가) 심하게 씩씩거리다.
rebufe *m.* (소의) 씩씩거리는 소리.
rebullir (50) *intr.,* ~**se** (가만히 있던 것이) 움직이기 시작하다, 꿈틀거리기 시작하다.
rebusca *f.* ① 수색, 탐색. ② (수확 후) 밭에 남아 있는 열매, (특히, 수확 후의) 포도밭의 포도. ③ 찌꺼기, 무거리, 질이 나쁜 것.
rebuznar *intr.* 당나귀가 울다.
rebuzno *m.* 당나귀의 울음 소리.

R

recadero, ra *m.f.* 쪽지심부름꾼.
recadista *m.f.* 쪽지 전하는 사람.
recado *m.* ① 전갈(傳喝), 전언(傳言), 메시지, 쪽지, 전할 말: ¿Quiere usted dejarle algún ~? 그에게 무슨 전할 말이도 있습니까?, 무슨 쪽지라도 남기시겠습니까? ② 용무, 일: Tengo que hacer varios ~*s* antes de las cinco 나는 다섯 시 전에 여러 가지 할 일이 있다. ③ 인사, 안부, 경의: Dale mis ~*s* a tu familia 가족에게 안부 전해라. ④ 장보기, 물건 사기: Salgo a hacer unos ~*s* 나는 장보러 나간다. ⑤ [집합] 용품, 도구: ~ de cocina 주방 도구. ~ de escribir 필기 도구. ⑥ 계산서, 증서류. ⑦ 조심, 안전. ⑧ [인쇄] 페이지 매기는 활자. ⑨ *Arg., Bol., Ur.* 마구(馬具).
recaer (73) *intr.* ① 다시 떨어지다. ② (죄・나쁜 버릇 등에) 다시 빠지다. ③ (같은 질병에) 다시 걸리다, 재발하다. ④ (이익・책임이 누구에게) 돌아오다, 떨어지다: *Recayó en* él el mayorazgo 장자 상속권이 그에게 돌아왔다. *Recayó sobre* él la responsabilidad 책임이 그에게 돌아왔다.
recaída *f.* ① (질병・악습의) 재발. ② 재범(再犯).
recalar *tr.* (액체에) 젖게 하다, 적시다, 흠뻑 적시다. —*intr.* ① (사람이, 어떤 장소에) 나타나다. ② (배가) 육지에 가까워지다. ③ (바람・조수가) 배 있는 곳까지 불어 오다. ~**se** (액체에) (흠뻑) 젖다.
recalcar (7) *tr.* ① 조이다, 짓누르다. ② 밀어 넣다. ③ 강조하다, 강하게 말하다. —*intr.* (배가) 기울다. ~**se** ① (움직일 때 꼬여서) 발을 다치다. ② 했던 말을 자꾸 되풀이하다, 강조하다. ③ (자리에) 편안히[차분히] 앉다, 발을 쭉 뻗고 앉다.
recalentador *m.* 과열기: válvula de seguridad del ~ 과열기의 안전 밸브.
recalentamiento *m.* ① 다시 덥히기. ② 과열: ~ global 지구 온난화.
recalentar (19) ① 다시 덥히다. ② 과열(過熱)시키다. ③ (동물이) 암내나게 하다, 발정하게 하다. ④ (사람을) 흥분시키다. ~**se** ① (사람이) 흥분하다. ② (밀・올리브 등이, 지나친 더위로) 타다, 못쓰게 되다. ③ (목재가 수액(樹液)의 분해로) 변질되다. ④ 과열되다: *Se recalentó* el motor 엔진이 과열되었다.
recalzar (9) *tr.* ① *Arg.* (식물의 주변에) 흙을 돋우다, 북을 주다. ② [건축] (건물의) 토대를 보강하다. ③ [미술] 스케치하다, 그림 그리다.
recalzo *m.* ① (수레바퀴의) 바깥 테. ② 토대의 보강.
recamar *tr.* 도드라지게 수를 놓다.
recámara *f.* ① (총의) 약실(藥室). ② (큰방으로 통하는) 작은 방, 의복 보관 방. ③ (부잣집의) 예비 의상[장신구・가구]. ④ 집세간. ⑤ (광산 갱의) 폭약 저장소. ⑥ [광산] 발파 구멍. ⑦ 신중함: obrar con ~ 신중하게 행동하다. Pedro tiene mucha ~ 뻬드로는 매우 신중하다. ⑧ *Col., Méx., Pan.* 침실(dormitorio). ⑨ =**petardo.**
recamarero, ra *m.f. Méj.* 호텔 객실 청소 담당자.
recambiable *adj.* 다시 교환할 수 있는; 교체할 수 있는.
recambiar (11) *tr.* ① 다시 바꾸다, 재교환하다. ② (같은 종류의 다른 것으로) 교체하다, 바꾸어 놓다: ~ una pieza 부품을 교체하다. ③ [상업] 재교환 어음을 발행하다.
recambio *m.* ① (재)교환: rueda de ~ 예비 타이어. ② 부품 교체, 예비 부품(piezas de ~): ~*s* de automóvil 자동차의 (예비) 부품. ③ (볼펜의) 예비[교체] 심.
recapacitar *tr., intr.* 깊이 생각하다, 심사숙고하다.
recapitulación *f.* 요약.
recapitular *tr.* 요약하다.
recarga *f.* ① 과중한 짐. ② 중과세, 과중한 세금. ③ 재장전(再裝塡), 재충전: tiempo de ~ 충전 시간.
recargable *adj.* 재충전할 수 있는.
recargar (8) *tr.* ① 짐을 너무 싣다[쌓다]. ② 일을 과중하게 하다. ③ 다시 짐을 지우다. ④ (세금 등을) 과중하게 부과하다. ⑤ 누덕누덕 장식하다[치장하다]. ⑥ 다시 채우다, 다시[새로] 채워 넣다: ~ una pipa 파이프에 담배를 채워 넣다. ~ un fusil 총을 장전(裝塡)하다. ~ una cámara 카메라의 필름을 바꿔 끼다. ⑦ [전기] 재충전하다. ~**se** ① [의학] 열이 더 높아지다(tener recargo). ② *Cuba, Méj.* =**apoyarse, cargar, estribar.**
recargo *m.* ① 추가 짐싣기, 짐 증가. ② 새로운 부담. ③ 추가 요금, 과징금, 중가산세, 연체세, 추징금. ④ [의학] 고열, 열이 높아짐.
recata *f.* 재조사.
recatadamente *adv.* ① 신중하게. ② (여자가) 정숙하게, 얌전하게.
recatado, da *adj.* ① 신중한. ② (특히 여자가) 정숙한, 얌전한.
recatar[1] *tr.* 감추다, 숨기다. ~**se** ① 숨다, 피하다. ② 결정을 내리는 데 신중하다.
recatar[2] *tr.* 다시 조사하다.
recatear *tr.* ① 값을 흥정하다. ② 소매하다. ③ 거절하다.
recato *m.* ① 신중(함). ② 정숙(함), 얌전함.
recaudación *f.* ① 모금(액), 수금(액), 징수(액), 수입(액): ~ de donativos 기부금 모금. ~ de impuestos 징세. ~ por impuestos 조

R

세 수입. hacer una buena ~ 상당한 수입을 얻다. ② 수세국(收稅局), 세금 징수 사무소.

recaudador, ra *adj.* 모금의, 수금의, 수세(收稅)의. —*m.f.* 세무 공무원, 징세관(徵稅官); 모금자, 수금자.

recaudar *tr.* (회비·기부금·세금 등을) 걷다, 모금하다, 징수하다.

recaudo *m.* ① 모금, 수금, 징수. ② 주의, 조심, 경계.

rección *f.* [언어] 지배(支配).

recelar *tr.* ① 위험하게 생각하다, 걱정하다, 두려워하다, 의심하다. ② (암말을) 발정하게 하다.

recelo *m.* 의심: mirar con ~ 의심하는 눈으로 바라보다.

receloso, sa *adj.* 의심하는, 의심이 많은: mirada ~*sa* 의심의 눈초리.

recensión *f.* (문학·과학에 관한 신문·잡지의) 논평, 서평(書評).

recental *adj.* ① (송아지·새끼 양이) 아직 젖을 먹는, 아직 풀을 먹지 못하는. ② =**reciente, nuevo.**

recepción *f.* ① 받기, 접수, 수령. ② 환영(회), 리셉션: dar una ~ 리셉션을 열다. ③ 입회, 가입, 입회식, 가입식: ~ del nuevo académico 한림원 신입 회원 입회식. ④ (호텔·회사 등의) 접수처: dejar la llave en ~ 접수처에 열쇠를 맡기다. preguntar en ~ 접수처에서 물어보다. ⑤ [방송] 수신(受信).

recepcionista *m.f.* (호텔·회사 등의) 접수 담당자, 접수처 직원, 접대 담당자.

receptáculo *m.* ① 그릇, 용기(容器). ② [식물] 꽃받침, 화탁(花托).

receptividad *f.* ① 수용성, 감수성, 이해력. ② (계기의) 민감도.

receptivo, va *adj.* ① (일반적으로) 수용하는. ② (사상 등을) 잘 받아들이는, 감수성이 강한, 영향을 받기 쉬운: auditorio ~ 반응이 빠른 청중(聽衆).

receptor, ra *adj.* ① 받는. ② 멀리 설치된 발전기의 힘을 받는 (엔진). ③ (기계가) 전기[전신·전화]의 신호용의. —*m.f.* ① [의학] (혈액·장기의) 수혜자, 제공받는 사람. ② [언어] 수신자. ③ [럭비] 레시버. ④ [야구] 포수. —*m.* ① 수신기, 레시버: ~ de cabeza 헤드폰, 머리에 쓰는 수신기[수화기]. ~ de ondas cortas [통신] 단파 수신기. ~ de toda onda [통신] 전파(全波) 수신기. ② 라디오.

recesión *f.* ① 후퇴, 뒤로 물러남. ② 하강, 내림: ~ de la fiebre 열이 내림. ③ 불황, 불경기, 경기의 후퇴.

recesivo, va *adj.* ① 후퇴하는, 퇴행하는, 역행하는. ② 불경기의, 불황의. ③ [생물] 열성(劣性)의: carácter ~ 열성 형질. herencia ~ 열성 유전.

receso *m.* ① 분리, 이탈. ② 쉼, 휴식. ③ *Amér.* (학교의) 휴가, (의회의) 휴회. ④ *Amér.* 휴회 기간. ⑤ *Cuba, Ven.* 휴교. ¶~ ***del Sol*** 태양이 적도에서 멀어지는 움직임.

receta *f.* ① (약의) 처방, 처방전. ② 요리법, 조리법. ③ (일반적으로) 비결, 방식, 방법: ~ para vivir feliz 행복하게 사는 법.

recetar *tr.* ① (약을) 처방하다. ② (구두·서면으로) 요청하다, 요구하다, 부탁하다.

recetario *m.* [집합] 처방, 처방전.

rechazable *adj.* 거절할 수 있는, 거부할 수 없는.

rechazador, ra *adj., m.f.* 거절[거부]하는 (사람).

rechazamiento *m.* 거부, 거절; 기각, 각하; 격퇴.

rechazar (9) *tr.* ① 거절하다, 물리치다: ~ la demanda 요구를 거절하다[물리치다]. ~ una tentación 유혹을 물리치다. ② 기각하다, 각하하다: ~ una apelación 상고를 기각하다. ③ 격퇴하다, 물리치다: ~ al enemigo 적을 격퇴하다[물리치다]. ④ [의학] …에 거부 반응을 보이다.

rechazo *m.* ① 거절. ② [의학] 거부 반응. ¶*de* ~ ㉮ 그 결과, 그 여파로. ㉯ 간접적으로.

rechifla *f.* (항의·불만을 나타내는) 휘파람, 야유.

rechiflar *tr.* 휘파람을 불다; 야유하다. ~**se** [+de] (누구를) 놀리다, 조롱하다.

rechinamiento *m.* 삐걱거림, 삐걱거리는 소리.

rechinar *intr.* ① 삐걱거리다: La puerta *rechina* al abrirse 문이 열릴 때 삐걱거린다. Le *rechinaban* los dientes 그는 이를 갈았다. ② 불평을 하다.

rechinido *m.* =**rechinamiento.**

rechino *m.* =**rechinamiento.**

rechistar *intr.* =**chistar.**

rechoncho, cha *adj.* (사람·동물이) 땅딸막한: hombre ~ 땅딸막한 남자. mujer ~*cha* 땅딸막한 여자.

rechupete ***de*** ~ ㉮ *adj.* 근사한, 멋진, 훌륭한, 굉장한, 맛이 그만인: El asado está *de* ~ 불고기 맛이 그만이다[기가 막힌다]. ㉯ *adv.* 아주 잘: vivir de ~ 아주 잘 살다.

recial *m.* (강의) 급류, 격류.

reciamente *adv.* 강하게, 세게; 심하게, 굉장히, 지독하게, 격렬하게.

recibí *m.* (서명 앞에 있는) 영수필, 영수함.

recibidor, ra *adj.* 받는. —*m.f.* 받는 사람, 수취인. —*m.* ① 접견실, 대기실, 대합실(antesala). ② 현관 홀, 로비. ③ 현관 방, 행랑채.

recibimiento *m.* ① 수취. ② 응접, 접대, 영접(迎接), 환대, 환영: hacer [dispensar] a *alguien* un entusiasta ~ (누구를) 열렬히 환영하다. ③ 접

R

견실, 대기실, 대합실(antesala). ④ 응접실. ⑤ (모든 방으로 통하는) 현관에 딸린 방. ⑥ 축하 방문. ⑦ 문상(問喪).

recibir *tr.* ① 받다, 수취하다: ~ una carta 편지를 받다. ② 영수하다. ③ 받아들이다: ~ la opinión 의견을 받아들이다. ④ (손님을) 맞다, 맞아들이다, 응접하다: ~ muy fríamente 아주 차게 맞다. ⑤ 수락하다: *Recibí* su invitación con mucho gusto 나는 그의 초청을 기꺼이 수락했다. ⑥ 맞으러 가다, 영접하러 나가다. ⑦ (준비를 다하고) 기다리다, 대기하다. ⑧ 수신(受信)하다. ⑨ [건축] 고정하다. ⑩ [발레] 리시브하다. ⑪ [투우] (투우사가 최후의 일격을 가하기 위해 소를) 기다리다. ~**se** [+de] (…의) 자격[직함·칭호]을 얻다: Ella *se recibió de* abogada 그녀는 변호사 자격을 받았다.

recibo *m.* ① 수취, 수령, 인수. ② 영수증: expedir el ~ 영수증을 발행하다. ③ 응접실. ④ 접견실, 대기실. ⑤ (모든 방으로 통하는) 현관에 딸린 방. ⑥ 축하 방문. ¶*estar de* ~ ㉮ (부인이) 몸단장을 하고 손님맞을 준비를 하고 있다. ㉯ =ser de recibo. *ser de* ~ 받아들일 수 있다, 접수할 수 있다.

reciclable *adj.* 재생할 수 있는.

reciclado *m.* =**reciclamiento.**

reciclaje *m.* =**reciclamiento.**

reciclamiento *m.* ① 재생 처리[이용]. ② (기술자 등의) 재교육, 재훈련(再訓練).

reciclar *tr.* ① 재생 처리[이용]하다: papel *reciclado* 재생지(再生紙). ② 재교육하다.

recidiva *f.* [의학] 질병의 재발.

recidivar *intr.* 질병이 재발하다.

reciedumbre *f.* =**fuerza, fortaleza, vigor.**

recién *adv.* ① [recientemente가 과거 분사 직전에서 -temente 탈락형] 막[갓] …한: los ~ casados 신혼부부. sol ~ salido 막 뜬 해. sol ~ puesto 막 진 해. ② *Amér.* [접속사 형태로 동사 앞에 쓰임] 지금 막: *Recién* lo vi entrar en el cine 지금 막 나는 그가 극장에 들어가는 것을 보았다. ③ 겨우, 간신히. ④ …하자마자(apenas, en cuanto): La vi ~ llegó ella 나는 그녀가 도착하자마자 만났다.

reciente *adj.* ① 최근의: noticia ~ 최근 소식. ② 조금 전에 일어난, 최근에 일어난: suceso ~ 최근에 일어난 일. —*m. Méj.* =**levadura.**

recientemente *adv.* 최근(에), 조금 전에.

recinto *m.* 구내(構內), 경내(境內): ~ de un templo 사원 경내. ~ de la universidad 대학교 교정.

recio, cia *adj.* ① 건장한, 강한, 늠름한: joven ~ 늠름한[건장한] 청년. ② 두꺼운: cuerda ~*cia* 두꺼운 줄. ③ 격렬한, 심한, 지독한, 엄한: ~*cia* discusión 격론. ~ invierno 엄동(嚴冬). pena ~*cia* 엄벌. —*adv.* ① =**reciamente.** ② 재빨리, 허둥지둥, 급히. ¶*de* ~ =**reciamente.**

recipiendario, ria *m.f.* (학회 등의) 신입 회원: discurso de ingreso del ~ 입회 인사말.

recipiente *adj.* 받는. —*m.* 그릇, 용기(容器).

reciprocar (7) *tr.* 서로 교환하다, 서로 주고받다. 보답하다, 답례하다. ~**se** 서로 서신 교환을 하다.

reciprocidad *f.* ① 상호성. ② [경제] 호혜주의.

recíproco, ca *adj.* ① 상호의, 서로의: acción ~*ca* 상호 작용. amistad ~*ca* 서로의 우정. verbo ~ 상호동사. ② 역(逆)의, 상반하는. ③ [수학] 역수(逆數)의. —*m.* [수학] 역수.

recitación *f.* 암송, 외우기; 낭송.

recitado *m.* ① =**recitación.** ② [음악] 서창(敍唱).

recital *m.* 독창회, 독주회, 리사이틀.

recitante, ta *m.f.* =**comediante, farsante.**

recitar *tr.* ① 암송하다. ② 낭송하다: ~ un poema 시를 낭송하다.

reclamación *f.* ① (정당한 권리의) 요구, 청구; 주장: ~ salarial 임금인상 요구. ~ de una indemnización 배상 청구. Las *reclamaciones* territoriales en la Antártida no han sido reconocidas ni por EU ni por Rusia 남극 대륙에서 영토권 주장은 미국도 러시아도 인정하지 않았다. ② 이의 신청[제기], 항의: formular una ~ 이의 신청을 하다. ③ 고충, 크레임.

reclamante *adj.* ① (당연한 권리로서) 요구하는, 청구하는. ② 권리를 주장하는: país ~ 권리 주장 국가. ③ 이의를 제기하는.

reclamar *tr.* ① (당연한 권리로서) 요구하다, 청구하다. ② (권리 등을) 주장하다. ③ [법률] (범죄자의) 인도를 요구하다; 소환하다. ④ 필요로 하다(necesitar). ⑤ (미끼로, 새를) 부르다. —*intr.* [+contra] (…에) 항의하다, 이의를 제기하다; 고충을 말하다: ~ *contra* la injusticia 부정에 항의하다. ~ *contra* una decisión 결정에 이의를 제기하다.

reclame *f. Amér.* 광고(publicidad). ((참고: *Arg., Ur.* 에서는 *m.*))

reclamo *m.* ① 미끼새, 후림새. ② (새가 짝을 불러) 우는 소리. ③ (사냥에서) 새소리를 흉내내어 새를 부르는 도구. ④ 새소리를 흉내내어 새를 부르는 도구의 소리. ⑤ (누구를) 부르는 소리[외침]. ⑥ (인쇄·원고에서) 독자의 관심을 끌기 위해

R

만든 표시, 주의 기호. ⑦ (상품 등의) 선전, 광고. ⑧ [상업] 크레임.
reclinar *tr.* 기대어 놓다, 기대게 하다. **~se** 기대다: *~se sobre* el sofá 소파에 기대다.
reclinatorio *m.* ① (의자·소파 등의) 팔걸이. ② 침대 의자. ③ 기도대.
recluir (77) *tr.* 가두다, 가두어 놓다, 감금하다, 유폐시키다. **~se** 들어박히다: *~se en* el campo 시골에 들어박히다.
reclusión *f.* ① 감금, 유폐. ② 은둔(생활). ③ 감금[은둔] 장소.
recluso, sa *adj.* 감금된, 유폐(幽閉)된. *—m.f.* 감금된 사람, 유폐된 사람; 죄수, 수인(囚人).
recluta *m.f.* 소집병, 지원병; 신병: ~ disponible 예비병. *—f.* ① 징병, 모병(reclutamiento). ② 모집.
reclutamiento *m.* ① 징병, 모병. ② [집합] (같은 해의) 입대 신병. ③ 모집: ~ de técnicos 기술자 모집.
reclutar *tr.* ① 징병하다, 징모하다. ② 모집하다: ~ aspirantes 지원자를 모집하다.
recobramiento *m.* =recobro.
recobrar *tr.* 만회하다, 되찾다, 회복하다: ~ el honor 명예를 회복하다. ~ la salud 건강을 회복하다. ~ el sentido 의식을 되찾다. **~se** ① [+de] (잃었던 것을) 되찾다: *~se del* robo 도난품을 되찾다. ② 건강을 회복하다: *~se del* todo 완전히 회복되다, 완전히 건강을 되찾다. ③ 제정신이 들다.
recobro *m.* 회복; 만회.
recocer (1) (25) *tr.* ① 다시 삶다. ② (…을) 많이 삶다. ③ (강철 등을) 다시 벼리다. **~se** 괴로워하다, 고민하다, 정열에 불타다.
recocido, da *adj.* 아주 손에 익은, 숙련된, 숙달된. *—m.* 다시[재차] 삶기. *—f.* =recocido.
recodar[1] *intr.* 팔꿈치로 기대다.
recodar[2] *intr.* (강·길이) 구부러지다, 굽이지다.
recodo *m.* (강·길의) 굽이, 굽이진 곳, 모퉁이.
recogebasuras *m.sing.pl* 쓰레기 수거차[청소차].
recogebolas *m.f.sing.pl.* *Amér.* 공 줍는 소년[소녀].
recogedor, ra *adj.* 수집하는, 모으는. *—m.* 쓰레받기: amontonar la basura en el ~ 쓰레받기에 쓰레기를 모으다.
recogepelotas *m.f.sing.pl.* (테니스·야구 등에서) 공 줍는 소년[소녀].
recoger (3) *tr.* ① 다시 줍다. ② (떨어진 것을) 줍다, 주워 모으다: ~ basura 쓰레기를 줍다. ③ 모으다, 수집하다; (주로 돈을) 조금씩 저축하다: ~ dinero para una campaña benéfica 자선 운동을 위해 돈을 모으다. ~ datos 자료를 수집하다. ④ (농작물을) 거두어 들이다. ⑤ (과일을) 따다. ⑥ 채집하다. ⑦ (돈을) 모으다; 챙겨 넣다. ⑧ 조이다, 긴축하다, 줄이다, 오므라뜨리다. ⑨ 접다. ⑩ 중지하다. ⑪ 떠맡다; 수용하다, 보호하다; (정신병자 등을) 감금하다. ⑫ 고려에 넣다. ⑬ (경찰이 간행물을) 압수하다. **~se** ① 물러나다, 들어가 버리다. ② 비용을 절약하다[긴축하다]. ③ (자러·쉬러) 집에 돌아가다, 침실로 들어가다: Juan *se recoge* temprano 후안은 일찍 집에 돌아간다[잠자리에 든다]. ④ 틀어박히다: *~se en* un convento 수도원에 틀어박히다. ⑤ (…에) 열중하다, 골몰하다, 빠지다: *~se en sus* pensamientos 생각에 골몰하다.
recogida *f.* ☞recogido.
recogidamente *adv.* 조심스레, 사양하는 듯이.
recogido, da *adj.* ① 은퇴한. ② 수도원에 들어간 (여자). ③ 앞이 막힌; 짧은: falda *~da* 짧은 치마[스커트]. pelo ~ 짧은 머리. *—m.* 주름 잡기. *—f.* ① 모으기, 수집, 수거: *~da* de la basura 쓰레기 수거. *~da* de equipaje (공항의) 수하물 수취(소). ② 수확: *~da* de aceitunas 올리브 수확. ③ (쉬고·자기 위해) 들어 박히기, 물러남: Ya es hora de *~da* 이제 잘 시간이다.
recogimiento *m.* ① (정신적인) 집중: rezar con ~ 정신을 집중하여 기도하다. ② 은둔, 은거: vivir en ~ 은둔 생활을 하다.
recolección *f.* ① 수확, 거두어들임: ~ de la aceituna 올리브 수확. ② 수확물. ③ 수확기. ④ 수집: ~ de informaciones 정보 수집.
recolectar *tr.* ① 수확하다, 거두어들이다, 가을하다. ② (돈 등을) 모금하다.
recolecto, ta *adj.* 은둔한. *—m.f.* ① 은둔자. ② [천주교] 수도사, 수도녀.
recolector, ra *adj.* 수확하는. *—m.f.* ① 수확자. ② 모금인.
recombinación *f.* [생물] 유전자 재편성(~ genética).
recomendable *adj.* 추천할 수 있는.
recomendación *f.* ① 추천: carta de ~ 추천장, 소개장. ② 권고, 충고: por la ~ de *alguien* (…의) 권고[충고]에 의해.
recomendado, da *adj.* 추천(推薦)받은. *—m.f.* 추천받은[추천된] 사람.
recomendar (19) *tr.* ① 추천하다: ~ una película española 스페인 영화를 추천하다. ② 권고하다, 충고하다. ③ (보호를) 의뢰하다. ④ (언동이 사람의) 가치를 보증하다: Tu puntualidad te *recomienda* 시간 엄수가 네 장점이다.
recomenzar (9) (19) *tr.* 재개하다,

R

다시 시작하다.
recomerse *r.* =concomerse.
recompensa *f.* 포상; 보상; 수당; 보수(報酬).
recompensable *adj.* ① 보상할 수 있는. ② 포상받을 만한.
recompensación *f.* =recompensa.
recompensar *tr.* 보상하다; 포상하다, 상을 주다.
recomponer (61) *tr.* ① 수선하다, 고치다. ② 다시 조립하다.
recompuesto, ta *adj.* recomponer의 과거 분사.
reconcentración *f.* =reconcentramiento.
reconcentrado, da *adj.* ① 정신을 집중한. ② 내향적인.
reconcentramiento *m.* 집중, 전념; 심사숙고.
reconcentrar *tr.* ① 집중시키다, 집결시키다. ② 안에 넣다, 모으다. ③ 농축하다. ~**se** (정신을) 집중하다, 전념하다, 전심하다: *~se* en la lectura 독서에 전념하다.
reconciliación *f.* ① 화해, 조정. ② [종교] (독성(瀆聖)된 교회의) 복성(復聖). ③ (이단자·파문당한 사람 등의) 교회 복귀, 사면.
reconciliar (11) *tr.* [+con] (…와) 화해시키다: ~ al padre *con* su hijo 아버지와 아들을 화해시키다. ~**se** 화해하다: *~se con* los enemigos 적과 화해하다.
reconcomio *m.* 집요한 욕구, 열망.
recóndito, ta *adj.* 속으로 감추어진, 마음속 깊이 간직한.
reconducción *f.* 갱신(更新).
reconducir (71) *tr.* (대차 계약을) 갱신하다, 연장하다.
reconfirmación *f.* (예약의) 재확인.
reconfirmar *tr.* (예약을) 재확인하다: Quiero ~ el billete 표의 예약을 재확인하고 싶습니다.
reconfortante *adj.* 기운이 솟은, 용기백배한.
reconfortar *tr.* 기운이 솟게 하다, 용기백배하게 하다.
reconocer (32) *tr.* ① 인식하다. ② 식별하다, 감별하다, 분간하다: Es difícil ~ a los gemelos 쌍둥이를 식별하기란 어렵다. ③ 인정하다: ~ *su* error 자기의 잘못을 인정하다. ④ 승인(承認)하다: nuevo gobierno *reconocido* en el extranjero 외국에서 승인된 새 정부. ⑤ 조사하다, 검사하다; 진찰하다. ⑥ [군사] 정찰하다. ⑦ …에 감사하다, 사의를 표하다. ~**se** ① [+por] (…로) 식별되다. ② 죄를 인정하다. ③ 자신을 …로 인정하다. ④ 자기의 것이라고 인정하다.
reconocible *adj.* 식별할 수 있는; 인정할 수 있는; 인식할 수 있는.
reconocido, da *adj.* 감사하고 있는.
reconocimiento *m.* ① 식별, 인식: ~ de la voz [컴퓨터] 음성 인식. ② 승인, 인지. ③ 조사, 탐사; 정찰: ~ aérea 공중 사찰. avión de ~ 정찰기. ir de ~ 정찰[탐사]하러 가다. ④ (의학적) 검사: ~ médico 진찰. ⑤ 감사, 사의(謝意): Mi ~ durará mientras viva 내 감사하는 마음은 평생 지속될 것입니다.
reconquista *f.* ① 재정복, 탈환. ② [R~] (스페인의) 국토 회복 운동 ((711-1492년)).
reconquistar *tr.* 다시 정복하다, 탈환하다.
reconsiderar *tr.* 재고하다, 다시 생각하다.
reconstituir (77) *tr.* ① 재현하다, 재구성하다. ② [의학] 재생시키다, 회복시키다: ~ los tejidos 조직을 재생시키다. ~**se** ① 재구성되다. ② 재생되다.
reconstituyente *m.* 강장제(強壯劑).
reconstrucción *f.* 재건, 부흥.
reconstruir (77) *tr.* 재건하다, 부흥하다; 고쳐 만들다.
recontar (24) *tr.* ① 다시 세다, 다시 계산하다. ② 주의깊게 세다[계산하다].
reconvención *f.* ① 책망, 질책. ② [법률] 맞고소, 반소(反訴).
reconvenir (59) *tr.* ① 책망하다, 질책하다. ② [법률] 맞고소하다, 반소(反訴)하다.
reconversión *f.* 재전환, 재편성: ~ industrial 산업 재편성.
reconvertir (55) *tr.* 재전환하다, 재편성하다.
recopilación *f.* ① 수집, 집대성: ~ de los datos 자료 수집. ② 선집: ~ de fábulas 우화집. ~ de poemas españoles 스페인 시선집. ③ 법규집. ④ 요약.
recopilar *tr.* ① (자료 등을) 수집하다. ② 한데 모으다, 집대성하다.
recoquín *m.* 땅딸보.
récord *m.* *ing.* [*pl.* ~s] 기록, 신기록: ~ coreano 한국 기록. ~ mundial 세계 기록. ~ nacional 국내 기록. establecer un ~ 신기록을 세우다.
recordable *adj.* ① 기억할 수 있는. ② 기억할 만한.
recordación *f.* 상기(想起): digno de ~ 상기할 만한, 기억할 만한.
recordador, ra *adj.* 기억하는, 생각해 내는.
recordar *tr.* ① 기억하다, 생각해 내다, 회상하다: No *recuerdo* su nombre 나는 그의 이름이 생각나지 않는다. ② 기억하고 있다, 기억해 두다: ¿Me *recuerdas*? 나를 기억하고 있니? ③ 기억나게 하다, 생각나게 하다, 잊지 않게 하다. ④ 연상시키다. ⑤ 주의를 환기시키다. —*intr.* ① 기억나다, 생각나다, 생각해 내다. ② *Ast., León, Arg., Col.,*

R

Ecuad., Méj., RDom. (잠에서) 깨어나다(despertar). ~**se** ① 기억해 내다, 생각해 내다. ② 정신을 차리다. ③ *Ast., León, Col., Ecuad., Méj., RDom.* (잠에서) 깨어나다.

recordativo, va *adj.* 생각[기억]나게 하는. —*m.* 주의의 환기.

recordatorio, ria *adj.* 기억하게 하는, 생각나게 하는; 주의를 환기시키는. —*m.* ① 알림, 통보, 통지. ② (첫 성체 배령·투표·사망 등의 날을 알리는, 특히 종교적 목적용) 카드, 인쇄물.

recorrer *tr.* ① 구석구석까지[여기저기] 돌아다니다, 한 바퀴 돌다: El viajero *ha recorrido* toda España 여행자는 전 스페인을 돌아다녔다. ② 답파하다, 주파하다, 달리다: El tren *ha recorrido* doce kilómetros 열차는 12킬로미터를 달렸다. ③ (전체를) 훑어보다. ④ (책 등을) 대충 훑어보다. ⑤ (알고·발견하고 싶은 것을 조사하기 위해 여기저기 걸어서) 열심히 조사하다. ⑥ (파손된 것을) 수리하다, 수선하다, 고치다(reparar). ⑦ [인쇄] (활자를 다음 줄·쪽으로) 넘기다.

recorrido *m.* ① (여기저기) 돌아다니기, 한 바퀴 돌기. ② 답파, 주파. ③ 달린 거리[구역], 총 주행 거리; 걸리는 시간, 노정(路程). ④ 행정(行程). ⑤ 경로, 루트. ⑥ 수리, 수선, 고침. ⑦ [골프] 라운드. ⑧ [스키] 코스.

recortable *adj.* 자를 수 있는, 재단할 수 있는. —*m.* 오려낸[잘라낸] 종잇장[그림].

recortado, da *adj.* ① 끝[가장자리]이 울퉁불퉁 나온. ② [식물] 톱니 모양의. —*m.* 종이에서 오려낸 그림.

recortadura *f.* ① 재단, 자르기. ② *pl.* 재단 조각, 자르고 남은 조각[부스러기].

recortar tr. ① 짧게 자르다, 자르다, 베다. ② 잘라내다, 끊어내다. ③ (신문 등을) 오려내다, 도려내다. ④ 줄이다, 더 작게 하다. ⑤ [미술] 윤곽을 뚜렷이 그리다. ⑥ *Méj.* (…를) 나쁘게 말하다, 험담하다. ~**se** ① 윤곽을 뚜렷이 드러내다. ② *PRico.* 머리카락을 자르다, 이발하다.

recorte *m.* ① 잘라내기, 오려내기. ② (신문의) 스크랩. ③ 오려낸 그림. ④ [경제] 삭감(削減): ~ en el presupuesto 예산 삭감. ~ de los impuestos 감세(減稅). ⑤ [투우] 소가 뿔로 받을 때 몸을 피하는 동작. ⑥ *Méj.* =**murmuración.** ⑦ *pl.* 가윗밥, 베어낸 지스러기; (금속 등의) 깎아낸 부스러기.

recorvar *tr.* 구부리다, 휘다. ~**se** 구부러지다, 휘어지다.

recorvo, va *adj.* =corvo, curvo.

recoser *tr.* ① 다시 꿰매다[바느질하다]. ② (옷, 특히 속옷을) 꿰매다, 고치다, 수선하다, 홀치다, 공그리다.

recosido *m.* ① 두 번 박기[바느질하기·꿰매기]. ② 꿰매기, 수선하기, 홀치기, 공그리기.

recostar (24) *tr.* ① (서 있거나 앉아 있을 때, 몸의 상체를) 기대다. ② 기대어 놓다. ~**se** ① 몸을 기대다: ~*se en* un sillón 안락의자에 몸을 기대다. ② 물건을 다른 것에 기대다. ③ 잠깐 눕다[드러눕다].

recreable *adj.* 즐거운, 유쾌한, 재미나는.

recreación *f.* ① 오락, 심심풀이, 심심파적, 유흥. ② 휴양, 휴식.

recrear *tr.* ① 다시 만들다, 다시 창조하다, 다시 생산하다. ② 즐겁게 하다, 유쾌하게 하다, 재미나게 하다. ~**se** [+de] (…을) 즐기다, 즐겁게 놀다.

recreativo, va *adj.* 재미나는, 즐거운, 신나는, 오락의, 레크레이션의. —*m.pl.* 게임 센터.

recrecer (31) *tr.* 증대시키다, 크게 하다. —*intr.* ① 증대되다, 크게 되다. ② 다시 일어나다, 다시 나타나다. ~**se** 기운이 나다, 기력을 회복하다.

recremento *m.* [생리] 재귀액.

recreo *m.* ① 오락, 레크리에이션: barco de ~ 유람선. lugar de ~ 행락지. ② 기분 전환. ③ (학교의) 휴식 시간, 쉬는 시간. ④ 행락지, 노는 장소.

recría *f.* 사육(飼育).

recriar (12) *tr.* (새로운 목장 등에서) 사육하다.

recriminación *f.* 비난.

recriminar *tr.* 비난하다.

recristalización *f.* 재결정(再結晶).

recrudecimiento *m.* ① 재연, 재격화: ~ de la guerra 전쟁의 재연. ~ de una enfermedad 병의 재발, 병이 도짐. ② 악화.

recrudescencia *f.* =recrudecimiento.

recrujir *intr.* 계속 삐걱거리다.

recruzar (9) *tr.* 다시 건너다[횡단하다], 두 번 건너다.

recrudecer (31) *intr.*, ~**se** (병·고통·추위 등 나쁜 것이) 다시 심해지다, 다시 격렬해지다, 재발하다.

recta *f.* ☞recto.

rectal *adj.* [해부] 직장(直腸)의[에 관한]: temperatura ~ 항문 체온.

rectamente *adv.* ① 똑바로. ② 정직하게, 품행 방정하게.

rectangular *adj.* ① 직각(直角)의: triángulo ~ 직각 삼각형. ② (도형이) 직각을 한 개 이상 가진. ③ 사각형의: mesa ~ 사각형 테이블.

rectángulo, la *adj.* (도형이) 직각을 한 개 이상 가지고 있는. —*m.* 사각형, 직사각형.

rectificable *adj.* 개정[수정·정정]할 수 있는.

R

rectificación *f.* ① 정정(訂正). ② 정류(精溜). ③ 정류(整流).

rectificador *m.* [전기] 정류기.

rectilíneo, a *adj.* ① 직선의. ② (성격이) 곧은, 정직한.

rectitud *f.* ① 똑바름. ② (성격이) 곧음, 정직함.

recto, ta *adj.* ① 곧은, 똑바른, 직선의: camino ~ 곧은 길, 직선 길. ② (성격이) 곧은, 정직한, 청렴결백한: funcionario ~ 청렴결백한 공무원. ③ (의도 등이) 올바른, 정당한, 공정한: juez ~ 공정한 재판관. ④ (말뜻이) 본래의, 문자 그대로의: sentido ~ de esta palabra 이 단어의 본래의 뜻. ⑤ (해석·번역 등이) 정확한. ⑥ (페이지·종이가) 오른쪽의 (반 *verso*). —*m.* ① [기하] 직각. ② [해부] 곧은창자, 직장(直腸). —*f.* ① 똑바른[곧은] 선, 똑바른[곧은] 방향. ② (도로·길·철로 등의) 똑바른[곧은] 구간, 구획. ③ [기하] 직선. ¶~ *final* (운동 경기에서) 골인 전의 마지막 구간.

rector, ra *adj.* 지도하는, 통할(統轄)하는, 지도적인, 지배적인, 주요한. —*m.f.* ① 지도자, 최고 책임자. ② 장(長), (병원의) 원장, (대학의) 학장; (신학교의) 교장. —*m.* ① [천주교] 주임 사제. ② [불교] 주지.

rectorado *m.* ① rector의 직[사무소]. ② rector의 재임 기간.

rectoral *adj.* rector의[에 관한]. —*f.* 사제관(司祭館)(casa parroquial).

rectorar *intr.* =**regir, gobernar.**

rectoría *f.* ① 사제관(司祭館). ② rector의 직. ③ rector의 직무. ④ rector의 집무실[사무소]. ⑤ rector의 관저.

rectoscopia *f.* [의학] 직장경 검사.

rectoscopio *m.* [의학] 직장경.

recuadrar *tr.* [미술] 사각으로 하다.

recuadro *m.* ① (벽 등의) 네모진 구획. ② (신문 등의) 박스 기사.

recubierto, ta *adj.* 덧씌워진, 다시 덮여진.

recubrimiento *m.* ① 덧씌우기. ② 피복(被覆).

recubrir *tr.* ① 덧씌우다, 다시 씌우다[덮다]. ② =**retejar.**

recuelo *m.* 재탕 커피.

recuento *m.* ① 다시 세기, 다시 하는 계산. ② (어떤 것의) 총수. ③ 실사, 재고 정리; 재산[상품] 목록.

recuerdo *m.* ① 추억, 회상; 기억: como ~ de …의 회상[추억]으로, 기념으로. dejar un buen ~ a [en] *alguien* (…에게) 좋은 추억을 남기다. ② 기념품, 선물. ③ 토산품(土産品); 토산품에 쓰여 있는 그림[말]: comprar unos ~*s* del país en el aeropuerto 공항에서 토산품을 몇 점 사다. ④ *pl.* 안부: dar ~*s* a *alguien* (누구에게) 안부를 전하다. Dale ~*s* a tu mujer 아내에게 안부 전하게. *Recuerdos* a tu familia 가족에게 안부 전해라.

reculada *f.* ① 후퇴. ② 양보.

recular *intr.* ① 후퇴하다: hacer ~ un coche 자동차를 후진시키다. ② 양보하다.

reculón *m.* 갑작스런 후퇴[뒷걸음질]. ¶*a reculones* 뒷걸음질쳐서, 뒤로 물러나서.

recuperable *adj.* 회복할 수 있는, 만회할 수 있는.

recuperación *f.* ① 회복. ② 재이용, 회수. ③ [경제] 반등, 경기 회복(~ económica). ④ 추가 시험, 재시험(examen de ~).

recuperar *tr.* ① 회복하다, 되찾다: ~ la salud 건강을 회복하다. ② 재이용하다. ③ 회수하다. ④ …의 보충[벌충]을 하다. ⑤ 재시험[추가 시험]을 치르다. ~**se** ① 다시 일어나다. ② 몸을 가누다, 건강[의식]을 회복하다.

recurrencia *f.* 다시 일어남, 재현(再現), 재발(再發).

recurrente *adj.* ① 재귀하는, 재현하는. ② [의학] 회귀의, 반복해서 발생하는: fiebre ~ 회귀열. ③ [해부] (신경 등이) 반회성(半回性)의, 반회신경의. —*m.f.* [법률] 상소인.

recurrir *intr.* ① 도움을 구하다, 의뢰하다. ② [법률] 항소하다, 상소하다, 상고하다. ③ [의학] 재발하다.

recurso *m.* ① 수단: como [en] último ~ 최후의 수단을 써서. ② *pl.* 자력(資力); 자원(資源), 자산: pobre en ~*s* 자산이 없는, 자원이 부족한. ~*s* humanos 인적 자원. ~*s* hidráulicos 수자원(水資源). ③ [법률] 항소, 상소, 상고. ④ [법률] 소장(訴狀).

recusación *f.* 거부; 기피 (신청).

recusar *tr.* ① (정당한 권리로서) 거부하다. ② [법률] (배심원 등을) 기피하다.

red *f.* ① 그물, 망(網): ~ de pesca 어망. pescar con ~ 그물로 고기를 잡다. ② (교통·통신 등의) 망: ~ aérea 항공망. ~ ferroviaria 철도망. ③ (전기·가스 등의) 본선, 간선. ④ 도표, 그래프. ⑤ 함정, 술책, 계략. ⑥ [광학] 격자(格子).

redacción *f.* ① (문서 등의) 작성, 기초. ② 편집. ③ 편집부, 편집실. ④ (학교의) 리포트, 작문.

redactar *tr.* ① (문서 등을) 작성하다, 쓰다: ~ un contrato 계약서를 작성하다. ② 편집(編輯)하다: ~ un diccionario español-coreano 서한사전을 편집하다. —*intr.* 문장을 쓰다, 작문하다.

redactor, ra *m.f.* ① (문서의) 작성자. ② 편집자, 편집부원: ~ jefe 편집장.

redada *f.* ① [어업] 그물치기, 그물 던지기. ② 일제 검거, (경찰의) 단

R

속(團束).
redaño *m.* ① [해부] 장간막(腸間膜). ② *pl.* 기력, 용기.
redar *tr.* 어망을 던지다.
redargüir (77) *tr.* 반론(反論)하다.
redecilla *f.* ① 머리 그물. ② 쇼핑 그물. ③ 그물 선반. ④ (반추동물의) 두 번째 위, 제이위.
redecir (70) *tr.* 재차[거듭·되풀이해서] 말하다.
rededor *m.* 주위, 부근, 주변. ¶*al ~, en ~* =**alrededor.**
redención *f.* ① (몸값 지불에 의한) 석방, 신병 인수. ② 구제. ③ (그리스도에 의한) 속죄(贖罪), 죄갚음.
redentor, ra *adj.* ① 구제의. ② [기독교] 속죄의. —*m.f.* ① 구제자. ② 속죄자. ③ =**Jesucristo.**
redescubrir *tr.* 재발견하다.
redescuento *m.* [상업] 재할인.
redil *m.* (가축의) 우리.
redimir *tr.* ① 구출하다. ② (몸값을 내고) 석방시키다, 신병을 인수하다. ③ [기독교] 구제하다. ④ (저당 등에서) 되찾다. ~**se** (타락 등에서) 다시 일어서다.
redingote *m.* ① 승마용 코트. ② (18·19세기의) 프록코트.
redistribución *f.* 재분배.
redistribuir (77) *tr.* 재분배하다, 다시 분배하다.
rédito *m.* [주로 *pl.*] 이자; 수익.
redituable *adj.* 이자[수익]를 올리는.
reditual *adj.* =**redituable.**
redituar (15) *tr.* (이자를) 낳다; (수익을) 올리다.
redoblado, da *adj.* ① (체구가) 늠름한, 헌결찬. ② 아주 견고한, 단단하게 만들어진.
redobladura *f.* 이중으로 하기, 두 배로 하기.
redoblamiento *m.* =**redobladura.**
reboblante *m.* [악기] (군악대용) 큰 북.
redoblar *tr.* ① 강화시키다, 배가시키다. ② (못의 대가리·천의 가장자리 등을) 접어[꺾어] 구부리다. —*intr.* 북을 연타하다, 북을 쳐서 울리다.
redoble *m.* ① 강화. ② 북의 연타.
redoma *f.* ① (주둥이가 가느다랗고 바닥이 넓은) 유리 플라스크, 유리병. ② *Ven.* =**glorieta.**
redonda *f.* ☞**redondo.**
redondamente *adv.* ① 둥그렇게, 주위에. ② 분명히, 단호히.
redondeado, da *adj.* 원형의, 둥근.
redondear *tr.* ① 둥그렇게 하다, 원형으로 만들다. ② 완성하다. ③ 끝수[우수리]를 떼어 버리다, 사사오입하다. ~**se** ① 둥그렇게 되다, 둥글다. ② 상당한 재산을 모으다.
redondel *m.* ① 원, 동그라미: *~es* de humo (담배) 연기의 동그라미. hacer un ~ 원을 그리다. ② (투우장의) 모래터.
redondeo *m.* 원형, 구형(球形).
redondez *f.* 둥그럼; 구면(球面).
redondilla *f.* ① [시법] 4행시. ② [인쇄] 로마체(letra redonda).
redondo, da *adj.* ① 둥근, 원형의, 구형(球形)의: mesa *~da* 원탁, 둥그런 탁자. La Tierra es *~da* 지구는 둥글다. ② 완벽한: triunfo ~ 완벽한 승리. ③ 끝수[우수리]가 없는. ④ 명확한, 단정적인. ⑤ [인쇄] 로마체의. —*m.* ① 둥그런 것[물건]. ② [요리] 넓적다리 고기. ③ 돈(dinero). —*f.* ① 지방 일대: Es el labrador más rico de la *~da* 그는 지방 일대에서 가장 돈이 많은 농부다. ② 목초지. ③ [인쇄] 로마체(letra *~da*). ④ 네모진 돛. ⑤ [음악] 전음부(全音符).
redondón *m.* 큰 원.
reducción *f.* ① 축소. ② 삭감, 감소. ③ 할인. ④ 제압, 평정, 진압. ⑤ [수학] 환산, 약분. ⑥ [의학] 정복(整復). ⑦ [화학] 환원. ⑧ [사진] 감력(減力). ⑨ [자동차] 저속 기어에의 바꾸기. ⑩ [컴퓨터] (데이터의) 정리.
reduccionismo *m.* [생물·윤리] 환원주의.
reducido, da [reducir의 과거 분사] *adj.* 좁은, 작은, 제한된.
reducir (71) *tr.* ① 축소하다, 줄이다. ② 삭감하다. ③ 요약하다. ④ (사람을) 따르게 하다, 복종시키다, 설득하다. ⑤ 변화시키다. ⑥ 귀착시키다, 단순화시키다. ⑦ 변환시키다. ⑧ (작은 단위로) 환산하다. ⑨ [수학] 약분하다, 통분하다. ⑩ 제압하다, 평정하다, 진압하다: ~ a los sublevados 폭도들을 진압시키다. ⑪ [의학] 정복하다. ⑫ [화학] 환원하다; (물질을 구성 요소로) 분해하다. ⑬ [사진] (음화를) 감력(減力)하다. —*intr.* ① [자동차] 기어를 낮추다. ② [요리] (소스 등이) 바짝 졸아들다. ~**se** ① 생활비를 절약하다. ② 귀착하다; 결국은 …으로 되다: El cristal *se redujo a* trizas 유리는 (결국) 산산조각이 났다. ③ [+a+*inf.*] …만으로 하다, 한정하다.
reductor, ra *adj.* [화학] 환원하는. —*m.* 환원제.
redundancia *f.* ① 과다, 여분. ② (같은 표현의) 중복.
redundante *adj.* 과다한; 여분의.
redundar *intr.* ① (결과가 …로) 되다. ② (그릇·내용물이) 넘치다.
reduplicación *f.* ① 강화. ② [문법] 중복, 중복형; 가중 음절.
reduplicar (7) *tr.* ① 강화시키다. ② [문법] (문자·음절을) 이중으로 하다, 겹치다.
reedición *f.* 재판(再版), 중판(重版).
reedificación *f.* 재건, 재기(再起), 재흥(再興).

reedificar (7) *tr.* ① 재건하다. ② 회복하다.
reeditar *tr.* 재판하다, 중판하다.
reeducación *f.* 재교육.
reeducar (7) *tr.* 재교육시키다.
reelección *f.* 재선(再選).
reelegir (45) *tr.* 재선하다.
reembarcar (7) *tr.* ① 짐을 다시 싣다, 딴 배에 옮겨싣다. ② 다시 승선시키다.
reembarque *m.* ① 옮겨싣기, 다시 싣기. ② 재승선(再乘船).
reembolsable *adj.* 상환 가능한, 상환[환불]해야 하는.
reembolsar *tr.* 환불하다, 상환하다.
reembolso *m.* 환불, 상환, 환불금, 상환금.
reempaquetear *tr.* 재포장하다.
reemplazable *adj.* 교환할 수 있는, 대체해도 되는.
reemplazante *adj.* 교환하는, 경질하는, 대체하는.
reemplazar (9) *tr.* ① …의 대리[대용]로 하다. ② 바꾸다, 교환하다, 갈다: ~ una bombilla 전구를 바꾸다.
reemplazo *m.* ① 대리; 대체, 교환. ② [집합] [군사] 소집병, 같은 해 신병(新兵).
reemprender *tr.* 다시 시작하다, 다시 시도하다.
reencarnación *f.* 화신(化身), 영혼의 재생, 환생, 윤회.
reencarnarse *r.* 환생하다, 화신이 되다, (영혼에) 다시 육체를 얻다.
reencontrar (24) *tr.* ① 재발견하다. ② (잃었던 성격・습관 등을) 되찾다. **~se** ① 재회하다. ② 화해하다.
reencuadernación *f.* 재장정(再裝幀).
reencuadernar *tr.* 다시 장정하다.
reencuentro *m.* 재발견; 재회(再會).
reenganchamiento *m.* =**reenganche.**
reenganchar *tr.* (병역을 끝마친 후) 재소집하다. **~se** 재입대하다.
reenganche *m.* 재소집, 재입대.
reenviar (12) *tr.* 받았던 것을 보내다, 되돌려 보내다.
reenvidar *tr.* (노름에서 댄 돈에) 다시 웃돈을 얹다.
reenvío *m.* 되돌려 보냄, 반송.
reestrenar *tr.* ① 재상연하다. ② 재연(再演)하다.
reestreno *m.* 재상연; 재연(再演).
reestucturación *f.* ① 재구성. ② 개조(改組): ~ industrial 산업 합리화, 구조 개혁.
reestructurar *tr.* ① 재구성하다, 재편성하다. ② 개조하다, 개편하다.
reexaminación *f.* 재시험; 재조사.
reexaminar *tr.* ① 재시험하다. ② 재조사하다, 재검사하다, 재검토하다.
reexpedición *f.* 반송(返送).
reexpedir (42) *tr.* 되돌려 보내다, 반송하다, 받았던 것을 보내다.
reexportación *f.* 재수출.
reexportar *tr.* (수입품을) 재수출하다, 다시 수출하다.
refacción *f.* ① 가벼운 식사, 스낵. ② *Amér.* (확충・개선 등의) 개수(改修), 개장(改裝). ③ (농장 등의) 유지비. ④ 교환 부품, 예비 부품.
refaccionar *tr.* *Amér.* 개수(改修)하다, 개장(改裝)하다.
refajo *m.* 속치마, 속옷, 단속곳.
refectorio *m.* (수도원 등의) 식당.
referencia *f.* ① 언급: hacer ~ 언급하다. ② 보고: ~ del consejo 심의회 보고. ③ (책의) 참고[참조] 문헌, 출전 표시. ④ [상업] 신용 조회(처). ⑤ *pl.* (인물의 성격・재능 등에 대한) 정보, 보고; (취직에 필요한) 인물 소개장, 신원 보증서; (성능 등의) 보증. ⑥ [언어] 지시, 지향. ⑦ [측량] 기준: línea de ~ 기준선. ¶ ***punto de*** ~ 판단에 불가결한 정보. ***de*** ~ 현재 문제가 되고 있는, 앞에서 말한: los géneros *de* ~ 앞에서 말한[현재 문제가 되고 있는] 물품. ***con*** **[*en*]** ~ ***a*** …에 관해서(acerca de). ***por*** ~***, por*** ~***s*** 간접적으로: Conozco su contenido solo *por* ~*s* 나는 그 내용을 간접적으로만 알고 있다.
referendo *m.* =**referéndum.**
referéndum *m.* *lat.* [*pl.* ~s] ① 국민 투표. ② (외교관이 본국 정부에 보내는) 훈령, 요청서, 청훈서.
referente *adj.* [+a] (…에) 관한: opinión ~ *a* política exterior 외교 정책에 관한 의견. —*m.* [언어] (단어의) 지시 대상(물); 관계항.
referí *m.f.* *Amér.* 심판.
referible *adj.* 언급[이야기]할 수 있는; 말해도 되는.
referimiento *m.* =**referencia.**
referir (54) *tr.* ① 말하다, 이야기하다, 언급하다, 전하다, 알리다: ~ anécdotas 일화를 이야기하다. ~ experiencias 경험담을 말하다[이야기하다]. ② (독자에게) 참조시키다. ③ [+a] (동기・기원 등을 …로) 돌아가다. ④ 관련시키다. ⑤ (다른 단위로) 변환시키다: ~ la cantidad a euros 금액을 유로화로 나타내다. **~se** [+a] (…에 관해) 언급하다, 말하다: ~*se a* la sintaxis 통사론(統辭論)에 관해 언급하다.
refinación *f.* 정제(精製), 정련(精鍊): ~ de azúcar 설탕 정제.
refinado, da *adj.* ① 세련된, 품위[기품] 있는. ② 정제된, 정련된: aceite ~ 정유(精油). —*m.* 정제(精製).
refinador, ra *adj.* 정제하는, 정련하는. —*m.f.* 정제 업자, 정련공.
refinadura *f.* 정제, 정련.
refinamiento *m.* ① 세련, 기품[품위]이 있음. ② 교묘함. ③ 정제(精製).
refinanciación *f.* 채무 갱신.
refinanciar (11) *tr.* 채무(債務)를 갱신하다.

refinar *tr.* ① 정제(精製)하다: ~ el azúcar 설탕을 정제하다. ~ el petróleo 석유를 정제하다. ② 세련시키다: ~ *su* lenguaje 세련된 언어를 사용하다.

refinería *f.* ① 정제소(精製所). ② 정유소(精油所)(~ de petróleo).

refino *m.* ① 정제(精製). ② 원유 정제(原油精製).

reflación *f.* [경제] (통화 수축 후의) 통화 재팽창, 리플레이션.

reflacionar *tr.* (통화를) 재팽창(再膨脹)시키다.

reflectante *adj.* 반사하는.

reflectar *intr.* (빛·소리·열 등이) 반사하다.

reflector, ra *adj.* 반사하는: cuerpo ~ 반사체. —*m.* ① 반사 장치: ~ de antena 안테나의 반사기. ② 탐조등, 서치라이트(proyector). ③ 스포트라이트. ④ 반사경(espejo ~). ⑤ [영화] 채광용 반사판.

reflejar *tr.* ① 반사하다: El espejo *refleja* un rayo de sol 거울은 태양의 빛을 반사한다. ② 반영하다: La obra *refleja* las costumbres de la época 그 작품은 시대의 풍속을 반영하고 있다. ~**se** ① [+en] (…에) 반사되다, 비치다. ② (통증 등이) 나타나다.

reflejo, ja *adj.* ① 반사된. ② (통증 등이) 원인의 장소와는 다른 곳에 나타나는. ③ 반사적인, 반사 작용의. ④ [문법] 재귀 동사의. —*m.* ① 반사광. ② 그림자, 상(像); 반영. ③ [생리] 반사 작용, 반사 운동. ④ *pl.* 빨리 반응하는 능력: ~ condicionado 조건 반사. ⑤ 일부분만을 염색하거나 염색하는 머리털.

réflex *adj.* [사진] 레플렉스형(形)의. —*f.sing.pl.* 레플렉스형 카메라.

reflexible *adj.* 반사할 수 있는, 반사성(反射性)의.

reflexión *f.* ① 숙고. ② [철학] 반성, 자성(自省). ③ [주로 *pl.*] 의견, 충고. ④ [물리] 반사. ⑤ [문법] 재귀.

reflexionar *intr.* [+sobre] (…에 대해) 숙고하다; 반성하다, 자성하다.

reflexivamente *adv.* 곰곰이 생각하여.

reflexivo, va *adj.* ① 사려 깊은. ② [문법] 재귀의: pronombre ~ 재귀 대명사. verbo ~ 재귀 동사.

reflexología *f.* 반사학; 반사법.

refexoterapia *f.* (어떤 병의) 마사지 요법.

reflorecer (31) *intr.* ① 다시 꽃이 피다. ② 다시 번영하다[성해지다].

reflorecimiento *m.* ① 다시 꽃이 핌. ② 부흥, 다시 번창함.

reflotación *f.* =reflotamiento.

reflotamiento *m.* ① (침몰된·좌초된 배의) 인양. ② 다시 일으켜 세움. ③ 다시 시작함.

reflotar *tr.* ① (침몰된 배·좌초된 배를) 인양하다. ② (업적이 나쁜 회사·부문을) 다시 일으켜 세우다. ③ (실패한 것을) 다시 시작하다.

refluir (77) *intr.* ① (조수가) 빠지다. ② 역류하다.

reflujo *m.* ① 간조(干潮). ② 썰물. ③ 퇴조, 쇠퇴, 후퇴: ~ económico 경기 후퇴. ④ [의학] (혈액의) 역류.

reforestación *f.* 식림(植林).

reforestar *tr.* 식림(植林)하다.

reforma *f.* ① 개혁: ~ agraria 농지개혁. ~ política 정치 개혁. ② 개선, 개정: ~ del código penal 형법 개정. ③ 개수(改修), 개축. ④ [정치] (혁명에 대한) 개혁. ⑤ [주로 R~] 종교 개혁.

reformado, da *adj.* ① (루터파에 대한) 캘빈파의. ② 신교도의. ③ 개혁된, 혁신된, 개혁된, 개선된. —*m.f.* ① 루터파. ② 신교도.

reformador, ra *adj.* 개혁하는, 고치는. —*m.f.* 개혁가, 개혁자, 개혁파.

reformar *tr.* 개혁하다, 고치다: ~ las instituciones políticas 정치 제도를 개혁하다. ~ *su* conducta 행동을 고치다. ~ las costumbres 습관을 고치다. ~ la tienda 점포를 개장(改裝)하다. ~**se** 행실[행동]을 바르게 하다.

reformativo, va *adj.* 개혁하는.

reformatorio, ria *adj.* 개혁하는, 고치는. —*m.* 소년원.

reformismo *m.* 개량주의.

reformista *adj.* 개량주의의. —*m.f.* 개량주의자.

reforzador *m.* [사진] 증감제(增感劑), 보력제(補力劑).

reforzar (9) (24) *tr.* ① 강화시키다, 보강하다; 증강하다. ② [사진] 보력(補力)을 하다.

refracción *f.* [물리] 굴절: doble ~ 복굴절.

refractar *tr.* 굴절시키다. ~**se** 굴절되다.

refractario, ria *adj.* ① 옹고집의, 도저히 다룰 수 없는. ② 내열성(耐熱性)의, 내화성(耐火性)의: ladrillo ~ 내화 벽돌. ③ [의학] 난치성(難治性)의. ④ [생리] (자극에) 불응하는. —*m.* ① 내열재. ② 내화재.

refractómetro *m.* 굴절계.

refrán *m.* 속담, 격언.

refranero *m.* 속담집, 격언집.

refranesco, ca *adj.* 속담의, 격언의.

refregar (8) (19) *tr.* ① 문지르다, 닦다. ② (누구를) 대놓고 욕지거리를 퍼붓다, 비난하다.

refregón *m.* ① 문지르기, 닦기. ② 돌풍(突風).

refreír (44) *tr.* ① 다시 튀기다. ② 많이 튀기다. ③ 아주 잘 튀기다. ④ 너무 튀기다.

refrenable *adj.* 억제할 수 있는.

refrenada *f.* =refrenamiento.

refrenamiento *m.* 억제.

refrenar *tr.* ① (말을) 재갈로 매다[물리다]. ② 억제하다, 억누르다. ~**se** 자신의 감정을 억누르다.
refrendación *f.* (문서의) 부서(副署).
refrendar *tr.* ① (문서에) 부서하다. ② 승인하다.
refrendo *m.* ① 부서(副署). ② 승인.
refrescador, ra *adj.* =refrescante.
refrescadura *f.* =refrescamiento.
refrescamiento *m.* 납량(納涼), 시원하게 함, 시원해짐.
refrescante *adj.* 시원하게 하는, 시원한 (음료수).
refrescar (7) *tr.* ① 시원하게 하다, 차게 하다, (열을) 식히다. ② (기억을) 새롭게 하다. ③ 기분을 상쾌하게 하다. —*intr.* ① 차가워지다, 식다, 시원해지다. ② 찬 것을 마시다. ③ 기운이 나다, 기분이 상쾌해지다. ④ 날씨가 시원해지다: *Ha refrescado* la tarde 오후에는 시원해졌다. ⑤ 몸을 식히기 위해 음료를 마시다. ~**se** ① 시원한 바람을 쐬다, 납량하다. ② 몸을 차게 하다, 몸을 식히다. ③ 찬 것을 마시다. ④ 몸을 식히기 위해 음료를 마시다.
refresco *m.* ① (알코올이 들어 있지 않은) 찬 음료수. ② 청량 음료수. ③ 탄산 음료. ④ (가벼운 음식을 내놓는) 작은 파티. ⑤ 작은 파티의 가벼운 음식, 스낵. ¶*de* ~ ㉮ *adj.* 증원(增援)의, 보충의: tropas *de* ~ 증원 부대. jugadores *de* ~ 보결[보강] 선수. ㉯ *adv.* =de nuevo.
refresquería *f. Ecuad., Méj., Salv.* 청량 음료수 가게[판매소].
refriega *f.* 실랑이; 격렬한 싸움.
refrigeración *f.* ① 냉각, 냉방: ~ por aire 공랭, 공기 냉각. ~ por agua 수랭(水冷). agua de ~ 냉각수. ② 냉각 장치, 냉방 장치.
refrigerador, ra *adj.* 냉각하는, 냉방하는. —*m.* 냉장고(frigorífico). —*f.* =refrigerador, frigorífico.
refrigerante *adj.* 냉각용의. —*m.* ① 냉각제. ② 냉각기.
refrigerar *tr.* ① 냉각시키다. ② 냉장하다, 냉동하다. ③ 냉방하다.
refrigerio *m.* 간식, 가벼운 식사.
refringencia *f.* [광학] 굴절성.
refringente *adj.* [광학] 굴절시키는.
refringir (4) *tr.* [물리] =refractar.
refrito, ta *adj.* ① 다시 튀긴. ② (작품이) 재탕된, 개작(改作)된, 다시 손질된. —*m.* ① 프라이 요리 (접시), 튀김 요리. ② (작품의) 재탕, 개작.
refuerzo *m.* ① 강화, 보강, 증강. ② [심리] 강화. ③ *pl.* 증원(增援), 가세: Han llegado los ~*s* 증원 부대가 도착했다.
refugiado, da *adj.* 피난한, 망명한. —*m.f.* 피난자, 망명자.
refugiar (11) *tr.* 숨겨두다, 감춰두다, 은닉하다. ~**se** 피난하다, 숨다, 망명하다.
refugio *m.* ① 피난처, 피난소, 은닉처, 숨은 장소. ② (부랑자 등의) 구호 시설. ③ (도로의) 안전 지대. ④ 보호물, 의지할 만한 것.
refulgencia *f.* 광휘, 광채, 빛남.
refulgente *adj.* 찬란하게 빛나는, 광채를 내는.
refulgir (4) *intr.* =resplandecer.
refundición *f.* ① (금속의) 재용해. ② (작품의) 개작(改作).
refundir *tr.* ① (금속을) 다시 용해하다[녹이다]. ② (화폐를) 개주(改鑄)하다. ③ (작품 등을) 개작하다.
refunfuñador, ra *adj., m.f.* 투덜거리는 (사람).
refunfuñadura *f.* 투덜거림.
refunfuñar *intr.* 투덜거리다.
refunfuño *m.* =refunfuñadura.
refunfuñón, na *adj.* 많이[계속] 투덜거리는.
refutable *adj.* 반박(反駁)[반증]할 수 있는.
refutación *f.* 반박, 논파(論破); 반증.
refutar *tr.* 반박하다, 논파하다; 반증하다.
regadera *f.* ① 물뿌리개; 살수기. ② =acequia, reguera. ③ *Amér.* 샤워기, 샤워 설치. ④ *Amér.* 샤워 용기[그릇]. ⑤ *pl.* (기계 냉각용) 관수 장치.
regaderazo *m. Méj.* 샤워(ducha).
regadero *m.* =acequia, reguera.
regadio *adj.* 관개할 수 있는, 물을 댈 수 있는 (땅). —*m.* 관개된 농지.
regadizo, za *adj.* 관개할 수 있는, 물을 댈 수 있는.
regador, ra *adj.* 관개하는, 물을 대는. —*m.f.* 관개하는 사람. —*m.* ① 빗살을 세우는 기구. ② *And., Mur.* 물 대는 남자, 관개하는 남자.
regadura *f.* 한 번으로 하는 관개[물대기].
regalada *f.* =ragalado.
regaladamente *adv.* 기쁘게, 즐겁게, 유쾌하게; 부족한 것 없이; 쾌적하게.
regalado, da *adj.* ① 부드러운, 섬세한. ② 기분이 상쾌한, 쾌적한. ③ 값이 아주 싼. —*f.* ① 왕실 마구간. ② [집합] 왕실 마구간의 말.
regalar[1] *tr.* ① 선물하다, 기증하다, 선사하다, 증정하다. ② 기쁘게[즐겁게] 하다. ③ 위로(慰勞)하다, 달래다. ~**se** 즐기다, 즐거워하다, 기뻐하다.
regalar[2] *tr.* 녹이다, 용해시키다.
regalía *f.* ① [역사] 국왕 특권. ② 특허권[상표권・저작권] 사용료, 로열티. ③ *pl.* 임시 수당, 보너스. ④ *AmérC., Ant., Col.* 선물(regalo). ¶ ***derecho de*** ~ 담배 수입세.
regalismo *m.* 제왕 교권설(帝王敎權說), 제왕 교권주의.
regaliz *m.* ① [식물] 감초(orozuz). ② 감초 뿌리. ③ 감초 진액[엑스트랙트].

regaliza *f.* =regaliz.
regalo *m.* ① 선물. ② 경품. ③ 즐거움, 낙. ④ (생활의) 안락, 쾌적. ⑤ 품질에 비해서 값이 싼 것, 의외로 싸게 산 물건.
regalón, na *adj.* 응석받이로 자란.
regalonear *tr. Chile.* 응석받이로 키우다.
regañadientes *a* ~ 마지못해, 마음이 내키지 않아, 기분이 나빠.
regañar *tr.* 꾸짖다, 나무라다, 힐난하다. —*intr.* ① (개가) 으르렁거리다. ② (과일이) 터지다. ③ 부아를 터뜨리다. ④ 싸우다.
regañina *f.* ① 힐책. ② 언쟁, 말다툼, 입씨름.
regaño *m.* ① 성난 얼굴[표정]. ② 꾸중, 질책, 나무람.
regar (8) (19) *tr.* ① …에 물을 뿌리다, 살수하다: ~ las flores 꽃에 물을 주다. ~ el jardín 정원에 물을 뿌리다. ② 관개하다. ③ …에 흩어지게 하다.
regata[1] *f.* (관개용) 도랑, 용수로.
regata[2] *f.* [주로 *pl.*] 요트 레이스, 보트 레이스.
regate *m.* ① 도망, 몸을 살짝 피하기. ② 핑계, 발뺌. ③ (축구 등에서) 드리블.
regatear[1] *tr.* ① (값을) 흥정하다. ② (식료품을) 소매하다. ③ 피하다, 도망치다. —*intr.* ① 살짝 몸을 피하다. ② 드리블을 하다.
regatear[2] *intr.* 보트 경기를 하다.
regateo *m.* ① (값의) 흥정. ② 소매.
regatista *m.f.* 요트[보트] 레이스 선수[경기자].
regencia *f.* ① 통치. ② 섭정 정치[기간·직].
regeneración *f.* ① 재생. ② 갱생.
regeneracionismo *m.* (미서 전쟁의 패배(1898)를 계기로 스페인에서 일어난) 재건 운동.
regenerar *tr.* ① 재생하다. ② (악에서) 갱생시키다. ~**se** ① 갱생하다. ② [생물] (기관 등이) 재생되다.
regenta *f.* (어떤 학원의) 여교사, 여선생.
regentar *tr.* ① (임시·대리로 직무를) 수행하다, 완수하다. ② 경영하다, 관리하다.
regente *adj.* ① 지배하는, 통치하는. ② 섭정의. —*m.f.* (국가의) 어린 통치자. —*m.* ① (인쇄소의) 지배인. ② (일부 교파의) 교무 주임. ③ (옛날의 학교나 대학교에서) 특별[임시] 교수. ④ 지방 재판소 주임.
reggae *m. ing.* 레게 ((서인도 제도에서 생긴 록 풍(風)의 음악)).
regiamente *adv.* ① 왕답게, 왕의 위엄으로. ② 호화찬란하게.
regicida *adj.* 국왕[여왕] 살해의[하는]. —*m.f.* 국왕[여왕] 살해자.
regicidio *m.* 국왕[왕비·여왕·황태자] 살해.
regidor, ra *m.f.* ① [영화·연극] 조감독. ② (14세기 까스띠야에서 왕이 임명한) 시의회 의원.
régimen *m.* [*pl.* regímenes] ① 체제(體制), 정체(政體): ~ capitalista 자본주의 체제. antiguo ~ 구체제. ② (관리상의) 제도(制度), 규칙: ~ electoral 선거 제도. ③ 식이요법, 다이어트. ④ 양상(樣相). ⑤ [지리] (하천의) 유량(流量). ⑥ [기계] (모터의) 회전수: ~ de crucero 경제 속도 운전. ⑦ [언어] 동사가 요구하는 전치사 ((예 referirse의 régimen은 전치사 a 이다)).
regimiento *m.* ① 지배, 관리, 통치. ② [군사] 연대. ③ 시의회 의원단. ④ 시의회 의원 신분[직]. ⑤ 수로 안내 법규서.
regio, gia *adj.* ① 왕(王)의. ② = **suntuoso, grande, magnífico.** ③ *Arg., Ur.* =**bonito, lindo, excepcional.** —*adv. Arg., Ur.* 아주 잘 (muy bien).
región *f.* ① 지방, 지역: ~ andina 안데스 지방. ~ industrial 공업 지역. ② [군사] 군관구. ③ [해부] 부위(部位): ~ pectoral 흉부. ④ [수학·철학] 영역. ⑤ 레히온, 지역 ((칠레의 주(州)보다 큰 행정 단위)).
regional *adj.* 지방(地方)의, 지역적인: consejo ~ 지방 의회. explotación ~ 지역 개발. periódico ~ 지방 신문.
regionalismo *m.* ① 지방 분권주의. ② 지방 존중, 지방색, 향토애. ③ (문학상의) 지방 취미. ④ 한 지방 특유의 말[단어].
regionalista *adj.* ① 지방 분권주의의. ② 지방 취미의. ③ 지방색의. —*m.f.* ① 지방 분권주의자. ② 지방 취미 작가.
regionalización *f.* 지방 분권화.
regionalizar (9) *tr.* ① 지방[지역]으로 나누다. ② 지방 분권화하다.
regir (45) *tr.* ① 지배하다, 통치하다. ② 통어(通御)하다, 제어하다. ③ [언어] (동사가 전치사를) 요구하다. —*intr.* ① (법률 등이) 효력이 있다, 유효하다, 시행 중이다. ② 판단력이 있다, 제정신이다. ③ (배가) 키를 돌리는 대로 움직이다. ~**se** 지배(支配)되다, 통치되다; 제어되다.
registrado, da *adj.* 등록된, 기록된: marca ~*da* 등록 상표.
registrador, ra *adj.* ① 기록하는. ② 검사하는. —*m.f.* ① 등기소 직원. ② 검사 담당. —*m.* ① 기록계. ② 녹음기. —*f.* 금전 등록기. ¶*caja ~ra* 금전 등록기.
registrar *tr.* ① 등록하다: ~ un invento 발명을 등록하다. ② 등기하다. ③ 기록하다, 기입하다, 써 넣다: ~ un dato 자료를 기록하다. ④ …의 신체[소지품] 검사를 하다, 수색하다. ⑤ 녹음하다, 취입하다. ~**se**

① 자신을 등록하다, 학적 등록을 하다. ② 기록되다.
registro *m.* ① 등록: terminar el ~ 등록을 끝내다. ② 기록: ~ de nacimiento 출생 기록. ③ 등록부, 장부, 대장(臺帳): ~ civil 호적부. ~ genealógico 혈통서. ④ (공적인) 기록 보관소, 등기소. ⑤ (경찰 등의) 수색, 검사. ⑥ 검사소. ⑦ 맨홀. ⑧ 기록 리스트. ⑨ (책의) 서표(書標). ⑩ [언어] 언어 사용역(使用域). ⑪ [컴퓨터] [정보의 단위] 레코드. ⑫ (시계 등의) 속도 조정계. ⑬ (오르간의) 스톱; (피아노의) 페달. ⑭ [음악] 음역(音域), 성역(聲域). ⑮ 측면, 양상.
regla *f.* ① 자: ~ (en) T 티 자. ② 규칙, 규율, 규정; 법칙. ③ (수도회의) 회칙, 종규(宗規). ④ 월경, 생리: la primera ~ 초경(初經). ⑤ 절도(節度), 중용.
regladamente *adv.* 자로 잰 듯이; 절도 있게.
reglado, da *adj.* ① 신중한. ② 절도 있는. ③ 섭생하는.
reglaje *m.* [기술] 조정, 조절.
reglamentación *f.* ① 규제(規制). ② [집합] 규칙.
reglamentar *tr.* 규제하다, 통제하다.
reglamentario, ria *adj.* ① 규정에 관한. ② 정규의, 규정의.
reglamentista *adj.* 규칙을 엄수하는.
reglamento *m.* ① 규칙. ② [법률] 법규, 조례(條例).
reglar[1] *tr.* ① (자를 사용하여) …에 선을 긋다. ② 규정[규칙]에 맞추다. ③ 규칙대로 하다, 규정하다. ~**se** ① [+a] (…을) 모범으로 하다. ② [+por] (…에) 지배되다.
reglar[2] *adj.* ① 법칙의, 규칙에 의한. ② 수도회에 소속하는.
regleta *f.* [인쇄] 인테르.
regocijar *tr.* 기쁘게 하다, 즐겁게 하다. ~**se** 기뻐하다, 즐거워하다, 좋아하다.
regocijo *m.* ① 환희. ② *pl.* 축제.
regoldar (28) *intr.* 트림을 하다.
regolfo *m.* ① (물·바람의) 역류, 방향 전환. ② 작은 만(灣).
regordete, ta *adj.* (사람·신체의 일부가) 작고 두툼한, 땅딸막한.
regresar *tr.* (소유자에게) 되돌려 주다: ~ un libro 책을 되돌려 주다. —*intr.* (떠났던 곳으로) 되돌아가다, 돌아가다(volver): ~ a casa 귀가하다. ~ a *su* país 귀국하다. ~**se** *Amér.* 되돌아가다.
regresión *f.* ① 후퇴, 감소. ② [역사] 퇴보. ③ [생물] 퇴화. ④ [심리] 퇴행. ⑤ [수학] (곡선의) 회귀.
regresivo, va *adj.* 후퇴하는, 퇴화하는; 퇴행성의.
regreso *m.* ① 귀환, 귀착, 복귀. ② [럭비] 리턴: ~ de patada 킥오프 리턴.
regüeldo *m.* 트림.
reguera *f.* 관개용 수로.
reguero *m.* ① (물의) 흐름. ② (물이) 흐른 흔적. ③ =**reguera.**
regulación *f.* 제어, 조절, 통제: ~ de natalidad 산아 제한, 계획 출산. ~ de los precios 물가 통제.
regulador, ra *adj.* 조정하는, 조절하는. —*m.* 조절기, 조정기: ~ de tensión 전압 조정기.
regular[1] *tr.* ① 조절하다, 조정하다: ~ el caudal de agua 수량을 조정하다. ② 규칙에 따르게 하다, 규제하다: ~ la circulación 교통을 규제하다.
regular[2] *adj.* ① 규칙적인, 규칙 바른, 일정한: productos de calidad ~ 품질이 고른 제품. respiración ~ 규칙적인 호흡. ② 정기(定期)의, 정기적인: servicio ~ 정기편. ③ 정규의, 정식의: cursos ~*es* 정규 과정. tropas ~*es* 정규군. ④ 꼼꼼하고 빈틈이 없는, 규율이 바른: vida ~ (규율이) 바른 생활, 규칙적인 생활. ⑤ 균형을 이룬, 좌우 대칭을 이룬: edificio ~ 좌우 대칭형의 건물, 쌍둥이 건물. poliedro ~ [수학] 정다면체. ⑥ 중위(中位)의, 보통의: estatura ~ 중키. ⑦ 평범한, 그저 그런 정도의, 그다지 좋지 않은: jugador ~ 평범한 선수. ⑧ [문법] 규칙 변화를 하는: verbo ~ 규칙 동사. ⑨ [종교] 수도회(修道會)에 속한: clero ~ 수도회 소속 성직자. —*adv.* 보통으로, 중간으로, 그럭저럭, 겨우: ¿Qué tal? —*Regular* 어떻게 지내느냐? —그럭저럭. —*mf.* 수도회 소속 성직자. —*m.* ① [평가] 보통. ② *pl.* (스페인 보호령 시대의 모로코의) 원주민 부대. ③ (아프리카 북부 스페인의 자치 도시인 Ceuta · Melilla의) 보병대. ¶***por lo ~*** ㉮ 보통(은), 일반적으로: Por lo ~ él estudia por la noche 그는 보통 밤에 공부한다. ㉯ 규칙적으로
regularidad *f.* ① 규칙 바름, 규칙적임. ② 규율 바름.
regularización *f.* 정규화; 정상화.
regularizar (9) *tr.* 질서 있게 하다, 규칙적으로 하다; 정상화하다. ~**se** 정상화되다.
regularmente *adv.* 규칙적으로, 규칙 바르게, 질서 있게, 반듯하게; 정기적으로.
regurgitación *f.* 구토, 뱉어 냄.
regurgitar *intr.* (먹은 것을) 토해 내다, 뱉어 내다.
regusto *m.* ① 뒷맛. ② (사후의, 주로 불쾌한 · 슬픈) 기분, 느낌, 감상: Este cuadro tiene un ~ decadente 이 그림은 퇴폐적인 감이 있다.
rehabilitación *f.* ① 복권, 명예 회복. ② 사회 복귀(~ social). ③ 개수 공사(改修工事).
rehabilitar *tr.* ① …의 명예를 회복

시키다, 복권시키다. ② 사회 복귀시키다. ③ 개축하다, 개수하다. ~**se** ① 복권되다, 명예를 회복하다. ② 사회 복귀하다. ③ 개축[개수]되다.

rehacer (69) *tr.* 다시 하다, 다시 만들다. ~**se** [+de] (…에서) 회복되다.

rehén *m.* ① 인질: tomar a *alguien* como [de] ~ …를 인질로 잡다. ② 저당[보증] 물건.

rehervir (56) *intr.* ① 다시 끓다. ② (감정이) 타오르다. —*tr.* 다시 끓게 하다. ~**se** (보존 식품 등이) 발효(醱酵)되다.

rehilar (16-1) *tr.* (실 등을) 너무 꼬다[비틀다]. —*intr.* ① 비틀거리다. ② (화살 등이) 공기 속을 뚫고 나가다, 휙휙 지나가다.

rehilete *m.* ① [배드민턴] 셔틀콕. ② 배드민턴. ③ 던지는 화살, 부는 화살. ④ [투우] =**banderilla.** ⑤ 빈정댐, 빈정거림.

rehogar (8) *tr.* [요리] 약한 불에 볶다[지지다], 뜸을 들이다.

rehuida *f.* 피하기, 멀리하기.

rehuir (77) *tr.* ① 피하다, 멀리하다. ② 거부하다, 거절하다. ③ (동물이) 오던 길로 도망치다.

rehús *m.* =**desecho, despedicio.**

rehusar (18-1) *tr.* 거절[거부]하다.

reidor, ra *adj., m.f.* 잘[자주] 웃는 (사람).

reilón, na *adj.* ① 많이 웃는. ② *Ven.* (얼굴·입·눈이) 생글거리는, 상냥한: semblante ~ 생글거리는 얼굴.

reimplantación *f.* ① 재도입, 재설치. ② [의학] 재이식.

reimplantar *tr.* ① 재도입하다, 재설치하다. ② [의학] 재이식하다.

reimplante *m.* =**reimplantación.**

reimportación *f.* 재수입.

reimportar *tr.* (수출한 것을) 재수입하다, 역수입하다.

reimpresión *f.* 중판(重版), 중판본.

reimpreso, sa *adj.* 중판된.

reimprimir *tr.* 중판(重版)하다.

reina *f.* ① 여왕(女王): la ~ Isabel 이사벨 여왕. ② 왕비(王妃): ~ madre 황태후(皇太后) ((황제의 살아 있는 어머니)). ~ viuda 황태후 ((선제의 살아 있는 황후)). ③ [체스] 여왕, 퀸. ④ (여자·동물·여성 장르 등의) 가장 아름다운 것, 여왕: ~ de belleza 미의 여왕, 미인 대회의 우승자. ~ de las rosas 장미 중의 여왕. ⑤ [형용사적] 최고의: prueba ~ 메인 이벤트. ⑥ 여왕벌 (abeja ~).

reinado *m.* 치세(治世), 군림: ~ de la ley 법의 지배. ~ del terror 공포가 지배하는 시대.

reinante *adj.* 통치하는; 지배적인.

reinar *intr.* ① [+en] (…에) 군림하다. ② 지배적이다.

reincidencia *f.* [법률] 재범(再犯), 누범(累犯).

reincidente *adj.* 재범의, 누범(累犯)의, 상습범의. —*m.f.* 재범자, 누범자, 상습범.

reincidir *intr.* (같은 잘못·과오를) 되풀이하다, 반복하다.

reincorporación *f.* 재통합.

reincorporar *tr.* 재통치하다, 재합병하다, 재편입하다. ~**se** [+a] (휴가 뒤 …에) 복귀하다, 돌아가다: *~se a* la oficina 직장에 복귀하다.

reingresar *intr.* [+en] (…에) 복귀하다. —*tr.* 재입원시키다.

reingreso *m.* 복귀.

reiniciar *tr.* =**recomenzar.**

reinicio *m.* 다시 시작하기, 재개.

reino *m.* ① 왕국: ~ de Granada 그라나다 왕국. ② 분야, …계(界): ~ de la química 화학 분야. ~ animal 동물계. ~ mineral 광물계. ~ vegetal 식물계. ③ 융성기.

reinserción *f.* 사회 복귀(~ social).

reinsertar *tr.* 사회 복귀시키다. ~**se** 사회 복귀하다.

reinstalación *f.* 재설치.

reinstalar *tr.* 재설치하다. ~**se** 재설치되다.

reintegración *f.* ① 복귀, 복직. ② 환불, 상환(償還).

reintegrar *tr.* ① [+a·en] (…에) 복귀시키다, 복직시키다. ② 환불하다, 되돌려주다, 반제(返濟)하다, 변제(辨濟)하다. ③ [+con] (서류 등에, 인지를) 첨부하다. ~**se** ① 복귀하다, 돌아가다: *~se a su* trabajo después de las vacaciones 휴가 후 다시 일터에 돌아가다. ② 되찾다, 회수하다, 돌려받다.

reintegro *m.* ① 복귀, 복직: ~ en el trabajo 직장 복귀. ② 반제(返濟), 상환. ③ (복권의) 애석상 ((산 금액을 돌려받는 금액)). ④ 인지 (póliza).

reinversión *f.* 재투자.

reinvertir (53) *tr.* 재투자하다.

reír (44) *intr.* 웃다: hacer ~ 웃기다. Todos *reían* y cantaban 모두가 웃고 노래 불렀다. —*tr.* 웃다: ~ el chiste 농담에 웃다. ~**se** ① 웃다: Las chicas *se ríen* por nada 소녀들은 아무 일도 아닌 것에도 웃는다. ② [+de] (…을) 비웃다, 조소하다, 깔보다, 업신여기다. ¶***Quien ríe el último, ríe mejor; Al freír será el reír*** (속담) 최후에 웃는 자가 제일 잘 웃는다, 너무 성급히 웃지[기뻐하지] 마라.

reiteración *f.* 되풀이, 반복.

reiteradamente *adv.* 되풀이하여, 반복하여.

reiterado, da *adj.* 반복된, 되풀이된, 여러 번의.

reiterar *tr.* 되풀이하다, 반복(反復)하다. ~**se** 되풀이되다, 반복되다.

reiterativo, va *adj.* 되풀이하는, 거듭

하는, 반복하는: verbo ~ [문법] 반복의 동사 ((예 visitear)).
reivindicable *adv.* 회복할 수 있는, 되찾을 수 있는.
reivindicación *f.* ① (권리의) 요구. ② *pl.* 요구 사항. ③ (명예 등의) 회복, 복권. ④ (테러 등의) 범행 성명(犯行聲明).
reivindicar (7) *tr.* ① (권리로서) 요구하다: ~ la libertad de expresión 표현의 자유를 요구하다. ② (명예 등을) 회복하다, 되찾다. ③ (테러 등의) 범행 성명을 내다.
reivindicativo, va *adj.* 회복하는, 되찾는.
reivindicatorio, ria *adj.* [법률] 요구(要求)의.
reja[1] *f.* ① 쟁기의 날. ② (쟁기로 하는) 밭갈이, 경작.
reja[2] *f.* 철격자; 철책, 철망. ¶*entre ~s* 감옥에서.
rejalgar *m.* [광물] 계관석(鷄冠石).
rejería *f.* ① 격자[철망] 제작. ② [집합] 격자, 철망.
rejilla *f.* ① 격자, 철망: ventana de ~ 격자창. ② (문의) 내객(來客) 등의 바깥 동태를 보기 위해 낸 창문; 참회실의 창문. ③ (열차·버스의) 그물 시렁. ④ (의자의) 등의 덩굴 부분: silla de ~ 등의자. ⑤ (난로의) 그물망. ⑥ [전기] 그리드, 제어 격자.
rejo *m.* ① 뾰족한 쇠붙이. ② (벌 등의) 침, 바늘. ③ 단단함, 튼튼함, 늠름함. ④ [식물] 어린 뿌리. ⑤ 가죽끈. ⑥ 두꺼운 줄. ⑦ *AmérC., Col., Ven.* 채찍(látigo, azote).
rejuntar *tr.* =juntar. ~**se** =amancebarse.
rejuvenecedor, ra *adj.* 다시 젊어지는, 회춘하는.
rejuvenecer (31) *tr.* ① 회춘시키다, 다시 젊어지게 하다. ② 다시 활기를 띠게 하다. ③ 갱신하다, 일신하다, 현대적으로 하다. —*intr.*, ~**se** 회춘하다, 다시 젊어지다, 정력을 되찾다.
rejuvenecimiento *m.* 회춘(回春).
relabra *f.* 다시 세공하기.
relabrar *tr.* (돌·목재를) 다시 세공하다, 재(再)세공하다.
relación *f.* ① 관계: ~ entre la causa y el efecto 인과 관계. *relaciones* amistosas 우호 관계. *relaciones* comerciales 거래 관계. *relaciones* de parentesco 혈연 관계, 인척 관계(姻戚關係). *relaciones* diplomáticas 외교 관계. *relaciones* humanas 인간 관계. guardar ~ con *alguien* (…와) 관계를 유지하다. ② (사물 간의) 관련. ③ [주로 *pl.*] (인간·조직 간의) 교제, 교류: tener [estar en] ~ con *alguien* (…와) 접촉[교류]이 있다, 교제하고 있다. ④ *pl.* 연애 관계, 육체 관계. ⑤ *pl.* 지인(知人), 아는 사람, 교제 중인 사람. ⑥ *pl.* 연고(緣故). ⑦ (정식의) 보고, 보고서: ~ detallada 상세한 보고서. ⑧ [법률] 진술. ⑨ 명부, 명단, 표, 리스트(lista): ~ de víctimas 희생자 명단. ⑩ 비례, 비율(razón). ¶*con ~ a* ㉮ …에 비례하여, …의 비율로. ㉯ …에 관하여 (con respecto a). *en ~ con* …과의 관계로[에서], …에 관하여. *hacer ~ a* …에 대해 언급하다, …에 대해 말하다.
relacionado, da *adj.* 관계가 있는, 관련이 있는.
relacional *adj.* 관계의, 관계에 관한.
relacionar *tr.* ① 관계시키다, 관련시키다, 관계를 맺게 하다. ② 접촉시키다, 연락하게 하다. ③ 표로 만들다. ④ 보고하다. ~**se** ① 관계하다. ② 접촉하다, 교제하다. ③ 얼굴이 넓다, 교제가 있다.
relacionista *m.f.* 섭외[홍보] 담당자.
relajación *f.* ① (긴장·근육·정신 등의) 풀림, 이완(弛緩), 경감, 완화. ② 타락. ③ [의학] 이완법.
relajada *f.* ☞relajado.
relajadamente *adv.* 느긋하게, 마음 편히.
relajado, da *adj.* ① 느슨해진, 해이해진, 느긋해진. ② [언어] (발음이) 이완된. —*f. Ur.* =insultada.
relajador, ra *adj., m.f.* 늦추는, 완화시키는, 느긋하게 하는 (사람).
relajamiento *m.* =relajación.
relajante *adj.* ① 긴장을 풀게 하는, 마음을 편하게 하는. ② [의학] 이완시키는. ③ *Chile.* (음료·음식이) 너무 단. —*m.* 이완제.
relajar *tr.* ① 늦추다, 부드럽게 하다, 느긋하게 하다. ② 이완하다, 완화하다. ③ 마음 편히 지내게 하다. ④ (형벌 등을) 낮추다. ⑤ (소송을) 하급 법원으로 되돌리다, 이송(移送)하다. ~**se** ① 완화되다. ② 타락하다 ③ (정신적으로) 긴장이 풀리다.
relamer *tr.* 다시 핥다. ~**se** ① 입술을 핥다, 입맛을 다시다. ② 만족스러워 하다. ③ [+de] (…을) 자만하다, 우쭐거리다, 뻐기다.
relámpago *m.* ① 번개: rápido como un ~ 번개처럼 빨리, 전광석화처럼 [와 같이]. haber ~*s* 번개가 치다. ② 섬광. ③ (눈 등이) 눈부시게 빛남. ④ (생각 등의) 번뜩임, 번쩍임. ⑤ [형용사적] guerra ~ 전격전.
relampagueante *adj.* ① 번개가 치는. ② 번쩍이는. ③ 매우 빠른.
relampaguear *intr.* ① 번개가 치다. ② 반짝이다. ③ (눈이) 날카롭게 빛나다, 불꽃이 튀기다.
relampagueo *m.* ① 번개가 침, (번개가) 번쩍임. ② 반짝임.
relanzar (9) *tr.* =repeler.
relapso, sa *adj.* ① 재범의, 누범(累犯)의. ② 다시 이단에 전향한, 다시

이교에 귀의한. —*m.f.* ① 재범자, 누범자. ② 다시 이교에 귀의한 사람. —*m.* (병의) 재발.

relatar *tr.* ① 이야기하다, 말하다. ② 보고[발표]하다, 신고하다. —*intr.* 투덜거리다.

relativamente *adv.* 상대적으로, 비교적(으로).

relatividad *f.* ① 상대성, 상관성. ② [물리] 상대성 원리(teoría de la ~).

relativismo *m.* [철학] 상대주의.

relativista *adj.* 상대주의의; 상대성 이론을 지지하는. —*m.f.* 상대주의자; 상대성 이론 지지자.

relativizar (9) *tr.* 상대적으로 생각하다, 상대화하다.

relativo, va *adj.* ① 관계 있는. ② 상대적인, …에 의한: velocidad ~*va* 상대 속도. ③ 어느 정도의, 그다지 …이 아닌: enfermedad de ~*va* importancia 비교적 가벼운 병. ④ [문법] 관계를 나타내는: pronombre ~ 관계 대명사. —*m.* [문법] 관계 대명사.

relato *m.* ① 보고. ② 이야기, 말: libro de ~*s* del viaje 여행기.

relator, ra *adj.* 이야기하는. —*m.f.* ① 이야기하는 사람. ② (국회의) 위원회 보고자. ③ (법원의) 기록관. ④ *Arg., Ur.* 해설자, 평론가; (특히) 스포츠 해설자.

relatoría *f.* relator 직[사무소].

relavar *tr.* 다시 씻다[헹구다].

relave *m.* 다시 씻기[빨기], 헹구기.

relax *m.sing.pl. ing.* =**relajación.**

relé *m. fr.* [전기] 계전기

releer (78) *tr.* 다시 읽다.

relegación *f.* ① 추방. ② 격하.

relegar (8) *tr.* ① 추방하다. ② 격하시키다.

relente *m.* 밤이슬, 밤의 냉기.

relevación *f.* ① 두드러짐. ② 면제.

relevancia *f.* ① 걸출(함), 우수성. ② 중요성.

relevante *adj.* ① 걸출한, 두드러진. ② 중요한, 의의가 있는.

relevar *tr.* ① …와 교대하다. ② [+de] (임무 등에서) 해방하다, 방면하다, 경질하다: ser *relevado del* cargo 해임되다. ③ 교체하다, 경질하다, 바꾸다: José espera que su hijo le *releve* cuando se juvile 호세는 은퇴하면 그의 아들이 그와 교체하길 바란다. ④ 칭찬하다, 찬양하다. —*intr.* 두드러져 보이다. ~**se** 서로 교대하다.

relevista *adj.* 릴레이 경주에 참가하는. —*m.f.* 이어달리기[계주] 선수.

relevo *m.* ① 교대. ② [군사] 교대 요원. ③ *pl.* [운동] 이어달리기, 계주, 릴레이 경주.

relicario *m.* ① 납골당, 사리탑. ② (일반적으로, 성자 등의) 유골함.

relicto *bienes* ~*s* 유산(遺産).

relieve *m.* ① (표면의) 요철(凹凸). ② [조각·건축] 부조(浮彫), 돋을새김, 양각. ③ (토지의) 기복. ④ 지형(地形). ⑤ (사람의) 중요성. ⑥ *pl.* 먹다 남은 것, 남은 음식. ¶*alto* ~ [조각] 고부조(高浮彫). *bajo* ~ [조각] 얕은 부조. *medio* ~ [조각] 중간 부조. *todo* ~ [조각] =alto relieve. *poner de* ~ algo (무엇을) 분명하게 하다, 또렷하게 하다, 두드러지게 하다.

religión *f.* ① 종교: ~ budista 불교. ~ del Estado 국교(國敎). ~ mahometana 이슬람교. guerras de ~ 종교 전쟁. ② 신앙: tener ~ 신앙을 가지다. ③ [천주교] 수도 생활. ④ [천주교] 교단(敎團). ⑤ 신조(信條). ¶~ *católica* 천주교, 가톨릭교. ~ *natural* 자연 종교. ~ *reformada* 신교(新敎). *entrar en* ~ 수도원에 들어가다.

religionario, ria *m.f.* 신교도.

religiosamente *adv.* ① 종교적으로, 경건한 마음으로; 고지식하게. ② 절도 있게, 절제 있게. ③ 정확히.

religiosidad *f.* ① 신앙심이 깊음, 종교심. ② 경건함. ③ 절도, 절제. ④ 정확함.

religioso, sa *adj.* ① 종교의, 종교상의: creencias ~*sas* 신앙. educación ~*sa* 종교 교육. música ~*sa* 종교 음악. pintura ~*sa* 종교화. ② 신앙심이 깊은, 경건한: mujer ~*sa* 신앙이 깊은 여인. ③ [천주교] 수도원의, 수도회에 속한. ④ (의무 수행에) 꼼꼼하고 빈틈이 없는. —*m.f.* ① 종교가. ② [천주교] 수도사, 수도녀.

relimar *tr.* 다시 줄로 밀다.

relimpiar *tr.* ① 다시 깨끗이 하다. ② 무척 깨끗이 하다. ~**se** ① 다시 깨끗해지다. ② 매우 깨끗해지다.

relimpio, pia *adj.* 매우 깨끗한.

reliquia *f.* ① 성유물(聖遺物), (성자 등의) 유품, 유골. ② 전(前) 시대의 유물. ③ 추억, 회상거리. ④ 기념물, 유품: ~ de la familia 선조 전래의 가보. ⑤ (병·사고의) 후유증.

rellanar *tr.* 다시 고르다, 다시 반반하게 하다. ~**se** =**arrellanarse.**

rellano *m.* ① (계단의) 층계참, 계단참. ② (비탈 중간에 있는) 평지, 고원 지대. ③ [지리] 벼랑 중턱에 선반처럼 비죽 나온 바위.

rellenar *tr.* ① 다시 채우다. ② 가득 채우다. ③ (닭·다른 음식에) 잘게 다진 고기[다른 재료]로 채우다. ④ (공란 등을) 채우다: ~ un formulario 용지에 써 넣다. ⑤ 배불리 먹이다. ~**se** ① 다시 채워지다. ② 가득 채워지다. ③ 배불리 먹다.

relleno, na *adj.* 가득 찬, 터지도록 채워진. —*m.* ① 속에 채워진 물건. ② 조류[창자]에 채워진 양념된 다진 고기. ③ 채워 넣기. ④ [건축] 충전재(充塡材). ⑤ [복식] 양복 어깨 등에 넣는 심.
reloj *m.* 시계(時計): torre de ~ 시계탑. adelantar [atrasar] un ~ diez minutos 시계를 10분 더[덜] 가게 하다. Este ~ está adelantado [atrasado] un minuto al día 이 시계는 하루에 1분 빠르다[늦다]. ¶~ *de pulsera* 손목시계. ~ *de sol* 해시계. ~ *despertador* 자명종(despertador). ~ *solar* =reloj de sol. *ser* alguien *(como) un* ~ 시간을 잘 지키다, 시간을 엄수하다, 아주 정확하다: El Sr. Kim *es un* ~ 김 선생은 (시계처럼) 시간에 정확하다.
relojera *f.* ☞relojero.
relojería *f.* ① 시계 제조술, 시계 수리 기술. ② 시계 제조 공장, 시계 조립 공장. ③ 시계방, 시계포.
relojero, ra *m.f.* ① 시계 제조자. ② 시계 조립자, 시계 기술자. ③ 시계 장수. *—f.* ① 시계 상자, 회중시계용 주머니. ② [드묾] relojero의 아내.
reluciente *adj.* 빛나는, 번쩍이는.
relucir (33) *intr.* ① (빛을 받아) 빛나다, 번쩍이다. ② 눈에 띄다, 두드러지다, 뛰어나다.
reluctancia *f.* ① =renuncia. ② [물리] 자기 저항.
reluctante *adj.* =reacio, opuesto.
relumbrar *intr.* 번쩍번쩍 빛나다.
relumbre *m.* =brillo, destello.
relumbro *m.* =relumbrón.
relumbrón *m.* ① 섬광. ② 야함, 요란스러움. ③ 허영.
relumbroso, sa *adj.* 빛나는, 이글이글거리는.
remachador, ra *adj.* 조이는, 단단히 하는. *—m.f.* 리벳공. *—f.* 리벳 죄는 기구.
remachar *tr.* ① (못 등을) 단단히 박다. ② (박은 못 등을) 때려 구부리다. ③ (말·행동을) 다짐하다, 강조하다.
remache *m.* ① 조이기. ② 대갈못, 리벳.
remador, ra *m.f.* 노 젓는 사람.
remadura *f.* 노 젓기, 노질.
remanencia *f.* [물리] 잔류 자기.
remanente *m.* ① 나머지, 찌꺼기. ② [경제] 잉여, 잉여분, 잉여물.
remanga *f.* 새우잡이 기술.
remangado, da *adj.* ① 소매[옷자락]을 걷어 올린. ② 결심을 단단히 한, 만반의 태세를 갖춘.
remangar (8) *tr.* (소매·옷자락을) 걷어 올리다. ~**se** ① 자신의 소매를 걷어 올리다. ② 결심을 단단히 하다.
remango *m.* ① 소매[옷자락]를 걷어 올리기. ② 걷어 올린 소매[옷자락]. ③ 솜씨, 역량, 기량.
remanguillé *a la* ~ ㉮ *adv.* ㄱ) 난잡하게, 엉망으로, 엉망진창으로(de forma desordenada): Colocaron los muebles *a la* ~ 가구가 엉망으로 놓였다. ㄴ) 부주의하게, 부정확하게: hacer el presupuesto a la ~ 부정확하게 예산을 만들다. ㄷ) 적당하지 못하게, 부적당하게, 부적절하게: Se fueron *a la* ~ 그들은 적절치 못하게 가버렸다. ㉯ *adj.* ㄱ) 난잡한, 엉망인, 엉망진창인: una habitacón *a la* ~ 엉망진창인 방. ㄴ) 부주의한, 부정확한: un presupuesto *a la* ~ 부정확한 예산. ㄷ) 부적당한, 적당하지 못한: una despedida *a la* ~ 적당하지 못한 작별.
remansarse *r.* (흐르던 물이) 괴다, 물웅덩이가 되다.
remanso *m.* ① (흐르던 물의) 괴임. ② 물웅덩이. ③ (무엇을) 즐기는 장소[상태]: un ~ de paz 조용한 장소. ④ 느림, 굼뜸.
remar *intr.* ① 노를 젓다. ② 고투하다, 노력하다.
remarcar (7) *tr.* 다시 표를 하다.
rematadamente *adv.* 완전히, 결론적으로, 절대적으로.
rematado, da *adj.* 구원할 길이 없는, 어떻게 손을 쓸 수도 없는, 끝장이 나 버린.
rematador, ra *adj.* 결말(結末)을 짓는. *—m.* =subastador.
rematante *m.f.* 낙찰자.
rematar *tr.* ① 끝내다, 종료하다. ② (…의) 숨통을 끊다, 죽이다. ③ 결정적인 타격을 주다. ④ 다 써버리다: ~ las provisiones 식량을 다 먹어 버리다. ⑤ (경매에서) 낙찰시키다, 입찰하다; 경매로 사다[팔다]. ⑥ 꿰매어[핀으로 꽂아] 풀어지지 않게 하다. ⑦ (…이 …의) 끝이다, 꼭대기에 있다. *—intr.* =terminar, fenecer. ~**se** =perderse, acabarse, destruirse.
remate *m.* ① 종료, 끝, 종말. ② 숨통을 끊음. ③ 결정적이 타격. ④ 끝, 선단(先端). ⑤ (건물의) 뾰족한 끝, 꼭대기. ⑥ [축구] 슛: ~ de cabeza 해딩 슛. ⑦ [배구] 스파이크. ⑧ [테니스·탁구] 스매시. ⑨ [재봉] 박음질. ⑩ 경매, 공매. ⑪ [투우] 소의 공격의 마지막 순간.
rembolsar *tr.* =reembolsar.
rembolso *m.* =reembolso.
remecedor, ra *m.f.* 올리브를 흔들어 떨어뜨리는 사람.
remecer (1) *tr.* 마구 흔들다.
remedable *adj.* 모방할 수 있는, 흉내낼 수 있는.
remedador, ra *adj.* 모방하는. *—m.f.* 모방자, 흉내내는 사람.
remedar *tr.* ① 모방하다, 흉내내다. ② (자취·모범 등을) 따르다(seguir). ③ (놀려 줄 목적으로) 흉내를 내다, 흉내를 내어 놀려 주다.
remediable *adj.* ① 치료할 수 있는. ② 구제[구원]할 수 있는.
remediador, ra *adj., m.f.* 치료하는,

고치는 (사람); 구제[구원]하는 (사람).

remediar (11) *tr.* ① 고치다, 치료하다, 교정하다. ② 구제하다, 개선하다, 타개하다.

remedio *m.* ① 대책, 구제 수단: como último ~ 최후 수단으로. ② 치료, 치료법: ~ casero 민간 치료. ③ 교정. ④ (화폐의) 공차(公差). ⑤ [법률] 소송. ¶*no haber para un ~* =no tener para un remedio. *no quedar* [*no encontrar*] algo *para un ~* (무엇을) 발견하기가 불가능하다[매우 어렵다], 약에 쓰려해도 없다. *no tener para un ~* 전혀 없다. *sin ~* 피할 수 없이, 필요에 의해서, 필연적으로.

remedir (42) *tr.* 다시 측량하다, 다시 재다.

remedo *m.* 모방, 흉내.

remembranza *f.* =recuerdo.

rememoración *f.* 회상(回想).

rememorar *tr.* =recordar.

rememorativo, va *adj.* 추억의, 회상의, 기념의.

remendado, da *adj.* (동물·피부에) 반점[얼룩 무늬]이 있는.

remendar (19) *tr.* ① 고치다, 수리하다, (특히) (의복을) 수선하다. ② 천을 덧대어 옷을 깁다. ③ =corregir, enmendar. ④ 보충하다.

remendón, na *adj.* 직업적으로 수리[수선]하는: sastre ~ 헌옷 수선공. zapatero ~ 구두 수선공. —*m.f.* 구두 수선공; 헌옷 수선공.

remero, ra *adj.* [동물] 칼깃의. —*f.* 칼깃. —*m.f.* 노 젓는 사람, 뱃사공.

remesa *f.* (한 회의) 발송분; 송금.

remesar[1] *tr.* (수염·머리카락을) 뽑다, 쥐어뜯다.

remesar[2] *tr.* ① 송부(送付)하다. ② 송금하다.

remeter *tr.* ① 다시 넣다. ② 더 안으로 넣다. ③ (어떤 장소에 넣기 위해 물건의 가장자리를) 밀다, 밀어 넣다(empujar). ④ (아이들에게 기저귀를 벗기지 않고) 깨끗한 속 기저귀를 넣어 주다.

remiendo *m.* ① 덧댄 천. ② (응급의) 수리, 수선. ② 기운 자리, 덧댄 자리.

rémige *f.* [동물] 칼깃.

remilgadamente *adv.* 너무 점잔을 빼고, 수줍은 체하고.

remilgado, da *adj.* 너무 점잔을 빼는, 수줍은 체하는.

remilgarse *r.* (여자가) 점잔을 빼다, 얌전을 부리다.

remilgo *m.* 점잔 빼기, 점잖은 체하는 표정.

reminiscencia *f.* ① 회상, 추억, 기억. ② (문학·음악에서) 무의식적인 차용, 영향.

remirado, da *adj.* ① 조심스러운, 신중한. ② =melindroso.

remirar *tr.* ① 다시 보다. ② 잘 보다, 잘 살피다, 잘 조사[생각]하다. ~**se** ① 신중히 행동하다. ② 흐뭇하게 바라보다[여기다].

remisible *adj.* 용서할 수 있는, 면제할 수 있는.

remisión *f.* ① 송부, 발송, 보냄. ② (병·고통의) 일시적 진정, 소강 상태. ③ [종교·법률] 사면, 용서, 특사(特赦).

remisivamente *adv.* ① 사면으로, 면제로. ② 발송으로.

remisivo, va *adj.* ① 사면의, 면제의. ② 발송의.

remiso, sa *adj.* 소극적인, 우유부단한, 활발하지 못한.

remite *m.* [편지] 발신인의 주소 성명(의 표기): carta sin ~ 발신인의 성명이 없는 편지.

remitente *adj.* 발신하는, 발송하는. —*m.f.* 발신인, 발송인, 하주(荷主).

remitido *m.* (신문의) 투서 기사.

remitir *tr.* ① 보내다, 발송하다, 송금하다: ~ dinero a *su* hijo 아들에게 송금하다. ② 참조시키다. ③ 위임하다. ④ (벌·의무 등을) 면제하다. —*intr.* ① (발열 등이) 가라앉다. ② [+a] (…을) 참조하다. ~**se** ① 느슨해지다, 약해지다. ② 위임받다. ③ [+a] (…을) 참조하다, 인용하다.

remo *m.* ① 노. ② [운동] 보트 경기, 조정. ③ [주로 *pl.*] (동물·네발짐승의) 팔, 다리. ④ [주로 *pl.*] (새의) 날개. ⑤ (옛날의) 노 젓는 형벌. ¶*al ~* ㉮ 노를 저어. ㉯ 고역에 시달려, 힘들여. *a ~* =al remo. *a ~ y sin sueldo* 헛수고하여, 공연히 애를 써서, 일은 많이 하고 보상 없이. *a ~ y vela* 신속히, 재빨리, 전력을 다해. *meter el ~* =meter la pata. ☞pata[1].

remocho *m. Sal.* =brote, retoño.

remoción *f.* ① 이동, 이전. ② 제거. ③ 해임, 파면.

remodelación *f.* ① 개조, 개편: ~ del gabinete, ~ del gobierno 내각 개편[인사 이동], 정부의 개편. ② [건축] 주택의 개조 및 보수, 외관[디자인] 변경, 리모델링.

remodelar *tr.* ① (조직을) 개조하다, 개편하다: ~ el gabinete, ~ el gobierno 내각[정부]을 개편하다. ② …의 모양을 바꾸다. ③ [건축] (주택을) 개조 및 보수하다, 외관[디자인]을 변경하다, 리모델링하다.

remojar *tr.* ① (주로 물에) 담그다, 적시다, 축이다. ② 축배를 들다, 마시며 축하하다.

remojo *m.* ① (물에) 담그기, 적시기, 축이기. ② (야채 같은 것을 소비하기 전에 일정 기간 동안) 물에 담가 놓는 일. ③ *Col.* 한턱.

remojón *m.* =mojadura.

remolacha *f.* ① [식물] 사탕무. ② 사탕무 뿌리.

remolachero, ra *adj.* 사탕무 재배의[에 관한]; 사탕무 산업화[판매]의[에 관한]. —*m.f.* 사탕무 재배자[장수].

remolar *m.* ① 노 만드는 목수. ② 노 장인. ③ 노 제조 공장.

remolcador, ra *adj.* ① 예항(曳航)하는, 예선(曳船)하는. ② 견인(牽引)하는. —*m.* ① 예인선, 예항선. ② 견인차, 구난차(救難車), 래커차.

remolcar (7) *tr.* ① 예항하다, 예선하다. ② (다른 차를) 끌다, 견인하다: ~ el coche averiado 고장난 차를 견인하다. ③ (…를 어떤 일에) 끌어들이다, 끌어넣다.

remoler (25) *tr.* ① 으깨다, 많이 빻다[찧다 · 갈다]. ② *Guat.* =**molestar.** —*intr.* *Chile.* =**parrandear, jaranear, divertirse.**

remolinar *intr.* ① 소용돌이치다. ② (사람이) 북적거리다, 큰 혼잡을 이루다, 무척 혼잡하다. ~**se** ① 소용돌이치다. ② 북새통을 이루다.

remolino *m.* ① 소용돌이. ② 회오리바람. ③ (머리카락의) 가마. ④ 인파, 혼잡, 붐빔. ⑤ 혼란, 무질서.

remolque *m.* ① 예항(曳航), 인항. ② 견인. ③ 트레일러. ④ 후릿그물, 트롤망(網), 끄는 줄. ¶*a* ~ ㉮ 예항하여, 인항하여. ㉯ 질질 끌려서.

remonta *f.* ① 신발 수리, 신발창 갈이. ② 안장의 볼록한 곳. ③ (승마 바지의) 덧댄 천. ④ [군사] (각 부대에) 보충용 말 매입[사육]. ⑤ [군사] [집합] 보충용 말. ⑥ [군사] 보충용 말 축사. ⑦ *Col., Ven.* (기수의) 예비 말.

remontado *m.* 신발 수선.

remontamiento *m.* 신발 수선.

remontar *tr.* ① (어떤 장애 · 난관을) 극복하다: ~ las desgracias familiares 가정의 불행을 극복하다. ② (비탈길을) 오르다, (비탈길을) 넘다. ③ (강을) 거슬러 오르다. ④ 높이 올리다; 칭찬하다. ⑤ (연을) 높이 올리다. ⑥ (순위를) 올리다. ⑦ (사냥에서) 짐승을 몰이하다. ⑧ (말을) 보충하다. ⑨ (안장을) 수선하다. ⑩ (구두의 밑창을) 갈다. ~**se** ① 오르다, 위로 오르다, 높이 오르다. ② (과거로) 거슬러 오르다. ③ (금액에) 달하다.

remonte *m.* ① 상승. ② 거슬러 오름. ③ (스키장의) 승강 장치, 리프트.

rémora *f.* ① [어류] 빨판상어. ② 장애, 방해, 장애물, 방해물.

remorder (25) *tr.* ① 되풀이해서 물어뜯다, 우적우적 깨물다, 질근질근 씹다. ② 괴롭히다, 못살게 굴다, 왕따시키다. ③ 썩히다, 부식시키다. ~**se** ① 서로 물어뜯다. ② 후회(後悔)하다.

remordimiento *m.* 후회; 양심의 가책(苛責).

remostar *intr., tr.* (묵은 포도주에) 포도 과즙을 붓다. ~**se** ① (포도 등의 송이가, 으깨는 통에 도착하기 전에) 상하기 시작하다. ② (술이) 단맛이 나다.

remotamente *adv.* ① 멀리, 아득히. ② 희미하게, 멍하니, 막연하게, 어렴풋이: Me acuerdo ~ 나는 어렴풋이 기억하고 있다.

remotidad *f.* *CRica.* 먼 곳.

remoto, ta *adj.* ① (시간적 · 공간적으로) 먼, 멀리 떨어진: control ~ 원격 제어, 원격 조작, 리모컨, 리모트 콘트롤. país ~ 먼 나라. en tiempos ~*s* 아주 옛날에, 옛날옛적에, 호랑이 담배 먹던 시절에. ② 있을 것 같지 않은, 미덥지 못한: peligro ~ 있을 것 같지 않은 위험. ¶*estar* ~ alguien (누가) 거의 기억이 없다.

remover (25) *tr.* ① (전체의 일부를) 옮기다. ② 휘젓다: ~ el café 커피를 휘젓다. ③ (장애물을) 없애다, 제거하다. ④ (사건 등을) 마구 휘젓다, 헤집다, 파헤치다, 휘들리다, 파고들다, 탐색하다. —*intr.* [+en] (…을) 파헤치다. ~**se** 몸을 움직이다: ~*se* inquieto en *su* silla 의자에서 꼼짝하지 않다.

removimiento *m.* 이동, 이전; 제거.

remozamiento *m.* ① 개장(改裝). ② 회춘(回春).

remozar (9) *tr.* ① (무엇을) 새롭게 하다. ② (누구를) 젊게 하다. ~**se** ① 새로워지다. ② 젊어지다.

remplazar (9) *tr.* =**reemplazar.**

remplazo *m.* =**reemplazo.**

remugar (8) *tr.* =**rumiar.**

remuneración *f.* 보수, 사례금

remunerador, ra *adj., m.f.* 보수를 주는, 보상하는 (사람).

remunerar *tr.* ① 보수[사례금]를 주다. ② 보답하다, 보상해 주다. ③ 이익을 낳다.

remunerativo, va *adj.* ① 보수를 주는. ② 보상해 주는. ③ 유리한.

remuneratorio, ria *adj.* 보수의; 보상하는, 보답의.

renacentista *adj.* 르네상스의[에 관한], 문예 부흥 (시대)의[에 관한]. —*m.f.* 르네상스 예술가, 문예 부흥기의 예술가.

renacer (30) *intr.* ① 다시 태어나다, 재생하다. ② 회복되다. ③ 부흥되다. —*m.* 재생, 회생, 기사회생.

renaciente *adj.* 재생하는, 부활하는.

renacimiento *m.* ① 재생, 부활. ② [역사] [R~] 르네상스, 문예 부흥.

renacuajo *m.* ① [동물] 올챙이. ② 양서류의 유충. ③ 장난꾸러기 아이. ¶*Cada ~ tiene su cuajo* (속담) 지렁이도 밟으면 꿈틀한다.

renal *adj.* [해부] 신장(腎臟)[콩팥]의[에 관한]: arteria ~ 신장 동맥. insuficiencia ~ 신부전(腎不全). litiasis ~ 신장 결석.

rencilla *f.* 말다툼, 언쟁, 실랑이.
renco, ca *adj.* 다리가 부자유스러운, 절름발이의. *—m.f.* 절름발이.
rencor *m.* 앙심, 원한, 유한(遺恨).
rencoroso, sa *adj.* ① 원한을 품은, 원한에 찬, 앙심을 품은. ② 원망(怨望)하는.
rendición *f.* ① 항복, 투항. ② 이익, 수익. ③ 기진맥진, 지침.
rendidamente *adv.* ① 비굴하게, 비겁하게. ② 녹초가 되어, 축 늘어져, 맥이 빠져. ③ 다소곳하게, 온순하게, 점잖게.
rendido, da *adj.* ① 지친, 피로한, 녹초가 된, 맥이 빠진. ② 숭배하는. ③ 순종한, 온순한, 다소곳한. ④ 친절한.
rendija *f.* 갈라진 틈, 틈새, 균열, 금.
rendimiento *m.* ① 수익: ~ de la inversión 투자 수익. tasa de ~ 수익률. ② 효율: ~ personal 인적 효율. ③ 생산성. ④ 성적. ⑤ 복종, 종속. ⑥ 순종, 경의.
rendir (53) *tr.* ① 타파하다. ② 정복하다, 종속시키다. ③ 넘겨주다, 인도하다, 양도하다. ④ 녹초가 되게 하다, 무척 피로하게 하다. ⑤ (인사 등을) 하다, (경의를) 표하다. ⑥ (보고 등을) 제출하다, 설명하다. ⑦ (여행 등을) 끝내다. ⑧ (이익을) 올리다. *—intr.* 이익을 올리다, 좋은 효과를 올리다. ~**se** ① 녹초가 되다, 피로로 지치다. ② 항복하다, 굴복하다. ③ 시인하다, 받아들이다.
renegado, da *adj.* ① 종교[믿음]를 버린, 배교(背教)의. ② 예수 그리스도의 법을 버린. ③ 배신한, 변절한. *—m.f.* ① 배교자. ② 변절자.
renegar (8) (19) *tr.* ① 강하게 부인하다. ② 증오하다, 미워하다, 싫어하다. *—intr.* ① [+de] (신앙 등을) 버리다. ② 싫어하다, 미워하다, 저주하다. ③ 욕하다.
renegociación *f.* (조약·계약의) 재교섭, 개정 교섭.
renegociar (11) *tr.* 재교섭하다, 개정 교섭을 하다.
RENFE *f.* *Re*d *N*acional de *F*errocarriles *E*spañoles 스페인 국철.
renglón *m.* ① (문장의) 행(行): ~ doble 더블 스페이스. ② *pl.* 짧은 편지[인쇄물]. ③ (지출 등의) 항목, 비목(費目), 품목(品目): ~ de las exportaciones 수출 품목. ~ de las importaciones 수입 품목. ¶***a* ~ *seguido*** ㉮ 계속(해서), 다음 행에 계속. ㉯ 즉시, 곧.
reniego *m.* ① 하느님[성모 마리아·성자들]에 대한 불경. ② 저주, 악담.
renio *m.* [화학] 레늄.
reno *m.* [동물] 순록(馴鹿).
renombrado, da *adj.* 유명한, 저명한, 명성이 높은.
renombre *m.* ① 성(姓). ② 별명. ③ 명성, 평판: adquirir gran ~ 명성을 얻다. Su ~ ha llegado hasta todo el país 그의 명성은 전국 방방곡곡까지 전해졌다.
renovable *adj.* 갱신할 수 있는.
renovación *f.* 갱신: ~ del contrato 계약 갱신.
renovar (24) *tr.* ① 새롭게 하다, 일신하다. ② 바꾸다, 교환하다, 교체하다: ~ los muebles 가구를 바꾸다. ~ los miembros 회원을 교체하다. ③ 갱신하다. ④ 다시 시작하다, 재개하다: ~ *sus* ataques 공격을 재개하다. ⑤ 되풀이하다, 반복하다. ⑥ 되살리다, 부활시키다, 회복시키다: ~ una amistad 우정을 회복시키다. ~**se** ① 새롭게 되다, 일신되다. ② 되풀이되다, 반복되다.
renquear *intr.* 절룩거리다, 다리를 절다.
renqueo *m.* 절룩거림, 다리를 젊.
renquera *f.* *Amér.* =**renqueo.**
renta *f.* ① 정기적으로 들어오는 수입, 연금, 금리 수입. ② 소작료, 임차료, 임대료, 지대(地代). ③ 공채(公債), 국채(國債). ④ [경제] (총)소득: ~ nacional 국민 소득. ~ per cápita, ~ por habitante 일인당 국민 소득. política de ~*s* 소득 정책.
rentabilidad *f.* 수익성, 채산성: tasa de ~ 수익률.
rentabilizar (9) *tr.* 수익이 있게 하다, 유리하게 하다.
rentable *adj.* ① 수익성이 있는, 수입이 좋은. ② 유익한.
rentado, da *adj.* 연금을 받고 있는, 유급의.
rentar *tr.* (금리·수익을) 올리다. *—intr.* (수익이) 오르다.
rentero, ra *adj.* 세금을 내는. *—m.f.* 소작인, 소작농.
rentista *m.f.* 연금[금리] 생활자.
rentístico, ca *adj.* 재정의, 재정상의: reformas ~*cas* 재정 개혁. sistema ~ 재정 체계.
renuencia *f.* 마음이 내키지 않음, 싫어함; 반항.
renuente *adj.* ① =**indócil, remiso.** ② =**dificultoso, trabajoso.**
renuevo *m.* ① 새싹. ② 갱신, 쇄신, 재생.
renuncia *f.* ① 체념, 포기, 단념, 방기(放棄): ~ *a*l uso de la fuerza 무력 사용의 방기. ② 사직, 사표.
renunciable *adj.* 포기할 수 있는, 체념할 수 있는.
renunciación *f.* =**renunciamiento.**
renunciamiento *m.* 체념(諦念), 포기, 기권(棄權).
renunciar *tr.* ① 체념하다, 단념하다: ~ a un proyecto 계획을 단념하다. ② (권리 등을) 방기(放棄)하다, 포기하다, 버리다. ③ [+a+*inf.*] (…할 것을) 단념하다: ~ *a* volver a *su* país 귀국을 단념하다. ④ (좋아하는 것을) 그만두다, 끊다: ~ *a*l tabaco

담배를 끊다, 금연(禁煙)하다. ~ *al* alcohol 술을 끊다, 금주하다. ⑤ [종교] 버리다: ~ *a su* fe 신앙을 버리다. ~**se** [종교] 금욕(禁慾)하다.
renuncio *m.* 속임수, 오류, 잘못.
renvalsar *tr.* [목공] (문짝 등의 나무틀에) 면을 두르다[대다].
renvalso *m.* [목공] (문짝 등의 나무틀에) 면 두르기, 면 대기.
reñidero *m.* 투계장(鬪鷄場).
reñido, da *adj.* ① 사이가 나빠진. ② 심한, 격렬한, 접전의, 긴박한: partido ~ 백열전, 호각전(互角戰).
reñidor, ra *adj.* 자주 싸우는.
reñidura *f.* =**regañina.**
reñir (49) *intr.* ① 말다툼하다, 싸우다, 언쟁하다. ② 사이가 나빠지다. —*tr.* ① 꾸짖다, 나무라다, 힐책하다. ② (싸움 등을) 하다: ~ batalla 전투를 하다, 싸우다. ~ desafío 결투를 하다.
reo[1] *m.* [어류] 바다 송어.
reo[2] *m.* 회(vez), 차례(turno). ¶*a* ~ *y al* ~ =**de seguida.** ☞**seguido.**
reo[3] *m.f.* ① 죄인: ~ de Estado 반역자, 정치범. ~ de muerte 사형수. ② [법률] 피고, 피의자.
reo[4]**, a** *adj.* ① 혐의를 받은(acusado); 죄를 범한, 죄가 있는(culpado). ② *Arg., Ur.* 단정하지 못한, 불결한, 무례한, 상스러운. ③ *Arg., Ur.* =**antisocial.** —*m.f.* ① 단정하지 못한 사람, 불결한 사람, 무례한 사람. ② 반사회적인 사람. —*f.* [드묾] 여자 피의자.
reoctava *f.* =**octavilla.**
reorganización *f.* 재편성, 재조직, 재구성.
reorganizador, ra *adj.* 재편성[재조직]하는. —*m.f.* 재조직자, 재편성자.
reorganizar (9) *tr.* 재편성하다, 재조직하다, 재구성하다.
reorientación *f.* 방향 전환, 재교육, 재지도, 재지침; 전환, 재조정.
reorientar *tr.* …에게 새로운 방향[방침]을 주다, 재교육하다; 전환하다, 재조정하다.
reóstato *m.* [전기] 가감 저항기.
reparable *adj.* ① 갚을 수 있는, 보상할 수 있는. ② 수리할 수 있는, 고칠 수 있는.
reparación *f.* ① [때때로 *pl.*] 수리, 수선; 보수 공사. ② 배상, 보상.
reparador, ra *adj.* ① 수리[수선]하는. ② 배상하는. ③ 기운을 돋우는, 체력을 회복시키는. —*m.f.* 수리공 (mécanico ~).
reparar *tr.* ① 수리하다, 수선하다. ② 보상하다, 배상하다, 변상하다. ③ (체력을) 회복하다. —*intr.* [+en] (…에) 마음을 쓰다, 주의하다.
reparo *m.* ① 수리, 수선, 복구 공사. ② 주의, 관찰. ③ 의심점, 난점. ④ 위(胃)의 윗부분에 바르는 강장약. ⑤ 방호물, 엄호물. ⑥ (칼의) 공격막기. ⑦ (눈·눈두덩에 생긴) 반점. ⑧ 불찬성, 이의(異議).
repartible *adj.* 분배할 수 있는, 분배해야 할.
repartición *f.* ① 분배, 배분, 할당. ② *Amér.* (행정의) 부(部), 국(局).
repartidamente *adv.* 세분하여.
repartidero, ra *adj.* 분배해야 할, 구분해야 할.
repartidor, ra *adj.* 분배하는, 배분하는; 배달하는, 배송하는. —*m.f.* 분배자; 배달하는 사람.
repartimiento *m.* ① 분배, 배분; 배당, 할당. ② [연극] 배역. ③ (과세 등의) 사정. ④ 과세, 할당금.
repartir *tr.* ① 분배하다, 배분하다. ② 할당하다, 배당하다. ③ 배달하다. ④ 부과하다. ⑤ (연극 등에서) 배역을 정하다.
reparto *m.* ① 분배, 배분. ② 배달. ③ [연극] 배역.
repasador *m. Arg., Par., Ur.* 행주.
repasar *tr.* ① (같은 장소를) 다시 들르게 하다, 다시 지나가게 하다. ② 복습하다: ~ las lecciones 학과의 복습을 하다. ③ 재조사하다, 재검토하다. ④ 다시 …질을 하다, 다시 …을 통과하다: ~ la fregona por el suelo 바닥을 한 번 더 걸레질을 하다. ~ la habitación con la mirada 방을 한 번 더 둘러보다. ⑤ 대충 훑어보다, 대충 다시 읽다. ⑥ [제봉] 고치다, 수선하다, 꿰매다. —*intr.* (같은 장소를) 다시 들르다, 다시 지나가다.
repaso *m.* ① 재조사, 재검토. ② 복습. ③ =**regañina.**
repatear *tr.* =**fastidiar.**
repatriación *f.* 본국 송환, 귀국.
repatriado, da *adj.* 송환된, 귀환된. —*m.f.* 송환자, 귀국자, 귀환자.
repatriar (11) (12) *tr.* 본국으로 송환하다, 귀국시키다. ~**se** 귀국하다, 귀환하다.
repavimentar *tr.* 다시 포장하다, 재포장(再鋪裝)하다.
repechar *intr.* 급경사를 오르다.
repecho *m.* ① 급경사, 가파른 비탈. ② *Méj.* 난간(antepecho, baranda). ¶*a* ~ 비탈길[언덕·고개] 위로.
repeinado, da *adj.* 멋을 낸, 곱게 얼굴을 단장한, 곱게 머리를 빗은.
repeinar *tr.* ① 다시 머리를 빗다. ② 다시 곱게 머리를 빗다.
repelar *tr.* ① 털을 뽑다, 털[머리카락]을 잡아 뽑다. ② 말을 급히 달리게 하다. ③ 풀의 끝을 자르다. ④ =**cercenar, quitar, disminuir.** ⑤ (…의 털을) 완전히 뽑다. ⑥ Méj. =**rezongar.**
repelente *adj.* ① 혐오감을 일으키는, 불쾌한. ② 귀찮은; 철면피한, 낯가죽이 두꺼운, 뻔뻔스러운. —*m.* 방충제(防蟲劑).
repeler *tr.* ① 물리치다, 격퇴하다.

② 거절하다, 각하하다. ③ 혐오감을 주다, 불쾌하게 하다. ④ [물리] 반발하다.

repelo *m.* ① 곤두선 털. ② 손거스러미. ③ 실랑이, 언쟁. ④ 혐오감. ⑤ *Méj.* [드묾] 헌옷.

repeluco *m. And.* =repeluzno.

repelús *m.* 혐오감; 전율.

repeluzno *m.* ① 오한(惡寒). ② = repelús.

repensar *tr.* =reflexionar.

repente *m.* 갑작스러운 동작, 돌연한 움직임, 돌연한 마음의 동요, 돌발. —*adv.* =de repente. ¶*de* ~ ㉮ 갑자기, 별안간, 느닷없이, 불시에, 돌연, 불의에. ㉯ *Ur., Ven.* = posiblemente. *hablar de* ~ 외우다, 암송하다(hablar de memoria).

repentinamente *adv.* 돌연, 불시에, 갑자기, 별안간, 느닷없이, 불의에.

repentino, na *adj.* 갑작스러운, 불의의, 돌연한: cambio ~ 급변. marcha ~*na* (자동차의) 급발진(急發進). muerte ~*na* 급사, 돌연사.

repentista *m.f.* ① 즉석에서 연설하는[시를 읊는] 사람. ② 즉석 연주가, 즉석 가수.

repentización *f.* 즉석 연주[노래].

repentizar (9) *tr.* 즉석에서 연주하다[노래하다].

repercudida *f.* =repercusión.

repercudir *intr.* =repercutir.

repercusión *f.* ① 반향. ② 영향.

repercutir *intr.* ① 반향(反響)하다. ② [+en] (…에) 반영하다.

repertorio *m.* ① (문헌 등의) 목록, 일람표. ② (정보 등의) 수집(물). ③ [음악·연극] 레퍼토리. ④ 어휘집: ~ de fábulas 우화집.

repesar *tr.* 무게를 다시 달다.

repesca *f.* ① 추가 시험(examen de ~). ② [운동] 패자 부활전.

repescar (7) *tr.* ① (낙제생을) 구제하다. ② [운동] 패자를 부활시키다. ③ (추방된 사람을) 원상 복귀(原狀復歸)시키다.

repetición *f.* ① 되풀이, 반복. ② 낙제, 유급. ③ [미술] (제작자 자신에 의한) 복제, 모사.

repetidamente *adv.* 되풀이하여, 반복해서, 자주, 몇 번이고.

repetido, da *adj.* ① (같은 것이) 두 개의, 두 개 이상의: Este diccionario lo tengo ~ 나는 이 사전을 두 권 가지고 있다. ② 되풀이된, 반복된: ~*s* intentos de suicidio 거듭된 자살 미수.

repetidor, ra *adj.* ① 반복하는, 되풀이하는. ② (특히, 학생들이) 과정[과목]을 다시 듣는. —*m.f.* 낙제생, 유급생. —*m.* ① [통신] 중계기(中繼器). ② [방송] 중계국(中繼局).

repetir (42) *tr.* ① 되풀이하다, 반복하다: ~ la pregunta 질문을 반복하다. ② 되풀이[반복]해서 말하다: ~ el número telefónico 전화 번호를 (마음속으로) 복창(復唱)하다. ③ (학생이 낙제해서) 다시 이수하다, 재이수(再履修)하다, 다시 듣다. ④ (요리를) 다시 청하다: ¿No quiere usted ~ la sopa? 국[수프]을 한 공기 더 드시지 않겠습니까? —*intr.* ① 되풀이[반복]해서 일어나다: Le *repitió* el ataque 그에게 발작이 반복해서 일어났다. ② 낙제하다, 유급되다. ③ (요리 등의) 뒷맛이 남다. ④ 요리를 다시[한 그릇 더] 청하다. ~**se** ① 같은 것을 되풀이하다: El comentarista *se repite* mucho 그 해설자는 되풀이를 많이 한다. ② 반복되다, 되풀이되다: La historia *se repite* 역사는 반복된다.

repetitivo, va *adj.* 반복되는, 반복을 계속하는.

repicar (7) *tr.* ① 잘게 썰다[다지다]. ② (종을) 반복해서 울리다[치다]. ③ 다시 찌르다. —*intr.* (종이) 반복해서 울리다. ~**se** [+de] (…을) 자만하다, 뽐내다.

repintar *tr.* ① 다시 그리다, 가필하다, 수정하다. ② (벽에) 덧칠을 하다. ~**se** ① (화장을) 더덕더덕 바르다. ② (갓 인쇄한 문자가 다른 페이지에) 묻다.

repinte *m.* (그림의) 가필, 수정.

repique *m.* ① (종의) 연타. ② 실랑이, 언쟁, 말다툼.

repiquetear *tr.* (종 등을) 마구 치다. —*intr.* 종이 심하게 울리다, 종을 요란스럽게 치다.

repiqueteo *m.* (종의) 난타.

repisa *f.* [건축] 까치발.

replantación *f.* ① 다시 심기. ② 이식, 옮겨 심기.

replantar *tr.* ① (심어져 있던 곳에) 다시 심다. ② 옮겨 심다.

replantear *tr.* 다시 설계하다, 재설계하다.

replanteo *m.* 재설계.

repleción *f.* ① 충만. ② 배가 잔뜩 부른 상태, 만복(滿腹) 상태.

replegar (7) *tr.* 차곡차곡 접다. ~**se** 질서 정연하게 후퇴하다.

repletar *tr.* =rellenar, colmar. ~**se** =ahitarse, hartarse.

repleto, ta *adj.* ① 가득 찬: El autobús está ~ (*de* gente) 버스가 만원이다. ② 만복의, 배가 잔뜩 부른: Estoy ~ 나는 무척 배가 부르다, 더 이상 못 먹겠다. ③ 보동보동한, 보동보동 살찐.

réplica *f.* ① 반론, 항변. ② 말대답, 말대꾸. ③ [미술] (주로, 제작자 자신에 의한) 복제, 원작의 모사. ④ [법률] (피고의 답변에 대한) 원고의 반박.

replicador, ra *adj., m.f.* =replicón.

replicar (7) *intr.* ① 반론하다, 항변하다. ② 말대답하다, 말대꾸하다. —*tr.* ① 말대답하다, 말대꾸하다. ②

[법률] (피고의 답변에 원고가) 반박하다.

replicato *m.* 항변, 이의.

replicón, na *adj., m.f.* 말대꾸 잘하는 (사람).

repliegue *m.* ① 주름, 구김살. ② 퇴각, 후퇴, 철퇴. ③ (토지의) 기복.

repoblación *f.* ① 식림(植林). ② (치어의) 방류. ③ 재입식(再入植). ④ (국토 회복 전쟁 때에) 정복한 이슬람교도의 영토에 입식(入植). ¶~ *forestal* 식림.

repoblar (24) *tr.* ① 식림하다. ② 방류하다. ③ (…에) (재)입식하다. ④ (나무를) 다시 심다. ~**se** 다시 정주하다, 다시 자리잡고 살다.

repollo *m.* [식물] 양배추, 캐비지.

repolludo, da *adj.* ① 양배추 모양의. ② 땅딸막한.

reponer (61) *tr.* ① (원상으로) 다시 놓다. ② 복직시키다. ③ 보충하다. ④ 교체시키다, 경질하다. ⑤ [직설법 부정 과거일 때] 말대꾸하다. ⑥ 재상연하다, 재공연하다, 재방송하다. ~**se** ① (건강·체력을) 회복하다, 되찾다. ② 마음이 가라앉다.

reportaje *m.* ① (신문·영화 등의) 보도 기사. ② 기록 영화, 다큐멘터리 영화[프로그램]. ¶~ *gráfico* 보도 사진, 카메라 르포.

reportar *tr.* ① (행동·감정을) 억누르다, 억제하다. ② (이익·손해를) 가져오다. ③ 가져오다(traer), 가져가다(llevar). ④ *Amér.* 알리다, 보고하다, 통보하다. —*intr.* 보고를 하다. ~**se** 참다, 자제하다, 삼가다.

reporte *m.* ① (신문의) 기사. ② 보고, 리포트. ③ 소문. ④ 석판 교정쇄(石版校正刷).

reportear *tr.* 취재하다.

reporteril *adj.* 보도 기자의[에 관한], 보도 기자 직의[에 관한].

reporterismo *m.* 보도 기자의 직(무).

reportero, ra *adj.* 보도에 전념하는. —*m.f.* 보도 기자, 리포터.

reposabrazos *m.* (의자의) 팔걸이.

reposacabezas *m.* (자동차 좌석의) 머리 받침.

reposadamente *adv.* 조용히, 차분하게, 침착하게.

reposado, da *adj.* 조용한, 고요한, 차분히 가라앉은.

reposapiés *m.sing.pl.* ① =escabel. ② (오토바이의) 발판, 발걸이.

reposar *intr.* ① 쉬다, 휴식을 취하다. ② 잠깐 자면서 쉬다. ③ 조용히 두다. ④ 묻혀 있다, 매장되어 있다, 잠들다. —*tr.* 쉬다: ~ la comida 식후에 쉬다, 낮잠을 자다. ~**se** ① 침전하다, 앙금이 앉다. ② 낮잠을 자다. ③ 쉬다. ④ 매장되어 있다, 잠들어 있다.

reposera *f. Arg., Par., Ur.* =tumbona.

reposición *f.* ① 복직. ② 재상연, 재공연, 재방송. ③ 대답, 회답. ④ [법률] 항변.

repositorio, ria *m.* 저장소.

reposo *m.* ① 휴식, 쉼. ② 안정, 평안. ③ 정지.

repostar *tr.* (식량·연료 등을) 보급하다: ~ gasolina (차에) 기름을 넣다. ~**se** 보급하다.

repostería *f.* ① 제과 만들기 (기술). ② 제과[과자] 제조 직. ③ 과자점, 제과점. ④ 과자[제과] 공장.

repostero, ra *m.f.* ① 제과[과자] 제조자. ② 과자[제과] 판매자. —*m.* ① (문장으로 장식된) 커다란 보[천]. ② (옛 왕실의) 양식 광 담당 직.

repoyar *tr.* =rechazar, repudiar.

repregunta *f.* [법률] 반대 심문, 재심문, 대심(對審).

repreguntar *tr.* …에 반대 심문을 하다, 대심(對審)하다.

reprehender *tr.* =reprender.

reprehensible *adj.* =reprensible.

reprehensión *f.* =reprensión.

reprendedor, ra *adj.* =reprensor.

reprender *tr.* 꾸짖다, 나무라다, 책망하다, 힐책하다.

reprensible *adj.* 비난받을 만한.

reprensión *f.* 책망, 힐책, 질책, 비난.

reprensor, ra *adj., m.f.* 꾸짖는, 나무라는, 책망하는, 힐책하는 (사람).

represa *f.* ① 둑을 막음. ② 둑. ③ 저수지. ④ 붙잡음. ⑤ 정지. ⑥ (감정의) 억제.

represalia *f.* [주로 *pl.*] 보복, 복수.

represaliado, da *adj., m.f.* 보복을 당한, 앙갚음을 받은.

represaliar (11) *tr.* 벌하다, 보복하다, 복수하다.

represar *tr.* ① (흐르는 물을) 막다. ② (나포된 선박을 적으로부터) 되찾다. ③ 제지하다, 억제하다. ~se ① 흐르는 물을 막다. ② 자신을 억제하다.

representable *adj.* ① 대표[대리]할 수 있는. ② 상연[상영·공연]할 수 있는. ③ 표현[묘사]할 수 있는, 나타낼 수 있는.

representación *f.* ① 표현, 표상(表象), 표시. ② 도상(圖像): ~ del Salvador sentado 앉아 있는 구세주 도상. ③ 상연, 상영, 공연; 흥행: primera ~ 초연. ④ 연기: ~ maravillosa 훌륭한[멋진] 연기. ⑤ [집합] 대표, 대표단. ⑥ 대표제: ~ proporcional 비례 대표제. ⑦ 대리. ⑧ 판매 대리업[대리권]: contrato de ~ 대리점 계약. ⑨ 권위, 영향력: persona de ~ 중요 인물. ⑩ 등급. ⑪ 탄원, 청원.

representador, ra *adj.* 대표하는.

representanta *f.* =comedianta, actriz.

representante *adj.* 대표하는. —*m.f.*

① 대표, 대표자. ② 대리인. ③ 판매 대리인, 판매 대리점. ④ 배우 (actor, actriz).

representar *tr.* ① 나타내다, 표현하다. ② (사람·물건이) …로 보이다: Ella *representa* unos treinta años 그녀는 서른 살 정도로 보인다. ③ 상연하다, 공연하다: ~ el Quijote 돈 끼호떼를 상연하다[공연하다]. ④ 연기하다, …로 분장하다, (배역을) 맡(아 하)다: ~ el papel de Sancho Panza 산초 빤사역을 맡아 하다. ⑤ [+para] (…에게) 의미하다. ⑥ 대표하다, 대리하다: El presidente *representa* al gobierno 대통령이 정부를 대표한다. ⑦ 상기시키다, 생각해 내게 하다, 상상하게 하다. **~se** 상상하다, 마음속으로 생각하다.

representatividad *f.* 대표성.

representativo, va *adj.* ① [+de] (…을) 나타내는, 표시하는, 표현하는: insignia [enseña] *~va de* la patria 나라를 표시하는 기장(記章). ② 대표적인: fabricante ~ de Corea 한국의 대표적인 제조원[메이커]. ③ 대표하는, 대표자에 의한: cargo ~ 대표로서의 직무. democracia ~ 대표 민주제, 간접 민주제.

represión *f.* ① 진압: ~ de la revuelta 폭동의 진압. ② 탄압, 억압: política de ~ 탄압[억압] 정책. ③ 억제. ④ [심리] 억제.

represivo, va *adj.* 탄압적인, 억압적인: educación *~va* 억압적인 교육.

represor, ra *adj.* 억압하는, 탄압하는. *—m.f.* 억압자, 탄압자.

reprimenda *f.* 꾸중, 힐책.

reprimido, da *adj.* 억압받은, 탄압받은. *—m.f.* 피억압자, 억압받은 사람.

reprimir *tr.* ① (충동 등을) 억누르다, 누르다, 참다, 억제하다: ~ la cólera [la risa] 노여움[미소]을 억누르다. ② 진압하다. ③ 억압하다, 탄압하다. ④ [심리] 억압하다. **~se** ① 자신을 억누르다[억제하다]. ② [+de] (…을) 자제하다.

reprobable *adj.* ① 비난받을 만한. ② 비난받을 수 있는.

reprobación *f.* 비난.

reprobadamente *adv.* 비난 속에, 비난조로, 비난받아.

reprobado, da *adj.* ① 신의 버림을 받은. ② 불합격의. *—m.f.* ① 신의 버림을 받은 자. ② 불합격자. *—m.* 불합격, 낙제.

reprobador, ra *adj.* 비난하는. *—m.f.* 비난자.

reprobar (24) *tr.* ① 비난하다, 반대하다. ② 불합격시키다.

réprobo, ba *adj.* ① 신에게 버림받은. ② 비난받을 만한. ③ 공동체에서 추방된. ④ =**malvado.** *—m.f.* 신에게 버림받은 사람.

reprocesado *m.* 사용을 끝낸 핵연료의 화학적 처리.

reprocesar *tr.* 재처리하다, (핵연료의) 화학적 처리를 하다: ~ el combustible consumido 사용을 끝낸 핵연료를 재처리하다[화학적 처리를 하다].

reprochable *adj.* 비난할 수 있는, 비난받을 만한.

reprochar *tr.* 비난하다, 책망하다, 타박하다. **~se** 자신을 책하다.

reproche *m.* 비난, 책망, 힐책: con un tono de ~ 비난조로, 책망조로.

reproducción *f.* ① 재현. ② (음·영상의) 재생. ③ (주로, 예술 작품의) 복제, 모사(模寫): hacer una ~ 복제를 하다, 모사하다. Se prohíbe la ~ 복제를 금함, 전재(轉載)를 금함. ④ [생물] 생식(生殖), 번식(繁殖): ~ asexual 무성 생식. ~ sexual 유성 생식. ⑤ [경제] 재생산.

reproducibilidad *f.* 재생성(再生性).

reproducir (71) *tr.* ① [+en] (…으로) 재현하다: ~ en la película el ambiente del siglo XVI 16세기의 분위기를 영화에 재현(再現)하다. ② (음·영상을) 재생하다: ~ cintas de vídeo 비디오 테이프로 (영상을) 재생하다. ③ (말을) 되풀이하다, 반복하다, 한 번 더 말하다. ④ 복사하다, 복제하다; 모사하다. ⑤ [경제] 재생산하다. **~se** ① 재현되다. ② (음·영상이) 재생되다. ③ 생식하다, 번식하다. ④ 복사되다, 복제되다, 모사되다.

reproductivo, va *adj.* ① 생식(生殖)의. ② 재생산의.

reproductor, ra *adj.* ① 재현의. ② 재생용의. ③ 생식용의, 번식용의: aparato ~ 생식기. *—m.f.* 번식용 가축, 종축(種畜). *—m.* 재생용 기기(機器).

reprografía *f.* (전자 장치 등에 의한) 복사.

reprográfico, ca *adj.* reprografía의 [에 관한]: material ~ 복사 재료. técnica *~ca* 복사 기술.

reprógrafo, fa *m.f.* reprografía 직을 가진 사람.

reps *m. fr.* 렙 ((질기고 잘 짜진 비단·양모 천; 태피스트리용(用))).

reptador, ra *adj., m.f.* 땅을 기는 (사람).

reptar *intr.* (파충류처럼) 땅을 기다.

reptil *adj.* [동물] 파충류의. *—m.* 파충류 동물. *—m.pl.* [동물] 파충류.

réptil *adj., m.* =**reptil.**

república *f.* ① 공화국(共和國): La *República* Argentina 아르헨띠나 공화국. La *República* Dominicana 도미니까 공화국. ② 공화 정치, 공화 정체. ③ 정치 단체. ④ 공적인 일. ¶ ~ *de las letras,* ~ *literaria* [집합] 문단, 문단의 사람들, 문학계.

republicanismo *m.* ① 공화주의. ② 공화 정치.

republicano, na *adj.* ① 공화국의:

constitución *~na* 공화국 헌법. ② 공화제의: gobierno ~ 공화 정부. ③ 공화주의적인. ④ 공화당의: partido ~ 공화당. —*m.f.* ① 공화주의자. ② 공화당원.
repúblico *m.* ① 정치가. ② 애국자.
repuchar *tr.* =repudiar. **~se** = cohibirse, acobardarse.
repudiable *adj.* ① 비난받을 수 있는. ② 비난할 만한.
repudiación *f.* (아내와의) 이혼.
repudiar (11) *tr.* ① (윤리적·심미적 관점에서) 거절하다, 비난하다, 부정하다. ② (아내와) 이혼하다.
repudio *m.* ① (아내와의) 이혼. ② (유산 상속의) 기권, 포기.
repudrir *tr.* 많이 썩히다. **~se** ① 많이 썩다, 썩어 빠지다. ② 수척해지다, 여위다.
repuesto, ta *adj.* (병이) 회복된, 다시 일어선. —*m.* ① (식량 등의) 비축(備蓄). ② (예비·교환용) 부품(recambio). ¶*de* ~ 예비의, 교환용의(de prevención): rueda *de* ~ 예비 타이어.
repugnancia *f.* ① 구역질, 욕지기. ② 혐오, 혐오감. ③ 반감. ④ [철학] 모순, 비양립성.
repugnante *adj.* 혐오감을 일으키는, 불쾌한.
repugnar *intr.* 혐오감을 일으키게 하다. —*tr.* 싫어하다, 혐오감을 일으키다. **~se** 대립하다, 모순되다: No *se repugna* la belleza y la inteligencia 미와 지성은 양립한다.
repulir *tr.* ① 광을 내다. ② 맵시를 내다. **~se** 멋을 부리다, 맵시[멋]를 내다.
repulsa *f.* 거절, 퇴짜, 반발; 힐책.
repulsión *f.* ① 격퇴, 거절. ② 반감. ③ [물리] 반발, 척력(斥力).
repulsivo, va *adj.* 혐오감[반감]을 일으키는, 불쾌한.
repuntar *intr.* ① 조수가 밀려들기[빠지기] 시작하다. ② (경기 등이) 만회되다, 회복되다. **~se** (포도주가) 시어지기 시작하다.
repunte *m.* (시세의) 반발; 회복.
reputación *f.* ① 평판, 세평(世評). ② 명성, 덕망, 호평: adquirir buena ~ 명성을 얻다. perder la ~ 명성을 잃다.
reputado, da *adj.* ① 평판이 좋은, 명성이 자자한. ② 유명한.
reputar *tr.* 간주하다, 평가하다. **~se** 간주되다, 평가되다.
requebrar (19) *tr.* ① 잘게 부수다. ② (여자를) 구슬리다, 설득하다. ③ 아첨하다, 아부하다.
requemamiento *m.* =resquemo.
requemar *tr.* ① 다시 굽다[태우다]. ② 많이 태우다, 눌리다: ~ el arroz 밥을 눌리다[태우다]. ③ (혀를) 쏘다, 찌르다. ④ (햇볕에) 식물을 말리다. **~se** ① 타다, 눋다. ② (입안이) 얼얼하다. ③ 볕에 그을리다. ④ (식물이) 가뭄으로 타다. ⑤ 마음이 뒤숭숭하다.
requemazón *m.* =resquemo.
requeridor, ra *adj., m.f.* 요구하는 (사람); 구애하는 (사람); 조사하는 (사람).
requerimiento *m.* ① 요구, 요청. ② 통보, 통지, 시달. ③ 구애, 구슬림, 설득.
requerir (53) *tr.* ① 요청하다, 요구하다. ② 필요로 하다. ③ 설득하다. ④ 구애하다. ⑤ 검사하다.
requesón *m.* 엉긴 우유; 연한 치즈.
réquiem *m.* [천주교] 레퀴엠, 진혼곡(鎭魂曲).
requiéscat in pace *lat.* 편히 잠드소서(que descanse en paz).
requisa *f.* ① (인원수·비품의) 점검, 검사. ② (전시의, 군대에 의한) 징용, 징발.
requisar *tr.* (군대가 전시에) 징발하다, 징용하다.
requisición *f.* (군대에 의한) 징발, 징용.
requisito *m.* ① 필요 조건. ② [철학] 요건.
requisitoria *f.* [법률] 출정 명령, 출두 청구.
res *f.* ① (가축 종류의) 네발짐승((소·양 등)). ② *Col., Ecuad., Guat., Méj., Salv.* [동물] 소: carne de ~ 쇠고기.
resaber *tr.* 아주 잘 알다.
resabiado, da *adj.* 나쁜 버릇이 든.
resabiar *tr.* 나쁜 버릇이 들게 하다. **~se** 나쁜 버릇이 들다.
resabido, da *adj.* 아는 척하는.
resabio *m.* ① 개운치 않은 뒷맛. ② 악습.
resabioso, sa *adj. Cuba, Méj.* = resabiado.
resaca *f.* ① 밀려나가는 파도. ② 숙취: mitigar la ~ 숙취를 풀다. ③ 하층민, 인간 쓰레기. ④ [상업] 역어음.
resalado, da *adj.* 매력적인, 멋진, 운치가 있는.
resaltar *intr.* ① 튀기다, 튀어 나오다. ② 빼어나다, 두드러지다. ③ 돌출하다. —*tr.* 분명하게 하다, 두드러지게 하다, 강조하다: El alcalde *resaltó* la importancia del proyecto 시장은 계획의 중요성을 강조했다.
resalte *m.* [건축] 돌출부.
resalto *m.* ① 튀어오름. ② [건축] 돌출부(resalte).
resarcimiento *m.* 손해 배상, 변상.
resarcir (2) *tr.* [+de] (…의) 손해 배상을 …에게 하다, 변상하다, 보상하다: Le *han resarcido de* los daños 그는 손해 보상을 받았다. **~se** [+de] (…의) 오명을 씻다, 설욕하다.
resbaladizo, za *adj.* ① 미끄러지기 쉬운. ② 다루기 어려운, 미묘한.

resbalador, ra *adj.* 미끄러지는.
resbaladura *f.* 미끄러져 남은 자국.
resbalamiento *m.* 미끄러지기, 미끄러져 넘어짐.
resbalar *intr.* ① 미끄러지다. ② 미끄러져 넘어지다. ③ 슬쩍 빠져 나가다. ④ (바닥 등이) 미끄러지기 쉽다. ⑤ [+a+사람] (…의) 관심을 끌지 못하다, …에게는 아무렇든[어떻든] 상관없다: A mí ese problema me *resbala* 그 문제는 나한테는 아무렇든 상관없다. ⑥ 실수하다, 잘못하다. ~**se** ① 미끄러지다: *Se* me *resbaló* 나는 미끄러졌다. ② 발이 미끄러지다: *Me resbalé* en la cuesta 나는 비탈길에서 미끄러졌다.
resbalera *f.* 미끄러지기 쉬운 장소.
resbalón *m.* ① 미끄러지기. ② 과실, 실패.
resbaloso, sa *adj.* =resbaladizo.
rescatar *tr.* ① 되찾다, 회수하다. ② 다시 사들이다. ③ (저당을) 풀다, 해제하다. ④ [+de] (위험·비참·억압 등에서) 구해 내다, 구출하다.
rescate *m.* ① 되찾음, 구출. ② (포로·인질의) 신병 인수. ③ 몸값: exigir ~ 몸값을 요구하다. ④ [보험] 해약.
rescindible *adj.* 취소 가능한.
rescindir *tr.* [법률] (계약을) 취소하다, 파기하다, 무효를 선언하다.
rescisión *f.* (계약의) 취소, 해약.
resecación *f.* 바싹 마름, 말라 죽음.
resecamiento *m.* =resecación.
resecar[1] (7) *tr.* [의학] (…의 일부를) 잘라 내다, 절제하다.
resecar[2] (7) *tr.* 많이[잘] 말리다. ~**se** 잘 마르다.
resección *f.* [의학] 잘라 내기, 절제, 절제술.
reseco, ca *adj.* ① 너무 마른, 말라 비틀어진. ② 여윈, 피골상접(皮骨相接)한. —*m.* 나무의 마른 부분.
resentido, da *adj., m.f.* 원한을 품고 있는, 앙심을 품은 (사람).
resentimiento *m.* 원한, 앙심.
resentirse (53) *r.* ① [+de·por] (…로) 노하다, 분개하다, 앙심[원한]을 품다. ② [+de] (오래된 상처 등의) 영향이 남아 있다, 아파 오다: Todavía *me resiento* de la herida 나는 아직 상처가 아프다. ③ 붕괴되고 있다, 덜거덕거리다, 약해지다: ~*se* los cimientos de la casa 집의 토대가 붕괴되고 있다.
reseña *f.* ① 신체적 특징, 인상서(人相書). ② (신문·잡지의) 단평. ③ (신문·잡지의) 서평, 신간 안내. ④ 개요, 개설(서).
reseñable *adj.* 서평을 쓸 만한.
reseñador, ra *m.f.* 단평[서평]을 쓰는 사람.
reseñar *tr.* ① …의 특징을 알리다[말하다]. ② 단평을 쓰다. ③ 서평하다, 신간 안내를 하다.
reserva *f.* ① 예약: hacer la ~ de las plazas 좌석 예약을 하다. tener ~ 예약되어 있다. ② 지정권(billete de ~): taquilla de ~*s* 지정권 발매소. ③ 비축, 예비: víveres de ~ 비상 식량. ④ 매장량: ~*s* de petróleo 석유 매장량. ⑤ (말할 때의) 신중. ⑥ 유보 (조건). ⑦ [군사] 예비역; 예비군. ⑧ [운동] 이군(二軍), 보결팀. ⑨ [경제] 준비금, 예비금, 적립금. ⑩ [천주교] 성체 원소[원료]. ⑪ (북미 인디언의) 지정 거주지. ⑫ (동물의) 자연[조수(鳥獸)] 보호구. ⑬ *pl.* (체내의 에너지 원(源)의) 저장 물질. —*m.f.* [운동] 보결 선수, 대기 선수. —*m.* 3년 이상 묵은 술[포도주]. ¶~ ***mental*** 심리 유보, 의중 유보. ~ ***nacional*** =parque nacional. ***a*** ~ ***de*** …의 속셈으로, …할 의도로, …하기 위하여, …의 목적으로. ***sin*** ~ 숨김없이, 솔직히.
reservable *adj.* 보류할 수 있는.
reservación *f.* ① 보류, 제외. ② 예비, 저축. ③ *Amér.* (장소·좌석의) 지정, 예약.
reservadamente *adv.* 내밀히, 겉으로 드러나지 않게, 비밀리에.
reservado, da *adj.* ① 예약된: mesa ~*da* (식당의) 예약석. Tengo habitaciones ~*das* [cuartos ~*s*] 나는 방을 예약해 두었다. ② 신중한, 조심스러운. ③ 기밀(機密)의, 내밀한, 비밀의: documentos ~*s* 기밀 서류. —*m.* ① 전용석, 우대석. ② (식당·차량의) 개인용 좌석[방]: ~ para no fumadores 금연석. ③ [표시] 예약석, 노약자·장애인 (보호)석, 예약필. ¶***Reservados todos los derechos*** [표시] 저작권 소유.
reservar *tr.* ① 예약하다: Quisiera ~ una habitación 방을 하나 예약하고 싶은데. ② 간직해 두다, 비축하다, 저축하다: ~ *sus* energías 힘을 비축해 두다. ③ 제외하다, 면하다: ser *reservado* de la milicia 병역을 면제받다. ④ 유보하다, 보류하다. ~**se** ① (자신을 위해) …을 간직해 두다. ② …을 자제하다.
reservista *adj.* 예비역의. —*m.f.* 예비(역)병.
reservorio *m.* [의학] 병원체 보유자.
resfriado[1] *m.* 감기: coger [atrapar·pillar] un ~ 감기 걸리다. tener ~ 감기에 걸려 있다. ¶***cocer*** alguien ***el*** ~, ***cocerse el*** ~ 감기가 낫다.
resfriado[2]**, da** *adj.* 감기 걸린: Estoy ~ 나는 감기 걸렸다.
resfriar (12) *tr.* ① 식히다, 차게 하다(enfriar). ② (정열 등을) 식히다. —*intr.* (날씨가) 추워지기 시작하다. ~**se** ① 식다, 차지다; 싸늘해지다. ② 감기에 걸리다. ③ (사랑·우정이) 식다.
resfrío *m.* ① 식히기, 냉각. ② 감기.

resguardar *tr.* 지키다, 보호하다; 방어하다, 막다. ~**se** 몸을 지키다, 참고 견뎌 내다: ~*se de*l frío 추위를 참고 견뎌 내다.
resguardo *m.* ① 보호; 방어. ② 수령증, 수취증. ③ (입장권의) 반액표. ④ (하물의) 보관증: ~ de la carta certificada 등기 우편 보관증. ⑤ 보증서.
residencia *f.* ① 거주(居住): ~ en familias 홈스테이 ((외국 유학생이 일반 가정에서 지내기)). ② 거주지. ③ 거주권; 거주 허가(permiso de ~). ④ (주로, 고급) 주택, 저택; 관저(~ oficial). ⑤ 학생 기숙사. ⑥ (노인・고아・노숙자 등의) 수용 시설. ⑦ (수도회 등의) 거주 시설. ⑧ (공적인 저렴한) 숙박 시설. ⑨ (입원 설비가 있는) 병원.
residencial *adj.* (지역이 주로 고급인) 주택용의: zona ~ (고급) 주택지. —*m.(f.)* [주로 *AmérM.*] 숙박 시설, 싼 호텔, 여인숙.
residenciar (11) *tr.* 조사[연구]하다.
residente *adj.* 거주하는, 주재하는. —*m.f.* ① 거주자. ② 외국인 거류자. ③ 주재 공사. ④ 전공의(專攻醫), 레지던트.
residir *intr.* ① 거주하다, 거류하다, 살다. ② (난점・문제 등이) …에 있다, 존재하다: La dificultad *reside en* esto 어려움은 이 점에 있다.
residual *adj.* 남은, 나머지의, 잔재의, 찌꺼기의, 잔류의, 폐…: aguas ~*es* 하수, 오수, 폐수. gas ~ 잔류 가스, 폐가스. radiación ~ 잔류 방사선.
residuo *m.* ① 나머지, 남은 것, 찌꺼기. ② [주로 *pl.*] [기술] 잔재, 잔류물, 폐기물: ~*s* nucleares 핵폐기물. ~*s* radiactivos 방사성 폐기물. ~*s* tóxicos 유독 폐기물. ③ [수학] 나머지. ④ [화학] 잔류물, 부산물, 잔재(殘滓).
resignación *f.* ① 사임, 사직. ② 단념, 체념. ③ (긴급할 때 등의, 권력・임무의) 이양.
resignadamente *adj.* 체념하여, 단념하여, 포기하여.
resignar *tr.* ① 사직하다, 사임하다. ② (권력・임무 등을) 인도하다, 이양하다. ~**se** ① [+con・a] (…을) 감수하다, 체념하다, 단념하다: ~*se a* morir 죽음을 각오하다. ② [+a+*inf.*] 체념[단념]하여 …하다: *Me resigné a* salir solo 나는 체념하고 혼자 떠났다.
resina *f.* 송진, 수지(樹脂).
resinar *tr.* (나무에서) 송진[수지]을 채취하다.
resinoso, sa *adj.* ① 수지를 분비하는. ② 수지 모양의.
resistencia *f.* ① 저항, 반항: una gran ~ *al* enemigo 적에게 격렬한 저항. ② 지구력, 저항력; 내구성: ~ *al* fuego 내화성. ③ [역사] [R~] 레지스탕스, 지하 저항 운동. ④ [물리] 저항: ~ del aire 공기 저항. ⑤ [전기] 전기 저항; 저항기, 전열선. ¶~ *pasiva* (파업 등에 의한) 소극적 저항.
resistente *adj.* [+a] (…에 대한) 저항력[내구성]이 있는: ~ *al* agua 방수(防水)의. materia ~ 내구성이 있는 소재. —*m.f.* 레지스탕스 멤버.
resistir *tr.* ① …에 참다, 견디다, 견뎌 내다, 억누르다: ~ el calor 열에 견디다, 내열성이 있다. ~ el impulso 충동을 억누르다. ② (욕망 등을) 물리치다, 격퇴하다. —*intr.* ① [+a] (…에) 저항하다. ② 참아 내다, 견뎌 내다: no ~ nada 전혀 지구력이 없다. ~**se** ① 저항하다: ~se al invasor 침략자에게 저항하다. ② [+a+*inf.*・que+*subj.*] 반대하다, 거절하다, …하려 하지 않다: *Me resisto a* creerlo 나는 그것을 믿지 않는다.
resistividad *f.* [전기] 고유 저항.
resma *f.* (종이의) 한 연(連) ((500장)).
resol *m.* 일광의 반사.
resoli, resolí *m. Cuen.* =rosoli.
resollar (24) *intr.* ① (색색・헉헉) 숨쉬다, 호흡하다, (후 하고) 숨을 내쉬다, 천식 환자처럼 씩씩거리다. ② (오래 침묵하던 사람이) 입을 열다, 침묵을 깨뜨리다. ③ (아무 것도 모르고 있던 사람에게) 소식을 전하다.
resolución *f.* ① 결심, 결의, 각오: estar firme en *su* ~ 결심이 확고하다. ② 결정. ③ 조치. ④ 판단력. ⑤ 해결; 해명: ~ de un problema 문제의 해결. ⑥ 해답; 해소: ~ de la crisis 위기의 해소. ⑦ [법률] 재정(裁定)(~ judicial). ⑧ [광학] 분해능(分解能), 해상(解像), 해상력, 해상도. ⑨ [텔레비전] 선명도, 해상도(解像度). ⑩ [의학] (종양・염증 등의) 용해(溶解), 소산(消散), 삭아 없어짐. ¶*en* ~ 요약하면, 간략히 말하면, 결국(은).
resolutivo, va *adj.* ① 분해의, 용해의. ② (종기를) 가라앉히는. —*m.* [의학] 용해제, 소산제, 고름을 삭히는 약.
resoluto, ta *adj.* 결단력이 있는, 결심[결의]이 굳은.
resolutorio, ria *adj.* ① 해결하는. ② 결단하는.
resolver (25) *tr.* ① 해결하다: ~ un asunto 문제를 해결하다. ② 해소하다. ③ 풀다: ~ una ecuación 방정식을 풀다. ~ un problema 문제를 풀다. ④ 결심하다, 결정하다, 결의하다: Ellos *resolvieron* separarse 그들은 갈라지기로 결심했다. ⑤ (종양・염증 등을) 가라앉히다, 삭아 없어지게 하다. ⑥ (물질을) 분해하다. ⑦ 요약하다. —*intr.* 결정을 내리다. ~**se** ① 해결되다. ② 해소되다. ③ 풀리다. ④ [+a · por] (…을) 결심하다, 각오하다.
resonador *m.* 공명 상자, 공명기.
resonancia *f.* ① 반향, 울림, 여운. ② [물리] 공명. ③ [전기] 공진.
resonante *adj.* ① 울리는, 반향하는, 잘 울리는. ② 현저한.
resonar (24) *intr.* 울리다, 울려 퍼지다, 반향하다, 공명하다.
resoplar *intr.* (헉헉) 숨을 쉬다, 숨을 헐떡거리다.
resoplido *m.* 거친 숨소리, 헐떡거림.
resoplo *m.* =**resoplido.**
resorber *tr.* 다시[충분히] 흡수하다.
resorción *f.* 재흡수, 흡수 작용.
resorte *m.* ① 용수철, 스프링, (시계의) 태엽. ② 탄력, 탄성. ③ 수단.
respaldar[1] *m.* ① 의자의 등받이. ② (나무에서) 수액 유출.
respaldar[2] *tr.* ① 이서(裏書)하다. ② 보호하다, 원조하다, 보증하다. ~**se** ① (의자 등에) 등을 기대다. ② [수의학] =**desespaldarse.**
respaldo *m.* ① (의자의) 등, 등받이. ② 원조, 후원, 지원, 보호. ③ (종이의) 뒷면. ④ [상업] 이서, 배서, 보증.
respe *m.* ① =**résped.** ② 벌의 침.
respectar *intr.* ① =**respetar.** ② =**tocar, pertenecer, atañer.** ¶***por lo que respecta a*** algo …에 관해서는.
respectivamente *adv.* 제각기, 각각, 각자, 저마다.
respective *adv.* =**respectivamente.**
respectivo, va *adj.* 저마다의, 각각의, 각자의, 제각기의: asistir al acto acompañados de *sus ~vas* esposas 각자의 부인 동반으로 식전에 참석하다. Cada profesor estaba en su aula *~va* 각 교수는 각자의 강의실에 있었다. Los alumnos iban acompañados de sus *~s* profesores 학생들은 각자의 선생님들을 동반하고 갔다.
respecto *m.* 관계, 관련, 상관. ¶***al ~*** 그 일에 관하여. ***con ~ a, con ~ de*** =**respecto a.** ***~ a, ~ de*** …에 관하여: *Respecto a* mí, no necesito tu ayuda 나(에 관해서)는 네 도움이 필요없다.
résped *m.* ① 뱀의 혀. ② (말 속에 담긴) 가시, 나쁜 의도.
réspede *m.* =**résped.**
respeluzar (9) *tr.* 머리카락을 흩트리다. ~**se** 머리카락이 헝클어지다.
respetabilidad *f.* 위엄, 관록.
respetable *adj.* ① 존중[존경]할 만한, 훌륭한. ② 귀하의, 귀(貴)…: su ~ gobierno 귀정부. ③ 상당한, 꽤 많은: cantidad ~ 상당량, 꽤 많은 양. hallarse a ~ distancia 상당한 거리에 있다. —*m.* [집합] 관객[관중].
respetador, ra *adj.* 존경[존중]하는.
respetar *tr.* ① 존경하다: ~ a los ancianos 노인을 존경하다. Ella es *respetada* por todos 그녀는 모두에게 존경을 받고 있다. ② 존중하다: ~ los derechos humanos 인권을 존중하다. ~ la opinión ajena 다른 사람의 의견을 존중하다. ~ el semáforo 신호를 지키다.
respetivo, va *adj.* =**respetuoso.**
respeto *m.* ① 존경, 경의: Tengo ~ a mi profesor 나는 내 선생님을 존경한다. ② 존중, 중시, 준수: ~ a las leyes 법의 준수. ③ 참작, 고려. ④ 예비: coche de ~ 예비 자동차. piezas de ~ 예비 부품. ⑤ =**miedo.** ⑥ [고어] =**respecto.** ⑦ [은어] =**espada.** ⑧ [은어] (다른 사람과) 불륜 관계에 있는 사람. ⑨ *pl.* 인사: Presenta mis *~s* a tus padres 네 부모님께 내 안부[인사]를 전해라. ¶***~s humanos*** 여론에 대한 지나친 고려, 세상에 대한 의리. ***campar*** alguien ***por*** su ~ [***por*** sus ***~s***] 멋대로 굴다, 하고 싶은 대로 하다.
respetuosamente *adv.* 정중하게, 공손히.
respetuosidad *f.* 정중함, 공손함.
respetuoso, sa *adj.* ① 공손한, 정중한, 존경심이 있는, 공경하는, 경의를 표하는: hablar en tono ~ 정중한 어조로 말하다. ser ~ con la ley 법률을 존중하다. Ella es muy *~sa* para *con* sus superiores 그녀는 연장자[상사]를 무척 공경한다. ② 존경할 만한.
respigón *m.* ① 손거스러미. ② [의학] (여자의) 젖앓이. ③ [수의학] 말의 발바닥 종양.
respingar (8) *intr.* ① (동물이) 으르렁거리며 몸부림치다. ② (치마 · 소매가) 걷혀 올라가다. ③ 뾰루퉁하다, 못마땅해 하다.
respingo *m.* ① (동물의) 몸부림. ② 말려 올라가기. ③ 말려 올라간 옷자락. ④ 뾰루퉁함, 못마땅해 함.
respingón, na *adj.* (특히, 몸의 일부가) 위로 젖혀진, 위로 치켜 오른: culo ~ 위로 올라붙은 궁둥이. nariz *~na* 들창코.
respirable *adj.* ① 숨 쉴 수 있는, 호흡할 수 있는. ② 숨 쉬기에 적당한, 호흡해도 되는: aire ~ 숨 쉬기에 적당한 공기.
respiración *f.* ① 숨쉬기, 호흡: ~ artificial 인공 호흡. ~ asistida 인공 호흡 장치에 의한 호흡. ~ cutánea 피부 호흡. ~ pulmonar 폐호흡. ② 환기, 공기의 드나듦: cuarto sin ~ 창이 없는 방.
respiradero *m.* ① 공기 구멍, 환기통, 공기통. ② (일터에서) 잠깐 쉼, 숨을 돌림, 휴식. ③ 호흡기, 호흡 기관.
respirador, ra *adj.* ① 숨 쉬는, 호흡

하는, 호흡의. ② [해부] 호흡기의: órgano ~ 호흡 기관. *—m.* 인공 호흡 장치(~ artificial).

respirar *intr.* ① 숨을 쉬다, 호흡하다: ~ con dificultad 어렵게[간신히] 숨을 쉬다. ~ fuerte [con fuerza · hondo · a fondo · profundamente] 심호흡을 하다. Ella aún *respira* 그녀는 아직 숨을 쉬고 있다. ② (큰 일 · 곤란 등의 뒤에) 숨을 내쉬다, 한숨 놓다, 안심하다. ③ 쉬다, (일에서) 숨을 돌리다, 잠깐 휴식을 취하다. ④ [주로 부정문에서] 말하다, 발언을 하다: Antonio no *respiró* 안또니오는 한 마디도 하지 않았다. *—tr.* ① 호흡하다, 빨아들이다. ② (냄새를) 풍기다, 발산하다. ③ (넘치는 감정을) 나타내다. ¶***no dejar*** ~ a alguien (누구를) 가만히 두지 않다, 한시도 쉬게 두지 않다. ***no poder (ni)*** ~ ㉮ 일이 많다, 많은 일을 가지고 있다, 쉴 틈도 없이 바쁘다. ㉯ 매우 피곤하다. ***sin*** ~ ㉮ 숨 쉴 짬도 없이, 쉬지 않고. ㉯ 열중해서, 무척 주의를 기울여, 몰두하여, 숨소리도 내지 않고: mirar [escuchar] *sin* ~ 열중해서 보다[듣다]. ver la película *sin* ~ 쥐 죽은 듯이 영화를 보다.

respiratorio, ria *adj.* 호흡(呼吸)의: aparato ~ 호흡기.

respiro *m.* ① (일의) 숨돌림, 휴식, 휴게. ② 호흡. ③ (걱정 · 고통에서의) 안도, 평온함, 위안.

resplandecer (31) *intr.* ① 빛나다, 번쩍이다. ② 뛰어나다, 빼어나다, 훌륭하다. ③ (기쁨 · 만족으로) 얼굴을 빛내다, 얼굴이 밝다.

resplandeciente *adj.* 번쩍번쩍 빛나는, 찬란히 빛을 내는: sol ~ 찬란히 빛나는 태양.

resplandor *m.* (강한) 빛, 광휘, 광채: ~ del sol 일광(日光).

respondedor, ra *adj., m.f.* 대답하는 (사람).

responder *tr.* ① (질문 · 제안에) 답하다, 대답하다. ② (부름 · 노크에) 답하다. ③ 응하다. ④ (다른 사람이 노래하거나 낭송하는 것에) 답하다. *—intr.* ① 대답하다, 답하다: ~ rápido 빨리 대답하다[답하다]. ② [+a] (…에) 응답하다, 응하다, 반응하다, 대응하다. ③ 감사를 표하다. ④ [+de] (…에 대해) 책임을 지다, 보증하다. ⑤ [+por+사람] (…의) 보증인이 되다. ⑥ (명령 등에) 따르지 않다, 반론하다. ⑦ [+a+명칭] (…라고) 불리다, …라는 이름이다: ~ *a* Carmen 까르멘이라 불리다, 까르멘이라는 이름이다.

respondón, na *adj.* 말대답[말대꾸] 잘하는. *—m.f.* 말대답 잘하는 사람.

responsabilidad *f.* ① 책임, 책무, 의무: ~ civil 민사 책임. ~ criminal, ~ penal 형사 책임. ~ limitada 유한 책임. cargo de mucha ~ 책임이 막중한 지위. ② 책임감(sentido de ~).

responsabilizar (9) *tr.* [+de] (…의) 책임을 …에게 지우다[전가시키다]. **~se** 책임을 지다, 책임이 있다.

responsable *adj.* ① [+de] (…에) 책임이 있는, 책임을 져야 할: persona ~ 책임자. Cada cual es ~ de sus actos 각자는 자신의 행동에 책임이 있다. ② 책임감이 있는, 사려(思慮)가 있는: actitud ~ 책임(감) 있는 태도. Es un chico muy ~ para su edad 그 아이는 나이에 비해 책임감이 강하다. *—m.f.* 책임자.

responso *m.* ① [종교] 죽은 사람을 위한 기도. ② 힐책.

respuesta *f.* ① (호출 · 질문 · 제안에) 대답, 회답, 응답: dar ~ a la pregunta 질문에 답하다. ② (편지의) 회신, 반신(返信): ~ pagada 반신료 선불. ③ 해답. ④ [법률] 반론(反論): derecho de ~ 반론 게재권(揭載權). ⑤ [생리 · 심리] (자극에 대한) 반응.

resquebradura *f.* =resquebrajadura.

resquebrajadizo, za *adj.* 쉽게 깨지는, 금이 가기 쉬운.

resquebrajadura *f.* 균열, 갈라진 틈.

resquebrajamiento *m.* =resquebrajadura.

resquebrajar *tr.* (표면에) 금이 가게 하다. ~se (표면에) 금[균열]이 가다[생기다].

resquebajo *m.* =resquebrajadura.

resquebrajoso, sa *adj.* 쉽게 깨지는, 쉽게 깨질 수 있는.

resquebrar *intr.,* **~se** 깨지기[금이 가기] 시작하다.

resta *f.* ① [수학] 뺄셈. ② 나머지.

restablecer (31) *tr.* (원상태로) 되돌리다, 회복시키다: ~ el orden 질서를 회복시키다. ~ las relaciones diplomáticas 국교(國交)를 회복시키다. **~se** 되찾다, 회복하다.

restablecimiento *m.* ① 회복: ~ del enfermo 환자의 회복. ② 부흥, 복귀, 부활: ~ de la democracia 민주주의의 부활.

restallar *intr.* ① 채찍을 내두르다. ② 삐걱거리다.

restante *adj.* 남은, 나머지의. *—m.* 나머지, 찌꺼기.

restañar[1] *tr.* 주석(朱錫)으로 다시 도금하다.

restañar[2] *tr.* (액체의) 유출을 막다, 유입을 막다; (특히) 지혈(止血)시키다. *—intr.,* **~se** 피가 멈추다.

restañar[3] *intr.* =restallar.

restaño *m.* 지혈(止血).

restar *tr.* ① [+de] (수를 …에서) 빼다, 공제하다: ~ tres *de* diez 10에서 3을 빼다. ② [+a] (…에게서) 제거하다, 없애다: ~ a *alguien* méritos …의 공적을 없애다. ③ (공을) 되던지다, 받아 치다. *—intr.* ① (뺄셈에서) 남다: Veinte entre tres son seis y *restan* dos 20 나누기 3은 6 나머지 2다. ② 존속하다. ③ [+para] (…까지는) 아직 있다: *Restan* aún ocho días para las vacaciones de verano 여름 방학까지는 아직 일주일 남아 있다.

restauración *f.* ① 복원, 수복(修復): estar en ~ 복원 중이다. ② 부활, 재흥(再興). ③ [역사] [R~] 알폰소 12세에 의한 왕정 복고: ~ de la monarquía 왕정 복고.

restaurador, ra *adj.* ① 복원[부흥·복위]하는. ② 식당을 운영하는[소유한]. *—m.f.* ① 미술품 복원가. ② 식당 주인.

restaurante *m.* 식당, 레스토랑.

restaurantero, ra *m.f. Méj.* 식당 주인(食堂主人).

restaurar *tr.* ① 되찾다, 회복하다. ② (이전의 상태로) 되돌리다. ③ (고미술품 등을) 복원하다.

restinga *f.* 여울, 암초.

restitución *f.* 반환, 되돌려 줌.

restituible *adj.* ① 반환할 수 있는. ② 복원할 수 있는.

restituidor, ra *adj., m.f.* 반환하는 (사람); 복원하는 (사람).

restituir (77) *tr.* ① 반환하다, 되돌려 주다. ② 복원하다. ~**se** [+a] (출발점·원래 직장 등으로) 되돌아가다, 복귀하다.

resto *m.* ① 나머지, 남은 부분. ② 잔액, 잔금. ③ *pl.* 먹다 남은 밥. ④ *pl.* 송장, 유체(遺體), 유해. ⑤ *pl.* 폐허, 잔해. ⑥ [수학] (뺄셈의) 나머지. ⑦ [수학] (나눗셈의) 나머지. ⑧ (테니스 등, 공의) 되던지기, 받아치기.

restojo *m.* =rastrojo.

restorán *m.* =restaurante.

restregadura *f.* ① 문지르기. ② 문지르고 남은 자국.

restregamiento *m.* 문지르기.

restregar (8) (19) *tr.* 많이[열심히] 문지르다. ~**se** (자신의 몸의 일부를) 문지르다: *~se* los ojos 눈을 문지르다.

restregón *m.* ① 문지르기. ② 문지르고 남은 자국.

restricción *f.* ① 제한: ~ de la producción 생산 제한. *restricciones* de agua 급수 제한. *restricciones* de empleo para los extranjeros 외국인의 고용 제한. ② *pl.* (식량 등의) 공급 제한. ③ 제약, 유보.

restrictivo, va *adj.* 제한하는, 규제하는: medida *~va* 규제 조치.

restringible *adj.* 제한할 수 있는.

restringir (4) *tr.* ① 제한하다, 제약하다: ~ los créditos 융자를 제한하다. ~ la libertad 자유를 제약하다. ② [생리] (근육을) 수축하다.

restriñidor, ra *adj.* 수축하는.

restriñimiento *m.* 수축.

restriñir (20) *tr.* 수축시키다.

resucitación *f.* 소생, 부활, 기사 회생, 의식 회복: ~ cardiopulmonar 심폐 기능 회복법.

resucitar *tr.* 소생시키다, 부활시키다. ~**se** 소생하다, 부활하다.

resueltamente *adv.* 결연히, 단호하게.

resuelto, ta *adj.* ① 단호한, 결연한, 결의에 찬. ② [+a+*inf.*] (…할 것을) 결심한, 각오한: estar ~ a retirarse 은퇴를 결심하고[각오하고] 있다. ③ 풀린; 녹은; 해결된: Ese asunto estará ~ dentro de un día 그 건은 하루 안에 해결될 것이다.

resulta *f.* [주로 *pl.*] 결원, 공석.

resultado *m.* ① 결과, 성과: ~ de la operación 수술 결과. ~ de los esfuerzos 노력의 결과[성과]. ② (시험 등의) 결과, 성적: anunciar el ~ del examen 시험 결과를 발표하다. ③ (계산의) 결과.

resultando *m.* [법률] (판결의) 이유(조항).

resultar *adj.* ① 결과로 생기는. ② (기계에서) 합성적인. *—f.* [물리] 합력(合力).

resultar *intr.* ① [+de] (…의) 결과다, …에서 생기다. ② …의 결과로 되다: Todos los esfuerzos *resultaron* vanos 모든 노력은 수포로 돌아갔다. ③ (일반적으로) 결과가 좋다. ④ [+*inf.*] (…이라는 것이) 판명되다. ⑤ [+a+금액] 들다, …이다: El terreno *resulta a* mil euros el metro 토지는 1평방미터당 천 유로다. ⑥ [3인칭 단수로, +que+*ind.*] (의외로) …라는 결과가 되다. ⑦ [+en] (…의) 결과를 가져오다. ⑧ (사람이 육체적으로) 매력적이다.

resultón, na *adj.* (주로, 여성·자동차 등이) 매력적인, 근사한, 멋있는.

resumen *m.* 요약, 개요(槪要): ~ del contrato 계약의 개요. ¶*en* ~ 요컨대, 결국; 요약하면.

resumir *tr.* 요약하다, 개괄하다: ~ un discurso 연설(의 내용)을 요약하다. ~**se** ① 요약되다. ② (예기치 않은) 결과로 끝나다: *~se en* un fracaso 실패로 끝나다[돌아가다].

resurgimiento *m.* 재현; 부활, 소생; 재기, 재생.

resurgir (4) *intr.* ① 재현하다, 다시 나타나다. ② 부활하다, 소생하다, 되살아나다.

resurrección *f.* ① 부활, 되살아남: ~ del Señor 그리스도의 부활. ~ de la carne (최후의 만찬에서의) 사자 부활. ② [기독교] [R~] 부활절.

retablo *m.* ① 제단 배후의 장식 벽. ② 제단화(祭壇畵). ③ 종교극.

retador, ra *adj.* 도전하는, 도전적인. *—m.f.* 도전자.

retaguardia *f.* ① [군사] 후위, 후미[후방] 부대. ② [군사] (전선에 대해) 후방 지역. ③ (일반적으로) 배후: atacar por la ~ 배후에서 공격하다. ④ 최후, 최종의 것. ¶*a ~, a la ~* 최후에, 마지막 자리에, 뒤쳐져서, 뒤따라: ir *a* ~. 뒤쳐져서 가다, 마지막에 가다. estar *a* ~ 마지막 (자리)에 있다. ***a ~ de*** …의 뒤에 (detrás de). ***en ~*** =a retaguardia.

retahíla *f.* 연속, 계속, 일련.

retajadura *f.* 둥글게 자르기.

retajar *tr.* ① 둥글게 자르다. ② (글을 쓰기 위해 깃털 펜을) 다시 깎다. ③ 할례를 하다.

retal *m.* (천 등의) 조각, 자투리.

retar *tr.* ① (결투 등을) 도전하다, 싸움을 걸다. ② 꾸짖다, 나무라다; 비난하다.

retardación *f.* 지체, 지각, 지연.

retardador, ra *adj.* 지체하는, 어물거리는.

retardar *tr.* 지체시키다, 지연시키다; (속력을) 늦추다; 더디게 하다. ~**se** 지체하다, 지연되다, 어물거리다.

retardo *m.* 지체, 지연.

retasación *f.* 재평가.

retasar *tr.* 재평가하다.

retazar (9) *tr.* ① 조각내다. ② (큰 짐승떼를) 작은 무리로 나누다.

retazo *m.* ① 천의 조각. ② (무엇이건) 조각. ③ (연설 등의) 단편.

retejado *m.* 지붕 수리.

retejador *m.* 지붕 수리 담당자.

retejar *tr.* ① (없어진 기와를 이며) 지붕을 수리하다. ② (가난한 사람에게) 옷[신발]을 주다.

retel *m.* (게 잡이용) 그물.

retemblar (19) *intr.* 떨다, 진동하다.

retén *m.* ① (출근·대기하는) 반, 일단(一團). ② 예비, 준비.

retención *f.* ① [주로 *pl.*] 교통 정체. ② 보류, 보유. ③ (지급 전에 돈의) 공제; 원천 징수. ④ [의학] 정체(停滯), 분비 폐지(分泌閉止). ⑤ 기억; (데이터의) 보존. ⑥ [법률] 유치, 구치, 감금.

retenedor, ra *adj.* 보존하는, 간직하는; 보유하는; 억류하는.

retener (59) *tr.* ① 제지해 두다, 만류하다, 말리다. ② (돈을) 공제하다. ③ (감정을) 억제하다. ④ 기억해 두다, 기억하다. ⑤ 유치하다, 구류하다. ~**se** (자신의 행동·감정을) 억누르다, 억제하다.

retenida *f.* 동아줄, 버팀줄; 버팀대.

retenidamente *adv.* 억류하여, 놓아주지 않고, 붙잡아 놓고.

retenimiento *m.* =retención.

retentar (19) *tr.* ① (병·고통·당했던 사고가) 다시 위협하다, 재발할 듯하다. ② [투우] 반복해서 검사를 실시하다.

retentivo, va *adj.* 보유력이 있는, 기억력이 좋은. —*f.* 기억, 기억력.

RETEVISION *f.* *Re*d *T*écnica *E*spañola de Tele*visión* 스페인 텔레비전 기술 보급 공사.

reticencia *f.* 고의로 말을 빠뜨리기.

reticente *adj.* 고의로 말을 빠뜨리는.

retícula *f.* [광학] 망선(網線).

reticular *adj.* [해부] 그물 모양의, 망상(網狀)의, 망상 조직의.

retículo *m.* ① [해부] 망상 조직. ② (반추동물의) 두 번째 위.

retienta *f.* [투우] 반복 검사, 검사의 반복.

retina *f.* [해부] 망막(網膜).

retintín *m.* ① (귀에 남은 종 등의) 여운, 땡땡 울리는 종소리. ② (악의의) 빈정거림, 비꼼.

retinto, ta *adj.* 아주 짙은 밤색의 (동물).

retirada *f.* ① [군사] 퇴각, 철수. ② 제거. ③ (자금 등의) 회수. ④ (제안·허가 등의) 취소, 정지: ~ del carné de conducir 운전 면허 취소[정지]. ⑤ (결함 상품의) 리콜, 회수. ⑥ 은퇴. ⑦ (경주 등에서의) 기권(棄權).

retiradamente *adv.* 들어박혀, 숨어서, 비밀리에, 살그머니.

retirado, da *adj.* ① 들어박힌, 숨은: vivir una vida ~*da* 은둔 생활을 하다. ② 은퇴한, 퇴직한, 퇴역의: oficial ~ 퇴역 장교. ③ 외진, 인적이 드문, 떨어진: casa ~*da* 아주 외진 (곳에 있는) 집. —*m.f.* 은퇴한 사람, 정년 퇴직자.

retirar *tr.* ① 철수시키다, 퇴각시키다. ② 제거하다, 치우다: *Retira* tus cosas *de* esta habitación 이 방에서 네 물건을 치워라. ③ (결함 상품을) 회수하다, 리콜하다: ~ los coches defectuosos de la circulación 결함이 있는 차를 회수하다[리콜하다]. ~ a *alguien* el carné de conducir …에게서 운전 면허증을 회수하다. ④ 퇴직시키다, 은퇴시키다. ⑤ (앞에 한 말 등을) 철회하다, 취소하다: ~ la promesa 약속을 취소하다. ⑥ 먼 곳에 두다, 인적이 드문 곳에 설치하다. ~**se** ① 몸을 피하다, 비켜서다. ② 은퇴하다, 퇴직하다. ③ 들어박히다, 은둔하다. ④ 퇴출하다, 퇴석(退席)하다. ⑤ 물러가다. ⑥ 퇴각하다, 철수하다; 후퇴하다. ⑦ (경기 등에서) 기권하다. ⑧ (전화를) 끊다: No *te retires* 끊지 마라.

retiro *m.* ① 은거, 한거(閑居). ② 은퇴, 퇴직: edad de ~ 정년. ③ 연금, 은급(恩級). ④ 인적이 드문 장소. ⑤ (예금의) 인출. ⑥ [종교] 묵상.

reto *m.* ① 도전, 도발. ② 위협적인 말[행동]. ③ =**regañina.**

retocar (7) *tr.* ① (그림 등을) 수정하다, 고치다, 가필하다: ~ un cuadro 그림에 가필하다, 그림을 수정하다. ~ una fotografía 사진을 수정하다. ~ el maquinilla a

alguien (…의) 화장을 고치다. ② 다시 손을 대다, 몇 번이고 만지다. ~**se** (자신의) 화장을 고치다.
retomar *tr.* 다시 시작하다.
retoñar *intr.* ① 다시 싹이 나다. ② 재생(再生)되다.
retoño *m.* ① 싹, 움, 어린 가지. ② (특히) 어린 아들.
retoque *m.* ① (그림・사진 등의) 수정, 손질, 가필. ② (병의) 징후.
retorcer (1) (25) *tr.* ① 꼬다, 비틀다, 쥐어짜다: ~ a *alguien* el brazo (…의) 팔을 비틀다. ~ la toalla muy bien 수건을 아주 잘 짜다. ② 반론(反論)하다. ③ (진의를) 왜곡하다. ~**se** ① 꼬이다, 서로 엉키다[얽히다], 뒤얽히다. ② 몸을 비틀다, 몸부림치다.
retorcido, da *adj.* ① 꼬인, 비틀린. ② (문체 등이) 매우 복잡한, 난해(難解)한.
retorcimiento *m.* ① 꼬기, 비틀기. ② 곡해, 왜곡. ③ 몸부림, 뒹굴기.
retórica *f.* ① 수사학(修辭學). ② 미사여구. ③ 궤변, 그럴싸한 말.
retoricadamente *adv.* 수사적으로.
retóricamente *adv.* 수사학적으로.
retórico, ca *adj.* ① 수사학의[에 관한], 수사적인. ② 수사학에 조예가 깊은. —*m.f.* 수사학자.
retornable *adj.* (용기・빈병 등을) 재활용할 수 있는.
retornamiento *m.* 반환, 상환, 반려, 되돌림.
retornar *tr.* ① 되돌려 주다, 반환하다. ② 다시 꼬다[비틀다]. ③ 되돌아서게 하다. —*intr.*, ~**se** (있었던 곳으로) 되돌아가다, 되돌아오다, 왔던 길로 다시 가다, 원점으로 돌아가다.
retornelo *m.* [음악] 후렴.
retorno *m.* ① 반환, 복귀, 귀환. ② 반환, 상환. ③ 보답, 보상. ④ 교환. ⑤ [컴퓨터] 리턴.
retorsión *f.* ① 비틀기. ② 보복.
retorta *f.* (화학 실험용) 증류기.
retortero *m.* (주변을) 돌기, 빙글빙글 돌기. ¶*al* ~ =**alrededor.** *andar al* ~ (불안해서) 왔다갔다 하다.
retostado, da *adj.* (아주 많이 탄 물건처럼) 새까만, 새까만 빛깔의.
retostar *tr.* ① 다시 굽다[볶다・태우다]. ② 많이 굽다[볶다・태우다].
retozar (9) *intr.* ① (기뻐서) 깡충깡충 뛰다, 어찌할 바를 모르다. ② (다른 사람들과) 장난하다. ③ (다른 성의 사람과) 시시덕거리다. ④ (감정이) 속으로 타다.
retracción *f.* 수축; 감소.
retractable *adj.* 취소할 수 있는, 취소 가능한.
retractación *f.* 철회, 취소; (자금의) 회수.
retractar *tr.* 철회[취소]하다. ~**se** [+de] (앞에 한 말을) 취소하다.
retráctil *adj.* ① [동물] 오므려 감출 수 있는, 움츠릴 수 있는, 수축성의. ② (바퀴 등의) 격납식의.
retracto *m* 취소: ~ de autorización 인가 취소.
retraer (72) *tr.* ① (몸의 일부를) 수축시키다, 오므리다. ② 단념하게 하다, 사퇴시키다. ~**se** ① 은둔하다. ② 은퇴하다. ③ 단념하다. ④ (수요 등이) 감소되다. ⑤ (정당 활동 등이) 활발하지 못하다.
retraído, da *adj.* ① 고독을 즐기는. ② 내성적인, 소극적인. ③ 몸을 숨긴[피한].
retraimiento *m.* ① 단념. ② 은둔. ③ 피난처, 은둔처. ④ 은퇴. ⑤ 내성적인 성격.
retranca *f.* ① (말의) 껑거리끈. ② 저의(底意).
retransmisión *f.* ① (라디오・텔레비전의) 중계방송: ~ vía satélite 위성 방송. ~ de un concierto en directo [en diferido] 콘서트 생[녹화] 중계 (방송). ② 재방송.
retransmisor *m.* 송신기, 발신기.
retransmitir *tr.* ① 중계방송하다: ~ un partido de fútbol 축구 시합을 중계방송하다. ② 재방송하다.
retrasado, da *adj.* ① (사람・식물・동물이 나이에 비해) 성장이 더딘. ② (사람이) 지능의 발달이 늦은. —*m.f.* 정신 지체자.
retrasar *tr.* 늦추다, 늦게 하다, 지연시키다, 연기하다: ~ la fecha de la boda 결혼식 날짜를 연기하다. ~ el reloj cinco minutos 시계를 5분 늦추다. —*intr.* 시계가 늦다. ~**se** ① 지각하다, 늦다. ② 낙오하다.
retraso *m.* 늦음, 지연, 지체; 지각.
retratar *tr.* ① …의 초상을 그리다: hacerse ~ 자화상을 그리다. ② 사진을 찍다. ③ 정확히 묘사하다. ④ 복사하다, 베끼다, 모사하다. ⑤ 흉내내다, 모방하다. ~**se** 초상화를 그려 받다, 사진을 찍어 받다.
retratista *m.f.* 초상화가[사진가].
retrato *m.* ① 초상화, 초상 사진: ~ robot (용의자의) 몽타주 사진. ② (말에 의한) 묘사. ③ 꼭 닮음: José es el vivo ~ de su padre 호세는 아버지를 꼭 닮았다.
retrechero, ra *adj.* 매력적인.
retreparse *r.* ① 상체를 뒤로 젖히다. ② (의자에 앉아) 몸을 뒤로 젖히다.
retreta *f.* ① [군사] 퇴각 나팔. ② *CRica., Cuba.* 야외 야간 연주회. ③ *Ven.* (공공 장소에서, 군악대 등의) 연주회.
retrete *m.* ① 변소. ② 변기.
retribución *f.* 보수, 급료.
retribuir (77) *tr.* ① …에게 보수를 지불하다, 급료를 주다. ② *Amér.* (누가 받은 선물에) 보답하다.

retro- *pref.*「후방에; 다시 제자리에; 거꾸로; 재…, 역…, 반…, 퇴…」의 뜻: *retro*ceder 후퇴하다. *retro*visor 백미러.
retroacción *f.* ① 후퇴, 소급. ② [생물·물리] 역작용, 역반응.
retroactividad *f.* 소급성.
retroactivo, va *adj.* 소급의, 소급적인, 소급력이 있는.
retroarriendo *m.* 임대차 계약부(附) 매각.
retrocarga *de* ~ (총·포를) 뒤로 재운, 후장식(後裝式)의: cañón *de* ~ 후장포. fusil *de* ~ 후장총.
retroceder *intr.* ① 되돌아가다, 뒷걸음질치다. ② 후퇴하다. ③ (자동차가) 후진하다. ④ (포가) 후좌(後座)를 하다.
retroceso *m.* ① 후퇴: ~ en la economía 경기 후퇴. ② 퇴각. ③ 퇴보: ~ de la civilización 문명의 퇴보. ④ (총의) 후좌(後座), 반동: cañón de ~ 후좌포. cañón sin ~ 무반동포.
retrocohete *m.* 역분사 로켓.
retrógrado, da *adj.* ① 복고적인, 묵은 폐단의, 구폐(舊弊)한. ② 반동적인. —*m.f.* ① 구폐한 사람. ② 반동적인 사람.
retropropulsión *f.* 제트 추진; (로켓의) 역분사(逆噴射).
retroproyector *m.* 오버헤드 프로젝터 ((플라스틱 시트에 쓴 문자 등을 스크린에 나타나게 하는 장치)).
retrospección *f.* 회고, 과거의 검토.
retrospectivo, va *adj.* 옛날을 그리워하는, 회고적인.
retrotraer (72) *tr.* 실제보다 앞당겨 날짜를 적다, 소급시키다. ~**se** 거슬러 올라가다, (시간적으로) 소급(遡及)하다.
retrovender *tr.* (팔았던 물건을) 되사다.
retroventa *f.* 되사기.
retroversión *f.* [의학] (자궁 등의) 후굴(後屈), 후경(後傾): ~ del útero 자궁 후굴.
retrovirus *m.sing.pl.* [생물·유전] 아르엔에이(RNA) 종양 바이러스.
retrovisor *m.* 백미러(espejo ~).
retumbante *adj.* ① 울려 퍼지는. ② 지나치게 화려한.
retumbar *intr.* 울려 퍼지다, 사방에 퍼지다.
reuma *m.(f.)* [의학] =reumatismo.
reúma *m.(f.)* [의학] =reumatismo.
reumático, ca *adj.* 류머티즘의[에 관한]: fiebre ~*ca* 류머티즘 열. —*m.f.* 류머티즘 환자.
reumatismo *m.* 류머티즘.
reumatología *f.* 류머티즘학(學), 류머티즘병학(病學).
reumatólogo, ga *m.f.* 류머티즘 전문의(專門醫).
reunificación *f.* 재통일.
reunificar (7) *tr.* 재통일하다.
reunión *f.* ① 집회, 회합; 회의, 미팅: libertad de ~ 집회의 자유. ② [집합] 집회 참가자. ③ 모임, 결집. ④ 재회(再會).
reunir (18) *tr.* ① 모으다, 합치다. ② 맺다. ③ 겸비하다. ④ 재결합시키다, 다시 모으다. ~**se** ① 모이다. ② 다시 결합하다, 재결합하다. ③ 합류하다.
reutilizable *adj.* 다시 이용할 수 있는, 재활용할 수 있는.
reutilización *f.* 재이용, 재활용.
reutilizar (9) *tr.* 다시 이용하다, 재활용하다.
revacunación *f.* 재예방 접종.
revacunar *tr.* 다시 예방 접종하다, 다시 우두 놓다.
reválida *f.* ① 다시 유효하게 함. ② (고등 학교 수료의) 검정 시험, 졸업 시험.
revalidación *f.* 유효함의 재인정.
revalidar *tr.* ① (선수권을) 방어하다, 다시 우승하다. ② 확인[인정]하다, 다시 유효하게 하다. ~**se** 검정[졸업] 시험을 보다.
revalorización *f.* 재평가; 평가 절상.
revalorizador, ra *adj.* 재평가하는, 평가 절상하는.
revalorizar (9) *tr.* (가치를) 재평가하다, 평가 절상하다.
revaluación *f.* ① 재평가(再評價): ~ patrimonial 재산 재평가. ② (통화의) 절상(切上).
revaluar (15) *tr.* 재평가하다.
revancha *f.* ① 보복, 복수. ② [운동] 설욕전.
revanchismo *m.* 복수심.
revelación *f.* ① 폭로. ② (진리의) 계시(啓示), 천계(天啓). ③ (신인의) 등장, 데뷔.
revelado *m.* [사진] 현상(現像).
revelador, ra *adj.* ① 분명히 하는, 밝히는. ② 폭로하는. —*m.f.* 폭로자. —*m.* [사진] 현상액.
revelar *tr.* ① (비밀을) 밝히다, 폭로하다. ② (숨긴 사실을) 명확히 하다, 나타내다, 드러내다. ③ (신이) 계시하다. ④ [사진] 현상하다. ~**se** ① 자신을 나타내다. ② (결과가) 명확히 되다.
revendedera *f.* 여자 소매상.
revendedor, ra *adj.* 소매하는. —*m.f.* 소매상, 소매인.
revender *tr.* 산 것을 되팔다, 소매하다, 전매하다.
revenir (60) *intr.* 원상태로 되돌아가다. ~**se** ① (조금씩) 수축하다. ② (보존 식품·술이) 시어지다. ③ (벽 등이) 물기가 배어 나오다. ④ (빵 등이) 눅눅해지다.
reventa *f.* 재판매, 재매각, 전매: Prohibida la ~ 전매 금지. —*m.f.* (입장권의) 암표 장수.
reventador *m.* 야유로 방해하는 사

람, 훼방꾼.

reventar (19) *tr.* ① 터뜨리다, 파열시키다. ② 괴롭히다, 못살게 굴다. ③ 큰 타격을 입히다. ④ (흥행·집회를) 야유하며 방해하다. ⑤ 혹사시키다. —*intr.* ① 터지다, 폭발하다, 파열되다. ② (파도가) 부서지다. ③ 가득하다: ~ de flores 만개하다. ④ (감정이) 폭발하다. ⑤ 폭사[횡사]하다. ⑥ 녹초가 되다, 지쳐 빠지다. ~**se** ① 터지다, 파열하다. ② 녹초가 되다: Estoy *reventado* 나는 녹초가 되었다.

reventón, na *adj.* 터질 것 같은, 폭발적인. —*m.* ① 폭발, 파열, 펑크. ② 급경사. ③ 궁지. ④ 비상한 노력.

reverberación *f.* ① (빛·열의) 반사. ② [물리] 잔향(殘響).

reverberar *tr.* ① 반사하다. ② (반사되어) 비추다, 빛나다.

reverbero *m.* ① 반사. ② 반사경. ③ 반사로. ④ 가로등. ⑤ *Amér.* =**infiernillo.**

reverdecer (31) *intr.* 다시 녹색이 되다. —*tr.* 기운을 돋우다.

reverencia *f.* ① 존경, 경의, 숭배. ② 인사, 절, 경례. ③ [성직자에 붙이는 경칭] …사, 신부님.

reverenciar (11) *tr.* 존경하다, 숭배하다, 공경하다.

reverendísimo, ma *adj.* [추기경·대주교에게 붙이는 경칭] 매우 존경하는.

reverendo, da *adj.* ① 존경받을 만한. ② [편지 등에서, 성직자에게 붙이는 존칭] 존경하는, …님: ~ padre Kim 존경하는 김 신부님. —*m.f.* [최고위 성직자·추기경·대주교에게 붙이는 경칭] …님, …사.

reverente *adj.* 경건한, 정중한.

reversibilidad *f.* 가역성(可逆性).

reversible *adj.* ① 반대로 할 수 있는, 뒤집을 수 있는, 역전시킬 수 있는. ② 본래의 주인에게 다시 돌아갈 수 있는, 복귀해야 할. ③ 안팎을 사용할 수 있는 (옷). ④ [물리·화학] 가역성의: reacción ~ 가역 반응. ⑤ (명령·판결 등이) 파기될 수 있는.

reversión *f.* ① (원래 상태로) 되돌아감. ② (재산·권리 등의) 복귀, 반환. ③ 되찾을 권리. ④ [생물] 격세 유전.

reverso *m.* ① (종이·동전 등의) 뒤, 뒷면. ② (책의) 왼쪽 페이지, 뒷페이지. ¶*el ~ de la medalla* 대조적 인물, 정반대의 사람: Los dos hermanos son *el ~ de la medalla* 두 형제는 성격이 전혀[완전히] 다르다[반대다].

reverter (20) *intr.* 넘치다.

revertir (55) *intr.* ① (원상태로) 되돌아가다; (원소유자에게) 반환시키다, 되돌려 주다. ② [+en] (…의) 결과가 되다.

revés *m.* ① 뒤, 뒷면(reverso): ~ de la tapa 표지의 뒷면. ~ de la mano 손등. ② 손등으로 때리기. ③ [테니스·탁구] 백핸드. ④ 불운, 역경. ¶*el ~ de la medalla* =**el reverso de la medalla.** *al ~* ㉮ 반대로, 거꾸로, 뒤집어. ㉯ =**a la espalda, a la vuelta.** *de ~* ㉮ =**al revés.** ㉯ 왼쪽에서 오른쪽으로.

revestimiento *m.* 외장(外裝), 피복(被覆): ~ de cerámica 타일 포장.

revestir (43) *tr.* ① [+de·con] (…으로) …의 표면을 덮다[입히다·씌우다]. ② 덧칠하다. ③ 옷을 입히다. ④ (권력 등을) 주다, 부여하다. ⑤ 꾸미다, 장식하다, 치장하다. ~**se** ① (상황에 대처하여) 태도를 취하다. ② 입다, 걸치다, 몸에 입고 있다. ③ (사명·임무를) 띠다.

reviejo, ja *adj.* 무척 늙은. —*m.* 마른 가지, 쓸데없는 가지.

revirar *tr.* ① =**torcer.** ② =**replicar, sublevar.** —*intr.* (배가) 다시 파도를 헤치고 나아가다. ~**se** ① 반란을 꾸미다, 모반하다. ② *Arg., Ur.* =**disgustarse, enojarse.**

revisable *adj.* 수정[정정]할 수 있는.

revisada *f. Amér.* =**revisión.**

revisar *tr.* ① 다시 보다, 재검토하다. ② 점검하다, 수리하다. ③ 개찰하다. ④ 교열(校閱)하다.

revisión *f.* ① 재검토, 감사. ② 점검(수리): ~ técnica, ~ de vehículos 자동차 점검. ③ 개찰. ④ 검진(~ médica). ⑤ 교열(校閱), (인쇄의) 교정. ⑥ [법률] 재심: demanda de ~ 재심 청구.

revisionismo *m.* 수정주의.

revisionista *adj.* 수정주의의. —*m.f.* 수정주의자.

revisor, ra *adj.* 검사하는, 검열하는. —*m.f.* ① 개찰원, 검표원. ② 교열자, 교정자. ③ 검사관.

revista *f.* ① 잡지: ~ semanal 주간 잡지. ② 점검, 검토. ③ [연극] 레뷔, 시사 풍자 익살극. ④ [군사] 열병(閱兵), 열병식.

revistar *tr.* ① 열병하다. ② 점검하다, 시찰하다.

revistero, ra *m.f.* ① (신문에) 잡지 관계 글을 쓰는 사람, 평론가, 논설위원. ② 시사 풍자 익살극 배우. —*m.* 잡지 진열장. —*f.* 잡지 진열장.

revitalización *f.* 원기 회복; 활성화.

revitalizante *adj.* 원기를 회복한.

revializar (9) *tr.* ① …의 원기를 회복시키다. ② 활성화시키다.

revivificación *f.* 원기 회복.

revivificar (7) *tr.* 원기를 돋우다, 활력을 되찾게 하다.

revivir *intr.* ① 소생하다, 되살아나다. ② 다시 일어나다. —*tr.* 생각해 내다, 회상하다(evocar, recordar): Ella *revivió* los días de su infancia 그녀는 어린 시절을 회상했다.

reviviscencia *f.* 소생, 부활, 원기 회복(元氣回復).
revocabilidad *f.* 취소할 수 있는 성질(性質).
revocable *adj.* 취소할 수 있는, 취소해야 하는.
revocablemente *adv.* 취소[번복]할 수 있게.
revocación *f.* 취소, 폐지.
revocar (7) *tr.* ① (법적 행위를) 무효로 하다, 취소하다, 폐지하다, 철회하다. ② (벽을) 다시 칠하다, 덧칠하다. ③ (공기의 흐름 등을) 역류시키다.
revocatorio, ria *adj.* 취소의, 폐지의, 철회의.
revoco *m.* ① 취소, 폐지, 철회. ② 벽을 다시 칠하기. ③ (공기 등의) 역류.
revolcar (7) *tr.* ① 뒤엎다, 쓰러뜨리다. ② (입씨름에) 상대를 이기다. ③ (시험에서) 낙제시키다. ~**se** ① 넘어지다, 나가자빠지다. ② 성교(性交)하다.
revolcón *m.* ① 넘어짐, 전도, 전복. ② 패배. ③ 성교.
revolotear *intr.* ① 훨훨 날아다니다, 훨훨 날다. ② 날아오르다.
revoloteo *m.* 훨훨 날기.
revoltijo *m.* ① [집합] 잡동사니, 오합지졸: un ~ de papeles 서류의 산. ② 큰 혼란, 큰 소동. ③ (짐승의) 내장.
revoltillo *m.* =revoltijo
revoltón *m.* ① [건축] 사개의 모서리. ② (포도나무의) 잎말이벌레.
revoltoso, sa *adj.* ① 소동을 잘 피우는, 소동을 일으키는, 떠들어대는. ② 장난을 좋아하는. ③ 반란[폭동]을 일으키는. —*m.f.* ① 장난을 좋아하는 아이. ② 반란자, 폭도.
revolución *f.* ① 혁명: ~ cultural 문화 혁명. ~ industrial 산업 혁명. ~ verde 녹색 혁명. provocar una ~ 혁명을 일으키다. ② 대변혁, 개혁; 격변. ③ 회전(수), 선회; 1회전. ④ [천문] 운행, 공전, 공전 주기. ⑤ [수학] 회전.
revolucionar *tr.* ① 혁명을 일으키다. ② 대변혁을 일으키다. ③ [기계] 회전시키다.
revolucionario, ria *adj.* ① 혁명의[에 관한]: tropa ~*ria* 혁명군 부대. ② 혁명적인, 혁신적인: descubrimiento ~ 대변혁을 일으킬 발명. ③ 혁명을 지지하는. ④ 소란스러운, 시끄러운(alborotador, turbulento). —*m.f.* ① 혁명가. ② 소란을 피우는 사람.
revolvedero *m.* 짐승들이 자주 넘어지는 장소.
revolver (25) *tr.* ① (휘저어) 뒤섞다. ② 뒤지다, 찾아보다. ③ 뒤집어엎다. ④ 끌어넣다. ⑤ 궁리하다, 골똘히 생각하다. ⑥ (왔던 길을) 되돌아가다, 발길을 돌리다. ⑦ 빙빙 돌리다, 회전시키다. ⑧ 불안하게 하다, 동요시키다. ⑨ 어지럽히다, 소란을 피우다. —*intr.* ① 되돌아가다, 되돌아오다. ② (같은 곳을) 다시 걷다. ③ 조회하다, 탐색하다. ~**se** ① 말려들다, 휩싸이다. ② 되돌아가다, 되돌아오다. ③ 반격을 가하다. ④ 빙그르 돌다. ⑤ 동요하다, 흔들리다. ⑥ 벌렁 나가자빠지다. ⑦ 사이가 틀어지다. ⑧ (천체가) 공전하다. ⑨ (날씨가) 급변하다, 폭풍우가 일 듯하다.
revólver *m. ing.* (탄창 회전식) 연발권총.
revoque *m.* ① 벽의 덧칠. ② 치장 회반죽[벽토].
revuelco *m.* 전도, 전복.
revuelo *m.* ① (새가) 다시 날아오름. ② 선회. ③ 동요, 소동: gran ~ 대소동, 큰 동요. ¶*de* ~ 날렵하게, 사뿐히.
revuelta *f.* ☞revuelto.
revueltamente *adv.* 어지럽게, 무질서하게.
revuelto, ta *adj.* ① 혼란한, 뒤범벅된, 엉클어진, 무질서한, 복잡한. ② (바다가) 거친, 파도가 높은. ③ (날씨가) 불안정한, 급변하는. ④ (아이들이) 장난을 좋아하는. ⑤ (액체가) 혼탁한, 흐린. ⑥ (사람이) 구역질이 나는. —*m.* 버터나 우유를 섞고 저으면서 익힌 달걀 요리. —*f.* ① 반란, 폭동. ② 분쟁: ~ estudiantil 학원 분쟁. ③ 싸움, 난투. ④ (방향의) 전환점, 방향 전환.
revulsión *f.* [의학] 유도 요법.
revulsivo, va *adj.* [의학] (용변・구토를) 유도하는. —*m.* [의학] 유도 자극약.
rey *m.* ① 왕, 국왕: los ~*es* de España 스페인 국왕과 왕비. los *Reyes* Católicos 가톨릭 두 왕. ② 왕자(príncipe). ③ (장기의) 왕. ④ (카드의) 왕. ⑤ [비유] 왕, 왕자: ~ de los animales 백수(百獸)의 왕. ~ del petróleo 석유왕. ⑥ 돼지지기. ⑦ [조류] 수탉(gallo). ⑧ 여왕벌. ¶~ ***de armas*** 칙사(勅使). ~ ***de ~es*** 왕중의 왕 ((신(神), 그리스도 등)). ***Reyes Magos*** 동방박사.
reyerta *f.* 입씨름; 난투.
reyezuelo *m.* [새] 상모솔새.
rezado *m.* =rezo.
rezador, ra *adj., m.f.* 기도를 많이 하는 (사람). —*f.* =santateresa.
rezaga *f.* =retaguardia.
rezagado, da *adj.* (뒤에) 처진, 늦은, 굼뜬. —*m.f.* 굼뜬 사람, 탈락자.
rezagar (8) *tr.* ① 뒤에 남기다, 처지게 하다. ② 뒤로 미루다. ~**se** 뒤에 남다, 뒤처지다, 뒤떨어지다.
rezago *m.* ① 뒤처짐, 뒤떨어짐, 늦어짐. ② 발육이 더딘 가축.
rezar (9) *tr.* ① (기도를) 드리다, 빌

다: Me arrodillé y me puse a ~ 나는 무릎을 꿇고 기도하기 시작했다. ② (문서에) 적혀 있다. —*intr.* ① 기도하다, 빌다. ② 불평하다, 투덜거리다. ③ [+con] (…와) 관련이 있다.

rezno *m.* ① [동물] 진드기. ② [식물] 아주까리.

rezo *m.* 기도, 축수, 빌기.

rezón *m.* 가지가 네 개인 작은 닻.

rezongador, ra *adj., m.f.* 투덜거리는, 불평하는 (사람).

rezongar (8) *intr.* (명령받은 것에 대해) 불평하다, 투덜거리다.

rezonglar *intr.* =**rezongar.**

rezonglón, na *adj., m.f.* =**rezongador.**

rezongo *m.* =**refunfuño.**

rezongón, na *adj., m.f.* 자주 불평하는[투덜거리는] (사람).

rezumar *tr.* (액체를) 스며나오게 하다. —*intr.* 액체가 스며나오다. ~**se** ① (액체가) 새다, 스며나오다. ② (비밀 등이) 누설되다, 새다, 새어 나오다, 세상에 알려지다.

rezurcir *tr.* 다시 꿰매다.

Rh *m.* [의학] 아르에이치 인자(Rh 因子)(factor Rh) ((인간의 혈액에 있는 응집소(凝集素)의 하나; 약 85%의 사람이 적혈구 중에 이 인자를 가짐)).

ría *f.* ① [지리] 길고 좁은 쐐기형 후미. ② *pl.* [지리] 리아스식 해안.

riacho *m.* 개울, 개천, 내.

riachuelo *m.* 내, 개울, 개천.

riada *f.* 홍수, 큰물, 범람.

rial *m.* 리알 ((이란의 화폐 단위)).

ribazo *m.* ① 둑, 제방. ② 경사지.

ribera *f.* ① 연안, 해안. ② 유역의 땅. ③ =**ribero.** ④ 강과 경계한 야채밭.

riberano, na *adj., m.f. Sal., Chile, Ecuad.* =**ribereño.**

ribereño, ña *adj.* 연안의[에 관한]. —*m.f.* 연안 주민.

ribero *m.* 둑.

ribete *m.* ① (장식·보강용) 테 두르는 테이프. ② 부가물. ③ *pl.* 외견, …다운 면.

ribetear *tr.* 테두리를 두르다, (…에) 테를 두르다.

riboflavina *f.* [생화학] 리보플라빈 ((비타민 B_2 또는 G; 성장 촉진 요소)).

ribonucleico *ácido* ~ 리보핵산.

ribonucleótido *m.* [생화학] 리보뉴클레오티드.

ribosa *f.* [생화학] 리보오스.

ribosoma *f.* [생화학] 리보솜.

ricamente *adv.* ① 풍부하게, 넉넉히. ② 근사하게, 훌륭하게. ③ 안락하게, 쾌적하게.

ricino *m.* [식물] 피마자, 아주까리.

rico, ca *adj.* ① 부유한, 돈 있는, 재산이 있는, 부자의: comerciante ~ 돈 많은 상인. Mi amiga es muy ~*ca* 내 여자 친구는 부자다[돈이 많다]. ② 풍부한, 여유 있는: cosecha ~*ca* 풍작. ③ (땅이) 비옥한. ④ [명사 앞에서] 호화스러운, 값이 비싼, 고가(高價)의: ~s tapices 호화스러운 태피스트리. ⑤ [명사 앞에서] 근사한, 훌륭한, 멋진: ~ collar de perlas 멋진[근사한] 진주 목걸이. ⑥ 맛좋은, 맛있는: plato ~ 맛있는 요리. ⑦ (아이가) 귀여운, 사랑스러운. —*m.f.* ① 부자: nuevo ~ 벼락부자. ② [아이에 대한 호칭] 귀여운 아가, 강아지: Ven aquí, ~ 내 강아지야, 이리 온! ③ [경멸] [부를 때] 야!, 이놈아!: Oye, ~! 이봐, 야!

ridículamente *adv.* 우습게, 익살스럽게; 어리석게.

ridiculez *f.* ① 우스꽝스러운 것, 우스운 일, 익살스러움. ② 비웃음, 얼토당토 않은 일. ③ 사소한 일, 값어치 없는 일.

ridiculizar (9) *tr.* 우습게 만들다, 웃음거리로 만들다, 겸연쩍게 만들다, 창피를 주다.

ridículo¹ *m.* 부인용 손가방.

ridículo², la *adj.* ① 우스운, 익살스러운. ② 괴상한, 묘한. ③ 어리석은. —*m.* 야유, 조롱, 조소; 웃음거리.

riego *m.* ① 물대기, 관개(灌漑). ② 물뿌리기, 살수(撒水): camión de ~ 살수차. manga de ~ 물뿌리는 호스. ③ 관개 용수(灌漑用水).

riel *m.* ① (철도의) 궤도, 레일(raíl). ② [금속] 잉곳.

rielar *intr.* ① =**vibrar, temblar.** ② [시어] 빛나다, 반짝이다.

rienda *f.* ① [주로 *pl.*] 고삐: poner las ~*s* al caballo 말에 고삐를 달다. tomar las ~*s* 고삐를 잡다, 실권을 잡다[장악하다]. ② 제어. ③ *pl.* 권력, 지배권: apoderarse de las ~*s* del Estado 국가 권력을 장악하다[잡다].

riesgo *m.* 위험(peligro): capital (de) ~ 위험 부담 자본. seguro contra [a] todo ~ 전재해 보험. seguro de ~ de guerra 전쟁 보험. tener mucho ~ 위험이 많다. Es un gran ~ conducir cuando se tiene mucho sueño 많이 졸릴 때 운전하는 것은 아주 위험하다.

riesgoso, sa *adj. Amér.* 위험한 (peligroso).

rifa *f.* ① 제비뽑기, 추첨. ② 싸움, 말다툼.

rifar *tr.* ① (…을 상품으로) 제비를 뽑다, 제비뽑기를 하다. ② 말다툼을 하다, 언쟁하다, 입씨름하다. ~**se** ① 말다툼을 하다, 언쟁하다: Quedaban pocos sitios libres y la gente *se* los *rifaba* 빈 자리가 몇 개 없어서 사람들은 (서로 차지하려고) 말다툼을 했다. ② (돛이) 찢어지다, 조각나다.
rifle *m.* 라이플 총.
riflero, ra *adj. Arg.* 소총의. *—m.f. Arg.* 소총병, 소총수, 라이플 총 소지병(所持兵).
rigidez *f.* ① 굳어짐, 경직(硬直): ~ cadavérica 사후 경직. ② 엄격함. ③ 무표정.
rígido, da *adj.* ① 굳은, 굳어 굽히지 않는; 경직된. ② 엄격한: educación ~ 엄격한 교육. ③ 융통성이 없는 완고한. ④ 무표정한.
rigor *m.* ① 엄격함; 엄정. ② (기후 등의) 혹심함: el ~ del invierno 혹한. el ~ del verano 혹서. ③ 엄밀함, 정확함. ④ [의학] 경직.
rigorismo *m.* ① 엄격주의, 엄정주의. ② 금욕주의.
rigorista *adj.* 엄격한. *—m.f.* ① 엄격한 사람. ② 엄격[엄정]주의자.
rígor mortis *m. lat.* 사후 경직(死後硬直).
rigorosamente *adv.* =**rigurosamente.**
rigoroso, sa *adj.* =**riguroso.**
rigurosamente *adv.* ① 엄히, 엄하게: observar ~ las reglas 규칙을 엄수하다. ② 절대로, 완전히: cálculo ~ exacto 절대 정확한 계산.
rigurosidad *f.* 엄격함.
riguroso, sa *adj.* ① 혹독한, 가혹한. ② 매우 엄격한, 용서 없는: castigo ~ 엄벌. neutralidad *~sa* 엄정 중립. ③ (기후 등이) 혹심한: invierno ~ 혹한. verano ~ 혹서. ④ 엄밀한, 면밀한, 정확한, 정밀한: examen ~ 정밀한 시험.
rima[1] *f.* ① [시법] 운(韻), 각운(脚韻). ② *pl.* 운문(韻文). ③ *pl.* 서정시(抒情詩).
rima[2] *f.* (물건의) 더미(montón).
rima[3] *f.* =**hendidura.**
rimar *tr.* (시인이, 시의) 운을 맞추다. *—intr.* 시를 짓다, 운이 맞다.
rimbombancia *f.* ① 울려 퍼짐. ② (색이) 칙칙함, 요란스러움.
rimbombante *adj.* ① 울려 퍼지는. ② (색이) 칙칙한, 요란스레 꾸민.
rimbombar *intr.* 울려 퍼지다, 사방에 울리다.
rimbombe *m.* =**rimbombo.**
rimbombo *m.* 울려 퍼짐, (소리의) 반향.
rímel *m.* [화장] 마스카라.
rimero *m.* 산적(山積), 퇴적(堆積), 더미: ~ de libros 책 더미.
Rin (el) *m.* [지명] 라인강.
rincón *m.* ① (두 벽·두 표면이 만나면서 이루는) 안 각, 구석, 모서리: ~ de una habitación 방구석. ② 외진 장소, 한쪽 구석[귀퉁이]. ③ 좁은 방[토지], 작은 공간. ④ (물건을) 숨기는 곳, 숨긴 곳; 의복 등을 간수하는 곳. ⑤ 개인의 거처[방]. ⑥ 한쪽 구석에 놓고 잊어버린 것. ⑦ [권투] 코너: ~ azul 청코너. ~ neutral 중립 코너 ((경기자의 휴게용으로 지정되어 있지 않은 코너)). ~ rojo 홍코너.
rinconada *f.* ① (두 집 사이·거리·길·두 산 사이를 연결하는) 모퉁이, 모서리. ② *Arg., Col.* (농장의) 한쪽 귀퉁이 땅.
rinconera *f.* ① (방 등의 구석에 있는) 삼각형의 작은 탁자[옷장·책장]. ② [건축] 귀퉁이 벽.
ring *m.sing.pl.* [*pl.* ~s] [권투·레슬링] 링: subir al ~ 링에 오르다.
ringla *f.* 열, 줄(fila).
ringle *m.* =**ringla, fila.**
ringlera *f.* (하나씩 질서 있게 놓여진) 열, 줄: ~ de botellas 병들의 열[줄].
ringlero *m.* (아이들이 글자 쓰는 것을 배울 때의) 괘선(罫線).
rinitis *f.sing.pl.* [의학] 비염(鼻炎), 비카타르, 코염.
rinoceronte *m.* [동물] 코뿔소, 무소.
rinofaringe *f.* [해부] 비인두(鼻咽頭).
rinología *f.* [의학] 콧병학.
rinólogo, ga *m.f.* [의학] 콧병 의사.
rinoplastia *f.* [의학] 코정형수술.
rinoscopia *f.* [의학] 비경(鼻鏡)검사.
riña *f.* 싸움, 입씨름.
riñón *m.* ① [해부] 콩팥, 신장(腎臟). ② 중심(부), 심장부. ③ 요점, 핵심. ④ [광석] 덩어리 광석. ⑤ *pl.* [해부] 골반 부분, 하복부.
riñonera *f.* (허리 보호용) 코르셋.
río *m.* ① 강, 하천: el ~ Han 한강. *Río* Amarillo 황하. ② 풍부함, 많음: un ~ de oro 많은 금, 대량의 금. ③ 무리, 떼.
rioja *f.* 리오하 ((스페인 La Rioja 산 포도주)).
riojano, na *adj.* ① 라 리오하(La Rioja, 스페인의 지방·자치 단체) 태생의. ② 라 리오하의[에 관한]. *—m.f.* 라 리오하 사람.
rioplatense *adj.* ① 라 쁠라따 강(el Río de la Plata) 태생의. ② 라 쁠라따 강 유역(流域) 국가의[에 관한]. *—m.f.* 라 쁠라따 강 태생 사람.
ripio *m.* ① 찌꺼기, 여분. ② (틈새에 넣는) 벽돌[돌] 부스러기. ③ =**guijarro.** ④ 넋두리. ⑤ 쓸데없는 말. ⑥ *Arg., Bol., Chile, Ecuad., Par., Perú.* 자갈, 쇄석(碎石), 깨뜨려 부순 돌. ⑦ *RDom.* =**pene.**
riqueza *f.* ① 부(富): ~ de un país 한 나라의 부(富). ② 재산: Estos diccionarios son toda mi ~ 이 사전들이 내 전 재산이다. ③ (물질적·정신적인) 풍요로움, 풍성함, 비옥함. ④ 호화스러움, 훌륭함. ⑤ [주로 *pl.*] 자원: ~*s* naturales 천연 자원. ¶~ ***imponible*** 과세 표준가액. ***Más vale la salud que la*** ~ (속담) 건강이 재산보다 낫다.
risa *f.* ① 웃음, 미소: cara de ~ 웃

는 얼굴, 소안(笑顔). ② 웃음소리. ③ 우스운 것, 웃음을 자아낸 것. ¶ *la ~ del conejo* 억지 웃음, 어색한 웃음. *~ falsa* 거짓 웃음. *~ sardesca, ~ sardonia, ~ sardónica* ㉮ [의학] (사람이 웃을 때 얼굴 표정에 생기는) 얼굴 근육의 경련(痙攣). ㉯ 냉소(冷笑), 쓴웃음. *descalzarse [descoyuntarse · despedazarse · desperezarse · desternillarse] de ~* 자지러지게 웃다, 허리[배꼽]를 쥐고 웃다, 포복졸도하다, 데굴데굴 구르며 웃다. *mearse de ~* alguien (누가) 대소(大笑)하다, 크게 웃다, 우스워 죽다. *mondarse de ~* =mearse de risa. *morirse de ~* alguien = mearse de risa. *partirse de ~* = mearse de risa. *reventar de ~* =mearse de risa.

risco *m.* ① =hendidura, corte. ② 높고 깎아지른 바위.

riscoso, sa *adj.* ① 바위가 많은, 바위투성이의. ② 높고 깎아지른 바위의[에 관한].

risibilidad *f.* 웃을 일, 우스운 것.

risible *adj.* ① 우스운, 웃어 넘길 만한. ② 웃음을 자아내는.

risión *f.* ① 조소. ② 웃음거리.

risotada *f.* =carcajada.

risueño, ña *adj.* ① 생글거리는. ② 행복하게 웃는. ③ 유쾌한, 즐거운 듯한. ④ 마음에 드는. ⑤ 유망한.

rítmico, ca *adj.* 운율의, 운율적인, 리드미컬한, 율동적인.

ritmo *m.* ① 율동, 리듬. ② 박자. ③ 속도, 페이스: ~ de trabajo 일의 속도.

rito *m.* ① (종교적인) 의식, 의례(儀禮). ② 습관, 관습.

ritual *adj.* ① 의식의[에 관한]. ② 습관의. —*m.* ① [집합] (일정한 형식에 따른) 종교적 의식. ② [의학] (노이로제 등의) 전형적인 증상.

ritualidad *f.* 형식 존중.

ritualismo *m.* 의식 편중.

rival *adj.* 경쟁의, 대항하는: países *~es* 경쟁국. —*m.f.* 경쟁자, 경쟁 상대, 호적수.

rivalidad *f.* 경쟁 관계, 대항 관계.

rivalizar (9) *intr.* 경쟁하다, 대항하다(competir): ~ por el liderazgo 주도권 싸움을 하다.

rivera *f.* 개천, 개울.

rizador, ra *adj.* 머리카락을 곱슬곱슬하게 하는. —*m.* 헤어 아이언.

rizar (9) *tr.* ① (머리카락을) 곱슬곱슬하게 하다, 지지다. ② (바람이) 잔물결을 일으키다. ③ (종이·천 등에) 주름을 잡다. **~se** ① (머리카락이) 곱슬곱슬해지다. ② 자신의 머리카락을 지지다. ③ 많은 주름이 잡히다. ④ (바다 등이) 잔물결이 일다.

rizo *adj.* ① 곱슬곱슬한. ② 많은 주름이 잡힌. —*m.* ① (머리카락 등이) 곱슬곱슬하여 말린 것, 말린 머리카락, 곱슬머리. ② (돛의) 접을 수 있는 부분. ③ 공중제비[재주넘기] 비행: hacer el ~ 공중제비[재주넘기]를 하다. ④ [피겨스케이트] 루프 ((빙상에 규정의 원을 그림)).

rizoma *m.* [식물] 뿌리줄기.

rizoso, sa *adj.* (머리카락이) 곱슬곱슬해지는 (경향이 있는).

RNE *f.* *R*adio *N*acional de *E*spaña 스페인 국영 라디오.

robar *tr.* ① 훔치다, 빼앗다, 강탈하다: Me *robaron* la cartera en el metro 나는 지하철에서 지갑을 도둑맞았다. ② 사로잡다, 붙잡다: ~ el corazón (사람의) 마음을 사로잡다. ③ (물이 흙을) 쓸다, 씻어 내다. ④ 약탈하다. ⑤ (카드를) 뽑다, 빼다, 가지다.

robinsón *m.* 남의 도움 없이 혼자 사는 남자.

roble *m.* ① [식물] 떡갈나무. ② 떡갈나무의 목재. ③ 건장한 사람, 다부진 사람; 강한 것.

robleda *f.* 떡갈나무 숲.

robledal *m.* 큰 떡갈나무 숲.

robledo *m.* 떡갈나무 숲.

robo *m.* ① 도둑질, 강탈. ② 훔친 물건, 도난품.

robot *m.* *ing.* [*pl.* ~s] 로봇, 인조인간: ~ industrial 산업용 로봇.

robótica *f.* 로봇 공학.

robotización *f.* ① 로봇화, 자동화. ② 기계화.

robotizar (9) *tr.* ① (공정 등을) 로봇화하다, 자동화하다. ② 기계화하다(mecanizar).

robre *m.* =roble.

robredal *m.* =robledal.

robredo *m.* =robledo.

robustamente *adv.* 튼튼하게, 씩씩하게, 강하게.

robustecedor, ra *adj.* 튼튼하게[씩씩하게] 하는.

robustecer (31) *tr.* 튼튼하게 하다, 씩씩하게 하다, 강화하다. **~se** 튼튼해지다, 씩씩해지다, 강화되다.

robustecimiento *m.* 튼튼함, 씩씩함.

robustez *f.* 튼튼함, 씩씩함, 강함, 견고함.

robusteza *f.* =robustez.

robusto, ta *adj.* ① 튼튼한, 씩씩한, 건장한, 기운 찬. ② 사지가 단단하고 건강한.

roca *f.* ① 돌(piedra). ② 돌결(vena). ③ (땅·바다에 우뚝 솟은) 바위(peñasco): pared de *~s* 암벽. ④ [기독교] 반석(盤石). ⑤ 아주 단단한 것: ~ de hielo 얼음 덩이, 빙괴(氷塊).

roce *m.* ① 마찰. ② 스친 흔적, 마찰 흔적: ~ de la plancha 다리미 흔적. ~ del zapato 구두에 발이 까짐[부르틈]. ③ (사람과의) 빈번한

교제. ④ 가벼운 말다툼[언쟁]. ⑤ =pique, resentimiento.
rociada *f.* ① 물뿌리기. ② 이슬. ③ 이슬 맞은 풀. ④ (비처럼) 쏟아지는 것. ⑤ 소문, 험담. ⑥ 힐책, 질책.
rociadera *f.* 살수기, 스프링클러, 물뿌리개.
rociador *m.* ① 옷에 물뿌리는 큰 솔. ② =pulverizador.
rociadura *f.* =rociada ①.
rociamiento *m.* =rociada ①.
rociar (12) *tr.* ① (물이나 다른 액체를, …에) 뿌리다: ~ los campos 밭에 물을 뿌리다. ② [+con] (요리에 음식물을) 흩뿌리다. —*intr.* [단인칭] 이슬[이슬비]이 내리다.
rocín *m.* ① 야위고 작은 말. ② 짐말. ③ 교양이 없고, 무식하고, 가정교육을 잘못 받은 남자.
rocinal *adj.* rocín의[에 관한].
rocinante *m.* 삐쩍 마른 말.
rociniego, ga *adj.* =rocinal.
rocino *m.* =rocín.
rocío *m.* ① 이슬. ② 이슬 방울. ③ 이슬비. ④ 이슬 방울 같은 것: un ~ de lágrimas 눈물 방울.
rock *m. ing.* ① [음악] 록. ② [음악] 로큰롤. ③ [무용] 록. —*adj.* ① 록의: música ~ 록 음악. la era ~ 록 음악 시대. ② 로큰롤의: Los Beatles son el grupo ~ más famoso de la historia 비틀즈는 역사상 가장 유명한 로큰롤 그룹이다.
rock and roll *m.* [음악 · 춤] 로큰롤.
rococó *m., adj.* [건축 · 미술] 로코코식(의).
rocoso, sa *adj.* 바위투성이의.
rodaballo *m.* [어류] 가자미.
rodada *f.* ☞rodado.
rodadero, ra *adj.* ① 구르기 쉬운. ② 구를 듯한, 위태로운. —*m.* 넘어지기 쉬운 돌멩이투성이의 땅.
rodadizo, za *adj.* 구르기 쉬운.
rodado, da *adj.* ① (말이) 얼룩덜룩한, 점이 박힌. ② 구르는 듯한, 유창한. ③ 차량 (교통)의: tránsito ~ 차량의 왕래. ④ 차량 수송의: tráfico ~ 차량 수송. ⑤ [광물] (광석 파편이) 자연적으로 굴러 떨어지는. —*m.* ① *León.* 여자용 속치마. ② *Arg., Chile, Ur.* 탈것, 차(車). ③ *Chile.* 돌사태, 눈사태. —*f.* 수레[차량]의 바퀴 자국.
rodador, ra *adj.* ① 구르는. ② 굴러 넘어지는. —*m.* ① (피를 많이 빨면 거머리처럼 굴러 떨어지는) 모기. ② [어류] 개복치.
rodadura *f.* 구르기, 회전.
rodaja *f.* ① (목재 · 쇠 등) 둥글고 납작한 것. ② (먹을거리의) 고리 모양으로 자른[썬] 것: ~ de patata 감자 썬 것. ③ (박차의) 톱니바퀴. ④ (목 · 팔 · 다리의) 군살.
rodaje *m.* ① (새 차 등의) 연습 운전, 시운전. ② 준비, 연습 기간, 연습. ③ [집합] 도는 부분, 바퀴: el ~ de un reloj 시계의 톱니바퀴 장치. ④ 차량세. ⑤ [텔레비전 · 영화] 촬영.
rodal *m.* ① 작은[좁은] 장소[공간]. ② 덤불 숲. ③ 바퀴가 지나간 자국. ④ 둥그런 돗자리(ruedo).
rodamiento *m.* [기계] 축받이, 베어링.
rodante *adj.* 구르는.
rodar (24) *tr.* ① 굴리다. ② (차를) 운전하다; (새 차의) 연습 운전[시운전]을 하다. ③ [영화] 촬영하다. ④ (영화에) 출연하다. —*intr.* ① 구르다. ② 굴러 떨어지다. ③ (자동차가) 달리다. ④ 회전하다, 돌다. ⑤ (정처 없이) 이동하다, 전전하다. ⑥ 존재하다. ⑦ 계속 일어나다.
rodea *f.* 행주(paño de cocina).
rodeabrazo *a* ~ (무엇을 던지기 위해) 팔을 휘둘러.
rodeador, ra *adj.* 에워싸는.
rodear *tr.* ① [+con · de] (…를) 에워싸다, 둘러싸다; 포위하다. ② 일주하다, 우회하다. ③ 돌리다, 굴리다. —*intr.* ① 주위를 거닐다. ② 우회하다, 돌아서 가다. ③ 말을 빙빙 돌려서 하다. ~**se** 몸을 뒤척거리다, 이리저리 움직이다.
rodela *f.* 둥글고 엷은 방패.
rodeo *m.* ① 에워싸기, 둘러싸기. ② 우회 도로, 우회로, 돌아서 가는 길: dar un ~ 우회하다, 돌아서 가다. ③ [주로 *pl.*] 말을 이리저리 돌리기, 미꾸라지처럼 이리저리 피하는 말. ④ 가축몰이, 소몰이. ⑤ 가축[소]몰이 장소. ⑥ (카우보이들의 기술을 겨루는) 로데오 (경기).
rodilla *f.* ① 무릎: operación en la ~ 무릎 수술. ② 자루걸레.
rodillazo *m.* 무릎으로 치기[밀기].
rodillera *f.* ① 무릎받이. ② (바지의) 늘어난 무릎 부분; 무릎에 난 상처. ③ *pl.* [음악] 억양.
rodillo *m.* ① (무거운 물건을 옮기는데 사용하는) 굴림대. ② (땅을 다지는) 롤러. ③ (등사판 등의) 롤러. ④ 밀방망이(~ de amasar). ⑤ (여당 · 군부에 의한) 압도적 지배.
rodio *m.* [화학] 로듐 ((금속 원소)).
rodrigón *m.* ① [농업] 지주(支柱), 받침대, 부목(副木). ② (옛날 부인을 따라다니던 나이먹은) 하인, 시신(侍臣), 종자(從者).
rodríguez *m.* (가족이 피서 가 있는 동안 일시적으로) 일하면서 남아 있는 결혼한 남자. ¶*andar [estar · quedarse] de* ~ (가족이 피서 가 있는 동안 일시적으로) 집에 남아 일하다.
roedor, ra *adj.* ① (동물이) 이로 갉는. ② 살을 에이는 듯한; (마음이) 쓰린, 아픈. ③ [동물] 쥐 무리의. —*m.pl.* [동물] 쥐목(目) ((쥐, 다람쥐, 토끼 등)).

roedura *f.* ① (이로) 갉기. ② 갉은 분량. ③ 갉은 자국.
roentgen *m.* [물리·의학] 뢴트겐.
roer (75) *tr.* ① (동물이, 이로) 갉다, 쏠다, 갉아내다. ② 침식하다. ③ (줄로) 문지르다. ④ 괴롭히다.
rogar (8) *tr.* ① 간청하다, 기원하다, 바라다. ② 기도하다, 빌다.
rogativo, va *adj.* 기원하는, 소원하는, 간청하는. —*f.* [주로 *pl.*] 소원, 기원, 기도, (풍년 등의) 축원.
rogatorio, ria *adj.* 원하는, 소망하는.
rogo *m.* [시어] =**hoguera.**
roído, da *adj.* ① 갉아 먹힌, 갉힌. ② 닳아 빠진. ③ 노랭이 같은.
rojal *adj.* (땅·식물·씨앗이) 붉은 기운이 도는, 붉을 빛을 띤, 불그스레한. —*m.* 붉은 빛을 띤 땅.
rojear *intr.* ① 붉게 보이다. ② 붉은 빛을 띠다, 불그스레하다.
rojete *m.* 루즈, 연지 ((화장품)).
rojez *f.* ① 붉은 기. ② (피부의) 붉은 반점.
rojizo, za *adj.* 붉은 빛이 도는, 불그스레한.
rojo, ja *adj.* ① 붉은: bandera *~ja* 붉은 기, 적기(赤旗). lápiz ~ 색연필. ② 금발의(rubio). ③ 좌익(左翼)의. ④ (스페인 내전에서) 공화국파의. —*m.f.* 좌익, 공산주의자. —*m.* 빨강, 붉은빛, 적색, 핏빛.
rol[1] *m.* (연극의) 역, 역할.
rol[2] *m.* ① =**rolde, rollo.** ② 명부, 목록, 리스트. ③ [선박] 승무원 명부.
rolde *m.* ① (사람들이) 둥그렇게 둘러앉음. ② *Alb., Ar.* =**círculo, redondel.**
rollizo, za *adj.* ① (사람·동물이) 강건한. ② 둥근, 원통 모양으로 둥근. —*m.* 통나무.
rollo *m.* ① 둥그렇게 만 것(의 한 통). ② (필름의) 롤, 통: un ~ de película 필름 한 통. ③ [영화] 필름. ④ 원통형. ⑤ 원통형으로 된 것. ⑥ 밀방망이. ⑦ 군살. ⑧ 따분한 것[사람]. ⑨ 정사(情事), 정사의 상대. ⑩ 일, 용건. ⑪ [속어] 분위기. ⑫ (공허한) 장광설. ⑬ 인상(impresión). ⑭ 길다란 빵.
ROM *f.* [*ing.* read-only memory] [컴퓨터] 판독 전용 기억 장치.
Roma *f.* ① [지명] 로마 ((이탈리아의 수도)): ~ antigua 고대 로마. ② 교황의 권력. ¶*No se fundó ~ en una hora* (속담) 로마는 하루 아침에 이루어지지 않았다. *Por todas partes se va a ~ / Todos los caminos llevan a ~* (속담) 모든 길은 로마로 통한다, 진리는 하나, 수단은 달라도 목적은 같다.
romana *f.* 막대저울.
romance *adj.* 로망스어의, 로망스어 계통의. —*m.* ① 로망스어 ((스페인어, 이탈리아어, 포르투갈어, 프랑스어, 카탈루냐어, 루마니아어)). ② 스페인어. ③ (단기간의) 연애, 로맨스. ④ (산문·시로 구성된) 기사도 소설[책]. ⑤ [시법] 로망세 (중세 스페인에서 성행했던 8음절 시구로 된 작은 서사시). ⑥ 로망세로 쓰여진 서사시. ⑦ (옹색한) 핑계, 변명.
romancero, ra *m.f.* 로망세 가수[시인]. —*m.* 로망세집(集).
romancillo *m.* 짧은 서사시.
romancista *adj.* 로망스어(語)로 쓴. —*m.f.* 로망스어로 쓴 작가.
romanesco, ca *adj.* ① 로마 사람들의[에 관한]. ② 로마 사람들의 예술[풍습]의[에 관한]. ③ 소설 같은, 소설적인.
románico, ca *adj.* ① 로망스 어계의. ② 로망스어의[에 관한]. ③ [건축] 로마네스크 양식의. —*m.* [건축] 로마네스크 양식.
romanismo *m.* [집합] 고대 로마의 제도[문화·정치 경향].
romanista *adj.* 로망스 어학(語學)의. —*m.f.* ① 로망스어 학자. ② 로마법 학자.
romanística *f.* 로망스어 언어학.
romanización *f.* 로마화(化).
romanizar (9) *tr.* (언어·풍습·법률을) 로마화하다. —*intr.*, **~se** (언어·풍습·법률이) 로마화되다.
romano, na *adj.* ① 로마 태생의. ② 로마의[에 관한]. ③ 고대 로마 제국의. ④ 로마 가톨릭 교회의: Iglesia *Romana* 로마 교회. ⑤ 라틴어의. —*m.f.* ① 로마 사람. ② 고대 로마 제국 사람. —*m.* 라틴어(語). ¶*a la ~na* ㉮ *adv.* 로마식으로. ㉯ *adj.* 밀가루에 묻혀 튀긴.
romanticismo *m.* ① 낭만주의, 낭만파. ② 낭만주의[낭만파] 시대. ③ 낭만성, 감성(感性).
romántico, ca *adj.* ① 낭만주의[낭만파]의[에 관한]. ② (작품이) 낭만주의 성격을 띤. ③ 낭만주의[낭만파]를 지지하는. ④ 로맨틱한, 공상적인, 감상적인. —*m.f.* ① 낭만주의[낭만파] 작가[시인·예술가]. ② 낭만주의자, 낭만파. ③ 로맨틱한 사람.
romanza *f.* 연애시, 연애 시곡.
rombal *adj.* 마름모꼴의.
rómbico, ca *adj.* 마름모꼴의.
rombo *m.* ① [기하] 마름모꼴. ② [어류] =**rodaballo.**
romboedro *m.* 마름모꼴 육면체, 사방육면체.
romboidal *adj.* 마름모꼴의.
romería *f.* ① 순례 여행. ② 순례제(巡禮祭). ③ 군중.
romero, ra *m.f.* ① 순례자. ② 순례제(romería)에 참가한 사람.
romo, ma *adj.* ① 끝이 뭉툭한. ② (코가) 납작한.
rompecabezas *m.sing.pl.* ① 십자말 풀이, 크로스워드 퍼즐. ② 수수께끼, 해결하기 어려운 문제, 머리가

rotundidez *f.* =rotundidad.
rotundo, da *adj.* ① =redondo. ② 단호한, 단정적인: negativa *~da* 단호한 거절. dar un ~ no a *algo* (…을) 단호히 거절하다. ③ 완전한, 정확한. ④ (말이) 명확한, 표현력이 풍부한. ⑤ (인체가) 풍만한. —*f.* = rotonda ①.
rotura *f.* ① 절단, 파괴, 손상. ② 균열, 갈라진 틈.
roturación *f.* 개간; 최근 개간지.
roturador, ra *adj.* 개간하는. —*f.* 땅 개간용 기계.
roturar *tr.* (땅을) 개간하다, 처음으로 갈다[경작하다].
rouge *m. fr.* 루주, 입술연지, 립스틱 (pintalabios).
roulotte *f. fr.* (여행자용) 자동차로 끄는 좀 큰 주택행 차량.
roza *f.* ① 제초. ② 관 등을 박기 위해 벽에 낸 고랑. ③ 제초한 토지. ④ 밭을 제초해 거둔 풀. ⑤ rur. *Ar.* 배수한 도랑.
rozable *adj.* 제초할 수 있는.
rozadera *f.* 자루가 긴 낫.
rozadero *m.* 제초 장소, 제초된 것.
rozador, ra *m.f.* 풀 베는 사람.
rozadura *f.* ① 마찰. ② 찰과상.
rozamiento *m.* ① 마찰, (가벼운) 쓸림. ② 불화. ③ [물리] 마찰.
rozar (9) *tr.* ① (땅을) 일구다, 개간하다. ② (이용하기 위해 초목을) 베어내다. ③ (동물이 먹기 위해) 입으로 풀을 자르다. ④ (벽·바닥·피부 등의 표면을) 갉다, 깎다. ⑤ (가수가) 악보에 부정확한 박자로 노래하다. ⑥ (벽·천장에 전기 동의 배선·배관용의) 구멍을 뚫다[파다]. —*intr.* ① 관계가 있다, 연관이 있다. ② …에 가깝다. ~**se** ① 서로 스치다. ② 생채기[찰과상]를 당하다. ③ (말 등이) 다리와 다리를 부딪쳐 다치다. ④ 교제하다, 사귀다.
rpm revoluciones por minuto 분당(分當) 회전(수).
rps revoluciones por segundo 초당(秒當) 회전(수).
-rro, rra *suf.*「축소사·경멸」의 뜻 ((-arro, -orro, -orrio 형으로 쓰임)): guij*arro* 돌멩이. vid*orra* 처참한 생활. vill*orrio* 작고 덜 개발된 마을.
RTVE *f. R*adio*t*ele*v*isión *E*spañola 스페인 방송 협회.
rúa *f.* ① (마을의) 거리. ② 찻길. ③ (갈리시아에서 마을 사람들의) 야간 축제[오락].
Ruanda *f.* [국명] 르완다.
ruandés, sa *adj.* ① 르완다 태생의. ② 르완다의[에 관한]. —*m.f.* 르완다 사람.
rubefacción *f.* [의학] (피부의) 발적(發赤) 상태.
rubefaciente *adj.* [의학] 피부를 발적시키는, 발적의. —*m.* [의학] 발적제(發赤劑).
rúbeo, a *adj.* 붉은 기가 도는, 불그스레한.
rubeola *f.* [의학] 풍진(風疹).
rubéola *f.* =rubeola.
rubescente *adj.* =rúbeo.
rubeta *f.* [동물] 두꺼비.
rubí *m.* [광물] 홍옥(紅玉), 루비.
rubia[1] *f.* ① [식물] 꼭두서니. ② 꼭두서니의 뿌리.
rubia[2] *f.* ☞rubio.
rubia[3] *f.* 루비아 ((4분의 1 ciani에 해당하는 아랍의 금화)).
Rubicón *m.* [지명] 루비콘 강 ((이탈리아의 강)). ¶***pasar el*** ~ 단호한 조치를 취하다, 중대한 결심[결의]을 하다.
rubicundez *f.* ① 붉은 기. ② [의학] 홍조(紅潮).
rubicundo, da *adj.* ① 붉은 빛이 도는 금발의. ② (건강해서) 혈색이 좋은, 얼굴이 벌건. ③ (머리카락이) 불그스레한, 붉은 기가 도는.
rubidio *m.* [화학] 루비듐.
rubio, bia *adj.* ① (머리카락이) 금빛 비슷한 빛깔의, 금색의, 금빛의: pelo ~ 금발(金髮). ② (사람이) 금발의: chica *~bia* 금발 소녀. ③ (담배의) 맛[향]이 순한: Ella prefiere los cigarrillos *~s* 그녀는 순한 담배를 선호한다. —*m.f.* 금발의 남자[여자]. —*m.* ① 순한 담배(tabaco ~): Juan siempre fuma ~ 후안은 늘 순한 담배를 피운다. ② [어류] 달강어, 달궁이, 다랑어. ③ *pl.* [투우] 소 등의 가장 높은 곳의 중앙. —*f.* [어류] 루비아 ((작은 민물고기의 일종)).
rublo *m.* 루불 ((러시아의 화폐 단위)).
rubor *m.* ① 진홍(眞紅). ② (수치에 의한 얼굴의) 홍조, 얼굴을 붉힘, 얼굴이 붉어짐. ③ 부끄러움, 수치.
ruborizar (9) *tr.* 얼굴을 붉히게 하다, 수치스럽게 하다. ~**se** ① 얼굴을 붉히다. ② 부끄럽게[수치스럽게] 느끼다[생각하다].
ruborosamente *adv.* 부끄러워, 수치스러워.
ruboroso, sa *adj.* ① 얼굴을 붉히는. ② 부끄러운, 수치스러운.
rúbrica *f.* ① 붉은 도장, 붉은 표시, 서명, 조인. ② 제명(題名), 제목, 표제(rótulo). ③ (교회의) 예배 규정.
rubricante *adj.* 도장을 찍는, 서명(署名)하는.
rubricar (7) *tr.* ① 도장을 찍다. ② 서명하다. ③ (…의) 유언장에 서명하다.
rubro, bra *adj.* =encarnado, rojo. —*m. Amér.* =título, rótulo.
rucio, cia *adj.* ① (동물의 털색이) 밝은 회색의. ② (사람의 머리카락이) 희끗희끗한, 반백의(entrecano).
rudamente *adv.* 거칠게, 난폭하게,

사납게; 버릇없이.
rudeza *f.* 거침, 촌스러움, 사나움.
rudimental *adj.* 퇴화 기관의.
rudimentario, ria *adj.* ① 퇴화 기관의[에 관한], (기관이) 발달하지 않은. ② 초보적인, 기초 과정의: ~*s* conocimientos 초보적 지식.
rudimento *m.* ① [생물] 퇴화 기관, 흔적 기관. ② [생물] 미발달 기관. ③ *pl.* (과학·직업의) 초보, 기초, 기초 과정: aprender los ~*s* de la gramática 문법의 기초를 배우다.
rudo, da *adj.* ① 거친, 투박한, 자연스럽지 못한. ② 예술 규정에 맞지 않는. ③ 공부한 것을 익히기에 어려움이 많은. ④ 예의 없는, 무례한, 교양이 없는. ⑤ 혹독[가혹]한; 엄한, 난폭한: entrenamiento ~ 맹훈련.
rúe *f.* [*fr.* rue] =**calle.**
rueca *f.* ① 실패, 북. ② 꼬임, 꼬기, 똘똘 감기.
rueda *f.* ① (타이어 부분을 포함한) 차바퀴: vehículo de dos ~*s* 이륜차. recambiar una ~ 차바퀴를 갈아 끼우다. ② (사람·물건의) 원, 빙 둘러앉음. ③ =**signo rodado.** ④ [어류] 개복치. ⑤ (칠면조가) 꼬리의 깃으로 만드는 부채꼴 펼침. ⑥ (과일·고기·생선의) 고리 모양의 토막(낸 것). ⑦ 순서, 차례, 일련 순서. ¶~ *de prensa* 기자 회견: celebrar una ~ *de prensa* 기자 회견을 열다.
ruedero *m.* 바퀴 제조자.
ruedo *m.* ① 회전. ② 바퀴. ③ 바퀴 테두리. ④ 옷단의 안에 대는 천. ⑤ 작고 둥근 멍석[돗자리]. ⑥ 주위, 주변, 둘레. ⑦ 윤곽. ⑧ (투우장의) 모래터.
ruego *m.* 간청, 청원, 부탁.
ruejo *m.* 둥근 돌.
rufianería *f.* 뚜쟁이짓.
rufián *m.* 뚜쟁이, 성매매 알선자.
rufianesco, ca *adj.* ① 뚜쟁이의[에 관한]. ② 뚜쟁이짓의[에 관한]. —*f.* ① [집합] 뚜쟁이들. ② 뚜쟁이들의 습관.
rugby *m. ing.* [운동] 럭비.
rugido *m.* ① 사자의 울부짖는 소리. ② 성난 남자의 외침[말]. ③ 굉음, 울려퍼지는 소리. ④ 창자가 울리는 소리.
rugir (4) *intr.* ① (사자가) 으르렁거리다. ② (성난 사람이) 울부짖다, 절규하다. ③ =**crujir, rechinar.** ④ (숨겨졌던 것·모르던 것이) 드러나기[알려지기] 시작하다.
rugosidad *f.* ① 주름투성이, 울퉁불퉁한 것. ② 주름(arruga).
rugoso, sa *adj.* ① 주름투성이의, 주름이 많은. ② 울퉁불퉁한.
ruibarbo *m.* ① [식물] 대황(大黃). ② 대황의 뿌리.
ruido *m.* ① 소음, 시끄러운 소리, 불쾌한 소리; (어떤) 소리: Hay mucho ~ en la calle 거리가 무척 시끄럽다. Se oye ~ en la habitación 방에서 무슨 소리가 들린다. ② 소동, 혼잡. ③ 풍문, 뜬소문. ④ 잡음. ¶*hacer* [*meter*] ~ alguien o algo (누가·무엇이) 소란을 피우다, 떠들다, 시끄럽게 하다; 깜짝 놀라게 하다: Tu radio *hace* [*mete*] mucho ~ 네 라디오는 무척 시끄럽다. ***Mucho ~ y pocas nueces*** (속담) 빈 수레가 더 요란하다, 태산 명동(泰山鳴動)에 서일필(鼠一匹).
ruidosamente *adv.* 시끄럽게, 소란스레, 야단스레.
ruidoso, sa *adj.* ① 시끄러운, 소란스러운. ② 세상을 떠들썩하게 만든, 떠들썩한, 유명하고 말이 많은.
ruin *adj.* ① 비열한, 용렬한: acción ~ 비열한 행동. ② 미천한. ③ 천박한: mujer ~ 천박한 여인. ④ 작은, 소규모의, 자그맣고 보잘 것 없는, 사소한. ⑤ 인색한.
ruina *f.* ① (건조물의) 붕괴. ② (나라 등의) 멸망, 파멸, 붕괴: ~ del Imperio Romano 로마 제국의 멸망. ③ 파산, 도산. ④ 파멸[파산]의 원인. ⑤ *pl.* 폐허, 황폐한 자취, 유적: ~*s* de los incas 잉카 유적.
ruinar *tr.* =**destruir.**
ruindad *f.* ① 천함, 야비함, 천박한 짓. ② 비열한 행위. ③ 인색한 짓.
ruinmente *adv.* 천하게, 비열하게; 추접스레; 인색하게.
ruinoso, sa *adj.* ① 넘어질 듯한, 쓰러져 가는, 무너진. ② 파괴적인, 파멸된.
ruiseñor *m.* [새] 밤꾀꼬리.
rular *intr., tr.* =**rodar.**
rulé *m.* =**culo, nalgas.**
rulero *m. Arg., Bol., Par., Perú, Ur.* =**rulo**[1] **⑤.**
ruleta *f.* 룰렛: girar la ~ 룰렛을 돌리다. ¶~ ***rusa*** 러시안룰렛.
rulo[1] *m.* ① 공, 구슬. ② (땅을 다지는) 대형 롤러. ③ (롤러식) 맷돌. ④ 머리카락의 곱슬곱슬한 모양. ⑤ 머리카락을 곱슬곱슬하게 지지는 기구.
rulo[2] *m.* [*mapuche.* rulu] *Chile.* (관개하지 않는) 경작지, 밭.
Rumania *f.* [국명] 루마니아.
rumano, na *adj.* ① 루마니아 태생의. ② 루마니아의[에 관한]. —*m.f.* 루마니아 사람. —*m.* 루마니아 말.
rumazón *m.* [집합] 구름.
rumba *f. Cuba.* 룸바 ((민속 춤·곡)).
rumbero, ra *adj.* ① 룸바를 추기 좋아하는. ② 룸바를 잘 추는. ③ 룸바의[에 관한].
rumbo[1] *m.* ① (배·비행기 등의) 방향, 방위: cambiar de ~ 방향 전환을 하다. ② (나침반의) …점. ③ 진로, 항로, 길: perder el ~ 진로를

벗어나다.
rumbo[2] *m.* ① 화려함, 우아함. ② 늠름함, 풍채가 좋음.
rumboso, sa *adj.* ① 아름다운, 호화로운, 화려한. ② 관대한, 너그러운, 선심의, 인심이 좋은.
rumia *f.* 되새김질, 반추(反芻).
rumiador, ra *adj., m.f.* ① 되새김질하는 (동물). ② 깊이 생각하는 (사람).
rumiadura *f.* =rumia.
rumiante *adj.* ① 되새김질하는. ② 반추 동물의. —*m.f.* 반추 동물(反芻動物). —*m.pl.* 반추류(反芻類).
rumiar (11) (12) *tr.* ① 되새김질하다, 반추하다. ② 잘 생각하다, 숙고하다. ③ 투덜거리다.
rumor *m.* ① 소문, 풍문. ② 웅성거리는 소리, 수군거리는 소리. ③ 멀리서 들리는 소리. ④ (시냇물의) 졸졸거리는 소리.
rumorar *intr. Amér.* 소문이 퍼지다. —*tr. Amér.* 소문을 퍼뜨리다.
rumorear *intr.* 소리가 들리다. —*tr.* (소문을) 퍼뜨리다. ~**se** 소문이 나다[퍼지다].
rumoroso, sa *adj.* ① 소문이 나는. ② 웅성거리는, 수군거리는.
rumrum *m.* =runrún.
runrún *m.* ① 윙윙거림. ② 웅성웅성거림, 술렁거림. ③ 소문. ④ *Arg., Chile, Perú.* 윙윙 소리내는 장난감.
runrunear *intr.* ① =susurrar. ② 웅성거리다, 술렁거리다. ~**se** 수근거리다, 속삭이다.
runruneo *m.* ① 윙윙거림. ② 수근거림, 속삭임.
rupestre *adj.* ① 바위[암석]의[에 관한]. ② 거칠고 원시적인. ③ 암석에 그려진[조각된], 동굴에 그려진[새겨진]: pintura ~ 암석화, 동굴 벽화.
rupia[1] *f.* 루피 ((인도·파키스탄의 화폐)).
rupia[2] *f.* [의학] 물집이 생기는 피부병.
rupicabra *f.* [동물] =**gamuza.**
rupicapra *f.* [동물] =**gamuza.**
rupícola *adj.* 바위에서 자라는.
ruptor *m.* [전기] (자동) 접촉 차단기.
ruptura *f.* ① 파괴. ② 단절, 절단, 결렬. ③ 절교, 절연(絶緣).
rural *adj.* ① 시골[농촌·전원(田園)]의[에 관한]; 시골 생활의[에 관한]: vida ~ 전원 생활, 시골 생활. ② 촌스러운, 교양이 없는, 거친, 시골 것에 애착을 가진.
ruralismo *m.* 시골 양식[생활].
ruralmente *adv.* 촌스레, 거칠게, 교양 없이; 시골풍으로.
Rusia *f.* [국명] 러시아.
rusiente *adj.* 불에 벌겋게 단.
rusificar (7) *tr.* 러시아화하다.
ruso, sa *adj.* ① 러시아 태생의. ② 러시아의[에 관한]. —*m.f.* 러시아 사람. —*m.* 러시아 말.
rusticación *f.* 시골살이.
rustical *adj.* =**rural.**
rústicamente *adv.* 촌스레, 시골 식으로.
rusticano, na *adj.* (식물이) 야생의.
rusticar (7) *intr.* 시골로 떠나다, 시골에 살다.
rusticidad *f.* 전원풍(田園風), 시골식.
rústico, ca *adj.* ① 시골의[에 관한]. ② 거친. —*m.* 시골 남자. ¶***a la ~ca, en ~ca*** (책을) 종이 장정한, 가철한, 가장정한: libro *en ~ca* 가장정본(假裝幀本).
rustiquez *f.* =**rusticidad.**
rustiqueza *f.* =**rusticidad.**
ruta *f.* ① 길; 경로, 노정, 루트: ~ aérea 항공로. ~ nacional 국도. ② 여정(旅程), 도정(道程): establecer la ~ del viaje 여정을 짜다. ③ 목적 방향, 목적지. ④ =**carretera.**
rutenio *m.* [화학] 루테늄.
rutero, ra *adj. Arg., Hond.* 길[도로](ruta)의[에 관한]. —*m. Cuba.* 소형 시내 버스.
rutherfordio *m.* [화학] 러더퍼듐.
rutilancia *f.* 반짝임, 번쩍번쩍 빛남.
rutilante *adj.* 반짝이는, 번쩍번쩍 빛나는.
rutilar *intr.* =**brillar.**
rútilo, la *adj.* ① 금빛의, 금색의. ② 황금처럼 번쩍이는.
rutina *f.* ① 판에 박힌 일, 일상의 일, 일상, 습관성, 관례, 낡은 습관. ② [컴퓨터] 루틴 ((프로그램에 의한 컴퓨터의 일련의 작업)).
rutinario, ria *adj.* 틀에 박힌, 기계적(機械的)인.
rutinero, ra *adj., m.f.* 구습(舊習)에 얽매인[구애된] (사람), 구폐(舊弊)에 찌든 (사람), 전부터 내려오는 폐단에 얽매인 (사람), 관례에만 따르는 (사람).

S s

s *f.* 에세 ((스페인어 알파벳의 스물두 번째 문자)).
s. segundo 초. silgo 세기. siguiente 다음의.
S. sur 남쪽. San 성(聖) ···.
s/. sobre
S.A. Su Alteza 전하. Sud América 남아메리카. Sociedad Anónima 주식회사.
sáb. sábado 토요일.
sábado *m.* ① 토요일. ② [유대교]

안식일. ¶*Sábado de la Gloria, Sábado Santo* 부활절의 토요일. *hacer* ~ 매주 토요일에 대청소를 하다.

sabana *f.* [지리] 사바나, 열대 초원.

sábana *f.* ① 시트, 홑이불. ② (유대인·동양의 다른 민족이 사용했던) 망토. ③ =**sabanilla.**

sabanero, ra *adj.* ① sabana에서 사는. ② sabana의[에 관한]. —*m.f.* sabana 주민. —*m.* ① [조류] 찌르레기의 일종. ② *Amér.* 목축떼를 지키는 남자. —*f. Guat., Hond., Méj., Ven.* [동물] (초원의) 뱀.

sabanilla *f.* [종교] 제단을 덮는 천, 제단 덮개.

sabañón *m.* 가벼운 동상(凍傷). ¶*comer* alguien *como un* ~ (누가) 게걸스레 많이 먹다.

sabatario, ria *adj.* (유대교도들이) 안식일을 지키는. —*m.f.* 안식일을 지키는 유대교도.

sabático, ca *adj.* ① 토요일의[에 관한]: descanso ~ 토요일 휴식. ② (유대인들이 7년마다 땅·포도밭·올리브밭을) 휴경(休耕)[휴작(休作)]하는. —*m.* 안식년(año ~).

sabatino, na *adj.* ① 토요일의[에 관한]. ② 토요일에 행한. —*f.* 토요일의 예배[축제·학과].

sabedor, ra *adj.* [+de] (…을) 잘 알고 있는.

sabelotodo *adj., m.f.* 무엇이나 아는 척하는 (사람).

saber[1] (66) *tr.* ① 알다, 알고 있다: ~ la dirección de *alguien* (…의) 주소를 알고 있다. ~ la noticia 그 소식을 알고 있다. *Sé* su nombre 나는 그의 이름을 알고 있다. ② 할 수 있다: Ella *sabe* catalán 그녀는 까딸루냐 말을 할 수 있다. ③ 이해하다, 알다(enterarse): Lo supe por el telediario de las siete 나는 그것을 일곱 시 뉴스를 통해 알았다. ④ [+*inf.*] …할 줄 알다: ~ tocar la guitarra 기타를 칠 줄 알다. ~ nadar 수영할 줄 알다. —*intr.* ① [+de] (…에 대해) 알고 있다, 알다: No *sé de* mi hermano menor desde hace mucho tiempo 나는 오래 전부터 막내동생의 소식을 모르고 있다. ② [+a+무관사 명사] (…의) 맛이 나다(tener sabor): Este helado *sabe a* mango 이 아이스크림은 망고 맛이 난다. ③ 박식하다, 영리하다, 빈틈없다. ¶*No ~ es como no ver* (속담) 무식은 장님이나 다름없다. *Quien de nada sabe, de nada duda* (속담) 아무것도 모르는 사람은 아무것도 의심하지 않는다, 모르면 의심할 필요가 없다. *Quien poco sabe, poco teme* (속담) 식자우환(識字憂患).

saber[2] *m.* ① 지식, 학식(sabiduría). ② 과학(ciencia), 능력(facultad). ¶*El ~ no ocupa lugar* (속담) 지식은 짐이 되지 않는다. *Saber es poder* (속담) 아는 것이 힘이다.

sabiamente *adv.* 현명하게.

sabidillo, lla *adj., m.f.* (모르면서) 아는 체하는 (사람).

sabido, da *adj.* ① 많이 아는, 박식한. ② 주지(周知)의, 세상에 알려진.

sabiduría *f.* ① 학식, 지식. ② 현명함, 사려 분별: actuar con gran ~ 사려 분별을 가지고 행동하다. ③ 깊은 지식. ④ 지혜. ¶~ *eterna,* ~ *increada* 하느님의 말씀.

sabiendas *a* ~ ㉮ 고의로, 일부러. ㉯ 알면서도.

sabihondez *f.* =**sabiondez.**

sabihondo, da *adj., m.f.* =**sabiondo.**

sábila *f. Ant., Hond., Méj., Ven.* [식물] =**áloe.**

sabio, bia *adj.* ① 학식[지식]이 있는. ② 해박한, 박식한. ③ 현명한, 분별 있는, 사려 깊은, 신중한: ~ consejo 분별 있는 충고. ~*bia* determinación 분별 있는[사려 깊은] 결단[결정]. ④ (동물이) 재주가 많은: perro ~ 재주가 많은 개. —*m.f.* ① 학자. ② 박식한[해박한] 사람. ③ 현명한 사람, 현자: Alfonso X el ~ 현왕 알폰소 10세 ((1221-84)). ¶*De ~s es mudar de opinión* (속담) 군자표변(君子豹變), 군자는 잘못을 깨달으면 즉시 고친다.

sabiondez *f.* 아는 척하기[체하기].

sabiondo, da *adj., m.f.* (모르면서) 아는 체하는 (사람).

sablazo *m.* ① 칼로 치기. ② 칼로 난 상처. ③ 돈을 뜯어내기, 등쳐 먹기.

sable[1] *m.* ① 양검, 사벨. ② [펜싱] 사브르, 사벨. ③ 남의 돈을 교묘히 [자기가 쓰기 위해] 빼내기. ④ *Cuba.* [어류] 뱀장어 모양의 물고기. ¶*guindar* alguien *el ~ Cuba.* (누가) 죽다(morir).

sable[2] *m.* [문장학] 검은 색. —*adj.* 검은 색의.

sablón *m.* 굵은 모래.

saboneta *f.* 뚜껑이 금[은·다른 금속]으로 덮인 회중시계.

sabor *m.* ① 맛, 풍미(風味): ser de buen ~ 맛이 좋다. ② …풍(風): poema de ~ clásico 고전풍의 시. ③ 운치, 정취, 맛, 느낌; 재미, 홍미. ④ *pl.* 재갈의 일종.

saborear *tr.* ① …에 양념을 하다, 맛을 내다. ② (먹으면서·마시면서) 맛보다: ~ el vino 포도주를 맛보면서 마시다. ③ (천천히) 즐기다, 음미하고 즐기다: ~ la belleza 미를 감상하다. ~**se** 맛보며 즐기다, 먹으면서[마시면서] 맛보다.

saboreo *m.* ① 맛내기, 양념하기. ② 맛을 봄, 시식, 시음. ③ 음미, 향수(享受).

S

sabotaje *m.* ① 태업(怠業), 사보타주. ② (기계·설비의) 파괴 (행위), 파괴 활동. ③ (계획의) 방해.
saboteador, ra *adj.* 사보타주하는. —*m.f.* 태업자, 파괴 활동자.
sabotear *tr.* ① 사보타주하다, 태업하다. ② 파괴하다. ③ 방해하다.
sabr- ☞saber (66).
sabría ☞saber (66).
sabría- ☞saber (66).
sabrosamente *adv.* 맛있게.
sabroso, sa *adj.* ① 맛있는, 맛이 좋은(rico): comida *~sa* 맛있는 음식. ② 유쾌한, 상쾌한. ③ 약간 짠, 소금기가 있는.
saca[1] *f.* ① 꺼내기, 뽑아내기. ② (과일 등의) 수출. ③ (공증된) 등본, 부본(副本).
saca[2] *f.* (폭보다 길이가 긴) 튼튼한 천으로 만든 아주 큰 자루.
sacabocado *m.* =sacabocados.
sacabocados *m.sing.pl.* ① 천공기, 병따개. ② 유효한 수단.
sacaclavos *m.sing.pl.* 못뽑이.
sacacorchos *m.sing.pl.* 병따개.
sacacuartos *m.sing.pl.* 쉽게[무익하게] 돈을 낭비하는 사업. —*m.f.* 남의 돈을 부당하게 긁어내는 재능이 있는 사람.
sacadilla *f.* (작은 범위에서 하는) 짐승 몰이.
sacadineros *m.* =sacacuartos. —*m.f.sing.pl.* =sacacuartos.
sacador, ra *adj.* 꺼내는, 뽑는; 서브 넣는. —*m.f.* ① 꺼내는 사람, 뽑는 사람. ② [운동] (테니스·탁구·배구 등의) 서버, 서브 넣는 사람.
sacamanchas *m.f.sing.pl.* 얼룩 빼기 담당자. —*m.sing.pl.* 얼룩 빼는 물질.
sacamiento *m.* 꺼내기, 뽑아내기.
sacamuelas *m.sing.pl.* ① (옛날에) 이를 뺐던 사람. ② [경멸] 치과의사. ③ 말이 많은 사람, 떠벌이. ④ 사기꾼. ⑤ (싸구려 물건의) 행상인.
sacapelotas *m.sing.pl.* (옛날의) 탄환 꺼내는 쇠꼬챙이. —*m.f.sing.pl.* 비열한 인간.
sacaperras *m.* =sacacuartos.
sacapotras *m.sing.pl.* 엉터리 외과의사.
sacapuntas *m.sing.pl.* 연필깎이.
sacar (7) *tr.* ① ㄱ) 꺼내다: ~ un libro de la cartera 가방에서 책을 꺼내다. ㄴ) 인출하다: ~ dinero del banco 은행에서 돈을 인출하다. ㄷ) 뽑다, 빼다: ~ la pistola 권총을 뽑다. ~ una muela 어금니를 뽑다. ㄹ) 밖으로 내다[꺼내다]: ~ la basura 쓰레기를 밖으로 내다. ② 데리고 나가다: ~ al perro 개를 데리고 나가다[산책하다]. ③ ㄱ) 얻다. ㄴ) (성적을) 받다. ㄷ) 합격하다: ~ todos *sus* estudios 전과목 합격하다. ④ 제비를 뽑아 맞추다. ⑤ (몸의 일부를) 내놓다: ~ la cabeza 머리를 내놓다. ⑥ (옷의 폭을) 내다, 늘이다; 잘라내다. ⑦ (양을) 산출하다, 제조하다, 생산하다, 만들어내다. ⑧ (새롭게) 내놓다, 만들어내다, 발표하다: ~ un nuevo modelo de coche 새 차를 발표하다. ⑨ (문제 등을) 해결하다, 풀다. ⑩ (제비뽑기·투표로) 뽑다. ⑪ 인용하다. ⑫ (표를) 사나: ~ un billete de ida y vuelta 왕복표를 사다. ~ la entrada del cine 영화 입장권을 사다. ⑬ (사진을) 찍다, 촬영하다. ⑭ 복사하다(copiar). ⑮ (공을) 차다, 던지다, 서브하다. **~se** ① (자신의 …에서) 꺼내다: *~se* el monedero del bolsillo 자기의 호주머니에서 지갑을 꺼내다. ② 취득하다: *~se* el carné de conducir 운전 면허를 취득하다. ③ *Méj.* (…에서) 물러서다, 떠나다(quitarse, irse de un lugar).
sacárido *m.* [생화학] 당류(糖類); 단당류.
sacarífero, ra *adj.* 당(糖)을 내는, 당을 함유한.
sacarificación *f.* 당화(糖化) (작용).
sacarificar (7) *tr.* [화학] 당(糖)으로 바꾸다, 당화(糖化)하다.
sacarimetría *f.* 검당법(檢糖法).
sacarímetro *m.* 검당계(檢糖計).
sacarino, na *adj.* ① 당(분)이 있는. ② 설탕 같은. —*f.* [화학] 사카린.
sacaroideo, a *adj.* [광물] 설탕 모양의, 설탕 같은.
sacarosa *f.* [화학] =**azúcar.**
sacasillas *m.sing.pl.* (극장에서, 극이 끝나고) 도구를 치우는 사람.
sacatapón *m.* =sacacorchos.
sacciforme *adj.* 자루 모양의[을 한].
sacerdocio *m.* ① 사제(司祭) 직(위). ② 성직(聖職).
sacerdotal *adj.* 사제의: casa ~ 사제관.
sacerdote *m.* ① 성직자, 목사, 승려. ② [천주교] 사제: ~ obrero 노동사제. —*m.f.* 제사관(祭祀官).
sacerdotisa *f.* ① 여자 사제. ② 무당, 무녀(巫女).
sachadura *f.* 제초 (작업).
sachar *tr.* 제초하다, 잡초를 뽑아 없애다.
sacho *m.* 제초 도구, 괭이.
saciable *adj.* ① 곧 만족시키는. ② 포식시킬 수 있는.
saciar *tr.* ① 포식시키다, 싫증나도록 먹이다, (공복·갈증을) 채우다, 만족시키다; 싫증나게 만들다: ~ la sed 갈증을 풀다, 해갈하다. ② (욕망 등을) 만족시키다, 충족시키다: ~ *su* ambición 야망을 만족시키다. **~se** ① 싫증나도록[물리도록·배가 터지도록·실컷] 먹다: comer hasta *~se* 실컷 먹다. ② [+de] (…에) 만족하다, 물리다, 싫증나다; [+con] (…으로) 만족하다, 물리다, 싫증나다.

S

saciedad *f.* ① 만족: Ella nunca alcanza la ~ 그녀는 결코 만족하지 않는다. ② 배가 잔뜩 부름, 만복(滿腹), 포만, 포식, 포화: comer hasta la ~ 실컷 먹다.

saco *m.* ① 자루, 부대, 포대, 마대: un ~ de patatas 감자 한 자루[부대]. dos ~*s* de azúcar 설탕 두 포대. ② 침낭. ③ 헐렁헐렁한 외투. ④ 약탈(saqueo). ⑤ [해부·생물] 주머니, 낭(囊): ~ lacrimal 눈물주머니, 누낭(淚囊). ⑥ 만(灣)(bahía), 하구(河口). ⑦ *Can., Amér.* (남자의) 양복 저고리, 웃옷(chaqueta, americana). ⑧ *Ur.* (여자의) 오버(abrigo).

sacramental *adj.* ① 성사(聖事)의, 성체(聖體)의, 성찬의. ② 비적(秘跡)의; 성례의; 주문의.

sacramentalmente *adv.* 비적으로서, 비적에 의하여.

sacramentar *tr.* ① (빵을) 성체로 만들다. ② (임종하는 사람에게) 성례를 행하다, 성체를 주다.

sacramente *adv.* =**sagradamente.**

sacramento *m.* ① 성사(聖事). ② 성(聖)빵, 성체. ③ 비적(秘跡). ¶~ ***del altar*** 성체의 비적.

sacrificador, ra *adj.* 희생(犧牲)하는. —*m.f.* 희생자.

sacrificar (7) *tr.* ① (희생으로) 바치다, 희생물을 바치다. ② (소비하기 위해) 도살하다. ③ [+por · a] (…을 위하여) 희생하다, 희생시키다: ~ *su* vida *por su* patria 조국을 위해서 목숨을 바치다. ~ *sus* amigos *a sus* intereses 자신의 이익을 위해 친구를 희생시키다. ~**se** 바치다; 헌신하다, 자신을 희생하다: ~*se* a Dios 신에게 일신을 바치다, 성직자가 되다. ~*se por* un amigo 친구를 위해 자신을 희생하다.

sacrificio *m.* ① (신에게 바치는) 산제물, 제물. ② 희생; 희생[헌신]적 행위; 큰 손해; 희생물. ③ [천주교] 미사(misa): celebrar el santo ~ 미사를 드리다[올리다].

sacrilegio *m.* ① 독성(瀆聖), 신성한 것을 모독함. ② 모독. ③ 불경(不敬).

sacrílego, ga *adj.* ① 모독적인. ② 불경한. —*m.f.* 모독자.

sacristán *m.* (교회의) 비품실[성기실] 관리인, 교회 관리인.

sacristana *f.* ① sacristán의 아내. ② (교회의) 비품실[성기실] 관리 수녀.

sacristanía *f.* sacristán의 직무.

sacristía *f.* ① (교회의) 비품실, (사원의) 성기실(聖器室). ② sacristán 직.

sacro, cra *adj.* ① =**sagrado.** ② [해부] 천골(薦骨)의, 엉치뼈의, 엉치등뼈의. —*m.* [해부] 천골, 엉치뼈, 엉치등뼈(hueso ~).

sacudida *f.* ☞sacudido.

sacudido, da *adj.* ① =**áspero, indócil, intratable.** ② =**desenfadado, resuelto.** —*f.* ① 진동, 흔들림, 떨림. ② 지진. ③ 전기 쇼크, 감전(感電)(~ eléctrica). ④ (정신적인) 충격, 쇼크.

sacudidor, ra *adj., m.f.* 흔드는 (사람). —*m.* 먼지털이, 총채.

sacudir *tr.* ① 흔들다, 뒤흔들다. ② 흔들어 털다. ③ 구타하다, 두들기다, 두들겨 패다. ④ (정신적인) 충격을 주다. ⑤ *CRica.* 총채질하다, 먼지를 털다: ~ los muebles 가구를 총채질하다, 가구의 먼지를 털다. ~**se** ① (자신의) 몸을 흔들다. ② (파리·모기를) 뿌리치다, 쫓다.

sádico, ca *adj.* ① [정신 의학] 사디즘[가학성 성애]의[에 관한]. ② 잔혹한. —*m.f.* 사디스트, 가학 성애자.

sadismo *m.* ① [정신 의학] 사디즘, 가학성 성애. ② 극단적인 잔학성, 잔혹함.

sadomasoquismo *m.* [정신 의학] 가학 피학성(加虐被虐性) 변태 성욕.

sadomasoquista *adj.* [정신 의학] 가학 피학성 변태 성욕의[에 관한]. —*m.f.* 가학 피학성 변태 성욕자.

saeta *f.* ① 화살(flecha). ② (시계·자석의) 바늘.

saetero, ra *adj.* 화살의, 화살에 관한. —*m.* 사수(射手). —*f.* ① 총안(銃眼). ② 작은 창.

safari *m.* ① 사파리 ((수렵 등의 원정 여행)). ② 사파리 공원 ((동물을 놓아 기르는 동물 공원; 차를 타고 구경함)).

s.afmo su afectísimo 친애하는.

sagacidad *f.* 혜안(慧眼), 총명, 현명.

sagaz *adj.* ① 혜안의, 총명한. ② (사냥개가) 냄새를 잘 맡는.

sagazmente *adv.* 총명하게, 현명하게, 영리하게; 기민하게, 날쌔게.

sagrado, da *adj.* ① 성스러운, 거룩한, 신성한: fuego ~ 성화. libros ~*s* 성전(聖典). recinto ~, zona ~*da* 성역. *Sagrada* Familia 성가족 ((요셉, 마리아, 그리스도)). ② 경외(敬畏)[외경(畏敬)]할 만한, 신성불가침(神聖不可侵)의.

sagrario *m.* ① [천주교] (제단 부근의) 성역(聖域). ② [천주교] 성궤(聖櫃). ③ [천주교] (대성당 안의) 작은 예배당.

sah *m.* 페르시아[이란]의 왕.

saharaui *adj.* ① 사하라 사막의[에 관한]. ② (옛 스페인령) 사하라의[에 관한]. —*m.f.* =**sahariano.**

sahariano, na *adj.* ① 사하라 사막의[에 관한]. ② (스페인령이었던) 서아프리카 영토의[에 관한]. ③ (스페인령이었던) 서아프리카 영토 태생의. —*m.f.* (옛 스페인령) 서 아프리카 영토 사람. —*f.* 사파리 자켓 ((주머니 네 개와 허리 벨트가 특징

S

인 면(綿) 개버딘제(製) 재킷)).
sahárico, ca *adj.* =sahariano.
sahumador *m.* 향로.
sahumar (17) *tr.* (향을 피워) 향기를 쏘이다. ~**se** 향을 피우다.
sahumerio *m.* 향(의 연기).
S.A.I. *Su Alteza Imperial* 황제[황후] 폐하.
saín *m.* 동물의 기름.
sainete *m.* ① 사이네떼 ((18세기 스페인의 1막물 풍속 희극)). ② 희극, 익살스러운 상황.
sainetero, ra *m.f.* sainete 작가.
sainetesco, ca *adj.* sainete의.
sainetista *m.f.* =**sainetero.**
saíno *m.* [동물] (남아메리카의 숲에서 사는) 멧돼지의 일종.
sajar *tr.* 살가죽을 엷게 째다, 절개하다: ~ peces 물고기를 엷게 포를 뜨다[저미다].
sake *m.* 청주(清酒).
sal[1] *f. lat.* ① 소금: echar ~ a la ensalada 샐러드에 소금을 치다. sazonar con ~ 소금으로 맛을 내다. ② 기지, 재치, 유머, 해학, 위트. ③ 조미료. ④ 우아함. ⑤ [화학] 염(鹽). ⑥ *AmérC., Méj., RDom.* 불운, 불행.
sal[2] 나가거라, 나오너라 ((salir의 2인칭 단수 tú의 긍정 명령)).
sala *f.* ① 거실(~ de estar). ② (손님을 받는) 응접실, 큰 방. ③ (공공시설 등의) 회장(會場), 홀: ~ de conciertos 콘서트홀. ~ de conferencias 회의장, 회의실; 강당, 강연회장. ~ de espera 대합실. ④ (호텔·공항의) 로비, 라운지. ⑤ (병원의) 병동, 큰 병실. ⑥ 극장, 영화관. ⑦ 법정(法廷). ⑧ [집합] 재판관.
salacidad *f.* 호색(好色), 음란.
saladar *m.* 염전(鹽田).
saladillo *m.* =**tocino saladillo.**
salado, da *adj.* ① (땅이) 메마른, 불모의. ② 염분이 많은, 소금기가 많은. ③ 재치 있는, 영특한, 애교 있는. ④ *AmérC., Ant., Ecuad., Perú, Ven.* =**desfortunado.** ⑤ *Arg., Bol., Chile, Ur.* 값비싼(caro): precios ~*s* 비싼 값.
salamanquesa *f.* [동물] 도롱뇽.
salame *m. Amér.* =**salami.**
Salamanca *f.* [지명] 살라망까 ((스페인의 주·주도)).
salami *m. it.* 살라미 ((향미가 강한 소시지)).
salar *tr.* ① (고기·생선 등을) 소금에 절이다. ② (요리에) 소금을 넣다. ③ 필요 이상으로 소금을 넣다.
salariado *m.* 임금 제도.
salarial *adj.* 임금[급료]의[에 관한]: aumento ~ 임금 인상.
salario *m.* 봉급, 급료, 임금; (특히) 일급(日給): ~ elevado 고임금. ~ mínimo 최저 임금. cobrar el ~ 급료를 받다. pagar el ~ 급료를 지불하다.
salaz *adj.* 호색(好色)의, 음란한.
salazón *f.* ① (고기·생선의) 소금 절임. ② [주로 *pl.*] 소금 절임 식품. ③ 소금 절임 식품 가공업.
salazonero, ra *adj.* salazón의.
salce *m.* =**sauce.**
salceda *f.* ① 버드나무 숲. ② 버드나무 가로수.
salcedo *m.* =**salceda.**
salchicha *f.* 순대, 소시지.
salchichería *f.* 순대집, 소시지 가게.
salchochero, ra *m.f.* ① 순대[소시지] 만드는 사람. ② 순대[소시지] 장수.
salchichón *m.* 큰 순대, 큰 소시지.
saldar *tr.* ① 결재하다, 청산하다: ~ *sus* deudas 빚을 청산하다. ② (재고를 싼 값에) 팔아 치우다, 재고품을 정리하다, 바겐세일하다. ③ 매듭을 짓다. ~**se** [+con] (…의 결과로) 끝나다, 매듭이 지어지다.
saldista *m.f.* ① 흠이 있는 물건을 사고 파는 장수. ② 바겐세일하는 사람.
saldo *m.* ① 결재, 청산. ② (대차의) 정산 잔고, 잔고. ③ [주로 *pl.*] 투매품, 덤핑 물건. ④ 투매, 덤핑.
saldr- ☞**salir (63).**
saldría ☞**salir (63).**
saldría- ☞**salir (63).**
saledizo, za *adj.* [건축] 돌출한, 튀어나온(saliente). —*m.* [건축] (건물의) 돌출 부분, 쑥 내민 곳.
salero *m.* ① (식탁·주방용) 소금 그릇, 소금병. ② 소금 보관소, 소금 창고. ③ (시골에서 가축에게) 소금 주는 곳. ④ 애교, 매력, 귀여움, 기지: tener mucho ~ 애교가 많다. ⑤ 애교 있는 사람, 상냥한 사람, 재치 있는 사람.
saleroso, sa *adj.* 애교 있는, 상냥한, 재치 있는: persona ~*sa* 애교[재치] 있는 사람, 상냥한 사람.
salesiano, na *adj.* ① 살레시오 수도회(la Sociedad de San Francisco de Sales, 19세기 San Juan Bosco가 창립)에 속한. ② 살레시오 수도회의[에 관한]. —*m.f.* 살레시오 수도회 소속 수도사[수도녀].
salga ☞**salir (63).**
salga- ☞**salir (63).**
salida *f.* ☞**salido.**
salidizo *m.* (건물의) 돌출 부분.
salido, da *adj.* ① 돌출한, 튀어나온. ② (동물의 암컷이) 발정한. ③ (사람·동물이) 성적으로 흥분한. —*f.* ① 나오기, 나가기, 출발: ~ del puerto 출항. ~ del sol 해돋이, 일출. ~ del tren (열차의) 출발. hora de ~ 출발 시간, 발차 시각. ② [운동] 출발. ③ 출구(出口): ~ de emergencia 비상구. ~ del metro 지하철의 출구. calle sin ~ (더 이상 갈 수 없는) 막힌 길. ④ 여행;

S

소풍, 원족; 산책. ⑤ [때때로 *pl.*] (장래의) 가능성. ⑥ 지출, 출금(出金). ⑦ (곤란을 해결하는) 수단; 구실, 변명. ⑧ 재기(才氣), 기지 넘치는 언동. ⑨ [연극] 퇴장. ⑩ (상품의) 판매. ⑪ [컴퓨터] 출력(出力).

saliente *adj.* 돌출한, 튀어나온. —*m.* ① 동(東), 동쪽(Este). ② (물건의) 돌출 부분, 튀어나온 부분.

salífero, ra *adj.* =salino.

salificable *adj.* 염화(鹽化)할 수 있는: base ~ 염기(鹽基).

salificación *f.* 염화(鹽化).

salificar (7) *tr.* [화학] 염화하다.

salimiento *m.* (장소에서) 나가기, 출발(salida).

salín *m.* 소금 창고.

salina *f.* ① 소금 광산. ② 염전, 제염소(製鹽所).

salinero, ra *adj.* ① 소금의[에 관한]. ② 염전의, 제염의. ③ 희고 붉은 얼룩이 있는 (소). —*m.f.* ① 염전 일꾼. ② 소금장수.

salinidad *f.* 염분, 염기, 염도.

salinizar (9) *tr.* 소금 처리하다, 염화(鹽化)하다.

salino, na *adj.* ① 염분을 함유한. ② 소금기가 있는. ③ 소가 희고 붉은 얼룩이 있는.

salir (63) *intr.* ① ㄱ) 나가다, 나오다: ~ *de* la habitación 방에서 나오다[나가다]. ~ *de su* país 출국하다. ㄴ) 외출하다: ~ *de* casa 외출하다, 집에서 나오다[나가다]. ㄷ) [+de+동작 명사] (…하러) 가다: ~ *de* compras 장보러 가다, 쇼핑하러 가다. ㄹ) [+a+*inf.*] (…하기 위해) 나가다: ~ *a* pasear 산책하러 나가다[나오다]. ㅁ) 떠나다, 출발하다: ~ *de* Seúl 서울을 떠나다[출발하다]. ~ *para* la ciudad de México 멕시코시로 떠나다[출발하다]. ② (직무 등에서) 관계가 없어지다; (상태를) 벗어나다: ~ *de* director 사장을 그만두다. ~ *del* hospital 퇴원하다. ~ *del* partido 탈당하다. ③ 나타나다: El sol *sale por* el este 태양은 동쪽에서 뜬다. ④ 생기다, 나오다, 싹트다: ~ los dientes 이가 나오다. ⑤ (더러움이) 없어지다, 사라지다. ⑥ 내밀다, 돌출되어 있다, 튀어나오다(sobresalir). ⑦ (결과로서) …이 되다: salir caro [barato] 비싸게 먹히다[싸게 먹히다]. ⑧ [+a] (…와) 닮다: ~ *a su* padre 아버지를 닮다. ⑨ (좋은 기회 등이) 오다: Me *ha salido* una buena ocasión 나에게 좋은 기회가 왔다. ⑩ (제비뽑기·투표로) 뽑히다, 선출(選出)되다: ~ presidente 의장으로 선출되다. ⑪ [+por] (…을) 보증하다. ⑫ [+a] (길 등이 …로) 이어지다: Esta calle va a ~ *a* la Plaza Mayor 이 길로 가면 대광장으로 나간다. ⑬ [연극] 퇴장하다: ~ por la derecha 오른쪽으로 퇴장하다. ⑭ [+de] (…의 역에) 출연하다: ~ *de* Don Quijote 돈 끼호떼 역에 출연하다. ⑮ (알이) 부화하다, 깨다. ~**se** ① 밖으로 나오다. ② 몰래 빠져 나가다, 도망가다. ③ 넘치다, 흘러나오다. ④ (제한·상태 등을) 벗어나다. ¶~ ***bien*** 성공하다: ~ *bien* del [en el] examen 시험에 합격하다. ~ ***mal*** 실패하다: ~ *mal* el negocio 사업에 실패하다. ***salga lo que saliere*** 결과야 어찌되건, 아무튼, 삼수갑산에 가는 한이 있어도.

salitral *adj.* [화학] 초석(硝石)을 함유한. —*m.* 초석 산지.

salitre *m.* [화학] 초석(硝石)(nitro).

salitrera *f.* ☞**salitrero.**

salitrería *f.* 초석 공장.

salitrero, ra *adj.* ① 초석의[에 관한]. ② 칠레 초산염(nitrato de Chile)의[에 관한]. —*m.f.* ① 초석 일꾼. ② 초석 장수.

salitroso, sa *adj.* 초석을 함유한.

saliva *f.* 침: tirar ~ 침을 뱉다. hablar despidiendo ~ 침을 튀기며 말하다. ¶***gastar ~ en balde*** 쓸데없이 말하다, 공연한 말을 하다. ***tragar ~*** ㉮ 참고 입밖에 내지 않다, 꾹 참고 말하지 않다, 꿀 먹은 벙어리가 되다. ㉯ 당황하다, 당황하여 말을 잘 하지 못하다.

salivación *f.* ① 침을 흘림. ② = **tialismo.**

salivada *f.* *Ven.* =**salivazo.**

salivadera *f.* *And., AmérM.* 가래(뱉는) 통.

salivajo *m.* 한 번에 뱉는 침의 양.

salival *adj.* 침의[에 관한].

salivar *intr.* 침이 나오다.

salivazo *m.* 한 번에 뱉는 침의 양.

salivera *f.* [주로 *pl.*] 마구의 재갈 부분에 대는 구슬.

salivoso, sa *adj.* 침을 많이 흘리는.

salmantino, na *adj.* ① 살라망까(Salamanca) 태생의. ② 살라망까의[에 관한]. —*m.f.* 살라망까 사람.

salmear *intr.* 시편(詩篇)을 기도하다[부르다].

salmer *m.* [건축] 홍예머리.

salmista *m.* ① 시편(詩篇) 작가. ② [S~] 다윗왕. ③ 시편 낭송 사제, 시편 낭송자.

salmo *m.* ① 찬미가, 성가(聖歌). ② *pl.* [성경] 시편(詩篇): los *Salmos* de David 다윗의 시편.

salmodia *f* ① 시편 낭송. ② 단조로운 노래.

salmodiar (11) *tr.* (무엇을) 단조롭게 노래하다. —*intr.* 찬미가[성가]를 노래하다.

salmón *m.* ① [어류] 연어. ② 연분홍(軟粉紅). —*adj.* 연분홍의.

salmonado, da *adj.* =**asalmonado.**

salmonicultura *f.* 연어 양식.

salmonella *f.* [세균] 살모넬라균 ((식중독을 일으키는 병원균)).

S

salmonelosis *f.* [의학] 살모넬라 감염증.
salmonete *m.* [어류] (지중해산의) 노랑촉수.
salmónidos *m.pl.* [어류] 연어과(科).
salmuera *f.* ① 소금물. ② 짠 것을 푼 물. ③ 소금 절임 즙.
salobre *adj.* 짭짤한, 소금 맛이 나는, 매우 짠.
saloma *f.* 뱃노래.
salomar *intr.* 뱃노래를 부르며 일하다.
salomón *m.* 박식한 사람, 현인.
salomónico, ca *adj.* 이스라엘의 왕이며 유대의 왕인 솔로몬의[같은].
salón *m.* ① (공공 건물의) 큰 홀; 회장(會場). ② (집의) 거실, 응접실. ③ [집합] 응접실의 가구, 응접 세트. ④ (호텔 등의) 식당. ⑤ (해마다 열리는) 미술전. ⑥ (신제품 등의) 전시회: ~ del automóvil 자동차 전시회, 모터쇼. ⑦ …점(店), …방, …집, …홀, …센터: ~ de baile 댄스홀. ~ de té 찻집, 다방. ~ recreativo 게임 센터. ⑧ *Méj., Pan., Perú, PRico., Ur.* 교실(aula). ¶~ ***de belleza*** 미장원.
saloncillo *m.* (공공 장소의) 작은 방, 특별실, 별실, 대합실; (극장의) 휴게실.
salpa *f.* [어류] (지중해산) 농어.
salpicadero *m.* ① (운전석 앞의) 계기판. ② (마차 앞부분의) 흙받이.
salpicadura *f.* ① (흙탕물) 튕기기. ② 튕긴 흙탕물. ③ 여기저기 널려 있음.
salpicar (7) *tr.* ① (흙탕물을) 튕기다, 튕겨 오르게 하다. ② 점재하다, 여기저기 점점이 흩어 놓다. ③ 뿌리다, 끼얹다, 튀기다: ~ la pared 벽에 튀기다. ④ (악평 등이) …에 이르다, 미치다. ⑤ (말에) …을 끼어 넣다: ~ chistes *en* la conversación 대화에 농담을 집어 넣다.
salpicón *m.* 잘게 썬 고기[생선·해물] 요리
salpimentar (19) *tr.* ① 소금과 후춧가루로 양념하다. ② (말을) 재미있게 하다.
salpimienta *f.* 소금(sal)과 후춧가루(pimienta)의 혼합.
salpresar *tr.* 소금으로 간을 맞추다.
salpreso, sa *adj.* 소금으로 간을 맞춘(aderezado con sal).
salpullido *m.* =**sarpullido.**
salpullir *tr.* =**sarpullir.**
salsa *f.* ① 소스: preparar una ~ 소스를 만들다. acompañar la carne con una ~ 고기에 소스를 치다. ② 재미, 자극: Esta película tiene ~ 이 영화는 재미있다. ③ [음악·무용] 살사 ((카리브해의 민속 춤·곡)). ¶~ ***mahonesa,*** ~ ***mayonesa*** 마요네즈 (소스).
salsera *f.* ☞salsero.
salsereta *f.* 작은 그림물감 접시.
salserilla *f.* (여러 가지 재료를 섞는) 작고 높지 않은 접시.
salsero, ra *adj.* *Mur.* =**entremetido.** —*m.* *Gal.* (파도칠 때) 바닷물의 튀김. —*f.* ① 소스 그릇. ② 작은 그림물감 접시.
saltador, ra *adj.* (잘) 뛰는. —*m.f.* 도약 경기 선수, 뛰뛰기 경기 선수. —*m.* (줄넘기용) 줄.
saltadura *f.* [건축] 석재의 면에 생긴 이 떨어진 자국.
saltagatos *m.* *Col.* =**saltamontes.**
saltamontes *m.* [곤충] 메뚜기.
saltaojos *m.* [식물] =**peonía.**
saltapajas *m.sing.pl.* *Pal., Rioja.* = **saltamontes.**
saltaparedes *m.f.* 장난꾸러기 청년.
saltaprados *m.sing.pl.* *Ast.* =**saltamontes.**
saltar *intr.* ① 뛰다, 뛰어넘다: ~ de alegría 기뻐서 (껑충껑충) 뛰다. ② 뛰어오르다. ③ 뛰어내리다. ④ (액체가) 분출하다, 솟아 오르다. ⑤ (조각 등이) 튕기다, 사방으로 흩어지다. ⑥ 짝 깨지다[찢어지다]. ⑦ (갑자기) 머리에 떠오르다, 비약하다. ⑧ 해임시키다. ⑨ (중간을 뛰어넘어) 승진하다. ⑩ (장치가) 작동하다. —*tr.* ① 뛰어넘다: ~ una zanja 도랑을 뛰어넘다. ② (밧줄을) 늦추다. ③ (암컷에게) 흘레붙다. ~**se** ① 건너뛰다. ② 빠뜨리다, 빼먹다. ③ (규칙 등을) 무시하다. ④ (단추 등이) 떨어지다. ⑤ (도장(塗裝) 등이) 벗겨지다.
saltarín, na *adj.* ① 춤추는. ② 방정스러운. —*m.f.* ① 댄서. ② 방정스러운 소녀.
salteador *m.* 노상 강도, 산적.
salteadora *f.* ① 노상 강도의 아내. ② 여자 노상 강도.
saltear *tr.* ① (버터나 끓는 기름에) 센불로 튀기다. ② 들치기하다. ③ 습격하다, 공격하다(acometer). ④ (순번을) 건너뛰다.
salto *m.* ① 뛰기, 뛰어넘기, 도약, 점프. ② 뛰는 곳. ③ 낙하, 추락. ④ 동계(動悸), 가슴이 두근거림. ⑤ 큰 진전, 약진. ⑥ 단절, 불연속. ⑦ 빠뜨리고 읽기[쓰기]. ⑧ 낙수(落水). ⑨ 폭포. ⑩ [컴퓨터] 점프. ¶~ ***de agua*** 폭포. ~ ***de cama*** (부인용) 잠옷. ***a ~s*** 깡충깡충 뛰어서.
saltón, na *adj.* ① 깡충깡충 뛰는. ② (눈·이가) 튀어나온, (본래의 장소에서) 튀어나온 것 같은: ojos *saltones* 툭 튀어나온 눈, 퉁방울이. ③ *Chile, Col.* 덜 삶아진(sancochado, medio crudo). —*m.* ① [곤충] 메뚜기. ② (베이컨·햄에 꼬이는) 구더기.
salubre *adj.* 건강에 좋은.
salubridad *f.* 건강에 좋은 것, 위생적인 것.
salud *f.* ① 건강(健康): conservar

S

[mantener] la ~ 건강을 유지하다. estar bien de ~, gozar de buena ~ 건강하다. perder la ~ 건강을 잃다. ② 건강 상태. —*interj.* ① 건배! ② (만날 때 · 헤어질 때의 인사) 안녕!

saludable *adj.* ① 건강에 좋은: alimentación ~ 건강 식품. ② 건강한. ③ 유익한.

saludablemente *adv.* 건강에 좋게.

saludar *tr.* ① …에게 인사하다, 절하다. ② [군사] 경례하다 ((거수, 예포, 받들어총 등)). ③ 환영하다. ~**se** 인사를 교환하다.

saludo *m.* ① 인사, 절, 경례, 예포(禮砲). ② *pl.* 안부: *Saludos* a tu familia 네 가족에게 안부 전해라.

salutación *f.* ① 인사. ② 성모 마리아에 대한 기도의 머리말.

salutíferamente *adv.* =**saludablemente.**

salutífero, ra *adj.* =**saludable.**

salva *f.* ☞**salvo**[1]**.**

salvabarros *m.sing.pl.* (차바퀴 등의) 흙받이.

salvable *adj.* 구원[구제]할 수 있는.

salvación *f.* ① 구조, 구원. ② [종교] 구제(救濟).

salvado *m.* (곡물을 빻을 때 나오는) 기울.

salvador, ra *adj.* 구원하는, 구조하는, 구제하는. —*m.f.* 구조자, 구원자, 구제자. —*m.* [S~] =**Jesucristo.**

Salvador (El) *m.* [국명] 엘살바도르 ((중앙아메리카의 공화국; 수도 San Salvador)).

salvadoreñismo *m.* 엘살바도르 사람들의 말투; 엘살바도르의 방언.

salvadoreño, ña *adj.* ① 엘살바도르 태생의. ② 산 살바도르(San Salvador, 엘살바도르의 수도) 태생의. ③ 엘살바도르의[에 관한]. ④ 산 살바도르의[에 관한]. —*m.f.* ① 엘살바도르 사람. ② 산 살바도르 사람.

salvaguarda *f.* =**salvaguadia.**

salvaguardar *tr.* 보호[비호]하다.

salvaguardia *f.* ① 통행 허가증. ② 보호, 비호.

salvajada *f.* 야만적인 말[행동].

salvaje *adj.* ① (동식물이) 야생의: animales ~*s* 야생 동물. plantas ~*s* 야생 식물. ② (토지가) 개척되어 있지 않는, 황량한. ③ (사람이) 야성적인, 거친; 난폭한, 잔혹한. ④ (민족이) 미개한, 원시적인. ⑤ 불법의, 위법의: edificación ~ 불법 건축. —*m.f.* ① 난폭한 사람. ② 미개인, 원시인.

salvajismo *m.* ① 미개인의 풍습. ② 야만적임.

salvamano *a* ~ 안전하게, 무사히, (아무런) 위험 없이.

salvamanteles *m.sing.pl.* (식탁보를 보호하기 위해, 식탁의 접시 · 병 · 잔 등의 아래에 놓는) 유리[자기 · 목재] 깔개.

salvamente *adv.* 안전하게, 무사히, 아무런 위험 없이.

salvamento *m.* ① 구조, 구출, 구제. ② 안전한 장소.

salvamiento *m.* 구조, 구출, 구제.

salvar *tr.* ① 구하다, 돕다, 구제하다. ② (위험 · 곤란 등을) 피하다. ③ 제외하다. ④ (장애를) 극복하다. ⑤ (보통보다 짧은 시간에) 주파하다. ⑥ [종교] 구제하다. —*intr.* 독이 있는 지 맛보다, 시식하다. ~**se** ① 구출되다, 살다, (위험을) 벗어나다. ② [종교] 구제(救濟)되다. ¶~*se de milagro* [*por un pelo · por los pelos*] 구사일생하다.

salvavidas *m.sing.pl.* ① 구명대, 구명 기구. ② [형용사적] 구조의, 구명의: bote ~ 구명 보트. chaleco ~ 구명조끼.

salvia *f.* [식물] 사르비아.

salvífico, ca *adj.* salvación의.

salvo[1]**, va** *adj.* ① 무사한, 탈이 없는. ② 제외된. —*f.* ① 인사. ② 환영. ③ 예포, 축포. ④ 맹세.

salvo[2] *adv.* =**excepto.** —*prep.* …을 제외하고, … 이외에는: ~ tú 너를 제외하고. ~ los domingos 일요일 이외에는.

salvoconducto *m.* ① (군 등이 발행하는) 통행 허가증. ② (일반적으로) 자유[권리]의 승인.

samario *m.* [화학] 사마륨.

samaritano, na *adj.* ① 사마리아(Samaria, 고대 팔레스티나의 한 지방 · 그 수도) 태생의. ② 사마리아의[에 관한]. —*m.f.* 사마리아 사람.

samba *f.* ① 삼바 ((아프리카에서 비롯된 4분의 2박자의 브라질 댄스)). ② 삼바 곡.

sambo *m. Ecuad.* 호박의 일종.

Samoa *f.* [국명] 사모아 (제도).

samoano, na *adj.* ① 사모아(Samoa) 태생의. ② 사모아의[에 관한]. ③ (주로 서사모아에서 말하는) 폴리네시아 말의[에 관한]. —*m.f.* 사모아 사람. —*m.* 사모아 말, 폴리네시아 말.

samovar *m.* 사모바르 ((러시아의 차 끓이는 주전자)).

sampán *m. china.* 삼판(三板) ((바닥이 판판한 외돛 거룻배)).

san *adj.* =**santo:** *San* Antonio 성(聖) 안토니오. ((남성 성인(聖人)들의 고유 명사 앞에서 santo의 어미 탈락형; 예외 Tomás, Tomé, Toribio, Domingo 앞에서는 예외로 Santo를 그대로 사용함)).

sanable *adj.* 나을 수 있는, 회복될 수 있는 (병).

sanalotodo *m.* 검정[만능] 고약.

sanamente *adv.* ① 건강하게. ② 진지하게, 성실하게, 악의 없이.

sanar *tr.* (잃은 건강을) 회복시키다, (병을) 고치다. —*intr.* 건강을 회복하다[되찾다].

S

sanatorio *m.* (결핵 등의) 요양소(療養所), 병원.
sanchopancesco *adj.* ① (돈 끼호떼의 종자(從者)인) 산초 빤사(Sancho Panza) 같은. ② 멋없는, 세련되지 않은, 풍류를 모르는, 비속(卑俗)한, 사상도 이상도 없이 속된[그저 실리적인].
sanción *f.* ① 징계, 제재: poner [imponer] una ~ económica 경제적 제재를 가하다. ② (관행 등의) 승인, 인가. ③ [법률] 비준, 재가.
sancionable *adj.* 징계[제재]할 만한; 승인[인가]할 만한.
sancionador, ra *adj., m.f.* ① 징계[제재]하는 (사람). ② 승인[인가]하는 (사람). ③ 비준[재가]하는 (사람).
sancionar *tr.* ① 벌하다, 징계하다, 제재를 가하다: ~ a *alguien* con una multa …에게 벌금을 과하다. ② 승인하다, 인가하다. ③ 비준하다, 재가하다.
sancionatorio, ria *adj.* sanción의[에 관한].
sancocho *m.* ① 반 삶은 음식. ② *Amér.* [요리] 산꼬초 ((점심에 먹는 고기·유카·바나나 및 다른 재료로 만든 탕)). ③ *CRica.* [요리] 산꼬초 ((물·소금 및 다른 조미료를 넣고 끓인 음식)). ④ *CRica.* 혼란, 잡동사니(revoltijo). ⑤ *Cuba.* 돼지 밥으로 사용되는 음식 찌꺼기. ⑥ *Cuba, Ur.* [경멸] (재료가 적게 들어가 싱겁고) 맛없는 음식.
sandalia *f.* 샌들; 짚신.
sandalo *m.* ① [식물] 박하. ② [식물] 백단향(白檀香). ③ 백단향의 목질부.
sandía *f.* ① [식물] 수박. ② [과실] 수박.
sandial *m.* 수박밭.
sandiar *m.* 수박밭.
sandinismo *m.* 산디니즘 ((니까라구아의 혁명가 아우구스또 세사르 산디노(Augusto César Sandino, 1893-1934)의 사상)).
sandinista *adj.* ① 산디니즘의[에 관한]. ② 산디노주의의, 산디니즘을 추종하는. *—m.f.* 산디노주의자, 산디니스트 ((1979년 독재자 Somoza 정권을 무너뜨린 니까라구아의 산디노 국민 해방 전선(Frente Sandinista de Liberación Nacional)의 일원)).
sándwich *m. ing.* 샌드위치: ~ de calamar 오징어 샌드위치.
saneado, da *adj.* ① (재산·수입이) 면세된. ② (재정 등이) 건전한.
saneamiento *m.* ① 위생적으로 하기. ② 위생 시설; 하수 설비. ③ (재정 상태의) 건전화.
sanear *tr.* ① (손실 등을) 보증하다. ② 갚다, 보상하다, 배상하다. ③ (토지를) 배수하다, 간척하다. ④ 위생적으로 하다, 위생 설비를 하다. ⑤ 건전화하다, 안정시키다: ~ la moneda 통화를 안정시키다.
sanfermines *m.pl.* 산 페르민(San Fermín)제(祭) ((스페인의 도시 Pamplona에서 1주일 동안 열리는 유명한 소몰이 축제; 7월 6-14일)).
sangradera *f.* ① 관개용 수로. ② (넘치는 물을 흘려 보내는) 수문(水門). ③ (사혈의) 피 받는 접시.
sangrador *m.* ① 정맥 사혈 전문의. ② (그릇의) 아가리.
sangradura *f.* ① 팔오금. ② 사혈(瀉血). ③ [농업] 배수구.
sangrante *adj.* 피를 흘리는: herida ~ 피를 흘리는 부상.
sangrar *tr.* ① 피를 뽑다, 사혈하다. ② 배수하다, 방수하다, 물을 빼다. ③ 수액을 채취하다(resinar). ④ (도둑질로) 빼내다, 훔쳐 내다. ⑤ [인쇄] (새 단락의 첫머리를) 약간 들어가게 찍다. *—intr.* 피를 흘리다, 피가 나오다: *Sangro* por la nariz 나는 코피가 나온다. *Sangra* la herida 상처에서 피가 나온다. ~**se** 자기의 피를 뽑다, 사혈하다. ¶ ***estar sangrando* algo** ㉮ (무엇이) 방금 일어나다. ㉯ (무엇이) 명명백백하다, 불(을) 보듯 뻔하다.
sangraza *f.* 죽은 피, 썩은 피.
sangre *f.* ① 피, 혈액: donar ~ 헌혈하다. sacar [tomar] ~ 채혈하다. ② 혈통: lazo de ~ 혈연. hermano de la misma ~ 피를 나눈 형제. ③ 유혈, 살상(殺傷). ¶ ~ ***azul*** 귀족 혈통: tener ~ *azul* 귀족 출신이다. ~ ***fría*** 냉정: ser de ~ *fría* 냉정하다. ***a ~ y fuego*** ㉮ 인정사정없이, 무자비하게, 가차없이. ㉯ 단호히, 심하게; 양보 없이.
sangría *f.* ① 피빼기, 사혈(瀉血). ② 상그리아 ((적포도주에 설탕·탄산수·레몬 등 과일을 가미한 음료)). ③ 팔오금. ④ 방수로, 물길. ⑤ (수액이 흐르도록 나무에 낸) 상처. ⑥ (대량의) 출혈, 유혈. ⑦ [인쇄] (새 단락의 첫머리를) 약간 들어가게 찍기.
sangrientamente *adv.* 피비린내나게, 처참하게, 잔인하게.
sangriento, ta *adj.* ① 피를 흘리는. ② 피로 물든, 피로 범벅이 된. ③ 피를 좋아하는: el ~ Nerón 피를 좋아하는 네로. león ~ 피를 좋아하는 사자. ④ 피비린내나는: batalla ~*ta* 피비린내나는 전투. ⑤ 심한, 잔혹한, 잔인한: injuria ~*ta* 심한 모욕. ⑥ [시어] 핏빛의(de color de sangre).
sanguijuela *f.* ① [동물] 거머리. ② 남의 돈[보석·물건]을 조금씩 빼먹는 사람.
sanguinariamente *adv.* 잔혹하게.
sanginario, ria *adj.* 잔혹한; 피를 좋아하는.
sanguíneo, a *adj.* ① 피의: vaso ~ 혈관. ② 피를 함유한, 피가 많은.

S

③ 다혈질의, 성을 잘 내는: hombre ~ 다혈질 남자. ④ 핏빛의. ⑤ 혈액의[에 관한]. ¶*grupo* ~ 혈액형.
sanguino, na *adj.* ① =**sanguíneo.** ② 살이 불그스레한 (귤). —*m.* ① [식물] 쐐기풀. ② [식물] 산수유나무. —*f.* ① (적철광으로 만든) 암적색 연필. ② 암적색 연필화.
sanguisuela *f.* =**sanguijuela.**
sanidad *f.* ① 건강함: carta de ~ 건강 증명서, 진찰 증명서. ② 건전함. ③ 위생 (상태). ④ (행정 서비스로서의) 보건, 의료: Ministerio de *Sanidad* y Bienestar 보건복지부. servicio de ~ 보건소.
sanitario, ria *adj.* ① 건강의[에 관한]. ② 의료의[에 관한]: centro ~ 의료 센터. ③ 위생 시설의, 공중 위생의, 보건 위생의. —*m.f.* ① [군사] 위생병. ② 보건소 요원. —*m.* ① (화장실에 설치된) 위생 기구, 위생 시설 ((욕조·비데 등)). ② [형용사적으로] 위생 시설의: aparatos ~*s* 위생 시설 기구. ③ *Col., Hond., Méj., Salv., Ur., Ven.* 공중변소.
sanmartiniano, na *adj.* ① 산 마르띤 장군(general San Martín, 아르헨띠나 태생의 남아메리카 독립 운동 지도자, 1778-1850)의[에 관한]. ② 산 마르띤 장군의 작품의.
sano, na *adj.* ① 건강한, 튼튼한: belleza ~*na* 건강미. dientes ~*s* 건강한 이. niño ~ 건강한 아이, 튼튼한 아이. ② 건강에 좋은: fruta ~*na* 건강에 좋은 과일. ③ (정신적으로) 건전한: ideas ~*nas* 건전한 사상. ④ 안전한, 위험이 없는. ⑤ (식물·초목이) 상처[흠]가 없는: árbol 흠이 없는 나무. pera ~*na* 흠 없는 배. ⑥ 성실한, 좋은 의도의. ⑦ 완전한, 흠이 없는: No queda un plato ~ 완전한 접시가 남아 있지 않다[없다]. —*m.f.* 건강한 사람. ¶ ***cortar por lo*** ~ 대담한[단호한] 조치를 취하다. ~ ***y salvo, va*** *adj.* 무사(無事)한, 아무 탈없는. ***Alma*** [***Mente***] ~***na en cuerpo*** ~ (속담) 건전한 정신은 건강한 육체에서 나온다.
San Salvador *m.* [지명] 산 살바도르 ((El Salvador의 수도)).
sanscritista *m.f.* 산스크리트 어문학자, 범어문학자.
sánscrito, ta *adj.* ① 산스크리트의, 산스크리트 말의, 범어의: lengua ~*ta* 산스크리트 (말), 범어. ② 산스크리트 (말)에 관한: libros ~*s* 산스크리트에 관한 책. poemas ~*s* 산스크리트 시. —*m.* 산스크리트, 산스크리트 말, 범어.
sansón *m.* 장사(壯士), 괴력을 가진 남자.
santabárbara *f.* (옛 군함의) 화약고.
santamente *adv.* ① 신성하게, 고결하게. ② =**sencillamente.**
santateresa *f.* [곤충] 사마귀.
Santiago *m.* [지명] 산띠아고 ((칠레의 수도; 꾸바의 제2도시; 도미니까 공화국의 주·도시)).
santidad *f.* ① 성성(聖性), 신성(神聖)함. ② 성하(聖下) ((교황의 존칭)): Su *Santidad* 교황 성하.
santificable *adj.* 성화(聖化)할 수 있는, 성화할 만한.
santificación *f.* 성화(聖化).
santificador, ra *adj., m.f.* 성화하는 (사람).
santificar (7) *tr.* 신성한 것으로 만들다, 성화(聖化)하다.
santiguar (10) *tr.* 십자(十字)를 긋다. ~**se** ① (자신을 위해) 십자를 긋다. ② 경탄하다.
santísimo, ma *adj.* ① 매우 신성(神聖)한. ② 성(聖) ((교황에게 하는 경칭)): el *Santísimo* Padre 로마 교황. —*m.* [S~] 성체의 비적(秘跡).
santo, ta *adj.* [남성 고유 명사 앞에 올 때 -to가 탈락되어 *san*이 됨. 그러나 To-·Do- 앞에서는 santo 그대로다: *Santo* Domingo, *Santo* Tomás, *Santo* Toribio 등]. ① 성스러운, 신성한. ② 성인 같은. ③ 좋은 결과를 초래하는. ④ 순수한, 단순한, 호인의. ⑤ 약효(藥效)가 있는. —*m.f.* ① 성인, 성자. ② 성인 군자, 모범적인 사람. —*m.* ① [주로 *pl.*] (책의) 삽화: libro con ~*s* 그림책. ② 성상(聖像), 성화(聖畵). ③ 탄생일, 생일.
santonina *f.* [약학] 산토닌.
santoral *m.* ① 성인전(聖人傳). ② 순교록(殉教錄).
santuario *m.* ① 성지(聖地), 순례지. ② (주로 고대 종교의) 신전. ③ 성역(聖域).
sapiencia *f.* ① =**sabiduría.** ② (솔로몬이 쓴) 지혜의 서.
sapiencial *adj.* 지혜의[에 관한]. ¶ ***libro*** ~ [성경] 지혜의 서.
sapino *m.* [식물] =**abeto.**
sapo, pa *m.f.* ① *Col., CRica., Ven.* 고자쟁이. ② *Cuba.* 한쌍의 연인을 괴롭히는 사람. ③ *Guat., Hond., Méj., Salv.* 키가 작은 사람. —*m.* ① [동물] 두꺼비. ② *Chile, Perú.* 구경꾼, 스파이.
saponificable *adj.* 비누로 만들 수 있는.
saponificación *f.* 비누로 만들기.
saponificar (7) *tr.* 비누로 만들다.
saponina *f.* [화학] 사포닌.
saque[1] *m.* ① (테니스·배구 등) 서브: hacer el ~ 서브를 하다. ② [축구] 차기, 킥: ~ de castigo 벌칙차기. ~ de esquina 귀퉁이차기, 코너킥. ~ inicial 킥 오프. ~ libre 자유차기, 프리킥.
saque[2] ☞**sacar (7).**
saque- ☞**sacar (7).**
saqueador, ra *adj.* 약탈하는. —*m.f.*

S

강도, 약탈자.
saqueamiento *m.* 강탈, 약탈; 표절.
saquear *tr.* ① 강탈하다, 약탈하다. ② 대량으로 훔치다.
saqueo *m.* =saqueamiento.
saquería *f.* ① 자루[포대] 제조. ② [집합] 자루, 포대.
saquerío *m.* [집합] 자루, 포대.
saquero, ra *m.f.* ① 자루 제조자. ② 자루 장수.
SAR *m.* *S*ervicio *A*éreo de *R*escate 공군 구조대.
S.A.R. *S*u *A*lteza *R*eal 전하(殿下).
sarampión *m.* [의학] 홍역, 마진.
sarao *m.* (춤이나 음악을 즐기는) 야간 모임.
sarape *m.* *Méj.* 사라뻬 ((멕시코 사람들이 입는) 폰초(poncho).
sarcasmo *m.* 빈정대기, 비꼬기.
sarcásticamente *adv.* 빈정대는 투로, 비꼬아서.
sarcástico, ca *adj.* 빈정대는 (투의), 비꼬는.
sarcocarpio *m.* [식물] 과육(果肉).
sarcófago *m.* (고대의) 석관(石棺).
sarcoma *m.* [의학] 육종(肉腫).
sardana *f.* 사르다나 ((안달루시아 지방의 민속 무용·음악)).
sardina *f.* [어류] 정어리.
sardinada *f.* 정어리 석쇠구이.
sardinal *m.* 정어리 어망.
sardinero, ra *adj.* 정어리의[에 관한]. —*m.f.* 정어리 장수.
sarga[1] *f.* [섬유] 서지.
sarga[2] *f.* [식물] 비단버드나무.
sargado, da *adj.* 서지(sarga[1]) 같은.
sargal *m.* 비단버드나무 숲.
sargento, ta *m.f.* [군사] 중사. ¶~ *mayor* 소령.
sari *m.* 사리 ((인도 여성이 허리와 어깨를 감고, 남은 부분으로 머리를 싸는 길고 가벼운 옷)).
sarna *f.* [의학] 옴. ¶***más viejo que la*** ~ 아주 오래된[낡은].
sarnazo *m.* 옴투성이.
sarniento, ta *adj.* *AmérC., Méj.* = sarnoso ①.
sarnoso, sa *adj.* ① 옴에 걸린, 옴 오른. ② 엉큼한, 비열한. —*m.f.* 옴 환자, 옴에 걸린 사람.
sarpullido *m.* ① 두드러기. ② 벼룩이 문 자국.
sarpullir *tr.* 두드러기를 나게 하다. **~se** 두드러기가 나다.
sarracénico, ca *adj.* 사라센 사람의[에 관한].
sarraceno, na *adj.* ① 사라센의[에 관한]. ② =mahometano. —*m.f.* ① 사라센 사람. ② 이슬람교도.
sarracín, na *adj., m.f.* =sarraceno.
sarracino, na *adj., m.f.* =sarraceno. —*f.* ① 말다툼, 언쟁, 입씨름. ② 난투, 격렬한 싸움.
sarria *f.* 짚을 나르는 그물.
sarro *m.* ① 버캐. ② 치석(齒石), 이똥: quitar el ~ de los dientes 치석을 제거하다. ③ [의학] 설태(舌苔). ④ [농업] (야채의) 수병(銹病), 녹병(綠病), 엽삽병(葉澁病).
sarroso, sa *adj.* ① 버캐가 낀. ② 치석[이똥]이 낀. ③ 설태가 낀.
sarta *f.* ① 실[줄] 등에 한 줄로 꿴 것. ② 한 줄로 세운[놓은] 물건[사람]. ③ 연속: ~ de desdichas 불행의 연속. ~ de disparates 터무니없는 일의 연속.
sartal *m.* =sarta ①.
sartén *f.* ① [가끔 *m.*] 프라이팬: freír la carne en la ~ 프라이팬에 고기를 볶다. ② 프라이팬에 한 번에 볶는 분량. ¶***Dijo la ~ al cazo: quítate que me tiznas*** (속담) 똥 묻은 개가 겨 묻은 개를 나무란다.
sartenada *f.* ① 프라이팬에 한 번에 볶는 분량. ② 프라이팬에 들어갈 수 있는 분량.
sartenazo *m.* ① 프라이팬으로 때리기. ② 구타(golpe).
sartenero, ra *m.f.* ① 프라이팬 제조자. ② 프라이팬 장수.
sartorio *m.* [해부] 봉공근(縫工筋).
sastre, tra *m.f.* (신사복의) 재단사, 재봉사. —*f.* [드묾] sastre의 아내.
sastrería *f.* ① sastre 직. ② 양복점.
satán *m.* ① 악마 같은 사람, 사악한 사람. ② [S~] 악마, 마왕(魔王).
satanás *m.* ① 사악한 사람, 악마 같은 사람. ② [S~] 악마, 마왕.
satánico, ca *adj.* ① 악마의[에 관한]. ② 악마 같은. ③ 극히 사악한, 모진, 심한.
satanismo *m.* 극악무도(함).
satélite *m.* ① [천문] 위성(衛星). ② =**satélite artificial:** ~ de comunicación 통신 위성(通信衛星). ~ meteorológico 기상 위성. emisión vía ~ 위성 방송. lanzar un ~ 인공위성을 쏘아 올리다. ③ 하급 사법 관리. ④ 추종자. ⑤ 위성국. ⑥ 유성 톱니바퀴. ¶~ ***artificial*** 인공위성. ***ciudad*** ~ 인공 도시.
satén *m.* 비단, 공단(貢緞).
satinado *m.* 광택이 남; 광택 가공.
satinador, ra *adj.* 광택(光澤)을 내는, 매끄럽게 하는. —*m.* [인쇄] 종이 광택기.
satinar *tr.* (종이·천을) 광택 나게 하다, 매끄럽게 하다.
sátira *f.* ① 풍자시. ② 풍자, 비꼼, 야유, 빈정댐.
satiriasis *f.sing.pl.* [의학] 남자 성욕 항진, 남자 색광증.
satíricamente *adv.* 풍자적으로.
satírico, ca *adj.* ① 풍자의[에 관한]. ② (작가가) 풍자적인. ③ 색마의[에 관한]. —*m.f.* 풍자 시인, 풍자 작가.
satirio *m.* [동물] 뾰족뒤쥐.
satirión *m.* [식물] (이베리아 반도의) 난초의 일종.

S

satirizante *adj.* 비꼬는, 빈정대는.
satirizar (9) *tr.* 비꼬다, 빈정대다, 야유하다. —*intr.* 풍자시를 쓰다.
sátiro, ra *adj.* [드묾] 신랄한. —*m.f.* 신랄한 비평가. —*m.* ① [희랍 신화] 사티로스 ((주신 Baco를 섬기는 반인 반수(半人半獸)의 숲의 신; 술과 여자를 몹시 좋아함)). ② 호색가, 색마(色魔).
satisfacción *f.* ① 만족: expresar *su* ~ por *algo* (…에) 만족(의 뜻)을 표명하다. ② 만족감. ③ (욕망 등을) 만족시킴, 만족을 주는 것, 충족: ~ de la necesidad 욕구 충족. ④ (모욕·손해 등의) 보상, 변제, 배상.
satisfacer (69) *tr.* ① (빚진 것을) 완전히 갚다[지불하다]: ~ la deuda 채무[빚]를 갚다. ② 만족시키다: ~ a *sus* padres con el éxito en el examan de ingreso 입학 시험의 합격으로 부모를 만족시키다. ③ (욕망·조건 등을) 채우다, 충족시키다. ④ (모욕·손해 등의) 보상[배상·변제]을 하다. ⑤ 해결하다. ⑥ 달래다, 풀다. ~**se** ① [+con] (…로) 만족하다. ② [+de] (…의) 보복[복수]을 하다.
satisfactoriamente *adv.* 만족스레.
satisfactorio, ria *adj.* 만족스러운, 나무랄데없는.
satisfecho, cha *adj.* ① 만족한: Estoy ~ 나는 만족한다, 아주 잘 먹었습니다 ((식사 초대받은 사람이 식사를 끝내고 하는 말)). ② 우쭐대는, 자만하는. ③ 보상받은.
saturable *adj.* 포화될 수 있는.
saturación *f.* ① 포화 (상태), 과잉: ~ del mercado 시장의 포화, 공급과잉. ② [화학] 포화.
saturado, da *adj.* [화학] 포화된, 포화 상태의. —*m.* [화학] 포화 용액.
saturar *tr.* ① 가득 채우다(colmar). ② 과잉 공급하다, 충만시키다. ③ [화학] (용액·화합물 등을) 포화시키다.
saturnal *adj.* Saturno의[에 관한]. —*f.* ① 사투르누스 신(神) 축제. ② 주지육림의 연회.
saturnino, na *adj.* ① 슬픈. ② 연독(鉛毒)의, 납 중독의. ③ 납[연]의[에 관한].
saturnismo *m.* 납 중독, 연독(鉛毒).
saturno[1] *m.* =plomo.
Saturno[2] *m.* ① [천문] 토성. ② [로마 신화] 사투르누스 ((농업의 신, Júpiter 이전의 황금 시대의 주신(主神); 희랍 신화의 Cronos에 해당)).
sauce *m.* [식물] 버드나무, 버들.
sauceda *f.* 버드나무 숲.
saucedal *m.* 버드나무 숲.
saudade *f.* 향수(鄕愁).
saudí *adj.* ① 사우디아라비아(Arabia Saudí) 태생의. ② 사우디아라비아의[에 관한]. —*m.f.* 사우디아라비아 사람.
saudita *adj., m.f.* =saudí.
saudoso, sa *adj.* =soledoso, nostálgico.
sauna *f.* ① 사우나, 사우나탕, 한증욕(汗蒸浴). ② 사우나 목욕탕.
saurio *adj.* [동물] 도마뱀류의. —*m.* ① 공룡. ② *pl.* 도마뱀류.
sauz *m.* [식물] =sauce.
sauzal *m.* 버드나무 숲.
savia *f.* ① [식물] 수액(樹液). ② 힘, 활기, 활력.
sáxeo, a *adj.* [시어] 돌(piedra)의.
saxo *m.* =saxófono. —*m.f.* =saxofonista.
saxofón *m.* =saxófono.
saxofonista *m.f.* 색소폰 연주가.
saxófono *m.* [악기] 색소폰.
saya *m.* ① 치마, 스커트. ② (여자의) 겉옷. ③ (옛날의) 두루마기.
sayo *m.* ① 가운, 작업복. ② (일반적으로) 겉옷.
saz *m.* [식물] =sauce.
sazón *f.* ① 성숙(한 상태). ② 기회, 적당한 때. ③ (음식의) 맛. ¶*a la* ~ 그 때에, 그 기회에. *en* ~ 때마침, 제때에, 제철에.
sazonadamente *adv.* 완전히 익혀서; 시기 적절하게; 맛좋게.
sazonado, da *adj.* ① 무르익은. ② 깊은 맛이 있는, 감칠맛이 있는.
sazonador, ra *adj.* 맛이 있는.
sazonar *tr.* ① 음식에 맛을 내다, 양념하다. ② 익히다. ~**se** ① 익다, 성숙하다. ② 맛이 나다.
S.C. ① Sociedad Civil 사단 법인. ② Sociedad Colectiva 합명 화사.
s/c su casa 귀사, 귀점.
s/ch. su cheque 귀 수표.
S.C.I. Sociedad Comercial e industrial 산업 주식 회사.
scooter *m. ing.* (모터) 스쿠터.
s/cta. su cuenta 귀(貴) 계정.
S.D. sin data 날짜 없는. su despacho 귀(貴) 계정.
sdad. sociedad 회사.
S. (de) R. L (tda) Sociedad de Responsabilidad Limitada 유한 회사(有限會社).
sdo. saldo 잔고.
se[1] *pron.* [재귀 대명사] ① [원형] 자기 자신: levantar*se* 자신을 일으키다, 일어나다. ② [재귀 대명사 3 인칭 단수·복수; 타동사의 자동사화] 자신을, 그것 자신을: Ella *se* levanta a las seis 그녀는 여섯 시에 일어난다. ③ [직접 재귀] 자신을: Mi mujer *se* mira en el espejo 내 아내는 거울을 본다[거울 속에서 자신을 본다]. ④ [간접 재귀] ㄱ) 자신의 …을: Ella *se* lava las manos 그녀는 손을 씻는다. ㄴ) [이해 관계] 자신을 위해서: Elena *se* compra unas rosas 엘레나는 자신을 위해 장미꽃을 산다. ⑤ [재귀 대명사로만 사용되는 것] arrepentirse 후회하다. Ella *se* arrepiente su conducta 그녀는 자기의 행동을 후회한다. ⑥ [재귀동사에서는 뜻이 많이 바뀌는 것] José no *se* acuerda de mi nombre 호세는 내 이름을 기억하지 못한다. ⑦ [상호 재귀] ㄱ) [직접] 서로를: Ellos *se* aman 그들은 서로 사랑한다. ㄴ) 서로에게: Ellos *se* escriben una vez a la semana 그들은 일주일에 한 번 편지를 주고받는다. ⑧ [뜻의 강조] …해 버리다: comer*se* 먹어 버리다. ⑨ [무인칭 표현; 일반 사람] 사람은, 사람들은: ¿Por dónde *se* va al Museo del Prado? 쁘라도 미술관에 가려면 어디로 갑니까? ⑩ [재귀 수동] …이 되다: *Se* produce mucho arroz en Corea 한국에서는 쌀이 많이 생산된다.

se² *pron.* [간접 목적 대명사의 3인칭 단수와 복수형; 간접 목적 대명사 3인칭 단수 le와 3인칭 복수 les는 직접 목적 대명사 lo, la, los, las와 나란히 쓰일 수 없기 때문에 나란히 써야 할 경우 le · les는 반드시 se로 바뀌어 se lo, se la, se los, se las 형으로 쓰임] Di un libro a mi amigo 나는 친구에게 책을 주었다 ((→Lo di a mi amigo 나는 그것을 친구에게 주었다. →Le di un libro 나는 그에게 책을 주었다 →*Se* lo di 나는 그에게 그것을 주었다)).

SE sureste 남동(南東).

S.E. Su Excelencia 각하.

sé¹ 나는 알고 있다 ((saber의 직설법 현재 1인칭 단수형)): No lo *sé* 나는 그것을 모른다.

sé² 되어라 ((ser 동사의 2인칭 단수 tú의 긍정 명령형)): *Sé* bueno 착한 사람이 되어라.

sea ☞ser (39).

sea- ☞ser (39).

sebáceo, a *adj.* [생리] 피지(皮脂)의.

Sebas *m.* [남자 이름] 세바스 ((Sebastián의 애칭)).

sebiche *m. Cuba, Hond., Méj.* = cebiche.

sebo *m.* ① 수지(獸脂), 짐승의 기름. ② =gordura.

seborrea *f.* [의학] 지루(脂漏).

seborreico, ca *adj.* ① 지루의[에 관한]. ② 지루에 걸린.

seboso, sa *adj.* ① 수지(sebo)의, 기름기가 있는. ② 기름을 바른, 기름으로 더럽혀진.

seca *f.* ☞seco.

secadero, ra *adj.* (과일 · 담배를) 말리기에 적당한. —*m.* (과일 등의) 건조실.

secado *m.* 건조, 말리기.

secador, ra *adj.* 말리는, 건조하는. —*m.* ① (손 · 머리카락 · 옷 등의) 건조기, 헤어드라이어. ② *Arg.* (손잡이 달린) 청소기. ③ *Bol., Nic., Perú, Salv.* (접시 · 그릇용) 행주. —*f.* 건조기(secador).

secamente *adv.* ① 퉁명스럽게, 무뚝뚝하게. ② 무례하게, 거칠게.

secamiento *m.* 건조.

secano *m.* 관개 설비가 없는 농지.

secante¹ *adj.* ① 말리는. ② 성가신, 귀찮은. —*m.* ① (도료의) 건조제, 건조 기름(aceite ~). ② 흡인지(papel ~).

secante² *adj.* [기하] (선 · 표면을) 자르는. —*f.* [수학] 할선, 가름선.

secapelos *m.sing.pl.* 헤어드라이어.

secar (7) *tr.* ① 말리다: ~ la ropa mojada al sol 젖은 옷[세탁물]을 볕에 말리다. ② 물기를 빼다. ③ 닦다, 훔치다. ④ 싫증나게[지루하게] 만들다. ~**se** ① 마르다. ② 자기의 몸의 일부를 닦다: ~*se* el cabello con la toalla 타월로 머리카락을 닦다. ③ (내 등이) 고갈되다, 바싹 마르다, 말라붙다. ④ (초목 등이) 시들다, 마르다. ⑤ (사람이) 무감동하게 되다, 마음이 바싹 말라 버리다. ⑥ 여위다, 까칠해지다, 수척해지다.

sección *f.* ① (회사 등의) 과(課): ~ de contabilidad 경리과. ② (백화점 등의) 매장(賣場): ~ de comestibles 식품 매장. ③ 부분, 구획: una ~ del edificio 건물의 일부. ④ (버스 등의) 구간. ⑤ (책 등의) 절, 단. ⑥ (신문의) 난(欄): ~ de anuncios 광고란. ⑦ (오케스트라 등의) 악기부. ⑧ (수술 등의) 절개, 절단: hacer una ~ en la piel 피부를 절개하다. ⑨ 단면(斷面), 절단면, 횡단면. ⑩ 단면도. ⑪ [군사] 소대.

seccionar *tr.* ① 절개하다, 째다. ② 절단하다, 자르다, 잘라 내다.

secesión *f.* ① (국가에서의) 이탈: Guerra de *Secesión* (미국의) 남북전쟁. ② (정치 조직 · 예술 운동 등에서의) 분리, 이반(離反).

secesionismo *m.* 분리주의.

secesionista *adj.* 분리주의의. —*m.f.* 분리주의자.

seco, ca *adj.* ① 마른, 건조된: La ropa no está todavía ~*ca* 옷은 아직 마르지 않았다. ② (내 · 우물 등이) 말라붙은. ③ (식물이) 시든, 죽은. ④ (과일 · 생선 등이) 말린, 마른, 건(乾)…. ⑤ (기후가) 건조한. ⑥ (피부 · 머리카락이) 기름기가 없는, 건조한. ⑦ (술이) 단맛이 없는: vino ~ 단맛이 없는 포도주. ⑧ (타격 · 소리가) 부드럽지 않은. ⑨ 냉담한. ⑩ 엄한: sentencia ~*ca* 엄한 판결. ⑪ (사람이) 말라빠진, 여윈. ⑫ 불임(不姙)의. ⑬ 부가가 없는: cobrar el sueldo ~ 본봉만 받다. ⑭ 크게 울리지 않은: tos ~*ca* 헛기침. ⑮ 금주(禁酒)의: estado ~ 금주 주(禁酒州). país ~ 금주 국가.

secreción *f.* [생리] 분비, 분비물.

S

secretamente *adv.* 비밀리에, 내밀히, 남몰래.
secretar *tr.* 분비(分泌)하다.
secretaría *f.* ① 비서과. ② 사무국, 사무실, 서기국. ③ [집합] 비서, 서기. ④ 비서[서기·간사]의 직: ~ de Estado 차관의 직. ⑤ (멕시코 등의) 성(省).
secretariado *m.* ① 비서학. ② = secertaría ① ② ③.
secretario, ria *m.f.* ① 비서: ~ particular 개인 비서. ② 비서관. ③ 서기, 간사. ④ (대사관의) 서기관. ⑤ (멕시코 등의) 장관.
secretismo *m.* 비밀주의.
secreto[1] *m.* ① 비밀; 기밀: ~ de estado 국가 기밀. guardar un ~ 비밀을 지키다. ② 비결: ~ del éxito 성공의 비결.
secreto[2]**, ta** *adj.* 비밀(秘密)의; 기밀(機密)의: agente ~ (비밀) 첩보원. documento ~ 기밀 문서.
secretor, ra *adj.* [생리] 분비(分泌)의: glándula ~*ra* 분비선.
secta *f.* (분리된 작은) 분파, 당파, 종파; 학파.
sectario, ria *adj.* 분파의, 당파의, 종파의; 학파의. —*m.f.* 당파의 일원; 신도; 학도.
sectarismo *m.* 분파심, 당파심, 종파심(宗派心).
sector *m.* ① 부문, 분야. ② 지구, 구역. ③ [기하] 부채꼴.
sectorial *adj.* ① 부문의, 분야의; 지구의, 구역의. ② [기하] 부채꼴의.
secuela *f.* 영향, 결과.
secuencia *f.* ① 연속. ② [영화] 시퀀스. ③ [수학] 열(列), 수열.
secuencial *adj.* 연속의.
secuenciar (11) *tr.* 연속시키다.
secuestración *f.* ① 유괴. ② 납치.
secuestrador, ra *adj.* 유괴하는; 납치하는. —*m.f.* 유괴범; 납치범.
secuestrar *tr.* ① 유괴하다. ② (비행기·배를) 납치하다. ③ (인쇄물을) 발매 금지시키다. ④ (재산을) 몰수하다, 접수하다.
secuestrario, ria *adj.* 유괴[납치]의[에 관한].
secuestro *m.* ① 유괴. ② 납치, 하이재크. ③ 몰수.
sécula *in* ~, *in* ~ *seculórum, para* ~, *para in* ~ =por los siglos de los siglos. ☞**siglo.**
secular *adj.* ① 세속(世俗)의; 수도원에 속하지 않은. ② 100년마다 일어나는[반복되는]. ③ 100년 동안의, 100년 전부터. —*m.* 수도원에 속하지 않은 사제.
secularización *f.* ① 환속(還俗). ② 비종교화.
secularizar (9) *tr.* ① 환속시키다. ② 비종교화하다. ③ (교회 재산을) 국유화하다, 민유화하다.
secundar *tr.* ① 지지하다, 찬동하다. ② 보좌하다.
secundariamente *adv.* 두 번째로; 부차적으로.
secundario, ria *adj.* ① 두 번째의: corriente ~*ria* 2차 전류. ② 중등 교육의: enseñanza ~*ria* 중등 교육. ③ 부차적인, 부수적인: efecto ~ 부작용.
secundinas *f.pl.* [의학] 후산(後産).
sed *f.* ① (목의) 갈증: tener ~ 목이 마르다, 갈증이 나다. ② 갈망, 열망, 욕구: tener ~ de amor 애정에 목말라 있다.
seda *f.* ① 명주, 비단, 견직물. ② 명주실, 비단실. ③ (동물의) 뻣뻣한 털. ¶~ ***artificial*** 인조견(rayón). ~ ***cruda*** 생사(生絲). ~ ***ocal*** 질이 나쁜 비단. ***como una*** ~ ㉮ *adj.* (촉감이) 부드러운. ㉯ *adj.* (사람이) 유순한, 온순한, 얌전한. ㉰ *adv.* 아무 장애(도 어려움도) 없이, 쉽게, 매끄럽게: Este coche funciona *como una* ~ 이 차는 매끄럽게 나간다.
sedal *m.* ① 낚싯줄. ② [수의학] 고름 빼는 기구[줄].
sedán *m.* *ing.* [자동차] 세단, 세단형 관광 자동차.
sedante *adj.* ① 진정시키는. ② 진정 작용이 있는. —*m.f.* 진정시키는 사람. —*m.* [의학] 진정제.
sedar *tr.* 진정시키다, 가라앉히다, 완화시키다.
sedativo, va *adj.* [의학] (통증·신경 자극을) 진정시키는.
sede *f.* ① [천주교] 대주교의 자리. ② [천주교] 대주교구(區). ③ [천주교] 교황의 자리. ④ [천주교] 교황청, 바티칸. ⑤ (기관·단체 등의) 본부, 본거, 본거지: la ~ de la ONU 유엔 본부. ⑥ (경기 대회·회의의) 개최지: ~ olímpica, ~ de la olimpiada 올림픽 개최지.
sedente *adj.* 앉아 있는: estatua ~ 좌상(坐像), 앉아 있는 상.
sedera *f.* ☞**sedero.**
sedería *f.* ① 양잠업, 제사업(製絲業), 견직물 산업. ② 비단 제품 상점. ③ [집합] 비단 제품.
sedero, ra *adj.* 명주[비단]의[에 관한]: industria ~*ra* 견직물 산업. —*m.f.* 견직물 제조자[판매자]. —*f.* 털이 빳빳한 솔.
sedicente *adj.* 자칭의: ~ filósofo 자칭 철학자.
sedición *f.* 반란, 봉기, 폭동.
sedicioso, sa *adj.* 반란을 일으키는. —*m.f.* 폭도, 반란자.
sediento, ta *adj.* ① 갈증이 나는, 목이 타는. ② (밭·땅·식물이) 고갈된, 말라 버린, 물이 부족한, 관개가 필요한: campo ~ 물이 부족한 밭. terreno ~ 물이 부족한 땅. ③ [+de] (…을) 갈망하는: ~ *de* gloria 명예욕을 갈망하는. estar ~ *de*

S

venganza 복수심(復讐心)에 불타 있다. —*m.f.* 갈증이 난 사람, 목 마른 사람.

sedimentación *f.* 침전, 퇴적.

sedimentar *tr.* ① (앙금을) 가라앉히다, 침전시키다. ② (감정을) 가라앉히다, 진정시키다. ~**se** ① 침전되다, 가라앉다. ② (감정이) 진정되다, 가라앉다. ③ (지식이) 축적되다.

sedimentario, ria *adj.* 침전물의, 퇴적물의: roca ~*ria* 퇴적암.

sedimento *m.* ① 침전물, 퇴적물. ② (마음 속의) 응어리, 서먹서먹한 기분, 개운치 않은 기분.

sedoso, sa *adj.* 비단 같은, 비단처럼 부드러운.

seducción *f.* ① (이성의) 유혹. ② 매혹(atractivo).

seducir (71) *tr.* ① (성적으로) 유혹하다, (달콤한 말로) 꾀다. ② 속이다. ③ (생각 등이) 매료시키다.

seductor, ra *adj.* ① 유혹하는, 꾀는. ② 매력적인. —*m.f.* ① 유혹자. ② 여자를 꾀는 사람.

seg. según …에 의하면.

segador, ra *adj.* (곡식 등을) 베는데 사용하는. —*m.f.* 곡식 베는 사람, 수확하는 사람. —*f.* 수확하는 기계, 콤바인, 복식 수확기. —*m.* [곤충] 갈거미.

segar (8) *tr.* ① 베다: ~ la cebada 보리를 베다. ② (돌출 부분을) 자르다, 잘라 내다. ③ (성장 등을) 방해하다, 저해하다.

seglar *adj.* ① 세속(世俗)의. ② 일반 신도(信徒)의, 성직자가 아닌. —*m.f.* 일반 신도, 비(非)성직자.

segmentación *f.* ① 분할, 분단화. ② [생물] 난할(卵割), 난분할.

segmentar *tr.* 분할하다, 분열시키다.

segmento *m.* ① [수학] (선·도형 등의) 부분, 절편(切片). ② 부문, 분야. ③ [동물] 체절; (환형 동물의) 몸마디, 환절(環節). ④ [언어] 분절소(分節素), 분절 요소. ⑤ [기계] 피스톤 링. ⑥ [컴퓨터] 세그먼트.

segoviano, na *adj.* ① 세고비아(Segovia, 스페인의 주·주도) 태생의. ② 세고비아의[에 관한]. —*m.f.* 세고비아 사람.

segoviense *adj., m.f.* =segoviano.

segregación *f.* ① (인종적인) 격리, 차별. ② [생리] 분비(分泌).

segregacionismo *m.* 인종 분리 정책, 인종 분리주의.

segregacionista *adj.* 인종 분리주의의. —*m.f.* 인종 분리주의자.

segregar (8) *tr.* ① 격리하다, 분리하다. ② [생리] 분비하다.

segueta *f.* 실톱.

seguida *f.* ☞seguido.

seguidamente *adv.* ① 계속적으로, 잇달아. ② 즉시.

seguidilla *f.* ① 4행이나 7행 시의 일종. ② *pl.* 세기디야 ((스페인의 3박자의 경쾌한 무용·음악)).

seguido, da *adj.* ① (시간적·공간적으로) 계속의, 연속의, 잇달은: ocho días ~*s* 계속 1주일. ② 직선의. ③ 오래 끄는[계속되는]. —*adv.* ① 즉시, 곧장, 직후에. ② 똑바로, 곧장. —*f.* ① 연속, 계속. ② 옛 춤의 일종.

seguidor, ra *adj.* 따르는, 추종하는. —*m.f.* 추종자; 신봉자; 팬; 서포터, 도우미.

seguimiento *m.* ① 수행, 추종. ② 추적: radar para ~ de satélites 위성 추적 레이더. ③ 연속, 계속.

seguir (46) *tr.* ① …의 뒤를 따라가다, 뒤를 따르다, 추적하다, 미행하다. ② …를 찾아가다, 추적하다. ③ (길·경로를) 나아가다, 따라가다, 더듬어 가다 ④ (규범·충고 등에) 따르다. ⑤ 속행하다, 쭉 계속하다. ⑥ (변화 등을) 주시하다. ⑦ (어떤 기술·학문 등에) 종사하다; 계속 연구하다. —*intr.* ① 계속하다, 후속되다. ② [+현재 분사·과거 분사·형용사] 계속해서 …하다: *Sigue* lloviendo 계속 비가 내리다. ③ [+por] (길을) 계속하다: ~ *por* esta calle 이 길을 계속 가다. ④ [+con] (직을) 계속하다: ~ *con* la frutera 과일가게를 계속하다. ~**se** 추론되다.

según *prep.* ① …에 의해, …에 따라서: ~ la ley 법에 의해[따라]. ② …에 의하면: ~ el refrán 속담에 의하면. ③ …에 따라, …을 보아: pagar ~ *su* trabajo 일(의 양)을 보아[에 따라] 지불하다. ④ [인명·인칭 대명사 앞에서] …에 의하면: ~ ellos 그들(의 말)에 의하면. ~ Aristóteles 아리스토텔레스에 의하면. ⑤ [접속사적으로] [+que] …하는 바에 의하면: ~ *que* lo prueba la experiencia 경험이 증명하는 바에 의하면. ⑥ [부사적으로] 경우에 따라: Iré o me quedaré, ~ 경우에 따라서 가든지 남든지 하겠다.

segunda *f.* ☞segundo.

segundar *tr.* (막 끝낸 것을) 반복하다, 되풀이하다. —*intr.* 두 번째다, 뒤에 오다.

segundariamente *adv.* =secundariamente.

segundario, ria *adj.* =secundario.

segundero, ra adj. (열매가 일년에) 두 번째로 연. —*m.* (시계의) 초침.

segundo, da *adj.* ① 두 번째의, 제2의: ~ edficio 두 번째 건물. ② [드물] =favorable. —*m.f.* ① (단체의 계급에서) 두 번째 사람. ② (함선의) 부선장. —*m.* ① [권투] 세컨드. ② 도우미, 조수(助手), 보좌관(ayudante). ③ [시간의 단위] 초(秒): velocidad por ~ 초속. ④ [각도의 단위] 초(秒). —*f.* ① [자동차] 제2단, 세컨드 (기어). ② (탈것의) 2

S

등: vagón de *~da* 2등차. ir en *~da* 2등으로 가다. ③ 속마음, 본심, 저의: con *~das* 본심을 숨기고, 저의가 있어, 나쁜 마음으로. ¶*sin ~ adj.* =sin par.

segundogénito, ta *adj.* 두 번째 나은. —*m.f.* 차남, 차녀.

segundón, na *m.f.* ① (특히 재산 상속에서) 차남, 차녀. ② 첫째가 아닌 아들[딸]. ③ (지위에서) 두 번째 사람, 넘버 투.

segur *m.* 큰 도끼.

seguramente *adv.* ① 확실히, 틀림없이: ¿Vendrás mañana? —*Seguramente* 내일 올거지? —확실해[틀림없어]. ② [주로, *+subj.*] 아마: *Seguramente* saldré [salga] esta tarde 아마 나는 오늘 오후에 외출할 것이다.

segureja *f.* (손잡이가 길고 접는) 작은 도끼.

seguridad *f.* ① 안전, 안전성: ~ ciudadana 치안, 법과 질서. ~ individual 개인의 안전 ② 확실함, 틀림없음: método de una gran ~ 아주 확실한 방법. ③ 확신. ④ 자신(自信)(~ en sí mismo): tener mucha ~ *en* sí mismo 자신만만하다. ⑤ 보장(保障). ⑥ 안전 보장: Tratado de *Seguridad* 안전 보장 조약. ¶~ ***social*** 사회 보장; 국가 의료 (기구), 의료 제도, 의료 혜택. ***de*** ~ ㉮ 안전한: agente *de* ~ 안전 요원. ㉯ 안전 장치가 된: muelle *de* ~ 안전 용수철. cerradura *de* ~ 안전 자물쇠.

seguro, ra *adj.* ① 안전한, 위험이 없는: inversión *~ra* 안전한 투자. sitio ~ 안전한 장소. ② 확실한, 의심이 없는, 믿을 만한, 신뢰할 만한: amigo ~ 믿을 만한 친구, 신뢰할 만한 친구. información *~ra* 확실한 정보. ③ 확신하는, 확신이 있는: Estoy ~ de que él se cura completamente 나는 그가 완쾌되리라고 확신하고 있다. —*m.* ① 보험: ~ ahorro 양로 보험. ~ colectivo 단체 보험. ~ contra accidentes 상해 보험, 재해 보험.. ~ contra [de] incendios 화재 보험. ~ del coche 자동차 보험 ~ de desempleo 실업 보험. ~ marítimo 해상 보험. ~ multirriesgo 종합 보험. compañía de *~s* 보험 회사. contrato de ~ 보험 계약. hacer [efectuar] el ~ 보험을 들다. ② (총 등의) 안전 장치. ③ =**seguridad social.** ④ 보장. ⑤ 통행 허가, 특별 허가. —*adv.* =**seguramente.** ¶~ ***de vida*** 생명 보험. ~ ***sobre la vida*** =**seguro de vida.** ~ ***subsidiario*** = **reaseguro.**

seis *adj.* ① 6의, 여섯의. ② 여섯 번째의. —*m.* ① 6, 여섯. ② 6일: el ~ de octubre 10월 6일. ③ (카드에서) 6의 패. —*f.pl.* 여섯 시: las ~ de la mañana 오전 여섯 시.

seisavar *tr.* (무엇을) 정육각형으로 만들다.

seisavo, va *adj.* ① 여섯 등분한. ② 6각형의. —*m.* ① 6분의 1. ② 정육각형.

seiscientos, tas *adj.* ① 600의. ② 600번째의. —*m.* 600.

seisillo *m.* [음악] 6음부.

seísmo *m.* 지진(地震)(terremoto).

seismología *f.* 지진학(地震學).

SELA *m.* Sistema Económico Latinoamericano 라틴 아메리카 경제 기구.

selección *f.* ① 선택. ② 선발: hacer una ~ 선발하다. ③ [집합] 선집(選集): ~ de Cervantes 세르반떼스 선집. ④ [집합] (주로 나라의) 대표 선수, 선발 팀: ~ nacional 국가 대표 팀. ~ coreana de béisbol 한국 야구 (국가) 대표 팀. ¶~ ***natural*** 자연 도태: Del origen de las especies por medio de la ~ *natural* [책이름] 자연 도태에 의한 종의 기원에 대해 ((찰스 다윈의 「종의 기원」의 원제(原題))).

seleccionado *m. Arg., Hond., Ur., Salv.* =**selección ④.**

seleccionador, ra *adj.* 뽑는, 선택하는, 선발하는. —*m.f.* ① [운동] 대표 선수 선발 위원. ② [운동] (선발 팀의) 감독: ~ nacional 국가 대표 팀 감독.

seleccionar *tr.* 뽑다, 가리다, 고르다, 선택하다, 선발하다, 선별하다.

selectividad *f.* ① [집합] 선발 기준, 선발 시험. ② [집합] (대학 준비 과정(COU)을 끝낸 사람을 대상으로 하는) 대학 입학 자격 시험. ③ (음파·신호 등의) 선택도.

selectivo, va *adj.* ① 선택의; 선택하는, 선발하는. ② [무선] 분리식의. —*m.* 예비 강좌, 최초의 강의.

selecto, ta *adj.* ① 정선된, 선발된, 뽑힌, 뛰어난, 정예의: ~ vino 극상의[아주 좋은] 포도주. ② 회원제(會員制)의. ③ 선택안(選擇眼)이 있는, 감정에 안목이 있는.

selector, ra *adj.* 뽑는, 선택하는, 선발하는. —*m.* ① 선별기. ② [전기·통신] 분리기, 선택기, 선파기(選波機).

selen- *pref.*「달(月)(Luna)」의 뜻: *sele*nita 달나라 사람.

selénico, ca *adj.* 달(月)의[에 관한].

selenio *m.* [화학] 셀렌, 셀레늄.

selenita *m.f.* 달나라 사람. —*f.* [광물] 투명 석고.

selenitoso, sa *adj.* 투명 석고를 함유한.

seleniuro *m.* [화학] 셀렌화물(化物).

seleno- *pref.*「달(月)(Luna)」의 뜻: *selen*ógrafo 달 연구가.

selenografía *f.* [천문] 월리학(月理

S

學), 태음학(太陰學).
selenógrafo, fa *m.f.* 월리학자, 태음학자.
selenología *f.* 월학(月學).
selenosis *f.sing.pl.* [의학] (손톱에 나타나는) 백반(白斑).
self-service *m. ing.* =autoservicio.
sellado *m.* 날인, 압인; 봉인(封印). ¶*papel* ~ 인지 첨부 서류.
sellador, ra *adj., m.f.* 날인[압인·봉인]하는 (사람).
selladura *f.* 날인, 압인; 봉인.
sellar *tr.* ① 날인하다. ② 봉인하다, 봉함하다. ③ 끝내다, 끝마치다. ④ 닫다, 막다, 틀어막다.
sello *m.* ① 증지(證紙), 인지(印紙). ② 우표(~ postal). ③ 도장; 인감; 스탬프; 날인기. ④ (편지 등의) 봉인; 봉함지. ⑤ (이름이나 성의) 첫 자가 새겨진 반지. ⑥ (레코드·책·영화의) 회사명, 상호. ⑦ (금의) 낙인. ⑧ (작품 등에 표시된) 특징, 개성. ¶~ ***postal*** 우표. ***echar*** **[*poner*]** ***el*** ~ a algo (…을) 끝내다, 끝마무리하다, 완료하다.
Seltz ***agua de*** ~ 발포성(發泡性) 미네랄워터.
selva *f.* ① (주로 열대의) 밀림, 정글. ② [지리] 열대 우림(熱帶雨林). ③ 양육강식의 사회. ④ 무질서하게 풍부함: ~ de libros 책 더미, 책의 산. ⑤ 대혼란.
selvático, ca *adj.* ① 밀림의[에 관한], 정글의[에 관한]. ② 밀림에서 자란. ③ 거친, 미개한.
selvicultura *f.* =**silvicultura.**
sema *m.* [언어] 의미소(意味素).
semafórico, ca *adj.* 교통 신호의[에 관한].
semáforo *m.* ① 교통 신호 ((rojo·ámbar·verde 세 가지 색)). ② [선박·철도] 신호기.
semana *f.* ① 주(週): la ~ pasada 지난주. la ~ próxima [que viene] 다음 주. esta ~ 금주. El pirmer día de la ~ es el domingo 주의 첫 날은 일요일이다. ¿Qué día de la ~ es hoy? —Es el sábado 오늘은 무슨 요일입니까? —토요일이다. ② 1주일간, 7일간: en una ~ 1주일 이내에. una vez a la [por] semana 1주일에 한 번. ③ 주간(週間): ~ de la limpieza 대청소 주간. ④ 주급(週給). ¶~ ***grande*** 성주간(聖週間) ((부활절 전의 일주일간)). ~ ***inglesa*** 토요일 오후와 일요일은 쉬는 제도. ~ ***mayor, Semana Santa*** =**semana grande.** ***mala*** ~ (여자들의) 월경. ***entre*** ~ (토요일과 일요일을 제외한) 평일에.
semanal *adj.* ① 매주의. ② 1주일간의: salario ~ 주급.
semanalmente *adv.* ① 매주에, 주마다. ② 일주일에 한 번.
semanario, ria *adj.* 매주의. —*m.* ① 주간 잡지, 주간지. ② 일곱 개 한 조[세트].
semantema *m.* [언어] 의의소.
semántica *f.* [언어] 의미론(意味論).
semántico, ca *adj.* [언어] 의미론의.
semantista *m.f.* 의미론학자.
semasiología *f.* [언어] 어의론(語義論), 의의론(意義論).
semasiológico, ca *adj.* [언어] 어의론의[에 관한].
semblante *m.* ① 얼굴 생김새. ② 표정. ③ (사람의) 얼굴. ④ (일의) 국면, 양상.
semblanza *f.* (개인의) 약력: hacer una ~ de *alguien* (…의) 약력을 소개하다.
sembrada *f.* (씨가 뿌려진) 밭.
sembradera *f.* 파종기(播種機).
sembrado *m.* (씨가 뿌려진) 밭.
sembrador, ra *adj.* 파종하는. —*m.f.* 파종하는 사람. —*f.* 파종기(播種機).
sembradura *f.* 파종, 씨 뿌리기.
sembrar (19) *tr.* ① …에 씨앗를 뿌리다, 파종하다. ② 뿌리다, 살포하다: ~ dinero 돈을 뿌리다. ③ (널리 퍼뜨리기 위해) 유포시키다, 세상에 널리 퍼뜨리다. ④ (불화 등의) 씨를 뿌리다: ~ la discordia 불화의 씨를 뿌리다.
semejante *adj.* ① [+a] (…에) 닮은, 비슷한, 유사한. ② 그러한, 이러한, 이와 같은, 똑같은. ③ [기하] 닮은. —*m.* ① =**semejanza, imitación.** ② =**prójimo.**
semejantemente *adv.* 비슷하게, 유사하게, 닮은 모양으로.
semejanza *f.* ① 상사성(相似性). ② [기하] 닮음. ③ [수사학] 직유.
semejar *intr.,* ~**se** (사람·물건이) 닮다.
semen *m.* ① [생리] 정액. ② [식물] 씨, 씨앗, 종자.
semental *adj.* ① 씨[종자]의[에 관한. ② 종축의, 씨짐승의: toro ~ 종우(種牛), 씨소. —*m.* 종축, 씨짐승.
sementera *f.* ① 파종, 씨 뿌리기. ② (씨가 뿌려진) 밭. ③ 파종 시기. ④ 종자. ⑤ (불쾌한 것의) 원인.
sementero *m.* ① 씨앗 자루. ② =**sementera.**
semestral *adj.* ① 반년마다의. ② 반년간의.
semestralmente *adv.* ① 반년마다. ② 반년간.
semestre *m.* ① 반년, 6개월. ② (연 2학기제의) 학기: primer ~ 전기, 상반기, 일학기. segundo ~ 후기, 하반기, 2학기. ③ 반년(마다의) 지급, 반년급. ④ [집합] (신문·잡지 등의) 반년분의 호.
semi- *pref.*「반(半)(medio)·거의」의 뜻: *semi*círculo 반원(半圓).
semiautomático, ca *adj.* 반자동(半自動)의.

S

semibreve *m.* [음악] 전음부.
semicilindro *m.* [기하] 반원통.
semicircular *adj.* [기하] 반원(형)의.
semicírculo *m.* [기하] 반원(半圓).
semicircunferencia *f.* [기하] 반원주.
semiconductor, ra *adj.* [전기] 반도체의. —*m.* [전기] 반도체.
semiconsonante *adj.* [언어] 반자음의. —*f.* [언어] 반자음.
semicorchea *f.* [음악] 16분음부.
semicualificado, da *adj.* 반숙련의.
semicultismo *m.* [언어] 반교양어.
semidesértico, ca *adj.* 반사막의.
semidiámetro *m.* [기하] 반경(半徑), 반지름.
semidiós, sa *m.f.* 반신(半神); 신인(神人).
semieje *m.* [기하] 반축(半軸).
semiesfera *f.* =**hemisferio.**
semiesférico, ca *adj.* 반구(半球)의[에 관한].
semifinal *f.* 준결승.
semifinalista *adj.* 준결승에 진출한. —*m.f.* 준결승 진출 선수[팀].
semifondo *m.* [운동] 중거리(中距離): carrera de ~ 중거리 경주.
semifusa *f.* [음악] 64분음부.
semihombre *m.* =**pigmeo.**
semiinconsciencia *f.* 반의식 상태.
semiinconsciente *adj.* 거의 의식이 없는.
semilla *f.* ① 씨, 씨앗, 종자: sandía sin ~*s* 씨 없는 수박. ② 원인.
semillero *m.* ① 모판, 못자리, 묘상(苗床): planta de ~ 모종. ② 바탕, 기원, 발생지.
semilunar *adj.* 반달 모양의.
semimanufactura *f.* [상업] 반제품.
semimedio *m.* [권투] 웰터급.
semimetal *m.* 반금속(半金屬).
seminal *adj.* ① (남자・수컷의) 정액의[에 관한]. ② 씨의[에 관한]. ③ 비옥한.
seminario, ria *adj.* 씨의[에 관한]. —*m.* ① (식물의) 모판, 못자리, 묘상. ② 신학교. ③ 세미나. ④ 세미나 교실.
seminarista *m.* 신학생.
seminífero, ra *adj.* [해부] 정액을 생산하는[포함한].
seminternado *m.* (통학생에게 하는) 급식 제도.
semiología *f.* 기호학; [의학] 증후학.
semiológico, ca *adj.* 기호학의.
semiólogo, ga *m.f.* 기호학자.
semiótica *f.* 기호론; [의학] 증후학.
semiótico, ca *adj.* 기호론의.
semipermeable *adj.* 반투성의.
semipesado *m.* [권투] 라이트 헤비급.
semiplano *m.* 반평면.
semipleno *m.* [볼링] 스페어.
semiproducto *m.* 반제품.
semiprofesional *adj.* 반(半) 직업적인. —*m.f.* 반 프로인 사람.
semipúblico, ca *adj.* 반관반민의: empresa ~*ca* 반관반민 기업.
semirrecta *f.* [기하] 반직선.
semisalvaje *adj.* 거의 야만적인, 반야만적인.
semisótano *m.* 반지하실.
semisuma *f.* 합계의 반.
semita *adj.* ① 셈족의. ② 셈의 자손의. —*m.f.* 셈족 사람.
semítico, ca *adj.* ① 셈족의. ② 셈어군[계]의. —*m.* 셈어(語).
semitono *m.* [음악] 반음(半音).
semitransparente *adj.* 거의 투명한, 반투명한.
semivocal *adj.* [언어] 반모음의. —*f.* [언어] 반모음.
semoviente *adj., m.* (자산으로서의) 가축(의).
sempiterna *f.* ☞**sempiterno.**
sempiternamente *adv.* =**eternamente.**
sempiterno, na *adj.* 영원히 계속하는, 끝나지 않는, 영원한.
sen *m.* 전(錢) ((일본의 동전; 100분의 1원)).
senado *m.* ① [주로 S~] 상원(上院) ((회의, 건물)). ② (고대 로마의) 원로원.
senador, ra *m.f.* ① 상원 의원. ② (고대 로마의) 원로원 의원.
senaduría *f.* 상원 의원 직.
senatorial *adj.* ① 상원의[에 관한]. ② 원로원의[에 관한]. ③ 상원 의원의[에 관한]. ④ 원로원 의원의[에 관한].
S. en C. *f.* Sociedad en Comandita 합자 회사.
sencillamente *adv.* 단순히, 간단히.
sencillez *f.* ① 단순함. ② 간소(함). ③ 소박(함).
sencillo, lla *adj.* ① 단순한, 간단한: examen ~ 간단한[쉬운] 시험. problema ~ 쉬운 문제. ② 간소한; 소박한, 꾸밈 없는. ③ (천 등이) 얄팍한. ④ (사람이) 소탈한; 우직한. ⑤ 단일의. ⑥ [식물] (꽃이) 외겹의, 홑겹의. ⑦ (표가) 편도의. —*m.* ① (레코드의) 싱글판. ② 편도표. ③ *Amér.* 동전, 잔돈.
senda *f.* ① (오솔길보다) 좁은 길; (산・밀림의) 샛길, 좁은 길. ② (무엇을 얻기・하기 위한) 수단, 방법, 길: escoger una ~ fácil 쉬운 방법[길]을 택하다. seguir la ~ del bien 정도를 걷다.
senderismo *m.* 하이킹.
senderista *adj.* ① 하이킹하는. ② *Perú.* 센데로 루미노소(Sendero Luminoso, 뻬루의 사회주의 게릴라 조직)의[에 관한]. —*m.f.* ① 하이킹하는 사람. ② *Perú.* 센데로 루미노소 조직원.
sendero *m.* =**senda ①②.**
sendos, das *adj.pl.* 각자[각각] 하나씩의: con ~*das* peculiaridades 각

자의 독자성을 발휘하여. Se comieron *~das* manzanas 각자 사과 하나씩 먹었다.
séneca *m.* 아주 박식한 남자.
senectud *f.* 노년기(老年期), 노령기.
Senegal *m.* [국명] 세네갈.
senegalés, sa *adj.* ① 세네갈 태생의. ② 세네갈의[에 관한]. —*m.f.* 세네갈 사람.
senescencia *f.* 노쇠, 노화 현상.
senescente *adj.* 노쇠하기 시작한, 노화 현상이 일어나기 시작한.
senil *adj.* 노인의, 노년의; 노쇠한.
senilidad *f.* 노쇠, 노화(老化).
sénior *adj.sing.pl.* [*pl.* ~s] ① [같은 이름의 부자간에는 아버지; 같은 이름을 가진 두 사람 중에서는 나이 많은 쪽을 나타내어 이름 뒤에 놓임] 연상(年上) 쪽의, 손위의: Pablo Gómez ~ 빠블로 고메스 1세, 아버지 빠블로 고메스. ② [운동] 시니어(júnior 보다 위, 주로 20·21세 이상의 최연장급)의. —*m.f.* [운동] 시니어 선수.
seno *m.* ① 오목한 것, 패인 것, 들어간 것, 구덩이. ② (여자의) 유방. ③ 자궁. ④ 태내(胎內). ⑤ 피난 장소. ⑥ 내부, 한복판, 속: el ~ del mar 바다 속. el ~ de la sociedad 사회 내부. ⑦ [해부] 강(腔), 동(洞). ⑧ [지리] 만(灣). ⑨ [수학] 사인. ⑩ [건축] (연속한 아치의) 바깥쪽 둘레 사이의 공간.
sensación *f.* ① 느낌, 기분. ② 인상. ③ 예감. ④ 감각: ~ auditiva 청각. ⑤ 감동: gran ~ 큰[깊은] 감동.
sensacional *adj.* ① 선풍적 인기의, 세상을 깜짝 놀라게 하는, 크게 물의를 일으키는. ② 인기 끌기 위주의, 선정적인.
sensacionalismo *m.* (예술·저널리즘의) 선정주의(煽情主義), 흥미 본위, 인기 끌기.
sensacionalista *adj.* 선정주의적인, 흥미 본위의. —*m.f.* 선정주의자.
sensatez *f.* 양식(良識), 분별, 사려분별: obrar con mucha ~ 신중히 행동하다.
sensato, ta *adj.* (사람·행동 등이) 양식 있는, 분별 있는, 신중한, 현명한: opinión *~ta* 현명한 의견. persona *~ta* 양식 있는 사람.
sensibilidad *f.* ① (섬세한) 감수성, 감성: ~ artística 예술적 감수성. ~ estética 심미적 감수성. ~ para la cultura extranjera 외국 문화에 대한 감수성. ② (계기 등의) 감도. ③ [사진] 감광도.
sensabilización *f.* ① 민감함. ② [의학] 감작(感作). ③ [사진] 증감.
sensabilizado, da *adj.* (문제 등을) 의식한, 민감한.
sensibilizar (9) *tr.* ① 민감하게 하다, 관심을 가지게 하다. ② [의학] (항원에 대해) 민감하게 하다, 감작하다. ③ [사진] 증감 작용을 높이다.
sensible *adj.* ① 분별 있는, 양식을 갖춘, 지각 있는, 상식적인. ② 감각 능력이 있는, 민감한. ③ 감수성이 예리한. ④ (계기·필름 등이) 감도가 좋은, 고감도의. ⑤ 현저한, 눈에 띌 정도의: ~ mejoría 눈에 띌 정도의 회복[호전]. ⑥ 괴로운. ⑦ 감각의, 느낄[지각할] 수 있는.
sensiblemente *adv.* ① 눈에 띌 정도로, 현저히. ② 고통스레, 괴로운 듯이.
sensiblería *f.* 감상벽, 과도한 감상주의.
sensiblero, ra *adj.* 감정 과다의, 과도한 감정의.
sensitivo, va *adj.* ① 감각의, 감각 능력이 있는; 감각을 전하는: nervios *~s* 감각 신경. órgano ~ 감각 기관. ② 감수성을 자극하는. ③ 느끼기 쉬운, 감수성이 강한; 신경과민의. —*f.* [식물] 함수초.
sensitómetro *m.* 감광계.
sensor *m.* 감지기, 감지 장치, 센서.
sensorial *adj.* ① [생리] 감각의. ② 감각기(感覺器)의.
sensorio, ria *adj.* =sensorial. —*m.* =**sensorio común.** ¶~ *común* 감각 중추, 지각 중추.
sensual *adj.* ① 관능의, 관능적인. ② 향락적인. ③ 음탕한.
sensualidad *f.* ① 관능적임. ② 호색(好色).
sensualismo *m.* 관능[쾌락]주의.
sensualista *adj.* 관능주의의; 쾌락주의의. —*m.f.* 관능[쾌락]주의자.
sensualmente *adv.* 관능적으로; 기분좋게; 음탕하게.
sensu stricto *adv. lat.* 엄격한 의미로.
sentada *f.* ☞**sentado.**
sentaderas *f.pl. Méj., Ur.* 엉덩이, 궁둥이(nalgas).
sentadero *m.* (좌석으로 사용하는) 돌, 목재, 판자, 통나무.
sentadillas *a* ~ =**a asentadillas.**
sentado, da *adj.* ① 앉은, 걸터앉은: estar ~ a la mesa 식탁에 앉아 있다. ② 분별 있는, 양식 있는. ③ 안정된, 차분한, 평온한. ④ [식물] 꽃자루가 달리지 않은. —*f.* ① (사람이 방해 없이) 앉아 있는 시간; 눌러앉음. ② 연좌(連坐) 파업, 농성 파업(huelga de brazos caídos·cruzados): hacer una ~ 농성하다, 연좌하다. ¶*de una* ~ 한 번에, 일거에, 일어나지 않고.
sentar (19) *tr.* ① 앉히다, 착석시키다. ② 고이다, 받치다(apoyar). ③ (기초 등을) 닦다, 쌓다. —*intr.* ① (음식·음료가 위에서) (잘) 받다, 소화되다: El cocido me *sienta* mal 요리가 내 입에 맞지 않다. La sopa me *sienta* bien 수프는 내 입에 맞

S

다. ② (몸·체질 등에) 맞다, 적합하다. ③ (옷 등이) 맞다, 어울리다. ~**se** ① 앉다: ~*se* a la mesa 식탁 주위에 앉다. ~*se* en la silla 의자에 앉다. *Siéntate* 앉아라. *Siéntese*, por favor 앉으십시오. ② 흠[자국]이 나다, 상하다; 구두가 쓸리거나 상하다.

sentencia *f.* ① (최종적인) 판단, 견해. ② 격언, 경구. ③ 판결, 선고: ~ capital 사형 선고. ④ 판정. ⑤ [문법] 문(文), 문장(文章). ¶~ *definitiva* [법률] 최종 판결. ~ *firme* [법률] 확정 판결.

sentenciar (11) *tr.* ① [+a] (판결을) 선고(宣告)하다. ② (격언을) 말하다. —*intr.* 의견을 말하다.

sentenciosamente *adv.* 근엄하게, 엄숙하게.

sentencioso, sa *adj.* ① 근엄한, 엄숙한. ② 교훈적인, 격언적인.

senticar *m.* 가시덤불.

sentidamente *adv.* 슬피, 슬프게, 애달프게.

sentido, da *adj.* ① 감정이 서린[담긴]. ② 슬픈, 애달픈. ③ 성을 잘 내는. ④ 감정을 해치는. —*m.* ① 감각(기능), 지각: ~ del humor 유머 감각. órgano de los ~*s* 감각 기관. ② 인식 능력. ③ 의식: perder el ~ 의식을 잃다. recobrar el ~ 의식을 회복하다. ④ 분별, 판단력. ⑤ 의미, 뜻: ~ original, propio ~ 본래의 의미. el ~ de una frase 문장의 의미. ⑥ 견해, 관점. ⑦ 의의(意義), 존재 이유: vida con ~ 의의 있는 인생. ⑧ 방향: cambio de ~ 방향 변경, 유턴, 유 자형 선회. *Sentido* único [표시] 일방통행. ¶~ *común* 상식.

sentimental *adj.* ① 감상적인, 정에 약한, 다감한, 정에 호소하는. ② (지성보다는) 감정에 바탕을 둔, 감정적인, 정서적인. ③ 연애의. ④ (감정으로) 표현이 과장된. —*m.f.* ① 다감한 사람. ② (감정으로) 표현을 과장하는 사람.

sentimentalismo *m.* 감상주의, 감상과다.

sentimentalmente *adv.* 감상적으로; 감정적으로.

sentimiento *m.* ① 감정, 정서, 정감, 심리 상태. ② (이성에 대한) 감정. ③ 감정에 흐르는 경향, 정에 약함, 다정다감. ④ 호의, 애정.

sentina *f.* ① 아주 더러운 곳. ② 악의 소굴. ③ (물이 고이는) 배의 밑창.

sentir[1] (53) *tr.* ① (시각 이외로) 느끼다: ~ la fatiga 피로를 느끼다. ② 의식하다. ③ 예감하다. ④ 듣다, 느끼다: *Sentí* que alguien entraba en la habitación 누가 방에 들어오는 것을 들었다[느꼈다]. ⑤ 슬프다. ⑥ 유감이다, 안 되다, 섭섭해 하다, 미안해 하다, 애석하게[유감으로] 생각하다: Lo *siento* mucho 정말 미안합니다, 참 유감입니다, 정말 안됐습니다. ⑦ 생각하다. ⑧ (예술 등을) 맛보다, 체험하다, 음미하다, 이해하다. ~**se** ① 유감으로 생각하다, 발끈하다. ② (자신의 몸의 일부에) 아픔을 느끼다: ~*se* del pecho 가슴이 아픈 것을 느끼다. ③ 다치다. ④ [+형용사] (…하는) 생각이 든다.

sentir[2] *m.* ① 의견, 견해: en mi ~ 내 생각에는. ② 감정.

seña *f.* ① [주로 *pl.*] 신호; 몸짓. ② 기척, 징후, 낌새. ③ 표, 표적. ④ *pl.* 주소: libro de ~*s* 주소록.

señal *f.* ① 표, 표시. ② 신호. ③ [야구] 사인. ④ [도로·철도] 신호, 표지: ~ vertical 도로 표지. ⑤ 기호, 부호. ⑥ 발자국, 흔적. ⑦ 상처 자국. ⑧ [전화·방송] 신호음; 신호파(信號波). ⑨ 보증금, 착수금.

señaladamente *adv.* 현저히, 눈에 띄게.

señalado, da *adj.* ① 유명한, 저명한. ② 현저한, 뚜렷한, 눈에 띄는.

señalador *m.* (책의) 서표(書標).

señalar *tr.* ① …에 표를 하다, 도장을 찍다. ② 지적하다, 언급하다. ③ 지시하다, 가리키다. ④ (시간·장소 등을) 지정하다, 결정하다. ⑤ …의 조짐이다. ⑥ (특히 얼굴에) 상처를 내다. ~**se** 걸출하다, 두각을 나타내다: ~se como un diplomático 외교관으로 두각을 나타내다.

señalización *f.* ① 표지 설치. ② [집합] 표지, 신호 시스템: ~ vertical 도로 표지.

señalizar (9) *tr.* (도로 등에) 표지[신호기]를 설치하다.

señor, ra *adj.* ① (…의) 주인인, 차지하는, 지배하는, 다스리는, 군림하는. ② (사람이) 고귀한, 당당한. ③ (물건이) 우아한, 고상한, 품위 있는. ④ [명사 앞에 놓여 강조함] 매우, 지독한: una ~*ra* herida 큰 상처, 지독한 상처. dar un ~ susto 매우 놀라다. —*m.f.* ① [사람의 성 앞에 붙이는 경칭; 더러는 직함 앞에 붙임; 호격일 때는 관사를 붙이지 않음; 여성형은 기혼 부인; 이름 앞에 붙이는 경칭인 don, doña가 있으면 그 앞에 놓임] …님, …씨, … 귀하, … 여사, … 부인. ~ Kim 김 씨. ~*ra* Kim 김 여사. ~ director 사장님. ~*ra* Presidenta 회장님. ~ don Pedro González 뻬드로 곤살레스 씨. ~*ra* doña Luisa Pérez 루이사 뻬레스 여사. ② 남자 분, 여자 분. ③ 어른. ④ (교양 있는) 신사, 숙녀. ⑤ 주인; 소유주, 임자; 고용주. ⑥ 장인, 장모. —*m.* ① [종교] [el S~] 신(神), 하느님(Dios). ② [종교] [S~] 주(主), 예수 그리스도: Nuestro *Señor* 우리의 주, 예수 그리스도. ③ *pl.* … 씨 부부[부처]:

S

los ~*es* Kim 김 씨 부부. ④ 영주, 원님, 임금님, 황제. —*f.* ① 기혼 부인. ② 아내, 처. ③ 영주의 아내. ¶~ *de los ejércitos* =Dios. *Nuestra Señora* 성모 마리아. *descansar* [*dormir*] *en el Señor* 죽다, 서거하다(morir, fallecer).

señorear *tr.* ① (주인으로서) 다스리다, 지배하다, 군림하다. ② (감정을) 억제하다. ~**se** 으스대다.

señoría *f.* ① 각하 ((재판관·국회의원 등에 붙이는 경칭)): su ~ 귀하, 각하. ② 지배, 통치; 영주권, 통치권.

señorial *adj.* ① 영주의[에 관한]. ② 당당한, 위엄 있는.

señorío *m.* ① 지배. ② 영지(領地). ③ 우아함, 위엄. ④ [집합] 상류 인사(上流人士).

señorito, ta *m.f.* ① (영주·상류 계급의) 아들, 자제; 딸, 영양(令嬢). ② (하인들에 대한) 주인 나리, 주인 마님. —*m.* (부자·권력자의 아들로 일하지 않고) 빈둥거리는 젊은이. —*f.* ① [미혼 여성에 대한 경칭] …양, 아가씨. ② [상대가 기혼인지 미혼인지 모를 때] …양. ③ [초등 학생이 기혼이거나 미혼을 불문하고 여선생에 대한 경칭] 선생님.

señuelo *m.* ① 미끼새. ② 후림새. ③ 꼬이는 물건, 미끼.

seo *f.* 큰 성당(Iglesia Catedral). ((Aragón과 Cataluña에서는 *m.*)).

seol *m.* [성경] 음부, 스올 ((잠언 1:12)).

sepa ☞saber (66).

sepa- ☞saber (66).

sépalo *m.* [식물] 꽃받침.

separable *adj.* 분리할 수 있는.

separación *f.* ① 가르기, 분리: ~ de poderes 삼권 분립. ② 이별. ③ (부부의) 별거. ④ 간격. ⑤ 파면, 해임. ¶~ *de bienes* [법률] 부부 재산의 분리.

separadamente *adv.* 따로따로.

separado, da *adj.* ① 갈라진, 떨어진. ② 따로따로의. ③ 별거 중의. —*m.f.* 별거 중인 남편[아내]. ¶*por* ~ 따로따로.

separador, ra *adj.* 나누는, 가르는. —*m.f.* 나누는[가르는] 사람. —*m.* ① 분리기(分離機). ② [컴퓨터] (정보 단위의 개시·종료를 나타내는) 분리 기호, 단락 문자.

separar *tr.* ① 나누다, 분리하다, 따로따로 하다: ~ la palabra en sílabas 단어를 음절로 나누다. ~ un vagón *del* tren 열차에서 차량을 분리하다. ② (부부를) 떼어 놓다, 헤어지게 하다, 별거시키다, 이혼시키다. ③ (싸우고 있는 사람을) 떼어 놓다. ④ 따로 하다, 따로 두다. ⑤ 따로[구별해서] 생각하다. ⑥ 파면시키다, 해고시키다, 면직시키다. ~**se** ① 나누어지다, 갈라지다, 분리되다, 떨어지다. ② 헤어지다, 이별하다. ③ (부부가) 별거하다. ④ (조직·관계에서) 이탈하다. ⑤ [정치] 분리되다, 독립하다.

separata *f.* (인쇄물 등의) 별도[분리] 인쇄.

separatismo *m.* [정치] 분리주의.

separatista *adj.* ① 분리주의의[에 관한]. ② 분리파의. —*m.f.* 분리주의자, 분리파.

separativo, va *adj.* ① 분리의, 나누는. ② 분리용의.

sepas ☞saber (66).

sepelio *m.* 매장, 장례.

sepia *f.* ① [어류] 뼈오징어. ② 뼈오징어의 먹물. ③ 세피아 ((오징어 먹물로 만든 갈색 그림물감)). —*m.* 세피아색. —*adj.* 세피아색의.

sept. septiembre 9월.

septembrino, na *adj.* ① 9월의[에 관한]. ② (혁명 등이) 9월에 일어나는: revolución ~*na* 9월 혁명.

septena *f.* ☞septeno.

septenario, ria *adj.* ① 7단위의, 7로 된, 7로 쓰인. ② 일곱 요소로 구성된. —*m.* ① 7일간. ② (종교 행사의) 7일간.

septenio *m.* 7년간.

septeno, na *adj.* ① 일곱 번째의 (séptimo). ② 7분의 1의. —*f.* (순서로) 7개.

septentrión *m.* ① [S~] 북, 북쪽 (Norte). ② 북극(Polo Norte). ③ (다른 것의) 북쪽. ④ 북풍(北風).

septentrional *adj.* ① septentrión의[에 관한]. ② 북(쪽)의.

septeto *m.* ① [음악] 7중주, 7중창. ② [음악] 7중주단[곡], 7중창단.

septicemia *f.* [의학] 패혈증.

septicémico, ca *adj.* [의학] 패혈증의[에 관한].

séptico, ca *adj.* ① [의학] 부패시키는. ② [의학] 패혈성의.

septiembre *m.* 9월, 구월: Revolución de ~ [역사] 9월혁명 ((1868년, 스페인)).

séptimo, ma *adj.* ① 일곱 번째의: ~ arte 제7예술 ((영화 등)). ② 7분의 1의. —*f.* 7분의 1.

septo *m.* [해부] 중격(中隔).

septuagenario, ria *adj.* 70대(代)의. —*m.f.* 70대 노인.

septuagésimo, ma *adj.* ① 일흔 번째의. ② 70분의 1의. —*f.* 70분의 1.

septuplicación *f.* 7배(로 하기).

septuplicar (7) *tr.* 7배로 하다.

séptuplo, pla *adj.* 7배의. —*m.* 7배.

sepulcral *adj.* 묘의[에 관한], 묘지 같은: inscripción ~ 묘비명(墓碑銘).

sepulcro *m.* ① 묘, 분묘. ② 죽은 예수 그리스도의 상과 함께 닫힌 관[널]. ③ (성유물을 넣어둔) 제단의 우묵한 곳. ¶*Santo Sepulcro* (예루살렘에 있는 그리스도의) 성묘(聖墓). *bajar al* ~ 죽다.

S

sepultar *tr.* ① (시체를) 묘에 넣다, 매장하다, 장사지내다. ② 숨기다, 감추다. ③ 깊은 생각에 잠기게 하다. ~**se** ① 몸을 숨기다, 잠적하다. ② 슬픔에 잠기다.

sepulto, ta *adj.* 매장된, 묻힌.

sepultura *f.* ① 매장. ② 묘혈, 무덤 구멍. ③ 묘, 무덤, 묘소. ④ (교회에 고인을 위해 지정된) 가족 분향소. ¶*dar* ~ 시체를 매장하다.

sepulturero *m.* 무덤 파는 인부.

sequedad *f.* ① 건조. ② 무뚝뚝함, 냉담함, 쌀쌀함.

sequedal *m.* 매우 건조한 땅.

sequeral *m.* =**sequedal.**

sequeroso, sa *adj.* 물기가 없는, 말라 비틀어진.

sequía *f.* 장기간의 건조기; 가뭄, 한발(旱魃).

séquito *m.* ① 수행원, 종자(從者). ② 박수갈채.

ser[1] (39) *intr.* ① [품질·한정 형용사와 함께] …이다: Ella *es* baja 그녀는 키가 작다. ② [신분·직업·국적 등의 명사와 함께] …이다: José *es* profesor 호세는 교수다. ③ [시간·요일·날짜·가격] …이다: *Son* las seis 여섯 시다. Hoy *es* lunes, 20 de septiembre de 2004 오늘은 2004년 9월 20일, 월요일이다. ¿Cuánto *es*? —*Son* diez euros 얼마입니까? —10유로입니다. ④ [형용사·명사와 함께] …이 되다: *Sé* grande 위대한 사람이 되어라. ⑤ [*inf.*, que+*ind.*·*subj.*이 주어] (…하는 것은) …이다: *Es* necesario aprender mucho 많이 배우는 것이 필요하다. ⑥ [lo+*adj.*와 함께] (…의 것) 이다: La amistad *es* lo mejor del mundo 우정은 세상에서 가장 좋은 것이다. ⑦ [상태의 부사와 함께] …하다: La vida *es* así 인생이란 그런 것이다. ¿Cómo *es* Madrid? 마드리드는 어떻습니까? ⑧ [독립적으로 쓰여] 존재하다: Pienso, luego *soy* 나는 생각한다, 고로 존재한다. ⑨ [장소·시간·상태의 부사와 함께] (특정한 행사·사건 등이) 있다, 일어나다, 발생하다: La fiesta *es* en la casa de Juan 파티는 후안의 집에서 있다. ⑩ [+de] ㄱ) [재료] …로 되어 있다: La casa *es de* piedra 집은 석조다. ㄴ) [소유·귀속] …의 것이다: El ordenador *es de* mi padre 컴퓨터는 내 아버지의 것이다. ㄷ) [출신·출생지·출처] … 출신이다: Ella *es de* Toledo 그녀는 똘레도 출신이다. Estos plátanos *son del* Ecuador 이 바나나는 에꾸아도르 산이다. ㄹ) [가격] …이다: Es de cien euros 그것은 100유로다. ㅁ) [나이] …(살)이다: Min *es de* veinticuatro años 민은 24세다. ㅂ) [학년] *Soy de* primero 나는 일학년이다. ⑪ [+para] ㄱ) (편지 등이) …를 위한 것이다, … 줄 것이다, …용이다: Esta carta *es para* mi amiga 이 편지는 내 여자 친구에게 보내는 것이다[온 것이다]. ㄴ) [용도·적성 등] …용이다: Estos libros *son para* niños 이 책들은 어린이용이다. ⑫ [시간; 단인칭 동사] …이다: *Es* temprano (시간이) 이르다. Ya *es* tarde 이제 늦었다. ⑬ [수동태; 타동사의 과거 분사와 함께] Ella *es* respetada de todos 그녀는 모든 사람들로부터 존경받고 있다.

ser[2] *m.* ① [철학] 존재: el ~ y la nada 존재와 무. ② 존재물: ~ vivo 생물. ③ 사람, 인간(~ humano): un ~ querido 사랑하는 사람. ④ 본질, 본성: desde lo más profundo de su ~ 마음속으로부터. ⑤ 가치. ⑥ 사는 법. ¶***Ser supremo*** = **Dios.**

SER *f.* *S*ociedad *E*spañola de *R*adiodifusión 스페인 라디오 방송.

sera *f.* (보통 손잡이가 없는) 큰 광주리.

seráfico, ca *adj.* ① [성경] 세라핌의[같은]. ② 아시스 성 프란시스코(San Francisco de Asís) 파의, 프란시스코 수도회의. ③ 가엾은, 천한.

serafín[1] *m.* ① [성경] 세라핌 ((인간과 닮은 모습으로 세 쌍의 날개를 갖춘 천사; 이사야 6:2,6)). ② [신학] 치품(熾品) 천사 ((천사의 9계급 중 제1 계급의 천사)). ③ (천사와 같은) 미남자, 아름다운 여성.

serafín[2] *m.* (15세기 이집트 왕이 주조를 명령하여 만들어진) 금화.

serbio, bia *adj.* ① 세르비아(Serbia, 발칸 지방의 일부) 태생의. ② 세르비아의[에 관한]. —*mf.* 세르비아 사람. —*m.* 세르비아 말.

serbocroata *adj.* 세르비아-크로아티아의[에 관한]. —*mf.* 세르비아-크로아티아 사람. —*m.* 세르보크로아티아 말 ((세르비아, 크로아티아, 보스니아-헤르체코비나, 몬테네그로에서 사용하는 남슬라브 말)).

serenar *tr.* 가라앉히다, 진정시키다. ~**se** 가라앉다, 진정되다.

serenata *f.* [음악] 세레나데, 소야곡.

serenidad *f.* ① 평정, 냉정. ② 전하 ((왕자에 대한 경칭)).

serenísimo, ma *adj.* ① 매우 침착한. ② [왕자(王子)에 대한 경어] Su Alteza ~*ma* 전하.

sereno[1] *m.* ① 야기(夜氣), 밤이슬. ② 야경(夜警).

sereno[2]**, na** *adj.* ① (하늘이) 맑은, 구름이 걷힌, 화창한(claro): cielo ~ 맑은 하늘. ② 고요한, 평온한. ③ 침착한. ④ 술에 취하지 않은: estar ~ 취하지 않다.

serial *adj.* 연속의[에 관한], 시리즈물의[에 관한]. —*m.* 연속 드라마, 연속극.

S

serialización *f.* ① 시리즈화(化). ② 연속 방송[방영].
serializar (9) *tr.* 연속 방송하다, 연속 방영하다.
seriamente *adv.* 진지하게; 성실하게, 견실하게; 엄숙하게.
seriar (11) *tr.* ① 하나를 연속으로 하다. ② [방송] 연속 방송하다, 연속 방영하다.
sericícola *adj.* sericicultura의.
sericicultor, ra *m.f.* 양잠가(養蠶家).
sericicultura *f.* 양잠(업).
sérico, ca *adj.* 비단의, 명주의.
sericultor, ra *m.f.* =**sericicultor.**
sericultura *f.* =**sericicultura.**
serie *f.* ① 일련(一連), 연속: ~ de billetes 회수권. número de ~ 일련번호. ② (제품의) 시리즈. ③ (우표·동전의) 시리즈물(의 한 조). ④ [방송] 연속물, 연속 프로그램, 연속극, 연속 드라마. ⑤ [운동] 예선: quedar (el primer) clasificado en la ~ 예선을 (1위로) 통과하다. ⑥ [야구] 시리즈: ~ mundidal 월드 시리즈. ⑦ [수학] 급수(級數). ⑧ [컴퓨터] 시리즈. ⑨ [음악] 12음의 음렬(音列). ⑩ [화학] 계(系), 열(列). ⑪ [언어] 계열(系列). ¶***en*** ~ ㉮ 대량 생산의[으로]: fabricación *en* ~ 대량 생산. ㉯ 연속의: asesino *en* ~ 연속 살인범. ㉰ [전기] 직렬의: circuito *en* ~ 직렬 회로. ***fuera de*** ~ ㉮ 손으로 만든, 수작업으로 만든, 대량 생산이 아닌: artículos *fuera de* ~ 특제품, 특별 주문품, 특별 발주품. ㉯ 발군의, 뛰어난, 두드러진: José es un jugador *fuera de* ~ 호세는 뛰어난 선수다.
seriedad *f.* ① 진지함. ② 중대함. ③ (병세의) 위독, 중태.
serigrafía *f.* ① 실크 (스크린) 인쇄. ② 실크 스크린 인쇄물.
serigráfico, ca *adj.* 실크 스크린 인쇄의[에 관한].
serijo *m.* (건포도·무화과 등 작은 것을 넣고 운반하는) 작은 광주리, 망태기.
serillo *m.* 작은 광주리.
seringa *f.* *Amér.* =**caucho.**
serio, ria *adj.* ① 진지한, 성실한: con una cara ~*ria* 진지한 얼굴로. ② 신뢰할 만한, 견실한: persona muy ~*ria* 매우 견실한 사람. ③ 중대한, 심각한, 우려할 만한: asunto ~ 중대한 사건. enfermedad ~*ria* 중병. situación ~*ria* 심각한 사태. ④ (색 등이) 조화된, 검소한. ⑤ 위엄이 있는.
sermón *m.* ① [주로 천주교] 설교. ② 잔소리, 설교: echar un ~ 잔소리하다, 설교하다.
sermonario, ria *adj.* 설교의[에 관한]. —*m.* 설교집.
sermoneador, ra *adj.* ① 설교하는. ② 잔소리하는.
sermonear *tr.* 훈계(訓戒)하다, 꾸짖다. —*intr.* 설교를 하다.
sermoneo *m.* ① 설교. ② 훈계, 꾸짖음; 잔소리.
serodiagnosis *f.* [의학] 혈청진단법.
serodiagnóstico *m.* [의학] 혈청 반응 증상.
serología *f.* 혈청학.
serón *m.* (말의 등에 놓는, 폭보다 길이가 더) 긴 광주리.
serondo, da *adj.* (과일이) 늦되는.
seropositivo, va *adj.* (혈청 진단, 특히 에이즈 바이러스 항체 실험에서) 양성 반응의. —*m.f.* (에이즈 바이러스 항체 실험의) 양성 반응자. —*m.* 혈청 감염.
serosa *f.* ☞**seroso.**
serosidad *f.* [생리] 장액(漿液).
seroso, sa *adj.* ① 혈청(suero)의[에 관한]: hepatitis ~*sa* 혈청 간염. ② 장액의[에 관한]. ③ 혈청[장액] 같은. ④ 장액을 만들어 내는. —*f.* [해부] 장막(漿膜)(membrana ~*sa*).
seroterapia *f.* 혈청 요법.
serótino, na *adj.* (특히, 과일이) 늦되는(tardío).
serpear *intr.* 뱀처럼 움직이다[기다], 사행(蛇行)하다, 꾸불꾸불 움직이다[기다], 엔굽이치다.
serpentear *intr.* =**serpear.**
serpenteo *m.* 사행(蛇行), 꾸불꾸불 움직임, 엔굽이침.
serpentín *m.* ① (증류기 등의) 꼭지 파이프, 나선관(螺旋管). ② (옛날 총의) 격철. ③ (옛날의) 박격포.
serpentina *f.* ☞**serpentino.**
serpentinamente *adv.* 뱀처럼; 꾸불꾸불.
serpentino, na *adj.* ① 뱀의[에 관한]. ② [시어] 사행하는, 꾸불꾸불 움직이는[기는], 엔굽이치는. —*f.* ① (퍼레이드 등에서 던지는) 종이 테이프. ② =**serpentín.** ③ [광물] 사문암(蛇紋巖).
serpentón *m.* ① [악기] S자형의 나팔. ② [악기] (군악대의) U자형의 나팔.
serpiente *f.* ① [동물] 뱀(culebra). ② 악마(diablo). ¶~ ***pitón*** 큰 뱀.
serpol *m.* [식물] 백리향.
serrado, da *adj.* 톱니 같은 이를 가진, 톱니 모양의.
serrador, ra *adj.* 톱으로 켜는. —*m.* 통나무를 톱으로 켜는 사람. —*f.* 켜는 기계, 톱.
serraduras *f.pl.* 톱밥(serrín).
serrallo *m.* =**harén.**
serrana *f.* ☞**serrano.**
serranía *f.* 산지(山地), 산악 지대.
serraniego, ga *adj.* =**serrano.**
serranilla *f.* (17세기 경의) 전원 서정곡[서정가] ((전원시의 일종)).
serrano, na *adj.* ① 산지(山地)에서 사는, 산지에서 태어난. ② 산지의[에 관한]. ③ 산지 주민의[에 관한].

—*m.f.* 산지 주민. —*f.* ① serranilla 비슷한 시가(詩歌). ② (안달루시아의) 플라멩코 가요.

serrar (19) *tr.* 톱으로 켜다.

serrato *m.* [해부] 거근(鋸筋), 톱니 모양의 근육.

serrería *f.* 제재소(製材所).

serreta *f.* ① 작은 톱. ② (말의) 가죽 재갈.

serrezuela *f.* 작은 톱.

serrín *m.* [집합] 톱밥.

serrino, na *adj.* ① 톱의[에 관한]. ② 톱 같은.

serrón *m.* (양 끝에 손잡이가 있는) 긴 톱.

serruchar *tr.* serrucho로 켜다.

serrucho *m.* (손잡이가 하나인) 납작한 톱.

servato *m.* [식물] 방풍, 방풍나물.

servible *adj.* 쓸 수 있는, 아직 사용할 수 있는: Este ordenador aún es ~ 이 컴퓨터는 아직 쓸 수 있다.

servicial *adj* ① (종업원 등이) 친절한. ② 남의 일을 잘 돌보아 주는, 친절한: vecinos ~*es* 친절한 이웃들. —*m.* =**lavativa, ayuda.**

servicialmente *adv.* 친절하게.

serviciar *tr.* 시중들다, 봉사하다.

servicio *m.* ① 봉사(奉仕), 서비스; 섬김, 모심, 식사 시중: ~ de reparaciones 수리 서비스. El ~ en este hotel es excelente 이 호텔은 서비스가 자상하다. ② 영업: ~ de 24 horas, ~ permanente 24시간 영업. ③ 봉사료, 서비스료: el ~ incluido 봉사료 포함(으로). ④ 공적 업무, 공공 기관: ~ de correos 우편 업무. ⑤ ㄱ) (주로 공무원의) 근무: años de ~ 근속 연수. ㄴ) 당직: ~ nocturno 야근, 야간 근무. estar de ~ 당직이다, 근무 중이다. ㄷ) 병역: ~ en tierra [mar] 육상[해상] 근무. ㄹ) [종교] 예배. ⑥ (탈것의) 운행, 편: vuelo de ~ 정기 비행편. ⑦ (상품 등의) 배달, 배송. ⑧ (병원의) …과(科): jefe del ~ de cirugía 외과 과장. ⑨ [때때로 *pl.*] (무상의) 봉사; 공헌, 공로. ⑩ (물건이) 쓸모가 있음. ⑪ (식기 등의) 한 벌, 세트: vajilla de doce ~*s* 식기 12개 세트. ⑫ ㄱ) [경제] 용역, 서비스: ~*s* sociales 사회 복지. ㄴ) *pl.* 공익 사업. ⑬ [때때로 *pl.*] 변소, 화장실, 세면소: ir al ~ 화장실에 가다. ⑭ 변기. ⑮ [운동] 서브: línea de ~ 서브 라인. ¶~ ***militar*** 병역(兵役). ~ ***posventa*** 애프터서비스, 에이에스(AS), 사후 관리, 사후 봉사. ***fuera de*** ~ [게시] 고장 중(임). ***hacer el*** ~ 병역 의무를 하다.

servidor, ra *m.f.* ① 하인, 종. ② (무기·기계 등의) 조작자. ③ (다른 사람에 대해 자신을 낮출 때 하는 말] 저, 나: ¿Quién es el último? —*Servidor* 열의 마지막 사람은 누굽니까? －접니다. ④ [편지의 끝에서, 작별을 위한 정중한 예법] Su seguro ~ 불비(不備). —*m.* ① 여자의 비위를 맞추는 남자. ② 변기(便器)(orinal). ③ [컴퓨터] 서버.

servidumbre *f.* ① 하인의 일[봉사]. ② 하인의 예속 상태. ③ [집합] (한 시기·한 집안의) 하인, 종. ④ 속박. ⑤ (악벽·감정 등에의) 종속. ⑥ [법률] 지역권(地役權): ~ de luces 일조권. ~ de miras 조망권.

servil *adj.* ① 노예의[에 관한]. ② 하인의[에 관한]. ③ 예속적인. ④ 비굴한.

servilismo *m.* 비굴함; 노예 근성.

servilleta *f.* (식탁용) 냅킨: ~ de papel 종이 냅킨. ¶***doblar*** alguien ***la*** ~ 죽다.

servilletero *m.* ① 냅킨 꽂이. ② 종이 냅킨용 기구.

servio, via *adj., m.f.* =**serbio.**

servir (43) *intr.* ① 섬기다, 봉사하다, 시중 들다: ~ *a* Dios 하느님을 섬기다, 신에게 봉사하다. ~ a *su* patria 조국을 위해 진력하다. ② 거들다, 돕다; (점원이 손님의) 상대가 되다: ¿En qué puedo ~le? 무엇을 도와 드릴까요?, 어떻게 오셨습니까?, 무엇을 드릴까요? ③ 식사 시중을 들다, 식사를 내어 오다[가다]. ④ 쓸모가 있다, 도움이 되다: Este diccionario *sirve* mucho para estudiar español 이 사전은 스페인어 공부에 많은 도움이 된다. ⑤ 병역 의무를 하다: ~ en infantería 보병으로 입대하다. —*tr.* ① (요리·음식물을) 내어 오다, 제공하다; (접시에서) 각자에게 나누다. ② (상품을) 배달하다. ③ [운동] 서브하다. ④ [목축] (우량종의 수컷을) 암컷에 교배시키다. ~**se** ① [+de] (…을) 사용하다, 이용하다: ~*se de su* experiencia 경험을 활용하다. ② (요리를) 자신이 들다, (음식물을) 자신이 가져가다[따르다·붓다·가져다 먹다]: *Sírvase*, por favor (접시에서) 자유롭게 가져다 드십시오, 어서 드세요. ③ [+*inf.*] …해 주십시오: *Sírvase* abrir [cerrar] la ventana 창문을 열어[닫어] 주십시오.

servo[1] *m.* =**servomecanismo.**

servo[2] *m.* =**servomotor.**

servo- *pref.* 「서보 기구의, 자동 제어·제동 장치의」의 뜻: *servo*freno 서보 제동기.

servoasistido, da *adj.* 서보 제어의, 자동 제어(自動制御)의.

servocroata *adj., m.f.* =**serbocroata.**

servodirección *f.* [기계] 서보 제어.

servofreno *m.* 서보 브레이크.

servomecanismo *m.* 서보 기구 ((기계적 위치·각도를 자동 제어하는 장치))

servomotor *m.* 서보 모터 ((서보 기구의 보조 동력 모터)).

sesada *f.* ① (동물의) 골 튀김. ② (동물의) 골.

sésamo *m.* [식물] 참깨.

sesear *intr.* z나 c를 e와 i 앞에서 s로 발음하다.

sesenta *adj.* ① 60의. ② 60번째의. —*m.* ① 60. ② [los+] 1960년대. ③ [los+] 60대.

sesentavo, va *adj., m.* 60분의 1(의).

sesentón, na *adj.* 60대의. —*m.f.* 60대 사람.

seseo *m.* z나 c를 e와 i 앞에서 s로 발음하기.

sesera *f.* ① (골이 있는 동물의) 머리 부분. ② 뇌수(腦髓). ③ =**juicio, inteligencia.**

sesgadamente *adv.* ① 비스듬히. ② 조용히, 잠잠히.

sesgado, da *adj.* ① 조용한, 고요한. ② 비스듬한, 기운. ③ =**desviado, tendencioso.**

sesgadura *f.* 비스듬히 자름.

sesgar (8) *tr.* ① 비스듬히 자르다[가르다]. ② 옆으로 비틀다[꼬다·놓다], 비스듬히 놓다. ③ 옆으로 가로지르다[관통하다].

sesgo, ga *adj.* ① 비스듬히 자른[놓은·기운]. ② 떨떠름한 (표정), 씁쓰레한 (얼굴). —*m.* ① 비스듬히 자름[기움]. ② (사태의) 방향, 전개; 방침. ¶*al* ~ 비스듬히.

sésil *adj.* [식물] 착생(着生)의; 꽃·잎꼭지가 없는.

sesión *f.* ① 회의: ~ extraordinaria 임시 역원 회의. abrir [celebrar] la ~ 개회하다. estar en ~ 개회[개정(開廷)] 중이다. levantar [cerrar·clausurar] la ~ 폐회하다. ② 심의(審議). ③ 상영, 상연. ④ 모임, 회합. ⑤ (치료 등의) 한 번에 걸리는 시간: ~ de quimioterapia 화학 요법의 한 번에 걸리는 시간.

seso[1] *m.* ① 뇌(腦). ② *pl.* 뇌수(腦髓). ③ 두뇌, 지력(知力), 이성(理性): Quien tiene boca, se equivoca pero quien tiene ~ no dice eso 입 있는 자는 실수를 하지만 이성이 있는 자는 그렇게 말하지 않는다. ¶ *calentarse* alguien ***los ~s*** =**desvanarse los sesos.** *cambiar* alguien ***el*** ~ =**perder el seso.** ***dar ~s de mosquito*** **[*de asno*]** =**tener sorbidos los sesos.** ***desvanarse*** alguien ***los ~s*** ㉮ (누가) 지혜를 짜내다, 머리를 짜내다, 궁리를 하다, 생각에 골몰하다. ㉯ *Guat., PRico.* =**devanear, decir disparates.** ***perder*** alguien ***el*** ~ (누가) 이성을 잃다. ***tener*** alguien ***los ~s en los calcañales*** 별로 신중하지 못하다. ***tener sorbido el*** ~ **[*sorbidos los ~s*]** (누구를) 완전히 손아귀에 넣다, (누구를) 쥐락펴락하다, (누구에게) 강한 영향력을 미치다.

seso[2] *m.* 냄비를 받치는 돌[쇠].

sesqui- *pref.* ①「1배 반」의 뜻: *sesqui*hora 한 시간 반. ②「서수와 함께 1과 그 분수」의 뜻: *sesqui*tercio 1 1/3. *sesqui*quinto 1 1/5. *sesqui*décimo 1 1/10. ③ [화학]「화합물의 원소 비율이 3대 2」의 뜻: *sesqui*óxido 삼이산화물.

sesquiáltero, ra *adj.* 1배 반의.

sesquicentenario, ria *adj.* 150년의[에 관한]. —*m.* 150주년, 150년제.

sesquióxido *m.* [화학] 삼이산화물.

sestear *intr.* ① 낮잠을 자다. ② 낮에 쉬다.

sesteo *m.* 낮잠 자기, 낮에 쉼.

sesudamente *adv.* 신중히, 사려 깊게, 분별 있게.

sesudez *f.* 신중함, 사려 깊음, 분별력(分別力).

sesudo, da *adj.* 신중한, 사려 깊은, 분별 있는.

set *m. ing.* [*pl.* ~s] ① [집합] (도구·커피 잔 등의) 한 벌, 한 조, 세트: un ~ de repuesto 부품 세트. ② (테니스·배구 등의) 세트: ganar por tres ~s a dos 세트 스코어 3대 2로 이기다. ③ [영화·텔레비전] 세트(plató).

seta[1] *f.* (동물의) 빳빳한 털.

seta[2] *f.* ① (양산 모양의) 버섯. ② 촛농(moco).

setecientos, tas *adj.* ① 700의. ② 700번째의. —*m.* 700.

setenta *adj.* ① 70의. ② 70번째의. —*m.* ① 70, 일흔. ② [los+] 1970년대. ③ [los+] 70대.

setentavo, va *adj.* 70분의 1의. —*m.* 70분의 1.

setentón, na *adj.* 70대의. —*m.f.* 70대 노인.

setiembre *m.* =**septiembre.**

sétimo, ma *adj.* =**séptimo.**

seto *m.* 산울타리. ¶~ ***vivo*** 산울타리.

seudo- *pref.*「가짜의·가(falso)」의 뜻: *seud*ónimo 가명.

seudocultura *f.* 어설픈 지식.

seudónimo, ma *adj.* 가명의, 익명의. —*m.* 가명, 익명, 예명, 필명, 아호(雅號).

seudópodo *m.* (원생 동물 등의) 가짜 다리, 가족(假足).

Seúl [지명] 서울: la ciudad de ~ 서울시(市).

seulense *adj.* ① 서울 태생의. ② 서울의[에 관한]. —*m.f.* 서울 사람.

s.e.u.o. salvo error u omisión 오기 누락 없음.

severamente *adv.* 엄히, 호되게.

severidad *f.* 엄함, 호됨, 엄격(함).

severo, ra *adj.* ① 엄한, 엄격한: castigo ~ 엄벌(嚴罰). ② 근엄한:

semblante ~ 근엄한 표정. ③ 검소한, 수수한, 간소한, 꾸밈이 없는. ④ 심각한.
seviche *m. Cuba, Ecuad., Hond., Bol., Méj., Pan., Perú.* =**cebiche.**
sevicia *f.* 잔혹; 잔학 행위.
sevillano, na *adj.* ① 세비야(Sevilla, 안달루시아 자치 공동체의 수도; 스페인 남부의 주·주도) 태생의. ② 세비야의[에 관한]. —*m.f.* 세비야 사람. —*f.pl.* 세비야나스 ((세비야의 민속 무용·음악)).
sexagenario, ria *adj.* 60대의. —*m.f.* 60대 사람.
sexagésima *f.* ☞**sexagésimo.**
sexagesimal *adj.* 60을 기본으로 한, 60진법의: numeración ~ 60진법.
sexagésimo, ma *adj.* ① 60번째의. ② 60분의 1의. —*m.* 60분의 1. —*f.* 사순절 전의 세 일요일 중의 두 번째 일요일.
sexagonal *adj.* =**hexagonal.**
sexángulo, la *adj., m.* [기하] = **hexágono.**
sex-appeal *m. ing.* 성적 매력, 이성을 끄는 힘, 섹스 어필.
sexenial *adj.* ① 6년마다의. ② 6년간의.
sexenio *m.* 6년간.
sexismo *m.* (여성에 대한) 성차별(주의).
sexista *adj.* (여성에 대한) 성차별주의의[에 관한]. —*m.f.* 성차별주의자.
sexo *m.* ① 성(性): ~ masculino 남성. ~ femenino 여성. ② 성별. ③ 성기(性器). ④ 성행위. ⑤ 성적 쾌락. ¶~ ***débil*** [집합] 여성, 여자. ~ ***feo,*** ~ ***fuerte*** [집합] 남성, 남자. ***bello*** ~ =**sexo débil.**
sexología *f.* 성과학(性科學), 성에 관한 연구.
sexológico, ca *adj.* 성과학(性科學)의[에 관한].
sexólogo, ga *m.f.* 성과학자, 성 전문 치료 의사.
sexoterapeuta *m.f.* 성과학자, 성 전문 치료 의사.
sexta *f.* ☞**sexto.**
sextante *m.* 육분의(六分儀).
sexteto *m.* ① [음악] 육중주단. ② [음악] 육중주곡, 육중창곡. ③ [시법] (한 행 8음절 이상의) 6행시.
sextilla *f.* [시법] (한 행 8음절 이하의) 6행시.
sextina *f.* ① 6행시의 일종. ② 6행시의 각 시절(詩節).
sexto, ta *adj.* ① 여섯 번째의. ② 6분의 1의. —*m.* 6분의 1. —*f.* ① [음악] 6도. ② (고대 로마의, 하루를 네 등분한) 세 번째의 시간 구분.
sextuplicación *f.* 6배로 하기.
sextuplicar (7) *tr.* 여섯 배로 하다.
séxtuplo, pla *adj.* 여섯 배의, 6배의. —*m.* 여섯 배, 6배.
sexuado, da *adj.* [생물] 유성(有性)의: reproducción ~*da* 유성 생식.
sexual *adj.* 성(性)의[에 관한], 성적(性的)인: apetito ~ 성욕. conducta ~ 성행위. enfermedad ~ 성병. moral ~ 성도덕. órganos ~*es* 생식기, 성기. relaciones ~*es* 성관계. ¶***acto*** ~ 성교(性交). ***carácter*** ~ 성징(性徵).
sexualidad *f.* ① 남녀[암수]의 구별, 성징, 성별. ② 성욕. ③ 성행위.
sexualmente *adv.* ① 성적으로. ② 성의 관점에서.
sexy *adj. ing.* 성적 매력이 있는, 섹시한: Ella es muy ~ 그녀는 매우 섹시하다. —*m.* 성적 매력: tener ~ 성적 매력이 있다.
seychellense *adj.* ① 세이셸(Seychelles, 인도양 서부의 92개 섬들로 이루어진 공화국; 수도 Victoria) 태생의. ② 세이셸의[에 관한]. —*m.f.* 세이셸 사람.
SGM la *S*egunda *G*uerra *M*undial 제2차 세계 대전.
sgte siguiente 다음의.
sheriff *m. ing.* (미국의) 군 보안관.
sherpa *adj.* 세르파의, 세르파에 관한. —*m.f.* 세르파 ((히말라야 산맥에 사는 티베트 사람; 히말라야 등산대의 짐 운반과 길 안내로 유명함)). —*m.* 세르파 안내원[짐꾼].
shií *m.f.* [종교] (이슬람교의) 시아파 교도.
short *m. ing.* [*pl.* ~s] (주로 운동선수용) 팬티.
show *m. ing.* [*pl.* ~s] ① (극장·나이트클럽·텔레비전 등의) 흥행, 쇼, 구경 거리, 볼만한 것. ② (감정·성능 등의) 표시, 과시.
si¹ *conj.* ① [가정·조건] 만일 …이라면: *Si* estás libre, llámame 한가하면 나에게 전화해라. *Si* yo tuviera mucho dinero, compraría un coche 내가 돈이 많다면 차를 한 대 살텐데 (돈을 많이 가지지 않아 차를 살 수 없다). ② [양보] 설령 …할지라도: No iré al campo *si* me golpean 설령 내가 맞을지라도 나는 시골에 가지 않겠다. ③ [대립] …이라면, 한편으로: *Si* hay buenos, hay malos 착한 사람이 있다면, 악한 사람도 있다. ④ [대조] …이지만, …하지만: *Si* ella ha salido, va a volver dentro de poco 그녀는 외출했지만, 곧 돌아올 것이다. ⑤ [간접의문; 명사절을 이끈다] …인지 (아닌지): No sé *si* él viene 그가 올지 (오지 않을지) 나는 모른다. ¶~ ***no*** (독립적으로 사용해서) 그렇지 않으면: Date prisa, ~ *no*, perderás el tren 서둘러라, 그렇지 않으면 열차를 놓칠 것이다.
si² *m.* [음악] 시 ((음계의 일곱 번째 음)).
sí¹ *pron.* [con 다음에 쓰일 경우에는 *consigo*] 자신, 그것 자체: En ~

ella hallará la paz 그녀는 자신 속에서 평안을 찾게 될 것이다.

sí[2] *adv.* ① [응답] ㄱ) 예: ¿Tienes dinero? —*Sí* 돈 있니? —예. ㄴ) [부정 의문에 대한 대답] 아닙니다: ¿No te gusta la pizza? —*Sí*, me gusta 피자 좋아하지 않니? —아닙니다, 좋아합니다. ② [출석 부를 때 대답] 예: María Elena. —*Sí* 마리아 엘레나 —예. ③ [전화를 받을 때] 여보세요, 예. ④ [긍정의 강조] 물론, 정말로, 진짜로, 틀림없이, 분명히: Conozco a María, *sí* 나는 진짜로 마리아와 인사했다. —*m.* [*pl.* síes] 동의, 수락, 허락, 승인: una mayoría de *síes* 과반수의 찬성. dar el *sí* 동의하다, 수락하다.

sial *m.* [지질] 시알 ((sima 상층에 있으며 대륙 지각의 상반부를 구성하는, 규소와 알루미늄이 풍부한 물질)).

sialismo *m.* [의학] 과도하게 계속 침을 흘림, 침 흘림증.

siamés, sa *adj.* ① 샴(Siam, 고대 태국의 이름) 태생의. ② 샴의[에 관한]. ③ 몸이 붙은, 샴 쌍둥이의. —*m.f.* ① 샴 사람, 태국 사람. ② *pl.* 샴 쌍둥이. —*m.* 샴 말, 태국어.

siberiano, na *adj.* ① 시베리아(Siberia) 태생의. ② 시베리아의[에 관한]. —*m.f.* 시베리아 사람.

sibil *m.* (지하의) 작은 고기[식량] 저장실.

sibila *f.* ① (고대의) 무당, 무녀. ② 여자 무당[점쟁이 · 예언자].

sibilante *adj.* ① (호흡 등이) 피리 같은 소리를 내는, 휙휙하는. ② [언어] 치찰음(齒擦音)의. —*f.* [언어] 치찰음.

sibilino, na *adj.* ① 무당의[에 관한]. ② 불가사의한, 신비스러운.

sibilítico, ca *adj.* =sibilino.

sic *adv. lat.* (인용 등의 주기(注記)에서) 원문 그대로.

sicalipsis *f.sing.pl.* 외설, 호색 문학.

sicalíptico, ca *adj.* 외설[호색 문학]의[에 관한].

sicamor *m.* =ciclamor.

sicario *m.* 자객(刺客).

sicastenia *f.* [의학] 정신 쇠약.

siciliano, na *adj.* ① 시칠리아(Sicilia, 이탈리아의 섬) 태생의. ② 시칠리아의[에 관한]. —*m.f.* 시칠리아 사람. —*m.* (시칠리아에서 통용되는) 이태리어 방언.

sicoanálisis *m.* =psicoanálisis.

sicofanta *m.* 중상모략가.

sicofante *m.* =sicofanta.

sicofísica *f.* =psicofísica.

sicología *f.* =psicología.

sicológico, ca *adj.* =psicológico.

sicólogo, ga *m.f.* =psicólogo, ga.

sicópata *m.f.* [의학] =psicópata.

sicopatía *f.* =psicopatía.

sicosis[1] *f.* =psicosis.

sicosis[2] *f.* [의학] 피부 염증.

sicoterapia *f.* =psicoterapia.

sicrómetro *m.* =psicrómetro.

sida, Sida, SIDA *m.* 에이즈, 후천성 면역 부전 증후군 ((*s*índrome de *i*nmuno*d*eficiencia *a*dquirida 의 약자)): ~ declarado 말기 에이즈.

sidafobia *f.* 에이즈 공포.

sidecar *m.* (오토바이의) 사이드카.

sideral *adj.* [천문] 별의[에 관한], 항성(恒星)의[에 관한]. ¶**año** ~ 항성년(恒星年).

sidéreo, a *adj.* =sideral: **año** ~ 항성년. **día** ~ 항성일.

siderita *f.* =siderosa.

siderolito *m.* 석철 운석(石鐵隕石).

siderometalúrgico, ca *adj.* 철강의.

siderosa *f.* [광물] 능철광(菱鐵鑛).

siderosis *f.* [의학] 철분 진폐증.

siderurgia *f.* 제철업(製鐵業).

siderúrgico, ca *adj.* 제철업의.

sidítico, ca *adj., m.f.* =sidoso.

sidoso, sa *adj.* 에이즈(sida)에 걸린. —*m.f.* 에이즈 환자.

sidra *f.* 사과주(酒), 사과술.

sidrería *f.* 사과주 판매점.

siega *f.* ① 수확, 가을, 가을걷이, 추수. ② 수확기, 추수기. ③ 수확한[추수한 · 가을걷이한] 작물.

siembra *f.* ① 파종. ② 파종 시기, 파종기. ③ 파종된 땅, 밭.

siemens *m.* [물리] 지멘스.

siempre *adv.* ① 언제나, 항상, 늘: Desayunamos ~ a las seis y media 우리는 언제나 여섯 시 반에 아침밥을 먹는다. ② 하여간, 어쨌든, 여하튼; 그런데도, 그래도, 그러나; 어떤 경우에도: Quizá no logre mi objeto, pero ~ me quedará la satisfacción de haber hecho lo que debía 아마 내 목적을 달성하지 못할지도 모르지만 그래도 해야 할 것을 했다는 만족감은 나한테 남을 것이다. ③ *Col.* =decididamente, definitivamente. ¶***para*** ~ 영원히: Me voy *para* ~ 영원히 떠나겠다. ***por*** ~ 영원히, 영구히, 언제까지나: *Por* ~ sea alabado y bendito 영원히 칭찬받고 축복받기를! ~ ***jamás*** =siempre. ~ ***que*** ㉮ …할 때는 언제나 ㉯ =con tal que: Mañana comeré en tu casa, ~ *que* tú comas hoy en la mía 네가 오늘 내 집에서 식사한다는 조건으로 내가 내일 네 집에서 식사하겠다. ~ ***y cuando que*** =con tal que.

siempretieso *m.* 오뚜기.

sien *f.* [해부] 관자놀이.

siena *m.* 짙은 밤색. —*adj.* 짙은 밤색의.

sienita *f.* [광물] 섬장석(閃長石).

sient- ☞sentir (53).

sierpa *f. Hond.* =serpiente.

sierpe *f.* ① 큰 뱀. ② 아주 못생긴

사람, 아주 사나운 사람, 성이 많이 나 있는 사람. ③ 뱀처럼 꿈틀거리는 것. ④ [식물] 뿌리에서 나온 싹.

sierra *f.* ① [연장] 톱: ~ eléctrica 전동톱. ~ mecánica 기계톱. ② 산맥, 연봉(連峰) ((cordillera 보다 작음)). ③ (가까이 있는) 산, 고원: ir a la ~ 산에 가다, 걸어 가다. pasar las vacaciones en la ~ 산에서 휴가를 보내다. ④ [어류] 톱상어 (pez ~).

sierraleonés, sa *adj.* ① 시에라리온 (Sierra Leona, 서아프리카의 공화국; 수도 Freetown) 태생의. ② 시에라리온의[에 관한]. *—m.f.* 시에라리온 사람.

siervo, va *m.f.* ① (봉건 시대의) 농노(農奴). ② 저, 소생, 소인 ((남에게 경의를 표하기 위해 자신을 낮추는 말)). ③ 어떤 교단·교회파에 속하는 것의 낮춤말: *~va* de María 마리아회의 수녀. ¶***siervo, va de Dios*** *m.f.* 하느님의 종.

sieso *m.* (직장 아랫부분의) 항문.

siesta *f.* ① (점심을 먹은 후의) 낮잠. ② (점심을 먹은 후) 낮잠 자는 시간, 휴식 시간. ③ (더위가 가장 심한) 정오의 시간. ④ (옛날, 교회에서) 오후에 부르거나 연주했던 음악. ¶***~ del carnero*** (정오의) 식전 수면. ***dormir*** **[*echar*]** alguien ***la*** ~ (누가, 점심을 먹은 후) 낮잠을 자다.

siete *adj.* ① 7의. ② 일곱 번째의 (séptimo). *—m.* ① 7, 일곱. ② 카드의 7패. ③ (천 등이) 못 같은 것에 걸려서 L 모양으로 찢어진 것[곳]. ④ 꺾쇠. ⑤ *Arg., Col., Cuba, Ur.* [속어] 항문, 똥구멍. ¶***más que*** ~ 무척 많이, 너무, 과하게, 지나치게: hablar [comer] *más que* ~ 너무 많이 말하다[먹다].

sietecolores *m.sing.pl.* *Burg., Pal.* [새] 홍방울새.

sietemesino, na *adj.* ① 임신 7개월 만에 낳은. ② 어른 티를 내는. *—m.f.* ① 칠삭둥이. ② 어른 티를 내는 젊은이.

sifilicomio *m.* 매독 환자용 (전문) 병원.

sífilis *f.sing.pl.* [의학] 매독.

sifilítico, ca *adj.* ① 매독(sífilis)의[에 관한]. ② 매독에 걸린. *—m.f.* 매독 환자.

sifilografía *f.* [의학] 매독학.

sifilográfico, ca *adj.* [의학] 매독학의[에 관한].

sifilógrafo, fa *m.f.* 매독 전문 의사.

sifiloma *m.* [의학] 매독 고무종, 매독에 의해 생긴 종양.

sifón *m.* ① 사이펀, 빨아 올리는 관, 빨대. ② 사이펀 병. ③ 탄산수, 소다수. ④ 방취판. ⑤ U자 관. ⑥ [동물] 수관(水管).

sifosis *f.sing.pl.* 곱사등.

sig siguiente 다음의, 하기(下記)의, 계속해서.

siga ☞seguir (46).

siga- ☞seguir (46).

sigilación *f.* ① 날인, 봉인. ② 묵비(默秘). ③ 은닉.

sigilar *tr.* ① 도장을 찍다. ② 봉인하다. ③ 은닉하다, 감추다. ④ 묵비하다.

sigilo *m.* ① 도장(sello). ② 인판(印版). ③ 비밀. ④ 정숙.

sigilografía *f.* (고문서의) 인장학.

sigilosamente *adv.* 은밀히, 몰래, 슬그머니, 살짝.

sigiloso, sa *adj.* 비밀을 지키는, 비밀스러운, 은밀한.

sigla *f.* ① 약어로 쓰는 첫 글자 ((예 ONU ←*O*rganización de *N*aciones *U*nidas, ovn ←*o*bjeto *v*olante *n*o identificado)). ② 약어, 생략 부호.

siglo *m.* ① 세기, 100년: medio ~ 반세기. Estamos en el ~ XXI 지금은 21세기다. ② (번영·발견·발명·존속·사건이 일어난) 시기, 시대: el ~ de Augusto 아우구스트 시대. el ~ del vapor 증기 시대. ③ 장기간: Hace un ~ que no te veo 오랜만이다, 너를 못 본 지 오래되었다. ④ (종교계에 반대하여) 속계(俗界). ¶***en*** **[*por*]** ***los ~s de los ~s*** 영구히, 영원히, 영원토록.

sigma *f.* 시그마 ((희랍 알파벳의 열여덟 번째 문자; Σ, σ)).

sigmoideo, a *adj.* S자 모양의.

signar *tr.* ① …에 도장을 찍다. ② …에 서명하다. ③ …에 십자 표를 하다. ④ 오점을 남기다. ~**se** 십자를 긋다, 십자 표를 하다.

signatario, ria *adj.* 서명하는. *—m.f.* 서명자.

signatura *f.* ① (다른 것과 구별하기 위한) 표, 표시. ② (책·서류 등을 분류하는) 기호, 부호. ③ 서명, 사인; 조인. ④ [인쇄] (제본에서, 접장을 취합하기 편리하도록 접장에 박은) 책이름과 순서를 나타내는 숫자.

significación *f.* ① 의미, 뜻, 어의(語義). ② 의의(意義), 중요성.

significado, da *adj.* 알려진, 중요한, 걸출한. *—m.* ① 의미, 뜻. ② 의의, 중요성. ③ [언어] 기호 내용.

significador, ra *adj.* 의미[뜻]하는.

significante *adj.* 의미하는, 뜻하는. *—m.* [언어] 기호 표현.

significar (7) *tr.* ① 의미하다, 뜻하다, 나타내다. ② 표명하다, 공표하다, 알리다. ③ [+para] (…에게) 중요성[의미]을 가지다. *—intr.* =**representar, valer, tener importancia.** ~**se** ① [+por] (성질·사상적으로) 뛰어나다, 걸출하다, 눈에 띄다. ② [+como] (…로서 입장을) 표명하다, 공표하다: *~se como* un reformista 자신을 개혁주의자로 표명하다.

significativamente *adv.* 의미심장하게, 의미 있는 듯이.
significatividad *f.* 의미심장함.
significativo, va *adj.* ① 의미심장한, 특별한 의미를 가진, 뜻 깊은, 뜻있는, 의미있는: ~ cambio 의미심장한 변화, 중대한 변화. ② 중요한, 의의 있는.
signo *m.* ① 표시, 표적(標的): ~ de amistad 우정의 표시. ② 징후. ③ 특징, 성격. ④ 기호(記號), 부호(符號): ~ negativo 마이너스 부호. ~ positivo 플러스 부호. ⑤ 표장(標章). ⑥ [점성] …궁(宮): ~ de Virgo 처녀궁. ⑦ [언어] 기호(記號).
sigte siguiente 다음의.
siguiente *adj.* 다음의, 다음에 계속하는: el año ~ 다음 해. el día ~ 다음날. la semana ~ 다음 주. la vez ~ 다음 번. con las ~*s* condiciones 다음과 같은 조건으로. —*m.f.* 다음 사람: Haz pasar al ~ 다음 사람을 들어오게 해라.
siguie- ☞**seguir (46).**
siguió ☞**seguir (46).**
sij *adj.* [종교] ① 시크교(敎)의[에 관한]. ② 시크교를 믿는. —*m.f.* 시크교도.
sijismo *m.* [종교] 시크교.
sílaba *f.* [언어] 음절: ~ aguda, ~ fuerte 악센트가 있는 음절. ~ átona, ~ débil 악센트가 없는 음절. ~ corta 단음절. ~ larga 장음절.
silabación *f.* 음절 분해.
silbar *intr.* =**silabear.**
silabario *m.* 읽기 연습 교본, 초보 교본.
silabear *intr., tr.* 음절을 끊어 읽다.
silabeo *m.* 음절 분해, 분절법; 음절을 끊어 발음하기.
silábico, ca *adj.* 음절의[에 관한].
silba *f.* 야유, (야유의) 휘파람 불기.
silbador, ra *adj., m.f.* 휘파람을 부는 (사람).
silbante *adj.* ① 휘파람을 부는. ② 휙휙[윙윙] 소리내는.
silbar *intr.* ① 휘파람을 불다. ② (야유로, 손가락을 이용해) 휘파람을 불다. ③ (바람이) 휙휙[윙윙] 불다. ④ (귀 등이) 울리다. —*tr.* ① (곡을) 휘파람으로 불다. ② 휘파람을 불어 부르다. ③ 휘파람을 불어 야유하다.
silbatina *f. AmérM., Hond.* =**silba.**
silbato *m.* ① 호각, 호루라기. ② 기적(汽笛). ③ 호적(號笛).
silbido *m.* ① (휘파람·호루라기·기적 등의) 소리. ② (바람의) 휙휙 부는 소리, 윙윙거림. ③ 귀울음, 이명(耳鳴).
silbo *m.* ① (바람 등의) 윙윙거리는 소리. ② =**silbato.**
silenciador *m.* ① (총의) 소음기, 소음 장치. ② (내연 기관의) 소음기, 머플러.
silenciar (11) *tr.* ① …에 대해 침묵을 지키다, 언급하지 않다. ② 침묵시키다, 잠자코 있게 하다, 조용하게 하다. ③ (총에) 소음기를 달다. ④ (내연 기관에) 머플러를 달다.
silencio *m.* ① 침묵, 무언(無言): romper el ~ 침묵을 깨다. ② 정숙, 조용함, 정적, 고요: ~ de la noche 밤의 고요. ③ 비밀을 지킴, 언급을 회피함: derecho al ~ 묵비권. ④ 소식 불통, 음신(音信) 불통. ⑤ [음악] 휴지(休止). ¶*en* ~ 항의 없이, 불평 없이: sufrir *en* ~ 불평 없이 참아내다. ***El ~ es oro*** (속담) 침묵은 금이다.
silenciosamente *adv.* ① 말없이, 침묵으로. ② 조용히, 고요히. ③ 비밀리에, 살그머니, 몰래.
silencioso, sa *adj.* ① 침묵의, 말없는; 과묵한. ② 조용한, 고요한: calle ~*sa* 고요한 거리. ③ 소음 장치가 된: motor ~ 소음 장치가 된 엔진. —*m.* =**silenciador.**
silente *adj.* =**silencioso, tranquilo, sosegado.**
sílex *m.sing.pl.* [광물] 규토, 부싯돌.
silicato *m.* [화학] 규산염.
sílice *f.* [화학] 실리카, 규토, 무수규산, 이산화규소: gel de ~ 규산겔.
silíceo, a *adj.* sílice의; sílice 같은.
silícico, ca *adj.* [화학] sílice의[에 관한].
silicio *m.* [화학] 규소, 실리콘.
silicona *f.* [화학] 실리콘 수지(樹脂).
silicosis *f.sing.pl.* [의학] 규폐(硅肺), 규폐증.
silla *f.* ① 의자: sentarse en una ~ 의자에 앉다. ② 말을 타기 위한 도구. ③ =**silla de niño.** ④ (고위 성직자 등의) 자리(sede, asiento, trono). ⑤ (교황 등의) 지위. ⑥ [문어] 항문, 똥구멍(ano). ¶~ ***de montar*** 말을 타기 위한 도구 ((안장 등)). ~ ***de niño*** 유모차. ~ ***eléctrica*** 전기의자. ~ ***poltrona*** 대형 안락의자.
sillada *f.* (산등성이의) 평지.
sillar *m.* ① [건축] 모나게 가공한 돌. ② [승마] 안장 없는 부분.
sillería[1] *f.* ① [집합] (한 방의) 의자 세트. ② [집합] 성가대석(聖歌隊席). ③ 의자 공장. ④ 의자 가게. ⑤ 의자 제조자[장수]의 직.
sillería[2] *f.* ① 돌을 모나게 가공하는 공장. ② [집합] 모나게 가공한 돌.
sillín *m.* (자전거·오토바이 등의) 안장.
sillón *m.* ① 팔걸이의자, 안락의자. ② (부인용) 안장.
silo *m.* ① 사일로 ((곡물·사료·시멘트 등을 저장하는 탑 모양의 건축물)). ② 지하 미사일 격납고[발사대].
silogismo *m.* [윤리] 삼단 논법.
silogizar (9) *intr.* 삼단 논법으로 증명하다.

silueta *f.* ① 몸의 선, 윤곽. ② 그림자 그림, 그림자, 실루엣.
siluetar *tr.* =siluetear.
siluetear *tr.* …의 실루엣[윤곽]을 그리다.
siluriano na *adj., m.* =silúrico.
silúrico, ca *adj.* [지질] 실루리아계(系)[기(紀)]의[에 관한]. —*m.* [지질] 실루리아기.
silva *f.* ① 잡기(雜記), 잡록(雜錄), 문집. ② silva 에 쓰여진 시(詩).
silvano *adj.* =selvático. —*m.* [로마 신화] 숲의 신.
silvático, ca *adj.* =selvático.
silvestre *adj.* ① (식물이) 야생의, 들의: flor ~ 들꽃, 야생화. plantas ~*s* 야생 식물. ② 미개(未開)의, 원시적인.
silvícola *adj.* 밀림에서 사는.
silvicultor, ra *m.f.* 조림가, 식림가, 육림가, 임업자, 조림학자.
silvicultura *f.* ① 조림, 식림(植林). ② 조림학, 식림학, 임학(林學).
SIM *m.* *S*ervicio de *I*nteligencia *M*ilitar 군정보국(軍情報局).
sima *f.* —*m.* [지질] 시마.
simbionte *m.* [생물] 공생자(共生者). —*adj.* [생물] 공생의.
simbiosis *f.sing.pl.* [생물] 공생.
simbiótico, ca *adj.* [생물] 공생의[에 관한].
simbólicamente *adv.* ① 상징적으로. ② 기호로.
simbólico, ca *adj.* ① 상징적인. ② 기호의. ③ 형식적인.
simbolismo *m.* ① 상징성, 상징적 의미. ② 상징 표시, 기호 표시, 상징 체계. ② [예술] 상징주의.
simbolista *m.f.* ① 상징주의자. ② 상징파 시인[예술가].
simbolizar (9) *tr.* 상징하다, 상징으로 나타내다: La paloma *simboliza* la paz 비둘기는 평화를 상징한다.
símbolo *m.* ① 상징, 심볼. ② [화학·수학] 기호(記號). ③ [언어] 기호, 부호 ((예 N ←Norte, He ← helio, km ←kilómetro, $ ←dólar)). ¶ ~ ***de la fe,*** ~ ***de los Apóstoles*** [기독교] 사도 신경(credo).
simbología *f.* ① 상징학. ② 상징 체계. ③ [집합] 상징.
simetría *f.* ① 대칭: ~ bilateral 좌우 대칭. ② [수학] 대칭: eje de ~ 대칭축.
simétricamente *adv.* 좌우 대칭으로, 균형을 이루어; 대칭으로.
simétrico, ca *adj.* ① 좌우 대칭의. ② [수학] 대칭의.
simia *f.* [동물] 암원숭이.
símico, ca *adj.* 원숭이의[에 관한].
simiente *f.* 씨, 종자; 정액(精液).
simiesco, ca *adj.* 원숭이 같은.
símil *m.* ① 비교: hacer un ~ 비교하다. ② 유사(類似). ③ [수사학] 직유(直喩).
similar *adj.* (…과) 유사한, 비슷한.
similitud *f.* =semejanza.
similor *m.* 모조금(模造金). ¶***de*** ~ 가짜의, 거짓의, 허위의.
simio *m.* ① [동물] 원숭이. ② *pl.* 유인원류(類人猿類).
simonía *f.* 성직 매매(聖職賣買).
simoniaco, ca *adj., m.f.* =simoníaco.
simoníaco, ca *adj.* ① 성직 매매의[에 관한]. ② 성직 매매를 범하는. —*m.f.* 성직 매매자.
simoniático, ca *adj., m.f.* =simoníaco.
simpatía *f.* ① 호감, 호의: tener mucha ~ 많은 호감을 가지다. mirar con ~ 호의적인[동정의] 눈으로 바라보다. ② 매력, 감이 좋음. ③ 공감, 동정. ④ [생리] 교감, 공감. ⑤ [물리] 공명, 공진(共振). ⑥ *pl.* (정책 등에의) 지지.
simpáticamente *adv.* 호감을 가지고; 친절하게; 동정하여; 공감하여.
simpático, ca *adj.* ① (사람이) 감이 좋은, 호감이 가는: Juan es muy ~ 후안은 아주 호감이 가는 사람이다. ② [+con] (…에게) 붙임성이 좋은, 친절한: Ella es muy ~*ca con*migo 그녀는 나에게 아주 친절하다. ③ [음악] 공명하는. ④ [해부] 교감 신경(계)의. —*m.f.* 호감이 가는 사람. —*m.* [해부] 교감 신경.
simpaticón, na *adj., m.f.* 무척 호감이 가는 (사람).
simpatizador, ra *adj.* 호감을 가진, 친근감이 가는.
simpatizante *adj.* 공명하는, 동감하는. —*m.f.* 동정자; 지지자, 동조자, 공명자.
simpatizar (9) *intr.* ① 공명하다, 동감하다, 찬성하다, 동의하다, 의기투합하다, 마음이나 뜻이 서로 맞다. ② 동정하다, (슬픔·기쁨을) 함께 하다.
simple *adj.* ① 단순한, 간단한: idea ~ 단순한 생각. ② [명사 앞에서] 보통의, 일개(一介)의, 보잘것없는 한 낱의, 단순한: Soy un ~ oficinista 나는 일개 회사원에 불과하다. ③ 소박한, 꾸밈이 없는, 수수한, 질박한. ④ 간소한, 검소한: comida ~ 검소한 식사. ⑤ 온화한, 온순한. ⑥ 우직한. ⑦ 단일의: ojo ~ [동물] 단안(單眼). —*m.f.* 단순한 사람, 소박한 사람, 바보. —*m.* ① [운동] 싱글즈. ② 약초(藥草), 생약(生藥).
simplemente *adv.* ① 단순히, 간단히. ② 절대적으로, 어떤 조건도 없이. ③ 단지, 다만, 오직.
simpleza *f.* 단순함, 우직함; 소박함, 간소함; 하찮은 일.
simplicidad *f.* 단순함; 소박함.
simplificación *f.* 단순화, 간략화.
simplificar (7) *tr.* 단순하게[간단하게] 하다.

simplismo *m.* 단순화 경향.
simplista *adj., m.f.* 단순하게 생각하는 (사람).
simplón, na *adj., m.f.* 무던한 (사람), 천진스러운 (사람), 단순한 (사람).
simposio *m.* 심포지엄.
simulación *f.* ① 가장, 흉내: ~ de una enfermedad 꾀병. ② [생물] 의태(擬態). ③ 시뮬레이션, 모의 실험[훈련]. ④ [컴퓨터] 시뮬레이션.
simulacro *m.* ① [군사] 연습, 모의전. ② 상(像), 모습. ③ 그림자, 환영; 유령.
simulador, ra *adj., m.f.* 모의의, 가짜의, 흉내내는 (사람). —*m.* 시뮬레이터 ((실제와 똑같은 상황을 재현하는 모의 훈련[실험] 장치)).
simular *tr.* ① …을 가장하다, 흉내내다, …인 체[척]하다: ~ el accidente 사고를 가장하다, 사고인 체하다. ~ una enfermedad 꾀병을 부리다. ② [컴퓨터] 시뮬레이트하다.
simultanear *tr.* (두 개를) 동시에 행하다: ~ los dos cargos 겸직하다. ~ el trabajo con el estudio 일과 공부를 동시에 하다.
simultáneamente *adv.* 동시에, 일제히(con simultaneidad).
simultanear *tr.* 동시에 행하다.
simultaneidad *f.* 동시성(同時性).
simultáneo, a *adj.* (두 개가) 동시의: La explosión fue casi *~a con* el despegue 폭발은 이륙과 거의 동시에 일어났다. —*f.* [장기 · 바둑] 동시 대국.
simún *m.* (아프리카 · 아라비아 사막에서 부는) 열풍.
sin *prep.* ① … 없이, … 없는: café ~ leche 우유 타지 않은 커피. los ~ trabajos 실업자들. estar ~ empleo 실업 중이다. ② … 이외에, …은 계산에 포함시키지 않고: Me costó cinco euros ~ los portes 나는 송료 이외에 5유로 들었다. ③ [+*inf.*] …하지 않고: Me fui ~ *comer* 나는 식사를 하지 않고 가버렸다 (=Me fui *no habiendo comido*).
sin. sinónimo 동의어(同義語).
sin– *pref.* 「무(無) · 결합 · 종합 · 동시성」의 뜻: *sin*sabor 무미건조. *sin*cronía 동시성. *sin*estesia 공감. *sín*tesis 종합.
sinagoga *f.* ① (유대인의) 종교 모임[회의]. ② 유대 교회. ③ (불법적인) 밀회(密會).
sinalefa *f.* [언어] 모음의 통합[융합].
sinapismo *m.* ① [의학] 겨자 가루[물에 갠 겨자] 찜질 요법. ② 귀찮은 사람[것], 화나게 하는 사람[것].
sinarca *m.f.* 공동 지배자.
sinarquía *f.* 공동 지배.
sinartrosis *f.sing.pl.* [해부] 관절 유합증(關節癒合症).
sinceramente *adv.* 마음으로부터, 솔직히, 진실로, 충심으로, 성심성의껏.
sincerar *tr.* 무죄(無罪)를 입증시키다. ~**se** 무죄를 입증[증명]하다; 변명하다.
sinceridad *f.* 성실함; 솔직함.
sincero, ra *adj.* 성실한, 마음에서 우러나온, 솔직한, 성심성의(誠心誠意)의: amistad *~ra* 마음에서 우러나온 우정. persona *~ra* 성실한 사람.
síncopa *f.* [언어] 중략어(中略語) ((예 Navidad ←Navitidad, hidalgo ←hijodalgo)).
síncope *m.* ① [의학] 실신. ② [언어] 중략어(síncopa).
sincrético, ca *adj.* 혼합의; 융합의.
sincretismo *m.* ① 제설(諸說) 혼합, 제교(諸教) 혼합: ~ cultural 다른 문화의 융합. ② [언어] (어형 · 기능의) 융합.
sincronía *f.* ① 동시성. ② [언어] 공시태(共時態).
sincrónico, ca *adj.* ① 동시에 일어나는. ② 같은 주기의, 같은 속도의. ③ [언어] 공시태의.
sincronismo *m.* ① 동시성. ② 동기(同期), 동조(同調).
sincronización *f.* 동기화(同期化), 동조(同調).
sincronizar (9) *tr.* ① 동시에 일으키다[조작하다]. ② 동기화시키다, 동조시키다. ③ (음성과 영상을) 동시 녹음하다. ¶***natación sincronizada*** 수중 발레, 싱크로나이즈드 스위밍.
síncrono, na *adj.* 동기(同期)의: satélite ~ 동기 위성.
sincrotrón *m.* [물리] 싱크로트론.
sindéresis *f.sing.pl.* 양식(良識), 판단력.
sindicación *f.* ① (노동자의) 조합 가입. ② 신디케이트 조직화.
sindicado, da *adj.* (노동) 조합에 가입하는. —*m.* 파산 관재인단.
sindicador, ra *adj., m.f.* ① 노동 조합에 가입하는 (사람). ② 조합을 조직하는 (사람).
sindical *adj.* 노동 조합(勞動組合)의: movimiento ~ 노동 조합 운동. organización ~ (노동) 조합 조직.
sindicalismo *m.* ① 노동 조합 운동[활동]. ② 노동 조합주의.
sindicalista *adj.* 노동 조합(주의)의, 조합의. —*m.f.* (노동) 조합 활동가.
sindicar (7) *tr.* ① (노동자를) 조합에 가입시키다. ② 조합을 조직하다. ~**se** ① 노동 조합에 가맹하다. ② 노동 조합을 조직하다.
sindicato *m.* ① 노동 조합: ~ horizontal 직업별 노동 조합. ~ vertical 산업별 노동 조합. ② 신디케이트, 기업 합동[조합 · 연합]: ~ de acreedores 채권자 단체. ~ del crimen 범죄 단체.
sindicatura *f.* 파산 관재인의 직.

síndico *m.* ① (주민의) 이익 대표자. ② 공익 위원. ③ 파산 관재인. ④ (조합 등의) 이사, 감사(역).
síndrome *m.* [의학] 징후, 증후군(症候群): ~ de abstinencia 금단 증후군. ~ de Down 다운 증후군. ~ de inmunodeficiencia adquirida 후천성 면역 부전 증후군, 에이즈. ~ respiratorio agudo (y) grave 중증 급성 호흡기 증후군, 사스(SARS).
sindromización *f.* 증후군 발현.
sindromología *f.* 증후군학.
sinecología *f.* 군집 생태학.
sinecura *f.* 한직(閑職).
sine díe *adv. lat.* 무기한으로: aplazarse ~ 무기한으로 연기되다.
sine qua non *adj. lat.* 필요 불가결한: condición ~ 필요 불가결한 조건, 필수 조건.
sinéresis *f.sing.pl.* 모음 축약 ((다른 음절에 속하는 두 모음을 결합시켜 한 음절처럼 발음함: 예 pa-se-o → pa-seo, a-ho-ra →aho-ra)).
sinergia *f.* ① 상승 효과. ② [생리·약학] 상승 작용, 협동 작용.
sinergismo *m.* 상승 작용.
sinestesia *f.* ① [생리] 공감. ② [심리] 공감각(共感覺). ③ [수사학] 공감각적 표현.
sinfín *m.* 무한, 무수(無數): un ~ de problemas 무수한 문제, 셀 수 없는 문제.
sínfisis *f.sing.pl.* ① [해부] 선유 연골 결합, 반관절. ② [의학] 유착, 유합(癒合).
sinfonía *f.* ① 심포니, 교향곡. ② (색체 등의) 조화.
sinfónico, ca *adj.* ① 심포니의[에 관한], 교향곡의[에 관한]: poema ~ 교향시. ② 교향악의: orquesta ~*ca* 교향악단. ③ (음이) 조화를 이루는, 화음의.
sinfonista *mf.* ① 교향곡 작곡가. ② 교향악단원.
Singapur *m.* [국명] 싱가포르.
singapurense *adj.* ① 싱가포르 태생의. ② 싱가포르의[에 관한]. —*mf.* 싱가포르 사람.
singladura *f.* ① [선박] (하루의) 항행 거리, 항해일. ② [선박] 침로(針路). ③ 방향.
singlar *intr.* (배가 일정한 침로로) 항행하다.
single *adj. sing.* ① [음악] (레코드의) 싱글판의. ② [테니스] 싱글스의, 단식 (경기)의. ③ [철도] 싱글스의. ④ *Amér.* 1인용의 (방). —*m.* ① [음악] (레코드의) 싱글판. ② [테니스] 싱글스, 단식 (경기). ③ [철도] 싱글스 ((1등 침대의 2인용 방을 한 사람이 사용하는 것)). ④ *Amér.* 1 인용 방.
singular *adj.* ① 단 하나의, 단 한 개의, 단일의, 유일한: un ejemplar ~ 단 하나의 예, 유일한 예. ② 특이한, 독특한: carácter ~ 특이한 성격. ③ 진기한, 기발한, 색다른, 엉뚱한, 괴짜 같은, 유별난: hombre ~ 유별난 남자. ④ [문법] 단수의: sustantivo ~ 단수 명사. ⑤ 뛰어난: dotes ~*es* 뛰어난 재능. —*m.* [문법] 단수(單數)(número ~). ¶*en* ~ =**en particular.**
singularidad *f.* 특이성.
singularizar (9) *tr.* ① 구별하다. ② 두드러지게 하다, 눈에 띄게 하다, 특이하게 하다. ③ 특히 언급하다. ④ [문법] (보통은 복수형의 단어를) 단수형으로 하다, 단수형으로 사용하다. ~**se** 구별되다, 걸출하다, 뛰어나다.
singularmente *adv.* ① 개별적으로, 낱낱이, 하나하나마다. ② 특히, 특별히; 두드러지게.
sinhueso *f.* (말하는 기관으로서의) 혀(lengua).
siniestra *f.* ☞**siniestro.**
siniestrado, da *adj.* 재해를 입은, 재앙을 당한, 이재(罹災)의. —*mf.* 이재민(罹災民).
siniestralidad *f.* 재해율(災害率).
siniestramente *adv.* 불행히, 불길하게, 기분 나쁘게.
siniestro, tra *adj.* ① 불길한, 흉한: día ~ 불길한 날. ② 악의가 있는, 음험한, 뱃속이 검은. ③ 왼쪽의: lado ~ 왼쪽. —*m.* ① 사고. ② (해난·화재 등 불가항력으로 인한, 주로 보험 보상 대상이 된) 재해, 재난: ~ marítimo 해난(海難), 난파(難破). ~ total [보험] 전손(全損). —*f.* 왼손.
sinnúmero *m.* 무수(無數): un ~ de personas 무수한 사람들.
sino[1] *m.* 운명, 숙명(hado).
sino[2] *conj.* ① [no+] (…이 아니고) …이다: Pedro *no* es abogado ~ médico 뻬드로는 변호사가 아니고 의사다. ② … 이외에는: Nadie lo sabe ~ ella 그녀 이외에는 아무도 모른다. ③ 다만 …밖에 (… 아니다): No te pido ~ que me oigas 다만 내 말만 들어 달라는 것이다.
sinocismo *m.* (고대 희랍의) 도시 합병.
sinódico, ca *adj.* sínodo의[에 관한].
sínodo *m.* ① [종교] 회의. ② [천문] (혹성의) 합(合).
sinología *f.* 중국학, 중국 연구.
sinólogo, ga *mf.* 중국학자, 중국 연구가.
sinonimia *f.* 유의성(類義性), 동의성(同意性).
sinonímico, ca *adj.* ① 유의성의[에 관한]. ② 유의어의[에 관한].
sinónimo, ma *adj.* 유의(類義)의, 비슷한 말의. —*m.* 비슷한 말, 유의어(類義語).
sinopsis *f.sing.pl.* ① (문제 등의, 정리된) 개요, 적요: hacer una ~ 요

약하다. ② 일람표, 개요도.

sinóptico, ca *adj.* 개관적인, 요약한: cuadro ~ 일람표.

sinovia *f.* [생리] 활액(滑液).

sinovial *adj.* [생리] 활액의.

sinovitis *f.sing.pl.* [의학] 활액염.

sinrazón *f.* (권력의 남용에 의한) 부정, 부당한 행위.

sinsabor *m.* ① 맛이 없음, 무미(無味). ② 무미 건조. ③ 불쾌. ④ 슬픔, 괴로움.

sinsentido *m.* 이치[도리]에 맞지 않는 일.

sinsubstancia *f.* =sinsustancia.

sinsustancia *f.* 실속 없는 사람, 경박한 사람.

sintáctico, ca *adj.* [언어] 통어론의[에 관한].

sintagma *m.* ① [언어] 연사(連辭). ② [문법] 구(句)(grupo). ¶~ *adjetival,* ~ *adjetivo* 형용사구. ~ *nominal* 명사구. ~ *preposicional* 전치사구. ~ *verbal* 동사구.

sintagmático, ca *adj.* [언어] 연사의[에 관한], 연사적인.

sintaxis *f.sing.pl.* ① [언어] 통어론(通語論), 통사론(統辭論), 구문론. ② [컴퓨터] 신택스.

síntesis *f.sing.pl.* ① 종합. ② 총론, 개괄. ③ 집대성. ④ [화학·생물] 합성, 인조, 인공. ⑤ [철학] 종합. ⑥ [의학] 접골, 복위(復位).

sintéticamente *adv.* 종합적으로, 개괄적으로.

sintético, ca *adj.* ① 종합의, 종합적인, 개괄적인. ② 합성의, 인공의, 인조의: goma ~*ca* 합성 고무. piel ~*ca* 인조 가죽, 인공 피혁.

sintetizable *adj.* 종합[합성]할 수 있는.

sintetizador, ra *adj., m.f.* 종합[합성]하는. —*m.* 음(音)의 합성 장치.

sintetizar (9) *tr.* ① 종합하다, 집대성하다, 종합적으로 다루다. ② 요약하다, 개괄하다. ③ [화학] 합성하다.

sintie- ☞sentir (53).

sintoísmo *m.* (일본의) 신도(神道).

sintoísta *adj.* ① 신도(神道)의[에 관한]. ② 신도를 믿는. —*m.f.* 신도 신자, 신도가(神道家).

síntoma *m.* ① [의학] 증상, 증후, 증세: ~ subjetivo 자각 증상. ② 징후, 징조, 조짐, 전조(前兆): buen ~ 좋은 징조. mal ~ 나쁜 징조.

sintomático, ca *adj.* ① (병의) 증후를 나타내는, 증후성의. ② 징조의, 조짐의, 전조의, 암시적인.

sintomatología *f.* ① 증후학. ② [집합] (병의) 증후. ③ (어떤 것의) 징후, 징조, 조짐.

sintomatológico, ca *adj.* ① 증후학의[에 관한]. ② 증후[징후]의.

sintonía *f.* ① [물리·전기] 동조(同調). ② [방송] (프로그램의) 주제곡, 주제 음악. ③ (주로, 사람과 사람 사이의) 조화(調和).

sintonización *f.* 조화[동조]시키기.

sintonizador *m.* 동조기(同調器).

sintonizar (9) *tr.* 동조(同調)시키다. —*intr.* ① 조화되다. ② 동조되다.

sinuosidad *f.* ① 굴절. ② 만곡, 꾸불꾸불함. ③ (강 등의) 굽어진 곳.

sinuoso, sa *adj.* ① 굽은, 꾸불꾸불한, 굽이진. ② 본색을 감추고 하는.

sinusitis *f.sing.pl.* [의학] 부비강염(副鼻腔炎), 정맥동염, 축농증.

sinusoidal *adj.* [수학] 사인 곡선의[에 관한].

sinusoide *f.* [수학] 사인 곡선.

sinventura *adj.* =desventurado.

sinvergonzón, na *adj., m.f.* 무척 뻔뻔스러운 (사람).

sinvergonzada *f.* =sinvergoncería.

sinvergoncería *f.* 낯가죽 두꺼운 짓[일], 철면피한 짓[일], 뻔뻔스러운 짓[일].

sinvergüencería *f.* 뻔뻔스러운[철면피한] 짓[일].

sinvergüenza *adj., m.f.* 뻔뻔스러운 (사람), 낯가죽이 두꺼운 (사람), 철면피한 (사람). —*f. CRica., Perú.* =sinvergoncería.

sinvivir *m.* (불안·긴장으로 살게 하는) 고뇌 상태.

Sión *m.* ① (예루살렘의) 시온산. ② 예루살렘. ③ 유대 민족. ④ 천국.

sionismo *m.* 시오니즘, 시온주의, 유대주의.

sionista *adj.* 시온주의의. —*m.f.* 시온주의자.

sioux *adj.* ① 수족(族)(북미 인디언의 한 종족)의[에 관한]. ② 수 어족(語族)의. —*m.f.* 수족 사람.

sique *f.* 시께 ((온두라스의 민속 춤과 가락)).

siquiatra *m.f.* =psiquiatra.

siquiatría *f.* =psiquiatría.

síquico, ca *adj.* =psíquico.

siquier *conj.* =siquiera.

siquiera *conj.* ① 비록 …일지라도 (aunque): Hazme este favor, ~ sea el último 비록 이것이 마지막이라 할지라도 이 소원을 들어 주라. ② …이든지 혹은 …이든지(ya … ya): ~ venga, ~ no venga 오든지 오지 않든지. —*adv.* ① 적어도, 최소한, 하다못해(por lo menos): Deme usted media paga ~ 최소한 임금의 반이라도 주십시오. ② [부정의 강조] …조차도 (…않다)(tan solo): No tengo una peseta ~ 나는 한 푼도 없다. ¶*ni* ~ …조차 (… 아니다) ((② [부정의 강조] 보다 더욱 강조)): Ella no me saludó *ni* ~ 그녀는 나에게 인사조차도 하지 않았다. No tengo tiempo *ni* ~ para comer 나는 밥 먹을 시간조차도 없다.

sirena *f.* ① [희랍 신화] 바다의 요정. ② 인어(人魚). ③ 경적, 사이렌:

hacer sonar la ~ 경적을 울리다. ④ [물리] 음향계.
sirga *f.* (배 등을 끄는) 밧줄. ¶*a la* ~ (배를) 밧줄로 끌어서.
sirgar (8) *tr.* (배를) 밧줄로 끌다.
Siria *f.* [국명] 시리아.
siriaco, ca *adj.* ① =**sirio.** ② (특히) 고대 시리아 말의. —*m.f.* = **sirio.** —*m.* 고대 시리아 말.
siríaco, ca *adj., m.f., m.* =**siriaco.**
siriano, na *adj., m.f.* [드묾] =**sirio.**
sirimiri *m. Al, Vizc.* =**llovizna.**
siringa *f.* ① [시어] [악기] 시링가((여러 개의 대로 된 피리)). ② *Arg., Bol., Perú.* [식물] 고무나무의 일종.
siringe *f.* [동물] (새의) 울대.
siringuero *m. Bol.* 고무 채취 일꾼.
sirio, ria *adj.* ① 시리아(Siria) 태생의. ② 시리아의[에 관한]. —*m.f.* 시리아 사람. —*m.* [S~] [천문] 시리우스, 천랑성(天狼星).
siro, ra *adj., m.f.* =**sirio.**
sirope *m.* [*fr.* sirop] 당밀, 시럽.
sirte *f.* 여울, 모래톱.
sirv- ☞**servir (43).**
sirva ☞**servir (43).**
sirvie- ☞**servir (43).**
sirvienta *f.* 하녀, 종.
sirviente *adj., m.f.* 봉사하는 (사람), 섬기는 (사람). —*m.* 봉사자, 도우미 (servidor). —*m.f.* 하인, 종.
sisa *f.* ① (특히, 하인 등이 물건을 살 때) 속이는[떼먹는] 부분. ② (옷의) 겨드랑이 부분 도려내기. ③ 금박 접착제. ④ (옛날의) 식료품 세금.
sisador, ra *adj., m.f.* 눈속임하는 (사람).
sisal *m.* ① 용설란(에서 얻어진) 섬유. ② *Ven.* [식물] 용설란(pita).
sisar *tr.* ① 눈을 속여 후무리다, 속이다. ② [재봉] 도려내다, 오리다. ③ (옛날에) 식료품 세금 할당분에서 식료품의 양을 줄이다. ④ 금박 접착제를 칠하다. ⑤ *Ecuad.* (깨진 물건의 조각을) 붙이다: ~ un jarrón 항아리를 붙이다.
sisear *intr.* (배우·연설자 등을 야유하면서) 반복해서 쉬쉬 하다. —*tr.* (배우·연설자에게) 야유하다, 욕설을 퍼붓다.
siseo *m.* 쉬쉬 하는 소리; 야유, 욕지거리.
sísmico, ca *adj.* 지진의[에 관한].
sismo *m.* 지진(地震).
sismógrafo *m.* 지진계.
sismología *f.* 지진학.
sismológico, ca *adj.* 지진학의[에 관한].
sismólogo, ga *m.f.* 지진학자. —*adj.* 지진학자의.
sismómetro *m.* 지진계.
sisón[1] [새] 들기러기.
sisón[2], **na** *adj., m.f.* 도벽이 있는 (사람), 남의 물건을 훔치지 않고는 못 참는 (사람).
sistema *m.* ① 체계(體系): ~ filosófico 철학 체계. ② 조직, 제도: ~ educativo 교육 제도. ~ feudal 봉건 제도. ③ 체제(體制): ~ socialista 사회주의 체제. ④ 방식, 방법: ~ de señales 신호 방식. ⑤ 계(系), 계통: ~ nervioso 신경계. ⑥ 단위계, 계량법: ~ decimal 십진법. *Sistema* Internacional 국제 단위계. ⑦ 장치, 기구: ~ de altavoces 확성 장치. ⑧ [컴퓨터] 시스템 ((프로그램의 조직화된 모임)). ¶~ ***métrico decimal*** 미터법. ~ ***solar*** 태양계. ***por*** ~ (부당하게도) 언제나 정해 놓고, 늘, 으레.
sistemática *f.* ☞**sistemático.**
sistemáticamente *adv.* ① 체계적으로, 조직적으로, 계통적으로. ② 으레, 늘, 정해 놓고, 판에 박은 듯이, 일관되게.
sistemático, ca *adj.* ① 체계적인, 조직적인. ② 고의적인, 계획적인. ③ 틀에 박힌, 몸에 밴, 관습에 젖은. —*f.* 분류학, 계통학, 분류법.
sistematización *f.* 체계화, 조직화.
sistematizar (9) *tr.* 체계화시키다, 조직화시키다.
sistémico, ca *adj.* ① 조직체 전체의[에 관한]. ② [의학] 전체 기관의[에 관한], 전신(全身)의[에 관한]: esclerodermа ~*ca* 전신성 공피증(全身性鞏皮症). ③ [의학] 전(全) 혈액 순환의[에 관한].
sístole *f.* ① [시법] 음절 단축. ② [생리] (심장·동맥의) 수축 (운동).
sistólico, ca *adj.* [생리] (심장·동맥의) 수축의[에 관한].
sitiado, da *adj., m.f.* 포위된 (사람), 포위당한 (사람).
sitiador, ra *adj.* (성을) 포위(包圍)하는. —*m.f.* 포위자. —*m.pl.* 포위군.
sitial *m.* 의식용 의자.
sitiar (11) *tr.* ① (성 등을) 포위하다. ② (사람을) 궁지에 몰아넣다, 바싹 추적하다.
sitio *m.* ① 장소, 곳(lugar): Cancun es un ~ precioso 깡꿍은 아름다운 곳이다. ② 위치(位置): ~ de la lingüística entre las ciencias 학문 중에서 언어학이 차치하는 위치. ③ 지위: ~ de una persona en la sociedad 사회에서의 사람의 지위. ④ [군사] 포위, 포위전. ¶***levantar el*** ~ 포위를 풀다. ***poner*** ~ 포위하다: *poner* ~ a la ciudad 도시를 포위하다.
sito, ta *adj.* 위치한, 자리한, 자리잡은, 놓인.
situación *f.* ① 입장, 경우: Ella está en una ~ difícil 그녀는 어려운 입장에 있다. ② (사람·물건의) 상황, 상태: No estoy en ~ de hacer un viaje 나는 여행할 상황이 아니다.

③ (국가·사회 등의) 정세, 상황: ~ internacional 국제 정세. juicio de la ~ 상황 판단. ④ (사회적인) 지위, 직업, 일자리: conseguir una ~ 안정된 일자리를 얻다. crearse una ~ 경제적으로 자립하다. tener una ~ 안정된 직업을 가지다. ⑤ (집·거리 등의) 위치, 장소.

situado, da *adj.* 위치한, 있는. —*m.* (어떤 유가물에서 생기는) 고정 수입(固定收入).

situar (15) *tr.* ① (누구·무엇을, 어떤 정해진 장소에) 배치하다, 놓다, 두다. ② (자금을) …에 할당하다, 충당하다. ③ 예금하다: ~ su dinero en el banco 돈을 은행에 예금하다. ~**se** ① 위치하다: Por favor, en las escaleras mecánicas *sitúense* a la derecha para permitir el paso [게시] 오른쪽은 서 계실 분, 왼쪽은 걸어 가실 분; 자동 계단에서는 급한 분을 위해 오른쪽에 서 주십시오. ② 출세하다, 높은 지위에 오르다: Ella *se ha situado* muy bien 그녀는 대단히 출세했다. ③ (수치가) …이다: La tasa de inflación *se sitúa* en un 5% 인플레이션율은 5퍼센트다.

S.L. *f.* Sociedad *L*imitada 유한 회사.

slalom *m.* [*pl.* ~s] [스키] 회전.

slip *m. ing.* [*pl.* ~s] 슬립 ((꼭 조이는 여자의 속옷)).

S.M. Su Majestad 폐하.

SME *m.* *S*istema *M*onetario *E*uropeo 유럽 통화 제도.

s/n sin número 번지 없음.

so[1] *prep.* …의 아래.

so[2] *interj.* (말을 제지하여) 워워!

SO suroeste 남서(南西).

S.O. su oficina 귀 사무소.

so- *pref.* 「아래·경미(輕微)」의 뜻: *so*barba 이중 턱. *so*asar 살짝 굽다.

s/o su orden 귀 주문, 귀 지정.

soasar *tr.* 반쯤 굽다, 살짝 굽다.

soba *f.* ① 주무르기, 이기기. ② 연타, 강타.

sobacal *adj.* 겨드랑이의[에 관한].

sobaco *m.* 겨드랑이, 겨드랑이의 밑[아래].

sobado, da *adj.* ① 기름이나 버터를 넣고 반죽한. ② 오래 사용하여 헐은. ③ *Salv.* 반 미친. —*m.* ① 기름이나 버터를 넣고 반죽한 빵. ② 주물러 부드럽게 하기. ③ *CRica.* 사탕수수 엿의 일종.

sobajar *tr.* ① 우글쭈글하게 하다, 마구 구기다. ② *Méj.* 망신을 주다, 창피하게 만들다.

sobaquera *f.* ① (의류의) 진동. ② 진동에 대는 천.

sobaquina *f.* 암내, 액기(腋氣).

sobar *tr.* ① (부드럽게 하기 위해) 주무르다, 이기다. ② (때리면서) 벌하다. ③ (누구를) 자주 만지다, 만지작거리다. ④ 귀찮게 하다, 성가시게 하다, 괴롭히다. ⑤ *Arg., Bol., CRica., Cuba, Ecuad., Méj., Salv.* 마사지하다, 주무르다. —*intr.* 자다 (dormir). ~**se** *Arg., Bol., CRica, Cuba, Ecuad., Méj., Salv.* 주무르다, 마사지하다. ¶~ ***el lomo*** *Arg., Bol.* 알랑거리다, 아부하다.

soberanamente *adv.* ① 권력으로, 권력을 쥐고. ② 극히, 매우, 심하게, 극도로.

soberanía *f.* ① 주권, 통치권: ~ del país 국가의 주권. ejercer *su* ~ 주권을 행사하다. ② 최고, 최상, 탁월. ¶~ ***nacional*** 주권 재민(主權在民).

soberano, na *adj.* ① 주권을 가진: estado ~ 주권 국가. ② 지상권을 가진: poder ~ 지상권(至上權). ③ 지고의, 최고의: belleza ~*na* 지고한 아름다움, 최고의 미. ④ 극도의: dar una ~*na* paliza 지독한 구타를 하다. —*m.f.* 군주, 국왕, 여왕.

soberbia *f.* ① 거만, 오만, 교만. ② 장대함, 웅대함. ③ 격노, 분격.

soberbiamente *adv.* ① 거만하게, 오만하게. ② 당당하게, 의젓하게.

soberbio, bia *adj.* ① 거만한, 오만한, 교만한. ② 아름다운, 훌륭한, 뛰어난, 장려(壯麗)한: ~ palacio 장려한 궁전. ③ 극도의, 지독한: ~*bia* paliza 지독한 구타.

sobo *m.* =**soba.**

sobornable *adj.* 매수될 수 있는.

sobornación *f.* =**soborno.**

sobornador, ra *adj., m.f.* 매수하는 (사람), 증뢰하는 (사람).

sobornar *tr.* 매수하다, 증뢰하다, 뇌물을 보내다: ~ al funcionario 공무원을 매수하다, 공무원에게 뇌물을 주다.

soborno *m.* ① 매수, 증뢰: delito de ~ 증뢰죄, 수뢰죄. aceptar ~ 수뢰하다, 뇌물을 받다. ② 뇌물.

sobra *f.* ① 과잉(過剩), 초과: ~ de producción 생산 과잉. ~ de una mercancía 상품의 공급 과잉. ② 과도함. ③ 여분, 나머지, 남은 것. ④ *pl.* 먹고 남은 밥, 잔반(殘飯). ¶***de*** ~ ㉮ 풍부히, 여유 있게, 필요 이상으로. ㉯ 너무, 필요없이. ㉰ 충분한 (bastante, suficiente).

sobradamente *adv.* =**de sobra.**

sobradillo *m.* [건축] (창문·발코니 위의) 차양.

sobrado, da *adj.* ① 여분의, 남은, 남아 돌아갈 만큼 있는, 흔한. ② 지나친. ③ =**atrevido, audaz, licencioso.** ④ (재산이) 풍부한, 부유한. ⑤ *Ecuad., Perú.* =**creído.** ⑥ *Ecuad.* =**valentón.** —*m.* ① 다락방. ② [주로 *pl.*] *And., Chile.* 먹다 남은 밥. —*adv.* =**de sobra.**

sobrante *adj.* ① 남는, 잔여의, 여분의, 과잉의. ② 지나친. —*m.* 나머지, 여분, 잉여물.

sobrar *intr.* ① 필요 이상으로 있다.

② 남다, 남아 있다: Me *sobra* un poco de dinero 나한테 돈이 약간 남아 있다. ③ 쓸데없다, 무익하다, 필요없다: Tú *sobras* en esta fiesta 너는 이 파티에서 불필요하다[거추장스럽다].

sobrasada *f.* (특히 스페인의 마요르까 섬에서 만들어진, 다진 돼지고기와 소금과 빻은 고추를 넣은) 굵은 순대, 소시지.

sobre[1] *prep.* ① …의 위에(encima de): El ordenador está ~ la mesa 컴퓨터가 책상 위에 있다. ② …에 관해서(acerca de): hablar ~ economía 경제에 관해 이야기하다. ③ … 이외에(además de). ④ …에 면해: La ciudad está ~ el río 도시는 강의 근처에 있다. ⑤ 약, 대략, 경에: Ella llegará ~ las nueve de la mañana 그녀는 오전 아홉 시경에 도착할 것이다. ⑥ [공격] …에 대해서: La desgracia se abatió ~ la familia 불행이 일가를 덮쳤다. ⑦ [시간] … 후에: ~ comida 식후에. ~ parto 산후(産後)에. ⑧ [감시] Su padre siempre está ~ los hijos 그들의 아버지는 언제나 아이들에게서 눈을 떼지 않는다. ⑨ [회전의 중심] La rueda gira ~ el eje 자동차 바퀴는 축의 중심을 돈다. ⑩ …을 담보로: ~ este edificio 이 건물을 담보로. ⑪ [환발행] …의 앞으로. ⑫ [과세 등의 평가] …에 대해: censo ~ una casa 가옥에 대한 평가 사정. ⑬ [기준] …에 대하여, …에 비해: bonificación de 10 por 100 ~ el montante 총액에 대해 10퍼센트 할인 가격. aumento del 20 por ciento ~ la matrícula del año pasado 작년의 등록자수에 비해 20퍼센트 증가. ⑭ [분수·백분율] 분의: x ~ y y분의 x, x/y. veinte ~ ciento 20퍼센트.

sobre[2] *m.* ① 봉투: ~ aéreo, ~ (de) vía aérea 항공 봉투. ~ de paga 월급 봉투. ~ verde 녹색 봉투. ② 봉투에 쓰인 것, 수취인 주소 성명. ¶~ ***monedero*** 현금 송부용 봉투.

sobre- *pref.*「위·위에 붙은 것·과잉·반복·갑작스런 행동」의 뜻: *sobre*haz 표면, 겉. *sobre*alimentación 과잉 섭취. *sobre*arar 한 번 더 갈다. *sobre*coger 급습하다.

sobreabundancia *f.* 과다, 과잉.

sobreabundante *adj.* 남아 돌아가는, 풍족한, 푸짐한.

sobreabundantemente *adv.* 과다하게; 풍족하게, 푸짐하게.

sobreabundar *intr.* 푸짐하다, 남아돌 만큼 많다, 매우 많다.

sobreactuación *f.* 연기 과잉.

sobreactuar (15) *tr.* 과잉 연기(過剩演技)를 하다.

sobreagudo, da *adj., m.* [음악] 최고 음역(의).

sobrealiento *m.* (숨을) 헐떡거림, 씩씩거림, 가빠진 숨.

sobrealimentación *f.* ① (영양의) 과잉 섭취. ② [의학] 고영양 요법.

sobrealimentador *m.* 과급기.

sobrealimentar *tr.* ① …에게 과도한 영양을 주다, 영양을 과잉 섭취시키다. ② (엔진을) 과급하다.

sobrealzar (9) *tr.* 너무 올리다, 수준을 증가시키다.

sobreañadir *tr.* 지나치게[반복해서] 첨가하다.

sobrearar *tr.* (땅을) 한 번 더 갈다.

sobrearco *m.* 상인방 위의 아치.

sobreasada *f.* =**sobrasada.**

sobreasar *tr.* (구워지거나 삶아진 것을, 볶기 위해) 다시 불 위에 놓다.

sobrebarato, ta *adj.* 매우 저렴한.

sobrebeber *intr.* 다시 마시다, 과음(過飮)하다.

sobrecalentación *f.* 과열(過熱).

sobrecalentar *tr.* 과열시키다.

sobrecama *f.* =**colcha.**

sobrecapacidad *f.* [경제] 설비 과잉.

sobrecarga *f.* ① 과잉 적재, 중량 초과. ② 짐 묶는 줄, 걸치는 줄. ③ (정신적) 부담, 과도한 부담. ④ (우표의 가격 정정 등의) 중쇄(重刷). ⑤ [상업] 추가 요금, 과징금; 추징금. ⑥ [전기] 과부하, 과충전.

sobrecargar (8) *tr.* ① 짐을 지나치게 싣다. ② (옷의 솔기를) 다시 감치다. ③ (사람에게) 과도한 부담을 주다. ④ [전기] 과부하하다, 과충전하다.

sobrecargo *m.* ① [선박] 사무장. ② [항공] 객실 승무원.

sobrecaro, ra *adj.* (값이) 매우 비싼 (muy caro).

sobrecogedor, ra *adj.* ① 급습하는, 불의에 공격하는. ② 놀라운.

sobrecoger (3) *tr.* ① 불의에 공격하다. ② 무서워하게 하다, 두려워하게 하다, 놀라게 하다. ~**se** 깜짝 놀라다, 질겁하다, 공포에 사로잡히다.

sobrecogimiento *m.* 깜짝 놀람, 질겁함.

sobrecomida *f.* 후식, 디저트.

sobrecubierta *f.* 덧씌우는 것, 덮개, 덧신, 이중 봉투, (책 등의) 커버.

sobrecuello *m.* 덧깃.

sobredicho, cha *adj.* 위에서 말한, 앞에서 말한. —*m.f.* 위에서[앞에서] 말한 사람.

sobrediente *m.* 덧니.

sobredorar *tr.* …에 금도금하다.

sobredosis *f.sing.pl.* (약의) 과다 복용, 환각제[마약]의 난용.

sobreentender (20) *tr.* =**sobrentender.**

sobreentendido, da *adj.* =**sobrentendido.**

sobreesdrújulo, la *adj.* [언어] =

sobresdrújulo.

sobreestimar *tr.* =sobrestimar.

sobreestrés *m.* 과도한 긴장.

sobreexceder *tr.* =sobrexceder.

sobreexcitación *f.* 극도의 흥분.

sobreexcitar *tr.* 극도로 흥분시키다, 열광시키다. ~**se** 극도로 흥분하다, 열광하다.

sobreexplotación *f.* 천연자원의 과다 개발[이용].

sobreexplotar *tr.* (천연자원을) 과다 개발하다[이용하다].

sobreexponer (61) *tr.* 극도로 노출하다.

sobreexposición *f.* [사진] 노출 과다(露出過多).

sobrefalda *f.* 스커트 위에 장식으로 입는 짧은 스커트.

sobrefusión *f.* [화학] 과융해.

sobregirar *tr.* 초과 발행하다.

sobregiro *m.* 초과 발행.

sobreherido, da *adj.* 가볍게 다친, 경상의.

sobrehilado *m.* 시침질, 감침질.

sobrehilar (16-1) *tr.* …에 시침질하다, 감치다.

sobrehílo *m.* =sobrehilado.

sobrehumano, na *adj.* 초인적인: esfuerzo ~ 초인적인 노력.

sobreimpresión *f.* ① [사진] 이중 인화. ② [영화 · 텔레비전] 오버랩 ((어떤 화면이 끝나기 전에 다른 화면을 겹치면서 먼저 화면이 서서히 사라지게 하는 기법)). ③ [인쇄] 이중 인쇄.

sobreimpreso, sa *adj.* ① (사진이) 이중 인화된. ② (영화 · 텔레비전이) 오버랩된. ③ 이중 인쇄된.

sobreimprimir *tr.* ① [사진] 이중 인화하다. ② [영화 · 텔레비전] 오버랩하다. ③ [인쇄] 이중 인쇄하다.

sobrejuanete *m.* ① 제일 높은 돛 가름대. ② 제일 높은 돛 가름대의 돛.

sobrellave *f.* (문의) 이중 열쇠.

sobrellenar *tr.* 가득 채우다, 충분히 채우다.

sobrelleno, na *adj.* =superabundante, rebosante.

sobrellevar *tr.* ① (무거운 것 · 부담 등을) 덜어 주다, 거들어 주다, 들어주다. ② 참다, 견디다, 인내하다, 굴하지 않다. ③ 봐주다, 못 본 척해 주다.

sobremanera *adv.* 매우, 과하게, 매우 많이, 터무니없이.

sobremesa *f.* ① 식탁보. ② 식후에 식탁에서 보내는 시간: tomar café en la ~ 식후에 커피를 마시다. —*adv.* =de sobremesa. ¶*de* ~ ㉮ *adj.* 탁상용의: encendedor *de* ~ 탁상용 라이터. ㉯ *adv.* 식후에 식탁에서 일어나지 않고 바로: conversación *de* ~ 식후 환담.

sobremodo *m.* =sobremanera.

sobrenadar *intr.* 물위에 뜨다, 표면에 뜨다: *Sobrenada* el petróleo en el agua 석유가 물위에 떠 있다.

sobrenatural *adj.* ① 초자연적인. ② 사후(死後)에 존재하는: vida ~ 내세(來世), 사후 세계.

sobrenombre *m.* 별명, 별칭.

sobrentender (20) *tr.* 짐작하다, 추측하다, 짐작으로 알아채다.

sobrentendido, da *adj.* 짐작으로 알아챈.

sobrepaga *f.* 상여금, 보너스, 특별 수당.

sobreparto *m.* =puerperio.

sobrepasar *tr.* ① (한계를) 넘다, 초과하다, 상회하다. ② 월등(越等)하다, 낫다.

sobrepelliz *f.* (사제 등이 입는) 짧은 흰 옷.

sobrepeso *m.* ① (짐의) 중량 초과. ② 체중 초과.

sobrepoblación *f.* 인구 과잉.

sobrepoblado, da *adj.* 인구 과잉의.

sobreponer (61) *tr.* ① 위에 놓다[대다 · 붙이다 · 포개어 놓다], 덧대다. ② [+a] (…보다) 우선하다: ~ el interés general *a* los intereses particulares 개인의 이익보다 전체의 이익을 우선하다. ~**se** ① 위에 겹치다. ② 자신을 제어하다. ③ [+a] (…을) 극복하다, 이겨내다.

sobreprecio *m.* 할증 가격.

sobreprima *f.* 추징 보험료.

sobreproducción *f.* =superproducción.

sobreprotección *f.* 과보호(過保護), 과잉보호.

sobreprotector, ra *adj.* 과보호의, 과잉보호의.

sobreproteger (3) *tr.* 과보호하다, 과잉보호하다.

sobrepuerta *f.* [건축] 문 위의 횡목[장식물 · 커튼(걸이)].

sobrepuesto *m.* [수예] 아플리케.

sobrepujamiento *m.* 뛰어남, 우세함, 압도, 능가.

sobrepujar *tr.* (다른 것 · 사람보다) 뛰어나다, 우세하다, 압도하다, 앞지르다.

sobrero[1] *m.* *Sal.* [식물] =alcornoque.

sobrero[2]**, ra** *adj.* ① 남은, 여유 있는, 나머지의. ② [투우] 예비(豫備)의. —*m.* [투우] 예비의 소.

sobrero[3]**, ra** *m.f.* 봉투 만드는[붙이는] 사람.

sobrerrealismo *m.* =superrealismo.

sobrerropa *f.* =sobretodo.

sobresalienta *f.* (연극 등의) 대역 여배우.

sobresaliente *adj.* ① 돌출한, 튀어나온. ② 탁월한, 뛰어난, 두드러진, 우수한, 빼어난. —*m.* (시험에서) 수(秀). —*m.f.* (연극 · 투우의) 대역(배우 · 투우사), 조수.

sobresalir (63) *intr.* ① (사람·물건이) 두드러지다, 빼어나다, 탁월하다, 뛰어나다, 걸출하다. ② 튀어나오다, 돌출하다.
sobresaltar *tr.* ① 급습하다. ② 깜짝 놀라게 하다. ~**se** 대경실색하다, 깜짝 놀라다.
sobresalto *m.* ① 급습. ② 경악, 대경실색, 깜짝 놀람, 질겁. ¶*de* ~ 생각지도 않게, 의외로, 뜻밖에, 갑자기, 불의에.
sobresanar *intr.* ① (상처가) 표면만 아물다, 겉부분만 치료되다. ② (표면적으로) 적당히 좋게 하다.
sobrescribir *tr.* ① (…의) 위에 놓다, 덧씌우다, 위에 쓰다. ② (편지의 봉투에) 수취인의 주소 성명을 쓰다.
sobrescrito *m.* ① (편지 등의) 수취인 주소 성명. ② 수취인의 주소 성명을 쓴 봉투.
sobredrújulo, la *adj., m.* [언어] 악센트가 마지막에서 네 번째 음절에 있는 (단어) ((예~ *devuélvemelo, llévesemelo*)).
sobreseer (78) *intr. tr.* ① 단념하다, 포기하다. ② 그만두다, 중지하다. ③ [법률] (예심에서·심리를) 기각하다.
sobreseimiento *m.* 기각(棄却).
sobrestadía *f.* ① [상업] 체선일(滯船日), 초과 정박 일수. ② 체선료.
sobrestante *m.* 현장 감독(capataz).
sobrestimar *tr.* 과대평가하다.
sobresueldo *m.* 추가 급료, (부업 등에 의한) 부수입.
sobretarde *f.* 밤이 되기 전, 어두워지기 전.
sobretasa *f.* 추가 요금; 과징금, 추징금.
sobretensión *f.* [전기] 과전압.
sobretiempo *m. Chile, Perú.* 시간외 근무.
sobretodo *m.* ① 외투, 코트. ② *Amér.* 외투, 비옷.
sobrevaloración *f.* 과대 평가.
sobrevalorar *tr.* 과대 평가하다.
sobrevaluado, da *adj.* 과대 평가된.
sobrevenida *f.* 돌발 사태, 불의에 닥치는 일.
sobrevenir (60) *intr.* ① 돌발하다, 불의에 일어나다. ② (사고가) 속발하다, 동시에 일어나다, (마침 그 때에) 오다, 일어나다, 있다.
sobrevesta *f.* =**sobreveste.**
sobreveste *f.* (옛날에 갑옷이나 옷 위에 입었던) 겉옷.
sobrevestir (42) *tr.* 옷 위에 옷을 입히다.
sobrevidriera *f.* ① (창의) 철망. ② 이중 유리창(문).
sobreviviente *adj.* 살아남은, 생존한. —*m.f.* 살아남은 사람, 생존자.
sobrevivir *intr.* ① 살아남다, 생존하다, 목숨을 건지다, 죽음을 면하다. ② [+a] (…보다) 오래 살다. ③ 겨우겨우[그럭저럭] 살아가다.
sobrevolar (24) *tr.* (…의) 위[상공]를 날다.
sobrexceder *intr.* [+a] (…을) 넘다, 상회하다.
sobrexcitación *f.* =**sobreexcitación.**
sobrexcitar *tr.* =**sobreexcitar.**
sobriamente *adv.* ① (음주를) 절도 있게, 삼가여. ② 간소한, 검소하게, 수수하게: vivir ~ 검소하게 살다.
sobriedad *f.* ① (주로 음주의) 절제, 절도. ② 간소(함), 검소함, 수수함, 남의 눈에 띄지 않음: ~ en el vestir 수수한[남의 눈에 띄지 않는] 복장.
sobrino, na *m.f.* ① 조카, 생질; 조카딸, 생질녀 ((친형제자매의 아들딸)). ② 오촌, 종질(從姪), 종질녀 ((사촌 형제자매의 아들딸)) . ¶~ ***carnal,*** **~*na carnal*** *m.f.* 조카, 조카딸. ~ ***nieto,*** **~*na nieta*** *m.f.* 종손, 종손녀. ~ ***segundo,*** **~*na segunda*** *m.f.* 오촌 조카, 종질(從姪), 종질녀 ((사촌 형제자매의 아들딸)). ~ ***tercero,*** **~*na tercera*** *m.f.* 육촌, 재종(再從) ((사촌의 아들딸끼리의 촌수)).
sobrio, bria *adj.* ① 절도 있는, 절제된: desayuno ~ 가벼운 아침밥. ser ~ de palabras 말수가 적다. ② 수수한, 쓸데없는 장식이 없는, 간소한: color ~ 수수한 색. discurso ~ 짧은 연설. estilo ~ 간소한 문체. habitación ~*ria* 쓸데없는 장식이 없는 방, 수수하게 꾸민 방. vestir de forma ~*ria* 수수한 복장을 하고 있다, 간소한 차림을 하고 있다. ③ 술에 취하지 않은: ser ~ en la bebida 거의 술을 마시지 않다.
soc. sociedad 회사, 회(會).
socaire *m.* 바람을 맞지 않는 쪽.
socaliña *f.* 흉계, 간책; 사기, 협잡.
socaliñar *tr.* 편취하다, 사취하다.
socaliñero, ra *adj.* 편취하는, 사취하는. —*m.f.* 편취자, 사취자.
socapa *f.* 핑계, 구실. ¶***a*** **[*de*]** ~ 가만히, 몰래, 살그머니, 살짝.
socarrar *tr.* 살짝 겉만 태우다[볶다]. ~**se** 노르스름하게 눌리다.
socarrén *m.* [건축] 처마.
socarrón, na *adj.* 엉큼한, 간사한, 교활한. —*m.f.* 엉큼한 사람, 간사한 사람, 교활한 사람.
socarronería *f.* 엉큼함, 간사함, 교활함, 영악함.
socavar *tr.* ① …의 밑을 파다. ② (특히 정신적으로) 약화시키다, 저하시키다.
socavón *m.* ① 우묵한 곳, 동굴. ② 지면의 침하, 함몰.
sociabilidad *f.* 사교성, 사교적임, 교제를 잘함[좋아함].
sociable *adj.* 사교적인, 교제를 잘하는, 교제술이 능한.

social *adj.* ① 사회의, 사회적인: animal ~ 사회적 동물. orden ~ 사회 질서. seres ~*es* 사회적 존재. ② 회사의, 법인의. ③ [동물] 군거하는. ④ [식물] 군생하는. —*m.f.* (경찰의) 비밀 수사관. —*f.pl.* [교육] 사회 과학(ciencias ~*es*).

socialcristiano, na *adj.* 기독교 사회주의의.

socialdemocracia *f.* 사회 민주주의.

socialdemocrata *adj.* 사회 민주주의의: partido ~ 사회 민주당. —*m.f.* ① 사회 민주주의자. ② 사회 민주당원.

socialismo *m.* 사회주의.

socialista *adj.* ① 사회주의를 신봉하는. ② 사회주의의[에 관한]: partido ~ 사회당. —*m.f.* 사회주의자.

socialización *f.* 사회주의화.

socializar (9) *tr.* ① 사회주의화시키다. ② 국유화시키다, 공유화시키다.

sociedad *f.* ① 사회: ~ moderna 현대 사회. ② 협회, 단체: *Sociedad* Espeleógica 동굴 (연구) 협회. ③ 회사, 법인: ~ anónima 주식 회사. fundar una ~ 회사를 설립하다. ④ 교제, 사교: Me falta ~ 나는 친구가 없다. ⑤ 사교계(社交界): entrar [presentarse] en ~ 사교계에 첫 선을 보이다.

societario, ria *adj.* 단체의[에 관한]; (특히) 노동 조합의[에 관한].

socio, cia *m.f.* ① (클럽 등의) 회원. ② (일의) 동료, 짝, 상대. ③ [상업] 공동 출자자, 공동 경영자, 출자 사원: ~ accionista 출자자, 주주. ¶~ *capitalista* (자본) 출자 사원. ~ *industrial* 업무 담당 사원.

socio- *pref.*「사회의(social)・사회(sociedad)」의 뜻: *socio*cultural 사회 문화적. *socio*lingüística 사회 언어학.

sociobiología *f.* 사회 생물학.

sociocultural *adj.* 사회 문화의[에 관한], 사회 문화적인.

socioeconómico, ca *adj.* 사회 경제적인.

sociolingüístico, ca *adj.* 사회 언어학의[에 관한]. —*f.* 사회 언어학.

sociología *f.* 사회학.

sociológico, ca *adj.* 사회학의[에 관한], 사회학적인.

sociólogo, ga *m.f.* 사회학자.

sociometría *f.* 계량 사회학.

sociométrico, ca *adj.* 계량 사회학의[에 관한].

sociopolítico, ca *adj.* 사회 정치적인: movimiento ~ 사회 정치적 운동.

socioterapia *f.* 사회 요법.

socolor *m.* 구실, 핑계. —*adv.* [+de] (…의) 구실로, 핑계로(so color).

socoro *m.* 합창대의 아래에 있는 자리.

socorredor, ra *adj., m.f.* 구조[구제・구원]하는 (사람).

socorrer *tr.* (위험・궁핍에서) 돕다, 도와 주다, 구제하다.

socorrido, da *adj.* ① (다른 사람의 궁핍을) 쉽게 구제하는. ② 필요한 것을 쉽게 구하는. ③ 흔히 있는: un tema muy ~ 아주 흔한 테마.

socorrismo *m.* (해안 등의) 해난 구조대, 인명 구조대.

socorrista *m.f.* (해안 등의) 해난 구조대원, 인명 구조대원.

socorro *m.* ① 구조, 구원. ② (물질적인) 원조, 원조 식량, 원조금. ③ 원병(援兵). ④ 원조 물자. ⑤ [은어] 도둑질. ⑥ [은어] 훔친 물건. —*interj.* 구해 주세요!

socrático, ca *adj.* ① 소크라테스(Sócrates, 5세기 희랍의 철학자)의. ② 소크라테스 철학의, 소크라테스 철학에 관한. —*m.* ① 소크라테스 문하. ② 소크라테스파(派).

soda *f.* ① =sosa. ② 가성 소다, 수산화나트륨.

sódico, ca *adj.* [화학] 나트륨의[에 관한].

sodio *m.* [화학] 나트륨, 소듐.

sodomía *f.* 남색(男色), 수간(獸姦).

sodomita *adj.* ① 소돔(Sodoma, 죄악 때문에 신에 의해 멸망되었다는 사해의 남쪽 해안에 있던 옛 도시; 창세기 18-19) 태생의. ② 소돔의[에 관한]. ③ 남색을 범하는. —*m.f.* ① 소돔 사람. ② 남색자, 수간자, 비역질하는 사람.

sodómico, ca *adj.* 남색의[에 관한].

sodomizar (9) *tr.* …에게 비역을 행하다; 동성[이성]에게 비역을 하다.

soez *adj.* 천한, 상스러운, 천박한.

sofá *m.* [*pl.* ~s] [가구] 소파.

sofá-cama *m.* 소파 겸용 침대.

sofisma *m.* 궤변.

sofista *adj.* 궤변을 늘어놓는, 이리저리 둘러붙이는. —*m.f.* 궤변가.

sofisticación *f.* ① (지적인) 세련, 소양; 정교화. ② 과도한 기교.

sofisticado, da *adj.* ① 세련된. ② 정교한, 정밀한, 고성능의. ③ 부자연스러운.

sofísticamente *adv.* 궤변으로, 그럴듯하게 꾸며.

sofisticar (7) *tr.* =**adulterar.**

soflama *f.* ① 약한[희미한] 불꽃. ② 얼굴을 붉힘. ③ 속임수, 사기. ④ 아첨, 아부, 알랑거림, 감언이설. ⑤ 장광설.

soflamar *tr.* ① 속이다, 사기치다, 기만하다. ② 무안을 주다, 얼굴을 빨갛게 만들다. ~**se** (불에 살짝) 타다, 눋다.

sofocación *f.* ① (불의) 진화. ② 질식, 숨이 막힘. ③ 귀찮은 일.

sofocado, da *adj.* *Nic., Salv.* = apresurado.

sofocador, ra *adj.* =sofocante.

sofocamiento *m.* =sofocación.

sofocante *adj.* 질식시키는, 질식할 듯한, 숨이 막히는, 숨이 막힐 듯한, 후덥지근한: atmósfera ~ 숨이 막힐 듯한 분위기. calor ~ 무더위.
sofocar (7) *tr.* ① 질식시키다, 숨이 막히게 하다. ② (불 등을) 끄다. ③ 진압하다: ~ la rebelión 반란을 진압하다. ④ 무안을 주다, 얼굴을 붉히게 하다. ⑤ 괴롭히다, 애먹이다, 가슴이 덜컥 내려앉게 하다. ~**se** ① 질식하다, 숨이 막히다. ② 얼굴을 붉히다. ③ 노하다, 성내다, 화내다; 흥분하다.
sofoco *m.* ① 숨이 막힘, 질식. ② 숨 막힐 듯한 더위, 무더위. ③ 불쾌; 불쾌감.
sofocón *m.* 불쾌감.
sofoquina *f.* 무더위.
sofreír (44) *tr.* 살짝[약간] 기름에 튀기다.
sofrenada *f.* ① 고삐를 꽉 조임. ② 심한 꾸중, 호통. ③ (감정의) 억제.
sofrenar *tr.* ① 고삐를 꽉 조이다. ② 심하게 나무라다, 호통을 치다. ③ (감정을) 억제하다.
sofrito, ta *adj.* 살짝[약간] 기름에 튀긴. —*m.* (여러 가지 재료, 특히) 기름에 튀긴 양파와 마늘을 요리에 넣는 양념.
sofrología *f.* [의학] 자율 훈련법.
software *m. ing.* 소프트웨어.
soga *f.* ① (알파풀로 만든) 굵은 밧줄. ② 소가 ((길이의 단위, 8바라(vara) 반: 1 바라(vara) =0.835미터)). —*m.* 뱃속이 검은 남자, 엉큼한 남자. ¶***con la ~ a la garganta*** **[*al cuello*]** ㉮ 매우 위험한 상태에 처해. ㉯ 곤궁 속에서.
soguería *f.* ① 밧줄 제조자의 직. ② 밧줄 공장. ③ 밧줄 가게. ④ [집합] 밧줄.
soguero *m.* ① 밧줄 제조자. ② 밧줄 장수. ③ 짐꾼.
sois ☞ser (39).
soja *f.* ① [식물] 콩, 대두(大豆). ② [씨] 콩: leche de ~ 두유. pasta de ~ 된장. salsa de ~ 간장.
sojuzgador, ra *adj.* 정복하는, 지배하는. —*m.f.* 정복자, 지배자.
sojuzgar (8) *tr.* 정복하다, (폭력으로) 지배하다.
sol[1] *m.* ① 해, 태양: puesta del ~ 일몰. salida del ~ 일출. Hace mucho ~ 햇살이 강하다[세다]. ② 햇빛, 일광; 햇볕: tomar el ~ 햇볕을 쬐다. ③ 양지, 양달: sentarse al ~ 양지에 앉다. ④ 맑게 갠 하늘, 청천(晴天). ⑤ 솔 ((뻬루의 전 화폐 단위)). ⑥ (연금술에서) 금(金). ¶***de ~ a ~*** 해가 떠서 질 때까지, 아침부터 밤까지.
sol[2] *m.* [음악] 솔, (음계의) 다섯 번째 음, G음.
sol[3] *m.* [고어] =**solamente.**
sol[4] *m.* 교질 용액 ((액체와 콜로이드의 혼합물)).
solada *f.* (액체의) 앙금, 침전물(poso).
solado, da [solar의 과거 분사] *adj.* 마루[바닥]를 깐. —*m.* (벽돌·반반한 돌 등으로) 마루[바닥] 깔기.
solador *m.* 마루[바닥] 까는 인부.
soladura *f.* ① (벽돌·반반한 돌로) 마루[바닥] 깔기. ② 마루[바닥] 까는 재료.
solamente *adv.* 오직, 다만, (단지) …뿐, …만: beber agua ~ 물만 마시다. Ella come patatas ~ 그녀는 감자만 먹는다. ¶~ ***que*** …하는 것만으로. ***no ~ … sino (también)*** =no sólo … sino (también). ☞ sino.
solana *f.* ① 양지 바른 곳, 볕이 드는 곳. ② 양지 바른 복도[방], 볕이 드는 복도[방]. ③ 일광욕실.
solanera *f.* ① 피부가 볕에 타서 검어짐. ② 볕이 쨍쨍 쪼이는 곳. ③ 일광욕실. ④ 일사병.
solano[1] *m.* ① 동풍(東風). ② *Burg., P.Vasco.* 열풍(熱風).
solano[2] *m.* [식물] 까마종이 ((가짓과의 한해살이풀)).
solapa *f.* ① (옷의) 되접어 꺾은 부분, 접은 옷깃. ② (책의 표지 커버·봉투 등의) 되접어 꺾은 부분. ③ 핑계, 둘러붙이기.
solapado, da *adj.* 음흉한, 음험한, 뱃속이 검은.
solapar *tr.* ① (옷에) 접은 깃을 달다. ② =**traslapar.** ③ 숨기다, 감추다. —*intr.* 겹쳐지다; (옷이) 꼭 맞다. ~**se** [+con] (…과) 일치하다.
solar[1] *m.* ① 가(家), 가문(家門), 혈통, 가계. ② 구가(舊家), 명문(名門)(casa solar). ③ (건축한·건축할) 터, 부지. ④ 탈곡장 터. ⑤ *Cuba.* 이웃집. ⑥ *CRica, Ven.* (남새밭이나 동물 사육 혹은 가끔 휴식처로 이용하는) 집 뒤에 있는 터[우리].
solar[2] *adj.* 해의, 태양의: rayos ~*es* 태양 광선. ¶***ciclo ~*** 태양 순환기 ((28년)), 태양 활동 주기 ((약 11년)). ***día ~*** 태양일. ***eclipse ~*** 일식(日蝕). ***sistema ~*** 태양계(太陽系). ***viento ~*** 태양풍.
solar[3] (24) *tr.* (벽돌·반반한 돌 등으로) 바닥을 깔다.
solar[4] (24) *tr.* (구두에) 밑창을 대다.
solariego, ga *adj.* 구가의, 명문의, 양반 가문의: casa ~*ga* 명문가. —*m.f.* 명문가 사람, 양반.
solárium *m.* (풀장·체육관·온천장에 있는) 일광욕실, 일광욕용 옥상.
solaz *m.* ① 즐거움, 기쁨, 위로. ② 휴식, 휴양.
solazar (9) *tr.* ① 기쁘게[즐겁게] 하다. ② 휴식을 취하게 하다, 기분 전환을 하게 하다. ~**se** 즐기다, 기분 전환을 하다.

solazo *m.* 뙤약볕.
soldable *adj.* 용접할 수 있는: acero de calidad ~ 용접할 수 있는 품질의 강철.
soldada *f.* ① 봉급, 급료. ② (군인의) 급료.
soldadesco, ca *adj.* 군인의, 병사의. —*f.* ① 군인[병사]의 직. ② [집합] 군인, 병사. ③ 규율이 문란한 군대. ¶*a la ~ca* 군대식으로.
soldado[1] *m.* ① 군인, 병사: ~ de primera clase 일등병. ② (주의주장 등을 위해 싸우는) 전사, 투사. ¶*~ cumplido* 퇴역 군인. *~ voluntario* 지원병.
soldado[2], **da** *adj.* 용접된, 땜질된: pieza *~da* 용접물.
soldador *m.* 용접공(工); 용접 인두.
soldadura *f.* ① 용접, 땜질. ② 접합. ③ (용접) 접합 부분. ④ 접합 재료. ⑤ 수정, 교정.
soldar (24) *tr.* ① 용접하다, 땜질하다. ② 접합시키다. ③ 교정하다, 수정하다. ~**se** 용접되다, 땜질되다.
soldeo *m.* 용접, 땜질.
soleamiento *m.* 볕에 쪼임[말림].
solear *tr.* 볕에 쪼이다[말리다]. ~**se** 볕을 쬐다, 볕에 마르다.
solecismo *m.* 문법에서의 오류, 파격 어법.
soledad *f.* ① 고독: sentir ~ 고독을 느끼다. ② [주로 *pl.*] 황량한 곳, 적적한 곳, 인적이 드문 곳. ③ 슬픔에 젖은 안달루시아의 가락. ④ 슬픔에 젖은 가락으로 부르는 민요. ⑤ 슬픔에 젖은 가락으로 부르는 민요에 맞추어 추는 춤.
solemne *adj.* ① 성대한: ceremonia ~ 성대한 의식. ② 장엄한: misa ~ 장엄 미사. ③ 엄숙한: ambiente ~ 엄숙한 분위기. ④ 점잔빼는, 뽐내는, 젠체하는, 거드름피우는. ⑤ 터무니없는. ⑥ [법률] 정식의.
solemnemente *adv.* ① 성대히. ② 장엄하게. ③ 엄숙하게.
solemnidad *f.* ① 성대함. ② 장엄함. ③ 엄숙함. ④ (성대한·장엄한 의식) 행사: ~ académica 학교 행사. ⑤ *pl.* (성대한·장엄한) 의식, 제전(祭典). ⑥ [법률] 정식 (수속).
solemnizador, ra *adj., m.f.* 장엄한 (사람), 엄숙한 (사람).
solemnizar (9) *tr.* 성대히 열다, 장엄하게 행하다; 엄숙한 분위기를 주다[만들다].
solenoide *m.* [전기] 솔레노이드, 선륜통(線輪筒).
sóleo *m.* [해부] 정강이 근육.
soler[1] *m.* (배의) 바닥에 대는 판자.
soler[2] (25) *intr.* [*+inf.*] 곧잘[자주·늘] …하다, …하기 일쑤다, …하는 습관이 있다: *Suele* llover en este tiempo 이 시기에는 자주 비가 내린다. Yo *solía* dar un paseo por el parque 나는 공원을 자주 산책했다.
solera[1] *f.* ① [건축] 동귀틀. ② [건축] 들보, 대들보. ③ (기둥을 받치는) 맷돌, 대석(臺石). ④ 맷돌의 아랫돌. ⑤ 아궁이의 바닥. ⑥ 하상(河床), 도랑의 바닥. ⑦ 포도주의 무거리[찌꺼기].
solera[2] *f. Arg., Ur.* (여자의, 소매없는) 앞가슴이 터진 원피스.
solerte *adj.* =**sagaz, astuto.**
soleta ① (떨어진) 양말의 덧댄 천조각. ② 낯가죽이 두꺼운 여자. ¶ *apretar* [*picar*] *de ~, tomar ~* 서둘러 걷다, 달리다, 도망치다.
solfa *f.* ① [음악] 음계 연습. ② [음악] 음보, 악보. ③ 멜로디와 하모니. ④ 구타, 매질.
solfear *tr.* ① 악보를 보고 노래하다. ② 때리다, 구타하다, 매질하다.
solfeo *m.* ① 악보를 보고 하는 (노래) 연습. ② 구타, 매질.
solfista *m.f.* 음계를 연습하는 사람.
solicitación *f.* ① 신청, 신청서. ② 청원, 간원(懇願). ③ 청구, 청구서. ④ 구애, 유혹.
solicitador, ra *adj.* ① 신청하는. ② 청원하는, 간원하는. ③ 청구하는. ④ 구애하는. —*m.f.* ① 신청자. ② 간원자, 청원자. ③ 청구자. ④ 구애자. —*m.* 대리인(agente).
solícitamente *adv.* 세심히, 애를 써서; 열심히.
solicitante *adj., m.f.* =**solicitador, ra**: ~ de patentes 특허 신청자.
solicitar *tr.* ① 신청(申請)하다: ~ el ingreso [la admisión] en un club 클럽에 입회 신청을 하다. ② 간원하다, 청원하다, 간청하다. ③ (…을) 얻으려고 노력하다. ④ 구애하다. ⑤ (…의) 수속을 밟다. ⑥ 잡아끌다, 끌어당기다. ⑦ [물리] 인력이 미치게 하다, 끌어당기다.
solícito, ta *adj.* =**diligente.**
solicitud *f.* ① 걱정, 염려, 배려, 마음을 씀. ② 열심. ③ 신청, 청원, 간원: dirigir una ~ 신청하다. ④ 신청서, 청원서: presentar una ~ 신청서를 제출하다.
sólidamente *adv.* 굳게, 단단히, 튼튼하게; 견실하게, 미덥게.
solidariamente *adv.* ① 연대로. ② 공동 책임으로. ③ =**in sólidum.**
solidaridad *f.* ① 연대(連帶), 단결: conciencia de ~ 연대 의식. ② [법률] 연대 책임.
solidario, ria *adj.* ① 연대의, 연대성의. ② [법률] 연대 책임이 있는: obligación *~ria* 연대 채무.
solidarizar (9) *tr.* ① 연대시키다. ② 공동 책임을 지우다. ~**se** ① 연대하다. ② 공동 책임을 지다.
solideo *m.* (성직자용) 작고 둥근 모자.
solidez *f.* ① 견고함, 단단함: ~ de un mueble 가구의 내구성. ② (신념 등이) 확고함.

solidificación *f.* 응고, 고체화.
solidificar (7) *tr.* 응고시키다, 고체화시키다. **~se** 응고[고체화]되다.
sólido, da *adj.* ① 단단한, 견고한: muro ~ 견고한 벽. ② 오래 가는: zapatos *~s* 오래 신는 구두, 질긴 구두. ③ 강한, 확고한, 확실한, 굳은: convicción *~da* 확고한[굳은] 신념. ④ 고체의, 고형(固形)의: alimento ~ 고형식(固形食). ⑤ (외형·해안선이) 요철이 적은. —*m.* ① 고체. ② *pl.* 고형식. ③ [수학] 입체(立體).
sólidum (in) *adv. lat.* 전체로; 연대 책임으로.
soliloquiar *intr.* 혼자 중얼거리다.
soliloquio *m.* 혼잣말; 독백(獨白).
solimitano, na *adj., m.f.* =**jerosolimitano.**
solio *m.* =**trono.**
solipsismo *m.* [철학] 독아론(獨我論), 유아론(唯我論).
solista *m.f.* [음악] 독주자, 독창자.
solitaria *f.* ☞**solitario.**
solitario, ria *adj.* ① 고독(孤獨)한: hombre ~ 고독한 남자. mujer *~ria* 고독한 여인. vida *~ria* 고독한 생활. ② 단독의. ③ 고독을 좋아하는[즐기는]. ④ 인기척이 없는, 쓸쓸한, 황량한: calle *~ria* 인기척이 없는 거리. La plaza está *~ria* 광장에는 사람의 그림자도 없다. ⑤ 마을에서 멀리 떨어진. —*m.f.* ① 고독을 즐기는 사람, 혼자 있기를 좋아하는 사람. ② [기독교] 은자(隱者). —*m.* ① (카드·화투의) 패 떼기, 카드[화투] 점, 혼자하는 트럼프 놀이. ② (반지의) 외알 다이아몬드. ③ [동물] 소라게. —*f.* [동물] 조충(條蟲).
sólito, ta *adj.* =**acostumbrado.**
soliviantar *tr.* ① 선동[사주]하다, 반란을 일으키게 하다. ② =**inquietar, alterar.** **~se** 반란을 일으키다.
sollado *m.* (배의) 맨아래 갑판.
sollo *m.* [어류] 철갑상어(esturión).
sollozante *adj.* 흐느끼는, 흐느껴 우는, 오열하는.
sollozar (9) *intr.* 흐느끼다, 흐느껴 울다, 오열하다.
sollozo *m.* 흐느낌, 흐느껴 울기, 오열(嗚咽).
solmenar *tr.* ① *Ast.* (세게) 흔들다. ② *Ast.* 때리다, 타격을 가하다.
solo[1], la *adj.* ① 오직 하나의, 유일의, 단일의: una *~la* palabra 단 한 마디. Tengo este ~ bolígrafo 나는 이 볼펜 하나밖에 없다. ② [부사적으로] …밖에: Ella come pan ~ 그녀는 빵밖에 먹지 않는다, 그녀는 빵만 먹는다. Yo ~ lo sé 나밖에 그것을 모른다, 나만 그것을 안다. ③ 고독한: sentirse ~ 고독을 느끼다. ④ 단독의, 외톨이의: vuelo ~ 단독 비행. ⑤ [음악] 독주의, 독창의, 솔로의. ⑥ (커피가) 블랙의: café ~ 블랙 커피. —*m.* ① [음악] 독주, 독창: ~ de piano 피아노 독주. ~ para soprano 소프라노 독창. ② [무용] 솔로. ③ 블랙 커피. ④ [트럼프] 솔로, 혼자하는 카드 놀이. ¶*a ~las* 혼자, 단독으로, 누구의 도움도 없이. ***a mis* [*tus · sus*] *~las*** ㉮ 고독하게. ㉯ =**a solas.** ***de ~ a ~*** 제3자의 개입 없이, 일대일로, 단 둘이서.
solo[2] *adv.* =**sólo.**
sólo *adv.* 오직, 단지, 다만, …만, …뿐, …밖에: trabajar ~ por las mañanas 오전만 일하다. ¶***no ~ … sino* (*también*) …** 뿐만 아니라 …도.
solomillo *m.* (소의) 등심, 등심살.
solomo *m.* ① =**solomillo.** ② 소금에 절인 돼지의 등심[등심살].
solsticial *adj.* [천문] 지(至)의.
solsticio *m.* [천문] (태양의) 지(至). ¶**~ *hiemal*** [천문] 동지. **~ *vernal*** [천문] 하지.
soltar (24) *tr.* ① ㄱ) 놓다: ~ la cuerda 줄을 놓다. ㄴ) 놓아 주다, 풀어 주다: ~ un pájaro 새를 놓아 주다[풀어 주다]. ② 터뜨리다. ③ 풀다, 펼치다, 끄르다. ④ 석방하다: ~ a un preso 죄수를 석방하다. ⑤ 해결하다. ⑥ (울음소리·웃음소리를) 와 하고 지르다. ⑦ (타격 등을) 주다. ⑧ (욕을) 퍼붓다. ⑨ 털어놓고 말하다. ⑩ (방귀를) 뀌다. **~se** ① (자신의 …을) 풀다: *~se* el cabello (묶였던) 머리카락을 풀다. ② 풀리다, 놓여나다, 해방되다. ③ 홀가분해지다, 마음에 여유가 생기다. ④ 뛰쳐나가다. ⑤ 방귀를 뀌다. ⑥ [+a+*inf.*] …하기 시작하다: *~se a* andar [hablar · escribir] 걷기[말하기 · 쓰기] 시작하다.
soltería *f.* 독신 상태[생활].
soltero, ra *adj.* ① 독신의, 미혼의, 총각의, 처녀의: madre *~ra* 미혼모. Soy ~ 나는 독신이다. Ella está todavía *~ra* 그녀는 아직 독신이다. ② [드묾] =**suelto, libre.** —*m.f.* 독신자.
solterón, na *adj.* 혼기에 들었지만 결혼하지 않은, 나이 많고 독신으로 있는. —*m.f.* 노총각, 노처녀.
soltura *f.* ① (동작 등이) 쉬움, 홀가분함, 매인 데가 없음, 해방감. ② 자유로움. ③ 말이 술술 나옴.
solubilidad *f.* ① 가용성. ② [화학] 용해도.
soluble *adj.* ① 녹는, 용해성의, 녹을 수 있는: café ~ 인스턴트 커피. ② (문제가) 해결될 수 있는.
solución *f.* ① (문제·사건의) 해결, 해답. ② (영화·소설 등의) 결말, 대단원. ③ [화학] 용해; 용액: ~ normal 규정액. ④ [수학] 해(解), 해법(解法).
solucionar *tr.* 해결하다, 풀다: ~ el

asunto 사건을 해결하다. ~ el problema 문제를 풀다.

solutivo, va *adj.* [의학] 설사하게 하는. —*m.* 설사약, 하제(下劑).

soluto, ta *adj.* 용해된, 녹은. —*m.* [화학] 용질(溶質), 용해제.

solutrense *adj.* [고고학] 솔류트레 문화의[에 관한]: período ~ 솔류트레 문화기(期). —*m.* [S~] 솔류트레 문화 ((유럽 후기 구석기 시대 중엽의 문화)).

solvencia *f.* ① (채무의) 지불 능력, 신용력. ② (직무를 수행하는) 능력. ③ (일반적으로) 신뢰성.

solventar *tr* ① (곤란을) 해결하다. ② (채무를) 반제(返劑)하다.

solvente *adj.* ① 채무가 없는. ② (채무의) 지불 능력이 있는. ③ (직무 수행에) 유능한. ④ 신뢰할 만한. —*m.* [화학] 용매(溶媒), 용제(溶劑).

somalí *adj.* ① 소말리아(Somalia) 태생의. ② 소말리아의. —*m.f.* 소말리아 사람. —*m.* 소말리아 말.

Somalia *f.* [국명] 소말리아.

somanta *f.* (몽둥이 등에 의한) 구타.

somatada *f. Guat.* =**paliza.**

somatar *tr.* ① *Guat., Hond., Salv.* 때리다. ② *Guat., Hond., Salv.* 가장 싼 값으로 팔다.

somatén *m.* ① (까딸루냐 지방의) 민병대, 비상 경비대. ② (까딸루냐에서) 비상 소집. ③ 소동, 소란.

somatenista *m.* 민병대원, 비상 경비대원.

somático, ca *adj.* ① 인체의, 육체의, 신체의. ② [생물] 몸의, 체강(體腔)의.

somatología *f.* ① 생체학. ② 물리학. ③ 자연 인류학.

somatón *m. Salv.* 구타, 주먹질.

somatotomía *f.* 인체 해부.

sombra *f.* ① 그늘, 응달: la ~ de un árbol 나무의 그늘. sentarse a la ~ de un árbol 나무의 그늘에 앉다. ② 그림자: la ~ de un edificio 건물의 그림자. la ~ de una persona 사람의 그림자. ③ [주로 *pl.*] 어두움: las ~*s* de la noche 밤의 어두움. ④ [주로 *pl.*] 무지. ⑤ 불안, 걱정, 괘념. ⑥ 미량(微量). ⑦ 환영(幻影), 망령. ⑧ 결함: ~ de tu carácter 네 성격의 결함. ⑨ [미술] 음영, 어두운 부분. ⑩ 아이섀도 ((입체감을 내기 위해 눈두덩에 바르는 화장품)). ¶***a la*** ~ 감옥에서: estar *a la* ~ 감옥에 있다. poner *a la* ~ 감옥에 넣다.

sombraje *m.* =**sombrajo ①.**

sombrajo *m.* ① 햇빛 가리개. ② *pl.* 햇빛의 방해[차단].

sombrar *tr.* 그늘지게 하다, 응달을 만들다, 어둡게 하다.

sombreado¹ *m.* [미술] 음영(陰影).

sombreado², da *adj.* 그늘진: jardín ~ 그늘진 정원.

sombrear *tr.* ① 그늘[그림자]을 만들다. ② [미술] 음영(陰影)을 만들다. ~**se** 아이섀도를 하다.

sombrerazo *m.* ① 모자로 때리기. ② 모자를 벗고 하는 인사.

sombrerera *f.* ☞**sombrerero.**

sombrerería *f.* ① 모자 제조업. ② 모자 공장. ③ 모자점.

sombrerero, ra *m.f.* ① 모자 제조자. ② 모자 장수. —*f.* ① sombrerero의 아내. ② 모자 보관 상자.

sombrerete *m.* [식물] (버섯의) 갓.

sombrerillo *m.* ① [식물] (버섯의) 갓. ② 돌나물과의 다년초.

sombrero *m.* ① 모자: ponerse el ~ 모자를 쓰다. quitarse el ~ 모자를 벗다. ② (말소리가 잘 들리도록 설교대 위의 천정 부분에 대는) 소리 울림판. ③ (버섯의) 갓. ④ (스페인의 대공작이) 국왕 앞에서 모자를 쓰고 있을 수 있는 권리. ¶~ ***de copa (alta)*** 챙이 좁고 운두가 높은 모자, 실크해트. ~ ***de jipijapa*** (Jipijapa에서 만들어진) 파나마모자.

sombría *f.* ☞**sombrío.**

sombrilla *f.* ① 양산, 비치파라솔. ② *CRica., Cuba.* 우산(paraguas).

sombrillazo *m.* 양산으로 때리기.

sombrío, a *adj.* ① 볕이 별로 들지 않고, 자주 그늘이 진; 그늘진; 어두컴컴한. ② [미술] 음영이 있는. ③ 우울한, 침울한. —*f.* 그늘진 곳, 볕이 잘 들지 않는 곳.

someramente *adv.* 표면적으로; 얕게 (de un modo somero).

somero, ra *adj.* ① 표면에 가까운. ② 표면적인, 피상적인.

someter *tr.* ① 굴복시키다, 항복시키다, 복종하게 하다. ② (판단을) 맡기다, 위임하다. ③ (시험·심사·심문 등을) 받게 하다, 시험해 보다. ④ (약품 등으로) 처리하다. ~**se** ① 복종[굴종]하다; 항복하다. ② 따르다. ③ 자신을 맡기다: ~*se a* una operación 수술을 받다.

sometimiento *m.* ① 복종; 항복. ② 종속, 예속.

somier *m. fr.* [*pl.* ~(e)s] (매트리스를 올려놓는) 침대 밑 판.

somnabulismo *m.* =**sonambulismo.**

somnámbulo, la *adj.* =**sonámbulo.**

somnífero, ra *adj.* 최면성의. —*m.* 최면제, 최면약.

somnolencia *f.* ① 반수(半睡) 상태. ② 졸음. ③ 나태, 게으름.

somnoliente *adj.* 졸리는, 졸음을 오게 하는.

somos ☞**ser (39).**

son¹ *m.* ① (귀에 듣기 좋은) 소리: el ~ del arpa 하프 소리. ~ de excusa 변명의 소리. ② 평판, 명성; 풍문. ③ 구실, 동기. ④ 방법, 수.

son² ☞**ser (39).**

son- *pref.* ☞sub-.
sonable *adj.* ① =sonoro, ruidoso. ② =famoso.
sonada *f.* ☞sonado.
sonadera *f.* 코 풀기.
sonado, da *adj.* ① 유명한, 이름난: un escritor ~ 유명한 작가. ② 소문이 자자한. ③ [권투] 머리에 타격을 계속 맞고 비틀거리는[정신을 잃은]. ④ =chiflado. —*f.* =sonata.
sonambulismo *m.* 몽유병.
sonámbulo, la *adj.* 몽유병의. —*m.f.* 몽유병 환자.
sonar (24) *intr.* ① 울리다, 소리나다: ~ el timbre [el teléfono] 초인종[전화]이 울리다. ② (문자가) 발음되다. ③ 언급되다. ④ 기미[기색]가 보이다. ⑤ (희미하게) 기억에 남아 있다. ⑥ *Arg., Bol., Ur.* [속어] 죽다; 불치병에 걸리다. —*tr.* ① (아름다운 소리로) 울리다. ② 코를 풀어 주다. ~**se** ① 코를 풀다. ② (소문 등이) 퍼지다.
sónar *m.* 수중 음파 탐지기, 잠수함 탐지기.
sonata *f.* [음악] 소나타, 주명곡.
sonatina *f.* [음악] 소나티네, 소(小) 주명곡.
sonda *f.* ① [선박] 측심기; 측연(測鉛). ② (광산 등의) 시굴기(試掘機). ③ (기상용 등의) 관측기, 탐사기. ④ [의학] 존데, 소식자(消息子).
sondable *adj.* 측정할 수 있는; 탐사할 수 있는; 검사할 수 있는.
sondar *tr.* ① [선박] 측심(測深)하다. ② (지하·바다 속을) 탐사하다. ③ (의견 등을) 조사하다: ~ el mercado 시장 조사를 하다. ~ la opinión pública 여론 조사를 하다. ④ [의학] (존데 등으로) 검사하다.
sondeador *m.* 측심기(測深器): ~ ultrasónico de profundidades 초음파 음향 측심기.
sondear *tr.* ① =sondar. ② 비밀리에 조사하다.
sondeo *m.* ① 탐사, 시굴. ② (의견 등의) 조사. ③ [선박] 측심(測深).
sonecillo *m.* ① 약한 소리, 거의 들리지 않는 소리. ② 경쾌한 소리, 듣기 좋은 소리.
sonetear *intr.* 소네트를 짓다[쓰다].
sonetillo *m.* 8행 이하의 시(詩).
sonetista *m.f.* 소네트 작가.
sonetizar (9) *intr.* 소네트를 쓰다.
soneto *m.* 소네트, 14행 시(詩).
soniche *m.* [은어] =silencio.
sónico, ca *adj.* [물리] sonido의[에 관한].
sonido *m.* ① 소리, 음(音), 음향: el ~ de las campanas 종소리. ~ de un disparo 발사음. ② [집합] 음향기기: tienda de ~ 오디오 가게. ③ 평판, 명성, 소문. ④ 단어의 뜻. ⑤ [언어] 음(音), 소리, 음운.
soniquete *m.* ① 약한 소리, 거의 들리지 않는 소리. ② =sonsonete.
sonista *m.f.* 음향 기사, 녹음 기사.
sonodetección *f.* 음향 탐지.
sonodetector *m.* 음향 탐지기.
sonómetro *m.* ① [악기] 일현금 (monocordio). ② 음향 측정기.
sonoramente *adv.* 잘 울리게, 크게 울리게, 울려 퍼지게, 쟁쟁하게, 낭랑하게.
sonoridad *f.* ① 소리의 울림, 울려 퍼짐. ② [음성] (소리의) 들림(의 정도).
sonorización *f.* ① (텔레비전·영화 제작에서) 음성[음악·음향]의 녹음. ② 음향 장치(의 설치).
sonorizar (9) *tr.* ① (텔레비전·영화에서) 음성[음악·음향]의 녹음을 하다. ② 음향 장치를 설치하다. ③ [언어] 유성화(有聲化)하다.
sonoro, ra *adj.* ① 음의, 소리의, 소리를 내는: efectos ~*s* 음향 효과. onda ~*ra* 음파. ② 울리는, 울려 퍼지는, 낭랑한, 쟁쟁한: ~*ras* campanas 울려 퍼지는 종. ③ [언어] 유성의. —*f.* [언어] 유성음, 유성 자음.
sonoroso, sa *adj.* =sonoro.
sonreír (44) *intr.* ① 미소를 짓다, (소리내지 않고) 빙긋이 웃다, 웃음을 머금다, 빙그레 웃다, 엷은 웃음을 띠다: ~ satisfecho 회심의 미소를 짓다. ② [+a] (…에게) 미소를 짓다; 유리하게 되다: La victoria nos *sonrió* 승리의 여신이 우리에게 미소를 지었다. El futuro te *sonríe* 네 미래는 열려 있다. ~**se** 미소를 짓다.
sonriente *adj.* 미소를 짓는, 미소를 띤, 싱글거리는.
sonrisa *f.* 미소(微笑), 웃는 얼굴: con una ~ 미소를 띠고, 웃는[미소 짓는] 얼굴로. Tu ~ nos vale más que mil palabras 네 웃는 얼굴은 우리에게는 백 마디 말보다 낫다.
sonrojar *tr.* 얼굴을 붉히게 하다, 창피를 주다. ~**se** 얼굴을 붉히다.
sonrojear *tr.* =sonrojar.
sonsacar (7) *tr.* ① …에서 뽑아내다, 빼앗다, 등치다, 우려 내다. ② 밝혀내다, 알아내다. ③ (유능한 사람을) 빼내다, 스카웃하다.
sonsonete *m.* ① (음악 소리를 모방해) 구성지게 두들기는 소리. ② 별로 강하지는 않으나 계속되는 시끄러운 소리. ③ 비웃음, 빈정거리는 말투.
soñación *ni por* ~ 꿈에도 … 않다(ni por sueños).
soñador, ra *adj.* ① 꿈을 많이 꾸는. ② 몽상적인, 공상적인. —*m.f.* 몽상가, 공상가.
soñar (24) *tr.* ① 꿈꾸다. ② 몽상하다. ③ [+que+직설법 불완료 과거] (…하는 것을) 꿈에서 보다, 꿈꾸다: *Soñé que* tú eras rey 나는 네가 왕인 꿈을 꾸었다. —*intr.* ① [+con·

a] (…의) 꿈을 꾸다, 꿈에 보다: Esta noche *he soñado* contigo 나는 간밤에 네 꿈을 꾸었다. Me parece estar *soñando* 나는 꼭 꿈을 꾸는 것만 같다. ② [+con] 환상에 잠기다, 꿈꾸다, 공상하다: ~ *con* el éxito 성공을 꿈꾸다. ③ [+con+*inf.*·que+*subj.*] (…을) 꿈꾸다, 공상하다: ~ *con* ser diplomático 외교관이 되는 꿈을 꾸다. ¶*ni ~lo* ㉮ 그것을 꿈에도 생각해 보지 않다. ㉯ *interj.* (거절하기 위해) 그것을 꿈에도 생각해 본 적이 없다.

soñarrera *f.* =**somnolencia.**

soñera *f.* 졸음, 수마(睡魔).

soñolencia *f.* =**somnolencia.**

soñolentamente *adv.* 졸면서, 잠결에, 꿈결에; 졸리는 듯이.

soñoliento, ta *adj.* ① 잠에 취한, 졸리는. ② 꾸벅꾸벅 조는. ③ 졸리게 하는. ④ 나른한; 게으른, 나태한.

sopa *f.* ① (어떤 액체건) 액체에 적신 빵조각. ② (빵조각과 야채 등이 들어 있는) 국, 수프: tomar la ~ 수프를 마시다[먹다]. ③ 수프에 빵조각을 넣은 요리. ④ (빵과 수프로 된) 수도원에서 극빈자에게 주는 음식. ⑤ *pl.* 수프에 넣기 위해 자른 빵조각. ¶~ ***de hierbas*** =**sopa juliana.** ~ ***juliana*** (배추·셀러리·파·무·당근 등을 넣은) 야채 수프. ***como una*** ~ =**hecho una sopa.** ***hasta en la*** ~ 사방에서, 여기저기에서(en todas partes). ***hecho una*** ~ *adj.* 흠뻑 젖은(muy mojado): Llegué a casa *hecho una* ~ 나는 흠뻑 젖어 집에 당도했다. ***De la mano a la boca se pierde la*** ~ (속담) 입에 든 떡도 넘어가야 제 것이다, 어떤 일이건 성공할 때까지는 방심해서는 안 된다, 방심은 금물.

sopapo *m.* ① 턱 구타. ② 안면 구타. ③ *CRica.* 강타, 강한 구타.

sopar *tr.* ① 수프를 만들다. ② (누구를 위해) 수프를 만들어 놓다. ~**se** (자신이 먹으려고) 수프를 만들어 놓다.

sopear[1] *tr.* =**sopar.**

sopear[2] *tr.* ① 밟다. ② 지배하다, 학대하다.

sopero, ra *adj.* ① 수프용의: cuchara ~*ra* 수프용 수저. ② (사람이) 수프를 좋아하는. —*m.f.* 수프를 좋아하는 사람. —*m.* 수프용 접시. —*f.* (수프를 각자에게 나누어 주는 뚜껑 달린) 수프 주발[그릇].

sopesar *tr.* (무엇을) 손으로 들어보다, 손으로 무게를 가늠하다.

sopetear[1] *tr.* 빵을 수프에 자주 적시다.

sopetear[2] *tr.* (누구를) 학대하다, 모욕하다.

sopeteo *m.* ① 빵을 수프에 자주 적시기. ② 학대, 모욕.

sopetón[1] *m.* 기름에 적신 토스트빵.

sopetón[2] *m.* 손으로 여러 차례 강타.

sopicaldo *m.* 멀건 수프[국].

sopista *m.f.* 거지 같은 생활을 하는 사람; 거지, 비렁뱅이. —*m.* (옛날에) 남의 도움으로 공부했던 학생.

soplado, da *adj.* ① 말쑥한, 정결한. ② 우쭐대는, 뽐내는. ③ *CRica.* = **veloz, apurado.** ④ *Cuba.* 매우 총명한. —*m.f. Cuba.* 매우 총명한[영리한] 사람. —*m.* ① (유리를) 입으로 불어 만들기. ② 땅에 생긴 깊은 균열.

soplagaitas *m.f.sing.pl.* 어리석은 사람, 멍청이, 바보.

soplamocos *m.sing.pl.* 손으로 콧등 강타.

soplapollas *m.f.* 어리석은 사람.

soplar *tr.* ① 불다, 불어 없애다: ~ la sopa (뜨거워서) 수프를 불다. ~ el polvo 먼지를 불어 없애다. ② (불어서) 부풀리다: ~ un globo 풍선을 부풀리다, 풍선에 바람을 넣다. ③ 훔치다, 슬쩍하다. ④ 암시하다, 넌지시 비추다, …에게 착상을 주다. ⑤ 고발하다, 밀고하다. ⑥ (…에게 시험의) 답을 살짝 가르쳐 주다. ⑦ (구타를) 하다. ⑧ *CRica.* (무대 뒤에서) 대사를 불러 주다. ⑨ *Pan., Perú., CRica.* (코를) 풀다. —*intr.* ① 바람이 불다: ~ mucho 바람이 많이 불다. ② (입·풀무 같은 것으로) 불다. ③ 바람[공기]을 보내다. ~**se** ① (자기의 몸에) 숨을 세차게 내뿜다: ~*se* las manos frías (추위로) 곱은 손을에 숨을 세게 내뿜다. ② (공기가 들어가) 부풀다. ③ 많이 마시다, 많이 먹다. ④ 뽐내다, 우쭐대다. ⑤ *CRica.* =**apresurarse, correr.**

soplete *m.* (용접용) 취관(吹管).

soplido *m.* 강하게 한 번 불기.

soplillo *m.* ① (불을 살리기 위해 사용되는, 알파풀로 만든) 작고 둥근 부채(ruedo pequeño). ② 아주 가벼운 물건. ③ 얇은 비단 천. ④ 카스텔라. ⑤ *Chile.* 볶아 먹는 아직 덜 익은 밀. ⑥ *Cuba.* [곤충] 개미의 일종.

soplo *m.* ① (바람이) 붊, (입으로) 한 번 붊: un ~ de aire 일진(一陣)의 바람. de un ~ 한 번 불어. ② 순간, 일순, 단시간, 짧은 시간. ③ 밀고, 고자질. ④ 고발. ⑤ = **soplón.** ⑥ [의학] 심잡음(心雜音). ⑦ *Ecuad.* =**chisme.**

soplón, na *adj.* 밀고하는, 고자질하는. —*m.f.* ① 밀고자, 고자질쟁이. ② *CRica.* (연극에서) 대사를 읽어 주는 사람.

soponcio[1] *m.* 졸도, 실신, 기절.

soponcio[2] *m.* 맛이 없는 수프.

sopor *m.* ① 졸음, 수마. ② [의학] 혼수 (상태).

soporífero, ra *adj.* 최면성의, 잠을

오게 하는. —*m.* 최면제.
soporoso, sa *adj.* ① 잠에 빠진, 잠에 취한, 혼수의. ② [의학] 기면성(嗜眠性)의.
soportable *adj.* 참을[견딜] 수 있는.
soportador, ra *adj., m.f.* 참는 (사람).
soportal *m.* ① 현관, 주랑(柱廊) 현관. ② [주로 *pl.*] (도로 쪽의) 처마.
soportalibros *m.sing.pl.* (책이 넘어지지 않도록 책의 양쪽 가에 대는) 책꽂이.
soportar *tr.* ① (물건의 밑·하중을) 받치다. ② 참다, 견디다.
soporte *m.* ① 받침, 받침목, 까치발. ② [문장학] 방패를 받치는 도안. ③ [기계] 굴대받이. ④ [미술] 소재, 재료. ⑤ [컴퓨터] 기억 매체: ~ físico 하드웨어. ~ lógico 소프트웨어.
soprano *m.* ① [음악] 소프라노, 최고 음역 ((여성·어린아이의 최고음)). ② 거세된 남자. —*m.f.* 소프라노 가수.
sor[1] *f.* 수녀, … 수녀 ((수녀의 이름 앞에 붙이는 경칭)): *Sor* Juana 후아나 수녀, 시스터 후아나.
sor[2] *m.* señor의 사투리(seor).
sorbedor, ra *adj., m.f.* 빨아들이는 (사람).
sorber *tr.* ① 빨아 마시다, 빨아들이다. ② (콧물을) 들이마시다. ③ 흡수하다. ④ 삼키다, 마시다, 들이키다: El mar *sorbe* las naves 바다가 배들을 삼킨다. ⑤ 끌다, 끌어당기다. ⑥ 경청하다, 열심히 듣다, 주의 깊게 듣다.
sorbete *m.* 과일즙 청량 음료.
sorbeto *m. PRico.* 밀짚 빨대.
sorbible *adj.* 빨아들일 수 있는.
sorbo *m.* ① (액체를) 빨아들이기. ② 한 번에 빨아들이는 양. ③ (액체의) 소량, 적은 양. ¶***a ~s*** 조금씩 조금씩.
sorche *m.* 신병(新兵).
sorchi *m.* =**sorche.**
sorda[1] *f.* ☞**sordo.**
sorda[2] *f.* 배의 밧줄의 일종.
sordamente *adv.* 살짝, 소리 없이, 쥐도 새도 모르게.
sordera *f.* 난청(難聽), 귀가 부자유스러운 것.
sordez *f.* ① [음성] 무성음. ② [드묾] =**sordera.**
sórdidamente *adv.* ① 추접스럽게. ② 인색하게.
sordidez *f.* ① 추접스러움, 더러움. ② 인색함.
sórdido, da *adj.* ① 추접스러운, 더러운. ② 음탕한, 부정한. ③ 인색한. ④ [의학] (종기가) 곪은.
sordina *f.* ① [음악] 약음기. ② (피아노의) 제음 장치. ③ (시계의) 소리 멈추개. ¶***a la ~*** 말없이, 가만히, 살그머니, 남몰래 슬쩍.
sordino *m.* [악기] 소르디노 ((옛날 바이올린 비슷한 현악기)).
sordo, da *adj.* ① 듣지 못하는, 들리지 않는, 귀가 먼, 귀먹은: ser ~ del oído derecho [izquierdo] 오른쪽[왼쪽] 귀가 들리지 않다. ② 잘 듣지 못하는, 잘 들리지 않는. ③ 조용한, 소리가 나지 않는. ④ 잘 울리지 않는, 소리가 잘 나지 않는: campana *~da* 잘 울리지 않는 종. ⑤ (남의 간청·고통 등에) 둔감한, 무감각한: dolor ~ 둔통. ⑥ (남의 말·충고 등을) 귀를 기울이지 않는, 잘 들으려 하지 않는. ⑦ [언어] 무성의: sonido ~ 무성음. ⑧ (감정이) 표면에 나타나지 않는. —*m.f.* 듣지 못하는 사람, 귀머거리. —*f.* [조류] 멧도요(becada). ¶***a la ~da, a lo ~, a ~das*** 소리 없이, 소리를 내지 않고.
sordomudez *f.* 농아(聾啞).
sordomudo, da *adj.* 귀먹고 말 못하는, 말 못하고 듣지 못하는. —*m.f.* 농아(聾啞), 청각과 언어 장애인.
sorgo *m.* [식물] 수수(zahína).
sorna *f.* ① 느림, 굼뜸. ② 시치미, 딴전 부리기. ③ =**ironía.** ④ [은어] 밤(noche).
sornar *intr.* ① =**pernoctar.** ② 잠에 빠지다.
soroche *m.* ① *AmérM.* 고산병(mal de montaña). ② *Bol., Chile.* [광물] 방연석.
sorojchi *m. Bol.* =**soroche.**
sorprendente *adj.* ① 놀라운, 경이적인. ② 진귀한, 특이한.
sorprender *tr.* ① 불의[불시]에 붙잡다[습격하다], 갑자기 덮쳐 붙잡다[찾아내다]. ② 놀라게 하다, 의표를 찌르다: ~ a todos 모두를 놀라게 하다. ③ 입을 떡 벌리게 만들다, 경탄하게 하다. ④ (비밀 등을) 알아채다, 간파하다. ⑤ *Perú.* (선의를 이용해) 속이다. **~se** [+con·de] (…에) (깜짝) 놀라다, 까무라치다.
sorpresa *f.* ① 놀람. ② 생각지도 않은 선물, 놀랄 만한 물건: En el armario había una ~ 옷장에 생각지도 않은 선물이 있었다. ¶***coger*** a alguien ***de [por]*** ~ (누구를) 갑자기[불시에·불의에] 덮쳐 붙잡다.
sorpresivo, va *adj. Amér.* 뜻밖의, 불의의, 갑작스러운, 생각지도 않은.
sorrostrada *f.* 철면피(함), 파렴치(함), 낯가죽이 두꺼움, 뻔뻔스러움. ¶***dar*** ~ 무례한 태도를 취하다.
sorteable *adj.* 추첨할 수 있는, 추첨할 자격[의무]이 있는.
sorteador, ra *adj., m.f.* 추첨하는 (사람), 제비를 뽑는 (사람).
sorteamiento *m.* =**sorteo.**
sortear *tr.* ① 추첨으로 정하다, 제비를 뽑다, 제비뽑기를 하다. ② [투우] 소와 싸우면서 속임수를 쓰다. ③ (약속·분쟁·위험·난관을) 교묘히 피하다[벗어나다].

sorteo *m.* 추첨, 제비뽑기: decidir por ~ 추첨[제비뽑기]으로 결정하다.

sortero, ra *m.f.* ① (제비뽑기 식의) 점쟁이. ② 추첨 참가자.

sortiaria *f.* 카드[트럼프] 점.

sortija *f.* ① (주로 보석이 박힌·장식이 있는) 반지. ② 커튼의 고리 (anilla). ③ 고수머리. ④ 곱슬곱슬하게 지진 머리카락. ⑤ 어린이들의 놀이의 일종. ⑥ *And.* (자동차의) 바퀴 테.

sortijero *m.* 반지 곽[상자].

sortijilla *f.* 고수머리.

sortijón *m.* sortija의 증대사.

sortilegio *m.* (미신적인) 점.

sortílego, ga *adj.* 점을 치는, 예언하는. —*m.f.* 점쟁이, 예언자.

SOS *m.sing.pl.* 조난 신호, 구조 요청, 에스오에스.

sos- *pref.* ☞**sub-.**

sosa *f.* ① [식물] 수송나물. ② 수송나물의 재. ③ [화학] 소다: ~ cáustica 가성 소다.

sosaina *m.f.* 멋없는 사람, 촌스러운 사람. —*adj.* 멋없는, 촌스러운.

sosamente *adv.* 멋없이; 촌스레.

sosegadamente *adv.* 조용조용히; 침착하게, 차분하게; 얌전하게.

sosegado, da *adj.* 조용조용한; 침착한, 차분한; 얌전한.

sosegar (8) (19) *tr.* ① 조용하게 하다. ② 진정시키다, 가라앉히다. ③ 부드럽게[얌전하게] 하다. —*intr.* ① (화가) 가라앉다, 진정되다. ② 쉬다, 휴식을 취하다. ③ 자다. ~**se** ① 가라앉다, 잠잠해지다, 진정되다. ② 쉬다, 휴식을 취하다.

sosera *f.* =**sosería.**

sosería *f.* ① 싱거움, 촌스러움. ② 싱거운[촌스러운] 말[행동].

sosiega *f.* ① 평온, (일한 뒤의) 휴식. ② 일한 뒤에 휴식 동안[식후·잠자리에 들기 전] 포도주[소주] 한 잔[모금].

sosiego *m.* 평온, 고요함, 안온함, 평안함.

soslayar *tr.* ① (물건을) 비스듬히 놓다[세우다]. ② (어려움을) 슬쩍 피하다, 비키다.

soslayo, ya *adj.* 비스듬한, 기울어진. ¶*al* ~ =**oblicuamente.** *de* ~ ㉮ =**oblicuamente.** ㉯ (좁은 곳을 지나가기 위해) 몸을 옆으로 틀어. ㉰ (어려움을) 슬쩍 피해.

soso, sa *adj.* ① 소금기가 없는, 소금기가 거의 없는, 싱거운, 맛이 없는. ② (사람·행동·말이) 싱거운, 재미없는, 무미건조한, 촌스러운. ③ (여성이) 애교가 없는. —*m.f.* 싱거운[재미없는] 사람, 촌스러운 사람.

sospecha *f.* 의혹, 의심; 혐의.

sospechable *adj.* =**sospechoso.**

sospechar *tr.* 의심하다, 추측하다, 혐의를 두다. —*intr.* 의심하다, 불신하다, 수상쩍어 하다.

sospechosamente *adj.* 미심쩍어, 수상하여, 의심을 품고.

sospechoso, sa *adj.* 미심쩍은, 수상한, 혐의가 가는. —*m.f.* 용의자, 혐의자, 수상한 사람.

sostén *m.* ① 받침, 지주(支柱). ② 지지자, 지지물. ③ 정신적 지주. ④ (여자들의) 브래지어.

sostenedor, ra *adj., m.f.* 지지하는[부양하는] (사람).

sostener (59) *tr.* ① 받치다: ~ el techo 천장을 받치다. ② 부양하다: ~ a la familia 가족을 부양하다, 일가의 생계를 책임지다. ③ 지원[원조]하다, 지지하다, 응원하다. ④ (생각 등에) 변함이 없다, 주장(을 계속)하다, (의견을) 가지고 있다, ⑤ (행위·상태를) 계속하다, 유지하다: ~ buenas relaciones 우호 관계를 유지하다. ⑥ …의 생명[건강]을 유지하다. ~**se** ① 자신을 받치다, 서 있다: El niño *se sostiene* de pie solo 아이가 혼자서 선다. ② 생계를 세우다, 자립하다; 생존하다: ~*se* con unos trozos de pan 빵 몇 조각으로 견뎌 내다[그럭저럭 살아가다]. ③ 계속하다.

sosteng- ☞**sostener (59).**

sostenido, da *adj.* ① 떠받쳐진, 지지를 얻은, 부양된, 후원을 얻은. ② [음악] 반음 높은: sol ~ 올림 사음(音). en fa ~ mayor 올림 바장조(長調)로. —*m.* [음악] 올림표, 샤프 기호(#).

sostenimiento *m.* ① 받침. ② 지지, 후원. ③ 유지(維持), 경영: ~ de un chalé 별장의 유지. ~ de la empresa 기업 경영. ④ 부양: ~ de la familia 가족 부양.

sota *f.* ① (스페인의 트럼프의) 열 번째 패, 잭. ② 뻔뻔스러운 여자.

sotabanco *m.* ① 다락방. ② [건축] 홍예.

sotabarba *f.* 구레나룻; 이중턱.

sotana *f.* ① 성직자의 통상복[평복], 법의. ② 구타, 주먹질.

sótano *m.* 지하실.

sotaventarse *r.* 바람 부는 쪽으로 끌려가다.

sotaventearse *r.* =**sotaventarse.**

sotavento *m.* 바람이 불어가는 쪽.

soto *m.* (강기슭·들의) 잡목숲, 수풀, 숲.

souvenir *m. fr.* [*pl.* ~s] (여행의) 기념품, 토산물.

sóviet *m. ruso.* ① 소비에트, 노동자 평의회. ② (러시아 혁명 동안) 노동자와 군인 조합.

soviético, ca *adj.* ① 소비에트의[에 관한]. ② 구(舊) 소련(Unión de Repúblicas Socialistas Soviéticas) 태생의. ③ 구(舊) 소련의[에 관한]. —*m.f.* 구 소련 사람.

sovietización *f.* 소비에트화, 공산화,

적화(赤化).
sovietizar (9) *tr.* ① 소비에트화하다, 공산화시키다, 적화시키다. ② 소련의 영향 아래 두다.
sovoz *a* ~ 낮고 부드러운 음성으로.
soy ☞ser (39).
soya *f.* =soja.
s.p. servicio público 공공 기업체.
s/p su pagaré 귀 약속 어음.
speech *m. ing.* 짧은 연설.
sponsor *m.f. ing.* 스폰서(espónsor).
sport *adj. adj.* 격식을 차리지 않는, 스포츠의: una chaqueta ~ 스포츠 재킷. —*m. Amér.* [드묾] 스포츠, 운동(deporte). ¶*de* ~ ㉮ *adj.* 스포츠의(deportivo): traje de ~ 운동복. ㉯ *adv.* 편하고 격식을 차리지 않고: vestir de ~ 편하게 격식을 차리지 않고 옷을 입다.
spot[1] *m. ing.* [*pl.* ~s] [영화·텔레비전] 짧은 광고.
spot[2] *m. ing.* [상업] 현물: ~ precio 현물 가격.
spray *m. ing.* [*pl.* ~s] ① 스프레이, 분무기. ② 분무기 속에 든 액체.
spre. siempre 항상, 늘, 언제나.
sprint *m.* [*pl.* ~s] ① 스프린트, 단거리 경주. ② (라스트) 스퍼트, 전력 질주.
Sr. señor [남성] …씨.
Sra. señora [기혼 여성] … 여사, … 부인.
SRAG *m.* *S*índrome *R*espiratorio *A*gudo (y) *G*rave 중증 급성 호흡기 증후군, 사스(SARS).
SRAS *m. Amér.* *S*índrome *R*espiratorio *A*gudo (y) *S*evero 중증 급성 호흡기 증후군, 사스(SARS).
sre. sobre …에 관해서.
Sres. Señores 귀중(貴中).
S.R.M. Su Real Majestad 폐하.
Sres.; Srs. Señores 귀중(貴中).
Srta. Señorita [미혼 여성] … 양.
S.S. ① Su Santidad 교황 성하. ② =S.S.S.
SSE sudsudeste 남남동.
SS.MM. Sus Majestades 폐하 부처.
SSMO.(P.) Santísmo (Padre) 교황.
SSO sudsudoeste 남남서.
S.S.S. su seguro servidor [공문용에서] 경구(敬具) ((현재는 Cordialmente 등)).
S.s.s. que b.s.m. su seguro servidor que besa su mano [공문용에서] 경구(敬具).
Ss.Ss. seguros servidores (발신인이 회사·단체에게) 경구(敬具).
sta. santa [여성] 성(聖)….
stábat *m. lat.* ① 슬픈 성모 ((그리스도가 십자가에 못박혔을 때의 성모의 슬픔을 노래한 성가)). ② 슬픈 성모곡(曲).
stábat máter *m.* =stábat.
stand *m. ing.* [*pl.* ~s] (박람회 등의) 전시장.
standing *m.* (경제적·사회적으로) 높은 지위.
statu quo *m. lat.* (외교에서) 현상(現狀), 그대로의 상태: mantener el ~ 현상을 유지하다.
Sto. santo [남성] 성(聖) ….
stock *m.* [*pl.* ~s] 재고(在庫): un gran ~ de mercancías 상품의 대량 재고.
stop *m. ing.* (교통 신호등의) 붉은 신호. —*interj.* 정지!
striptease *m.sing.pl. ing.* ① 스트립쇼. ② 스트립쇼 장.
su *adj.* [제3인칭 인칭 대명사의 소유격, 소유 형용사 suyo의 단축형; 수 변화를 함; 명사 앞에 놓임] 그의, 그녀의, 당신의, 그것의, 그들의, 그녀들의, 당신들의, 그것들의: *su* casa 그[그녀·당신·그들·그녀들·당신들]의 집.
suasorio, ria *adj.* 설득의.
suave *adj.* ① 감촉이 부드러운: tela muy ~ 감촉이 아주 부드러운 천. ② 다정한. ③ 조용한. ④ 온화한, 유순한. ⑤ *Méj.* 굉장한, 훌륭한, 지독한: paliza ~ 지독한 구타.
suavemente *adv.* 부드럽게; 다정하게; 조용히; 온화하게.
suavidad *f.* (감촉이) 부드러움; 다정함; 상냥함.
suavizador *m.* 가죽숫돌, 혁지(革砥).
suavizante *adj.* 부드럽게 하는. —*m.* 헤어 린스 ((머리를 감은 후 헹구는 용제)).
suavizar (9) *tr.* 부드럽게 하다, 연하게 하다. ~**se** 부드러워지다.
suazi *adj.* ① 스와질란드(Suazilandia, 아프리카 남동부의 왕국; 수도 Mbabane) 태생의. ② 스와질란드의 [에 관한]. —*m.f.* 스와질란드 사람.
sub- *pref.* ①「아래(bajo)·…의 아래(debajo de)」의 뜻 ((so-, son-, sos-, su-, sus- 의 형도 쓰임)): *sub*suelo 심토(心土). ②「하위·부(副)·아(亞)·차(次)·소(少)」의 뜻: *sub*delegado 대리인.
subacuático, ca *adj.* 물속에 있는.
subafluente *m.* (지류에서 갈라진) 지류(支流).
subalimentación *f.* 영양 결핍[실조].
subalimentado, da *adj.* 영양 결핍[실조]의.
subalterno, na *adj.* ① (지위 등이) 하위의, 하급의: oficial ~ 하급 장교, 위관(尉官). personal ~ 하급 직원. ② 이차적인, 부차적인. —*m.f.* ① 부하, 아랫사람. ② [군사] 위관. ③ [투우] 주 투우사 matador의 보좌 투우사 ((banderillero 등 cuadrilla의 일원)).
subálveo, a *adj.* 하상(河床) 아래의.
subarrendador, ra *m.f.* 전대(轉貸)하는 사람.
subarrendar (19) *tr.* 전대(轉貸)하다.
subarrendatario, ria *m.f.* 전차(轉借)

하는 사람.
subarriendo *m.* 전대차(轉貸借), 전대(轉貸), 전차(轉借).
subártico, ca *adj.* 북극권에 접한, 아북극(亞北極)의.
subasta *f.* ① 경매: sala de ~*s* 경매장. ② 입찰(入札): ~ pública 공개 입찰.
subastador, ra *m.f.* 경매인.
subastar *tr.* 경매하다, 입찰(入札)에 붙이다.
subátomico, ca *adj.* [물리] 아원자(亞原子)의, 원자를 구성하는, 원자보다 작은 (입자의).
subcampeón, na *m.f.* 준우승자, 준우승 팀.
subcelular *adj.* 아세포(亞細胞)의, 세포보다 작은.
subclase *f.* [생물] 아강(亞綱).
subclavero *m.* 부(副)수비대장.
subclavio, via *adj.* [해부] 쇄골 밑의. —*f.* 쇄골 밑 정맥(vena ~*via*).
subcolector *m.* 부(副)세금 징수원.
subcomisión *f.* 소[분과] 위원회.
subconciencia *f.* =subconsciencia.
subconjunto *m.* [수학] 부분 집합.
subconsciencia *f.* 잠재의식.
subconsciente *adj., m.* 잠재의식(潛在意識)(의).
subconsumo *m.* [경제] 과소 소비.
subcontinente *m.* 아대륙(亞大陸).
subcontrata *f.* =subcontratación.
subcontratación *f.* 하도급(下都給).
subcontratar *tr.* …와 하도급 계약을 하다.
subcontratista *adj.* 하도급 계약을 한. —*m.f.* 하도급자(下都給者).
subcostal *adj.* [해부] 늑골 밑의.
subcultura *f.* (한 사회[문화]의) 하위 문화(下位文化).
subcutáneo, a *adj.* [해부] 피하(皮下)의: inyección ~*a* 피하 주사.
subdelegable *adj.* (하위자・조직의) 위임[위탁]할 수 있는.
subdelegación *f.* 위임, 위탁; 재위임(再委任).
subdelegado, da *adj.* 위임받은, 위탁받은. —*m.f.* (위임받은 사람의) 대리인.
subdelegar (8) *tr.* 위임하다, 위탁하다; 재위임하다.
subdelirio *m.* 반의식적인 헛소리.
subdesarrollado, da *adj.* 후진적인, 저개발의: país ~ 후진국, 저개발국.
subdesarrollo *m.* (경제적・사회적인) 후진성, 저개발성.
subdiaconado *m.* [천주교] 부주임 목사[부집사]의 지위[직책].
subdiaconal *adj.* 부주임 목사[부집사]의[에 관한].
subdiaconato *m.* =subdiaconado.
subdirección *f.* ① subdirector의 직. ② subdirector의 사무소.
subdirector, ra *m.f.* 부사장, 부지배인, 차장(次長).
subdisintinción *f.* 세분, 다시 나눔.
subdistinguir (5) *tr.* 세분하다, 더욱 상세히 구별하다[식별하다].
súbdito, ta *adj.* 지배를 받은, 종속되어 있는, 예속된, 휘하의. —*m.f.* ① (봉건 제도에서) 신하, 신민(臣民). ② (어떤 나라의) 국민.
subdividir *tr.* 재구분[재분할]하다.
subdivisión *f.* 재분할, 하위 구분.
subdominante *f.* [음악] 하속음.
subempleado, da *adj.* 불완전 취업의[고용의]. —*m.f.* 불완전 취업자.
subemplear *tr.* 불완전[저소득] 고용하다.
subempleo *m.* 불완전[저소득] 고용.
subentender (20) *tr.* =sobreentender.
suberificación *f.* 코르크질화(質化).
suberificarse (7) *r.* 코르크질화되다, 코르크질로 바뀌다.
suberina *f.* [화학] 코르크질.
suberoso, sa *adj.* 코르크질의.
subespecie *f.* [생물] 아종(亞種).
subestación *f.* 변전소.
subestimar *tr.* 과소평가하다: ~ al enemigo 적을 과소평가하다.
subfamilia *f.* [생물] 아과(亞科).
subfebril *adj.* [의학] 미열성의.
subfiador *m.* 부보증인.
subfusil *m.* 자동 소총.
subgénero *m.* [생물] 아속(亞屬).
subgobernador, ra *m.f.* 부(副)지사.
subgrupo *m.* 하위 집단.
subida *f.* ☞subido.
subidero, ra *adj.* 높이 올리는 (도구). —*m.* 높이 오르는 곳, 타는 곳; 오르막길.
subido, da *adj.* ① 극상(極上)의, 최고급의. ② (색・향기가) 진한, 강렬한: color ~ 강렬한 색. ③ (냄새가) 코를 찌르는: olor ~ 고약한 냄새. ④ 높은: precio ~ 높은 값. —*f.* ① 상승, 오르기: ~*da* al monte 등산. ② (물가・분량의) 상승, 오름, 등귀: ~*da* de precios 물가 상승. ③ 오르막길.
subidor *m.* 물건을 들어올리는 인부.
subiente *adj.* 오르는, 올리는.
subíndice *m.* ① 부색인(副索引). ② [수학] 부지수(副指數).
subinspección *f.* ① subinspector의 직. ② subinspector의 사무실.
subinspector, ra *m.f.* 부검사관, 부검열관, 부감찰관.
subintendencia *f.* ① subintendente의 직. ② subintendente의 사무실.
subintendente *m.f.* ① 부감독, 부이사. ② [군사] 부경리관.
subir *tr.* ① 오르다, 상승하다, 올라가다, 올라오다: ~ la escalera 계단을 오르다. ② 들어 올리다, 날라 올리다: ~ el equipaje al tren 짐을 열차로 올리다. ③ (위치를) 위로 올리다, 쳐들다, 높게 하다, 일으키다, 들다: ~ la cabeza 머리를 들다. ④

(값 등을) 올리다, 인상하다: ~ el sueldo 급료를 올리다. ⑤ (소리 · 가락 등을) 올리다, 높이다, 강하게 하다: ~ la televisión 텔레비전 소리를 크게 하다. —*intr.* ① [+a] (…에) 오르다, 올라가다, 상승하다: ~ *a*l monte 산에 오르다. ~ *por* la escalera 계단을 오르다. ② [+a] (탈 것에) 오르다: ~ *a*l tren 기차에 오르다, 승차하다. ③ (수위 · 온도 등이) 오르다: Me *ha subido* un poco la fiebre 나는 열이 약간 올랐다. ④ (가격 등이) 오르다: *Ha subido* el petróleo 석유 값이 올랐다. ⑤ [+de] (…가) 향상되다, 승진하다: ~ *de* categoría 승진하다. Ella *ha subido* mucho este año 그녀는 금년에 성적이 많이 향상되었다. ⑥ (소리 · 가락이) 높아지다. ~**se** ① 오르다, 기어오르다: ~*se a* un árbol 나무에 오르다. ② (자신의 …을) 올리다, 높이다: ~*se* las medias 스타킹을 올리다. ③ 취해 있다, 높아지다: El éxito *se* le *ha subido* 그는 성공으로 취해 있다. ④ 무례한 태도를 취하다. ⑤ (차에) 오르다, 타다. ⑥ 일어서다, 일어나다.

súbitamente *adv.* 별안간, 돌연, 갑자기(de súbito).

subitáneamente *adv.* 갑작스레.

subitáneo, a *adj.* 갑자기 일어나는[생기는].

súbito, ta *adj.* ① 갑작스러운, 돌연한, 뜻밖의, 급한: cambio ~ de tiempo 날씨의 급변. ② (말 · 행동이) 격한, 직정적(直情的)인. —*adv.* 갑자기, 돌연, 별안간. ¶*de* ~ 갑자기, 돌연.

subjefe, fa *m.f.* 차장(次長), 부주임.

subjetividad *f.* 주관성, 주체성.

subjetivismo *m.* 주관론, 주관주의.

subjetivista *adj.* 주관론의, 주관주의의. —*m.f.* 주관론자, 주관주의자.

subjetivo, va *adj.* ① 주관의, 주관적인. ② 개인적인: punto de vista ~ 개인적인 관점.

subjuntivo, va *adj.* [문법] 접속법의. —*m.* [문법] 접속법(modo ~).

sublevación *f.* 반란, 봉기.

sublevar *tr.* ① 반란을 일으키게 하다, 궐기시키다. ② 격앙시키다, 격분시키다. ~**se** 반란을 일으키다.

sublimación *f.* [화학 · 예술] 승화; 순화, 정화; 이상화.

sublimado *m.* [화학] 승화물; 승홍(昇汞), 염화수은.

sublimar *tr.* ① 승화하다, 순화하다, 이상화하다. ② [화학] 승화시키다.

sublime *adj.* (행위 · 작품 등이) 숭고한; 탁월한, 뛰어난.

sublimemente *adv.* 숭고하게, 장엄하게; 탁월하게, 뛰어나게.

sublimidad *f.* 숭고함, 장엄함.

subliminal *adj.* [심리] 의식되지 않는, 잠재의식의, 잠재의식에 강한 인상을 주는, 식역하(識閾下)의.

sublingual *adj.* [해부] 혀 밑의.

sublunar *adj.* 달의 아래 있는.

submarinismo *m.* ① 잠수, 다이빙. ② 잠수 영법. ③ 해저 개발.

submarinista *adj.* ① 잠수의. ② 해저 개발의. —*m.f.* ① 다이버. ② 잠수함의 승무원.

submarino, na *adj.* 바다 속의, 해중(海中)의, 해저의: túnel ~ 해저 터널. yacimiento ~ de petróleo 해저 유전(海底油田). —*m.* 잠수함(buque submarino).

submaxilar *adj.* [해부] 아래턱 아래에 있는.

subministración *f.* =suministración.

subministrador, ra *adj., m.f.* = suministrador.

subministrar *tr.* =suministrar.

submúltiplo, pla *adj.* [수학] 약수(約數)의. —*m.* [수학] 약수.

submundo *m.* ① 암흑가. ② 하층사회.

subnormal *adj.* (지적 발육이) 이상[결함]이 있는, 표준[보통 · 정상] 이하의, 저능의. —*m.f.* 정상 이하의 사람, 저능아.

subnormalidad *f.* 발육 이상, 지능의 발달이 늦음.

subnutrición *f.* 영양 결핍.

suboficial *m.* [군사] 하사관.

suborden *m.* [생물] 아목(亞目).

subordinación *f.* ① 종속 (관계), 복종. ② [문법] (문 · 절의) 종속.

subordinadamente *adv.* 종속적으로.

subordinado, da *adj.* ① 종속된. ② [문법] 종속의. —*m.f.* 부하, 아랫사람, 휘하. —*f.* [문법] 종속절.

subordinante *adj.* 종속의, 종속을 나타내는.

subordinar *tr.* ① 종속시키다. ② 아래에 두다, 우선시키다. ③ [문법] 종속 관계에 놓다. ~**se** 종속하다, 따르다.

subprefecto *m.* prefecto의 보좌역.

subproducto *m.* 부산물(副産物), 제이차 제품.

subrayado *m.* 밑줄친 부분.

subrayar *tr.* ① …에 밑줄을 긋다. ② 강조하다.

subregión *f.* (하부적인) 준지역.

subregional *adj.* 준지역의.

subregionalización *f.* 준지역 통합.

subreino *m.* [생물] 아계(亞界).

subrepticiamente *adv.* 암암리에.

subrepticio, cia *adj.* 내밀한, 암암리의, 비밀 수단에 의한.

subrogación *f.* 대위(代位).

subrogar (8) *tr.* [법률] 대위시키다.

subrutina *f.* [컴퓨터] 서브루틴.

subsahariano, na *adj.* ① 사하라 사막 이남에 있는 아프리카 부분의. ② 사하라 사막 이남의[에 관한]. ③ 사하라 사막 이남의 아프리카에서 태어난. —*m.f.* 사하라 사막 이남의 아프리카 사람.
subsanable *adj.* 변명할 수 있는; 고칠 수 있는; 보상할 수 있는.
subsanación *f.* ① 변명. ② (결함의) 시정. ③ (손해의) 보상.
subsanar *tr.* ① 변명하다. ② (결함을) 고치다, 시정하다. ③ (손해를) 보상하다.
subscapular *m.* [해부] 견갑골 아래 근육(músculo ~).
subscribir *tr.* =suscribir.
subscripción *f.* =suscripción.
subscripto, ta *adj.* =suscrito.
subscriptor, ra *m.f.* =suscriptor.
subscrito, ta *adj.* subscribir의 불규칙 과거 분사.
subscritor, ra *m.f.* =suscriptor.
subsecretaría *f.* 차관(次官)의 직무.
subsecretario, ria *m.f.* ① 서기국원 보좌, 비서관 보좌; 부비서관. ② (각 주의) 차관: ~ del Interior 내무부 차관.
subsector *m.* 소구분, 소부문; 계(係), 반(班).
subsecuente *adj.* 그 뒤의, 계속 일어나는, 잇따른, 다음의.
subseguir (46) *intr.*, ~**se** 잇따르다, 뒤따르다, 바로 뒤에 계속하다.
subsidiar (11) *tr.* …에게 보조금[조성금]을 주다.
subsidiario, ria *adj.* ① 보조적인, 이차적인. ② 보조금의, 조성금의, 부조의. —*f.* 자회사.
subsidio *m.* 보조금, 조성금; 수당: ~ de enfermedad 질병 수당. ~ familiar 가족 수당. ~ para la educación 교육 수당.
subsiguiente *adj.* 직후의, 바로 뒤이어 일어나는, 바로 다음의, 뒤를 잇는, 잇따른.
subsistencia *f.* ① 생존. ② [주로 *pl.*] 식량, 생활 필수품. ③ 존속.
subsistente *adj.* (아직도·지금까지) 존속하는, 남아 있는.
subsistir *intr.* ① 존속하다, 남아 있다, 계속되다. ② 생존하다, 생계를 유지하다.
subsónico, ca *adj.* 아음속(亞音速)의; 저주파의.
substancia *f.* =sustancia.
substanciación *f.* =sustanciación.
substancial *adj.* =sustancial.
substancialismo *m.* =sustancialismo.
substancialmente *adv.* =sustancialmente.
substanciar *tr.* =sustanciar.
substancioso, sa *adj.* =sustancioso.
substantivación *f.* =sustantivación.
substantivamente *adv.* =sustantivamente.
substantivar *tr.* =sustantivar.
substantividad *f.* =sustantividad.
substantivo, va *adj.*, *m.f.* =sustantivo, va.
substitución *f.* =sustituición.
substituible *adj.* =sustituible.
substituidor, ra *adj.*, *m.f.* =sustituidor, ra.
substituir (77) *tr.* =sustituir.
substitutivo, va *adj.* =sustitutivo.
substituto, ta *m.f.* =sustituto.
substracción *f.* =sustracción.
substractivo, va *adj.* =sustractivo.
substraendo *m.* =sustraendo.
substraer (72) *tr.* =sustraer.
substrato *m.* =sustrato.
subsuelo *m.* [지질] 심토(心土), 하층토(下層土): recursos del ~ 지하자원.
subsumir *tr.* [논리] 포함[포섭]하다.
subte *m.* *Arg.* 지하철, 지하 철도 (metropolitano).
subtender (20) *tr.* (현(弦)·변(邊)이 호(弧)·각(角) 등에) 대하다, 대치하다.
subteniente *m.* [군사] 준위.
subtensa *f.* [기하] 현(弦), 대변.
subterfugio *m.* 핑계, 변명.
subterráneamente *adv.* 땅 밑으로, 지하로.
subterráneo, a *adj.* 지하의, 땅 밑에 있는, 지하에 있는. —*m.* ① 지하실, 지하 창고. ② 지하도. ③ 땅굴. ④ *Arg.* 지하 철도, 지하철(metropolitano). ⑤ *Arg.* 지하 철도 시설.
subtipo *m.* [생물] 아류형(亞流型).
subtitular *tr.* ① …에 부제를 붙이다. ② …에 자막을 넣다.
subtítulo *m.* ① 부제(副題). ② [주로 *pl.*] [영화] 자막.
subtotal *m.* 소계(小計).
subtropical *adj.* 아열대(성)의.
suburbano, na *adj.* ① (건물·땅·시골이) 도시에 인접한. ② (대도시의) 교외의[에 관한], 근교의[에 관한]. —*m.* ① 교외 주민. ② 교외 철도, 교외선. ¶*tren* ~ 교외선 열차.
suburbial *adj.* =suburbano: vivir en un barrio ~ 교외에서 살다.
suburbio *m.* ① 교외. ② [때때로 *pl.*] (교외의) 빈민가.
subvaloración *f.* 과소 평가.
subvalorar *tr.* 과소 평가하다.
subvención *f.* (주로 공적인) 보조(금), 조성(금).
subvencionar *tr.* …에게 보조금[조성금]을 주다.
subvenir (60) *intr.* 비용을 부담하다, 원조해 주다.
subversión *f.* (체제·질서의) 전복.
subversivo, va *adj.* 반체제적인, 파괴적인.
subvertir (55) *tr.* (체제·질서를) 전복하다.
subyacente *adj.* ① 아래에 있는: tejido ~ [해부] 하부 조직. ② 숨겨

진, 표면에 나타나지 않은.
subyacer (35) *intr.* ① (무엇의) 아래에 있다. ② (감정 등이) 숨겨져 있다.
subyugable *adj.* 정복할 수 있는, 지배할 수 있는.
subyugación *f.* 정복, 지배.
subyugador, ra *adj.* =subyugante.
subyugante *adj.* 정복[지배]하는.
subyugar (8) *tr.* ① 정복하다, 지배하다. ② 매료시키다, 황홀경에 빠지게 하다(embelesar).
succino *m.* =ámbar.
succión *f.* ① (입술·혀로) 빨기. ② 흡인, 빨아올리기, 빨아들이기.
succionar *tr.* ① 빨다, (입술로 즙 등을) 빨다, 빨아올리다. ② 흡수하다, 빨아들이다.
sucedáneo, a *adj.* 대용의. —*m.* 대용품, (질이 나쁜) 모조품: ~ del azúcar 설탕 대용품.
suceder *intr.* ① (자연 발생적으로 사건 등이) 일어나다: En esta calle *sucedió* un accidente 이 거리에서 사고가 일어났다. ② (공간적·시간적으로) 잇따르다, 잇따라 일어나다: Al invierno *sucede* la primavera 겨울 다음에는 봄이 온다. ③ (유산을) 상속하다. ④ (누구의) 뒤를 잇다, 계승하다, 후계자[후임]가 되다.
sucedido *m.* (실제로) 일어난 일.
sucesión *f.* ① 후계, 계승. ② [법률] 상속; 상속 재산. ③ 대를 이음: morir sin ~ 대를 잇지[자손을 남기지] 못하고 죽다. ④ 연속. ⑤ [식물] 천이(遷移).
sucesivamente *adv.* 잇달아, 계속적으로.
sucesivo, va *adj.* 잇다른, 연속적인, 속발하는, 계속적인.
suceso *m.* ① (주로 중대한) 일. ② (범죄·사고 등의) 사건. ③ 성공, 성과.
sucesor, ra *adj.* 후계의, 후임(後任)의. —*m.f.* 후계자, 후임자; 상속자.
sucesorio, ria *adj.* 상속의: derecho ~ 상속권. impuestos ~*s* 상속세. ley ~*ria* 상속법.
suciamente *adv.* 더럽게, 불결하게; 비열하게; 추잡스레.
suciedad *f.* ① 더러움, 불결(함). ② 더러운 것, 오물. ③ 비열함, 비겁함. ④ 추잡한 짓, 음탕한 짓.
sucintamente *adv.* 간결하게, 요약해서, 짧게.
sucinto, ta *adj.* 간결한, 요약한, 짧은: discurso ~ 간결한 연설.
sucio, cia *adj.* ① 더러운, 불결한: camisa ~*cia* 더러운 와이셔츠. cara ~*cia* 더러운 얼굴. ② 쉽게 더러워지는. ③ (행동·말에서) 추잡스러운, 천한, 음탕한. ④ (색이) 흐린, 탁한. ⑤ 비열한, 교활한. ⑥ 조잡한: bordado ~ 조잡한 자수. ⑦ (혀에) 설태(舌苔)가 낀: lengua ~*cia* 설태가 낀 혀.
sucre *m* 수끄레 ((에꾸아도르의 전 화폐 단위; 현재는 dólar)).
suculencia *f.* ① 즙[수분]이 많음. ② 자양분이 많음.
suculentamente *adv.* 자양분이 많게[풍부하게].
suculento, ta *adj.* ① 즙[수분]이 많은(jugoso). ② 자양분이 많은.
sucumbir *intr.* ① 항복하다, 지다. ② 죽다. ③ [법률] 소송에 지다, 패소하다.
sucursal *adj.* 지점의, 지사의. —*f.* 지점, 지사.
sud *m. Amér.* [드묾] =sur.
sud- *pref.*「남」의 뜻: *sud*oeste 남서. *sud*africano 남아프리카 사람.
sudaca *adj.*, *m.f. Esp.* [경멸] =suramericano.
sudación *f.* ① =exudación. ② [의학] (치료 목적으로 인한) 발한.
sudadera *f.* ① =sudadero ②. ② (때때로 두건이 달린) 스웨트 셔츠, 땀받이 셔츠. ③ 땀을 많이 냄.
sudadero *m.* ① 땀수건. ② 안장 깔개. ③ 증기탕. ④ 물 새는 곳.
Sudáfrica *f.* [국명] 남아프리카 (공화국).
sudafricano, na *adj.* ① 아프리카 남부 태생의. ② 아프리카 남부의[에 관한]. ③ 남아프리카 태생의. ④ 남아프리카의[에 관한]. —*m.f.* ① 아프리카 남부 사람. ② 남아프리카 사람.
Sudamérica *f.* [지명] 남아메리카.
sudamericano, na *adj.* =suramericano.
Sudán *m.* [국명] 수단.
sudanés, sa *adj.* ① 수단 태생의. ② 수단의[에 관한]. —*m.f.* 수단 사람.
sudar *tr.* ① 땀으로 적시다. ② 주다, (특히) 마지못해 주다: José me ha hecho ~ diez euros 호세는 나에게서 10유로를 우려냈다, 나는 호세에게 마지못해 10유로를 주었다. ③ 땀을 흘리게 하다. ④ (나무·식물·열매가) 즙을 내게 하다. —*intr.* ① 땀을 흘리다. ② (나무·식물·열매가) 즙액을 내다, 즙액이 나오다. ③ (습기 찬 물건이) 구멍을 통해 물이 스며나오다, 물이 새다: *Suda* la pared 벽에서 물이 스며나온다. *Suda* un botijo 물항아리가 샌다. ④ 무척 애를 쓰다, 열심히 일하다.
sudario *m.* 죽은 사람의 얼굴을 덮는 천. ¶*santo* ~ 성해포(聖骸布) ((그리스도를 십자가에서 내렸을 때 José de Arimatea가 그리스도의 몸을 덮었던 면포)).
sudatorio, ria *adj.* =sudorífico.
sudeste *m.* ① [방위] 남동(南東). ② (한 나라·한 지역의) 남동부 지방, 남동부 땅. ③ 남동풍(南東風).

sudoeste *m.* ① [방위] 남서(南西). ② (한 나라·한 지역의) 남서부 지방, 남서부 땅. ③ 남서풍(南西風).
sudor *m.* ① 땀: limpiar el ~ 땀을 닦다. ② (식물에서 나오는) 즙, 액, 수액. ③ (바위나 다른 습기를 머금은 것에서 나오는) 물방울. ④ 수고, 애씀, 노력, 진력.
sudoración *f.* 땀의 분비, 땀을 흘림, (대량의) 발한(發汗).
sudoral *adj.* 땀의[에 관한].
sudoriento, ta *adj.* 땀에 젖은, 땀으로 범벅이 된.
sudorífero, ra *adj.* =sudoriento.
sudorífico, ca *adj.* [의학] 땀을 내게 하는, 발한(發汗)을 촉진하는. —*m.* 발한제, 땀내는 약.
sudorípara *adj.* [생리] 땀을 내는, 발한성의, 땀 분비의 샘·선(腺): glándula ~ [해부] 땀샘, 한선.
sudoroso, sa *adj.* ① 땀을 많이 흘리고 있는, 땀투성이의. ② 땀을 많이 흘리는 경향이 있는.
sudoso, sa *adj.* 땀투성이의, 땀으로 범벅이 된.
sudsudeste *m.* ① [방위] 남남동(南南東). ② [기상] 남남동풍.
sudsudoeste *m.* ① 남남서(南南西). ② [기상] 남남서풍.
Suecia *f.* [국명] 스웨덴.
sueco[1], **ca** *adj.* ① 스웨덴 태생의. ② 스웨덴의[에 관한]. —*mf.* 스웨덴 사람. —*m.* 스웨덴 말. ¶***gimnasia ~ca*** 스웨덴 체조.
sueco[2], **ca** ***hacerse*** alguien ***el*** ~ 모르는 척하다, 이해하지 못한 척하다, 못 들은 척하다.
suegra *f.* ① 시어머니. ② 장모. ③ 꽈배기 빵의 눌어서 딱딱해진 끝.
suegro *m.* ① 시아버지. ② 장인. ③ *pl.* 시부모, 장인과 장모.
suel- ☞soler (25).
suela *f.* ① (신발의 땅에 닿는) 밑바닥. ② 무두질한 소가죽. ③ [당구] 큐 끝에 붙은 가죽 조각. ④ [어류] =lenguado. ⑤ [건축] (건물의) 받침돌. ⑥ (칸막이벽의) 굄돌, 굄목. ⑦ *pl.* (몇몇 종교 단체에서 신는) 샌들.
sueldo *m.* ① 급료, 봉급, 임금: ~ base 기본급. ~ mensual 월급. matrimonio con dos ~*s* 맞벌이 부부. ② 수엘도 ((옛날의 동전; 나라와 시대에 따라 가치가 다름)). ③ 옛 로마의 동전(sólido).
suelo *m.* ① 땅바닥, 지면: caerse al ~ 땅바닥에 넘어지다. ② 마루. ③ 토양, 토질. ④ 토지: precio del ~ 토지 가격. ⑤ 지방, 나라: ~ natal 고향, 모국. ⑥ (냄비·그릇의) 밑바닥. ⑦ [체조] 마루운동. ⑧ 앙금, 무거리, 침전물.
suelt- ☞soltar (24).
suelta *f.* ① 석방, 놓아주기, 풀어주기. ② (마소의) 발 묶는 줄. ③ (마소의) 방목장.
sueltamente *adv.* 홀가분하게, 매끄럽게, 유창하게.
suelto, ta *adj.* ① 풀린, 석방된, 자유롭게 된: Las vacas están ~*tas* en el prado 소들이 목장에 방사되고 있다. ② 경쾌한, 빠른, 날렵한. ③ 유창한, 능숙한. ④ 자유분방한, 제멋대로의. ⑤ 헐거운, 느슨한. ⑥ 낱개의, 한 벌이 못 되는: zapato ~ 구두 한 짝. ⑦ 잔돈의. ⑧ 설사를 하는. —*m.* ① 잔돈(dinero ~). ② (신문의) 작은 기사.
sueño *m.* ① 잠, 수면: Me falta ~ 나는 잠이 부족하다. ② 졸음: tener ~ 졸리다. ③ 꿈: tener un mal ~ 나쁜 꿈을 꾸다. ④ [주로 *pl.*] 공상, 환상. ⑤ [주로 *pl.*] 동경, 이상. ¶***dormir*** alguien ***a ~ suelto*** 안면(安眠)하다, 안침하다. ***echar un ~*** 선잠을 자다. ***en ~s*** 자면서. ***entre ~s*** ㉮ 꾸벅꾸벅 졸면서. ㉯ 자면서. ***ni en ~s, ni por ~s*** [부정·거부의 강조] 꿈에도 … (않다): No lo he pensado *ni en ~s* 나는 꿈에도 그런 생각을 해 본 적이 없다.
suero *m.* ① [의학] 혈청: ~ inmune 면역 혈청. ② [생리] 장액(漿液). ③ (영양 보급용 등의) 염수(鹽水), 소금물. ④ 유장(乳漿).
sueroterapia *f.* 혈청 요법.
suerte *f.* ① 운명(運命), 천명(天命): confiar *algo* a la ~ (…을) 운명에 맡기다. Mi ~ está decidida 내 운명은 결정되어 있다. ② 운, 행운: tener (buena) ~ 운이 좋다. tener mala ~ 운이 나쁘다. ③ 우연. ④ 사정, 상태, 처지, 신상. ⑤ 추첨, 제비뽑기. ⑥ 종류, 부류. ⑦ (경지의) 한 구획. ⑧ [투우] 기술, 연기. ⑨ 방법. ¶***de ~ que*** ㉮ …하도록: Guárdalo bien *de ~ que* no se estropee 상하지 않도록 그것을 잘 보관해라. ㉯ 그래서, 그 결과: Lo guardé bien, *de ~ que* no se estropeó 나는 그것을 잘 보관해서 상하지 않았다.
suertudo, da *adj.* 운이 좋은.
sueste *m.* ① =sudeste. ② (선원의) 방수 모자.
suéter *m.* =jersey.
suficiencia *f.* ① 능력: mostrar *su* ~ 능력을 보이다. ② 적성: prueba de ~ 적성 검사. ③ 충분함. ④ 독선, 자기 만족.
suficiente *adj.* ① 충분한, 족한: ~ sueño 충분한 수면. dinero ~ 충분한 돈. ② 능력[자격·기량]이 있는. ③ 독선적인.
suficientemente *adv.* 충분히.
sufijo, ja *adj.* [문법] 접미사의, 접미어의. —*m.* 접미사, 접미어.
sufocación *f.* =sofocación.
sufocador, ra *adj.* =sofocador.
sufocar (7) *tr.* =sofocar.

sufragáneo, a *adj.* 부속의; 보조의.
sufragar (8) *tr.* ① 돕다, 후원하다, 원조하다. ② …의 비용을 대다[내다]. —*intr. Amér.* (후보자·제안·의견 등에) 투표하다.
sufragio *m.* ① 투표(voto). ② 선거(방법), 선거 제도: ~ directo 직접 선거. ~ indirecto 간접 선거. ③ 원조. ④ 표. ⑤ [천주교] 지옥의 영혼들을 위한 기도. ¶~ ***restringido*** 제한 선거. ~ ***universal*** 보통 선거.
sufragismo *m.* (특히 영국의) 부인 참정권 운동.
sufragista *adj.* 부인(婦人) 참정권론의. —*m.f.* 부인 참정권론자.
sufrible *adj.* 참을[견딜] 수 있는.
sufridero, ra *adj.* =**sufrible.** —*f.* (대장장이의) 구멍 뚫는 기구.
sufrido, da *adj.* ① 괴로워하(고 있)는, 고민하는. ② 아내에게 쥐여사는: marido ~ 엄처시하. ③ 참을성 있는, 인내심이 강한: ser muy ~ en la adversidad 역경에 강하다. ④ 더러운 것을 숨기는 (색). —*m.* 엄처시하, 아내에게 쥐여사는 남자.
sufridor, ra *adj., m.f.* 참고 견디는 (사람).
sufrimiento *m.* ① (심신의) 고통, 고뇌. ② 인내, 참을성.
sufrir *tr.* ① (좋지 않은 일을) 경험하다, 당하다, (괴로움 등을) 받다, 괴로워하다, 고뇌(苦惱)하다: ~ una operación 수술을 받다. ~ un accidente 사고를 당하다. ② 견디어 내다, 참다, 인내하다, 이겨내다: ~ la pobreza 가난을 이겨 내다. ③ 치르다: ~ el examen 시험을 치르다. ④ 받치다, (무게·충격을) 받다. ⑤ (반대쪽에서) 단단히 붙잡다[누르다]. ⑥ [+de] …가 아프다[나쁘다]: ~ del corazón 심장이 아프다[나쁘다]. —*intr.* [고어] =**contenerse, reprimirse.**
sugerencia *f.* 제안, 권유, 암시.
sugerente *adj.* =**sugestivo.**
sugeridor, ra *adj.* 암시적인, 넌지시 비치는.
sugerir (54) *tr.* ① 상기시키다, 연상시키다. ② 암시하다, 귀띔하다, 시사하다, 넌지시 비추다.
sugestión *f.* ① [심리] 암시. ② 시사, 넌지시 비춤, 귀띔.
sugestionable *adj.* 암시[영향]를 받기 쉬운, 감화되기 쉬운.
sugestionador, ra *adj.* 암시를 주는, 암시적인, 연상시키는.
sugestionar *tr.* 암시를 주다, 영향을 주다, 감화시키다. ~**se** 자기 암시에 걸리다, 고정 관념에 사로잡히다.
sugestivo, va *adj.* ① 암시적인, 시사적인, 넌지시 비추는. ② (책 등이) 시사가 풍부한. ③ (복장 등이) 외설적인, 음란한, 도발적인. ④ 매력적인. ⑤ 생각나게 하는, 연상(聯想)시키는.
suicida *adj.* ① 자살의[에 관한]. ② 자살하는: comando ~ 결사대, 특공대. ③ 자살 행위의, 자살적인, 무모한: Es ~ conducir en estado de embriaguez 음주 운전은 자살 행위다. —*m.f.* 자살자.
suicidarse *r.* 자살하다: ~ por amor 실연으로 자살하다.
suicidio *m.* ① 자살. ② 자살 행위, 자해(自害) 행위: ~ político 정치적 자살 행위.
sui géneris *adj. lat.* 독특한, 비할 데 없는.
suite *f.* ① (호텔의) 스위트 룸, 붙은 방 ((호텔의 침실·욕실·거실 등이 이어진 한 벌의 방)). ② *fr.* [음악] 조곡(組曲): ~ para piano 피아노 조곡.
suiza[1] *f.* =**suizo.**
Suiza[2] *f.* [국명] 스위스.
suizo, za *adj.* ① 스위스 태생의. ② 스위스의[에 관한]. —*m.f.* 스위스 사람. —*m.* 수이소 ((밀가루·달걀·설탕으로 만든 달고 둥근 빵)). —*f.* ① (두 패 사이의) 난투, 싸움. ② *Cuba.* 팽이.
sujeción *f.* ① 예속, 복종. ② 속박. ③ 관계, 결합, 연결.
sujetador, ra *adj.* 억압하는, 억누르는. —*m.f.* 억압자(抑壓者). —*m.* ① 브래지어. ② 가슴을 조이는 비키니 수영복.
sujetalibros *m.sing.pl.* 책버팀 ((책이 쓰러지지 않게 양 끝에 세우는 것)).
sujetapapeles *m.sing.pl.* 클립, 종이[서류] 집게[끼우개].
sujetar *tr.* ① 지배하다, 복종시키다. ② 억압하다, 억누르다. ③ 단단히 붙잡다. ④ 고정시키다, 매다. ~**se** ① 자신의 …을 잠그다[채우다·매다]. ② (한 곳에서) 움직이지 않다, 꼼짝 않다. ③ 꽉 잡다, 꼭 붙잡다: *Sujétese* bien! 꼭 붙잡으세요! ④ (의무 등에) 따르다, 준수하다: ⑤ 적합하다.
sujeto, ta *adj.* ① 고정되어 있는. ② 구속된, 얽매인. ③ (…에) 준하는, 따르는. —*m.* ① 주제, 테마. ② [경멸] 놈, 인간, 자식, 녀석, 작자. ③ [문법] 주어, 주부(主部). ④ [철학] 주체, 주관. ⑤ [논리] 주어, 주사(主辭).
sulfato *m.* [화학] 황산염(黃酸鹽).
sulfito *m.* [화학] 아황산염.
sulfurar *tr.* ① 화나게[노하게] 하다. ② 황화(黃化)하다. ~**se** 노하다.
sulfuro *m.* 황화물(黃化物).
sultán *m.* 술탄 ((터키의 황제; 이슬람교 나라의 왕자·군주)).
sultana *f.* ① sultán의 아내. ② 옛 터키의 군함.
sultanato *m.* ① sultán의 직. ② sultán의 통치 기간.
suma *f.* ① 금액: una ~ importante

대금, 많은 돈. ② 총액, 총계, 합계. ③ [수학] 더하기. ④ 극치, 진수. ⑤ 전집, 전서(全書), 대전(大全). ¶*en* ~ 결국, 요컨대, 말하자면. ~ *y sigue* ㉮ [상업] 다음 페이지에 이월. ㉯ 연속, 반복, 되풀이: Su vida es un ~ *y sigue* de fracasos y desgracias 그의 일생은 실패와 불운의 연속이다.

sumador, ra *adj., m.f.* 더하는 (사람).

sumamente *adv.* 극히, 더할 나위없이, 극도로.

sumando *m.* [수학] 피가수(被加數).

sumar *tr.* ① 합계하다, 더하다, 보태다: ~ dos números 두 수를 더하다. ② 총계가 …에 달하다. ~**se** ① [+a] (…에) 가담하다, 참가하다. ② (의견 등에) 찬성하다.

sumarial *adj.* 예심(豫審)에 관한.

sumariamente *adv.* ① 간략히. ② 약식으로: juzgar ~ 약식[즉결] 재판을 하다.

sumariar (11) *tr.* [법률] (예심에서) 기소하다.

sumario[1] *m.* ① 개요, 요약. ② [법률] 예심.

sumario[2], **ria** *adj.* ① 간결한, 간단한. ② [법률] 약식의, 간략한, 즉결의: juicio ~ 약식[즉결] 재판.

sumarísimo, ma *adj.* [법률] 즉결(卽決)의.

sumergible *adj.* 잠수할 수 있는, 물속에 가라앉을 수 있는, 수중용(水中用)의, 방수(防水)의: reloj ~ 방수 시계. —*m.* 잠수함(nave ~).

sumergir (4) *tr.* ① 물에 잠그다[넣다]. ② 잠수(潛水)시키다, 가라앉히다. ~**se** ① 물에 잠기다. ② 잠수하다, 가라앉다. ③ 전념하다, 몰두하다, 몰입하다, 생각에 잠기다: ~*se en* la contemplación 명상에 잠기다.

sumersión *f.* ① 수몰(水沒). ② 잠수. ③ 몰두, 몰입.

sumidero *m.* ① 하수구. ② 하수도.

sumiller *m.* ① (큰 호텔·레스토랑의) 주류 담당자. ② (왕궁의) 집사, 시종.

suministrable *adj.* 공급할 수 있는.

suministrador, ra *adj.* 공급(供給)하는. —*m.f.* 공급자.

suministrar *tr.* 공급하다, 지급하다.

suministro *m.* ① 공급, 지급: ~ de agua 급수(給水). ② 공급품, 필수품. ③ *pl.* [군사] 식량, 군량(軍糧), 병량(兵糧).

sumir *tr.* ① (물에) 가라앉히다. ② (땅에) 매장하다, 묻다. ③ (성직자가 성체를) 배령하다. ~**se** ① (물에) 가라앉다. ② (땅에) 묻히다, 매장되다. ③ [+en] (…에) 몰두하다, 몰입하다: ~*se en* la meditación 명상에 잠기다.

sumisión *f.* 복종; 항복; 순종.

sumiso, sa *adj.* ① 고분고분한, 복종하는. ② 항복[굴복]한, 굴종적인.

sumista *m.f.* ① 요약자. ② 엉터리 신학자.

súmmum *m.* 최고도, 정점, 극치.

sumo[1], **ma** *adj.* ① (지위가) 최고의: el ~ sacerdote 최고위 성직자. *Sumo* Pontífice 로마 교황. ② 지상(至上)의, 극도의, 더할 나위 없는: la ~*ma* felicidad 지복(至福).

sumo[2] *m. jap.* ① 스모 ((일본의 씨름)). ② 스모 선수, 씨름 선수.

suntuario, ria *adj.* 사치(lujo)의[에 관한]: impuestos ~*s* 사치세.

suntuosamente *adv.* 사치스레, 호화롭게.

suntuosidad *f.* 사치[호화]스러움.

suntuoso, sa *adj.* ① 사치스러운, 호화스러운. ② (사람이) 위엄이 있는.

sup- ☞saber **(66)**.

supe ☞saber **(66)**.

supeditación *f.* ① 억압. ② 굴복. ③ 종속. ④ 복종, 순종.

supeditar *tr.* ① 억압하다. ② 굴복시키다. ③ 종속시키다.

súper[1] *adj.* (가솔린이, 보통 것에 비해) 옥탄가가 높은.

súper[2] *m.* =**supermercado.**

super- *pref.* ①「…의 위에(encima de)」의 뜻: *super*estructura 지상시설. ②「탁월성(preeminencia)·우수성(excelencia)」의 뜻: *super*hombre 초인간. ③「극히(en grado sumo)」의 뜻: *super*fino 극상의. ④「과도·과잉(exceso)」의 뜻: *super*producción 과잉 생산.

superable *adj.* 극복할 수 있는, 이겨낼 수 있는.

superabundancia *f.* 너무 많음, 과다(過多), 과잉(過剩). ¶*de* ~ = **superabundantemente.**

superabundante *adj.* 너무 많은, 남아도는, 과다한, 과잉의.

superabundantemente *adv.* 너무 많이, 남아돌게, 과다하게.

superabundar *intr.* 너무 많다, 남아돌다.

superación *f.* 극복(克服).

superador, ra *adj.* 극복하는, 이겨내는; 능가하는.

superante *adj.* =**superador.**

superaleación *f.* 초합금(超合金).

superar *tr.* ① (누구를) 능가하다, 뛰어넘다. ② (장애·난관을) 극복하다, 이겨내다. ③ (시험에) 합격하다. ④ 초과하다. ~**se** 전보다 낫다: Ella *se ha superado en* este examen 그녀는 이번 시험에서 전보다 좋은 성적을 냈다.

superávit *m.sing.pl.* ① 흑자, 잉여(금). ② 과잉, 초과.

supercherίa *f.* 속임수, 사기.

superciliar *adj.* [해부] 눈썹의, 눈꺼풀 위의.

superclase *f.* [생물] (분류학상의) 상강(上綱); 아문(亞門).

superconductividad *f.* 초전도.
superconductor, ra *adj.* 초전도의: aleación ~*ra* 초전도 합금. —*m.* 초전도체.
superdominante *f.* [음악] 하중음.
superdotado, da *adj.*, *m.f.* 매우 우월한 재능이 있는 (사람).
superego *m.* [심리] 초자아(超自我).
supereminencia *f.* 탁월함, 비범함.
supereminente *adj.* 탁월한, 비범한.
superentender (20) *tr.* 감독하다, 감시하다.
superestrato *m.* ① [지질] 상층. ② [언어] 상층 (언어).
superestrella *f.* 슈퍼 스타.
superestructura *f.* [건축·철학] 상부 구조.
superferolítico, ca *adj.* 극히 섬세한 [우아한].
superficial *adj.* ① 표면의, 표층(表層)의: aguas ~*es* 지표수(地表水). ② 얕은, 정도가 덜한: herida ~ 경상. ③ 표면적인, 수박 겉핥기의, 겉치레에 불과한, 피상적(皮相的)인: amabilidad ~ 겉치레에 불과한 친절. conocimiento ~ 수박 겉핥기식 지식. ④ 천박한, 경박한.
superficialidad *f.* 표면적임, 겉치레, 피상적임; 천박함.
superficialmente *adv.* 표면적으로, 수박 겉핥기식으로, 피상적으로; 천박하게.
superficie *f.* ① 표면(表面): ~ de la tierra 지표. ② 지면. ③ 면적. ④ 외견, 외면. ⑤ [수학] 면(面).
superfino, na *adj.* 극상의, 극세(極細)의, 극히 우량한.
superfluidad *f.* ① 여분, 과분, 과잉. ② 남아도는 것, 없어도 되는 것.
superfluo, flua *adj.* 여분의, 과잉의; 남아도는, 필요 이상의.
superfostato *m.* [화학] 과린산석회.
superhombre *m.* [철학] 초인간, 초인(超人).
superintendencia *f.* (행정 기관의) 본부장 직, 감독 직.
superintendente *m.f.* (행정 기관의) 본부장, 감독.
superior *adj.* [+a] (…보다) ① (위치가) 위의, 상부의, 상층의: piso ~ 위층. ② (질이) 우수한, 상질의: calidad ~ 상질. tela ~ 질이 좋은 천. ③ 큰, 많은. ④ 상회하는. ⑤ 상급의, 고위의, 고등의: animal ~ 고등 동물. curso ~ 상급 과정. enseñanza ~ 고등 교육. —*m.* ① 상관, 상사, 선배. ② 수도원장.
superiora *f.* 여자 수도원장.
superioridad *f.* ① 우월, 우위. ② 위엄. ③ 당국, 관헌.
superiormente *adv.* 뛰어나, 보다 우월하여.
superlativo, va *adj.* ① 최고의, 최상의. ② [문법] 최상급의. —*m.* [문법] 최상급.
superligero *m.* [권투] 라이트웰터급.
supermercado *m.* 슈퍼마켓.
superno, na *adj.* =supremo.
supernova *f.* [천문] 초신성(超新星).
supernumerario, ria *adj.* ① 정원 외의, 정수 외의, 여분의. ② 휴직 중의. —*m.f.* 정원 외 직원.
supernutrición *f.* 영양 과다.
superordenador *m.* 슈퍼 컴퓨터.
superpesado *m.* [권투] 슈퍼헤비급.
superpetrolero *m.* 초대형 탱커.
superpoblación *f.* 과잉 인구, 인구 과잉.
superpoblado, da *adj.* 인구 과잉의.
superpoblar *tr.* 인구 과잉으로 만들다. ~**se** 인구 과잉이 되다.
superponer (61) *tr.* ① 포개다, 쌓아 올리다. ② [+a] (…보다) 우선시키다. ~**se** ① 포개지다, 쌓이다. ② 우선하다.
superposición *f.* ① 포갬, 쌓아올림. ② 우선.
superpotencia *f.* 초강대국.
superproducción *f.* ① 과잉 생산, 생산 과잉. ② [영화] 초대작(超大作).
superprotector, ra *adj.* 과보호의.
superrealismo *m.* 초현실주의.
superrealista *adj.* 초현실주의의[에 관한]. —*m.f.* 초현실주의자.
supersónico, ca *adj.* 초음속의: avión ~ 초음속기.
superstición *f.* 미신.
supersticioso, sa *adj.* ① 미신(迷信)의[에 관한], 미신적인. ② 미신을 믿는. —*m.f.* 미신을 믿는 사람.
supérstite *adj.* [법률] 살아남은.
supervalorar *tr.* =sobrevalorar.
supervisar *tr.* (일을) 감독하다.
supervisión *f.* 감독.
supervisor, ra *adj.* 감독하는. —*m.f.* 감독자.
supervivencia *f.* 생존, 살아남음: ~ del fuerte 적자생존.
superviviente *adj.* ① 살아남은, 생존한. ② (사별로) 뒤에 남은. ① 생존자. ② (사별로) 뒤에 남은 사람.
supervivir *intr.* =sobrevivir.
superwelter *m.* [권투] 라이트 미들급.
superyó *m.* =superego.
supie- ☞saber (66).
suplantación *f.* ① (서류의) 위조, 변조. ② 불법 점거.
suplantar *tr.* ① (서류를) 위조하다. ② 불법으로 점거하다.
suplementario, ria *adj.* 추가의, 보충의, 증보의: trabajo ~ 추가 근무.
suplemento *m.* ① 추가, 보충. ② 할증금, 추가 요금. ③ 부록. ④ (신문의) 특집판. ⑤ [수학] 보각.
suplencia *f.* ① 대리, 대행. ② 대리 [대행] 기간.
suplente *adj.* 대리의, 대행의. —*m.f.* ① 대리인, 대행인. ② [운동] 보결

선수.

supletorio, ria *adj.* 보조(補助)의: cama ~*ria* 보조 침대. asiento ~ de los vehículos 자동차의 보조 의자.

súplica *f.* ① 간청, 애원, 간원. ② 청원(서), 진정(서).

suplicante *adj.* 간청[애원·간원]하는. —*m.f.* 애원자; 진정자.

suplicar (7) *tr.* ① 간청하다, 애원하다. ② [법률] 상소하다, 항소하다.

suplicatorio, ria *adj.* 간청하는, 애원하는. —*m.* ① 사법 공조 의뢰장, 재판 사무 촉탁. ② (국회의원에 대한) 체포 허락 청구. —*f.* =suplicatoria ①.

suplicio *m.* ① 형벌, 체형. ② 사형 집행. ③ (육체적·정신적인) 심한 고통.

suplir *tr.* ① 메워 넣다, 보완하다, 보충하다. ② …의 대리를 맡다, 대행하다. ③ 입체하다, 대신 치르다.

suponer (61) *tr.* ① 가정하다. ② 추측하다, 추정하다. ③ 전제로 하다. —*intr.* 중요성을 가지다. ~**se** 상상하다.

suposición *f.* ① 추측, 억측. ② 가정(假定).

supositorio *m.* [의학] 좌약(坐藥).

supra- *pref.*「위에(arriba)·…의 위에(encima de)·초(超)」의 뜻: *supra*nacional 초국가의. *supra*rrenal 부신의.

supranacional *adj.* 초국가의.

suprarrealismo *m.* =superrealismo.

suprarrenal *adj.* [해부] 부신(副腎)의.

suprasensible *adj.* 초감각적인.

supremacía *f.* ① 지고(至高), 최고위. ② 주권, 대권. ③ 패권.

supremo, ma *adj.* ① 최고위의, 최고 권위의: jefe ~ del ejército 군 최고 사령관. ② 지상(至上)의, 최고도의: mujer de ~*ma* belleza 뛰어난 미녀. ③ 최후의: hora ~*ma* [시어] 임종(臨終).

supresión *f.* ① 폐지. ② 삭제. ③ 억압, 진압, 탄압. ④ [전기] 억제.

supresor, ra *adj.* ① 폐지하는. ② 삭제하는. ③ 억제하는. —*m.* [전기] 억제기.

suprimir *tr.* ① 폐지하다. ② 없애다, 소멸시키다. ③ 삭제하다, 생략하다, 없애다. ④ [전기] 억제하다.

suprior, ra *m.f.* (수도원의) 부원장.

supuestamente *adv.* 추정상, 아마, 어쩌면, 필시.

supuesto *m.* 추측, 가정, 전제. ¶ *por* ~ 물론. ~ *que* ㉮ [+*ind.*] …한 이상. ㉯ [+*subj.*] …하면.

supuesto, ta [suponer의 불규칙 과거 분사] *adj.* ① 가짜의, 모조의: nombre ~ 가명. ② 가정의, 가정적인, 상정(想定)된: ~ culpable 용의자. ③ 자칭(自稱)의: ~ caballero 자칭 신사.

supuración *f.* 화농(化膿), 곪음.

supurar *intr.* 곪다, 고름이 나오다.

supurativo, va *adj.* 곪는, 곪게 하는. —*m.* 화농제.

supuratorio, ria *adj.* 고름이 나오는, 화농성의.

suputación *f.* =cómputo, cálculo.

suputar *tr.* =computar, calcular.

sur *m.* ① [S~] 남(南), 남쪽. ② 남부(南部) (지방). ③ [기상] 남풍(南風). —*adj.* 남의, 남쪽의, 남쪽에서 부는: viento ~ 남풍.

sur- *pref.* =sud-.

surafricano, na *adj.* =sudafricano.

sural *adj.* 종아리의[에 관한]: arteria ~ 종아리 동맥. músculo ~ 종아리 근육.

suramericano, na *adj.* ① 남아메리카 태생의. ② 남아메리카의[에 관한]. —*m.f.* 남아메리카 사람.

surcar (7) ① (땅을 갈 때 땅에) 고랑[이랑]을 만들다. ② (고랑·이랑 비슷한) 주름을 만들다, (주름살이) 잡히게 하다: Las profundas arrugas *surcaban* su frente 깊은 주름살이 그의 이마에 패였다. ③ (바람·물을) 헤치다, 헤쳐 나아가다.

surco *m.* ① (논밭의) 고랑, 이랑. ② (다른 것 위에 지나간 것의) 흔적, 자리. ③ (얼굴·몸의) 주름, 주름살. ④ (레코드의) 줄.

surcoreano, na *adj.* ① 남한(南韓)(Corea del Sur) 출신의. ② 남한의[에 관한]. —*m.f.* 남한 사람.

sureño, ña *adj.* ① 남쪽의[에 관한]. ② (나라의) 남쪽에 위치한, 남부의, 남부 지방의. —*m.f.* 남쪽 사람.

sureste *m.* =sudeste.

surf *m. ing.* ① [운동] 서핑, 파도타기: practicar el ~ 서핑을 하다, 파도타기를 하다. ② 1960년대의 춤.

surfear *intr.* 서핑을 하다.

surfing *m. ing.* =surf.

surfista *m.f.* 서핑을 하는 사람, 파도타기하는 사람; 서핑광(狂).

surgidero *m.* (선박의) 정박소, 계류장(繫留場).

surgidor, ra *adj.* 뿜어내는, 분출하는; 나타나는, 출현하는. —*m.f.* (갑자기) 나타나는 사람, 출현하는 사람.

surgimiento *m.* 출현, 나타남.

surgir (4) *intr.* ① (물이) 뿜어내다, 분출하다. ② (갑자기) 나타나다, 출현하다, 일어나다: Los imprevistos *surgen* en cualquier momento 의외의 일은 어느 때고 일어난다. ③ 우뚝 솟다, 치솟다. ④ (배를) 정박시키다, 매다, 닻을 내리다.

Surinam *m.* [국명] 수리남.

surinamés, sa *adj.* ① 수리남 태생의. ② 수리남의[에 관한]. —*m.f.* 수리남 사람.

surinamita *adj.*, *m.f.* =surinamés.

suroeste *m.* =sudoeste.
surrealismo *m.* =superrealismo.
surrealista *adj., m.f.* =superrealista.
sursudoeste *m.* =sudsudoeste.
surtida *f.* ☞surtido.
surtidero *m.* ① (연못의) 도랑, 배수구. ② 분수(噴水).
surtido, da *adj.* ① 상품(商品)이 풍부한. ② 여러 가지가 섞인: galletas *~das* 여러 가지가 섞인 비스킷. —*m.* ① (같은 종류의 물건을) 골고루 갖추어 놓음: Tenemos un gran ~ 우리는 골고루 갖추어 놓고 있습니다. ② 공급, 조달. ③ 재고품. —*f.* ① (포위된 성채에서의) 뒷구멍, 빠지는 구멍. ② 비밀 출입구, 샛문. ③ 선박 수리소, 독.
surtidor, ra *adj.* 제공하는, 공급하는. —*m.f.* 제공자, 공급자. —*m.* ① 분수. ② 가솔린 펌프.
surtir *tr.* 제공하다, 납입하다. —*intr.* ① 내뿜다, 분출하다, 콸콸 흐르다. ② (물 등이) 튀기다, 끼얹어지다. ~**se** [+de] (…을) 갖추다, 제공하다.
surto, ta *adj.* 고요한, 잠잠한.
sus *interj.* 힘내라, 기운을 내라, 잘해라. ¶~ *de gaita* 하찮은 물건[것], 볼품이 없는 물건[것].
sus- *pref.* ☞sub-.
susceptibilidad *f.* 느끼기 쉬움, 민감함, 감수성.
susceptible *adj.* ① (영향을) 받기 쉬운. ② 느끼기 쉬운, 민감한. ③ …을 할 여지가 있는, 가능한.
suscitar *tr.* (감정・생각을) 자극하다, 부추기다, 선동하다.
suscribir *tr.* ① [+a] (정기 구독・입회 등을) 신청하다. ② …에 출자하다. ③ (문서의 끝에) 서명하다. ④ (…에) 동조하다, 동의하다. ~**se** ① [+a] (…에) 신청하다, 응모하다. ② [+a] (…에) 입회하다.
suscripción *f.* ① (출판물의) 예약, 정기 구독. ② 응모, 신청. ③ 출자. ④ 정기 구독료. ⑤ 서명. ⑥ 동의.
suscripto, ta *adj. Arg., Ur.* =suscrito.
suscriptor, ra *m.f.* ① 정기 구독자. ② 신청자. ③ 출자자.
suscrito, ta *adj.* ① 예약된. ② 신청된, 응모된. ③ 출자된. ④ 서명된. —*m.f.* 서명자.
suscritor, ra *m.f.* =suscriptor.
Suso *m.* [남자 이름] 수소 ((Jesús의 애칭)).
susodicho, cha *adj.* 앞에 기술한, 앞에 쓴, 전술(前述)한.
suspender *tr.* ① 매달다, 달아매다, 걸다, 축 늘어뜨리다: ~ una araña *del* techo 천장에 샹들리에를 매달다. ② 그만두다, 정지하다, 중단하다, 일시 정지하다. ③ 정직시키다, 휴직시키다, 정직 처분을 내리다, 정지 처분시키다. ④ 낙제시키다, (학생이) …의 과락(科落)을 하다. ⑤ 놀라게 하다, 경탄하게 하다. —*intr.* ① 매달리다, 축 늘어지다. ② 멎다, 중지되다, 정지되다. ③ 낙제하다. ~**se** 중지되다, 중단되다, 일시 정지되다.
suspense *m. fr., ing.* 서스펜스
suspensión *f.* ① 중지, 중단, 일시 정지: ~ de pagos 지불 정지. ② (차량의) 완충 장치, 받침대. ③ [화학] 현탁(懸濁), 현탁액, 현탁 상태. ④ [물리] (고체 입자의) 부유(浮遊) (상태).
suspensivo, va *adj.* 중지의, 중단의, 정지의, 도중에서 그만두는.
suspenso, sa *adj.* ① 공중에 매단[매달린], ② 얼떨떨한, 멍한. ③ 낙제된. —*m.* ① (성적의) 낙제. ② *Amér.* =suspense. ¶*en* ~ ㉮ 보류 중인, 미결로 두는, 현안(懸案) 중인. ㉯ 연기된, 중단된.
suspensores *m.pl. Amér.* (바지의) 멜빵.
suspensorio, ria *adj.* 높이[공중에] 매다는[거는]. —*m.* ① 걸어 매는 붕대. ② (음낭용) 서포터.
suspicacia *f.* ① 의심이 많음, 시의심(猜疑心). ② 의념(疑念), 의심스런 생각, 불신. ③ 경계심.
suspicaz *adj.* 의심이 많은, 시의심이 강한, 사람을 믿지 않는.
suspirado, da *adj.* 열망된, 갈망된.
suspirar *intr.* ① 한숨을 내쉬다, 한숨 짓다. ② [+por] (…을) 열망하다, 갈망하다, 동경하다.
suspiro *m.* ① 한숨, (긴) 탄식, 개탄: dar un hondo ~ 땅이 꺼지게 한숨을 쉬다. ② 수스삐로 ((밀가루・설탕・달걀로 만든 과자)). ③ 유리 피리. ④ 일순(一瞬). ⑤ [음악] 사분쉼표. ¶*último* ~ ㉮ 죽을 때 마지막 숨. ㉯ 끝, 종말.
sustancia *f.* ① 물질: ~ pegajosa 끈적거리는 물질. ② 실질. ③ 요점. ④ 자양분: caldo sin ~ 영양이 없는 수프. ⑤ [해부] 실체, 본질.
sustancial *adj.* 실질적인, 본질적인, 중요한: punto ~ de un discurso 강연의 요점.
sustancialmente *adv.* 실질적으로, 본질적으로.
sustanciar (11) *tr.* ① 요약하다. ② [법률] 심리하다.
sustancioso, sa *adj.* ① 자양이 풍부한. ② 내용이 충실한: contrato ~ 조건이 좋은 계약.
sustantivación *f.* 명사화(名詞化).
sustantivar *tr.* 명사화하다: ~ un adjetivo 형용사를 명사화하다.
sustantivo, va *adj.* ① 본질적인, 실질적인. ② [문법] 명사의. —*m.* [문법] 명사.
sustentable *adj.* 지지할 수 있는, 변호할 수 있는.
sustentación *f.* ① 지지. ② 부양. ③

[항공] 양력(揚力)(fuerza de ~).

sustentáculo *m.* 지주(支柱), 받침대, 버팀목.

sustentador, ra *adj.* 지지(支持)하는. —*m.f.* 지지자.

sustentar *tr.* ① 받치다, 지탱하다. ② 부양하다, 양육하다: ~ a *su* familia 가족을 부양하다. ③ (의견·사상을) 지지하다, 옹호하다. ④ 유지하다, 지속시키다. ~**se** [+con · de] (음식물을) 섭취하다.

sustento *m.* ① 양식, 식량, 먹을거리. ② 받침, 받치는 물건.

sustitución *f.* ① 대용, 대용품, 대체, 교체: ~ de importaciones 수입 대체. ② [법률] 대습상속(代襲相續). ③ [화학] 치환. ④ [수학] 대입.

sustituible *adj.* 바꿀 수 있는, 대체할 수 있는, 대체 가능한.

sustituidor, ra *adj.* 대리하는, 대신하는. —*m.f.* 대리자, 대리인, 대행.

sustituir (77) *tr.* ① …의 대리를 하다, 대신하다. ② 바꾸다, 교체하다, 대체하다.

sustitutivo, va *adj.* 대용품의, 대체의. —*m.* 대용품, 대체물.

sustituto, ta *m.f.* 대리인, 대행.

sustitutorio, ria *adj.* =sustitutivo.

susto *m.* ① 놀라움. ② (까닭 없는) 불안, 걱정.

sustracción *f.* ① 제거, 갈아치움. ② 공제(控除). ③ 횡령, 사취. ④ [수학] 뺄셈.

sustraendo *m.* [수학] 감수(減數).

sustraer (72) *tr.* ① 뽑아내다, 제거하다. ② 훔치다, 횡령하다. ③ 빼다, 뺄셈을 하다. ~**se** [+a] (의무 등에서) 피하다, 면하다.

sustrato *m.* ① [철학] 실체. ② [지질] 하층토(下層土), 심토(心土). ③ [언어] 기층 (언어). ④ [생물] 기저(基底).

susurración *f.* ① 속삭임, 소곤거림. ② 밀담, 험담.

susurrador, ra *adj., m.f.* 속삭이는 (사람), 소곤거리는 (사람).

susurrante *adj.* ① 속삭이는, 소곤거리는. ② (바람·물이) 솔솔거리는, 졸졸거리는.

susurrar *intr.* ① 속삭이다, 소곤거리다. ② (비밀·몰랐던 것을) 말하기 시작하다, 폭로하기 시작하다. ③ (바람이) 솔솔거리다. ④ (물이) 졸졸거리다, 졸졸 흐르다. —*tr.* ① 소곤거리다, 속삭이다. ② (바람이) 솔솔 불다. ③ (물이) 졸졸 흐르다. ~**se** (비밀·몰랐던 것을) 말하기[폭로하기] 시작하다, 남의 입에 오르내리다, 소문이 퍼지다.

susurro *m.* ① 속삭임, 소곤거림. ② (바람이) 솔솔거림. ③ (물이) 졸졸거림.

susurrón, na *adj., m.f.* 남의 말을 하기 좋아하는 (사람), 몰래[숨어서·비밀스레] 소곤거리는 (사람).

sutil *adj.* ① 가는, 엷은. ② 섬세한, 미묘한: diferencia ~ 미묘한 차이. ③ (맛·빛깔이) 진하지 않은, 연한: color ~ 연한 색. ④ 재치 있는, 명민한, 예민한, 날카로운.

sutileza *f.* ① 섬세함. ② 엷음. ③ 예민함, 명민함. ④ 찌르는 듯한 말.

sutilidad *f.* =sutileza.

sutilizador, ra *adj., m.f.* 섬세한 (사람); 날카롭게 하는 (사람); 날을 가는 (사람).

sutilizar (9) *tr.* ① 가늘게 하다. ② 섬세하게 하다, 세련시키다. ③ 곰곰이 생각하다, 심사숙고하다.

sutilmente *adv.* 섬세하게, 주의깊게, 심사숙고하여; 날카롭게, 예민하게, 민감하게.

sutura *f.* ① [생물] 봉합(선). ② [의학] 꿰맴, 봉합. ③ [해부] (특히 두개골의) 봉합선.

suturar *tr.* (상처를) 꿰매다, 봉합(縫合)하다.

suyo, ya *adj.* [소유 형용사 완전형] ① 그(들)의, 그녀(들)의, 당신(들)의, 그것(들)의: ㄱ) [명사 뒤에서] una casa ~*ya* 그[그녀·당신·그들·그녀들·당신들]의 집. ㄴ) [보어; 보통 관사 없이] …의 것: Este coche es ~ 이 차는 그[그녀·당신·그들·그녀들·당신들]의 것이다. ㄷ) …다운: Los locuciones son muy ~*yas* 그 말투가 그[그녀·당신] 답다. ② 자신(들)의: una amiga ~*ya* 자신(들)의 한 여자 친구. ③ 자기중심적인, 다른 사람에게 좌우되지 않는. —*pron.* [정관사와 함께] ① 그[그녀·당신·그들·그녀들·당신들]의 것: Mi coche es más pequeño que el ~ 내 차는 그[그녀·당신·그들·그녀들·당신들]의 것보다 더 작다. ② 자신(들)의 것: Ella confunde mi cuaderno con el ~ 그녀는 내 공책을 자신의 것과 혼동하고 있다.

suzón *m.* =zuzón.

s.v. su valor 귀측 가격.

s/v sobre vagón 화차도(渡)로.

svástica *f.* ①만자(卍字). ② 만자형(卍字形).

swahili *m.* 스와힐리 말.

T t

t. *f.* 떼 ((스페인어 알파벳의 스물세번째 문자)). ¶***hierro de doble T*** 티(T)자형 강재(鋼材).

T tonelada 톤.

t. talón 수표장; tarde 오후.
t/ talón 수표장.
taba *f.* [해부] 복사뼈.
tabacal *m.* 담배 밭.
tabacalero, ra *adj.* ① 담배의 (재배·제조·판매)의[에 관한]. ② 담배를 재배하는. ③ =**tabaquero.** —*m.f.* ① 담배 재배자. ② 담배 장수. —*f.* ① 담배 공장. ② 담배(전매) 공사.
tabaco *m.* ① [식물] 담배. ② 담배 잎. ③ (코로 피우기 위해 담배의 마른 잎에서 만든) 가루. ④ (흡연용의) 담배, 여송연(cigarro puro): fumarse un ~ 여송연을 피우다. ⑤ 담배 잎 빛깔. ¶~ ***negro*** 필터 없는 독한 담배. ~ ***rubio*** 필터 있는 순한 담배. ***acabársele*** a alguien ***el*** ~ *Arg.* [드묾] (누가) 일전 한 푼 없이 되다, 빈털터리가 되다. ***tomar*** ~ 코담배로 냄새를 맡다.
tabal *m.* 정어리 절임 통.
tabalear *tr.* 흔들다. —*intr.* 손가락으로 톡톡 건드리다.
tabaleo *m.* ① 흔들기. ② 손가락으로 톡톡 건드리기.
tabanco *m.* ① (식료품 판매용 거리나 시장의) 노점, 좌판, 포장마차. ② *AmérC.* =**desván, sobrado.**
tabanera *f.* 등에가 들끓는 곳.
tábano *m.* ① [곤충] 등에. ② 귀찮은 사람, 성가시게 구는 사람.
tabanque *m.* ① (도공용) 고패, 녹로. ② =**tabaque**[1].
tabaque[1] *m.* (버들가지로 만든) 작은 바구니.
tabaque[2] *m.* 대갈못.
tabaquera *f.* ☞**tabaquero.**
tabaquería *f.* ① 담배 판매소, 담배 가게. ② *Cuba.* 여송연 공장.
tabaquero, ra *adj.* 담배의[에 관한]. —*m.f.* ① 담배 제조 노동자. ② 담배 장수. —*f.* ① 담뱃갑, 담배쌈지, 담배통. ② 가루 담배용 담뱃대. ③ (담뱃대의) 가루 재는 부분.
tabaquismo *m.* 담배 중독, 니코틴 중독(증).
tabaquista *m.f.* ① 담배 감정인. ② 담배를 많이 피우는 사람, 애연가.
tabardillo *m.* ① 일사병(日射病). ② 미치광이 같은 사람. ③ [의학] [드묾] =**tifus.**
tabardo *m.* ① (시골에서 입는) 조잡한 천 두루마기[겉옷]. ② 소매 없는 외투.
tabarro *m.* [곤충] =**tábano.**
tábarro *m.* [곤충] =**tábano.**
tabasco *m.* ① (붉고 매우 매운) 고추. ② [등록 상표] 따바스꼬 ((양념용 고추 소스)). ③ *Méj.* 큰 바나나.
taberna *f.* 선술집, 주점, 바.
tabernáculo *m.* ① (성체를 넣는) 성궤(聖櫃). ② (성상을 안치하는) 성실(聖室). ③ 고대 히브리인이 거주했던 천막[막사].
tabernario, ria *adj.* ① 선술집(식)의. ② 선술집에 자주 다니는 (사람). ③ 천한, 비열한.
tabernera *f.* ☞**tabernero.**
tabernería *f.* 술장사.
tabernero, ra *adj.* 선술집의, 선술집식의. —*m.f.* 선술집 주인. —*f.* 선술집 주인의 아내.
tabicar (7) *tr.* 칸막이하다, 칸막이로 막다. ~**se** ① (자신의 눈·귀 등을) 가리다, 막다. ② 막히다: *Se me han tabicado* las narices 나는 코가 막혔다.
tabique *m.* ① 칸막이, 사이벽. ② (코의) 사이벽. ¶~ ***de panderete*** 벽돌 칸막이 벽.
tabiquería *f.* [집합] 칸막이.
tabla *f.* ① (주로 나무의) 판, 판자: ~ de dibujo 화판(畵板). ② 대, 받침: ~ de sastre 재단대. ③ 표, 일람표: ~ de precios 가격표. ④ [수학] 구구표. ⑤ (옷의) 넓은 주름, (스커트의) 주름. ⑥ 한 구획의 밭; 직사각형의 야채밭. ⑦ 화단. ⑧ [운동] (수영·수상 스키·서핑 등의) 판, 보드. ⑨ *pl.* 스키판. ⑩ (양식 변기의) 앉은 자리. ⑪ 화판, 널판에 그린 그림. ⑫ 색인. ⑬ 납작한 다이아몬드. ⑭ (국경·공항의) 세관. ⑮ 무대: pisar la ~ 무대를 밟다, (무대에서) 연기를 하다. subir a las ~*s* 무대에 서다.
tablado *m.* ① 무대. ② (판자를 댄) 단(壇). ③ 관람석. ④ 사형대.
tablao *m.* ① 플라멩코 무대. ② 따블라오 ((플라멩코 쇼를 하는 식당)).
tablazo *m.* ① 판자로 때리기. ② 별로 깊지 않은 널찍한 여울.
tablazón *m.* 판자 둘러치기.
tableado *m.* (천의) 주름.
tablear *tr.* ① 판자로 가르다. ② (밭·화단 등을) 구획하다. ③ 땅을 고르다[다지다]. ④ (천에) 주름을 만들다.
tablero *m.* ① 판: ~ de anuncios 게시판. ~ de dibujo 화판. ② 흑판. ③ 게임 판, 장기판. ④ 도박장. ⑤ (선박의) 칸막이 벽. ⑥ (자동차의) 계기반. ⑦ [전기] 배전반. ⑧ 재단대. ⑨ [농구] 백보드. ⑩ 화단; 구획된 밭. ⑪ 영역, 분야.
tableta *f.* ① 작은 판자. ② 알약, 정제(錠劑). ③ 초콜릿.
tabletear *intr.* ① 판때기로 딱딱 치다. ② (자동차 등이) 덜커덩거리다.
tableteo *m.* ① 판때기로 딱딱 치기. ② 덜커덩거림.
tablilla *f.* ① 게시판. ② 작은 판자. ③ [의학] 부목(副木).
tabloide *m. ing. Amér.* 타블로이드판 신문.
tablón *m.* ① (발판용) 두꺼운 판자. ② 대취, 만취, 술 취함. ③ *Ven.* 농지의 한 구획. ④ [은어] 식탁. ¶~

T

de anuncios 게시판.
tablonaje *m.* [집합] 두꺼운 판자.
tabú *m.* (종교상의) 금기, 터부.
tabuco *m.* ① 작은 방. ② 좁은 방.
tabulador, ra *adj.* 표로 표시하는. —*m.* (타자기의) 도표 작성 장치. —*f.* [컴퓨터] 도표 작성용 컴퓨터 ((자료를 입력하면 자동으로 도표로 됨)).
tabular[1] *adj.* ① 판자 모양의. ② 표의, 일람표의.
tabular[2] *tr.* ① 표(tabla)로 만들다. ② 타자기의 도표 작성 장치를 작동시키다.
taburete *m.* ① (1인용) 걸상, 의자. ② 발받침, 발판.
tac[1] *m.* 탁탁 ((심장의 고동 소리와 같은 의성어)).
tac[2] *m.* Tomografía Axial Computerizada [의학] CAT 스캔 (((CAT 스캐너에 의한) 컴퓨터 X선 체축(體軸) 단층 사진[검사])).
tacañamente *adv.* 인색하게.
tacañear *intr.* 인색하게 굴다.
tacañería *f.* 인색함; 인색한 짓.
tacaño, ña *adj.* 인색한. —*m.f.* 인색한 사람.
tacha *f.* ① 흠, 결함, 결점. ② 작은 못, 징. ③ 비난, 트집. ④ [법률] (증인의) 기피, 무효 신청.
tachable *adj.* ① 비난받아야 할. ② 말소할 수 있는.
tachador, ra *adj., m.f.* 비난하는 (사람), 트집을 잡는 (사람).
tachadura *f.* ① (쓴 것의) 말소, 지우기. ② (쓴 것을) 지우는 선.
tachar *tr.* ① 쓴 것을 지우다. ② (증인의) 무효를 신청하다, 기피하다. ③ 비난하다, 트집을 잡다.
tachón[1] *m.* 지우는 선.
tachón[2] *m.* 장식용 못[정].
tachonar *tr.* ① …에 장식용 정을 박다. ② 표면을 거의 완전히 덮다, 아로새기다.
tachonería *f.* 장식용 못 세공.
tachoso, sa *adj.* 흠[결함]이 있는.
tachuela *f.* ① 징 ((대가리가 크고 넓으며 길이가 짧은 못)). ② *Bol., Chile, Cuba, Hond., Salv.* 키가 매우 작은 사람.
tacita [taza의 축소사] ~ ***de plata*** 매우 깨끗한 것.
tácitamente *adv.* ① 비밀리에, 소리 없이, 말 없이. ② 묵인(默認)으로, 암암리에.
tácito, ta *adj.* ① 무언의, 말 없는, 침묵의. ② 암묵의, 묵인하는.
taciturnidad *f.* 말이 없음, 무언, 과묵(寡默).
taciturno, na *adj.* ① 과묵한, 말수가 적은, 무언의, 말이 없는, 꿀 먹은 벙어리 같은, 입을 꼭 다문. ② 음울한, 쓸쓸한, 쓸쓸해 보이는, 슬픈.
taco *m.* ① 쐐기. ② 벽걸이 달력. ③ 회수권. ④ 혼란, 혼잡. ⑤ 욕지거리. ⑥ [요리] 따꼬 ((tortilla에 고기・야채 등을 넣어 싸 먹는 멕시코의 고유 음식; tortilla 쌈)): ~ de pollo 닭고기 따꼬. ~ de cerdo 돼지고기 따꼬. ~ de chile 고추 따꼬. ⑦ (안주용) 햄[치즈] 조각. ⑧ [운동] 스파이크. ⑨ (구두의) 뒤축. ⑩ *pl.* 나이, 연령: Ella tiene veinte ~*s* 그녀는 스무 살이다.
tacógrafo *m.* 자기 (회전) 속도계, 태코그래프.
tacómetro *m.* (자동차 엔진 등의) 회전 속도계.
tacón *m.* ① (구두의) 굽, 뒤축: calzado de ~ alto 굽이 높은 신발. ② 높은 굽: zapatos de ~ 굽이 높은 구두. ③ 굽이 높은 신발: llevar *tacones* para parecer más alta 더 키가 크게 보이기 위해 굽이 높은 신발을 신다.
taconazo *m.* tacón으로 때리기.
taconear *intr.* ① 따각따각 구두 소리를 내다. ② 말을 구두 뒤축으로 때리다. ③ (어떤 춤에서) 뒤축으로 따각따각 소리를 내면서 율동적으로 발을 움직이다. ④ (무엇으로) 소리를 내면서 바닥을 때리다. —*tr.* ① (어떤 춤에서, 뒤축으로 따각따각 소리를 내면서 발을) 율동적으로 움직이다. ② (무엇으로, 소리를 내면서 바닥을) 때리다.
taconeo *m.* ① 구두 소리. ② 뒤축으로 바닥을 치는 소리. ③ (춤을 출 때) 율동적인 발의 움직임.
tactación *f.* 내진(內診)(tacto).
táctica *f.* ☞**táctico.**
tácticamente *adv.* ① 전술적으로, 작전상. ② 전술적 견지에서.
táctico, ca *adj.* ① 전술[작전]의[에 관한]: arma nuclear ~*ca* 전술 핵무기. ② 전술에 능한, 작전에 능한, 용병술에 능한. —*m.f.* 전술가. —*f.* ① 전술, 작전, 용병. ② 전술학. ③ 책략, 술책, 임기응변의 재주.
táctil *adj.* 촉각(觸覺)의: sensación ~ 촉감.
tacto *m.* ① 촉각. ② (손에 닿는) 감촉, 촉감: tener un ~ agradable, ser agradable al ~ 촉감[감촉]이 좋다. ③ 기지, 임기응변. ④ [의학] 내진(內診): ~ rectal 직장(直腸) 내진.
taekwondo *m.* 태권도.
taekwondoca *m.f.* 태권도 선수; 태권도 하는 사람.
taekwondoísta *m.f.* =taekwondoca.
taekwondoteca *m.f.* =taekwondoca.
taf *m.* tren articulado Fiat 경유 엔진 특급 열차.
tafanario *m.* =**nalgas.**
tafetán *m.* 호박단(琥珀緞), 약간 단단한 평직(平織) 명주.
tafia *f.* 사탕수수 술.
tafilete *m.* 양질의 모로코 가죽.

T

tafiletear *tr.* tafilete로 장식하다.
tafiletería *f.* =marroquinería.
tagalo, la *adj.* ① 타갈로그족(族) 사람의. ② 타갈로그족(族)의[에 관한]. —*m.f.* 타갈로그족 사람. —*m.* 타갈로그 말.
tahalí *m.* 검대(劍帶); 유골 자루.
tahitiano, na *adj.* ① 타이티 섬(Tahití, 남태평양의 프랑스령 섬) 태생의. ② 타이티 섬의[에 관한]. —*m.f.* 타이티 섬사람.
tahúr *adj.* ① 도박을 하는 나쁜 버릇을 가진. ② 도박에 능한. —*m.f.* 도박꾼, 노름꾼. —*m.* 야바위꾼, 사기꾼.
tahurería *f.* ① 도박판, 노름판. ② 노름 버릇. ③ (노름판의) 사기 노름[도박].
tahuresco, ca *adj.* 도박꾼[노름꾼] 같은, 사기적인, 야바위치는.
tailandés, sa *adj.* ① 태국 태생의. ② 태국의[에 관한]. —*m.f.* 태국 사람. —*m.* 태국 말.
Tailandia *f.* [국명] 태국, 타일랜드.
taimado, da *adj.* 교활한, 간사한, 의뭉스러운, 뱃속이 검은. —*m.f.* 교활한 사람, 간사한 사람.
taimería *f.* =picardía, malicia.
taíno, na *adj.* ① 따이노족(族) ((아메리카 발견 당시, 라 에스빠뇰라(현재의 도미니까공화국과 아이티)·꾸바·뿌에르또리꼬에 정착해 있던 원주민; 현재는 절멸됨)) 사람의. ② 따이노족의[에 관한]. —*m.f.* 따이노족 사람. —*m.* 따이노 말.
Taiwan *m.* [국명] 대만, 타이완.
taiwanés, sa *adj.* ① 타이완 태생의. ② 타이완의[에 관한]. —*m.f.* 타이완 사람, 대만 사람. —*m.* 타이완 말.
tajada *f.* ☞tajado.
tajadera *f.* ① (치즈 등을 자르는) 반달형 식칼. ② 고기 도마(tajo). ③ 끌, 정(cortafrío).
tajadero *m.* 고기 도마(tajo).
tajado, da *adj.* (해안·바위 등이) 깎아지른 (듯한), 칼로 자른 듯한. —*f.* ① 토막, (특히, 고기의) (살)조각: ~ de carne 고기 조각. ② (감기로 인한) 기침. ③ 대취, 만취, 술에 취함.
tajador, ra *adj., m.f.* 자르는 (사람). —*m.* ① 고기 도마(tajo). ② (가죽·마분지 등을 자르는) 칼.
tajadura *f.* 자르기, 깎기.
tajamar *m.* ① 배·교각의 물결 헤치는 부분. ② (물살이 갈라지기 쉽게·흐르게 하기 위한) 교각의 모난 가장자리.
tajamiento *m.* =tajadura.
tajante *adj.* ① 자르는, 나누는. ② 맺고 끊는 데가 있는, 시원시원한. —*m.* 고기 장수.
tajaplumas *m.sing.pl.* [드묾] =cortaplumas.
tajar *tr.* ① 자르다, 절단하다, 나누다. ② [드묾] (쓰기 위해) 새의 깃털을 자르다.
tajo *m.* ① 자름, 절단, 재단. ② 작업이 끝난 곳. ③ (정해진 시간에 해야 하는) 일(의 양)(tarea). ④ 일터, 작업장: Me voy al ~ 나는 일터에 간다. ⑤ 깎아지른 듯한 낭떠러지. ⑥ 날, 칼날. ⑦ 고기 도마. ⑧ =tajuelo. ⑨ 단두대. ⑩ [검술] 받아치기. ⑪ *Zam.* 빨래판(tabla de lavar). ⑫ *CRica.* 채석장(cantera). ⑬ [고어] 옷의 재단.
tajón *m.* 고기 도마(tajo).
tajuela *f.* ① =tajuelo. ② *Zam.* 빨래판(tabla de lavar).
tajuelo *m.* (작고 거친) 나무 걸상.
tal *adj.* ① 그런, 이런, 이와 같은, 그러한: ~ cosa 그런 일. ② 그렇게 큰: ~ falta 그렇게 큰 실수. ③ 이러이러한, 여차여차한: ~ muchacho (지금 말씀 드린 바와 같은) 이러이러한 소년. ④ [부정 관사와 함께 고유 명사 앞에서]…라고 하는: un ~ Juan 후안이라고 하는 사람. ⑤ [cual과 대조적으로 쓰여] 그(런): Cual el padre, ~ el hijo 그 아버지에 그 아들, 부전자전. —*pron.* ① 그러한 것[일·사람·물건]: No hay ~! 그런 것[일]은 없다! ② [부정 관사와 함께] 시시한 인간[사람]. —*adv.* 그렇게, 그런 식으로. ¶***con ~ (de) que + subj.*** …하면, …하는 조건으로: *con ~ que* no me pidas cosas imposibles 네가 나에게 불가능한 것을 부탁하지 않으면[않는다는 조건으로]. *una ~* [경멸] =prostituta. ***¿Qué ~?*** ㉮ [친한 사이의 인사] 어떻게 지내느냐? ㉯ 어떻게(¿cómo?): *¿Qué ~* (fue) el viaje? 여행은 어떠했습니까?
tala *f.* 벌채(伐採).
talabarte *m.* 검대(劍帶).
talabartería *f.* 마구(馬具)[가죽 제품] 가게[공장].
talabartero, ra *m.f.* 마구[가죽 제품] 제조자.
talador, ra *adj.* 벌채하는. —*m.f.* 벌채자.
taladrado *m.* 구멍 뚫기.
taladrador, ra *adj., m.f.* 구멍을 뚫는 (사람). —*f.* 천공기, 드릴.
taladrar *tr.* ① (드릴 등으로) 구멍을 뚫다. ② (소리가) 귀를 울리다, 쨍쨍 울리다. ③ [드묾] 꿰뚫다, 간파하다.
taladro *m.* ① 천공기, 드릴. ② 드릴로 낸 구멍.
talamete *m.* (작은 배의) 뱃머리 갑판.
tálamo *m.* ① 결혼식장. ② 부부의 침대, 부부의 잠자리, 신방의 잠자리. ③ [식물] 꽃받침, 화탁(花托).
talanquera *f.* ① 울타리, 방벽, 방호벽, 바리케이드. ② 안전한 장소, 피난소.

T

talán *m.* 종소리.
talán talán *interj.* 딸랑딸랑 ((종소리의 소리흉내말)).
talante *m.* ① 기분. ② 기질. ③ (어떤 것의) 상태, 질. ④ 의지. ⑤ 소원. ⑥ 기쁨.
talar¹ *adj.* ① (옷이) 복사뼈까지 닿는, 옷자락을 질질끄는. ② (시인들에 의하면) 머큐리 신이 복사뼈에 가지고 있던 날개의. —*m.pl.* 머큐리 신의 복사뼈에 달린 날개.
talar² *tr.* ① (나무를) 밑둥에서 자르다, 벌채하다. ② (건물·마을을) 파괴하다, 소각하다.
talasocracia *f.* 제해권(制海權).
talasoterapia *f.* [의학] (해수욕·바닷바람에 의한) 해수(海水) 요법, 해풍(海風) 요법.
talayote *m.* (스페인의 발레아레스 섬들의 낮은 탑 모양의) 거석 유물(巨石遺物).
talco *m.* ① [광물] 활석. ② (자수 등에 쓰이는) 금은박(金銀箔).
talcualillo, lla *adj.* ① 보통에서 약간 나온. ② (병이) 약간 호전되어 가는.
taled *m.* (유대인들이 예배를 볼 때 쓰는) 머리와 목 가리개, 머리쓰개.
talega *f.* ① (물건을 담거나 옮기는 넓고 짧은) 자루. ② 자루에 들어 있는 물건. ③ 은화 5천 뻬세따(의 분량). ④ *pl.* 돈, 자본.
talegada *f.* 자루(talega)에 들어 있는 물건.
talegazo *m.* 자루로 때리기.
talego *m.* ① (물건을 담거나 옮기는) 길다란 자루. ② 땅딸보. ③ [속어] 감옥. ④ [속어] 천 뻬세따짜리 지폐. ⑤ [은어] (옛날에 다리를 덮었던) 긴 양말. ¶***tener*** ~ 돈을 가지고 있다, 돈을 보관해 두다.
taleguilla *f.* 투우사의 바지. ¶~ ***de la sal*** (집안의) 하루 생활비.
talento *m.* ① (지적인) 재능, 소질: mostrar *su* ~ 재능을 발휘하다, 소질이 있다. tener ~ para la lengua 언어에 재능이 있다. ② (일을 하는) 능력, 적성. ③ 재능이 있는 사람. ④ 탤런트 ((고대 희랍과 로마의 화폐)). ⑤ [성경] 달란트.
talentoso, sa *adj.* ① 재능[소질]이 있는. ② 능력이 있는.
talentudo, da *adj.* =**talentoso.**
talgo *m.* 관절식 초경량 열차 ((tren articulado ligero Goicoechea Oriol의 약자)).
talio *m.* [화학] 탈륨 ((납과 비슷한 청백색을 띤 희유 금속 원소; 인공 보석의 제조 등에 이용됨)).
talismán *m.* 부적(符籍).
talla¹ *f.* ① (특히, 나무) 조각 (작품). ② 키, 신장. ③ 신장계(身長計), 키 재는 기구. ④ (의복의) 크기, 사이즈. ⑤ (주로 지적인) 능력, 수준. ⑥ 몸값, 보석금, 현상금. ⑦ [의학] 방광 결석 절제 수술.
talla² *f.* ① *And.* 물을 차게 보관하는 질그릇. ② *Can.* 큰 질항아리.
talla³ *f.* (배의) 도르래.
tallado, da *adj.* 틀이 좋은[나쁜]: buen ~ 틀이 좋은. mal ~ 틀이 나쁜. —*m.* ① 조각(하기). ② 보석 세공(寶石細工).
tallador, ra *m.f.* 세공사.
tallar¹ *adj.* 베어낼 수 있는, 베어내야 할, 벌채에[베기에] 적당한: monte ~ 베어내야 할 산. —*m.* 벌채하기에 적당한 산.
tallar² *tr.* ① (카드를) 나누다. ② 견적을 내다, 평가하다. ③ 새기다, 조각하다, 세공하다. ④ (사람의) 키를 재다. —*intr.* ① 대화에 끼어들다. ② *Cuba.* (남녀가) 사랑을 속삭이다. ~**se** *Méj.* 일을 많이 하다.
tallarín *m.* [주로 *pl.*] 국수, 면, 마카로니.
talle *m.* ① 몸집, 체격. ② 자태, 모습, 모양. ③ (사람의) 허리. ④ (옷의) 허리 둘레, 허리 부분. ⑤ (옷의) 크기, 사이즈. ⑥ (식물의) 줄기; (나무의) 몸통.
taller¹ *m.* ① (수작업의) 일터, 공장, 제작소. ② (자동차의) 수리 공장. ③ (공장 안의 같은 직종의) 작업장. ④ [집합] (예술가·과학자의) 문하, 일파; 제작진. ⑤ 아틀리에, 공방(工房); 공동 작업장[제작소]. ⑥ (학교의) 실습실. ⑦ 학원(學院), 연구소, 교습소.
taller² *m.* 식탁용 조미료 그릇.
tallista *m.f.* ① (나무) 조각가. ② (보석의) 세공사.
tallo *m.* ① (식물·나무의) 줄기. ② (식물의) 새싹. ③ (씨앗·알뿌리에서 나온) 움, 싹.
tallón *m.* 몸값, 보석금(保釋金), 현상금(talla).
talludo, da *adj.* ① 줄기가 큰. ② 줄기가 많은. ③ (짧은 기간에) 키가 많이 자란 (소년). ④ 신선함을 잃은. ⑤ (오래 습관이 되어) 손을 떼기 어려운 (일). ⑥ 젊음을 잃기 시작한 (여자).
talmente *adv.* 그렇게, 그와 같이, 그런 모양으로.
talmud *m.* 탈무드 ((유대교의 율법과 그 해설의 집대성)).
talo *m.* [식물] 엽상체(葉狀體).
talofita *adj., f.* 엽상 식물(의).
talón¹ *m.* ① 발뒤꿈치. ② (신발·양말의) 뒤꿈치: el ~ del zapato 구두의 뒤꿈치. ③ (말의) 뒷발의 뒤꿈치. ④ (대장에서 떼어낸) 수표, 어음, 영수증, 전표, 쿠폰. ⑤ (총의) 개머리판. ⑥ (바이올린 활의) 잡는 부분. ⑦ [건축] 물결 모양의 쇠시리. ⑧ (타이어의) 바퀴테. ¶~ ***de Aquiles*** ㉮ [해부] 아킬레스건(腱). ㉯ 약점, 급소.
talón² *m.* [은어] =**albergue.**

T

talón³ *m.* (화폐의) 본위제(本位制): ~ de oro 금본위제. ~ de plata 은본위제.
talonario, ria *adj.* 쿠폰[수표장]식의[에 관한]. —*m.* ① (영수증·표 등을 떼어 주고 남는) 부본, 철(綴), 영수증, 쿠폰. ② 수표장.
talud *m.* 경사, 기울기, 사면(斜面).
tamal *m.* ① *Amér.* [요리] 따말 ((바나나 잎·옥수수 잎으로 말아 찐 옥수수 가루 빵)). ② *Amér.* =**lío, embrollo, pastel, intriga.** ③ *Nic., Salv.* 도둑.
tamalería *f. Méj.* tamal 가게[판매소].
tamalero, ra *m.f. Amér.* tamal 제조자[장수].
tamañamente *adv.* (비교되는 다른 것)만큼 크게.
tamañito, ta *adj.* =achicado, confuso: dejar [quedar] ~ 아연실색하다, 아연실색하게 하다.
tamaño, ña *adj.* ① (…만큼) 그렇게 큰[작은]. ② 매우 큰[작은]. —*m.* 크기, 치수, 사이즈: fotografía (de) ~ postal 엽서 크기의 사진. ¿De qué ~ es la televisión? 텔레비전 사이즈는 얼마나 됩니까?
tambaleante *adj.* (넘어질 것처럼) 비틀거리는.
tambalear *intr.*, ~**se** (넘어질 것처럼) 비틀거리다.
tambaleo *m.* (넘어질 것처럼) 비틀거림.
también *adv.* ① …도, 역시, 또한: Tengo hambre －Yo ~ 나 배고파 －나도. ② 그리고 또, 그 밖에, 동시에, 게다가: Anoche estudié el español y, ~, escribí una tarjeta a un amigo mío en España 간밤에 나는 스페인어를 공부하고 또 스페인에 있는 한 친구에게 엽서를 썼다.
tambor *m.* ① [악기] 북, 장구: tocar el ~ 북[장구]을 치다. ② 고수(鼓手). ③ 북[원통] 모양의 물건. ④ 설탕 체. ⑤ (커피 등을) 볶는 둥근 쇠통. ⑥ (원형의) 자수(刺繡) 틀, 수틀. ⑦ (권총의) 회전 탄창. ⑧ [해부] 고막. ⑨ 드럼통. ⑩ (각종 부품의) 원통(圓筒). ⑪ [건축] 원통 벽체(壁體).
tamboril *m.* 작은 북[장구].
tamborilada *f.* ① 엉덩방아. ② (손으로) 머리[등] 때리기.
tamborilazo *m.* =**tamborilada.**
tamborilear *intr.* ① tamboril을 치다. ② (북소리 흉내를 내면서) 손가락으로 장단을 맞추다. —*tr.* ① 추켜세우다, 매우 높게 평가하다. ② [인쇄] 활자를 고르게 하다.
tamborilero, ra *m.f.* 고수(鼓手).
tamboritear *intr.* =**tamborilear.**
tamboritero *m.* =**tamborilero.**
tamborón *m.* [악기] 큰 북, 큰 장구.
tamiz *m.* 매우 촘촘한 체.
tamizar (9) *tr.* ① 체로 치다, 체질하다. ② 선별하다, 정화(淨化)하다.
tamo *m.* ① 보풀. ② (보리 등을 탈곡할 때 나는) 먼지, 지푸라기. ③ (침대 등에 넣는) 가는 지푸라기.
támpax *m.* [상표] =**tampón ②.**
tampoco *adv.* ① …도 (… 아니다): No me gusta el café －A mí ~ 나는 커피를 좋아하지 않는다 －나도 (좋아하지 않는다). ② 그밖에[그리고 또] (… 아니다): Ella no era pobre, pero ~ rica 그녀는 가난하지도 않았지만 또 부자도 아니었다.
tampón *m.* ① 인주, 스탬프 잉크대. ② (여성의 질에 넣는) 삽입식 생리용구.
tamtan *m.* ① [악기] (아프리카의) 손으로 치는 큰 북. ② [악기] = **batintín.**
tan¹ *m.* (북·북 비슷한 것의) 소리, 울림, 반향(反響). —*interj.* 둥둥 ((북소리의 소리흉내말)).
tan² *m.* 떡갈나무의 껍질.
tan³ *adv.* [형용사·부사 앞에서 tanto의 어미 탈락형] ① 그렇게, 이렇게: No es un problema ~ importante 그렇게 중요한 문제는 아니다. ② [동등 비교] [+ … como …] (…만큼) 그렇게 …: Ella es ~ alta *como* su hermana 그녀는 언니만큼 키가 크다. ③ [+ … que …] 너무 …해서 …하다: Es ~ grande *que* no puedo levantar 너무 커서 들 수 없다.
tanato- *pref.* 「죽음(muerte)」의 뜻: *tanato*fobia 죽음에 대한 공포.
tanatofobia *f.* 죽음에 대한 (강박 관념적) 공포.
tanatología *f.* ① [집합] 죽음에 관한 의학적 지식. ② 사망학(死亡學).
tanatológico, ca *adj.* 사망학의[에 관한].
tanatorio *m.* (밤샘 등을 하는) 영안실, 시체 안치실.
tanda *f.* ① 교대, 차례, 순서, 순번: por ~*s* 교대로. ② 일(tarea, trabajo). ③ (덮여진) 층. ④ (일의) 교체반, 교대반. ⑤ (특히, 당구의) 시합, 경기. ⑥ (같은 종류의 어떤 일에서) 부정확한 수, 상당수, 많은 수: ~ de azotes 헤아릴 수 없는 매질, 매 타작. ⑦ (광산에서) 교대로 일하고 쉬는 날수.
tándem *m.* 2인승 자전거.
tangar (8) *tr.* 속이다, 사기치다.
tangencial *adj.* ① [기하] 접선의[에 관한], 접하는; 탄젠트의[에 관한]. ② (화제가) 본질적이 아닌.
tangente *adj.* ① 접하는. ② [기하] 접선의. —*f.* ① [기하] 접선. ② 탄젠트.
tangible *adj.* ① 만져서 알 수 있는, 유형(有形)의. ② 명백한, 확실한.
tango¹ *m.* 뼈조각 던지기 놀이.
tango² *m.* ① 탱고 ((아르헨띠나의

T

수도, 부에노스아이레스의 보까 지역에서 유래된 춤)). ② 탱고 음악. ③ 탱고 음악의 가사.

tanguero, ra *adj.* 탱고의[에 관한]. —*m.f.* 탱고 음악 작곡가[연주가].

tanguista *m.f.* =tanguero, ra.

tánico, ca *adj.* ① 타닌산을 함유한. ② 타닌산의[에 관한].

tanino *m.* [화학] 타닌산.

tano, na *adj., m.f. Arg., Ur.* [경멸] =italiano.

tanque[1] *m.* ① (벌꿀의) 밀랍(蜜蠟)(propóleos). ② 탱크로리. ③ 탱크, 통. ④ 물통, 수조(水槽). ⑤ 석유 탱크. ⑥ 급수선(給水船)(aljibe). ⑦ 손잡이가 달린 큰 잔, (주로) 큰 맥주잔. ⑧ *Sal.* [동물] 큰 두꺼비. ⑨ *Arg., Cuba, Salv., Ur.* 자동차의 연료 탱크. ⑩ *Cuba.* [은어] 감옥. ⑪ *Méj.* 풀장, 수영장(piscina).

tanque[2] *m.* ① [군사] 전차(戰車), 탱크. ② 뚱뚱보. ③ 두꺼운 물건.

tanqueta *f.* (보통 탱크보다 빠른) 경전차, 소형 전차.

tantalio *m.* [화학] 탄탈 ((희유 원소; 백금 대용품; 기호 Ta, 번호 73)).

tantán *m.* (배의) 종(鐘).

tantarán *m.* =tantarantán.

tantarantán *m.* ① 둥둥 ((북소리의 소리흉내말)). ② (누구·무엇을) 세게 구타.

tanteador, ra *m.f.* 득점[점수] 기록원. —*m.* 득점 게시판, 스코어 보드.

tantear *tr.* ① 재다, 가늠하다. ② 조사하다, 알아보다. ③ 타진하다. ④ 견적을 내보다. ⑤ 낌새를 살피다, 속셈을 떠보다. ⑥ [운동] 득점을 기록하다. ⑦ [미술] 소묘(素描)하다. 데생하다. ⑧ [투우] (본경기 전에 소의) 상태나 용맹함 등을 조사하다. —*intr.* ① (손으로) 더듬어 나아가다. ② [운동] 득점을 기입하다.

tanteo *m.* ① 견적, 대중, 짐작. ② 타진, 탐색, 탐지, 의중을 떠봄. ③ [운동] 득점, 스코어. ④ [미술] 소묘, 데생. ⑤ (일단 팔아 넘긴 것을) 되삼.

tantico *m.* 소량(少量), 적은 양(poco). —*adv.* =poco.

tanto, ta *adj.* ① 그렇게 많은: con ~ dinero 그렇게 많은 돈으로. ② [동등 비교] [+ … como …] (…만큼) 많은 …: Tengo ~ dinero *como* José 나는 호세 만큼 많은 돈을 가지고 있다. ③ 얼마간의, 몇몇의, 약간의: ~*s* euros 얼마간의 유로. cincuenta y ~*s* mujeres 오십 몇 명의 여자들. —*pron.* ① 그 정도의 것[일·물건·사람]. ② 그것, 그 일. ③ 얼마간, 약간: el año mil novecientos noventa y ~*s* 천구백구십 몇 년. —*adv.* [형용사·부사 앞에서 tan이 됨] ① 그렇게[이렇게] 많이, 그렇게: No duermas ~ 그렇게 많이 자지 마라. ② [+como …] (…만큼) 그렇게 많이: Te quiero ~ *como* a ella 나는 그녀만큼 너를 그렇게 (많이) 사랑한다. ③ [+que+*ind.*] 너무 …하여 …하다: Ella estudió ~ *que* estaba cansada 그녀는 공부를 너무 많이 하여 무척 피곤했다. —*m.* ① 약간(의 금액). ② 일정한 양[액]. ③ 득점, 점수. ④ (트럼프의) 끗, 끗수. ⑤ (원본의) 복사.

Tanzania *f.* [국명] 탄자니아.

tanzano, na *adj.* ① 탄자니아 태생의. ② 탄자니아의[에 관한]. —*m.f.* 탄자니아 사람.

tañedor, ra *m.f.* 악기 연주자[연주가].

tañer (51) *tr.* (악기를) 연주하다, 켜다, 치다, 불다; (특히, 종을) 치다. —*intr.* 손가락으로 장단을 맞추다.

tañido *m.* ① 음색(音色). ② (울리는) 소리.

tañimiento *m.* ① (악기의) 연주. ② (울리는) 소리.

taoísmo *m.* (옛 중국의) 도교(道教).

taoísta *adj.* 도교의[에 관한]. —*m.f.* 도학자(道學者), 도교 신자.

tapa *f.* ① (상자·병·솥 등의) 뚜껑, 덮개. ② (책·잡지의) 표지. ③ (술의 마른) 안주. ④ [요리] (소의) 넓적다리 고기. ⑤ 구두 뒤창. ⑥ (웃옷·코트의) 웃옷깃, 웃동정.

tapaboca *m.* ① 손바닥으로 입 구타. ② 목도리, 머플러. ③ 말문이 막히게 하기. ④ *Cuba.* 입마개, 마스크. ⑤ *Cuba, Méj.* (의사의) 마스크.

tapabocas *m.sing.pl.* ① 목도리, 머플러. ② [군사] 포구(砲口)의 마개.

tapada *f.* ☞tapado.

tapadera *f.* ① (주로 솥의) 뚜껑. ② 숨겨 주는 사람, 숨기는 것.

tapadillo *m.* 피리의 구멍막기.

tapado, da *adj.* ① 뚜껑을 닫은, 막은. ② (여자가) 얼굴을 가린. ③ *Arg.* (동물·사람의) 가치가 가려진. ④ *Arg.* (말이) 얼룩점이나 표시가 없는. ⑤ *Col., Ur.* (사람이) 의도를 숨긴. —*m.f.* ① 가치가 가려진 동물[사람]. ② *Arg.* 얼룩점이나 표시가 없는 말. —*m.* (특히 멕시코의 정치에서, 적당한 순간까지 비밀이 유지된) 당의 대통령 입후보자. —*f.* ① 얼굴을 가린 여자. ② 덮개, 씌우개.

tapador, ra *adj.* ① 덮는, 씌우는, 뚜껑을 닫는. ② 병 뚜껑을 닫는. —*m.f.* 뚜껑을 닫는 (사람). —*m.* 뚜껑, 덮개. —*f.* 병 뚜껑을 닫는 기계.

tapadura *f.* 덮기, 닫기; 은닉.

tapamiento *m.* =tapadura.

tapar *tr.* ① (열린 것을) 닫다, 덮다, 씌우다: ~ el suelo 바닥을 덮다. ② 가리다, 차단하다, 방해하다: ~ el sol 해를 가리다. ③ 막다, 틀어막다: ~ la entrada 입구를 막다. ④ …에 뚜껑을 덮다: ~ una botella 병의 뚜껑을 덮다. ⑤ 감추다: ~ una falta 실패를 감추다. ⑥ 숨겨두다,

T

은닉하다: ~ a un criminal 범인을 은닉하다. ~**se** ① 몸을 감싸다[휩싸다]: *Tápese*, que hace mucho frío 날씨가 무척 추우니 옷을 단단히 입으세요. ② (자신의 몸의 일부를) 가리다: ~*se* la cara 얼굴을 가리다. ③ (…의 귀·코 등이) 막히다, 닫히다, 감기다.

taparrabo *m.* (몇몇 부족에서) 생식기를 가리는 천조각[좁은 물건].

taparrabos *m.sing.pl.* =taparrabo.

tapatío, a *adj.* ① 구아달라하라 (Guadalajara, 멕시코의 Jalisco 주의 도시) 태생의. ② 구아달라하라의[에 관한]. —*m.f.* 구아달라하라 사람.

tapete *m.* ① 식탁보, 테이블보. ② 작은 융단.

tapia *f.* ① 토담. ② 토담 벽.

tapiado *m.* 토담 쌓기.

tapiador *m.* 토담 쌓는 관리.

tapial *m.* ① 토담의 틀. ② 담, 벽.

tapiar (11) *tr.* ① … 주위에 담을 쌓다[치다]. ② (창 사이나 입구를) 벽으로 막다.

tapicería *f.* ① 벽포 한 벌. ② 벽포 보관소. ③ 벽포 업자의 기술. ④ 벽포 가게. ⑤ 벽포 업자의 작품[일]. ⑥ (커튼 등 실내 장식용) 천.

tapicero, ra *m.f.* ① 벽포 짜는 사람, 벽포 제조업자. ② 실내 장식 업자.

tapido, da *adj.* ① =**espeso, apretado.** ② [드묾] =**obstruido.**

tapioca *f.* ① 타피오카 ((mandioca의 뿌리에서 추출한 하얗고 좁쌀알 모양의 전분; 수프용으로 쓰임)). ② 타피오카 수프.

tapir *m.* [동물] 맥(貊).

tapisca *f.* *AmérC.* 옥수수 수확.

tapiz *m.* ① 벽포(壁布), 태피스트리. ② 융단(alfombra).

T

tapizado *m.* ① 벽포 장식. ② 벽포 장식용 재료.

tapizar (9) *tr.* ① 벽포로 덮다. ② (벽·의자 등을) 천으로 씌우다[바르다]. ③ (벽포로 덮는 것처럼, …의 표면을) 덮다[바르다·씌우다].

tapón *m.* ① (병 등의) 마개, 뚜껑: quitar el ~ 마개를 뽑다. ② 귀마개. ③ [의학] 탐폰, 지혈전(止血栓), 지혈용 솜뭉치. ④ 땅딸보. ⑤ (진행 등의) 방해, 장애. ⑥ [농구] 슛의 가로채기. ⑦ 귀지. ⑧ *Amér.* 퓨즈.

taponador, ra *m.f.* (어떤 산업에서) 병의 마개를 하는 사람. —*f.* 병마개 닫는 기계.

taponamiento *m.* ① 마개 하기. ② (상처의) 붕대 감기.

taponar *tr.* ① …에 마개를 닫다[하다]. ② 진로를 방해하다. ③ (가제·솜 등으로) 막다. ~**se** ① (자신의 …을) 막다, 가리다. ② (귀·코 등이) 막히다.

taquera *f.* ☞taquero.

taquería *f.* *Méj.* taco 판매소[가게].

taquero, ra *m.f.* ① *Méj.* taco 만드는 사람. ② *Méj.* taco 장수. —*f.* 당구의 큐 놓는 곳.

taquicardia *f.* [의학] 심계 항진.

taquigrafía *f.* 속기술.

taquigrafiar (12) 속기하다.

taquigráficamente *adv.* 속기(술)로.

taquigráfico, ca *adj.* 속기의.

taquígrafo, fa *m.f.* 속기자, 속기사. —*m.* 속도 기록계.

taquilla *f.* ① 서류장, 서류 정리용 선반[캐비닛]. ② (극장·역 등의) 표 넣는 곳. ③ (극장·역 등의) 표 파는 곳, 매표소, 매표구. ④ (표 파는 곳의) 매상금. ⑤ (병영·체육관·수영장 등의) 개인 옷장. ⑥ *PRico.* (영화관·오페라극장·박물관 등의) 입장권(entrada).

taquillaje *m.* ① [집합] (표 파는 곳에서 파는) 입장권, 표. ② (표 파는 곳에서 판 입장권·표의) 매상금.

taquillero, ra *adj.* 많은 관객을 끌어들이는 (연예인·쇼). —*m.f.* 표 파는 사람, 매표소 직원, 매표 담당자, 창구 직원.

taquimeca *f.* 여자 타자수 겸 속기사 ((taquimecanógrafa의 준말)).

taquimecanografía *f.* 타자 및 속기 기술.

taquimecanógrafo, fa *m.f.* 타자수 겸 속기사.

taquimetría *f.* taquímetro에 의한 측량법.

taquimétrico, ca *adj.* ① taquímetro의[에 관한]. ② taquimetría의.

taquímetro *m.* ① 시거의(視距儀) ((비교적 간단히 거리 및 높낮이를 측정하는 기계)). ② =**tacómetro.**

tara[1] *f.* ① 포장의 무게, 용기의 중량. ② (정신적) 결함. ③ (무엇·누구의) 가치를 떨어뜨리는 흠[결함]. ④ (계산용) 저울 눈금 막대.

tara[2] *f.* ① *Col.* [동물] 독사의 일종. ② *Ven.* [곤충] (보통 것보다 큰) 메뚜기.

tara[3] *f.* *Bol., Perú.* [식물] 염료(tinte)를 채취하는 콩과 관목.

tarara *f.* =**tararí.**

tarará *m.* =**tararí.**

tararear *tr.* 콧노래를 부르다, 흥얼거리다.

tarareo *m.* 콧노래 (부르기), 흥얼거림.

tararí *m.* 트럼펫[나팔] 불기[소리]. —*interj.* 설마하니 그럴라고, 글쎄, 어쩐지 ((불신을 표시함)).

tararira *f.* 야단법석. —*m.f.* 경망스러운[소란을 피우는] 사람. —*interj.* =**tararí.**

tardano, na *adj.* [드묾] =**tardío.**

tardanza *f.* 지체, 지연.

tardar *intr.* ① 지체하다, 늦어지다. ② 우물쭈물하다, 굼뜨다. ③ [+시간+en+*inf.*] …하는 데 시간이 (너무) 걸리다: ~ mucho *en* llegar 도착하는 데 시간이 많이 걸리다. ~**se** 시간이 걸리다: ¿Cuánto tiempo *se* *tarda* de Seúl a Madrid en avión? 서울에서 마드리드까지 비행기로 얼마나 걸립니까? ¶*a más* ~ 늦어도: *A más* ~, te visitaré la semana que viene 늦어도 다음 주에는 너를 방문하겠다.

tarde *f.* ① 오후 ((정오부터 해질 때까지)): por la ~ 오후에. Son las cinco de la ~ 오후 다섯 시다. ② 저녁 때. —*adv.* ① 늦게, 늦은 시간에: levantarse ~ 늦게 일어나다. ② 지각으로, 제철[제때]이 지나, 적당한 시기를 지나, 비교적 먼 장래에: llegar ~ a la oficina [a clase] 회사[학교]에 지각하다. ¶*Buenas* ~*s* [오후 인사] 안녕하세요, 안녕히 계십시오, 안녕히 가십시오. *de* ~ *en* ~ 때때로, 이따금, 가끔.

tardecer (31) *intr.* =atardecer.

tardíamente *adv.* 제철이 지나, 시기에 늦게.

tardío, a *adj.* ① 늦은, 느린, 더딘, 굼뜬: llegada ~*a* 연착. ② (과일·열매가) 늦게 익은, 늦은: manzana ~*a* 늦사과. ③ (시기적으로) 늦은: lluvia ~*a* 늦비. ④ 만기(晩期)의, 후기의: latín ~ 후기 라틴어. ⑤ 만년의: amor ~ 늘그막 사랑, 만년[노년]의 사랑. hijo ~ 늦둥이. —*m.* [주로 *pl.*] (식물의) 만생종(晩生種), 늦은씨.

tardo, da *adj.* ① 느린, 더딘, 둔한, 완만한. ② 머리가 둔한. ③ 철이 지난.

tarea *f.* ① 일, 임무: ~*s* domésticas 가사 (노동). ② (일정한 시간 안에 끝내야 할·한정된 시간에 해야 하는) 일. ③ *Cuba, Ven.* 숙제(deber). ④ *RDom.* (논밭의) 마지기.

tarifa *f.* ① 가격표, 요금표. ② 가격, 요금: ~ de los crudos 원유 가격. las ~*s* de la luz 전기 요금. ~ de los taxis 택시 요금. ③ 세율(표).

tarifar *tr.* …의 가격[요금]을 정하다. —*intr.* ① …와 싸우다[언쟁하다], 사이가 나빠지다. ② *Hond.* 도망쳐 나가다. ~**se** 도망쳐 나가다.

tarifario, ria *adj.* tarifa의[에 관한].

tarima *f.* ① (이동할 수 있는) 단(壇), 교단. ② (수송용의) 규격화된 하역대, 팔레트 ((창고·공장 등의 화물 운반·저장하기 위한 받침대(臺); 지게차의 포크로 끼워 운반함)).

tarja *f.* ① 외상 판매. ② (전신을 가리는) 큰 방패. ③ *Amér.* 명함.

tarjeta *f.* ① 카드: ~ bancaria 은행 카드. pago con ~ 카드 지불. sacar dinero con ~ 카드로 돈을 인출하다. ② (그림)엽서. ③ 명함: dar *su* ~ 명함을 주다. dejar ~ (방문처에) 명함을 두고 오다. pasar ~ (다른 사람을 통해) 명함을 건네다. ④ (철도의) 할인 카드: ~ dorada 60세 이상의 할인 카드. ~ turística (스페인 국내에서) 마음대로 사용하는 카드. ⑤ [컴퓨터] 카드: ~ de expansión 확장 카드. ~ de vídeo 비디오 카드. ~ inteligenge 스마트 카드. ¶~ *amarilla* [운동] (축구에서) 옐로우 카드. ~ *de crédito* 신용 카드. ~ *de embarco* =tarjeta de embarque. ~ *de embarque* (비행기의) 탑승권, 탑승 카드. ~ *de identidad* 아이디카드, 신분 증명서. ~ *de Navidad* 크리스마스 카드. ~ *de visita* 명함(名銜). ~ *electónica,* ~ *magnética* 전자 카드. ~ *perforada* [컴퓨터] 천공 카드, 펀치 카드. ~ *postal* 우편엽서. ~ *roja* [운동] (축구에서, 심판이 선수에게 꺼내 보이는) 퇴장 카드, 레드 카드. ~ *telefónica* 전화 카드.

tarjetahabiente *m.f.* *Méj., Ven.* 신용카드 소지자.

tarjetearse *r.* (두 사람·두 사람 이상이) 엽서를 서로 주고받다, 엽서[명함]를 교환하다.

tarjeteo *m.* 명함 교환.

tarjetero, ra *adj.* 신용 카드를 사용하기 좋아하는. —*m.* 명함곽.

tarot *m.* ① 타로 카드 ((78장 한 벌)). ② 타로 (카드) 게임. ③ 타로 점(占).

tarquín *m.* 감탕, 개흙.

tarra *m.f.* [은어] 노인, 늙은이.

tarrina *f.* (차게 보존되어야 할 음식용) 작은 용기[그릇].

tarro *m.* ① (유리·도자기로 만든) 원통형 단지[항아리]. ② (사람의) 머리. ③ *Sal.* 꿀벌통의 앙금. ④ *Arg., Ur.* 행운. ⑤ *Cuba.* (짐승의) 뿔. ⑥ 큰 바가지. ⑦ *pl.* *Arg., Ur.* 구두.

tarrudo, da *adj.* ① *Cuba.* [경멸] 바람피운[서방질한] 아내의 (남편). ② *Ur.* 운이 많은, 행운의. —*m.f.* *Ur.* 운수 대통한 사람.

tarso *m.* ① [해부] 발목뼈. ② [새] 부척(跗蹠). ③ [곤충] 발목마디, 부절(跗節).

tarta *f.* ① (과일·크림 등의 소가 든, 일반적으로 둥근 모양의 장식이 있는) 큰 케이크. ((참고: pastel은 작은 케이크, 케이크의 총칭)). ② (토스트용) 납작한 냄비.

tartaja *adj., m.f.* =tartamudo.

tartajear *intr.* =tartamudear.

tartajeo *m.* =tartamudeo.

tartajoso, sa *adj.* =tartamudo.

tartalear *intr.* ① 비틀거리다, 중심을 잃고 걷다. ② 말을 어물거리다, 선뜻 말하지 못하다. ③ [드묾] = tartamudear.

tartaleta *f.* 작은 파이.

tartamudear *intr.* 말을 더듬다, 더듬거리며 읽다.

tartamudeo *m.* 말을 더듬음, 더듬거리며 읽음.

tartamudez *f.* 말을 더듬음.

T

tartamudo, da *adj.* 말을 더듬는. —*m.f.* 말더듬이.
tartán[1] *m. fr.* 체크[격자] 무늬 모직물(毛織物).
tartán[2] *m.* 경기장용 인공 잔디.
tartana *f.* ① (지중해의) 삼각형 외돛 범선. ② 이륜 포장 마차. ③ 낡고 쓸모없는 물건, 낡아빠진 것, (특히) 고물 자동차. ④ 쌍끌이 어망.
tartárico, ca *adj.* [화학] =**tártrico.**
tartarizar (9) *tr.* [의학] 주석산염(酒石酸鹽)을 넣다, 주석산염을 넣어 약제를 만들다.
tártaro[1] *m.* ① 주석산염. ② 이똥, 치석. ③ *Col., Guat.* =**ricino.**
tártaro[2] *m.* [시어] 지옥(infierno).
tártaro[3]**, ra** *adj.* ① 타타르(Tartaria, 러시아와 중국 지방에 있음) 태생의. ② 타타르의[에 관한]. —*m.f.* 타타르 사람. —*m.* 타타르 말.
tartera *f.* ① 도시락통. ② (토스트용) 납작한 냄비.
tartrato *m.* [화학] 주석산염.
tártrico, ca *adj.* [화학] 주석(酒石)의[에 관한]. ¶*ácido* ~ 주석산.
tas *m.* (세공사의) 모루.
tasa *f.* ① 율, 비율, 퍼센트: ~ de interés 이율. ~ de crecimiento económico 경제 성장률. ② (공정) 가격, 시세, 시가: la ~ sobre los crudos 원유 가격. ③ (공공의) 요금, 세금: ~ de importación 수입세. ~*s* académicos 수업료. ④ (가격의) 결정. ⑤ 제한.
tasación *f.* ① 사정, 평가. ② (가격의) 결정.
tasador, ra *adj., m.f.* 사정[평가]하는 (사람).
tasajero, ra *adj. Cuba.* 말리고 간한 고기 조각의[에 관한]. —*m.f. Méj.* 건포육 만드는 사람, 건포육 장수. —*f.* 햇볕에 고기를 말리는 데 사용하는 막대.
tasajo *m.* ① 말리고 간한 고기 조각, 건포육(乾脯肉). ② (어떤 고기·생선·과일이건) 조각.
tasar *tr.* ① …의 값을 정하다, 가격을 결정하다. ② (세액 등을) 사정하다. ③ (가치를) 평가하다. ④ 제한하다: ~ la comida a un enfermo 환자에게 식사를 제한하다.
tatarabuelo, la *m.f.* 고조할아버지, 고조할머니.
tataradeudo, da *m.f.* 대(代)가 먼 친척, 조상, 선조.
tataranieto, ta *m.f.* 고손자, 고손녀.
tatarear *tr.* =**tararear.**
tatas *andar a* ~ (어린아이가) 걷기 시작하다.
tate *interj.* ① 조심해!, 천천히!, 조금씩! ② 정지! ③ (좋은 생각이 떠올라) 됐다!, 좋아!
tato[1] *m.* ① 어린 남동생. ② (일반적으로) 어린아이(niño).
tato[2]**, ta** *adj.* c자와 s자를 t로 말을 더듬는.
tatuaje *m.* 문신(文身).
tatuar (15) *tr.* …에 문신하다. ~**se** 자기의 몸에 문신하다.
taula *f.* (마요르까에 흔한, T자형) 기념 거석 유물.
taumaturgia *f.* 신통력(神通力).
taumatúrgico, ca *adj.* 신통력(神通力)의[에 관한].
taumaturgo, ga *m.f.* 마법사(mago).
taurino, na *adj.* ① 황소의[에 관한]. ② 투우의[에 관한]. ③ 황소를 좋아하는. ④ 황소자리띠의, 황소자리 해에 태어난. —*m.f.* ① 황소를 좋아하는 사람. ② 황소자리띠.
tauro *adj., m.f.* 황소자리띠(의): Yo soy ~, ella es piscis 나는 황소자리띠고 그녀는 물고기자리띠다.
taurófilo, la *adj.* 투우(las corridas de toros)를 좋아하는.
taurófobo, ba *adj.* 투우에 공포감을 가진, 투우를 싫어하는.
taurómaco, ca *adj.* ① 투우술의[에 관한]. ② 투우술[투우 기술]을 잘 아는. —*m.f.* 투우 기술을 잘 아는 사람, 투우 연구가.
tauromaquia *f.* ① 투우술, 투우 기술. ② 투우술에 관한 작품[책].
tauromáquino, na *adj.* 투우술의[에 관한].
tautología *f.* ① [수사학] (다른 방법으로 표현된) 같은 생각의 반복. ② 쓸데없는 부도덕한 일의 반복.
tautológico, ca *adj.* 같은 생각을 반복하는.
taxativamente *adv.* ① 한정적으로, 제한하여, 국한하여. ② 엄밀한 의미로, 단호히, 딱 잘라서.
taxativo, va *adj.* ① [법률] 한정적인, 제한하는, 국한하는. ② 논의를 받아들이지 않는. ③ (말뜻·상황이) 명확한, 엄밀한: norma ~*va* 명확한 규준. de forma ~*va* 명확히.
taxcal *m. Méj.* 옥수수 부침개 (보관) 바구니.
taxi *m.* 택시: coger un ~ 택시를 잡다. ir en ~ 택시로 가다. llamar un ~ 택시를 부르다. tomar un ~ 택시를 타다.
taxidermia *f.* 박제술(剝製術).
taxidermista *m.f.* 박제사.
taxímetro *m.* ① 택시미터, 자동 요금 표시기. ② [드묾] 택시.
taxista *m.f.* 택시 기사[운전 기사].
taxon, táxon *m.* [생물] 분류군(分類群); 유명(類名).
taxonomía *f.* ① (동식물의) 분류. ② (동식물의) 분류학, 분류법.
taxonómico, ca *adj.* (동식물의) 분류학[분류법]의.
taxonomista *m.f.* =**taxónomo, ma.**
taxónomo, ma *m.f.* (동식물의) 분류학자.
Tayikistán *m.* [국명] 타지키스탄.
tayikistaní *adj., m.f.* =**tayiko.**

T

tayiko, ka *adj.* ① 타지키스탄 태생(胎生)의. ② 타지키스탄의[에 관한]. —*m.f.* 타지키스탄 사람. —*m.* ① 타지키스탄 말. ② *pl.* 타지스키스탄족(族).

taylorismo *m.* 테일러리즘, 과학적 노동 관리법.

taza *f.* ① (손잡이가 있는) 잔, 컵, 물잔, 찻잔: ~ de café 커피 잔. ~ de té 찻잔. ② 잔에 들어가는 양: una ~ de café 커피 한 잔. una ~ de caldo 수프 한 컵. tomar una ~ de té 차 한 잔 마시다. Cariño, ¿has tomado dos ~*s* de leche hoy? 여보, 오늘 우유 두 잔 마셨어요? ③ 변기. ④ 분수반(噴水盤), (분수의) 물받이. ⑤ (칼의 잔 모양으로 생긴) 날밑.

tazar (9) *tr.* (옷을 닳아) 떨어뜨리다. ~**se** (옷이 닳아) 헤어지다.

tazón *m.* ① (가끔 발은 있으나 손잡이가 없는) 큰 잔, 대접: un ~ de caldo 수프 한 그릇, 수프 한 사람분. ② (분수의) 물받이, 분수반. ③ *And.* =**jofaina.**

te[1] *f.* 떼 ((문자 t의 명칭)).

te[2] *pron.* ① [인칭 대명사 2인칭 단수; 직접 목적] 너를, 그대를, 당신을: *Te* quiero / *Te* amo 나는 당신을 사랑한다. Me alegro de ver*te* 너를 만나게 되어 기쁘다. ② [인칭 대명사 2인칭 단수; 간접 목적] 너에게, 그대에게, 당신에게: *Te* envío este paquete 나는 너에게 이 소포를 보낸다. Quiero dár*te*lo 너에게 그것을 주고 싶다. ③ [재귀 대명사 2인칭 단수] 너 자신을, 너 자신에게: *Te* levantas a las seis 너는 여섯 시에 일어난다. Siénta*te* aquí 여기 앉아라. Conóce*te* a ti mismo 너 자신을 알라. Pon*te* el abrigo, que hace frío 날씨가 추우니 오버를 입어라.

Te telurio 텔루르.

té *m.* ① [식물] 차나무. ② (말려 볶은) 찻잎. ③ 차 ((차나무의 어린잎을 우리거나 달인 물)): Tomo tres ~*s* todos los días 나는 매일 차를 세 잔 마신다. ④ (오후의) 다과회, 티파티. ⑤ *Amér.* (여러 가지의 열매·향초를) 달인 물[액·즙]: ~ de manzanilla 카밀레 즙, 만사니야 꽃을 달인 물.

tea *f.* ① 횃불. ② 만취, 술에 취함.

teatral *adj.* ① 연극의, 연극에 관한: representación ~ 연극 공연. ② 연극적인. ③ 과장(誇張)된, 연극조의: actitud ~ 과장된 행동.

teatralidad *f.* 연극성, 연극적임.

teatralizar (9) *tr.* ① 극화(劇化)하다, 각색하다. ② …을 과장하여 하다, 연극조로 하다.

teatralmente *adv.* ① 연극적으로. ② 연극조로, 과장하여.

teatrero, ra *adj.* ① 연극을 좋아하는. ② 과장된, 연극조의. —*m.f.* ① 연극 애호가. ② 과장하는 사람, 뻐기는 사람.

teatro *m.* ① 극장: ~ de la ópera 오페라 극장, 가극장, 오페라 하우스. ② 연극: crisis del ~ 연극의 위기. ③ 연극계. ④ [집합] 극(작품), 희곡: ~ de Calderón 깔데론의 희곡. ⑤ (사건 등의) 무대. ⑥ 무대에 진출한 경험.

tebeo *m.* ① 어린이 잡지. ② 만화 잡지[신문·영화]. ③ (신문의) 연재 만화.

teca[1] *f.* [식물] 티크.

teca[2] *f.* 유골 항아리.

techado *m.* 지붕(techo).

techador *m.* 지붕 이는 사람.

techar *tr.* (…에) 지붕을 이다.

techo *m.* ① 지붕: ~ de paja 초가지붕. sin ~ 집 없는. ② 천장. ③ 집(casa), 방(habitación), 거처(居處)(domicilio). ④ [항공] 상승 한도, 최고 한도, 가능 고도. ⑤ (최대) 한도, 정점, 톱. ⑥ [경제] (최고) 한도. ⑦ 피난소.

techumbre *f.* 지붕(techo).

tecla *f.* ① (악기의) 건(鍵): ~ blanca 흰 건. ~ negra 검은 건. ② 수단. ③ (타자기의) 키. ④ [컴퓨터] 키: ~ de control 컨트롤 키. ⑤ 미묘한 곳, 요점, 급소.

teclado *m* ① [음악] [집합] 건반, 키보드. ② [컴퓨터] 키보드.

tecleado *m.* 건반 치기, 키 누름.

teclear *intr.* ① (기계의) 키를 누르다. ② 악기의 건을 누르다, 피아노를 치다. ③ (건반을 치듯) 손가락을 놀리다. —*tr.* ① …의 건[키]을 누르다[치다]: ~ *su* número de identificación 신분증 번호를 입력하다. ② (악기의 건을) 누르다, 치다. ③ 여러 가지로 시험하다, 이것저것 시험해 보다.

tecleo *m.* 건반 치기, 키 누르기.

teclista *m.f.* ① 키펀처. ② 전자 악기 연주자.

tecnecio *m.* [화학] 테크네튬.

técnica *f.* ☞**técnico.**

técnicamente *adv.* ① 기술적으로. ② 전문적으로, 술어를 사용하여.

tecnicidad *f.* 기술성.

tecnicismo *m.* ① 전문성. ② 전문용어, 술어.

técnico, ca *adj.* ① 기술의[에 관한], 기술적인: ayuda ~*ca* 기술 원조. renovación ~*ca* 기술 혁신. ② 전문의, 전문적인. —*m.f.* ① 기술자, 기사. ② (특수 기술의) 전문가. ③ [운동] (선수에 대해) 감독, 코치. ④ [운동] 기교파. —*m.* *Méj.* 경찰관. —*f.* ① 기술: ~ financiera 재테크. ~ mecánica 기계 기술. ② 기법, 수법, 기교. ③ (격투기의) 기(技). ④ [농구] 테크니컬 파울, 기술적인 반칙 ((상대편 선수와 신체 접촉 이

T

외의 방법으로 범하는 반칙)).
tecnicolor *m.* 테크니컬러.
tecnificar (7) *tr.* ① 선진 기술을 … 에 도입하다. ② (무엇을, 과학 기술적인 견지에서) 더 효과적으로 하다. —*intr.* 과학 기술적인 견지에서 더 효과적으로 하다.
tecno- *pref.*「기술(técnica)」의 뜻: *tecno*cracia 기술자 지배.
tecnocracia *f.* ① 기술자 지배, 테크노크라시. ② 지도적 전문 기술자 집단[팀].
tecnócrata *adj.* 전문 기술자(專門技術者)의. —*m.f.* ① 테크노크라시 주장자[신봉자]. ② 기술자 출신의 고급 관료, (경영·관리직에 있는) 전문 기술자.
tecnocrático, ca *adj.* tecnocracia의[에 관한].
tecnografía *f.* 기술사(技術史), 기술지(技術誌); 과학사, 과학지.
tecnología *f.* ① 공학, 과학 기술, 테크놀로지. ② (과학·예술의) 전문어(專門語).
tecnológicamente *adv.* 과학 기술적인 견지에서, 과학 기술로.
tecnológico, ca *adj.* 과학 기술의[에 관한].
tecnólogo, ga *m.f.* 과학 기술자.
tectónico, ca *adj.* ① 건물의[에 관한], 건축 (작품)의[에 관한], 축조의[에 관한]. ② 구조 지질학의[에 관한]. —*f.* 구조 지질학, 구조학.
tedeum *m.* 테데움 ((천주교의 찬미의 노래)).
tedio *m.* 권태, 싫증, 혐오.
tedioso, sa *adj.* 싫증나는, 혐오스러운, 귀찮은.
tee *m.* [골프] 티.
teflón *m.* 테플론 ((열에 강한 합성수지; 상표명)).
tegucigalpense *adj.* ① 떼구시갈빠(Tegucigalpa, 온두라스의 수도) 태생의. ② 떼구시갈빠의[에 관한]. —*m.f.* 떼구시갈빠 사람.
tegumento *m.* [생물] 겉껍질, 외피.
teína *f.* [화학] 다소(茶素), 카페인.
teísmo *m.* 유신론(有神論).
teísta *adj.* 유신론의. —*m.f.* 유신론자(有神論者).
teja[1] *f.* ① 기와. ② 기와 모양의 쿠키. ③ 사제의 검은 펠트 모자. ④ (칼의) 강철 부분. ⑤ (돛대의) 이음 구멍.
teja[2] *f.* [식물] 보리수(tilo).
tejadillo *m.* ① (차량의) 지붕. ② (처마에 내어 댄) 차양.
tejado *m.* 지붕; (특히) 기와 지붕.
tejano, na *adj., m.f.* =texano. —*m.* 진바지(pantalón ~).
tejar[1] *m.* 기와[벽돌] 공장.
tejar[2] *tr.* (집·건물·공장에) 기와를 이다.
tejaroz *m.* ① (건물의) 추녀. ② 문[창문] 위의 작은 지붕.
tejavana *f.* (지붕뿐) 천장이 없는 건물, 가건물.
tejedor, ra *adj.* 짜는, 엮는. —*m.f.* 직물공. —*f.* 베틀, 직기(織機).
tejedura *f.* ① 베짜기, 방직. ② (천의) 조직.
tejeduría *f.* ① 방직업. ② 직물 공장.
tejemaneje *m.* ① 요령, 솜씨. ② 분규, 얽힘.
tejer *tr.* ① (옷감을) 짜다: máquina de ~ 베틀, 직기(織機). ~ con [de] seda 비단으로 짜다. ② 엮다, 만들다: ~ un cesto de mimbre 버들가지로 바구니를 엮다. ③ (계획 등을) 꾸미다, 구성하다: ~ *su* porvenir 미래의 설계를 하다. ④ (춤에서 팔과 발을) 포갰다 풀다. —*intr.* 직물을 짜다, 편물을 하다. ~**se** (무희들이) 서로 껴안다. ¶~ ***y destejer*** 조령모개하다, 정견이 없다.
tejera *f.* ☞**tejero.**
tejería *f.* =**tejar**[1]**.**
tejero, ra *m.f.* 기와와 벽돌 제조자. —*f.* =**tejar**[1]**.**
tejido *m.* ① 직물: ~ de algodón 면직물. ~ de lana 모직물. ~ de seda 견직물. ② 짜는 법. ③ (직물의) 발, 직물의 올과 올 사이. ④ [생물] 조직: ~ muscular 근육 조직. ~ nervioso 신경 조직. ⑤ (일의) 연속: un ~ de aventuras 모험의 연속.
tejón *m.* [동물] 오소리.
tejonera *f.* 오소리 굴.
tel. teléfono 전화.
tela *f.* ① 천, 직물. ② 캔버스, 화포(畵布). ③ 화제(話題). ④ 엷은 막. ⑤ [해부] 막: ~ del corazón 심막(心膜). ⑥ 귀찮음, 성가심, 뒤얽힌 일. ⑦ 돈. ⑧ (눈 앞에 생긴) 안개. ⑨ (에브로 강에서 사용하는) 어망. ⑩ [투우] =**capote, muleta.** —*adv.* =**mucho.** ¶~ ***de araña*** = **telaraña ①.**
telar *m.* ① 베틀, 직기(織機). ② *pl.* 직물 공장. ③ 책 매는 기계. ④ (극장 무대 천장의) 막을 올리고 내리는 장치. ⑤ [건축] (창·문 등의) 바깥 벽 부분.
telaraña *f.* ① 거미줄. ② 공연한[쓸데없는] 것[일]. ③ (눈 앞에 생긴) 안개. ④ [컴퓨터] =**web.** ¶***tener*** alguien ***~s en los ojos*** (누가) 판단력이 흐려지다, 판단력을 잃고 있다, 아무 것도 보이지 않다.
telarañoso, sa *adj.* 거미줄로 덮인, 거미줄투성이의.
tele *f.* 텔레비전 ((televisión의 줄임말)).
tele- *pref.*「먼, 원거리의·텔레비전의[에 의한]」의 뜻: *tele*fono 전화. *tele*visión 텔레비전.
teleadicto, ta *adj.* 텔레비전의 프로그램 보는 것을 지나치게 좋아하는, 텔레비전 앞에서 사는. —*m.f.* 텔레비전 광(狂).
telebanco *m.* (은행의) 자동 현금 지불기.
telecabina *f.* (소형의) 곤도라식 가공 삭도.
telecinesia *f.* 원격 운동.
telecinesis *f.* =**telecinesia.**
telecomedia *f.* (텔레비전의) 코미디 프로그램.
telecompra *f.* 전화 쇼핑.
telecomputación *f.* 텔레컴퓨팅.
telecomunicación *f.* (전화 · 전신 · 텔레비전 등에 의한) 원거리 통신
teleconferencia *f.* (텔레비전 · 전화를 이용한) 원격지간 회의.
telecontrol *m.* 원격 조작.
telecura *f.* 원격 치료.
telediagnosis *f.* 원격 진단.
telediario *m.* 텔레비전 뉴스.
teledifusión *f.* 텔레비전 방송.
teledirección *f.* 원격 조종, 무선 유도: equipo de ~ 원격 조종 장치.
teledirigido, da *adj.* 원격 조종된, 무선 유도된: proyectil ~ 원격[유도] 미사일.
teledirigir (4) *tr.* 원격 조종하다, 무선 유도하다.
tele-electroterapéutica *f.* 원격 전기 요법.
teléf. teléfono 전화.
telefax *m.sing.pl.* 전화 팩스.
teleférico *m.* 케이블카.
telefilme *m.* 텔레비전용 영화.
telefluoroscopia *f.* 원격 엑스선 투시 검사.
telefonazo *m.* 전화 호출.
telefonear *tr.* 전화로 알리다. —*intr.* 전화하다, 전화를 걸다.
telefonema *m.* 전화 전보.
telefonía *f.* 전화: ~ sin hilos 무선 전화. ¶~ ***móvil*** 이동 전화.
telefónico, ca *adj.* 전화의[에 관한]: aparato ~ 전화기. compañía ~***ca*** 전화 회사. comunicación ~***ca*** 통화. ¶***caseta ~ca*** 공중 전화 박스. ***directorio ~*** 전화 번호부. ***línea ~ca*** 전화선, 전화 회선. ***tarjeta ~ca*** 전화 카드.
telefonillo *m.* 인터폰(interfono).
telefonista *m.f.* 전화 교환수.
teléfono *m.* ① 전화: ~ público 공중 전화. estar al ~ 전화(하고 있는) 중이다. hablar por ~ 전화로 말하다. ② 전화 번호(número de ~). ③ 전화기. ④ *pl.* 전화 회사. ⑤ (샤워의) 꼭지.¶~ ***celular*** *Arg., Col., Cuba, Salv., Ur., Ven.* = **teléfono móvil.** ~ ***de alcancía*** (동전 넣는) 공중 전화(公衆電話). ~ ***monedero*** *Ur.* (동전이나 토큰을 넣는) 공중 전화. ~ ***móvil*** 휴대 전화기.
telefotografía *f.* 전송[망원] 사진.
telegénico, ca *adj.* 텔레비전 방송에 알맞은, 텔레비전 방송용의, 텔레비전에 잘 영사되는.
telegestión *f.* 텔레컴퓨팅.
telegrafía *f.* 전신, 전신 시스템[설비].
telegrafiar (12) *tr.* ① 전신으로 보내다. ② 전보로 알리다.
telegráficamente *adv.* ① 전보로. ② 아주 간결하게.
telegráfico, ca *adj.* ① 전신의[에 관한], 전보의[에 관한]. ② (말 등이) 아주 간결한.
telegrafista *m.f.* 전신 기사.
telégrafo *m.* ① 전신. ② 전신기. ③ *pl.* 전신 전화국.
telegrama *m.* ① 전보: por ~ 전보로. ~ de felicitación 축전. ~ urgente 지급 전보. enviar [expedir · mandar · poner] un ~ 전보를 치다, 전보를 보내다. ② 전문(電文).
teleguiado, da *adj.* =**teledirigido.**
teleguiaje *m.* 원격 유도.
teleimpresor *m.* =**teletipo:** señal de ~ 텔레타이프 시그널. transmisor de ~ 텔레타이프 송신기.
teleindicador *m.* 원격 계측기[계기].
teleinformática *f.* 텔레 컴퓨터 과학.
telekinesia *f.* =**telequinesia.**
telele *m.* ① 실신, 기절, 정신적 충격. ② 기력이 쇠함, 힘이 없음.
telemando *m.* ① 리모트 컨트롤. ② 리모컨 장치, 원격 제어 장치.
telemanipulación *f.* 원격 제어[조작].
telemática *f.* 텔레마티크.
telemedicina *f.* 원격 의학.
telemedida *f.* 원격 측정.
telemetría *f.* 원격 측정(법).
telemétrico, ca *adj.* telémetro의[에 관한].
telémetro *m.* ① 원격 측정기, 거리 측정기. ② [전기] 원격 계측기 ((자동 계측 전송 장치)).
telendo, da *adj.* =**vivo, airoso.**
telenovela *f.* (멜로드라마의) 텔레비전 소설, 텔레비전 연속극.
teleobjetivo *m.* (카메라의) 망원 렌즈.
teleología *f.* [철학] 목적론.
teleológico, ca *adj.* [철학] 목적론의[에 관한], 목적론적인.
teleósteo *adj.* [동물] 경골어류(硬骨魚類)의. —*m.* [동물] 경골어류.
telepata *m.f.* 초능력자.
telepate *m. Hond., Salv.* 빈대.
telepatía *f.* ① 초능력, 텔레파시, (원격) 정신 감응. ② 이심전심.
telepático, ca *adj.* 텔레파시의.
telepredicador, ra *m.f.* 텔레비전 설교사[전도사].
teleproceso *m.* [컴퓨터] 텔레프로세싱 ((통신 회선을 통해 행하는 데이터 처리)).
telequinesia *f.* 염동(念動) (작용).
telequinesis *f.* =**telequinesia.**
telera *f.* ① 판자 울타리, 가축을 몰아 넣는 곳. ② 나무못, 나무 쐐기. ③ (기구의) 횡목(橫木), 가로 질러 놓은 나무. ④ *And.* 큰 빵.

T

teleradar *m.* 전파 탐지 레이터.
telerradioterapia *f.* 원격 방사선 요법(遠隔放射線療法).
telerruta *f.* (전화 등에 의한) 도로 교통 정보.
telescópico, ca *adj.* ① 망원경의[에 관한]. ② 육안으로는 보이지 않는, 망원경 아니면 볼 수 없는: planetas ~*s* 육안으로는 보이지 않는 혹성. ③ 망원경에 의한: observaciones ~*cas* 망원경 관측. ④ 포개어 끼우는, 끼워 넣을 수 있는, 신축할 수 있는: antena ~*ca* 장대 모양의 신축할 수 있는 안테나. ¶*mira ~ca* 조준기: fusil con *mira ~ca* 조준기 부착 총.
telescopio *m.* (주로 천체용의) 망원경: ~ astronómico 천체 망원경. ~ en el espacio 우주 망원경. ~ reflector, ~ de reflexión 반사 망원경. ~ refractor 굴절 망원경. ¶~ *de mano* 휴대용 망원경.
teleseguridad *f.* 도청 장치.
teleserie *f.* (텔레비전의) 연속극[물].
telesilla *f.* [스키] 리프트.
telespectador, ra *m.f.* 텔레비전 시청자: El número de ~*es* del programa ha aumentado 프로그램의 텔레비전 시청자 수가 증가했다.
telesquí *m.* (운송 장치에 의해) 스키 타는 사람을 트랙까지 옮기는 리프트.
teleta *f.* 압지(押紙); 흡인지(吸引紙).
teleteatro *m.* 텔레비전 방송극.
teletexto *m.* 문자 방송.
teletipia *f.* 텔레타이프라이터[전신 타자기] 기재(器材).
teletipo *m.* ① 텔레타이프. ② 텔레타이프식 전송기.
teletienda *f.* 텔레비전 판매 서비스.
televendedor, ra *m.f.* 전화 판매원.
televenta *f.* =**teletienda.**
televidente *m.f.* =**telespectador.**
televisar *tr.* 텔레비전으로 방영하다[영상을 보내다].
televisión *f.* ① 텔레비전, 텔레비전 방송, 텔레비전 프로그램: ~ por [en] circuito cerrado 폐회로 텔레비전, 유선 텔레비전. ~ por cable 케이블 텔레비전. ~ privada 민영 텔레비전. emisión de ~ 텔레비전 방송. emisora [estación] de ~ 텔레비전 방송국. apagar la ~ 텔레비전을 끄다. encender [poner] la ~ 텔레비전을 틀다[켜다]. ver la ~ 텔레비전을 보다. ② 텔레비전 수상기. ③ 텔레비전 방송국.
televisivamente *adv.* 텔레비전의 견지에서 (보면).
televisivo, va *adj.* ① 텔레비전의[에 관한]. ② 텔레비전으로 방영되기에 적당한, 텔레비전에 알맞은.
televisor *m.* 텔레비전 수상기.
televisual *adj.* 텔레비전의[에 관한].
télex *m.sing.pl.* 텔렉스 (장치·문서): enviar [poner] un ~ 텔렉스를 보내다.
telilla *f.* ① (액체의 표면에 생기는) 엷은 막. ② 엷은 모직물.
telina *f.* [조개] 홍합.
telón *m.* (내렸다 올렸다 할 수 있도록 만든 극장 무대의 큰) 막: alzar el ~ 막을 올리다. bajar el ~ 막을 내리다. ¶~ *de acero* 철의 장막. ~ *de seguridad* (극장의) 방화막.
telonero, ra *adj.* (뮤지컬 쇼 등의 인기 출연자에 앞선) 견습 출연의: cantante ~ 견습 출연 가수. —*m.f.* 견습 출연자.
telonio *m.* (옛날의) 세금 징수소, 세금 받는 곳.
telson *m.* [동물] (갑각류의) 꼬리마디.
telúrico, ca *adj.* ① 지구의[에 관한]. ② telurismo의[에 관한].
telurio *m.* [화학] 텔루르.
telurismo *m.* 풍토의 영향.
tema *m.* ① 주제, 제목, 테마: ~ de un discurso 강연의 주제. ~ principal 주요한 테마. ② 화제(話題): tener ~ para un rato 화제가 풍부하다. ③ (공부·시험의) 문제, 테마: los ~*s* difíciles 어려운 문제. ④ [음악] 주제, 주선율; 주제가(歌), 주제곡(曲), 주제 음악, 테마 음악. ⑤ [언어] 주제. ⑥ [문법] 어간. ⑦ 고정 관념, 편집. ¶*Cada loco con su* ~ (속담) 누구나 자기의 생각이 있다.
temario *m.* [집합] (연구·토의 등의) 테마, 프로그램; (시험의) 과목.
temáticamente *adv.* 주제[테마]의 견지에서 (보면).
temático, ca *adj.* ① 주제[테마]의[에 관한]: diccionario ~ 테마 사전. enciclopedia ~*ca* 테마별 백과 사전. ② [음악] 주제의[에 관한]. ③ [언어] 주제의[에 관한]. ④ [문법] 어간의[에 관한]. ⑤ (우표 수집에서) 테마의[에 관한]: filatelia ~*ca* 테마별 우표 수집. —*f.* [집합] (한 개의 작품·작가 등의) 주제, 테마.
tembladal *m.* =**tremedal.**
tembladera *f.* ☞**tembladero.**
tembladeral *m.* *Arg.* =**tremedal.**
tembladero, ra *adj.* 떨리는, 진동하는, 흔들리는. —*m.* =**tremedal.** —*f.* ① 진동, 떨림, 흔들림. ② (손잡이가 두 개 달린) 넓은 그릇[잔]. ③ =**tembleque** ②. ④ [어류] =**torpedo.** ⑤ [식물] 억새풀의 일종. ⑥ =**tremedal.** ⑦ rur. *Arg.* (안데스 지방의) 동물의 병.
temblador, ra *adj.* 떨리는, 흔들리는. —*m.f.* ① 떠는 사람. ② 퀘이커 교도. —*m.* *Col., Ven.* [어류] =**torpedo.**
temblante *adj.* 떨리는, 진동하는, 흔들리는. —*m.* (옛날에 여자들이 사용했던) 팔찌의 일종.

temblar (19) *intr.* ① 떨다, 흔들리다, 진동하다: ~ las manos 손이 떨리다. hacer ~ la tierra 땅을 흔들다. La casa *temblaba* mucho 집이 많이 흔들렸다. ② 겁내다, 무서워하다, 걱정하다: ~ por *su* futuro incierto 불확실한 미래를 걱정하다. ③ 벌벌 떨다, 부들부들 떨다, 후들후들 떨다: ~ por el susto 놀라 몸을 부들부들 떨다.

tembleque *adj.* =**tembloroso.** —*m.* ① 몸의 떨림. ② (움직일 때 흔들리는) 작은 보석.

temblequear *intr.* ① 부들부들 떨다. ② [드묾] 떨리는 체하다.

tembliquear *intr.* =**temblequear.**

temblón, na *adj.* 많이 떠는. —*m.* [식물] 사시나무.

temblor *m.* ① 진동, 떨림. ② *Amér.* 약한 지진, 약진(弱震). ¶~ *de tierra* 지진(terremoto).

tembloroso, sa *adj.* 떨리는, 흔들리는: con manos ~*sas* 떨리는 손으로. con voz ~*sa* 떨리는 목소리로.

temer *tr.* ① 두려워하다, 무서워하다, 겁을 먹다: ~ mucho a *su* profesor 선생님을 무척 무서워하다. ② [+*inf.*·+que+*subj.*] (…하지 않을까) 걱정하다, 근심하다: ~ llegar tarde a la fiesta 파티에 늦지 않을까 걱정하다. *Temo que* ella llegue tarde 나는 그녀가 늦지나 않을까 걱정이다. ③ 추측하다, 상상하다, 믿다: *Temo que* sea más antiguo de lo que parece 나는 그것이 생각보다 더 오래되었을 것이라 믿는다. —*intr.* [+por·de] (…을) 걱정하다: Los padres siempre *temen por* sus hijos 부모들은 항상 자식들을 걱정한다. ~**se** ① 추측하다, 상상하다, 믿다. ② 걱정하다.

temerariamente *adv.* 물불을[앞뒤를] 가리지 않고, 저돌적으로.

temerario, ria *adj.* ① 무모한, 겁을 모르는, 저돌적인, 물불[앞뒤]을 가리지 않는. ② 경솔한, 무분별한.

temeridad *f.* ① 무모(한 행동). ② 경솔(함), 무분별함.

temerosamente *adv.* 무서워, 겁에 질려.

temeroso, sa *adj.* ① 무서워하는, 겁내는, 경외하는: ser ~ *de* Dios 신을 경외하다. ② 겁이 많은: niño ~ 겁이 많은 아이. ③ 두려운: El tifón es ~ 태풍은 두렵다.

temible *adj.* 두려워할 만한, 무서워할 만한, 두려운, 무서운.

temor *m.* ① 겁, 무서움, 공포. ② 불안, 근심, 걱정. ③ [성경] 경외(敬畏): ~ de Dios 신에 대한 경외, 돈독한 신앙심.

temp. temperatura 온도.

témpano *m.* ① (얼음 조각처럼 펼쳐진·편편한) 단단한 물건의 조각, 납작한 덩어리: ~ de hielo 얼음 덩어리. ② [악기] =**timbal.** ③ [악기] (공적인 축제에서 치는) 작은 북, 장고(atabal). ④ (탬버린·북 등의) 가죽. ⑤ 술통의 뚜껑. ⑥ (벌통의 뚜껑으로 사용하는) 둥그런 코르크(마개). ⑦ [건축] 박공(tímpano).

témpara *f.* [미술] 템페라화(畵).

temperación *f.* ① 완화, 진정. ② 조절, 절제, 절도.

temperadamente *adv.* =**templadamente.**

temperado, da *adj.* ① [음악] 조음(調音)된, 조율(調律)된. ② *Amér.* [고어] =**templado.**

temperamental *adj.* ① 기질(氣質)의[에 관한], 기질적인: característica ~ 개성. ② 기질이 강한; 변덕스러운, 성미가 까다로운.

temperamento *m.* ① 기질. ② 체질. ③ 생기, 활력. ④ 적극성. ⑤ (예술가의) 표현력. ⑥ [음악] 평균율(平均律). ⑦ =**temperie.**

temperancia *f.* =**templanza.**

temperar *tr.* ① 진정시키다, 완화시키다, 부드럽게 하다. ② [의학] (진정제로 흥분을) 가라앉히다, 진정시키다. ③ [음악] 조율하다. —*intr.* *Col., Nic., PRico., Ven.* 전지 요양을 하다.

temperatura *f.* ① 온도: La ~ de la habitación es de dieciocho grados 실내 온도가 18도다. ② 기온: La ~ está alta [baja] 온도가 높다[낮다]. ③ 체온: tomar la ~ 체온을 재다.

temperie *f.* (기온·습도에 의한) 대기의 상황.

tempero *m.* (경작에 적당한) 토지의 건습(乾濕) 상태.

tempestad *f.* ① 폭풍, 폭풍우. ② 폭언, 격론, 논쟁; (감정의) 격발, 격정. ③ 소란, 소요.

tempestuoso, sa *adj.* ① 폭풍우의, 폭풍우가 일어나는. ② 폭풍우가 몰아칠 것 같은, 풍랑이 일 것 같은. ③ 격렬한.

templa[1] *f.* [미술] 템페라화구(畵具).

templa[2] *f.* [주로 *pl.*] 관자놀이.

templadamente *adv.* ① 온건하게, 온화하게. ② 소극적으로.

templado, da *adj.* ① 완화된, 진정된. ② 따뜻한, 온난한, 온화한: clima ~ 온화한 기후. invierno ~ 따뜻한 겨울. ③ 절도 있는. ④ 온건한. ⑤ =**listo, competente.** ⑥ *Cuba, Salv., Ven.* 성격이 엄한.

templanza *f.* ① 절도, 절제. ② 온건. ③ 따뜻함, 온난함.

templar *tr.* ① 부드럽게 하다, 진정시키다, 완화시키다, 가라앉히다. ② 담금질하다, 단련하다: ~ el acero 강철을 담금질하다, 쇠를 단련하다. ③ 따뜻하게 하다: ~ el agua de la piscina 수영장의 물을 따뜻하게 하다. ④ (나사 등을) 조이다. ⑤ [음악] 조율하다. ⑥ [미술] (색을) 섞다, 혼합시키다: ~ los colores 색을 섞다. ⑦ [투우] (capote나 muleta의 움직임과 소의 속도·격함 등을) 조화시키다. —*intr.* ① (기후가) 따뜻해지다, 따뜻해지기 시작하다, 추위가 가시다: El tiempo *ha templado* mucho 날씨가 많이 따뜻해졌다. ② *Cuba.* 성교를 하다. ~**se** ① 절제하다. ② (감정을) 억제하다. ③ 따뜻해지다: *Se ha templado* el suelo 바닥이 따뜻해졌다. ④ 약간 취하다. ⑤ *AmérM.* =**enamorarse.** ⑥ *CRica.* 성적(性的)으로 흥분하다. ⑦ *Cuba.* 성교를 하다.

temple *m.* ① (어려움·위험에 처해) 강인함, 용기, 대담. ② 기분. ③ [미술] 템페라화(畵). ④ 담금질, 단련(鍛錬). ⑤ 기온, 날씨, 일기. ⑥ [투우] (capote나 muleta 및 소와의) 동작의 조화.

templete *m.* ① 작은 사원, 예배당. ② 노점, 매점, 구멍가게. ③ 야외 음악당. ④ *Cuba.* 성교(性交), 씹. ⑤ *Ven.* (공공 페스티발 동안) 길거리에 즉석으로 만든 무도장.

templista *m.f.* 템페라화가.

templo *m.* ① 사원(寺院), 신전(神殿): ~ budista 불교 사원, 절. ~ griego 희랍 신전. ② 성당. ③ 전당: ~ de la música 음악의 전당.

tempo *m. it.* ① [음악] 속도, 빠르기; 박자, 템포. ② (활동·운동 등의) 속도, 템포.

temporada *f.* ① 철, 시기, 시즌, (여러 날·달·해 동안의) 기간, 시간, …기(期): ~ lluviosa, ~ de lluvias 우기. ~ seca 건기. ② (습관적·주기적으로 행해지는) 계절, 시즌: ~ teatral 연극의 계절, 연극 시즌. ¶~ ***alta*** 성수기, 최성기. ~ ***baja*** 비수기, 침체기. ~ ***media*** 성수기와 비수기의 중간 시기. ***de*** ~ 일시적인, 임시의, 계절의: fruta *de* ~ 계절 과일. ***trabajo de*** ~ 계절 노동. ***un vestido de*** ~ 계절 옷

temporal[1] *adj.* ① 일시적인, 임시의; 가(假)의: cierre ~ 임시 휴업. ② 세속의, 속계의. ③ 때의, 때를 나타내는. —*m.* ① 폭풍. ② 악천후. ③ 우기(雨期). ④ *And.* 계절노동자.

temporal[2] *adj.* [해부] 관자놀이의[에 관한], 측두(側頭)의[에 관한]: músculos ~*es* 관자놀이 근육. —*m.* 관자놀이뼈, 측두골(側頭骨).

temporalidad *f.* ① 일시성. ② 시간성. ③ *pl.* 세속적 소유물.

temporalmente *adv.* 일시적으로, 임시로.

temporáneo, a *adj.* [드묾] =temporal[1] ①.

temporario, ria *adj.* [드묾] =temporal[1] ①.

temporero, ra *adj.* 계절노동(季節勞動)의. —*m.f.* 계절노동자.

temporizador *m.* (전기 기구 등의) 타이머, 시간 스위치, 시한 장치.

temporizar (9) *tr.* (정해진 순간에 기능을 발휘하도록) 시간을 조절하다. —*intr.* ① [드묾] 시류에 편승하다, 시세에 영합하다. ② [드묾] 소일하다, 심심풀이로 하다.

tempranamente *adv.* =temprano.

tempranear *intr.* ① =madrugar. ② (열매가) 많이 익다.

tempranero, ra *adj.* ① =temprano. ② =madrugador. —*m.f.* 일찍 일어나는 사람.

tempranito *adv.* 매우 일찍.

temprano, na *adj.* (시기적·시간적으로) 이른: hora ~*na* 이른 시간. manzana ~*na* 조생종 사과. —*m.* 조생종용 밭. —*adv.* ① (아침·저녁의) 이른 시간에, 일찍: levantarse ~ 이른 시간에 일어나다. almorzar ~ 이른 시간에 점심을 먹다. ② (평상시보다) 일찍, 빠르게: abrir ~ la tienda 가게를 일찍 열다.

ten[1] ~ ***con*** ~ *m.* 신중, 자제.

ten[2] 가져라 ((tener의 2인칭 단수 긍정 명령형)) (참고: 부정 명령은 No tengas 갖지 마라).

tenacidad *f.* ① 완강함: resistir con ~ hasta el límite 끝까지 완강하게 저항하다. ② 집요함. ③ 끈질김, 완고함, 고집 불통.

tenacillas *f.pl.* ① 작은 집게, 핀셋. ② 머리 마는 기구, 머리 지지는 기구. ③ 족집게. ④ 초의 심지 자르는 가위.

tenaz *adj.* ① 완강한. ② 집요한. ③ 끈질긴, 완고한, 고집불통의.

tenaza *f.* ① 못뽑이, 집게. ② 부젓가락. ③ 머리 지지는 기구. ④ (게 등의) 집게발.

tenca *f.* [어류] (유럽산) 붕어의 일종.

tendal *m.* ① 천막. ② (올리브 열매를 딸 때 밑에 펴 놓는) 큰 천. ③ (말리기 위해) 늘어 놓은 것. ④ (물건을) 말리는 곳.

tendedero *m.* ① 건조장. ② 빨랫줄, 빨래 너는 철사 장치.

tendedor, ra *m.f.* 물건을 펴 놓는 사람. —*m.* =**tendedero.**

tendel *m.* ① [건축] 다림줄. ② [건축] (벽을 쌓을 때) 벽돌 줄 사이의 회반죽 층.

tendencia *f.* ① 경향. ② [주로 *pl.*] (정치·예술 등의) 풍조, 추세. ③ 성향, 성벽(性癖).

tendenciosidad *f.* 편향.

tendencioso, sa *adj.* 편향된, 개관성이 결여된.

tendente *adj.* [+a] (어떤 방향으로) 뻗어나는, 늘어나는; 경향이 있는; …하는 것 같은.

tender (20) *tr.* ① (그물 등을) 치다, (밧줄 등을 이쪽에서 저쪽으로) 당기어 건네다: ~ la cuerda 줄을 치다. ② [+sobre] (…의 위에) 펼치다:

T

~ el mantel *sobre* la mesa 식탁 위에 식탁보를 펼치다. ③ (세탁물을) 말리다: ~ la ropa 옷[세탁물]을 말리다. ④ 내밀다. —*intr.* ① [+a+inf.] (…하는) 경향이 있다, …하기 일쑤다, …할 기미가 보이다: Los precios *tienden a* subir [bajar] 물가가 오를[내릴] 기미가 있다. ② (…의 성질에) 닮은, 비슷한, 접근한, 가까운: amarillo que *tiende a* blanco 흰색에 가까운 노랑. ③ [수학] (수치에) 가까운: ~ *a* infinito 무한대에 가까운. ~**se** (침대 등에) 드러눕다.

ténder *m.* (증기 기관차의) 탄수차.

tenderete *m.* ① (노천의) 판매대, 노점. ② 카드 놀이의 일종. ③ [집합] 무질서하게 늘어놓은 것[물건].

tendero, ra *m.f.* ① (특히, 식료품) 가게의 주인[점원]. ② 천막 제조자.

tendido, da *adj.* ① 펼쳐진, 늘어진. ② (길다랗게) 가로 놓인[누운]. ③ 흐트러뜨린. ④ 뒤도 돌아보지 않고 뛰는. ⑤ [투우] 소의 몸에 가장 적당하게 수평으로 찌르는. —*m.* ① 펼쳐 놓기, 늘어뜨리기. ② 인입선(引入線). ③ (투우장의) 지붕 없는 관람석. ④ (틀에 끼우는 레이스 등의) 한 번 건[뜬] 분량. ⑤ (세탁물의) 한 번 빠는 빨랫감, 한 번 말리는 분량. ⑥ (빵틀에 놓은) 한 판의 분량. ⑦ [건축] 지붕의 경사면. ⑧ [건축] (벽·천정에 덧칠한) 석회[회반죽]의 층.

tendiente *adj.* =tendente.

tendinitis *f.sing.pl.* [의학] 건초염.

tendinoso, sa *adj.* ① [해부] 힘줄이 있는, 힘줄로 이루어진. ② 힘줄의[에 관한].

tendón *m.* ① 힘줄, 건(腱). ② (말이나 다른 동물들의) 발의 굵은 힘줄 부분. ¶~ ***de Aquiles*** 아킬레스건.

tendr- ☞tener (59).

tendría ☞tener (59).

tendría- ☞tener (59).

tenebrismo *m.* [미술] 명암의 대조를 강조하는 경향.

tenebrista *adj.* ① tenebrismo의[에 관한]. ② tenebrismo를 행(行)하는. —*m.f.* tenebrismo 화가.

tenebrosamente *adv.* 어둡게; 음침하게; 남몰래, 가만히.

tenebrosidad *f.* 어두움, 음침함.

tenebroso, sa *adj.* ① 어두운, 깜깜한. ② 음침한. ③ 음험한, 뱃속이 새까만. ④ 은밀한, 비밀의.

tenedor, ra *m.f.* ① 소유자. ② (특히, 증권·어음·수표 등의) 소지인, 소지자, 지참인. —*m.* ① 포크. ② (식당의 등급을 가리키는) 포크 (모양의) 표시: restaurante de tres *~es* 포크 세 개의 식당. ③ (축구·야구 등의 경기에서) 공 줍는 사람.

teneduría *f.* ① 부기(簿記). ② 부기[회계] 담당자의 직. ③ 부기[회계] 사무소.

tenencia *f.* ① 소유, 소지(所持). ② 중위(中尉)의 직.

tener (59) *tr.* ① 가지다, 소유하다, 가지고 있다, 소지하다: *Tengo* cien euros 나는 100유로를 가지고 있다. ② (가족·친구 등이) 있다: Ella *tiene* dos hermanos 그녀는 오빠가 둘 있다. ③ (육체적·정신적 특징이) 있다: Los coreanos *tienen* el pelo negro 한국인은 머리카락이 검다. ④ (부속물·부분으로) 붙어 있다; (조건 등으로) 포함하다: Mi casa *tiene* tres habitaciones 내 집에는 방이 세 개 있다. ⑤ (감정을) 가지다, 품다: Ella me *tiene* cariño 그녀는 나에게 애정을 가지고 있다. ⑥ (회합 등을) 열다. ⑦ (업무·수업 등이) 있다. ⑧ (날·시간을) 보내다: *Hemos tenido* un día muy bueno 우리는 아주 좋은 하루를 보냈다. ⑨ [시간을 나타내는 명사와 함께] (햇수·시간이) 지나고 있다: Esta casa *tiene* ya diez años 이 집은 (지은 지가) 벌써 10년 되었다. ⑩ [나이] (…살)이다: ¿Cuántos años *tienes*? −*Tengo* quince años 너 몇 살이니? −열다섯 살입니다. ⑪ [관용적 표현] …이다: ~ calor 몸이 덥다. ~ frío 몸이 춥다. ~ dolor 아프다. ~ hambre 시장하다, 배고프다. ~ miedo 두렵다. ~ paciencia 참다. ~ razón 옳다. ~ sueño 졸리다. ⑫ [tener que + *inf.*] …해야 한다, …하지 않으면 안 된다: José *tiene que* llegar a Madrid para el primero de noviembre 호세는 늦어도 11월 1일까지는 마드리드에 도착해야 한다. —*intr.* 돈이 많다, 부자다: Ella *tiene* 그녀는 부자다. ~**se** ① 서다, 정지(停止)하다: *Tente!* 서라. ② 버티다: *~se* de pie 서 있다. ③ 자제하다. ④ [+a] (…을) 고수하다. ⑤ [+por] (자신을 …라고) 생각하다: Juan *se tiene por* inteligente 후안은 자신이 영리하다고 생각하고 있다. ¶***Quien más tiene, más quiere*** (속담) 더 많이 가진 자가 더 가지고 싶어한다, 사람의 욕심은 한이 없다.

tenería *f.* =curtiduría.

tenga ☞tener (59).

tenga- ☞tener (59).

tengo ☞tener (59).

tenguerengue *en* ~ 불안정하게.

tenienta *f.* ① [군사] 여자 중위. ② [드묾] 중위의 아내.

tenientazgo *m.* [군사] 중위의 직.

teniente *adj.* ① 가지고 있는, 소유하는, 소지하는. ② (과일이) 익지 않은. ③ (야채가) 덜[설] 익은, 질긴, 딱딱한. ④ 약간 귀가 먼, 약간 들리지 않은. ⑤ [드묾] 인색(吝嗇)한. —*m.f.* ① 대리인, 대행자: ~ de

T

alcalde 시장 대리. ② [군사] (육군·공군의) 중위. ¶~ *coronel m.f.* (육군·공군의) 중령. ~ *de navío m.f.* 해군 대위. ~ *general m.f.* (육군·공군의) 중장. *primer* ~ (육군의) 중위. *segundo* ~ (육군의) 소위.

tenífugo *m.* 촌충 구제제(驅除劑).

tenis *m.sing.pl.* ① [운동] 테니스, 정구: jugar al ~ 테니스를 치다. ② 테니스 코트. ③ *pl.* 스포츠 슈즈, 운동화. ¶~ *de mesa* 탁구.

tenista *m.f.* ① 테니스 치는 사람. ② 테니스 선수.

tenístico, ca *adj.* 테니스의[에 관한].

tenor[1] *m.* ① 구성, 조직. ② (문서 등의) 내용, 본문. ③ 취지. ¶*a este* ~ 이와 똑같이, 이런 식으로, 이런 투로. *a* ~ *de* …에 따라, …에 의하여(según, conforme a).

tenor[2] *m.* ① [음악] 테너음(音), 테너. ② [음악] 테너 가수. ③ [음악] 테너 악기.

tenora *f.* [악기] (스페인의 민속적인) 오보에의 일종.

tenorio *m.* 난봉꾼, 바람둥이, 색마, 색광, 색정광.

tensar *tr.* ① (밧줄 등을) 팽팽하게 켕기다, 바싹 죄다. ② (사람을) 긴장시키다.

tensiómetro *m.* ① 장력계(張力計). ② [물리] (액체의) 표준 장력계. ③ [의학] 혈압계.

tensión[1] *f.* ① 당기는 힘, 팽팽함. ② 긴장: con una cara de ~ 긴장된 얼굴로. ③ [물리] 장력, 응력; 압력: ~ de vapor 증기압. ④ [전기] 전압(電壓). ⑤ [의학] 혈압: tener la ~ alta [baja] 혈압이 높다[낮다]. ⑥ [의학] 스트레스. ⑦ [언어] (발성 기관의) 긴장. ¶~ *arterial* 혈압. ~ *superficial* [물리] 표면 장력. *alta* ~ 고압 ((천 볼트 이상의 전압)). *baja* ~ 저압 ((천 볼트 이하의 전압)). *en* ~ (줄 등이) 팽팽한.

tensión[2] *f.* [드뭄] =**tensón.**

tensionar *tr.* =**tensar.**

tenso, sa *adj.* ① (줄 등이) 팽팽한, 팽팽히 당겨진. ② 긴장된, 긴장한: ponerse ~ 긴장되다. estar ~ 긴장되어 있다. ③ [언어] 혀의 근육이 긴장된 ((주로 모음에 대해서 쓰임)).

tensón *f.* (플로방스의) 논쟁시(詩).

tensor, ra *adj.* 켕기는, 잡아당기는, 장력의; 긴장시키는: músculo ~ 장근(張筋). —*m.* ① [해부] 장근(張筋). ② [수학] 텐서.

tentación *f.* 유혹, 유혹물; 욕망.

tentacular *adj.* [동물] 촉수의.

tentáculo *m.* ① [동물] 촉수, 촉각, 더듬이. ② [식물] 촉사(觸絲), 촉모, 섬모.

tentadero *m.* [투우] 송아지 시험 평가장.

tentador, ra *adj.* ① 마음을 유혹하는. ② 악의 길로 꾀는. ③ =apetecible, deseable. —*m.f.* 유혹자. —*m.* ① 악마. ② [투우] 송아지 시험 평가자.

tentar (19) *tr.* ① 꼬드기다, 유혹하다. ② 악의 길로 꾀다. ③ 더듬다. ④ 시도하다, 조사하다, 살피다. ⑤ [투우] 송아지의 용맹함을 시험하다. ⑥ [+a+*inf.*] (…하게) 꾀다: ~ *a* fumar 담배를 피우도록 꾀다, 꾀어 담배 피우게 하다.

tentativo, va *adj.* ① 시험적인, 시도하는. ② 주저하는, 망설이는; 애매한. —*f.* ① 시험, 시도, 기도. ② [법률] 미수, 미수죄: ~ de asesinato 살인 미수. quedar en ~ 미수로 끝나다. ③ [운동] 시기(試技).

tentemozo *m.* ① 버팀나무, 지주. ② =**tentetieso.**

tentempié *m.* ① =**tentetieso.** ② 간식, 가벼운 식사.

tentenelaire *m. Arg.* =**colibrí.** —*m.f. Arg.* cuarterón과 mulata 혹은 mulato와 cuarterona 사이에 낳은 아이.

tentetieso *m.* 오뚜기.

tenue *adj.* ① (두께가) 얇은, 가느다란. ② 미세한, 약한. ③ (색조가) 희미한.

tenuidad *f.* ① 얇음, 가느다람. ② 미세함, 약함. ③ 희미함.

tenzón *m.* =**tensón.**

teñible *adj.* 물들일[염색할] 수 있는.

teñido, da *adj.* 물들인, 염색(染色)된. —*m.* 염색.

teñidura *f.* 염색(染色).

teñir (49) *tr.* ① 물들이다, 염색하다: ~ *algo de* [*en · con*] amarillo (…을) 노랑으로 물들이다[염색하다]. ② 스며들게 하다, (사상으로) 물들이다. ③ [미술] (색을) 연하게 하다. ~**se** ① 물들다, 염색되다. ② (자신의 …을) 물들이다, 염색하다: ~*se de* rubio, ~*se* el pelo *de* rubio 금발로 물들이다. ③ 뉘앙스를 띠다.

teocali *m.* (멕시코의) 고대 나우아족(族)의 신전(神殿).

teocracia *f.* ① 신권 정치(神權政治). ② 신권 정치의 사회.

teocrático, ca *adj.* 신권 정치의[에 관한].

teologal *adj.* teología의[에 관한].

teología *f.* 신학(神學): facultad de ~ 신학 대학, 신학부. ¶~ *de la liberación* 해방 신학.

teológicamente *adv.* 신학적으로.

teológico, ca *adj.* teología의.

teologizar (9) *intr.* 신학을 논하다, 신학적으로 연구하다.

teólogo, ga *adj.* =**teologal.** —*m.f.* ① 신학자(神學者). ② 신학생.

teorema *m.* [수학] 정리(定理): ~ de Pitágoras 피타고라스의 정리.

teorético, ca *adj.* [철학] 논리적인.

T

—*f.* (특정 예술·과학의) 이론.
teoría *f.* ① 학설, 설, 이론: ~ de la música 음악 이론. crear una ~ 학설을 세우다. ② 의견; 지론(持論).¶ *en* ~ 이론상으로.
teórica *f.* ☞teórico.
teóricamente *adv.* 이론상으로(는), 이론적으로(는), 학설상으로(는).
teórico, ca *adj.* ① 이론의[에 관한], 이론적인: física *~ca* 이론 물리학. ② 이론상으로만 존재하는, 가정적인. ③ (사람이) 사색적인, 공론적인, 이론을 좋아하는. —*m.f.* 이론가. —*f.* [드뭄] 이론, 학설.
teorizador, ra *adj.* 이론을 세우는.
teorizante *adj.* 이론(理論)을 세우는. —*m.f.* 이론을 세우는 사람, 이론가.
teorizar (9) *tr.* 이론적으로(만) 다루다, 학리적으로만 주장하다. —*intr.* 이론[학설]을 세우다.
teosofía *f.* 신지학(神智學), 신지론(神智論), 접신학(接神學).
teosófico, ca *adj.* teosofía의.
teósofo, fa *m.f.* 신지론자.
tepe *m.* (벽이나 제방용으로 네모나게 뜬) 뗏장.
tequila *f.* 떼낄라 ((용설란으로 빚은 진(ginebra) 비슷한 멕시코의 술)).
tequilazo *m.* *Méj.* 떼낄라 한 모금.
tequilear *intr.* *Méj.* 떼낄라(tequila)를 마시다.
tequilería *f.* ① *Méj.* 떼낄라 양조장. ② *Méj.* 떼낄라 판매소.
tequilero, ra *adj.* *Méj.* 떼낄라의[에 관한].
TER *m.* *T*ren *E*spañol *R*ápido 전차 특급.
terapeuta *m.f.* 치료학자, 치료 전문가, 요법사(療法師); 임상의(臨床醫): ~ ocupacional 작업 요법사.
terapéuticamente *adv.* ① 치료상, 치료법으로. ② 치료학적 견지에서(보면).
terapéutico, ca *adj.* 치료의[에 관한]: método ~ 치료법. —*f.* ① 치료학. ② 치료, 요법, 치료법. ③ 작업 요법(terapéutica ocupacional).
terapia *f.* 치료, 요법(療法), 치료법: ~ ocupacional 작업 요법.
-terapia *suf.*「치료, 요법, 치료법(tratamiento)」의 뜻: hidro*terapia* 물치료법. inmuno*terapia* 면역 치료.
teratogénico, ca *adj.* [생물·의학] 기형 생성의, 기형 발생의.
teratógeno *m.* [생물·의학] (태아기의) 기형 발생 물질.
teratología *f.* 기형학(奇形學).
teratológico, ca *adj.* ① 기형학의[에 관한]. ② =**monstruoso, deforme.**
teratoma *m.* [의학] 기형종(奇形腫).
terbio *m.* [화학] 테르븀.
tercer *adj.* [tercero가 남성 단수 명사 앞에 올 때 o 탈락형] 세 번째의: el ~ mes del año 해의 세 번째 달.
tercera *f.* ☞tercero.
tercería *f.* ① 중재, 조정. ② 중개. ③ 중재 계약. ④ 조정 재판.
tercerista *m.f.* 제3자 이의(異議) 신청인, 조정 재판의 원고.
tercerilla *f.* [시학] 삼행 연구(三行聯句), 삼행시(三行詩).
tercermundismo *m.* (제삼 세계 특유의) 후진성; 제3세계 같음.
tercermundista *adj.* ① 제3세계의[에 관한]. ② 제3세계적인.
tercero, ra *adj.* [남성 단수 명사 앞에서 o 탈락하여 tercer이 됨] ① 세 번째의, 제3의: *tercer* mundo 제3세계. *~ra* persona 제3자. *~ra* casa desde la izquierda 왼쪽에서 세 번째 집. ② (두 사람 이상 사이에서) 중재(仲裁)하는. ③ 3분의 1의. —*m.f.* ① [주로 *pl.*] 제3자. ② 중재자. ③ 포주, 뚜쟁이. —*m.* ① 3분의 1. ② 제3국. ③ (어떤 종파에서) 세 번째 품급의 성직자. —*f.* ① (열차 등의) 3등. ② (어떤 카드 놀이에서) 같은 짝의 세 장 연속. ③ [음악] 3도 (음정). ④ 3단 기어.
tercerola *f.* ① (기병용의) 총신이 짧은 총. ② 중간 용량의 나무 통. ③ [악기] (보통 것보다 더 작은) 피리.
terceto *m.* ① =**tercerilla.** ② [음악] 삼중주곡, 삼중창곡. ③ [음악] 삼중주단, 삼중창단.
tercia *f.* ☞tercio.
terciado, da *adj.* ① 밀가루 3분의 2와 보릿가루[호밀가루] 3분의 1로 만든 (빵). ② 아주 크지도 아주 작지도 않은, 중간 크기의. ③ [투우] 나이에 걸맞은 크기에 이르지 못한 (소). ④ *Ecuad.* 순종이 아닌 (동물). —*m.* ① 칼날이 넓은 단검. ② 창문의 틀을 세 등분한 각재(角材). ③ 약간 넓은 리본.
terciador, ra *adj.* 중재하는, 중개하는, 조정하는. —*m.f.* 중재자, 중개자, 조정자.
terciana *f.* [주로 *pl.*] [의학] 삼일열. ¶~ ***de cabeza*** 간헐적인 두통.
tercianario, ria *adj.* ① 삼일열에 걸린. ② (같은 열 등이) 삼일마다 반복되는. —*m.f.* 삼일열 환자.
terciar (11) *tr.* ① (의복 등을) 비스듬히 놓다[걸다]. ② 3등분하다, 셋으로 나누다. ③ (짐이 좌우 같게) 균형을 잡다. ④ [농업] (논밭을) 세 번째 갈다. ⑤ [농업] (식물이 더 강하게 다시 싹이 나도록, 땅에서) 3분의 1의 높이로 자르다. —*intr.* ① 중재하다, 중개하다, 조정하다. ② (토론 등에) 참가하다, 발언하다. ③ 필요한 인원수를 채우다. ④ 사흘째가 되다. ~**se** ① (자신의 몸에) …을 비스듬히 걸다[차다]. ② [3인칭 단수로만 사용함] (적당한 기회가) 우연히 오다: Si *se tercia,* le hablaré de nuestro asunto 적당한 기회가 오면 우리의 일에 대해 당신에

T

게 말씀 드리겠습니다.
terciario, ria *adj.* ① [순서·등급에서) 세 번째의, 제3위의. ② [경제] 제3차 산업의. ③ [지질] 제3기의[에 관한]. ④ [화학] 제3의. ⑤ [의학] 제3기의. —*m.f.* [천주교] 제3회원 ((수도회의 계율에 따라 살아가는 평신도)). —*m.* [지질] 제3기(층).
tercio, cia *adj.* 세 번째의. —*m.* ① 3분의 1. ② [역사] (16-17세기 스페인의) 보병 연대. ③ [역사] (까틀로스 당 등의) 의용군. ④ (치안 경비대 등의) 부대. ⑤ (투우장의) 중앙(medio)과 울짱 부근(tablas)의 중간 부분. ⑥ (한 회의 투우를 구성하는) 세 단계(段階) ((varas, banderillas, muerte)). ⑦ (맥주의) 3분의 1 리터들이 병. —*f.* ① 3분의 1 varas ((약 30센티미터)). ② (고대 로마에서) (하루를 네 등분한) 두 번째 시간. ③ [천주교] 세 번째 근무 시간, 삼시과(三時課).
terciopelo *m.* 우단(羽緞), 비로드.
terciopersonal *adj.* [문법] (동사가) 3인칭 단수로만 활용하는, 단인칭 동사의.
terco, ca *adj.* ① 완고한, 고집이 센. ② (동물·물건이) 다루기 어려운. —*m.f.* 완고한 사람, 고집이 센 사람.
terebinto *m.* [식물] 테레빈나무.
terebrante *adj.* [의학] 살을 도려내는 듯한 (아픔).
tergal *m.* 아주 질긴 폴리에스테르계의 합성 섬유.
tergiversable *adj.* 왜곡할 수 있는.
tergiversación *f.* 왜곡(歪曲).
tergiversar *tr.* ① 말로 얼버무려 넘기다. ② (사실을) 왜곡하다.
terliz *m.* (아마나 면으로 짠) 견고한 천.
termal *adj.* 온천의[에 관한].
termas *f.pl.* ① 온천 (시설). ② (고대 로마의) 공동[대중] 목욕탕.
termes *m.sing.pl.* [곤충] 흰개미.
-termia *suf.* 「열(熱)·온도(溫度)」의 뜻: dis*termia* 체열 이상.
térmico, ca *adj.* ① 열의[에 관한]: energía ~*ca* 열에너지. ② 온도의[에 관한]. ③ 온도를 보존하는. ¶ *fiebre* ~ [의학] 열사병.
terminación *f.* ① 끝남, 끝냄, 종료, 종결. ② 끝. ③ [문법] 어미, 말끝.
terminador, ra *adj., m.f.* 끝내는 (사람), 종결시키는 (사람).
terminal *adj.* ① 끝의, 말단의, 최종의, 최후의. ② [의학] (병·환자가) 말기의, 말기 증상의: enfermo ~ 말기 환자. ③ [식물] 정생(頂生)의, (꽃 등이) 줄기의 꼭대기나 맨 끝에 나는: flores ~*es* 정생화. —*m.* ① [전기] 전극, (전지의) 단자(端子). ② [컴퓨터] 단말기, 단말 장치, 터미널. —*f.* ① (공항의) 터미널. ② 종착역, 터미널: ~ de autobuses 버스 터미널. ③ [컴퓨터] 단말기, 단말 장치, 터미널.
terminante *adj.* ① 최종적인, 끝나는: decisión ~ 최종 결정. ② 결정적인, 단정적인, 단호한.
terminantemente *adv.* ① 결정적으로. ② 단호히: negarse ~ 단호히 거부하다.
terminar *tr.* 끝내다, 종결시키다, 완료하다: ~ el trabajo 일을 끝내다. —*intr.* ① 끝나다, 종결되다, 완결짓다. ② (병이) 완쾌되어 가다, 차도가 생기다. ③ 전멸하다, 완전히 부수다. ④ [+con] (다른 사람과의 관계, 특히 애정 관계를 …와) 끝내다, 헤어지다: José *ha terminado con* su novia 호세는 연인과 헤어졌다. ~**se** ① 다하다, 떨어지다, 끝나다: *Se terminó* el arroz 쌀이 떨어졌다. ② (기간·행위가) 끝나다: *Se ha terminado* el estudio 연구[공부]가 끝났다. ③ …을 데꺽 해치우다: *Me terminé* el desayuno 나는 아침밥을 데꺽 먹어 치웠다.
término *m.* ① 마지막, 끝남, 종결, 종국, 종말, 결말: al ~ de la función 공연의 마지막에. ② 끝, 말단. ③ 한계: llegar al ~ de la paciencia 인내의 한계에 달하다. ④ 기한, 기일: fijar un ~ para el pago 지불 기일을 정하다. ⑤ 위치. ⑥ 순위. ⑦ (시 등의) 행정 구역. ⑧ 용어, 술어: ~ técnico 전문 용어. ⑨ *pl.* 표현. ⑩ *pl.* 상태, 조건: los ~*s* del intercambio 교역 조건. ⑪ *pl.* 상정(想定), 추정. ⑫ *pl.* 관점. ⑬ 부분, 구성 요소. ⑭ [수학] 항(項). ⑮ [미술] (원근의) 경(景). ¶ ~ *medio* ㉮ [수학] 평균. ㉯ 중용, 절충된 해결책. ~ *municipal* 시행정 구역. *medio* ~ 중용, 절충된 해결책.
terminología *f.* 전문 용어, 술어.
terminológico, ca *adj.* 전문 용어(와 그 사용)의[에 관한].
terminólogo, ga *m.f.* 전문 용어 전문가[학자].
termiónico, ca *adj.* =termoiónico.
termita[1] *f.* [화학] 작열제(灼熱劑).
termita[2] *f.* =termes.
térmite *m.* =termes.
termitera *f.* =termitero.
termitero *m.* 흰개미 집.
termo[1] *m.* 보온병.
termo[2] *m.* =termosifón.
termoaislador *m.* 보온재(保溫材).
termocoloración *f.* 가열 착색.
termocolorear *tr.* 가열 착색하다.
termoconductor *m.* [물리] 열전도체
termodinámico, ca *adj.* 열역학의[에 관한]. —*f.* 열역학.
termoelasticidad *f.* 열탄성(熱彈性).
termoelectricidad *f.* ① 열전기. ② 열전기학.
termoeléctrico, ca *adj.* 열전기의.

T

termoestable *adj.* [생화학] 열안정의, 내열(耐熱)의.
termogénesis *f.sing.pl.* 열발생.
termógeno, na *adj.* 열발생의.
termografía *f.* 온도 기록법.
termógrafo *m.* 자기 온도계.
termointercambiador *m.* 열교환기.
termoiónico, ca *adj.* [화학] 열(熱) 이온의.
termolábil *adj.* [생화학] 열(熱)불안정성의, 이열성(易熱性)의.
termólisis *f.sing.pl.* ① [화학] 열분해. ② [생리] 체온 발산.
termología *f.* 열학(熱學).
termometría *f.* 온도 측정(학), 검온.
termométrico, ca *adj.* 온도계의[에 관한], 온도 측정의.
termómetro *m.* ① 온도계. ② 체온계: ponerse el ~ (입속에) 체온계를 넣다. ¶~ *máximo* 최고 온도계. ~ *mínimo* 최저 온도계.
termonuclear *adj.* 열핵의, 열핵 반응의: bomba ~ 열핵 폭탄.
termopar *m.* [물리] 열전대(熱電對).
termopermutador *m.* 열교환기.
termopila *f.* [주로 *pl.*] 열전퇴(熱電堆), 열전대열(熱電對熱).
termoplástico, ca *adj.* 열가소성(熱可塑性)의. —*m.* 열가소성 물질.
termoquímica *f.* 열화학.
termorregulación *f.* ① 온도 조절. ② [생물] 체온 조절.
termosfera *f.* 열층(熱層).
termósfera *f. Amér.* =termosfera.
termosifón *m.* ① 열이온. ② 급탕기(給湯器). ③ 온수 난방기.
termostable *adj.* =termoestable.
termostático, ca *adj.* 자동 온도 조절 장치의[에 관한].
termostato *m.* 자동 온도 조절 장치.
termotecnia *f.* 열기술(熱技術).
termoterapia *f.* 온열(溫熱) 요법, 열치료(법).
termotinción *f.* 가열 착색.
terna *f.* ① 3인조. ② [투우] (한 회의 투우 경기에 출장하는) 세 명의 투우사. ③ (놀음에서 세 사람이 모인) 한 조, 한 패.
ternario, ria *adj.* ① 세 요소[단위·숫자]로 구성된. ② [음악] 3박자의. —*m.* [천주교] 3일 근행[기도].
ternasco *m. Ar.* 아직 풀을 뜯지 못하는 새끼 양.
ternera *f.* 암송아지; 송아지 고기.
ternero *m.* 수송아지.
terneza *f.* ① 상냥함, 다정함. ② [주로 *pl.*] 애정의 표현, 사랑의 속삭임, 달콤한 말.
ternilla *f.* [해부] 물렁뼈, 연골(軟骨).
terno *m.* ① 세 짝(으로 된 것). ② (양복의) 세 짝 ((바지·조끼·저고리가 한 벌인 옷)). ③ (옛날의 복권에서) 셋이 짝지은 번호. ④ [천주교] 한 미사의 세 사제. ⑤ [인쇄] 세 장 인쇄. ⑥ 욕, 저주의 말.
ternura *f.* ① 부드러움. ② 상냥함, 다정스러움. ③ 눈물겨움. ④ 사랑, 애정, 정감. ⑤ 사랑의 속삭임[말].
terquedad *f.* 완고함, 고집.
terracota *f.* ① 테라코타 ((붉은 진흙의 설구이)). ② 테라코타 건축재.
terrado *m.* =**terraza.**
terraje *m.* 소작료.
terrajero *m.* 소작료 지불 농민.
terral *m.* 육연풍(陸軟風).
terramicina *f.* 테라마이신.
terraplén *m.* 성토(盛土); 둑, 제방.
terraplenar *tr.* ① 성토(盛土)를 하다. ② 둑을 쌓다.
terráqueo, a *adj.* 수륙(水陸)의, 물과 육지로 된.
terrario *m.* 육생(陸生) 동물 사육장.
terrateniente *m.f.* 대지주.
terraza *f.* ① 테라스, 대형 발코니. ② (카페 등의) 테라스. ③ 옥상. ④ [지리] 단구(段丘). ⑤ *pl.* 계단식 밭.
terrazgo *m.* 농지(農地); 소작료.
terrazquero *m.* 소작인.
terremoto *m.* 지진(地震).
terrenal *adj.* 지상의[에 관한], 현세의[에 관한], 세속(世俗)의[에 관한]: paraíso ~ 에덴 동산, 지상 낙원.
terreno, na *adj.* ① 땅[토지]의[에 관한. ② =**terrenal.** —*m.* ① 토지: ~ agrícola 농지. casa con ~ 토지 딸린 가옥. ② 지형, 지표. ③ (활동의) 장, 분야. ④ [운동] 운동장, 코트. ⑤ [지질] 지층.
térreo, a *adj.* ① 흙의. ② 흙 같은.
terrera *f.* ☞**terrero.**
terrero, ra *adj.* ① 흙의, 땅의, 지면의. ② 흙을 나르는, 흙 운반용의: cesta ~*ra* 흙을 나르는 바구니. ③ (새가) 땅을 스칠 듯한. ④ 천한, 야비한. —*m.* ① =**terraza.** ② 흙더미. ③ 퇴적토. ④ (광산의) 부스러기 더미. —*f.* ① (초목이 없는) 급경사진 땅(뙈기). ② [새] 종달새.
terrestre *adj.* ① 지구의[에 관한]. ② =**terrenal.** ③ 육지의[에 관한], 육상의: fuerzas ~*s* 육군, 육상 병력. ④ 육생(陸生)의: animales ~*s* 육생동물. —*m.f.* 지구인(地球人).
terrible *adj.* ① 무서운, 가공할, 소름끼치는. ② 지독한, 굉장한.
terriblemente *adv.* ① 무섭게, 소름끼치게. ② 지독하게, 굉장히.
terrícola *m.f.* 지구인(地球人). —*adj.* =**terrestre.**
terrier *m.* [동물] 테리어 ((애완용·사냥용 개)).
terrífico, ca *adj.* =**terrorífico.**
terrina *f.* (음식 보존용) 역(逆)원뿔꼴 질그릇.
territorial *adj.* 영토의[에 관한]: mar ~ 영해(領海).
territorialidad *f.* ① 영토권. ② [생물] 세력권[텃세권] 제도.
territorialismo *m.* [생물] 세력권[텃세권] 제도.

territorio *m.* ① 영토: perder su ~ 영토를 잃다. ② 국토: explotación del ~ 국토 회복. ③ 관할 구역, 지구. ④ [동물] 텃세권, 세력권. ⑤ 준주(準州) ((완전한 자치권을 가지지 못한 주)).
terrizo, za *adj.* ① 흙의. ② 아직 포장이 안 된 (바닥). —*m.* 유약을 바르지 않은 토기.
terrón *m.* ① 흙덩이. ② *pl.* 경지(耕地). ③ 덩어리. ④ 각설탕.
terror *m.* ① (심한) 공포, 두려움. ② 공포의 대상, 가공할 만한 일. ③ [T~] (프랑스 혁명 때의) 공포 정치. ④ (영화·소설 등의) 공포. ¶ *de* ~ (영화나 문학 작품 등의) 공포를 일으키는: película *de* ~ 공포 영화.
terrorífico, ca *adj.* ① 공포를 일으키는, 공포감을 주는. ② 무서운, 무시무시한, 소름 끼치는. ③ 엄청난, 지독한, 심한: unos precios ~*s* 엄청난 값.
terrorismo *m.* ① 테러리즘, 테러 행위. ② 공포 정치.
terrorista *adj.* ① 테러 행위를 하는. ② 테러의[에 관한]. —*m.f.* ① 테러리스트, 폭력주의자. ② 공포 정치가(恐怖政治家).
terrosidad *f.* 흙과 같은 성질.
terroso, sa *adj.* ① 흙 같은. ② 흙을 함유한.
terruñero, ra *adj.* ① terruño의[에 관한]. ② 고향에 애착을 느끼는. —*m.* 땅을 일구는 시골 사람.
terruño *m.* ① 흙덩이. ② 태어난 고향, 향토. ③ (주로 생활 수단으로서의) 사유지, 땅(terreno).
tersar *tr.* 닦다, 윤이 나게 하다, 광택을 내다, 반들반들하게 하다.
terso, sa *adj.* ① 매끄러운, 반들반들한, 윤기 나는. ② 맑은, 투명한. ③ (말·문체가) 세련된, 유려한.
tersura *f.* ① 매끈함, 반들반들함, 윤기 남. ② 맑음, 투명함. ③ (말·문체가) 세련됨, 유려함.
tertulia *f.* ① (늘 함께 노는 사람들의) 모임, 동아리, 서클. ② (카페 등에서) 오락실, 도박실. ③ (스페인의 옛 극장에서) 가장 높은 곳에 있는 복도. ¶*estar de* ~ 모여 잡담하다, 이야기하다, 환담하다.
tertuliano, na *m.f.* 늘 모여 노는 사람, 자주 모여 잡담하는 사람.
tertuliante *adj.* 모여 잡담(雜談)하는. —*m.f.* =tertuliano, na.
tertuliar *intr.* *Amér.* 모여 잡담하다, 환담하다.
tertulio, lia *m.f.* =tertuliano, na.
tesalonicense *adj.* ① 테살로니카(Tesalónica, 고대 희랍의 도시) 태생의. ② 테살로니카의[에 관한]. —*m.f.* 테살로니카 사람.
tesar *tr.* (배에서 돛이나 밧줄을) 팽팽하게 매다. —*intr.* (멍에를 맨 소가) 뒷걸음치다.
tesina *f.* 석사 논문, 석사 졸업 논문.
tesis *f.sing.pl.* ① 학위 논문, 박사 논문. ② 주장, 설. ③ [철학·논리] (논증되어야 할) 명제(命題), 정립(定立). ④ [음악] 센박, 하박(下拍).
tesitura *f.* ① 정신 상태; 상태, 입장. ② [음악] 음역, 성역.
tesla *m.* [물리] 테슬라.
teso, sa *adj.* =tieso. —*m.* ① (꼭대기가) 편편한 언덕. ② (매끄러운 표면의) 도드라진 부분.
tesón *m.* 완강함, 집요함, 흔들림이 없음, 단호한 태도.
tesonería *f.* =terquedad.
tesonero, ra *adj.* 완강한 (사람).
tesorería *f.* ① 회계직. ② 회계과, 재무국. ③ 재무 행정. ④(주로 기업의) 유동 자산, 자금.
tesorero, ra *m.f.* ① 회계 담당자, 출납계원, 재무관. ② (성당 등의) 재산 관리자.
tesoro *m.* ① 보물. ② 부, 재산, 대금(大金). ③ [T~] 국고. ④ 보배, 보고(寶庫): ~ de noticias 뉴스의 보고. ⑤ (사전·카탈로그·문집에 저자가 서명한) 귀중한 책. ⑥ 귀중한 사람[물건], 사랑하는 사람.
test *m.* *ing.* [*pl.* ~s] ① (지능·성능의) 시험, 검사, 고사(考査), 테스트. ② [화학] 시험, 분석, 감식. ③ (선다식·짧은 문제의) 테스트.
testa *f.* ① (사람·동물의) 머리. ② (사람·동물의) 머리 부분. ③ (어떤 물건의) 앞부분, 정면. ④ [드묾] = entendimiento, capacidad.
testáceo, a *adj.* [동물] 갑각류의, 겉껍질이 있는. —*m.* 갑각류 동물.
testado, da *adj.* 유언을 남기고 죽은; 유증(遺贈)된.
testadura *f.* ① 말소. ② 유언(장).
testador, ra *m.f.* 유언자.
testaférrea *m.* =testaferro.
testaferro *m.* 명의인(名義人).
testamentaría *f.* ① 유언 집행. ② 유언 서류. ③ 유언이 집행될 때까지의 재산. ④ 유언 집행인 회의.
testamentario, ria *adj.* 유언의[에 관한]. —*m.f.* 유언 집행인.
testamento *m.* ① 유언. ② 유언장. ③ 유작(遺作). ④ (권력자가 퇴임 직전에) 개인의 이익을 목적으로 하는 명령[결정]. ⑤ 아주 긴 문서. ¶ *Antiguo Testamento* 구약 성서. *Nuevo Testamento* 신약 성서.
testar *intr.* 유언을 하다, 유언장을 작성하다, 유증하다. —*tr.* 지우다, 말소하다.
testarada *f.* ① 박치기. ② 완고함.
testarazo *m.* ① 박치기. ② 구타.
testarrón, na *adj.*, *m.f.* =testarudo.
testarudez *f.* 완고함, 고집이 셈.
testarudo, da *adj.*, *m.f.* 완고한 (사람), 고집 센 (사람).
testera *f.* ① 정면, 전면(前面). ②

(말의) 얼굴 장식. ③ (동물의) 앞머리. ④ (용광로의) 노벽(爐壁).
testerada *f.* 박치기.
testerazo *m.* =testarazo.
testero *m.* ① =testera. ② 주벽(主壁), 정면벽.
testicular *adj.* 고환의[에 관한].
testículo *m.* [해부] 고환, 불알.
testificación *f.* 입증, 증명; 증거.
testifical *adj.* 증인의[에 관한].
testificar (7) *tr.* ① 증언하다. ② 입증하다, 증명하다, 증거로 내세우다.
testificativo, va *adj.* 증거의, 증거를 내세우는.
testigo *m.f.* ① 증인. ② 목격자. ③ 입회인. —*m.* ① 증거. ② (릴레이의) 바통. ③ (실험의) 대조 표준. ④ 표시. ⑤ =testículo.
testimonial *adj.* 증거(證據)가 되는: documento ~ 증거 서류. —*f.pl.* 증명서(證明書).
testimoniar (11) *tr.* 증언하다.
testimonio *m.* ① 증언. ② 증거. ③ 증거 서류, 증서(證書). ④ [고어] = testigo.
testosterona *f.* [생화학] 테스토스테론 ((남성 호르몬의 일종)).
testuz *m.(f.)* ① (말 등의) 이마. ② (어떤 동물의) 목덜미.
teta *f.* ① (여성·포유 동물의) 유방, 젖통. ② 유방[젖통]에서 나오는 젖. ③ 젖꼭지. ④ 유방 모양의 작은 산, 동산(mambla).
tetada *f.* 어린아이가 매번 빠는 젖.
tetamen *m.* [속어] (특히 아주 커다란) 여성의 가슴[유방].
tetania *f.* [의학] 강직 경련.
tetánico, ca *adj.* ① 강직 경련의[에 관한]. ② 파상풍의[에 관한]. —*m.f.* 파상풍 환자.
tétano *m.* =tétanos.
tétanos *m.sing.pl.* [의학] 파상풍.
tetera *f.* ① 차 끓이는 기구, 주전자. ② *And., Amér.* (우유병의) 젖꼭지.
tetero *m. Col., Ven.* =biberón.
tetilla *f.* ① (남자·수컷 포유 동물의) 젖꼭지. ② (우유병의) 고무 젖꼭지.
tetina *f.* (우유병의) 고무 젖꼭지.
tetón *m.* (몸통에 남아 있는) 전정한 가지의 마른 조각.
tetona *adj.* 유방이 큰 (암컷).
tetra- *pref.*「4, 넷(cuatro)」의 뜻: *tetra*sílabo 네 음절어.
tetraciclina *f.* [약학] 테트라시클린 ((항생제의 일종)).
tetracloruro *m.* [화학] 4염화물.
tetracordio *m.* [음악] 4음 음계.
tétrada *f.* ① 네 개, 네 개 한 벌. ② [생물] 4분자, 4분 염색체.
tetraedro *m.* [기하] 4면체.
tetragonal *adj.* [기하] 4각형의.
tetrágono *adj.* [기하] 4각형의, 4변형의. —*m.* 4각형, 4변형.
tetragrámaton *m.* ① 네 문자로 구성된 말. ② [T~] 네 문자로 나타내는 신의 이름.
tetralogía *f.* ① (고대 희랍의) 4부극(部劇). ② (소설 등의) 4부작.
tetramorfo *m.* 동물의 머리와 인간의 네 가지 형상을 한 네 복음 저자들을 상징하는 형상.
tetrápodo *m.* ① 네 발 짐승, 사족수(四足獸). ② (탁자·의자 등의) 네 다리.
tetrasílabo, ba *adj.* [언어] 네 음절의. —*m.* 네 음절어.
tetrástrofo, fa *adj.* [시법] 네 연(連) 네 행(行)으로 구성된.
tétrico, ca *adj.* 슬픈, 우울한, 우수에 잠긴 듯한.
tetuda *adj.* 유방[젖통]이 아주 큰 (여자·암컷).
teúrgia *f.* (고대의) 마술, 요술, 신통술(神通術).
texano, na *adj.* ① 텍사스(Texas, 미국의 주) 태생의. ② 텍사스의[에 관한]. —*m.f.* 텍사스 사람.
textil *adj.* ① 실로 만들어 짤 수 있는. ② 직물[섬유]의[에 관한]: industria ~ 섬유 산업. producto ~ 섬유 제품. —*m.* 섬유(fibra ~).
texto *m.* ① 원문, 원서: leer "El Ingenioso Hidalgo don Quijote de la Mancha" en el ~「돈 끼호떼」를 원서로 읽다. ② 본문; 인쇄 부분. ③ 인쇄물, 책. ④ (문학 작품의) 발췌, 인용. ⑤ 교과서. ⑥ [음악] 가사. ¶*libro de* ~ 교과서. *Sagrado Texto* 성경, 성서.
textual *adj.* ① 원문의, 본문의. ② 원문 그대로의.
textualmente *adv.* 원문 그대로; 한 자도 틀리지 않고: traducir ~ 축어역(逐語譯)을 하다.
textura *f.* ① (직물) 짜는 법, (직물의) 발, 올과 올의 사이, 천 짜기. ② (피부·목재 등의) 결, 살결, 감촉. ③ (작품 등의) 구조, 구성.
tez *f.* (사람의) 낯, 얼굴의 살결.
ti *pron.* [전치사격 인칭 대명사 2인칭 단수; con 다음에서는 *contigo*] 너, 자네, 당신: para ~ 너를 위해. A ~ te quiero 나는 널 사랑한다.
tía *f.* ☞**tío.**
tialismo *m.* 타액 과다.
tiamina *f.* [생화학] 티아민.
tiara *f.* ① (로마 교황의) 삼중관(三重冠). ② 교황의 권위. ③ (고대 동양의 제왕의) 왕관, 보관(寶冠). ④ =diadema.
tiberio *m.* 소음, 소란, 혼란.
Tíbet *m.* [국명] 티베트.
tibetano, na *adj.* ① 티베트 태생의. ② 티베트의[에 관한]. —*m.f.* 티베트 사람. —*m.* 티베트 말.
tibia *f.* ① [해부] 정강이뼈, 경골(脛骨). ② [곤충] 경절(脛節). ③ [악기] 피리(flauta).
tibial *m.* [해부] 정강이뼈의[에 관한].

tibiamente *adv.* 미지근하게; 소극적으로, 애매하게.
tibieza *f.* ① 미지근함. ② 미온적인 태도. ③ 열심히 하지 않음.
tibio, bia *adj.* ① 미지근한: agua ~ 미지근한 물. ② 열의가 없는, 미온적인, 소극적인.
tibor *m.* (중국·일본의) 큰 질그릇.
tiburón *m.* ① [어류] 상어. ② 야심가. ③ (기업의) 경영권[지배권]을 빼앗은 사람.
tiburoneo *m.* (기업의) 경영권[지배권]의 탈취.
tic *m.* [*pl.* ~s] [의학] 안면 경련.
tico, ca *adj., m.f.* =**costarricense.**
tictac *m.* 재깍재깍 ((시계의 소리흉내말)).
tiempo *m.* ① 시간, 때: suficiente ~ 충분한 시간. ¿Cuánto ~ se tarda de aquí al aeropuerto? 여기서 공항까지는 얼마나 걸립니까? Tengo ~ para charlar 나는 이야기할 시간이 있다. ② 시기, 시대: el ~ de la vejez 늙을 시기. ③ 기회, 적당한 때. ④ [문법] 시제. ⑤ (체조·무용 등의) 한 동작. ⑥ (엔진의) 사이클. ⑦ (조작 등의) 단계. ⑧ [운동] 시간, 타임; 하프 타임: primer ~ 전반(前半). segundo ~ 후반(後半). pedir ~ (muerto) 타임을 요청하다. ⑨ [종교] 절, 계절: ~ pascual 부활절. ⑩ [천문] 시(時): ~ solar 태양시. ⑪ 날씨, 기후: hacer buen ~ 날씨가 좋다. hacer mal ~ 날씨가 나쁘다. ¿Qué ~ hace en Seúl hoy? 오늘 서울 날씨는 어떻습니까? ⑫ [음악] 템포, 속도; 박자; 악장. ¶*al mejor* ~ 아마. *al mismo* ~ 동시에. *a* ~ 제시간에: llegar *a* ~ 제시간에 도착하다. *entretener* alguien *el* ~ = **matar el tiempo.** *ganar* ~ ㉮ 서두르다. ㉯ 시간을 절약하다, 시간을 벌다. *gastar* alguien *el* ~ = **perder el tiempo.** *hacer* ~ alguien (누가) 적당한 때가 오기를 기다리면서 시간을 보내다. *matar* alguien *el* ~ (누가) 시간을 허비하다. *perder* alguien **(*el*)** ~ ㉮ 시간을 낭비하다, 시간을 이용하지 못하다. ㉯ 헛일을 하다. *El* ~ *es oro* (속담) 시간은 돈이다.
tienda *f.* ① 천막, 텐트: armar [montar] la ~ 천막을 치다. desarmar [desmontar] la ~ 천막을 접다. ② 가게, 상점, 점포: zona de ~s 상점가. abrir la ~ 가게를 열다. cerrar la ~ 가게를 닫다. ③ 식료품점. ④ 잡화점. ⑤ *Chile, CRica., Cuba, Ur., Ven.* 옷감 가게, 복지상(服地商). ¶*a* ~*s* ㉮ (어둠 속에서·잘 보이지 않아) 손으로 더듬어: buscar *a* ~*s algo* (무엇을) 손으로 더듬어 찾다. ㉯ 마구, 함부로, 닥치는 대로, 서투르게, 위태롭게: andar *a* ~*s* en un negocio 사업이 위태롭다.
tiendero, ra *m.f. Méj.* 가게 주인.
tiene ☞**tener (59).**
tienta *f.* ① [투우] 송아지의 용맹함을 시험하는 테스트. ② (무엇을) 알아내는 솜씨, 꾀. ③ =**tientaguja.** ④ [의학] 상처의 깊이를 재는 바늘.
tientaguja *f.* 지질 검사봉.
tiento *m.* ① 손으로 더듬거리기, 감촉. ② 맹인용 지팡이. ③ (물레방아를 돌리는 동물에 매는) 밧줄, 고삐. ④ (곡예사의) 균형봉. ⑤ 기지(機智), 임기응변, 정확한 솜씨[기술]. ⑥ 신중함, 주의, 조심: Hay que ir con ~ con el matrimonio 결혼은 신중해야 한다. ⑦ 구타, 주먹질: Le dieron dos ~*s* 그는 두 번 구타당했다. ⑧ (음식물의) 한 입, 꿀꺽 마시기. ⑨ 애무. ⑩ [음악] 서주(序奏), (연주 전에 악기를) 시험삼아 치기. ⑪ [미술] 화필을 든 손을 받치는 길쭉한 막대기. ⑫ [동물] 촉각, 촉수. ⑬ *Arg., Chile, Par., Ur.* (밧줄용 무두질하지 않은) 가느다란 가죽 끈. ⑭ *pl.* 띠엔또 ((안달루시아의 노래)). ⑮ 띠엔또에 박자를 맞춘 춤.
tierno, na *adj.* ① 연한, 부드러운: carne ~*na* 연한 고기. pan ~ 부드러운 빵. ② 어린: brote ~ 새싹. niño ~ 어린아이. ③ 상냥한, 다정한, 애정 어린.
tierra *f.* ① [주로 T~] 지구. ② 땅, 육지, 뭍. ③ 지면, 대지. ④ 토지. ⑤ 토양. ⑥ *pl.* 경지. ⑦ 흙. ⑧ 나라, 고국. ⑨ 지방, 고장. ⑩ 고향. ⑪ (천국에 대해) 현세(現世). ⑫ [전기] 어스. ⑬ [역사] 속역(屬域) ((중세 도시의 주변 지역)). ⑭ [군사] 지(地): misil ~-aire 지대공 미사일. misil ~-~ 지대지 미사일. ¶~ *de promisión* [성경] 약속의 땅. ~ *prometida* =**tierra de promisión.** ***venir(se) a*** ~ algo o alguien (무엇이·누가) 쓰러지다, 넘어지다, 무너지다, 파괴되다.
tieso, sa *adj.* ① 굳은, 굳어진, 경직된. ② 팽팽해진, 팽팽한, 팽팽하게 편. ③ 건강한, 건장한, 강한. ④ 용기 있는. ⑤ 완고한, 고집 센. —*adv.* 세게, 강하게: pisar ~ 세게 밟다.
tiesto[1] *m.* ① 질그릇 조각. ② 화분.
tiesto[2], **ta** *adj.* ① =**tenso, tirante.** ② =**terco, tenaz.**
tiesura *f.* 굳어짐, 긴장; 으스댐.
tífico, ca *adj.* ① 티푸스의[에 관한]. ② 티푸스성의.
tifo[1] *m.* [의학] =**tifus.**
tifo[2], **fa** *adj.* =**harto, repleto.**
tifoideo, a *adj.* ① [의학] 티푸스의[에 관한]. ② [의학] 티푸스성의. ③ [의학] 장티푸스의[에 관한]. —*f.* 장티푸스.
tifón *m.* ① (동지나해의) 태풍. ②

회오리바람.
tifus *m.sing.pl.* [의학] 티푸스.
tigra *f. Amér.* [동물] 암재규어.
tigre *m.* ① [동물] 호랑이, 범. ② 잔인한 사람. ③ *Col., Cuba, Méj., Ven.* [동물] 재규어. ¶*a* ~ (냄새가) 매우 고약한, 악취의: oler *a* ~ 악취가 나다, 냄새가 아주 고약하다.
tigresa *f.* ① [동물] 암호랑이, 암범. ② 화가 잔뜩한 여자. ③ 요부(妖婦).
tijera *f.* ① [주로 *pl.*] 가위. ② 가위 모양으로 된 물건; X자 형으로 어긋나게 접는 것: silla de ~ 접의자. ③ (습지의) 배수구. ④ (세공용 목재를 기대 놓는) 나무 켜는 틀. ⑤ 불평객. ⑥ [축구] 지서스킥 ((점프할 때 한 쪽 발을 먼저 올리고, 이어서 다른 쪽 발을 올려 공을 차기)). ⑦ [레슬링] 다리 가위지르기.
tijereta *f.* ① [식물] 덩굴손. ② [곤충] 집게벌레. ③ [새] (남미산) 물새의 일종.
tijeretada *f.* =**tijeretazo.**
tijeretazo *m.* 가위로 생긴 상처.
tijeretear *tr.* ① 가위로 자르다. ② 남의 일을 시원하게 처리하다, 도와주다. ③ *Amér.* =**murmurar.**
tijereteo *m.* ① 가위로 자르기. ② 가위로 자르는 소리.
tildar *tr.* ① (…에) tilde를 달다. ② 쓴 것을 지우다. ③ (…의 결점을) 지적하다.
tilde *f.(m.)* ① 띨데 ((ñ의 "자 부호)). ② [드묾] 흠, 결점, 오점. —*f.* 작은 일[것], 하찮은 일[것].
tilín *m.* 따르릉 ((초인종·벨 소리)).
timador, ra *m.f.* 사기꾼.
tímalo *m.* [어류] 송어의 일종.
timar *tr.* ① 사취하다, 속여 빼앗다. ② 속이다. ~**se** (연인끼리) 눈으로 말하다, 눈짓하다, 윙크하다.
timba *f.* ① 도박장. ② (도박의) 승부. ③ *AmérC., Méj.* 올챙이배.
timbal *m.* ① [악기] 팀파니. ② [악기] (공공 축제에서 치는) 큰 북.
timbalero, ra *m.f.* ① 팀파니 연주자. ② 고수(鼓手).
timbrado, da *adj.* ① 인지가 붙은. ② [bien+] 잘 울리는: voz bien ~ 잘 울리는 소리.
timbrador, ra *m.f.* 인지를 붙이는 사람, 도장을 찍는 사람. —*m.* 소인기(消印器).
timbrar *tr.* ① (서류 등에) 인지를 붙이다, 도장을 찍다. ② 소리가 울리다. ③ 방패에 명기(銘記)하다.
timbrazo *m.* 크게 울리는 벨소리[초인종 소리].
timbre *m.* ① 초인종, 벨: tocar el ~, llamar al ~ 초인종을 울리다[누르다]. ② 소인(消印), 스탬프. ③ 인지(印紙), 증지(證紙). ④ 음색, 음향. ⑤ 위업, 수훈. ⑥ [문장학] (방패의) 명기(銘記). ⑦ *AmérC., Méj.* 우표(sello postal).
tímidamente *adv.* 겁을 먹고, 조심스레, 소심하게, 내성적으로.
timidez *f.* 겁을 먹음, 소심함, 내성적임, 우유부단함.
tímido, da *adj., m.f.* 겁을 먹은, 소심한, 내성적인, 겁이 많은 (사람).
timo[1] *m.* [어류] =**tímalo.**
timo[2] *m.* ① 사취. ② 소문, 평판.
timocracia *f.* 금권 정치.
timócrata *adj.* 금권 정치를 주장하는. —*m.f.* 금권 정치가.
timocrático, ca *adj.* 금권 정치의[에 관한].
timón *m.* ① (배의) 키. ② (비행기의) 방향타. ③ (수레의) 채. ④ (사업의) 경영. ⑤ *Col., Cuba, Hond.* (자동차의) 핸들.
timonear *intr.* 키를 잡다. —*tr.* (사업을) 경영하다, (무엇을) 지휘하다.
timonel *m.* 조타수(操舵手).
timonero, ra *adj.* ① 쟁기의[에 관한]. ② 키의[에 관한]. ③ (새가 꼬리의 큰 깃으로 날 때) 방향을 조종하는. —*m.f.* [드묾] 조타수. —*f.* ① 새의 꼬리에 있는 큰 깃. ② 조타실.
timorato, ta *adj.* ① =**tímido, indeciso.** ② 과장으로 소동이 벌어지는. ③ 신을 두려워하는.
timpanitis *f.* [의학] 고창(鼓脹).
tímpano *m.* ① [해부] 고막. ② [해부] 고실(鼓室). ③ [악기] =**tambor.** ④ [악기] 팀파니. ⑤ [건축] 박공. ⑥ (통의) 뚜껑. ⑦ [인쇄] 압지판(押紙板).
timpanofonia *f.* [의학] 이명증.
tina *f.* ① 항아리. ② 나무 통. ③ (염색에 사용하는) 솥 모양의 큰 통. ④ 욕조. ⑤ *And.* 술통.
tinada *f.* ① 장작[땔나무] 더미. ② 외양간.
tinado *m.* 외양간.
tinador *m.* =**tinado.**
tinaja *f.* ① (배가 불룩한) 항아리. ② 항아리에 들어가는 액체의 양: diez ~*s* de vino 포도주 열 항아리.
tinajería *f. And.* 항아리 두는 곳.
tinajero, ra *m.f.* tinaja 제조자[장수]. —*m.* 항아리 두는 곳.
tinción *f.* 염색(染色).
tinelo *m.* (큰 집에서) 종들의 식당.
tingible *adj.* 물들일[염색할] 수 있는.
tinglado *m.* ① =**cobertizo.** ② 판자로 둘러친 곳. ③ 계략, 술책, 음모. ④ 소란.
tinieblas *f.* ① [주로 *pl.*] 어둠. ② *pl.* 무지, 판무식, 일자무식, 전(全)무식. ③ 암흑.
tino[1] *m.* ① 손으로 더듬는 솜씨[재간]. ② 과녁에 적중. ③ 분별, 판단력. ④ 절도, 절제: beber con ~ 알맞게[적당히] 마시다.
tino[2] *m.* ① 염색통. ② (짠 액을) 넣어두는 통. ③ 포도를 으깨는 통.
tino[3] *m.* [식물] 가막사리.
tinta *f.* ① 잉크: ~ roja 붉은 잉크.

escribir con ~ 잉크로 쓰다. ② 색, 빛깔. ③ 염료(染料)(tinte). ④ (오징어·문어·낙지의) 고락, 먹물: soltar su ~ 먹물을 토하다. ⑤ *pl.* 배합, 색조. ⑥ [미술] (그림을 그리기 위한) 색의 혼합. ¶~ *china* 먹, 먹물. ~ *de impresa* 인쇄 잉크. *media* ~ 중간색. *medias ~s* 불투명한 행동[언행·판단]. *sudar* ~ 아주 열심히 일하다.
tintar *tr.* 염색하다, 물들이다.
tinte *m.* ① 염색. ② (물들이는) 색. ③ 염료(染料). ④ 세탁소, 염색소. ⑤ 속임수. ⑥ 어설픈 지식.
tinterazo *m.* 잉크병으로 때리기.
tintero *m.* ① 잉크병. ② (말의 이에 있는) 카리에스. ③ [인쇄] 잉크 탱크.
tintín *m.* 따르릉, 찌르릉 ((방울·초인종 등의 소리흉내말)).
tintinar *intr.* 찌르릉[따르릉] 울리다.
tintineante *adj.* 따르릉 울리는.
tintinear *intr.* =**tintinar.**
tintineo *m.* 방울 소리, 벨 소리.
tinto, ta *adj.* ① 검붉은, 암적색의, 암자색의. ② *Ven.* (커피가) 매우 진한. —*m.* ① 적포도주(vino tinto). ② *Col., Ecuad.* 블랙커피 (달인 액).
tintóreo, a *adj.* ① 염색의[에 관한]. ② 염료의[에 관한]. ③ [식물] 염료의 원료가 되는.
tintorera *f.* ☞**tintorero.**
tintorería *f.* ① tintorero의 직. ② 염색소. ③ 세탁소.
tintorero, ra *m.f.* ① 염색소[세탁소] 주인[직공]. ② 염색공. —*f.* ① [어류] 상어. ② [드묾] tintorero의 아내.
tintorro *m.* (일반적으로) 질이 나쁜 적포도주.
tintura *f.* ① 염색. ② 염료. ③ 얼굴 연지[분]. ④ 염료액. ⑤ 어설픈 지식. ⑥ [의학] 팅크, 팅크제(劑).
tiña *f.* ① [곤충] 벌집을 해치는 모충. ② 인색함. ③ [의학] 쇠버짐, 백선(白癬). ¶~ *mucosa* [의학] =**eccema.**
tiñería *f.* 인색함(tiña).
tiñoso, sa *adj.* ① [의학] 쇠버짐에 걸린. ② 인색한. ③ (노름에서) 운이 좋은. —*m.f.* ① 쇠버짐 환자. ② 인색한 사람.
tío, a *m.f.* ① 삼촌, 숙모, 고모; 외삼촌, 이모 ((아버지나 어머니의 형제자매)). ② 종숙(從叔), 당숙(堂叔), 종숙모, 당숙모 ((아버지나 어머니의 사촌 형제자매)). ③ =**tío abuelo, tía abuela.** ④ (어떤 곳에서는, 친척 관계가 없는·나이가 지긋한) 아저씨, 아주머니. ⑤ 놈, 자식. ⑥ (모르는·말하고 싶지 않은) 어떤 사람. —*m.* ① 의붓아버지, 계부. ② 장인. ③ *Arg.* (흑인 노인에게) 할아버지. ④ *pl.* 삼촌과 숙모, 숙부모. —*f.* ① 성매매 여성, 윤락녀, 매춘부. ② rur. *Ar., Cast.* 의붓어머니, 계모; 장모(丈母). ¶~ *abuelo, tía abuela m.f.* 큰할아버지, 작은할아버지, 큰할머니, 작은할머니; 이모할아버지, 이모할머니 ((할아버지나 할머니 중의 한 사람의 형제자매)).
tiovivo *m.* 회전목마.
tipiadora *f.* ① 타자기(máquina de escribir). ② =**mecanógrafa.**
típicamente *adv.* 전형적으로.
tipicidad *f.* ① 전형성. ② [법률] 범죄 구성 요건의 해당성.
típico, ca *adj.* ① 전형적인, 대표적인: plato ~ de la región 향토 요리. ② 특유의. ③ 상징적인, 표상(表象)하는.
tipificación *f.* 표준형화.
tipificar (7) *tr.* 표준형으로 하다; …의 전형(典型)이다.
tipismo *m.* ① 전형성. ② [집합] 전형적 특징.
tiple *m.* ① [음악] 소프라노. ② [악기] (12현의) 고음부 소형 기타. ③ 최고 음부 악기. ④ [선박] 외돛대. —*m.f.* ① 소프라노 가수. ② 고음부 소형 기타 연주자.
tipisonante *adj.* 목소리가 높은.
tipo *m.* ① 형(型), 유형, 타입: nuevo ~ de coche 신형 자동차. ② 전형, 대표물, 모범, 본; 전형적인 인물; 표상, 상징. ③ 몸매, 스타일. ④ (작품의) 등장 인물. ⑤ [인쇄] 활자; 자체(字體). ⑥ [생물] 형(型), 종(種). ⑦ (화폐·메달의) 의장, 도형(圖形). ⑧ [경제] 율(率): ~ de cambio 환율. ~ de descuento 할인율. ~ de interés bancario 은행 이율. ~ de interés legal 법정 이율. ~ de seguro 보험료율. ⑨ [의학] 병형(病型), 균형(菌型), 혈액형. ⑩ [화학] 기형(基型).
tipografía *f.* 활판 인쇄; 활판 인쇄소.
tipográfico, ca *adj.* 활판 인쇄의.
tipógrafo, fa *m.f.* 활판 인쇄공, 식자공(植字工).
tipología *f.* ① 유형학(類型學). ② [언어] 유형론(類型論).
tipológico, ca *adj.* tipología의.
tipometría *f.* 활자자로 재기.
tipómetro *m.* 활자자.
típula *f.* [곤충] 모기의 일종.
tique[1] *m.* *Chile.* [식물] 대극과 식물.
tique[2] *m.* [*ing.* ticket] ① 표, 입장권. ② 식권. ③ 영수증. ④ 증서. ⑤ 채권.
tiquete *m.* *AmérC., Col.* =**tique**[2].
tira *f.* ① 천[종이·가죽·엷은 것]의 좁고 긴 조각. ② 연재 만화. ③ [속어] 많은 양: Vino la ~ de gente 많은 사람이 왔다.
tirabuzón *m.* ① 둥글게 말린 고수머리. ② 코르크 마개뽑이.
tirachinas *m.sing.pl.* (고무줄) 새총.
tirachinos *m.* *Sev.* =**tirachinas.**
tirada *f.* ☞**tirado.**
tirado, da *adj.* ① 난잡한. ② 끌린:

carro ~ por cuatro caballos 말 네 마리가 끄는 마차, 사두마차. ③ 아주 쉬운, 간단한: examen ~ 아주 쉬운 시험, 간단한 시험. ④ 시장에 넘치는, 매우 싼, 입수하기 쉬운. ⑤ (사람이) 천박한, 염치가 없는. ⑥ 내버려진, 도움이 없는. ⑦ 선체가 길고 낮은 (배). ⑧ *Arg., Ur.* 건강이 나쁜. —*m.* ① 금을 늘려 실로 만들기. ② 인쇄. —*f.* ① 던지기. ② 인쇄. ③ 인쇄 부수. ④ 상당한 거리[시간]. ⑤ 일련(一連), 연속: una ~ interminable de versos 장시(長詩). ⑥ (도박 등의) 시작, 개시.

tirador, ra *m.f.* ① 던지는 사람, 투수. ② (능숙한) 사수, 총잡이. ③ 잡아당기는 사람. —*m.* ① 잡아끄는 도구. ② (문·서랍 등의) 손잡이, 고리. ③ (초인종 등을 울리기 위해) 잡아당기는 줄[철사]. ④ (석수용) 쇠자. ⑤ (가막부리용) 쇠펜. ⑥ (고무줄) 새총. ⑦ [인쇄] 인쇄공. ⑧ rur. *Arg., Ur.* (가우초의) 가죽 혁대. ⑨ *pl. Arg., Par., Ur.* (바지 등의) 멜빵.

tiraflechas *m. Cuba.* =tirachinas.

tirafondo *m.* ① (나무를 고정시키는) 나사못. ② [의학] (상처의 깊은 곳에서 이물질을 꺼내기 위한) 겸자(鉗子)

tiragomas *m.sing.pl.* =tirachinas.

tiraje *m.* ① [인쇄] 인쇄 부수. ② *Amér.* (난로의) 통풍, 빨아들임.

tiralevitas *m.f.* 아첨꾼, 아부꾼.

tiralíneas *m.* (제도용) 가만부리.

tiranía *f.* ① 전제 정치, 학정, 폭정, 압정. ② 횡포, 포학. ③ (감정 등의) 압도적인 지배. ④ (고대 희랍의) 참주(僭主) 정치.

tiránicamente *adv.* 포학하게.

tiranicida *m.f.* 폭군 살해자. —*adj.* 폭군 살해의[에 관한].

tiranicidio *m.* 폭군 살해.

tiránico, ca *adj.* ① 학정의[에 관한]. ② 횡포한.

tiranización *f.* 학정, 폭정, 압정.

tiranizar (9) *tr.* ① 학정[폭정·압정]을 하다. ② 횡포를 부리다, 압제하다, 학대하다.

tirano, na *adj.* ① 전제 군주적인, 폭군의. ② 압제적인, 무도한, 포학한. ③ 다루기 힘든. —*m.f.* ① 폭군, 전제 군주. ② (고대 희랍의) 참주(僭主). ③ 압제자.

tiranosaurio *m.* [고생물] 공룡.

tiranosauro *m.* =tiranosaurio.

tirante *adj.* ① =tenso. ② (우정이) 깨질 찰나의, 깨질 지경에 놓인, 긴박한, 험악한: relaciones ~*s* 긴장 관계, 험악한 관계. estar ~ con *alguien* (…와) 사이가 나쁘다. ③ (상황이) 위태로운, 위험한: situación ~ 위태로운 상황. —*m.* ① (마소가 수레를 끄는) 가죽 끈. ② *pl.* (바지 등의) 멜빵. ③ [건축] (천장의) 보.

tirantez *f.* ① (케이블 등의) 당기는 힘. ② 긴박, 긴장.

tirapié *m.* (제화공이 구두를 꿰맬 때 사용하는) 연결된 줄.

tirapiedras *m.sing.pl. Cuba, RDom.* =tirachinas.

tirar *tr.* ① 던지다; 내던지다, 집어 던지다: ~ un libro 책을 던지다. ~ la silla 의자를 집어 던지다. ② 넘어뜨리다. ③ 쏘다, 발포하다, 발사하다, 쏘아 올리다: ~ un cohete 불꽃을 쏘아올리다. ④ 팽팽하게 하다: ~ alambre 철사를 팽팽하게 하다. ⑤ [수학] (선을) 긋다. ⑥ 낭비하다, 허비하다, 탕진하다. ⑦ 인쇄하다. ⑧ (사진을) 찍다, 촬영하다. ⑨ 늘이다, 펼치다(estirar, extender). ⑩ [+타격 동작의 명사] …하다: ~ un mordisco 물어뜯다. —*intr.* ① [+de] (…을) 끌다, 끌어당기다, 잡아끌다, 잡아당기다: ~ de la cuerda 밧줄을 잡아당기다. ② 발사하다, 발포하다, 쏘다, 쏘아 올리다. ③ 잡아뽑다. ④ 견인력이 있다, 마음을 끌다. ⑤ (굴뚝 등이) 공기를 빨아들이다. ⑥ [+a] 무기를 다루다: ~ a la espada 칼을 다루다. ⑦ 꺾어지다, 구부러지다: ~ *a* [*por*] la izquierda 왼쪽으로 꺾어지다. ⑧ 유지하다, 버티다. ⑨ [+a] (…하는) 경향이 있다. ⑩ [+a] (…색이) 돌다, 빛을 띠고 있다. ⑪ [+a] (…를) 닮다: ~ a *su* madre 어머니를 닮다. ⑫ [+a] (…와) 성교하다. ~**se** ① 몸을 던지다: ~*se a*l río 강에 몸을 던지다. ② (땅바닥·…의 위에) 드러눕다: ~*se en* la cama 침대에 드러눕다. ③ [+a] (…와) 성교하다. ④ *Cuba.* 먹다, 마시다.

tririlla *f.* ① (와이셔츠의 목에 대는) 깃. ② *Chile.* 누덕누덕 꿰맨 옷, 누더기.

trillas *m.sing.pl.* 빼빼 마른 남자.

tirita *f.* 구급 반창고, 1회용 반창고.

tiritar *intr.* (추위·열병·공포로) 떨다, 부들부들 떨다: ~ del frío 추위로 떨다. ~ de la fiebre 열병으로 부들부들 떨다.

tiritón, na *adj.* (부들부들) 떠는. —*m.* 오한, 전율. —*f.* (추위·발열에 의한) 떨림.

tiro¹ *m. And.* [동물] 도롱뇽.

tiro² *m.* ① 발사, 발포(發砲), 사격: ejercicios de ~ 사격 연습. ② 총격, 총성, 한 발: disparar un ~ 한 발을 쏘다. ③ 탄흔, 탄환의 상처. ④ 사정(射程). ⑤ [골프] 쇼트. ⑥ [농구·축구] 슛: ~ directo [indirecto] 직접[간접] 프리 킥. ⑦ [집합] (마차를 끄는) 말. ⑧ (층계의) 한 구획. ⑨ (난로 등의) 통풍, 공기를 빨아들임. ⑩ (광산의) 수직갱. ⑪ (직물의) 길이. ⑫ (옷의) 몸너비; (바지의) 너비. ¶*al* ~ *AmérM.,*

Cuba, Guat., Hond. 즉시, 곧. ***a*** ~ ㉮ 사정 거리 안에. ㉯ 가능한. ***ni a ~s*** 아무리 하여도 (… 않다), 절대로 (… 않다).
tiroideo, a *adj.* [해부] 갑상선(甲狀腺)의[에 관한].
tiroides *adj.* 갑상선의. —*m.sing.pl.* [해부] 갑상선.
tiroiditis *f.* [의학] 갑상선염.
tirón *m.* ① 잡아당김. ② 늘임, 넓힘. ③ 매력, 인기. ④ 날치기, 낚아챔. ⑤ [운동] 스퍼트: dar un ~ 스퍼트하다. ¶***de un*** ~ 한 번에, 단번에, 단숨에.
tironear *tr.* 마구 잡아끌다.
tiroriro *m.* ① 삐삐 ((피리 등 입으로 부는 악기의 소리흉내말)). ② *pl.* 피리 등의 악기.
tirotear *tr.* 반복해서 사격하다. **~se** ① (총 등을) 서로 쏘다, 맞사격하다. ② 입씨름하다, 논쟁하다.
tiroteo *m.* 총격질.
tirotropa *f.* 갑상선 자극 호르몬.
tirria *f.* 적의, 반감, 증오, 원한.
tirso *m.* ① [신화] 주신(酒神)의 지팡이. ② [식물] 밀추화(密錐花).
tirulo *m.* 담배잎 만 것.
tisana *f.* 달인 탕제[탕약].
tísico, ca *adj.* ① 폐병[폐결핵]에 걸린. ② 폐병의[에 관한]. —*m.f.* 폐병 환자.
tisiología *f.* [의학] 결핵학.
tisiológico, ca *adj.* [의학] 결핵학의[에 관한].
tisiólogo, ga *m.f.* 결핵 전문의.
tisis *f.* [의학] 폐결핵, 폐병.
tisú *m.* [*pl.* ~(e)s] 금실[은실]로 짠 비단천.
tisular *adj.* [생물] 생체 조직의.
tisuria *f.* [의학] 이뇨 과다.
titán *m.* ① 천하 장사. ② 거인, 대인, 초인(超人): ~ de las finanzas 재계의 거인. ③ 대형 기중기.
titánico, ca *adj.* ① 초인의[에 관한]. ② 초인적인, 거대한, 측정할 수 없는, 과도(過度)한, 지나친, 터무니없는: empresa *~ca* 거대한 기업. esfuerzo ~ 초인적인 노력. fuerzas *~cas* 초인적인 힘.
titanio *m.* [화학] 티탄, 티타늄.
títere *m.* ① 꼭두각시. ② *pl.* 인형극. ③ 괴뢰, 허수아비. ④ 바보, 멍청이. ⑤ *pl.* 곡예.
titerero, ra *m.f.* =titiritero, ra ①.
titerista *m.f.* =titiritero, ra ①.
titi *m.f.* 사람, (특히) 젊은 여자.
titilar *intr.* ① (몸의 일부가) 실룩거리다. ② (발광체가) 빛나다, 반짝이다.
titileo *m.* ① 실룩거림. ② 반짝임.
titiritar *intr.* 추위[공포]로 떨다.
titiritero, ra *m.f.* ① 인형극 조종자. ② 곡예사.
titubar *intr.* =titubear.
titubeante *adj.* ① 비틀거리는. ② 망설이는, 주저하는. ③ 말을 더듬거리는.
titubear *intr.* ① 비틀거리다, 너울거리다. ② 망설이다, 주저하다. ③ 말을 더듬거리다.
titubeo *m.* ① 비틀거림. ② 망설임, 주저. ③ 말을 더듬음.
titulación *f.* ① 제목 붙이기. ② [집합] (부동산의) 권리 증서. ③ 학력, 졸업 자격.
titulado, da *adj.* ① 학사(學士)의. ② 자격이 있는. ③ 제목[칭호]을 붙인. —*m.f.* ① 학사: ~ *en* literatura 문학사. ② 작위가 있는 사람.
titular[1] *adj.* ① 직함[자격]이 있는. ② 전임[본직 · 전속]의. ③ 제목[표제]의: letra ~ 표제어용 대문자. —*m.f.* ① 자격[직함]이 있는 사람. ② [법률] 명의인. ③ [운동] 정선수. ④ 소지자: ~ de un permiso, ~ de una licencia 허가증 소지자. ~ de tarjeta de crédito 신용카드 소지자. —*m.* ① [주로 *pl.*] [신문] 표제. ② [라디오 · 텔레비전] 톱뉴스. —*f.* [인쇄] 표제어용 대문자.
titular[2] *tr.* …에 제목(題目)을 붙이다. —*intr.* ① 작위[귀족 칭호]를 얻다. ② [화학] 적정(滴定)하다. **~se** ① 학위(學位)를 받다. ② …라는 제목이 붙다.
titularidad *f.* 명의(名義).
titulatura *f.* ① [집합] (한 개인 · 기업의) 권리 증서, 증권. ② 자격, 직함(職銜).
titulillo *m.* [인쇄] (페이지마다 맨 위에 있는) 난외의 표제어 ((장 · 절의 제목 등)).
título *m.* ① 제명(題名), 표제: ~ de la película 영화의 제명. ② 자격: ~ de médico 의사 자격. ③ 칭호, 작위. ④ 귀족. ⑤ (재산에 관한) 증서, 인가증(認可證), 인가서: ~ de propiedad 부동산 등기 증서. ⑥ 증권, 채권: ~ al portador 무기명[지참인불] 채권. ⑦ (법전의) 편(編). ⑧ [+de · para] (…에 대한) 자격, 권리. ⑨ 명목, 명의, 구실, 이유. ⑩ 선수권, 타이틀.
tiza *f.* ① 분필, 백묵. ② [당구] (큐의 끝에 칠하는) 초크.
tiznajo *m* 그을음, 숯검정.
tiznar *tr.* ① (숯검정 등으로) 더럽히다. ② 명예를 더럽히다. **~se** ① (주로 검게) 더러워지다. ② 명성이 더러워지다, 명예에 먹칠을 하다.
tizne *m.(f.)* 매연, 숯검정. —*m.* 불에 타다 남은 것.
tizo *m.* (탈 때 연기가 나는) 나쁘게 탄화된 숯 조각.
tizón *m.* ① 타다 남은 것, 타다 만 장작[통나무]. ② (명예에) 흠, 오점. ③ [식물] 깜부깃병, 흑수병; 깜부깃병균, 흑수병균. ④ [건축] (벽돌의) 제일 작은 면[부분]. ¶***a*** ~ [건축] 길쭉하게, 세로로 놓아.

tizona *f.* 칼, 검, 무기.
TLC *m.* *T*ratado de *L*ibre *C*omercio de América del Norte 북미 자유무역 협정, 나프타(NAFTA).
Tm tonelada métrica 중량 톤.
TNT *m.* [화학] 티엔티 ((trinitrotolueno의 준말).
toalla *f.* ① 타월, 수건. ② [섬유] 타월지(地). ¶~ ***sanitaria*** *Salv., Ven.* 월경대, 생리용 냅킨. ***tirar*** [***arrojar***] ***la*** ~ ㉮ [권투] (패배의 자인으로) 타월을 (링 안으로) 던지다. ㉯ (곤란에 처해 계획 등을) 포기하다.
toallero *m.* 수건걸이.
toalleta *f.* [드묾] =**servilleta.**
toar *tr.* 예항(曳航)[예인(曳引)]하다.
toba *f.* ① [광물] 응회암. ② 이똥, 치석. ③ [식물] 지느러미엉겅퀴. ④ (물건의 표면에 생기는) 층, 껍질.
toballa *f.* =**toalla ①.**
toballeta *f.* =**servilleta.**
tobelleta *f.* =**toalla; servilleta.**
tobera *f.* (고로(高爐)의) 통풍관, 바람구멍.
tobillero, ra *adj.* ① (옷이) 복사뼈[발목]까지 닿은: falda *~ra* 복사뼈[발목]까지 닿은 스커트. ② (소녀가) 어른 옷을 입기에는 아직 이른: jovencita *~ra* 어른 옷을 입기에는 아직 이른 소녀. *—f.* ① 어른 옷을 입기에는 아직 이른 소녀. ② (주로 운동 선수의) 발목 보호대. ③ *Méj.* 짧은 양말.
tobillo *m.* [해부] 복사뼈, 발목.
tobogán *m.* ① (유원지·수영장·긴급 탈출용) 미끄럼대. ② [운동] 터보건 ((바닥이 편평하고 긴 썰매)). ③ (눈 위에 만들어진) 터보건 트랙[코스].
toboseño, ña *adj.* ① 또보소(el Toboso, 돈 끼호떼의 마음의 연인 Dulcinea가 태어난「라 만차」에 있는 마을) 태생의. ② 또보소의[에 관한]. *—m.f.* 또보소 사람.
toca *f.* ① 머리수건. ② (수녀들의) 얼굴 가리개 천. ③ (옛날에) 미망인들[가끔은 기혼녀들]이 쓴 얼굴 가리개. ④ (챙이 작은) 부인용 모자.
tocable *adj.* 만질 수 있는, 닿을 수 있는; 연주될 수 있는.
tocada *f.* ☞tocado².
tocacasetes *m.sing.pl.* (녹음·비디오 테이프용) 카세트 플레이어.
tocadiscos *m.* 전축, 레코드플레이어.
tocado¹ *m.* ① 머리수건, 머리에 쓰는 천으로 된 물건. ② (여자들의) 머리 형, 머리 장식. ③ 화장. ④ 복식, 의상.
tocado², da *adj.* ① 머리가 약간 돈, 반 미친. ② (과일이) 상하기[썩기] 시작한. ③ (권투 선수가 펀치를 맞아) 비슬비슬한, 흔들흔들한. ④ *Cuba.* (물건이) 질(質)이 좋은. ⑤ *Cuba.* 알코올[마약]에 취한. ⑥ *Cuba.* 우아하게 차려 입은. *—f.* *Méj.* 유행 음악 연주 모임.
tocador¹ *m.* ① 화장대, 경대. ② 화장하는 방. ③ 화장품 상자. ④ 얼굴 가리는[장식하는] 천.
tocador², ra *adj.* (악기를) 연주하는, 켜는, 치는. *—m.f.* 연주자, 취주자, 탄주자(彈奏者). *—m.* *And.* (현악기의) 조율기.
tocamiento *m.* 접촉, 닿음, 만짐.
tocante *adj.* ① 닿는, 만지는. ② 연주하는. ¶~ ***a*** …에 관하여[대해서].
tocar¹ (7) *tr.* ① 닿다, 만지다, 손대다, 접촉하다: No *toques* las obras 작품에 손대지 마라. ② (악기·작품을) 연주하다, 치다, 켜다, 타다: ~ el piano 피아노를 치다. Esteban *toca* muy bien la guitarra 에스떼반은 기타를 아주 잘 켠다. ③ (벨·신호를) 울리다. ④ (결과를) 얻다, 받다. ⑤ …와 혈연 관계에 있다. ⑥ (선박·항공기가) 기항하다. ⑦ (금·은의 순도를) 시금석으로 조사하다. ⑧ (그림에) 붓칠하다. ⑨ 자극하다, 느끼게 하다, 마음에 닿다, 감동시키다. ⑩ 고치다, 변경하다. ⑪ 언급하다. *—intr.* ① 만지다, 접촉하다, 이르다, 닿다. ② (추첨에서) 당첨되다: ~ la lotería 복권에 당첨되다. ③ (순번이) 되다, (차례에) 맞다: ~ el turno 차례가 되다[돌아오다]. ④ (무엇을) 할 시간이 되다: ~ a pagar 지불할 때가 되다. ⑤ 속하다, 관여하다. ⑥ (종 등이) 울리다: ~ la sirena 사이렌이 울리다. ⑦ (도중에서) 기항하다, 착륙하다, 들르다: ~ *en* un puerto 항구에 기항하다. El avión *toca en* Lima 비행기는 리마에 들른다. ⑧ 관계가 있다. ⑨ 일가 친척 사이다. ⑩ [+en] (…에) 이웃하다, 가깝다: ~ *en* tontería 바보에 가깝다. ~**se** ① (자기의 몸에) 닿다, 접촉하다. ② 서로 접촉하다, 서로 이웃하다: Los edificios *se tocan* 건물들이 서로 이웃하고 있다. ③ [+con] (…을) 몸에 두르다, (모자 등을) 쓰다. ④ 화장하다, 이발하다, 몸을 단정히 하다.
tocar² (7) *tr.* ① (…의) 머리를 빗겨 주다. ② 머리를 리본·매듭·다른 장식으로 꾸미다. ~**se** ① (자신의) 머리를 빗다. ② 모자를 쓰다, (머리에) 스카프 등을 두르다.
tocata¹ *f.* ① [음악] 토카타 ((피아노·풍금을 위한 화려하고 빠른 즉흥곡풍의 악곡)). ② 구타.
tocata² *m.* =**tocadiscos.**
tocayo, ya *m.f.* 동명이인(同名異人).
tocho, cha *adj.* =**tosco, inculto, tonto, necio.** *—m.* ① 쇳덩어리. ② 상당히 많은 쓴 종이. ③ 두꺼운 책.
tocinera *f.* ☞tocinero.
tocinería *f.* 베이컨 가게.
tocinero, ra *m.f.* 베이컨 장수. *—f.*

① 베이컨 장수의 아내. ② (집에서 베이컨을 절이는) 넓고 약간 패인 판.
tocineta *f. Ar., Col., CRica., Cuba, Pan., PRico., Ven.* 삼겹살.
tocino *m.* ① (특히 돼지의) 비곗살. ② 비곗살의 기름. ③ 소금에 절인 돼지고기. ④ 베이컨. ⑤ 돼지 목구멍의 납작한 덩어리. ⑥ (줄넘기에서) 빠르고 계속된 뛰어넘기. ⑦ *Ar.* [동물] 돼지. ¶~ ***saladillo*** 연하게 소금절임한 신선한 돼지고기.
tocodinamómetro *m.* 진통계.
tocoginecología *f.* 산부인과학.
tocoginecólogo, ga *m.f.* 산부인과 의사.
tocología *f.* 산과학(産科學).
tocólogo, ga *m.f.* 산과의(産科醫).
tocomocho *m.* ① 위조 복권 사기. ② 위조 복권.
tocón[1] *m.* ① (나무의) 그루터기. ② (팔·다리의) 절단되고 남은 부분.
tocón[2]**, na** *adj., m.f.* (물건·사람을) 접촉하기[만지기]를 좋아하는 (사람); (특히) 사람을 음탕하게 만지기를 좋아하는 (사람).
tocuyo *m. AmérM.* 평직 면포.
todabuena *f.* [식물] 고추나물.
todasana *f.* [식물] =**todabuena.**
todavía *adv.* ① 아직, 지금까지: *Todavía* estoy leyendo El Quijote 나는 아직도 돈 끼호떼를 읽고 있다. *Todavía* no he cenado 나는 아직 저녁밥을 먹지 않았다. ② 그래도: Es muy ingrato, pero ~ quiero hacerle bien 그는 아주 배은망덕한 사람이지만 그래도 나는 그에게 잘 하고 싶다. ③ [비교어와 함께 강조적으로] 한층, 더욱, 훨씬 더: María es ~ más hermosa que su hermana 마리아는 언니보다 훨씬 더 아름답다.
todo, da *adj.* ① [+정관사·소유 형용사·지시 형용사+명사] 모든, 온갖, 온 …, 전(全)…, …마다: ~ el cuerpo 온몸. ~*da* mi vida 내 전생애. ~*s* los pasajeros 모든 승객. ~*s* los años 매년, 해마다. ② [명사 뒤에서 강조적으로] 숫제, 전체로의: Este pescado ~ es espinas 이 생선은 숫제 뼈뿐이다. ③ [+부정 관사+명사] 완전한: ~ una novela 완전한 한 편의 소설. ④ [+관사 없는 단수 명사] 어느 것이나: ~ hombre 남자는 누구나. ⑤ [+관사 없는 복수 명사] 모든: de ~*s* modos 무슨 수를 써서라도. por ~*das* partes 사방으로. ⑥ [+추상 명사] 전(全) …, 온…: a ~ correr 전속력으로 (달려). ⑦ [지명과 함께하여 그 주민 전체를 뜻함; 여성 명사 앞이라도 todo를 쓰는 경우가 있음] 전 주민: ~ Madrid 마드리드의 전 시민. ⑧ [+lo] 모든 것[일]: olvidar lo ~ 모든 것을 잊다. ~ lo que tengo 내가 가지고 있는 모든 것. —*pron.* ① [단수형은 관사 없이] 모든 것[일]; 모두, 전부: *Todo* va bien 만사가 잘 되어 가고 있다. Esto es ~ 이것으로 전부다. ¿Cuánto es ~? 전부 얼마입니까? *Todo* es posible (뭐든지 요구해라) 제한은 없어, (벌려고 하면) 얼마든지 벌 수 있어, 얼마든지 걸어도 좋다 ((내기에서)). ② *pl.* 모든 사람, 모두: *Todos* han llegado a tiempo 모두가 제시간에 도착했다. —*m.* [단수만] 전체, 일체: El ~ es mayor que sus partes 전체는 그 일부보다 크다. —*adv.* 완전히(completamente): ser ~ algodón 순면(純綿)이다. Siga ~ derecho 곧장 가십시오. ¶***ante*** ~ 우선, 무엇보다도 (먼저). ***a ~ esto, a ~das estas*** 그러는 동안, 그런 사이에. ***con ~, con ~ eso, con ~ esto*** 그렇지만, 그러나. ***sobre*** ~ 더욱이, 특히, 하물며.
todopoderoso, sa *adj.* 전능(全能)의, 전지전능의: Dios *Todopoderoso* 전지전능한 신. —*m.* [T~] 신, 하느님, 전지전능한 자.
todoterreno *adj.* 포장 도로 밖에서 [울퉁불퉁한 길에서] 사용하는[사용되는] (차량). —*m.* 지프(차).
toffee *m. ing.* 태피 ((설탕·버터·땅콩을 섞어 만든 캔디)).
tofo *m.* [의학] 통풍 결석.
toga *f.* ① (고대 로마 시민의) 긴 도포. ② (교수·법관 등의) 예복.
togado, da *adj.* toga가 입은. —*m.f.* 사법관.
Togo *m.* [국명] 토고.
togolés, sa *adj.* ① 토고 태생의. ② 토고의[에 관한]. —*m.f.* 토고 사람.
Tokio *m.* [지명] 동경(東京) ((일본의 수도)).
tokiota *adj.* ① 동경 태생의. ② 동경의[에 관한]. —*m.f.* 동경 사람.
toldar *tr.* 천막[차일]으로 덮다.
toldería *f.* ① *Arg., Ur.* [집합] 천막, 차일. ② *Ur.* 집시들의 캠프[야영지·천막촌]. ③ *Ur.* 천막[차일] 공장[장사].
toldero, ra *m.f. And.* (옛날의) 소금 소매 장수.
toldilla *f.* 선미루(船尾樓), 갑판에 친 천막.
toldo *m.* ① (그늘 가리는) 차일, 천막. ② (마차 위에 치는 것과 비슷한) 포장(包裝). ③ =**engreimiento, pompa, vanidad.** ④ *And.* (옛날의) 소금 소매점. ⑤ *Arg., Bol., Ur.* (나뭇가지와 가죽으로 만들어진) 원주민의 천막.
tole *m.* ① 큰 소란. ② (되풀이되는) 못된[험한] 소문, 험한 욕.
toledano, na *adj.* ① 똘레도(Toledo) 태생의. ② 똘레도의, 똘레도에 관한. —*m.f.* 똘레도 사람.
Toledo *m.* [지명] 똘레도 ((스페인 남부의 까스띠야·라 만차 주·주도)).
tolerabilidad *f.* 참을성.
tolerable *adj.* 참을 수 있는, 용납할 수 있는, 허용할 수 있는.
tolerablemente *adv.* ① 참을 수 있을 만큼[정도로], 참을 수 있게. ② 상당히, 꽤.
tolerado, da *adj.* (영화·다른 흥행물에 대해) 어린이들이 볼 수 있는.
tolerancia *f.* ① 참음, 참기, 인내(력), 내구력, 적응력. ② 관용, 관대, 용인(容認), 허용; 아량, 포용력. ③ [의학] 내성(耐性). ④ [생태] 내성(耐性). ⑤ [기계] 공차(公差), 허용 오차. ⑥ (화폐 주조의) 공차.
tolerante *adj.* ① 관대한, 아량이 있는. ② [의학] 내성이 있는.
tolerantismo *m.* [종교] 관용주의.
tolerar *tr.* ① 인내하다, 참다. ② 묵인하다, 용서하다, 허용하다. ③ 받아들이다. ④ [의학] (약에 대한) 내성이 있다.
tolla *f.* ① 습지, 늪지. ② *Cuba.* 동물의 물 마시는 곳.
tollina *f.* 구타(zurra, paliza).
tolmo *m.* (커다란 이정표 같은) 큰 바위.
tolondro, dra *adj., m.f.* 우둔한 (사람), 멍청한 (사람), 경솔한 (사람), 덤벙거리는 (사람). *—m.* (몸에 난) 혹.
tolondrón, na *adj.* =**aturdido, desatinado, tonto.** *—m.* 혹.
toloteca *adj.* 똘떼까족(los toltecas, 아스떼까 이전, 12세기까지 멕시코를 지배했던 종족) 사람의. ② 똘떼까족의, 똘떼까족에 관한. *—m.f.* 똘떼까족 사람.
tolueno *m.* [화학] 톨루엔 ((염료·화약의 원료)).
toluidina *f.* [화학] 톨루이딘 ((벤젠의 메틸아미노 유도체; 물감 제조용)).
tolva *f.* ① (맷돌의 곡식 넣는) 깔때기 모양의 구멍. ② (동전·투표 용지 등을 넣는) 구멍.
tolvanera *f.* 먼지 회오리.
toma *f.* ① 쥐기, 잡기, 취하기: ~ de posesión 취임, 취임식. ② 점령, 탈취. ③ 섭취. ④ (약 등의) 복용, 복용량. ⑤ [전기] 콘센트. ⑥ (물·공기의) 빨아들이는 구멍, 전(栓): ~ de aire 통풍구, 환기구. ~ de luz 채광창. ⑦ [레슬링] 기(技), 공격 방법. ⑧ 촬영. ¶~ ***de tierra*** [전기] 접지선(接地線), 어스선(線).
tomacorriente *m. Amér.* 콘센트.
tomada *f.* ☞**tomado.**
tomadero *m.* ① 손잡이, 자루. ② 물 빼는 구멍.
tomado, da *adj.* ① 목이 걸걸한, 목이 쉰. ② 암(癌)이 많이 퍼진 (사람). *—f.* 점령.
tomador, ra *adj.* ① 받는, 수취하는. ② 소매치기의. ③ *Amér.* 술을 좋아하는. ④ 사냥을 하는 (개). *—m.f.* ① (어음·수표의) 수취인. ② 보험 계약자, 피보험자. ③ 소매치기. ④ *Amér.* 주정뱅이, 술고래.
tomadura *f.* ① 취하기, 받기, 쥐기; 섭취. ② 받는 양, 섭취량. ¶~ ***de pelo*** 조롱, 비웃음, 놀려대기.
tomaína *f.* [화학] 프토마인.
tomaollas *m.sing.pl. Chile.* 냄비 드는 기구[헝겊].
tomar *tr.* ① ㄱ) (손으로) 잡다, 쥐다, 붙잡다: ~ la mano 손을 잡다. ~ un dulce 과자를 집다. ~ una piedra 돌을 잡다. ㄴ) 꺾다, 채취하다: ~ una flor 꽃을 꺾다. ② (사진을) 찍다, 촬영하다. ③ (무엇의 일부를) 가지다, 품다. ④ 꺼내다, 잡아끌다. ⑤ 받다, 얻다. ⑥ 사다, 매입하다. ⑦ 빌리다, 임대하다. ⑧ 따다, 거두어 들이다. ⑨ 고르다, 골라 가지다. ⑩ 고용하다, 채용하다. ⑪ (음식 등을) 먹다: ~ la cena 저녁밥을 먹다. ⑫ (수단 등을) 취하다. ⑬ (탈것을) 타다: ~ el avión 비행기를 타다. ⑭ (장소·좌석을) 잡다, 차지하다: ~ el asiento 앉다. ⑮ 점거하다, 점령하다, 탈취하다: Berlín fue *tomada* finalmente por las tropas rusas 베를린은 결국 러시아군에 의해 점령당했다. *—intr.* ① 길을 돌다; (어떤 방향으로) 향해 가다: ~ a [por] la derecha 오른쪽으로 돌다. ② *Amér.* 술을 마시다. ~**se** ① 술에 취하다, 만취되다. ② 녹이 슬다, 곰팡이가 슬다. ③ 싸우다. ④ [의학] (혈압 등을) 재다: ~*se* la presión 혈압을 재다.
tomatada *f.* 토마토 기름 튀김[샐러드].
tomatal *m.* 토마토밭.
tomatazo *m.* 토마토로 때리기.
tomate *m.* ① [열매] 토마토: salsa de ~ 토마토 소스, 케첩. ② [식물] 토마토, 일년감. ③ (양말·스타킹·장갑·편물 등에 난) 구멍, 헤어진 데. ④ 혼란, 분규. ⑤ 싸움, 입씨름. ⑥ *Méj.* [식물] =**tomate verde.** ¶~ ***verde*** [식물] 녹색 토마토.
tomatero, ra *m.f.* 토마토 장수. *—f.* [식물] 토마토, 일년감.
tomavistas *m.f.sing.pl.* 촬영 기사. *—m.* (8mm 등의 소형) 촬영기.
tómbola *f.* ① (복지 목적의 상금이 없는) 복권. ② 복권 취급소[판매소].
tómbolo *m.* (섬과 대륙을 연결하는) 모래톱.
tomento *m.* ① 부스러기 삼. ② [식물] 섬모(纖毛).
tomillar *m.* 백리향 밭.
tomillo *m.* [식물] 백리향.
tomo *m.* ① (책의) 권(卷): primer ~ 제1권. ② 중요성, 가치. ③ [드묾] =**grueso, cuerpo, bulto.**
tomografía *f.* [의학] 단층 촬영.
ton *m.* tono의 어미 탈락형. ¶***sin ~ ni son, sin ~ y sin son*** 아무

런 이유[까닭] 없이.
ton. tonelada 톤.
tonada *f.* ① 가곡용의 시, 가사; 노래. ② 가요의 멜로디, 가락. ③ *Amér.* (특징적인) 발음, 억양.
tonadilla *f.* ① 경쾌한 가곡용 시. ② (18세기 후반의) 극음악.
tonadillero, ra *m.f.* ① tonadilla 작곡가. ② tonadilla 가수.
tonal *adj.* [음악] 조성(調性)[음조(音調)]의[에 관한].
tonalidad *f.* ① [음악] 조성(調性). ② 색조(色調). ③ [언어] 인토네이션.
tondo *m.* [건축] (벽면의) 원형 도려낸 장식.
tonel *m.* ① 술통, 나무통, 큰 통. ② 옛날의 선적 하물의 톤 ((6분의 5 톤)). ③ 뚱뚱보, 뚱뚱이.
tonelada *f.* ① [중량의 단위] 톤, 미터톤. ② (선박의) 배수 톤.
tonelaje *m.* (배・차량의) 톤수.
tonelería *f.* ① 통 제조 기술. ② 통 제조자의 직. ③ 통 공장. ④ [집합] 통.
tonelero, ra *adj.* 통의[에 관한]: industria *~ra* 통 산업. *—m.f.* 통 제조자, 통 목수.
tonelete *m.* ① (옛날 군인의) 짧은 옷. ② (무릎까지만 차는) 짧은 스커트[치마]. ③ (갑옷의) 허리띠. ④ (옛날 아이들이 입었던) 짧은 스커트 달린 옷. ⑤ [연극] (옛날의) 남자용 짧은 스커트.
tonema *m.* [음성] 음조소(音調素), 토님 ((보통 동일한 음조로 취급되는 일단(一團)의 유사한 음조)).
tonga *f.* ① =**tongada.** ② *Ar., Col.* 일(tarea).
Tonga *f.* [국명] 통가.
tongada *f.* ① (무엇을 덮는) 한 껍질, 층, 켜. ② 포갠 것. ③ 산적(山積).
tongano, na *adj.* ① 통가(Tonga) 태생의. ② 통가의[에 관한]. ③ 통가 섬들에서 사용되는 (말). ④ 통가 제도(諸島) 말의[에 관한]. *—m.f.* 통가 사람. *—m.* 통가 제도 말.
tongo *m.* (경마 등 운동 경기에서의) 부정, 짬짜미, 서로 짠 시합: En la pelea hubo ~ 싸움은 서로 짠 시합이었다.
tónica *f.* ☞**tónico.**
tonicidad *f.* [의학] (근육 등의) 긴장, 탄력성.
tónico, ca *adj.* ① 튼튼하게 하는, 원기를 돋우는, 강장의. ② [음악] (특히) 주음(主音)의; 음조(音調)의. ③ [언어] 악센트[강세]가 있는: sílaba *~ca* 악센트가 있는 음절. *—m.* ① 토닉 로션. ② 강장제: ~ cardíaco [의학] 강심제. *—f.* ① [음악] 주음(主音). ② 토닉 워터(agua *~ca*). ③ 전체적인 경향[품격].
tonificación *f.* 활력을 줌, 튼튼하게 함.
tonificador, ra *adj.* 활력을 주는, 튼튼하게 하는.
tonificante *adj.* =**tonificador.**
tonificar (7) *tr.* 활력을 주다, 튼튼하게 하다.
tonillo *m.* ① 단조로운 가락. ② (누구의, 특이한) 말씨, 말투.
tonina *f.* ① [어류] =**atún.** ② =**delfín**[1].
tono *m.* ① (소리・음의) 박자, 장단, 리듬, 가락, 음조. ② 어조(語調), 말투, 말씨: ~ alto 높은 어조. ~ duro 엄한 어조. ③ (문장의) 리듬, 문체. ④ 색조(色調). ⑤ 경향, 모양. ⑥ 정력, 활력: perder ~ 힘이 없다. ⑦ [음악] 고음(高音); 주조(主調): ~ mayor 장조. ~ menor 단조. ⑧ 품격, 기품, 풍격(風格). ⑨ (전화 등의) 통신음. ⑩ (라디오・텔레비전 등의) 음량. ⑪ (근육 등의) 긴장.
tonsila *f.* [해부] 편도선.
tonsilar *adj.* [해부] 편도선의.
tonsura *f.* [천주교] 삭발; 삭발식.
tonsurado *m.* ① =**clérigo.** ② [종교] 삭발식을 한 남자.
tonsurar *tr.* ① [드묾] (누구를) 삭발하다. ② 삭발하고 사제를 만들다, 삭발식을 거행하다.
tontada *f.* =**tontería, simpleza.**
tontaina *m.f.* 바보, 멍청이. *—adj.* 멍청한, 바보스런, 어리석은.
tontamente *adv.* 멍청하게, 바보스레, 어리석게.
tontear *intr.* ① 바보스레[어리석게・멍청하게] 행동하다[말하다]. ② =**coquetear, flirtear.**
tontedad *f.* =**tontada.**
tontera *f.* =**tontada.** *—m.* 바보, 멍청이.
tontería ① 우둔함, 어리석음, 바보스러움. ② 바보 짓, 어리석은 짓. ③ 바보 같은 소리, 어리석은 소리. ④ 대수롭지 않은 말[행동]. ⑤ 별로 대수롭지[중요하지] 않은 것.
tonto, ta *adj.* ① (사람・언행이) 바보스러운, 바보 같은, 멍청한, 우매한, 어리석은, 모자란: pregunta *~ta* 바보 같은 질문. ② 무익한, 의미가 없는: viaje ~ 무익한[의미가 없는] 여행. ③ 쉽게 감동하는. ④ 번거로운, 성가신. ⑤ 어리광 부리는, 응석 부리는: niño ~ 응석[어리광] 부리는 아이. ⑥ 교만한, 오만한. *—m.f.* 바보, 멍청이, 얼간이, 모자란 사람. *—m.* (공연에서) 바보역을 하는 코미디언: el ~ de circo 서커스의 바보역 코미디언. ¶***a ~tas y locas*** 무질서하게, 엉망으로.
tontorrón, na *adj., m.f.* 무척 바보스러운, 아주 바보 같은, 매우 우둔한 (사람).
tontucio, cia *adj.* 반편스러운. *—m.f.* 반편이.
tontuna *f.* 바보 짓, 바보 같은 말.
toña *f.* =**tala.**

Toño *m.* [인명] 또뇨 ((Antonio의 애칭)).
top[1] *interj.* [*ing.* stop] [선박] 정지!
top[2] *m. ing.* (가슴을 덮고 허리까지 이르는, 일반적으로) 꼭 조이는 여성의 옷.
topacio *m.* [광물] 황옥(黃玉).
topada *f.* ☞**topado.**
topadizo, za *adj.* =**encontradizo.**
topado, da *adj.* ① *Hond., Salv.* = **tonto.** ② *Hond.* 경찰에 체포되어 감금된. ③ *Hond.* (무엇에) 사로잡힌. —*f.* (뿔 있는 동물이) 뿔로 받기[찌르기].
topador, ra *adj.* ① (양이나 다른 동물이 곧잘) 뿔로 받는[찌르는]. ② (노름에서) 쉽게[생각 없이] 판돈을 거는[받아들이는]. —*m.f.* (노름에서) 쉽게[생각 없이] 판돈을 거는[받아들이는] 사람. —*f.* ① *Arg., Ur.* 무한 궤도식 트랙터[불도저]의 자동 삽. ② *Arg., Bol., Ur.* 무한 궤도식 트랙터, 불도저.
topar *tr.* ① (…과) 부딪치다, 충돌하다. ② 우연히 만나다[찾아내다]. ③ (찾던 것을) 발견하다. ④ (뿔 달린 짐승이) 뿔로 받다[찌르다]. ⑤ (어려움에) 직면하다, 부딪치다. ⑥ (노름에서) 판돈을 받아들이다. —*intr.* ① [+con] (…를) 우연히 만나다. ② [+con · contra] (…과) 부딪치다, 충돌하다. ③ 찾아 헤매던 것을 찾아내다. ④ 난관에 부딪치다. ⑤ 성공하다, 잘되다, 재수 좋게 맞다. ~**se** ① 서로 우연히 만나다. ② 난관에 부딪치다.
tope[1] *m.* ① 접촉점. ② (문 · 격자창 · 무기 등의 테두리나 끝부분에 덧댄) 쇠 장식. ③ 차량의 궤도 이탈 방지 장치 ((선로의 맨 끝 부분에 설치함)); (차량의) 완충기; (기계의) 제동기. ④ (구두 · 장화의) 뼈대의 속 안감 대기. ⑤ =**topetazo.** ⑥ 어려움, 난관. ⑦ 말다툼, 입씨름, 언쟁. ⑧ 방해, 장애. ⑨ *Col.* (같은 종류와 달리) 뿔이 없는 동물. ⑩ *CRica., Nic.* (축제 첫 날 자주 열리는) 기수들의 분열식. ⑪ *Arg., Méj.* 과속 방지턱. —*m.f. Nic.* 장물아비.
tope[2] *m.* ① (최대) 한도, 한계(限界): fecha ~ 기한. precio ~ 최고 가격. poner ~ a *algo* (…에) 한계를 만들다. Mi paciencia ha llegado al ~ 내 인내도 한계에 도달했다. ② [선박] 돛대의 꼭대기. ③ [선박] 활대의 끝. ④ 판자 끝. ⑤ (돛대 위에 꾸며 놓은 대보다 더 높은 돛대에서) 감시하는 선원. ¶***estar hasta el*** ~ ㉮ (배에) 짐이 가득 실려 있다. ㉯ (사람 · 물건이) …로 가득하다, 포식하다, 초과하다. ***hasta el*** **~, *hasta los*** **~*s*** ㉮ *adv.* 최대한, 한계에 이를 때까지, 완전히: camión cargado *hasta el* ~ 화물을 만재한[가득 실은] 트럭. Llenaron *hasta el* ~ el estadio 스타디움이 완전히 찼다. ㉯ *adj.* 최대한의, 한계에 이른, 완전한, 완전히 찬: un vaso de agua *hasta el* ~ 가득 찬 물잔.
topera *f.* 두더지 굴.
topetada *f.* =**topetazo.**
topetar *tr.* ① (무엇을) 뿔로 받다[찌르다]. ② 부딪치다, 충돌(衝突)하다. —*intr.* 뿔로 받다[찌르다].
topetazo *m.* ① 뿔로 받기, 뿔로 찌르기. ② 충돌, 부딪침. ③ 머리받기, 헤딩.
topetear *intr. Hond., Salv.* 장물(cosas robadas)을 사다.
topetero, ra *m.f. Salv.* 장물아비.
topetón *m.* =**topetazo.**
topetudo, da *adj.* (동물이) 뿔로 받는 버릇이 있는, 곧잘 뿔로 받는[찌르는].
tópico, ca *adj.* ① 제한된 장소의, 국소의, 국부의. ② (의견 등이) 진부한, 평범한, 흔히 있는, 상식적인. ③ [의학] 외용(外用)(이고 국소)의. —*m.* ① 외용약, 국소약. ② 진부한 표현, 상투적인 표현, 상투어. ③ 일반 원칙, 일반적 진리. ④ 화제, 토픽. ⑤ [언어] 화제 ((담화의 중심 부분)).
topless, top-less *m. ing.* ① 여성이 유방을 드러낸 옷, 토플리스 드레스. ② 여자 종업원들이 유방을 드러내 놓고 영업을 하는 바[쇼 장소].
top-model *m.f. ing.* 고급[톱] 모델.
topo[1] *m.* ① [동물] 두더지. ② 눈치 없는 사람. ③ 실수만 하는 사람. ④ 근시안적인 사람.
topo[2] *m.* 또뽀 ((남아메리카에서 인디오들이 사용하는 거리의 단위; 1 레구아 반; 약 8 킬로미터)).
topo[3] *m. NO Arg., Bol., Chile, Ecuad., Perú.* (큰 핀 모양의 원주민의 전통적인) 꽂는 핀.
topo[4] *m.* (천 · 종이 위에 있는) 물방울 모양의 디자인.
topografía *f.* ① 지형학. ② 지형도. ③ 지형 측량(법). ④ 지세(地勢).
topográficamente *adv.* 지형적으로, 지형학적으로.
topográfico, ca *adj.* ① 지형의[에 관한]: carta ~ 지형도. ② 지형 측량의[에 관한].
topógrafo, fa *m.f.* 지형학자, 지형지지(地形紙誌)학자.
topología *f.* 위상(位相) 기하학.
topológico, ca *adj.* [수학] topología의[에 관한].
topometría *f.* 지형 계측.
toponimia *f.* ① 지명학(地名學). ② [집합] (한 나라 · 한 시대의) 땅이름, 지명(地名).
toponímico, ca *adj.* toponimia의[에 관한]. —*m.* =**topónimo.**
topónimo *m.* [언어] 땅이름, 지명.

toponomástica *f.* 지명론(地名論).
toque *m.* ① 손댐, 만지기, 닿기, 접촉; 감촉: de buen ~ 감촉이 좋은. ② (종·악기의) 소리. ③ 신호, 경보: ~ de incendio 화재 경보. ④ [군사] 나팔 (소리): ~ de diana 기상 나팔. ⑤ [플라멩코] 기타 연주. ⑥ 느낌, 감각, 기미, 취향, 정취. ⑦ 미묘한 점, 중요한 점, 요점. ⑧ (그림 등의) 터치, 붓 놀림, 불완전한 부분의 손질. ⑨ (약의) 도포(塗布), 바름, 칠함. ⑩ [야구] 번트.
toqueado *m.* (손·발·막대기 등으로 하는) 장단.
toquería *f.* ① [집합] 두건. ② 두건 제조자의 직.
toquero, ra *m.f.* ① 두건 제조자. ② 두건 장수.
toquetear *tr.* 반복해서 만지다.
toqueteo *m.* 잦은 접촉, 반복해서 만지기.
toquilla *f.* ① (주로) 삼각형 스카프. ② 레이스 목도리. ③ 모자에 리본 등의 장식.
-tor, ra *suf.* ① [품질 형용사화] …하는: conduc*tor* 유도하는. seduc*tor* 유혹하는. ② [명사화] …하는 사람: lec*tor* 독자. escri*tor* 작가.
torácico, ca *adj.* ① [해부] 가슴의[에 관한]: músculo ~ 가슴 근육. ② [해부] 흉곽[흉부]의[에 관한].
torada *f.* 소 떼.
toral *adj.* ① 주요한, 주된. ② *Hond.* 매우 중요한.
tórax *m.sing.pl.* ① [해부] (사람·동물의) 가슴. ② [해부] 흉곽, 흉부. ③ [동물] (곤충·거미류·갑각류의 몸이 나누어져 있는) 세 부분 중의 중간 부분.
torbellino *m.* ① 회오리바람, 돌개바람, 선풍. ② 쇄도. ③ 가만히 앉아 있지 못하는 사람.
torca *f.* 땅의 함몰(陷沒).
torcal *m.* (땅이) 함몰된 곳, 움푹 패인 곳.
torcaz *paloma* ~ 목에 흰 반점이 있는 비둘기.
torcecuello *m.* [새] 개미새 ((주로 개미를 먹고 사는 딱따구리과의 새)).
torcedero, ra *adj.* 꼬인, 비틀린, 구부러진. —*m.* 꼬는 기계.
torcedor, ra *adj.* 꼬는, 뒤트는, 구부리는. —*m.f.* 꼬는 사람. —*m.* ① 꼬는 기계, 물렛가락, 방추(紡錘). ② 언짢은 일.
torcedura *f.* ① 꼬기, 꼬임, 뒤틀림. ② 값싼 술, 질이 나쁜 술. ③ [의학] 염좌(捻挫), 관절을 삠[접질림].
torcer (1) (25) *tr.* ① 꼬다: ~ la cuerda 줄을 꼬다. ② (손발 등을) 비틀다, 꼬다: ~ el brazo 팔을 비틀다. ③ 굽히다, 굴절시키다. ④ (얼굴을) 찡그리다. ⑤ 왜곡하다, 곡해하다. ⑥ (방향 등을) 바꾸다, 변경하다. ⑦ 타락시키다. ⑧ (여송연을) 말다. —*intr.* ① [+a] (…로) 구부러지다, 꺾다, 돌다: ~ a la derecha [la izquierda] 오른쪽[왼쪽]으로 구부러지다. ② 벗어나다, 빗나가다. ~**se** ① 꼬이다, 틀어지다; 얽히다. ② 삐다, 접질리다: ~*se* el tobillo 발목을 접질리다[삐다]. ③ 몸을 꼬다. ④ 뒤틀리다, 한쪽으로 치우치다. ⑤ 변하다, 바뀌다. ⑥ 빗나가다, 벗어나다. ⑦ 의견[생각]을 바꾸다. ⑧ (어떤 일이) 얽히다, 꼬이다. ⑨ 좌절되다; 타락하다.
torcida *f.* ☞torcido.
torcidamente *adv.* 부정하게, 틀어지게; 왜곡해서.
torcido, da *adj.* ① 꼬인, 비틀어진, 구부러진. ② 경사진, 비스듬한. ③ (사람이) 행동이 바르지 못한. ④ 성질이 비뚤어진. ⑤ *Salv.* 운이 나쁜. —*m.* ① 과일 꽈배기 빵. ② 포도 껍질로 만든 포도주. ③ 굵고 강한 꼰 비단실. —*f.* 램프[등·초]의 심지.
torcijón *m.* ① 꼬기, 비틀기. ② (사람의) 창자의 뒤틀림, 장통(腸痛). ③ (동물의) 창자의 뒤틀림, 장통.
torcimiento *m.* ① 꼬기, 비틀기, 꼬임, 뒤틀림. ② (말의) 에두르기, 바로 말하지 않고 빙빙 돌려 말하기.
tórculo *m.* 각인기(刻印器).
tordo[1]**, da** *adj.* (말이) 쥐색의, 쥣빛의. —*m.f.* 쥣빛 말. —*m.* ① [새] 티티새, 개똥지빠귀. ② *AmérC., Ur., Arg., Bol., Chile, Ven.* [새] 찌르레기.
tordo[2]**, da** *adj.* =torpe, tonto.
toreador *m.* 투우사.
torear *intr.* ① (투우장에서) 투우를 하다, 소를 다루다. ② 수소가 암소를 덮치다, 교미하다. ③ *Arg., Ur.* (개가 경고·공격의 신호로) 반복해서 짖다. ④ —*tr.* ① (소를) 다루다, 투우하다. ② 놀리다, 우롱하다. ③ 집적거려 귀찮게 하다.
toreo *m.* ① 투우. ② 투우술.
torera *f.* ☞torero.
torería *f.* ① [집합] 투우사. ② 투우사 조합. ③ 투우술.
torero, ra *adj.* ① 투우의[에 관한]. ② 늠름한, 씩씩한. —*m.f.* 투우사. —*f.* 짧은 재킷.
toril *m.* 투우할 황소를 가두어 둔 장소, (투우장의) 황소 우리.
torio *m.* [화학] 토륨.
tormenta *f.* ① 태풍, 폭풍우. ② (감정의) 폭발. ③ (갑작스런) 혼란, 파란. ④ 불운, 역경.
tormento *m.* ① 고문. ② (육체적·정신적 심한) 고통, 고민, 고뇌. ③ (육체적·정신적으로) 고통을 주는 [괴롭히는] 것[사람].
tormentoso, sa *adj.* ① 날씨가 사나운, 폭풍우가 이는, 폭풍우가 일 듯한, 비바람이 잦은. ② 험악한, 격렬

한: ambiente ~ 험악한 분위기.
tormo *m.* ① =tolmo. ② =terrón.
torna *f.* ① 돌려주기, 반환. ② 돌아가기. ③ (물길을 내기 위한) 작은 도랑.
tornaboda *f.* ① 결혼식 다음날. ② 결혼식 다음날 (열리는) 파티.
tornadizo, za *adj.* 변덕이 죽 끓듯 하는, 이랬다저랬다 하는. —*mf.* ① 변덕이 죽 끓듯 하는 사람. ② 변절자(變節者).
tornado *m.* [기상] 토네이도, 대선풍(大旋風), 태풍.
tornaguía *f.* (화물의) 수령증.
tornapunta *f.* [건축] 버팀대, 버팀목.
tornar *tr.* ①(무엇을, 원래의 소유주에게) 돌려주다, 되돌려 주다, 반환하다. ② 원래의 자리에 다시 놓다: ~ el ordenador a su sitio 컴퓨터를 있던 자리에 갖다 놓다. ③ [+형용사] (어떤 상태·성질로) 바꾸다, 변하게 만들다, …로 하다: ~ más alegre [triste] 더 즐겁게[슬프게] 만들다. —*intr.* (떠났던 장소로) 되돌아가다, 돌아가다. ① [+a+*inf.*] 다시 …하다: ~ *a* entrar 다시 들어가다. ~ *a* salir 다시 나가다. ② 의식을 회복하다[되찾다], 제정신이 들다. ~**se** 변하다, …으로 되다, 다시 …이 되다.
tornasol *m.* ① [식물] 해바라기. ② (천의) 무지개 빛깔 (반사). ③ [화학] 리트머스: papel (de) ~ 리트머스 시험지.
tornasolado, da *adj.* 무지개 빛깔로 번쩍이는 (천).
tornasolar *tr.* 무지개 빛깔로 만들다. ~**se** 무지개 빛깔이 되다.
tornaviaje *m.* ① 귀향 여행. ② 여행에서 돌아올 때 가져오는 물건.
tornavoz *m.* 반향판, 반향 장치.
torneado, da *adj.* ① 선반으로 만들어진. ② (신체의 어떤 부분이) 잘 빠진, 매끄럽게 빠진, 곡선미가 있는. —*m.* 선반(旋盤)(torno)에 걸기.
torneador, ra *mf.* ① 기마전에 출전한 사람. ② 선반공(旋盤工).
tornear *tr.* ① 선반으로 가공하다[깎다]. ② (벤 곡식을) 돌리다. —*intr.* ① (두 편이) 기마전을 하다. ② [드묾] [+sobre] (…에 대해) 골똘히 생각하다, 심사숙고하다.
torneo *m.* ① (두 편이 하는) 기마전. ② 기마전 모의 축제. ③ 시합, 경기. ④ 기마전 모방 춤. ⑤ [운동] 리그전, 토너먼트, 승자 진출전.
tornera *f.* ☞tornero.
tornería *f.* ① 선반 공장. ② 선반 가게. ③ 선반공의 직.
tornero, ra *mf.* ① 선반공. ② 선반을 만드는 사람. —*m.* 수녀들의 심부름꾼. —*f.* (수녀원의) 회전식 출입구 담당 수녀.
tornillería *f.* ① [집합] 나사, 나사못. ② tornillo 제조. ③ tornillo 공장. ④ tornillo 가게.
tornillo *m* ① 나사, 수나사, 나사못. ② 모루, 철침. ③ *Arg.* 강추위.
torniquete *m.* ① (한 사람씩 통과할 수 있게 만든) 회전식 출입구[개찰구]. ② [의학] 지혈대, 지혈기.
torniscón *m.* ① (얼굴·머리에 하는) 구타. ② 꼬집기.
torno *m.* ① 권양기(捲揚機), 윈치. ② 선반. ③ 녹로(轆轤). ④ (치과의) 드릴. ⑤ 회전식 창. ⑥ (수녀원 등의) 회전식 출입구[접수구]. ⑦ = tornique ①. ⑧ (실이나 밧줄) 꼬는 기계. ⑨ (강의) 굽이.
toro[1] *m.* ① 황소. ② 건장한 남자. ③ *pl.* 투우 축제(fiesta de ~*s*), 투우 (경기)(corrida de ~*s*): plaza de ~*s* 투우장. ir a los ~*s* 투우 (경기)를 보러 가다. ④ [천문] 황소별자리, 금우궁(金牛宮).
toro[2] *m.* [건축] 반원형 쇠스리.
toroidal *adj.* [기하] toroide의.
toroide *m.* [기하] 원뿔 곡선 회전면.
toronja *f.* ① [과실] 또롱하, 왕귤 ((귤의 일종)). ② *Ur.* 크고 못생긴 코.
toronjil *m.* [식물] 멜리사(melisa) ((순형과 식물)).
toronjina *f.* [식물] =toronjil.
toronjo *m.* [식물] 왕귤나무.
torpe *adj.* ① 간신히 움직이는, 잘 움직이지 못하는, 동작이 둔한, 굼뜬. ② =desmañado. ③ 이해력이 느린, 머리 회전이 늦은, 얼간이 같은, 우둔한, 멍청한, 얼빠진. ④ 품행이 나쁜, 음탕한, 난잡한. ⑤ 야비한, 비열한, 추접스러운, 수치스러운, 불명예스러운. ⑥ 보기 흉한.
torpedeamiento *m.* =torpedeo.
torpedear *tr.* ① 어뢰 발사[공격]하다. ② (계획 등을) 분쇄하다, 실패하게 만들다, 방해하다.
torpedeo *m.* 어뢰 발사[공격].
torpedero, ra *adj.* 어뢰 발사용의, 어뢰 공격용의: lancha ~*ra* 어뢰정. —*m.* 어뢰정.
torpedista *adj.* 어뢰 취급[제조] 전문의. —*mf.* 어뢰 사수, 어뢰 제조 전문가.
torpedo *m.* ① [어류] 시끈가오리. ② [군사] 어뢰: lanzar un ~ 어뢰를 발사하다.
torpemente *adv.* ① 둔하게. ② 서툴게. ③ 얼간이처럼, 우둔하게, 멍청하게. ④ 음탕하게, 난잡하게. ⑤ 야비하게, 비열하게, 추접스레. ⑥ 흉하게.
torpeza *f.* ① (동작이) 둔함. ② 서투름. ③ 얼간이 짓, 바보 짓, 우둔함, 멍청함.
torrado *m.* 볶은 이집트콩.
torrar *tr.* =tostar.
torre *f.* ① 탑. ② 망루, 망대, 성루(城樓). ③ 전망대. ④ (송전용) 철탑. ⑤ (군함의) 포탑. ⑥ (옛날에

전투용으로) 나무를 짜서 높게 만든 대(臺). ⑦ *Cat., Mur., Zar.* 별장, 장원(莊園), 야채밭 딸린 농장. ⑧ *Cuba, PRico.* 제당 공장의 굴뚝. ¶~ *de Babel* 바벨탑. ~ *de control* 관제탑. ~ *de marfil* 상아탑(象牙塔).

torrear *tr.* (성 등에) 성루[망루]를 만들다.

torrefacción *f.* (특히, 커피의) 볶기.

torrefactar *tr.* 커피를 볶다.

torrefacto, ta *adj.* ① 불에 볶은. ② 설탕을 약간 넣어 볶은 (커피).

torrejón *m.* 작은 탑[망루], 누각, 형태가 이그러진 탑.

torrencial *adj.* 급류 같은: lluvia ~ 폭포처럼[억수처럼] 쏟아지는 비.

torrencialmente *adv.* 급류(急流)처럼: llover ~ 억수처럼 비가 내리다.

torrente *m.* ① 급류, 격류. ② (감정 등의) 격발, 분출. ③ 인파, 쇄도. ¶~ *de voz* (가수 등의) 풍부한 성량. ***a*** **~*s*** 콸콸, 좍좍: El agua salía *a* ~*s* 물이 좍좍 흘렀다.

torrentera *f.* 작은 계곡, 계류(溪流).

torrentoso, sa *adj.* *Amér.* (강·개울이) 급류의, 빨리 흐르는.

torreón *m.* (성을 방어하기 위한) 큰 성루[탑].

torrero, ra *m.f.* ① 등대지기. ② (감시탑의) 감시원.

torreta *f.* ① (잠수함의) 사령탑. ② (전차의) 포탑. ③ (폭격기의) 총좌(銃座). ④ (통신용) 철탑.

torrezno *m.* 기름에 튀긴[튀김용] 돼지고기.

tórrido, da *adj.* 무더운, 찌는 듯한, 타는 듯한, 삼복더위 같은: clima ~ 무더운 기후. tiempo ~ 염천. zona ~*da* 열대.

torrija *f.* 또리하 ((포도주·우유에 버무리고 달걀을 묻혀 반죽한 튀긴 빵)).

torsión *f.* 비틀기, 비틀어짐, 꼬이기.

torso *m.* ① (사람의) 상반신, 몸통. ② 머리·팔·다리가 없는 상(像).

torta *f.* ① (둥근) 케이크, 파이. ② torta 모양의 둥근 덩어리. ③ 안면 구타, 따귀 때리기. ④ =**golpe, caída, accidente.** ⑤ 만취, 대취, 술에 취함. ⑥ [인쇄] 활자 한 벌. ⑦ *Arg., Bol., Chile, Par., Ur., Ven.* =**tarta.** ⑧ *Méj.* 여러 가지 소를 넣은 세로로 갈라진 빵. ⑨ *Perú.* [속어] 여자 간에 성교.

tortada *f.* 고기를 넣은 큰 파이.

tortazo *m.* 얼굴 구타.

tortera *f.* ☞**tortero.**

tortero, ra *adj.* 토스트용 납작한 냄비의. —*m.f.* ① 파이 제조자. ② 파이 장수. —*m.* 파이 바구니[상자]. —*f.* *Perú, Salv.* [속어] =**lesbiana.**

tortícolis, torticolis *f.* [의학] 사경(斜頸).

tortilla *f.* ① 감자 오믈렛. ② *AmérC., Méj., PRico., RDom.* 또르띠야 ((옥수수 부침개)). ③ *NO Arg., Bol., Chile.* 또르띠야 ((밀가루나 옥수수 가루로 만든 납작한 작은 파이)).

tortillera *f.* ☞**tortillero.**

tortillería *f.* *Guat., Hond., Méj.* ① tortilla 만드는 곳[집]. ② tortilla 가게[판매소].

tortillero, ra *adj.* 옥수수 부침개의 [에 관한]. —*m.f.* *Guat., Hond., Méj., Nic., Salv.* (주로) 옥수수 부침개 제조자[장수]. —*f.* [경멸] [속어] =**lesbiana.**

tortita *f.* ① 작은 파이. ② *pl.* 손바닥을 때리는 어린이들의 놀이.

tórtola *f.* ① [새] 호도에. ② [새] 멧비둘기.

tortolito, ta *adj.* 경험이 없는.

tórtolo *m.* ① tórtola 수컷. ② 반한 남자. ③ *pl.* 한 쌍의 연인.

tortuga *f.* ① [동물] 거북. ② [동물] 자라.

tortuosamente *adv.* ① 구불구불하게. ② 음흉하게, 앙큼스레.

tortuosidad *f.* ① 구불구불함, 구부러짐, 굴곡. ② 음흉함, 앙큼스러움.

tortuoso, sa *adj.* ① 구불구불한, 구부러진, 굴곡이 많은. ② 음흉한, 앙큼스러운.

tortura *f.* ① 고문: aplicar la ~ 고문을 가하다. ② (육체적·정신적인) 괴로움, 고통, 고뇌.

torturador, ra *adj., m.f.* 고문하는 (사람).

torturar *tr.* ① 고문하다. ② 괴롭히다, 못살게 굴다. **~se** 괴로워하다.

torunda *f.* [의학] 탐폰.

torva *f.* 비[눈]를 동반한 회오리바람.

torvisca *f.* =**torvisco.**

torviscal *m.* 서향(瑞香) 숲.

torvisco *m.* [식물] 서향(瑞香) ((팥꽃나뭇과에 속하는 상록 관목)).

torvo, va *adj.* 노한, 성난, 화가 잔뜩 난, 약이 오른.

torzal *m.* 면사(綿絲), 자수사(絲).

tos *f.* 기침: ~ crónica 만성 기침. ~ seca 마른기침. quitarse la ~ 기침이 멎다. tener ~ 기침이 나오다.

tosca *f.* ☞**tosco.**

toscamente *adv.* ① 조잡하게. ② 거칠게, 사납게.

tosco, ca *adj.* ① 조잡한, 엉성한. ② 거친, 우락부락한, 교양 없는, 세련되지 않은. —*f.* ① 석회석. ② 이똥, 치석.

toser *intr.* 기침을 하다.

tósigo *m.* ① 독(毒). ② 고뇌, 고민.

tosquedad *f.* ① 조잡함. ② 거침, 교양 없음, 촌스러움.

tostación *f.* 볶기, 굽기.

tostada *f.* ☞**tostado.**

tostadero, ra *adj.* 볶는[굽는] 데 사용하는. —*m.f.* 볶는 사람, 굽는 사람. —*m.* ① 볶는[굽는] 기구[기계].

② 펄펄 끓는 곳, 너무 뜨거운 곳, 볶는 듯한 장소: Este cuarto es un ~ 이 방은 한증막이다.
tostado, da *adj.* ① 볶은, 구운. ② (색깔이) 거무스레한, 검은. ③ 볕에 탄. ④ *Ven.* 경솔한, 분별력이 모자란. *—m.* ① =**tostadura.** ② *Bol., Ecuad., Nic.* 볶은 옥수수. *—f.* 토스트.
tostador, ra *adj.* 볶는, 굽는. *—m.f.* 볶는[굽는] 사람. *—m.* 굽는[볶는] 기구, 토스터.
tostadura *f.* 볶기, 굽기.
tostar (24) *tr.* ① (옅은 갈색이 될 때까지) 굽다, 볶다, 눌리다: ~ el café 커피를 볶다. ~ la carne de vaca 쇠고기를 굽다, 불고기를 만들다. ~ las castañas 밤을 굽다. ~ el pan 빵을 토스트로 만들다. ~ el pescado 생선을 굽다. ② 너무 덥히다. ③ (햇볕·바람에 피부를) 태우다. ④ *Chile.* 때리다. ~**se** ① 눋다, 타다. ② 너무 덥혀지다. ③ 볕에 타다[그을다]. ④ *Chile.* 노하다, 성나다, 화나다. ⑤ *Cuba.* 이성을 잃다.
tostón[1] *m.* ① =**torrado.** ② 올리브를 묻힌 토스트 (빵). ③ [주로 *pl.*] (수프에 넣는) 구운 작은 빵 조각. ④ 너무 구운[볶은] 것. ⑤ 구운 새끼 돼지(cochinillo asado). ⑥ 불에 구운 나뭇가지로 만든 투창. ⑦ 지루한 말[이야기]. ⑧ 수다스럽고 경박한 사람. ⑨ *Ant., Nic., Ven.* (가끔은 양념한) 빵아 튀긴 푸른 바나나 (썬 것).
tostón[2] *m.* ① 포르투갈의 은화. ② (옛날, 멕시코·누에바 그라나다에서) 50센따보 은화.
total *adj.* ① 전체의, 전부의, 총계의: cambio ~ 전면적인 변혁. guerra ~ 총력전, 전면전. peso ~ 총 중량. suma ~ 총계. ② 완전한. ③ 완벽한. *—m.* ① 총계(總計), 합계: ¿Cuánto es en ~? 총 얼마입니까?. ② 전체, 전부. *—adv.* 결국, 그 결과.
totalidad *f.* ① 전체, 전부. ② 완전무결, 완전(성). ③ [집합] 모든 사람, 모든 것. ④ [철학] 전체성.
totalitario, ria *adj.* ① 포괄적인, 총괄적인. ② 전체주의(全體主義)의[에 관한]: país ~ 전체주의 국가.
totalitarismo *m.* 전체주의(全體主義).
totalitarista *adj.* 전체주의의, 전체주의를 신봉하는. *—m.f.* 전체주의자.
totalizador, ra *adj.* 합계하는, 총계하는. *—m.* (도박에서) 환불금 표시기.
totalizar (9) *tr.* 합계하다, 총계 …에 달하다.
totalmente *adv.* 완전히, 전면적으로; 모두(해서), 다 합해서, 합계해서.
tótem *m.* ① 토템. ② 토템상(像), 토템 상징물.
totémico, ca *adj.* 토템의[에 관한].
totemismo *m.* 토템 신앙[숭배], 토템 조직[제도].
totilimundi *m.* =mundonuevo.
totola *f. Méj.* 암칠면조(pava).
totopo *m. Méj.* =totoposte.
totoposte *m. AmérC., Méj.* 옥수수 부침개; 잘 구운 옥수수 부침개 조각.
totorero *m.* [새] (부들 잎으로 집을 짓는) 새.
tótum revolútum *m. lat.* 무질서, 혼란(混亂).
tour *m. fr.* ① 여행, 관광 여행. ② (극단·음악가 등의) 순회 공연.
tourneé *f. fr.* ① (업무상의) 순시, 순회, 여행. ② 순회 공연. ③ (의사의) 순회 왕진. ④ (국회 의원 등의) 유세 (여행).
toxemia *f.* [의학] 독혈증(毒血症).
toxicar (7) *tr.* 중독시키다.
toxicidad *f.* 독성(毒性).
tóxico, ca *adj.* ① 독의[에 관한]; 독성의, 유독한: gas ~ 유독 가스. sustancia *~ca* 유독 물질, 독물. ② 독소의[에 관한]. *—m.* 독물, 독소.
toxicología *f.* 독물학(毒物學).
toxicológico, ca *adj.* 독물학의[에 관한].
toxicólogo, ga *m.f.* 독물학자, 독물 전문가.
toxicomanía *f.* [의학] 마약 중독.
toxicómano, na *adj.* 마약 중독의. *—m.f.* 마약 중독자, 마약 중독 환자.
toxicosis *f.* [의학] 중독, 중독증, 중독 상태.
toxígeno, na *adj.* 독소를 생산하는, 독소 발생의.
toxina *f.* [생물] 독소(毒素).
toxoplasmosis *f.* [의학] 주혈 원충병(住血原蟲病).
tozudez *f.* 완고함, 고집(이 셈).
tozudo, da *adj.* ① 완고한, 고집이 센. ② (동물이) 다루기 어려운, 말을 잘 듣지 않는.
tpo. tiempo 때, 시(時).
traba *f.* ① 묶기, 얽기, 매기, 결박, 연결. ② 잇는 것, 고리쇠. ③ (차·톱니바퀴의) 제동 장치. ④ (말 등의) 발 묶는 줄, 족쇄. ⑤ 속박, 질곡(桎梏). ⑥ 장애, 방해, 방해물. ⑦ [법률] (재산의) 압류.
trabacuenta *f.* ① 계산 착오, 오산. ② 논쟁, 분쟁, 분규, 논의.
trabadero *m.* 말의 발목.
trabado, da *adj.* ① (말이) 두 다리가 하얀. ② (말이) 오른쪽 앞발과 왼쪽 뒷발[왼쪽 앞발과 오른쪽 뒷발]이 하얀. ③ 튼튼한, 건장한, 단단한. ④ [문법] 자음으로 끝나는 (음절).
trabadura *f.* 묶기, 얽기, 매기.
trabajadamente *adv.* 겨우, 간신히, 어렵게.
trabajado, da *adj.* ① 피곤한, 일에 지친. ② 일이 많은, 일로 꽉 찬. ③ 세공한, 가공한, 공을 많이 들인.

trabajador, ra *adj.* ① 일하는. ② (일에) 열심인, 부지런한, 근면한. —*m.f.* 날품팔이, 일급 노동자, 계절 노동자, 노동자, 일꾼. —*m. Chile.* [새] =**totorero.**

trabajar *intr.* ① 일하다: ~ día y noche 밤낮으로 일하다. ② 직업을 가지고 있다: ¿*Trabajas* o estudias? 직장을 가지고 있느냐 아니면 학생이냐? ③ 근무하다: ~ como dependiente 점원으로 근무하다. ④ 공부하다: Los estudiantes *trabajan* mucho 학생들은 열심히 공부한다. ⑤ (배우가) 연기하다, 출연하다; 역을 하다. ⑥ (기계가) 작업하다, 활동하다. ⑦ (기계가) 말을 잘 듣다, 잘 움직이다. —*tr.* ① 가공하다, 세공하다: ~ la madera 나무를 다듬다[세공하다]. ② 공부하다: ~ la física 물리학을 공부하다. ③ 처리하다. ④ 괴롭히다, 귀찮게 굴다. ⑤ 취급하다, 장사하다, 팔다, 매매하다. ⑥ 이기다: ~ arcilla 점토(粘土)를 이기다.

trabajo *m.* ① 일, 노동(勞動), 작업: contrato de ~ 노동 계약. fuerza de ~ 노동력. horas de ~ 근무[노동] 시간. relaciones entre el capital y el ~ 노사 관계. ② (보수를 받는) 직업, 직: ~ regular 정규직. perder *su* ~ 직업을 잃다. ¿Cuál es su ~? 당신의 직업은 무엇입니까? ③ 작품, 저작, 저술. ④ 공부, 연구; 논문, 보고서, 리포트. ⑤ 업적. ⑥ 직장, 일터, 공사장: ir al ~ 직장에 가다. ⑦ 조작, 세공, 공사. ⑧ 노고, 고생, 애씀. ⑨ 기능, 작용: ~ de la fermentación 발효 작용. ⑩ [물리] 일, 일의 양. ⑪ [컴퓨터] 작업(의 한 단위). ¶**~*s forzados,* ~*s forzosos*** ㉮ 강제 노동. ㉯ 마지못해 하는 불가피한 직업[일].

trabajosamente *adv.* 고생 끝에, 간신히, 겨우, 어렵게, 힘들게.

trabajoso, sa *adj.* 품이 많이 드는, 힘든, 어려운, 골치 아픈.

trabalenguas *m.sing.pl.* 발음하기 어려운 말; 같거나 까다로운 발음이 반복되는 어려운 말들을 빨리하는 말.

trabamiento *m.* 접합, 결합, 이어 맞추기.

trabar *tr.* ① 묶다, 매다, 감다, 얽다, 접합하다, 결합하다, 이어 맞추다. ② 얽히게[꼬이게] 하다. ③ 잡다, 붙잡다, 체포하다. ④ (회담·싸움 등을) 시작하다. ⑤ (줄거리를) 엮다, 꾸며 가다. ⑥ (액체 등을) 진하게 하다; (반죽 등을) 차지게 하다, 굳게 하다. ⑦ (톱의) 날을 세우다. ⑧ 압류하다. ⑨ (행사를) 정지하다, 일시적으로 금하다. —*intr.* ① 얽히다, 꼬이다. ② 붙잡히다, 체포되다. ③ 방해되다. ~**se** ① 감기다, 얽히다, 서로 뒤얽히다. ② 굳어지다, 움직이지 않게 되다. ③ 싸우다. ④ 말을 더듬다. ⑤ (…에) 말려들다.

trabazón *m.* ① 접합, 조립, 이어맞추기, 연결. ② 관련, 관계.

trabe *f.* [건축] 도리, 대들보.

trabilla *f.* ① (조끼·바지 등의) 조임끈. ② (바지·각반 등의) 발에 묶는 끈.

trabucaire *adj.* =**valentón, animoso, osado.** —*m.* (옛날 까딸루냐의) 나팔총으로 무장한 반도.

trabucar (7) *tr.* ① 뒤집어 엎다. ② 혼란하게 하다, 뒤범벅으로 만들다, 어지럽히다. ③ 잘못 쓰다, 실수로 잘못 집다. ④ 잘못 발음하다. ~**se** 혼란해지다, 뒤범벅이 되다, 헝클어지다; 갈피를 잡지 못하다.

trabucazo *m.* ① (옛날의) 나팔총 발사. ② 나팔총에 의한 부상. ③ 질겁, 급습, 기습.

trabuco *m.* ① 나팔총. ② (화약 발명 전의) 투석기. ¶~ ***naranjero*** 주둥이가 종 모양이고 구경이 큰 나팔총[투석기].

tracción *f.* ① 끌기, 당기기, 견인, 견인력. ② [자동차] 구동(驅動). ③ [의학] (골절 치료 등의) 견인. ④ [생리] 수축.

tracería *f.* [건축] 곡선 장식.

tracista *m.f.* ① 제도가(製圖家). ② 책략가, 야바위꾼.

tracoma *m.* [의학] 트라코마, 전염성 만성 결막염.

tracomatoso, sa *adj.* ① 트라코마의[에 관한]. ② 트라코마에 걸린. —*m.f.* 트라코마 환자.

tracto *m.* ① 사이, 거리, 간격. ② 기간. ③ [해부] 관(管): ~ intestinal 장관(腸管). ~ urinal 요관(尿管). ④ (신경의) 속(束). ⑤ [천주교] 영송(詠誦).

tractocarril *m.* 무궤도 차(無軌道車).

tractor *m.* ① 견인기(牽引機). ② 트랙터, 견인차, 견인 자동차: ~ de oruga 무한 궤도식 트랙터.

tractorar *tr.* =**tractorear.**

tractorear *tr.* 트랙터로 땅을 갈다.

tractoreo *m.* 트랙터로 땅 갈기.

tractorista *m.f.* 트랙터 운전수.

tradición *f.* ① 전설, 구전(口傳), 구비(口碑): mantener la ~ 전통을 지키다. romper con la ~ 전통을 깨다. ② 전승(傳承): ~ popular 민간 전승. ③ 전통, 관습, 관례, 인습. ④ [미술·문학] 전통 (양식), 식(式), 형(型). ⑤ [법률] (정식의 재산) 인도, 교부, 양도, 이전(移轉).

tradicional *adj.* ① 전설의. ② 전통의, 전통적인, 인습적인, 관례(慣例)의: fiesta ~ 전통적인 축제. ③ 전승(傳承)의.

tradicionalismo *m.* 전통주의.

tradicionalista *adj.* ① 전통주의를 신봉하는. ② 전통주의의[에 관한]. —*m.f.* 전통주의자.

tradicionalmente *adj.* 전통적으로.
tradicionista *m.f.* 전설 구전가(口傳家)[작가·수집가].
traducción *f.* ① 번역(飜譯): ~ automática 자동 번역. ~ coreana 한글 번역. ② 번역서, 번역 작품, 역문(譯文). ③ 통역. ④ [컴퓨터] 변환(變換), 번역 ((언어·프로그램 등을 다른 표현으로 바꾸거나 화면상의 영상 형태를 변화시키는 것)). ¶~ *directa* 외국어를 자국어로 번역. ~ *inversa* 자국어를 외국어로 번역. ~ *libre* 의역(意譯). ~ *literal* 직역, 축어역(逐語譯). ~ *literaria* = traducción libre. ~ *simultánea* 동시 통역.
traducibilidad *f.* 번역 가능성.
traducible *adj.* 번역 가능한, 번역할 수 있는.
traducir (71) *tr.* ① 번역하다: ~ el español al coreano 스페인어를 한글로 번역하다. ~ literalmente 직역하다. ② 통역하다: ~ simultáneamente 동시 통역하다. ③ 표현하다. ④ 해석하다. ⑤ [+en] (…로) 바꾸다. ⑥ [컴퓨터] (다른 형식으로) 변환하다. ~**se** 변하다, 바뀌다.
traductor, ra *adj.* (작품 등을) 번역하는. —*m.f.* ① 역자(譯者), 번역자, 번역가. ② 통역. —*m.* [컴퓨터] 번역기 ((어떤 프로그래밍 언어로 쓰인 프로그램을 다른 언어로 변환하는 프로그램)). —*f.* 번역기.
traedizo, za *adj.* 가지고 다닐 수 있는, 들어 옮길 수 있는, 다른 곳에서 가져온.
traedor, ra *adj., m.f.* 가져오는 (사람).
traedura *f.* [드묾] 가져옴.
traer[1] (72) *tr.* ① 가져오다, 가지고 오다, 데려오다: ~ un café 커피를 가져오다. ~ un regalo pequeño 작은 선물을 가져오다. ② 끌다, 끌어당기다, 잡아당기다. ③ 불러일으키다, 가져오게 하다. ④ (…의 정신 상태로) 시키다, …하게 하다: ~ preocupado a *alguien* (…를) 걱정시키다, 걱정하게 하다. ⑤ …의 상태다: ~ una borrachera 취한 상태다. ⑥ 몸에 지니고 있다, 입고 있다. ⑦ (신문 등이) 게재하고 있다: ~ un artículo sobre el terrorismo iraquí 이라크 테러에 관한 기사를 싣고 있다. ⑧ 납득시키다, 설득하다; 강요하다. ⑨ 인용하다, 인증하다. ~**se** ① …을 가져오다, 데려오다. ② 꾀하다. ③ 처치하다. ④ 옷차림을 하고 있다: ~*se* bien [mal] 좋은[나쁜] 옷차림을 하고 있다.
traer[2] *tr.* [고어] 배신으로 넘겨주다.
trafagador, ra *m.f.* ① 상인, 장사꾼. ② 여기저기 바삐 돌아다니는 사람.
trafagar (8) *intr.* ① 장사를 하다, 거래를 하다. ② 여기저기 바삐 쏘다니다, 여러 나라를 돌아다니다, 세계를 돌아다니다.
tráfago *m.* ① 장사, 거래. ② [집합] 힘든 일.
trafagón, na *adj., m.f.* 열심히 사업을 하는 (사람).
traficante *adj.* 장사하는, 매매하는, 거래하는. —*m.f.* ① 상인, 장사꾼: ~ de armas 무기 상인. ② (특히) 마약 밀매자.
traficar (7) *intr.* ① 장사하다, 매매하다, 거래하다. ② 여러 나라를 돌아다니다, 세계를 돌아다니다. ③ 불법[부정한 방법]으로 장사하다, 거래하다: ~ *con* [*en*] drogas 마약을 밀매하다.
tráfico *m.* ① (차·배 등의) 교통, 왕래: luz de ~ 교통 신호등. Hay mucho ~ 교통량이 많다. ② (부정한) 거래, 밀매: ~ de drogas 마약 밀매.
trafulcar (7) *tr.* =confundir, trabucar.
tragable *adj.* 삼킬[마실] 수 있는.
tragaderas *f.pl.* ① =faringe. ② = tragadero ③: tener buenas ~ (뭐든지) 쉬 믿다. ③ =tragadero ④.
tragadero *m.* ① =faringe. ② (물 등을) 삼키는[빨아들이는] 입[구멍], (액체 등의) 흡입구. ③ *pl.* 경신(輕信), 어떤 것이건 쉬 믿음. ④ 불편한 것을 쉬 참음.
tragador, ra *adj., m.f.* ① 마시는 (사람), 삼키는 (사람). ② 게걸스레 먹는 (사람).
tragaldabas *m.f.sing.pl.* 대식가, 식성이 좋은 사람.
tragaleguas *m.f.sing.pl.* 건각(健脚), 걷기를 좋아하는 사람, 많이 빨리 걷는 사람.
tragaluz *m.* (천장과 벽의 윗부분에 낸) 창문, 뙤창문.
tragamallas *m.f.* 대식가.
tragamillas *adj.sing.pl.* 많은 거리를 뛰는[걷는·수영하는]. —*m.f.sing.pl.* (대륙 횡단·마라톤 등의) 장거리 영자(泳者)[주자(走者)].
tragamonedas *f. Arg., Hond., Ur.* =tragaperras.
traganíquel *m. Cuba.* (동전을 넣는) 자동 판매기.
tragantón, na *adj., m.f.* 많이 먹는[삼키는] (사람).
tragantona *f.* =comilona.
tragaperras *adj.* 많이 소비(消費)하는. —*f.sing.pl.* 슬롯머신. —*adj.* 슬롯머신의: máquina ~ 슬롯머신.
tragar (8) *tr.* ① 삼키다: ~ la carne sin masticarla 고기를 씹지도 않고 삼키다. ② 급히 먹다[마시다]. ③ 포식하다. ④ (바다·대지가) 삼키다. ⑤ 받아들이다, 용인하다; 믿어 보다. ⑥ 참다. ⑦ 소비하다. —*intr.* ① 제안을 확신 없이 동의하다. ② (여자가) 성적 요구를 쉽게 승낙하다. ~**se** ① 삼켜 버리다, 마셔 버리다. ②

많이 먹다. ③ 장애와 부딪치다.
tragasables *m.f.sing.pl.* 칼을 삼키는 역을 하는 곡예사.
tragedia *f.* ① 비극: ~ griega 희랍 비극. ② 비극 작품. ③ 참사, 비극적 사건. ④ 비극성, 비극적 결과.
trágicamente *adv.* 비극적으로; 비참하게.
trágico, ca *adj.* ① 비극의[에 관한]. ② 비극적인, 비참한: accidente ~ 비참한 사고. —*m.f.* ① 비극 작가. ② 비극 배우.
tragicomedia *f.* 희비극.
tragicómico, ca *adj.* ① 희비극의[에 관한]. ② 울고 웃는, 희비극적인.
trago[1] *m.* ① 한입, 한 모금(의 분량). ② 술을 마시는 악습. ③ 불행, 불운; 불쾌. ④ *Amér.* 술잔. ⑤ *Arg., Bol., Col., Cuba, Ecuad., Nic., Salv.* 술, 음주. ¶*a ~s* 조금씩 조금씩, 천천히, 느리게. *de un ~* 훌쩍: beberse [tomarse] *de un ~* 훌쩍 들이마시다[마셔 버리다].
trago[2] *m.* 귀의 돌기.
tragón, na *adj.* 많이 마시는[먹는]. —*m.f.* 대식가.
tragonear *tr.* 많이 자주 마시다.
traición *f.* ① 배반, 배신, 반역. ② 반역죄. ¶*alta ~* 대역죄. *a ~* 배신하여; 음험하게, 비열하게.
traicionar *tr.* ① 배반하다, 배신하다: ~ a *su* mujer (남편이) 불륜을 저지르다. ② …의 실패의 원인이 되다. ③ (무의식적으로) 폭로하다.
traicionero, ra *adj., m.f.* =traidor.
traído, da *adj.* (옷이) 헌, 입어서 해진, 낡아진. —*f.* 가져오기: *~da* de aguas 송수(送水), 수리(水利).
traidor, ra *adj.* ① 배신한, 배반한. ② (동물이) 말을 듣지 않는, 길들여지지 않는, 고분고분하지 않은: Este caballo es muy ~ 이 말은 말을 잘 듣지 않는다. ③ 음험한, 앙큼스러운. ④ 보기보다 더 해로운[독한]: un catarro ~ (보기보다) 지독한 감기. —*m.f.* 배신자, 배반자, 변절자, 매국노.
traidoramente *adv.* 변절하여, 배신하여, 배반하여.
traiga ☞traer (72).
traiga- ☞traer (72).
tráiler *m. ing.* ① 트레일러. ② [영화] 예고편.
traílla *f.* ① (사냥개를 매는) 가죽 끈[줄]. ② 줄, 끈, 채찍. ③ [농업] 써레. ④ 줄로 묶어 놓은 사냥개 무리. ⑤ (채찍의) 가죽 끈.
traillar *tr.* 써레로 땅을 고르다, 써레질하다.
traína *f.* (특히, 정어리 잡이에서) 예인망.
trainera *adj.* 예인망으로 고기[정어리]를 잡는. —*f.* ① 예인망 어선, 트롤 어선. ② (운동 시합을 하는) 노 젓는 배.
traj- ☞traer (72).
traje[1] *m.* ① 옷, 의복, 양복, 의류: ~ espacial 우주복. ponerse ~ 옷을 입다. ② (여성용) 드레스, 원피스. ③ 민족 의상. ④ [집합] (같은 천으로 만들어진) 옷[양복] 한 벌 ((웃옷 · 바지, 가끔은 조끼)). ¶*~ de baño* 수영복. *~ de ceremonia* ㉮ 예복. ㉯ 정장. *~ de etiqueta* = traje de ceremonia. *~ de noche* 이브닝 드레스, 야회복.
traje[2] ☞traer (72).
trajeado, da *adj.* 몸단장을 한, 성장(盛裝)한.
trajear *tr.* …에게 옷을 공급하다. **~se** 입다, 옷을 입다.
trajín *m.* (상품의) 운반, 배달.
trajinante *adj.* (상품을) 운반하는, 배달하는. —*m.f.* 운반자, 배달자.
trajinar *tr.* (상품을) 운반하다, 가지고 다니다, 배달하다. —*intr.* 부지런히[바쁘게] 왔다갔다 하다.
tralla *f.* ① 삼끈보다 두꺼운 끈[줄]. ② 채찍 끝에 달린 가죽 끈. ③ 채찍 끝에 달린 가죽 끈의 줄.
trallazo *m.* ① tralla로 때리기. ② tralla로 때리는 소리. ③ 심한 구타.
trama *f.* ① 횡사(橫絲), 씨실 (㊙ *urdimbre*). ② 씨실을 넣기 위한 비단의 일종. ③ 음모, 계략, 책략. ④ (작품의) 줄거리, 골조. ⑤ [생물] 망상 조직. ⑥ [인쇄] 망판(網版). ⑦ (나무, 특히) 올리브의 꽃.
tramar *tr.* ① …에 씨실을 넣다. ② 음모를 꾸미다. ③ 구성하다, 꾸미다, 줄거리를 엮다. ④ 준비하다. —*intr.* (나무, 특히 올리브의) 꽃이 피다.
tramitación *f.* 수속(을 밟음), 수속 절차.
tramitar *tr.* …의 수속을 밟다, 처리하다.
trámite *m.* ① 수속. ② *pl.* [법률] 소송 수속.
tramo *m.* ① (도로 등의) 구간. ② (로켓 · 토지 · 계단 등의) 단(段). ③ 구획된 지면. ④ (층계참과 층계참 사이의) 계단. ⑤ (내용 등을 분할한) 한 구획.
tramontano, na *adj.* 산너머에 있는. —*f.* ① (다른 것의) 북쪽. ② 북풍(北風). ③ 허영, 허세.
tramoya *f.* ① [연극] 무대 장치, 장면 전환 장치. ② 음모, 책략, 간책.
tramoyista *m.f.* ① [연극] 무대 장치 취급자. ② 책략가(策略家). ③ 사기꾼. —*adj.* 사기를 치는.
tramoyón, na *adj.* =tramoyista.
trampa *f.* ① [사냥] 덫, 함정. ② (마루 · 천장의) 위로 밀어올려 여는 문. ③ (카운터의) 널판지 뚜껑. ④ 책략, 속임수. ⑤ 연체된 빚.
trampantojo *m.* 허깨비, 환상, 꿈.
trampear *tr.* 속이다, 사기를 치다, 편취하다. —*intr.* ① 속여서 빌리다.

transición *f.* ① 변천, 이행, 변화. ② 과도기, 변환기. ③ (예술 양식의) 변화, 추이. ④ [음악] 전조(轉調). ⑤ (무대 등에서의) 장면 전환. ⑥ [유전] 변이(變異). ⑦ *Esp.* (1975-78년의 민주주의로의) 이행기(~ a la democracia).
transicional *adj.* 이행의, 과도기의, 이행기의.
transido, da *adj.* ① 고생하는, 괴로워하는. ② 가엾은, 비참한.
transigencia *f.* ① 양보, 타협. ② 관용, 관대.
transigente *adj.* ① 타협적인. ② 관대한, 관용의.
transigir (4) *intr.* ① [+con] (…와) 타협하다, 화해하다. ② [+con] (…을) 참다, 용서하다. —*tr.* 조정하다.
transistor *m.* ① [전기] 트랜지스터. ② 트랜지스터 라디오.
transitable *adj.* 통행 가능한.
transitar *intr.* 통행하다.
transitividad *f.* [문법] 타동성.
transitivo, va *adj.* [문법] 타동(사)의. —*m.* [문법] 타동사.
tránsito *m.* ① 통행(通行), 교통: ~ rodado 차량 통행. ② 통과: tarjeta de ~ 통과 여객용 카드. ③ 단기 체류[체재]. ④ (수도원 등의) 통로, 복도, 낭하. ⑤ (성인 등의) 사망. ⑥ [T~] 성모 마리아의 피승천(제).
transitoriamente *adv.* 일시적으로, 임시로, 과도적으로.
transitoriedad *f.* 과도성.
transitorio, ria *adj.* ① 일시적인, 임시의; 과도적인. ② 덧없는, 허망한.
translación *f.* =traslación.
translaticio, cia *adj.* [언어] 전의(轉義)의, 비유적인.
transliteración *f.* (다른 나라 문자로) 바꾸어 씀, 고쳐 씀, 음역(音譯).
transliterar *tr.* (다른 나라 문자로) 바꾸어 쓰다, 음역(音譯)하다.
translúcido, da *adj.* 반투명(半透明)의: cristal ~ 반투명 유리.
transluciente *adj.* =trasluciente.
translucirse (33) *r.* =traslucirse.
transmarino, na *adj.* ① 바다 저쪽의, 바다 건너편의. ② 바다 저쪽 지방의[에 관한].
transmediterráneo, a *adj.* 지중해 횡단의.
transmigración *f.* ① 이주(移住). ② 전생(轉生), 윤회(輪廻).
transmigracionismo *m.* [종교] 윤회설(輪廻說).
transmigrar *intr.* ① (특히 민족이) 이주하다. ② [종교] 전생하다, 윤회하다.
transmigratorio, ria *adj.* ① 이주의[에 관한]. ② 윤회의[에 관한]: idea ~*ria* 윤회 사상.
transmisible *adj.* ① 양도 가능한. ② 전달[전염·유전]할 수 있는.
transmisión *f.* ① 전달. ② 이전, 양도. ③ 방송. ④ [기계] 전동 (장치). ⑤ [컴퓨터] 통신. ⑥ *pl.* [군사] 통신대.
transmisor, ra *adj.* 전하는, 전파하는, 전할 수 있는, 전파할 수 있는, 방송의. —*m.* 송신기, 송화기, 발신기(發信機).
transmitir *tr.* ① 전하다, 전달하다. ② (라디오·텔레비전으로) 방송하다, 중계하다. ③ [물리] (운동·열 등을) 전도하다, 전하다. ④ (병을) 전염시키다, 매개하다. ⑤ 양도하다. ~**se** ① 전염되다. ② 유전되다. ③ 전달되다. ④ 방송되다, 중계되다.
transmudación *f.* =transmutación.
transmudamiento *m.* =transmutación.
transmudar *tr.* ① 바꾸다. ② 생각을 고쳐 먹게 하다. ③ 옮기다, 이전하다. ~**se** ① 바뀌다, 변하다. ② 이전하다.
transmundo *m.* =trasmundo.
transmutable *adj.* 변질[변환]할 수 있는.
transmutación *f.* 변질, 변환.
transmutar *tr.* ① (연금술에서, 금 등으로) 변질시키다. ② [물리] 변환하다. ~**se** ① 변질되다. ② [물리] 변환되다.
transnacional *adj.* 국가를 뛰어넘어, 초국가적인. —*f.* 다국적 기업.
transoceánico, ca *adj.* ① 대양[바다] 저편의. ② 대양 횡단의.
transpacífico, ca *adj.* ① 태평양 저편의. ② 태평양 횡단의.
transparencia *f.* ① 투명, 투명도. ② [사진] 슬라이드. ③ [영화] (배경을 합성하는) 스크린 프로세스. ④ [미술] 투명화.
transparentar *tr.* 투명(透明)하게 하다. —*intr.* 투명하게 되다. ~**se** 투명하게 보이다, 환히 들여다 보이다, 비쳐 보이다.
transparente *adj.* ① 투명한. ② 명백한, 속까지 환히 들여다 보이는: intención ~ 속이 들여다 보이는 의도. —*m.* ① (창문의) 햇빛 가리개. ② (제단 뒤의) 스테인드글라스. ③ 안쪽에서 조명을 비추는 간판[광고].
transpirable *adj.* 발산할 수 있는.
transpiración *f.* 발한(發汗); 증발(물), 발산, 증산 (작용).
transpirar *intr.* ① 땀을 흘리다[내다], 발한하다. ② [식물] 증산(蒸散)하다. ③ (의복 등이) 땀을 발산하다.
transpirenaico, ca *adj.* ① 피레네 산맥 저편의. ② 피레네 산맥 저편 지방의[에 관한]. ③ 피레네 산맥 횡단의.
transpolar *adj.* 남극[북극]을 넘는, 남극[북극]을 횡단하는.
transpondedor, ra *adj., m.f.* 옮기는 (사람). —*m.* 트랜스폰더, 자동 무선 (레이더).
transponer (61) *tr.* ① 옮기다, 옮겨

놓다, 위치를 바꾸다. ② 이식하다. ③ (장애·한계 등을) 넘다. ~**se** ① (해 등이) 지다. ② (모퉁이·언덕 등을) 돌면서[넘으면서] 시야에서 사라지다. ③ 꾸벅꾸벅 졸다.

transportable *adj.* 운반[운송]이 가능한, 옮길 수 있는.

transportador, ra *adj.* 운반(運搬)하는. —*m.f.* 운반자. —*m.* ① [수학] 분도기. ② 컨베이어, 전송대, 반송대, 운반 장치.

transportamiento *m.* =transporte.

transportar *tr.* ① 옮기다, 운반하다, 운송하다. ② [음악] 이조(移調)하다, 멜로디를 바꾸다. ③ 황홀하게 하다, 넋을 잃게 만들다. ~**se** 황홀해지다, 넋을 잃다.

transporte *m.* ① 운송, 수송. ② 운임, 운송료. ③ 수송 기관. ④ [군사] 수송선 ((트럭·열차·수송기)). ⑤ 흥분, 열중, 넋을 잃음. ⑥ [음악] 이조(移調), 변조(變調).

transportista *m.f.* ① 운송업자. ② 트럭 운전수.

transposición *f.* ① 자리 바꾸기, 옮겨 놓기, 옮겨 심기, 옮겨 살기. ② [화학] 전위(轉位). ③ [수학] 이항. ④ [음악] 이조(移調). ⑤ [해부] 전위(轉位).

transpositivo, va *adj.* ① 자리를 바꾸어 놓는, 옮겨 놓는. ② 전위(轉位)의.

transubstanciación *f.* =transustanciación.

transubstancial *adj.* =transustancial.

transubstanciar *tr.* =transustanciar.

transuránico, ca *adj.* [화학] 초우라늄의: elemento ~ 초우라늄 원소.

transuranio, nia *adj.* 초(超)우라늄의. —*m.* 초우라늄 원소.

transustanciación *f.* [신학] 화체(化體), 화체설(化體說).

transustancial *adj.* ① 변질시키는, 변질의. ② [신학] 화체화시키는, 화체의.

transustanciar *tr.* ① 변질시키다. ② [신학] 화체화시키다.

transvasar *tr.* (액체를 다른 그릇에) 옮기다.

transvase *m.* (액체를 다른 그릇으로) 옮기기, 옮기는 일.

transverberación *f.* =transfixión.

transversal *adj.* ① 가로지른, 횡단의. ② (보다 넓은 도로와) 교차된. ③ (가계가) 방계(傍系)의.

transversalmente *adv.* ① 비스듬히. ② 횡단으로, 가로로. ③ 교차되어.

transverso, sa *adj.* ① 비스듬한, 가로놓인. ② 가로의, 횡단의.

tranvía *m.* ① 전차, 노면 전차, 시영 전차. ② (한 량 만의) 시외 전차 ((두 량 이상은 tren de cercanías)).

tranviario, ria *adj.* 전차의[에 관한]. —*m.f.* 전차 승무원.

tranviero *m.* [드묾] =tranviario.

tranzar (9) *tr.* ① 자르다, 쪼개다, 가르다. ② 세 가닥 이상으로 땋다.

trapa *f.* (바람이 많이 불 때 돛을 매다는) 보조 돛줄. —*m.(f.)* 발자국 소리, 사람들의 떠드는 소리: Se oyó un ~ 사람들이 떠드는 소리가 들렸다.

trapacear *intr.* 눈속임을 하다, 사기를 치다.

trapacería *f.* =trapaza.

trapacero, ra *adj.*, *m.f.* =trapacista.

trapacete *m.* (상인의) 거래 장부, 매상 장부.

trapacista *adj.* 부정 거래를 하는, 눈속임을 하는. —*m.f.* 부정 거래자; 협잡꾼, 사기꾼.

trapajoso, sa *adj.* ① 다 해진, 누덕누덕한, 너덜너덜한. ② 발음이 분명하지 않은.

trápala *f.* ① 소란, 웅성거림. ② 말발굽 소리. ③ 거짓말, 속임수, 사기(詐欺). —*m.* 필요 없는 말을 많이 함. —*m.f.* ① 허풍선이. ② 사기꾼. —*adj.* ① 허풍을 떠는. ② 속이는, 사기 치는.

trapatiesta *f.* =zapatiesta.

trapaza *f.* 부정 거래, 사기 상거래.

trapazar (9) *intr.* =trapacear.

trapeador *m.* *Col., Cuba, Ecuad., Hond., Méj., Nic., Salv.* (마루) 걸레.

trapear *tr.* *Amér.* 걸레로 마루를 문지르다. —*intr.* 눈이 내리다.

trapecial *adj.* ① [기하] 사다리꼴의[에 관한]. ② 사다리꼴 모양의.

trapecio *m.* ① [기하] 사다리꼴. ② [해부] 승모근(僧帽筋). ③ (서커스의) 공중 그네.

trapecista *m.f.* (서커스의) 그네 타는 곡예사.

trapería *f.* ① [집합] 많은 넝마. ② 중고품 가게, 헌옷 가게. ③ *And.* 옷감[천] 가게.

trapero, ra *m.f.* ① 폐품 수집상. ② 중고품 장수. ③ *And.* 옷감[천] 장수.

trapezoidal *adj.* ① [기하] 사다리꼴의[에 관한]. ② [기하] 사다리꼴 모양의.

trapezoide *m.* [기하] 사다리꼴.

trapiche *m.* ① (올리브·사탕수수의) 압착기. ② *Bol., Chile.* 쇄광기.

trapichear *intr.* ① 소매하다. ② 재간을 부리다.

trapicheo *m.* ① 부정 거래. ② 재간.

trapillo *m.* (저축한) 적은 돈.

trapío *m.* ① (여자의) 우아함. ② 투우용 소의 발광.

trapisonda *f.* ① 소동, 난장판, 싸움. ② =embrollo.

trapisondear *intr.* 자주 싸우다, 소동을 일으키다, 난장판을 만들다.

trapisondista *m.f.* 싸움꾼, 싸움을 좋

아하는 사람.

trapo *m.* ① 넝마. ② 걸레. ③ (배 하나 전체의) 돛. ④ 큰 눈송이. ⑤ 투우를 다루는 천. ⑥ *pl.* (특히 여자의) 옷. ¶*poner* a alguien *como un* ~ (누구를) 욕하다, 호되게 나무라다.

tráquea *f.* ① [해부] 기관. ② [식물] 도관.

traqueal *adj.* ① [해부] 기관의[에 관한]. ② [동물] 호흡 기관이 있는.

traquear *tr.* [드묾] =traquetear.

traqueotomía *f.* [의학] 기관 절개.

traquetear *tr.* ① 흔들다, 뒤흔들다. ② 만지작거리다. ③ 자주[뻔질나게] 다니다. —*intr.* (탈것 등이) 덜커덕거리다.

traqueteo *m.* 진동, 흔들림.

traquido *m.* ① =chasquido. ② [드묾] (총포의) 발사음.

tras[1] *prep.* ① [시간] …의 뒤에, 후에: ~ descansar media hora 30분 쉰 후에. ② [공간] …의 뒤에, 배후에: ~ la puerta 문 뒤에. ③ …을 좇아: ~ el ratero 소매치기를 좇아. ④ …이면서, …한데다가: *Tras* de ser malo, es caro 물건이 나쁜데다가 값이 비싸다.

tras[2] *m.* 쾅쾅 ((문 두드리는 소리)).

tras- *pref.* ☞trans-.

trasalpino, na *adj.* =transalpino.

trasaltar *m.* (교회에서) 제단 뒤(에 있는 장소).

trasandino, na *adj.* =transandino.

trasbocar (7) *tr. Amér.* =vomitar.

trasbordar *tr.* =transbordar.

trasbordo *m.* =transbordo.

trascacho *m.* 바람이 차단된 장소.

trascendencia *f.* ① 중대성, 중요성. ② 투철(함), 통찰(력). ③ 결과. ④ 초월, 탁월.

trascendental *adj.* ① 중대한, 중요한. ② 획기적인. ③ 초경험적인.

trascendente *adj.* ① 뛰어난, 탁월한, 빼어난. ② [철학] 경험을 초월한, 선험적인. ③ [수학] 대수학이 아닌.

trascender (21) *intr.* ① 강한 냄새를 풍기다. ② (숨겨졌던 일이) 나타나다, 들통나다, 폭로되다. ③ 퍼지다, 확대되다. ④ 결과가 나타나다. —*tr.* [드묾] 간파하다, 알아채다, (숨겨진 것을) 조사하다.

trascordarse (24) *r.* 잊(어 버리)다.

trascoro *m.* (교회에서) 합창대의 뒤쪽.

trascribir *tr.* =transcribir.

trascripción *f.* =transcripción.

trascurrir *intr.* =transcurrir.

trascurso *m.* =transcurso.

trasdós *m.* ① [건축] (아치의) 바깥 둘레, 외륜. ② [건축] 보조 기둥.

trasegar (8) (19) *tr.* ① (주로, 액체를) 옮기다, 바꾸어 넣다. ② 술을 실컷[양껏] 마시다. ③ (서류 등을) 흩뜨리다, 어지르다.

trasero, ra *adj.* ① 뒤에 있는, 뒤에 남은, 뒤에 오는. ② 짐을 앞쪽보다 뒤쪽에 더 실은 (자동차). —*m.* ① 궁둥이, 엉덩이. ② *pl.* [드묾] 선조. —*f.* (자동차·집 등의) 뒤, 뒷부분, 뒤쪽.

trasferencia *f.* =transferencia.

trasferible *adj.* =transferible.

trasferidor, ra *adj., m.f.* =transferidor.

trasferir (54) *tr.* =transferir.

trasfigurable *adj.* =transfigurable.

trasfiguración *f.* =transfiguración.

trasfigurar *tr.* =transfigurar.

trasfijo, ja *adj.* =transfijo.

trasfixión *f.* =transfixión.

trasfondo *m.* 배경, 저류(底流), 저의(底意): ~ social 사회적 배경.

trasformación *f.* =transformación.

trasformador, ra *adj., m.f.* =transformador.

trasformamiento *m.* =transformamiento.

trasformar *tr.* =transformar.

trasformativo, va *adj.* =transformativo.

trásfuga *m.f.* =tránsfuga.

trásfugo *m.* =tránsfugo.

trasfundición *f.* =transfundición.

trasfundir *tr.* =transfundir.

trasfusión *f.* =transfusión.

trasgo *m.* ① =duende. ② 장난꾸러기, 개구쟁이.

trasgredir *tr.* =transgredir.

trashumación *f.* =trashumancia.

trashumancia *f.* (가축 떼의) 계절 이동, 유목(遊牧).

trashumante *adj.* (가축 떼가) 계절 이동하는, 유목의.

trashumar *intr.* ① (가축 떼가 여름이나 겨울에 목초를 찾아) 이동하다. ② (사람이) 정기적으로 장소를 옮기다[바꾸다].

trasiego *m.* ① (액체의) 옮겨 넣기. ② (술을) 양껏 마시기. ③ (서류 등의) 흩뜨리기, 혼란(混亂): el ~ de coches 자동차의 홍수.

traslación *f.* ① 이동: ~ de un cuerpo 물체의 이동. ② (지구의) 공전. ③ [문법] 품사 전환 ((예 joven 젊은 →un joven 젊은이)). ④ [수학] 평행 이동.

trasladable *adj.* 이동 가능한.

trasladación *f.* [드묾] =traslación.

trasladador, ra *adj., m.f.* ① 이전하는, 옮기는 (사람). ② 이전하는 데[옮기는 데] 도움이 되는 (사람).

trasladar *tr.* ① 옮기다, 이동시키다: ~ una cama a la habitación del niño 침대를 아이의 방으로 옮기다. ② 전임시키다: ~ a otra sección 다른 과로 전임시키다. ③ 연기하다. ④ 베끼다, 전사(轉寫)하다. ⑤ 구술하다. ⑥ 번역하다. ⑦ [전신] 중계

하다. ~**se** 옮기다, 이전하다, 이주하다, 이동하다.
traslado *m.* ① 이동, 이전: ~ de casa 이사. ② 베낌, 전사(轉寫), 복사(複寫).
traslapar *tr.* [영화] 오버랩시키다.
traslapo *m.* [영화] 오버랩.
traslación *f.* ① 이동. ② (지구의) 공전. ③ [문법] 품사 전환 ((예 joven *adj.* 젊은 →un joven *m.* 젊은이)). ④ [수학] 평행 이동.
traslaticiamente *adv.* [언어] 전의(轉義)로, 비유적으로.
traslaticio, cia *adj.* [언어] 전의(轉義)의, 비유적인: sentido ~전의.
traslativo, va *adj.* 이양의, 양도의.
traslúcido, da *adj.* =translúcido.
trasluciente *adj.* =traslúcido.
traslucimiento *m.* ① 반투명. ② 추측, 추정, 짐작.
traslucir (33) *tr.* 추측하다, 추정하다. ~**se** ① 투명하게 보이다. ② (징후 등을 통해) 짐작[추측]되다.
trasluz *m.* ① 투사광(投射光). ② 반사광. ¶*al* ~ 빛에 비추어.
trasmallo *m.* 걸그물, 자망(刺網).
trasmano *m.* (카드 등의 순서에서) 두 번째, 두 번째 사람. ¶*a* ~ ㉮ 손이 닿지 않는 곳[범위]에. ㉯ 떨어진, 마을에서 멀리 떨어져 있어.
trasmarino, na *adj.* =transmarino.
trasmatar *tr.* 다른 사람보다 더 오래 살 것이라 생각하다.
trasmediterráneo, a *adj.* =transmediterráneo.
trasmigración *f.* =transmigración.
trasmigrar *intr.* =transmigrar.
trasminar *tr.* ① 땅을 파 나가다. ② (냄새·액체 등을) 배어 나오게 하다. ~**se** (냄새·액체 등이) 배어 나오다.
trasmisible *adj.* =transmisible.
trasmisión *f.* =transmisión.
trasmitir *tr.* =transmitir.
trasmochar *tr.* 전정(剪定)하다, 나뭇가지를 치다.
trasmocho, cha *adj.* ① (새 순이 나게 하기 위해) 나무의 윗부분이 잘린. ② 산의 나무가 (윗부분이) 잘린. —*m.* 윗부분이 잘린 나무.
trasmudación *f.* =transmudación.
trasmudamiento *m.* =transmudamiento.
trasmudar *tr.* =transmudar.
trasmundo *m.* ① 환상의 세계. ② 내세(來世).
trasmutable *adj.* =transmutable.
trasmutación *f.* =transmutación.
trasmutar *tr.* =transmutar.
trasnacional *adj.* =transnacional.
trasnochado, da *adj.* ① 밤을 새운, 철야한, 하룻밤을 넘긴. ② (사람이) 여윈, 수척해진, 건강이 나빠진. ③ 새로운 맛이 없는, 진부한. ④ 신선하지 못한, 시들은: lechuga ~*da* 시들은 상추. —*f.* ① 전날 밤. ② 철야, 밤샘. ③ 철야 경비.
trasnochador, ra *adj., m.f.* 밤샘하는 (사람), 철야하는 (사람).
trasnochar *intr.* ① 밤샘을 하다, 철야하다. ② 같은 주거지의 다른 장소에서 밤을 보내다. —*tr.* 밤을 새우게 하다.
trasnoche *m.* =trasnocho.
trasnocho *m.* 밤샘, 철야.
trasoír (76) *tr.* (말한 것을) 잘못 듣다.
traspapelar *tr.* ① (서류를 원래 있던 곳에 놓지 않아) 분실하다, 행방불명되게 하다. ② 다른 장소에 놓다. ~**se** ① (서류가) 분실되다. ② 다른 곳에 섞이다.
trasparencia *f.*=transparencia.
trasparentarse *r.* =transparentarse.
trasparente *adj.* =transparente.
traspasar *tr.* ① 옮기다, 운반하다, 나르다: ~ el equipaje 짐을 옮기다[나르다]. ② (영업권 등을) 양도하다, 팔다: ~ la tienda 가게를 팔다. ③ [운동] 트레이드하다. ④ (탄환 등이) 뚫다, 관통하다. ⑤ (감각·감정이) 극심한 영향을 주다. ⑥ 건너다, 넘다: ~ un arroyo 개울을 건너다. ~ los Andes 안데스 산맥을 넘다. ⑦ (범위 등을) 넘다. ⑧ (법률 등에) 위반하다. ⑨ 다시 통과하다: ~ la calle muchas veces 수차 거리를 지나가다.
traspaso *m.* ① 운반, 이전, 이동. ② 통과, 지나가기. ③ 양도, 매도. ④ (운동 선수의) 트레이드. ⑤ 양도료; 트레이드 가격, 선수 이적료. ⑥ [집합] 팔아넘긴 물건. ⑦ 번민, 고뇌, 고민, 고통. ⑧ [드묾] 간계, 술책, 간사함.
traspatio *m.* *Amér.* 뒤뜰.
traspellar *tr.* =cerrar.
traspié *m.* ① 미끄러짐, 발을 헛디딤, 돌부리에 채임. ② (누구를 넘어뜨리기 위해) 다리 걸기.
traspirable *adj.* =transpirable.
traspiración *f.* =transpiración.
traspirar *intr.,* ~**se** =transpirar.
traspirenaico, ca *adj.* =transpirenaico.
trasplantable *adj.* 옮겨심을 수 있는, 이식할 수 있는.
trasplantación *f.* =trasplante.
trasplantado, da *m.f.* 이식을 받은 사람. —*adj.* 이식받은.
trasplantador, ra *adj., m.f.* 이식하는 (사람). —*m.* ① 이식용 흙손, 삽. ② 식물 운반 및 이식용 특수 차량. —*f.* 이식용 기계.
trasplantar *tr.* ① 옮겨심다, 이식하다. ② 도입하다. ③ [의학] 이식하다: ~ un riñón 신장을 이식하다. ④ (사람을) 이주시키다.
trasplante *m.* ① [식물] 옮겨심기, 옮겨 심음, 이식(移植). ② [의학] 이

식(移植): ~ de corazón 심장 이식. ~ de córnea 각막 이식.
trasponedor, ra *adj.* =transponedor.
trasponer *tr., intr.* =transponer.
traspontín *m.* ① (자동차의) 보조 의자. ② 궁둥이, 엉덩이.
trasportación *f.* =transportación.
trasportador, ra *adj., m.f.* =transportador.
trasportamiento *m.* =transportamiento.
trasportar *tr.,* **~se** =transportar.
trasporte *m.* ① =transporte. ② *PRico.* [악기] 뜨라스뽀르떼 ((기타보다 큰 다섯 줄 악기)).
trasportín *m.* (자동차의) 보조 의자.
trasposición *f.* =transposición.
traspositivo, va *adj.* =transpositivo.
traspunte *m.* [연극] 프롬프터.
traspuntín *m.* (자동차의) 접는 보조 의자.
trasquila *f.* (양 등의) 털 깎기.
trasquilador *m.* 털 깎는 남자.
trasquiladura *f.* 털 깎기.
trasquilar *tr.* ① (머리를) 쥐가 뜯어 먹는 것처럼 깎다, 대충대충 깎다, 서툴게 깎다. ② (동물의 털을) 깎다. ③ (일부를 나누어, 무엇을) 줄이다, 깎아내다.
trasquilón *m.* ① =trasquiladura. ② 교묘하게 우려낸[빼앗은] 돈. ¶*a trasquilones* 엉망으로, 엉망진창으로, 엉터리로, 터무니없이, 마구.
trastabillar *intr.* 기우뚱거리다, 비틀거리다.
trastabillón *m.* *Amér.* =tropezón, traspié.
trastada *f.* ① 악한 짓. ② 짓궂은 장난, 못된 장난.
trastazo *m.* 몽둥이찜질.
traste[1] *m.* ① (기타 등의) 줄 굄목. ② *And.* 포도주 시음용 작은 유리잔.
traste[2] *m.* 궁둥이, 엉덩이.
trastear[1] *tr.* ① (기타 등의) 줄을 타다. ② (기타 등에) 줄 굄목을 놓다.
trastear[2] *intr.* ① 가구류를 움직이다. ② 시원시원하게 재치를 부리다. ③ =enredar. —*tr.* ① (투우를) 다루다. ② (사람·사업을) 솜씨 있게 다루다. ③ *Col.* 이사하다. **~se** 이사하다.
trastero, ra *adj., m.* 사용하지 않는 잡동사니를 두는 (방·다락방).
trastienda *f.* ① 가게의 뒷방. ② 신중, 주의, 경계. ③ *Cuba, Méj.* 궁둥이, 엉덩이.
trasto *m.* ① (집의) 가구, 집기. ② (극장의) 무대 도구, 배경 장치. ③ 쓸모없는 것, 거추장스러운 것. ④ 쓸모없는 인간. ⑤ *pl.* 도검류, 도구, 용구: los *~s* de pescar 낚시 도구.
trastornable *adj.* 뒤엎기 쉬운, 어지럽히기 쉬운, 쓰러뜨리기 쉬운.
trastornador, ra *adj.* 뒤엎는, 어지럽히는, 쓰러뜨리는, 교란(攪亂)시키는. —*m.f.* 교란자, 소요자, 선동자.
trastornadura *f.* ① 뒤엎음, 전도. ② 혼란, 북새통, 산란, 소동, 야단법석.
trastornamiento *m.* =trastornadura.
trastornar *tr.* ① (물건을) 뒤엎다, 뒤집어엎다. ② (규칙적인 순서를) 뒤집다. ③ =inquietar. ④ (질서 등을) 문란하게 하다, 어지럽히다. ⑤ (정신적으로) 동요시키다, 당황하게 하다; 착란시키다. **~se** 정신착란이 되다.
trastorno *m.* ① 혼란, 동요. ② (건강의) 불안정 상태. ③ 발광(發狂). ¶*~ mental* 발광(發狂).
trastrabillar *intr.* =trastabillar.
trastrocamiento *m.* 변경; 오해.
trastrocar (7) (24) *tr.* ① (순번 등을) 바꾸다, 변경하다. ② (뜻을) 잘못 이해하다, 오해하다.
trastrueco *m.* =trastrocamiento.
trastrueque *m.* =trastrocamiento.
trasudar *tr.* 땀이 배게 하다.
trasudor *m.* 발한(發汗).
trasuntar *tr.* ① (쓴 것을) 베끼다, 복사하다. ② (무엇을) 요약하다.
trasunto *m.* ① (원본의) 복사, 모사. ② 사본, 등본.
trasvasar *tr.* =transvasar.
trasvase *m.* =transvase.
trasversal *adj.* =transversal.
trasverso, sa *adj.* =transverso.
trata *f.* 인신 매매.
tratable *adj.* ① 다루기 쉬운. ② 예의 바른, 공손한.
tratadista *m.f.* (전문 서적 등의) 저자, 저술가.
tratado *m.* ① 조약: ~ de comercio 통상 조약. ② 전문 서적, 논문, 연고서.
tratamiento *m.* ① 대우, 취급. ② 경칭. ③ 처리: ~ de datos 데이터 처리. ④ 가공. ⑤ 치료(~ médico): enfermo en ~ 치료 중인 환자. ¶*~ de la información* 정보 처리. *~ de textos* 문서 처리[작성].
tratante *adj.* 취급하는, 다루는, 대접하는, 대우하는. —*m.f.* 소매 상인; 중매인, 거간꾼.
tratar *tr.* ① 취급하다, 다루다: ~ como a un hijo 아들처럼 취급하다. ② 교섭하다, 담판하다. ③ 처리하다. ④ 가공하다. ⑤ 치료하다: ~ a un enfermo 환자를 치료하다. ⑥ [컴퓨터] 처리하다. —*intr.* ① 논하다, 다루다, 취급하다. ② 장사하다, 매매하다, 팔다: ~ en muebles 가구를 팔다. ③ 교제하다, 사귀다. ④ [+con] (…을) 사용하다, 움직이다, 조작하다. **~se** ① 교제하다, 사귀다, 친교가 있다: *~se con* María 마리아와 사귀다[친교가 있다]. ② [+de] [무인칭으로만 사용] 문제[이야기]는 …에 관한 것이다: *Se trataba de* su éxito 이야기는 그의 성공에 관한 것이었다.

trataviva *f. Arg., Bol., Perú, Ur.* [주로 *pl.*] 교섭, 절충.

trato *m.* ① 대우. ② 취급. ③ 경칭. ④ (교우) 관계: ~ carnal 육체 관계. ⑤ [때때로 *pl.*] (사업의) 협정, 계약. ¶~ *de nación más favorada* 최혜국 대우.

trauma *m.* ① 외상(外傷), 외상성 장애. ② 심리적 외상. ③ (주로 나쁜 것의) 강한 인상, 쇼크, (영구적인 정신 장애를 남기는) 충격.

traumático, ca *adj.* ① trauma의[에 관한]. ② =**traumatiznate.**

traumatismo *m.* 외상성 장애.

traumatizado, da *adj., m.f.* 상처를 입은 (사람), 외상을 당한 (사람).

traumatizante *adj.* 상처를 입히는, 외상을 입히는; 충격을 주는.

traumatizar (9) *tr.* ① (신체 조직에) 상처를 입히다, 외상을 입히다. ② [정신 의학] …에 (영속적인 영향을 남길) 충격을 주다. ~**se** ① 상처를 입다, 외상을 입다. ② 충격을 받다.

traumatología *f.* [의학] 외상학.

traumatológico, ca *adj.* 외상학의[에 관한].

traumatólogo, ga *m.f.* [의학] 외상 전문의.

travelín *m. ing.* [영화] 이동 촬영.

través *m.* ① 기울기. ② 불행, 불운, 비운. ③ [건축] 도리. ④ [축성] 방탄벽. ¶*al* ~ ㉮ =**de través.** ㉯ =**a través de.** *a* ~ =**de través.** *a* ~ *de* ㉮ …을 통하여, … 너머로. ㉯ … 사이에서. *de* ~ 비스듬히.

travesaño *m.* ① 횡목, 가로대, 가로장. ② 침대용 긴 베개. ③ [운동] (축구 등에서) 골 가로대.

travesío, a *adj.* ① 옆으로 빗나가기 쉬운. ② 가로 부는 (바람). —*m.* 횡단로, 가로지르는 길. —*f.* ① (배·비행기에 의한) 횡단, 도항. ② (간선 도로를 연결하는) 샛길.

travesti, travestí *m.f.* ① 이성의 옷을 입은 사람. ② 복장 도착자(服裝倒錯者).

travestido, da *adj.* 복장 도착(服裝倒錯)의. —*m.f.* =**travesti.**

travestirse (43) *r.* 이성(異性)의 옷을 입다.

travestismo *m.* 복장 도착.

travieso, sa *adj.* ① 가로지른, 가로 놓는, 꿰뚫은. ② 장난을 좋아하는. ③ 도리에 어긋난. ④ 음탕한, 품행[행실]이 나쁜. ⑤ 재치 있는. ⑥ 시끄러운. —*f.* ① [철도] 침목. ② 서까래. ③ 가로대. ④ (광산의) 가로지른 갱목. ⑤ (두 지점간의) 거리.

trayecto *m.* ① 도정, 행정, 여정. ② (도로·철도·버스의) 구간.

trayectoria *f.* ① 궤도. ② [수학] 궤선(軌線).

traza *f.* ① 설계도. ② 구상, 계획, 기획. ③ 계책, 궁리. ④ 자태, 모양, 풍채, 외관, 외견. ⑤ *pl.* 징후.

trazado, da *adj.* [+bien · mal] 체구가 좋은[나쁜]. —*m.* ① (건축의) 도면, 설계도. ② 제도, 구도. ③ 노선 측정[설정].

trazador, ra *adj.* 설계[제도·고안]하는. —*m.f.* 설계자, 고안자, 제도자. —*m.* [화학·생물] 흔적 표시.

trazar (9) *tr.* ① (선을) 긋다. ② 제도하다, 설계하다. ③ 계획하다, 구상하다, 입안하다. ④ 그리다, 묘사하다.

trazo *m.* ① 선(線). ② 그림, 설계도. ③ 표정. ④ (글자의) 획.

TRB *f.* tonelada de registro bruto 총등록 톤수.

TRC *m.* tubo de rayos catódicos 브라운관.

trebejo *m.* [주로 *pl.*] 도구, 용구.

trébol *m.* ① [식물] 클로버, 토끼풀. ② (네 잎 클로버 모양의) 입체 교차로.

trece *adj.* ① 13의. ② 열세 번째의. —*m.* ① 13, 열셋. ② 13일: el ~ de octubre 시월 13일.

treceavo, va *adj.* 13분의 1의. —*m.* 13분의 1.

trecho *m.* 거리, 간격, 시간.

tregua *f.* ① 휴전, 정전: ~ navideña 크리스마스 휴전. ② 쉼, 휴식.

treinta *adj.* ① 30의. ② 서른 번째의. —*m.* ① 30, 서른. ② 30일. ③ *pl.* 1930년대. ④ *pl.* 30대(의 사람).

treintañero, ra *adj.* 30대의. —*m.f.* 30대 사람.

treintavo, va *adj.* 30분의 1의. —*m.* 30분의 1.

treintena *f.* =**treinteno.**

tremebundo, da *adj.* 무시무시한, 무서운.

tremedal *m.* 늪지, 소택지(沼澤地).

tremendo, da *adj.* ① 무서운, 가공할 만한. ② 존경할 만한. ③ (아이들이) 장난이 심한. ④ 매우 큰.

tremielga *f.* [어류] 전기메기.

tremolar *tr.* (기(旗) 등을) 흔들다. —*intr.* (기가) 흔들리다.

tremolina *f.* 떠드는 소리.

trémolo *m.* [음악] 트레몰로, 전음.

tremor *m.* ① =**temblor.** ② 떨기 시작함.

tremoso, sa *adj.* =**tembloso.**

trémulamente *adv.* 떨며, 흔들어.

tremulante *adj.* =**trémulo.**

tremulento, ta *adj.* =**trémulo .**

trémulo, la *adj.* ① 떠는, 흔들리는. ② 반짝이는, 너울거리는.

tren *m.* ① 열차, 기차: en tren 열차로, 열차를 타고. en el ~ 열차 안에서. perder el ~ 열차를 놓치다. tomar el ~ 기차를 타다. viajar en ~ 기차로 여행하다. ② 기계, 여러 가지 도구, 장치, 설비: ~ de montaje 조립 라인. ③ 걸음걸이의 속도, 보폭의 정도. ④ *Méj.* 전차(電車)(tranvía).

trena *f.* ① 빛을 죽인 은(銀). ② (옛 군인이 혁띠처럼 사용했던) 어깨띠. ③ 감옥. ④ *Ar.* 꽈배기.

trenca *f.* ① (벌통 안의) 가름대. ② (나무의) 굵은 뿌리. ③ 짧은 오버코트.

trencilla *f.* (여러 가닥의) 노끈, 꼰 끈.

trencillar *tr.* …에 꼰 끈을 달다, 꼰 끈으로 장식하다.

treno *m.* 장송가(葬送歌); 한탄.

trenza *f.* ① 세 가닥[세 가닥 이상]으로 꼰 끈[밧줄]. ② 세 가닥으로 꼬아 땋은 머리, 머리를 세 가닥으로 땋기. ③ 꽈배기 모양의 빵. ④ *Ven.* 구두끈.

trenzado *m.* ① =trenza. ② [무용] 공중에서 뛰어오른 동안에 두 발을 교차시키는 기법. ③ (말의) 발버둥치며 뛰기.

trenzar (9) *tr.* 세 가닥으로 꼬다[짜다·엮다·따다]. ~**se** [무용] 뛰어오르다, 도약하다.

trepa[1] *f.* 기어오르기.

trepa[2] *f.* ① 구멍뚫기. ② (옷의) 갓단, 단. ③ 나뭇결, 무늬. ④ 속임수, 잔꾀. ⑤ 회초리로 벌하기.

trepador, ra *adj.* ① 기어오르는. ② [식물] 덩굴 (식물)의. ③ [동물] 반금류의. —*m.* 오르막길. —*f.pl.* [동물] 반금류(攀禽類).

trepanación *f.* [의학] 두개골 수술.

trepanar *tr.* [의학] 두개골에 구멍을 내다.

trépano *m.* [의학] 두개골 수술용 도구, 두개골 절단 톱.

trepar[1] *intr.* ① 기어오르다. ② [식물] 나무에 덩굴을 뻗어 올라가다. ③ 입신출세하다.

trepar[2] *tr.* ① …에 구멍을 파다[뚫다]. ② …에 갓단을 대다.

treparriscos *m.sing.pl.* [새] 딱따구리의 일종.

treparse *r.* [드뭄] 상체(上體)를 뒤로 젖히다.

trepatroncos *m.sing.pl.* [새] 동고비.

trepidación *f.* 땅울림, 진동.

trepidante *adj.* ① 강하게 울리는, 진동하는, 땅울림 소리를 내는. ② 빠른. ③ 흔들리는. ④ 강력한.

trepidar *intr.* ① 흔들다, 진동하다, 강하게 흔들다. ② *Amér.* 주저하다, 망설이다.

treponema *m.* [생물] 트레포네마균(菌) ((회귀열·매독 등의 병원체를 포함하는 미생물)).

tres *adj.* ① 3의. ② 세 번째의. —*m.* ① 3, 셋. ② 3일: el ~ de noviembre 11월 3일. ③ (카드의) 3을 가리키는 패. ④ [집합] 세 악기. ⑤ *Cuba.* [악기] 세 줄 기타. —*f.pl.* 세 시: las ~ de la tarde 오후 세 시.

trescientos, tas *adj.* ① 300의. ② 300번째의. —*m.* 300.

tresillo *m.* ① 뜨레시요 ((세 사람이 하는 카드놀이)). ② 소파 하나와 의자 두 개의 응접 세트. ③ 보석 세 개 박힌 반지. ④ [음악] 셋잇단음표, 삼연음부.

tresmesino, na *adj.* 삼 개월의, 세 달의.

treta *f.* ① 계략, 책략. ② [펜싱] 페인트 ((상대방을 속이기 위한 동작)).

trezavo, va *adj., m.* =**treceavo.**

tri- *pref.* 「셋(tres)」의 뜻: *tri*motor 세 발 비행기. *tri*sílabo 세 음절어.

tría *f.* ① 선발, 고르기. ② *Alb., Ar.* (길에 난) 바퀴자국.

triaca *f.* ① (옛날의) 해독제. ② 처방, 약.

tríada, tríade *f.* 세 개[사람]가 한 조를 이루는 것, 삼인조, 삼총사.

trial *m.* [운동] 모터크로스 ((오토바이의 야외 횡단 경주)).

triangulación *f.* ① 삼각 측량. ② 삼각 측량에 의해 얻어진 자료.

triangular[1] *adj.* ① 삼각형의. ② 삼각형 같은. —*m.* [운동] 세 나라[팀] 대항 시합.

triangular[2] *tr.* ① [건축] 삼각으로 배치하다. ② 삼각 측량을 하다. ③ [운동] 삼각 패스를 하다.

triángulo *adj.* 삼각형의. —*m.* ① 삼각형. ② [음악] 트라이앵글. ③ 삼각 관계. ¶~ ***amoroso*** 삼각 관계. ~ ***ortogonio*** =**triángulo retángulo.** ~ ***rectángulo*** 직각 삼각형.

triar (12) *tr.* 선별[구별]하다. —*intr.* (꿀벌이) 벌통을 자주 드나들다. ~**se** (사용해서·잘못 짜여서) 피륙의 올이 뜨다. ② rur. *Ar.* (우유가) 분리되다.

triásico, ca *adj.* [지질] 트라이아스기(紀)[계(系)]의. —*m.* [지질] 트라이아스기[계].

triate *adj., m.f. Méj.* =**trillizo.**

triatleta *m.f.* [운동] triatlón 선수.

triatlón *m.* [운동] 트라이애슬론, 삼종(三種) 경기 ((수영(3.9km)·자전거(180.2km)·마라톤(42.195km)의 삼종 경기를 하루에 마침)).

tribal *adj.* =**tribual.**

tribalismo *m.* ① 부족제, 부족 조직. ② [경멸] 동족적 충성심.

tribo- *pref.* 「마찰(frote)」의 뜻: *tribó*metro 마찰계.

triboelectricidad *f.* 마찰 전기.

tribología *f.* 마찰학, 마찰 공학.

triboluminiscencia *f.* [물리] 마찰 발광(發光).

tribómetro *m.* 마찰계.

tribu *f.* ① 부족(部族), 종족(種族), …족(族). ② 대가족, 일족. ③ [생물] 족(族), 유(類), 연(連).

tribual *adj.* 부족[종족]의[에 관한].

tribulación *f.* [주로 *pl.*] 고뇌, 고난, 역경.

tríbulo *m.* [식물] 엉겅퀴.

tribuna *f.* ① (의회 등의) 연단. ② 자리, 특별 관람석, 석(席): ~ de la prensa 기자석. ~ pública 방청석. ③ (교회의) 정면 창문[발코니]. ④ (신문·잡지 등의) 의견 발표의 장. ⑤ (주로 정치적인) 웅변술.

tribunado *m.* ① (고대 로마의) 호민관 직. ② 호민관의 임기. ③ (프랑스의 제일 제정(帝政) 이전의) 법정 심의원.

tribunal *m.* ① 재판소, 법원, 법정: ~ de apelación 고등 법원. ~ militar 군사 법정. ② [집합] 심사원, 시험관. ③ 심판. ④ [추상적으로] 재판. ⑤ 검사[조사] 기관. ¶ *Tribunal Constitucional* 헌법 재판소. ~ *de Dios* 신[하느님]의 심판. *Tribunal Internacional de Justicia* 국제 사법 재판소(國際司法裁判所). *Tribunal Penal Internacional* 국제 형사 재판소. *Tribunal Supremo* 대법원, 최고 재판소.

tribunicio, cia *adj.* 호민관 직의[에 관한].

tribuno *m.* ① 말 잘하는 정치 연설가[웅변가]. ② (고대 로마) 호민관.

tributación *f.* 납세(納稅).

tributar *tr.* ① (세금 등을) 내다. ② (찬사를) 보내다, (경의를) 표하다. —*intr.* 세금을 내다, 납세하다.

tributario, ria *adj.* ① 조세의, 공물의. ② 납세하는, 조세 의무가 있는. ③ (강의) 지류의. ④ [+de] (…에) 기인하는. —*m.f.* 납세자.

tributo *m.* ① 세금, 조세, 공물, 연공(年貢). ② (감사·존경·애정 등의) 증명, 증거, 표시. ③ (편의 등을 향수하기 위한) 대가, 희생.

tricampeón, na *adj.* 세 번 우승한. —*m.f.* 세 번 우승자.

tricéfalo, la *adj.* 세 개의 머리를 가진, 삼두(三頭)의.

tricentenario *m.* ① 300년. ② (유명인 탄생·사망[유명 사건]의) 300주년 기념일. ③ (유명인의 탄생·사망) 300주년 기념제[추모제].

tricéntesimo, ma *adj.* ① 300번째의. ② 300분의 1의. —*m.* 300분의 1.

tríceps *adj.* [해부] 삼두근(三頭筋)의. —*m.sing.pl.* 삼두근.

triciclo *m.* 삼륜차.

tricolor *adj.* 삼색(三色)의. —*m.(f.)* 삼색기(三色旗).

tricorne *adj.* 뿔이 세 개인.

tricornio *adj.* 뿔이 세 개인. —*m.* ① 삼각 모자(sombrero de tres picos). ② 치안 경찰대원.

tricota *f. Arg., Par.* =**jersey.**

tricotar *intr.* 뜨개질을 하다. —*tr.* 뜨다, 짜다, 엮다.

tricotomía *f.* ① [식물] 가지[줄기]의 삼분(三分). ② [철학] 삼분법.

tricotosa *f.* ① 편물 기계. ② 편물 기계로 일하는 여자 작업원[공원].

tricromía *f.* [인쇄] 삼색판(三色版).

tricúspide *f.* [해부] 삼첨판(三尖瓣).

tridente *adj.* 이가 세 개인, 세 갈래의. —*m.* ① 삼지창. ② 세 갈래 작살.

tridimensional *adj.* ① 삼차원의. ② 입체적인.

triduano, na *adj.* 3일의.

triduo *m.* [천주교] 삼일 근행(勤行).

triedro *ángulo* ~ 삼면각.

trienal *adj.* ① 3년 일어나는, 3년 반복되는. ② 3년간의.

trienio *m.* ① 3년(간). ② 3년마다 승급(昇給).

trifásico, ca *adj.* 삼상 (교류)의.

trífido, da *adj.* 셋으로 갈라진 (잎).

trifoliado, da *adj.* 작은 잎이 셋인.

trifolio *m.* =**trébol.**

triforio *m* [건축] 트리포리움 ((교회 입구의 아치와 지붕과의 사이)).

trifulca *f.* ① 풀무를 움직이는 장치. ② 싸움, 난투.

trifurcarse (7) *r.* 세 부분[가닥]으로 나누어지다.

trigal *m.* 밀밭.

trigémino *m.* [해부] 삼차 신경.

trigésimo, ma *adj.* ① 30번째의. ② 30분의 1의. —*m.* 30분의 1.

triglifo, tríglifo *m.* [건축] 트리그리프 ((세로 세 줄기 홈이 진 무늬)).

trigo *m.* ① [식물] 밀, 참밀. ② [열매] 밀(의 낟알). ③ [집합] 밀(의 낟알들). ④ 돈, 자산. ¶~ *moro,* ~ *moruno* (아프리카의) 밀의 일종. ~ *racimal* 밀의 변종.

trigonometría *f.* [수학] 삼각법.

trigonométrico, ca *adj.* [수학] 삼각법의[에 관한].

trigueño, ña *adj.* ① (moreno와 rubio의 중간인) 밀 빛깔의, (밀처럼) 누런. ② *Hond., Ven.* 흑인종의, 새까만 피부의.

triguero, ra *adj.* ① 밀의[에 관한]. ② 밀 사이에서 자라는, 밀 사이를 걷는. ③ 밀이 잘 자라는. —*m.f.* ① 밀 장수. ② *Col.* 밀 재배자. —*m.* 밀 까부는 키[체].

trile[1] *m.* [새] 개똥지빠귀 비슷한 새.

trile[2] *m.* (길거리에서 카드 세 장으로 하는) 사기 도박, (사기) 야바위.

trilero *m.* trile[2] 야바위꾼.

trilingüe *adj.* ① 세 국어 대조의. ② 세 국어를 말하는[사용하는].

trilita *f.* [화학] =**trinitrotolueno.**

trilítero, ra *adj.* 세 자(字)의: vocablo ~ 세 자 단어.

trilito *m.* [고고학] 삼석탑(三石塔).

trilla[1] *f.* [어류] =**rubio.**

trilla[2] *f.* 탈곡기(脫穀機)(trillo).

trilla[3] *f.* ① 탈곡. ② 탈곡 시기. ③ *And., Chile, PRico.* 구타, 난타.

trillado, da *adj.* 아주 흔한, 진부한.

trillador, ra *adj.* 탈곡하는. —*f.* 탈곡기, 홀태: ~ segadora 콤바인, 복식 수확기, 합성식 수확기.

trilladura *f.* 탈곡.

trillar *tr.* ① 탈곡하다. ② (누구를) 혼내다, 혼내 주다. ③ (무엇을) 계속하다, 뻔질나게 가다[하다].
trillizo, za *adj.* 세 쌍둥이로 태어난. —*m.f.* 세 쌍둥이 중의 한 사람: tener ~*s* 세 쌍둥이를 낳다.
trillo *m.* ① 탈곡기. ② *Can., Amér.* 오솔길, 지름기.
trilobites *m.pl.* [고생물] 삼엽충.
trilocular *adj.* 세 부분으로 나누어진.
trilogía *f.* (문학 작품의) 삼부작.
trimembre *adj.* ① 세 몸의, 삼체(三體)의. ② 세 부분의.
trimensual *adj.* 매월 세 번 일어나는[반복되는].
trimestral *adj.* ① 세 달[3개월]마다 일어나는[반복되는]. ② 세 달[3개월] 동안의, 세 달[3개월] 동안 계속되는.
trimestralmente *adv.* 세 달에, 3개월에, 세 달마다, 3개월마다.
trimestre *adj.* [드묾] =**trimestral.** —*m.* ① 세 달, 3개월. ② 3개월마다 받는[지불하는] 액수, (집세·연금 등의) 3개월분. ③ [집합] (3개월 발행된) 신문, 잡지. ④ (3학기제 학교의) 한 학기: el segundo ~ 2학기. 이사분기(二四分期).
trimotor *m.* [항공] 삼발기.
trinar *intr.* ① =**gorjear.** ② 안절부절하다, 조바심하다, 안타까워하다. ③ [음악] 전음(顫音)을 하다.
trinca *f.* ① [집합] 삼인조, 셋이 한 짝인 것. ② 꽁꽁 묶기. ③ (배의) 밧줄. ④ [집합] 그룹 토론을 하는 3인의 수험자.
trincar[1] (7) *tr.* =**desmenuzar.**
trincar[2] (7) *tr.* ① 꽁꽁 묶다. ② (누구의) 팔[손]을 결박하다. ③ 간신히 붙잡다. ④ 훔치다.
trincar[3] (7) *tr.* (술을) 마시다.
trincha *f.* (조끼나 바지 등의 허리 있는 곳에서 뒤로 매어 길이를 조절하는) 조임 띠.
trinchante *m.* 고기 써는 칼.
trinchar *tr.* ① (식탁에 놓을) 식품을 썰다. ② 처리하다.
trinchera *f.* ① [군사] 참호. ② [교통] (산이나 언덕 등을) 잘라서 낸 길. ③ 참호용 방수 외투.
trinchero *m.* ① (식탁용) 도마. ② 큰 접시.
trineo *m.* 썰매.
Trini *f.* [여자 이름] 뜨리니 ((Trinidad의 애칭)).
trinidad *f.* ① [기독교] 삼위일체. ② 삼인조.
Trinidad y Tobago [국명] 트리니다드토바고.
trinitaria *f.* [식물] 팬지; 팬지 꽃.
trinitario, ria *adj.* ① [종교] 삼위일체의[에 관한]. ② 삼위일체회(orden de la Santísima Trinidad) 수도사[수도녀]의. ③ 트리니다드(Trinidad, 여러 곳의 지명) 태생의. ④ 트리니다드의[에 관한] —*m.f.* ① 삼위일체회 수도사[수도녀]. ② 트리니다드 사람.
trinitense *adj.* ① 트리니다드토바고(Trinidad y Tobago) 태생의. ② 트리니다드토바고의[에 관한]. —*m.f.* 트리니다드토바고 사람.
trinitrotolueno *m.* 트리니트로톨루엔, 티엔티(TNT).
trino[1], **na** *adj.* ① [기독교] 삼위일체의. ② 삼원(三元)의, 세 단위의.
trino[2] *m.* ① =**gorjeo.** ② [선박] 전음식(顫音式)의 기적 소리. ③ [음악] 전음(顫音).
trinomio *m.* [수학] 삼항식.
trinquete[1] *m.* ① [선박] 앞 돛대. ② [선박] 앞 돛대의 돛. ③ =**proa.**
trinquete[2] *m.* 뻴로따(pelota)의 실내 경기장.
trío *m.* ① [음악] 삼중주, 삼중주곡, 삼중주단. ② [음악] 삼중창, 삼중창곡, 삼중창단. ③ 삼인조, 삼총사, 트리오. ④ [트럼프] 세 카드.
triodo *m.* [전기] 삼극관.
tripa *f.* ① [주로 *pl.*] (주로 동물의) 창자, 내장(內臟) ((참고: 사람의 창자는 intestino)). ② (사람의) 배, 복부; (특히) 올챙이배. ③ 임신. ④ (그릇의) 볼록한 부분[옆구리]. ⑤ *pl.* 속, 내부.
tripada *f.* 만복(滿腹), 포식.
tripartición *f.* 삼분할.
tripartir *tr.* 셋으로 나누다.
tripartito, ta *adj.* 세 부분으로 나누어진, 삼분할된.
tripe *m.* 우단(羽緞) 비슷한 모직물.
tripería *f.* ① 내장 가게, ② [집합] 내장(內臟).
tripero, ra *m.f.* 내장 장수. —*m.* 배 가리는 천.
tripicallero, ra *m.f.* tripicallos 장수.
tripicallos *m.pl.* (소 등의) 내장 요리(callos).
triplano *m.* 삼엽(三葉) 비행기.
triple *adj.* ① 3배의. ② 삼중의. ③ [국제법] 삼자간의. —*m.* ① 3배. ② 삼중. ③ [야구] 3루타. ④ [농구] 3점, 3포인트. ⑤ [전기] 세 구멍 콘센트.
triplicación *f.* 3배, 삼중; 3배한 것.
triplicar (7) *tr.* ① 3배하다. ② 같은 것을 세 번하다. ~**se** 3배가 되다.
triplicidad *f.* 3배성(性), 삼중성.
triplo, pla *adj., m.* =**triple.**
trípode *m.* ① (사진·망원경 등의) 삼각(三脚), 삼각대, 삼각가(三脚架). ② 다리 셋인 의자, 삼각 의자. ③ 삼각 탁자.
trípol *m.* =**trípoli.**
trípoli *m.* [지질] 트리폴리 암(岩).
tripón, na *adj., m.f.* =**tripudo.**
tríptico *m.* ① 셋으로 접게 된 글자판. ② 삼부작 조각. ③ 삼부로 구성된 책[논문].
triptongo *m.* [언어] 삼중 모음.

tripudo, da *adj.* 배가 큰, 올챙이배의. —*m.f.* 올챙이배를 한 사람.
tripulación *f.* [집합] 승무원.
tripulado, da *adj.* 유인(有人)의, 사람을 태운, 사람이 탄: astronave ~*da* 유인 우주선. satélite ~ 유인 위성.
tripulante *m.f.* 승무원(乘務員).
tripular *tr.* ① (배·비행기에) 승무원을 태우다. ② …을 타고 가다. ③ (차를) 운전하다.
triquina *f.* [동물] 선모충(旋毛蟲).
triquinosis *f.* [의학] 선모충염.
trisemanal *adj.* ① 주마다 세 번 반복되는. ② 3주마다 반복되는.
trisílabo, ba *adj.* 3음절의. —*m.* 3음절어(三音節語).
triste *adj.* ① 슬픈: noticia ~ 슬픈 소식. ② 쓸쓸해 보이는, 근심에 쌓인: cara ~ 수심이 가득한 얼굴. ③ 가슴 아픈, 괴로운. ④ 비참한. ⑤ 유감스러운, 언짢은. ⑥ 어두운. ⑦ 불쾌한, 화난, 성난, 노한. ⑧ [명사 앞에서] 변변치 못한, 보잘것없는, 빈약한, 하찮은: ~ empleado 변변치 못한 하급 관리. ~ sueldo 쥐꼬리만한 봉급. —*m.* 뜨리스떼 ((아르헨띠나·뻬루 및 남아메리카 다른 나라들의 민요)).
tristemente *adv.* 슬피; 쓸쓸하게; 가엾게; 유감스레.
tristeza *f.* ① 슬픔, 비탄, 비애. ② [은어] 사형 선고.
tristón, na *adj.* 약간 슬픈.
tristura *f.* =**tristeza.**
tritio *m.* [화학] 삼중 수소, 트리튬.
trituración *f.* ① 빻기, 찧기, 분쇄. ② 괴롭힘.
triturador, ra *adj.* 빻는, 찧는. —*f.* 분쇄기, 빻는 기계.
triturar *tr.* ① 빻다, 찧다. ② 음식을 이로 가르다. ③ 괴롭히다, 애먹이다, 성가시게[귀찮게] 하다.
triunfador, ra *adj.* 승리의, 개선하는, 전승(戰勝)한. —*m.f.* 승리자, 개선자, 성공자.
triunfal *adj.* 승리[개선]의[에 관한]. ¶*arco* ~ 개선문.
triunfalmente *adv.* 승리에 도취하여, 의기양양하게.
triunfante *adj.* 개선의, 승리[성공]를 거둔, 이긴. —*m.f.* 승리자, 개선자.
triunfantemente *adv.* =**triunfalmente.**
triunfar *intr.* ① 개선하다, 승리하다, 이기다. ② [+de] (…에) 이기다, (…을) 격파하다, 무찌르다. ③ [+de] (…을) 극복하다. ④ 성공하다.
triunfo *m.* ① 승리(勝利); 대승(大勝): ganar un ~ 승리를 거두다. ② 대성공, 업적. ③ 트로피. ④ (카드놀이에서) 으뜸패.
triunvirato *m.* ① (고대 로마의) 삼두 정치. ② 삼인 위원회.
triunviro *m.* (삼두 정치의) 집정관.
trivalente *adj.* ① 세 개의 기능을 가진. ② [화학] 3가(三價)의. —*m.* 3종 혼합 백신. —*f.* 3가 염색체.
trivial *adj.* ① 하찮은, 사소한, 별 것 아닌. ② 진부한, 평범한.
trivialidad *f.* ① 하찮은 것, 사소한 것. ② 진부함, 평범함.
trivialización *f.* (일·사건의) 축소, 경시.
trivializar (9) *tr.* (일·사건을) 작게 다루다, 축소시키다; 경시하다.
trivio *m.* (중세 대학의) 삼학(三學), 삼과(三科) ((웅변술에 필요한 문법·수사(修辭)·논리)).
trivium *m.* =**trivio.**
triza *f.* 조가리, 단편(斷片).
trizar (9) *tr.* 갈기갈기 찢다.
trocaico, ca *adj.* 장단격(長短格)[강약격(强弱格)](troqueo)의. —*m.* 장단격 시, 강약격 시.
trocánter *m.* ① [해부] 전자(轉子) ((대퇴골 상부의 돌기)). ② [곤충] 전절(轉節) ((다리의 제2 관절)).
trocar[1] *m.* [의학] 투관침(套管針).
trocar[2] (7) (24) *tr.* ① 물물교환하다. ② [+en] (정반대의 것으로) 바꾸다, 변화시키다. ③ 잘못 알다, 착각하다. ~**se** ① 서로 맞바꾸다. ② 변하다, 바뀌다.
trocear *tr.* ① 갈기갈기 찢다. ② (불발탄 등을) 폭발시켜 처리하다.
troceo[1] *m.* [선박] 굵은 밧줄.
troceo[2] *m.* ① 갈기갈기 찢기. ② (불발탄 등을) 폭발시켜 처리함.
trocha *f.* ① 오솔길, 지름길. ② (수풀의) 사잇길. ③ *Arg., Bol., Par., Ur.* [철도] 궤간(軌間).
trochemoche, troche y moche *a* ~ 엉터리로, 아무렇게나 (되는 대로), 함부로, 마구, 닥치는 대로.
trociscar (7) *tr.* 알약으로 만들다.
trocisco *m.* [의학] 알약, 정제.
trocla *f.* =**polea.**
tróclea *f.* ① =**polea.** ② [해부] 도르래 모양의 관절, 활차, 연골륜.
troco *m.* [어류] 개복치.
trócola *f.* =**polea.**
trofeo *m.* ① (승리 등의) 기념품, 트로피. ② 전리품. ③ 전승 기념비. ④ (벽 등을 장식하는) 장식 무기.
trófico, ca *adj.* 영양의[에 관한].
trofología *f.* 영양학(營養學).
trofólogo, ga *m.f.* 영양학자.
troglodita *adj.* ① 혈거의. ② 야만스럽고 잔인한. ③ 많이 먹는. —*m.f.* ① 혈거인. ② 야만스럽고 잔인한 사람. ③ 대식가. —*m.* [새] 굴뚝새.
troglodítico, ca *adj.* 혈거인(穴居人)의[에 관한].
troica, troika *f.* ① 트로이카 ((러시아에서, 세 말이 끄는 썰매)). ② (옛 소련에서) 트로이카 체제. ③ 삼두 정치(三頭政治).
troj *f.* 곡물 창고; 올리브 저장고.
troja *f.* *Amér.* =**troj.**

troje *f.* =troj.
trola *f.* 사기, 속임수, 거짓말.
trole[1] *m.* [철도] 트롤리, 촉륜(觸輪).
trole[2] *m.* [드묾] =**trolebús.**
trolebús *m.* 트롤리버스, 무궤도 전차(無軌道電車).
trolero, ra *adj.* 거짓말을 잘하는, 허풍을 떠는. —*m.f.* 거짓말쟁이, 허풍선이.
tromba *f.* ① (바다에서 일어나는) 물기둥, (맹렬한) 회오리. ② =**tromba de agua.** ③ 격발(激發). ¶~ *de agua* (갑작스레 내리는) 폭우, 소나기.
trombo *m.* [의학] 혈전(血栓).
trombocito *m.* 혈소판(血小板).
tromboflebitis *f.sing.pl.* [의학] 혈전(성) 정맥염.
trombón *m.* [악기] 트롬본. —*m.f.* 트롬본 연주자[연주가].
trombonista *m.f.* 트롬본 연주자[연주가].
trombosis *f.sing.pl.* [의학] 혈전증.
trompa *f.* ① [악기] 호른 ((금관 악기의 하나; 나팔꽃 모양이며, 음색이 부드럽고 애수를 띰)). ② (코끼리 등의) 코. ③ (곤충의) 주둥이, 부리, 흡액관. ④ [해부] 관(管). ⑤ 펌프. ⑥ (큰) 팽이. ⑦ [건축] 벽면 밖으로 돌출된 둥근 홍예. ⑧ 술에 취함. ⑨ *Méj.* 얼굴(rostro, cara). —*m.* 호른 연주가[연주자].
trompada *f.* ① 구타. ② 충돌.
trompar *intr.* *Amér.* 팽이를 치다.
trompazo *m.* ① 팽이로 때리기. ② 호른으로 때리기. ③ 심한 구타.
trompear *intr.* 팽이를 치다. —*tr.* 구타하다.
trompeta *f.* ① [악기] 트럼펫. ② [악기] =**clarín.** —*m.* ① 트럼펫 연주가. ② 하찮은 사람, 쓸모없는 사람, 변변치 못한 사람. ¶~ *de amor* [식물] 해바라기.
trompetazo *m.* ① (트럼펫이나 비슷한 악기의) 장단이 맞지 않는 소리. ② 트럼펫으로 때리기. ③ 어리석은 짓, 멍청이 짓, 바보 짓.
trompetería *f.* ① [집합] (악단의) 트럼펫대(隊). ② [집합] (오르간의) 트럼펫 음전(音栓).
trompetero, ra *m.f.* ① 트럼펫 제조자. ② 트럼펫 연주가.
trompetilla *f.* ① 작은 트럼펫. ② (필리핀의) 궐련.
trompetista *m.f.* 트럼펫 연주가.
trompicar (7) *tr.* ① 세게 부딪치게 하다. ② 망설이게 하다. —*intr.* 비틀거리며 걷다, 여기저기 마구 부딪치다.
trompicón *m.* ① 비틀거리는 걸음. ② 심한 구타.
trompis *m.* 심한 구타.
trompo *m.* ① 팽이. ② 스핀 ((자동차가 급브레이크를 밟았을 때 뒷바퀴가 옆으로 미끌어짐)). ③ [동물] 소라. ④ 바보, 멍청이, 우둔한 사람.
trompón *m.* [식물] 수선화(narciso).
tronado, da *adj.* ① (오래 써서 · 오래 되어) 낡은, 해진, 닳은. ② 미친, 정신 이상이 된. —*f.* 뇌우(雷雨), 천둥을 동반한 비.
tronar (24) *intr.* ① [단인칭] 천둥이 치다. ② 요란하게 울리다. ③ 파산하다. ④ 호통을 치다, 심하게 나무라다. ⑤ [+con] (…와) 다투다, 싸우다, 언쟁하다, 사이가 틀어지다, 언짢은 사이가 되다: Ella *tronó con* todos sus vecinos 그녀는 모든 이웃과 사이가 틀어졌다.
troncal *adj.* ① 줄기의[에 관한]. ② 줄기에서 나온. ③ 주요한: carretera ~ 간선 도로.
troncalidad *f.* [법률] (유서나 후손이 없을 경우에) 유산을 종손 집안에 귀속시키는 제도.
tronchante *adj.* 우스운, 우스꽝스러운, 웃음을 자아내게 하는.
tronchar *tr.* ① (줄기 · 가지 등을 칼을 사용하지 않고) 가르다, 쪼개다, 부러뜨리다. ② (줄기 모양의 물건을) 부러뜨리다: ~ un bastón 지팡이를 부러뜨리다. ③ 좌절(挫折)시키다. ~**se** ① 부러지다, 쪼개지다. ② 크게 웃다, 대소(大笑)하다.
troncho *m.* (야채의) 줄기, 장다리.
tronchudo, da *adj.* 줄기가 굵은[긴] (야채): repollo ~ 줄기가 굵은 배추.
tronco *m.* ① (나무의) 줄기. ② 통나무. ③ (사람 · 동물의) 몸통. ④ (끝을 자른) 몸체, 동체: ~ de columna 기둥의 몸체. ~ de pirámide 피라미드의 몸체. ⑤ 선조(先祖). ⑥ 본류(本流), 본선(本線). ⑦ [집합] (마차를 끄는) 말 두 마리. ⑧ 우둔한 사람, 신경이 무딘 사람.
tronera *f.* ① (성벽의) 총안(銃眼). ② (배의) 포문. ③ (폭이 좁은) 작은 창. ④ 종이 딱총. —*m.f.* 방종한 사람, 무분별한 사람, 바람둥이, 오입쟁이.
trono *m.* ① 옥좌(玉座), 왕좌(王座). ② 왕위(王位). ③ [종교] (제단 위의) 성궤(聖櫃). ④ [종교] 성상(聖像)을 놓는 제단. ⑤ *pl.* 아홉 천사 중 세 번째 천사.
tropa *f.* ① 집단, 무리, 단체, 동아리. ② (민간인에 대해) 군대, 군부. ③ *pl.* (몇 개의) 부대, 군대. ④ [군사] 나팔 소리.
tropecientos, tas *adj.* 매우 많은.
tropel *m.* ① 무질서한 군중. ② 우르르 몰려오기[몰려가기]. ③ [집합] 너저분한 물건, 어수선한 물건. ④ (옛 군대에서) 분대, 분견대.
tropelía *f.* (권력 남용에 의한) 불법 행위, 폭거.
tropezadero *m.* 넘어지기 쉬운 곳, 미끄러운 곳.
tropezador, ra *adj., m.f.* 자꾸 넘어

지는 (사람).
tropezadura *f.* 비틀거림, 부딪침.
tropezar (9) *tr.* ① [+en · con] (…에) 발이 채이다, 발이 걸려 넘어지다. ② [+contra] (…에) 부딪치다, 충돌하다. ③ (장애에) 부딪치다, 처하다. ④ 우연히 만나다. ⑤ 실수하다, 잘못을 범하다. ~**se** (서로) 우연히 만나다.
tropezón, na *adj.* =tropezador: caballo ~ 자꾸 넘어지는 말. —*m.* ① 부딪치기, 충돌. ② 잘못, 과오. ③ 방해물, 장애. ④ *pl.* 수프[야채]와 섞은 작은 햄[다른 음식] 조각. ¶*a tropezones* 쩔쩔매면서, 막히면서: leer *a tropezones* 쩔쩔매면서 읽다.
tropical *adj.* 열대(성)의: frutas ~*es* 열대 과일. región ~ 열대 지방.
trópico *m.* ① [천문] 회귀선. ② *pl.* 열대 지방.
tropiezo *m.* ① 장애, 곤란. ② 방해. ③ 실수, 잘못, 과실, 실책, 과오. ④ 범한 실수의 원인. ⑤ 과오를 범한 사람. ⑥ 말다툼, 싸움, 언쟁. ⑦ (의견의) 충돌.
tropismo *m.* [생물] 향성, 굴성.
tropo *m.* 전의(轉義), 비유(比喩).
tropología *f.* 비유적 어법[해석].
tropopausa *f.* [기상] 권계면(圈界面).
troposfera *f.* [기상] 대류권(對流圈).
tropósfera *f. Amér.* =**troposfera.**
troposférico, ca *adj.* 대류권(對流圈)의[에 관한].
troquel *m.* (메달 등의) 주형(鑄型).
troquelado *m.* (화폐 · 메달의) 주조.
troquelar *tr.* ① (화폐 · 메달 등을) 주조하다. ② 각인하다. ③ 틀에 넣어 자르다.
trotacalles *m.f.* 건달, 빈둥빈둥 노는 사람.
trotaconventos *f.sing.pl.* 뚜쟁이.
trotador, ra *adj.* 잘 달리는, 많이 달리는.
trotamundos *m.f.sing.pl.* 세계 여행을 좋아하는 사람, 세계 여행가.
trotar *intr.* ① 말이 빠른 걸음으로 뛰다. ② 기수가 말을 속보로 뛰게 하다. ③ (사람이) 여기저기 돌아다니다, 많이 걷다, 속히 걷다.
trote *m.* ① (말의) 속보, 빠른 걸음. ② 바쁜 일.
trotón, na *adj.* 속보하는, 빨리 걷는 (말). —*m.* [동물] 말. —*f.* 시녀.
trotskismo *m.* 트로츠키주의(主義).
trotskista *adj.* ① 트로츠키주의의[에 관한]. ② 트로츠키주의를 신봉하는. —*m.f.* 트로츠키주의자.
troupe *f. fr.* (배우 · 곡예사의) 흥행단(興行團).
trova *f.* ① 시(詩). ② (trovador가 지어 불렀던) 연가. ③ 가사(歌詞).
trovador, ra *adj.* 연애시(戀愛詩)를 짓는. —*m.f.* 연애시를 짓는 시인. —*m.* ① (중세에, oc 말로 쓰고 노래했던 프로방스 시인. ② (즉흥적으로) 연애시를 노래하는 사람. ③ 시인(詩人). —*f.* 여류 시인.
trovadoresco, ca *adj.* 음유 시인풍(風)의[에 관한].
trovar *tr.* (만들어진 시를) 풍자적으로 비꼬아서 표현하다, 어조를 흉내내다. —*intr.* ① 시를 짓다. ② 말로 얼버무려 버리다, 속임수를 쓰다.
trovero, ra *m.f.* 연애시를 즉흥적으로 짓는 사람, 연애시를 노래하는 사람. —*m.* (중세 프랑스에서) oíl 말로 쓴 시인.
trovo *m.* (대중적인) 연애시.
trox *f.* =**troj.**
Troya *f.* [지명] 트로이 ((소아시아 북서부의 옛 도시)).
troyano, na *adj.* ① 트로이 태생의. ② 트로이의[에 관한]. —*m.f.* 트로이 사람.
trozo *m.* 조각, 단편(斷片).
truca *f.* 특수 촬영용 카메라. —*m.f.* 특수 촬영 카메라 기사.
trucaje *m.* ① [집합] 계략, 트릭. ② (도박 등의) 부정, 속임수. ③ [영화] 특수 효과, 특수 촬영.
trucar (7) *tr.* …에 속임수를 쓰다. —*intr.* 특수 촬영을 하다.
trucha[1] *f.* ① [어류] 송어. ② 삼각 기중기. ③ *Ur.* (사람의) 얼굴. ④ *Ur.* (사람의) 입. —*m.f.* 교활한[영악한] 사람.
trucha[2] *f. AmérC.* 잡화 가게, 구멍가게, 노점.
truchero, ra *adj.* 송어가 많은 (강). —*m.f.* ① 송어 잡이 어부. ② 송어 장수.
trucho, cha *adj. Arg. Ur.* 가짜의, 허위의: Este billete es ~ 이 표는 가짜다.
truchuela *f.* (보통 것보다 작은) 말린 대구.
truco *m.* ① 계략, 눈속임, 속임수. ② 비결. ③ (가축의 목에 다는) 큰 방울.
truculencia *f.* 잔혹(함), 잔인(함).
truculento, ta *adj.* 잔혹한, 잔인한.
trueco *m.* =**trueque.** ¶***a*** ~ ***de*** … 하는 조건으로. ***a*** [***en***] ~ 교환하여, 바꾸어.
trueno *m.* ① 천둥, 우레, 천둥 소리. ② 덜렁쇠.
trueque *m.* ① 물물교환. ② 교환. ¶***a*** [***en***] ~ 바꾸어, 교환하여.
trufa *f.* ① [식물] 송로(松露). ② 초콜릿 크림. ③ 거짓말.
trufador, ra *adj.* 거짓말하는. —*m.f.* 거짓말쟁이.
trufar *tr.* …에 송로를 넣다[첨가하다]. —*intr.* 거짓말하다.
truhan, na; truhán, na *adj.* ① 철면피한, 뻔뻔스러운. ② 협잡으로 사는. ③ 익살스러운, 우스꽝스러운. —*m.f.* ① 협잡꾼. ② 익살꾼.
truhanería *f.* ① 속임수, 사기, 기만.

② 익살, 어릿광대 짓.
trujal *m.* ① (포도·올리브 등의) 압착기. ② 착유장(搾油場). ③ (비누 공장의) 항아리.
truncamiento *m.* ① 삭제. ② 좌절.
truncar (7) *tr.* ① (…의) 일부를 자르다, 잘라내다. ② (문장·작품의) 일부를 삭제하다. ③ 좌절시키다.
trupial *m. Amér.* [새] =turpial.
trust *m.sing.pl. ing.* [경제] 기업 합동, 트러스트.
tu *adj.* [소유 형용사 2인칭 단수 단축형] 너의, 군의, 당신의: *tu* libro 네 책. *tu* hija 네 딸. *tus* padres 네 부모님. *tus* amigos 네 친구들.
tú *pron.* [주격 인칭 대명사 2인칭 단수; usted과 달리, 가족·친구·손아랫사람 등에 사용함] 너, 자네, 당신: *Tú* tienes muchos libros 너는 많은 책을 가지고 있다. Lo que *tú* me has dicho no es verdad 네가 나에게 말한 것은 사실이 아니다.
tuberculina *f.* 투베르쿨린.
tubérculo *m.* ① 덩이뿌리, 덩이줄기. ② [해부] 융기. ③ [의학] 결절.
tuberculosis *f.sing.pl.* [의학] 결핵; 폐결핵.
tuberculoso, sa *adj.* ① [의학] 결핵(성)의. ② [의학] 결절이 있는. ③ 덩이줄기 모양의. *—m.f.* 결핵 환자.
tubería *f.* 배관(配管).
tuberosidad *f.* ① 덩이줄기 상태. ② 결절 모양. ③ 융기.
tuberoso, sa *adj.* ① 덩이줄기의, 덩이뿌리의. ② [의학] 결절이 있는. *—f.* [식물] 수선화.
tubo *m.* ① 관, 파이프. ② 튜브 ((연고·치약 등을 넣고 짜내어 쓰게 된 용기)). ③ [해부] 관(管): ~ digestivo 소화관. ④ [기술] 관(管): ~ de imagen (텔레비전의) 수상관. ¶~ *lanzatorpedos* 어뢰 발사관.
tubular *adj.* ① 관(tubo)의[에 관한]. ② 관 모양의.
tubuliforme *adj.* 관 모양의.
tubuloso, sa *adj.* [식물] 관 모양의.
tuciorismo *m.* [신학] 안전 채용설.
tucu-tuco *m. AmérM.* [동물] 두더지의 일종.
tuerca *f.* 너트, 암나사.
tuerto, ta *adj.* 외눈의. *—m.f.* 애꾸눈이, 외눈박이. *—m.* ① 어거지, 억지, 모욕, 능욕. ② *pl.* 훗배앓이, 후복통.
tueste *m.* =tostadura.
tuétano *m.* ① 골수(骨髓). ② (식물의) 뿌리[줄기]의 속 부분.
tufillas *m.f.sing.pl.* 쉽게 화내는 사람, 화를 잘 내는 사람.
tufo *m.* ① 발효에 의해 생기는 가스. ② 악취. ③ 의심, 용의, 혐의. ④ [주로 *pl.*] 거만(함), 오만(함).
tulio *m.* [화학] 툴륨.
tulipán *m.* [식물] 튤립; 튤립 꽃.
tullido, da *adj., m.f.* 수족이 마비된 (사람).
tullir (50) *tr.* (수족을) 마비시키다. ~**se** 수족이 마비되다.
tumba[1] *f.* 무덤, 묘.
tumba[2] *f.* =vaivén, traqueteo.
tumbaburros *m.sing.pl. Méj.* 사전(辭典)(diccionario).
tumbacuartillos *m.* 술꾼, 주정뱅이.
tumbal *adj.* 묘의[에 관한].
tumbar *tr.* ① 쓰러뜨리다, 넘어뜨리다, 자빠뜨리다, 굴리다. ② 기울이다. ③ (나무를) 베다, 자르다. ④ 중상을 입히다. ⑤ 죽이다, 살해하다. ⑥ 의식을 잃게 만들다. ⑦ (시험에서) 낙제시키다, 불합격시키다. ⑧ *Cuba.* 훔치다, 도둑질하다. *—intr.* ① 넘어지다, 자빠지다, 쓰러지다. ② 땅에 구르다. ③ (배를) 용골이 나올 때까지 기울이다. ~**se** ① (자기 위해) 드러눕다, 엎드려 눕다. ② 방심하다, 부주의하다.
tumbo[1] *m.* ① (심한) 동요. ② 비틀거림. ③ (높은) 파도. ④ (대지의) 기복(起伏). ⑤ 울리는 소리, 우렁차게 울림.
tumbo[2] *m.* (교회 등의) 기록부.
tumbón, na *adj.* ① 뱃속이 검은, 엉큼한. ② 게으른, 나태한. *—m.f.* 게으름뱅이. *—f.* 접의자, (야외용) 긴 접의자.
tumefacción *f.* [의학] 종창(腫脹).
tumefacto, ta *adj.* 부어오른, 부은.
túmido, da *adj.* ① =tumefacto. ② (아치·둥근 천정 등이 밑보다) 가운데가 더 넓은.
tumor *m.* 종양, 부스럼.
tumoración *f.* ① (종양에 의한) 부기. ② =tumor.
tumoral *adj.* 종양의[에 관한].
túmulo *m.* 묘, 분묘; 봉분(封墳).
tumulto *m.* 소동, 폭동; 혼란, 소요.
tumultuariamente *adv.* 떠들썩하게, 스란스럽게; 무질서하게, 혼잡하게.
tumultuario, ria *adj.* =tumultuoso.
tumultuosamente *adv.* ① 떠들썩하게, 소란스럽게. ② 무질서하게, 혼잡하게, 난잡하게.
tumultuoso, sa *adj.* ① 떠들썩한, 소란스러운. ② 무질서한, 혼잡한.
tuna[1] ① [식물] 뚜나 선인장. ② 뚜나 선인장 열매 ((모양이 서양배와 비슷하고 식용임)).
tuna[2] *f.* ☞tuno[2].
tunanta *adj., m.f.* =pícara.
tunantada *f.* 망나니짓, 못된 짓.
tunante *adj., m.f.* =pícaro, bribón.
tunantear *intr.* 불량배 생활을 하다.
tunarra *adj.* =pícaro, tunante.
tunda[1] *f.* (천의) 잔털 깎기.
tunda[2] *f.* (몽둥이 등으로) 때리기.
tunda[3] *f. Méj.* [새] 암칠면조.
tundición *f.* =tunda[1].
tundido *m.* =tunda[1].
tundidor, ra *adj.* 잔털 깎는 (기계). *—m.f.* 잔털 깎는 사람. *—f.* 잔털 깎는 기계.

tundidura *f.* =tunda[1].
tundir[1] *tr.* (가위로 천의) 잔털을 깎다[고르게 하다].
tundir[2] *tr.* (구타 · 몽둥이 · 회초리로) 벌하다.
tundra *f.* 동토대(凍土帶), 툰드라.
tunecí *adj., m.f.* =tunecino.
tunecino, na *adj.* ① 튀니지(Túnez, 북아프리카의 공화국) 태생의. ② 튀니지의[에 관한]. ③ 튀니스(Túnez, 튀니지의 수도) 태생의. ④ 튀니스의[에 관한]. *—m.f.* ① 튀니지 사람. ② 튀니스 사람.
túnel *m.* ① 지하도, 굴, 터널. ② = túnel aerodinámico. ¶~ *aerodinámico* 풍동(風洞), 바람굴.
tungsteno *m.* [화학] 텅스텐.
túnica *f.* ① (고대 희랍 · 로마 사람들 · 주교의) 가운 같은 겉옷[웃옷]. ② (벨트로 졸라매는 부인용) 짧은 코트, 느슨한 블라우스. ③ (옛날 사람들이 셔츠처럼 입었던) 소매 없는 옷. ④ [해부] 막, 피막: ~ vaginal 질막(膣膜). ⑤ [식물] 외피(外皮), 종피(種皮). ⑥ [생물] 피낭(被囊).
tuno[1] *m. And., Col.* 뚜나 선인장의 열매(higo de tuna).
tuno[2]**, na** *adj., m.f.* =pícaro, tunante. *—m.* 학생 소악대 구성원. *—f.* ① 학생 소악대. ② 방종한 생활, 방랑 생활.
tuntún *al* (*buen*) ~ 준비도 없이, 심사숙고도 하지 않고.
tupé *m.* ① 이마의 머리카락. ② 낯가죽이 두꺼움, 철면피, 뻔뻔스러움.
tupido, da *adj.* ① (피륙 · 편물의) 올이 촘촘한. ② 머리가 둔한, 감각이 무딘.
tupinambo *m.* [식물] 뚱딴지, 돼지감자.
tupir *tr.* (피륙의 옷 · 그물눈을) 촘촘하게 하다. ~**se** ① 올[그물눈]이 촘촘해지다. ② 나무가 무성하게 우거지다. ③ (음식 · 마실 것을) 포식하다, 배불리 먹다, 실컷 마시다.
turba[1] *f.* ① 이탄, 토탄, 분탄(粉炭). ② (연료로 쓰는) 석탄과 섞은 똥.
turba[2] *f.* 혼란하고 무질서한 군중, 어중이떠중이.
turbación *f.* ① 당혹, 곤혹. ② 혼란.
turbadamente *adv.* 당혹하여, 곤혹스러워.
turbador, ra *adj.* ① 곤혹[당혹]하게 하는. ② 혼란케 하는, 어지럽히는.
turbamulta *f.* 무질서한 군중.
turbante *m.* (머리에 쓰는) 터번.
turbar *tr.* ① 어지럽히다, 혼란하게 하다, 동요시키다. ② 흐리게 하다, 혼탁하게 하다. ③ 방해하다, 중단시키다. ~**se** ① 곤혹스럽다, 혼란하다, 심란하다. ② 흐리다, 혼탁하다.
turbera *f.* 이탄(泥炭)의 탄전(炭田).
turbiamente *adv.* 흐리게, 혼탁하게.
turbidez *f.* 흐림, 혼탁함, 혼탁도.
túrbido, da *adj.* =turbio.
turbiedad *f.* =turbidez.
turbina *f.* 터빈: ~ de gases 가스 터빈. ~ de vapor 증기 터빈.
turbinar *tr.* …을 이용하여 터빈을 돌리다.
turbinto *m.* [식물] 테레빈.
turbio, bia *adj.* ① 흐린, 탁한: el agua ~*bia* 흐린 물. ② 불명료한, 시원스럽지 못한, 수상쩍은. ③ 막연한. ④ 혼란스러운. ⑤ (사람 · 물이) 미지근한. *—m.pl.* 액체[기름 · 술]의 찌끼[앙금 · 무거리].
turbión *m.* ① (강풍을 동반한 갑작스럽고 잠깐의) 소나기, 스콜. ② 쇄도, 왈칵 밀려듦.
turbo *adj.* 터보차저가 달린: motor ~ 터보 엔진. *—m.* ① 터보 과급 장치, 터보차저. ② 터보 엔진 탑재 차.
turbo- *pref.*「터빈(turbina)」의 뜻: *turbo*compresor 터보 압축기.
turboalternador *m.* 터빈 발전 장치.
turbobomba *m.* 터보펌프.
turbocompresor *m.* 터보컴프레서, 터보차저, 터보 과급 장치.
turbodiésel *adj.* 터보컴프레서가 장착된. *—m.* 터보컴프레서 장착 디젤 엔진.
turbogenerador *m.* 터빈 발전기.
turbohélice *m.* 터보 프로펠러 엔진.
turbonada *f.* 뇌우(雷雨).
turbopropulsor *m.* 터보 프로펠러 엔진.
turborreactor *m.* 터보 제트 (엔진).
turbulencia *f.* ① 혼탁, 흐림. ② 혼란, 소란. ③ (바람 · 물결이) 휘몰아침, 거칢, 사나움. ④ [물리] 난류(亂流). ⑤ [항공기] 난기류.
turbulento, ta *adj.* ① 탁한, 흐린. ② (바람 · 물결 등이) 휘몰아치는, 사나운, 거친, 폭풍우의: mar ~ 거친 바다. ③ (감정 등이) 격한, 교란된. ④ (폭도 등이) 소란스러운, 난폭한, 불온한.
turca *f.* ☞turco.
turco, ca *adj.* ① 오스만 터키의. ② 터키 태생의. ③ 오스만 터키의[에 관한]. ④ 터키의, 터키에 관한. ⑤ *Amér.* 아랍에서 온, 아랍 태생의, 아랍의. *—m.f.* ① 오스만 터키 사람. ② 터키 사람. ③ *Amér.* 아랍 사람. *—m.* ① 터키 말. ② [은어] 포도주. *—f.* ① 술에 취함, 만취, 대취. ② *Nic., Salv.* =pene.
turcochipriota *adj.* ① 터키계 키프로스 태생의. ② 터키계 키프로스의[에 관한]. *—m.f.* 터키계 키프로스 사람.
turcomano, na *adj.* ① 투르크멘의. ② 투르크멘 사람의[에 관한]. ③ 투르크메니스탄(Turkmenistán) 태생의. ④ 투르크메니스탄의[에 관한]. *—m.f.* ① 투르크멘 사람. ② 투르크메니스탄 사람.
túrdiga *f.* 가죽 끈, 가죽 쪼가리.

turgencia *f.* (몸의) 부풀어오름, 팽만 상태, 발기(勃起).
turgente *adj.* (몸이) 부풀어오른, 팽만 상태의.
túrgido, da *adj.* [시어] =turgente.
turibular *tr.* 향로를 흔들다.
turibulario *m.* 향로를 가지고 가는 사람.
turíbulo *m.* 향로(incensario).
turiferario *m.* =turibulario.
turión *m.* (아스파라가스처럼) 지하 줄기에서 나온 싹.
turismo *m.* ① 관광: oficina de ~ 관광 안내소. ② 관광 여행(viaje de ~): ~ verde 자연을 즐기는 (관광) 여행. hacer ~ a Madrid 마드리드를 관광 (여행)하다. ③ 관광 사업. ④ [집합] 관광객. ⑤ 장거리 여행용 자동차, 포장형 관광 자동차.
turista *m.f.* ① 관광객. ② [형용사적] 관광의: clase ~ (선박·비행기의) 투어리스트 클래스, 2등.
turísticamente *adv.* 관광의 관점[견지]에서 (보아).
turístico, ca *adj.* 관광의[에 관한].
Turkmenistán *m.* [국명] 투르크메니스탄.
turkmeno, na; turkmenio, nia *adj.* ① 투르크메니스탄 태생의. ② 투르크메니스탄의[에 관한]. —*m.f.* 투르크메니스탄 사람.
turma *f.* 불알, 고환(testículo).
turmalina *f.* [광물] 전기석(電氣石).
turnar *intr.*, ~**se** 바뀌다, 교체하다, 교대하다.
turnio, nia *adj.* ① 사시(斜視)의, 사팔뜨기의. ② 사시안(斜視眼)의. ③ 눈매가 고약한. —*m.f.* ① 사팔뜨기, 사시안인. ② 눈매가 고약한 사람.
turno *m.* ① 순번, 차례, 순서: ~ de día 낮 근무. ~ de noche 야근, 밤 근무. guardar el ~ 순번[순서]을 지키다. Ahora te toca el ~ de cantar 이제 네가 노래할 차례다. ② 당번.
turón *m.* [동물] 스컹크.
turpial *m.* [새] 연작(燕雀), 여새 ((베네수엘라의 국조)).
turquesa[1] *f.* 거푸집, 주형(鑄型).
turquesa[2] *f.* 터키석. —*adj.* 청록색(青綠色)의. —*m.* 청록색.
turquí *m.* 짙은 청색. —*adj.* 짙은 청색의.
turrón *m.* ① [과자] 누가. ② (국가로부터 얻은) 관직.
turronería *f.* turrón 가게.
turronero, ra *adj.* turrón의[에 관한]. —*m.f.* ① turrón 제조자. ② turrón 장수.
turullo *m.* (목동의) 뿔피리.
tus *interj.* 이리 온 이리 온! ((개 부르는 소리; tus, tus 하고 반복함)).
tusa[1] *interj.* 이리 온 이리 온! ((암캐를 부르는 소리; tusa, tusa 하고 반복함)). —*f.* 암캐(perra).
tusa[2] *f.* ① 과도한 노력. ② *And., Cuba.* 옥수수 잎 담배. ③ *AmérC., Col., PRico.* 하찮은 사람. ④ *AmérC., Col.* 하찮은 물건[것]. ⑤ *AmérC., Ecuad.* 옥수수 이삭을 싸고 있는 잎. ⑥ *Arg., Chile.* 말갈기.
tusígeno, na *adj.* 기침을 일으키는.
tutear *tr.* 2인칭을 사용해서 말하다, tú로 부르다, 말을 놓다. ~**se** 서로 tú를 사용(해서 말)하다, 친밀한 사이다.
tutela *f.* ① 후견: tener a *alguien* bajo su ~ (…의) 후견을 하다. ② 보호, 감독: estar bajo la ~ del gobierno 정부의 감독 아래 있다. ③ 가정 교사 직. ¶~ ***dativa*** 선임(選任) 후견. ~ ***legítima*** 법정(法定) 후견. ~ ***testamentaria*** 유언(遺言) 후견.
tutelado, da *m.f.* 피후견인.
tutelar *tr.* 후견하다, 보호 감독하다.
tutelar *adj.* ① 수호하는, 보호하는. ② 후견의[에 관한].
tuteo *m.* tú를 사용해서 말하기.
tutilimundi *m.* ① =mundonuevo. ② *Cuba, Méj.* 전세계.
tutiplén *a* ~ 듬뿍, 많이, 충분히.
tutor, ra *m.f.* ① 후견인. ② (전과목의) 가정교사. ③ 보호자, 수호자. ④ 지도 교관. —*m.* (수목 등의) 지주(支柱), 버팀대.
tutoría *f.* ① 후견 직. ② 지도 교관의 직무.
tutú *m. fr.* 튀튀 ((고전 무용의 발레리나가 입는 짧은 스커트)).
tuv- ☞tener (59).
tuvalo *m.* 투발루 말.
Tuvalu *m.* [국명] 투발루.
tuvaluano, na *adj.* ① 투발루 태생의. ② 투발루의[에 관한]. —*m.f.* 투발루 사람. —*m.* 투발루 말.
tuve ☞tener (59).
tuvie- ☞tener (59).
tuya *f.* [식물] 삼목(杉木).
tuyo, ya *adj.* [소유 형용사 2인칭 단수 완전형] ① [명사 뒤에 놓음] 너의, 자네의, 군의, 당신의: un amigo ~ 너의 한 남자 친구. una amiga ~*ya* 너의 한 여자 친구. ② [주격 보어] 너의 (것): Esta casa es ~ 이 집은 네 것이다. —*pron.* [정관사+] 너의 것, 자네의 것, 군의 것, 당신의 것: Mi reloj es más barato que el ~ 내 시계는 네 것보다 값이 더 싸다.
TV. Televisión 텔레비전.
TVE Televisión Española 스페인 국영 텔레비전.

U u

u[1] *f.* 우 ((스페인어 알파벳의 스물네 번째 문자)).
u[2] *conj.* [접속사 o가 o나 ho로 시작되는 단어 앞에서 u가 됨] 혹은, …나: diez *u* once 열이나 열하나. belga *u* holandés 벨기에 사람이나 네덜란드 사람.
U. usted 귀하, 당신.
ubérrimo, ma *adj.* (토지 등이) 아주 풍요하고 비옥한.
ubicación *f.* ① 설치. ② 위치, 소재.
ubicar (7) *tr. Amér.* 설치하다, 두다, 배치하다. —*intr.* 있다, 위치하다. ~**se** ① 위치하다. ② *Ur.* 좋은 직을 얻다.
ubicuidad *f.* (신의) 편재(偏在).
ubicuo, cua *adj.* ① (신이) 편재하는. ② (사람이) 신출귀몰한, 어디에고 얼굴을 내미는.
ubre *f.* (포유 동물의) 유방.
ucase *m.* ① [역사] 로마 황제의 칙령. ② 부당한[전제적인] 명령[포고].
UCD *f.* *U*nión de *C*entro *D*emocrático 민주 중도 연합.
ucedista *adj.* 민주 중도 연합(UCD)의[에 관한]. —*m.f.* UCD의 당원.
uci *f.* *u*nidad de *c*uidados *i*ntensivos 집중 치료실.
Ucrania *f.* [국명] 우크라이나.
ucraniano, na *adj.* ① 우크라이나 태생의. ② 우크라이나의[에 관한]. —*m.f.* 우크라이나 사람. —*m.* 우크라이나 말.
ucranio, nia *adj., m.f.* =**ucraniano.**
Ud. usted 귀하, 당신.
Uds. ustedes 귀중(貴中).
UE *f.* *U*nión *E*uropea 유럽 연합.
UEFA *f.* *U*nión *E*uropea de *F*útbol *A*sociación 유럽 축구 협회.
UEP *f.* *U*nión *E*uropea de *P*agos 유럽 결제 동맹.
uf *interj.* 아이구!, 아아! ((피로·혐오·불쾌 등을 나타냄)).
ufanarse *r.* 자만하다, 뽐내다, 우쭐하다.
ufanía *f.* 자만, 뽐냄, 우쭐거림.
ufano, na *adj.* ① 자만한, 뽐내는 우쭐거리는, 빼기는. ② 만족한, 기쁜, 즐거운.
ufo *m. ing.* 미확인 비행 물체, 유에프오(UFO).
ufología *f.* 유에프오(UFO) 연구.
ufólogo, ga *m.f.* 유에프오(UFO) 연구가.
Uganda *f.* [국명] 우간다.
ugandés, sa *adj.* ① 우간다 태생의. ② 우간다의[에 관한]. —*m.f.* 우간다 사람.

U

UGT *f.* *U*nión *G*eneral de *T*rabajadores 노동 총동맹.
U.I. *u*nidad *i*nternacional 국제 단위.
ujier *m.* ① (궁중·법정의) 수위. ② 집행관.
ukelele *m.* 우쿨렐레 ((하와이 원주민의 기타와 비슷한 4현 악기)).
ulano *m.* (독일 등의) 창기병.
úlcera *f.* ① [의학] 궤양: ~ de estómago 위궤양. ② (나무의) 부패(병).
ulceración *f.* 궤양화, 궤양 형성.
ulcerar *tr.* 궤양(潰瘍)이 생기게 하다. ~**se** 궤양이 생기다.
ulcerativo, va *adj.* 궤양이 생기게 하는, 궤양성의: colitis ~*va* 궤양 대장염.
ulceroso, sa *adj.* 궤양성(潰瘍性)의. —*m.f.* 궤양 환자.
ulema *m.* 울라마 ((이슬람교 나라의 법학자·신학자)).
uliginoso, sa *adj.* ① 습지의. ② 습지에서 자라는.
ulterior *adj.* ① 밖의, 해외의. ② 뒤의, 후의: arreglo [despacho] ~ 사후 처리.
ulteriormente *adv.* 그 뒤, 나중에.
ultimación *f.* 완료, 완성.
ultimadamente *adv.* =**últimamente.**
ultimador, ra *adj.* 완료하는, 완성하는. —*m.f.* 완성자.
últimamente *adv.* ① 최후에. ② 결국, 마침내. ③ 최근.
ultimar *tr.* ① (공사 등을) 끝내다, 완성하다, 완료하다. ② *Amér.* 죽이다, 살해하다.
ultimátum *m.* ① [주로 *sing.*] 최후 통첩(最後通牒). ② 최종적인 결정[요구·제안].
último, ma *adj.* ① [명사 앞에서] [순서] 마지막의, 최후의, 최종의: ~ día del mes 말일, 그믐날. ~ esfuerzo 마지막 노력. ~ metro 마지막 지하철. ② 궁극의: fin ~ 궁극 목적. ③ 가장 먼, 변방(邊方)의: ~ piso 제일 높은 층. en el ~ rincón del mundo 오지[벽촌]에서. ④ 최근의, 최신의: ~*ma* carta 최근 편지. ~*ma* moda 최신 유행. en estos ~*s* años 요 2·3년에, 근년에. ⑤ 최저의, 최악의. —*m.f.* 마지막 사람, 제일 뒷 사람: ¿Quién es el ~? (줄의) 마지막은 누굽니까? ¶*a la ~ma* 최신 유행으로. *por ~* ㉮ 최후에, 최후로, 마지막으로. ㉯ 결국.
últmo último 최후의, 최근의.
últo último 최후의, 최근의.
ultra *adj.* =**además de.** —*adj.* ① [정치] 극우(極右)의. ② [사상] 과격한 우익의. —*m.f.* 극우.
ultra- *pref.* ①「…의 저쪽에, …의 옆에」의 뜻: *ultra*mar 해외. ②「형용사의 앞에서, 극단의, 초(超), 과

(過)」의 뜻: *ultra*famoso 극히[매우] 유명한.
ultrabásico, ca *adj.* [화학] 초염기성(超鹽基性)의.
ultracentrifugación *f.* 초원심분리기.
ultraconfidencial *adj.* 중요 기밀의.
ultracongelación *f.* 급속 냉동.
ultracongelado, da *adj.* 급속 냉동(急速冷凍)된.
ultracongelador *m.* 급속 냉동 냉장기(急速冷凍冷藏器).
ultraconservador, ra *adj.* 초보수적(超保守的)인.
ultracorrección *f.* [언어] 과잉 개정.
ultracorto, ta *adj.* [전기] 초단파의.
ultraderecha *f.* 극우(極右).
ultraderechista *adj.* 극우의. —*m.f.* 극우(極右), 극우 분자.
ultrafamoso, sa *adj.* 극히[매우] 유명한, 말할 수 없이 유명한.
ultrafiltración *f.* 한외(限外) 여과.
ultrafino, na *adj.* 초세미(超細微)한.
ultraísmo *m.* 극단론, 과격론, 급진주의, 과격주의.
ultraizquierda *f.* 극좌(極左).
ultraizquierdista *adj.* 극좌의. —*m.f.* 극좌, 극좌 분자.
ultrajante *adj.* 모욕적인.
ultrajar *tr.* ① 모욕하다. ② 더럽히다, 상처를 입히다. ③ *Salv., Ven.* (강제로) 폭행하다, 강간하다.
ultraje *m.* ① 모욕. ② 폭행, 강간.
ultraligero, ra *adj.* 초경량의. —*m.* 초경량 비행기.
ultramar *m.* ① 해외. ② 해외 영토. ③ 군청색(群青色).
ultramarino, na *adj.* 해외의.
ultramarinos ① *m.sing.pl.* 식료품점. ② *m.pl.* 식료품.
ultramicroscopio *m.* 초현미경, 한외(限外) 현미경.
ultramodernista *adj.* 최첨단(最尖端)의: persona ~ 최첨단인. —*m.f.* 최첨단을 걷는 사람.
ultramoderno, na *adj.* 초현대적인.
ultramontanismo *m.* 교황권 지상주의(教皇權至上主義).
ultramontano, na *adj.* 교황권 지상주의의. —*m.f.* 교황권 지상주의자.
ultranza *a* ~ 필사적으로; 단호히.
ultrarrápido, da *adj.* 초고속의.
ultrarrojo, ja *adj.* 적외선의.
ultrasecreto, ta *adj.* 극비(極秘)의.
ultrasensible *adj.* 초고감도의.
ultrasónico, ca *adj.* 초음파의[에 관한]. —*f.* 초음파학.
ultrasonido *m.* 초음파.
ultratumba *f.* 저세상, 저승: de ~ 사후(死後)의. —*adv.* 저세상에, 저승에, 사후에: Mis padres se encuentran ~ 내 부모님은 저세상에 계신다, 내 부모님은 돌아가셨다.
ultraviolado, da *adj.* [물리] =ultravioleta.
ultravioleta *adj.* 자외선(紫外線)의: rayos ~*s* 자외선.
úlula *f.* [새] 부엉이.
ulular *intr.* ① (부엉이 등이) 울다. ② (바람이) 소리를 내다.
ululato *m.* =**clamor, lamento.**
umbilicado, da *adj.* 배꼽 모양의.
umbilical *adj.* [해부] 배꼽(ombligo)의[에 관한]: arteria ~ 배꼽 동맥. ¶*cordón* ~ 탯줄.
umbráculo *m.* (식물의) 해 가리개.
umbral *m.* ① 문턱, 문지방. ② 입구. ③ 시작, 시초, 초기, 기원, 발단.
umbralado *m.* *AmérM.* 문턱, 문지방.
umbrátil *adj.* =**umbroso.**
umbrío, a *adj.* 그늘의, 볕이 거의 들지 않는. —*f.* 항상 그늘진 곳.
umbroso, sa *adj.* 그늘진.
un, una *art.* [부정 관사 단수형; 악센트가 있는 a-·ha-로 시작되는 여성 단수 명사 앞에서는 *un*이 됨: *un* alma, *un* hacha; *pl.* unos, unas] ① [단수] 어떤: *un* hombre 어떤 남자. *una* mujer 어떤 여자. ② [단수] 하나의: *un* hermano 한 남동생. *una* hermana 한 여동생. ③ [복수] 몇 개의, 약간의; 약: *unos* libros 책 몇 권. *unas* casas 집 몇 채. *unos* mil euros 약 천 유로. *unas* diez mil personas 약 만 명.
unamuniano, na *adj.* ① 미겔 데 우나무노(Miguel de Unamuno, 스페인의 작가·철학자, 1864-1936)의[에 관한]. ② 미겔 데 우나무노의 작품의[에 관한]. ③ 미겔 데 우나무노 풍의.
unánime *adj.* 만장일치의.
unánimemente *adv.* 만장일치로, 이구동성으로.
unanimidad *f.* 만장일치, 일체감: por ~ 만장일치로.
unciforme *adj.* 갈고리 모양의. —*m.* [해부] 구상골(鉤狀骨).
unción *f.* ① 성유(聖油)를 바름, 성별(聖別). ② (임종의) 도유(塗油), 도유식. ③ 신심, 경건. ④ 열중.
uncir (2) *tr.* 멍에를 씌우다[매다].
undécimo, ma *adj.* ① 열한 번째의. ② 11분의 1의. —*m.* 11분의 1.
undécuplo, pla *adj.* 11배의. —*m.* 11배.
UNED *f.* *U*niversidad *N*acional de *E*ducación a *D*istancia 통신 교육제 대학교.
UNESCO *f.* [*ing.* *U*nites *N*ations *E*ducational, *S*cientific and *C*ultural *O*rganization] 유엔 교육 과학 문화 기구, 유네스코.
ungimiento *m.* 도유(塗油).
ungir (4) *tr.* ① 도유를 바르다, 도유로 성별(性別)하다. ② …에 바르다, 도포(塗布)하다.
ungüento *m.* ① 고약. ② 연고, 바르는 약. ③ (시체에 바르는) 향유.
ungulado, da *adj.* 발굽이 있는, 유

U

제(有蹄)의. —*m.pl.* 유제류 동물.
unible *adj.* 결합할 수 있는, 하나로 할 수 있는.
únicamente *adv.* 오직, 유일하게.
unicameral *adj.* 단원제(單院制)의, 일원제(一院制)의.
unicameralismo *m.* 단원제 (국회).
unicelular *adj.* [생물] 단세포의.
unicidad *f.* 유일함, 단일함.
único, ca *adj.* ① 유일한, 오직 하나의, 오직 한 사람의: lo ~ 유일한 것. hijo ~ 외아들. hija ~*ca* 외동딸. mi ~*ca* esperanza 내 유일한 희망. ② [명사 뒤에서] 특이한.
unicolor *adj.* 단색의.
unicornio *m.* ① 일각수(一角獸) ((이마 한가운데에 뿔이 한 개 달린 말 모양의 전설상의 동물)). ② [동물] 코뿔소. ③ mastodonte의 화석 상아.
unidad *f.* ① 단위: ~ monetaria 화폐 단위. ② [교육] (취득할 수 있는) 단위. ③ (학습의) 단원. ④ 통일성, 일체성. ⑤ 단일성. ⑥ 설비[기구]의 한 벌, 장치. ⑦ [군사] 전투 단위 ((부대, 함정 등)).
unidimensional *adj.* 1차원의.
unidireccional *adj.* [물리] 단향성의.
unido, da *adj.* ① 뭉친, 단결한, 연합한, 결합한. ② 마음이 맞은.
unifamilia *f.* 핵가족.
unifamiliar *adj.* 핵가족의, 한 가족으로 구성된, 한 가족용의: empresa ~ 가족 기업.
unificación *f.* 통일, 통합.
unificador, ra *adj.* 통일의, 통합의, 단일화하는.
unificar (7) *tr.* 통일하다.
unifoliado, da *adj.* [식물] 단엽(單葉)의, 외잎의.
uniformador, ra *adj.* 한 가지 모양으로 하는, 획일화하는.
uniformar *tr.* ① 한 가지 모양으로 하다, 획일화하다. ② …에게 제복을 입히다.
uniforme *adj.* ① 같은 모양의, 동형(同形)의. ② 같은, 균일한, 일률적인, 단조로운, 변화가 없는. —*m.* 제복, 유니폼; 군복.
uniformemente *adv.* 같은 모양으로; 일률적으로, 단조롭게.
uniformidad *f.* ① 획일성, 유사성. ② 단조로움.
uniformizar (9) *tr.* 한 가지 모양으로 하다, 획일화하다.
unigénito, ta *adj.* 외아들의, 외동딸의: hijo ~ 외아들. —*m.* [el U~] 예수 그리스도.
unilateral *adj.* ① 한편(만)의, 일면(적)인. ② 일방적인. ③ [법률] 편무(片務)의, 단독의, 일방적인. ④ [식물] 한 쪽에만 생기는[배열하는].
unilateralismo *m.* 일방적인 군비 철폐론[축소론].
unilateralmente *adv.* 일방적으로.

U

unión *f.* ① 결합, 단결. ② 결혼. ③ 연합, 동맹: *Unión* Europea 유럽 연합. *Unión* Postal Universal 만국 우편 연합. ④ 조합: ~ agrícola 농업 조합. ⑤ [의학] 유착, 접합. ⑥ [기계] 접합관. ⑦ (강의) 합류: punto de ~ 합류점. ¶*La ~ hace la fuerza* (속담) 뭉치면 산다.
unionismo *m.* 통일주의.
unionista *adj.* 통일주의의. —*m.f.* 통일주의자.
unípede *adj.* 다리가 하나인.
unipersonal *adj.* ① 개인의. ② 한 사람의, 1인용의: vivienda ~ 독신자용 주택. ③ [문법] 단인칭의.
unir *tr.* ① 결합시키다, 연결시키다. ② 결혼시키다. ③ 합하다, 합병하다, 병합하다. ④ 접합시키다. ⑤ 유착시키다. ⑥ 단결시키다. **~se** ① 서로 결합하다. ② 단결하다. ③ [+a] (…에) 가입하다, 들어가다. ④ 결혼하다. ⑤ 합병하다.
unisex *adj.sing.pl.* ① (복장 등이) 남녀 구별이 없는, 남녀를 구별할 수 없는. ② 남녀 공용의.
unisexual *adj.* [생물] 단성(單性)의.
unisón *adj.* (다른 것과) 같은 소리의, 동음(同音)의.
unisonancia *f.* [음악] 동음, 동조.
unísono, na *adj.* 동음(同音)의, 동조(同調)의. —*m.* 동음(同音), 동조.
unitario, ria *adj.* ① 통일적인. ② 단위의. ③ 단일의: estado ~ 단일 국가. ④ 단일 정부의, 중앙 집권의. ⑤ 유일 교파의.
unitarismo *m.* ① 단일 정부주의, 중앙 집권주의. ② 유일 교파의 교의.
univalencia *f.* [화학 · 생물] 일가.
univalente *adj.* [화학 · 생물] 일가의.
univalvo, va *adj.* ① [동물] 단각의. ② [식물] 단판의. —*m.* 단각류.
universal *adj.* ① 전세계적인: fama ~ 세계적인 명성. historia ~ 세계사. ② 전체의. ③ 보편적인. ④ [논리] 전칭의. —*m.pl.* 일반 개념.
universalidad *f.* 보편성.
universalización *f.* 보편화.
universalizar (9) *tr.* 보편화하다.
universalmente *adv.* ① 전세계적으로. ② 보편적으로.
universiada *f.* [운동] 유니버시아드.
universidad *f.* (종합) 대학교
universitario, ria *adj.* 대학(大學)의: estudiante ~ 대학생. —*m.f.* 대학생.
universo, sa *adj.* =universal. —*m.* ① 우주. ② 천지 만물, 만유, 삼라만상. ③ 세계. ④ [통계] 모집단.
univocidad *f.* 일의성(一意性).
unívoco, ca *adj.* 늘 같은 뜻을 가진, 한 뜻밖에 없는.
uno, una *adj.* ① [남성 단수 앞에서는 *un*] ㄱ) 하나의: *un* café 커피 한 잔. *una* casa 집 한 채. treinta y *un* días 31일. ㄴ) [서수의 대용] 첫째: página cincuenta y *una* 51페이

지. 쉰한 번째 페이지. sentarse en la fila *una* 첫 (번째) 열에 앉다. ② [주격 보어로] 일체의, 한 몸의, 동일의: Asia es *una* 아시아는 하나다. José es *uno* con su coche 호세는 차와 한 몸이 되어 있다. Su razón y la que digo es *una* 그의 말과 내 말은 동일하다. ③ *pl.* 약간의(algunos): *unos* años después 몇 년 후. ④ [수사 앞에서] 약, 대략: *unos* cien euros 약 100 유로. —*m.* ① 1, 하나. ② 1일(primero): el *uno* de noviembre 11월 1일. —*pron.* ① [일반적으로] 사람: En este país *uno* se acuesta muy tarde 이 나라에서는 사람들은 아주 늦게 잔다. ② [불특정의] 어떤 사람: Llamó *uno* preguntando por ti 어떤 사람한테서 전화가 왔는데 너에 대해 물었다. ③ (복수 중의) 한 사람, 하나: Entre los alumnos María es *una* de las mejores 마리아는 학생 중에서 첫째 학생이다. ④ [otro와 함께] *Unos* dicen que sí, y otros que no 어떤 사람들은 긍정하고, 또 다른 사람들은 부정한다. Hay dos casas; *una* es vieja y la otra nueva 집이 두 채 있다. 한 채는 낡았고, 또 한 채는 새것이다. ¶*cada* ~ 각각, 각자, 저마다. ***de*** ~ ***en*** ~ =uno a uno. ~ ***a otro, tra*** 서로. ~ ***a*** ~ 하나씩, 한 사람씩. ~ ***con otro, tra*** 서로 (상대와). ~ ***por*** ~ = uno a uno. ~***s cuantos*** 약간의, 얼마간의, 몇 개의. ~ ***tras otro, tra*** 하나씩, 차례로. ~ ***y otro, tra*** =ambos.

untador, ra *adj., m.f.* ① (기름을) 칠하는 (사람). ② 매수하는 (사람).

untadura *f.* ① (기름 등을) 바르기, 칠하기. ② 윤활유, 그리스.

untamiento *m.* =untadura ①.

untar *tr.* ① (기름 등을) 바르다. ② (기름 등에) 담그다. ③ (선물·돈으로) 매수하다. ~**se** ① (기름 등으로) 더럽혀지다. ② 자신의 …을 더럽히다. ③ (공금·돈을) 착복하다, 횡령하다.

unto *m.* ① 연고, 고약. ② (동물의) 기름, 지방. ③ 바르는 기름. ④ *Chile.* 구두약. ⑤ *Hond.* 매수, 증뢰, 증회, 뇌물(soborno).

untoso, sa *adj.* =graso, pingüe, pegajoso.

untuosidad *f.* 유성(油性).

untuoso, sa *adj.* 유성(油性)의, 지방 같은, 끈적끈적한.

untura *f.* ① 연고. ② 윤활유.

uña *f.* ① 손톱. ② (동물의) 발톱, 발굽. ③ (손톱 모양의) 바늘. ④ 발톱 모양으로 생긴 것. ⑤ (나뭇가지의) 옹이, 그루터기. ⑥ (기구의) 갈고리. ⑦ (전갈의) 독침.

uñada *f.* ① 손톱 자국, 할퀸 자국. ② 손톱으로 누르기.

uñarada *f.* 손톱(으로 할퀸) 자국.

uñero *m.* ① [의학] 생인손, 생인발. ② 손톱[발톱]이 비정상적으로 자라면서 내는 상처.

uñeta *f.* ① (석공의) 납작한 끌. ② (아이들의) 손톱으로 동전 튀기는 놀이. ③ *pl. Col.* 손톱이 긴 사람.

uñetazo *m.* =**uñetada.**

upa *interj.* 영차! ((힘을 쓸 때 내는 소리)).

UPAE *f.* *U*nión *P*ostal de las *A*méricas y de *E*spaña 아메리카 스페인 우편 연합.

UPEB *f.* *U*nión de *P*aíses *E*xportadores de *B*anano 바나나수출국연합

uperización *f.* (우유를 장기 보존하기 위한) 초고온 처리.

uperizar (9) *tr.* (우유를 장기 보존하기 위해) 초고온 처리하다.

uralaltaico, ca *adj.*=**uraloaltaico.**

uralita *f.* [상표] 석면 시멘트.

uraloaltaico, ca *adj.* [언어] 우랄알타이 어계의[에 관한]: lengua ~*ca* 우랄알타이어. —*m.* 우랄알타이어.

uranio[1] *m.* [화학] 우라늄.

uranio[2]**, nia** *adj.* 천체의[에 관한].

Urano *m.* [천문] 천왕성.

uranografía *f.* 천체학(天體學).

uranógrafo, fa *m.f.* 천체학자.

uranometría *f.* 천체 측량.

urato *m.* [화학] 요산염(尿酸鹽).

urbanidad *f.* 정중함, 우아함; 예의 바름.

urbanismo *m.* ① 도시 계획. ② 도시 공학.

urbanista *adj.* 도시 계획의[에 관한]. —*m.f.* 도시 계획 전문가.

urbanístico, ca *adj.* 도시 계획의[에 관한]. —*f.* =**urbanismo.**

urbanita *m.f., adj.* 도회인(의).

urbanizable *adj.* 개발할 수 있는, 도시화할 수 있는.

urbanización *f.* ① 도시화. ② 신흥 주택지, 분양지, 단지(團地).

urbanizar (9) *tr.* ① 도시화하다. ② 세련되게 만들다, 촌티를 벗게 하다, 예절 바르게 하다. ~**se** 세련되다, 예절이 바르다.

urbano, na *adj.* ① 도시의[에 관한]. ② 예의 바른, 정중한. —*m.f.* (도시의, 주로 교통 정리를 하는) 경찰관.

urbe *f.* 도시, (특히) 대도시.

urca[1] *f.* 화물 범선.

urca[2] *f.* [동물] 돌고래(orca).

urchilla *f.* ① 이끼의 일종. ② (urchilla에서 얻은) 보랏빛 (물감).

urdidera *f.* 날실을 가지런히 하는 기계.

urdimbre *f.* ① (직물의) 날실. ② 음모, 책략, 계략.

urdir *tr.* ① (…의) 날실을 가지런히 하다. ② (음모를) 꾸미다, 꾀하다, 획책하다.

urdu *m.* 우르두 말 ((파키스탄의 공용어)).

urea *f.* [화학] 요소(尿素).
uremia *f.* [의학] 요독증.
uréter *m.* [해부] 요관(尿管).
uretra *f.* [해부] 요도(尿道).
uretritis *f.sing.pl.* [의학] 요도염.
urgencia *f.* ① 긴급, 화급; 절박, 급박, 위급, 위기. ② 구급(의 치료). ③ (병원의) 구급 센터.
urgente *adj.* ① 긴급한, 다급한, 촉박한, 절박한. ② 속달(速達)의, 지급 전보의: carta ~ 빠른 우편.
urgentemente *adv.* 긴급히, 다급하게; 지급으로, 속달로.
urgir (4) *tr.* ① 긴급히 요구하다. ② 강제하다. —*intr.* 급하다, 긴급하다, 절실히 필요하다, 절박하다.
úrico, ca *adj.* ① 요산(尿酸)의[에 관한]. ② 오줌의, 요(尿)의.
urinal *adj.* =**urinario.**
urinario, ria *adj.* 오줌의[에 관한]. —*m.* (거리·극장 등에 있는 공공용) 소변 보는 곳, 남성용 변소.
urna *f.* ① 투표함, 추첨함. ② 납골함. ③ (전시물의) 유리 상자.
urogallo *m.* [새] 뇌조(雷鳥).
urogenital *adj.* 비뇨 생식기의.
urografía *f.* 요로 조영법.
urología *f.* 비뇨기 과학.
urológico, ca *adj.* 비뇨기 과학의.
urólogo, ga *m.f.* 비뇨기과 전문의.
uroscopia *f.* [의학] 오줌 검사.
urraca *f.* [새] 까치.
URSS *f.* *U*nión de *R*epúblicas *S*ocialistas *S*oviéticas 소비에트 사회주의 공화국 연방.
urticante *adj.* 건드리면 따끔따끔한.
urticaria *f.* [의학] 두드러기.
Uruguay *m.* [국명] 우루구아이, 우루과이 ((남아메리카의 공화국; 수도 Montevideo)).
uruguayismo *m.* 우루구아이 (특유의) 말투, 우루구아이의 방언.
uruguayo, ya *adj.* ① 우루구아이 태생의. ② 우루구아이의[에 관한]. —*m.f.* 우루구아이 사람.

U

usadamente *adv.* 습관에 따라.
usado, da *adj.* ① 사용으로 낡은. ② 중고(中古)의.
usanza *f.* ① 습관, 관례, 풍습. ② = **moda.**
usar *tr.* ① 쓰다, 사용하다: ~ el coche 자동차를 사용하다. ② 습관적으로 몸에 붙이다. ③ …을 직으로 삼다. —*intr.* ① [+de] (…을) 이용하다. ② [+de+*inf.*] (…하는) 습관이 있다. ~**se** 사용되다.
uso *m.* ① 사용; 용도: ~ de las armas 무력 행사. ② 사용법. ③ 관례, 관습. ④ [법률] 사용권. ¶***fuera de*** ~ 사용하지 않는.
USO *f.* *U*nión *S*indical *O*brera 노동자 조합 동맹.
usted *pron.* [인칭 대명사 3인칭 단수. 어원이 vuestra merced (귀하, 각하) 이기 때문에 3인칭 취급을 함] 귀하, 당신: Tiene ~ razón 당신 말씀이 옳다. ¿Cuántos hermanos tiene ~? 당신은 형제가 몇 분이십니까?
ustedes *pron.* [인칭 대명사 3인칭 복수] ① 귀하들, 당신들: *Ustedes* tienen mucho dinero 당신들은 돈이 많다. ② 귀사, 귀 단체.
usual *adj.* 일상의, 통상의, 보통의.
usualmente *adv.* 보통, 늘, 일반적으로, 대개.
usuario, ria *adj.* ① 사용하는. ② [법률] 사용권을 가진. —*m.f.* ① 이용자, 사용자. ② [법률] 사용권자.
usucapión *f.* 소유권 취득.
usucapir *tr.* 소득권을 취득하다.
usufructo *m.* [로마법] 용익권, 사용권, 이용권.
usufructuar (15) *tr.* …의 용익권을 소유하다.
usufructuario, ria *adj.* 용익권(用益權)의. —*m.f.* 용익권자(用益權者).
usura *f.* ① 고리대금 ((비싼 이자를 받는 돈놀이)). ② 고리. ③ 폭리.
usurar *intr.* 돈놀이를 하다.
usurariamente *adv.* 높은 이자로, 폭리로.
usurario, ria *adj.* 고리대금의[에 관한]. —*m.f.* [고어] 고리대금 업자.
usurear *intr.* ① =**usurar.** ② 폭리를 취하다.
usurero, ra *m.f.* 고리대금 업자.
usurpación *f.* ① 강탈, 탈취. ② 권리 침해. ③ 왕위 찬탈. ④ 횡령.
usurpador, ra *adj.* ① 강탈하는, 탈취하는. ② 찬탈하는. ③ 횡령하는. —*m.f.* ① 강탈자. ② 찬탈자. ③ 횡령자.
usurpar *tr.* ① (왕위·권력 등을) 빼앗다, 찬탈하다, 강탈하다, 탈취하다. ② 횡령하다.
uta[1] *f.* [의학] (뻬루의 안데스 지방에서 생기는) 안면 부스럼.
uta[2] *f.* *Méj.* =**prostituta.**
utensilio *m.* ① [주로 *pl.*] 가정 용품, 집기: ~*s* de cocina 주방 용품. ② [주로 *pl.*] 도구, 공구(工具): ~*s* de pesca 낚시 도구.
uterino, na *adj.* [해부] 자궁(子宮)의[에 관한].
útero *m.* [해부] 자궁(子宮): alquiler de ~*s* 대리모 역할[행위].
útil[1] *adj.* ① 쓸모 있는, 유용한, 도움이 되는, 소용이 되는: libro ~ para niños 어린이에게 유용한 책. ② [기계] 유효한: abertura ~ 유효 구경(口徑). ③ [법률] 유효한: días ~*es* 유효 기간.
útil[2] *m.* =**utensilio ②:** ~*es* de labranza 농기구. ~*es* de piedra 석기(石器).
utilería *f.* ① [집합] =**útil**[2]. ② [집합] (연극·영화의) 소도구.
utilero, ra *m.f.* ① (연극·영화의) 소도구 담당자. ② *Arg.*, *Ecuad.*,

Salv. 축구 선수의 용품 담당자.

utilidad *f*. ① 유용성. ② 이득, 이익, 성과.

utilitario, ria *adj*. ① 공리주의의, 공리설의. ② 실용 본위의. —*m*. 경자동차(輕自動車).

utilitarismo *m*. 공리주의, 실리주의.

utilitarista *adj*. ① 공리주의의[에 관한]. ② 실리주의의. —*m.f.* ① 공리주의자. ② 실리주의자.

utilizable *adj*. ① 이용할 수 있는. ② 유효한, 효력을 발생하는.

utilización *f*. 이용, 사용.

utilizar (9) *tr*. 이용하다, 사용하다, 소용되게 하다, 쓸모 있게 하다: ~ el ascensor 승강기를 이용하다.

utillaje *m*. [집합] 용구(用具), 도구.

útilmente *adv*. 유익하게, 쓸모 있게; 유효하게.

utopía, utopia *f*. 이상향, 유토피아.

utópico, ca *adj*. ① 이상향의, 유토피아의. ② 공상적인, 몽상적인, 실현 불가능한: socialismo ~ 공상적 사회주의.

utopismo *m*. ① 공상적 이상주의. ② [집합] 유토피아적 이념, 공상적 (사회) 개량책.

utopista *adj*. 이상향을 구상하는[그리는]. —*m.f.* 이상가(理想家), 몽상가(夢想家), 공상가(空想家).

utrera *f*. 두 살부터 만 세 살까지의 암송아지.

utrero *m*. 두 살부터 만 세 살까지의 수송아지.

UU. ustedes 귀중, 귀사.

uva *f*. ① [과실] 포도: un racimo de ~*s* 포도 한 송이. ② (귤·감 등의) 장과(漿果). ③ (포도 모양의 작은 종기로 이루어진) 목젖의 병. ④ (눈꺼풀에 생기는) 사마귀. ⑤ *Ar., Man., Nav., Rioja*. 포도 송이(raci- mo de uvas). ¶***mala*** ~ ㉮ 나쁜 의도, 나쁜 성격. ㉯ 나쁜 기분. ***de ~s a brevas [a peras]*** 때때로(de tarde en tarde).

uvada *f*. 포도의 풍성함.

uval *adj*. 포도 같은[비슷한].

uvate *m*. 포도 통조림.

uvayema *f*. 야생 포도나무.

uve *f*. 우베 ((문자 v의 명칭)). ¶~ *doble* 우베 도블레 ((문자 w의 명칭)).

úvea *f*. [해부] 포도막(túnica ~).

uveítis *f*. [의학] 포도막염.

uveral *m*. [식물] (해변의) 야생 포도나무가 많은 곳.

uvero, ra *adj*. 포도의[에 관한]: exportación ~*ra* 포도 수출. importación ~*ra* 포도 수입. —*m.f.* 포도 장수. —*m*. [식물] (해변의) 야생 포도나무(의 일종).

UVI, uvi *f*. *u*nidad de *v*igilancia *i*ntensiva 집중 치료실[치료 병동·치료부]: ~ móvil 구급 의료 팀.

úvula *f*. [해부] 목젖.

uvular *adj*. ① [해부] 목젖의[에 관한]. ② [언어] 연구개의 (음). —*f*. 연구개음.

uxoricida *adj*. 아내 살해의. —*m*. 아내 살해범.

uxoricidio *m*. 아내 살해.

uzbego, ga *adj., m.f.* =**uzbeko.**

Uzbekistán *m*. [국명] 우즈베키스탄.

uzbeko, ka *adj*. 우즈베키스탄의. —*m.f.* 우즈베키스탄 사람. —*m*. 우즈베키스탄 말.

uzo *m*. [고어] 문; 쪽문(postigo).

V v

v *f*. ① 우베 ((스페인어 알파벳의 스물다섯 번째 문자; 발음은 스페인어 사용국 어디에서고 b와 같음; 명칭은 우베(uve) 이외에도 베(ve), 베 바하(ve baja, 낮은 베), 베 꼬르따(ve corta, 짧은 베)라고도 함)). ② (로마 숫자의) 5: IV 4. VI 6. XV 15. ¶~ ***doble*** *f*. w.

V. véase 참조하시오. voltio 볼트.

v/ vista 일람(一覽).

va ir 동사의 직설법 현재 3인칭 단수형: 그[그녀·당신]는 간다.

V.A. Vuestra Alteza 전하 ((경칭)).

vaca *f*. ① [동물] 암소: ~ de leche, ~ lechera 젖소. ~ sagrada (인도의) 성우(聖牛). mal de las ~*s* locas 광우병. ② 쇠고기, 소고기 (carne de vaca) ((다 자란 소의 질긴 고기. 보통의 쇠고기는 ternera)). ③ (무두질한) 쇠가죽, 소가죽, 우피(牛皮). ④ (도박에서 공동으로 낸) 돈. ⑤ [선박] (선원이 마실) 물탱크. ⑥ *AmérC., Col., Cuba, Méj., Ur., Ven.* (어떤 지출을 위해 여러 사람이 모은) 분담금. ¶~ ***abierta*** 다산(多産)하는 암소.

vacación *f*. ① *pl*. 휴가(休暇), 방학: *vacaciones* de invierno 겨울 휴가, 겨울 방학. *vanaciones* de verano 여름 휴가, 여름 방학. ② *pl*. 휴직 기간. ③ [드묾] 결원(缺員). ④ [드묾] 공석(空席), 빈자리.

vacacional *adj*. 휴가[방학]의.

vacacionar *intr*. *AmérC., Arg., Ur., Chile, Méj., Ven.* 휴가를 보내다.

vacacionista *m.f.* *Cuba, Hond., Salv*. 휴가(를 즐기기 위한) 여행자.

vacada *f*. ① 소 떼. ② 축우(畜牛).

vacaje *m*. rur. *Ur*. [집합] 소.

vacante *adj*. ① (자리가) 빈, 비어 있는: asiento ~ 빈 좌석. cama ~ 빈 침대. ② 공석(空席)의, 결원(缺員) 중인, 비어 있는: Está ~ la cátedra de español 스페인어 교수 자리가 공석이다. —*f.* 공석, 결원(缺員): cubrir la ~ 결원을 메우다. producirse una ~ 한 사람 결원이 생기다.

vacar (7) *intr.* ① (어떤 기간 동안) 쉬다, 휴가를 얻다. ② (직·지위가) 공석이 되다, 자리가 비다. ③ [+a] (…에) 전념하다, 종사하다. ④ [+de] (…이) 없다, 모자라다.

vaciada *f.* ☞vaciado.

vaciadero *m.* 배수관, 하수구.

vaciado, da *adj.* *Méj.* =**simpático.** —*m.* ① 부어넣기, 주조(鑄造). ② 주조물, (틀로 만든) 상(像): ~ de yeso 석고상. ③ 땅 파기, 구멍 파기, 굴착, 발굴 조사.

vaciar (12) *tr.* ① 비우다: ~ una botella 병을 비우다; 한 병을 다 마셔 버리다. ② 도려내다, 도려내어 구멍을 뚫다: ~ un tronco de árbol 나무의 줄기를 도려내다. ③ (책 등에서) 정보를 꺼내다. ④ (날붙이를) 갈다, (날을) 세우다. ⑤ 부어 넣다, 틀어 넣어 만들다, 주형에 넣다, 주조하다: ~ una estatua 상을 주조하다. —*intr.* (강물·바닷물 등이) 줄어들다, 빠지다. ~**se** ① (비밀 등을) 말해 버리다. ② *PRico.* (타이어가) 터지다, 펑크가 나다.

vaciedad *f.* 멍청한[어리석은] 짓, 실없는 말.

vaciero *m.* 새끼 없는 가축의 목동.

vacilación *f.* ① 동요, 흔들림. ② 우유부단, 망설임, 주저.

vacilante *adj.* ① 흔들리는, 동요하는. ② (물건이) 흔들거리는, 떨어질 위험이 있는. ③ 우유부단한, 망설이는, 주저하는.

vacilar *intr.* ① 흔들리다, 동요하다. ② (물건이) 흔들거리다, 떨어질[부서질] 위험이 있다. ③ 망설이다, 주저하다. ④ (상황 등이) 불안정하다, 흔들리다, 동요하다: *Vacilan* las bases económicas 경제 기반이 흔들린다. ⑤ (음식의 맛 등이) 이도 저도 아니다, 애매하다, 모호하다, 중간이다 ⑥ *Col., CRica., Cuba, Guat.* =**gozar, divertirse, holgar.** —*tr.* 속이다; 놀리다; 비웃다.

V

vacile *m.* ① 농담. ② 농담을 좋아하는 사람.

vacilón, na *adj.* ① 농담을 좋아하는. ② 허세를 부리는. ③ (술·마약에 취한 것처럼) 수다스러운. ④ *CRica.* =**gracioso, divertido.** —*m.f.* ① 농담을 좋아하는 사람. ② 허세를 부리는 사람. ③ 부랑배, 무뢰한. —*m.* ① =**fiesta, jolgorio.** ② *Cuba, Ven.* =**vacile.** ③ *Cuba.* =**borrachera.**

vacío, a *adj.* ① (속이) 빈, 비어 있는: botella ~*a* 빈 병. ② (장소에) 사람이 없는, 빈: habitación ~*a* 빈 방. ③ (암컷이) 새끼가 없는. ④ 공허한, 내용이 없는, 알맹이가 없는. —*m.* ① 빔, 공허. ② 빈 곳, 빈 틈. ③ 짬, 틈. ④ 진공: descarga en el ~ 진공 방전. ⑤ 공석, 결원. ⑥ [해부] 옆구리. ¶*al* ~ ㉮ *adj.* 진공(眞空)의: bomba *al* ~ 진공 펌프. ㉯ *adv.* 진공으로.

vaco[1] *m.* =**buey.**

vaco[2]**, ca** *adj.* =**vacante.**

vacuidad *f.* 공허; 진공; 결여.

vacuna *f.* ☞vacuno.

vacunación *f.* 예방 접종, 예방 주사, 백신 투여.

vacunar *tr.* ① 예방 접종을 하다, 예방 주사를 놓다, 백신을 투여하다. ② 면역으로 만들다, 익숙하게 만들다: estar *vacunado contra* las adversidades 역경(逆境)에 익숙해져 있다. ~**se** 예방 주사를 맞다: ~*se contra* la influenza 독감 예방 주사를 맞다.

vacunatorio *m.* 예방 접종 기관, 예방 접종 장소.

vacuno, na *adj.* ① 소의[에 관한]. ② [드묾] 쇠가죽의. —*m.* [동물] 소. —*f.* ① [의학] 백신, 예방 주사. ② [의학] 우두, 종두. ③ (사람에게 전염되는) 소의 젖꼭지에 나는 도톨도톨한 것[두창]. ④ 소 젖꼭지의 도톨도톨한 것에서 나오는 고름.

vacunoterapia *f.* 종두 치료법.

vacuo, cua *adj.* ① 빈. ② 내용이 없는. —*m.* =**vacío.**

vacuofreno *m.* 진공 제동(眞空制動).

vacuofundir *tr.* 전기 용해하다.

vacuofusión *f.* 전기 용해.

vacuola *f.* [생물] 공포, 액포(液胞).

vacuosecador *m.* 진공 건조기.

vade *m.* =**vademécum** ②.

vadeable *adj.* 걸어서 건널 수 있는.

vadear *tr.* ① (강 등을) 걸어서 건너다. ② [드묾] 곤란을 극복하다. ③ [드묾] (다른 사람의 눈치를) 살피다, 낌새를 살피다. ~**se** 처신하다, 행동하다.

vademécum *m.sing.pl.* ① 편람, 휴대용 참고서. ② (학생의) 책가방.

vadera *f.* (강의) 여울.

vade retro *lat.* 비켜라!, 물러가라!

vado *m.* ① (걸어서 건널 수 있는) 여울. ② (건물의 앞 등에서, 차량이 들어가기 쉽게) 가를 낮게 한 보도(步道).

vadoso, sa *adj.* 여울이 있는.

vagabundear *intr.* ① 방랑하다, 떠돌아 다니다. ② (목적도 없이) 어슬렁어슬렁 걷다.

vagabundeo *m.* ① 방랑, 유랑. ② 어슬렁어슬렁 걷기.

vagabundería *f.* ① 방랑, 유랑. ② 방랑 생활, 떠돌이 생활.

vagabundo, da *adj.* ① 방랑의. ② 집도 절도 없이 떠도는. —*m.f.* 방랑자, 유랑자.

vagamente *adv.* 막연히, 모호하게.

vagamundear *intr.* =vagabundear.
vagamundo, da *adj., m.f.* =vagabundo.
vagancia *f.* ① 한가함. ② 나태, 태만, 게으름. ③ [법률] 방랑죄.
vagar[1] (8) *intr.* ① (…을 하기 위해) 충분한[필요한] 시간과 장소를 가지다, 여유가 있다. ② 한가하다.
vagar[2] (8) *intr.* ① [+por] (…를) 방랑하다, 떠돌다. ② 여기저기 돌아다니다.
vagar[3] *m.* ① 틈, 여유. ② 한가함, 태평스러움.
vagido *m.* (갓난아이의) 울음 소리.
vagina *f.* [해부] 질(膣).
vaginal *adj.* [해부] 질의[에 관한].
vaginismo *m.* [의학] 질경(膣痙).
vaginitis *f.sing.pl.* [의학] 질염(膣炎).
vaginoscopio *m.* 질경(膣鏡).
vaginovulvar *adj.* 질외음(膣外陰)의.
vaginovulvitis *f.* [의학] 질외음염.
vago[1]**, ga** *adj.* ① 빈, 비어 있는. ② 일거리가 없는, 할 일이 없는. ③ 게으른, 나태한, 태만한. —*m.f.* ① 건달, 일이 없는 사람. ② 게으름뱅이. —*m. Ar.* 빈 터.
vago[2]**, ga** *adj.* ① 방랑하는, 여기저기 떠도는. ② 막연한, 애매한. ③ =**impreciso, indeterminado.** ④ [미술] =**vaporoso, ligero, indefinido.** —*m.* [해부] 미주 신경.
vagón *m.* ① (철도의) 차량: ~ de pasajeros 객차. ~ restaurante 식당차. ② 화차(貨車), 화물차, 화물 차량. ¶~ *de cola* 기차의 마지막 차량, 차장(車掌)의 전용차.
vagoneta *f.* 소형 트럭, 소형 화물차.
vagotonía *f.* [의학] 미주 신경 긴장(증).
vaguear[1] *intr.* =**holgazanear.**
vaguear[2] *intr.* =**vagar**[2]**.**
vaguedad[1] *f.* 애매함, 모호함, 막연함, 애매모호함.
vaguedad[2] *f.* 무위(無爲).
vaguería *f.* =**vagancia, pereza.**
vahaje *m.* 부드러운 바람, 산들바람, 미풍(微風).
vahído *m.* 현기증, 어질증.
vaho *m.* ① (몸에서 나는) 김, 입김, 훈기. ② *Nic.* 증기로 찐 고기 요리. ③ *pl.* 방향유 훈증 치료법.
vaina *f.* ① (도검 등의) 집, 칼집. ② (식물의 씨를 싸고 있는) 부드럽고 긴 껍질, 꼬투리. —*m.* 하찮은 사람.
vainazas *m.f.sing.pl.* 게으름뱅이.
vainica *f.* (천의) 가장자리의 올을 푼 장식.
vainilla *f.* ① [식물] 바닐라. ② 바닐라의 열매. ③ [식물] (아메리카의) 헬리오트로프. ④ =**vainica.** ⑤ *Ast., Rioja.* 풋 강낭콩.
vais ☞**ir (40).**
vaivén *m.* ① 왕복 운동. ② 불안정. ③ 위험.
vajilla *f.* [집합] 식기(食器).
vajillo *m. Ar.* =**vajilla.**
val *m.* [단축형] =**valle.**
valar *adj.* 담의, 울타리의.
valdepeñas *m.sing.pl.* 발데뻬냐스 포도주 ((스페인 Ciudad Real 주의 Valdepeñas 산 포도주)).
valdr- ☞**valer (62).**
valdría- ☞**valer (62).**
vale[1] *interj. lat.* 안녕! ((작별의 인사)).
vale[2] *m.* ① 인환권. ② 수령증. ③ 무료 입장권, 우대권. ④ 약속 어음.
vale[3] *m.f. RDom.* ① 촌스러운 사람. ② 시골 (출신의) 사람.
vale[4] *interj.* [동사 valer에서] 좋아!, 됐어!, 오케이!
valedero, ra *adj.* 유효한, 사용할 수 있는.
valedor, ra *m.f.* 보호자.
valencia[1] *f.* [화학] 원자가.
Valencia[2] *f.* [지명] 발렌시아 ((스페인 동부의 자치주; 정식 명칭은 Comunidad Valenciana; 발렌시아 자치주의 수도・주)).
valencianismo *m.* ① 발렌시아 말투[방언]. ② 발렌시아 지방주의.
valenciano, na *adj.* ① 발렌시아(Valencia, 옛 왕국・스페인의 도시・Comunidad Valenciana의 수도・발렌시아 자치주의 주도) 태생의. ② Comunidad Valenciana 태생의. —*m.f.* (어느 곳이건) 발렌시아 사람.
valentía *f.* ① 용감함, 대담함, 용기. ② 용감한 행위. ③ 공로. ④ 허세(부리기).
valentino, na *adj.* 발렌시아의.
valentísimo, ma *adj.* 매우 용감한.
valentón, na *adj., m.f.* 허세부리는, 우쭐대는, 으스대는 (사람).
valentonada *f.* 허세.
valer[1] (62) *tr.* ① 지키다, 보호하다, 감싸다, 두둔하다, 비호하다. ② …의 값이다: ¿Cuánto *vale* este ordenador? 이 컴퓨터는 (값이) 얼마입니까? La entrada *vale* diez euros 입장권은 10유로다. ③ …에 상당하다, …과 같은 가치가 있다. ④ (계산의 답・미지수가) …이 되다, …이다: La suma *vale* diez 합은 10이다. ⑤ [+a] (…에게) 결과로 …을 초래하다[가져오다]. ⑥ 생기게 하다, 가져오게 하다, 느끼게 하다, 이익을 주다. ⑦ (신 등이) 구조하다, 가호를 주다. —*intr.* ① 쓸모[이용 가치]가 있다, 쓸 만하다: Estos zapatos me *valen* todavía 이 구두는 아직 쓸 만하다. ② 유효하다, 효력을 가지다. ③ 가치가 있다: No *vale* nada 아무런 가치가 없다. ④ [+por] (…에) 상당하다. ⑤ [+a] (…의) 값이다: ~ *a* dos euros la libra 파운드당 2유로다. ⑥ [+con] (…에게) 영향력이 있다. ~**se** [+de] (…을) 이용하다, 사용하다. ¶~ ***(la)*** ***pena de***

V

\+ *inf.* …할 가치가 있다, …할 만하다.
valer² *m.* =valor, valía.
valeriana *f.* [식물] 쥐오줌풀.
valerosamente *adv.* 용감히.
valerosidad *f.* 용감성.
valeroso, sa *adj.* 용감한, 용기 있는.
valetudinario, ria *adj., m.f.* 병약한 (사람), 허약한 (사람).
valga ☞valer (62).
valga- ☞valer (62).
valí *m.* (몇몇 이슬람 국가에서) 태수, 주지사.
valía *f.* ① (사람의) 진가, 평가. ② (사물의) 가치.
valiato *m.* ① valí의 통치. ② valí의 통치령.
validación *f.* 유효화.
validar *tr.* 법적으로 유효하게 하다.
validez *f.* (법적인) 유효성, 효력.
valido *m.* (왕의) 총신(寵臣).
válido, da *adj.* ① 유효한, 통용하는. ② 강인한, 장부다운. ③ 강한.
valiente *adj.* ① 용감한, 용기 있는. ② 멋진, 희한한. ③ 지독한, 굉장한. ④ 힘센. ⑤ 허세를 부리는, 실속없이 뽐내는. —*m.f.* 용감한 사람.
valientemente *adv.* 용감히, 대담하게; 멋지게, 희한하게; 지독하게.
valija *f.* ① =**maleta.** ② (우편집배원의) 우편 가방[배낭]. ③ [외교] 외교 배당.
valijero, ra *m.f.* 외교 공문서 전달관.
valimiento *m.* ① 총애. ② 비호.
valioso, sa *adj.* 귀중한, 유익한.
valla *f.* ① 담장, 울타리. ② 장애. ③ [운동] 허들. ④ (도로변·빌딩 옥상 등의) 광고판.
valladar *m.* ① 울타리, 담장, 방책. ② 장애물.
vallado *m.* 흙담.
vallar¹ *f.* 담장[울타리]의[에 관한]. —*m.* 담장, 울타리.
vallar² *tr.* …에 울타리[담]를 하다, 울타리를 치다.
valle *m.* ① 계곡: *Valle* de los Caídos 사자(死者)들의 계곡. ② 유역, 분지. ③ 계곡에 있는 마을.

V

valor *m.* ① 가치: ~ de un cuadro 그림의 가치. ② 액, 가격. ③ [경제] 가치: ~ adquisitivo 화폐 가치, 구매력. ~ añadido 부가 가치. ~ unitario 단가(單價). ④ 유효성, 효력. ⑤ 중요성, 의의(意義). ⑥ 유명인, 스타. ⑦ 용기, 용감함. ⑧ 뻔뻔스러움, 낯가죽이 두꺼움, 철면피. ⑨ 재능이 있는 사람. ⑩ *pl.* 가치관, 가치 규준. ⑪ *pl.* 유가 증권. ⑫ [수학] 수치, 치(値), 값: ~ absoluto 절대치. ⑬ [음악] 음장(音長), 음길이, 음량(音量). ⑭ [미술] 색[빛]이 강함, 명암의 정도.
valoración *f.* ① 평가, 견적; 사정(査定). ② 고려. ③ 가치의 상승.
valorar *tr.* ① [+en] (가격에) 평가하다, 견적하다; 사정하다. ② 높게 평가하다, 존중하다. ③ 고려하다. ④ …의 가치를 높이다. ⑤ [화학] 적정(滴定)하다. ~**se** 평가되다: *~se en* mucho 높게 평가되다.
valorativo, va *adj.* 평가하는.
valorear *tr.* =**valorar.**
valoría *f.* =**valía, estimación.**
valorización *f.* =**valoración.**
valorizar (9) *tr.* =**valorar.**
vals *m.* ① [무용] 왈츠. ② 왈츠곡.
valsar *intr.* 왈츠를 추다.
valse *m.*(*f.*) [주로 *Amér.*] =**vals.**
valuación *f.* 평가, 견적.
valuador, ra *m.f.* *Méj.* 평가자.
valuar (15) *tr.* 평가하다, 견적하다.
valva *f.* ① [식물] (꼬투리의) 한쪽. ② [동물] (쌍각류의) 한쪽 껍질.
válvula *f.* ① [기계] 판(瓣), 밸브. ② [생물] 판막(瓣膜). ③ [전기] 전자관. ¶~ ***de escape*** ㉮ =**válvula de seguridad.** ㉯ (긴장을 풀고) 숨을 돌림. ~ ***de seguridad*** 안전판. ~ ***tricúspide*** 삼첨판(三尖瓣).
valvular *adj.* válvula의[에 관한].
vamos¹ [ir 동사의 직설법 현재 1인칭 복수형] [권유할 때] 자, 어서: *Vamos,* tenemos que darnos prisa 자, 우리는 서둘러야 한다. *Vamos,* di lo que sepas 어서, 네가 알고 있는 것을 말해라. *Vamos,* decid lo que sepáis 어서, 너희들이 알고 있는 것을 말해라.
vamos² *interj.* 이런!, 야!: *Vamos,* qué tontería! 이런, 정말 바보[멍청이] 짓이다!
vampiresa *f.* ① 요부(妖婦), 바람난 계집, 남자를 호리는 여자. ② 요부 역을 맡은 여배우.
vampírico, ca *adj.* 흡혈귀의.
vampirismo *m.* ① (사람의) 흡혈귀 같은 행동. ② [정신 의학] 시간(屍姦), 시체 성애(屍體性愛).
vampirizar (9) *tr.* (…을) 악용하다, 이용하다.
vampiro *m.* ① 흡혈귀. ② [동물] (남아메리카의) 흡혈박쥐. ③ 흡혈귀 같은 착취자[고리대금업자].
van ☞ir (40).
vanadio *m.* [화학] 바나듐.
vanagloria *f.* 허영, 허영심, 허식, 겉치레, 허세.
vanagloriarse (11) (12) *r.* [+de·por] (…을) 자만하다, 자부하다, 자랑하다.
vanagloriosamente *adv.* 자만해서, 우쭐해서, 허영심으로.
vanaglorioso, sa *adj., m.f.* 자만하는 (사람), 허세를 부리는 (사람), 허영심이 강한 (사람).
vanamente *adv.* ① 헛되이, 공연히. ② 무익하게, 아무 쓸모없이. ③ 근거 없이. ④ 자만하여, 우쭐하여, 뽐내. ⑤ 경솔하게, 함부로.
vandalaje *m.* *Amér.* =**vandalismo,**

bandidaje.
vandálico, ca *adj.* ① 반달 족(族)의 [에 관한]. ② vandalismo의.
vandalismo *m* ① 반달 족의 기질[풍습]. ② 예술[문화]의 고의적 파괴; (비문화적인) 야만 행위.
vándalo, la *adj.* ① 반달 사람의. ② 예술[문화]의 파괴자의, 파괴를 좋아하는, 난폭한. —*m.f.* ① 반달 사람. ② 예술[문화]의 고의적 파괴자.
vanguardia *f.* 전위(前衛).
vanguardismo *m.* 전위파(前衛派).
vanguardista *adj.* ① 전위파의[에 관한]. ② 전위파에 가담한, 전위파를 추종하는. —*m.f.* 전위파 예술가.
vanidad *f.* ① 허영심, 허세, 허식, 겉치레. ② 공허.
vanidoso, sa *adj.* 허영심이 강한.
vano, na *adj.* ① 헛된, 무익한, 쓸모없는, 공연한: esfuerzos *~s* 헛된[공연한] 노력. *~na* ilusión 헛된 꿈. ② 근거 없는. ③ 덧없는, 허망한, 공허한, 부질없는. ④ 표면적인, 내용이 없는. ⑤ 허영심이 강한. ⑥ 거만한, 우쭐한. —*m.* [건축] (벽의) 문[창문]의 공간. ¶*en* ~ ㉮ 헛되이, 공연히, 덧없이, 부질없이: resultar *en* ~ 헛되이 되다, 보람이 없게 되다. ㉯ 쓸데없이, 필요없이, 까닭없이, 근거없이, 함부로, 경솔하게.
Vanuatu *m.* [국명] 바누아투.
vapor *m.* ① 증기, 수증기, 김. ② 기선(汽船). ③ [의학] 현기증, 어질증. ④ *pl.* [의학] 흡입제. ⑤ *pl.* 트림. ¶*al* ~ 민첩하게, 전속력으로.
vaporación *f.* =**evaporación.**
vaporar *tr.* =**evaporar.**
vaporización *f.* ① 증발, 기화(氣化). ② [의학] 증기 요법.
vaporizador *m.f,* ① 증발기, 기화기. ② 분무기.
vaporizar (9) *tr.* 증발시키다, 기화시키다. ~**se** 증발되다, 기화되다.
vaporoso, sa *adj.* ① 증기를 내는. ② 증기로 가득한, (수)증기가 많은. ③ 가벼운.
vapular *tr.* =**vapulear.**
vapulear *tr.* ① 이쪽저쪽으로 흔들다. ② 반복해서 때리다. ③ 엄하게 꾸짖다, 격하게 비난하다. ~**se** 두들기다, 때리다.
vapuleo *m.* ① 구타. ② 힐책, 비난.
vaquera *f.* ☞**vaquero.**
vaquería *f.* ① 소 떼. ② 착유소, 낙농장. ③ 우유 판매소.
vaquerizo, za *adj.* 소의. 소에 관한. —*m.f.* =**vaquero.** —*f.* (겨울용) 우사(牛舍), 목장.
vaquero, ra *adj.* ① 소를 치는. ② [복식] 진 ((올이 가는 능직 면포))의: pantalones ~ 진바지. ③ 진으로 만든: bolsa *~ra* 진 주머니. cazadora *~ra* 진 웃옷. —*m.f.* 목동, 카우보이. —*m.* 진바지.
vaqueta *f.* 송아지 가죽.
vaquilla *f. Bol., Chile, Hond., Nic.* 한 살 반에서 두 살까지의 암송아지.
vaquillona *f.* ① *AmérM., Nic.* 한 살에서 두 살까지의 암송아지. ② *Ur.* [경멸] 뚱보 여자.
V.A.R. *V*uestra *A*lteza *R*eal 전하.
vara *f.* ① 가는 나뭇가지. ② 길고 가는 막대기, 작대기, 회초리. ③ (시장 등의 직권을 나타내는) 지팡이, 권표. ④ 권위. ⑤ [길이의 단위] 바라 ((83.59 cm)). ⑥ 1바라의 자. ⑦ 기마 투우사(picador)가 소를 찌르기. ⑧ 1바라 길이의 천 조각. ⑨ [집합] 40에서 50마리의 돼지 떼. ⑩ (백합·수선 등의) 꽃줄기.
varada[1] *f.* ☞**varado**[1]**.**
varada[2] *f.* ☞**varado**[2]**.**
varadero *m.* 선박 수리소.
varado[1]**, da** *adj.* [고어] vara 모양의. —*f.* ① (안달루시아에서, 농삿일을 위해 감독 지휘 아래 있는) 날품팔이. ② 농삿일 기간.
varado[2]**, da** [varar의 과거 분사] *adj.* ① (배가) 좌초된. ② *Amér.* 무일푼의. —*m.f.* 무일푼인 사람. —*f.* (선박의) 좌초.
varadura *f.* (배의) 좌초.
varal *m.* ① 길고 두꺼운 막대기[장대]. ② (짐수레의) 옆구리 받침나무. ③ (무대의) 측면 조명대. ④ 키다리, 키꺽다리. ⑤ *Arg., Ur.* 육포 건조 선반.
varamiento *m.* (배의) 좌초.
varapalo *m.* ① 긴 막대기, 긴 작대기. ② 긴 작대기로 때리기. ③ 손해. ④ 큰 슬픔.
varar *tr.* 배를 해변에 끌어 올리다. —*intr.* ① (배가) 좌초하다. ② (일이) 도중에서 막히다[멈추다], 침체되다, 진척되지 않다. ③ *Amér.* (자동차가) 고장으로 (도중에서) 멈추다.
vareador, ra *m.f.* 과일을 장대로 두들겨 따는 사람.
vareaje *m.* ① 과일을 장대로 두들겨 따기. ② vara로 재기. ③ vara로 재어 팔기.
varear *tr.* ① 과일을 장대로 두들겨 따다. ② 장대로 때리다. ③ 장대로 소[맹수]에게 상처를 입히다. ④ vara로 재다. ⑤ vara로 재어 팔다. ⑥ *Arg., Ur.* (경마를) 조련시키다. ~**se** 여위다, 마르다.
varejón *m.* 작대기.
vareo *m.* ① =**vareaje** ①②③. ② *Arg., Ur.* 경마의 조련.
varenga *f.* (배의) 밑바닥 판자.
vareta *f.* ① (새를 잡는) 끈끈이 장대. ② (천의) 줄무늬. ③ 비아냥.
varetazo *m* (황소가) 뿔로 받기.
varetear *intr.* (천에) 줄무늬를 놓다.
varetón *m.* 뿔이 하나인 어린 사슴.
variabilidad *f.* 변하기 쉬움, 가변성.
variable *adj.* ① 변하기 쉬운. ② 가변성의. ③ 불안정한. —*f.* [수학] 변

V

수(變數).
variablemente *adv.* 변하기 쉽게; 가변적으로; 불안정하게.
variación *f.* ① 변화, 변동. ② [음악] 변주, 변주곡. ③ [수학] 변분(變分), 순열. ④ [지학] 자기 편차[편각]. ⑤ [천문] 변차(變差). ⑥ [물리] 편차.
variado, da *adj.* ① 변화가 풍부한, 여러 가지의, 가지각색의. ② 여러 색깔의.
variamente *adv.* 여러 가지로, 가지가지로, 갖가지로, 가지각색으로.
variancia *f.* [통계] =**varianza.**
variante *adj.* 변하는, 바뀌는. —*m.* [주로 *pl.*] 식초에 담근 열매[야채]. —*f.* ① 변형, 변종. ② (문헌의) 이본(異本). ③ (간선 도로에서의) 우회로. ④ (축구 복권에서) 하나 틀림. ⑤ [언어] 이형(異形), 이형체.
varianza *f.* [통계] 평방 편차, 분산.
variar (12) *tr.* ① 바꾸다, 고치다, 변경하다. ② …에 변화를 주다, 다양하게 하다. —*intr.* ① 바뀌다, 변하다, 변화되다. ② (다른 것과) 다르다. ③ [수학] 편차가 생기다.
varice, várice *f.* [의학] =**variz.**
varicela *f.* [의학] 작은마마, 수두.
varicocele *m.* [의학] 정색정맥류.
varicoso, sa *adj.* ① [의학] 정맥류의[에 관한]. ② [의학] 정맥류가 있는. —*m.f.* 정맥류 환자.
variedad *f.* ① 다양성, 변화의 풍부함: La ~ está el gusto 변화는 삶의 양념이다. ② 품종(品種). ③ [생물] 변종(變種). ④ (텔레비전·나이트클럽 등에서의) 버라이어티 연예, (노래·곡예·춤 등을 보여주는) 버라이어티쇼.
varietés *f.pl. fr.* 버라이어티쇼.
varilarguero *m.* [투우] =**picador.**
varilla *f.* ① (주로 금속제의) 가느다란 막대기[봉]. ② (우산·부채 등의) 살. ③ (코르셋의) 심. ④ 턱뼈(의 하나). ¶~ *de virtudes* = varita mágica.
varillaje *m.* [집합] (우산·부채 등의) 살(의 전부).
varillero *m. Méj.* =**buhonero.**
V
vario, ria *adj.* ① 여러 가지의, 가지각색의, 잡다한. ② 일정하지 않은, 변하기 쉬운. ③ 서로 다른. ④ 결정되지 않은. ⑤ 여러 가지 색깔로 구성된. ⑥ *pl.* 몇 개의, 약간의, 여러: ~*s* amigos 여러 친구들. ~*s* años 수년, 여러 해. —*m.f.pl.* 여러 사람. —*m.pl.* ① (분류 항목의) 잡(雜). ② (책·서류 등의) 잡다하게 긁어 모은 것.
variólico, ca *adj.* =**varioloso.**
varioloide *f.* [의학] 가성 천연두.
varioloso, sa *adj.* ① 천연두의[에 관한]. ② 천연두에 걸린. —*m.f.* 천연두 환자.
variopinto, ta *adj.* ① 여러 가지 색깔의, 여러 가지 모습의. ② 다양한, 잡다한, 여러 가지의, 가지각색의.
varita ~ *de virtudes* =varita mágica. ~ *mágica* 요술 막대.
variz, váriz *f.* [의학] 정맥류(靜脈瘤).
varón *m.* ① 남성(男性) ((서류에 성별을 기입할 때, 특히 남성임을 나타내야 할 경우에 사용함)). ② 성인 남자. ③ 신사, 덕망가. ④ [선박] 키 조종용 예비 줄.
varona *f.* ① [드묾] 여성, 여자. ② [드묾] 남자 같은 여자.
varonía *f.* 남자 계통의 자손, 남계.
varonil *adj.* ① 남성의[에 관한]. ② 남자다운, 사나이다운, 씩씩한.
varonilmente *adv.* 남자답게, 사나이답게, 씩씩하게.
varsoviano, na *adj.* ① 바르샤바 (Varsovia, 폴란드의 수도) 태생의. ② 바르샤바의, 바르샤바에 관한. —*m.f.* 바르샤바 사람. —*f.* ① (마주르카(mazurca)가 변한) 폴란드의 춤. ② 폴란드 춤곡.
vas ☞**ir (40).**
vasallaje *m.* ① [역사] 신하. ② 신하의 신분, 예속. ③ 신하로서의 의무. ④ (신하가 봉건주에게 바치는) 공물.
vasallo, lla *adj.* ① [역사] 신하로서 섬기는, 신하의. ② [역사] (고대에) 예속된, 공물을 바치는. —*m.f.* [역사] 신하.
vasar *m.* (특히, 주방의 벽 등에 단) 식기류 선반.
vasco, ca *adj.* ① =**vascongado.** ② 바호스 삐리네오스(los Bajos Pirineos) 주에 속한 프랑스령 태생의. ③ 바호스 삐리네오스 주에 속한 프랑스령의[에 속한]. —*m.f.* ① =**vascongado.** ② 프랑스령 태생 바스크 사람. —*m.* 바스크 말.
vascófilo, la *m.* ① 바스크 말과 문화 연구자. ② 바스크 말과 문화 이해자.
vascofrancés, sa *adj.* ① 프랑스 남부 빠이스 바스꼬 태생의. ② 프랑스 남부 빠이스 바스꼬의[에 관한]. —*m.f.* 프랑스 남부 빠이스 바스꼬 사람.
vascohablante *adj.* 모국어가 바스크 말인. —*m.f.* 바스크 말이 모국어인 사람.
vascólogo, ga *m.f.* 바스크 말에 능통한 사람.
vascón, na *adj.* ① 바스꼬니아 (Vasconia, 현재의 따라고나 지방의 옛 이름) 태생의. ② 바스꼬니아의[에 관한]. —*m.f.* 바스꼬니아 사람.
vascongado, da *adj.* ① 빠이스 바스꼬(el País Vasco) 태생의. ② 빠이스 바스꼬의[에 관한]. —*m.f.* 빠이스 바스꼬 사람. —*m.* 바스크 말 (euskera).
vascónico, ca *adj.* 바스꼬니아 민족의[에 관한].
vascoparlante *adj., m.f.* =**vasco-**

hablante.
vascuence *adj.* 바스크 말의[에 관한]. —*m.* ① 바스크 말. ② 허튼소리, 알아듣지 못하는 소리.
vascular *adj.* ① [해부] 맥관[혈관]의[에 관한], 맥관이 있는, 혈관이 많은: proceso ~ 맥관 돌기. ② [식물] 관다발의[에 관한], 유관속(維管束)의[에 관한].
vasculatura *f.* 혈관계, 맥관 구조.
vasectomía *f.* [의학] 정관 절제(술).
vaselina *f.* ① 바셀린. ② (축구 등에서) 상대팀의 골키퍼나 몇 명의 선수의 머리를 살짝 넘는 차기. ③ (행동의) 신중함, 우아함.
vasija *f.* ① (물·음식용) 그릇, 용기(容器). ② (중간·큰) 그릇. ③ [집합] (술창고의) 통, 독, 항아리.
vaso *m.* ① 잔, 컵, (대가 없는) 유리잔, 유리컵: un ~ de agua 물 한 잔. ② 그릇, 용기(容器): ~ de noche 침실용 변기. ③ 잔에 들어갈 수 있는 액체의 양. ④ 선박, 배. ⑤ 요강. ⑥ 말발굽. ⑦ (건물·정원 등의) 장식용 꽃병 모양의 조각 작품. ⑧ [해부·생물] 관(管); 맥관(脈管), 도관(導管). ¶~ ***excretorio*** 요강. ~ ***lacrimatorio*** 향수병.
vasoconstricción *f.* [의학] 혈관 수축(血管收縮).
vasoconstrictor, ra *adj.* [의학] 혈관 수축(성)의. —*m.* 혈관 수축약.
vasodilatación *f.* [의학] 혈관 확장.
vasodilatador, ra *adj.* [의학] 혈관 확장(성)의. —*m.* 혈관 확장약.
vasomotor, ra *adj.* [의학] 혈관 운동(血管運動)의.
vástago *m.* ① (식물의) 새싹, 어린 가지. ② [집합] 줄기, 잎. ③ 자식, 자손. ④ (피스톤 등의) 자루.
vastedad *f.* =dilatación, anchura, grandeza.
vástiga *f.* (식물의) 새싹, 어린 가지.
vasto, ta *adj.* 광대한, 광막(廣漠)한, 광범한.
vate *m.* ① =adivino. ② =poeta.
váter *m.* [*ing.* water-closet] ① 변기. ② 욕실.
vaticano, na *adj.* ① (이탈리아에 있는) 바티칸 언덕의[에 관한]. ② 교황청의[에 관한]. ③ 교황의[에 관한]. —*m.* [V~] 바티칸 (궁전), 교황청: Ciudad del *Vaticano* 바티칸 시국(市國).
vaticinador, ra *adj.* 예언하는. —*m.f.* 예언자.
vaticinar *tr.* (기독교 이외에서) 예언하다.
vaticinio *m.* 예언.
vatídico, ca *adj.* ① 예언하는. ② 예언의[에 관한]. —*m.f.* 예언자.
vatímetro *m.* 전력계(電力計).
vatio *m.* [전력의 단위] 와트.
vaya[1] *f.* 야유, 조롱.
vaya[2] ☞ir (40).
vaya- ☞ir (40).
V.B. visto bueno 가(可), 검사필.
v/c vuelta de correo 반신 우편.
Vd. usted 귀하, 당신.
vda viuda 미망인.
Vds. ustedes 귀중, 귀사.
ve[1] *f.* =uve. ¶~ ***baja*** =uve. ~ ***doble*** =uve doble. ***doble*** ~ = uve doble.
ve[2] ☞ver (38).
ve[3] 가거라 ((ir 동사의 2인칭 단수 tú의 긍정 명령). ☞ir (40).
V.E. Vuestra Excelencia 각하.
vea ☞ver (38).
vea- ☞ver (38).
vecinal *adj.* ① 주민의[에 관한]. ② 이웃의[에 관한]. ③ 인근의, 인접한, 근처의.
vecinamente *adv.* 가까이, 근처에, 인접하여.
vecindad *f.* ① 인근, 부근. ② [집합] 이웃, 이웃 사람들. ③ [집합] (도시의) 주민. ④ 인접, 인근, 근린.
vecindario *m.* ① [집합] (도시의) 주민. ② 주민 명부.
vecino, na *adj.* ① 이웃의, 이웃에 사는. ② 가까운, 가까운 곳의. ③ (일정한 기간을 거주했기 때문에) 주민의 권리를 얻은. ④ (어떤 선이 건) 가까운, 인접한. ⑤ 비슷한, 유사한, 닮은. —*m.f.* ① 이웃. ② (같은 건물의) 주민. ③ (어떤 지역의) 주민. ¶***Más vale ~ cercano que hermano lejano*** (속담) 가까운 이웃이 먼 형제보다 낫다.
vector *m.* ① [수학] 벡터, 동경(動徑). ② [천문] 동경. ③ 병원균을 매개하는 곤충. ④ [군사] 핵 운반 수단, 미사일.
vectorial *adj.* 벡터의[에 관한].
veda[1] *f.* ① (법률 등에 의한) 금지. ② 금렵(禁獵)[금어(禁漁)] 기간.
Veda[2] *m.* [주로 *pl.*] 베다 ((고대 인도의 바라문교의 경전)).
vedado, da *adj.* 금지된. —*m.* (법률·법령에 의해) 출입 금지 구역.
vedar *tr.* (법률 등으로) 금지하다.
vedeja *f.* ① 긴 머리카락. ② 사자의 갈기.
vedette *f. fr.* ① 버라이어티 쇼의 스타. ② (어떤 분야에서) 두드러진[특출한] 사람.
védico, ca *adj.* ① 베다(Veda)의. ② 고대 산스크리트 말의.
vedija[1] *f.* ① 양털 타래. ② (동물의 몸 어느 부분에) 얽힌 털. ③ 얽힌 머리카락.
vedija[2] *f.* 음부(陰部), 치부(恥部).
vedismo *m.* 베다 종교, 원시 바라문교.
veedor, ra *adj., m.f.* 보는 (사람). —*m.* ① (옛날의) 검찰관. ② (길드의) 검사역.
vega *f.* ① (주로 하천 하류의) 옥토(沃土), 옥야(沃野). ② *Chile.* 습지

(濕地). ③ *Cuba, Ven.* 담배밭.

vegetación *f.* ① [집합] (한 지역의) 식물. ② 발아; 성장. ③ [의학] (피부 · 점막의) 조직 증식, 증식 비대.

vegetal *adj.* ① 식물이 자라는. ② 식물의[에 관한], 식물성의. —*m.* ① 식물. ② 식물 인간. ③ *pl. PRico.* 야채.

vegetalismo *m.* 채식 식이 요법.

vegetalista *adj.* 채식 식이 요법의. —*m.f.* 채식 식이 요법가.

vegetar *intr.* ① (식물이) 성장하다, 자라다. ② (사람이) 무위한 생활을 보내다, 무위도식하다. ③ (활동이) 침체되다. ④ 식물 인간이 되다.

vegetarianismo *m.* 채식주의.

vegetariano, na *adj.* 채식주의(菜食主義)의. —*m.f.* 채식주의자.

vegetativo, va *adj.* ① (식물이) 성장하는, 성장력 있는. ② [생물] 식물성의; 영양성의.

veguero, ra *adj.* 옥야(沃野)의[에 관한]. —*m.f.* (특히 담배 밭 개간을 위해) 옥야에서 일하는 일꾼. —*m.* 단 하나의 담배 잎으로 만 여송연.

vehemencia *f.* 격렬함, 맹렬함.

vehemente *adj.* ① (감정 · 표현이) 격한, 격렬한, 열렬한: discurso ~ 열변. ② 잘 생각하지 않고 행동하는, 충동적인.

vehementemente *adv.* 격하게, 격렬하게; 열렬하게.

vehicular[1] *tr.* =**transportar.**

vehicular[2] *adj.* ① 교통의[에 관한]. ② 매개하는, 전달하는, 다른 언어로 통신을 하는: lengua ~ 매개어 ((각기 다른 언어를 사용하는 종족간의 전달 언어)).

vehículo *m.* ① 교통 수단, 탈것, 차, 차량. ② 전달 수단, 매개물, 매개자. ③ [의학] 보균자. ④ [약학] (먹기 어려운 약을 먹기 쉽게 하는) 부형제(賦形劑). ⑤ [불교] 승(乘): gran ~ 대승(大乘). pequeño ~ 소승.

veía ☞**ver (38).**

veía- ☞**ver (38).**

veintavo, va *adj., m.* =**veinteavo.**

veinte *adj.* ① 20의, 스물의. ② 스무 번째의. —*m.* ① 20, 스물. ② 20일: el ~ de abril 4월 20일. ③ 1920년대. ④ 20대.

veinteañero, ra *adj.* 20대의. —*m.f.* 20대.

veinteavo, va *adj.* 20분의 1의. —*m.* 20분의 1.

veintena *f.* ☞**veinteno.**

veintenar *m.* 20개조.

veintenario, ria *adj.* 스무 살의.

veinteno, na *adj.* ① =**vigésimo.** ② 20분의 1의. —*f.* 20개조.

veinticinco *adj.* ① 25의. ② 스물다섯 번째의. —*m.* 25, 스물다섯.

veinticuatro *adj.* ① 24의. ② 스물네 번째의. —*m.* 24, 스물넷.

veintidós *adj.* ① 22의. ② 스물두 번째의. —*m.* 22, 스물둘.

veintinueve *adj.* ① 29의. ② 스물아홉 번째의. —*m.* 29, 스물아홉.

veintiocho *adj.* ① 28의. ② 스물여덟 번째의. —*m.* 28, 스물여덟.

veintiséis *adj.* ① 26의. ② 스물여섯 번째의. —*m.* 26, 스물여섯.

veintisiete *adj.* ① 27의. ② 스물일곱 번째의. —*m.* 27, 스물일곱.

veintitantos, tas *adj.pl.* 20 몇 개, 스물하고 몇 개 더.

veintitrés *adj.* ① 23의. ② 스물세 번째의. —*m.* 23, 스물셋.

veintiún *adj.* [항상 명사 앞에서] = veintiuno: ~ libros 책 21권.

veintiuno, na *adj.* ① 21의. ② 스물한 번째의. —*m.* 21, 스물하나. —*f.* 21을 만드는 사람이 이기는 카드[주사위] 놀이.

vejación *f.* 박해, 학대, 괴롭힘.

vejador, ra *adj., m.f.* 박해하는 (사람), 학대하는 (사람), 괴롭히는 (사람).

vejamen *m.* ① 괴롭힘, 박해, 학대. ② 모욕. ③ 비난 연설. ④ 풍자.

vejar *tr.* ① 괴롭히다, 학대하다, 박해하다, 못살게 굴다. ② 모욕하다, 조롱하다, 우롱하다, 놀리다.

vejatorio, ria *adj.* ① 괴롭히는, 박해하는, 학대하는. ② 모욕적인.

vejestorio *m.* ① [경멸] 늙은이. ② 낡은 것, 오래된 것.

vejete *adj., m.f.* (연극에서) 익살스러운 (노인).

vejez *f.* ① 노년, 노령, 노경, 노쇠. ② 노년기. ③ 노인의 잔소리[험담]. ④ 노망.

vejiga *f.* ① [해부] 방광. ② (피부의) 물집, 수포(水疱).

vela[1] *f.* ① 철야, 밤샘. ② 철야 시간. ③ 밤일, 야근. ④ 야경, 야간 순찰. ⑤ =**velatorio.** ⑥ 초, 양초. ⑦ *pl.* (특히, 어린아이들의) 콧물.

vela[2] *f.* ① 돛. ② 차일, 천막, 텐트. ③ 요트 경기. ④ 돛배, 범선, 요트. ⑤ (말 · 노새 등의) 쫑긋 세운 귀.

vela[3] *f. And.* =**voltereta, volatín.**

velación[1] *f.* 밤샘, 철야.

velación[2] *f.* [주로 *pl.*] ① (옛날 천주교의 결혼식에서) 신랑 신부가 베일을 씌워 주는 의식. ② *pl. Sal.* 기도회(祈禱會).

velada *f.* ① 밤샘, 철야. ② 야회(夜會), 밤 모임. ③ 야간 파티. ④ 야간 공연.

velado, da *m.f.* 정식 남편[아내].

velador, ra *adj.* ① 철야하는, 밤샘하는. ② 망보는. ③ 야간 간호하는. —*m.f.* ① 밤샘하는 사람. ② 야간 보초, 야간 파수꾼. ③ 야간 간호자. —*m.* ① 나무 촛대. ② (다리가 하나인) 둥근 소형 탁자. ③ *Can., Andes, Chile, CRica.* 머리맡 야간 탁자. ④ *Arg.* =**veladora.** ⑤ *Méj.* 야간 불침번. —*f. Bol., Méj., Par.,*

Ur. (자주 머리맡 야간 탁자 위에 놓이는) 휴대 전등[램프].
veladura *f.* [미술] (연하게 하기 위해) 화구의 마무리 칠.
velaje *m.* =velamen.
velamen *m.* (선박 한 척의) 돛.
velar[1] *tr.* ① 불침번(不寢番)을 서다. ② 야간에 환자를 돌보다. ③ (상가집에서) 밤샘하다. ④ 주의깊게 관찰하다. —*intr.* ① 철야하다, 밤을 꼬박 세우다. ② 근무를 끝내고 계속 일하다, 야근하다. ③ 망을 보다, 살피다.
velar[2] *tr.* ① 베일을 씌우다. ② (사진을) 흐리게 하다. ③ 감추다. ④ 야간에 결혼식을 행하다. ~**se** ① 베일을 쓰다. ② (사진이) 흐려지다. ③ 야간에 결혼식이 열리다.
velar[3] *adj.* ① 어둡게 하는, 흐리게 하는. ② [해부] 목젖의, 연구개의. ③ [언어] 연구개음의. —*f.* [언어] 연구개음..
velarización *f.* 연구개음화.
velarizar (9) *tr.* 연구개음화하다.
velatorio *m.* ① 상가에서 밤샘하기. ② (병원 등의) 영안실.
velazqueño, ña *adj.* ① 벨라스케스 (Diego Rodríguez de Silva y Velázquez, 스페인 세비야 태생의 화가, 1599-1660)의[에 관한]. ② 벨라스케스의 작품의[에 관한]. ③ 벨라스케스풍의.
veleidad *f.* ① 경솔함, 경솔한 행동. ② 불안정. ③ 바람기. ④ 이것 저것 해보고 싶은 마음.
veleidoso, sa *adj.* ① 변덕스러운, 경거망동하는. ② 바람기가 있는. ③ 불안정한.
velero[1], **ra** *adj.* (상가집에서) 밤샘하는. —*m.f.* ① (상가집에서) 밤샘하는 사람. ② 양초 제조자[장수].
velero[2], **ra** *adj.* ① (배의) 속도가 빠른. ② (배가) 항해를 많이 하는. —*m.* ① (선박용) 돛 제조자. ② 돛배, 돛단배.
veleta *f.* ① 풍향계. ② 팔랑개비. ③ (창의) 깃발. ④ (낚시의) 찌. —*m.f.* 변덕쟁이.
velicación *f.* [의학] (메스로) 곪은 자리 째기.
velicar (7) *tr.* (메스로) 곪은 자리를 째다.
velís *m. Méj.* =**veliz.**
velis nolis *adv. lat.* 좋건 싫건.
vélite *m.* (고대 로마의) 경보병.
velívolo, la *adj.* [시어] (배가) 쾌속의, 전속력으로 항해하는.
veliz *m. Méj.* 손가방.
vello *m.* ① (사람의, 머리카락과 수염 이외의) 체모, 솜털, 털. ② (식물의) 솜털. ③ (섬유의) 면모(綿毛).
vellocino *m.* ① 양털, 양모. ② 무두질한 양가죽.
vellón[1] *m.* ① [집합] 양털, 양모. ② 무두질한 양가죽. ③ 양모 부스러기.
vellón[2] *m.* ① (옛날 동전 가공용) 은과 구리의 합금. ② 은과 합금된 동전 대신에 사용된 동전. ③ *PRico.* 5센트 동전.
vellosidad *f.* 체모가 많음.
vellosilla *f.* [식물] 조팝나무.
velloso, sa *adj.* 체모가 많이 난, 털이 많은.
velludo, da *adj.* 체모가 많이 난, 털이 많은. —*m.* 우단(羽緞), 비로드.
vellutero, ra *m.f.* 우단[비단] 짜는 사람.
velo *m.* ① (무엇의) 덮개, 씌우개, 천, 장막, 포장, 휘장. ② (신부·상을 당한 여인·여자 이슬람교도·수녀 등의) 면사포, 베일. ③ (사제의) 하얀 어깨걸이 숄. ④ 핑계, 구실. ⑤ 수녀가 되는 의식. ⑥ [사진] 현상·인화 때 화상과 관계 없이 화면이 흐려진 상태. ¶~ *humeral,* ~ *ofertorio* (사제의) 하얀 어깨걸이 숄.
velocidad *f.* ① 속도, 속력, 스피드: ~ de la luz 광속. ~ del sonido 음속. ~ del viento 풍속. ~ máxima 최대 속도. de alta ~ 고속의. a toda ~ 전속력으로. acelerar la ~ 속도를 올리다. reducir la ~ 속도를 떨어뜨리다. ② (자동차 등의) 변속 장치. ③ [물리] 속도. ④ [운동] 스프린트, 단거리 경주.
velocímetro *m.* 속도계.
velocípedo *m.* ① 세 바퀴 자전거. ② 자전거.
velocista *m.f.* 단거리 주자.
velódromo *m.* 경륜장(競輪場).
velomotor *m.* 소형 오토바이, 원동기 부착 자전거.
velón *m.* (금속제) 램프.
velorio[1] *m.* ① (집안 일을 끝낸 뒤의) 야간 모임. ② 죽은 아이를 위한 밤샘.
velorio[2] *m.* 수녀가 되는 의식, 수녀의 선서식.
veloz *adj.* ① 빠른, 신속한. ② 민첩한, 경쾌한.
velozmente *adv.* ① 빨리, 신속히. ② 민첩하게, 경쾌하게.
ven[1] 오너라 ((venir의 2인칭 단수 tú의 긍정 명령)). ☞**venir (60).**
ven[2] ☞**ver (51)**
vena *f.* ① [해부] 정맥. ② (돌·나무의) 결. ③ [식물] 잎맥, 엽맥. ④ 광맥. ⑤ 수맥(水脈). ⑥ (예술적인) 감흥. ⑦ 재능.
venablo *m.* 투창.
venada[1] *f.* 광기의 발작.
venada[2] *f. Ven.* [동물] 암사슴.
venado *m.* ① [동물] 사슴. ② *Salv.* 노함, 성남, 화남.
venal[1] *adj.* 정맥의[에 관한].
venal[2] *adj.* ① 팔 수 있는, 팔려고 내놓은. ② 돈으로 매수할 수 있는, 돈이면 다 되는.
venalidad *f.* 매수하기가 쉬움.

venático, ca *adj., m.f.* 광기가 있는 (사람), 호기심이 강한 (사람).
venatorio, ria *adj.* 수렵의[에 관한].
vencedero, ra *adj.* 기한이 찬[된 · 마감된]: letra *~ra* 기한이 된 어음.
vencedor, ra *adj.* 이긴, 승리의, 전승의: país ~ 전승국. *—m.f.* 승리자, 승자.
vencejo[1] *m.* ① (단을 묶는) 새끼줄, 줄, 끈. ② [은어] 혁대, 허리띠.
vencejo[2] *m.* [새] 칼새.
vencer (1) *tr.* ① 타파하다, 이기다: ~ en la carrera 경주에서 이기다. ② 극복하다: ~ un obstáculo 장애를 극복하다. ③ 정복하다: ~ la cumbre 정상을 정복하다. ④ (무게로) 기울게 하다. *—intr.* ① (기한이) 오다, 만기가 되다. ② [+en] (…에서) 이기다, 승리하다. **~se** ① 자신에게 이기다, 자신을 이겨 내다. ② (무게로) 기울다. ③ 기한이 오다[차다].
vencetósigo *m.* [식물] 대극.
vencible *adj.* 이길 수 있는, 극복할 수 있는.
vencida *f.* 만기(vencimiento).
vencido, da *adj.* ① 만기(滿期)의, 기한이 된: letra *~da* 만기 어음. ② 패배한: país ~ 패전국. *—m.f.* 패자(敗者).
vencimiento *m.* ① (지불 등의) 기한, 만기. ② (판자의) 틀어짐, 휘어짐. ③ 승리. ④ 극복. ⑤ 패배.
venda *f.* 붕대.
vendaje[1] *m.* [집합] 붕대.
vendaje[2] *m.* ① *Can., Bol., Col., Ecuad., Hond., Nic.* =**añadidura.** ② *Salv.* (상인이 더 주는) 덤.
vendar *tr.* (몸의 일부에) 붕대를 감다. **~se** (자신의 몸의 일부에) 붕대를 감다.
vendaval *m.* ① (남쪽에서 불어오는) 강풍(强風). ② (계절 외의) 강풍. ③ *Cuba, Nic., Ur.* 장마철.
vendedera *f.* 여자 장사꾼.
vendedor, ra *adj.* 파는. *—m.f.* 장수, 장사꾼, 외판원, 판매원, 점원.
vender *tr.* ① 팔다, 판매하다, 매각하다: ~ frutas 과일을 팔다. ② (양심 등을) 팔다, 매도하다, 팔아 넘기다. ③ 배반하다. ④ (…의 비밀 등을) 폭로하다. **~se** ① 팔리다: *~se* mucho 많이 팔리다. ② 배반하다. ③ 매수되다. ④ [+por] (자신이) …인 척하다.
vendetta *f. it.* 피의 복수.
vendible *adj.* 팔 수 있는, 매물의.
vendimia *f.* ① 포도 수확. ② 포도 수확기. ③ 횡재, 큰 벌이, 큰 이익.
vendimiador, ra *m.f.* 포도 수확자, 포도 따는 사람.
vendimiar (11) *tr.* ① 포도를 따다[수확하다]. ② 부정한 이득을 얻다. ③ 죽이다, 살해하다.
vendr- ☞venir (60).
vendría ☞venir (60).
vendría- ☞venir (60).
venencia *f.* (포도주 시음용 손잡이가 달린) 작은 잔.
venenciador *m.f.* (작은 잔으로) 포도주 시음자.
venenífero, ra *adj.* [시어] =**venenoso.**
veneno *m.* ① 독(毒): El tabaco es un ~ 담배는 독이다. ② 독물. ③ 독소. ④ 해독. ⑤ 원한, 악의.
venenosidad *f.* 독성(毒性).
venenoso, sa *adj.* ① 독이 있는, 유독한: gas ~ 독가스. ② 악한, 악의가 있는. ③ 유해한, 해로운: libro ~ para los niños 어린이에게 해로운 책.
venera[1] *f.* ① [조개] 국자가리비. ② (기사 단원이나 순례자가 가슴에 달았던) 기장, 배지.
venera[2] *f.* 샘, 우물.
venerable *adj.* 존경받을 만한, 공경해야 할. *—m.f.* [천주교] 존자(尊者). *—m.* (비밀 결사의) 의장.
venerablemente *adv.* 존경[공경]할 만하게.
veneración *f.* ① 존경, 경애, 공경. ② 숭배.
venerador, ra *adj.* 존경하는; 숭배하는. *—m.f.* 숭배자.
venerar *tr.* ① 존경하다, 공경하다. ② (신 등을) 숭배하다.
venéreo, a *adj.* ① 성교(性交)의[에 관한], 육체적 쾌락의[에 관한], 성애(性愛)의. ② [의학] 성병의. *—m.* 성병(性病).
venereología *f.* 성병학.
venereológico, ca *adj.* 성병학의[에 관한].
venereólogo, ga *m.f.* 성병 전문의, 성병학자.
venero *m.* ① 광맥. ② 샘. ③ 근원, 기원, 근본, 원천. ④ (해시계의) 시간 가리키는 선(線).
venezolanismo *m.* 베네수엘라 방언[발음].
venezolano, na *adj.* ① 베네수엘라 태생의. ② 베네수엘라의[에 관한]. *—m.f.* 베네수엘라 사람.
Venezuela *f.* [국명] 베네수엘라 ((남아메리카 북부의 공화국; 수도 Caracas)).
venga ☞venir (60).
venga- ☞venir (60).
vengador, ra *adj.* 보복하는, 복수하는. *—m.f.* 보복자, 복수자.
venganza *f.* 복수, 보복.
vengar (8) *tr.* …의 복수[보복]를 하다. **~se** [+de · por · en] (…의) 복수[보복]를 하다; …에게 복수를 하다.
vengativo, va *adj.* 복수의, 보복의, 보복적인, 복수심이 강한.
vengo ☞venir (60).
venia *f.* ① 허가, 재가. ② (죄의) 용서. ③ 예의 바르게 머리를 숙이는 인사.

venial *adj*. (죄가) 가벼운, 용서할 수 있는.

venialidad *f*. 죄의 경미함[가벼움].

venialmente *adv*. 가볍게, 경미하게.

venida *f*. ① 내방, 도착, 도래. ② 돌아옴, 귀가, 귀착, 귀대. ③ (강·내의) 범람, 홍수. ④ 맹렬함, 성급한 동작, 격렬한 행동. ⑤ (검술에서) 상호간의 공격.

venidero, ra *adj*. 올, 장래의, 미래의, 금후의; 계승할. —*m.f.* ① 후계자, 계승자. ② 자손, 후대(後代).

venimécum *m. lat.* =vademécum ①.

venir (60) *intr.* ① ㄱ) (말하는 사람 쪽으로) 오다, (이리로) 다가오다: *Ven* acá 이리 오너라. *Viene* un taxi 택시가 온다. Juan *viene* en coche 후안이 차로 (이리로) 다가온다. ㄴ) (상대방이 있는 곳 또는 어떤 목적지로) 가다: ¿Vienes? —Sí, *vengo* 너 오겠니? —그래, 갈께. Voy a tomar café, ¿quieres ~ conmigo? 커피 마시러 가는데 너도 함께 가겠니? ② [+a+*inf.*] …하러 오다: *Vengo* a verte 너를 만나러 왔다. ③ [+de] (…에서) 오다, …갔다 오다: *¿De* dónde *vienes*? —*Vengo de* España 어디서 오느냐? —스페인에서 오는 길이다. *Vengo del* banco 은행에 갔다 온다. ④ [+a] (…에게) 생기다, 일어나다, 발생하다: A ella le *vino* una desgracia 그녀에게 불행한 일이 생겼다. ⑤ (식물이) 자라다, 성장하다. ⑥ [+de] (…에서) 비롯되다, 기인하다, …이 원인이다. ⑦ [+en] (…에) 쓰여 있다, 기재되어 있다. ⑧ [+a] (…에게) …이다: Esta camisa me *viene* ancha 이 와이셔츠가 나한테는 크다. ⑨ [+bien] 맞다, 어울리다, 적합하다: Los pantalones te *vienen bien* 구두가 너에게 잘 맞는다. ⑩ [+mal] 맞지 않다, 어울리지 않다, 적합하지 않다: Esa blusa te *viene mal* 그 블라우스는 너한테 어울리지 않는다. ~**se** ① (발효해서) 적당한 때가 되다, 알맞게 되다: ~*se* el pan 빵이 발효가 알맞게 되다. ~*se* el vino 포도주가 발효가 잘 되다. ② 꼭 들어맞다, 합치되다, 동의하다. ③ 타협하다.

venoso, sa *adj*. ① 정맥이 있는; 잎맥이 있는. ② 정맥의[에 관한]; 잎맥의[에 관한].

v/en pza. valor en plaza 시장 가격.

venta *f*. ① 판매, 매각: precio de ~ 판매 가격. red de ~*s* 판매망. ② 매상, 매상고. ③ (길가나 인적이 드문 곳에 있는) 객줏집, 여인숙, 여관. ④ 노점(露店), 좌판. ¶*contrato de compra y* ~ 매매 계약.

ventada *f*. 돌풍(突風).

ventaja *f*. ① 유리한 입장, 우위, 우세, 우월. ② 유리한 점, 장점, 이점. ③ (운동 등에서) 상위, 선행; 핸디캡. ④ [테니스] 어드밴티지 ((듀스 후의 처음 얻는 1점)): ley de la ~ 어드밴티지 룰.

ventajear *intr. Arg., Col., Guat., Ur.* 이익을 얻다.

ventajero, ra *adj., m.f. PRico., Ur., Arg., RDom.* =ventajista.

ventajista *adj., m.f.* 악랄하게[악착같이·약은 수로] 장사를 하는 (사람), 유리한 조건을 이용하는 (사람).

ventajosamente *adv*. 유리하게, 이로이, 이롭게.

ventajoso, sa *adj*. 유리한, 이로운: contrato ~ 유리한 계약.

ventana *f*. ① 창문, 창: abrir la ~ 창문을 열다. cerrar la ~ 창문을 닫다. ¿Quieres abrir la ~? 창문을 열어 주겠니? ② 콧구멍. ③ [컴퓨터] 창, 윈도 ((디스플레이 화면상의 한 부분에 지정된 영역)).

ventanaje *m*. [집합] 한 건물의 창문 (전체).

ventanal *m*. (성당의 창문처럼) 커다란 창문.

ventanazo *m*. ① 창문이 닫힐 때 내는 큰 소리. ② (화가 나서) 창문을 쾅 닫기.

ventanilla *f*. ① (열차·비행기 등 탈 것의) 창문. ② (은행·표 파는 곳 등의) 창구. ③ 콧구멍. ④ (봉투의) 창(窓) ((수신인의 주소를 볼 수 있도록 봉투에 붙인 투명체로 덮인 네모난 부분)).

ventanillo *m*. ① (문 등의) 작은 창문. ② (내객 등의) 바깥 동태를 보기 위해 낸 창문.

ventano *m*. (채광·환기용) 작은 창문.

ventanuco *m*. 작고 좁은 창문.

ventarrón *m*. 강풍(强風).

ventear *intr*. 바람이 불다. —*tr*. ① (개 등이) 콧등으로 냄새를 맡고 다니다. ② (의류·이부자리 등을) 바람 쏘이다, 말리다. ③ (무엇을) 조사하고 다니다, 냄새 맡고 다니다. ~**se** ① 트다, 금이 가다, 균열이 생기다. ② (기와·벽돌 등을 구울 때) 거품이 일다. ③ (식물이) 풍해를 받다, 바람을 쏘여 못쓰게 되다. ④ 방귀를 뀌다.

ventero, ra *m.f.* 여관(venta) 주인.

ventilación *f*. 통풍, 환기; 환기 장치.

ventilador *m*. ① 선풍기. ② 통풍 설비, 환기 장치; 환기 구멍, 통풍구.

ventilar *tr*. ① 환기시키다, 바람을 보내다. ② 바람에 쏘이다. ③ (문제를) 해결하다. ④ (사적인 것을) 공포하다. ~**se** ① 환기되다. ② 말리다. ③ (사람이) 바람을 쐬다. ④ 빨리 끝나다. ⑤ (누구를) 죽이다.

ventisca *f*. ① 눈보라. ② 강풍.

ventiscar (7) *intr*. ① 눈보라가 치다. ② 강풍으로 눈이 날아 올라가다.

ventisco *m.* =ventisca.
ventisquear *intr.* =ventiscar.
ventisquero *m.* ① =ventisca. ② 눈보라가 치는 산의 높은 곳. ③ (산의) 눈 쌓인 곳. ④ 설원(雪原), 빙원(氷原).
ventolera *f.* ① 돌풍(突風). ② 바람개비. ③ 문득 떠오른 생각, 변덕. ④ 허세.
ventorrillo *m.* ① =ventorro. ② 교외에 있는 초라한 식당.
ventorro *m.* [경멸] 작은[나쁜] 싸구려 하숙집, 객줏집.
ventosa *f.* ① 환기 구멍, 통풍 구멍. ② [동물] 빨판, 흡반(吸盤). ③ [의학] 부항단지. ④ [기계] 안전판.
ventosear *intr.*, ~**se** 방귀를 뀌다.
ventosidad *f.* ① 바람이 많음. ② 배에 가스가 참. ③ 방귀를 뀜.
ventoso, sa *adj.* ① 공기를 포함한. ② 바람이 많은, 바람이 강한. ③ 배에 가스를 차게 하는. ④ [의학] 고창(鼓脹)의. —*m.* 프랑스 공화력의 제6월 ((2월 19일-3월20일)).
ventral *adj.* 배[복부]의[에 관한].
ventrecha *f.* =ventresca.
ventresca *f.* 물고기의 배[복부].
ventricular *adj.* [해부] ventrículo의[에 관한].
ventrículo *m.* [해부] 실(室), 심실(心室), 뇌실(腦室): ~ diestro [해부] 우심실(右心室).
ventrílocuo, cua *adj.* 복화술(複話術)의. —*m.f.* 복화술사.
ventriloquia *f.* 복화술.
ventrisca *f.* =ventresca.
ventrudo, da *adj.* 올챙이배의, 배가 큰: hombre ~ 배가 큰 남자.
ventura *f.* ① 행복, 행운. ② 운. ③ 우연. ④ 위험.
venturoso, sa *adj.* 행운의, 행복한.
venus *f.* ① 여신 비너스의 플라스틱상. ② 돌[상아·뼈]로 제작한 선사이전의 여인상. ③ 절세미인. ④ 성적 쾌락; 성교. ⑤ [화학] 동(銅), 구리. —*m.* [V~] [천문] 금성(金星).
venusiano, na *adj.* 금성의[에 관한].
venustez *f.* 완벽한 미.
venustidad *f.* =venustez.
venza ☞vencer (1).
venza- ☞vencer (1).
venzo ☞vencer (1).
veo ☞ver (38).
ver[1] (38) *tr.* ① 보다, 보이다: No *veo* nada sin gafas 나는 안경 없이는 아무 것도 보지 못한다. ② 해보다, 시도하다. ③ 만나다, 면회하다: Me alegro de ~te 너를 만나서 기쁘다. ④ 조사하다, 관찰하다. ⑤ 알다. ⑥ 예견하다. ⑦ 체험하다. ⑧ 이해하다. —*intr.* ① 보이다, 시력이 있다. ② 이해력이 있다. ~**se** ① 보이다: Aquí *se ve* la montaña 여기서 산이 보인다. ② 자신을 보다: ~*se en* el espejo 거울을 보다. ③ 서로 만나다. ④ (어떤 장소·상태에) 있다. ⑤ …처럼 보이다.
ver[2] *m.* ① 시각(視覺). ② 외관, 모양. ③ 의견, 생각.
vera *f.* 가장자리, 기슭.
veracidad *f.* 진실성.
veranada *f.* (방목을 위한) 여름철.
veranda *f.* (건물의) 베란다, 툇마루, 노대(露臺), 발코니, 테라스; (건물·정원의) 전망대.
veraneante *adj.* 피서하는. —*m.f.* 피서객.
veranear *intr.* (거주하는 곳이 아닌 다른 곳에서) 여름 휴가를 보내다, 피서하다.
veraneo *m.* ① 피서. ② (몇몇 동물의) 여름 목장, 여름을 나는 곳.
veraniego, ga *adj.* ① 여름의[에 관한]. ② (사람이) 여름을 타서 마른, 여름철에 자주 아픈. ③ 경미한, 중요성이 없는.
veranillo *m.* 가을의 더운 짧은 기간, 가을의 잔서(殘暑).
verano *m.* ① 여름: vacaciones de ~ 여름 휴가, 여름 방학. ② (계절 감각이 없는 적도 지방에서, 6개월 동안의) 건조기(乾燥期). ③ (1년 중의) 가장 더운 시기 ((북반구의 6·7·8월, 남반구의 12·1·2월)).
veras *f.pl.* ① (말의) 진실성. ② 성실. ③ 열심. ¶*de* ~ ㉮ 진실로, 정말로, 진짜로. ㉯ 마음에서. *hablar* alguien *de* ~ (누가) 성내기[화내기] 시작하다.
veraz *adj.* (사람이) 늘 진실을 이야기하는, 정직한, 솔직한; (말·보고가) 진실의, 정확한.
verba *f.* =labia, locuacidad.
verbal *adj.* ① 말의. ② (쓰지 않고) 말로 하는, 구두의: contrato ~ 구두 계약. ③ [문법] 동사의, 동사에서 파생된.
verbalismo *m.* ① (내용보다) 어구에 편중하기. ② 어구 비평.
verbalista *adj.*, *m.f.* 자구(字句)에 구애되는 (사람).
verbalización *f.* (생각·느낌의) 말로 표현하기.
verbalizar (9) *tr.* (생각·느낌을) 말[언어]로 표현하다.
verbalmente *adv.* 말로, 구두로.
verbena *f.* 야간의 야외 댄스 파티.
verbenero, ra *adj.* ① verbena의[에 관한]. ② verbena를 좋아하는 (사람). ③ 유쾌한, 즐거운. ④ 떠들썩한, 소란한. —*m.f.* verbena의 여러 업무에서 일하는 직업인.
verbigracia *f. lat.* 예, 보기. —*adv.* 예를 들면.
verbi gratia *adv. lat.* 예를 들면.
verbo *m.* ① 말, 언어. ② 욕지거리, 험담, 악담, 저주의 말. ③ [천주교] [V~] 말씀 ((삼위일체의 제2위격)). ④ [문법] 동사. ¶~ *intransitivo* [문법] 자동사. ~ *irregular* [문법]

V

불규칙 동사. ~ *regular* [문법] 규칙 동사. ~ *transitivo* [문법] 타동사. *en un* ~ 지체 없이, 즉시.

verborragia *f.* 수다, 다변(多辯), 말이 많음.

verborrea *f.* =**verborragia.**

verbosidad *f.* 요설(饒舌), 농설(弄舌), 수다스레 지껄임, 말이 많음.

verboso, sa *adj.* 수다스레 지껄이는, 말이 많은.

verdad *f.* ① 진리: buscar la ~ 진리를 탐구하다. ② 진실; 사실, 참말: decir la ~ 진실[사실]을 말하다. ③ 진상. ¶*¿~?* [부가 의문문] 그렇지요?: Vendrás a verme mañana, *¿~?* 너 내일 날 만나러 올거지, 그렇지? ***a decir*** ~ =**a la verdad.** ***a la*** ~ 실은, 사실은, 사실[진실]을 말하면, 바른 대로 말하면. ***a mala*** ~ 속임수로, 사기로. ***de*** ~ ㉮ =**a la verdad.** ㉯ =**de veras.**

verdaderamente *adv.* 정말로, 진실로(con toda verdad, con verdad).

verdadero, ra *adj.* ① 진실(眞實)한: amigo ~ 진실한 친구. ② 진짜의: *~ra* causa 진짜 이유. ③ 실제의: ~ responsable 실제 책임자. ④ 성실한, 마음으로부터의: cariño ~ 마음에서 우러나온 애정. ⑤ 항상 진실을 말하는. ⑥ [의학] 진성의: apófisis *~ra* 진성 골기(眞性骨起)

verdal *adj.* ① (과일이) 익은 뒤에도 아직 푸른 (색인). ② 익은 뒤에도 푸른 과일을 맺는 (나무).

verde *adj.* ① 녹색의: sobre ~ 녹색 봉투. ② (신호가) 푸른. ③ (과일이) 익지 않은, 풋: fruta ~ 풋과일. ④ (계획 등이) 완성되지 않은: jugador ~ 미숙한 선수. ⑤ (장작 등이) 덜 마른. ⑥ 외설의, 음란한, 음탕한: cuento ~ 음란한 이야기. novela ~ 외설 소설, 에로 소설. ⑦ 호색의, 이성을 밝히는: viejo ~ 호색 노인, 여성을 밝히는 노인. ⑧ 젊은: en mis años *~s* 내 젊은 시절에. ⑨ 환경 보호파의, 녹색당의. ⑩ 녹지대의: espacio ~ 녹지 공간. zona ~ 녹지대, 그린벨트. *—m* ① 녹색. ② (신호의) 청색. ③ (나무·식물의) 잎. ④ *Cuba.* 미국 달러(dólar). ⑤ *pl.* 목초(牧草).

verdea *f.* 푸른 빛이 도는 포도주.

verdear *intr.* ① 녹색으로 보이다. ② 녹색이 돌다. ③ 녹색으로 되어 가다. ④ (들의 식물들이) 싹트기 시작하다. ⑤ (나무들이) 잎과 줄기로 덮이다. *—tr. Córd., Sev.* (열매로 쓰기 위해) 올리브 열매를 따다.

verdeceladón *m. fr.* 청자색, 청잣빛.

verdeceledón *m. fr.* =**verdecela-dón.**

verdecer (31) *intr.* (땅과 나무가) 녹색으로 덮이다, 다시 녹색으로 되다.

verdecillo *m.* [새] =**verderón¹.**

verdejo, ja *adj.* =**verdal.**

verderol¹ *m.* =**verderón¹.**

verderol² *m.* =**verderón².**

verderón¹ *m.* [새] 검은방울새.

verderón² *m.* [조개] 쌍각류 조개의 일종.

verderón³, na *adj.* =**verdoso.**

verdial *adj. And.* 익은 뒤에도 녹색인 (올리브 열매). *—m.pl.* 플라멩코 노래의 한 종류.

verdín *m.* ① (풀·식물이 어릴 때의) 녹색. ② (완전히 자라기 전의) 녹색[어린] 풀[식물]. ③ 푸른 이끼.

verdinegro, gra *adj.* 암녹색(暗綠色)[어두운 녹색]의.

verdolaga *f.* [식물] 쇠비름, 채송화.

verdón *m.* ① =**verderón¹.** ② [은어] 들. ③ *Cuba.* [새] 나비참새.

verdor *m.* ① (식물의) 새파란 빛. ② 녹색. ③ 생기, 활기, 늠름함. ④ [*pl.*로도 쓰임] 청춘, 청년 시절, 젊을 때.

verdoso, sa *adj.* 녹색이 도는[띤].

verdugazo *m.* 회초리로 때리기.

verdugo *m.* ① 새싹. ② 날이 가느다란 칼. ③ (가죽·버들가지 등으로 만든) 회초리. ④ 채찍 자국, 부르튼 자리. ⑤ 사형 집행인. ⑥ 냉혈한, 피도 눈물도 없는 잔인한 사람. ⑦ 걱정거리. ⑧ 반지의 고리. ⑨ [새] 때까치.

verdugón *m.* =**verdugo ①④.**

verduguillo *m.* ① 식물의 잎에 생기는 가느다랗게 부푼 자리. ② 날이 가는 면도칼. ③ 날이 가는 칼. ④ 귀고리.

verdulería *f.* ① 청과물 가게, 채소 가게. ② =**obscenidad.**

verdulero, ra *m.f.* 청과물 장수, 채소 장수. *—f.* 뻔뻔스러운 여자.

verdura *f.* ① 녹색. ② (특히, 녹색의) 야채, 채소: ensalada de *~s* 야채 샐러드. ③ (그림·벽포에 그리는) 잎 무늬. ④ =**obscenidad.**

verdusco, ca *adj.* 암녹색을 띤.

verecundia *f.* =**vergüenza.**

verecundo, da *adj.* 부끄러운, 수치스러운.

vereda *f.* ① (보통 보행자와 가축의 통행을 위한) 좁은 길, 소로(小路). ② 목초를 찾아 이동하는 목축용 길. ③ 가는 길에 전하는 소식[통지]. ④ *AmérM.* 인도, 보도.

veredicto *m.* ① [법률] (배심원의) 평결. ② (권위자의) 생각, 판단.

verga *f.* ① =**pene.** ② (옛날, 큰 활의) 쇠로 만든 굽은 부분. ③ 가느다란 회초리[작대기]. ④ (돛의) 활대. ⑤ *Ven.* =**vergajo.**

vergajo *m.* (채찍처럼 사용되는) 소의 음경.

vergel *m.* 꽃과 과수들이 있는 야채밭.

vergonzante *adj.* 부끄러워하는, 수치심을 아는.

vergonzosamente *adv.* 부끄러워, 수

치스러워, 부끄럽게, 수치스럽게.

vergonzoso, sa *adj.* ① 부끄러운, 창피한, 수치스러운. ② 쉬 부끄러워하는, 부끄럼을 잘 타는. —*m.f.* 부끄럼을 잘 타는 사람. —*m.* [동물] 아르마디요의 일종.

vergüenza *f.* ① 수치, 부끄러움, 창피, 수치감. ② 치욕, 불명예, 면목이 없음. ③ 염치, 부끄러움[수치]을 아는 마음. ④ 수치심을 느끼게 하는 형벌. ⑤ *pl.* 국부(局部), 음부(陰部), 치부(恥部).

vericueto *m.* ① 좁고 험한 길. ② 험한 곳.

verídico, ca *adj.* ① 진실을 말하는. ② 진실성 있는.

verificabilidad *f.* 실증할 수 있음.

verificable *adj.* 실증할 수 있는.

verificación *f.* ① 확인; 검사, 점검. ② [수학] 검산.

verificador, ra *adj.* 확인하는, 검사하는; 실증하는, 입증하는. —*m.f.* 검사관, 검사원, 점검원. —*m.* 검사용 기구.

verificar (7) *tr.* ① 확인하다, 검사하다. ② 실증하다, 입증하다. ③ 실행하다. ~**se** ① 확인되다. ② 실증되다, 입증되다. ③ 실행되다.

verija *f.* 음부(陰部), 국부(局部), 치부(恥部).

verisímil *adj.* =verosímil.

verisimilitud *f.* =verosimilitud.

verisímilmente *adv.* =verosímilmente.

verismo *m.* [문학] 진실주의.

verja *f.* 쇠창살, 쇠울타리, 철책.

vermicida *adj., m.* =vermífugo.

vermicular *adj.* ① 회충이 있는. ② 회충 모양의.

vermiforme *adj.* 충양(蟲樣)의, 회충 모양의.

vermífugo, ga *adj.* [의학] 구충의. —*m.* [의학] 구충제.

verminoso, sa *adj.* ① 회충이 자라는. ② 기생충성의.

vermívoro, ra *adj.* 식충(食蟲)의.

vermú *m.* ① 베르무트주(酒) ((약초·강장제로 맛을 낸 백포도주)). ② 오후 공연[상연].

vermut *m.* =vermú.

vernación *f.* [식물] 아형(芽型) ((싹 안의 잎의 배치)).

vernáculo, la *adj.* [언어] 자국의, 본국의, 그 지방의, 그 고장의, 그 나라의: lengua ~*la* 토착어.

vernal *adj.* 봄의[에 관한].

veronal *m.* [약학] 베로날 ((최면·진정제)).

verónica *f.* ① [식물] 눈꼬리풀속(屬) ((현삼과)). ② [투우] capa를 펴고 투우의 공격을 기다리기.

verosímil *adj.* ① 진짜[사실] 같은. ② 있을 법한.

verosimilitud *f.* ① 진짜 같음, 사실 같음. ② 있을 법함.

verosímilmente *adv.* ① 진짜[사실] 같이. ② 있을 법하게.

verraco[1] *m.* 종돈, 씨돼지.

verraco[2]**, ca** *m.f.* ① *Cuba.* 불결한 여자. ② *Cuba.* 나쁜 행동으로 천박한 여자. ③ *Cuba.* 쉽게 속을 수 있는 바보.

verraquear *intr.* ① (화가 나서) 툴툴거리다. ② (아이들이) 아우성치며 울다.

verruga *f.* ① (얼굴·손 등에 나는) 사마귀. ② [식물] (나무의) 혹. ③ 골치 아픈 사람, 귀찮은 사람. ④ 귀찮은 물건.

verrugoso, sa *adj.* 사마귀가 많은.

versado, da *adj.* [+en] (…에) 정통한, 조예가 깊은, 밝은.

versal *f.* 대문자.

versalita *f.* 소형 대문자 ((소문자와 같은 크기)).

versar *intr.* ① (…의) 주위를 돌다. ② [+sobre·acerca de] (책·연설·대화 등이, …에 대해서) 다루다, 취급하다, (…을) 주제[화제]로 하다: ~ *sobre* matemáticas 수학에 대해서 다루다. ~ *acerca de* poesía 시를 주제로 하다, 시에 대해서 다루다.

versátil *adj.* ① 변하기 쉬운, 융통성이 있는. ② 용도가 넓은, 다용도의, 다목적의, 만능의. ③ (사람이) 다재다능한. ④ [동물] 가전성(加轉性)의, 반전성(反轉性)의.

versatilidad *f.* ① 변하기 쉬움. ② 다용성, 다양성. ③ 다재다능.

versículo *m.* (성경·코란 등의) 절(節).

versificación *f.* ① 작시(作詩), 시작(詩作), 운문화. ② 작시법.

versificador, ra *adj.* 시를 짓는, 작시의. —*m.f.* 작시자, 시인.

versificar (7) *tr.* 시로 만들다, 운문으로 쓰다. —*intr.* 시를 짓다, 작시하다.

versión *f.* ① 번역; 역독(譯讀). ② 이본(異本). ③ [영화] …판(版): ~ original 원판, 오리지널 판. ④ (주제 등의) 해석, 설명.

versionar *tr.* …의 새로운 판을 짓다.

verso[1] *m.* ① 시구(詩句). ② (시의) 한 행. ③ 운문. ④ 시(詩).

verso[2] *m.* (옛날의) 대포, 화포(火砲).

versolari *m.* (바스크·아라곤 지방의) 즉흥 시인.

vértebra *f.* [동물·해부] 추골(椎骨), 척추골(脊椎骨), 등골뼈, 척추, 척주.

vertebrado, da *adj.* 척추(脊椎)가 있는. —*m.pl.* 척추 동물문.

vertebral *adj.* 척추의[에 관한].

vertebrar *tr.* …의 골격을 이루다.

vertedera *f.* (쟁기의) 볏.

vertedero *m.* ① 쓰레기 버리는 곳. ② 배출구, 배수구, 하수 구멍. ③ 개수통.

vertedor, ra *adj.* 붓는, 따르는, 쏟는.

V

—*m.* ① 배수구, 하수구, 수채. ② 깔때기. ③ [선박] 배의 물 빠지는 구멍.

verter (20) *tr.* ① 붓다, 따르다, 쏟다, 비우다: ~ agua en un vaso 잔에 물을 붓다. ② (그릇을) 기울이다. ③ (액체를) 흘리다, 엎지르다; 흩뿌리다, 내던져 버리다. ④ [+a] (…으로) 번역하다. ⑤ (문자 등으로) 나타내다. ⑥ (의견 등을) 표명하다. —*intr.* (강물이) 흘러 들어가다. ~**se** 넘치다, 넘쳐흐르다.

vertical *adj.* ① 수직의, 연직의. ② 곧추선, 세로의, 종(縱)의. —*m.* ① [천문] 수직권, 연직권, 고도권. ② [운동] (높이뛰기의) 지주(支柱), 버팀대. —*f.* ① [수학] 수직선. ② [운동] 물구나무서기: hacer la ~ 물구나무서기를 하다.

verticalidad *f.* 수직성, 연직성.

verticalmente *adv.* ① 수직으로. ② 세로로, 종으로.

vértice *m.* ① [수학] 정점; (두 점의) 교차. ② 뇌천(腦天), 정수리.

verticilo *m.* [식물] 윤생(輪生).

vertidos *m.pl.* (산업 시설에서 하수구[물]로 흘려 버리는) 산업 폐기물.

vertiente *f.(m.)* ① 사면(斜面), 비탈, 비탈면, 경사진 면. ② 물이 흐르는[흐를 수 있는] 곳. —*f.* (문제를 생각하는) 측면.

vertiginosamente *adv.* 어지럽게, 현기증 나게, 눈앞이 아찔할 정도로.

vertiginosidad *f.* 어질증, 현기증.

vertiginoso, sa *adj.* ① 빙빙 도는, 선회하는. ② 현기증의[에 관한]. ③ 어지러운, 현기증 나는, 눈이 핑핑 도는 (듯한).

vértigo *m.* ① [의학] 현기증, 어질증. ② [의학] (일시적인) 정신 착란.

vertimiento *m.* (액체의) 붓기, 쏟기, 따르기.

vesania *f.* 정신 착란, 광란, 발광.

vesánico, ca *adj.* ① 광란[정신 착란] 의[에 관한]. ② 정신 이상의, 미친, 광기의. —*m.f.* 정신 이상자, 미치광이.

vesical *adj.* [동물] 방광의[에 관한].

vesicante *adj.* [약학] 발포성(發疱性)의. —*m.* 발포약.

vesicouretal *adj.* 방광 요도의[에 관한]: canal ~ 방광 요도관.

vesícula *f.* ① [해부] 소포(小胞), 소낭(小嚢). ② [해부] 담낭(膽嚢). ③ [의학] 수포진(水疱疹). ④ [식물] 액포(液胞), 소포(小胞).

vesicular *adj.* 소포[소낭] 모양의.

vesiculoso, sa *adj.* 수포진투성이의.

véspero *m.* ① 샛별, 금성. ② = anochecer.

vespertino, na *adj.* ① 오후의[에 관한]. ② [천문] 해질녁에 사라지는. —*m.* ① 오후의 설교. ② 석간 신문. —*f.* ① 오후의 설교. ② (옛날, 대학교에서) 오후에 열었던 문학 활동. ③ *Col.* 오후의 공연[상연].

Vesta *f.* [로마 신화] 부뚜막[불]의 여신.

vestal *adj.* ① (고대 로마에서) 여신 Vesta의[에 관한]. ② Vesta 여신을 모시는 (처녀들). —*f.* Vesta 여신을 모시는 무녀.

veste *f.* [시어] =**vestido.**

vestíbulo *m.* ① 현관. ② (입구의) 홀. ③ (호텔·극장의) 로비. ④ (역·공항의) 중앙 홀. ⑤ [해부] 전정(前庭); (특히, 내이(內耳)의) 미로 전정(迷路前庭).

vestido *m.* ① 의복, 의류: ~*s* de los astronautas 우주복. ② (특히) 드레스, 원피스.

vestidor *m.* 의류방, 옷 방; 경의실(更衣室).

vestidura *f.* ① 옷, 의복. ② [종교] 제복 ((*pl.*로도 같은 뜻으로 쓰임)).

vestigial *adj.* [생물] 퇴화한, 흔적 기관의.

vestigio *m.* ① 족적, 발자국. ② 흔적, 자국. ③ [주로 *pl.*] 유적(遺跡). ④ 징후.

vestiglo *m.* 무서운 괴물, 요괴.

vestimenta *f.* [집합] 의복, 의류.

vestir (43) *tr.* ① …에게 옷을 입히다: ~ a *su* hija 딸에게 옷을 입히다. ② 의복을 지급하다. ③ 입다, 입고 있다. ④ (누구의) 옷을 만들다. ⑤ 대다, 덮다, 씌우다, 입히다: ~ las paredes con madera 벽에 판자를 대다. ⑥ (아름답게) 꾸미다, 차리다, 장식하다. —*intr.* ① 옷을 입다. ② (어떤) 복장을 하다, 몸단장을 하고 있다. ③ (의류품·어떤 색깔을) 많이 입고 있다, 유행되고 있다. ~**se** ① (옷을) 입다: saber ~*se* solo 혼자 옷을 입을 줄 알다. ② (어떤) 복장·옷차림을 하고 있다. ③ 덮이다, 뒤덮이다. ④ …척하다, 짐짓 꾸미다. ⑤ 환자가 자리에서 일어나다.

vestuario *m.* ① (개인이 가지고 있는) 의상. ② 경의실. ③ (상연에 필요한) 무대 의상. ④ (무대 뒤의) 분장실. ⑤ 군복.

veta *f.* ① 광맥, 광층(鑛層). ② 나뭇결. ③ 돌결. ④ 성벽(性癖), 경향.

vetar *tr.* …에 거부권을 행사하다.

veteado, da [vetear의 과거 분사] *adj.* 나뭇결[돌결]이 있는.

vetear *tr.* (…에) 나뭇결 (모양)을 넣다.

veteranía *f.* 노련, 노련성, 노련미.

veterano, na *adj.* 노련한. —*m.f.* ① 베테랑, 노련한 사람. ② 고참병, 귀환병, 노병.

veterinario, ria *adj.* 수의학의[에 관한]. —*m.f.* 수의사. —*f.* 수의학.

veto *m.* ① 거부권: usar el ~ 거부권을 행사하다. ② 금지.

vetustez *f.* 노후화(老朽化).

vetusto, ta *adj.* ① 노령의. ② 오래

된, 고색 찬연한.
vez *f.* ① 번(番), 회(回): tres *veces* al mes 한 달에 세 번. ② 순번, 차례: la ~ de beber 마실 차례. ③ 배(倍): cinco *veces* 다섯 배. ¶*a la* ~ 동시에. ***a veces*** 때때로. ***cada ~ que*** …할 때는 언제나, …할 때마다. ***de una ~*** 단번에. ***en ~ de*** … 대신에. ***otra ~*** 다시, 재차, 또 한 번. ***tal ~*** 아마.
v/en pza. valor en plaza 시장 가격.
vi ☞ver (38).
vía *f.* ① 길, 도로, 로(路): ~ aérea 공로, 항공편. ~ terrestre 육로. ② 경로, 경유(지). ③ 선, 선로, 노선. ④ 궤도, 레일. ⑤ 진로, 항로, 항공로. ⑥ (식도・기관 등의) 관(管): ~*s* digestivas 소화관. ⑦ 수단, 방법. ⑧ [법률] 조치. —*prep.* …로, …에 의해, … 경유로: ~ satélite 위성으로. He venido ~ París 나는 파리를 경유해 왔다.
viabilidad *f.* ① 생육력. ② 지속성, 실현성.
viable[1] *adj.* ① (신생아 등이) 발육할 수 있는, 자랄 수 있는. ② (사업・계획 등이) 지속성이 있는, 실현성이 있는.
viable[2] *adj.* (길이) 통행 가능한.
via crucis *m. lat.* ① (그리스도 수난을 재현하는) 십자가의 길. ② 그리스도 수난도. ③ 수난, 고난.
viaducto *m.* 육교, 고가교(高架橋).
viajador, ra *adj.* 여행하는. —*m.f.* 여행자.
viajante *adj.* 여행하는. —*m.f.* ① 여행자. ② 방문 판매원.
viajar *intr.* ① 여행하다: ~ en avión [coche・tren] 비행기[자동차・기차]로 여행하다. ② (탈것으로) 가다. ③ (화물이) 수송되다, 보내지다. ④ (교통 기관이) 운행하다. —*tr.* (방문 판매원이 지역을) 돌다, 돌아다니다.
viajata *f.* ① 나들이, 소풍. ② 길고 피곤한 여행.
viaje[1] *m.* ① 여행: en el ~ 여행 중에. gastos de ~ 여행 비용, 여비; 교통비. hacer un ~ a Europa 유럽 여행을 하다. ② 항해, 여로. ③ 여행기. ④ (왕복의) 편도. ⑤ (한 번의) 운반량. ⑥ (마약에 의한) 환각 체험. ⑦ 한 도시에 공급할 수 있는 수돗물의 양. ⑧ 배의 속도. ¶ ***Buen ~!*** ㉮ 안녕히 가십시오, 잘 다녀 오십시오, 좋은 여행이 되길 빕니다 ((여행을 가는 사람에게 하는 인사)). ㉯ 멋대로 해라!, 마음대로 해라! ((성을 내서 말할 때)).
viaje[2] *m.* ① 비스듬히 자르기. ② (무기로) 불의의 습격. ③ (신체적이거나 말로) 불의의 난폭한 공격. ④ [투우] (머리를 들고) 돌진.
viajero, ra *adj.* 여행하는. —*m.f.* ① 여행자: cheque de ~*s* 여행자 수표. ② (열차・버스 등의) 승객, 여객, 선객. ③ 여행을 이야기하는 사람. ④ *Arg., Ur.* 방문 판매원.
vial[1] *adj.* 길[도로](vía)의[에 관한]. —*m.* 가로수길.
vial[2] *m. ing.* (주사액・물약의) 병.
vianda *f.* ① [주로 *pl.*] 음식물. ② [주로 *pl.*] (식탁에 내놓는) 식사, 요리.
viandante *m.f.* ① 통행인. ② 보행자. ③ 방랑자, 유랑자.
viaraza *f.* 설사.
viario, ria *adj.* 도로[길]의[에 관한]: red ~*ria* 도로망.
viaticar (7) *tr.* 임종의 성체를 주다.
viático *m.* ① 여비, 여행 수당. ② 여행용 양식. ③ [천주교] 임종의 성체 배령.
víbora *f.* ① [동물] 독사. ② 음흉한 사람, 나쁜 의도를 가진 사람. ③ 독설가.
viborear *intr. Arg., Ur.* =**serpentear.**
viborezno, na *adj.* 독사의[에 관한]. —*m.* 독사의 새끼.
vibración *f.* ① 진동, 동요, 흔들림. ② 전율, 떨림. ③ 마음의 동요, 불안.
vibrador, ra *adj.* 진동하는, 흔들리는. —*m.* [전기] 진동자(振動子).
vibráfono *m.* [악기] 비브라폰.
vibrante *adj.* ① 진동하는. ② 떨리는. ③ 잘 울리는. ④ 활기가 있는.
vibrar *tr.* ① 진동시키다, 흔들리게 하다. ② 휘두르다: ~ la lanza 창을 휘두르다. ③ 심하게 던지다, 뿜다, 쏜다. —*intr.* ① 진동하다, 흔들리다. ② (가늘게) 떨다. ③ (소리가) 울리다. ④ 감동하다, (흥분하여) 떨다. ⑤ (마음이) 혼미해지다.
vibrátil *adj.* [생물] 진동성의, 진동하는.
vibrato *m.* [음악] 비브라토, 진동(음).
vibratorio, ria *adj.* 진동성의, 진동에 의한: movimiento ~ 진동 운동.
vibrión *m.* [생물] 비브리오.
vibrisas *f.pl.* [동물] 진모(震毛).
viburno *m.* [식물] 가막살나무.
vicaria *f.* ☞**vicario.**
vicaría *f.* ① vicario의 직. ② vicario의 사무소[사제관]. ③ vicario의 관구.
vicarial *adj.* vicario의[에 관한].
vicariato *m.* ① =**vicaría.** ② vicario의 임기.
vicario, ria *adj.* ① 대리(代理)의. ② [의학] 대상(帶狀)의: menstruación ~*ria* 대상성 월경. —*m.f.* 대리, 대리인. —*m.* ① (교황・주교의 대리를 하는) 총대리 (사제). ② (수도원 등의) 부원장. ③ (주교좌에서 교회법을 담당하는) 법무 담당 사제. —*f.* ① 수녀원의 부원장. ② *Cuba.* [식물] 메꽃.
vice- *pref.* 「부(副)・차(次)・대리」

의 뜻: *vice*rrector 부학장. ((참고: 가끔 vi-, viz- 형도 취함: *vi*rrey 부왕. *viz*conde 자작(子爵))).
vicealcalde, sa *m.f.* 부시장.
vicealmirantazgo *m.* 해군 중장의 직(職).
vicealmirante *m.* 해군 중장, 부제독.
vicecampeón, na *m.f.* 준우승자, 제2인자.
vicecanciller *m.f.* ① (독일 등의) 부수상. ② (대학의) 부총장.
vicecónsul *m.f.* 부영사.
viceconsulado *m.* ① 부영사의 직. ② 부영사의 사무소.
vicegobernador, ra *m.f.* 부지사.
vicepresidencia *f.* vicepresidente 직.
vicepresidencial *adj.* vicepresidente 의[에 관한].
vicepresidente, ta *m.f.* 부통령; 부회장; 부의장, 부사장.
vicerrector, ra *m.f.* ① 부학장. ② (신학교의) 부학장, 교감. —*m.* [천주교] 부교구 사제.
vicerrectoría *f.* vicerrector의 직.
vicesecretaría *f.* 부서기관의 직.
vicesecretario, ria *m.f.* 부서기관.
vicetiple *f.* 코러스 걸 ((가극 등의 가수 겸 무용수)).
viceversa *adv.* 반대로, 역으로.
vichy *m. fr.* 면직물 천.
viciar (11) *tr.* ① 나쁘게 하다, 더럽히다, 타락시키다, 악습에 물들게 하다. ② 위조하다. ③ [법률] 무효로 하다. ④ (대기·혈액 등을) 오염시키다: ~ el aire 공기를 오염시키다. ⑤ 변형시키다, 일그러뜨리다, 비뚤어지게 하다. ~**se** ① 타락하다, 악습에 물들다. ② 일그러지다, 비뚤어지다, 변형되다.
vicio *m.* ① 악덕(惡德). ② (나쁜) 버릇, 악습, 악벽. ③ 변형, 일그러짐, 뒤틀림, 비틀림. ④ 흠, 결함, 결점. ⑤ [법률] (서식 등의) 불비(不備), 결함, 하자(瑕疵). ⑥ (아이들의) 응석, 버릇이 없음. ⑦ (식물의) 무성함.
viciosamente *adv.* 부도덕하게, 타락하여.
vicioso, sa *adj.* ① 악덕의, 부도덕한, 타락한, 품행이 나쁜. ② 나쁜 버릇이 있는, 악벽이 있는. ③ (제도·문장 등이) 결함이 있는, 하자가 있는, 불비한. ④ 응석을 부리는, 버릇이 없는. —*m.f.* ① 방탕자, 타락자, 유객, 주색으로 소일하는 이. ② 나쁜 버릇이 있는 사람.
vicisitud *f.* [주로 *pl.*] (인생 등의) 부침, 영고성쇠; 변천; 역경, 곤란.
víctima *f.* ① [종교] 희생(犧牲), 산제물, 인신 제물. ② 희생자, 피해자, 재난자.
victimar *tr.* 살해하다, 죽이다.
victimario, ria *m.f.* =homicida. —*m.* (의식에서) 희생물을 바치는 봉사역.
victoria[1] *f.* ① 승리, 전승, 승전. ② (반대·곤란 등의) 극복, 정복.
victoria[2] *f.* 접는 포장식 2인승 사륜마차.
victoriano, na *adj.* ① (영국의) 빅토리아 여왕의[에 관한]. ② 빅토리아 여왕 시대의[에 관한].
victoriosamente *adj.* 승리감에 도취하여, 이겨서 의기양양하게, 우쭐하여.
victorioso, sa *adj.* ① 승리의, 개선의, 승리를 거둔, 승리감에 도취된: ejército ~ 개선국. nación ~*sa* 승전국. ② 결정적인. —*m.f.* 승리자.
vicuña *f.* ① [동물] 비꾸냐 ((남아메리카 안데스 산맥에서 서식하는 야생 야마(llama) 비슷한 동물)). ② 비꾸냐 털. ③ 비꾸냐 털로 짠 직물.
vid *f.* [식물] 포도나무. ¶~ ***salvaje,*** ~ ***silvestre*** 야생 포도나무.
vida *f.* ① 생명, 목숨: perder la ~ (사고 등으로) 생명을 잃다, 죽다. ② 일생, 생애: toda la ~ 한평생. ③ 수명. ④ 생기, 활기. ⑤ 인생: ~ feliz 행복한 인생. ⑥ 생활, 생활 방식, 삶의 태도: ~ escolar 학교 생활. ~ nacional 국민 생활. ⑦ 생계, 살림; 생계비, 생활비. ⑧ 활동: ~ industrial 산업 활동. ⑨ 이 세상, 이승. ⑩ *pl.* 전기(傳記). ¶***a ~ o muerte*** 죽느냐 사느냐로.
vide *lat.* …을 보라, … 참조.
videncia *f.* 예견[투시] 능력.
vidente *adj.* ① 보는, 예견하는. ② 예견[투시] 능력이 있는, 통찰력이 있는. —*m.f.* 예견자, 통찰력이 있는 사람.
video *m.* ① *Amér.* =**vídeo.** ② *Arg., Ur.* =**videoclub.** —*f. Arg., Cuba.* =**vídeo** ③.
vídeo *m.* ① 비디오 ((시스템)). ② 비디오 녹음. ③ 비디오 기기.
video- *pref.*「텔레비전의[에 관한]」의 뜻: *video*cinta 비디오 테이프. *video*frecuencia 텔레비전 회의.
videoaficionado, da *m.f.* 비디오 촬영 애호가.
videoarte *m.* 비디오 예술[아트].
videocámara *f.* 비디오 카메라.
videocasete *f.* 비디오 카셋.
videocinta *f.* 비디오 테이프.
videoclip *m.* 비디오 클립, 프로모션 비디오 ((신곡을 낼 때 선전용으로 만드는 비디오)).
videoclub *m.* 비디오 클럽[숍].
videoconferencia *f.* 텔레비전 회의.
videocontrol *m.* 비디오 카메라에 의한 감시.
videodisco *m.* 비디오 디스크.
videófono *m.* 텔레비전 전화.
videofrecuencia *f.* [텔레비전] 영상 주파수.
videograbación *f.* 비디오 촬영, 녹화.
videograbador *m. Arg., Hond., Ur.* =**vídeo** ③.
videograbar *tr.* 비디오로 촬영하다,

V

녹화하다.
videojuego *m.* 비디오 게임.
videopiratería *f.* 비디오 게임의 해적판.
videoteca *f.* ① 비디오 테이프 보관소. ② 비디오 테이프 전시장. ③ 비디오 컬렉션.
videoteléfono *m.* 텔레비전 전화.
videotexto *m.* 비디오텍스 ((필요한 정보를 전화 회선을 통해 가입자의 텔레비전 수상기에 보내주는 시스템)).
vidón *m. Ven.* =**vidorra.**
vidorra *f.* 안락한 생활.
vidriado, da [vidriar의 과거 분사] *adj.* ① 유약을 바른. ② 유리 같은, 깨지기 쉬운. —*m* ① 유약 바르기. ② 유약 바른 도기. ③ 도기에 바른 유약. =**vajilla.**
vidriar (11) (12) *tr.* 유약을 바르다. **~se** ① 유리 모양으로 되다. ② 광택을 잃다.
vidriera *f.* ☞**vidriero.**
vidriería *f.* 유리 공장[가게].
vidrierista *m.f. Arg., Ur.* =**escaparista.**
vidriero, ra *m.f.* ① 유리 제조자. ② 유리 장사. ③ (문·창문에) 유리 끼우는 인부. —*f.* ① 유리창, 유리문. ② (가게의) 진열창, 쇼윈도. ¶ ***vidriera de colores*** 착색 유리, 스테인드 글라스.
vidrio *m.* ① 유리: botella de ~ 유리병. ② 창유리. ③ 유리 그릇, 유리잔. ④ 깨지기 쉬운 물건. ⑤ 성 잘 내는 사람. ⑥ (마차에서) 뒤로 향한 좌석. ⑦ [고어] 유리잔들.
vidrioso, sa *adj.* ① 유리 같은, 투명한. ② 깨지기 쉬운. ③ (문제 등이) 미묘한. ④ (마루가) 미끄러지기 쉬운. ⑤ (사람이) 걸핏하면 화를 내는, 화를 잘 내는. ⑥ (시선·눈이) 광채를 잃은, 흐리멍덩한, 생기가 없는: ojos ~*s* 흐리멍덩한 눈, 생기가 없는 눈.
vidual *adj.* 홀아비[과부] 생활의[에 관한].
vieira *f.* [조개] 가리비.
vieja *f.* ☞**viejo.**
viejales *m.f.sing.pl.* 노인.
viejo, ja *adj.* ① 연로한, 늙은: hacerse ~ 늙다, 노쇠하다. parecer ~ 늙어 보이다. ② 오래된, 묵은. ③ 낡은, 헌, 사용해서 낡은: mueble ~ 고가구, 헌 가구. vestido ~ 오래 입어서 낡은 옷, 헌옷. ④ [명사 앞에서] 예전부터의, 옛날의: ~ amigo 오랜 친구 ((참고: amigo ~ 나이먹은 친구)). ~ periodista 노련한 신문 기자. —*m.f.* ① 노인. ② *Amér.* 아버지, 어머니, 여보, 당신, 임자, 자네, 너 ((어머니·아버지·아내·남편에게, 혹은 친구끼리 다정하게 부르는 호칭)). —*m.pl.* ① *And.* 목덜미의 털. ② *Amér.* 부모. —*f.* ① [어류] 검은 도미. ② *Al.* = **cuaresma.** ③ *Méj.* (아가씨를 포함해서, 일반적으로) 여자.
viene ☞**venir (60).**
vienés, sa *adj.* ① 빈[비엔나] (Viena, 오스트리아의 수도) 태생의. ② 빈[비엔나]의[에 관한]. —*m.f.* 빈 사람, 비엔나 사람.
viento *m.* ① 바람: Hace mucho ~ 바람이 많이 분다. ② 대기(大氣). ③ 짐승이 지나간 자리에 남아 있는 냄새. ④ (어떤) 짐승들의 후각. ⑤ 허세, 우쭐거림. ⑥ (장 가스의) 방출, 방귀. ⑦ [집합] [음악] 오케스트라의 취주 악기. ¶ ~ ***maestral*** 북서풍.
vientre *m.* ① [해부] 배. ② [해부] 복부. ③ 태아(胎兒). ④ (그릇의 불룩한) 배. ⑤ 내장, 뱃속의 내용물.
vier. viernes 금요일.
viera ☞**ver (38).**
viera- ☞**ver (38).**
viernes *m.sing.pl.* 금요일: (todos) los ~ 금요일마다, 매주 금요일. ¶ ***Viernes Santo*** 성주간의 금요일.
vierteaguas *m.sing.pl.* (바깥 문의 아랫부분 등의) 빗물받이.
viese ☞**ver (38).**
viese- ☞**ver (38).**
Vietnam *m.* [국명] 베트남.
vietnamita *adj.* ① 베트남 태생의. ② 베트남의[에 관한]. —*m.f.* 베트남 사람. —*m.* 베트남 말.
viga *f.* ① [건축] 도리, 대들보. ② 활대. ③ (일반적으로) 가로나무. ④ (올리브유를 짤 때의) 조임나무. ⑤ 한 번 짠 올리브.
vigencia *f.* [법률] 효력.
vigente *adj.* ① (법률이) 효력이 있는, 유효한. ② 현행의, 시행 중인.
vigesimal *adj.* ① 20을 기본 단위로 한. ② 20 단위의.
vigésimo, ma *adj.* ① 스무 번째의, 20번째의. ② 20분의 1의. —*m.* 20분의 1.
vigía *f.* ① 망루, 감시탑. ② 망보기, 감시. ③ (해면에서 돌출한) 암초. —*m.* (망루의) 파수꾼, 보초, 감시병.
vigilancia *f.* ① 감시; 경비, 경계, 주의, 조심. ② 경비진; 경계 시스템.
vigilante *adj.* 감시하는, 경비하는, 경계하는, 조심하는. —*m.f.* 감시원, 경비원: ~ nocturno 야경꾼.
vigilantemente *adv.* 주의하여, 조심하여, 경계하여.
vigilar *tr.* 감시하다, 경비하다, 경계하다, 조심하다, 주의하다. —*intr.* [+por·sobre] (…을) 감시하다, 경계하다, 주의하다, 조심하다: ~ *por su* salud 건강에 주의하다.
vigilia *f.* ① 밤 늦게까지 깨어 있음, 철야. ② (종교적 축제의) 전야(前夜), 전날. ③ [천주교] 고기를 먹지 않는 날.
vigor *m.* ① 역강함, 힘이 셈. ② 정

V

력, 힘, 활력; 생기. ③ [법률] 효력: carecer de ~ 효력이 없다. entrar en ~ 발효하다.
vigorar *tr.* …에게 힘을 주다, 기운 나게 하다.
vigorizador, ra *adj.* 힘을 돋구는, 기운 나게 하는.
vigorizar (9) *tr.* ① 힘을 돋구다, 기운 나게 하다. ② 강하게 하다, 정력이 넘치게 하다. ~**se** ① 힘이 나다, 기운이 나다. ② 강해지다, 정력이 넘치다.
vigorosamente *adv.* 힘차게, 기운차게, 원기 왕성하게.
vigorosidad *f.* 힘참, 기운참, 원기 왕성함.
vigoroso, sa *adj.* 정력적인, 강건한, 역강한, 힘센, 원기 왕성한.
viguería *f.* [건축] (건물의) 도리, 골조(骨組).
vigués, sa *adj.* ① 비고(Vigo, 갈리시아 지방의 항만 도시) 태생의. ② 비고의[에 관한]. —*m.f.* 비고 사람.
vigueta *f.* [건축] 작은 도리.
VIH *m.* *V*irus de *I*nmunodeficiencia *H*umana 인체 면역 결핍 바이러스, 에이즈 바이러스. ¶~ ***positivo*** 양성 에이즈 바이러스. ~ ***negativo*** 음성 에이즈 바이러스.
vihuela *f.* ① [악기] 비우엘라 ((옛날의 기타 비슷한 악기)). ② *Nav.* [악기] 기타.
vihuelista *m.f.* vihuela 연주가.
vikingo, ga *adj.* 바이킹의[에 관한]. —*m.f.* 바이킹.
vil *adj.* ① 비열한. ② 비천한. ③ 믿을 수 없는.
vileza *f.* ① 비열함. ② 비천함.
vilipendiar (10) *tr.* 조롱하다, 모욕하다, 경멸하다.
vilipendio *m.* 조롱, 모욕, 경멸.
vilipendioso, sa *adj.* 천박하기 이를 데 없는, 한심스러운.
villa *f.* ① 별장(casa de campo). ② 마을, 읍, 작은 도시.
Villadiego *tomar* **[***coger***]** *las de* ~ 쥐도 새도 모르게 숨어 버리다.
villanaje *m.* ① 평민의 신분. ② [집합] 촌사람, 시골 사람.
villanamente *adv.* ① 천박하게. ② 무례하게.
villancejo *m.* =**villancico.**
villancete *m.* =**villancico.**
villancico *m.* 크리스마스 캐럴.
villanía *f.* ① 평민(의 신분). ② 비열한 행위, 음탕한 표현.
villano, na *adj.* ① (양반에 대해) 평민의. ② 비열한. ③ 비천한. ④ 천박한, 예의가 없는. —*m.f.* 평민.
villorio *m.* [경멸] 벽촌, 한촌.
vilo *en* ~ ㉮ 공중에 떠서. ㉯ 막연하게, 모호하게, 어정쩡하게.
vinagre *m.* ① 식초. ② 비위에 거슬리는 인간.
vinagrera *f.* ☞**vinagrero.**
vinagrero, ra *m.f.* ① 식초 제조자. ② 식초 장수. —*f.* ① (날마다 사용하는) 식초병. ② *pl.* 조미료대.
vinagreta *f.* 기름·양파·식초로 만든 소스.
vinajera *f.* ① (미사용) 물병, 포도주병. ② *pl.* 포도주병과 성수병 및 쟁반.
vinatería *f.* ① 포도주 매매. ② 포도주 가게.
vinatero, ra *adj.* 포도주의[에 관한]. —*m.f.* 포도주 장수.
vinaza *f.* 찌꺼기로 만든 포도주.
vinazo *m.* 독한 포도주.
vinculable *adj.* 상속자를 정할 수 있는, 영구히 자기 소유로 할 수 있는.
vinculación *f.* ① 재산의 한정 상속. ② 연관, 관계, 연결, 연계.
vinculante *adj.* (사람을) 구속하는.
vincular[1] *tr.* ① 세습 재산으로 하다, (재산을) 영구 세습하다. ② 결합하다, 연결시키다. ~**se** ① 서로 결합하다. ② 인연을 맺다. ③ 영속하다.
vincular[2] *adj.* ① 세습 재산의. ② 연결이 되는.
vínculo *m.* ① 인연, 정리, 연결, 유대. ② [법률] 계사 한정(繼嗣限定).
vindicación *f.* ① 보복, 복수. ② 옹호, 변호 ③ =**reivindicación.**
vindicar (7) *tr.* ① 복수하다. ② (중상 등에 대해 문서로) 옹호하다. ③ =**reivindicar.**
vindicativo, va *adj.* ① 복수심이 강한. ② 옹호의, 변호의.
vindicatorio, ria *adj.* 옹호[변호]의.
vindicta *f.* 복수(復讐).
vine ☞**venir** (60).
vínico, ca *adj.* 포도주의[에 관한].
vinícola *adj.* 포도주 양조의.
vinicultor, ra *m.f.* 포도주 양조가.
vinicultura *f.* 포도주 양조.
viniera ☞**venir** (60).
viniera- ☞**venir** (60).
viniese ☞**venir** (60).
viniese- ☞**venir** (60).
viniente *adj.* 오는: gente yente y ~ 오가는 사람.
vinífero, ra *adj.* 포도주를 생산하는.
vinificación *f.* 포도주 양조(의 전과정).
vinílico, ca *adj.* [화학] 비닐의.
vinillo *m.* 약한 포도주.
vinilo *m.* [화학] 비닐.
vino[1] *m.* ① 포도주. ② (포도처럼 발효하는 다른 식물이나 열매의) 즙. ¶~ ***blanco*** 백포도주. ~ ***dulce*** 단맛이 있는 포도주. ~ ***de lágrima*** 짜지 않고 빚은 포도주. ~ ***pardillo*** (백포도주와 적포도주 사이의) 하급 포도주. ~ ***peleón*** 아주 보통의 포도주. ~ ***rosado*** 장밋빛 포도주. ~ ***seco*** 단맛이 없는 포도주. ~ ***tinto*** 적포도주. ***dormir*** alguien ***el*** ~ (누가) 술 취해 있는 동안 자다.
vino[2] ☞**venir** (60).

vinoso, sa *adj.* ① 포도주 같은. ② 술을 좋아하는.
viña *f.* 포도밭, 포도원(葡萄園).
viñadero *m.* 포도원 지기.
viñador, ra *mf.* ① 포도원 경작자. ② 포도원 지기.
viñatero, ra *mf.* ① *Arg., Chile.* = viticultor. ② *Arg., Chile.* = viñero.
viñedo *m.* 포도밭, 포도원.
viñero, ra *mf.* 포도원 주인.
viñeta *f.* ① (책·잡지의) 첫 머리에 넣는 그림. ② (페이지 여백의) 장식 모양. ③ (라벨 등의) 장식 도안. ④ (만화의) 한 장면. ⑤ 한 장면의 만화. ⑥ (주로 익살맞게 그린 그림식의) 삽화. ⑦ (단체 등의) 상징 마크.
vio ☞**ver (38).**
viola[1] *f.* [악기] 비올라. —*mf.* 비올라 연주자.
viola[2] *f.* =**violeta.**
violáceo, a *adj.* ① =**violado.** ② [식물] 오랑캐꽃 속의. —*m.* 보랏빛. —*f.pl.* 오랑캐꽃속 식물.
violación *f.* ① (법률·계약 등의) 위반. ② (권리의) 침해. ③ 모독. ④ 강간, 부녀 폭행.
violado, da *adj.* 보랏빛의. —*m.* 보랏빛.
violador, ra *adj.* ① 위반하는. ② 침해하는. ③ 강간하는. —*mf.* ① 위반자. ② 강간범, 부녀 폭행범.
violar *tr.* ① (법률 등에) 위반하다. ② (권리를) 침해하다. ③ (협정 등을) 파기하다. ④ (여성을) 강간하다, 폭행하다. ⑤ (국경을) 침범하다. ⑥ (성지(聖地)를) 모독하다.
violencia *f.* ① 폭력: por la ~ 폭력에 의해. usar la ~ 폭력을 사용하다. ② 격렬함, 맹렬함, 사나움. ③ 강간(强姦).
violentamente *adv.* 폭력으로, 난폭하게, 격렬하게.
violentar *tr.* ① 폭행[폭력]을 가하다. ② (불법으로) 침입하다. ③ (문 등을) 억지로 밀다, 밀고 들어가다. ④ 곡해하다, 억지로 해석하다. ⑤ 화나게 만들다. ⑥ 찜찜한 생각이 들게 만들다. ~**se** ① 찜찜한 생각이 들다. ② 참다, 자제하다.
violento, ta *adj.* ① 난폭한, 폭력적인: palabras ~*tas* 난폭한 말. revolución ~*ta* 폭력 혁명. ② 격렬한, 맹렬한: pasión ~*ta* 격정. ③ 부자연스러운. ④ (정신적으로) 고통스러운, 괴로운, 쓰라린. ⑤ 서먹서먹한, 거북한. ⑥ (해석이) 억지의.
violeta *f.* ① [식물] 오랑캐꽃, 제비꽃. ② 오랑캐꽃[제비꽃]의 꽃. —*m.* 보랏빛. —*adj.* 보랏빛의.
violín *m.* ① [악기] 바이올린. ② *Ven.* 몸의 악취. —*mf.* 바이올린 연주가[연주자].
violinista *mf.* 바이올린 연주가.
violón *m.* [악기] =**contrabajo.** —*mf.* 콘트라베이스 연주가.
violoncelista *mf.* =**violonchelista.**
violoncelo *m.* =**violonchelo.**
violonchelista *mf.* 첼로 연주가.
violonchelo *m.* [악기] 첼로. —*mf.* =**violonchelista.**
vip, VIP *mf. ing.* 요인, 중요 인물, 귀빈.
vipéreo, a *adj.* =**viperino.**
viperino, na *adj.* ① 살모사의[에 관한]. ② 살모사 같은. ③ 사악한, 표독스러운, 뱃속이 검은, 심술궂은.
vira *f.* ① 끝이 뾰족한 화살. ② (구두의) 심 가죽.
viracocha *m.* (잉카의 신하들 사이에서) 스페인의 정복자.
virado, da *adj. Salv.* =**veloz.** —*f.* (선박 등의) 방향 전환, 선회.
virador *m.* ① [사진] 정착액. ② [선박] 굵은 밧줄.
virago *m.* 남자 같은 여자, 여장부.
viraje *f.* ① [사진] 정착. ② (차량의) 방향 전환, 선회. ③ (생각·관심·행동 등에서) 방침의 전환.
viral *adj.* [의학] 바이러스의.
virar *tr.* ① [사진] 정착하다. ② (탈 것을) 방향 전환시키다, 선회시키다. —*intr.* ① (탈것이) 방향 전환을 하다, 선회하다. ② (생각·방침 등이) 바뀌다, 전환되다.
virazón *f.* ① (해안 지방에서) 낮에는 바다에서, 밤에는 육지에서 부는 바람. ② 풍향의 급변. ③ (생각·행동의) 갑작스러운 변화[전환].
viremia *f.* [의학] 바이러스 혈증.
virémico, ca *adj.* [의학] 바이러스 혈증의[에 관한].
virgen *mf.* [*pl.* vírgenes] 동정(童貞); 동정남(童貞男), 숫총각; 동정녀, 숫처녀. —*f.* ① [la V~] 성모 마리아. ② 성모 마리아의 상. ③ [천주교] 성처녀, 성녀(聖女) ((칭호)). —*adj.* ① 동정의, 처녀의. ② 처녀다운, 순결한. ③ 최초의, 새로운: navegación ~ 처녀 항해. ④ 순수한, 티없이 맑은: oro ~ 순금. ⑤ 천연의, 남의 손길[발길]이 닿지 않은, 남이 아직 쓰지 않은, 미사용의, 개간되지 않은, 미개척의: cera ~ 천연 밀랍. cinta ~ 미사용 테이프. tierra ~ 처녀지.
virginal *adj.* ① 동정의[에 관한]. ② 처녀의, 처녀다운, 순결한, 순수한, 티없이 맑은, 무구한, 흠없는, 숫처녀의. ③ 성모 마리아의.
virgíneo, a *adj.* =**virginal.**
virginidad *f.* 처녀성, 동정; 순결.
virgo *adj.* ① =**virgen.** ② 처녀자리 태생의. —*f.* =**virgen.** —*mf.* 처녀자리띠. —*m.* [해부] 처녀막.
virguería *f.* ① 과잉[불필요한] 장식. ② 중요하지 않은 물건[사건·대화]. ③ 완벽한 것: El examen que hice fue una ~ 내가 치른 시험은 완벽했다. ④ 훌륭한 것, 멋진 것: Este

V

coche es una ~ 이 자동차는 멋지다.
vírgula *f.* ① 가는 회초리. ② 가느다란 선[줄]. ③ [의학] 콜레라로 인한 비브리오(균).
virgulilla *f.* ① 문자에 붙이는 기호. ② 짧고 가느다란 선[줄].
vírico, ca *adj.* =viral: hepatitis ~*ca* 바이러스성 간염.
viril[1] *m.* ① (물건을 보호·보관하기 위해 앞에 놓인) 아주 맑고 투명한 유리. ② (유리로 만든) 성체 상자.
viril[2] *adj.* 남자[남성]의. ¶*miembro* ~ 음경(陰莖).
virilidad *f.* ① 남자다움, 사나이다움. ② 성년, 장년.
virilismo *m.* [의학] (여성의) 남성화(男性化). 남성증(男性症).
virilización *f.* [의학] 남성화.
virilizarse (9) *r.* [의학] (여성이) 남성화되다.
virilmente *adj.* 남자답게, 힘차게, 용감하게.
viripotencia *f.* 늠름함, 씩씩함.
viripotente[1] *adj.* (여자가) 혼기에 이른.
viripotente[2] *adj.* 늠름한, 씩씩한.
virola *f.* ① 쇠테, 쇠고리. ② 이음테. ③ (칼의) 장식 테. ④ (지팡이·우산 등의 끝의) 장식 쇠붙이.
virolento, ta *adj.* ① 천연두를 앓는. ② 천연두 자국이 있는. —*m.f.* ① 천연두 환자. ② 천연두[곰보] 자국이 있는 사람.
virolo, la *adj.* =bizco, bisojo.
virología *f.* 바이러스학(學).
virólogo, ga *m.f.* 바이러스학자, 바이러스학 전문가.
viropausia *f.* 남자 갱년기.
virosis *f.* 바이러스 감염[병].
virreina *f.* ① virrey의 아내. ② 여자 부왕, 여자 총독.
virreinal *adj.* ① virrey의[에 관한]. ② virrey의 통치 시대의[에 관한].
virreinato *m.* ① virrey의 직[지위]. ② virrey의 통치 기간[시기]. ③ virrey의 통치령[관구], 총독부.
virreno *m.* =virreinato.
virrey *m.* 부왕(副王), 총독.
virtual *adj.* ① (표면상·명목상은 그렇지 않으나) 사실상의, 실질상의, 실체(상)의, 잠재적인: Esteban es ya el ~ campeón 에스떼반은 이제 사실상 챔피언이다. ② [광학] 허상(虛像)의, 허상 초점의. ③ [물리] 가상(假想)의, 허(虛)의: imagen ~ 허상. ④ [컴퓨터] 가상 기억의.
virtualidad *f.* (명목상으로는 그렇지 않으나) 사실상[실질상] 그러한 것, 실질, 실제, 본질, 효력, 실효(實效), 유효성.
virtualmente *adv.* 실제로, 사실상, 실질적으로: trabajo ~ terminado 끝난 것이나 다름없는 일.
virtud *f.* ① 덕(德), 미덕, 덕행, 선, 선행: la ~ de la modestia 겸양의 미덕. ② 정절, 정결, 정조. ③ 능력, 효력. ④ 장점. ⑤ *pl.* 역천사(力天使) ((천사의 다섯 번째 계급)).
virtuosamente *adv.* 유덕하게, 고결하게; 절개 있게.
virtuosismo *m.* 명인의 솜씨[재주], 묘기.
virtuosista *adj.* 명인의 솜씨로 만들어진.
virtuosístico, ca *adj.* =virtuosista.
virtuoso, sa *adj.* ① 덕 있는, 덕이 높은, 고결한. ② 정숙한. ③ (예술가, 특히 음악가가) 기량이 탁월한, 명연기의. —*m.f.* ① 덕 있는 사람, 고결한 사람. ② (예술의) 명인, 거장; (특히, 음악의) 대가, 대연주가.
viruela *f.* ① [의학] 천연두, 두창. ② [의학] 천연두로 생긴 (곰보) 자국. ③ (식물이나 종이 등과 같은 물건 표면에 생긴) 도톨도톨한 것.
virulencia *f.* ① 독성, 악성, 병독성; 발병력. ② 신랄함. ③ 악의, 증오.
virulento, ta *adj.* ① 유독한, 맹독의; 매우 유해한, 치명적인. ② 신랄한: crítica ~*ta* 신랄한 비판. ③ [의학] 악성의, 전염성이 강한, 진행이 빠른. ④ 악의 있는, 증오심에 찬.
virus *m.sing.pl.* ① 바이러스: ~ de inmunodeficiencia humana 인체 면역 결핍 바이러스, 에이즈 바이러스. ~ papilar 유두 바이러스. ② [컴퓨터] (컴퓨터) 바이러스: ~ en internet 인터넷상의 바이러스.
viruta *f.* 대팻밥.
vis[1] *lat.* ~ *cómica* 사람을 웃기는 재능.
vis[2] ~ *a* ~ *fr.* 얼굴을 맞대고, 마주 보고, 마주 앉아서.
visa *f.(m.) fr. Amér.* =visado.
visado *m.* (여권의) 비자, 사증: ~ de cortesía 우대 비자. ~ de entrada 입국 비자. ~ de salida 출국 비자. ~ de trabajo 노동 비자. ~ de tránsito 통과 비자. ~ de turismo 관광 비자. ~ permanente 영주 비자. ~ temporal 일시 체류 비자. solicitar el ~ 비자를 신청하다.
visaje *m.* ① 얼굴 표정. ② (나쁜 버릇·병에 의한) 얼굴 찡그린 모양.
visajero, ra *adj.* 얼굴을 찡그리는.
visar *tr.* ① …에 검인하다, (서류 등을) 승인하다, 확인하다. ② (여권 등을) 사증하다, 증명하다. ③ 겨누다, (…에) 조준하다, 조준을 맞추다.
víscera *f.* [해부] [주로 *pl.*] (사람·동물의) 내장(內臟), 창자.
visceral *adj.* ① 내장[창자]의[에 관한]. ② (감정이) 마음속에서부터의, 마음속에서 느끼는. ③ 본능적인: reacción ~ 본능적인 반응.
viscosa *f.* ☞viscoso.
viscosidad *f.* ① 진득진득함, 점착성. ② [물리] 점성(粘性), 점도(粘度).
viscosimetría *f.* 점도 측정.

V

viscosímetro *m.* 점도계(粘度計).
viscoso, sa *adj.* ① 진득진득한, 점착성이 있는. ② [물리] 점성의. —*f.* [화학] 비스코스.
visera *f.* ① (모자의) 차양, 챙. ② (투구의) 앞 차양. ③ (머리에 쓰는·자동차 등의 직사 광선을 피하는) 차광판, 햇빛 가리개.
visibilidad *f.* ① 눈에 보임, 눈에 보이는 상태[정도], 가시성(可視性). ② 시계(視界), 시야.
visible *adj.* ① 눈에 보이는, 가시(可視)의: rayo ~ 가시광선. ② (의심의 여지가 없이) 명백한, 분명한, 역력한, 보아 알 수 있는. ③ 뚜렷한, 두드러진, 눈에 띄는. ④ 면회할 수 있는. ⑤ [경제] 유형의: comercio ~ 유형 무역.
visiblemente *adv.* 가시적으로, 눈에 띄게, 뚜렷이; 명백히.
visigodo, da *adj.* ① 서(西) 고트족(族)의. ② 서 고트 사람의[에 관한]. —*m.pl.* 서 고트족. —*m.f.* 서 고트족 사람.
visigótico, ca *adj.* 서 고트 사람의[에 관한].
visillo *m.* (햇빛을 막거나 외부로부터의 보이는 것을 막기 위해 유리 내부에 치는) 작은 커튼.
visión *f.* ① 보기, 봄, 목격, 관찰. ② 시야, 시력, 시각: pérdida de ~ 시력 상실. ③ 관점, 보는 점. ④ 통찰력, 선견지명. ⑤ 광경. ⑥ 환영(幻影), 환각(幻覺). ⑦ 추하고 우스운 사람, 흉측하게 생긴 사람. ⑧ [종교] 견신(見神).
visionado *m.* (영화·텔레비전 등의) 화면 보기.
visionar *tr.* (비평·검토 등을 위해, 영화·텔레비전·비디오를) 보다.
visionario, ria *adj.* ① 공상적인, 환영을 좇는, 망상적인. ② 환영의, 환영 같은. ③ 시대에 앞서가는, 미래를 보는 통찰력이 있는, 선견지명이 있는. —*m.f.* ① 공상가; 환상가, 몽상가. ② 선견지명이 있는 사람.
visir *m.* (이슬람교 나라의) 장관. ¶gran ~ (터키의) 수상.
visirato *m.* ① visir의 직[지위]. ② visir의 임기[재임 기간].
visita *f.* ① 방문, 내방: ~ de amistad 친선 방문. ~ de pésame 조문. ~ oficial 공식 방문. hacer una ~ 방문하다. ② 방문자, 방문객, 내객, 손님. ③ 견학. ④ (병원·교도소 등의) 방문. ⑤ 순찰, 순시; 임검. ⑥ 검진, 회진.
visitación *f.* ① 방문. ② [천주교] 성모 방문; 성모 방문의 축일.
visitador, ra *adj.* 자주[빈번히] 방문하는. —*m.f.* ① 자주 방문하는 사람. ② 방문자, 방문객. ③ (제약 회사가 의사에게 파견하는) 선전 외판원, 판촉 사원. ④ 순찰원, 순찰관.
visitante *adj.* 방문하는. —*m.f.* 방문자, 방문객, 내객.
visitar *tr.* ① 방문하다, 만나러 가다: ~ a un amigo 친구를 방문하다. ② 견학하다. ③ 위문하다, 위문 가다. ④ 문병 가다. ⑤ 시찰하다. ⑥ 왕진하다, 회진하다. ⑦ 구경 가다: En mis vacaciones *visité* Bangkok 나는 휴가에 방콕을 구경 갔다. ⑧ 교회에 기도하러 가다.
visiteo *m.* 많은[잦은] 방문, 많은[잦은] 방문객을 맞음.
vislumbrar *tr.* ① 어슴푸레 보이다. ② 추측하다.
vislumbre *m.* ① 어슴푸레함, 어슴푸레한 불빛. ② 추측. ③ 미미한 징조, 징후. ④ 간단한 소식. ⑤ 약간 닮음.
viso *m.* ① 윤기, (천·돌의) 광택, 빛. ② 외관, 겉모습, 겉보기. ③ 반사: hacer ~*s* 반사하다. ④ (투명하게 하기 위해 밝은 천의 아래에 놓는) 색 안감, 옷.
visón *m.* ① [동물] 밍크. ② 밍크의 가죽. ③ 밍크 가죽 옷.
visor *m.* ① (총포의) 조준기. ② (카메라의) 파인더. ③ (슬라이드의) 뷰어 ((화면을 확대하는 투시식 장치)).
víspera *f.* ① 전날: ~ del viaje 여행 전날. ② (축제 등의) 전야(前夜): fiesta de ~ 전야제. ③ 직전. ④ *pl.* [천주교] 저녁기도.
vista *f.* ① 시각, 시력: perder la ~ 시력을 잃다, 실명하다. tener buena ~ 시력이 좋다. tener mala ~ 시력이 나쁘다. ② 시선, 눈길. ③ 조망, 전망. ④ 풍경화, 풍경 사진. ⑤ 외모, 외견, 겉모습. ⑥ 통찰력, 선견지명. ⑦ [법률] 심리, 구두 변론: ~ preliminar 예심. ⑧ *pl.* (빛이 들어오는·밖이 보이는) 구멍, 창문, 문. ⑨ *pl.* (와이셔츠·블라우스의) 소맷부리[깃·가슴] 부분. ⑩ *pl.* 약혼 선물. —*m.f.* 세관의 검사관[검사원]. ¶~ ***corta*** 근시. ***a la*** ~ ㉮ 즉시, 곧. ㉯ [상업] 일람 후에, 요구불로. ㉰ 분명히, 눈에 띄게, 뚜렷이. ㉱ 보기에는, 외견상으로는. ㉲ 명백히. ㉳ 장차, 가까운 장래에. ***clavar*** alguien ***la*** ~ =**fijar la vista.** ***como la*** ~ 매우 빨리. ***con*** ~***s a*** ㉮ …에 면한: terraza *con* ~*s a* la calle 거리에 면한 테라스. ㉯ …할 목적으로: ahorrar *con* ~*s a* viajar por la América Latina 라틴 아메리카 여행을 목적으로 저축하다. ***fijar*** alguien ***la*** ~ (누가) 응시하다.
vistazo *m.* 일별, 한 번 흘낏 봄.
vistillas *f.pl.* 전망이 좋은 높은 건물, 전망대.
visto, ta *adj.* ① 보인: ~*ta* la exposición de pinturas 미술 전람회를 보고 (나서). ② [법률] 심리된. ③ 검사필의. ④ (벽돌 등이) 들어난. ¶***bien*** ~ 좋게 보인, 선의로 해

석된. *mal* ~ 나쁘게 보인, 악의로 해석된. *por lo* ~ 보기에는, 보아하니, 명백히; 아마, 어쩌면, 필시.
vistosamente *adv.* 눈부시게, 화려하게, 찬란하게, 아름답게.
vistosidad *f.* 눈부심, 화려함, 찬란함, 아름다움.
vistoso, sa *adj.* 눈부신, 화려한, 찬란한, 아름다운.
visual *adj.* 시각의[에 관한]. —*f.* 시선(視線).
visualmente *adv.* 시각에 의해, 눈으로 보아.
visualidad *f.* 시각 효과; 시각성.
visualización *f.* 시각화, 영상화.
visualizador *m.* 표시 장치.
visualizar (9) *tr.* ① 시각화하다, 영상화하다. ② 마음속에 선하게 떠오르게 하다, 상상하다.
vital *adj.* ① 생명의[에 관한]. ② 생명의 유지에 필요한. ③ 살아 있는, 생생한, 생기에 넘치는, 힘찬. ④ 극히 중요한, 불가결의, 절대 필요한. ⑤ 사활에 관한, 치명적인.
vitalicio, cia *adj.* 종신의: miembro ~ 종신 회원. —*m.* ① 종신 연금. ② 생명 보험.
vitalidad *f.* 생기, 활력; 중요성.
vitalismo *m.* [생물] 생기론(生氣論), 활력론(活力論).
vitalista *adj.* 생기[활력]론의. —*m.f.* 생기론자.
vitalizar (9) *tr.* ① 생명을 주다, 활기를 북돋아 주다. ② 생기를 불어넣다, 살리다. ③ (문학・예술에서) 생생하게 묘사하다.
vitamina *f.* 비타민: ~ C 비타민 시.
vitaminado, da *adj.* 비타민 첨가의.
vitamínico, ca *adj.* ① 비타민의[에 관한]. ② 비타민 함유의.
vitando, da *adj.* ① 피해야 하는. ② 싫은, 증오하는, 저주스러운.
vitar *tr.* =**evitar.**
vitela *f.* (그림 그리고・글을 쓰기 위한) 무두질한 소가죽[송아지 가죽].
vitelino, na *adj.* [생물] 난황의.
vitelo *m.* [생물] 난황.
vitícola *adj.* 포도 재배의.
viticultor, ra *m.f.* 포도 재배가.
viticultura *f.* ① 포도 재배. ② 포도 재배법.
vitiligo *m.* [의학] 백반(白斑).
vitivinícola *adj.* 포도 재배와 포도주 양조의[에 관한]. —*m.f.* (포도를 재배하는) 포도주 양조가.
vitivinicultor, ra *m.f.* (포도를 재배하는) 포도주 양조가.
vitivinicultura *f.* 포도 재배와 포도주 양조.
vito *m.* ① 비또 ((안달루시아의 아주 경쾌한 무용)). ② 비또 곡. ③ 비또 곡의 가사.
vitola *f.* ① (포환의 직경을 재는) 기구. ② 여송연 굵기의 기준. ③ 모양, 풍채, 용모.
vítor *interj.* 만세!, 잘한다!, 잘했다!, 장하다! —*m.* [주로 *pl.*] 환호, 박수갈채.
vitorear *tr.* 환성을 지르다, 환호하다.
vitral *m.* 착색 유리.
vítreo, a *adj.* ① 유리로 만든. ② 유리 같은.
vitrificable *adj.* 유리화할 수 있는.
vitrificación *f.* 유리화, 투명화.
vitrificar (7) *tr.* ① 유리화하다. ② 유리 모양으로 만들다.
vitrina *f.* 진열창, 유리 선반.
vitriolo *m.* [화학] 황산염.
vitualla *f.* ① (군대의) 식사에 필요한 것. ② 풍부한 식사.
vituperable *adj.* 비난할 만한.
vituperación *f.* 비난.
vituperador, ra *adj.* 비난(非難)하는. —*m.f.* 비난자.
vituperar *tr.* 격렬히 비난하다, 질책하다, 욕설을 퍼붓다.
vituperio *m.* 비난.
vituperiosamente *adv.* 비난으로, 모욕하여.
vituperioso, sa *adj.* 욕하는, 욕설을 퍼붓는.
vituperosamente *adv.* =**vituperiosamente.**
vituperoso, sa *adj.* =**vituperioso.**
viuda *f.* ☞**viudo.**
viudal *adj.* 홀아비[과부]의[에 관한].
viudedad *f.* ① 과부 연금. ② =**viudez.**
viudez *f.* 과부[홀아비] 생활.
viudita *f.* ① *Arg., Chile.* [새] 앵무새의 일종. ② 청상 과부.
viudo, da *adj.* 홀아비의, 과부의; 남편[아내]을 잃은; 배우자가 죽고 재혼하지 않은. —*m.f.* 홀아비, 미망인, 과부. —*f.* ① [식물] 체꽃. ② 체꽃의 꽃.
viva *interj.* 만세!
vivac *m.* [*pl.* ~s] =**vivaque.**
vivacidad *f.* ① 활발함, 생기. ② 산뜻함, 광채.
vivalavirgen *m.f.* 무책임한 사람.
vivamente *adv.* ① 강하게, 격하게. ② 팔팔하게, 생생하게, 발랄하게.
vivaque *m.* ① [군사] 야영. ② [군사] 야영지.
vivaquear *intr.* [군사] 야영하다.
vivar[1] *m.* ① (특히) 토끼 기르는 곳, 양토장(養免場). ② 양어장.
vivar[2] *tr.* *Amér.* =**vitorear.**
vivaracho, cha *adj.* 생기발랄한, 패기 있는; 쾌활한.
vivario *m.* 생태 동물원.
vivaz *adj.* ① 오래 사는. ② =**eficaz, vigoroso.** ③ 통찰력이 있는, 머리 회전이 빠른. ④ 팔팔한. ⑤ [식물] 다년생(多年生)의, 여러해살이의: planta ~ 다년생 식물, 여러해살이풀.
vivencia *f.* 개인적 체험.
vivencial *adj.* 개인적 체험의.

víveres *m.pl.* ① 식량, 식료품, 양식. ② 먹을거리.
vivero *m.* ① 모판, 못자리, 묘상(苗床). ② (어패류의) 양식장. ③ 원인, 온상.
viveza *f.* ① 활발함, 생기. ② 민첩함. ③ (감정 등이) 격함, 신랄함. ④ (색채 등의) 선명함.
vivido, da *adj.* (문학 작품 속에서, 작가의) 체험 직후의 작품 같은.
vívido, da *adj.* ① 체험한, 실제로 있었던: relato ~ 실화(實話). ② (색 · 빛이) 선명한. ③ 강렬한.
vividor, ra *adj.* ① 사는. ② 오래 사는. ③ 생활력이 강한. ④ 처세술에 능한. ⑤ 기식(寄食)하는. —*m.f.* ① 식객, 기식가. ② 인생을 구가하는 사람. ③ 처세술에 능한 사람.
vivienda *f.* 주거(住居), 집, 주택, 숙소: problema de la ~ 주택 문제.
viviente *adj.* 살아 있는, 생명이 있는: ser ~ 생물. —*m.f.* 생자(生者), 살아 있는 사람.
vivificación *f.* 생명을 줌; 생기[원기 · 기운 · 활기]를 돋움.
vivificador, ra *adj.* 생명을 주는; 생기[원기 · 기운 · 활기]를 돋우어 주는.
vivificante *adj.* =vivificador.
vivificar (7) *tr.* ① …에 생명을 주다. ② 생기[원기 · 기운 · 활기]를 돋우어 주다.
viviparismo *m.* 태생.
vivíparo, ra *adj.* [생물] 태생(胎生)의. —*m.* 태생 동물.
vivir[1] *intr.* ① 살다, 거주하다, 살고 있다: ¿Dónde *vive* usted? −*Vivo* en Seúl. 어디에 사십니까? −서울에서 삽니다. ② 살다, 살아 있다: Este pez *vive* todavía 이 물고기는 아직 살아 있다. ③ 존속하다. ④ 생활하다, 살아가다, 지내다. ⑤ 동거하다. ⑥ [+de] (…로) 생계를 꾸리다, 먹고 살다, 생활하고 있다. ⑦ 인생을 보내다. —*tr.* ① 경험하다, 체험하다: ~ la guerra 전쟁을 체험하다. ② (생활을) 하다, 살아가다: ~ una vida honrada 정직한 생활을 하다. Picasso *vivió* noventa y dos años 피카소는 아흔두 살까지 살았다.
vivir[2] *m.* ① 살아가기, 생활, 생활 방식. ② 생활 수단: ganarse el ~ 생활비를 벌다.
vivisección *f.* 생체 해부.
vivo, va *adj.* ① 살아 있는, 생명이 있는: estar ~ 살아 있다. enterrar ~ 생매장하다. ② 생기가 도는[넘치는], 활기 있는, 생생한. ③ 격렬한, 강렬한, 심한: discusión ~*va* 격론. ④ 예민한, 머리 회전이 빠른; 빈틈없는. ⑤ 날카로운, 뾰족한. ⑥ 선명한, 산뜻한. ⑦ 화를 잘 내는. —*m.f.* ① 생자(生者), 살아 있는 사람: los ~*s* y los muertos 산 자와 죽은 자. ② 예민한 사람, 빈틈없는 사람. —*m.* ① (물건의) 가, 가장자리, 모서리. ② (옷의) 단 두르기. ③ 핵심, 급소: buscar *lo* ~ del probrema 문제의 핵심을 찾다. herir a *alguien* en *lo* ~ (…의) 아픈 곳을 찌르다. ④ [수의학] (가축, 특히 개의) 습진의 일종. ⑤ [수의학] 종기. —*interj.* 서둘러라! ¶*a lo ~, al* ~ 활발히, 생생하게; 격렬하게. *en* ~ (동물을) 산채로.
viyela *f.* (의류 제조용) 가벼운 모직물[면직물].
viz- ☞vice-.
vizcaíno, na *adj.* ① 비스까야(Vizcaya, 바스크 지방의 주) 태생의. ② 비스까야의[에 관한]. —*m.f.* 비스까야 사람. —*m.* 비스까야 말((비스까야 대부분의 지역에서 사용되는 바스크 말의 방언)).
vizcaitarra *adj.* 비스까야 독립[자치]주의의. —*m.f.* 비스까야 독립주의자[자치주의자].
vizcondado *m.* ① 자작(子爵)의 위(位). ② 자작령(子爵領).
vizconde *m.* ① 자작(子爵). ② [역사] 자작 대리(代理).
vizcondesa *f.* ① 자작의 아내. ② 여자 자작.
V.M. Vuestra Majestad 폐하.
V.° B.° visto bueno 가(可), 검사필.
vocablo *m.* 말, 언어, 용어, 낱말, 단어, 어휘.
vocabulario *m.* ① 어휘, 용어. ② 말[언어]의 사용. ③ 용어집; (주로, 기본어 · 전문 용어의) 사전: ~ de la música 음악 용어 사전. ④ 남의 마음[말]을 전하는 사람, 남을 대신하여 말하는 사람.
vocabulista *m.f.* ① (용어) 사전 저자[편집자]. ② 어휘 연구가, 어휘학자.
vocación *f.* ① 천직(天職). ② 천성(天性), 자질, 천분(天分). ③ [종교] 소명(召命). ④ [종교] [주로 *pl.*] 성직 지원자.
vocacional *adj.* 천직의[에 관한].
vocal *adj.* ① 목소리[음성 · 발음]의[에 관한]. ② 성악의. ③ 구두의. ④ [언어] 유성의; 모음의. —*f.* ① 모음자. ② [언어] 모음. —*m.f.* (협회 · 위원회 등의) 발언권[의결권]이 있는 이사[위원].
vocálico, ca *adj.* 모음의[에 관한].
vocalismo *m.* (한 언어의) 모음 조직, 모음 체계, 모음 배치.
vocalista *m.f.* ① (오페라 연주단과 함께 노래하는) 가수, 성악가. ② 악단의 가수.
vocalización *f.* ① 명료한 발음. ② [음악] 발성, 발성법, 발성 연습. ③ [음악] 모음 창법. ④ [언어] 모음화.
vocalizador, ra *adj.* 발음[발성] 연습을 하는.
vocalizar (9) *intr.* ① 발음이 명료하다. ② [음악] 모음 창법으로 노래하

다. ③ [음악] 발성 연습을 하다. ④ [언어] (자음을) 모음화하다.

vocalmente *adv.* 음성으로, 말로, 구두(口頭)로.

vocativo *m.* [문법] 호격.

voceador, ra *adj.* 아우성치는, 큰 소리로 외치는[부르는]. —*m.f.* ① 아우성치는 사람, 큰 소리로 외치는 사람. ② *Ecuad., Méj., Nic.* 거리의 신문팔이. —*m.* 외치며 파는 사람.

vocear *tr.* ① 큰 소리로 알리다. ② 큰 소리로 부르다. ③ 큰 소리로 (외치고 다니면서) 팔다, 물건의 이름을 크게 외치며 팔다. ④ 환호하다. ⑤ 명백하게 하다, 분명하게 하다[말하다]: La sangre de Abel *vocea* el delito de Caín 아벨의 피는 카인의 죄를 분명하게 하고 있다. ⑥ (자신의 선행을) 자만하다, 자랑하다. ⑦ *Nic.* 신문을 외치고 다니면서 팔다. ⑧ *Nic.* (상관에게) 소리를 높이다. —*intr.* 큰 소리를 내다, 외치다.

voceras *m.f.sing.pl.* 수다쟁이, 입이 가벼운 사람.

vocería[1] *f.* =**gritería.**

vocería[2] *f.* 대변인(vocero)의 직.

vocerío *m.* =**gritería.**

vocero, ra *m.f.* 대변인, 대변자.

vociferación *f.* 고래고래 소리지르기, 절규, 외침, 노호(怒號).

vociferador, ra *adj., m.f.* 고래고래 소리지르는 (사람), 절규하는 (사람).

vociferante *adj.* 절규하는, 고래고래 소리지르는.

vociferar *tr.* (무엇을) 널리 알리며 다니다, 돌아다니며 소리쳐 말하다. —*intr.* 고래고래 소리를 지르다, 고함을 치다, 악을 쓰다, 노호하다.

vocinglería *f.* ① 외침, 절규. ② 쓸데없이 노닥거림.

vocinglero, ra *adj., m.f.* ① 외치는 (사람), 절규하는 (사람). ② 쓸데없이 노닥거리는 (사람).

vodca *m.(f.)* =**vodka.**

vodevil *m. fr.* 경희극(輕喜劇).

vodevilesco, ca *adj.* ① 경희극의[에 관한]. ② 경희극 같은, 경희극풍의.

vodka *m.(f.) rusa* [술] 보드카.

vodú *m.* =**vudú.**

voduismo *m.* =**vuduismo.**

vol. volumen …책, …부, 양, 액.

volada *f.* ☞**volado.**

voladero, ra *adj.* ① 날 수 있는. ② 홀쩍 사라지는, 덧없는. —*m.* 절벽, 단애(斷崖). —*f.* (물레방아의) 물받이 날개.

voladito, ta *adj., f.* [인쇄] (주로 약자에서 사용되는) 문자나 행(行)의 오른쪽 윗부분에 놓이는 (작은 문자) ((예 Fr[co]. ←Francisco, Dom[o]. ←Domingo 등)).

voladizo, za *adj.* (수직면에서) 돌출한, 쑥 내민. —*m.* [건축] 돌출부, 쑥 내민 곳.

volado, da *adj.* ① [인쇄] =**voladito.** ② *Arg., Ur.* 마약에 취해 있는 (사람). ③ *Cuba.* (흥분과 불안으로) 산만하고 허둥지둥 행동하는 (사람). —*m.* ① 캐러멜(bolado). ② *Salv.* =**cosa, asunto, tema.** —*f.* ① 단거리 비행[비상(飛翔)]. ② 한 번 날기[비상]. ③ *Ar., Seg.* 일진광풍.

volador, ra *adj.* ① 나는, 날아가는. ② (바람에 움직일 수 있도록) 공중에 매달린. ③ 가볍게[경쾌하게] 달리는[가는]. —*m.* ① 꽃불. ② [어류] 날치. ③ [동물] (오징어 비슷하지만 오징어보다 큰) 연체 동물, 문어. ④ [식물] 월계수의 일종 ((아메리카 열대산)). ⑤ *And., PRico.* 풍차 ((장난감)). ⑥ *RDom.* 남자 동성애자. —*f. RDom.* 소형 시내버스.

voladura *f.* ① (공중을) 날기. ② 폭발, 폭파.

volandas *en* ~ ㉮ (날아가는 것처럼) 땅에서 튀겨, 공중으로 (날아), 메고[지고] 날아. ㉯ 빨리, 삽시간에, 일순간에, 눈 깜짝할 사이에.

volandero, ra *adj.* ① =**volantón.** ② 공중에 매달려 쉽게 움직이는. ③ 뜻밖의, 우연한. ④ 일시적인, 고정되어 있지 않은: amor ~ 풋사랑. —*f.* ① (바퀴를 단단히 하기 위해 수레의 축의 끝에 놓은) 쇠 바퀴. ② (맷돌의) 회전석. ③ 맷돌. ④ 거짓말. ⑤ *Al.* [새] 제비.

volandillas *en* ~ =**en volandas.**

volanta *f.* ① (서인도 제도에서 사용되는) 마차. ② *Méj.* (세관원들의) 감시 차량.

volantazo *m.* 갑작스런 핸들 꺾기.

volante *adj.* ① 나는: platillo ~ 비행 접시. ② 이동하는, 유동하는. ③ 떼어낼 수 있는, 고정되어 있지 않은. ④ 유격의: cuerpo ~ 유격대. —*m.* ① (자동차 등의) 핸들. ② [배드민턴] 셔틀콕. ③ (시계의) 평형륜. ④ (스커트·커튼의) 주름 장식. ⑤ 메모. ⑥ (일반의가 환자를 전문의에게 소개하는) 메모 용지. ⑦ *Arg., Cuba, Ur.* 전단. ⑧ *Arg.* 운전이 능숙한 사람. —*f.* (이륜 포장마차 비슷한, 서인도 제도에서 사용되는) 마차.

volantín, na *adj.* 나는, 날아가는. —*m.* ① 낚싯줄의 일종. ② *O Arg., Chile, Cuba, PRico., Ven.* 연(鳶). ③ *Hond., Nic.* 재주넘기. ④ *Pal.* =**balancín.**

volantón, na *adj.* (새가) 날려고 하는, 날기 시작한.

volapié *m.* [투우] 볼라삐에 ((서 있는 소를 살해하는 기술)). ¶*a* ~ ㉮ [투우] 볼라삐에를 행하면서. ㉯ (새가) 날개를 사용하여. ㉰ 걷기도 하고 헤엄도 치면서 간신히 (강·늪을 건너다).

volar (24) *intr.* ① 날다: Los pájaros *vuelan* de rama en rama

새들이 이 가지에서 저 가지로 날아다닌다. ② (비행기가) 날다, 비행하다. ③ 날아오르다. ④ 달리다, 질주(疾走)하다, 날 듯이 달리다, 지나가다: Las horas *vuelan* 세월은 유수와 같다. ⑤ [현재 분사로] 급히, 빨리, 속히, 서둘러: He escrito el diccionario pequeño *volando* 나는 소사전을 잽싸게 탈고했다. ⑥ 순식간에 없어지다: El dinero *vuela* 돈이란 눈 깜박할 사이에 없어진다. —*tr.* ① 날리다. ② 날려 버리다, 폭파하다. ③ 화나게 만들다. ④ *Méj.* 훔치다, 도둑질하다. ~**se** ① 높이 날아오르다. ② *Amér.* 격노하다.

volateo *al* ~ 나는 새를 따라가며 쏘아.

volatería *f.* ① 새 사냥, 매 사냥. ② [집합] 새, 가금류. ③ 부질없는 공상.

volátil *adj.* ① 나는, 날 수 있는. ② 가볍게 움직여 공중으로 가는. ③ 변하기 쉬운. ④ [경제] 물가가 오르락내리락하는, 불안정한. ⑤ [화학] 기체화하는, 휘발하는, 휘발성(揮發性)의: aceite ~ 휘발유, 휘발성 기름, —*m.* 가금(家禽).

volatilidad *f.* 휘발성.

volatilizable *adj.* 휘발[기화(氣化)]할 수 있는.

volatilización *f.* 휘발, 기화(氣化).

volatilizar (9) *tr.* 기화시키다, 휘발시키다. ~**se** ① 기화되다, 증발되다. ② (불의에 · 급속히) 없어지다.

volatín *m.* ① =**volatinero.** ② 곡예(曲藝).

volatinero, ra *m.f.* 곡예사.

volatizar (9) *tr.* =**volatilizar.**

volcán *m.* ① 화산: ~ activo 활화산. ② (감정 등의) 격발. ③ 열정, 애정, 노합.

volcánico, ca *adj.* ① 화산의[에 관한]. ② 열렬한, 격하기 쉬운.

volcanismo *m.* =**vulcanismo.**

volcanología *f.* =**vulcanología.**

volcanólogo, ga *m.f.* =**vulcanólogo.**

volcar (7) (24) *tr.* ① 뒤집어엎다, 엎어 버리다, 전복시키다. ② (그릇 · 내용을) 비우다. ③ 멍하게 만들다, 얼떨떨하게 만들다. ④ (생각 등을) 바꾸게 하다, 전향시키다. ⑤ 조바심나게 하다. —*intr.* 뒤집히다, 전복되다. ~**se** ① 엎어지다. ② 진력하다, 열심히 하다, 전심하다.

volea *f.* ① [운동] 공이 땅에 닿기 전에 받아치기, 공중에서 받아치기. ② (마소의) 껑거리 막대.

volear *tr.* ① [운동] (공을) 공중에서 받아치다. ② (씨앗을) 흩뿌리다.

voleibol *m.* [*ing.* volleyball] = **balonvolea.**

voleo *m.* ① =**volea.** ② 스페인 춤의 빠른 동작. ③ (땅에 쓰러지도록) 따귀 때리기.

volframio *m.* [물리] =**wolframio.**

volición *f.* [철학] 의욕, 의지.

volitivo, va *adj.* [철학] 의욕[의지]에 관한.

volován *m. fr.* 고기 파이의 일종.

volqueta *f. Bol., Ecuad., Hond., Col.* =**volquete.**

volquete *m.* 덤프카.

voltaico *arco* ~ 아크등.

voltaje *m.* [전기] 전압: cables de alto ~ 고압선.

voltámetro *m.* [전기] 볼타미터, 전해 전량계(電解電量計).

voltamperio *m.* [전기] 볼트암페어.

voltario, ria *adj.* 경박한, 경망스러운.

voltear *tr.* ① 회전시키다, 빙빙 돌리다. ② 뒤집다, 전복하다. ③ (무엇을 상태 · 장소로) 바꾸다. ④ [건축] 아치[원형 천정]을 두르다. —*intr.* ① 구르다, 회전하다, 곤두박질치다. ② *Méj., Ven.* 몸[머리]을 뒤로 돌리다. ③ *Ven.* 차량이 전복되다. ~**se** ① 몸[머리]을 뒤로 돌리다. ② *Bol., Col., Nic., Perú, PRico.* 당적(黨籍)을 바꾸다.

volteleta *f.* =**voltereta.**

volteo *m.* 빙빙 돌기; 뒤엎어지기.

voltereta *f.* ① 공중제비, 재주넘기. ② 엎어놓은 카드의 패를 보이기.

volterianismo *m.* 볼테르주의, 볼테르 철학.

volteriano, na *adj.* ① 볼테르(Voltaire, 프랑스의 문학자 · 철학자, 1694-1778)의[에 관한]. ② 볼테르의 작품의[에 관한]. ③ 볼테르 철학의. ④ 회의주의의, 회의적인. —*m.f.* 회의주의자.

volteta *f.* =**voltereta.**

voltímetro *m.* 전압계.

voltio *m.* [전압의 단위] 볼트.

volubilidad *f.* ① 쉽게 감김. ② 말이 유창함, 입심이 좋음, 다변, 수다. ③ 경박함, 자발머리없음.

voluble *adj.* ① 쉽게 감기는. ② 말이 유창한, 입심이 좋은, 수다스러운. ③ 경박한, 자발머리없는. ④ [식물] (덩굴 등이) 휘감는.

volumen *m.* [*pl.* volúmenes] ① 체적, 용량. ② 크기, 부피, 양. ③ [미술] 양감(量感). ④ 음량, 성량(聲量). ⑤ (거래 등의) 양(量): ~ de ventas 매상고. ⑥ (책의) 권(卷), 책(冊): Historia de Corea en diez *volúmenes* 한국사 전 10권.

volumetría *f.* 용적 측정.

volumétrico, ca *adj.* 용적 측정의[에 관한].

volúmetro *m.* 체적계(體積計).

voluminoso, sa *adj.* ① 체적[용적 · 부피]이 큰. ② [미술] 양감(量感)이 있는.

voluntad *f.* ① 뜻, 의지, 의욕. ② 의사, 의향. ③ 노력. ④ 용기. ⑤ 호의, 애정. ¶*buena* ~ 선의. *mala* ~ 악의. *de* (*buena*) ~ 기꺼이.

voluntariado *m.* ① 지원 병역. ②

[집합] 지원병.
voluntariedad *f.* ① 자발성. ② 변덕, 조변석개(朝變夕改). ③ [법률] 고의(故意).
voluntario, ria *adj.* 자발적인, 자유 의지에 의한. —*m.f.* ① 지원자. ② 지원병.
voluntarioso, sa *adj.* ① 의욕적인, 의지가 강한. ② 열심인. ③ 버릇없는, 방자한. ④ 변덕스러운, 변덕이 죽 끓듯하는, 조변석개의.
voluntarismo *m.* [철학] 주의설(主意說).
voluptuosamente *adv.* ① 관능적으로. ② 선정적으로. ③ 육욕적으로.
voluptuosidad *f.* ① (관능적인) 쾌감, 쾌락. ② 호색.
voluptuoso, sa *adj.* ① 관능적인, 쾌감을 주는. ② 선정적인. ③ 향락적인, 호색의, 주색에 빠진: hombre ~ 호색한(好色漢).
voluta *f.* [건축] 소용돌이 무늬.
volver (25) *tr.* ① 뒤집다, 뒤엎다: ~ la tortilla 부침개를 뒤집다. ② 거꾸로 뒤집다, 반대쪽으로 돌리다. ③ 되돌려 놓다, 본래 있던 자리에 놓다. ④ (빌린 것·산 것을) 돌려주다. ⑤ 보답하다. ⑥ 거스름돈을 돌려주다. ⑦ 향하다, 돌리다: ~ los ojos hacia la puerta 눈을 문 쪽으로 돌리다. ⑧ (어떤 상태·성질로) 하다, 만들다, 바꾸다 ⑨ (생각·의견을) 바꾸게 하다. ⑩ 번역하다. ⑪ 토하다, 게우다. —*intr.* ① 돌아오다, 돌아가다, 제자리로 가다: ~ a casa 귀가하다. ② 원상으로 돌아가다[돌아오다]. ③ 회복하다, 돌이키다. ④ 향하다, 구부러지다. **~se** ① 돌아오다, 돌아가다. ② 되돌아보다, 돌아보다. ③ 마음을 고쳐 먹다, 번의하다: *~se de su* decisión 결심을 바꾸다. ④ (상태·성질로) 되다, 변하다. ⑤ (술 등이) 시어지다. ⑥ 뒤집히다.
volvo *m.* =**vólvulo.**
vólvulo *m.* [의학] 장염전증.
vómer *m.* [해부] 서골(鋤骨).
vómico, ca *adj.* 구토를 일으키는.
vomitador, ra *adj., m.f.* 구토하는 (사람).
vomitar *tr.* ① 토하다, 구토하다, 게우다, 외욕질하다. ② 뱉어내다, 뿜어내다, 분출하다. ③ 털어놓고 말하다. ④ (격한 말 등을) 내뱉다.
vomitera *f.* 심한 구토.
vomitivo, va *adj.* ① 구토를 일으키게 하는. ② 메스꺼운, 토할 듯한. —*m.* 구토제.
vómito *m.* ① 구토, 구역질, 외욕질. ② 구토한 것.
vomitón, na *adj.* (젖먹이가) 심하게 토하는.
vomitona *f.* 심한 구토.
vomitorio, ria *adj., m.* =**vomitivo.** —*m.* (경기장의) 스탠드 출입구.
voracidad *f.* 대식(大食), 폭식.
vorágine *f.* ① (강·바다의) 소용돌이. ② 큰 혼란. ③ 억제하기 어려운 정열.
voraz *adj.* ① (동물이) 많이 먹는. ② (사람이) 게걸스레 먹는, 마구 정신없이 먹는, 모조리 먹어치우는. ③ 물릴 줄 모르는, 끝이 없는. ④ 맹렬한. ⑤ 탐욕스러운.
vórtice *m.* ① 소용돌이. ② (태풍·허리케인의) 중심, 눈.
vos *pron.* [주격 인칭 대명사 2인칭 단수] ① [고어] 당신(usted). ② *Arg., Bol., CRica., Nic, Par., Salv., Ur., Ven.* 너, 그대.
vosear *tr.* vos로 부르다.
voseo *m.* vos로 부르기.
vosotros, tras *pron.* [인칭 대명사 2인칭 복수] 너희들, 자네들, 당신들: *Vosotros* sois mis compañeros de clase 너희들은 내 급우들이다.
votación *f.* 투표, 표결: índice de ~ 투표율. elegir por ~ 투표로 선출하다.
votador, ra *adj.* 투표하는. —*m.f.* 투표자.
votante *adj.* 투표하는. —*m.f.* 투표자, 유권자.
votar *intr.* ① [+a·por] (…에게) 투표하다: ~ *al* partido demócrata 민주당에 투표하다. ~ a favor [en contra] de *alguien* …에게 찬성표[반대표]를 던지다. ② 의결하다: derecho de ~ 의결권. ③ (신에게) 맹세하다, 서원하다. —*tr.* ① …에게 투표하다. ② 의결하다.
votivo, va *adj.* 맹세의, 기원의.
voto *m.* ① 투표: ~ por correo 우편 투표. decidir por *~s* 투표로 결정하다. ② 투표권, 의결권. ③ (신에게) 맹세; (수도원에 들어갈 때) 수도 서원(修道誓願). ④ 원함, 바람. ⑤ 의견, 견해. ⑥ 욕지거리, 욕설.
vox pópuli *f. lat.* 민중의 소리.
voyeur *m.f. fr.* 타인의 정사 장면을 훔쳐보는 변태 성욕자.
voyeurismo *m.* 타인의 정사 장면을 훔쳐보는 변태 성욕.
voyeurista *adj.* voyeurismo의. —*m.f.* =**voyeur.**
voz *f.* ① 소리, 목소리, 음성: ~ natural 육성. ~ del viento 바람소리. ② 발언, 의견. ③ 소문, 풍문. ④ (투표권·의결권이 없는) 발언권. ⑤ 단어, 말: ~ culto 교양어. ⑥ [언어] 태(態): ~ activa 능동태. ~ pasiva 수동태. ⑦ [음악] (피아노 등의) 조율, 조음; (가수의) 성역(聲域). ⑧ [음성] 유성음.
vozarrón *m.* 매우 크고 걸걸한 목소리.
vozarrona *f.* =**vozarrón.**
voznar *intr.* (까마귀 등이) 까욱까욱 울다.
v/r valor recibido 수령액.

vrs. valores 가격.
vs versus …대(對)…, …에 대하여.
vs. varas 바라 ((길이의 단위)).
V.S. Vuestra Señoría 귀하, 존하.
vt(o) vencimiento 만기, 지불 기일.
Vto. Bno. visto bueno 가(可), 검사필.
vudú *m.* 부두교(教) ((서인도 제도와 미국 남부의 흑인들의 민간 신앙)). —*adj.* 부두교의.
vuduismo *m.* =vudú.
vuduista *adj.* vudú의[에 관한].
vuecencia *f.* 각하(閣下) ((vuestra excelencia의 축약어)).
vuel- ☞volar (24).
vuelapié *a* ~ =a volapié.
vuelapluma *a* ~ 붓가는 대로, 급히 휘갈겨 써서, 재빨리.
vuelco *m.* ① 전복(顚覆). ② 전환, 변화. ③ 파멸. ④ [컴퓨터] (메모리) 덤프 ((컴퓨터에 기억시킨 정보가 인쇄된 리스트)).
vuelillo *m.* (재판관·성직자 등의 의복의) 소맷부리 장식.
vuelo *m.* ① ㄱ) 날기, 비행(飛行): ~ nocturno 야간 비행. duración de ~ 비행 시간. ㄴ) 비행 거리. ② (비행기의) 편(便): ~ directo 직행편. ~ regular 정기편. ③ (새 등의) 비상(飛翔), 비상 거리. ④ [주로 *pl.*] [집합] (새가 날기 위해 사용하는) 깃. ⑤ 새의 날개. ⑥ (소맷부리의) 여유. ⑦ 소맷부리 장식. ⑧ [건축] 돌출부, 불룩 나온 부분. ⑨ (산의) 우거진 숲, 산림지(山林地).
vuelta *f.* ① ㄱ) 회전, 선회: dar una ~ 한 바퀴 돌다. 1회전하다. ㄴ) 일주(一周): dar una ~ por España 스페인을 일주하다. ㄷ) (나라·지역의) 일주 레이스: ~ ciclista a España 스페인 일주 자전거 레이스. ㄹ) [투우] (투우사의) 투우장 일주. ㅁ) [경기] 일주. ㅂ) [수영] 왕복. ㅅ) [골프] 라운드. ㅇ) [체조] 공중제비. ㅈ) [플라멩코] 회전. ② 방향 전환; 귀환. ③ (급격한·큰) 변화. ④ (도로·강 등의) 구부러짐, 구부러진 곳, 커브. ⑤ 뒤쪽, 이면. ⑥ (순번 등의) 일순(一巡), (토너먼트 등의) 회전(回戰): primera ~ 1회전. segunda ~ 2회전. ⑦ 복습. ⑧ 반각(返却), 되돌려보냄. ⑨ 거스름돈. ⑩ 구타.
vuelto *m.* *Amér.* 거스름돈.
vuelv- ☞volver (25).
vuestro, tra *adj.* [소유 형용사 2인칭 복수형] ① 너희들의, 당신들의: ~*tra* escuela 너희들의 학교 ((참고: 중남미에서는 대부분 vuestro를 사용하지 않고 su를 사용한다)). ② [경칭] 귀체(貴體)의, 존체(尊體)의, 폐하의: *Vuestra* Majestad 폐하. ③ [부를 때] *Vuestra* Alteza Real 전하. ~*tra* señoría 각하. —*pron.* [정관사와 함께] 너희들의 것, 당신들의 것: Nuestra casa es más pequeña que *la* ~*tra* 우리의 집은 너희들의 집보다 작다.
vulcaniano, na *adj.* ① 불카누스(Vulcano)의[에 관한]. ② 불(火)(fuego)의[에 관한].
vulcanismo *m.* ① 화산 활동[작용·현상]. ② 암석[지각] 화성론.
vulcanista *adj.* 암석[지각] 화성론의. —*m.f.* 암석[지각] 화성론자.
vulcanita *f.* =ebonita.
vulcanización *f.* (고무의) 경화(硬化), 가황(加黃) ((생고무의 유황 화합에 의한 경화 조작)).
vulcanizar (9) *tr.* ① (고무를) 경화하다, 가황하다. ② *Cuba, Nic.* (타이어를) 수리하다.
Vulcano *m.* [로마 신화] 불카누스 ((불과 대장일의 신)).
vulcanología *f.* 화산학(火山學).
vulcanológico, ca *adj.* 화산학의[에 관한].
vulcanólogo, ga *m.f.* 화산학자.
vulgar *adj.* ① 상스러운, 속악(俗惡)한, 비속(卑俗)한; 저속한, 야비한, 천박한: expresión ~ 상스러운 표현. gusto ~ 저속한 취미. ② 평민의, 서민의. ③ 일반 (대중)의, 널리 알려진, 유포된. ④ 통속적인, 속세의, 세속적인: literatura ~ 통속 문학. opinión ~ 속설. ⑤ (언어가) 일반 민중이 사용하는, 구어체의. ⑥ 매력 없는, 재미없는, 평범한, 진부(陳腐)한.
vulgaridad *f.* ① 상스러움, 속악(俗惡)함, 야비함, 천박함. ② 통속적임.
vulgarismo *m.* 상스러운 말, 속어, 통속적인 표현.
vulgarización *f.* 통속[대중]화, 보급.
vulgarizador, ra *adj., m.f.* 통속화[대중화]하는 (사람).
vulgarizar (9) *tr.* 통속화시키다, 대중화시키다, 보급시키다. ~**se** 통속화되다, 대중화되다, 보급되다.
vulgarmente *adv.* ① 세속적으로. ② 일반적으로.
Vulgata *f.* 불가타 성경 ((405년 San Jerónimo의 라틴어 번역 성경; 천주교에서 공식 인정함)).
vulgo *m.* ① 속세(俗世). ② 민중, 대중, 범인(凡人), 속인. ③ [은어] 성매매 여인들의 집, 사창가. —*adv.* =vulgarmente.
vulnerabilidad *f.* 상처[비난]받기 쉬움, 약점이 있음, 취약성.
vulnerable *adj.* (육체적·도덕적으로) 상처[비난]받기 쉬운, 약점[취약성]이 있는.
vulneración *f.* ① 위반. ② 상처를 입힘.
vulnerar *tr.* ① (법률 등을) 어기다, 위반하다, (법률 등에) 저촉하다; 침해하다. ② 해치다, 상하게 하다, 손상을 입히다. ③ [고어] =herir.
vulnerario, ria *adj.* [의학] 외상(外傷)에 듣는[효과가 있는]. —*m.* [의

학] 외상약.
vulpécula *f.* =vulpeja.
vulpeja *f.* [동물] 여우.
vulpino, na *adj.* ① 여우의[에 관한]. ② 여우 같은.
vultuoso, sa *adj.* [의학] 충혈(充血)로 부은.
vulturno *m.* 열풍(熱風).
vulva *f.* [해부] 여자의 음부, 보지.
vulvar *adj.* vulva의.
vulvitis *f.* [의학] 외음염(外陰炎).
vusted *m.f.* [속어] =usted.

W w

w *f.* 우베 도블레 ((스페인어 알파벳의 스물여섯 번째 문자; 명칭은 ube doble(우베 도블레) 이외에 ve doble (베 도블레) 또는 doble ve(도블레 베) 라고도 함; 발음은 우(u)이지만, Wagner처럼 독일어에서 온 단어는 ㅂ(b) 발음을 한다.)).
W wolfram 볼프람.
W. vatio 왓트.
Wb weber 웨버.
wagneriano, na *adj.* ① 바그너(Richard Wagner, 독일의 작곡가, 근대 오페라의 창시자, 1813-1883)의[에 대한]. ② 바그너의 작품의[에 관한]. ③ 바그너 풍의. ④ 바그너를 숭배하는[예찬하는]. —*m.f.* ① 바그너 예찬자[숭배자]. ② 바그너식 작곡가.
washingtoniano, na *adj.* ① 워싱톤(Washington, 미국의 수도) 태생의. ② 워싱톤의[에 관한]. —*m.f.* 워싱톤 사람.
waterpolista *m.* 수구(水球) 선수.
waterpolo *m. ing.* [운동] 수구.
watt *m.* [전기] =vatio.
wau *m.(f.)* [언어] 반모음의 u.
web *f.* [*ing.* World Wide Web] [컴퓨터] 웹 ((인터넷에 존재하는 광범위한 정보 공간)).
weber *m.* [전기] 웨버.
wélter *peso* ~ [권투] 웰터급.
western *m.sing.pl.* ① 서부 영화 장르. ② 서부극, 서부 활극.
whiskería *f.* =güisquería.
whisky *m.* =güisqui.
windsurf, wind surf *m. ing.* [운동] 윈드서핑, (돛 달린 서프보드로 하는) 파도타기.
windsurfing, wind surfing *m. ing.* [운동] =windsurf: practicar el ~ 윈드서핑[파도타기]을 하다.
windsurfista *m.f.* 윈드서핑을 하는 사람.
wólfram *m.* =wolframio.
wolframio *m. al.* [화학] 볼프람 ((텅스텐의 별칭)).
won *m.* 원 ((대한민국과 조선민주주의인민공화국의 화폐 단위)).

X x

x *f.* ① 에끼스 ((스페인어 알파벳의 스물일곱 번째 문자)). ② 미지[미정]의 것(n). ③ [수학] 미지수 (기호). ④ (로마숫자에서) 10.
xantoma *m.* [의학] (눈꺼풀·등·목 등에 생기는) 황색종(黃色腫).
Xe xenón 크세논.
xeno- *pref.* 「이국(異國)·외국(外國)의(extranjero)」의 뜻: *xeno*fobia 외국인 혐오.
xenofobia *f.* 외국인 혐오[배척], 외국인[외국 물건]을 싫어함.
xenófobo, ba *adj., m.f.* 외국인[외국 물건]을 싫어하는 (사람).
xenón *m.* [화학] 크세논.
xero- *pref.* 「건조한(seco, árido)」의 뜻: *xeró*filo 내건성의.
xerocopia *f.* (제록스에 의한) 복사.
xerocopiar (11) *tr.* 제록스 복사로 복사하다.
xerófilo, la *adj.* ① [생물] 내건성(耐乾性)의, 건조를 좋아하는. ② 열대 건조지에 사는[나는].
xerofítico, ca *adj.* [식물] 건생적(乾生的)인.
xerófito, ta *adj.* =xerofítico.
xeroftalmia, xeroftalmía *f.* [의학] 안구 건조증.
xerografía *f.* 제록스 복사법, 건식 인쇄(술).
xerografiar (12) *tr.* 제록스 복사로 복사하다.
xerográgrafico, ca *adj.* ① 제록스 복사의[에 관한]. ② 제록스 복사로 얻은: copia ~*ca* 제록스 복사(법)에 의한 복사.
xerógrafo, fa *m.f.* 제록스 복사를 업으로 하는 사람.
xeromamografía *f.* [의학] 유방 건식 촬영법(乳房乾式撮影法).
xeroteca *f.* 제록스 복사물 보관소.
xi *m.* 크시, 크사이(Ξ, ξ) ((라틴어 알파벳의 x에 해당하는 희랍어 알파벳의 열네 번째 문자)).
xifoideo, a *adj.* xifoides의[에 관한].
xifoides *adj.sing.pl* [해부·식물] 칼 모양 (돌기)의, 검상(劍狀)의, 검상 돌기의. —*m.* 칼 모양 돌기, 검상 돌기(劍狀突起).

xilema *m.* [식물] 목질부(木質部), 목부(木部).
xilo- *pref.* 「나무·목재(madera)」의 뜻: *xiló*fago 나무를 먹는.
xilófago, ga *adj.* 나무를 (갉아)먹는, 목식(木食)의. —*m.f.* 나무를 먹는[목식] 곤충.
xilofón *m.* =**xilófono.**
xilofonista *m.f.* xilófono 연주가.
xilófono *m.* [악기] 실로폰, 목금.
xilografía *f.* ① 목판술(木版術). ② 목판 인쇄, 목판화.
xilográfico, ca *adj.* xilografía의.
xilógrafo, fa *m.f.* 목판화가[기술자].
xilórgano *m.* [악기] (옛날의) 목금(木琴)의 일종.
xocoyote *m.* *Méj.* =**benjamín.**
xola *f.* ① *Guat.* (사람의) 머리. ② *Méj.* [새] 암칠면조(pava).
xolo *m.* *Méj.* [새] 칠면조(pavo).

Y y

y[1] *f.* 이 그리에가 ((스페인어 알파벳의 스물여덟 번째 문자; 명칭은 y griega(이 그리에가) 이외에도 ye(예)라고도 함)).
y[2] *conj.* [i-·hi-의 앞에서는 *e*가 됨: Jorge *e* Ignacio 호르헤와 이그나시오. madre *e* hija 어머니와 딸. 그러나 의문문·감탄문의 문장 앞과 hie-의 앞에서는 y 그대로 씀: *¿Y* Ignacio viene también? 그럼 이그나시오도 오니? flores *y* hierbas 꽃과 풀] ① …과, …와, 및, 그리고, 또: él *y* ella 그와 그녀. Mi hermana es alta *y* hermosa 내 누이는 키가 크고 미녀다. ② 게다가: una casa moderna *y* cómoda 현대적이면서도 편리한 집. ③ 그런데, 그러나: Te llamé *y* no viniste 나는 너를 불렀지만 오지 않았다. ④ 그래도, 그런데도, 그러나: Ella estaba cansada *y* seguía trabajando 그녀는 피곤했지만 계속 일했다. ⑤ [명령문 다음에서] 그러면: Date prisa, *y* podrás tomar el tren 서둘러라, 그러면 열차를 탈 수 있을 것이다. ⑥ [+no] 그렇지 않으면: Dímelo, *y* no te creeré 나에게 그것을 말해라. 그렇지 않으면 나는 너를 믿지 않을 것이다. ⑦ [문장 앞에서] 그런데, 그래서, 그러면: Estoy muy bien, gracia. *¿Y* tú? 덕분에 나는 잘 있다. 그런데 너는? ⑧ [수의 접속: 10 자리수와 1자리수 사이에 들어감] treinta *y* cinco 35. ⑨ [시간; 시(時)와 분(分) 사이에 들어감] Son las siete *y* diez 일곱 시 십 분이다. ¶ *y/o* 및, 또는: los nacionalistas catalanes *y/o* vascos 까딸란 및 바스크의 민족파.

Y

ya *adv.* ① [완료] 벌써, 이미: *Ya* son las diez 벌써 열 시다. *Ya* le he avisado 나는 이미 그에게 알렸다. ② [+현재형] 지금 곧[바로]: *Ya* me voy 지금 곧 갑니다. ③ [+미래형] [불확실] 얼마 안 있어, 근간, 일간, 장래에: *Ya* te visitaré 일간 너를 방문하겠다. ④ [운동] 출발!: Preparados! Listos! *Ya!* 제 위치, 준비, 출발!
yacente *adj.* 누운, 누워 있는, 가로누운. —*m.* [광산] 광맥의 밑바닥.
yacer (35) *intr.* ① 누워 있다. ② (시체가) 매장되어 있다, 묻혀 있다. ③ (사람·물건이) 있다, 존재하다, 위치하다, 사장되어 있다, 묻혀 있다. ④ (…와) 육체 관계를 가지다, 동침(同寢)하다. ⑤ (말이) 밤에 풀을 먹다.
yaciente *adj.* =**yacente.**
yacimiento *m.* ① [지질] 광상(鑛床); 광맥: ~ petrolífero 유전. ② (고고학상의) 유적.
yagual *m.* *CRica., Guat., Hond., Méj., Salv.* 똬리(rodete).
yaguar *m.* =**jaguar.**
yak *m.* *ing.* [동물] 야크 ((티벳 산(産)의 들소)).
yámbico, ca *adj.* [시법] 단장격(短長格)의. —*m.* 단장격 시.
yambo[1] *m.* [시법] (희랍·라틴 시의) 단장격.
yambo[2] *m.* [식물] 도금양의 일종.
yang *m.* *china* (음양의) 양(陽).
yanqui *adj.* ① (미국의) 뉴 잉글랜드(Nueva Inglaterra) 태생의. ② 뉴 잉글랜드의[에 관한]. ③ =**estadounidense.** —*m.f.* ① 뉴 잉글랜드 사람. ② 양키.
yarda *f.* [*ing.* yard] [길이의 단위] 야드 ((0.914 m)).
yate *m.* [*ing.* yacht] 요트.
yayo, ya *m.f.* 할아버지, 할머니. —*m.pl.* 조부모님.
ye *f.* 예 ((문자 y의 명칭)).
yedra *f.* =**hiedra.**
yegua *f.* ① [동물] 암말. ② 엽궐련의 꽁초. ③ *Cuba, Ur.* [경멸] 천박한 여자. —*m.* *Cuba.* 남자 동성애자. —*m.f.* *AmérC., PRico.* 바보, 얼간이, 멍청이. —*adj.* ① *Cuba, Ur.* 천박한 (여자), 버릇없는 (여자). ② *AmérC., PRico.* 멍청한, 어리석은.
yeguada *f.* ① [집합] 말 떼. ② *AmérC., PRico.* =**disparate.**
yeguar *adj.* 암말의[에 관한].
yegüero *m.* 암말 사육자.
yeísmo *m.* ll(이)를 y(ㅈ)처럼 발음하기 ((예 gayina ←gallina, poyo ←pollo)).

yeísta *adj.* ① yeísmo의[에 관한]. ② yeísmo를 사용하는. *—m.f.* yeísmo를 사용하는 사람.
yelmo *m.* (옛날의) 투구.
yema *f.* ① [식물] 싹. ② (알의) 노른자위, 난황(卵黃). ③ 예마 ((설탕과 달걀의 노른자위로 만든 과자)). ④ (손톱의 반대편의) 손가락 끝부분. ⑤ (물건의) 가장 좋은 부분. ⑥ [드묾] (물건의) 한복판.
Yemen *m.* [국명] 예멘.
yemení *adj.* ① 예멘 태생의. ② 예멘의[에 관한]. *—m.f.* 예멘 사람.
yemenita *adj., m.f.* =**yemení.**
yen *m.* 엔 ((일본의 화폐 단위)).
yendo ir(가다) 동사의 불규칙 현재분사.
yerba *f.* ① =**hierba.** ② [식물] = **yerba mate.** ¶~ ***dulce*** *Méj.* [식물] 감초. ~ ***mate*** ㉮ *Arg.* [식물] 마테차(茶). ㉯ *Arg.* 마테차의 잎.
yerbabuena *f.* =**hierbabuena.**
yerbadulce *m. Méj.* [식물] 감초.
yerbal *m.* ① *Arg., Par., Ur.* 마떼차 밭[농장]. ② *Cuba, Méj.* 초원, 초지(草地).
yerbatero, ra *adj.* ① *Andes, Chile, Méj., PRico.* 약초로 치료하는. ② *Arg., Ur.* 마떼차의[에 관한], 마떼차 산업의[에 관한]. *—m.f.* ① *Andes, Chile, Méj., PRico.* 약초로 치료하는 의사. ② *Arg., Ur.* 마테차 재배자[장수].
yermo, ma *adj.* ① 사람이 살지 않는. ② 불모의. *—m.* 불모지.
yerna *f. Bol., Col., PRico., RDom., Ven.* =**nuera.**
yerno *m.* 사위(hijo político).
yerro *m.* (무지·부주의에 의한) 실수, 잘못, 오류, 과오, 과실, 실책.
yérsey, yersi *m.* ① *Amér.* = **jersey.** ② *Amér.* 질이 좋은 레이스 뜨개 직물.
yerto, ta *adj.* 굳어진, 빳빳해진, 경직된.
yesal *m.* =**yesar.**
yesar *m.* ① 석고가 풍부한 땅. ② 석고 채석장[채굴장].
yesca *f.* ① 부싯깃. ② 불붙기 쉬운 물건. ③ 격정의 자극물. ④ [집합] 불붙이는 도구.
yesera *f.* ☞**yesero.**
yesería *f.* ① 석고 공장. ② 석고 판매소. ③ 석고 세공, 석고상(像), 석고 제품.
yesero, ra *adj.* 석고의[에 관한]. *—m.f.* ① 석고 제조 업자. ② 석고 장수. ③ 석고 칠장이. *—f.* =**yesar.**
yesista *m.f.* 석고 칠장이.
yeso *m.* ① [광물] 석고(石膏). ② 석고 작품.
yesoso, sa *adj.* ① 석고의. ② 석고 같은. ③ 석고가 풍부한 (땅).
yesquero *m.* ① 석고 제조 업자. ② 석고 판매자[장수]. ③ (발화 물질처럼, 석고를 이용한) 점화기[라이터]. ④ (석고를 나르는) 가죽 주머니.
yeti *m.* (히말라야의 산속에 산다는) 설인(雪人).
yeyuno *m.* [해부] 공장(空腸).
Yibuti *m.* [국명] 지부티.
yibutiano, na *adj.* ① 지부티 태생의. ② 지부티의[에 관한]. *—m.f.* 지부티 사람.
yin *m. china.* 음(陰).
yira *f. Arg., Ur.* [경멸] 성매매 여성, 매춘부, 창녀.
yo *pron.* [주격 인칭 대명사 1인칭 단수] 나, 저: *Yo* soy estudiante 나는 학생이다. *—m.* [철학] 자아.
y/o ☞**y**[2].
yod *f.* ① [언어] 요드 ((pie처럼 앞 자음과 결합된 반자음 i와, reino처럼 앞 모음과 결합된 반모음 i의 소리)). ② 요드 ((페니키아·헤브라이 말 자모의 열 번째 문자)).
yodación *f.* 요오드 처리[소독].
yodado, da *adj.* 요오드를 함유한.
yodar *tr.* 요오드 처리하다.
yodo *m.* [화학] 요오드.
yodoformo *m.* [화학] 요오드 포름.
yodurar *tr.* ① 요오드로 변화시키다. ② 요오드로 처리하다.
yoduro *m.* [화학] 요오드화물(化物).
yoga *f.* ① [힌두교] 요가 ((예로부터 인도에 전하는 심신 단련법의 하나)). ② (현대에는, 심신의 건강을 위해서 하는) 요가.
yogui *m.f.* ① (인도의) 요가 수행자. ② (심신의 건강을 위해) 요가를 하는 사람.
yóguico, ca *adj.* 요가의[에 관한].
yogur *m.* 요구르트.
yogurtera *f.* 요구르트 제조기.
yola *f.* 작은 돛단배.
yonqui *m.f. ing.* 마약 중독자.
yóquey, yoqui *m.* 경마 기수.
yoyó *m.* 요요 ((장난감)).
yuan *m.* [중국의 화폐 단위] 유안.
yuca *f.* ① [식물] 유카, 실난초. ② [식물] 만디오카(mandioca)의 일종. ③ *CRica.* 거짓말. ④ *Cuba, Nic.* (다양한 요리를 해 먹는) 유카의 뿌리. ⑤ *Salv.* 빚, 채무. ⑥ *Salv.* 하기가 매우 어려운 일.
yucal *m.* 유카밭.
yucateco, ca *adj.* ① 유까딴(Yucatán, 멕시코의 주) 태생의. ② 유까딴의[에 관한]. *—m.f.* 유까딴 사람.
yudo *m.* [운동] 유도.
yudoca *m.f.* 유도 선수, 유도를 하는 사람.
yugada *f.* yunta의 1일 경작 면적.
yugo *m.* ① (소의) 멍에. ② 종을 매는 틀. ③ 부역, 감옥, 결박. ④ 속박, 구속. ⑤ 교수대의 일종 ((고대 로마에서, 복종의 증거로 그 아래로 포로에게 엎드려 들어오게 함)). ⑥ 결혼 때의 신랑 신부의 베일.
yugoeslavo, va *adj., m.f.* =**yugo-**

slavo.
Yugoslavia *f.* [국명] 유고슬라비아.
yugoslavo, va *adj.* ① 유고슬라비아 태생의. ② 유고슬라비아의[에 관한]. —*m.f.* 유고슬라비아 사람.
yugular[1] *f.* [해부] 경정맥(頸靜脈).
yugular[2] *tr.* 목을 베다[자르다].
yunga *adj., m.f.* 안데스 산맥에 있는 열대 계곡 태생의 (사람). —*m.* ① 융가 말 ((뻬루 북부 및 중앙 지방의 옛 언어)). ② *Bol., Perú.* 안데스 산맥에 있는 열대 계곡.
yunque *m.* ① 모루, 철침(鐵砧). ② 역경을 참고 견디는 사람, 불요불굴의 정신을 가진 사람. ③ 일에 매우 열심이고 끈기 있는 사람. ④ [해부] (귓속의) 모루뼈, 침골(砧骨).
yunta *f.* ☞**yunto.**
yuntería *f.* [집합] 멍에에 맨 한 쌍의 소.
yuntero *m.* 멍에에 맨 한 쌍의 동물[소]을 이용하는 농부.
yunto, ta *adj.* =**junto**: ir *~s* los surcos 이랑이 서로 붙은 상태가 되다. —*f.* ① 멍에에 맨 한 쌍의 소[노새·다른 동물]. ② =**yugada.** ③ *Arg., Cuba, Ur.* (사람·새 등의) 한 쌍. ④ *PRico., Ven.* 커프스단추. —*adv.* 이랑을 붙여서: arar ~ 이랑을 붙여서 좁게 갈다.
yusivo, va *adj.* [문법] (접속법이) 명령을 나타내는. ((예 ~Que salga 나가시오, 나가시기를 바랍니다)).
yute *m.* ① 황마 섬유. ② 황마 섬유 직물, 황마 섬유(에서 뽑은) 실.
yuxtalineal *adj.* 원문과 번역문을 나란히 대조한 (번역).
yuxtaponer (61) *tr.* 나란히 늘어놓다, 잇달아 놓다.
yuxtaposición *f.* 나란히 늘어놓음, 병렬(竝列), 병치(倂置·竝置).
yuxtapuesto, ta *adj.* 나란히 늘어놓여진.
yuyería *f. Ur.* 약초 가게.
yuyero, ra *adj. Arg., Ur.* 약초 먹기를 좋아하는. —*m.f.* ① *Arg., Ur.* 약초 먹기를 좋아하는 사람. ② *Arg., Ur.* (주로 풀로 처방하는) 돌팔이 의사. ③ *Arg., Ur.* 약초 장수.
yuyo *m.* ① *Arg., Bol., Chile, Par., Ur.* 잡초. ② *Chile.* [식물] (들)겨자. ③ *Ur.* 약초. ④ *pl. Col.* 양념[조미료]으로 쓰는 풀. ⑤ *Perú.* 먹을 수 있는 연한 풀.
yuyuba *f.* 대추 ((대추나무의 열매)).

Z

Z z

z *f.* 세따 ((스페인어 알파벳의 스물아홉 번째 문자; 명칭은 zeta 이외에 zeda(세다)라고도 함; 까나리아(Canarias)에서처럼 거의 전(全) 안달루시아 지역과 라틴 아메리카에서는 s처럼 발음함)).
zaborda *f.* (배의) 좌초.
zabordamiento *m.* =**zaborda.**
zabordar *intr.* (배가) 좌초하다.
zabullida *f.* =**zambullida.**
zabullidor, ra *adj.* =**zambullidor.**
zabullidura *f.* =**zambullidura.**
zabullimiento *m.* =**zambullimiento.**
zabullir (50) *tr.* =**zambullir.**
zacatal *m. AmérC., Filip., Méj.* =**pastizal.**
zacate *m.* ① *AmérC., Filip., Méj.* 풀, 목초. ② *Méj.* (문지르는) 수세미 솔.
zafado, da *adj.* ① *And., Can., Arg., Cuba, Nic., Ur.* 낯가죽이 두꺼운, 뻔뻔스러운. ② *Méj., Salv.* =**chiflado.** —*f.* ① 방해물의 제거. ② 뼈가 삠.
zafadura *f.* 뼈가 삠, 탈구(脫臼).
zafaduría *f. Arg., Par., Ur.* 뻔뻔스러운 행동[언행].
zafar[1] *tr.* =**adornar, guarnecer, hermosear, cubrir.**
zafar[2] *tr.* ① (…에서) 방해가 되는 것을 제거하다. ② *Cuba.* (묶었던 것을) 풀다. ③ *Cuba.* 꿰맨 것을 풀다. —*intr. Arg., Cuba, Ur.* (약속·의무에서) 빠져나가다. **~se** ① 방해물이 제거되다. ② (만남이나 위험을 피하기 위해) 몸을 피하다, 숨다. ③ (기계에서) 벨트가 벗겨지다. ④ (…하는 것을) 회피하다, 피하다. ⑤ 괴로움에서 벗어나다. ⑥ *Amér.* 뼈를 삐다, 탈구(脫臼)하다.
zafarrancho *m.* ① [선박] (갑판 청소 등의) 준비. ② 대청소. ③ =**destrozo.** ④ =**riña.**
zafio, fia *adj.* ① 촌스러운, 거친. ② *Perú.* 무정한, 매정한.
zafíreo, a *adj.* =**zafirino.**
zafirino, na *adj.* 청옥색(靑玉色)의. —*f.* [광물] 청옥수.
zafiro *m.* [광물] 사파이어, 청옥.
zafra[1] *f.* ① (넘치는 기름을 받는) 납작한 구멍뚫린 그릇. ② 기름 보관용 큰 그릇[통].
zafra[2] *f.* (수레의 채를 매는) 가죽끈.
zafra[3] *f.* ① 사탕수수 수확. ② 사탕수수 제당. ③ 사탕수수 제당 기간. ④ (광산·채석장의) 찌꺼기, 광재.
zaga *f.* ① 뒤, 뒷부분, 꽁무니. ② (차량의) 뒤에 싣는 짐. ③ [군사] 행진의 마지막 부대. —*m.* [운동] 방어진(防禦陣), 디펜스 진영, 후위(後衛). ¶*a la ~, a ~, en ~* 뒤에, 뒷부분에, 꽁무니에. ***no ir(le)*** alguien ***en ~*** a otra persona, ***no***

quedarse en ~ (누가, 다른 사람) 보다 못하지 않다, 뒤지지 않다.
zagal¹, la *m.f.* 어린 목동. —*m.* ① (사춘기에 이른) 청년. ② 마부를 도와 짐을 실었던 소년. ③ *Esp. orient.* =**niño.** —*f.* ① 처녀. ② *León.* 유모.
zagal² *m.* (촌사람들이 입는) 속치마.
zagual *m.* (카누 등에서 사용하는 국자처럼 생긴) 짧은 노.
zaguán *m.* (집의) 현관.
zaguero, ra *adj.* ① 뒤에 가는[머무는·있는]. ② (자동차가) 뒤에 짐을 너무 싣는. —*m.* ① (2인조 pelota 경기에서) 후위. ② [운동] 후위, 디펜스. —*f.* *Ar., Cuen., Sal.* 뒤, 뒷부분, 꽁무니.
zahareño, ña *adj.* ① 길들이기 어려운 (새). ② 매정한, 오만불손한, 사귀기 어려운.
zaheridor, ra *adj., m.f.* 비방하는 (사람); 빈정거리는 (사람).
zaherimiento *m.* ① 비방, 중상. ② 빈정거림, 비꼼.
zaherir (54) *tr.* ① 비난하다, 비방하다, 모략하다, 중상하다. ② 비꼬다, 빈정거리다.
zahína *f.* ① [식물] 수수. ② *pl.* *And.* 묽은 밀가루 죽.
zahinar *m.* 수수밭.
zahón *m.* [주로 *pl.*] (승마복 모양의) 바지.
zahorí *m.f.* ① (특히, 지하 광물이 묻혀 있는 것을 알아내는) 투시술사(透視術師). ② 예언자, 점쟁이.
zahúrda *f.* 돼지우리.
zaino¹, na *adj.* ① 배반하는, 음험한, 믿음이 가지 않는, 거짓의. ② (말이) 나쁜 버릇이 있는.
zaino², na *adj.* ① (말이, 다른 색깔이 없이) 진한 밤색의. ② (소가, 어떤 흰 털도 없이) 검은.
Zaire *m.* [국명] 자이르.
zaireño, ña *adj.* ① 자이르 태생의. ② 자이르의[에 관한]. —*m.f.* 자이르 사람, 콩고 민주주의 공화국 사람.
zalagarda *f.* ① 매복, 복병. ② 기마전. ③ (동물 사냥용) 끈. ④ 감언, 기만, 악의에 찬 술책. ⑤ 싸움, 난투, 격투. ⑥ 승강이.
zalamería *f.* 아부, 아첨.
zalamero, ra *adj.* 아부하는, 아첨하는. —*m.f.* 아부자, 아첨꾼, 알랑쇠.
zalea *f.* ① 양 가죽, 염소 가죽. ② *Arg.* (환자 밑에 까는) 이중 천 시트.
zalema *f.* ① 인사, 절, 굽신거림. ② 아부, 아첨.
zamacuco, ca *m.f.* ① 바보. ② 음험한 사람, 뱃속이 검은 사람. —*m.* 술에 취함, 만취, 대취, 취기.
zamarra *f.* ① 가죽 옷. ② 오버. ③ 양 가죽.
zamarrear *tr.* ① (잡은 사냥감을) 물어 흔들다. ② (사람을) 난폭하게 대하다. ③ (논쟁에서) 궁지에 몰아넣다.
zamarrilla *f.* [식물] 개불알꽃.
zamarro *m.* ① 가죽 옷. ② 양 가죽. ③ 거친 사람. ④ 영악한 남자, 교활한 남자.
zamba *f.* ① 삼바 ((아르헨띠나 북동부 지방의 민속 춤)). ② 삼바 음악. ③ *Ur.* 거짓말.
Zambia *f.* [국명] 잠비아.
zambiano, na *adj.* ① 잠비아 태생의. ② 잠비아의[에 관한]. —*m.f.* 잠비아 사람.
zambo, ba *adj., m.f.* ① 안짱다리의 (사람). ② *Nav., Rioja.* (O자 형으로) 발이 굽은 (사람). ③ *Amér.* 흑인 남자와 인디오 여인과의 사이에 난 (혼혈아), 흑인 여자와 인디오 남자 사이에서 난 (혼혈아). —*m.* 아메리카 원숭이.
zambucar (7) *tr.* (다른 사람이 볼까 보아) 날쌔게 감추다.
zambuco *m.* 날쌔게 감추기.
zambullida *f.* ① 잠수. ② [드룹] [펜싱] 검술의 속임수.
zambullidor, ra *adj.* ① 잠수하는. ② 숨는, 몸을 감추는.
zambullidura *f.* ① 잠수. ② 숨기.
zambullimiento *m.* =**zambullidura.**
zambullir (50) *tr.* 물속으로 집어 던지다. ~**se** ① 물속에 들어가다[뛰어들다], 잠수하다. ② (어디에) 숨다, 몸을 감추다, (무엇으로) 덮다.
zambullo¹ *m.* 큰 요강.
zambullo² *m.* [식물] 야생 올리브.
zamora *m.* [축구] (그 해의) 최우수 문지기[골키퍼].
zamorano, na *adj.* ① 사모라(Zamora, 까스띠야-레온 지방의 주·주도) 태생의. ② 사모라의[에 관한]. —*m.f.* 사모라 사람.
zampabollos *m.f.sing.pl.* 대식가.
zampar *tr.* ① 급히[과하게] 먹다[마시다]. ② (보이지 않게) 재빨리 넣다, 숨기다, 감추다. ③ =**asestar, propinar.** ④ 죽이다. ⑤ (무엇을 어떤 장소에) 놓다. ⑥ *Amér.* =**arrojar.** ~**se** ① 재빨리 숨다. ② 급히 들어가다.
zampatrotas *m.f.sing.pl.* ① 대식가. ② 예의없는 사람.
zampón, na *adj., m.f.* =**comilón, tragón.**
zampoña *f.* ① [악기] 삼뽀냐 ((피리의 일종)). ② 보리 피리.
zanahoria *f.* ① [식물] 당근. ② 당근의 뿌리. —*m.* *Ur.* 바보, 멍청이, 얼간이. —*adj.* *Ur.* 멍청한, 우둔한, 바보스러운.
zanca *f.* ① 새의 다리의 가장 긴 부분. ② (사람·동물의) 길고 가는 다리. ③ [건축] (계단의 디딤판으로 사용하는) 경사진 목재.
zancada *f.* 큰 보폭, 큰 걸음: dar grandes ~*s* 활보하다. ¶*en dos*

Z

[*tres*] ~*s* 쉽게, 단숨에, 순식간에, 삽시간에.

zancadilla *f.* ① 발 걸기, 다리 걸기: echar [poner] la ~ a *alguien* (누구를) 다리를 걸어 넘어뜨리다. ② 사기, 속임수. ¶*armar* [*echar* · *poner*] (*la*) ~ 속이다.

zancadillerar *tr.* (…를) 다리를 걸어 넘어뜨리다.

zancajo *m.* ① [해부] 발뒤축뼈. ② 발뒤축. ③ (특히 떨어져 있을 때, 신발 · 스타킹의) 뒤축. ④ 다리의 큰 뼈.

zancajoso, sa *adj.* ① 안짱다리의, 발이 밖으로 뒤틀린. ② 다 해지고 더러운 양말을 신은.

zancarrón *m.* ① 다리의 뼈. ② 크고 앙상한 뼈. ③ 뼈만 앙상한 노인. ④ 실력 없는 엉터리 선생.

zanco, ca *adj. Guat.* 다리를 저는. —*m.* 긴 장대 ((발에 묶고 그 위에 서서 걸어 다니는 긴 막대)).

zancón, na *adj.* ① 다리가 긴. ② *Méj., Ven.* (옷이) 너무 짧은.

zancudo, da *adj.* ① 다리가 긴. ② [동물] 섭금류의. —*m. Amér.* [곤충] 모기. —*f.pl.* [동물] 섭금류.

zandía *f.* [식물] =**sandía.**

zanfona *f.* =**zanfonía.**

zanfonía *f.* [악기] 삼포니아 ((손잡이로 돌려서 연주하는 현악기)).

zanganear *intr.* 일없이 여기저기 돌아다니다.

zángano, na *m.f.* 게을러빠진 사람. —*m.* ① [곤충] 수벌. ② 남의 덕에 사는 게으른 남자. —*f. Nic.* = **prostituta.**

zangolotear *tr.* 계속 심하게 흔들다. —*intr.* 여기저기 쏘다니다. ~**se** (창문 등이) 심하게 흔들리다.

zangotear *tr.* =**zangolotear.**

zanja *f.* ① (배수용) 길고 좁은 도랑. ② *Amér.* 흐르는 물로 패인 깊은 계곡.

zanjar *tr.* ① …에 도랑을 파다. ② (난관 · 불편을) 제거하다, 해결하다.

zanquear *intr.* ① 다리를 꼬며 걷다. ② 허둥지둥 걷다.

zanquilargo, ga *adj., m.f.* 다리가 긴 (사람).

zapa[1] *f.* ① 삽, 호미, 괭이. ② [군사] 지하 참호 파기.

zapa[2] *f.* ① 상어 가죽. ② 상어 가죽처럼 생긴 것.

zapador *m.* [군사] 공병(工兵).

zapar *tr.* 삽으로 일하다.

zapapico *m.* ① (석수장이용) 돌 깎는 망치. ② 곡괭이.

Z

zapata *f.* ① 반장화. ② 문지방에 댄 가죽 조각. ③ (자동차의 바퀴에 다는) 제동판. ④ [건축] (대들보 등의) 받침나무. ⑤ [선박] 닻에 대는 나무.

zapatazo *m.* ① 신발로 때리기. ② 쿵하고 떨어짐, 낙하. ③ 떨어지는 소리. ④ 두들겨 패기. ⑤ 굽쇠 소리. ⑥ [선박] 돛의 펄럭임.

zapateado *m.* ① 사빠떼아도 ((구두 바닥으로 마루에 발장단을 맞추며 추는 스페인 춤)). ② 사빠떼아도 음악. ③ (구두로) 발장단 맞추기.

zapateador, ra *adj., m.f.* ① 신발로 때리는 (사람). ② (구두 바닥으로) 발장단 맞추는 (사람).

zapatear *tr.* ① 신발로 때리다. ② (구두 바닥으로) 발장단을 맞추다. —*intr.* ① 발을 동동 구르다. ② 발로 장단을 맞추다. ③ (말이) 발로 허우적거리다. ④ 돛이 펄럭이다. ~**se** (싸움에서) 서로 맞서다.

zapateo *m.* 발로 장단 맞추기.

zapatera *f.* ☞**zapatero.**

zapatería *f.* ① 제화 공장. ② 양화점, 구둣방. ③ 구두 수선소. ④ 양화점 거리. ⑤ 제화업.

zapatero, ra *adj.* ① 구두의[에 관한]. ② 끓을 때 찬물을 넣어 굳어진, 덜 삶아 설은 (콩). ③ (너무 미리 요리를 해서) 썩기 시작한: patatas ~*ras* 썩기 시작한 감자. —*m.f.* ① 제화업자. ② 구두 제조공. ③ 구두 수선공. ④ 구두 장수. ⑤ 양화점 주인. —*m.* ① [어류] (열대 아메리카산) 경골어류 물고기. ② [곤충] 물매암이. ③ (카드놀이에서) 말이 없는 사람. ④ 올챙이. —*f.* ① 신발장. ② [드묾] zapatero의 아내.

zapateta *f.* ① 발을 동동 구르기 ((기쁠 때)). ② (춤을 추는 사람의) 껑충껑충 뛰기. ③ *pl.* (춤을 출 때) 구두로 바닥에 발장단 맞추기.

zapatiesta *f.* =**alboroto, jaleo, riña.**

zapatilla *f.* ① 가볍고 바닥이 얇은 구두[신], 발레화(靴). ② 실내화, 슬리퍼. ③ 운동화. ④ (발이 갈라진 동물의) 발톱.

zapatillazo *m.* 실내화[슬리퍼]로 때리기.

zapatillero, ra *m.f.* 슬리퍼[실내화] 제조자[장수].

zapato *m.* [주로 *pl.*] 구두, 단화: ~ de golf 골프화. un par de ~*s*, unos ~*s* 구두 한 켤레. ponerse los ~*s* 구두를 신다. quitarse los ~*s* 구두를 벗다. ¶~ ***botín*** 반장화.

zape *interj.* ① 쉿!, 쉬쉬! ((고양이를 쫓아낼 때)). ② 어, 어렵쇼; 아니; 어머, 어머나 ((피해 등에 놀람 · 기이함 · 노함)). ③ 이거 안됐습니다 [유감스럽습니다] ((거절)).

zapear *tr.* ① (고양이를) 쉿 하고 쫓다. ② 이거 안됐습니다 하고 거절하다. ③ (누구를) 쫓아내다.

zapeo *m.* 리모컨으로 텔레비전의 채널을 자주 바꾸기.

zapotal *m.* 난과수 숲.

zapote *m.* ① [식물] 난과수. ② 난과수 열매. ¶*chico* ~ ① 작은 난과수. ② 작은 난과수 열매.

zaque *m.* ① 작은 가죽 자루, 작은 양피 술자루. ② (샘에서 물을 푸는) 가죽 자루. ③ [드묾] 취한(醉漢).
zaquizamí *m.* ① (일반적으로, 천장이 없는) 다락방. ② 작고 불편한 집[방]. ③ 천장의 판자 이기.
zar *m.* (제정 러시아・터키의) 황제.
zarabanda *f.* ① 사라반다 ((17세기 중반부터 소나타 형식으로 이루어진 삼중 리듬의 느리고 장엄한 무용)). ② 큰 소동. ③ =**lío, embrollo.** ④ 사라반다 춤 ((도덕가들이 자주 비난했던 16-17세기 스페인의 민속춤)). ⑤ 사라반다 춤에 맞추어 부른 민요. ⑥ *Méj.* =**zurra, tunda, paliza.**
Zaragoza *f.* [지명] 사라고사 ((아라곤 지방의 주・아라곤 자치 공동체의 수도)).
zaragozano, na *adj.* ① 사라고사 태생의. ② 사라고사(Zaragoza)의[에 관한]. —*m.f.* 사라고사 사람.
zaragüelles *m.pl.* ① (옛날 발렌시아 지방의 농부들이 입었던) 통이 넓은 반바지. ② (아라곤 지방의 옷으로, 바지 안에 입었던) 팬츠. ③ [식물] 갈대의 일종. ④ 통이 넓고 긴 서툴게 만들어진 반바지.
zaranda *f.* ① (까부는) 체, 얼멍체. ② *Ven.* 팽이.
zarandaja *f.* [주로 *pl.*] 자잘한 물건, 하찮은 것.
zarandar *tr.* ① (곡물・포도를) 체로 치다. ② (과자를) 체로 거르다. ③ 재빨리 흔들다. ④ (보통 것에서 특별한 것을) 고르다. **~se** 빨리 흔들리다.
zarandear *tr.* ① =**zarandar.** ② 귀찮게 굴다, 괴롭히다. **~se** ① = **zarandarse.** ② *And., Cuba, Perú, PRico.* 궁둥이를 흔들며 걷다.
zarandeo *m.* ① 체질, 체로 치기. ② 괴롭히기.
zarandero, ra *m.f.* 체질하는 사람.
zarandillo *m.* ① 작은 체. ② 몸이 민첩한 사람.
zarazo, za *adj.* 익기 시작한, 익어가는 (과일).
zarcillo[1] *m.* ① 귀고리. ② (표적으로) 면양의 귀에 내는 자국. ③ [식물] (포도 등의) 덩굴손.
zarcillo[2] *m.* 호미, 괭이.
zarco, ca *adj.* 연한 하늘색의.
zarevich *m.* (러시아의) 황태자.
zarigüeya *f.* [동물] 주머니쥐 ((주머닛과에 속하는 유대류 짐승; 북아메리카 특산종)).
zarina *f.* ① 황제(zar)의 아내. ② 러시아의 여황제.
zarismo *m.* 황제식의 절대 전제 정치 형태, 폭정.
zarista *m.f.* 절대 전제 정치 형태의 지지자.
zarpa[1] *f.* ① (사자・호랑이 같은 동물의) 앞발. ② (옷에) 튀긴 흙탕물.
zarpa[2] *f.* 닻을 올리기, 출범, 출항.
zarpa[3] *f.* [건축] 도리.
zarpar *tr.* (닻을) 정박지에서 풀다. —*intr.* 닻을 올리다, 출범하다, 출항하다.
zarpazo *m.* ① 앞발로 할퀴기. ② = **golpazo, batacazo.**
zarracina *f.* 비가 섞인 눈보라.
zarrapastrosamente *adv.* 불결하게, 더럽게, 추접스레.
zarrapastroso, sa *adj.* ① 불결한, 추접스러운, 누더기를 걸친. ② = **despreciable.** —*m.f.* 불결한 사람, 누더기를 걸친 사람.
zarza *f.* ① [식물] 가시나무, 찔레나무, 들장미. ② 가시덤불.
zarzal *m.* 가시덤불, 가시나무 숲.
zarzamora *f.* ① 가시나무 열매. ② 들장미.
zarzuela *f.* ① 사르수엘라 ((스페인의 가극; 첫 공연된 왕실 별장 Zarzuela에서 온 이름)). ② 사르수엘라류(類) 작품의 가사. ③ 사르수엘라의 음악. ④ [요리] 사르수엘라 ((소스로 양념한 여러 가지 생선과 해물로 만든 요리)).
zarzuelero, ra *adj.* zarzuela의.
zarzuelista *m.f.* ① zarzuela를 쓰는 시인. ② zarzuela 음악의 대가.
zas *interj.* 탁!, 철썩! ((때릴 때 나는 소리의 소리흉내말)).
zascandil *m.* 주책바가지.
zascandilear *intr.* 주책을 부리다.
zazo, za *adj.* [드묾] =**tartamudo.**
zazoso, sa *adj.* [드묾] =**tartamudo.**
zeda *f.* =**zeta.**
zedilla *f.* =**cedilla.**
zen *m. jap.* ① [불교] 선(禪). ② [불교] 선종(禪宗). —*adj.* 선의[에 관한]: budismo ~ 선종(禪宗).
zenit *m.* [드묾] =**cenit.**
zepelín *m.* 체펠린형 비행선.
zeta *f.* ① 세따 ((문자 z의 명칭)). ② 제타 ((희랍어 알파벳의 여섯 번째 문자 Z, ζ의 명칭; 스페인 왕립 한림원의 Diccionario de la Lengua Española에서는 희랍어 알파벳의 여덟 번째 문자인 데타(Θ, θ)로 표기하고 있음)).
zeugma *m. lat.* [언어] 액어법.
Zeus *m.* [희랍 신화] 제우스 ((로마 신화의 Júpiter에 해당함)).
zigurat *m.* [고고학] (바빌로니아・아시리아의 사원의) 계단 모양의 피라미드형 탑.
zigzag *m.* [*pl.* ~(ue)s] Z자형, 지그재그형. ¶*en* ~ Z자 모양으로, 지그재그로.
zigzagueante *adj.* Z자형의, 지그재그의.
zigzaguear *intr.* ① (길・강이) Z자 꼴로 흐르다, Z자 꼴을 이루다. ② (사람이) 갈짓자로 걷다. ③ Z자 꼴이 되다[꼴로 나아가다].

zigzagueo *m.* ① Z자형, 지그재그형. ② Z자형의 것 ((장식·선·번갯불·도로 등)).
Zimbabue *m.* [국명] 짐바브웨.
zimbabuense *adj.* ① 짐바브웨 태생의. ② 짐바브웨의[에 관한]. —*m.f.* 짐바브웨 사람.
zinc *m.* [*pl.* zines] =cinc.
zipizape *m.* 난투극, 치고 받는 싸움.
zircón *m.* =circón.
zircona *f.* [화학] =circona.
zirconio *m.* =circonio.
zirconita *f.* =circonita.
zis ~ *zas interj.* =zas.
ziszás *m.* =zigzag.
zoantropía *f.* 동물화 망상.
zócalo *m.* ① [건축] 기단(基壇). ② [건축] (벽의) 도리. ③ [건축] 대석(臺石), 대좌(臺座); 대석[대좌]의 아랫부분. ④ [컴퓨터] 소켓. ⑤ *Méj.* (도시의) 중앙 광장.
zoco[1] *m.* ① =zueco[1]. ② [건축] 주춧돌의 대석(臺石).
zoco[2] *m.* ① (모로코에서) 장, 시장(市場). ② (모로코에서) 장터, 장이 서는 곳.
zoco[3], **ca** *adj.* ① 왼손잡이의. ② *Pan.* 한[두] 팔이 절단된. —*m.f.* ① 왼손잡이. ② 한[두] 팔이 절단된 사람. —*f.* 왼손.
zodiacal *adj.* Zodiaco의[에 관한].
zodíaco, zodiaco *m.* ① [천문] 황도대(黃道帶), 수대(獸帶). ② [점성] 12궁(宮), 12궁도(宮圖).
zona *f.* ① 지대, 지역; 구역, 영역: ~ de operación 작전 지역. ~ de seguridad (도로의) 안전 지대. ② [지리] (한대·열대 등의) 대(帶). ③ [생태] (같은 종류의 동식물이 생육하고 있는) 대(帶): ~ floral 식물대. ④ [수학] (원기둥 등의) 대(帶). ¶~ ***franca*** 자유 무역 지대. ~ ***glacial*** 한대. ~ ***industrial*** 공업 단지. ~ ***templada*** 온대. ~ ***tórrida*** 열대. ~ ***verde*** 녹지 지역, 녹지역.
zonación *f.* (도시 계획의) 지역 설정.
zonal *adj.* 지역의[에 관한].
zonda *f. Arg.* 따뜻한 북풍.
zonificación *f.* =zonación.
zonificar (7) *tr.* 지역으로 나누다, (도시 계획에서) 지정 지역으로 하다.
zonzo, za *adj., m.f.* ① =soso, insulso, insípido. ② =tonto, simple, mentecato.
zoo *m.* 동물원 ((parque zoológico의 생략어)).
zoo- *pref.* 「동물(animal)」의 뜻: *zoo*grafía 동물지학.
-zoo *suf.* 「동물(animal)」의 뜻: proto*zoo* 원생 동물.
zoófago, ga *adj.* 육식의, 육식 동물의. —*m.f.* 육식 동물.
zoofilia *f.* ① 동물애(動物愛). ② = bestialismo.
zoófito *adj.* [동물] 식충(食蟲)의, 식충성의. —*m.pl.* [동물] 식충류.
zoogeografía *f.* 동물 지리학.
zoografía *f.* 동물지학(動物誌學).
zoolatría *f.* 동물 숭배.
zoología *f.* 동물학: ~ marítima 해양 동물학.
zoológico, ca *adj.* 동물학의[에 관한]. ¶***geografía ~ca*** 동물 지리학. ***jardín ~, parque ~*** 동물원.
zoólogo, ga *m.f.* 동물학자.
zoom *m. ing.* ① [영화·텔레비전] 줌. ② [사진] 줌 렌즈. ☞**zum.**
zoomórfico, ca *adj.* =zoomorfo.
zoomorfo, fa *adj.* 동물 형상을 한.
zoonosis *f.sing.pl.* 동물 원생 감염증.
zooplancton *m.* 동물 플랑크톤.
zoospermo *m.* 정자(精子), 정충.
zoospora *f.* [생물] 정포자(精胞子), 유주자(遊走子).
zootecnia *f.* 축산학.
zootécnico, ca *adj.* 축산학의.
zootomía *f.* 동물 해부학.
zopas *m.f.sing.pl.* s를 c로 발음하는 사람.
zopenco, ca *adj., m.f.* 우둔한 (사람), 둔한 (사람), 멍청한 (사람).
zopilote *m. AmérC., Méj.* [조류] 콘도르의 일종.
zoquete, ta *adj.* ① *Cuba.* 거만한. ② 이해가 늦은. —*m.f.* 거만한 사람. —*m.* ① 짧고 두꺼운 나뭇조각. ② 빵 조각. ③ 못생기고 땅딸막한 사람. ④ 이해가 늦은 사람. ⑤ 큰 쇠고기 조각.
zorcico *m.* ① 소르시꼬 ((바스크 지방의 민속 민요)). ② 소르시꼬의 가사. ③ 소르시꼬에 맞추어 추는 춤.
zoroastra *adj., m.f.* =**zoroástrico.**
zoroástrico, ca *adj.* 배화교[조로아스터교]의[에 관한]. —*m.f.* 배화교도, 조로아스터교도.
zoroastrismo *m.* 배화교(拜火敎), 조로아스터교(敎).
zorongo *m.* ① (아라곤 지방의) 머리띠. ② (아라곤 지방에서, 여자들의) 넓은 리본. ③ 소롱고 ((안달루시아의 민속 춤)). ④ 소롱고의 음악. ⑤ *Arg.* 가발.
zorra *f.* ① [동물] 여우. ② [동물] 암여우. ③ 커다란 짐수레. ④ = **prostituta.** ⑤ 교활한 사람. ⑥ 만취(滿醉). ⑦ *Ecuad.* =**ojeriza.** ⑧ 트레일러, (무거운 짐) 운반차.
zorrear[1] *intr.* 간사한 짓을 하다, 여우같이 행동하다.
zorrear[2] *intr.* 성매매를 하다, 매춘을 하다, 몸을 팔다.
zorrera *f.* ☞zorrero[1].
zorrería *f.* 교활함, 간사함, 약은 짓.
zorrero[1], **ra** *adj.* 교활한, 간사한, 앙큼한, 영악한. —*m.* ① 왕실 숲의 수렵장 지기. ② 여우 사냥개. —*f.* ① 여우굴. ② 근심, 걱정, 불안. ③ 연

기가 가득한 방.
zorrero², ra *adj.* ① (배가) 느린, 빠르지 못한. ② (배가) 다른 배의 뒤에 가는, 맨 뒤로 처진.
zorrillo *m. Guat., Hond., Méj., Nic., Salv., Ur.* [동물] 스컹크.
zorrina *f. Arg.* [동물] 스컹크.
zorro *m.* ① [동물] 숫여우. ② [동물] 여우. ③ (무두질한) 여우 가죽. ④ 일하지 않으려고 엄살부리는 남자. ⑤ 간사한[엉큼한] 남자. ⑥ *Amér.* 스컹크. ⑦ *pl.* 먼지털이.
zorruno, na *adj.* 여우의[에 관한].
zorrupia *f.* =**prostituta.**
zorzal *m.* ① [새] 개똥지빠귀. ② 교활한 남자, 약은 남자. ③ *Chile.* 바보, 천치, 멍청이.
zotal *m.* (주로 외양간용) 소독제.
zote *adj., m.f.* 무식한 (사람), 이해가 느린 (사람).
zozobra *f.* ① (배의) 침몰. ② 불안.
zozobrar *intr.* ① (배가) 가라앉을 위험에 처하다. ② 침몰하다. ③ (사업에) 실패하다. ④ 마음이 울적해지다, 슬픔[비탄]에 잠기다. —*tr.* ① 침몰시키다. ② 괴롭히다. ~**se** ① 침몰되다, 가라앉다. ② (사업에) 실패하다.
zueco¹ *m.* ① 나막신. ② (나무·코르크 바닥의) 가죽신.
zueco², ca *adj., m.f. Alb., Cuen.* = **zurdo.**
-zuelo, la *suf.* [축소의 접미어] pla*zuela* 소광장.
zulacar (7) *tr.* 역청 아스팔트로 바르다[덮다].
zulaque *m.* 역청 아스팔트.
zulaquear *tr.* =**zulacar.**
zulú *adj.* ① 줄루족(族)(남아프리카에 사는 흑인종)의[에 관한]. ② 줄루 사람의. ③ 줄루 말의. ④ 야만스러운. —*m.f.* 줄루족 사람. —*m.* 줄루 말.
zum *m.* [*ing.* zoom] ① [영화·텔레비전] 줌 ((영상의 급속한 확대 또는 축소)). ② [사진] 줌 렌즈.
zumaque *m.* ① [식물] 붉나무, 오배자나무. ② 포도주.
zumba *f.* ① (마소에 다는) 왕방울. ② 윙윙거리는 판자 조각 ((장난감)). ③ *Amér.* 구타. ④ *Salv.* 만취.
zumbado, da *adj., m.f.* =**loco.**
zumbador, ra *adj.* 윙윙거리는. —*m. Méj.* [새] 참새의 일종. —*f.* ① *Hond., Salv.* 독 없는 뱀. ② *Hond.* =**prostituta.**
zumbar *intr.* ① 울리다, 귀가 울리다[멍하다]. ② …에 아주 가깝다, 거의 다 오다. —*tr.* ① 놀리다, 야유하다. ② 때리다. ③ *Sal.* 개를 부추겨 덤벼들게 하다. ④ *Cuba.* 떠나다. ⑤ *Nic.* 밀다, 떠밀다. ⑥ *Ven.* 던지다. ~**se** 놀리다, 야유하다.
zumbido *m.* ① 윙윙거림. ② 구타, 때리기.
zumbón, na *adj., m.f.* (남을) 놀리기 좋아하는 (사람). —*m.* (안내 소의 목에 건) 왕방울.
zumo *m.* ① (풀·풀·과일 등의) 즙, 액, 과즙: ~ de tomate 토마토 즙. ② 이득, 이문.
zumoso, sa *adj.* 즙[액]이 많은, 물기가 많은.
zunchar *tr.* 쇠테로 조이다[끼우다].
zuncho *m.* (통·상자를 동여매는) 쇠테, 강철 띠.
zurcida *f. Arg., Méj.* =**zurcido.**
zurcidera *f.* 옷을 고치는[꿰매는·감치는·깁는] 여자.
zurcido *m.* 옷을 깁기[고치기·꿰매기·홀치기·감치기].
zurcidor, ra *adj., m.f.* 옷을 깁는[꿰매는·홀치는·감치는] (사람).
zurcir (2) *tr.* ① (해어진 곳을) 꿰매다, 고치다, 깁다, 감치다, 홀치다, 공그리다. ② 잇다, 이어 맞추다. ③ 누비듯이 달리다. ④ 감추다, 속이다, 거짓 꾸미다.
zurda *f.* ☞**zurdo.**
zurdazo *m.* 왼손[왼발]으로 때리기[차기].
zurdear *intr. Amér.* (일반적으로 오른손으로 하는 것을) 왼손으로 하다.
zurdera *f.* 왼손잡이.
zurdería *f.* [드묾] =**zurdera.**
zurdir *tr. Sal.* =**zurcir.**
zurdo, da *adj.* ① 왼손잡이의. ② 왼손의[에 관한]. —*m.f.* 왼손잡이: tijeras para ~ 왼손잡이용 가위. —*f.* 왼손. ¶*a ~das* ㉮ 왼손으로. ㉯ 보통과는 반대로. ***no ser*** alguien ~ (누가) 수완이 좋다, 요령이 좋다, 매우 영리하다, 빈틈이 없다.
zurear *intr.* 비둘기가 울다.
zurito, ta *adj.* =**zuro².** —*f.* 멧비둘기.
zuro¹ *m.* 옥수수 이삭의 수염.
zuro², ra *adj.* (비둘기가) 야생의.
zurra *f.* ① (가죽의) 무두질. ② 구타, 매질. ③ 주먹다짐, 격투, 대판 싸움. ④ 계속하는 일, 엄청난 일. ⑤ *C.Real., Tol.* =**sangría.**
zurrar *tr.* ① (가죽을) 무두질하다. ② 꾸중하다, 나무라다, 벌하다. ③ 때리다. ④ (싸움에서) 때려 꼼짝 못하게 하다. ⑤ 비난하다, 심하게 욕하다.
zurrarse *r.* ① 무의식 중에 똥을 싸다. ② 몹시 무서워하다.
zurrón *m.* ① (목동들이 식사 등을 보관하고 가지고 다니는) 큰 가죽 자루. ② 가죽 부대. ③ (열매의) 연한 껍질. ④ [해부] 양막(羊膜). ⑤ 낭포(囊胞).
zutano, na *m.f.* 아무개, 누구, 모(某).
zuzo *interj.* 쉿! ((개를 쫓는 소리)).
zuzón *m.* [식물] 개쑥갓.
zzz *interj.* ① 쿨쿨, 드르렁드르렁 ((코 고는 소리)). ② 윙윙 ((벌이 나는 소리)).

부 록

1. 불규칙 동사

(1) **vencer**
직 · 현재: ven*z*o, vences, vence, vencemos, vencéis, vencen.
접 · 현재: ven*z*a, ven*z*as, ven*z*a, ven*z*amos, ven*z*áis, ven*z*an.

(2) **zurcir**
직 · 현재: zur*z*o, zurces, zurce, zurcimos, zurcís, zurcen.
접 · 현재: zur*z*a, zur*z*as, zur*z*a, zur*z*amos, zur*z*áis, zur*z*an.

(3) **coger**
직 · 현재: co*j*o, coges, coge, cogemos, cogéis, cogen.
접 · 현재: co*j*a, co*j*as, co*j*a, co*j*amos, co*j*áis, co*j*an.

(4) **exigir**
직 · 현재: exi*j*o, exiges, exige, exigimos, exigís, exigen.
접 · 현재: exi*j*a, exi*j*as, exi*j*a, exi*j*amos, exi*j*áis, exi*j*an.

(5) **extinguir**
직 · 현재: extin*g*o, extingues, extingue, extinguimos, extinguís. extinguen.
접 · 현재: extin*g*a, extin*g*as, extin*g*a, extin*g*amos, extin*g*áis. extin*g*an.

(6) **delinquir**
직 · 현재: delin*c*o, delinques, delinque, delinquimos, delinquís. delinquen.
접 · 현재: delin*c*a, delin*c*as, delin*c*a, delin*c*amos, delin*c*áis, delin*c*an.

(7) **sacar**
직 · 부정 과거: sa*qu*é, sacaste, sacó, sacamos, sacasteis, sacaron.
접 · 현재: sa*qu*e, sa*qu*es, sa*qu*e, sa*qu*emos, sa*qu*éis, sa*qu*en.

(8) **pagar**

직 · 부정 과거: pag*u*é, pagaste, pagó, pagamos, pagasteis, pagaron.

접 · 현재: pag*u*e, pag*u*es, pag*u*e, pag*u*emos, pag*u*éis, pag*u*en.

(9) **alzar**

직 · 부정 과거: al*c*é, alzaste, alzó, alzamos, alzasteis, alzaron.

접 · 현재: al*c*e, al*c*es, al*c*e, al*c*emos, al*c*éis, al*c*en.

(10) **menguar**

직 · 부정 과거: mengüe, menguaste, menguó, menguamos. menguasteis, menguaron.

접 · 현재: mengüe, mengües, mengüe, mengüemos, mengüéis. mengüen.

(11) **cambiar** (규칙 동사)

(12) **enviar**

직 · 현재: envío, envías, envía, enviamos, enviáis, envían.

접 · 현재: envíe, envíes, envíe, enviemos, enviéis, envíen.

(13) **auxiliar**

㉮ 규칙 변화.

㉯ 직 · 현재: auxilío, auxilías, auxilía, auxiliamos, auxiliáis, auxilían.
접 · 현재: auxilíe, auxilíes, auxilíe, auxiliemos, auxiliéis, auxilíen.

(14) **adecuar** (규칙 동사)

(15) **actuar**

직 · 현재: actúo, actúas, actúa, actuamos, actuáis, actúan.

접 · 현재: actúe, actúes, actúe, actuemos, actuéis, actúen.

(16) **airar**

직 · 현재: aíro, aíras, aíra, airamos, airáis, aíran.

접 · 현재: aíre, aíres, aíre, airemos, airéis, aíren.

(16-1) **ahincar**

직 · 현재: ahínco, ahíncas, ahínca, ahincamos, ahincáis, ahíncan.

접 · 현재: ahín*qu*e, ahín*qu*es, ahín*qu*e, ahin*qu*emos, ahin*qu*éis. ahín*qu*en.

(17) **aullar**

직 · 현재: aúllo, aúllas, aúlla, aullamos, aulláis, aúllan.

접 · 현재: aúlle, aúlles, aúlle, aullemos, aulléis, aúllen.

(18) **reunir**

직 · 현재: reúno, reúnes, reúne, reunimos, reunís, reúnen.

접 · 현재: reúna, reúnas, reúna, reunamos, reunáis, reúnan.

(18-1) **rehusar**

직 · 현재: rehúso, rehúsas, rehúsa, rehusamos, rehusáis, rehúsan.

접 · 현재: rehúse, rehúses, rehúse, rehusemos, rehuséis, rehúsen.

(19) **pensar**

직 · 현재: p*ie*nso, p*ie*nsas, p*ie*nsa, pensamos, pensáis, p*ie*nsan.

접 · 현재: p*ie*nse, p*ie*nses, p*ie*nse, pensemos, penséis, p*ie*nsen.

(20) **perder**

직 · 현재: p*ie*rdo, p*ie*rdes, p*ie*rde, perdemos, perdéis, p*ie*rden.

접 · 현재: p*ie*rda, p*ie*rdas, p*ie*rda, perdamos, perdáis, p*ie*rdan.

(21) **cernir**

직 · 현재: c*ie*rno, c*ie*rnes, c*ie*rne, cernimos, cernís, c*ie*rnen.

접 · 현재: c*ie*rna, c*ie*rnas, c*ie*rna, cernamos, cernáis, c*ie*rnan.

(22) **errar**

직 · 현재: *y*erro, *y*erras, *y*erra, erramos, erráis, *y*erran.

접 · 현재: *y*erre, *y*erres, *y*erre, *y*erremos, *y*erréis, *y*erren.

(23) **adquirir**

직 · 현재: adqu*ie*ro, adqu*ie*res, adqu*ie*re, adqueremos, adqueréis. adqu*ie*ren.

접 · 현재: adqu*ie*ra, adqu*ie*ras, adqu*ie*ra, adqueramos, adqueráis. adqu*ie*ran.

현재 분사: adqu*i*riendo.

(24) **contar**

직 · 현재: c*ue*nto, c*ue*ntas, c*ue*nta, contamos, contáis, c*ue*ntan.

접 · 현재: c*ue*nte, c*ue*ntes, c*ue*nte, contemos, contéis, c*ue*nten.

(25) **volver**

직 · 현재: v*ue*lvo, v*ue*lves, v*ue*lve, volvemos, volvéis, v*ue*lven.

접・현재: v*u*elva, v*u*elvas, v*u*elva, volvamos, volváis, v*u*elvan.

(26) **oler**
직・현재: *hu*elo, *hu*eles, *hu*ele, olemos, oléis, *hu*elen.
접・현재: *hu*ela, *hu*elas, *hu*ela, olamos, oláis, *hu*elan.

(27) **desosar**
직・현재: des*hue*so, des*hue*sas, des*hue*sa, desosamos, desosáis. des*hue*san.
접・현재: des*hue*se, des*hue*ses, des*hue*se, desosemos, desoséis. des*hue*sen.

(28) **agorar**
직・현재: ag*üe*ro, ag*üe*ras, ag*üe*ra, agoramos, agoráis, ag*üe*ran.
접・현재: ag*üe*re, ag*üe*res, ag*üe*re, agoremos, agoréis, ag*üe*ren.

(29) **jugar**
직・현재: j*ue*go, j*ue*gas, j*ue*ga, jugamos, jugáis, j*ue*gan.
접・현재: j*ue*g*u*e, j*ue*g*u*es, j*ue*g*u*e, jug*u*emos, jug*u*éis, j*ue*g*u*en.

(30) **nacer**
직・현재: na*z*co, naces, nace, nacemos, nacéis, nacen.
접・현재: na*z*ca, na*z*cas, na*z*ca, na*z*camos, na*z*cáis, na*z*can.

(31) **crecer**
직・현재: cre*z*co, creces, crece, crecemos, crecéis, crecen.
접・현재: cre*z*ca, cre*z*cas, cre*z*ca, cre*z*camos, cre*z*cáis, cre*z*can.

(32) **conocer**
직・현재: cono*z*co, conoces, conoce, conocemos, conocéis, conocen.
접・현재: cono*z*ca, cono*z*cas, cono*z*ca, cono*z*camos, cono*z*cáis. cono*z*can.

(33) **lucir**
직・현재: lu*z*co, luces, luce, lucimos, lucís, lucen.
접・현재: lu*z*ca, lu*z*cas, lu*z*ca, lu*z*camos, lu*z*cáis, lu*z*can.

(34) **placer**
직・현재: pla*z*co, places, place, placemos, placéis, placen.
접・현재: pla*z*ca, pla*z*cas, pla*z*ca, pla*z*camos, pla*z*cáis, pla*z*can.

(35) **yacer**

직 · 현재: ya*z*co [ya*zg*o, ya*g*o], yaces, yace, yacemos, yacéis, yacen.

접 · 현재: ya*z*ca, ya*z*cas, ya*z*ca, ya*z*camos, ya*z*cáis, ya*z*can, ya*zg*a. ya*zg*as, ya*zg*a, ya*zg*amos, ya*zg*áis, ya*zg*an, ya*g*a, ya*g*as ya*g*a, ya*g*amos, ya*g*áis, ya*g*an.

(36) **asir**

직 · 현재: as*g*o, ases, ase, asimos, asís, asen.

접 · 현재: as*g*a, as*g*as, as*g*a, as*g*amos, as*g*áis, as*g*an.

(37) **dar**

직 · 현재: *doy*, das, da, damos, dais, dan.

직 · 부정 과거: *di, diste, dio, dimos, disteis, dieron.*

접 · 현재: dé, des, dé, demos, deis, den.

접 · 과거: diera, dieras, diera, diéramos, dierais, dieran. diese, dieses, diese, diésemos, dieseis, diesen.

(38) **ver**

직 · 현재: veo, ves, ve, vemos, veis, ven.

직 · 부정 과거: *vi, viste, vio, vimos, visteis, vieron.*

직 · 불완료 과거: *veía, veías, veía, veíamos, veíais, veían.*

접 · 현재: *vea, veas, vea, veamos, veáis, vean.*

접 · 과거: viera, vieras, viera, viéramos, vierais, vieran. viese, vieses, viese, viésemos, vieseis, viesen.

과거 분사: *visto.*

(39) **ser**

직 · 현재: *soy, eres, es, somos, sois, son.*

직 · 부정 과거: *fui, fuiste, fue, fuimos, fuisteis, fueron.*

직 · 불완료 과거: *era, eras, era, éramos, erais, eran.*

접 · 현재: *sea, seas, sea, seamos, seáis, sean.*

접 · 과거: fuera, fueras, fuera, fuéramos, fuerais, fueran. fuese, fueses, fuese, fuésemos, fueses, fuesen.

친칭 긍정 명령: *sé.*

(40) **ir**

직 · 현재: *voy, vas, va, vamos, vais, van.*

직 · 부정 과거: *fui, fuiste, fue, fuimos, fuisteis, fueron.*

직 · 불완료 과거: *iba, ibas, iba, íbamos, ibais, iban.*

접 · 현재: *vaya, vayas, vaya, vayamos, vayáis, vayan.*

접 · 과거: fuera, fueras, fuera, fuéramos, fuerais, fueran.

fuese, fueses, fuese, fuésemos, fueseis, fuesen.
현재 분사: *yendo.*
친칭 긍정 명령: *ve.*

(41) **andar**
직·부정 과거: *anduve, anduviste, anduvo, anduvimos, anduvisteis. anduvieron.*
접·과거: anduviera, anduvieras, anduviera, anduviéramos. anduvierais, anduvieran, anduviese, anduvieses. anduviese, anduviésemos, anduvieseis, anduviesen.

(41-1) **estar**
직·현재: *estoy, estás, está, estamos, estáis, están.*
직·부정 과거: *estuve, estuviste, estuvo, estuvimos, estuvisteis. estuvieron.*
접·현재: *esté, estés, esté, estemos, estéis, estén.*
접·과거: estuviera, estuvieras, estuviera, estuviéramos, estuvierais. estuvieran, estuviese, estuvieses, estuviese, estuviésemos. estuvieseis, estuviesen.

(42) **pedir**
직·현재: p*i*do, p*i*des, p*i*de, pedimos, pedís, p*i*den.
직·부정 과거: pedí, pediste, p*i*dió, pedimos, pedisteis, p*i*dieron.
접·현재: p*i*da, p*i*das, p*i*da, p*i*damos, p*i*dáis, p*i*dan.
접·과거: pidiera, pidieras, pidiera, pidiéramos, pidierais, pidieran. pidiese, pidieses, pidiese, pidiésemos, pidieseis, pidiesen.
현재 분사: p*i*diendo.

(43) **servir**
직·현재: s*i*rvo, s*i*rves, s*i*rve, servimos, servís, s*i*rven.
직·부정 과거: serví, serviste, s*i*rvió, servimos, servisteis, s*i*rvieron.
접·현재: s*i*rva, s*i*rvas, s*i*rva, s*i*rvamos, s*i*rváis, s*i*rvan.
접·과거: sirviera, sirvieras, sirviera, sirviéramos, sirvierais. sirvieran, sirviese, sirvieses, sirviese, sirviésemos. sirvieseis, sirviesen.
현재 분사: s*i*rviendo.

(44) **reír**
직·현재: *río, ríes, ríe, reímos, reís, ríen.*
직·부정 과거: *reí, reíste, rió, reímos, reísteis, rieron.*
접·현재: *ría, rías, ría, riamos, riáis, rían.*

접 · 과거: riera, rieras, riera, riéramos, rierais, rieran.
riese, rieses, riese, riésemos, rieseis, riesen.

현재 분사: *riendo.*

과거 분사: reído.

(45) **elegir**

직 · 현재: *elijo,* eliges, elige, elegimos, elegís, el*i*gen.

직 · 부정 과거: elegí, elegiste, el*i*gió, elegimos, elegisteis, el*i*gieron.

접 · 현재: el*ij*a, el*ij*as, el*ij*a, el*ij*amos, el*ij*áis, el*ij*an.

접 · 과거: eligiera, eligieras, eligiera, eligiéramos, eligierais, eligieran.
eligiese, eligieses, eligiese, eligiésemos, eligieseis, eligiesen.

현재 분사: el*i*giendo.

(46) **seguir**

직 · 현재: *sigo,* s*i*gues, s*i*gue, seguimos, seguís, s*i*guen.

직 · 부정 과거: seguí, seguiste, s*i*guió, seguimos, seguisteis.
s*i*guieron.

접 · 현재: s*i*ga, s*i*gas, s*i*ga, s*i*gamos, s*i*gáis, s*i*gan.

접 · 과거: siguiera, siguieras, siguiera, siguiéramos, siguierais.
siguieran, siguiese, siguieses, siguiese, siguiésemos
siguieseis, siguiesen.

현재 분사: s*i*guiendo.

(47) **erguir**

직 · 현재: yergo, *y*ergues, *y*ergue, erguimos, erguís, *y*erguen.
*i*rgo, *i*rgues, *i*rgue, erguimos, erguís, *i*rguen.

직 · 부정 과거: erguí, erguiste, *i*rguió, erguimos, erguisteis, *i*rguieron.

접 · 현재: *y*erga, *y*ergas, *y*erga, *y*ergamos, *y*ergáis, *y*ergan.
*i*rga, *i*rgas, *i*rga, *i*rgamos, *i*rgáis, *i*rgan.

접 · 과거: irguiera, irguieras, irguiera, irguiéramos, irguierais.
irguieran, irguiese, irguieses, irguiese, irguiésemos.
irguieseis, irguiesen.

현재 분사: *i*rguiendo.

(48) **henchir**

직 · 현재: h*i*ncho, h*i*nches, h*i*nche, henchimos, henchís, h*i*nchen.

직 · 부정 과거: henchí, henchiste, h*i*nchió, henchimos, henchisteis.
h*i*nchieron.

접 · 현재: h*i*ncha, h*i*nchas, h*i*ncha, h*i*nchamos, h*i*nchasteis, h*i*ncharon.

접 · 과거: hinchera, hincheras, hinchera, hinchéramos, hincherais.
hincheran, hinchese, hincheses, hinchese, hinchésemos.

hinchesteis, hinchesen.
현재 분사: h*i*nchiendo.

(49) **ceñir**
직 · 현재: c*i*ño, c*i*ñes, c*i*ñe, ceñimos, ceñís, c*i*ñen.
직 · 부정 과거: ceñí, ceñiste, c*i*ñó, ceñimos, ceñisteis, c*i*ñeron.
접 · 현재: c*i*ña, c*i*ñas, c*i*ña, c*i*ñamos, c*i*ñasteis, c*i*ñaron.
접 · 과거: ciñera, ciñeras, ciñera, ciñéramos, ciñerais, ciñeran.
ciñese, ciñeses, ciñese, ciñésemos, ciñeseis, ciñesen.
현재 분사: *ciñendo.*

(50) **mullir**
직 · 부정 과거: mullí, mulliste, mulló, mullimos, mullisteis, mull*e*ron.
접 · 과거: mullera, mulleras, mullera, mulléramos, mullerais, mulleran.
mullese, mulleses, mullese, mullésemos, mulleseis.
mullesen.
현재 분사: mull*e*ndo.

(51) **tañer**
직 · 부정 과거: tañí, tañiste, tañó, tañimos, tañisteis, tañ*e*ron.
접 · 과거: tañera, tañeras, tañera, tañéramos, tañerais, tañeran.
tañese, tañeses, tañese, tañésemos, tañeseis, tañesen.
현재 분사: tañ*e*ndo.

(52) **muñir**
직 · 부정 과거: muñí, muñiste, muñó, muñimos, muñisteis, muñ*e*ron.
접 · 과거: muñera, muñeras, muñera, muñéramos, muñerais, muñeran.
muñese, muñeses, muñese, muñésemos, muñeseis.
muñesen.
현재 분사: muñ*e*ndo.

(53) **sentir**
직 · 현재: s*ie*nto, s*ie*ntes, s*ie*nte, sentimos, sentís, s*ie*nten.
직 · 부정 과거: sentí, sentiste, s*i*ntió, sentimos, sentisteis, s*i*ntieron.
접 · 현재: s*ie*nta, s*ie*ntas, s*ie*nta, s*i*ntamos, s*i*ntáis, s*ie*ntan.
접 · 과거: sintiera, sintieras, sintiera, sintiéramos, sintierais, sintieran.
sintiese, sintieses, sintiese, sintiésemos, sintieseis, sintiesen.
현재 분사: s*i*ntiendo.

(54) **herir**
직 · 현재: h*ie*ro, h*ie*res, h*ie*re, herimos, herís, h*ie*ren.

직 · 부정 과거: herí, heriste, h*i*rió, herimos, heristeis, h*i*rieron.
접 · 현재: h*ie*ra, h*ie*ras, h*ie*ra, h*i*ramos, h*i*ráis, h*ie*ran.
접 · 과거: hiriera, hirieras, hiriera, hiriéramos, hirierais, hirieran.
hiriese, hirieses, hiriese, hiriésemos, hirieseis, hiriesen.
현재 분사: h*i*riendo.

(55) **advertir**
직 · 현재: adv*ie*rto, adv*ie*rtes, adv*ie*rte, advertimos, advertís, adv*ie*rten.
직 · 부정 과거: advertí, advertiste, adv*i*rtió, advertimos, advertisteis.
adv*i*rtieron.
접 · 현재: adv*ie*rta, adv*ie*rtas, adv*ie*rta, adv*i*rtamos, adv*i*rtáis.
adv*ie*rtan.
접 · 과거: advirtiera, advirtieras, advirtiera, advirtiéramos, advirtierais.
advirtieran, advirtiese, advirtieses, advirtiese, advirtiésemos.
advirtieseis, advirtiesen.
현재 분사: adv*i*rtiendo.

(56) **hervir**
직 · 현재: h*ie*rvo, h*ie*rves, h*ie*rve, hervimos, hervís, h*ie*rven.
직 · 부정 과거: herví, herviste, h*i*rvió, hervimos, hervisteis, h*i*rvieron.
접 · 현재: h*ie*rva, h*ie*rvas, h*ie*rva, h*i*rvamos, h*i*rváis, h*ie*rvan.
접 · 과거: hirviera, hirvieras, hirviera, hirviéramos, hirvierais.
hirvieran, hirviese, hirvieses, hirviese, hirviésemos.
hirvieseis, hirviesen.
현재 분사: h*i*rviendo.

(57) **dormir**
직 · 현재: d*ue*rmo, d*ue*rmes, d*ue*rme, dormimos, dormís, d*ue*rmen.
직 · 부정 과거: dormí, dormiste, d*u*rmió, dormimos, dormisteis.
d*u*rmieron.
접 · 현재: d*ue*rma, d*ue*rmas, d*ue*rma, d*u*rmamos, d*u*rmáis, d*ue*rman.
접 · 과거: durmiera, durmieras, durmiera, durmiéramos, durmierais.
durmieran, durmiese, durmieses, durmiese, durmiésemos.
durmieseis, durmiesen.
현재 분사: d*u*rmiendo.

(58) **morir**
직 · 현재: m*ue*ro, m*ue*res, m*ue*re, morimos, morís, m*ue*ren.
직 · 부정 과거: morí, moriste, m*u*rió, morimos, moristeis, m*u*rieron.
접 · 현재: m*ue*ra, m*ue*ras, m*ue*ra, m*u*ramos, m*u*ráis, m*ue*ran.
접 · 과거: muriera, murieras, muriera, muriéramos, murierais.

murieran, muriese, murieses, muriese, muriésemos. murieseis, muriesen.

현재 분사: muriendo.

과거 분사: *muerto.*

(59) **tener**

직 · 현재: tengo, tienes, tiene, tenemos, tenéis, tienen.

직 · 부정 과거: *tuve, tuviste, tuvo, tuvimos, tuvisteis, tuvieron.*

직 · 미래: *tendré, tendrás, tendrá, tendremos, tendréis, tendrán.*

가능법: *tendría, tendrías, tendría, tendríamos, tendríias, tendrían.*

접 · 현재: tenga, tengas, tenga, tengamos, tengáis, tengan.

접 · 과거: tuviera, tuvieras, tuviera, tuviéramos, tuvierais, tuvieran. tuviese, tuvieses, tuviese, tuviésemos, tuvieseis, tuviesen.

친칭 긍정 명령: *ten.*

(60) **venir**

직 · 현재: vengo, vienes, viene, venimos, venís, vienen.

직 · 부정 과거: *vine, viniste, vino, vinimos, vinisteis, vinieron.*

직 · 미래: *vendré, vendrás, vendrá, vendremos, vendréis, vendrán.*

가능법: *vendría, vendrías, vendría, vendríamos, vendríais, vendrían.*

접 · 현재: venga, vengas, venga, vengamos, vengáis, vengan.

접 · 과거: viniera, vinieras, viniera, viniéramos, vinierais, vinieran. viniese, vinieses, viniese, viniésemos, vinieseis, viniesen.

친칭 긍정 명령: *ven.*

(61) **poner**

직 · 현재: pongo, pones, pone, ponemos, ponéis, ponen.

직 · 부정 과거: *puse, pusiste, puso, pusimos, pusisteis, pusieron.*

직 · 미래: *pondré, pondrás, pondrá, pondremos, pondréis, pondrán.*

가능법: *pondría, pondrías, pondría, pondríamos, pondríais, pondrían.*

접 · 현재: ponga, pongas, ponga, pongamos, pongáis, pongan.

접 · 과거: pusiera, pusieras, pusiera, pusiéramos, pusierais, pusieran. pusiese, pusieses, pusiese, pusiésemos, pusierais, pusieran.

과거 분사: *puesto.*

친칭 긍정 명령: *pon.*

(62) **valer**

직 · 현재: valgo, vales, vale, valemos, valéis, valen.

직 · 미래: *valdré, valdrás, valdrá, valdremos, valdréis, valdrán.*

가능법: *valdría, valdrías, valdría, valdríamos, valdríais, valdrían.*

접 · 현재: valga, valgas, valga, valgamos, valgáis, valgan.

친칭 긍정 명령: *val*, vale.

(63) **salir**
직 · 현재: sal*g*o, sales, sale, salimos, salís, salen.
직 · 미래: *saldré, saldrás, saldrá, saldremos, saldréis, saldrán.*
가능법: *saldría, saldrías, saldría, saldríamos, saldríais, saldrían.*
친칭 긍정 명령: *sal.*

(64) **haber**
직 · 현재: *he, has, ha* (*hay*), hemos, habéis, *han.*
직 · 부정 과거: *hube, hubiste, hubo, hubimos, hubisteis, hubieron.*
직 · 미래: *habré, habrás, habrá, habremos, habréis, habrán.*
가능법: *habría, habrías, habría, habríamos, habríais, habrían.*
접 · 현재: *haya, hayas, haya, hayamos, hayáis, hayan.*
접 · 과거: hubiera, hubieras, hubiera, hubiéramos, hubierais, hubieran, hubiese, hubieses, hubiese, hubiésemos, hubieseis, hubiesen.
친칭 긍정 명령: *he.*

(65) **caber**
직 · 현재: *quepo*, cabes, cabe, cabemos, cabéis, caben.
직 · 부정 과거: *cupe, cupiste, cupo, cupimos, cupisteis, cupieron.*
직 · 미래: *cabré, cabrás, cabrá, cabremos, cabréis, cabrán.*
가능법: *cabría, cabrías, cabría, cabríamos, cabríais, cabrían.*
접 · 현재: *quepa, quepas, quepa, quepamos, quepáis, quepan.*
접 · 과거: cupiera, cupieras, cupiera, cupiéramos, cupierais, cupieran. cupiese, cupieses, cupiese, cupiésemos, cupieseis, cupiesen.

(66) **saber**
직 · 현재: *sé*, sabes, sabe, sabemos, sabéis, saben.
직 · 부정 과거: *supe, supiste, supo, supimos, supisteis, supieron.*
직 · 미래: *sabré, sabrás, sabrá, sabremos, sabréis, sabrán.*
가능법: *sabría, sabrías, sabría, sabríamos, sabríais, sabrían.*
접 · 현재: *sepa, sepas, sepa, sepamos, sepáis, sepan.*
접 · 과거: supiera, supieras, supiera, supiéramos, supierais, supieran. supiese, supieses, supiese, supiésemos, supieseis, supiesen.

(67) **poder**
직 · 현재: p*u*edo, p*u*edes, p*u*ede, podemos, podéis, p*u*eden.
직 · 부정 과거: *pude, pudiste, pudo, pudimos, pudisteis, pudieron.*
직 · 미래: *podré, podrás, podrá, podremos, podréis, podrán.*

가능법: *podría, podrías, podría, podríamos, podríais, podrían.*
접・현재: ponga, pongas, ponga, pongamos, pongáis, pongan.
접・과거: pudiera, pudieras, pudiera, pudiéramos, pudierais, pudieran.
pudiese, pudieses, pudiese, pudiésemos, pudieseis, pudiesen.
현재 분사: pudiendo.

(68) **querer**
직・현재: quiero, quieres, quiere, queremos, queréis, quieren.
직・부정 과거: *quise, quisiste, quiso, quisimos, quisisteis, quisieron.*
직・미래: *querré, querrás, querrá, querremos, querréis, querrán.*
가능법: *querría, querrías, querría, querríamos, querríais, querrían.*
접・현재: quiera, quieras, quiera, queramos, queráis, quieran.
접・과거: quisiera, quisieras, quisiera, quisiéramos, quisierais. quisieran, quisiese, quisieses, quisiese, quisiésemos. quisieseis, quisiesen.

(69) **hacer**
직・현재: hago, haces, hace, hacemos, hacéis, hacen.
직・부정 과거: *hice, hiciste, hizo, hicimos, hicisteis, hicieron.*
직・미래: *haré, harás, hará, haremos, haréis, harán.*
가능법: *haría, harías, haría, haríamos, haríais, harían.*
접・현재: haga, hagas, haga, hagamos, hagáis, hagan.
접・과거: hiciera, hicieras, hiciera, hiciéramos, hicierais, hicieran.
hiciese, hicieses, hiciese, hiciésemos, hicieseis, hiciesen.
과거 분사: *hecho.*
친칭 긍정 명령: *haz.*

(70) **decir**
직・현재: *digo,* dices, dice, decimos, decís, dicen.
직・부정 과거: *dije, dijiste, dijo, dijimos, dijisteis, dijeron.*
직・미래: *diré, dirás, dirá, diremos, diréis, dirán.*
가능법: *diría, dirías, diría, diríamos, diríais, dirían.*
접・현재: *diga, digas, diga, digamos, digáis, digan.*
접・과거: dijera, dijeras, dijera, dijéramos, dijerais, dijeran.
dijese, dijeses, dijese, dijésemos, dijeseis, dijesen.
현재 분사: diciendo.
과거 분사: *dicho.*
친칭 긍정 명령: *di.*

(71) **aducir**
직・현재: aduzco, aduces, aduce, aducimos, aducís, aducen.

직 · 부정 과거: *aduje, adujiste, adujo, adujimos, adujisteis, adujeron.*
접 · 현재: aduzca, aduzcas, aduzca, aduzcamos, aduzcáis, aduzcan.
접 · 과거: adujera, adujeras, adujera, adujéramos, adujerais, adujeran.
adujese, adujeses, adujese, adujésemos, adujeseis, adujesen.

(72) **traer**
직 · 현재: traigo, traes, trae, traemos, traéis, traen.
직 · 부정 과거: *traje, trajiste, trajo, trajimos, trajisteis, trajeron.*
접 · 현재: traiga, traigas, traiga, traigamos, traigáis, traigan.
접 · 과거: trajera, trajeras, trajera, trajéramos, trajerais, trajeran.
trajese, trajeses, trajese, trajésemos, trajeseis, trajesen.
현재 분사: trayendo.
과거 분사: traído.

(73) **caer**
직 · 현재: caigo, caes, cae, caemos, caéis, caen.
직 · 부정 과거: *caí, caíste, cayó, caímos, caísteis, cayeron.*
접 · 현재: caiga, caigas, caiga, caigamos, caigáis, caigan.
접 · 과거: cayera, cayeras, cayera, cayéramos, cayerais, cayeran.
cayese, cayeses, cayese, cayésemos, cayeseis, cayesen.
현재 분사: cayendo.
과거 분사: caído.

(74) **raer**
직 · 현재: raigo (*rago*), raes, rae, raemos, raéis, raen.
직 · 부정 과거: raí, raíste, rayó, raímos, raísteis, rayeron.
접 · 현재: raiga, raigas, raiga, raigamos, raigáis, raigan.
raya, rayas, raya, rayamos, rayáis, rayan.
접 · 과거: rayera, rayeras, rayera, rayéramos, rayerais, rayeran.
rayese, rayeses, rayese, rayésemos, rayeseis, rayesen.
현재 분사: rayendo.
과거 분사: raído.

(75) **roer**
직 · 현재: roigo (*royo*), roes, roe, roemos, roéis, roen.
직 · 부정 과거: roí, roíste, royó, roímos, roísteis, royeron.
접 · 현재: roiga, roigas, roiga, roigamos, roigáis, roigan.
roya, royas, roya, royamos, royáis, royan.
접 · 과거: royera, royeras, royera, royéramos, royerais, royeran.
royese, royeses, royese, royésemos, royeseis, royesen.
현재 분사: royendo.

과거 분사: roído.

(76) **oír**

직 · 현재: o*ig*o, o*y*es, o*y*e, oímos, oís, o*y*en.

직 · 부정 과거: *oí, oíste, oyó, oímos, oísteis, oyeron.*

접 · 현재: o*ig*a, o*ig*as, o*ig*a, o*ig*amos, o*ig*áis, o*ig*an.

접 · 과거: oyera, oyeras, oyera, oyéramos, oyerais, oyeran.
oyese, oyeses, oyese, oyésemos, oyeseis, oyesen.

현재 분사: o*y*endo.

과거 분사: oído.

(77) **huir**

직 · 현재: hu*y*o, hu*y*es, hu*y*e, huimos, huís, hu*y*en.

직 · 부정 과거: *huí, huíste, huyó, huimos, huisteis, huyeron.*

접 · 현재: hu*y*a, hu*y*as, hu*y*a, hu*y*amos, hu*y*áis, hu*y*an.

접 · 과거: huyera, huyeras, huyera, huyéramos, huyerais, huyeran.
huyese, huyeses, huyese, huyésemos, huyeseis, huyesen.

현재 분사: hu*y*endo.

(78) **leer**

직 · 부정 과거: *leí, leíste, leyó, leímos, leísteis, leyeron.*

접 · 과거: leyera, leyeras, leyera, leyéramos, leyerais, leyeran.
leyese, leyeses, leyese, leyésemos, leyeseis, leyesen.

현재 분사: leyendo.

과거 분사: leído.

2. 서반아어 사용국의 화폐 단위

1. 아르헨띠나(Argentina) 뻬소(peso) 센따보(centavo)
2. 볼리비아(Bolivia) 볼리비아노(boliviano) 센따보(centavo)
3. 꼴롬비아(Colombia) 뻬소(peso) 센따보(centavo)
4. 꼬스따리까(Costa Rica) 꼴론(colón) 센띠모(céntimo)
5. 꾸바(Cuba) 뻬소(peso) 센타보(centavo)
6. 칠레(Chile) 뻬소(peso) 센타보(centavo)
7. 도미니까공화국(Rep.Dom.) 뻬소(peso) 센타보(centavo)
8. 에꾸아도르(Ecuador) 돌라르(dólar) 센타보(centavo)
9. 스페인(España) 유로(euro) 센트(cent)
10. 필리핀(Filipinas) 뻬소(peso) 센따보(centavo)
11. 구아떼말라(Guatemala) 껫살(quetzal) 센따보(centavo)
12. 온두라스(Honduras) 렘삐라(lempira) 센따보(centavo)
13. 멕시코(México) 뻬소(peso) 센따보(centavo)
14. 니까라구아(Nicaragua) 꼬르도바(córdoba) 센따보(centavo)
15. 빠나마(Panamá) 발보아(balboa) 센따보(centavo)
16. 빠라구아이(Paraguay) 구아라니(guaraní) 센따보(centavo)
17. 뻬루(Perú) 누에보 솔(nuevo sol) 센따보(centavo)
18. 뿌에르또리코(Puerto Rico) 달러(dólar) 센따보(centavo)
19. 엘살바도르(El Salvador) 꼴론(colón) 센따보(centavo)
20. 우루구아이(Uruguay) 뻬소(peso) 센따보(centavo)
21. 베네수엘라(Venezuela) 볼리바르(bolívar) 센띠모(céntimo)

3. 세례명(nombres de pila)

서반아어	성(性)	영어
Abrahán 아브라한	男	Abraham
Adán 아단	男	Adam
Adolfo 아돌포	男	Adolph
Alberto 알베르또	男	Alberto
Alejandro 알레한드로	男	Alexander
Alfred 알프렌	男	Alfred
Alicia 알리시아	女	Alice
Amparo 암빠로	女	Amparo
Ana 아나	女	Anna
Andrés 안드레스	男	Andrew
Anita 아니따	女	Annette

Antonio 안또니오	男	Anthony
Arturo 아르뚜로	男	Arthur
Augusto 아우구스또	男	Augustus
Basilio 바실리오	男	Basil
Beatriz 베아뜨리스	女	Beatrice
Benito 베니또	男	Benedict
Benjamín 벤하민	男	Benjamin
Bernardo 베르나르도	男	Bernard
Blanca 블랑까	女	Blanche
Calvino 깔비노	男	Calvin
Carlos 까를로스	男	Charles
Carmen 까르멘	女	Carmen
Carolina 까롤리나	女	Caroline
Catalina 까딸리나	女	Catherine
Cecilia 세실리아	女	Cicely
Cenicienta 세니시엔따	女	Cinderella
Claudio 끌라우도	男	Claude
Clemente 끌레멘떼	男	Clement
Concepción 꼰셉시온	女	Conception
Constanza 꼰스딴사	女	Constance
Cristóbal 끄리스또발	男	Christopher
David 다빋	男	David
Diego 디에고	男	James
Dolores 돌로레스	女	Dolores
Domingo 도밍고	男	Dominic
Dorotea 도로떼아	女	Dorothy
Eduardo 에두아르도	男	Edward
Elena 엘레나	女	Helen
Emilia 에밀리아	女	Emily
Emilio 에밀리오	男	Emily
Enrique 엔리께	男	Henry
Enriqueta 엔리께따	女	Henrietta
Erasmo 에라스모	男	Erasmus
Ernesto 에르네스또	男	Ernest
Esteban 에스떼반	男	Stephen
Eugenio 에우헤니오	男	Eugene
Eva 에바	女	Eve
Federico 페데리꼬	男	Frederick
Felipe 펠리뻬	男	Philip
Fernando 페르난도	男	Ferdinand
Francisca 프란시스까	女	Frances
Francisco 프란시스꼬	男	Francis
Geofredo 헤오프레도	男	Geoffrey
Gertrudis 헤르뜨루디스	女	Gertrude

Gil 힐	男	Giles
Godofredo 고도프레도	男	Godfrey
Gregorio 그레고리오	男	Gregory
Gualterio 구알떼리오	男	Walter
Guillermo 기예르모	男	William
Horacio 오라시오	男	Horace
Huberto 우베르또	男	Hubert
Hugo 후고	男	Hugh
Ignacio 이그나시오	男	Ignatius
Inés 이네스	女	Agnes
Isaac 이삭	男	Isaac
Isabel 이사벨	女	Elizabeth, Isabel(la)
Jacobo 하꼬보	男	Jacob
Jaime 하이메	男	James
Jerónimo 헤로니모	男	Jerome
Jorge 호르헤	男	George
José 호세	男	Joseph
Josefa 호세파	女	Josephine
Josefina 호세피나	女	Josephine
Juan 후안	男	John
Juana 후아나	女	Joan, Jane
Julián 훌리안	男	Julian
Juliana 훌리아나	女	Julia(na)
León 레온	男	Leo
Leonor 레오노르	女	Eleanor
Leopoldo 레오뽈도	男	Leopold
Lola 롤라	女	Lola
Lorenzo 로렌소	男	Lawrence
Lucas 루까스	男	Luke
Lucía 루시아	女	Lucy
Luis 루이스	男	Lewis, Louis
Luisa 루이사	女	Louise
Lutero 루떼로	男	Luther
Marcos 마르꼬스	男	Mark
Margarita 마르가리따	女	Margaret
María 마리아	女	Mary
Maruja 마루하	女	Mary
Mateo 마떼오	男	Matthew
Mauricio 마우리시오	男	Maurice
Miguel 미겔	男	Michael
Moisés 모이세스	男	Moses
Nicolás 니꼴라스	男	Nicholas
Noé 노에	男	Noah
Orlando 오를란도	男	Roland

Pablo 빠블로	男	Paul
Paco 빠꼬	男	Frank
Paquita 빠끼따	女	Fanny
Paquito 빠끼또	男	Frank
Pedra 뻬드라	女	Peter
Pedro 뻬드로	男	Peter
Pepa 뻬빠	女	Josephine
Pepe 뻬뻬	男	Joe
Pepita 뻬삐따	女	Josephine
Pepito 뻬삐또	男	Joseph
Pilar 삘라르	女	Pilar
Plácido 쁠라시도	男	Placid
Rafael 라파엘	男	Raphael
Ramón 라몬	男	Raymond
Rebeca 레베까	女	Rebecca
Ricardo 리까르도	男	Richard
Roberto 로베르또	男	Robert
Rodolfo 로돌포	男	Rudolph
Rodrigo 로드리고	男	Roderick
Rosa 로사	女	Rose
Salomón 살로몬	男	Solomon
Sebastián 세바스띠안	男	Sebastian
Sofía 소피아	女	Sophia
Soledad 솔레닫	女	Sophia
Susana 수사나	女	Susan
Teodoro 떼오도로	男	Theodore
Teresa 떼레사	女	Theresa
Timoteo 띠모떼오	男	Timothy
Tomás 또마스	男	Thomas
Vicenta 비센따	女	Vincent
Vicente 비센떼	男	Vincent
Víctor 빅또르	男	Victor

4. 약어 풀이

• 스페인어 약어

adj. adjetivo 형용사.
adj.pl. adjetivo plural 형용사 복수형으로만 사용.
adj.sing.pl. adjetivo singular y plural 형용사 단수 · 복수 동형.
adv. adverbio 부사.
aimará. aimará 아이마라 말.
al. alemán 독일어.
Ál. Álava 알라바.
Alb. Albacete 알바세떼.
Alic. Alicante 알리깐떼.
Alm. Almería 알메리아.
Amér. América 아메리카 대륙.
AmérC. América Central 중앙아메리카.
AmérM. América Meridional 남아메리카.
And. Andalucía 안달루시아.
Andes los Andes 안데스 지역.
Ant. Antillas 서인도 제도.
Ar. Aragón 아라곤.
ár. árabe 아라비아 말.
Arg. Argentina 아르헨띠나.
art. artículo 관사.
Ast. Asturias 아스뚜리아스.
aux. verbo auxiliar 조동사.
Áv. Ávila 아빌라.
Bad. Badajoz 바다호스.
Bal. Islas Baleares 발레아레스 제도.
Barc. Barcelona 바르셀로나.
Bil. Bilbao 빌바오.
Bol. Bolivia 볼리비아.
Burg. Burgos 부르고스.
Các. Cáceres 까세레스.
Cád. Cádiz 까디스.
Can. Canarias 까나리아.
Cantb. Cantabria 깐따브리아.
Caribe el Caribe 카리브해 지역.
Cast. Castilla 까스띠야.
Cat. Cataluña 까딸루냐 지방.
Chile Chile 칠레.
chino. chino 중국어.
Col. Colombia 꼴롬비아.
conj. conjunción 접속사.
Córd. Córdoba 꼬르도바.
C.Real Ciudad Real 시우닫 레알.
CRica. Costa Rica 꼬스따리까.
Cuba Cuba 꾸바, 쿠바.
Cuen. Cuenca 꾸엥까.
Ecuad. Ecuador 에꾸아도르.
Esp. España 스페인.
Ext. Extremadura 에스뜨레마두라.
f. nombre femenino 여성 명사.
Filip. Filipinas 필리핀.
f.(m.) femenino (masculino) 주로 여성 명사로 쓰이지만, 남성 명사로도 쓰이는 명사.
f.pl. femenino plural 여성 복수형.
fr. francés 프랑스 말.
f.sing.pl. femenino singular y plural 여성 단수 · 복수 동형.
Gal. Galicia 갈리시아 방언.
gr. griego 희랍어, 그리스 말.
Gran. Granada 그라나다.
Guad. Guadalajara 구아달라하라.
guaraní. guaraní 구아라니 말.
Guat. Guatemala 구아떼말라.
Guip. Guipúzcoa 구이뿌스꼬아.
Hond. Honduras 온두라스.
Huel. Huelva 우엘바.
Hues. Huesca 우에스까.
inf. infinitivo 동사 원형.
ing. inglés 영어.
interj. interjección 감탄사.
intr. verbo intransitivo 자동사.
it. italiano 이탈리아 말.

Jaén Jaén 하엔.
jap. japonés 일본어.
lat. latino 라틴 말.
León León 레온.
m. nombre masculino 남성 명사.
mapuche. mapuche 마뿌체 말.
m.(f.) masculino (femenino) 주로 남성 명사로 쓰이지만, 여성 명사로도 쓰이는 명사.
m.f. masculino y femenino 남성 · 여성 동형.
m.f.sing.pl. masculino y femenino singular y plural 남성 · 여성 단수 · 복수 동형.
Mad. Madrid 마드리드.
Mál. Málaga 말라가.
Man. La Mancha 라 만차.
maya. maya 마야 말.
Méj. Méjico, México 멕시코.
m.f. 남성 · 여성 명사로 남자와 여자를 뜻함.
m.pl. masculino plural 남성 복수형.
m.sing.pl. masculino singular y plural 남성 단수 · 복수 동형.
Mur. Murcia 무르시아.
nahua. nahua 나우아 말.
N norte 북부 지방.
N *Arg.* Argentina norte 아르헨띠나 북부 지방.
Nav. Navarra 나바라.
Nic. Nicaragua 니까라구아.
NO Arg. Argentina Oroeste 아르헨띠나 북서부 지방.
orient. oriental 동부 (지방).
Pal. Palencia 빨렌시아.
Pan. Panamá 파나마.
Par. Paraguay 빠라구아이, 파라과이.
Perú Perú 뻬루, 페루.
pl. plural 복수(형).
pref. prefijo 접두어.
prep. preposición 전치사.
PRico. Puerto Rico 뿌에르또 리꼬, 푸에르토 리코.
pron. pronombre 대명사.
P.Vasco País Vasco 빠이스 바스꼬.
quechua. quechua 케추아 말.
r. verbo reflexivo 재귀 동사.
RDom. República Dominicana 도미니카공화국.
Rioja Rioja 리오하.
rur. rural 지방, 시골.
ruso. ruso 러시아 말.
Sal. Salamanca 살라망까.
Salv. El Salvador 엘살바도르.
sánscrito. sánscrito 산스크리트 말, 범어.
Seg. Segovia 세고비아.
Sev. Sevilla 세비야.
sing. singular 단수(형).
subj. subjuntivo 접속법.
suf. sufijo 접미어.
Ter. Teruel 떼루엘.
Tol. Toledo 똘레도.
tr. verbo transitivo 타동사.
turco. turco 터키 말.
Ur. Uruguay 우루구아이.
Val. Valencia 발렌시아.
Vall. Valladolid 바야돌릳.
vasco. vascuence 바스크 말.
Ven. Venezuela 베네수엘라.
Vizc. Vizcaya 비스까야.
Zam. Zamora 사모라.
Zar. Zaragoza 사라고사.

• 한글 약어

[드묾] …드물게 사용되는 말.
접 …접속법.
직 …직설법.
[집합] …집합 명사.